MANUAL DIAGNÓSTICO E ESTATÍSTICO DE TRANSTORNOS MENTAIS

5ª EDIÇÃO
TEXTO REVISADO
DSM-5-TR™

American Psychiatric Association

DSM-5-TR

Administração 2021–2022

PRESIDENTE
VIVIAN B. PENDER, M.D.
PRESIDENTE-ELEITA
REBECCA W. BRENDEL, M.D., J.D.
TESOUREIRO RICHARD F. SUMMERS, M.D.
SECRETÁRIA SANDRA DEJONG, M.D., M.Sc.

Assembleia
ORADORA
MARY JO FITZ-GERALD, M.D., M.B.A.
ORADOR-ELEITO
ADAM P. NELSON, M.D.

Conselho Administrativo
ELIE G. AOUN, M.D., M.R.O.
JENNY L. BOYER, M.D., PH.D., J.D.
KENNETH CERTA, M.D.
C. FREEMAN, M.D., M.B.A.
MARY HASBAH ROESSEL, M.D.
GLENN A. MARTIN, M.D.
ERIC M. PLAKUN, M.D.
MICHELE REID, M.D.
FELIX TORRES, M.D., M.B.A.
SANYA VIRANI, M.D., M.P.H.
CHERYL D. WILLS, M.D.
MELINDA YOUNG, M.D.

UROOJ YAZDANI, M.D.,
CURADOR ELEITO E MEMBRO RESIDENTE DO CONSELHO

DSM-5

Administração 2012–2013

PRESIDENTE
DILIP V. JESTE, M.D.
PRESIDENTE-ELEITO
JEFFREY A. LIEBERMAN, M.D.
TESOUREIRO DAVID FASSLER, M.D.
SECRETÁRIO ROGER PEELE, M.D.

Assembleia
ORADOR
R. SCOTT BENSON, M.D.
ORADORA-ELEITA
MELINDA L. YOUNG, M.D.

Conselho Administrativo
JEFFREY AKAKA, M.D.
CAROL A. BERNSTEIN, M.D.
BRIAN CROWLEY, M.D.
ANITA S. EVERETT, M.D.
JEFFREY GELLER, M.D., M.P.H.
MARC DAVID GRAFF, M.D.
JAMES A. GREENE, M.D.
JUDITH F. KASHTAN, M.D.
MOLLY K. MCVOY, M.D.
JAMES E. NININGER, M.D.
JOHN M. OLDHAM, M.D.
ALAN F. SCHATZBERG, M.D.
ALIK S. WIDGE, M.D., PH.D.

ERIK R. VANDERLIP, M.D.,
MEMBRO ESTAGIÁRIO DO CONSELHO ELEITO

M294   Manual diagnóstico e estatístico de transtornos mentais : DSM-5-TR / [American Psychiatric Association] ; tradução: Daniel Vieira, Marcos Viola Cardoso, Sandra Maria Mallmann da Rosa; revisão técnica: José Alexandre de Souza Crippa, Flávia de Lima Osório, José Diogo Ribeiro de Souza. – 5. ed., texto revisado. – Porto Alegre : Artmed, 2023.
lxix, 1082 p. ; 25 cm.

ISBN 978-65-5882-093-2

1. Psiquiatria. 2. Transtornos mentais. I. American Psychiatric Association.

CDU 616.89-008

Catalogação na publicação: Karin Lorien Menoncin – CRB 10/2147

MANUAL DIAGNÓSTICO E ESTATÍSTICO DE TRANSTORNOS MENTAIS

5ª EDIÇÃO
TEXTO REVISADO
DSM-5-TR™

Tradução
Daniel Vieira
Marcos Viola Cardoso
Sandra Maria Mallmann da Rosa

Revisão técnica
José Alexandre de Souza Crippa (coordenação)
Psiquiatra. Professor Titular do Departamento de Neurociências e Ciências do Comportamento
da Faculdade de Medicina de Ribeirão Preto da Universidade de São Paulo (FMRP-USP).

Flávia de Lima Osório
Psicóloga. Professora Doutora do Departamento de Neurociências
e Ciências do Comportamento da FMRP-USP.

José Diogo Ribeiro de Souza
Médico. Residência em Psiquiatria pelo Hospital das Clínicas da FMRP-USP.
Doutorando pelo Programa de Pós-graduação em Saúde Mental da FMRP-USP.

Reimpressão 2024

Porto Alegre
2023

Obra originalmente publicada sob o título *Diagnostic and Statistical Manual of Mental Disorders*, 5ED, Text Revision
ISBN 9780890425763

First Published in the United States by American Psychiatric Association Publishing, Washington, DC. Copyright © 2022. All rights reserved.

First Published in Brazil by Grupo A Educação S.A., the exclusive publisher of *Diagnostic and Statistical Manual of Mental Disorders*, 5ED, Text Revision, © 2022 in Portuguese for distribution in Brazil.

Permission for use of any material in the translated work must be authorized in writing by Grupo A Educação S.A. Permissão para uso de conteúdo desta obra precisa ser obtida previamente por escrito do Grupo A Educação S.A.

The translation of this publication from English to Portuguese has been undertaken by and is solely the responsibility of Grupo A Educação S.A. The American Psychiatric Association played no role in the translation of this publication from English to Portuguese and is not responsible for any errors, omissions, or other possible defects in the translation of the publication. Practitioners and researchers must always rely on their own experience and knowledge in evaluating and using the content of this publication. Because of continuous advances in the medical sciences, independent verification of diagnoses and treatment should be made. To the fullest extent of the law, no responsibility is assumed by APA, or any of its authors, editors or contributors in relation to this translation or for any injury that might be considered to have occurred from use of this publication. A tradução desta publicação do inglês para o português foi realizada por e é de responsabilidade exclusiva do Grupo A Educação S.A. A American Psychiatric Association não desempenhou qualquer papel na tradução desta publicação do inglês para o português e não se responsabiliza por quaisquer erros, omissões ou outros eventuais defeitos na tradução da publicação. Profissionais e pesquisadores devem sempre confiar em sua própria experiência e conhecimento ao avaliar e usar o conteúdo desta publicação. Devido aos avanços contínuos nas ciências médicas, deve ser feita a verificação dos diagnósticos e do tratamento. Em toda a extensão da lei, nenhuma responsabilidade é assumida pela APA, ou qualquer de seus autores, editores ou colaboradores em relação a esta tradução ou por qualquer dano que possa ser considerado como tendo ocorrido a partir do uso desta publicação.

Gerente editorial: *Letícia Bispo de Lima*

Colaboraram nesta edição:

Coordenadora editorial: *Cláudia Bittencourt*

Capa sobre arte original: *Kaéle Finalizando Ideias*

Leitura final: *Fernanda Luzia Anflor Ferreira, Giovana Silva da Roza, Paola Araújo de Oliveira, Sandra Helena Milbratz Chelmicki*

Editoração: *Ledur Serviços Editoriais Ltda.*

Reservados todos os direitos de publicação, em língua portuguesa, ao
GRUPO A EDUCAÇÃO S.A.
(Artmed é um selo editorial do GRUPO A EDUCAÇÃO S.A.)
Rua Ernesto Alves, 150 – Bairro Floresta
90220-190 – Porto Alegre – RS
Fone: (51) 3027-7000

SAC 0800 703 3444 – www.grupoa.com.br

É proibida a duplicação ou reprodução deste volume, no todo ou em parte, sob quaisquer formas ou por quaisquer meios (eletrônico, mecânico, gravação, fotocópia, distribuição na Web e outros), sem permissão expressa da Editora.

IMPRESSO NO BRASIL
PRINTED IN BRAZIL

Sumário

Equipe e Grupos de Revisão do DSM-5-TR vii
Força-tarefa do DSM-5 xv
Prefácio ao DSM-5-TR xxi
Prefácio do DSM-5 xxiii

Classificação do DSM-5-TR xxvii

Seção I
Informações básicas sobre o DSM-5

Introdução 5
Utilização do Manual 21
Advertência para a Utilização Forense do DSM-5 29

Seção II
Critérios Diagnósticos e Códigos

Transtornos do Neurodesenvolvimento 35
Espectro da Esquizofrenia e Outros Transtornos Psicóticos 101
Transtorno Bipolar e Transtornos Relacionados 139
Transtornos Depressivos 177
Transtornos de Ansiedade 215
Transtorno Obsessivo-compulsivo e Transtornos Relacionados 263
Transtornos Relacionados a Trauma e a Estressores 295
Transtornos Dissociativos 329
Transtorno de Sintomas Somáticos e Transtornos Relacionados 349
Transtornos Alimentares 371
Transtornos da Eliminação 399
Transtornos do Sono-Vigília 407

Disfunções Sexuais.. 477
Disforia de Gênero 511
Transtornos Disruptivos, do Controle de Impulsos e da Conduta 521
Transtornos Relacionados a Substâncias e Transtornos Aditivos............... 543
Transtornos Neurocognitivos 667
Transtornos da Personalidade... 735
Transtornos Parafílicos 781
Outros Transtornos Mentais e Códigos Adicionais.............................. 805
Transtornos do Movimento Induzidos por Medicamentos e
 Outros Efeitos Adversos de Medicamentos 809
Outras Condições que Podem ser Foco da Atenção Clínica..................... 823

Seção III
Instrumentos de Avaliação e Modelos Emergentes

Instrumentos de Avaliação.. 843
Cultura e Diagnóstico Psiquiátrico 861
Modelo Alternativo do DSM-5 para os Transtornos da Personalidade......... 883
Condições para Estudos Posteriores 905

Apêndice

Listagem Alfabética dos Diagnósticos do DSM-5-TR e
 Códigos da CID-10-MC 929
Listagem Numérica dos Diagnósticos do DSM-5-TR e
 Códigos da CID-10-MC 971
Consultores e Outros Colaboradores do DSM-5................................ 1017

Índice 1039

Para verificar eventuais atualizações, acesse a página do livro em loja.grupoa.com.br.

Equipe DSM-5-TR

Michael B. First, M.D.
Copresidente do Subcomitê de Revisão e Editor do DSM-5-TR

Philip Wang, M.D., Dr.P.H.
Copresidente do Subcomitê de Revisão

Wilson M. Compton, M.D., M.P.E.
Vice-presidente do Subcomitê de Revisão

Daniel S. Pine, M.D.
Vice-presidente do Subcomitê de Revisão

Susan K. Schultz, M.D.
Consultora de Texto

Philip R. Muskin, M.D., M.A.
Editor Revisor de Conflitos de Interesse

Ann M. Eng
Editor-chefe do DSM

Membros da Divisão de Pesquisa da APA responsável pelo DSM-5-TR

Nitin Gogtay, M.D.
Chefe da Divisão de Pesquisa e Diretora Médica Adjunta

Philip Wang, M.D., Dr.P.H.
Ex-vice-diretor Médico e Diretor de Pesquisa

Diana E. Clarke, Ph.D., Managing *Diretora Executiva de Pesquisa e Estatística/ Epidemiologista Sênior em Pesquisa*
Lamyaa H. Yousif, M.D., Ph.D., M.Sc., *Diretora Sênior de Operações do DSM e Pesquisadora Associada*
Sejal Patel, M.P.H., *Pesquisador Associado Sênior*
Laura Thompson, M.S., *Pesquisadora Associada e Diretora de Programa*
Stephanie Smith, Ph.D., *Ex-gerente de Operações Sênior do DSM e Escritor Científico*

Escritório do Diretor Médico da APA

Saul Levin, M.D., M.P.A.
CEO Diretor Médico

Colleen M. Coyle, J.D.
Conselho Geral

Comitê Diretivo do DSM

Paul S. Appelbaum, M.D.
Presidente

Ellen Leibenluft, M.D.
Vice-presidente

Kenneth S. Kendler, M.D.
Vice-presidente

Membros
Renato D. Alarcón, M.D., M.P.H
Pamela Y. Collins, M.D., M.P.H.
Michelle G. Craske, Ph.D.
Michael B. First, M.D.
Dolores Malaspina, M.D., M.S., M.S.P.H.
Glenn Martin, M.D.
Susan K. Schultz, M.D.
Andrew E. Skodol, M.D.
Kimberly A. Yonkers, M.D.

Comitê Diretivo do DSM (*continuação*)

Contatos
Wilson M. Compton, M.D., M.P.E.,
 National Institute on Drug Abuse
George F. Koob, Ph.D. (2019–2020), *National Institute on Alcohol Abuse and Alcoholism*

Lorenzo Leggio, M.D., Ph.D. (2020–),
 National Institute on Alcohol Abuse and Alcoholism
Sarah Morris, Ph.D., *National Institute of Mental Health*

Grupos de Revisão Transversais

Grupo de Revisão Transversal de Cultura

ROBERTO LEWIS-FERNÁNDEZ, M.D.
Presidente

Renato D. Alarcón, M.D., M.P.H.
Anne E. Becker, M.D., Ph.D.
Kamaldeep Bhui, C.B.E., M.D.
Guilherme Borges, Ph.D.
Suparna Choudhury, Ph.D.
Jack Drescher, M.D.
Ana Gómez-Carrillo, M.D.
Brian J. Hall, Ph.D.
Felicia Heidenreich-Dutray, M.D.
Eva Heim, Ph.D.
Stefan G. Hofmann, Ph.D.
G. Eric Jarvis, M.D.
Christian Kieling, M.D., Ph.D.
Laurence J. Kirmayer, M.D.
Brandon Kohrt, M.D., Ph.D.

Rishav Koirala, M.D., Ph.D. candidato
Andrian Liem, Ph.D.
Francis G. Lu, M.D.
Kwame McKenzie, M.D.
Fahimeh Mianji, Ph.D.
Byamah Brian Mutamba, M.B.Ch.B., M.Med. (Psych), M.P.H., Ph.D.
Claudia Rafful, Ph.D.
Cécile Rousseau, M.D.
Andrew G. Ryder, Ph.D.
Vedat Sar, M.D.
Soraya Seedat, M.D., Ph.D.
Gwen Yeo, Ph.D.
Ricardo Orozco Zavala, Ph.D.

Grupo de Revisão Transversal Forense

DEBRA A. PINALS, M.D.
Presidente

Carl E. Fisher, M.D.
Steven K. Hoge, M.D.
Reena Kapoor, M.D.

Jeffrey L. Metzner, M.D.
Howard Zonana, M.D.

Grupo de Revisão Transversal de Sexo e Gênero

KIMBERLY A. YONKERS, M.D.
Presidente

Margaret Altemus, M.D.
Lucy C. Barker, M.D.
Ariadna Forray, M.D.
Constance Guille, M.D.
Susan G. Kornstein, M.D.
Melissa A. Nishawala, M.D.

Jennifer L. Payne, M.D.
Walter A. Rocca M.D., M.P.H.
Manpreet K. Singh, M.D., M.S.
Simone Vigod, M.D., M.Sc.
Kristine Yaffe, M.D.
Anahita Bassir Nia, M.D., *Consultora*

Grupo de Revisão Transversal de Suicídio

MICHAEL F. GRUNEBAUM, M.D.
Revisor Principal

David A. Brent, M.D., *Revisor*   Katalin Szanto, M.D., *Revisor*

Grupo de Trabalho de Equidade e Inclusão Étnico-racial

ROBERTO LEWIS-FERNÁNDEZ, M.D.
Copresidente

DANIELLE HAIRSTON, M.D.
Copresidente

Renato D. Alarcón, M.D., M.P.H.
Paul S. Appelbaum, M.D., *ex officio*
Diana E. Clarke, Ph.D., M.Sc.
Constance E. Dunlap, M.D.
Nitin Gogtay, M.D.
Joseph P. Gone, Ph.D.

Jessica E. Isom, M.D., M.P.H.
Laurence J. Kirmayer, M.D.
Francis G. Lu, M.D.
Dolores Malaspina, M.D., M.S., M.S.P.H.
Altha J. Stewart, M.D.
Lamyaa H. Yousif, M.D., Ph.D., M.Sc.

Grupos de Revisão por Capítulo da Seção II

Transtornos do Neurodesenvolvimento

GILLIAN BAIRD, M.B., B.CHIR.
Editora da Seção

Michael H. Bloch, M.D., M.S.
Jane E. Clark, Ph.D.
James C. Harris, M.D.[†]
Bryan H. King, M.D., M.B.A.
James F. Leckman, M.D., Ph.D.
Amy E. Margolis, Ph.D.

Diane Paul, Ph.D.
Steven R. Pliszka, M.D.
Mabel L. Rice, Ph.D.
Amy M. Wetherby, Ph.D.
Juliann Woods, Ph.D.

Espectro da Esquizofrenia e Outros Transtornos Psicóticos

STEPHAN HECKERS, M.D.
Editor da Seção

Somya Abubucker, M.D.
Oliver Freudenreich, M.D.
Paolo Fusar-Poli, M.D., Ph.D.
Dr. med. Stefan Gutwinski
Andreas Heinz, M.D., Ph.D.
Frank Pillmann, M.D., Ph.D.

James B. Potash, M.D., M.P.H.
Marc A. Schuckit, M.D.
Paul Summergrad, M.D.
Rajiv Tandon, M.D.
Sebastian Walther, M.D.

Transtorno Bipolar e Transtornos Relacionados

MICHAEL J. OSTACHER, M.D., M.P.H., M.M.SC.
Editor da Seção

Benjamin I. Goldstein, M.D., Ph.D.
Greg Murray, Ph.D.
Martha Sajatovic, M.D.
Marc A. Schuckit, M.D.

Paul Summergrad, M.D.
Trisha Suppes, M.D., Ph.D.
Holly A. Swartz, M.D.
Bryan K. Tolliver, M.D., Ph.D.

[†] Falecido em 5 de abril de 2021.

Transtornos Depressivos
WILLIAM H. CORYELL, M.D.
Editor da Seção

Scott R. Beach, M.D.
Ellen Leibenluft, M.D.
Robert M. McCarron, D.O.

Marc A. Schuckit, M.D.
Kimberly A. Yonkers, M.D.
Sidney Zisook, M.D.

Transtornos de Ansiedade
MICHELLE G. CRASKE, PH.D.
Editora da Seção

Katja Beesdo-Baum, Ph.D.
Susan Bogels, Ph.D.
Lily A. Brown, Ph.D.
Richard LeBeau, Ph.D.
Vijaya Manicavasagar, Ph.D.
Bita Mesri, Ph.D.

Peter Muris, Ph.D.
Thomas H. Ollendick, Ph.D.
Kate Wolitzky-Taylor, Ph.D.
Tomislav D. Zbozinek, Ph.D.

Susan K. Schultz, M.D., *Consultora de Texto*

Transtorno Obsessivo-compulsivo e Transtornos Relacionados
KATHARINE A. PHILLIPS, M.D.
Editora da Seção

Randy O. Frost, Ph.D.
Jon E. Grant, M.D., M.P.H., J.D.
Christopher Pittenger, M.D., Ph.D.
Helen Blair Simpson, M.D., Ph.D.

Dan J. Stein, M.D., Ph.D.
Gail Steketee, Ph.D.

Susan K. Schultz, M.D., *Consultora de Texto*

Transtornos Relacionados a Trauma e a Estressores
MATTHEW J. FRIEDMAN, M.D., PH.D.
Editor da Seção

David A. Brent, M.D.
Richard Bryant, Ph.D.
Julianna M. Finelli, M.D.
Dean G. Kilpatrick, Ph.D.
Roberto Lewis-Fernández, M.D.
Holly G. Prigerson, Ph.D.
Robert S. Pynoos, M.D., M.P.H.

Paula P. Schnurr, Ph.D.
James J. Strain, M.D.
Robert J. Ursano, M.D.
Frank W. Weathers, Ph.D.
Charles H. Zeanah Jr., M.D.

Susan K. Schultz, M.D., *Consultora de Texto*

Transtornos Dissociativos
RICHARD J. LOEWENSTEIN, M.D.
Editor da Seção

Frank W. Putnam Jr., M.D.
Daphne Simeon, M.D.

Susan K. Schultz, M.D., *Consultora de Texto*

Transtorno de Sintomas Somáticos e Transtornos Relacionados
JAMES L. LEVENSON, M.D.
Editor da Seção

Marc D. Feldman, M.D.
Bernd Löwe, Prof. Dr. med. Dipl.-Psych.
Jill M. Newby, Ph.D.

Jon Stone, M.B.Ch.B., Ph.D.
Gregory Yates, M.A.

Transtornos Alimentares
B. Timothy Walsh, M.D.
Editora da Seção

Michael J. Devlin, M.D.
Revisor

Transtornos da Eliminação
Daniel S. Pine, M.D.
Editor da Seção

Israel Franco, M.D().
Patricio C. Gargollo, M.D.

Peter L. Lu, M.D., M.S.
Stephen A. Zderic, M.D.

Transtornos do Sono-Vigília
Michael J. Sateia, M.D.
Editor da Seção

R. Robert Auger, M.D.
Jack D. Edinger, Ph.D.
Kiran Maski, M.D., M.P.H.
Stuart F. Quan, M.D.

Thomas E. Scammell, M.D.
Marc A. Schuckit, M.D.
Erik K. St. Louis, M.D., M.S.
John W. Winkelman, M.D., Ph.D.

Disfunções Sexuais
Lori A. Brotto, Ph.D.
Editora da Seção

Stanley E. Althof, Ph.D.
Cynthia A. Graham, Ph.D.
Dennis Kalogeropoulos, Ph.D.
Julie Larouche, M.Ps.
Pedro Nobre, Ph.D.
Michael A. Perelman, Ph.D.

Natalie O. Rosen, Ph.D.
Marc A. Schuckit, M.D.

Sharon J. Parish, M.D., *Revisora Médica*
Susan K. Schultz, M.D., *Consultora de Texto*

Disforia de Gênero
Jack Drescher, M.D.
Editor da Seção

Stewart L. Adelson, M.D.
Walter O. Bockting, Ph.D.
William Byne, M.D., Ph.D.

Annelou L.C. de Vries, M.D., Ph.D.
Cecilia Dhejne, M.D., Ph.D.
Thomas D. Steensma, Ph.D.

Transtornos Disruptivos, do Controle de Impulsos e da Conduta
Paul J. Frick, Ph.D.
Editor da Seção

Jeffrey D. Burke, Ph.D.
S. Alexandra Burt, Ph.D.

Emil F. Coccaro, M.D.
Jon E. Grant, M.D., M.P.H., J.D.

Transtornos Relacionados a Substâncias e Transtornos Aditivos
Deborah S. Hasin, Ph.D.
Editora da Seção

Carlos Blanco, M.D., Ph.D.
David Bochner, Ph.D.
Alan J. Budney, Ph.D.
Wilson M. Compton, M.D., M.P.E.
John R. Hughes, M.D.

Laura M. Juliano, Ph.D.
Bradley T. Kerridge, Ph.D.
Marc N. Potenza, M.D., Ph.D.
Marc A. Schuckit, M.D.

Transtornos Neurocognitivos
Susan K. Schultz, M.D.
Editora da Seção

Brian S. Appleby, M.D.
David B. Arciniegas, M.D.
Karl Goodkin, M.D., Ph.D.
Sharon K. Inouye, M.D., M.P.H.
Constantine Lyketsos, M.D., M.H.S.
Ian G. McKeith, M.D.
Bruce L. Miller, M.D.

David J. Moser, Ph.D.
Peggy C. Nopoulos, M.D.
Howard J. Rosen, M.D.
Perminder S. Sachdev, M.D., Ph.D.
Marc A. Schuckit, M.D.
Paul Summergrad, M.D.
Daniel Weintraub, M.D.

Transtornos da Personalidade
Mark Zimmerman, M.D.
Editor da Seção

Donald W. Black, M.D.
Robert F. Bornstein, Ph.D.
Erin A. Hazlett, Ph.D.
Lisa Lampe, M.B.,B.S., Ph.D.
Royce Lee, M.D.
Joshua D. Miller, Ph.D.

Anthony Pinto, Ph.D.
Elsa F. Ronningstam, Ph.D.
Douglas B. Samuel, Ph.D.
Susan K. Schultz, M.D.
Glen L. Xiong, M.D.
Mary C. Zanarini, Ed.D.

Transtornos Parafílicos
Richard B. Krueger, M.D.
Editor da Seção

Peer Briken, M.D.
Luk Gijs, Ph.D.
Andreas Mokros, Ph.D.

Pekka Santtila, Ph.D.
Michael C. Seto, Ph.D.

Transtornos do Movimento Induzidos por Medicamentos e Outros Efeitos Adversos de Medicamentos
Alan F. Schatzberg, M.D.
Editor da Seção

Jacob S. Ballon, M.D., M.P.H.
Kevin J. Black, M.D.
Peter F. Buckley, M.D.
Leslie Citrome, M.D., M.P.H.
Ira D. Glick, M.D.
Rona Hu, M.D.

Paul E. Keck Jr., M.D.
Stephen R. Marder, M.D.
Laura Marsh, M.D.
Richard C. Shelton, M.D.
Nolan Williams, M.D.

Outras Condições que Podem ser Foco da Atenção Clínica

Michael B. First, M.D.
Nitin Gogtay, M.D.

Diana E. Clarke, Ph.D.
Lamyaa H. Yousif, M.D., Ph.D., M.Sc.

Revisores dos Textos da Seção III

Instrumentos de Avaliação

Nitin Gogtay, M.D.
Philip Wang, M.D., Dr.P.H.
Michael B. First, M.D.

Diana E. Clarke, Ph.D.
Lamyaa H. Yousif, M.D., Ph.D., M.Sc.
Stephanie Smith, Ph.D.

Cultura e Diagnóstico Psiquiátrico

ROBERTO LEWIS-FERNÁNDEZ, M.D.
Editor da Seção

Neil Krishan Aggarwal, M.D., M.B.A., M.A.
Ana Gómez-Carrillo, M.D.
G. Eric Jarvis, M.D.

Bonnie N. Kaiser, Ph.D., M.P.H.
Laurence J. Kirmayer, M.D.
Brandon Kohrt, M.D., Ph.D.

Condições para Estudos Posteriores

Síndrome de Psicose Atenuada
Paolo Fusar-Poli, M.D., Ph.D.
Stephan Heckers, M.D.

Episódios Depressivos com Hipomania de Curta Duração
Benjamin I. Goldstein, M.D., Ph.D.
Greg Murray, Ph.D.
Michael J. Ostacher, M.D., M.P.H., M.M.Sc.

Transtorno por Uso de Cafeína
Laura M. Juliano, Ph.D.
Alan J. Budney, Ph.D.
Deborah S. Hasin, Ph.D.
Wilson M. Compton, M.D., M.P.E.

Transtorno do Jogo pela Internet
Charles O'Brien, M.D., Ph.D.

Jon E. Grant, M.D., M.P.H., J.D.
Wilson M. Compton, M.D., M.P.E.
Deborah S. Hasin, Ph.D.

Transtorno Neurocomportamental Associado a Exposição Pré-natal ao Álcool
Bridget F. Grant, Ph.D., Ph.D.
Deborah S. Hasin, Ph.D.

Transtorno do Comportamento Suicida
Michael F. Grunebaum, M.D.
David A. Brent, M.D.
Katalin Szanto, M.D.

Transtorno da Autolesão Não Suicida
E. David Klonsky, Ph.D.
Jennifer J. Muehlenkamp, Ph.D.
Jason J. Washburn, Ph.D.

Comitês de Revisão do Comitê Diretivo do DSM

Nota: Estes grupos revisaram propostas formais de mudanças aprovadas pelo Comitê Diretivo do DSM desde a publicação do DSM-5.

Transtornos do Neurodesenvolvimento

DANIEL S. PINE, M.D.
Presidente

Catherine E. Lord, Ph.D.
Sally Ozonoff, Ph.D.
Joseph Piven, M.D.

Moira A. Rynn, M.D.
Anita Thapar, M.D.

Transtornos Mentais Graves
CARRIE E. BEARDEN, PH.D.
Presidente

William T. Carpenter, M.D.
Benoit H. Mulsant, M.D., M.S.

Peter V. Rabins, M.D., M.P.H.
Mark Zimmerman, M.D.

Transtornos Internalizantes
ROBERTO LEWIS-FERNÁNDEZ, M.D.
Presidente

William H. Coryell, M.D.
Constance Hammen, Ph.D.
James L. Levenson, M.D.
Katharine A. Phillips, M.D.
Dan J. Stein, M.D., Ph.D.

Roberto Lewis-Fernández, M.D.
Paul K. Maciejewski, Ph.D.
Katharine A. Phillips, M.D.
Holly G. Prigerson, Ph.D.
Robert S. Pynoos, M.D.
Charles F. Reynolds III, M.D.
M. Katherine Shear, M.D.
Thomas A. Widiger, Ph.D.
Kimberly A. Yonkers, M.D.
Helena Chmura Kraemer, Ph.D.,
  Consultora

Revisores Adicionais para Transtorno do Luto Prolongado
David A. Brent, M.D.
Michael B. First, M.D.
Matthew J. Friedman, M.D., Ph.D.
Christopher M. Layne, Ph.D.

Transtornos Externalizantes e Transtornos da Personalidade
CARLOS BLANCO, M.D., PH.D.
Presidente

Lee Anna Clark, Ph.D.
Richard B. Krueger, M.D.

Christopher J. Patrick, Ph.D.
Marc A. Schuckit, M.D.

Distúrbios dos Sistemas Corporais
PETER DANIOLOS, M.D.
Presidente

Cynthia A. Graham, Ph.D.
Debra K. Katzman, M.D.

B. Timothy Walsh, M.D.
Joel Yager, M.D.

Força-tarefa do DSM-5

DAVID J. KUPFER, M.D.
Presidente

DARREL A. REGIER, M.D., M.P.H.
Vice-presidente

William E. Narrow, M.D., M.P.H.,
  Diretor de Pesquisa
Susan K. Schultz, M.D., *Editora de Texto*
Emily A. Kuhl, Ph.D., *Editora de Texto da APA*
Dan G. Blazer, M.D., Ph.D., M.P.H.
Jack D. Burke Jr., M.D., M.P.H.
William T. Carpenter Jr., M.D.
F. Xavier Castellanos, M.D.
Wilson M. Compton, M.D., M.P.E.
Joel E. Dimsdale, M.D.
Javier I. Escobar, M.D., M.Sc.
Jan A. Fawcett, M.D.
Bridget F. Grant, Ph.D., Ph.D. *(2009–)*
Steven E. Hyman, M.D. *(2007–2012)*
Dilip V. Jeste, M.D. *(2007–2011)*
Helena C. Kraemer, Ph.D.
Daniel T. Mamah, M.D., M.P.E.
James P. McNulty, A.B., Sc.B.
Howard B. Moss, M.D. *(2007–2009)*
Charles P. O'Brien, M.D., Ph.D.
Roger Peele, M.D.
Katharine A. Phillips, M.D.
Daniel S. Pine, M.D.
Charles F. Reynolds III, M.D.
Maritza Rubio-Stipec, Sc.D.
David Shaffer, M.D.
Andrew E. Skodol II, M.D.
Susan E. Swedo, M.D.
B. Timothy Walsh, M.D.
Philip Wang, M.D., Dr.P.H. *(2007–2012)*
William M. Womack, M.D.
Kimberly A. Yonkers, M.D.
Kenneth J. Zucker, Ph.D.
Norman Sartorius, M.D., Ph.D., *Consultor*

Membros da Divisão de Pesquisa da APA responsável pelo DSM-5

Darrel A. Regier, M.D., M.P.H.,
  Diretor da Divisão de Pesquisa
William E. Narrow, M.D., M.P.H.,
  Diretor Associado
Emily A. Kuhl, Ph.D., *Escritora Científica
  Sênior; Editora de Texto da Divisão de Pesquisa*
Diana E. Clarke, Ph.D., M.Sc.,
  Pesquisadora Estatística

Lisa H. Greiner, M.S.S.A., *Gerente de
  Projetos de Pesquisas de Campo do DSM-5*
Eve K. Moscicki, Sc.D., M.P.H., *Diretor de
  Rede de Pesquisa da Prática*
S. Janet Kuramoto, Ph.D., M.H.S.,
  *Associada Sênior de Pesquisa Científica,
  Rede de Pesquisa da Prática*

Amy Porfiri, M.B.A.
  Diretora Financeira e Administrativa

Jennifer J. Shupinka, *Assistente de Direção
  das Operações do DSM*
Seung-Hee Hong, *Pesquisadora Sênior
  Associada do DSM*
Anne R. Hiller, *Pesquisadora Associada do DSM*
Alison S. Beale, *Pesquisador Associado do DSM*
Spencer R. Case, *Pesquisador Associado do DSM*

Joyce C. West, Ph.D., M.P.P.,
  *Diretora de Pesquisa em Política de Saúde,
  Rede de Pesquisa da Prática*
Farifteh F. Duffy, Ph.D.,
  *Diretor de Pesquisa em Cuidados de
  Qualidade, Rede de Pesquisa da Prática*
Lisa M. Countis, *Gerente de Operações de
  Campo, Rede de Pesquisa da Prática*

Christopher M. Reynolds,
  Assistente Executivo

Escritório do Diretor Médico da APA

JAMES H. SCULLY JR., M.D.
Diretor Médico e CEO

Consultores Editoriais e de Codificação

Michael B. First, M.D.   Maria N. Ward, M.Ed., RHIT, CCS-P

Grupos de Trabalho do DSM-5

TDAH e Transtornos Disruptivos

DAVID SHAFFER, M.D.
Presidente

F. XAVIER CASTELLANOS, M.D.
Vice-presidente

Paul J. Frick, Ph.D., *Coordenador Editorial*
Glorisa Canino, Ph.D.
Terrie E. Moffitt, Ph.D.
Joel T. Nigg, Ph.D.

Luis Augusto Rohde, M.D., Sc.D.
Rosemary Tannock, Ph.D.
Eric A. Taylor, M.B.
Richard Todd, Ph.D., M.D. (*d. 2008*)

Transtornos de Ansiedade, do Espectro Obsessivo-compulsivo, Pós-traumáticos e Dissociativos

KATHARINE A. PHILLIPS, M.D.
Presidente

Michelle G. Craske, Ph.D.,
  Coordenadora Editorial
J. Gavin Andrews, M.D.
Susan M. Bögels, Ph.D.
Matthew J. Friedman, M.D., Ph.D.
Eric Hollander, M.D. (*2007–2009*)
Roberto Lewis-Fernández, M.D., M.T.S.
Robert S. Pynoos, M.D., M.P.H.

Scott L. Rauch, M.D.
H. Blair Simpson, M.D., Ph.D.
David Spiegel, M.D.
Dan J. Stein, M.D., Ph.D.
Murray B. Stein, M.D.
Robert J. Ursano, M.D.
Hans-Ulrich Wittchen, Ph.D.

Transtornos da Infância e Adolescência

DANIEL S. PINE, M.D.
Presidente

Ronald E. Dahl, M.D.
E. Jane Costello, Ph.D. (*2007–2009*)
Regina Smith James, M.D.
Rachel G. Klein, Ph.D.

James F. Leckman, M.D.
Ellen Leibenluft, M.D.
Judith H. L. Rapoport, M.D.
Charles H. Zeanah, M.D.

Transtornos Alimentares

B. TIMOTHY WALSH, M.D.
Presidente

Stephen A. Wonderlich, Ph.D.,
  Coordenador Editorial
Evelyn Attia, M.D.
Anne E. Becker, M.D., Ph.D., Sc.M.
Rachel Bryant-Waugh, M.D.
Hans W. Hoek, M.D., Ph.D.

Richard E. Kreipe, M.D.
Marsha D. Marcus, Ph.D.
James E. Mitchell, M.D.
Ruth H. Striegel-Moore, Ph.D.
G. Terence Wilson, Ph.D.
Barbara E. Wolfe, Ph.D., A.P.R.N.

Força-tarefa do DSM-5

Transtornos do Humor

JAN A. FAWCETT, M.D.
Presidente

Ellen Frank, Ph.D., *Text Coordinator*
Jules Angst, M.D. *(2007-2008)*
William H. Coryell, M.D.
Lori L. Davis, M.D.
Raymond J. DePaulo, M.D.
Sir David Goldberg, M.D.
James S. Jackson, Ph.D.

Kenneth S. Kendler, M.D.
(2007-2010)
Mario Maj, M.D., Ph.D.
Husseini K. Manji, M.D. *(2007-2008)*
Michael R. Phillips, M.D.
Trisha Suppes, M.D., Ph.D.
Carlos A. Zarate, M.D.

Transtornos Neurocognitivos

DILIP V. JESTE, M.D. (2007-2011)
Presidente Emérito

DAN G. BLAZER, M.D., PH.D., M.P.H.
Presidente

RONALD C. PETERSEN, M.D., PH.D.
Copresidente

Mary Ganguli, M.D., M.P.H.,
 Coordenadora Editorial
Deborah Blacker, M.D., Sc.D.
Warachal Faison, M.D. *(2007-2008)*

Igor Grant, M.D.
Eric J. Lenze, M.D.
Jane S. Paulsen, Ph.D.
Perminder S. Sachdev, M.D., Ph.D.

Transtornos do Neurodesenvolvimento

SUSAN E. SWEDO, M.D.
Presidente

Gillian Baird, M.A., M.B., B.Chir.,
 Coordenadora Editorial
Edwin H. Cook Jr., M.D.
Francesca G. Happé, Ph.D.
James C. Harris, M.D.
Walter E. Kaufmann, M.D.
Bryan H. King, M.D.
Catherine E. Lord, Ph.D.

Joseph Piven, M.D.
Sally J. Rogers, Ph.D.
Sarah J. Spence, M.D., Ph.D.
Rosemary Tannock, Ph.D.
Fred Volkmar, M.D. *(2007-2009)*
Amy M. Wetherby, Ph.D.
Harry H. Wright, M.D.

Personalidade e Transtornos da Personalidade[1]

ANDREW E. SKODOL, M.D.
Presidente

JOHN M. OLDHAM, M.D.
Copresidente

Robert F. Krueger, Ph.D., *Text Coordinator*
Renato D. Alarcón, M.D., M.P.H.
Carl C. Bell, M.D.
Donna S. Bender, Ph.D.
Lee Anna Clark, Ph.D.

W. John Livesley, M.D., Ph.D. *(2007-2012)*
Leslie C. Morey, Ph.D.
Larry J. Siever, M.D.
Roel Verheul, Ph.D. *(2008-2012)*

---

[1] Os membros do Grupo de Trabalho da Personalidade e Transtornos da Personalidade são responsáveis pelo modelo alternativo do DSM-5 para transtornos da personalidade incluso na Seção III. Os critérios e textos relativos ao assunto presentes na Seção II são os mesmos do DSM-IV-TR.

Transtornos Psicóticos
WILLIAM T. CARPENTER JR., M.D.
Presidente

Deanna M. Barch, Ph.D.,
  Coordenadora Editorial
Juan R. Bustillo, M.D.
Wolfgang Gaebel, M.D.
Raquel E. Gur, M.D., Ph.D.
Stephan H. Heckers, M.D.

Dolores Malaspina, M.D., M.S.P.H.
Michael J. Owen, M.D., Ph.D.
Susan K. Schultz, M.D.
Rajiv Tandon, M.D.
Ming T. Tsuang, M.D., Ph.D.
Jim van Os, M.D.

Transtornos Sexuais e da Identidade de Gênero
KENNETH J. ZUCKER, PH.D.
Presidente

Lori Brotto, Ph.D., *Coordenadora Editorial*
Irving M. Binik, Ph.D.
Ray M. Blanchard, Ph.D.
Peggy T. Cohen-Kettenis, Ph.D.
Jack Drescher, M.D.
Cynthia A. Graham, Ph.D.

Martin P. Kafka, M.D.
Richard B. Krueger, M.D.
Niklas Långström, M.D., Ph.D.
Heino F.L. Meyer-Bahlburg, Dr. rer. nat.
Friedemann Pfäfflin, M.D.
Robert Taylor Segraves, M.D., Ph.D.

Transtornos do Sono-Vigília
CHARLES F. REYNOLDS III, M.D.
Presidente

Ruth M. O'Hara, Ph.D., *Coordenadora Editorial*
Charles M. Morin, Ph.D.
Allan I. Pack, Ph.D.

Kathy P. Parker, Ph.D., R.N.
Susan Redline, M.D., M.P.H.
Dieter Riemann, Ph.D.

Transtornos de Sintomas Somáticos
JOEL E. DIMSDALE, M.D.
Presidente

James L. Levenson, M.D.,
  Coordenador Editorial
Arthur J. Barsky III, M.D.
Francis Creed, M.D.
Nancy Frasure-Smith, Ph.D. *(2007–2011)*

Michael R. Irwin, M.D.
Francis J. Keefe, Ph.D. *(2007–2011)*
Sing Lee, M.D.
Michael Sharpe, M.D.
Lawson R. Wulsin, M.D.

Transtornos Relacionados a Substâncias
CHARLES P. O'BRIEN, M.D., PH.D.
Presidente

THOMAS J. CROWLEY, M.D.
Copresidente

Wilson M. Compton, M.D., M.P.E.,
  Coordenador Editorial
Marc Auriacombe, M.D.
Guilherme L. G. Borges, M.D., Dr.Sc.
Kathleen K. Bucholz, Ph.D.
Alan J. Budney, Ph.D.
Bridget F. Grant, Ph.D., Ph.D.
Deborah S. Hasin, Ph.D.

Thomas R. Kosten, M.D. *(2007–2008)*
Walter Ling, M.D.
Spero M. Manson, Ph.D. *(2007–2008)*
A. Thomas McLellan, Ph.D. *(2007–2008)*
Nancy M. Petry, Ph.D.
Marc A. Schuckit, M.D.
Wim van den Brink, M.D., Ph.D.
  (2007–2008)

Grupos de Estudo do DSM-5

Espectros Diagnósticos e Harmonização DSM/CID

STEVEN E. HYMAN, M.D.
Presidente (2007-2012)

William T. Carpenter Jr., M.D.
Wilson M. Compton, M.D., M.P.E.
Jan A. Fawcett, M.D.
Helena C. Kraemer, Ph.D.
David J. Kupfer, M.D.

William E. Narrow, M.D., M.P.H.
Charles P. O'Brien, M.D., Ph.D.
John M. Oldham, M.D.
Katharine A. Phillips, M.D.
Darrel A. Regier, M.D., M.P.H.

Abordagens do Desenvolvimento e do Ciclo de Vida

ERIC J. LENZE, M.D.
Presidente

SUSAN K. SCHULTZ, M.D.
Presidente Emérito

DANIEL S. PINE, M.D.
Presidente Emérito

Dan G. Blazer, M.D., Ph.D., M.P.H.
F. Xavier Castellanos, M.D.
Wilson M. Compton, M.D., M.P.E.

Daniel T. Mamah, M.D., M.P.E.
Andrew E. Skodol II, M.D.
Susan E. Swedo, M.D.

Questões Transculturais e de Gênero

KIMBERLY A. YONKERS, M.D.
Presidente

ROBERTO LEWIS-FERNÁNDEZ, M.D., M.T.S.
Copresidente, Questões Transculturais

Renato D. Alarcón, M.D., M.P.H.
Diana E. Clarke, Ph.D., M.Sc.
Javier I. Escobar, M.D., M.Sc.
Ellen Frank, Ph.D.
James S. Jackson, Ph.D.
Spero M. Manson, Ph.D. *(2007-2008)*
James P. McNulty, A.B., Sc.B.

Leslie C. Morey, Ph.D.
William E. Narrow, M.D., M.P.H.
Roger Peele, M.D.
Philip Wang, M.D., Dr.P.H. *(2007-2012)*
William M. Womack, M.D.
Kenneth J. Zucker, Ph.D.

Interface Psiquiatria/Medicina Geral

LAWSON R. WULSIN, M.D.
Presidente

Ronald E. Dahl, M.D.
Joel E. Dimsdale, M.D.
Javier I. Escobar, M.D., M.Sc.
Dilip V. Jeste, M.D. *(2007-2011)*
Walter E. Kaufmann, M.D.

Richard E. Kreipe, M.D.
Ronald C. Petersen, M.D., Ph.D.
Charles F. Reynolds III, M.D.
Robert Taylor Segraves, M.D., Ph.D.
B. Timothy Walsh, M.D.

Deficiência e Incapacidade

JANE S. PAULSEN, PH.D.
Presidente

J. Gavin Andrews, M.D.
Glorisa Canino, Ph.D.
Lee Anna Clark, Ph.D.
Diana E. Clarke, Ph.D., M.Sc.
Michelle G. Craske, Ph.D.

Hans W. Hoek, M.D., Ph.D.
Helena C. Kraemer, Ph.D.
William E. Narrow, M.D., M.P.H.
David Shaffer, M.D.

Instrumentos de Avaliação de Diagnósticos

JACK D. BURKE JR., M.D., M.P.H.
Presidente

Lee Anna Clark, Ph.D.
Diana E. Clarke, Ph.D., M.Sc.
Bridget F. Grant, Ph.D., Ph.D.

Helena C. Kraemer, Ph.D.
William E. Narrow, M.D., M.P.H.
David Shaffer, M.D.

Grupo de Pesquisa do DSM-5

WILLIAM E. NARROW, M.D., M.P.H.
Presidente

Jack D. Burke Jr., M.D., M.P.H.
Diana E. Clarke, Ph.D., M.Sc.
Helena C. Kraemer, Ph.D.

David J. Kupfer, M.D.
Darrel A. Regier, M.D., M.P.H.
David Shaffer, M.D.

Especificadores de Curso e Glossário

WOLFGANG GAEBEL, M.D.
Presidente

Ellen Frank, Ph.D.
Charles P. O'Brien, M.D., Ph.D.
Norman Sartorius, M.D., Ph.D.,
 Consultor
Susan K. Schultz, M.D.

Dan J. Stein, M.D., Ph.D.
Eric A. Taylor, M.B.
David J. Kupfer, M.D.
Darrel A. Regier, M.D., M.P.H.

Prefácio ao DSM-5-TR

O *Manual diagnóstico* e estatístico de transtornos mentais (DSM), da American Psychiatric Association, 5ª edição, Texto Revisado (DSM-5-TR), é a primeira revisão publicada do DSM-5. Este manual revisado integra os critérios diagnósticos originalmente publicados do DSM-5, com modificações (essencialmente para maior clareza), para mais de 70 transtornos, com o texto descritivo que acompanha cada transtorno do DSM detalhadamente atualizado, com base em revisões da literatura realizadas desde a publicação do DSM-5, bem como com a inclusão de um novo diagnóstico, transtorno do luto prolongado, e dos códigos dos sintomas para informe de comportamento suicida e de autolesão não suicida. Essas mudanças diferem do escopo do texto revisado anterior, o DSM-IV-TR, no qual as atualizações se limitaram, quase que exclusivamente, ao texto, deixando os critérios diagnósticos praticamente inalterados. Esta edição integra também todas as atualizações *on-line* prévias feitas no DSM-5 depois de sua publicação em 2013, em resposta ao uso, a avanços científicos específicos e a ajustes na codificação da CID-10-MC por meio de um processo de revisão iterativo. Consequentemente, o DSM-5-TR é o produto de três processos de revisão separados, cada qual supervisionado por grupos de especialistas específicos (mas sobrepostos): o desenvolvimento dos critérios diagnósticos e o texto do DSM-5 pela Força-tarefa do DSM-5, publicado em 2013; atualizações dos critérios diagnósticos e do texto do DSM-5 pelo Comitê Diretivo do DSM, que supervisionou o processo de revisão iterativo; e o texto totalmente atualizado supervisionado pelo Subcomitê de Revisão.

A compreensão clínica e de pesquisa dos transtornos mentais continua a avançar. Em consequência, a maioria dos textos sobre os transtornos no DSM-5-TR passou por pelo menos alguma revisão nos nove anos desde a sua publicação original no DSM-5, com a esmagadora maioria tendo recebido revisões significativas. As seções do texto que foram mais amplamente atualizadas foram: Prevalência, Fatores de Risco e Prognóstico, Questões Diagnósticas Relativas à Cultura, Questões Diagnósticas Relativas ao Sexo e ao Gênero, Associação com Pensamentos ou Comportamentos Suicidas e Comorbidade. Além disso, pela primeira vez, o texto do DSM foi inteiramente examinado e revisado por um Grupo de Trabalho sobre Igualdade Étnico-racial a fim de garantir atenção apropriada a fatores de risco como a experiência de racismo e discriminação, bem como o uso de linguagem não estigmatizante. Para codificação periódica futura do DSM-5-TR e outras atualizações, ver www.dsm5.org.

Para facilitar a referência neste manual, "DSM" refere-se de modo geral ao DSM como entidade, não especificando uma edição particular (p. ex., "Treinamento clínico e experiência são necessários para usar o DSM na determinação de um diagnóstico clínico."). "DSM-5" refere-se a todo o conjunto de critérios, transtornos, outras condições e conteúdo aprovados publicados oficialmente em maio de 2013. "DSM-5-TR" refere-se ao texto aprovado na edição atual. Embora o escopo da revisão do texto não tenha incluído mudanças nos conjuntos de critérios ou outros construtos do DSM-5, ficou evidente a necessidade de fazer mudanças em determinados grupos de critérios diagnósticos para maior esclarecimento, em paralelo com as atualizações de texto feitas ao longo do livro. Como o construto conceitual dos critérios está inalterado, os conjuntos de critérios do DSM-5-TR que tiveram suas origens no DSM-5 ainda são referidos como "critérios do DSM-5". A nova entidade diagnóstica, transtorno do luto prolongado, é referida como um transtorno do DSM-5-TR devido à sua incorporação a esta edição.

O desenvolvimento do DSM-5-TR foi um extraordinário esforço conjunto. Devemos muito aos incansáveis esforços de Wilson M. Compton, M.D., M.P.E., e Daniel S. Pine, M.D., como Vice-presidentes do Subcomitê de Revisão do Texto do DSM-5, e também aos mais de 200 especialistas em nossa área que fizeram a maior parte do trabalho na preparação da revisão do texto. Também gostaríamos de agradecer a Paul Appelbaum, M.D., Presidente do Comitê Diretor do DSM, por sua revisão cuidadosa do texto e clarificações dos critérios, além de muitas outras sugestões úteis. Um agradecimento especial a Ann M. Eng, Diretora Executiva do DSM, por sua condução oportuna do processo de desenvolvimento do DSM-5-TR, desde o planejamento até a conclusão, e por sua atenção meticulosa aos detalhes, aspectos fundamentais para o sucesso desta revisão. Somos gratos pela contribuição e ajuda valiosas de Nitin Gogtay, M.D., Chefe da Divisão de Pesquisa e Diretora Médica Adjunta da American Psychiatry Association, Diana E. Clarke, Ph.D., Diretora Executiva de Pesquisa e Estatística/Epidemiologista Sênior em Pesquisa, e Lamyaa H. Yousif, M.D., Ph.D., M.Sc., Diretora Sênior de Operações do DSM e Pesquisadora Associada. Somos gratos pela liderança de John McDuffie, Editor na American Psychiatric Association Publishing, e ao trabalho dos membros da equipe editorial e de produção na American Psychiatric Association Publishing por concretizarem este importante trabalho: Greg Kuny, Diretor Executivo, Livros; Tammy Cordova, Diretora de Design Gráfico; Andrew Wilson, Diretor de Produção; Judy Castagna, Diretora Assistente de Serviços de Produção; Erika Parker, Diretora de Aquisições; Alisa Riccardi, Editora Sênior, Livros; e Carrie Y. Farnham, Editora Sênior, Livros. Por fim, nosso reconhecimento a Saul Levin, M.D., M.P.A., Presidente Executivo e Chefe de Equipe Médica da American Psychiatric Association, por sua defesa e apoio a esta extensa revisão do texto.

Michael B. First, M.D.
Copresidente do Subcomitê de Revisão e Editor do DSM-5-TR

Philip Wang, M.D., Dr.P.H.
Copresidente do Subcomitê de Revisão

5 de novembro de 2021

Prefácio do DSM-5

O *Manual diagnóstico* e *estatístico de transtornos mentais* (DSM), da American Psychiatric Association, é uma classificação dos transtornos mentais e critérios associados elaborada para facilitar o estabelecimento de diagnósticos mais confiáveis desses transtornos. Com sucessivas edições ao longo dos últimos 60 anos, tornou-se uma referência para a prática clínica na área da saúde mental. Devido à impossibilidade de uma descrição completa dos processos patológicos subjacentes à maioria dos transtornos mentais, é importante enfatizar que os critérios diagnósticos atuais constituem a melhor descrição disponível de como os transtornos mentais se expressam e podem ser reconhecidos por clínicos treinados. O DSM se propõe a servir como um guia prático, funcional e flexível para organizar informações que podem auxiliar o diagnóstico preciso e o tratamento de transtornos mentais. Trata-se de uma ferramenta para clínicos, um recurso essencial para a formação de estudantes e profissionais e uma referência para pesquisadores da área. Embora esta edição tenha sido elaborada, acima de tudo, como um guia para a prática clínica, tratando-se de uma nomenclatura oficial, o Manual deve funcionar em uma ampla gama de contextos. O DSM tem sido utilizado por clínicos e pesquisadores de diferentes orientações (biológica, psicodinâmica, cognitiva, comportamental, interpessoal, familiar/sistêmica) que buscam uma linguagem comum para comunicar as características essenciais dos transtornos mentais apresentados por seus pacientes. As informações aqui resumidas são úteis para todos os profissionais ligados aos diversos aspectos dos cuidados com a saúde mental, incluindo psiquiatras, outros médicos, psicólogos, assistentes sociais, enfermeiros, consultores, especialistas das áreas forense e legal, terapeutas ocupacionais e de reabilitação e outros profissionais da área da saúde. Os critérios são concisos e claros, e sua intenção é facilitar uma avaliação objetiva das apresentações de sintomas em diversos contextos clínicos – internação, ambulatório, hospital-dia, consultoria (interconsulta), clínica, consultório particular e atenção primária –, bem como em estudos epidemiológicos de base comunitária sobre transtornos mentais. O DSM-5 também é um instrumento para a coleta e a comunicação precisa de estatísticas de saúde pública sobre as taxas de morbidade e mortalidade dos transtornos mentais. Por fim, os critérios e o texto correspondente servem como livro-texto para estudantes que precisam de uma forma estruturada para compreender e diagnosticar transtornos mentais, bem como para profissionais experientes que encontram transtornos raros pela primeira vez. Felizmente, todos esses usos são compatíveis entre si.

Esses interesses e necessidades variados foram levados em consideração no planejamento do DSM-5. A classificação dos transtornos está harmonizada com a *Classificação internacional de doenças* (CID) da Organização Mundial da Saúde, o sistema oficial de codificação usado nos Estados Unidos, de forma que os critérios do DSM definem transtornos identificados pela denominação diagnóstica e pela codificação alfanumérica da CID. No DSM-5, as codificações da CID-9-MC e da CID-10-MC (esta última programada para entrar em vigor em outubro de 2015) estão vinculadas aos transtornos relevantes na classificação.

Embora o DSM-5 continue sendo uma classificação categórica de transtornos individuais, reconhecemos que transtornos mentais nem sempre se encaixam totalmente dentro dos limites de um único transtorno. Alguns domínios de sintomas, como depressão e ansiedade, envolvem múltiplas categorias diagnósticas e podem refletir vulnerabilidades subjacentes comuns a um grupo maior de transtornos. O reconhecimento dessa realidade fez os transtornos inclusos no DSM-5 serem reordenados em uma estrutura organizacional revisada, com o intuito de estimular novas perspectivas clínicas. Essa nova estrutura corresponde à organização de transtornos planejada para a CID-11, cujo lançamento está programado para 2015. Outros aprimoramentos foram introduzidos para facilitar o uso em todos os contextos:

- **Representação de questões de desenvolvimento relacionadas ao diagnóstico.** A mudança na organização dos capítulos reflete melhor uma abordagem cronológica do ciclo vital, em que os transtornos de diagnóstico mais frequente na infância (p. ex., transtornos do neurodesenvolvimento) figuram no início do Manual, e os transtornos mais aplicáveis à idade adulta avançada (p. ex., transtornos neurocognitivos), no fim do Manual. No texto há também subtítulos sobre desenvolvimento e curso que proporcionam descrições de como as apresentações do transtorno podem se alterar ao longo da vida. Fatores relacionados à idade específicos ao diagnóstico (p. ex., diferenças na apresentação de sintomas e na prevalência em determinadas faixas etárias) também estão inclusos no texto. Para maior ênfase, esses fatores relacionados à idade foram acrescentados aos próprios critérios, quando aplicáveis (p. ex., nos conjuntos de critérios para transtorno de insônia e transtorno de estresse pós-traumático, critérios específicos descrevem como os sintomas podem se expressar em crianças). Do mesmo modo, questões culturais e de gênero foram integradas nos transtornos, quando possível.
- **Integração de achados científicos das pesquisas mais recentes em genética e neuroimagem.** A estrutura revisada dos capítulos baseia-se em pesquisas recentes em neurociência e em associações genéticas entre grupos diagnósticos. Fatores de risco genéticos e fisiológicos, indicadores prognósticos e alguns potenciais marcadores diagnósticos encontram-se em destaque no texto. Essa nova estrutura deve melhorar a capacidade do clínico para identificar os diagnósticos em um espectro de transtornos baseado em circuitos neurais, vulnerabilidade genética e exposições ambientais comuns.
- **Fusão de transtorno autista, transtorno de Asperger e transtorno global do desenvolvimento no transtorno do espectro autista.** Os sintomas desses transtornos representam um *continuum* único de prejuízos com intensidades que vão de leve a grave nos domínios de comunicação social e de comportamentos restritivos e repetitivos/interesses em vez de constituir transtornos distintos. Essa mudança foi implementada para melhorar a sensibilidade e a especificidade dos critérios para o diagnóstico de transtorno do espectro autista e para identificar alvos mais focados de tratamento para os prejuízos específicos observados.
- **Classificação racionalizada dos transtornos bipolares e dos transtornos depressivos.** Os transtornos bipolares e depressivos são as condições mais comumente diagnosticadas na psiquiatria. Desse modo, era importante deixar sua apresentação mais eficiente, para aprimorar o uso tanto clínico quanto de ensino. Em vez de separar as definições de episódios maníaco, hipomaníaco e depressivo maior das definições de transtorno bipolar tipo I, transtorno bipolar tipo II e transtorno depressivo maior, como na edição anterior, incluímos todos os critérios componentes dentro dos critérios respectivos para cada transtorno. Essa abordagem facilitará o diagnóstico clínico e o tratamento desses importantes transtornos. Do mesmo modo, as notas explicativas para diferenciar luto de transtornos depressivos maiores proporcionarão uma orientação clínica muito melhor do que a fornecida anteriormente no simples critério de exclusão de luto. Os novos especificadores com sintomas ansiosos e com características mistas estão totalmente descritos no texto sobre especificadores que acompanha os critérios para esses transtornos.
- **Reestruturação dos transtornos por uso de substâncias para obtenção de consistência e clareza.** As categorias de abuso de substância e dependência de substância foram eliminadas e substituídas por uma nova categoria mais abrangente de transtornos por uso de substâncias – em que a substância específica usada define o transtorno específico. "Dependência" é facilmente confundida com o termo "adição", mas a tolerância e a abstinência que anteriormente definiam dependência são, na verdade, respostas bastante normais a medicamentos prescritos que afetam o sistema nervoso central e não indicam necessariamente a presença de uma adição. Com a revisão e o esclarecimento desses critérios no DSM-5, esperamos reduzir os mal-entendidos amplamente difundidos no tocante a essas questões.
- **Mais especificidade para transtornos neurocognitivos maiores e leves.** Considerando os avanços em neurociência, neuropsicologia e neuroimagem ocorridos nos últimos 20 anos, tornou-se fundamental transmitir o que há de mais moderno no diagnóstico de tipos específicos de transtornos que

anteriormente recebiam a denominação de "demências" ou de doenças cerebrais orgânicas. Marcadores biológicos identificados por exames de imagem para transtornos cerebrovasculares e traumatismo craniencefálico e achados genéticos moleculares específicos para variantes raras da doença de Alzheimer e da doença de Huntington são responsáveis por grande avanço nos diagnósticos clínicos. Esses e outros transtornos foram separados em subtipos específicos.

- **Transição na conceitualização de transtornos da personalidade.** Embora os benefícios de uma abordagem dimensional aos transtornos da personalidade tenham sido identificados nas edições anteriores, a transição de um sistema diagnóstico categórico de transtornos individuais para outro baseado na distribuição relativa de traços de personalidade não foi amplamente aceita. No DSM-5, os transtornos da personalidade categóricos permanecem praticamente inalterados em relação à última edição. Contudo, propusemos um modelo "híbrido" alternativo na Seção III para guiar novas pesquisas, separando avaliações de funcionamento interpessoal e a expressão de traços de personalidade patológicos para seis transtornos específicos. Um perfil mais dimensional da expressão de traços de personalidade também é proposto para uma abordagem baseada em traços.
- **Seção III: novos transtornos e características.** Acrescentou-se uma nova seção (Seção III) para destacar transtornos que exigem mais estudos, mas que não estão suficientemente bem estabelecidos para integrar a classificação oficial de transtornos mentais para uso clínico de rotina. Medidas dimensionais de gravidade de sintomas em 13 domínios de sintomas também foram incorporadas a fim de permitir a mensuração de diferentes níveis de gravidade de sintomas entre todos os grupos diagnósticos. Da mesma forma, a Escala de Avaliação de Incapacidade da OMS (WHODAS), um método padronizado para a avaliação de níveis globais de incapacidade para transtornos mentais baseado na Classificação Internacional de Funcionalidade, Incapacidade e Saúde (CIF) e que pode ser aplicado em todas as áreas médicas, foi fornecida em substituição à escala mais limitada de Avaliação Global de Funcionamento. Esperamos que, à medida que essas escalas forem implementadas, proporcionem uma maior precisão e flexibilidade durante as avaliações diagnósticas na descrição clínica das apresentações sintomáticas individuais e das incapacitações associadas.
- **Melhorias *on-line*.** O DSM-5 reúne informações complementares *on-line*. Escalas para avaliação transversal de gravidade e diagnóstico estão disponíveis em inglês em www.psychiatry.org/dsm5, com *links* para os transtornos relevantes. Além disso, a Entrevista de Formulação Cultural, a Entrevista de Formulação Cultural – Versão do Informante e os módulos complementares para a Entrevista de Formulação Cultural básica também estão disponíveis, em inglês, em www.psychiatry.org/dsm5.

Essas inovações foram elaboradas pelas maiores autoridades em transtornos mentais no mundo e foram implementadas com base em sua análise especializada, em comentários públicos e em revisão independente por pares. Os 13 grupos de trabalho, sob a direção da Força-tarefa do DSM-5, juntamente com outras equipes de revisão, e, por fim, os membros do Conselho da APA, representam, em conjunto, a autoridade global da especialidade. Esse esforço foi apoiado por uma extensa base de consultores e pela equipe profissional da Divisão de Pesquisa da APA; os nomes de todos os envolvidos formam uma lista grande demais para ser mencionada aqui, mas que consta no Apêndice. Devemos enorme gratidão a todos que dedicaram incontáveis horas e um conhecimento inestimável para esse esforço no sentido de melhorar o diagnóstico de transtornos mentais.

Gostaríamos de expressar reconhecimento especial aos presidentes, coordenadores editoriais e membros dos 13 grupos de trabalho, listados no início do Manual, que dedicaram muitas horas a esse esforço voluntário para melhorar a base científica da prática clínica ao longo de um período contínuo de seis anos. Susan K. Schultz, M.D., como editora do texto, trabalhou incansavelmente com Emily A. Kuhl, Ph.D., redatora científica sênior e editora do texto da equipe do DSM-5, para coordenar os esforços dos grupos de trabalho em um conjunto coeso. William E. Narrow, M.D., M.P.H., liderou o grupo que desenvolveu a estratégia geral de pesquisa para o DSM-5, incluindo os testes de campo, que aprimoraram muito a base de evidências para essa revisão. Além disso, agradecemos àqueles que dedicaram tanto tempo para a análise das propostas de revisão, incluindo Kenneth S. Kendler, M.D., e Robert Freedman, M.D., copresidentes do Comitê de Revisão Científica; John S. McIntyre, M.D., e Joel Yager, M.D., copresidentes do Comitê Clínico e de Saúde Pública; e Glenn Martin, M.D., presidente da Assembleia da APA para o processo de revisão. Um agradecimento especial para Helena C. Kraemer, Ph.D., por sua consultoria estatística; Michael B. First, M.D., por sua valiosa contribuição para a codificação e revisão de critérios; e Paul S. Appelbaum, M.D., pelas informações sobre questões forenses. Maria N. Ward, M.Ed., RHIT, CCS-P, também ajudou a verificar toda a codificação da CID. O Grupo de Coordenação, que incluiu todos esses consultores, os presidentes de todos os grupos de revisão, os presidentes da força-tarefa e os dirigentes executivos da APA, capitaneados por Dilip V. Jeste, M.D., contribuiu com liderança e visão para ajudar na busca de consenso. Esse nível de comprometimento contribuiu para o equilíbrio e a objetividade que, sentimos, são as marcas do DSM-5.

Desejamos expressar reconhecimento especial à extraordinária equipe da Divisão de Pesquisa da APA – identificada na lista da Força-tarefa e Grupo de Trabalho no início deste Manual – que trabalhou incansavelmente para interagir com a força-tarefa, os grupos de trabalho, os consultores e revisores para resolver questões, servir como elemento de ligação entre os grupos, dirigir e gerir os testes de campo acadêmicos e da prática clínica de rotina e registrar decisões durante esse importante processo. Em particular, valorizamos o apoio e a orientação de James H. Scully Jr., M.D., Chefe de Equipe Médica e Presidente Executivo da APA, através dos anos e desafios que constituíram o processo de desenvolvimento. Por fim, agradecemos à equipe editorial e à equipe de produção da American Psychiatric Publishing – especificamente Rebecca Rinehart, Editora; John McDuffie, Diretor Editorial; Ann Eng, Editora Sênior; Greg Kuny, Editor Gerente; e Tammy Cordova, Gerente de *Design* Gráfico – por sua orientação ao articular todas as variáveis e criar o produto final. A culminação dos esforços de vários indivíduos talentosos, os quais dedicaram seu tempo, seu conhecimento e sua paixão, tornou o DSM-5 possível.

David J. Kupfer, M.D.
Presidente da Força-tarefa do DSM-5

Darrel A. Regier, M.D., M.P.H.
Vice-presidente da Força-tarefa do DSM-5

19 de dezembro de 2012

Classificação do DSM-5-TR

Antes da denominação de cada transtorno, são apresentados os códigos da CID-10-MC. Linhas em branco indicam que o código da CID-10-MC depende do subtipo, especificador ou classe da substância aplicável. Para a codificação periódica do DSM-5-TR e outras atualizações, ver www.dsm5.org.

Os números entre parênteses após os títulos de capítulos e transtornos específicos indicam os números das páginas correspondentes a sua localização no texto.

Observação para todos os transtornos mentais devidos a outra condição médica: indicar a outra condição médica etiológica na denominação do transtorno mental devido a [condição médica]. O código e a denominação de outra condição médica devem ser listados em primeiro lugar, imediatamente antes do transtorno mental devido à condição médica.

Transtornos do Neurodesenvolvimento (35)

Transtornos do Desenvolvimento Intelectual (37)

__.__	Transtorno do Desenvolvimento Intelectual (Deficiência Intelectual) (37)
	Especificar a gravidade atual:
F70	Leve
F71	Moderada
F72	Grave
F73	Profunda
F88	Atraso Global do Desenvolvimento (46)
F79	Transtorno do Desenvolvimento Intelectual (Deficiência Intelectual) Não Especificado (46)

Transtornos da Comunicação (46)

F80.2	Transtorno da Linguagem (47)
F80.0	Transtorno da Fala (50)
F80.81	Transtorno da Fluência com Início na Infância (Gagueira) (51)
	Nota: Casos de início tardio são diagnosticados como F98.5 transtorno da fluência com início na idade adulta
F80.82	Transtorno da Comunicação Social (Pragmática) (54)
F80.9	Transtorno da Comunicação Não Especificado (56)

Transtorno do Espectro Autista (56)

F84.0   Transtorno do Espectro Autista (56)
Especificar a gravidade atual: Exigindo apoio muito substancial, Exigindo apoio substancial, Exigindo apoio
Especificar se: Com ou sem comprometimento intelectual concomitante, Com ou sem comprometimento da linguagem concomitante
Especificar se: Associado a uma condição genética conhecida ou outra condição médica ou fator ambiental (**Nota para codificação**: Usar código adicional para identificar a condição genética ou outra condição médica associada.); Associado a uma alteração do neurodesenvolvimento, mental ou comportamental
Especificar se: Com catatonia (usar código adicional F06.1)

Transtorno de Déficit de Atenção/Hiperatividade (68)

___.___   Transtorno de Déficit de Atenção/Hiperatividade (68)
Especificar se: Em remissão parcial
Especificar a gravidade atual: Leve, Moderada, Grave
Determinar o subtipo:

F90.2   Apresentação combinada
F90.0   Apresentação predominantemente desatenta
F90.1   Apresentação predominantemente hiperativa/impulsiva
F90.8   Outro Transtorno de Déficit de Atenção/Hiperatividade Especificado (76)
F90.9   Transtorno de Déficit de Atenção/Hiperatividade Não Especificado (76)

Transtorno Específico da Aprendizagem (76)

___.___   Transtorno Específico da Aprendizagem (76)
Especificar a gravidade atual: Leve, Moderada, Grave
Especificar se:

F81.0   Com prejuízo na leitura (especificar se na precisão na leitura de palavras, na velocidade ou fluência da leitura, na compreensão da leitura)
F81.81   Com prejuízo na expressão escrita (especificar se na precisão na ortografia, na precisão na gramática e na pontuação, na clareza ou organização da expressão escrita)
F81.2   Com prejuízo na matemática (especificar se no senso numérico, na memorização de fatos aritméticos, na precisão ou fluência de cálculo, na precisão no raciocínio matemático)

Transtornos Motores (85)

F82   Transtorno do Desenvolvimento da Coordenação (85)
F98.4   Transtorno do Movimento Estereotipado (89)
Especificar se: Com comportamento autolesivo, Sem comportamento autolesivo
Especificar se: Associado a alguma condição médica ou genética conhecida, transtorno do neurodesenvolvimento ou fator ambiental
Especificar a gravidade atual: Leve, Moderada, Grave.

Transtornos de Tique

F95.2   Transtorno de Tourette (93)
F95.1   Transtorno de Tique Motor ou Vocal Persistente (Crônico) (93)
Especificar se: Apenas com tiques motores, Apenas com tiques vocais

Classificação do DSM-5-TR

F95.0	Transtorno de Tique Transitório (93)
F95.8	Outro Transtorno de Tique Especificado (98)
F95.9	Transtorno de Tique Não Especificado (98)

Outros Transtornos do Neurodesenvolvimento (99)

F88	Outro Transtorno do Neurodesenvolvimento Especificado (99)
F89	Transtorno do Neurodesenvolvimento Não Especificado (99)

Espectro da Esquizofrenia e Outros Transtornos Psicóticos (101)

Os seguintes especificadores se aplicam ao Espectro da Esquizofrenia e Outros Transtornos Psicóticos, conforme indicado:

[a]*Especificar* se: Os especificadores do curso a seguir devem ser usados somente após um ano de duração do transtorno: Primeiro episódio, atualmente em episódio agudo; Primeiro episódio, atualmente em remissão parcial; Primeiro episódio, atualmente em remissão completa; Episódios múltiplos, atualmente em episódio agudo; Episódios múltiplos, atualmente em remissão parcial; Episódios múltiplos, atualmente em remissão completa; Contínuo; Não especificado

[b]*Especificar* se: Com catatonia (usar código adicional F06.1)

[c]*Especificar* a gravidade atual de delírios, alucinações, desorganização do discurso, comportamento psicomotor anormal, sintomas negativos, cognição prejudicada, depressão e sintomas de mania

F21	Transtorno (da Personalidade) Esquizotípica (104)
F22	Transtorno Delirante[a,c] (104)

Determinar o subtipo: Tipo erotomaníaco, Tipo grandioso, Tipo ciumento, Tipo persecutório, Tipo somático, Tipo misto, Tipo não especificado

Especificar se: Com conteúdo bizarro

F23	Transtorno Psicótico Breve[b,c] (108)

Especificar se: Com estressor(es) evidente(s), Sem estressor(es) evidente(s), Com início no periparto

F20.81	Transtorno Esquizofreniforme[b,c] (111)

Especificar se: Com características de bom prognóstico, Sem características de bom prognóstico

F20.9	Esquizofrenia[a,b,c] (113)
__.__	Transtorno Esquizoafetivo[a,b,c] (121)

Determinar o subtipo:

F25.0	Tipo bipolar
F25.1	Tipo depressivo
__.__	Transtorno Psicótico Induzido por Substância/Medicamento[c] (126)

Nota: Para códigos aplicáveis da CID-10-MC, consultar as classes de substâncias em Transtornos Relacionados a Substâncias e Transtornos Aditivos para o transtorno psicótico induzido por substância/medicamento específico. Para mais informações, ver também no Manual o conjunto de critérios e procedimentos para registro correspondentes.

Nota para codificação: Observar que o código da CID-10-MC depende de haver ou não transtorno comórbido por uso de substância presente para a mesma classe de substância. Em qualquer caso, um diagnóstico adicional separado de um transtorno por uso de substância não é dado.

Especificar se: Com início durante a intoxicação, Com início durante a abstinência, Com início após o uso de medicamento

__.__	Transtorno Psicótico Devido a Outra Condição Médica[c] (131)
	Determinar o subtipo:
F06.2	Com delírios
F06.0	Com alucinações
F06.1	Catatonia Associada a Outro Transtorno Mental (Especificador de Catatonia) (135)
F06.1	Transtorno Catatônico Devido a Outra Condição Médica (136)
F06.1	Catatonia Não Especificada (137)
	Nota: Codificar primeiro **R29.818** outros sintomas envolvendo os sistemas nervoso e musculoesquelético.
F28	Outro Transtorno do Espectro da Esquizofrenia e Outro Transtorno Psicótico Especificado (138)
F29	Transtorno do Espectro da Esquizofrenia e Outro Transtorno Psicótico Não Especificado (138)

Transtorno Bipolar e Transtornos Relacionados (139)

Os seguintes especificadores se aplicam ao Transtorno Bipolar e Transtornos Relacionados, conforme indicado:

[a]*Especificar*: Com sintomas ansiosos (*especificar* a gravidade atual: leve, moderada, moderada-grave, grave); Com características mistas; Com ciclagem rápida; Com características melancólicas; Com características atípicas; Com características psicóticas congruentes com o humor; Com características psicóticas incongruentes com o humor; Com catatonia (usar o código adicional F06.1); Com início no periparto; Com padrão sazonal

[b]*Especificar*: Com sintomas ansiosos (*especificar* a gravidade atual: leve, moderada, moderada-grave, grave); Com características mistas; Com ciclagem rápida; Com início no periparto; Com padrão sazonal

__.__	Transtorno Bipolar Tipo I[a] (139)
__.__	Episódio atual ou mais recente maníaco
F31.11	Leve
F31.12	Moderado
F31.13	Grave
F31.2	Com características psicóticas
F31.73	Em remissão parcial
F31.74	Em remissão completa
F31.9	Não especificado
F31.0	Episódio atual ou mais recente hipomaníaco
F31.71	Em remissão parcial
F31.72	Em remissão completa
F31.9	Não especificado
__.__	Episódio atual ou mais recente depressivo
F31.31	Leve
F31.32	Moderado
F31.4	Grave
F31.5	Com características psicóticas
F31.75	Em remissão parcial
F31.76	Em remissão completa
F31.9	Não especificado
F31.9	Episódio atual ou mais recente não especificado

Classificação do DSM-5-TR

F31.81	Transtorno Bipolar Tipo II (150)

Especificar episódio atual ou mais recente: Hipomaníaco[b], Depressivo[a]
Especificar o curso se todos os critérios para um episódio de humor não estão atualmente satisfeitos: Em remissão parcial, Em remissão completa
Especificar a gravidade se todos os critérios para um episódio depressivo maior estão atualmente satisfeitos: Leve, Moderada, Grave

F34.0	Transtorno Ciclotímico (159)

Especificar se: Com sintomas ansiosos (*especificar* a gravidade atual: leve, moderada, moderada--grave, grave)

__.__	Transtorno Bipolar e Transtorno Relacionado Induzido por Substância/Medicamento (162)

Nota: Para os códigos aplicáveis da CID-10-MC, consultar as classes de substância em Transtornos Relacionados a Substâncias e Transtornos Aditivos para o transtorno bipolar e transtorno relacionado induzido por substância/medicamento específico. Para mais informações, ver também no Manual o conjunto de critérios e procedimentos de registro correspondentes.

Nota para codificação: Observar que o código da CID-10-MC depende de haver ou não transtorno comórbido por uso de substância presente para a mesma classe de substância. Em qualquer caso, um diagnóstico adicional separado de um transtorno por uso de substância não é dado.

Especificar se: Com início durante a intoxicação, Com início durante a abstinência, Com início após o uso de medicamento

__.__	Transtorno Bipolar e Transtorno Relacionado Devido a Outra Condição Médica (166)

Especificar se:

F06.33	Com características maníacas
F06.33	Com episódio tipo maníaco ou hipomaníaco
F06.34	Com características mistas
F31.89	Outro Transtorno Bipolar e Transtorno Relacionado Especificado (168)
F31.9	Transtorno Bipolar e Transtorno Relacionado Não Especificado (169)
F39	Transtorno do Humor Não Especificado (169)

Transtornos Depressivos (177)

F34.81	Transtorno Disruptivo da Desregulação do Humor (178)
__.__	Transtorno Depressivo Maior (183)

Especificar: Com sintomas ansiosos (*especificar* a gravidade atual: leve, moderada, moderada-grave, grave); Com características mistas; Com características melancólicas; Com características atípicas; Com características psicóticas congruentes com o humor; Com características psicóticas incongruentes com o humor; Com catatonia (usar o código adicional F06.1); Com início no periparto; Com padrão sazonal

__.__	Episódio único
F32.0	Leve
F32.1	Moderado
F32.2	Grave
F32.3	Com características psicóticas
F32.4	Em remissão parcial
F32.5	Em remissão completa
F32.9	Não especificado

__.__	Episódio recorrente
F33.0	Leve
F33.1	Moderado
F33.2	Grave
F33.3	Com características psicóticas
F33.41	Em remissão parcial
F33.42	Em remissão completa
F33.9	Não especificado
F34.1	Transtorno Depressivo Persistente (193)

Especificar se: Com sintomas ansiosos (*especificar* a gravidade atual: leve, moderada, moderada--grave, grave); Com características atípicas
Especificar se: Início precoce, Início tardio
Especificar se: Com síndrome distímica pura; Com episódio depressivo maior persistente; Com episódios depressivos maiores intermitentes, com episódio atual; Com episódios depressivos maiores intermitentes, sem episódio atual
Especificar a gravidade atual: Leve, Moderada, Grave

F32.81 Transtorno Disfórico Pré-menstrual (197)

__.__ Transtorno Depressivo Induzido por Substância/Medicamento (201)

Nota: Para códigos aplicáveis da CID-10-MC, consultar as classes de substâncias em Transtornos Relacionados a Substâncias e Transtornos Aditivos para o transtorno depressivo induzido por substância/medicamento específico. Para mais informações, ver também no Manual os critérios e procedimentos para registro específicos.

Nota para codificação: Observar que o código da CID-10-MC depende de haver ou não transtorno comórbido por uso de substância presente para a mesma classe de substância. Em qualquer caso, um diagnóstico adicional separado de um transtorno por uso de substância não é dado.

Especificar se: Com início durante a intoxicação, Com início durante a abstinência, Com início após o uso de medicamento

__.__ Transtorno Depressivo Devido a Outra Condição Médica (206)
Especificar se:

F06.31	Com características depressivas
F06.32	Com episódio do tipo depressivo maior
F06.34	Com características mistas
F32.89	Outro Transtorno Depressivo Especificado (209)
F32.A	Transtorno Depressivo Não Especificado (210)
F39	Transtorno do Humor Não Especificado (210)

Transtornos de Ansiedade (215)

F93.0	Transtorno de Ansiedade de Separação (217)
F94.0	Mutismo Seletivo (222)
__.__	Fobia Específica (224)

Especificar se:

F40.218	Animal
F40.228	Ambiente natural
F40.23x	Sangue-injeção-ferimentos

Classificação do DSM-5-TR

F40.230	Medo de sangue
F40.231	Medo de injeções e transfusões
F40.232	Medo de outros cuidados médicos
F40.233	Medo de ferimentos
F40.248	Situacional
F40.298	Outro
F40.10	Transtorno de Ansiedade Social (229)
	Especificar se: Somente desempenho
F41.0	Transtorno de Pânico (235)
__.__	Especificador de Ataque de Pânico (242)
F40.00	Agorafobia (246)
F41.1	Transtorno de Ansiedade Generalizada (250)
__.__	Transtorno de Ansiedade Induzido por Substância/Medicamento (255)

        Nota: Para códigos aplicáveis da CID-10-MC, consultar as classes de substâncias em Transtornos Relacionados a Substâncias e Transtorno Aditivos para o transtorno de ansiedade induzido por substância/medicamento específico. Para mais informações, ver também no Manual o conjunto de critérios e procedimentos para registro específicos.

        Nota para codificação: Observar que o código da CID-10-MC depende de haver ou não transtorno comórbido por uso de substância presente para a mesma classe de substância. Em qualquer caso, um diagnóstico adicional separado de um transtorno por uso de substância não é dado.

        Especificar se: Com início durante a intoxicação, Com início durante a abstinência, Com início após o uso de medicamento

F06.4	Transtorno de Ansiedade Devido a Outra Condição Médica (258)
F41.8	Outro Transtorno de Ansiedade Especificado (261)
F41.9	Transtorno de Ansiedade Não Especificado (261)

Transtorno Obsessivo-compulsivo e Transtornos Relacionados (263)

O seguinte especificador se aplica ao Transtorno Obsessivo-compulsivo e Transtornos Relacionados, conforme indicado:
[a]*Especificar* se: Com *insight* bom ou razoável, Com *insight* pobre, Com *insight* ausente/crenças delirantes

F42.2	Transtorno Obsessivo-compulsivo[a] (265)
	Especificar se: Relacionado a tiques
F45.22	Transtorno Dismórfico Corporal[a] (271)
	Especificar se: Com dismorfia muscular
F42.3	Transtorno de Acumulação[a] (277)
	Especificar se: Com aquisição excessiva
F63.3	Tricotilomania (Transtorno de Arrancar o Cabelo) (281)
F42.4	Transtorno de Escoriação (*Skin-picking*) (284)
__.__	Transtorno Obsessivo-compulsivo e Transtorno Relacionado Induzido por Substância/Medicamento (287)

        Nota: Para códigos aplicáveis da CID-10-MC, consultar as classes de substâncias em Transtornos Relacionados a Substâncias e Transtornos Aditivos para o transtorno obsessivo-compulsivo induzido por substância/medicamento específico. Para mais informações, ver também no Manual os conjuntos de critérios e procedimentos para registro correspondentes.

Nota para codificação: Observar que o código da CID-10-MC depende de haver ou não transtorno comórbido por uso de substância presente para a mesma classe de substância. Em qualquer caso, um diagnóstico adicional separado de um transtorno por uso de substância não é dado.
Especificar se: Com início durante a intoxicação, Com início durante a abstinência, Com início após o uso de medicamento

F06.8	Transtorno Obsessivo-compulsivo e Transtorno Relacionado Devido a Outra Condição Médica (291)

Especificar se: Com sintomas semelhantes ao transtorno obsessivo-compulsivo, Com preocupações com a aparência, Com sintomas de acumulação, Com sintomas de arrancar o cabelo, Com sintomas de beliscar a pele

F42.8	Outro Transtorno Obsessivo-compulsivo e Transtorno Relacionado Especificado (293)
F42.9	Transtorno Obsessivo-compulsivo e Transtorno Relacionado Não Especificado (294)

Transtornos Relacionados a Trauma e a Estressores (295)

F94.1	Transtorno de Apego Reativo (295)

Especificar se: Persistente
Especificar a gravidade atual: Grave

F94.2	Transtorno de Interação Social Desinibida (298)

Especificar se: Persistente
Especificar a gravidade atual: Grave

F43.10	Transtorno de Estresse Pós-traumático (301)

Determinar o subtipo: Com sintomas dissociativos
Especificar se: Com expressão tardia

__.__	Transtorno de Estresse Pós-traumático em Indivíduos com Mais de 6 Anos (301)
__.__	Transtorno de Estresse Pós-traumático em Crianças de 6 Anos ou Menos (303)
F43.0	Transtorno de Estresse Agudo (313)
__.__	Transtornos de Adaptação (319)

Especificar se: Agudo, Persistente (crônico)
Determinar o subtipo:

F43.21	Com humor deprimido
F43.22	Com ansiedade
F43.23	Com misto de ansiedade e humor deprimido
F43.24	Com perturbação da conduta
F43.25	Com perturbação mista das emoções e da conduta
F43.20	Não especificado
F43.81	Transtorno do Luto Prolongado (322)
F43.89	Outro Transtorno Relacionado a Trauma e a Estressores Especificado (327)
F43.9	Transtorno Relacionado a Trauma e a Estressores Não Especificado (328)

Transtornos Dissociativos (329)

F44.81	Transtorno Dissociativo de Identidade (330)
F44.0	Amnésia Dissociativa (337)

Classificação do DSM-5-TR

	Especificar se:
F44.1	Com fuga dissociativa
F48.1	Transtorno de Despersonalização/Desrealização (343)
F44.89	Outro Transtorno Dissociativo Especificado (347)
F44.9	Transtorno Dissociativo Não Especificado (348)

Transtorno de Sintomas Somáticos e Transtornos Relacionados (349)

F45.1	Transtorno de Sintomas Somáticos (351)
	Especificar se: Com dor predominante
	Especificar se: Persistente
	Especificar a gravidade atual: Leve, Moderada, Grave
F45.21	Transtorno de Ansiedade de Doença (357)
	Especificar se: Tipo busca de cuidado, Tipo evitação de cuidado
__.__	Transtorno de Sintomas Neurológicos Funcionais (Transtorno Conversivo) (360)
	Especificar se: Episódio agudo, Persistente
	Especificar se: Com estressor psicológico (especificar estressor), Sem estressor psicológico
	Especificar o tipo de sintoma:
F44.4	Com fraqueza ou paralisia
F44.4	Com movimento anormal
F44.4	Com sintomas de deglutição
F44.4	Com sintoma de fala
F.44.5	Com ataques ou convulsões
F44.6	Com anestesia ou perda sensorial
F44.6	Com sintoma sensorial especial
F44.7	Com sintomas mistos
F54	Fatores Psicológicos que Afetam Outras Condições Médicas (364)
	Especificar a gravidade atual: Leve, Moderada, Grave, Extrema
__.__	Transtorno Factício (367)
	Especificar: Episódio único, Episódios recorrentes
F68.10	Transtorno Factício Autoimposto
F68.A	Transtorno Factício Imposto a Outro
F45.8	Outro Transtorno de Sintomas Somáticos e Transtorno Relacionado Especificado (370)
F45.9	Transtorno de Sintomas Somáticos e Transtorno Relacionado Não Especificado (370)

Transtornos Alimentares (371)

Os seguintes especificadores se aplicam aos Transtornos Alimentares, conforme indicado:
[a]*Especificar* se: Em remissão
[b]*Especificar* se: Em remissão parcial, Em remissão completa
[c]*Especificar* a gravidade atual: Leve, Moderada, Grave, Extrema

__.__	Pica[a] (371)
F98.3	Em crianças
F50.89	Em adultos

F98.21	Transtorno de Ruminação[a] (374)
F50.82	Transtorno Alimentar Restritivo/Evitativo[a] (376)
__.__	Anorexia Nervosa[b,c] (381)
	Determinar o subtipo:
F50.01	Tipo restritivo
F50.02	Tipo compulsão alimentar purgativa
F50.2	Bulimia Nervosa[b,c] (387)
F50.81	Transtorno de Compulsão Alimentar[b,c] (392)
F50.89	Outro Transtorno Alimentar Especificado (396)
F50.9	Transtorno Alimentar Não Especificado (397)

Transtornos da Eliminação (399)

F98.0	Enurese (399)
	Determinar o subtipo: Exclusivamente noturna, Exclusivamente diurna, Noturna e diurna
F98.1	Encoprese (402)
	Determinar o subtipo: Com constipação e incontinência por extravasamento, Sem constipação e incontinência por extravasamento
__.__	Outro Transtorno da Eliminação Especificado (405)
N39.498	Com sintomas urinários
R15.9	Com sintomas fecais
__.__	Transtorno da Eliminação Não Especificado (405)
R32	Com sintomas urinários
R15.9	Com sintomas fecais

Transtornos do Sono-Vigília (407)

Os seguintes especificadores se aplicam aos Transtornos do Sono-Vigília, conforme indicado:
[a]*Especificar* se: Episódico, Persistente, Recorrente
[b]*Especificar* se: Agudo, Subagudo, Persistente
[c]*Especificar* a gravidade atual: Leve, Moderada, Grave

F51.01	Transtorno de Insônia[a] (409)
	Especificar se: Com transtorno mental, Com condição médica, Com outro transtorno do sono
F51.11	Transtorno de Hipersonolência[b,c] (417)
	Especificar se: Com transtorno mental, Com condição médica, Com outro transtorno do sono
__.__	Narcolepsia[c] (422)
	Determinar o subtipo:
G47.411	Narcolepsia com cataplexia ou com deficiência de hipocretina (tipo 1)
G47.419	Narcolepsia sem cataplexia ou sem deficiência de hipocretina ou hipocretina não medida (tipo 2)

Classificação do DSM-5-TR

G47.421 Narcolepsia com cataplexia ou com deficiência de hipocretina devido a uma condição médica
G47.429 Narcolepsia sem cataplexia e sem deficiência de hipocretina devido a uma condição médica

Transtornos do Sono Relacionados à Respiração (429)

G47.33 Apneia e Hipopneia Obstrutivas do Sono[c] (429)

___.___ Apneia Central do Sono (435)
Especificar a gravidade atual
Determinar o subtipo:
G47.31 Apneia central do sono tipo idiopática
R06.3 Respiração de Cheyne-Stokes
G47.37 Apneia central do sono comórbida com uso de opioide
Nota: Codificar em primeiro lugar o transtorno por uso de opioide, caso presente.

___.___ Hipoventilação Relacionada ao Sono (439)
Especificar a gravidade atual
Determinar o subtipo:
G47.34 Hipoventilação idiopática
G47.35 Hipoventilação alveolar central congênita
G47.36 Hipoventilação relacionada ao sono comórbida

___.___ Transtornos do Sono-Vigília do Ritmo Circadiano[a] (443)
Determinar o subtipo:
G47.21 Tipo fase do sono atrasada (444)
Especificar se: Familiar, Sobrepondo-se com o tipo sono-vigília não de 24 horas
G47.22 Tipo fase do sono avançada (446)
Especificar se: Familiar
G47.23 Tipo sono-vigília irregular (447)
G47.24 Tipo sono-vigília não de 24 horas (448)
G47.26 Tipo trabalho em turnos (450)
G47.20 Tipo não especificado

Parassonias (451)

___.___ Transtornos de Despertar do Sono Não REM (452)
Determinar o subtipo:
F51.3 Tipo sonambulismo
Especificar se: Com alimentação relacionada ao sono, Com comportamento sexual relacionado ao sono (sexsônia)
F51.4 Tipo terror noturno
F51.5 Transtorno do Pesadelo[b,c] (457)
Especificar se: Durante início do sono
Especificar se: Com transtorno mental, Com condição médica, Com outro transtorno do sono
G47.52 Transtorno Comportamental do Sono REM (461)

G25.81 Síndrome das Pernas Inquietas (464)

___.___ Transtorno do Sono Induzido por Substância/Medicamento (468)

    Nota: Para códigos aplicáveis da CID-10-MC, consultar as classes de substâncias em Transtornos Relacionados a Substâncias e Transtornos Aditivos para o transtorno do sono induzido por substância/medicamento específico. Para mais informações, ver também no Manual os conjuntos de critérios e procedimentos de registro correspondentes.

    Nota para codificação: Observar que o código da CID-10-MC depende de haver ou não transtorno comórbido por uso de substância presente para a mesma classe de substância. Em qualquer caso, um diagnóstico adicional separado de um transtorno por uso de substância não é dado.

    Determinar o subtipo: Tipo insônia, Tipo sonolência durante o dia, Tipo parassonia, Tipo misto
    Especificar se: Com início durante a intoxicação, Com início durante a descontinuação/abstinência, Com início após o uso de medicamento

G47.09 Outro Transtorno de Insônia Especificado (475)
G47.00 Transtorno de Insônia Não Especificado (475)
G47.19 Outro Transtorno de Hipersonolência Especificado (475)
G47.10 Transtorno de Hipersonolência Não Especificado (476)
G47.8 Outro Transtorno do Sono-Vigília Especificado (476)
G47.9 Transtorno do Sono-Vigília Não Especificado (476)

Disfunções Sexuais (477)

Os seguintes especificadores se aplicam às Disfunções Sexuais, conforme indicado:
[a]*Determinar* o subtipo: Ao longo da vida, Adquirido
[b]*Determinar* o subtipo: Generalizado, Situacional
[c]*Especificar* a gravidade atual: Leve, Moderada, Grave

F52.32 Ejaculação Retardada[a,b,c] (478)
F52.21 Transtorno Erétil[a,b,c] (481)
F52.31 Transtorno do Orgasmo Feminino[a,b,c] (485)

    Especificar se: Nunca experimentou um orgasmo em nenhuma situação

F52.22 Transtorno do Interesse/Excitação Sexual Feminino[a,b,c] (489)
F52.6 Transtorno da Dor Gênito-pélvica/Penetração[a,c] (493)
F52.0 Transtorno do Desejo Sexual Masculino Hipoativo[a,b,c] (498)
F52.4 Ejaculação Prematura (Precoce)[a,b,c] (501)
___.___ Disfunção Sexual Induzida por Substância/Medicamento (504)

    Nota: Para códigos aplicáveis da CID-10-MC, consultar as classes de substâncias em Transtornos Relacionados a Substâncias e Transtornos Aditivos para a disfunção sexual induzida por substância/medicamento específica. Para mais informações, ver também no Manual o conjunto de critérios e procedimentos para registro correspondentes.

    Nota para codificação: Observar que o código da CID-10-MC depende de haver ou não transtorno comórbido por uso de substância presente para a mesma classe de substância. Em qualquer caso, um diagnóstico adicional separado de um transtorno por uso de substância não é dado.

    Especificar se: Com início durante a intoxicação, Com início durante a abstinência, Com início após o uso de medicamento

F52.8 Outra Disfunção Sexual Especificada (509)
F52.9 Disfunção Sexual Não Especificada (509)

Disforia de Gênero (511)

O seguinte especificador e nota se aplicam à Disforia de Gênero, se indicado:
[a]*Especificar* se: Com um distúrbio/diferença de desenvolvimento sexual
[b]**Nota:** Codificar tanto o distúrbio/diferença do desenvolvimento sexual como a disforia de gênero.

__.__	Disforia de Gênero (512)
F64.2	Disforia de Gênero em Crianças[a,b]
F64.0	Disforia de Gênero em Adolescentes e Adultos[a,b]
	Especificar se: Pós-transição
F64.8	Outra Disforia de Gênero Especificada (520)
F64.9	Disforia de Gênero Não Especificada (520)

Transtornos Disruptivos, do Controle de Impulsos e da Conduta (521)

F91.3	Transtorno de Oposição Desafiante (522)
	Especificar a gravidade atual: Leve, Moderada, Grave
F63.81	Transtorno Explosivo Intermitente (527)
__.__	Transtorno da Conduta (530)
	Especificar se: Com emoções pró-sociais limitadas
	Especificar a gravidade atual: Leve, Moderada, Grave
	Determinar o subtipo:
F91.1	Tipo com início na infância
F91.2	Tipo com início na adolescência
F91.9	Início não especificado
F60.2	Transtorno da Personalidade Antissocial (537)
F63.1	Piromania (537)
F63.2	Cleptomania (539)
F91.8	Outro Transtorno Disruptivo, do Controle de Impulsos e da Conduta Especificado (541)
F91.9	Transtorno Disruptivo, do Controle de Impulsos e da Conduta Não Especificado (541)

Transtornos Relacionados a Substâncias e Transtornos Aditivos (543)

Transtornos Relacionados a Substâncias (544)

Transtornos Relacionados ao Álcool (553)

__.__	Transtorno por Uso de Álcool (553)
	Especificar se: Em ambiente protegido
	Especificar a gravidade atual/remissão:
F10.10	Leve
F10.11	Em remissão inicial
F10.11	Em remissão sustentada

F10.20	Moderada
F10.21	Em remissão inicial
F10.21	Em remissão sustentada
F10.20	Grave
F10.21	Em remissão inicial
F10.21	Em remissão sustentada
__.__	Intoxicação por Álcool (561)
F10.120	Com transtorno por uso, leve
F10.220	Com transtorno por uso, moderado ou grave
10.920	Sem transtorno por uso
__.__	Abstinência de Álcool (564)
	Sem perturbações da percepção
F10.130	Com transtorno por uso, leve
F10.230	Com transtorno por uso, moderado ou grave
F10.930	Sem transtorno por uso
	Com perturbações da percepção
F10.132	Com transtorno por uso, leve
F10.232	Com transtorno por uso, moderado ou grave
F10.932	Sem transtorno por uso
__.__	Transtornos Mentais Induzidos por Álcool (567)

Nota: Os transtornos estão listados em sua ordem de aparecimento no Manual.
[a]*Especificar* Com início durante a intoxicação, Com início durante a abstinência
[b]*Especificar* se: Agudo, Persistente
[c]*Especificar* se: Hiperativo, Hipoativo, Nível misto de atividade

__.__	Transtorno Psicótico Induzido por Álcool[a] (126)
F10.159	Com transtornos por uso, leve
F10.259	Com transtorno por uso, moderado ou grave
F10.959	Sem transtorno por uso
__.__	Transtorno Bipolar e Transtorno Relacionado Induzido por Álcool[a] (162)
F10.14	Com transtorno por uso, leve
F10.24	Com transtorno por uso, moderado ou grave
F10.94	Sem transtorno por uso
__.__	Transtorno Depressivo Induzido por Álcool[a] (201)
F10.14	Com transtorno por uso, leve
F10.24	Com transtorno por uso, moderado ou grave
F10.94	Sem transtorno por uso
__.__	Transtorno de Ansiedade Induzido por Álcool[a] (255)
F10.180	Com transtorno por uso, leve
F10.280	Com transtorno por uso, moderado ou grave
F10.980	Sem transtorno por uso
__.__	Transtorno do Sono Induzido por Álcool[a] (468)
	Determinar o subtipo: Tipo insônia
F10.182	Com transtorno por uso, leve

F10.282	Com transtorno por uso, moderado ou grave
F10.982	Sem transtorno por uso
__.__	Disfunção Sexual Induzida por Álcool[a] (504)

Especificar se: Leve, Moderada, Grave

F10.18	Com transtorno por uso, leve
F10.281	Com transtorno por uso, moderado ou grave
F10.981	Sem transtorno por uso
__.__	*Delirium* por Intoxicação por Álcool[b,c] (672)
F10.121	Com transtorno por uso, leve
F10.221	Com transtorno por uso, moderado ou grave
F10.921	Sem transtorno por uso
__.__	*Delirium* por Abstinência de Álcool[b,c] (673)
F10.131	Transtorno por uso, leve
F10.231	Com transtorno por uso, moderado ou grave
F10.931	Sem transtorno por uso
__.__	Transtorno Neurocognitivo Maior Induzido por Álcool (712)

Especificar se: Persistente

__.__	Tipo amnésico confabulatório
F10.26	Com transtorno por uso, moderado ou grave
F10.96	Sem transtorno por uso
__.__	Tipo não amnésico confabulatório
F10.27	Com transtorno por uso, moderado ou grave
F10.97	Sem transtorno por uso
__.__	Transtornos Neurocognitivo Leve Induzido por Álcool (712)

Especificar se: Persistente

F10.188	Com transtorno por uso, leve
F10.288	Com transtorno por uso, moderado ou grave
F10.988	Sem transtorno por uso
F10.99	Transtorno Relacionado ao Álcool Não Especificado (568)

Transtornos Relacionados à Cafeína (569)

F15.920	Intoxicação por Cafeína (569)
F15.93	Abstinência de Cafeína (571)
__.__	Transtornos Mentais Induzidos por Cafeína (574)

Nota: Os transtornos estão listados em sua ordem de aparecimento no Manual.
Especificar Com início durante a intoxicação, Com início durante a abstinência, Com início após o uso de medicamento. **Nota:** Quando tomadas sem prescrição, as substâncias nesta classe também podem induzir o transtorno mental induzido por substância relevante.

F15.980	Transtorno de Ansiedade Induzido por Cafeína (255)
F15.982	Transtorno do Sono Induzido por Cafeína (468)

Determinar o subtipo Tipo insônia, Tipo sonolência diurna, Tipo misto

F15.99	Transtorno Relacionado à Cafeína Não Especificado (574)

Transtornos Relacionados a *Cannabis* (575)

___.___ Transtorno por Uso de *Cannabis* (575)
Especificar se: Em ambiente protegido
Especificar a gravidade atual/remissão:

F12.10	Leve
F12.11	Em remissão inicial
F12.11	Em remissão sustentada
F12.20	Moderada
F12.21	Em remissão inicial
F12.21	Em remissão sustentada
F12.20	Grave
F12.21	Em remissão inicial
F12.21	Em remissão sustentada

___.___ Intoxicação por *Cannabis* (582)

Sem perturbações da percepção

F12.120	Com transtorno por uso, leve
F12.220	Com transtorno por uso, moderado ou grave
F12.920	Sem transtorno por uso

Com perturbações da percepção

F12.122	Com transtorno por uso, leve
F12.222	Com transtorno por uso, moderado ou grave
F12.922	Sem transtorno por uso

___.___ Abstinência de *Cannabis* (584)

F12.13	Com transtorno por uso, leve
F12.23	Com transtorno por uso, moderado ou grave
F12.93	Sem transtorno por uso

___.___ Transtornos Mentais Induzidos por *Cannabis* (586)
Nota: Os transtornos estão listados em sua ordem de aparecimento no Manual.
[a]*Especificar* Com início durante a intoxicação, Com início durante a abstinência, Com início após o uso de medicamento. **Nota:** Quando prescritas como medicamento, as substâncias nesta classe também podem induzir o transtorno mental induzido por substância relevante.
[b]*Especificar* se: Agudo, Persistente
[c]*Especificar* se: Hiperativo, Hipoativo, Nível misto de atividade

___.___ Transtorno Psicótico Induzido por *Cannabis*[a] (126)

F12.159	Com transtorno por uso, leve
F12.259	Com transtorno por uso, moderado ou grave
F12.959	Sem transtorno por uso

___.___ Transtorno de Ansiedade Induzido por *Cannabis*[a] (255)

F12.180	Com transtorno por uso, leve
F12.280	Com transtorno por uso, moderado ou grave
F12.980	Sem transtorno por uso

___.___ Transtorno do Sono Induzido por *Cannabis*[a] (468)
Determinar o subtipo Tipo insônia, Tipo sonolência diurna, Tipo misto

F12.188	Com transtorno por uso, leve
F12.288	Com transtorno por uso, moderado ou grave

F12.988	Sem transtorno por uso
___.___	*Delirium* por Intoxicação por *Cannabis*[b,c] (672)
F12.121	Com transtorno por uso, leve
F12.221	Com transtorno por uso, moderado ou grave
F12.921	Sem transtorno por uso
F12.921	*Delirium* Induzido por Agonista de Receptores Canabinoides[b,c] (674)

Nota: Quando medicamento farmacêutico agonista de receptores canabinoides tomado conforme prescrito. A designação "tomado conforme prescrito" é usada para diferenciar *delirium* induzido por medicamento de *delirium* por intoxicação por substância.

F12.99	Transtorno Relacionado a *Cannabis* Não Especificado (586)

Transtornos Relacionados a Alucinógenos (587)

___.___	Transtorno por Uso de Fenciclidina (587)

Especificar se: Em ambiente protegido
Especificar a gravidade atual/remissão:

F16.10	Leve
F16.11	Em remissão inicial
F16.11	Em remissão sustentada
F16.20	Moderada
F16.21	Em remissão inicial
F16.21	Em remissão sustentada
F16.20	Grave
F16.21	Em remissão inicial
F16.21	Em remissão sustentada
___.___	Transtorno por Uso de Outros Alucinógenos (590)

Especificar o alucinógeno particular
Especificar se: Em ambiente protegido
Especificar a gravidade atual/remissão:

F16.10	Leve
F16.11	Em remissão inicial
F16.11	Em remissão sustentada
F16.20	Moderada
F16.21	Em remissão inicial
F16.21	Em remissão sustentada
F16.20	Grave
F16.21	Em remissão inicial
F16.21	Em remissão sustentada
___.___	Intoxicação por Fenciclidina (594)
F16.120	Com transtorno por uso, leve
F16.220	Com transtorno por uso, moderado ou grave
F16.920	Sem transtorno por uso
___.___	Intoxicação por Outros Alucinógenos (596)
F16.120	Com transtorno por uso, leve
F16.220	Com transtorno por uso, moderado ou grave
F16.920	Sem transtorno por uso

F16.983	Transtorno Persistente da Percepção Induzido por Alucinógenos (598)
__.__	Transtornos Mentais Induzidos por Fenciclidina (600)

Nota: Os transtornos estão listados em sua ordem de aparecimento no manual.

[a]*Especificar* Com início durante a intoxicação, Com início após o uso de medicamento. **Nota:** Quando prescritas como medicamento, as substâncias nesta classe também podem induzir o transtorno induzido por substância relevante.

__.__	Transtorno Psicótico Induzido por Fenciclidina[a] (126)
F16.159	Com transtorno por uso, leve
F16.259	Com transtorno por uso, moderado ou grave
F16.959	Sem transtorno por uso
__.__	Transtorno Bipolar e Transtorno Relacionado Induzido por Fenciclidina[a] (162)
F16.14	Com transtorno por uso, leve
F16.24	Com transtorno por uso, moderado ou grave
F16.94	Sem transtorno por uso
__.__	Transtorno Depressivo Induzido por Fenciclidina[a] (201)
F16.14	Com transtorno por uso, leve
F16.24	Com transtorno por uso, moderado ou grave
F16.94	Sem transtorno por uso
__.__	Transtorno de Ansiedade Induzido por Fenciclidina[a] (255)
F16.180	Com transtorno por uso, leve
F16.280	Com transtorno por uso, moderado ou grave
F16.980	Sem transtorno por uso
__.__	*Delirium* por Intoxicação por Fenciclidina (672)
	Especificar se: Agudo, Persistente
	Especificar se: Hiperativo, Hipoativo, Nível misto de atividade
F16.121	Com transtorno por uso, leve
F16.221	Com transtorno por uso, moderado ou grave
F16.921	Sem transtorno por uso
__.__	Transtornos Mentais Induzidos por Alucinógenos (600)

Nota: Os transtornos estão listados em sua ordem de aparecimento no Manual.

[a]*Especificar* Com início durante a intoxicação, Com início após o uso de medicamento. **Nota:** Quando prescritas como medicamento, as substâncias nesta classe também podem induzir o transtorno mental induzido por substância relevante.
[b]*Especificar* se: Agudo, Persistente
[c]*Especificar* se: Hiperativo, Hipoativo, Nível misto de atividade

__.__	Transtorno Psicótico Induzido por Outro Alucinógeno[a] (126)
F16.159	Com transtorno por uso, leve
F16.259	Com transtorno por uso, moderado ou grave
F16.959	Sem transtorno por uso
__.__	Transtorno Bipolar e Transtorno Relacionado Induzido por Outro Alucinógeno[a] (162)
F16.14	Com transtorno por uso, leve
F16.24	Com transtorno por uso, moderado ou grave
F16.94	Sem transtorno por uso
__.__	Transtorno Depressivo Induzido por Outro Alucinógeno[a] (201)
F16.14	Com transtorno por uso, leve
F16.24	Com transtorno por uso, moderado ou grave
F16.94	Sem transtorno por uso

Classificação do DSM-5-TR

__.__	Transtorno de Ansiedade Induzido por Outro Alucinógeno[a] (255)
F16.180	Com transtorno por uso, leve
F16.280	Com transtorno por uso, moderado ou grave
F16.980	Sem transtorno por uso
__.__	*Delirium* por Intoxicação por Outro Alucinógeno[b,c] (672)
F16.121	Com transtorno por uso, leve
F16.221	Com transtorno por uso, moderado ou grave
F16.921	Sem transtorno por uso
F16.921	*Delirium* Induzido por Ketamina ou Outro Alucinógeno[b,c] (674)

Nota: Quando ketamina ou outro medicamento alucinógeno tomado conforme prescrito. A designação "tomado conforme prescrito" é usada para diferenciar *delirium* induzido por medicamento de *delirium* por intoxicação por substância.

F16.99	Transtorno Relacionado a Fenciclidina Não Especificado (600)
F16.99	Transtorno Relacionado a Alucinógenos Não Especificado (601)

Transtornos Relacionados a Inalantes (601)

__.__ Transtorno por Uso de Inalantes (601)
Especificar o inalante
Especificar se: Em ambiente protegido
Especificar a gravidade atual/remissão:

F18.10	Leve
F18.11	Em remissão inicial
F18.11	Em remissão sustentada
F18.20	Moderada
F18.21	Em remissão inicial
F18.21	Em remissão sustentada
F18.20	Grave
F18.21	Em remissão inicial
F18.21	Em remissão sustentada
__.__	Intoxicação por Inalantes (605)
F18.120	Com transtorno por uso, leve
F18.220	Com transtorno por uso, moderado ou grave
F18.920	Sem transtorno por uso
__.__	Transtornos Mentais Induzidos por Inalantes (607)

Nota: Os transtornos estão listados em sua ordem de aparecimento no Manual.
[a]*Especificar* Com início durante a intoxicação

__.__	Transtorno Psicótico Induzido por Inalantes[a] (126)
F18.159	Com transtorno por uso, leve
F18.259	Com transtorno por uso, moderado ou grave
F18.959	Sem transtorno por uso
__.__	Transtorno Depressivo Induzido por Inalantes[a] (201)
F18.14	Com transtorno por uso, leve
F18.24	Com transtorno por uso, moderado ou grave
F18.94	Sem transtorno por uso

	Transtorno de Ansiedade Induzido por Inalantes[a] (255)
F18.180	Com transtorno por uso, leve
F18.280	Com transtorno por uso, moderado ou grave
F18.980	Sem transtorno por uso
	Delirium por Intoxicação por Inalantes (672)
	Especificar se: Agudo, Persistente
	Especificar se: Hiperativo, Hipoativo, Nível misto de atividade
F18.121	Com transtorno por uso, leve
F18.221	Com transtorno por uso, moderado ou grave
F18.921	Sem transtorno por uso
	Transtorno Neurocognitivo Maior Induzido por Inalantes (712)
	Especificar se: Persistente
F18.17	Com transtorno por uso, leve
F18.27	Com transtorno por uso, moderado ou grave
F18.97	Sem transtorno por uso
	Transtorno Neurocognitivo Leve Induzido por Inalantes (712)
	Especificar se: Persistente
F18.188	Com transtorno por uso, leve
F18.288	Com transtorno por uso, moderado ou grave
F18.988	Sem transtorno por uso
F18.99	Transtorno Relacionado a Inalantes Não Especificado (608)

Transtornos Relacionados a Opioides (608)

	Transtorno por Uso de Opioides (608)
	Especificar se: Em terapia de manutenção, Em ambiente protegido
	Especificar a gravidade atual:
F11.10	Leve
F11.11	Em remissão inicial
F11.11	Em remissão sustentada
F11.20	Moderada
F11.21	Em remissão inicial
F11.21	Em remissão sustentada
F11.20	Grave
F11.21	Em remissão inicial
F11.21	Em remissão sustentada
	Intoxicação por Opioides (615)
	Sem perturbações da percepção
F11.120	Com transtorno por uso, leve
F11.220	Com transtorno por uso, moderado ou grave
F11.920	Sem transtorno por uso
	Com perturbações da percepção
F11.122	Com transtorno por uso, leve
F11.222	Com transtorno por uso, moderado ou grave
F11.922	Sem transtorno por uso

Classificação do DSM-5-TR

__.__	Abstinência de Opioides (617)
F11.13	Com transtorno por uso, leve
F11.23	Com transtorno por uso, moderado ou grave
F11.93	Sem transtorno por uso
__.__	Transtornos Mentais Induzidos por Opioides (619)

Nota: Os transtornos estão listados em sua ordem de aparecimento no Manual.

[a]*Especificar* Com início durante a intoxicação, Com início durante a abstinência, Com início após o uso de medicamento. **Nota:** Quando prescritas como medicamento, as substâncias nesta classe também podem induzir o transtorno mental induzido por substância relevante.
[b]*Especificar* se: Agudo, Persistente
[c]*Especificar* se: Hiperativo, Hipoativo, Nível misto de atividade

__.__	Transtorno Depressivo Induzido por Opioides[a] (201)
F11.14	Com transtorno por uso, leve
F11.24	Com transtorno por uso, moderado ou grave
F11.94	Sem transtorno por uso
__.__	Transtorno de Ansiedade Induzido por Opioides[a] (255)
F11.188	Com transtorno por uso, leve
F11.288	Com transtorno por uso, moderado ou grave
F11.988	Sem transtorno por uso
__.__	Transtorno do Sono Induzido por Opioides[a] (468)
	Determinar o subtipo Tipo insônia, Tipo sonolência diurna, Tipo misto
F11.182	Com transtorno por uso, leve
F11.282	Com transtorno por uso, moderado ou grave
F11.982	Sem transtorno por uso
__.__	Disfunção Sexual Induzida por Opioides[a] (504)
	Especificar se: Leve, Moderada, Grave
F11.181	Com transtorno por uso, leve
F11.281	Com transtorno por uso, moderado ou grave
F11.981	Sem transtorno por uso
__.__	*Delirium* por Intoxicação por Opioides[b,c] (672)
F11.121	Com transtorno por uso, leve
F11.221	Com transtorno por uso, moderado ou grave
F11.921	Sem transtorno por uso
__.__	*Delirium* por Abstinência de Opioides[b,c] (673)
F11.188	Com transtorno por uso, leve
F11.288	Com transtorno por uso, moderado ou grave
F11.988	Sem transtorno por uso
__.__	*Delirium* Induzido por Opioides[b,c] (674)

Nota: A designação "tomado conforme prescrito" é usada para diferenciar *delirium* induzido por medicamento de *delirium* por intoxicação por substância e *delirium* por abstinência de substância.

F11.921	Quando medicamento opioide tomado conforme prescrito (674)
F11.988	Durante a abstinência de medicamento opioide tomado conforme prescrito (674)
F11.99	Transtorno Relacionado a Opioides Não Especificado (619)

Transtornos Relacionados a Sedativos, Hipnóticos ou Ansiolíticos (620)

___.___ Transtorno por Uso de Sedativos, Hipnóticos ou Ansiolíticos (620)
Especificar se: Em ambiente protegido
Especificar a gravidade atual/remissão:

F13.10	Leve
F13.11	Em remissão inicial
F13.11	Em remissão sustentada
F13.20	Moderada
F13.21	Em remissão inicial
F13.21	Em remissão sustentada
F13.20	Grave
F13.21	Em remissão inicial
F13.21	Em remissão sustentada

___.___ Intoxicação por Sedativos, Hipnóticos ou Ansiolíticos (626)

F13.120	Com transtorno por uso, leve
F13.220	Com transtorno por uso, moderado ou grave
F13.920	Sem transtorno por uso

___.___ Abstinência de Sedativos, Hipnóticos ou Ansiolíticos (628)

Sem perturbações da percepção

F13.130	Com transtorno por uso, leve
F13.230	Com transtorno por uso, moderado ou grave
F.13.930	Sem transtorno por uso

Com perturbações da percepção

F13.132	Com transtorno por uso, leve
F13.232	Com transtorno por uso, moderado ou grave
F13.932	Sem transtorno por uso

___.___ Transtornos Mentais Induzidos por Sedativos, Hipnóticos ou Ansiolíticos (631)
Nota: Os transtornos estão listados em sua ordem de aparecimento no Manual.
[a]*Especificar* Com início durante a intoxicação, Com início durante a abstinência, Com início após o uso de medicamento. **Nota:** Quando prescritas como medicamento, as substâncias nesta classe também podem induzir o transtorno mental induzido por substância relevante.
[b]*Especificar* se: Agudo, Persistente
[c]*Especificar* se: Hiperativo, Hipoativo, Nível misto de atividade

___.___ Transtorno Psicótico Induzido por Sedativos, Hipnóticos ou Ansiolíticos[a] (126)

F13.159	Com transtorno por uso, leve
F13.259	Com transtorno por uso, moderado ou grave
F13.959	Sem transtorno por uso

___.___ Transtorno Bipolar e Transtorno Relacionado Induzido por Sedativos, Hipnóticos ou Ansiolíticos[a] (162)

F13.14	Com transtorno por uso, leve
F13.24	Com transtorno por uso, moderado ou grave
F13.94	Sem transtorno por uso

___.___ Transtorno Depressivo Induzido por Sedativos, Hipnóticos ou Ansiolíticos[a] (201)

F13.14	Com transtorno por uso, leve

F13.24	Com transtorno por uso, moderado ou grave
F13.94	Sem transtorno por uso

___.___ Transtorno de Ansiedade Induzido por Sedativos, Hipnóticos ou Ansiolíticos[a] (255)

F13.180	Com transtorno por uso, leve
F13.280	Com transtorno por uso, moderado ou grave
F13.980	Sem transtorno por uso

___.___ Transtorno do Sono Induzido por Sedativos, Hipnóticos ou Ansiolíticos[a] (468)

Determinar o subtipo Tipo insônia, Tipo sonolência diurna, Tipo parassonia, Tipo misto

F13.182	Com transtorno por uso, leve
F13.282	Com transtorno por uso, moderado ou grave
F13.982	Sem transtorno por uso

___.___ Disfunção Sexual Induzida por Sedativos, Hipnóticos ou Ansiolíticos[a] (504)

Especificar se: Leve, Moderada, Grave

F13.181	Com transtorno por uso, leve
F13.281	Com transtorno por uso, moderado ou grave
F13.981	Sem transtorno por uso

___.___ *Delirium* por Intoxicação por Sedativos, Hipnóticos ou Ansiolíticos[b,c] (672)

F13.121	Com transtorno por uso, leve
F13.221	Com transtorno por uso, moderado ou grave
F13.921	Sem transtorno por uso

___.___ *Delirium* por Abstinência de Sedativos, Hipnóticos ou Ansiolíticos[b,c] (673)

F13.131	Com transtorno por uso, leve
F13.231	Com transtorno por uso, moderado ou grave
F13.931	Sem transtorno por uso

___.___ *Delirium* Induzido por Sedativos, Hipnóticos ou Ansiolíticos[b,c] (674)

Nota: A designação "tomado conforme prescrito" é usada para diferenciar *delirium* induzido por medicamento de *delirium* por intoxicação por substância e *delirium* por abstinência de substância.

F13.921	Quando medicamento sedativo, hipnótico ou ansiolítico tomado conforme prescrito (647)
F13.931	Durante a abstinência de medicamento sedativo, hipnótico ou ansiolítico tomado conforme prescrito (674)

___.___ Transtorno Neurocognitivo Maior Induzido por Sedativos, Hipnóticos ou Ansiolíticos (712)

Especificar se: Persistente

F13.27	Com transtorno por uso, moderado ou grave
F13.97	Sem transtorno por uso

___.___ Transtorno Neurocognitivo Leve Induzido por Sedativos, Hipnóticos ou Ansiolíticos (712)

Especificar se: Persistente

F13.188	Com transtorno por uso, leve
F13.288	Com transtorno por uso, moderado ou grave
F13.988	Sem transtorno por uso
F13.99	Transtorno Relacionado a Sedativos, Hipnóticos ou Ansiolíticos Não Especificado (632)

Transtornos Relacionados a Estimulantes (632)

___.___	Transtorno por Uso de Estimulantes (632)
	Especificar se: Em ambiente protegido
	Especificar a gravidade atual/remissão:
___.___	Leve
F15.10	Substância tipo anfetamina
F14.10	Cocaína
F15.10	Outros estimulantes ou estimulante não especificado
___.___	Leve, Em remissão inicial
F15.11	Substância tipo anfetamina
F14.11	Cocaína
F15.11	Outros estimulantes ou estimulante não especificado
___.___	Leve, Em remissão sustentada
F15.11	Substância tipo anfetamina
F14.11	Cocaína
F15.11	Outros estimulantes ou estimulante não especificado
___.___	Moderada
F15.20	Substância tipo anfetamina
F14.20	Cocaína
F15.20	Outros estimulantes ou estimulante não especificado
___.___	Moderada, Em remissão inicial
F15.21	Substância tipo anfetamina
F14.21	Cocaína
F15.21	Outros estimulantes ou estimulante não especificado
___.___	Moderada, Em remissão sustentada
F15.21	Substância tipo anfetamina
F14.21	Cocaína
F15.21	Outros estimulantes ou estimulante não especificado
___.___	Grave
F15.20	Substância tipo anfetamina
F14.20	Cocaína
F15.20	Outros estimulantes ou estimulante não especificado
___.___	Grave, Em remissão inicial
F15.21	Substância tipo anfetamina
F14.21	Cocaína
F15.21	Outros estimulantes ou estimulante não especificado
___.___	Grave, Em remissão sustentada
F15.21	Substância tipo anfetamina
F14.21	Cocaína
F15.21	Outros estimulantes ou estimulante não especificado
___.___	Intoxicação por Estimulantes (640)
	Especificar o intoxicante particular
	Sem perturbações da percepção

Classificação do DSM-5-TR

	Intoxicação por substância tipo anfetamina ou outros estimulantes
F15.120	Com transtorno por uso, leve
F15.220	Com transtorno por uso, moderado ou grave
F15.920	Sem transtorno por uso

	Intoxicação por cocaína
F14.120	Com transtorno por uso, leve
F14.220	Com transtorno por uso, moderado ou grave
F14.920	Sem transtorno por uso

Com perturbações da percepção

	Intoxicação por substância tipo anfetamina ou outros estimulantes
F15.122	Com transtorno por uso, leve
F15.222	Com transtorno por uso, moderado ou grave
F15.922	Sem transtorno por uso

	Intoxicação por cocaína
F14.122	Com transtorno por uso, leve
F14.222	Com transtorno por uso, moderado ou grave
F14.922	Sem transtorno por uso

___.___ Abstinência de Estimulantes (643)

Especificar a substância específica causadora da síndrome de abstinência

	Abstinência de substância tipo anfetamina ou outros estimulantes
F15.13	Com transtorno por uso, leve
F15.23	Com transtorno por uso, moderado ou grave
F15.93	Sem transtorno por uso

	Abstinência de cocaína
F14.13	Com transtorno por uso, leve
F14.23	Com transtorno por uso, moderado ou grave
F14.93	Sem transtorno por uso

___.___ Transtornos Mentais Induzidos por Estimulantes (644)

Nota: Os transtornos estão listados em sua ordem de aparecimento no Manual.

[a]*Especificar* Com início durante a intoxicação, Com início durante a abstinência, Com início após o uso de medicamento. **Nota:** Quando prescritas como medicamento, substâncias tipo anfetamina e outros estimulantes também podem induzir o transtorno mental induzido por substância relevante.

[b]*Especificar* se: Agudo, Persistente

[c]*Especificar* se: Hiperativo, Hipoativo, Nível misto de atividade

___.___ Transtorno Psicótico Induzido por Substância Tipo Anfetamina (ou Outro Estimulante)[a] (126)

F15.159	Com transtorno por uso, leve
F15.259	Com transtorno por uso, moderado ou grave
F15.959	Sem transtorno por uso

___.___ Transtorno Psicótico Induzido por Cocaína[a] (126)

F14.159	Com transtorno por uso, leve
F14.259	Com transtorno por uso, moderado ou grave
F14.959	Sem transtorno por uso

	Transtorno Bipolar e Transtorno Relacionado Induzido por Substância Tipo Anfetamina (ou Outro Estimulante)[a] (162)
F15.14	Com transtorno por uso, leve
F15.24	Com transtorno por uso, moderado ou grave
F15.94	Sem transtorno por uso
__.__	Transtorno Bipolar e Transtorno Relacionado Induzido por Cocaína[a] (162)
F14.14	Com transtorno por uso, leve
F14.24	Com transtorno por uso, moderado ou grave
F14.94	Sem transtorno por uso
__.__	Transtorno Depressivo Induzido por Substância Tipo Anfetamina (ou Outro Estimulante)[a] (201)
F15.14	Com transtorno por uso, leve
F15.24	Com transtorno por uso, moderado ou grave
F15.94	Sem transtorno por uso
__.__	Transtorno Depressivo Induzido por Cocaína[a] (201)
F14.14	Com transtorno por uso, leve
F14.24	Com transtorno por uso, moderado ou grave
F14.94	Sem transtorno por uso
__.__	Transtorno de Ansiedade Induzido por Substância Tipo Anfetamina (ou Outro Estimulante)[a] (255)
F15.180	Com transtorno por uso, leve
F15.280	Com transtorno por uso, moderado ou grave
F15.980	Sem transtorno por uso
__.__	Transtorno de Ansiedade Induzido por Cocaína[a] (255)
F14.180	Com transtorno por uso, leve
F14.280	Com transtorno por uso, moderado ou grave
F14.980	Sem transtorno por uso
__.__	Transtorno Obsessivo-compulsivo e Transtorno Relacionado Induzido por Substância Tipo Anfetamina (ou Outro Estimulante)[a] (287)
F15.188	Com transtorno por uso, leve
F15.288	Com transtorno por uso, moderado ou grave
F15.988	Sem transtorno por uso
__.__	Transtorno Obsessivo-compulsivo e Transtorno Relacionado Induzido por Cocaína[a] (287)
F14.188	Com transtorno por uso, leve
F14.288	Com transtorno por uso, moderado ou grave
F14.988	Sem transtorno por uso
__.__	Transtorno do Sono Induzido por Substância Tipo Anfetamina (ou Outro Estimulante)[a] (468)
	Determinar o subtipo Tipo insônia, Tipo sonolência diurna, Tipo misto
F15.182	Com transtorno por uso, leve
F15.282	Com transtorno por uso, moderado ou grave
F15.982	Sem transtorno por uso
__.__	Transtorno do Sono Induzido por Cocaína[a] (468)
	Determinar o subtipo Tipo insônia, Tipo sonolência diurna, Tipo misto
F14.182	Com transtorno por uso, leve
F14.282	Com transtorno por uso, moderado ou grave

F14.982	Sem transtorno por uso
__.__	Disfunção Sexual Induzida por Substância Tipo Anfetamina (ou Outro Estimulante)[a] (504)
	Especificar se: Leve, Moderada, Grave
F15.181	Com transtorno por uso, leve
F15.281	Com transtorno por uso, moderado ou grave
F15.981	Sem transtorno por uso
__.__	Disfunção Sexual Induzida por Cocaína[a] (504)
	Especificar se: Leve, Moderada, Grave
F14.181	Com transtorno por uso, leve
F14.281	Com transtorno por uso, moderado ou grave
F14.981	Sem transtorno por uso
__.__	*Delirium* por Intoxicação por Substância Tipo Anfetamina (ou Outro Estimulante)[b,c] (672)
F15.121	Com transtorno por uso, leve
F15.221	Com transtorno por uso, moderado ou grave
F15.921	Sem transtorno por uso
__.__	*Delirium* por Intoxicação por Cocaína[b,c] (672)
F14.121	Com transtorno por uso, leve
F14.221	Com transtorno por uso, moderado ou grave
F14.921	Sem transtorno por uso
F15.921	*Delirium* Induzido por Medicamento Tipo Anfetamina (ou Outro Estimulante)[b,c] (674)
	Nota: Quando medicamento tipo anfetamina ou outro medicamento estimulante tomado conforme prescrito. A designação "tomado conforme prescrito" é usada para diferenciar *delirium* induzido por medicamento de *delirium* por intoxicação por substância.
__.__	Transtorno Neurocognitivo Leve Induzido por Substância Tipo Anfetamina (ou Outro Estimulante) (712)
	Especificar se: Persistente
F15.188	Transtorno por uso, leve
F15.288	Com transtorno por uso, moderado ou grave
F15.988	Sem transtorno por uso
__.__	Transtorno Neurocognitivo Leve Induzido por Cocaína (712)
	Especificar se: Persistente
F14.188	Com transtorno por uso, leve
F14.288	Com transtorno por uso, moderado ou grave
F14.988	Sem transtorno por uso
__.__	Transtorno Relacionado a Estimulantes Não Especificado (644)
F15.99	Substância tipo anfetamina ou outro estimulante
F14.99	Cocaína

Transtornos Relacionados ao Tabaco (645)

__.__	Transtorno por Uso de Tabaco (645)
	Especificar se: Em terapia de manutenção, Em ambiente protegido
	Especificar a gravidade atual/remissão:
Z72.0	Leve

F17.200	Moderada
F17.201	Em remissão inicial
F17.201	Em remissão sustentada
F17.200	Grave
F17.201	Em remissão inicial
F17.201	Em remissão sustentada
F17.203	Abstinência de Tabaco (649)

Nota: O código da CID-10-MC indica a presença comórbida de transtorno por uso de substância moderado ou grave, o qual deve estar presente para a aplicação do código para abstinência de tabaco.

__.__	Transtornos Mentais Induzidos por Tabaco (651)
F17.208	Transtorno do Sono Induzido por Tabaco, Com transtorno por uso, moderado ou grave (468)

Determinar o subtipo Tipo insônia, Tipo sonolência diurna, Tipo misto
Especificar Com início durante a abstinência, Com início após o uso de medicamento

F17.209	Transtorno Relacionado ao Tabaco Não Especificado (651)

Transtornos Relacionados a Outras Substâncias (ou Substâncias Desconhecidas) (652)

__.__	Transtorno por Uso de Outra Substância (ou Substância Desconhecida) (652)

Especificar se: Em ambiente protegido
Especificar a gravidade atual/remissão:

F19.10	Leve
F19.11	Em remissão inicial
F19.11	Em remissão sustentada
F19.20	Moderada
F19.21	Em remissão inicial
F19.21	Em remissão sustentada
F19.20	Grave
F19.21	Em remissão inicial
F19.21	Em remissão sustentada
__.__	Intoxicação por Outra Substância (ou Substância Desconhecida) (656)
	Sem perturbações da percepção
F19.120	Com transtorno por uso, leve
F19.220	Com transtorno por uso, moderado ou grave
F19.920	Sem transtorno por uso
	Com perturbações da percepção
F19.122	Com transtorno por uso, leve
F19.222	Com transtorno por uso, moderado ou grave
F19.922	Sem transtorno por uso
__.__	Abstinência de Outra Substância (ou Substância Desconhecida) (658)
	Sem perturbações da percepção
F19.130	Com transtorno por uso, leve
F19.230	Com transtorno por uso, moderado ou grave
F19.930	Sem transtorno por uso

	Com perturbações da percepção
F19.132	Com transtorno por uso, leve
F19.232	Com transtorno por uso, moderado ou grave
F19.932	Sem transtorno por uso
___.___	Transtornos Mentais Induzidos por Outra Substância (ou Substância Desconhecida) (660)

Nota: Os transtornos estão listados em sua ordem de aparecimento no Manual.

[a]*Especificar* Com início durante a intoxicação, Com início durante a abstinência, Com início após o uso de medicamento. **Nota:** Quando prescritas como medicamento ou tomadas sem prescrição, as substâncias nesta classe também podem induzir o transtorno mental induzido por substância relevante.

[b]*Especificar* se: Agudo, Persistente

[c]*Especificar* se: Hiperativo, Hipoativo, Nível misto de atividade

___.___	Transtorno Psicótico Induzido por Outra Substância (ou Substância Desconhecida)[a] (126)
F19.159	Com transtorno por uso, leve
F19.259	Com transtorno por uso, moderado ou grave
F19.959	Sem transtorno por uso
___.___	Transtorno Bipolar e Transtorno Relacionado Induzido por Outra Substância (ou Substância Desconhecida)[a] (162)
F19.14	Com transtorno por uso, leve
F19.24	Com transtorno por uso, moderado ou grave
F19.94	Sem transtorno por uso
___.___	Transtorno Depressivo Induzido por Outra Substância (ou Substância Desconhecida)[a] (201)
F19.14	Com transtorno por uso, leve
F19.24	Com transtorno por uso, moderado ou grave
F19.94	Sem transtorno por uso
___.___	Transtorno de Ansiedade Induzido por Outra Substância (ou Substância Desconhecida)[a] (255)
F19.180	Com transtorno por uso, leve
F19.280	Com transtorno por uso, moderado ou grave
F19.980	Sem transtorno por uso
___.___	Transtorno Obsessivo-compulsivo e Transtorno Relacionado Induzido por Outra Substância (ou Substância Desconhecida)[a] (287)
F19.188	Com transtorno por uso, leve
F19.288	Com transtorno por uso, moderado ou grave
F19.988	Sem transtorno por uso
___.___	Transtorno do Sono Induzido por Outra Substância (ou Substância Desconhecida)[a] (468)

Determinar o subtipo Tipo insônia, Tipo sonolência diurna, Tipo parassonia, Tipo misto

F19.182	Com transtorno por uso, leve
F19.282	Com transtorno por uso, moderado ou grave
F19.982	Sem transtorno por uso
___.___	Disfunção Sexual Induzida por Outra Substância (ou Substância Desconhecida)[a] (504)

Especificar se: Leve, Moderada, Grave

F19.181	Transtorno por uso, leve
F19.281	Com transtorno por uso, moderado ou grave
F19.981	Sem transtorno por uso

___.___   *Delirium* por Intoxicação por Outra Substância (ou Substância Desconhecida)[b,c] (672)
F19.121   Com transtorno por uso, leve
F19.221   Com transtorno por uso, moderado ou grave
F19.921   Sem transtorno por uso

___.___   *Delirium* por Abstinência de Outra Substância (ou Substância Desconhecida)[b,c] (673)
F19.131   Com transtorno por uso, leve
F19.231   Com transtorno por uso, moderado ou grave
F19.931   Sem transtorno por uso

___.___   *Delirium* Induzido por Outro Medicamento (ou Medicamento Desconhecido)[b,c] (674)

Nota: A designação "tomado conforme prescrito" é usada para diferenciar *delirium* induzido por medicamento de *delirium* por intoxicação por substância e *delirium* por abstinência de substância.

F19.921   Quando outro medicamento (ou medicamento desconhecido) tomado conforme prescrito (674)
F19.931   Durante a abstinência de outro medicamento (ou medicamento desconhecido) tomado conforme prescrito (674)

___.___   Transtorno Neurocognitivo Maior Induzido por Outra Substância (ou Substância Desconhecida) (712)

Especificar se: Persistente

F19.17   Com transtorno por uso, leve
F19.27   Com transtorno por uso, moderado ou grave
F19.97   Sem transtorno por uso

___.___   Transtorno Neurocognitivo Leve Induzido por Outra Substância (ou Substância Desconhecida) (712)

Especificar se: Persistente

F19.188   Com transtorno por uso, leve
F19.288   Com transtorno por uso, moderado ou grave
F19.988   Sem transtorno por uso
F19.99   Transtorno Relacionado a Outra Substância (ou Substância Desconhecida) Não Especificado (660)

Transtornos Não Relacionados a Substância (661)

F63.0   Transtorno do Jogo (661)

Especificar se: Episódico, Persistente
Especificar se: Em remissão inicial, Em remissão sustentada
Especificar a gravidade atual: Leve, Moderada, Grave

Transtornos Neurocognitivos (667)

___.___   *Delirium* (672)

Especificar se: Agudo, Persistente
Especificar se: Hiperativo, Hipoativo, Nível misto de atividade

[a]**Nota:** Para os códigos aplicáveis da CID-10-MC, consultar as classes de substância em Transtornos Relacionados a Substâncias e Transtornos Aditivos para o *delirium* induzido por substância/medicamento específico. Para mais informações, ver também no Manual os conjuntos de critérios e procedimentos de registro correspondentes.

Determinar o subtipo:

___.___   *Delirium* por intoxicação por substância[a]

Classificação do DSM-5-TR

___.___	*Delirium* por abstinência de substância[a]
___.___	*Delirium* induzido por medicamento[a]
F05	*Delirium* devido a outra condição médica
F05	*Delirium* devido a múltiplas etiologias
F05	Outro *Delirium* Especificado (678)
F05	*Delirium* Não Especificado (678)

Transtornos Neurocognitivos Maiores e Leves (679)

Tomar como referência a seguinte sequência para codificação e registro de transtornos neurocognitivos (TNCs) maiores e leves no contexto dos diagnósticos específicos listados. Exceções nas notas:

TNCs maiores e leves: *Especificar se devido a [qualquer uma das seguintes etiologias médicas]:* Doença de Alzheimer, Degeneração frontotemporal, Doença com corpos de Lewy, Doença vascular, Lesão cerebral traumática, Uso de substâncias/medicamentos, Infecção por HIV, Doença do príon, Doença de Parkinson, Doença de Huntington, Outra condição médica, Múltiplas etiologias, Etiologia desconhecida.

TNCs maiores e leves: A *etiologia médica específica* para TNC maior ou leve deve ser codificada primeiro. **Nota:** Nenhum código médico etiológico é utilizado para TNC vascular maior, TNCs maiores devido a etiologias possíveis, TNC maior ou leve induzido por substância/medicamento ou TNC maior ou leve devido a etiologia desconhecida.

[a]**Apenas TNC maior:** Depois, deve ser codificado o grau de *gravidade* (o "x" no quarto caractere nos códigos diagnósticos abaixo) da seguinte maneira: .Ay leve, .By moderado, .Cy grave. **Nota:** Não aplicável a TNCs induzidos por substância/medicamento.

[b]**Apenas TNC maior:** Então, devem ser codificadas quaisquer *perturbações comportamentais ou psicológicas concomitantes* (o "y" no quinto e no sexto caracteres dos códigos diagnósticos abaixo): .x11 com agitação; .x4 com ansiedade; .x3 com sintomas de humor; .x2 com perturbação psicótica; .x18 com outras perturbações comportamentais e psicológicas (p. ex., apatia); .x0 sem perturbações comportamentais ou psicológicas concomitantes.

[c]**Apenas TNC leve** *(para exceções, ver nota d abaixo):* Usar ou o código **F06.70** sem perturbação comportamental ou o código **F06.71** com perturbação comportamental (p. ex., apatia, agitação, ansiedade, sintomas de humor, perturbação psicótica ou outros sintomas comportamentais). **Nota de codificação apenas para TNC leve:** Use códigos de transtornos adicionais para indicar sintomas psiquiátricos clinicamente significativos devidos a mesma condição médica causadora do TNC leve (p. ex., **F06.2** transtorno psicótico devido à doença de Alzheimer com delírios; **F06.32** transtorno depressivo devido à doença de Parkinson com episódio tipo depressivo maior). *Nota:* Os códigos adicionais para transtornos mentais devidos a outras condições médicas estão incluídos em transtornos com os quais eles compartilham a fenomenologia (p. ex., para transtornos depressivos maiores devido a outra condição médica, ver "Transtornos Depressivos").

[d]**TNC leve devido a etiologia possível ou não especificada:** Use apenas o código **G31.84**. Nenhum código médico adicional é utilizado. **Nota:** "Com perturbação comportamental" e "Sem perturbação comportamental" não são codificados, mas ainda devem ser registrados.

Transtorno Neurocognitivo Maior ou Leve Devido à Doença de Alzheimer (690)

F02.[xy]	Transtorno Neurocognitivo Maior Devido a Provável Doença de Alzheimer[a,b]
	Nota: Codificar em primeiro lugar **G30.9** doença de Alzheimer.
F03.[xy]	Transtorno Neurocognitivo Maior Devido a Possível Doença de Alzheimer[a,b]
	Nota: Nenhum código médico adicional.

__.__	Transtorno Neurocognitivo Leve Devido a Provável Doença de Alzheimer[c]
	Nota: Codificar em primeiro lugar **G30.9** doença de Alzheimer.
F06.71	Com perturbação comportamental
F06.70	Sem perturbação comportamental
G31.84	Transtorno Neurocognitivo Leve Devido a Possível Doença de Alzheimer[d]

Transtorno Neurocognitivo Frontotemporal Maior ou Leve (695)

F02.[xy]	Transtorno Neurocognitivo Maior Devido a Provável Degeneração Frontotemporal[a,b]
	Nota: Codificar em primeiro lugar **G31.09** degeneração frontotemporal.
F03.[xy]	Transtorno Neurocognitivo Maior Devido a Possível Degeneração Frontotemporal[a,b]
	Nota: Nenhum código médico adicional.
__.__	Transtorno Neurocognitivo Leve Devido a Provável Degeneração Frontotemporal[c]
	Nota: Codificar em primeiro lugar **G31.09** degeneração frontotemporal.
F06.71	Com perturbação comportamental
F06.70	Sem perturbação comportamental
G31.84	Transtorno Neurocognitivo Leve Devido a Possível Degeneração Frontotemporal[d]

Transtorno Neurocognitivo Maior ou Leve com Corpos de Lewy (699)

F02.[xy]	Transtorno Neurocognitivo Maior com Provável Corpos de Lewy[a,b]
	Nota: Codificar em primeiro lugar **G31.83** doença com corpos de Lewy.
F03.[xy]	Transtorno Neurocognitivo Maior com Possível Corpos de Lewy[a,b]
	Nota: Nenhum código médico adicional.
__.__	Transtorno Neurocognitivo Leve com Provável Corpos de Lewy[c]
	Nota: Codificar em primeiro lugar **G31.83** doença com corpos de Lewy.
F06.71	Com perturbação comportamental
F06.70	Sem perturbação comportamental
G31.84	Transtorno Neurocognitivo Leve com Possível Corpos de Lewy[d]

Transtorno Neurocognitivo Vascular Maior ou Leve (703)

F01.[xy]	Transtorno Neurocognitivo Maior Provavelmente Devido a Doença Vascular[a,b]
	Nota: Nenhum código médico adicional.
F03.[xy]	Transtorno Neurocognitivo Maior Possivelmente Devido a Doença Vascular[a,b]
	Nota: Nenhum código médico adicional.
__.__	Transtorno Neurocognitivo Leve Provavelmente Devido a Doença Vascular[c]
	Nota: Codificar em primeiro lugar **I67.9** doença cerebrovascular
F06.71	Com perturbação comportamental
F06.70	Sem perturbação comportamental
G31.84	Transtorno Neurocognitivo Leve Possivelmente Devido a Doença Vascular[d]

Classificação do DSM-5-TR

Transtorno Neurocognitivo Maior ou Leve Devido a Lesão Cerebral Traumática (707)

Nota: Codificar em primeiro lugar S06.2XAS lesão cerebral traumática difusa com perda de consciência de duração não especificada, sequela.

F02.[xy]	Transtorno Neurocognitivo Maior Devido a Lesão Cerebral Traumática[a,b]
__.__	Transtorno Neurocognitivo Leve Devido a Lesão Cerebral Traumática[c]
F06.71	Com perturbação comportamental
F06.70	Sem perturbação comportamental

Transtorno Neurocognitivo Maior ou Leve Induzido por Substância/Medicamento (713)

Nota: Nenhum código médico adicional é utilizado. Para códigos da CID-10-MC aplicáveis, consultar as classes de substâncias na seção Transtornos Relacionados a Substância e Transtornos Aditivos para o TNC maior ou leve induzido por substância/medicamento específico. Ver também os critérios estabelecidos e os procedimentos de registro correspondentes no Manual para mais informações.

Nota de codificação: O código da CID-10-MC depende de haver ou não transtorno por uso de substância comórbido presente para a mesma classe de substância. De qualquer maneira, um diagnóstico adicional separado de transtorno por uso de substância não é dado. *Nota:* Os especificadores de sintomas "Com agitação", "Com ansiedade", "Com sintomas de humor", "Com perturbação psicótica", "Com outra perturbação comportamental ou psicológica", "Sem perturbação comportamental ou psicológica concomitante" não devem ser codificados, mas ainda devem ser registrados.

Especificar se: Persistente

__.__	Transtorno Neurocognitivo Maior Induzido por Substância/Medicamento
	Especificar gravidade do TNC: Leve, Moderada, Grave
__.__	Transtorno Neurocognitivo Leve Induzido por Substância/Medicamento

Transtorno Neurocognitivo Maior ou Leve Devido à Infecção por HIV (718)

Nota: Codificar em primeiro lugar **B20** infecção por HIV

F02.[xy]	Transtorno Neurocognitivo Maior Devido à Infecção por HIV[a,b]
__.__	Transtorno Neurocognitivo Leve Devido à Infecção por HIV[c]
F06.71	Com perturbação comportamental
F06.70	Sem perturbação comportamental

Transtorno Neurocognitivo Maior ou Leve Devido à Doença do Príon (722)

Nota: Codificar em primeiro lugar **A81.9** doença do príon.

F02.[xy]	Transtorno Neurocognitivo Maior Devido à Doença do Príon[a,b]
__.__	Transtorno Neurocognitivo Leve Devido à Doença do Príon[c]
F06.71	Com perturbação comportamental
F06.70	Sem perturbação comportamental

Transtorno Neurocognitivo Maior ou Leve Devido à Doença de Parkinson (724)

F02.[xy]	Transtorno Neurocognitivo Maior Provavelmente Devido à Doença de Parkinson[a,b]
	Nota: Codificar em primeiro lugar **G20** doença de Parkinson.
F03.[xy]	Transtorno Neurocognitivo Maior Possivelmente Devido à Doença de Parkinson[a,b]
	Nota: Nenhum código médico adicional.
___.___	Transtorno Neurocognitivo Leve Provavelmente Devido à Doença de Parkinson[c]
	Nota: Codificar em primeiro lugar **G20** doença de Parkinson.
F06.71	Com perturbação comportamental
F06.70	Sem perturbação comportamental
G31.84	Transtorno Neurocognitivo Leve Possivelmente Devido à Doença de Parkinson[d]

Transtorno Neurocognitivo Maior ou Leve Devido à Doença de Huntington (727)

Nota: Codificar em primeiro lugar **G10** doença de Huntington.

F02.[xy]	Transtorno Neurocognitivo Maior Devido à Doença de Huntington[a,b]
___.___	Transtorno Neurocognitivo Leve Devido à Doença de Huntington[c]
F06.71	Com perturbação comportamental
F06.70	Sem perturbação comportamental

Transtorno Neurocognitivo Maior ou Leve Devido a Outra Condição Médica (730)

Nota: Codificar em primeiro lugar a outra condição médica.

F02.[xy]	Transtorno Neurocognitivo Maior Devido a Outra Condição Médica[a,b]
___.___	Transtorno Neurocognitivo Leve Devido a Outra Condição Médica[c]
F06.71	Com perturbação comportamental
F06.70	Sem perturbação comportamental

Transtorno Neurocognitivo Maior ou Leve Devido a Múltiplas Etiologias (731)

F02.[xy]	Transtorno Neurocognitivo Maior Devido a Múltiplas Etiologias[a,b]
	Nota: Codificar em primeiro lugar todas as condições médicas etiológicas (com exceção de doença cerebrovascular). Então codifique **F02.[xy]**[a,b] uma vez para TNC maior devido a todas as etiologias aplicáveis. Também use o código **F01.[xy]**[a,b] para TNC maior provavelmente devido a doença vascular, se presente. Também use o código dos TNCs maiores induzidos por substância/medicamento relevantes se substâncias ou medicamentos tiverem algum papel na etiologia.
___.___	Transtorno Neurocognitivo Leve Devido a Múltiplas Etiologias[c]
	Nota: Codificar em primeiro lugar todas as condições médicas etiológicas, incluindo **I67.9** doença cerebrovascular, se presente. Então use os códigos **F06.70** ou **F06.71** uma vez (ver abaixo para o quinto caractere) para TNC leve devido a todas as etiologias aplicáveis, incluindo TNC leve provavelmente devido a doença vascular, se presente. Codifique também os TNCs leves induzidos por substância/medicamento se as substâncias ou medicamentos tiverem um papel na etiologia.
F06.71	Com perturbação comportamental
F06.70	Sem perturbação comportamental

Transtorno Neurocognitivo Maior ou Leve Devido a Etiologia Desconhecida (732)

Nota: Nenhum código médico adicional.

F03.[xy]   Transtorno Neurocognitivo Maior Devido a Etiologia Desconhecida[a,b]
G31.84   Transtorno Neurocognitivo Leve Devido a Etiologia Desconhecida[d]

R41.9   Transtorno Neurocognitivo Não Especificado (733)
            Nota: Nenhum código médico adicional.

Transtornos da Personalidade (735)

Transtornos da Personalidade do Grupo A
F60.0   Transtorno da Personalidade Paranoide (739)
F60.1   Transtorno da Personalidade Esquizoide (743)
F21   Transtorno da Personalidade Esquizotípica (746)

Transtornos da Personalidade do Grupo B
F60.2   Transtorno da Personalidade Antissocial (750)
F60.3   Transtorno da Personalidade *Borderline* (754)
F60.4   Transtorno da Personalidade Histriônica (759)
F60.81   Transtorno da Personalidade Narcisista (762)

Transtornos da Personalidade do Grupo C
F60.6   Transtorno da Personalidade Evitativa (766)
F60.7   Transtorno da Personalidade Dependente (770)
F60.5   Transtorno da Personalidade Obsessivo-compulsiva (773)

Outros Transtornos da Personalidade
F07.0   Mudança de Personalidade Devido a Outra Condição Médica (777)
            Determinar o subtipo: Tipo lábil, Tipo desinibido, Tipo agressivo, Tipo apático, Tipo paranoide, Outro tipo, Tipo combinado, Tipo não especificado
F60.89   Outro Transtorno da Personalidade Especificado (780)
F60.9   Transtorno da Personalidade Não Especificado (780)

Transtornos Parafílicos (781)

O seguinte especificador se aplica aos Transtornos Parafílicos, conforme indicado:
[a]*Especificar* se: Em ambiente protegido, Em remissão completa
F65.3   Transtorno Voyeurista[a] (782)

F65.2	Transtorno Exibicionista[a] (785)
	Especificar se: Excitado sexualmente pela exposição dos genitais a crianças pré-púberes, Excitado sexualmente pela exposição dos genitais a indivíduos fisicamente maduros, Excitado sexualmente pela exposição dos genitais a crianças pré-púberes e a indivíduos fisicamente maduros
F65.81	Transtorno Frotteurista[a] (787)
F65.51	Transtorno do Masoquismo Sexual[a] (790)
	Especificar se: Com asfixiofilia
F65.52	Transtorno do Sadismo Sexual[a] (792)
F65.4	Transtorno Pedofílico (794)
	Determinar o subtipo: Tipo exclusivo, Tipo não exclusivo
	Especificar se: Sexualmente atraído por indivíduos do sexo masculino, Sexualmente atraído por indivíduos do sexo feminino, Sexualmente atraído por ambos
	Especificar se: Limitado a incesto
F65.0	Transtorno Fetichista[a] (798)
	Especificar: Parte(s) do corpo, Objeto(s) inanimado(s), Outros
F65.1	Transtorno Transvéstico[a] (800)
	Especificar se: Com fetichismo, Com autoginefilia
F65.89	Outro Transtorno Parafílico Especificado (803)
F65.9	Transtorno Parafílico Não Especificado (803)

Códigos para Outros Transtornos Mentais e Códigos Adicionais (805)

F06.8	Outro Transtorno Mental Especificado Devido a Outra Condição Médica (805)
F09	Transtorno Mental Não Especificado Devido a Outra Condição Médica (806)
F99	Outro Transtorno Mental Especificado (806)
F99	Transtorno Mental Não Especificado (807)
Z03.89	Sem Diagnóstico ou Condição (807)

Transtornos do Movimento Induzidos por Medicamentos e Outros Efeitos Adversos de Medicamentos (809)

__.__	Parkinsonismo Induzido por Medicamento (809)
G21.11	Parkinsonismo Induzido por Medicamento Antipsicótico e Outro Agente Bloqueador do Receptor de Dopamina
G21.19	Parkinsonismo Induzido por Outro Medicamento (809)
G21.0	Síndrome Neuroléptica Maligna (812)
G24.02	Distonia Aguda Induzida por Medicamento (814)
G25.71	Acatisia Aguda Induzida por Medicamento (815)
G24.01	Discinesia Tardia (816)
G24.09	Distonia Tardia (818)

Classificação do DSM-5-TR

G25.71	Acatisia Tardia (818)
G25.1	Tremor Postural Induzido por Medicamento (819)
G25.79	Outro Transtorno do Movimento Induzido por Medicamento (820)
___.___	Síndrome da Descontinuação de Antidepressivos (820)
T43.205A	Consulta inicial
T43.205D	Consulta de seguimento
T43.205S	Sequelas
___.___	Outros Efeitos Adversos dos Medicamentos (821)
T50.905A	Consulta inicial
T50.905D	Consulta de seguimento
T50.905S	Sequelas

Outras Condições que Podem ser Foco da Atenção Clínica (823)

Comportamento Suicida e Autolesão Não Suicida (824)

Comportamento Suicida (824)

___.___	Comportamento Suicida Atual (824)
T14.91XA	Consulta inicial
T14.91XD	Consulta de seguimento
Z91.51	História de Comportamento Suicida (824)

Autolesão Não Suicida (824)

R45.88	Autolesão Não Suicida Atual (824)
Z91.52	História de Autolesão Não Suicida (824)

Abuso e Negligência (824)

Problemas de Maus-tratos e Negligência Infantil (825)

Abuso Físico Infantil (825)

___.___	Abuso Físico Infantil Confirmado (825)
T74.12XA	Consulta inicial
T74.12XD	Consulta de seguimento
___.___	Abuso Físico Infantil Suspeitado (825)
T76.12XA	Consulta inicial
T76.12XD	Consulta de seguimento
___.___	Outras Circunstâncias Relacionadas a Abuso Físico Infantil (825)

Z69.010	Consulta em serviços de saúde mental de vítima de abuso físico infantil por um dos pais
Z69.020	Consulta em serviços de saúde mental de vítima de abuso físico infantil não parental
Z62.810	História pessoal (história anterior) de abuso físico na infância
Z69.011	Consulta em serviços de saúde mental de perpetrador de abuso físico infantil parental
Z69.021	Consulta em serviços de saúde mental de perpetrador de abuso físico infantil não parental

Abuso Sexual Infantil (825)

__.__	Abuso Sexual Infantil Confirmado (826)
T74.22XA	Consulta inicial
T74.22XD	Consulta de seguimento
__.__	Abuso Sexual Infantil Suspeitado (826)
T76.22XA	Consulta inicial
T76.22XD	Consulta de seguimento
__.__	Outras Circunstâncias Relacionadas a Abuso Sexual Infantil (826)
Z69.010	Consulta em serviços de saúde mental de vítima de abuso sexual infantil por um dos pais
Z69.020	Consulta em serviços de saúde mental de vítima de abuso sexual infantil não parental
Z62.810	História pessoal (história anterior) de abuso sexual na infância
Z69.011	Consulta em serviços de saúde mental de perpetrador de abuso sexual infantil parental
Z69.021	Consulta em serviços de saúde mental de perpetrador de abuso sexual infantil não parental

Negligência Infantil (826)

__.__	Negligência Infantil Confirmada (826)
T74.02XA	Consulta inicial
T74.02XD	Consulta de seguimento
__.__	Negligência Infantil Suspeitada (826)
T76.02XA	Consulta inicial
T76.02XD	Consulta de seguimento
__.__	Outras Circunstâncias Relacionadas a Negligência Infantil (826)
Z69.010	Consulta em serviços de saúde mental de vítima de negligência infantil por um dos pais
Z69.020	Consulta em serviços de saúde mental de vítima de negligência infantil não parental
Z62.812	História pessoal (história anterior) de negligência na infância
Z69.011	Consulta em serviços de saúde mental de perpetrador de negligência infantil parental
Z69.021	Consulta em serviços de saúde mental de perpetrador de negligência infantil não parental

Abuso Psicológico Infantil (827)

__.__	Abuso Psicológico Infantil Confirmado (827)
T74.32XA	Consulta inicial
T74.32XD	Consulta de seguimento

Classificação do DSM-5-TR

__.__	Abuso Psicológico Infantil Suspeitado (827)
T76.32XA	Consulta inicial
T76.32XD	Consulta de seguimento
__.__	Outras Circunstâncias Relacionadas a Abuso Psicológico Infantil (827)
Z69.010	Consulta em serviços de saúde mental de vítima de abuso psicológico infantil por um dos pais
Z69.020	Consulta em serviços de saúde mental de vítima de abuso psicológico infantil não parental
Z62.811	História pessoal (história anterior) de abuso psicológico na infância
Z69.011	Consulta em serviços de saúde mental de perpetrador de abuso psicológico infantil parental
Z69.021	Consulta em serviços de saúde mental de perpetrador de abuso psicológico infantil não parental

Problemas de Maus-tratos e Negligência de Adultos (827)

Violência Física de Cônjuge ou Parceiro(a) (827)

__.__	Violência Física de Cônjuge ou Parceiro(a) Confirmada (827)
T74.11XA	Consulta inicial
T74.11XD	Consulta de seguimento
__.__	Violência Física de Cônjuge ou Parceiro(a) Suspeitada (828)
T76.11XA	Consulta inicial
T76.11XD	Consulta de seguimento
__.__	Outras Circunstâncias Relacionadas a Violência Física de Cônjuge ou Parceiro(a) (828)
Z69.11	Consulta em serviços de saúde mental de vítima de violência física de cônjuge ou parceiro(a)
Z91.410	História pessoal (história anterior) de violência física de cônjuge ou parceiro(a)
Z69.12	Consulta em serviços de saúde mental de perpetrador de violência física de cônjuge ou parceiro(a)

Violência Sexual de Cônjuge ou Parceiro(a) (828)

__.__	Violência Sexual de Cônjuge ou Parceiro(a) Confirmada (828)
T74.21XA	Consulta inicial
T74.21XD	Consulta de seguimento
__.__	Violência Sexual de Cônjuge ou Parceiro(a) Suspeitada (828)
T76.21XA	Consulta inicial
T76.21XD	Consulta de seguimento
__.__	Outras Circunstâncias Relacionadas a Violência Sexual de Cônjuge ou Parceiro(a) (828)
Z69.81	Consulta em serviços de saúde mental de vítima de violência sexual de cônjuge ou parceiro(a)
Z91.410	História pessoal (história anterior) de violência sexual de cônjuge ou parceiro(a)
Z69.12	Consulta em serviços de saúde mental de perpetrador de violência sexual de cônjuge ou parceiro(a)

Negligência de Cônjuge ou Parceiro(a) (828)

__.__ Negligência de Cônjuge ou Parceiro(a) Confirmada (828)
T74.01XA Consulta inicial
T74.01XD Consulta de seguimento

__.__ Negligência de Cônjuge ou Parceiro(a) Suspeitada (829)
T76.01XA Consulta inicial
T76.01XD Consulta de seguimento

__.__ Outras Circunstâncias Relacionadas a Negligência de Cônjuge ou Parceiro(a) (829)
Z69.11 Consulta em serviços de saúde mental de vítima de negligência de cônjuge ou parceiro(a)
Z91.412 História pessoal (história anterior) de negligência de cônjuge ou parceiro(a)
Z69.12 Consulta em serviços de saúde mental de perpetrador de negligência de cônjuge ou parceiro(a)

Abuso Psicológico de Cônjuge ou Parceiro(a) (829)

__.__ Abuso Psicológico de Cônjuge ou Parceiro(a) Confirmado (829)
T74.31XA Consulta inicial
T74.31XD Consulta de seguimento

__.__ Abuso Psicológico de Cônjuge ou Parceiro(a) Suspeitado (829)
T76.31XA Consulta inicial
T76.31XD Consulta de seguimento

__.__ Outras Circunstâncias Relacionadas a Abuso Psicológico de Cônjuge ou Parceiro(a) (829)
Z69.11 Consulta em serviços de saúde mental de vítima de abuso psicológico de cônjuge ou parceiro(a)
Z91.411 História pessoal (história anterior) de abuso psicológico de cônjuge ou parceiro(a)
Z69.12 Consulta em serviços de saúde mental de perpetrador de abuso psicológico de cônjuge ou parceiro(a)

Abuso de Adulto por Não Cônjuge ou Não Parceiro(a) (829)

__.__ Abuso Físico de Adulto por Não Cônjuge ou Não Parceiro(a) Confirmado (830)
T74.11XA Consulta inicial
T74.11XD Consulta de seguimento

__.__ Abuso Físico de Adulto por Não Cônjuge ou Não Parceiro(a) Suspeitado (830)
T76.11XA Consulta inicial
T76.11XD Consulta de seguimento

__.__ Abuso Sexual de Adulto por Não Cônjuge ou Não Parceiro(a) Confirmado (830)
T74.21XA Consulta inicial
T74.21XD Consulta de seguimento

__.__ Abuso Sexual de Adulto por Não Cônjuge ou Não Parceiro(a) Suspeitado (830)
T76.21XA Consulta inicial
T76.21XD Consulta de seguimento

__.__ Abuso Psicológico de Adulto por Não Cônjuge ou Não Parceiro(a) Confirmado (830)

T74.31XA	Consulta inicial
T74.31XD	Consulta de seguimento
__.__	Abuso Psicológico de Adulto por Não Cônjuge ou Não Parceiro(a) Suspeitado (830)
T76.31XA	Consulta inicial
T76.31XD	Consulta de seguimento
__.__	Outras Circunstâncias Relacionadas a Abuso de Adulto por Não Cônjuge ou Não Parceiro(a) (830)
Z69.81	Consulta em serviços de saúde mental de vítima de abuso de adulto por não cônjuge ou não parceiro(a)
Z69.82	Consulta em serviços de saúde mental de perpetrador de abuso de adulto por não cônjuge ou não parceiro(a)

Problemas de Relacionamento (830)

__.__	Problema de Relacionamento Entre Pais e Filhos (831)
Z62.820	Entre Pais e Filho Biológico (831)
Z62.821	Entre Pais e Filho Adotado (831)
Z62.822	Entre Pais e Filho Acolhido (831)
Z62.898	Entre Outro Cuidador e Filho (831)
Z62.891	Problema de Relacionamento com Irmão (831)
Z63.0	Sofrimento na Relação com o Cônjuge ou Parceiro(a) Íntimo(a) (831)

Problemas Relacionados ao Ambiente Familiar (831)

Z62.29	Educação Longe dos Pais (831)
Z62.898	Criança Afetada por Sofrimento na Relação dos Pais (832)
Z63.5	Ruptura da Família por Separação ou Divórcio (832)
Z63.8	Nível de Expressão Emocional Alto na Família (832)

Problemas Educacionais (832)

Z55.0	Analfabetismo e Baixo Nível de Escolaridade (832)
Z55.1	Escolarização Indisponível ou Inatingível (832)
Z55.2	Reprovação nos Exames Escolares (832)
Z55.3	Insucesso na Escola (832)
Z55.4	Desajuste Educacional e Desentendimento com Professores e Colegas (832)
Z55.8	Problemas Relacionados a Ensino Inadequado (832)
Z55.9	Outros Problemas Relacionados à Educação e Alfabetização (832)

Problemas Profissionais (832)

Z56.82	Problema Relacionado a Condição Atual de Preparação Militar (832)
Z56.0	Desemprego (833)
Z56.1	Mudança de Emprego (833)
Z56.2	Ameaça de Perda de Emprego (833)

Z56.3	Horário de Trabalho Estressante (833)
Z56.4	Desentendimento com Chefia e Colegas de Trabalho (833)
Z56.5	Ambiente de Trabalho Hostil (833)
Z56.6	Outra Tensão Física ou Mental Relacionada ao Trabalho (833)
Z56.81	Assédio Sexual no Trabalho (833)
Z56.9	Outro Problema Relacionado a Emprego (833)

Problemas de Moradia (833)

Z59.01	Sem-teto Abrigado (833)
Z59.02	Sem-teto (833)
Z59.1	Moradia Inadequada (833)
Z59.2	Desentendimento com Vizinho, Locatário ou Locador (833)
Z59.3	Problema Relacionado a Moradia em Instituição Residencial (833)
Z59.9	Outro Problema de Moradia (833)

Problemas Econômicos (833)

Z59.41	Insegurança Alimentar (834)
Z58.6	Falta de Água Potável Segura (834)
Z59.5	Pobreza Extrema (834)
Z59.6	Baixa Renda (834)
Z59.7	Seguro Social ou de Saúde ou Previdência Social Insuficientes (834)
Z59.9	Outro Problema Econômico (834)

Problemas Relacionados ao Ambiente Social (834)

Z60.2	Problema Relacionado a Morar Sozinho (834)
Z60.3	Dificuldade de Aculturação (834)
Z60.4	Exclusão ou Rejeição Social (834)
Z60.5	Alvo de Discriminação ou Perseguição Adversa (Percebida) (834)
Z60.9	Outro Problema Relacionado ao Ambiente Social (834)

Problemas Relacionados a Interação com o Sistema Legal (834)

Z65.0	Condenação em Processos Criminais Sem Prisão (835)
Z65.1	Prisão ou Outro Encarceramento (835)
Z65.2	Problemas Relacionados à Liberdade Prisional (835)
Z65.3	Problemas Relacionados a Outras Circunstâncias Legais (835)

Problemas Relacionados a Outras Circunstâncias Psicossociais, Pessoais e Ambientais (835)

Z72.9	Problema Relacionado ao Estilo de Vida (835)
Z64.0	Problemas Relacionados a Gravidez Indesejada (835)
Z64.1	Problemas Relacionados a Múltiplas Gestações (835)

Z64.4	Desentendimento com Prestador de Serviço Social, Incluindo Oficial da Condicional, Conselheiro Tutelar ou Assistente Social (835)
Z65.4	Vítima de Crime (835)
Z65.4	Vítima de Terrorismo ou Tortura (835)
Z65.5	Exposição a Desastre, Guerra ou Outras Hostilidades (835)

Problemas Relacionados ao Acesso a Cuidados Médicos e Outros Cuidados de Saúde (835)

Z75.3	Indisponibilidade ou Inacessibilidade a Unidades de Saúde (835)
Z75.4	Indisponibilidade ou Inacessibilidade de Outras Agências de Ajuda (835)

Circunstâncias da História Pessoal (835)

Z91.49	História Pessoal de Trauma Psicológico (835)
Z91.82	História Pessoal de Preparação Militar (835)

Outras Consultas de Serviços de Saúde para Aconselhamento e Opinião Médica (835)

Z31.5	Aconselhamento Genético (835)
Z70.9	Aconselhamento Sexual (836)
Z71.3	Aconselhamento Nutricional (836)
Z71.9	Outro Aconselhamento ou Consulta (836)

Outras Condições ou Problemas que Podem ser Foco da Atenção Clínica (836)

Z91.83	Perambulação Associada a Algum Transtorno Mental (834)
Z63.4	Luto Não Complicado (836)
Z60.0	Problema Relacionado à Fase da Vida (836)
Z65.8	Problema Religioso ou Espiritual (836)
Z72.811	Comportamento Antissocial Adulto (837)
Z72.810	Comportamento Antissocial de Criança ou Adolescente (837)
Z91.199	Não Adesão a Tratamento Médico (837)
E66.9	Sobrepeso ou Obesidade (837)
Z76.5	Simulação (837)
R41.81	Declínio Cognitivo Relacionado à Idade (837)
R41.83	Funcionamento Intelectual *Borderline* (838)
R45.89	Explosões Emocionais Prejudiciais (838)

SEÇÃO I
Informações Básicas Sobre o DSM-5

Introdução 5
Utilização do Manual 21
Advertência para a Utilização Forense do DSM-5 29

Esta seção constitui uma orientação básica sobre a finalidade, a estrutura, o conteúdo e a utilização do DSM-5. A Introdução começa com uma descrição dos processos de revisão do DSM-5 e do DSM-5-TR, seguida por uma visão geral da organização da estrutura do DSM-5 (p. ex., reagrupamento dos transtornos, harmonização com a CID-11) e principais questões conceituais, como a definição de um transtorno mental, abordagens categórica e dimensional do diagnóstico, questões estruturais culturais e sociais e diferenças de sexo e gênero. Utilização do Manual apresenta informações para facilitar o uso do DSM-5, como uma breve visão geral do processo diagnóstico, o uso de subtipos e especificadores, outras categorias de transtorno mental especificado e transtorno mental não especificado, uso do julgamento clínico, procedimentos para codificação e registro, notas sobre a terminologia, descrições dos tipos de informações no texto do DSM-5-TR e melhorias *on-line*. A seção conclui com uma Advertência para a Utilização Forense do DSM-5.

Introdução

A elaboração da quinta edição do *Manual diagnóstico e estatístico de transtornos mentais* (DSM-5) foi um empreendimento gigantesco que envolveu centenas de pessoas trabalhando com um objetivo em comum ao longo de um período de 12 anos. A avaliação dos critérios diagnósticos, considerando a organização de cada aspecto do Manual e criando novas características, consideradas de maior utilidade para os clínicos, como medidas dimensionais que podem ajudar a identificar sintomas emergentes ou determinar e monitorar mudanças na gravidade, envolveu muito debate e ponderação. Todos esses esforços foram direcionados para o objetivo de melhorar a utilidade do DSM-5 como um guia clínico para o diagnóstico de transtornos mentais, bem como seu valor para a pesquisa.

O DSM-5 busca atender à necessidade de clínicos, pacientes, famílias e pesquisadores de uma descrição clara e concisa de cada transtorno mental, o que foi operacionalizado com a utilização de critérios diagnósticos que são complementados por medidas dimensionais da gravidade, acompanhada por uma compilação de informações acerca do diagnóstico, incluindo fatores de risco e questões relacionadas a cultura, sexo e gênero.

Treinamento clínico e experiência são necessários para usar o DSM na determinação de um diagnóstico clínico. Os critérios diagnósticos identificam sintomas e sinais que compreendem afetos, comportamentos, funções cognitivas, traços de personalidade, juntamente a sinais físicos, combinações de sintomas (síndromes) e durações, exigindo perícia clínica para diferenciá-los das variações normais e de respostas transitórias ao estresse. O processo diagnóstico pode ser facilitado por um exame minucioso da gama de sintomas que podem estar presentes, bem como pela condução de uma revisão dos sistemas mentais utilizando a Escala Transversal de Sintomas de Nível 1 do DSM-5, conforme recomendado pelas *Practice Guidelines for the Psychiatric Evaluation of Adults* (ver "Escalas Transversais de Sintomas") da American Psychiatric Association (APA).

O uso dos critérios do DSM envolve a evidente vantagem de criar uma linguagem comum para comunicação entre clínicos sobre o diagnóstico de transtornos. Os transtornos reconhecidos oficialmente são apresentados na Seção II do Manual. Contudo, deve-se enfatizar que esses critérios diagnósticos e suas relações dentro da classificação baseiam-se em pesquisas atuais e podem ter de ser modificados à medida que a pesquisa avança.

Desenvolvimento do DSM-5-TR

Breve História das Edições Anteriores do DSM

A primeira edição do *Manual diagnóstico e estatístico dos transtornos mentais* da American Psychiatric Association (APA) surgiu em 1952. Este foi o primeiro manual oficial de transtornos mentais a conter um glossário de descrições das categorias diagnósticas. O uso do termo "reação" ao longo da classificação refletia a influência da visão psicobiológica de Adolf Meyer de que os transtornos mentais representavam reações da personalidade a fatores psicológicos, sociais e biológicos. No desenvolvimento da segunda edição (DSM-II), foi tomada uma decisão de basear a classificação na seção dos transtornos mentais da oitava revisão da *Classificação internacional de doenças* (CID-8), para a qual representantes da APA forneceram consultoria. Tanto o DSM-II quanto a CID-8 entraram em vigor em 1968.

Como havia sido o caso para o DSM-I e o DSM-II, o desenvolvimento do DSM-III foi coordenado com o desenvolvimento da *Classificação internacional de doenças,* especificamente a CID-9, que foi publicada em 1975 e implementada em 1978. O trabalho começou no DSM-III em 1974, com sua publicação em 1980. O DSM-III, sob a direção de Robert L. Spitzer, M.D., introduziu inúmeras inovações metodológicas importantes, incluindo critérios diagnósticos explícitos e uma abordagem descritiva que procurava ser neutra com respeito às teorias de etiologia dos transtornos mentais. A experiência com o DSM-III revelou inúmeras inconsistências no sistema. Assim, a APA designou um Grupo de Trabalho para Revisão do DSM-III, o qual desenvolveu as revisões e correções que deram origem ao DSM-III-R em 1987.

O DSM-IV foi publicado em 1994. Esse foi o auge de um esforço de seis anos que envolveu mais de 1.000 indivíduos e inúmeras organizações profissionais. Boa parte do esforço envolveu a condução de uma revisão abrangente da literatura para estabelecer uma base empírica sólida para efetuar as modificações. Os desenvolvedores do DSM-IV e da décima revisão da CID trabalharam em estreita colaboração para coordenar seus esforços, resultando em maior congruência entre os dois sistemas. A CID-10 foi publicada em 1992.

A história completa de todas as edições do DSM está disponível no *website* da APA: https://www.psychiatry.org/psychiatrists/practice/dsm/history-of-the-dsm.

Processo de Revisão do DSM-5

Em 1999, a APA deu início a uma avaliação dos pontos fortes e fracos do DSM. Esse esforço foi coordenado com a Divisão de Saúde Mental da Organização Mundial da Saúde (OMS), a World Psychiatric Association e o National Institute of Mental Health (NIMH) sob o formato de diversas conferências, cujos resultados foram publicados em 2002 em uma monografia intitulada *A Research Agenda for DSM-V* [Um Plano de Pesquisa para o DSM-V]. De 2003 a 2008, um acordo de cooperação entre a APA e a OMS recebeu apoio do NIMH, do National Institute on Drug Abuse (NIDA) e do National Institute on Alcoholism and Alcohol Abuse (NIAAA) para congregar 13 conferências internacionais para o planejamento de pesquisas para o DSM-5, envolvendo 400 participantes de 39 países, com a finalidade de fazer uma revisão da literatura mundial em áreas diagnósticas específicas para preparar revisões para o desenvolvimento tanto do DSM-5 quanto da *Classificação internacional de doenças,* 11ª Revisão (CID-11). Os relatórios dessas conferências foram a base para as revisões da futura Força-tarefa do DSM-5 e prepararam o terreno para a nova edição do DSM.

Em 2006, a APA nomeou David J. Kupfer, M.D., presidente, e Darrel A. Regier, M.D., M.P.H., vice-presidente da Força-tarefa do DSM-5. Eles foram encarregados de indicar presidentes para os 13 grupos de trabalho de diagnósticos e novos membros da Força-tarefa com uma variedade de especializações multidisciplinares que iriam supervisionar o desenvolvimento do DSM-5. Um processo complementar de fiscalização foi iniciado pelos membros do conselho da APA para declaração aberta sobre fontes de renda, evitando, dessa forma, conflitos de interesse pelos membros da Força-tarefa e pelos membros do grupo de trabalho. A transparência total de todas as fontes de renda e das verbas de pesquisa oriundas de fontes comerciais, inclusive da indústria farmacêutica, nos três anos anteriores, a imposição de um teto para os valores doados por todas as fontes comerciais e a divulgação dos dados em um *website* definiram um novo padrão para a área. A partir de então, a Força-tarefa de 28 membros foi aprovada em 2007, e a indicação dos mais de 130 membros dos grupos de trabalho foi aprovada em 2008. Mais de 400 consultores adicionais dos grupos de trabalho sem poder de voto também receberam aprovação para participar do processo. Um conceito bem definido do próximo estágio evolutivo na classificação dos transtornos mentais foi a base para os esforços da Força-tarefa e dos grupos de trabalho. Essa visão surgiu quando a Força-tarefa e os grupos de trabalho recuperaram o histórico da classificação do DSM-IV, seus pontos positivos e limitações atuais e definiram os rumos estratégicos para sua revisão.

Um processo intensivo com duração de seis anos envolveu a realização de revisões da literatura e análises secundárias, a publicação de relatórios de pesquisa em periódicos científicos, o desenvolvimento de rascunhos de critérios diagnósticos e sua publicação no *website* do DSM-5 para comentários públicos, a apresentação de achados preliminares em conferências profissionais, a execução de testes de campo e a revisão dos critérios e do texto. No geral, muitos grupos da área da saúde, tanto profissionais quanto acadêmicos, estavam envolvidos no desenvolvimento e nos testes do DSM-5, incluindo médicos, psicólogos, assistentes sociais, enfermeiros, consultores, epidemiologistas, estatísticos, neurocientistas e neuropsicólogos. Além disso, pacientes, familiares de indivíduos com transtornos mentais, advogados, organizações de consumidores e grupos de defesa participaram da revisão do DSM-5 ao fornecer *feedback* sobre os transtornos mentais descritos nesta obra.

Propostas para Revisões

As propostas para a revisão dos critérios diagnósticos do DSM-IV foram desenvolvidas por membros dos grupos de trabalho com base em lógica, alcance das mudanças, impacto previsto sobre o manejo clínico e a saúde pública, solidez do respaldo das evidências de pesquisa, clareza geral e utilidade clínica. As propostas abrangeram alterações nos critérios diagnósticos; o acréscimo de novos transtornos, subtipos e especificadores; e a eliminação de transtornos existentes.

Nas propostas para revisão, primeiramente foram identificados pontos fortes e fracos dos critérios e da nosologia atuais. Novas descobertas científicas ao longo das duas últimas décadas foram levadas em consideração, o que conduziu à criação de um plano de pesquisa para avaliar alterações potenciais por meio de revisões da literatura e análises de dados secundários. O esboço das revisões foi norteado por quatro princípios: 1) o DSM-5 destina-se principalmente a ser um manual para clínicos, e as revisões devem ser viáveis para a prática clínica de rotina; 2) as recomendações para revisões devem ser norteadas por evidências de pesquisas; 3) sempre que possível, deve-se manter a continuidade das edições anteriores do DSM; e 4) não se deve colocar restrições *a priori* sobre o grau de mudança entre o DSM-IV e o DSM-5.

A partir das revisões iniciais da literatura, os grupos de trabalho identificaram questões fundamentais dentro de suas áreas de diagnóstico. Também examinaram preocupações metodológicas mais amplas, como a presença de achados contraditórios na literatura; o desenvolvimento de uma definição mais bem elaborada de transtorno mental; questões transversais relevantes a todos os transtornos. A inclusão de uma proposta para revisão na Seção II levou em conta suas vantagens e desvantagens em termos de saúde pública e utilidade clínica, pela força da evidência e pela magnitude da mudança. Novos diagnósticos e subtipos e especificadores de transtornos foram sujeitos a novas condições, como a demonstração de confiabilidade (i. e., o grau em que dois clínicos poderiam chegar ao mesmo diagnóstico para um dado paciente de forma independente). Transtornos com baixa utilidade clínica e pouca validade foram considerados para eliminação. A inclusão de condições propostas em "Condições para Estudos Posteriores", na Seção III, foi contingente à quantidade de evidências empíricas geradas sobre o diagnóstico proposto, à confiabilidade ou à validade do diagnóstico, à necessidade clínica evidente e ao benefício potencial decorrente de avanço da pesquisa.

Testes de Campo do DSM-5

O uso de testes de campo para demonstrar confiabilidade de forma empírica foi um aprimoramento significativo introduzido no DSM-III. A elaboração e a estratégia de implementação dos Testes de Campo do DSM-5 representam várias mudanças relativas à abordagem utilizada no DSM-III e no DSM-IV, particularmente na obtenção de dados sobre a precisão de estimativas de confiabilidade kappa (uma medida estatística que avalia o nível de concordância entre avaliadores que corrige para concordâncias ao acaso devido a taxas de prevalência) no contexto de ambientes clínicos com níveis elevados de comorbidade diagnóstica. Para o DSM-5, os testes de campo foram ampliados pelo uso de dois delineamentos distintos: um, em grandes ambientes de natureza médico-acadêmica, e outro, em práticas clínicas de rotina. O primeiro enfatizou a necessidade de grandes amostras para testar hipóteses sobre a confiabilidade e a utilidade clínica de uma série de diagnósticos em uma diversidade de populações de pacientes; o segundo forneceu informações valiosas sobre o desempenho das revisões propostas no contexto clínico diário em uma amostra diversificada de usuários do DSM. Antecipa-se que estudos futuros de pesquisa básica clínica irão se concentrar na validade da revisão dos critérios diagnósticos categóricos e nas características dimensionais subjacentes desses transtornos (incluindo os que atualmente estão sendo investigados pela iniciativa do NIMH Research Domain Criteria).

Os testes de campo médico-acadêmicos foram conduzidos em 11 locais médico-acadêmicos nos Estados Unidos de dezembro de 2010 a outubro de 2011 e avaliaram a confiabilidade, a viabilidade e a utilidade clínica de determinadas revisões, em que foi conferida prioridade para aquelas que representavam o maior grau de mudança em relação ao DSM-IV ou, então, que potencialmente teriam o maior impacto sobre a saúde pública. A totalidade da população de pacientes clínicos em cada local foi triada para diagnósticos do DSM-IV ou sintomas potencialmente preditores de vários transtornos de interesse específico para o DSM-5. Amostras estratificadas de 4 a 7 transtornos específicos, em conjunto com um estrato contendo uma amostra representativa de todos os outros diagnósticos, foram identificadas para cada local. Os pacientes consentiram com o estudo e foram alocados randomicamente para uma entrevista clínica realizada por um clínico cego ao diagnóstico, seguida por uma segunda entrevista que ocorreu dentro de duas semanas com um clínico cego ao diagnóstico realizado pelo primeiro clínico. Primeiramente, os pacientes preencheram um inventário computadorizado de sintomas transversais em mais de uma dúzia de domínios psicológicos. Esses inventários foram pontuados por um computador, e os resultados foram fornecidos aos clínicos antes que eles realizassem uma entrevista clínica típica (sem protocolo estruturado). Requisitou-se aos clínicos que pontuassem a presença de critérios em uma lista de diagnósticos do DSM-5 computadorizada, que determinassem diagnósticos, pontuassem a gravidade do diagnóstico e submetessem todos os dados ao servidor central, acessível pela internet. Esse delineamento do estudo permitiu o cálculo do grau em que dois clínicos independentes poderiam concordar quanto a um diagnóstico (utilizando a estatística kappa intraclasse) e quanto às pontuações por eles feitas em relação à gravidade dos sintomas específicos para o diagnóstico (usando coeficientes de correlação intraclasse), além do nível de concordância quanto às medidas dos sintomas transversais autorrelatados, traços de personalidade, incapacidade e gravidade do diagnóstico, considerando a avaliação de um mesmo paciente, em duas ocasiões distintas, com até duas semanas de intervalo (usando coeficientes de correlação intraclasse), juntamente com informações sobre a precisão dessas estimativas de confiabilidade. Foi possível também avaliar as taxas de prevalência das condições de ambos, DSM-IV e DSM-5, nas respectivas populações clínicas.

Os testes de campo na prática clínica de rotina envolveram o recrutamento de psiquiatras e de outros clínicos da área da saúde mental, tendo sido realizados de outubro de 2011 a março de 2012. Uma amostra de voluntários foi recrutada, composta por psiquiatras especializados e gerais, psicólogos, assistentes sociais, consultores, terapeutas de casais e de família e enfermeiros de saúde mental com prática psiquiátrica avançada. Os testes de campo forneceram exposição aos diagnósticos propostos pelo DSM-5 e medidas dimensionais para que uma ampla gama de clínicos pudesse avaliar sua viabilidade e utilidade clínica.

Revisão Pública e Profissional

Em 2010, a APA lançou um *website* específico para facilitar a contribuição pública e profissional para o DSM-5. Todos os esboços de critérios diagnósticos e de alterações propostas para a organização foram exibidos em www.dsm5.org durante um período de dois meses e abertos a comentários. O retorno totalizou mais de 8 mil contribuições, as quais foram sistematicamente analisadas por cada um dos 13 grupos de trabalho, cujos membros, sempre que apropriado, integraram perguntas e comentários ao debate dos esboços das revisões e dos planos para a execução dos testes de campo. Após as revisões para os esboços iniciais dos critérios e da organização proposta para os capítulos, uma segunda postagem de dados ocorreu em 2011. Os grupos de trabalho levaram em consideração o *feedback* das duas postagens e os resultados dos Testes de Campo do DSM-5 ao esboçarem a proposta final para os critérios, os quais foram divulgados no *website* uma terceira e última vez em 2012. Essas três revisões externas produziram mais de 13 mil comentários individuais no *website*, os quais foram recebidos e analisados pelos grupos de trabalho, bem como milhares de assinaturas de petições organizadas a favor e contra algumas das revisões propostas, sendo que todas elas permitiram que a Força-tarefa tratasse ativamente das preocupações dos usuários do DSM, bem como de pacientes e de grupos de interesse, assegurando que a utilidade clínica continuasse tendo alta prioridade.

Revisão Especializada e Aprovação Final

Os membros dos 13 grupos de trabalho, que representam o conhecimento especializado em suas respectivas áreas, colaboraram com consultores e revisores, sob a direção geral da Força-tarefa do DSM-5, para elaborar os critérios diagnósticos e o texto complementar. Esse esforço teve o apoio de uma equipe da Divisão de Pesquisa da APA e desenvolveu-se a partir de uma rede de coordenadores de texto de cada grupo de trabalho. A preparação do texto foi coordenada pelo editor do texto, que trabalhou em estreita colaboração com os grupos de trabalho e sob a direção dos presidentes da Força-tarefa. Estabeleceu-se o Comitê de Revisão Científica (CRC), para proporcionar um processo científico de revisão por pares externo ao dos grupos de trabalho. O presidente, o vice-presidente e seis membros do CRC foram encarregados de avaliar em que grau as mudanças propostas a partir do DSM-IV teriam respaldo de evidências científicas. Cada proposta de revisão diagnóstica exigiu um memorando de evidências para alterações preparado pelo grupo de trabalho e acompanhado por um resumo de dados auxiliares organizados a partir de validadores para os critérios diagnósticos propostos (i. e., validadores antecedentes, como agregação familiar; validadores concorrentes, como marcadores biológicos; e validadores prospectivos, como resposta ao tratamento ou curso da doença). Os documentos foram analisados pelo CRC e receberam pontuação conforme a solidez dos dados científicos de apoio. Outras justificativas para alterações, como as que surgiram a partir da experiência ou da necessidade clínica ou de uma reformulação conceitual de categorias diagnósticas, foram, de modo geral, encaradas como estando fora do âmbito do CRC. A pontuação atribuída pelos revisores, que variou substancialmente de uma proposta para outra, em conjunto com um breve comentário, foi, então, devolvida aos membros do Conselho da APA e aos grupos de trabalho, para consideração e resposta.

O Comitê Clínico e de Saúde Pública (CPHC), composto por um presidente, um vice-presidente e seis membros, foi designado para considerar questões adicionais de utilidade clínica, de saúde pública e de esclarecimento lógico para critérios que ainda não haviam acumulado o tipo ou nível de evidências considerado suficiente para alteração pelo CRC. Esse processo de revisão foi de especial importância para os transtornos do DSM-IV com deficiências conhecidas para os quais as soluções propostas não haviam sido consideradas anteriormente no processo de revisão do DSM nem sujeitas a estudos de pesquisa replicados. Esses transtornos selecionados foram avaliados por 4 ou 5 revisores externos, e os resultados cegos foram revisados por membros do CPHC, os quais, por sua vez, fizeram recomendações para os membros do Comitê da APA e para os grupos de trabalho.

As revisões forenses dos critérios diagnósticos e do texto realizadas pelos membros do Conselho sobre Psiquiatria e Legislação da APA foram conduzidas tendo em vista transtornos que aparecem com frequência no campo jurídico e transtornos com alto potencial para influenciar julgamentos civis e penais em tribunal. Grupos de trabalho também acrescentaram peritos forenses como consultores em áreas pertinentes para complementar a especialização proporcionada pelo Conselho para Psiquiatria e Legislação.

Uma recomendação final da Força-tarefa foi, então, feita para o Comitê da Assembleia para o DSM-5 da APA, a de levar em consideração algumas das características de utilidade clínica e de viabilidade das revisões propostas. A Assembleia é um corpo deliberativo da APA que representa as filiais distritais e a afiliação mais geral composta por psiquiatras de todos os Estados Unidos que proporcionam diversidade geográfica, de abrangência da prática e de interesses. O Comitê para o DSM-5 foi formado por um grupo diversificado de líderes da Assembleia.

Seguindo os passos de revisão anteriores, foram realizadas sessões executivas do "Comitê de Cúpula" para consolidar os dados fornecidos pelos presidentes do Comitê da Assembleia e da revisão, pelos presidentes da Força-tarefa, por um consultor forense e por um consultor estatístico, para uma revisão preliminar de cada transtorno pelos comitês executivos da Assembleia e do Conselho da APA. Isso antecedeu uma revisão preliminar pela totalidade do Conselho da APA. A Assembleia votou, em novembro de 2012, pela recomendação de que o Conselho aprovasse a publicação do DSM-5, e o Conselho da APA aprovou sua publicação em dezembro de 2012. Todos os especialistas, revisores e consultores que contribuíram para esse processo estão listados no Apêndice.

Revisões do DSM-5

Processo de Revisão Iterativa do DSM-5

Os avanços na publicação digital que permitem a divulgação oportuna das mudanças abriram caminho para que a American Psychiatric Association adotasse um modelo iterativo de melhoria do DSM, no qual as revisões estão vinculadas a avanços científicos específicos. Na primavera de 2014, foi nomeado o Comitê Diretor do DSM (análogo à Força-tarefa do DSM-5), com Paul S. Appelbaum, M.D., como presidente e Ellen Leibenluft, M.D., e Kenneth Kendler, M.D., como vice-presidentes, para supervisionar o processo de revisão iterativo, juntamente com o estabelecimento de um portal na *web* (www.dsm5.org) para receber propostas de forma continuada. As mudanças propostas podem incluir a adição de novos transtornos e a eliminação ou modificação de conjuntos de critérios nas Seções II e III do DSM-5, bem como mudanças no texto. As contribuições devem ser acompanhadas por informações de apoio em um formato estruturado, incluindo as razões para a mudança, a magnitude da mudança, dados documentando as melhorias na validade abrangendo uma variedade de validadores, evidências da confiabilidade e utilidade clínica e considerações sobre as consequências negativas atuais ou potenciais associadas à mudança proposta.

Abordagens à validação dos critérios diagnósticos para transtornos mentais categóricos distintos incluíram os seguintes tipos de evidências: validadores de antecedentes (marcadores genéticos semelhantes, traços familiares, temperamento e exposição ambiental), validadores concorrentes (substratos neurais semelhantes, biomarcadores, processamento emocional e cognitivo e similaridade de sintomas) e validadores preditivos (curso clínico e resposta ao tratamento semelhantes). São adotados novos critérios para transtornos atuais se eles produzirem melhorias em alguma dessas classes de validadores. Além disso, novos transtornos são acrescentados ao DSM se provarem ser válidos por um subgrupo substancial desses validadores e também satisfizerem os critérios para um transtorno mental e demonstrarem utilidade clínica.

As propostas apresentadas ao portal do DSM na *web* são submetidas a uma análise inicial pelo Comitê Diretor para determinar se as evidências para a proposta, à primeira vista, parecem substancialmente prováveis de satisfazer os critérios para aprovação. Em caso afirmativo, a proposta é encaminhada para um dos cinco Comitês de Revisão permanentes (funcionalmente análogos aos Grupos de Trabalho para o DSM), que abrangem domínios amplos do diagnóstico psiquiátrico. Ao receber uma proposta do Comitê Diretor, o Comitê de Revisão designado leva em consideração as evidências que apoiam a mudança proposta, solicita informações adicionais quando necessário e devolve a proposta ao Comitê Diretor com recomendações para disposição e, em alguns casos, modificações sugeridas. Se o Comitê Diretor concordar que parecem existir evidências suficientes em apoio à proposição, a revisão proposta é publicada no *website* do DSM-5 para comentários públicos. O estágio final envolve fazer os ajustes necessários baseados nos comentários e então encaminhar a versão final para a Assembleia e o Conselho da APA para aprovação. Depois de aprovada, a versão *on-line* do Manual (ver https://psychiatryonline.org) é atualizada para refletir as mudanças. Todas as mudanças que foram aprovadas desde a publicação do DSM-5 em 2013 estão incluídas no DSM-5-TR.

Processo de Revisão do Texto do DSM-5

Na primavera de 2019, a APA deu início ao trabalho no DSM-5-TR, com Michael B. First, M.D., e Philip Wang, M.D., Dr. P.H., como copresidentes e Wilson M. Compton, M.D., e Daniel S. Pine, M.D., como vice-presidentes do Subcomitê de Revisão. Os esforços para o desenvolvimento do DSM-5-TR envolveram mais de 200 especialistas (cuja maioria esteve envolvida no desenvolvimento do DSM-5), os quais receberam a tarefa de conduzir as revisões de literatura incluindo os últimos 10 anos e examinar o texto para identificar o material desatualizado. Foi conduzida uma avaliação dos conflitos de interesse para todas as mudanças propostas no texto a fim de eliminar qualquer comprometimento possível da objetividade do conteúdo. Refletindo a estrutura do processo do DSM-5, os especialistas foram divididos em 20 Grupos de Revisão dos Transtornos, cada qual coordenado por um editor da seção. Quatro grupos de revisão transversal (Cultura, Sexo e Gênero, Suicídio e Forense) examinaram todos os capítulos, concentrando-se no material envolvendo sua especialidade específica. O texto também foi revisado por um Grupo de Trabalho sobre Igualdade Étnico-racial e Inclusão para garantir atenção apropriada a fatores de risco como racismo e discriminação e a utilização de linguagem não estigmatizante. Embora a abrangência da revisão do texto não incluísse mudanças conceituais nos conjuntos de critérios, algumas clarificações necessárias para certos critérios diagnósticos se tornaram evidentes durante a revisão do texto. As propostas de mudanças em critérios diagnósticos ou definições do especificador que foram resultantes do processo de revisão do texto foram examinadas e aprovadas pelo Comitê Diretor do DSM, além da Assembleia e Conselho da APA, como parte do Processo Iterativo de Revisão do DSM-5 descrito na seção anterior.

Mudanças na Estrutura Organizacional do DSM-5

O DSM é uma classificação médica de transtornos e, como tal, funciona como um esquema cognitivo determinado historicamente, o qual tira vantagem de informações clínicas e científicas para aumentar sua compreensão e utilidade. A classificação dos transtornos (a forma como os transtornos são agrupados) proporciona uma organização de alto nível para o manual.

Reagrupamento dos Transtornos no DSM-5

Os membros do grupo de estudos do DSM-5 sobre espectros diagnósticos investigaram se validadores científicos poderiam informar possíveis novos agrupamentos de transtornos relacionados dentro da estrutura existente de categorias. Foram recomendados pelo grupo de estudos 11 indicadores dessa natureza com esse propósito (i. e., sua habilidade de separar de forma significativa os grupos de doenças psiquiátricas): substratos neurais compartilhados, traços familiares, fatores de risco genéticos, fatores de risco ambientais específicos, biomarcadores, antecedentes temperamentais, anormalidades de processamento emocional ou cognitivo, semelhança dos sintomas, curso da doença, comorbidade elevada e resposta terapêutica compartilhada. Esses indicadores serviram ao grupo de estudos como diretrizes empíricas para informar a tomada de decisão pelos grupos de trabalho e a força-tarefa sobre como agrupar os transtornos para maximizar sua validade e utilidade clínica (i. e., quanto maior a probabilidade de que os transtornos compartilhassem esses validadores, mais provavelmente eles estariam no mesmo agrupamento diagnóstico).

Uma série de artigos foi elaborada e publicada em um proeminente periódico internacional (*Psychological Medicine*, Vol. 39, 2009) como parte dos processos de desenvolvimento do DSM-5 e da CID-11 a fim de documentar que tais validadores foram sobremaneira úteis para sugerir grandes agrupamentos de transtornos e também para "validar" as mudanças propostas nos critérios diagnósticos.

Quando a APA e a OMS começaram a planejar suas respectivas revisões do DSM e da *Classificação internacional de doenças* (CID), ambas consideraram a possibilidade de melhorar a utilidade clínica (p. ex., auxiliar a explicar a comorbidade aparente) e facilitar a investigação científica ao repensar as estruturas organizacionais das duas publicações. Era fundamental, tanto para a Força-tarefa do DSM-5 quanto para o Grupo Consultor Internacional da OMS para a revisão da Seção de Transtornos Mentais e de Comportamento da CID-10, que revisões na organização melhorassem a utilidade clínica e permanecessem dentro dos limites de informações científicas bem replicadas. Com essas noções em mente, a revisão da estrutura organizacional foi abordada como uma reforma diagnóstica conservadora e evolutiva que seria orientada por novas evidências científicas sobre as relações entre grupos de transtornos. Ao reordenar e reagrupar os transtornos existentes, a estrutura revisada destina-se a estimular novas perspectivas clínicas e a encorajar pesquisadores a identificar os fatores psicológicos e fisiológicos transversais que não estão presos a designações categóricas estritas.

Logo no início do curso das revisões, tornou-se evidente que uma estrutura organizacional compartilhada ajudaria a harmonizar as classificações. Para a surpresa de integrantes dos dois processos de revisão, grande parcela do conteúdo encaixou-se de forma relativamente fácil, o que reflete aspectos positivos em algumas áreas da literatura científica, como epidemiologia, análises de comorbidade, estudos com gêmeos e outros delineamentos geneticamente informados. Quando surgiram disparidades, elas quase sempre refletiram a necessidade de tomar decisões sobre como categorizar um transtorno diante de dados incompletos – ou, com maior frequência, conflitantes. Dessa forma, por exemplo, com base em padrões de sintomas, comorbidade e fatores de risco compartilhados, o transtorno de déficit de atenção/hiperatividade (TDAH) foi colocado junto aos "Transtornos do Neurodesenvolvimento", mas os mesmos dados também ofereciam forte respaldo para colocar o TDAH dentro do capítulo "Transtornos Disruptivos, do Controle de Impulsos e da Conduta". Essas questões foram estabelecidas com a preponderância de evidências apoiando a colocação no capítulo "Transtornos do Neurodesenvolvimento" no DSM-5.

A organização dos capítulos do DSM-5 depois dos transtornos do neurodesenvolvimento está baseada em grupos de transtornos internalizantes (i. e., transtornos com sintomas proeminentes de ansiedade, depressivos e somáticos), transtornos externalizantes (i. e., transtornos com sintomas proeminentes impulsivos, de conduta disruptiva e por uso de substância), transtornos neurocognitivos e outros transtornos. Espera-se que essa organização estimule mais estudos sobre processos fisiopatológicos subjacentes que dão origem ao diagnóstico de comorbidades e à heterogeneidade de sintomas. Além disso, ao dispor agrupamentos de transtornos de forma a espelhar a realidade clínica, o DSM-5 deve facilitar a identificação de potenciais diagnósticos por profissionais sem especialização na área da saúde mental, como médicos da atenção primária.

Apesar do problema levantado pelos diagnósticos categóricos, a Força-tarefa do DSM-5 reconheceu que teria sido cientificamente prematuro propor definições dimensionais alternativas para a maioria dos transtornos. A estrutura organizacional se destina a funcionar como uma ponte para novas abordagens diagnósticas sem interromper as pesquisas nem as práticas clínicas atuais. Antecipa-se que a abordagem mais dimensional e a estrutura organizacional do DSM-5 facilitarão a pesquisa entre as categorias diagnósticas atuais ao encorajar investigações amplas dentro dos capítulos propostos e nos capítulos adjacentes. Uma reformulação de objetivos de pesquisa nesses moldes também deve manter o DSM-5 como base para o desenvolvimento de abordagens dimensionais ao diagnóstico que provavelmente irão complementar ou superar as abordagens categóricas atuais nos próximos anos.

Combinando Considerações de Desenvolvimento e do Ciclo Vital

Para melhorar a utilidade clínica, o DSM-5 foi organizado ao longo das trajetórias de desenvolvimento e do ciclo vital. Inicia-se com diagnósticos que, acredita-se, refletem processos de desenvolvimento que se manifestam no início da vida (p. ex., transtornos do neurodesenvolvimento e espectro da esquizofrenia e outros transtornos psicóticos), seguidos por diagnósticos que se manifestam com mais frequência durante a adolescência e no início da vida adulta (p. ex., transtorno bipolar e transtornos relacionados, transtornos depressivos e transtornos de ansiedade), e termina com diagnósticos relevantes para a vida adulta e idades mais avançadas (p. ex., transtornos neurocognitivos). Uma abordagem semelhante foi seguida, sempre que possível, dentro de cada capítulo. Essa estrutura organizacional facilita o uso abrangente das informações sobre o ciclo da vida como forma de auxílio à tomada de decisão diagnóstica.

Harmonização com a CID-11

Os grupos encarregados da revisão dos sistemas do DSM e da CID compartilharam o objetivo mais amplo de harmonizar as duas classificações o máximo possível, devido aos seguintes motivos:

- A existência de duas classificações principais de transtornos mentais dificulta a coleta e o uso de estatísticas nacionais de saúde, o delineamento de ensaios clínicos destinados ao desenvolvimento de novos tratamentos e a consideração de aplicabilidade global dos resultados por agências de regulação internacional.
- Em um espectro mais abrangente, a existência de duas classificações complica as tentativas de replicar resultados científicos entre países.
- Mesmo quando a intenção era a de identificar populações idênticas de pacientes, nem sempre os diagnósticos do DSM-IV e da CID-10 concordavam.

Conforme discutido anteriormente nesta introdução, o esforço de harmonizar com a CID-11 ficou restrito à harmonização em grande parte bem-sucedida da estrutura organizacional. Devido a diferenças temporais, a harmonização dos critérios diagnósticos do DSM-5 com as definições de transtornos da CID-11 não foi possível porque o esforço de desenvolvimento do DSM-5 estava sete anos à frente do processo de revisão da CID-11. Consequentemente, os critérios diagnósticos do DSM-5 foram finalizados quando os grupos de trabalho da CID-11 estavam começando a desenvolver as descrições clínicas e diretrizes diagnósticas da CID-11. Ainda assim, foram obtidas algumas melhorias na harmonização no nível dos transtornos; muitos membros do grupo de trabalho da CID-11 haviam participado no desenvolvimento dos critérios diagnósticos do DSM-5, e os grupos de trabalho da CID-11 foram instruídos a examinar os conjuntos de critérios do DSM-5 e procurar tornar as diretrizes diagnósticas da CID-11 o mais semelhantes possível ao DSM-5, a não ser que houvesse uma boa razão para divergir. Uma revisão comparando as diferenças entre o DSM-5/CID-11 com as diferenças entre o DSM-IV/CID-10 constatou que a CID e o DSM estão agora mais próximos do que em qualquer momento desde o DSM-II e a CID-8, e que as diferenças atuais são baseadas em grande parte nas diferentes prioridades e usos dos dois sistemas diagnósticos e nas diferentes interpretações das evidências.

Embora a CID-11 tenha sido reconhecida oficialmente para utilização pelas nações membros da OMS durante a 72ª Assembleia Mundial da Saúde em maio de 2019 e entrado em vigor em 1º de janeiro de 2022, cada país escolhe quando adotá-la. Atualmente não há uma cronologia proposta para a implementação da CID-11 nos Estados Unidos. Consequentemente, até um futuro próximo, o sistema de codificação oficial nos Estados Unidos continua a ser a *Classificação internacional de doenças, décima revisão, modificação clínica* (CID-10-MC).

Principais Estruturas e Abordagens Conceituais

Definição de um Transtorno Mental

Cada transtorno identificado na Seção II do Manual (exceto os transtornos nos capítulos "Transtornos do Movimento Induzidos por Medicamentos e Outros Efeitos Adversos de Medicamentos" e "Outras Condições que Podem Ser Foco da Atenção Clínica") deve satisfazer a definição de um transtorno mental. Embora nenhuma definição seja capaz de capturar todos os aspectos dos transtornos contidos no DSM-5, exigem-se os seguintes elementos:

Um *transtorno mental* é uma síndrome caracterizada por perturbação clinicamente significativa na cognição, na regulação emocional ou no comportamento de um indivíduo que reflete uma disfunção nos processos psicológicos, biológicos ou de desenvolvimento subjacentes ao funcionamento mental. Transtornos mentais estão frequentemente associados a sofrimento ou incapacidade significativos que afetam atividades sociais, profissionais ou outras atividades importantes. Uma resposta esperada ou aprovada culturalmente a um estressor ou perda comum, como a morte de um ente querido, não constitui transtorno mental. Desvios sociais de comportamento (p. ex., de natureza política, religiosa ou sexual) e conflitos que são basicamente referentes ao indivíduo e à sociedade não são transtornos mentais a menos que o desvio ou conflito seja o resultado de uma disfunção no indivíduo, conforme descrito

O diagnóstico de transtorno mental deve ter utilidade clínica: deve ajudar os clínicos a determinar o prognóstico, os planos de tratamento e os possíveis resultados do tratamento para seus pacientes. Contudo, o diagnóstico de um transtorno mental não é equivalente à necessidade de tratamento. A necessidade de tratamento é uma decisão clínica complexa que leva em consideração a gravidade dos sintomas, a importância dos sintomas (p. ex., presença de pensamentos suicidas), o sofrimento do indivíduo (dor mental) associado ao(s) sintoma(s), incapacidade relacionada aos sintomas do indivíduo, riscos e benefícios dos tratamentos disponíveis e outros fatores (p. ex., sintomas psiquiátricos complicadores de outras doenças). Os clínicos podem, dessa forma, encontrar indivíduos cujos sintomas não satisfazem todos os critérios para um transtorno mental, mas que demonstram necessidade evidente de tratamento ou cuidados. O fato de algumas pessoas não apresentarem todos os sintomas indicativos de um diagnóstico não deve ser usado para limitar seu acesso aos cuidados adequados.

Vale ressaltar que essa definição de transtorno mental foi elaborada com objetivos clínicos, de saúde pública e de pesquisa. Informações adicionais, além das fornecidas pelos critérios diagnósticos do DSM-5, normalmente são necessárias para a realização de avaliações jurídicas em questões como responsabilidade penal, qualificação para compensação decorrente de incapacidade e inimputabilidade (ver "Advertência para a Utilização Forense do DSM-5" na conclusão da Seção I).

Abordagens Categóricas e Dimensionais ao Diagnóstico

Problemas estruturais enraizados no delineamento categórico do DSM surgiram tanto na prática quanto na pesquisa clínica. Evidências relevantes desses problemas incluem altas taxas de comorbidade entre os transtornos, a heterogeneidade dos sintomas em cada transtorno e a necessidade substancial de outros diagnósticos especificados e não especificados para classificar o número significativo de apresentações clínicas que não satisfazem os critérios para algum dos transtornos específicos do DSM. Estudos de fatores de risco tanto genéticos como ambientais, seja com base em delineamentos com gêmeos, transmissão familiar ou análises moleculares, também despertaram questionamentos se a estrutura categórica é ou não a mais adequada para o sistema do DSM.

Um aspecto amplamente reconhecido dessa transição deriva da constatação de que um sistema categórico demasiadamente rígido não captura a experiência clínica nem importantes observações científicas. Os resultados de numerosos estudos sobre comorbidade e transmissão de doenças no âmbito familiar, incluindo estudos com gêmeos e estudos de genética molecular, constituem fortes argumentos para o que diversos clínicos perspicazes já haviam observado: os limites entre muitas "categorias" de transtornos são mais fluidos ao longo do curso de vida do que foi reconhecido, e muitos sintomas que constituem as características essenciais de um transtorno particular podem ocorrer, em diferentes níveis de gravidade, em muitos outros transtornos.

Uma abordagem dimensional classifica as apresentações clínicas com base na quantificação dos atributos em vez de na designação em categorias e funciona melhor ao descrever fenômenos que estão distribuídos continuamente e que não têm fronteiras claras. Embora os sistemas dimensionais aumentem a confiabilidade e comuniquem mais informações clínicas (porque relatam atributos clínicos que podem ser subclínicos em um sistema categórico), eles também têm sérias limitações e, até o momento, têm sido menos úteis do que os sistemas categóricos na prática clínica. Descrições dimensionais numéricas são muito menos familiares e vívidas do que os nomes das categorias dos transtornos mentais. Além disso, por enquanto não há concordância quanto à escolha das dimensões ideais a serem usadas para fins de classificação. No entanto, com as crescentes pesquisas e a familiaridade com os sistemas dimensionais e com o estabelecimento de pontos de corte clinicamente significativos para orientar as decisões no tratamento, a maior aceitação das abordagens dimensionais, tanto como um método de comunicação de informações clínicas quanto como um instrumento de pesquisa, em algum momento será provável.

Por razões de utilidade clínica e compatibilidade com a classificação categórica da CID exigidas para codificação, o DSM-5 continua a ser uma classificação essencialmente categórica com elementos dimensionais que divide os transtornos mentais em tipos com base em conjuntos de critérios com características definidoras. Apesar da estrutura categórica, é importante reconhecer que no DSM-5 não existe o pressuposto de que cada categoria de transtorno mental é uma entidade completamente distinta com limites absolutos que a separam de outros transtornos mentais ou de nenhum transtorno mental. Também não há um pressuposto de que todos os indivíduos descritos com o mesmo transtorno mental são semelhantes em todos os aspectos importantes. O clínico que está utilizando o DSM-5 deve, portanto, levar em consideração que indivíduos que compartilham um diagnóstico provavelmente serão heterogêneos mesmo no que diz respeito às características definidoras do diagnóstico e que os casos limítrofes serão difíceis de diagnosticar, a não ser de uma forma probabilística. Essa perspectiva permite maior flexibilidade na utilização do sistema, incentiva atenção mais específica aos casos limítrofes e enfatiza a necessidade de capturar informações clínicas adicionais que vão além do diagnóstico.

Escalas Transversais de Sintomas

Considerando-se que as patologias psiquiátricas não são confiavelmente distintas, com limites claros entre si, os clínicos precisam mudar sua abordagem de avaliação e olhar além das apresentações prototípicas que coincidem claramente com categorias do DSM. Para auxiliar nessa transição, a Seção III, "Instrumentos de Avaliação e Modelos Emergentes", fornece a Escala Transversal de Sintomas de Nível 1 do DSM-5, desenvolvida para ajudar os clínicos a avaliar todas as áreas principais do funcionamento psiquiátrico (p. ex., humor, psicose, cognição, personalidade, sono) e desvendar mais profundamente possíveis transtornos, apresentações atípicas, condições subsindrômicas e patologias coexistentes. Tal como a análise dos sistemas realizada em medicina geral atua como um inventário concebido para chamar atenção aos sintomas ou sinais que de outra forma passariam despercebidos, a Escala Transversal de Sintomas de Nível 1 atua como um exame dos sistemas mentais, visando auxiliar os clínicos a melhor identificar transtornos latentes e sintomas que necessitam de avaliação mais detalhada (e possivelmente necessitam de tratamento). A Escala Transversal de Sintomas de Nível 1 do DSM-5 é recomendada como um componente importante da avaliação psiquiátrica de indivíduos que se apresentam para cuidados psiquiátricos, com a *The American Psychiatric Association Practice Guidelines for the Psychiatric Evaluation of Adult* reconhecendo a sua utilização como um primeiro passo na identificação e abordagem da heterogeneidade dos sintomas entre as categorias diagnósticas. A versão autoaplicável e versões aplicadas pelo genitor/responsável e a criança (11 a 17 anos) da Escala Transversal de Sintomas de Nível 1 do DSM-5 estão disponíveis *on-line* sem custo para uso clínico em www.psychiatry.org/dsm5.

Remoção do Sistema Multiaxial do DSM-IV

O DSM-IV ofereceu um sistema multiaxial de registro dos diagnósticos que envolvia uma avaliação em vários eixos, cada um dos quais encaminhava para um diferente domínio de informação. O DSM-5 mudou para uma documentação não axial do diagnóstico. Transtornos e condições anteriormente listados no Eixo I (transtornos clínicos), no Eixo II (transtornos da personalidade e transtornos do desenvolvimento intelectual) e no Eixo III (outras condições médicas) estão listados juntos sem diferenciação formal, tipicamente em ordem de importância clínica. Fatores psicossociais e contextuais (anteriormente listados no Eixo IV) estão listados com os diagnósticos e condições utilizando os códigos Z que constam no capítulo "Outras Condições que Podem Ser Foco da Atenção Clínica". O Eixo V do DSM-IV consistia da Escala de Avaliação Global do Funcionamento (GAF), representando o julgamento clínico do nível geral do indivíduo de "funcionamento em um *continuum* hipotético de saúde-doença mental". Essa escala foi substituída pela Escala de Avaliação de Incapacidade da OMS (WHODAS), a qual está incluída na Seção III do DSM-5 (ver o capítulo "Instrumentos de Avaliação"). A WHODAS baseia-se na Classificação Internacional de Funcionamento, Incapacidade e Saúde (CIF) para o uso em todas as áreas de medicina e da saúde.

Questões Estruturais Culturais e Sociais

Os transtornos mentais são definidos e reconhecidos pelos clínicos e outros indivíduos no contexto de normas e valores socioculturais e da comunidade. Os contextos culturais moldam a experiência e a expressão dos sintomas, sinais, comportamentos e limiares de gravidade que constituem os critérios para diagnóstico. Os contextos socioculturais também moldam aspectos da identidade (tais como etnia ou raça) que conferem posições sociais específicas e expõem os indivíduos diferencialmente a determinantes sociais de saúde, incluindo a saúde mental. Esses elementos culturais são transmitidos, revisados e recriados nas famílias, nas comunidades e em outros sistemas sociais e instituições e mudam ao longo do tempo. A avaliação diagnóstica deve incluir como as experiências, sintomas e comportamentos de um indivíduo diferem das normas socioculturais relevantes e criam dificuldades na adaptação em seu contexto de vida atual. Os clínicos também devem levar em consideração como as apresentações clínicas dos indivíduos são influenciadas pela sua posição dentro das estruturas e hierarquias sociais que moldam a exposição a adversidades e o acesso a recursos. Os aspectos fundamentais do contexto sociocultural relevantes para a classificação e a avaliação diagnósticas foram cuidadosamente levados em consideração durante o desenvolvimento do DSM-5.

Impacto das Normas e Práticas Culturais

Os limites entre normalidade e patologia variam em diferentes culturas com relação a tipos específicos de comportamentos. Os limiares de tolerância para sintomas ou comportamentos específicos diferem conforme a cultura, o contexto social e a família. Portanto, o nível em que uma experiência se torna problemática ou é percebida como patológica será diferente. O discernimento de que um determinado comportamento, experiência ou preocupação exige atenção clínica depende de normas culturais que são internalizadas pelo indivíduo e aplicadas por outros a seu redor, incluindo familiares e clínicos. Para avaliar com precisão os possíveis sinais e sintomas de psicopatologia, os clínicos devem rotineiramente considerar o impacto dos significados, identidades e práticas culturais nas causas e no curso da doença, por exemplo, por meio de algum dos fatores a seguir: níveis de vulnerabilidade e os mecanismos de transtornos específicos (p. ex., amplificando medos que mantêm transtorno de pânico ou ansiedade pela saúde); estigma social e apoio gerado pelas respostas familiares e da comunidade à doença mental; estratégias de enfrentamento que melhoram a resiliência em resposta à doença ou vias de busca de auxílio para acesso a assistência médica de vários tipos, incluindo tratamentos alternativos e complementares; e aceitação ou rejeição de um diagnóstico e adesão a tratamentos, afetando o curso da doença e da recuperação. O contexto cultural também afeta a conduta da consulta clínica, incluindo a entrevista diagnóstica. As diferenças culturais entre o clínico/membros da equipe de tratamento e o indivíduo têm efeito sobre a precisão e a aceitação do diagnóstico, bem como sobre as decisões terapêuticas, as considerações sobre o prognóstico e os resultados clínicos.

Conceitos Culturais de Sofrimento

Historicamente, o construto da síndrome vinculada à cultura foi um foco de trabalho na fenomenologia descritiva em psiquiatria e psicologia cultural. Desde o DSM-5, esse construto foi substituído por três conceitos que oferecem maior utilidade clínica:

1. *Idioma de sofrimento cultural* refere-se a um comportamento ou termo linguístico, expressão ou forma de falar sobre sintomas, problemas ou sofrimento entre indivíduos com origem cultural similar para expressar ou comunicar características essenciais de sofrimento (p. ex., dizer "Sinto-me tão deprimido" para expressar tristeza ou desânimo que não atendem ao valor limiar para transtorno depressivo maior). Um idioma de sofrimento não precisa estar associado a sintomas específicos, síndrome nem causas percebidas. Ele pode ser usado para transmitir uma ampla gama de desconforto, incluindo preocupações do cotidiano, condições subclínicas ou sofrimento decorrente de circunstâncias sociais, em vez de transtornos mentais. Por exemplo, a maioria dos grupos culturais apresenta signos corporais de aflição comuns usados para expressar uma ampla gama de sofrimento e preocupações.
2. *Explicação cultural ou causa percebida* refere-se a um rótulo, atribuição ou característica de um modelo explanatório que fornece um conceito culturalmente coerente de etiologia ou causa para sintomas, doença ou sofrimento (p. ex., a atribuição de psicopatologia a "estresse", espíritos ou ao não cumprimento de práticas culturalmente prescritas). Explicações causais podem ser aspectos evidenciados de classificações populares de doença usadas por leigos ou curandeiros.
3. *Síndrome cultural* refere-se a um conjunto ou grupo de sintomas distintivos de ocorrência simultânea encontrados em grupos culturais, comunidades ou contextos específicos (p. ex., a*taque de nervios* [ataque de nervos]). A síndrome pode ou não ser reconhecida como uma doença dentro da própria cultura (i. e., pode ser rotulada de diversas formas não médicas), mas tais padrões culturais de sofrimento e características de doenças podem, ainda assim, ser reconhecidos por um observador de fora.

Esses três conceitos (cujo debate e exemplos constam na Seção III, capítulo "Cultura e Diagnóstico Psiquiátrico") sugerem formas culturais de compreender e descrever a vivência de sofrimento ou doenças que podem vir à tona durante a consulta clínica. Eles influenciam a sintomatologia, a busca por auxílio, as apresentações clínicas, as expectativas de tratamento, a adaptação à doença e a resposta ao tratamento. O mesmo termo cultural frequentemente cumpre mais de uma dessas funções, e sua utilização pode mudar com o tempo. Por exemplo, "depressão" nomeia uma síndrome, mas também se torna um idioma de sofrimento comum.

Impacto do Racismo e da Discriminação no Diagnóstico Psiquiátrico

O trabalho e a pesquisa clínicos em psiquiatria são profundamente afetados por construções sociais e culturais de raça e etnia. Raça é um construto social, não biológico. É usada para dividir as pessoas em grupos com base em traços físicos superficiais, como a cor da pele. Embora não exista base biológica para o construto de raça, práticas discriminatórias baseadas em raça provocam efeitos profundos na saúde física e mental.

O processo social pelo qual são construídas categorias de identidade específicas com base em ideologias e práticas raciais é denominado *racialização*. Identidades racializadas são importantes porque estão fortemente associadas a sistemas de discriminação, marginalização e exclusão social. Outros aspectos de identidade, incluindo etnia, gênero, língua, religião e orientação sexual, também podem ser foco de viés ou estereotipagem que podem afetar o processo de avaliação diagnóstica.

O racismo existe em níveis pessoal, interpessoal, sistêmico/institucional e estrutural social. No nível pessoal, ele dá origem a estereótipos internalizados e a experiências de ameaça, desvalorização, negligência e injustiça que afetam a saúde e o bem-estar dos indivíduos. No nível interpessoal, o racismo inclui não só comportamentos explícitos, como também *microagressões*, que são depreciações e ofensas cotidianas que comunicam atitudes negativas em relação a grupos estigmatizados específicos, com consequências indutoras de estresse e traumatizantes. O racismo sistêmico/institucional refere-se às formas como a discriminação está incorporada a práticas cotidianas de instituições ou organizações, incluindo o sistema de saúde e a psiquiatria. O racismo sistêmico pode não ser expressado em ideologias raciais explícitas, mas pode ser mantido por vieses implícitos e involuntários, hábitos, rotinas e práticas que resultam em falso reconhecimento e desigualdade. Como resultado, os indivíduos podem participar e inadvertidamente contribuir para o racismo sistêmico sem endossar ideias racistas conscientemente. O conceito de racismo estrutural social enfatiza as formas como racismo e discriminação são manifestados na organização e nas normas da sociedade e nas políticas públicas com desigualdades generalizadas nos recursos econômicos, poder e privilégios que influenciam a exposição a risco à saúde e o acesso à assistência médica. A violência e a opressão estruturais do racismo têm consequências físicas, psicológicas e sociais, incluindo efeitos negativos na saúde mental.

O racismo é um importante determinante social de saúde que contribui para uma ampla variedade de resultados de saúde adversos, incluindo hipertensão, comportamento suicida e transtorno de estresse pós-traumático, e pode predispor os indivíduos a uso de substância, transtornos do humor e psicose. Estereótipos e atitudes raciais negativos afetam o desenvolvimento psicológico e o bem-estar de grupos racializados. Outras consequências adversas da discriminação incluem acesso desigual a assistência e viés clínico no diagnóstico e no tratamento; por exemplo, o falso diagnóstico de esquizofrenia entre afro-americanos que apresentam transtornos do humor e outras condições, vias mais coercitivas para assistência, menos tempo em tratamento hospitalar e uso mais frequente de restrições físicas e tratamentos aquém do ideal. Os clínicos devem empenhar esforços ativos para reconhecer e abordar todas as formas de racismo, viés e estereotipagem na avaliação clínica, no diagnóstico e no tratamento.

Atenção a Cultura, Racismo e Discriminação no DSM-5-TR

Durante o processo de revisão do DSM-5-TR, foram tomadas medidas para abordar o impacto da cultura, do racismo e da discriminação no diagnóstico psiquiátrico no texto dos capítulos sobre transtornos. Um Comitê de Revisão Transversal sobre Questões Culturais, composto por 19 especialistas norte-americanos e internacionais em psiquiatria, psicologia e antropologia cultural, revisou os textos quanto às influências culturais sobre características dos transtornos, incorporando informações relevantes nas seções sobre questões diagnósticas relativas à cultura. Um Grupo de Trabalho sobre Igualdade Étnico-racial e Inclusão, composto de 10 profissionais de saúde mental de diferentes origens étnicas e racializadas com conhecimento em práticas para redução de disparidades, revisou as referências a raça, etnia e conceitos relacionados para evitar a perpetuação de estereótipos ou a inclusão de informações clínicas discriminatórias.

O DSM-5-TR é comprometido com o uso de linguagem que desafie a visão de que as raças são entidades distintas e naturais. O texto usa terminologia como *racializado* em vez de *racial* para enfatizar a natureza socialmente construída da raça. Quando o termo *étnico-racial* é usado no texto, denota as categorias do U.S. Census, como hispânico, branco ou afro-americano, que combinam identificadores étnicos e racializados. O termo emergente *latinx* (singular e plural) é usado em lugar de *latino/a* para promover a terminologia inclusiva de gênero. O termo *caucasiano* não é usado porque é baseado em visões obsoletas e errôneas sobre a origem geográfica de uma etnia pan-europeia prototípica. Os termos *minoria* e *não brancos* são evitados porque descrevem os grupos sociais em relação a uma "maioria" racializada, uma prática que tende a perpetuar hierarquias sociais. Entretanto, quando necessário para clareza no relato de informações epidemiológicas ou outras informações baseadas em estudos específicos, o texto utiliza os rótulos grupais de estudos relevantes. O termo *cultura* é usado não para se referir a um grupo social distinto (p. ex., "a prevalência difere entre as culturas"), mas para indicar a heterogeneidade das perspectivas e práticas culturais nas sociedades; os termos *contextos culturais* ou *origens culturais* são preferidos.

As seções sobre prevalência para cada transtorno foram revisadas para assegurar que os resultados sejam apresentados com clara referência às áreas geográficas e grupos sociais incluídos na coleta de dados (p. ex., "na população americana em geral"); isso evita a generalização excessiva dos achados para comunidades ainda não estudadas. Os dados de prevalência sobre grupos étnico-raciais específicos foram incluídos quando a pesquisa existente documentou estimativas confiáveis baseadas em amostras representativas. O grupo de trabalho estava preocupado que os dados de amostras não representativas pudessem ser incorretos. Isso explica a inclusão limitada de dados sobre determinados grupos étnico-raciais, notadamente nativos americanos. Há uma necessidade urgente de pesquisas sobre esse e outros grupos importantes. As estimativas de prevalência também dependem da ausência de viés de avaliação; o texto indica quando mais pesquisas são necessárias para assegurar a precisão dos dados disponíveis. Os usuários são encorajados a ler as seções sobre questões diagnósticas relativas à cultura para contextualizar as seções sobre prevalência.

Diferenças Sexuais e de Gênero

Diferenças sexuais e de gênero, da forma como se relacionam às causas e à expressão de condições médicas, estão estabelecidas para uma série de doenças, incluindo um número crescente de transtornos mentais. *Sexo* refere-se a fatores atribuíveis aos órgãos reprodutores de um indivíduo e ao complemento cromossômico XX ou XY. *Gênero* é resultado tanto dos órgãos reprodutores como da autorrepresentação de um indivíduo e inclui as consequências psicológicas, comportamentais e sociais do gênero percebido do indivíduo. Muitas informações sobre a expressão de doença psiquiátrica em mulheres e homens estão baseadas no gênero autoidentificado, e assim comumente usamos *diferenças de gênero* ou "mulheres e homens" ou "meninos e meninas" no DSM-5-TR. No entanto, se houver informações disponíveis e pertinentes a "sexo" – por exemplo, diferenças sexuais no metabolismo de substâncias ou estágios da vida restritos a apenas um sexo, como gravidez ou menopausa –, usamos o termo *diferenças sexuais* ou "sexo masculino e sexo feminino".

O sexo e o gênero podem influenciar a doença de várias formas. Em primeiro lugar, o sexo pode determinar exclusivamente se um indivíduo corre risco de um transtorno específico (p. ex., no transtorno disfórico pré-menstrual). Em segundo, o sexo ou o gênero podem moderar o risco geral para o desenvolvimento de um transtorno conforme demonstrado por diferenças marcantes nas taxas de prevalência e de incidência para determinados transtornos mentais em homens e mulheres. Em terceiro, o sexo ou o gênero podem influenciar a probabilidade de que sintomas específicos de um transtorno sejam vivenciados por um indivíduo. Por exemplo, TDAH pode se manifestar de forma diferente em meninos e meninas. O sexo ou o gênero também podem determinar outros efeitos na vivência de um transtorno que são indiretamente relevantes ao diagnóstico psiquiátrico. Por exemplo, pode ocorrer que determinados sintomas sejam mais prontamente reconhecidos por homens ou por mulheres, e esse reconhecimento contribui para diferenças na oferta de serviços (p. ex., mulheres têm mais chances de reconhecer um transtorno depressivo, bipolar ou transtorno de ansiedade e de fornecer uma lista de sintomas mais abrangente do que homens).

Eventos durante o ciclo reprodutivo, incluindo variações nos hormônios ovarianos durante o ciclo menstrual, gravidez ou menopausa, podem contribuir para diferenças sexuais no risco e na expressão de doenças. Portanto, o especificador "com início no periparto", que pode se aplicar a um transtorno psicótico breve ou a um episódio maníaco, hipomaníaco ou depressivo maior, reflete um período de tempo dentro do qual a mulher pode correr maior risco para o início de um episódio da doença. No caso de sono e energia, alterações costumam ser normais no pós-parto e, portanto, podem ter menos confiabilidade diagnóstica em mulheres no período puerperal.

A configuração do Manual inclui informações relativas ao sexo e ao gênero em múltiplos níveis. Caso haja sintomas específicos de gênero, eles foram incorporados aos critérios diagnósticos. Um especificador relacionado ao sexo, como "com início no periparto" de um episódio transtorno do humor, fornece informações adicionais sobre o sexo e o diagnóstico. Estimativas de prevalência baseadas no sexo e no gênero estão incluídas na seção "Prevalência" do texto de cada transtorno. Por fim, outras questões pertinentes ao diagnóstico e influenciadas por considerações sobre sexo e/ou gênero podem ser encontradas na seção "Questões Diagnósticas Relativas ao Sexo e ao Gênero".

Associação com Pensamentos ou Comportamentos Suicidas

O DSM-5-TR contém uma nova seção no texto para cada diagnóstico, "Associação com Pensamentos ou Comportamentos Suicidas", quando essa informação estiver disponível na literatura. As informações incluídas geralmente estão baseadas em estudos que demonstram associações de pensamentos ou comportamentos suicidas com um determinado diagnóstico. Dentro dos grupos de indivíduos com o mesmo diagnóstico, uma ampla variedade de psicopatologias relevantes pode ter um impacto no risco de suicídio, variando de nenhum a grave. Assim sendo, na avaliação do risco de suicídio para um indivíduo específico, os clínicos devem usar julgamento clínico informado por fatores de risco conhecidos e não depender unicamente da presença de um diagnóstico que foi associado a pensamentos ou a comportamentos suicidas. As informações nessas seções devem servir como um alerta aos clínicos de que uma investigação mais aprofundada pode ser indicada para um indivíduo com um diagnóstico particular. A avaliação do risco clínico requer uma avaliação individualizada abrangendo muitos fatores e vai além da formulação de um diagnóstico do DSM-5 e do escopo deste Manual.

Recursos Adicionais e Direções Futuras

Condições para Estudos Posteriores

Descritas na Seção III, "Condições para Estudos Posteriores", encontram-se as condições propostas para as quais ainda não estão disponíveis evidências científicas suficientes que apoiem sua utilização clínica generalizada. Esses critérios propostos e o texto que os respalda são incluídos para destacar condições que poderiam se beneficiar de pesquisas posteriores.

Ferramentas de Avaliação e Monitoramento: Agora e Olhando para o Futuro

Os vários componentes do DSM-5 são fornecidos para facilitar a avaliação clínica e para auxiliar no desenvolvimento de uma formulação de caso abrangente (ver "Utilização do Manual") e na identificação de características que podem influenciar o prognóstico de algum transtorno mental diagnosticado. Embora os critérios diagnósticos na Seção II sejam medidas bem estabelecidas que passaram por revisão exaustiva, as ferramentas de avaliação, uma Entrevista de Formulação Cultural e as condições para estudos posteriores inclusas na Seção III são elementos para os quais determinamos que ainda não há evidências científicas que respaldem sua difusão para uso clínico. Esses auxílios diagnósticos e critérios propostos foram incluídos para destacar a evolução e a direção dos avanços científicos nessas áreas e para estimular novas pesquisas.

Cada um dos instrumentos inseridos na Seção III, "Instrumentos de Avaliação", é fornecido para auxiliar na avaliação abrangente de indivíduos, o que irá contribuir para um diagnóstico e para um plano de tratamento sob medida para a apresentação individual e o contexto clínico. Sintomas transversais e medidas de gravidade específicas do diagnóstico proporcionam avaliações quantitativas de áreas clínicas importantes que são elaboradas para uso durante a avaliação inicial a fim de estabelecer uma linha de base para comparação com avaliações em consultas subsequentes, permitindo monitorar mudanças e qualificar o planejamento do tratamento. Quando a dinâmica cultural for particularmente importante para a avaliação diagnóstica, a Entrevista de Formulação Cultural (localizada na Seção III, capítulo "Cultura e Diagnóstico Psiquiátrico") deve ser considerada como ferramenta útil para a comunicação com o indivíduo. Todos esses instrumentos estão disponíveis *on-line* em: www.psychiatry.org/dsm5.

A estrutura organizacional do DSM-5, seu uso de medidas dimensionais e a compatibilidade com os códigos da CID irão permitir que ele se adapte prontamente a futuras descobertas científicas e a aperfeiçoamentos que melhorem sua utilidade clínica.

Utilização do Manual

Esta seção foi elaborada como um guia prático para a utilização do DSM-5, especialmente no que se refere à prática clínica.

Abordagem à Formulação Clínica de Caso

O objetivo primordial do DSM-5 é auxiliar clínicos treinados no diagnóstico de transtornos mentais na formulação de caso como parte de uma avaliação que conduz a um plano de tratamento plenamente informado para cada indivíduo. A formulação de caso para qualquer paciente deve incluir história clínica criteriosa e um resumo conciso dos fatores sociais, psicológicos e biológicos que podem ter contribuído para o desenvolvimento de um determinado transtorno mental. Portanto, não basta simplesmente listar os sintomas nos critérios diagnósticos para estabelecer um diagnóstico de transtorno mental. Uma avaliação minuciosa desses critérios pode assegurar avaliação mais confiável (a qual pode ser auxiliada pela utilização de ferramentas de avaliação dimensional da gravidade dos sintomas); a gravidade relativa e evidências de sinais e sintomas de um indivíduo e sua contribuição clínica para um diagnóstico por fim exigirão julgamento clínico. O diagnóstico requer treinamento clínico para reconhecer quando a combinação de fatores relacionados a predisposição, precipitação, perpetuação e proteção resultou em uma condição psicopatológica na qual os sinais físicos e os sintomas excedem os limites normais. O objetivo final de uma formulação clínica de caso é usar as informações contextuais e diagnósticas disponíveis para desenvolver um plano terapêutico abrangente que esteja em consonância com o contexto cultural e social do indivíduo. Contudo, recomendações para a seleção e o uso das opções de tratamento baseadas em evidências mais adequadas para cada transtorno com base nas evidências fogem ao âmbito deste Manual.

Elementos de um Diagnóstico

Os critérios diagnósticos são oferecidos como diretrizes para a realização de diagnósticos, e seu uso deve se basear no julgamento clínico. As descrições no texto, incluindo as seções de introdução de cada capítulo diagnóstico, podem ajudar a dar respaldo ao diagnóstico (p. ex., descrever os critérios de forma mais completa sob "Características Diagnósticas"; proporcionar diagnósticos diferenciais).

Após a avaliação dos critérios diagnósticos, os clínicos devem considerar a aplicação de subtipos de transtornos e/ou especificadores, conforme apropriado. A maioria dos especificadores se aplica somente à apresentação atual e pode mudar durante o curso do transtorno (p. ex., com *insight* bom ou razoável; apresentação predominantemente desatenta; em um ambiente protegido) e pode ser aplicada somente se todos os critérios para o transtorno forem satisfeitos atualmente. Outros especificadores são indicativos do ciclo de vida (p. ex., com padrão sazonal, tipo bipolar em transtorno esquizoafetivo) e podem ser designados independentemente da situação atual.

Quando a apresentação dos sintomas não satisfaz todos os critérios para algum transtorno e os sintomas causam sofrimento clinicamente significativo ou prejuízo nas áreas social, profissional e em outras áreas de funcionamento importantes, a categoria "outros transtornos especificados" ou "não especificado" correspondente aos sintomas predominantes deve ser considerada.

Subtipos e Especificadores

Subtipos e especificadores são fornecidos para aumentar a especificidade do diagnóstico. Os *subtipos* definem subagrupamentos fenomenológicos mutuamente excludentes e coletivamente exaustivos dentro de um diagnóstico e são indicados pela instrução *"Determinar"* no conjunto de critérios (p. ex., em anorexia nervosa, *Determinar* se tipo restritivo ou tipo com compulsão alimentar purgativa). Em contrapartida, *especificadores* não têm o propósito de ser mutuamente excludentes ou coletivamente exaustivos, e, como consequência, mais de um especificador pode ser aplicado a um determinado diagnóstico. Os especificadores (diferentemente dos subtipos) são indicados pela instrução *"Especificar"* ou *"Especificar se"* no conjunto de critérios (p. ex., no transtorno de ansiedade social, *"Especificar se:* somente desempenho"). Os especificadores e os subtipos proporcionam uma oportunidade para definir um subagrupamento mais homogêneo de pessoas com o transtorno que compartilham determinadas características (p. ex., transtorno depressivo maior, com características mistas) e transmitir informações que sejam relevantes ao manejo do transtorno do indivíduo, como o especificador "comórbida com outra condição médica" nos transtornos do sono-vigília. Embora o quinto caractere dentro do código da CID-10-MC seja algumas vezes designado para indicar um subtipo ou especificador particular (p. ex., "0" no quinto caractere no código diagnóstico F06.70 para transtorno neurocognitivo leve devido a lesão cerebral traumática, para indicar a ausência de perturbação comportamental *versus* um "1" no quinto caractere do código diagnóstico F06.71 para transtorno neurocognitivo leve devido a lesão cerebral traumática para indicar a presença de perturbação comportamental), a maioria dos subtipos e especificadores incluídos no DSM-5-TR não está refletida no código da CID-10-MC e está indicada pelo registro do subtipo ou do especificador após o nome do transtorno (p. ex., transtorno de ansiedade social, tipo desempenho).

Uso de Outros Transtornos Mentais Especificados e Não Especificados

Embora décadas de esforço científico tenham sido investidas no desenvolvimento de conjuntos de critérios diagnósticos para os transtornos inclusos na Seção II, reconhece-se que esse conjunto de diagnósticos categóricos não descreve inteiramente a ampla variedade de transtornos mentais vividos pela população e apresentados aos clínicos diariamente em todo o mundo. Portanto, faz-se necessário também incluir opções de "outros transtornos especificados/não especificados" para apresentações que não se encaixam exatamente nos limites diagnósticos dos transtornos em cada capítulo. Além disso, há contextos (p. ex., serviço de emergência) em que só é possível identificar as expressões de sintomas mais proeminentes associados a um capítulo específico (p. ex., delírios, alucinações, mania, depressão, ansiedade, intoxicação por substância, sintomas neurocognitivos). Nesses casos, pode ser mais apropriado atribuir o transtorno "não especificado" correspondente como um parâmetro de substituição até que seja possível um diagnóstico diferencial mais completo.

O DSM-5 oferece duas opções diagnósticas para apresentações que não satisfazem os critérios diagnósticos para qualquer um dos transtornos específicos do DSM-5: *outro transtorno especificado* e *transtorno não especificado*. A categoria outro transtorno especificado foi desenvolvida para permitir que o clínico comunique o motivo específico pelo qual a apresentação não satisfaz os critérios para nenhuma categoria específica dentro de uma classe de diagnóstico. Isso ocorre ao se registrar o nome da categoria, seguido do motivo específico. Por exemplo, para um indivíduo com alucinações persistentes que ocorrem na ausência de qualquer outro sintoma psicótico (uma apresentação que não satisfaz os critérios para qualquer um dos transtornos específicos no capítulo "Transtornos do Espectro da Esquizofrenia e Outros Transtornos Psicóticos"), o clínico registraria "outro transtorno do espectro da esquizofrenia e outro transtorno psicótico especificado, com alucinações auditivas persistentes". Caso o clínico opte por não especificar o motivo pelo qual os critérios não são satisfeitos para um transtorno específico, então deve diagnosticar "transtorno do espectro da esquizofrenia e outro transtorno psicótico não especificado". Note que a diferenciação entre outros transtornos especificados e transtornos não especificados está baseada na opção do clínico de indicar ou não os motivos pelos quais a apresentação não satisfaz os critérios completamente, fornecendo máxima flexibilidade para o diagnóstico. Quando o clínico determina que há informações clínicas suficientes para especificar a natureza da apresentação clínica, o diagnóstico de "outro transtorno especificado" pode ser feito. Nos casos em que o clínico não é capaz de especificar melhor a apresentação clínica (p. ex., em contextos de atendimento de emergência), o diagnóstico de "transtorno não especificado" pode ser feito. Essa é inteiramente uma questão de julgamento clínico.

Esta é uma convenção consagrada do DSM para condições incluídas no capítulo "Condições para Estudos Posteriores", na Seção III, a ser listadas como exemplos de apresentações que podem ser especificadas com o uso da designação de "outro transtorno especificado". A inclusão dessas condições para estudos posteriores como exemplos não representa o reconhecimento pela American Psychiatric Association de que tais categorias diagnósticas são válidas.

Uso do Julgamento Clínico

O DSM-5 é uma classificação dos transtornos mentais que foi desenvolvida para uso em contextos clínicos, educacionais e de pesquisa. As categorias, os critérios e as descrições textuais dos diagnósticos visam ser empregados por indivíduos com treinamento clínico apropriado e experiência em diagnóstico. É importante que o DSM-5 não seja aplicado mecanicamente por indivíduos sem treinamento clínico. Os critérios diagnósticos específicos no DSM-5 pretendem servir como diretrizes a serem esclarecidas pelo julgamento clínico e não visam ser usadas de uma forma rígida como um livro de receitas. Por exemplo, o exercício do julgamento clínico pode justificar que seja feito um determinado diagnóstico para um indivíduo, mesmo que a apresentação clínica não satisfaça todos os critérios para o diagnóstico, contanto que os sintomas presentes sejam persistentes e graves. Por sua vez, a falta de familiaridade com o DSM-5 ou a aplicação excessivamente flexível e idiossincrásica dos critérios do DSM-5 reduz substancialmente sua utilidade como uma linguagem comum para comunicação.

Critérios Quanto à Importância Clínica

Na ausência de marcadores biológicos evidentes ou de medidas de gravidade clinicamente úteis para vários transtornos mentais, não foi possível separar totalmente as expressões de sintomas normais e de sintomas patológicos inseridos nos critérios diagnósticos. Essa lacuna nas informações é problemática sobretudo em situações clínicas nas quais a apresentação em si dos sintomas do paciente (em especial em formas leves) não é inerentemente patológica e pode ser encontrada em indivíduos para os quais um diagnóstico de "transtorno mental" seria inadequado. Portanto, um critério diagnóstico genérico que requer sofrimento ou incapacidade foi usado para estabelecer limiares de transtorno, geralmente formulado como "a perturbação causa sofrimento clinicamente significativo ou prejuízo no funcionamento social, profissional ou em outras áreas importantes da vida do indivíduo". Avaliar se esse critério é satisfeito, especialmente em termos de sua função, é um julgamento clínico inerentemente difícil. O texto que segue a definição revisada de um transtorno mental reconhece que esse critério pode ser particularmente útil para determinar a necessidade de tratamento. O uso de informações fornecidas pelo indivíduo e também pelos familiares e outros terceiros, por meio de entrevistas ou avaliações de auto ou heterorrelato (informantes) referentes ao desempenho do indivíduo é com frequência necessário.

Procedimentos para Codificação e Registro

O sistema de codificação oficial em uso nos Estados Unidos desde 1º de outubro de 2015 é a *Classificação internacional de doenças, décima revisão, modificação clínica* (CID-10-MC), uma versão da CID-10 da Organização Mundial da Saúde que foi modificada para uso clínico pelo National Center for Health Statistics (NCHS), do Centers for Disease Controle and Prevention, e fornece os únicos códigos diagnósticos admissíveis para transtornos mentais para uso clínico nos Estados Unidos. A maioria dos transtornos no DSM-5 tem um código alfanumérico da CID-10-MC que aparece antes do nome do transtorno (ou subtipo ou especificador codificado) na Classificação do DSM-5-TR e no conjunto de critérios complementares para cada transtorno. Para alguns diagnósticos (p. ex., transtornos neurocognitivos e induzidos por substância/medicamento), o código apropriado depende de maiores especificações e está listado dentro do conjunto de critérios para o transtorno, na forma de notas para codificação e, em alguns casos, com maior elucidação em uma seção sobre "Procedimentos para Registro". Os nomes de alguns transtornos são seguidos por termos alternativos inseridos entre parênteses.

O uso de códigos diagnósticos é fundamental para a manutenção de registros médicos. A codificação dos diagnósticos facilita a coleta e a recuperação dos dados e a compilação de informações estatísticas. Os códigos também são frequentemente necessários para relatar os dados diagnósticos a terceiros interessados, incluindo agências governamentais, seguradoras privadas e a Organização Mundial da Saúde. Por exemplo, nos Estados Unidos, o uso dos códigos da CID-10-MC para transtornos no DSM-5-TR foi imposto pela Health Care Financing Administration para efeitos de reembolso pelo sistema Medicare.

Diagnóstico Principal/Motivo da Consulta

A convenção geral no Manual é permitir que diagnósticos múltiplos sejam atribuídos para as apresentações que satisfazem os critérios para mais de um transtorno do DSM-5. Quando mais de um diagnóstico é atribuído a um indivíduo em um contexto de internação, o diagnóstico principal é a condição estabelecida depois do estudo como principal responsável por sua admissão. Quando mais de um diagnóstico é atribuído a um paciente em um contexto ambulatorial, o motivo da consulta é a condição principal responsável pelos serviços médicos ambulatoriais recebidos por ocasião da consulta. Na maioria dos casos, o diagnóstico principal ou o motivo da consulta também são o foco principal de atenção ou tratamento. Com frequência é difícil (e um tanto arbitrário) determinar o diagnóstico principal ou o motivo da consulta. Por exemplo, pode haver dúvidas sobre qual diagnóstico deve ser considerado "principal" em um indivíduo hospitalizado por esquizofrenia e transtorno por uso de álcool, porque cada condição pode ter contribuído igualmente para a necessidade de internação e tratamento. O diagnóstico principal é indicado ao ser listado em primeiro lugar, e os transtornos remanescentes são listados em ordem de foco de atenção e tratamento. Quando o diagnóstico principal ou o motivo da consulta for um transtorno mental devido a outra condição médica (p. ex., transtorno neurocognitivo maior devido à doença de Alzheimer, transtorno psicótico devido a neoplasia pulmonar maligna), as regras de codificação da CID exigem que a condição médica etiológica seja listada em primeiro lugar. Nesse caso, o diagnóstico principal ou o motivo da consulta seria o transtorno mental devido à condição médica, o segundo diagnóstico listado. Para maior clareza, o transtorno listado como o diagnóstico principal ou o motivo da consulta pode ser seguido pela expressão qualificadora "(diagnóstico principal)" ou "(motivo da consulta)".

Diagnóstico Provisório

O modificador "provisório" pode ser usado quando no momento há informações insuficientes para indicar que os critérios diagnósticos são satisfeitos, mas há uma forte presunção de que as informações serão disponibilizadas para permitir essa determinação. O clínico pode indicar a incerteza diagnóstica ao registrar "(provisório)" após o diagnóstico. Por exemplo, esse modificador poderia ser usado quando um indivíduo que parece ter uma apresentação clínica compatível com um diagnóstico de transtorno depressivo maior atual não é capaz de fornecer uma história adequada, mas espera-se que essas informações estejam disponíveis depois de entrevistar um informante ou examinar os registros médicos. Depois que essas informações estão disponíveis e confirmam que os critérios diagnósticos foram satisfeitos, o modificador "(provisório)" seria removido. Outro uso de "provisório" ocorre em situações em que o diagnóstico diferencial depende exclusivamente de a duração da doença não ultrapassar um limite superior, conforme exigido pelos critérios diagnósticos. Por exemplo, um diagnóstico de transtorno esquizofreniforme requer uma duração de pelo menos 1 mês, porém menos de 6 meses. Caso um indivíduo tenha atualmente sintomas compatíveis com um diagnóstico de transtorno esquizofreniforme, considerando que a duração máxima é desconhecida porque os sintomas ainda estão em curso, o modificador "(provisório)" seria aplicado e depois removido caso os sintomas apresentassem remissão dentro de um período de 6 meses. Caso não remitam, o diagnóstico seria mudado para esquizofrenia.

Notas Sobre a Terminologia

Transtorno Mental Induzido por Substância/Medicamento

O termo "transtorno mental induzido por substância/medicamento" refere-se a apresentações sintomáticas que se devem aos efeitos fisiológicos de uma substância exógena no sistema nervoso central, incluindo sintomas que se desenvolvem durante a abstinência de uma substância exógena capaz de causar dependência fisiológica. Essas substâncias exógenas incluem intoxicantes típicos (p. ex., álcool, inalantes, alucinógenos, cocaína), medicamentos psicotrópicos (p. ex., estimulantes; sedativos, hipnóticos, ansiolíticos), outros medicamentos (p. ex., esteroides) e toxinas ambientais (p. ex., inseticidas organofosforados). As edições do DSM, do DSM-III ao DSM-IV, referiam-se a eles como "transtornos mentais induzidos por substância". Para enfatizar que medicamentos e não só substâncias de abuso podem causar sintomas psiquiátricos, o termo foi mudado para "induzidos por substância/medicamento" no DSM-5.

Transtornos Mentais Independentes

Historicamente, os transtornos mentais foram divididos entre aqueles que eram denominados "orgânicos" (causados por fatores físicos) e os que eram "não orgânicos" (puramente da mente; também referidos como "funcionais" ou "psicogênicos"), termos que foram incluídos no DSM até o DSM-III-R. Como essas dicotomias enganosamente implicavam que transtornos não orgânicos não têm base biológica e que transtornos mentais não têm base física, o DSM-IV atualizou essa terminologia da seguinte forma: 1) os termos "orgânico" e "não orgânico" foram eliminados do DSM-IV; 2) os transtornos anteriormente denominados "orgânicos" foram divididos em devidos aos efeitos fisiológicos diretos de uma substância (induzidos por substância) e devidos aos efeitos fisiológicos diretos de uma condição médica no sistema nervoso central; e 3) o termo "transtornos mentais não orgânicos" (i. e., transtornos não devidos a substâncias ou a condições médicas) foi substituído por "transtorno mental primário". No DSM-5, essa terminologia foi mais aperfeiçoada, substituindo "primário" por "independente" (p. ex., o Critério C em transtorno de ansiedade induzido por substância/medicamento começa com "A perturbação não é mais bem explicada por um transtorno de ansiedade não induzido por substância/medicamento. As evidências de um transtorno de ansiedade *independente* podem incluir" [*itálico acrescentado para referência*]). Isso foi feito para reduzir uma possível confusão, uma vez que o termo "primário" historicamente tem outros significados (p. ex., algumas vezes é usado para indicar qual transtorno entre vários transtornos comórbidos foi o primeiro a ocorrer). O uso de "transtorno mental independente" não deve ser interpretado como significando que o transtorno é independente de outros fatores causais possíveis, tais como estressores psicossociais ou outros transtornos ambientais.

Outras Condições Médicas

Outra dicotomia adotada por edições anteriores do DSM que refletia o dualismo mente-corpo era a divisão dos transtornos em "transtornos mentais" e "transtornos físicos". Em combinação com a eliminação da terminologia orgânico/não orgânico, o DSM-IV substituiu a dicotomia "transtorno mental" *versus* "transtorno físico" por uma dicotomia "transtorno mental" *versus* "condição médica geral", baseado na localização do capítulo dentro da *Classificação internacional de doenças* (CID). As condições médicas na CID foram divididas em 17 capítulos baseados em uma variedade de fatores, que inclue etiologia (p. ex., Neoplasias [Capítulo2]), localização anatômica (p. ex., Doenças da orelha e do processo mastoide [Capítulo 8]), sistema corporal (p. ex., Doenças do sistema circulatório [Capítulo 9]) e contexto (p. ex., Gravidez, parto e puerpério [Capítulo 15]). Na estrutura da CID, os transtornos mentais estão localizados no Capítulo 5, e as condições médicas gerais estão localizadas nos outros 16 capítulos. Devido à preocupação de que o termo "condição médica geral" pudesse ser confundido com prática geral, o DSM-5 usa o termo "outra condição médica" para enfatizar o fato de que transtornos mentais são condições médicas e que podem ser precipitados por outras condições médicas. É importante reconhecer que "transtorno mental" e "outra condição médica" são meramente termos de conveniência e não implicam considerar que exista alguma distinção fundamental entre transtornos mentais e outras condições médicas, que transtornos mentais não estão relacionados a fatores ou processo físicos ou biológicos, ou que outras condições médicas não estão relacionadas a fatores ou processos comportamentais ou psicossociais.

Tipos de Informações no Texto do DSM-5-TR

O texto do DSM-5-TR fornece informações contextuais para auxiliar na tomada de decisão diagnóstica. O texto aparece imediatamente após os critérios diagnósticos para cada transtorno e descreve o transtorno sistematicamente sob os seguintes títulos: Procedimentos para Registro, Subtipos, Especificadores, Características Diagnósticas, Características Associadas, Prevalência, Desenvolvimento e Curso, Fatores de Risco e Prognóstico, Questões Diagnósticas Relativas à Cultura, Questões Diagnósticas Relativas ao Sexo e ao Gênero, Marcadores Diagnósticos, Associação com Pensamentos ou Comportamentos Suicidas, Consequências Funcionais, Diagnóstico Diferencial e Comorbidade. Em geral, quando estão disponíveis informações limitadas para uma seção, essa seção não é incluída.

Procedimentos para Registro oferece diretrizes para relatar o nome do transtorno e para selecionar e registrar o código diagnóstico apropriado da CID-10-MC. Também inclui instruções para aplicação dos subtipos e/ou especificadores apropriados.

Subtipos e/ou **Especificadores** fornecem descrições breves de subtipos e/ou especificadores aplicáveis.

Características Diagnósticas fornece um texto descritivo ilustrando o uso dos critérios e inclui pontos fundamentais na sua interpretação. Por exemplo, dentro das características diagnósticas para esquizofrenia, é explicado que alguns sintomas que podem parecer sintomas negativos podem ser atribuídos a efeitos colaterais de medicamento.

Características Associadas inclui características clínicas que não estão representadas nos critérios, mas ocorrem com frequência significativamente maior em indivíduos com o transtorno do que naqueles sem o transtorno. Por exemplo, indivíduos com transtorno de ansiedade generalizada também podem vivenciar sintomas somáticos que não estão contidos nos critérios para o transtorno.

Prevalência descreve as taxas do transtorno na comunidade, mais frequentemente descrita como prevalência em 12 meses, embora para alguns transtornos a prevalência pontual seja indicada. As estimativas de prevalência também são fornecidas por faixa etária e por grupo étnico-racial/cultural sempre que possível. A proporção entre os sexos (prevalência em homens *versus* mulheres) também é fornecida nessa seção. Quando se encontram disponíveis dados internacionais, a variância geográfica nas taxas de prevalência é descrita. Para alguns transtornos, especialmente aqueles para os quais há dados limitados sobre as taxas na comunidade, a prevalência em amostras clínicas relevantes é indicada.

Desenvolvimento e Curso descreve os padrões de apresentação típicos e a evolução ao longo da vida. Indica a idade típica de início e se a apresentação clínica pode ter características prodrômicas/insidiosas ou pode se manifestar abruptamente. Outras descrições podem incluir um curso episódico *versus* curso persistente, bem como um episódio único *versus* um curso episódico recorrente. Os descritores nessa seção podem abordar a duração dos sintomas ou dos episódios e também a progressão da gravidade e o impacto funcional associado. A tendência geral do transtorno ao longo do tempo (p. ex., estável, piora, melhora) é descrita aqui. As variações que podem ser anotadas incluem características relacionadas ao estágio de desenvolvimento (p. ex., primeira infância, infância, adolescência, vida adulta, velhice).

Fatores de Risco e Prognóstico inclui uma discussão de fatores que podem contribuir para o desenvolvimento de um transtorno. A seção é dividida em subseções que abordam *fatores temperamentais* (p. ex., características de personalidade); *fatores ambientais* (p. ex., traumatismo craniano, trauma emocional, exposição a substâncias tóxicas, uso de substância); e *fatores genéticos e fisiológicos* (p. ex., *APOE4* para demência, outros riscos genéticos familiares conhecidos); essa subseção pode abordar padrões familiares (tradicionais), bem como fatores genéticos e epigenéticos. Uma subseção adicional para *modificadores do curso* inclui fatores que podem implicar curso prejudicial e também fatores que podem ter efeito de melhora ou proteção.

Questões Diagnósticas Relativas à Cultura inclui informações sobre variações na expressão dos sintomas, atribuições para causas ou precipitantes do transtorno, fatores associados à prevalência diferencial entre grupos demográficos, normas culturais que podem influenciar o nível da patologia percebida, o risco de erro diagnóstico ao avaliar indivíduos provenientes de grupos étnico-raciais oprimidos e outro material relevante para o diagnóstico culturalmente informado. As taxas de prevalência em grupos culturais/étnicos específicos estão localizadas na seção Prevalência.

Questões Diagnósticas Relativas ao Sexo e ao Gênero inclui correlatos do diagnóstico que estão relacionados ao sexo ou ao gênero, a predominância dos sintomas ou o diagnóstico por sexo ou gênero e qualquer outra implicação diagnóstica relacionada ao sexo e ao gênero. As taxas de prevalência estão localizadas na seção Prevalência.

Marcadores Diagnósticos aborda medidas objetivas que têm valor diagnóstico estabelecido. Podem incluir achados do exame físico (p. ex., sinais de desnutrição em transtorno alimentar evitativo/restritivo), achados laboratoriais (p. ex., baixos níveis de hipocretina-1 no líquido cerebrospinal em narcolepsia) ou achados em exames de imagem (PET com FDG regionalmente hipometabólico para transtorno neurocognitivo devido à doença de Alzheimer).

Associação com Pensamentos ou Comportamentos Suicidas fornece informações sobre a prevalência de pensamentos ou de comportamentos suicidas específicos do transtorno, bem como sobre fatores de risco para suicídio que podem estar associados ao transtorno.

Consequências Funcionais discute consequências funcionais perceptíveis associadas a um transtorno que possivelmente têm influência na vida diária dos indivíduos afetados; essas consequências podem afetar a habilidade de se envolver em tarefas relacionadas a educação, trabalho e manutenção de uma vida independente. Elas podem variar segundo a idade e durante o ciclo de vida.

Diagnóstico Diferencial discute como diferenciar o transtorno de outros transtornos que têm algumas características similares presentes.

Comorbidade inclui descrições de transtornos mentais e outras condições médicas (i. e., condições classificadas fora do capítulo sobre transtornos Mentais e Comportamentais na CID-10-MC), com provável coocorrência com o diagnóstico.

Outras Condições e Transtornos na Seção II

Além de oferecer critérios diagnósticos e o texto para transtornos mentais no DSM-5, a Seção II também inclui dois capítulos para outras condições que não são transtornos mentais, mas podem ser encontradas por clínicos de saúde mental. Essas condições podem ser enumeradas como motivo para uma consulta clínica juntamente aos transtornos mentais listados na Seção II ou no lugar deles. O capítulo "**Transtornos do Movimento Induzidos por Medicamentos e Outros Efeitos Adversos de Medicamentos**" inclui parkinsonismo induzido por medicamento, síndrome neuroléptica maligna, distonia aguda induzida por medicamento, acatisia aguda induzida por medicamento, discinesia tardia, distonia tardia/acatisia tardia, tremor postural induzido por medicamento e outro efeito adverso de medicamento. Essas condições estão incluídas na Seção II devido à importância frequente no 1) manejo de medicamentos para transtornos mentais ou outras condições médicas e 2) diagnóstico diferencial dos transtornos mentais (p. ex., transtorno de ansiedade *versus* acatisia aguda induzida por medicamento).

O capítulo **"Outras Condições que Podem Ser Foco da Atenção Clínica"** inclui condições e problemas psicossociais ou ambientais que não são considerados transtornos mentais, mas que de outra forma influenciam o diagnóstico, o curso, o prognóstico ou o tratamento do transtorno mental de um indivíduo. Essas condições são apresentadas com os códigos correspondentes da CID-10-MC (normalmente, códigos Z). Uma condição ou problema neste capítulo pode ser codificada com ou sem um diagnóstico complementar de transtorno mental se: 1) for um motivo para a consulta atual; 2) ajudar a explicar a necessidade de um teste, procedimento ou tratamento; 3) contribuir para o início ou exacerbação de um transtorno mental; ou 4) constituir um problema que deve ser levado em consideração no plano geral de manejo. Estes incluem comportamento suicida e autolesão não suicida; abuso e negligência; problemas relacionais (p. ex., Sofrimento na Relação com o Cônjuge ou Parceiro(a) Íntimo(a)); problemas educacionais, profissionais, de moradia e econômicos; problemas relacionados ao ambiente social, interação com o sistema legal e outras circunstâncias psicossociais, pessoais e ambientais (p. ex., problemas relacionados a gravidez indesejada, ser vítima de crime ou terrorismo); problemas relacionados ao acesso a assistência médica e outros cuidados de saúde; circunstâncias da história pessoal (p. ex., História Pessoal de Trauma Psicológico); outras consultas no sistema de saúde para orientação e aconselhamento médico (p. ex., aconselhamento sexual); outras condições ou problemas que podem ser foco de atenção clínica (p. ex., perambulação associada a um transtorno mental, luto não complicado, problema da fase da vida).

Melhorias *on-line* (em inglês)

O DSM-5-TR está disponível para assinaturas *on-line* em PsychiatryOnline.org, e também em um *e-book* que reflete a edição impressa. A versão *on-line* fornece, como suporte, um conjunto completo de citações e referências no texto que não estão disponíveis na versão impressa ou eletrônica do livro; também é atualizada periodicamente para refletir quaisquer mudanças resultantes do processo de revisão iterativo do DSM-5, descrito na Introdução. O DSM-5 será mantido *on-line* em um formato de arquivo em PsychiatryOnline.org, juntando-se às versões anteriores do DSM.

As escalas de avaliação e medidas clínicas na edição impressa e no *e-book* (ver "Instrumentos de Avaliação" na Seção III) foram incluídas *on-line*, juntamente com outras medidas de avaliação usadas nos ensaios de campo (www.psychiatry.org/dsm5), vinculadas aos respectivos transtornos. Desde a Seção III, o capítulo "Cultura e Diagnóstico Psiquiátrico", a Entrevista de Formulação Cultural, a Entrevista de Formulação Cultural – Versão do Informante (ambas incluídas nas versões impressa e eletrônica) e os módulos complementares até a base da Entrevista de Formulação Cultural estão todos disponíveis *on-line* em www.psychiatry.org/dsm5.

Advertência para a Utilização Forense do DSM-5

Embora o objetivo principal da elaboração dos critérios diagnósticos e do texto do DSM-5 tenha sido auxiliar clínicos na condução da avaliação clínica, da formulação de caso e do planejamento do tratamento, este Manual também é usado como referência em tribunais e por advogados para avaliar as consequências forenses de transtornos mentais. Em consequência, é importante observar que a definição de transtorno mental inclusa no DSM-5 foi desenvolvida para satisfazer as necessidades de clínicos, profissionais da área da saúde e pesquisadores, em vez de todas as necessidades técnicas de tribunais e de profissionais da área jurídica. Cabe, ainda, atestar que o DSM-5 não fornece diretrizes de tratamento para nenhum tipo de transtorno.

Quando usados apropriadamente, os diagnósticos e as informações diagnósticas podem auxiliar os detentores do poder de decisão no âmbito legal em suas deliberações. Por exemplo, quando a presença de um transtorno mental é o fundamento para uma determinação legal subsequente (p. ex., internação compulsória), o uso de um sistema estabelecido de diagnóstico aumenta o valor e a confiabilidade da deliberação. Por ser um compêndio baseado em uma revisão da literatura clínica e de pesquisa pertinente, o DSM-5 pode facilitar o entendimento das características relevantes dos transtornos mentais pelas autoridades judiciais. A literatura relacionada aos diagnósticos também serve para cercear especulações infundadas sobre transtornos mentais e sobre o funcionamento de determinado indivíduo. Por fim, informações diagnósticas sobre o curso longitudinal podem melhorar a tomada de decisão quando a questão legal está relacionada ao funcionamento mental de um indivíduo em um ponto no tempo no passado ou no futuro.

Contudo, o uso do DSM-5 deve envolver o conhecimento dos riscos e limitações do seu uso no âmbito forense. Quando as categorias, os critérios e as descrições do DSM-5 são empregados para fins forenses, há o risco de que as informações diagnósticas sejam usadas de forma indevida ou compreendidas erroneamente. Esses perigos surgem por não haver uma concordância perfeita entre as questões de interesse da justiça e as informações contidas em um diagnóstico clínico. Na maioria das situações, a presença de um diagnóstico clínico de transtorno mental do DSM-5, como transtorno do desenvolvimento intelectual (deficiência intelectual), esquizofrenia, transtorno neurocognitivo maior, transtorno do jogo ou transtorno pedofílico, não implica que um indivíduo com a condição satisfaça critérios legais para a presença de um transtorno mental ou "doença mental" conforme definido legalmente ou como um parâmetro jurídico específico (p. ex., para interdição, responsabilidade criminal ou inimputabilidade penal). Para este último, normalmente são necessárias informações adicionais que vão além das contidas no diagnóstico do DSM-5, o que pode incluir dados acerca dos prejuízos funcionais do indivíduo e sobre como esses prejuízos afetam as aptidões específicas em questão. Precisamente porque os prejuízos, as aptidões e as deficiências variam amplamente dentro de cada categoria diagnóstica, a atribuição de um determinado diagnóstico não indica um nível específico de prejuízo ou incapacitação.

O uso do DSM-5 para avaliar a presença de um transtorno mental, por indivíduos que não atuam na área clínica ou cuja formação ou treinamento na área é insuficiente, não é recomendado. As pessoas com poder de decisão fora do âmbito clínico também devem ser alertadas de que um diagnóstico não traz em si quaisquer implicações necessárias com relação à etiologia ou às causas do transtorno mental do indivíduo ou do grau de controle que este tem sobre comportamentos que podem estar associados ao transtorno. Mesmo quando a diminuição do controle sobre o próprio comportamento é uma característica do transtorno, o fato de ter o diagnóstico, por si só, não indica que a pessoa necessariamente é (ou foi) incapaz de controlar seu comportamento em determinado momento.

SEÇÃO II
Critérios Diagnósticos e Códigos

Transtornos do Neurodesenvolvimento 35
Espectro da Esquizofrenia e Outros Transtornos Psicóticos 101
Transtorno Bipolar e Transtornos Relacionados 139
Transtornos Depressivos 177
Transtornos de Ansiedade 215
Transtorno Obsessivo-compulsivo e Transtornos Relacionados 263
Transtornos Relacionados a Trauma e a Estressores 295
Transtornos Dissociativos 329
Transtorno de Sintomas Somáticos e Transtornos Relacionados 349
Transtornos Alimentares 371
Transtornos da Eliminação 399
Transtornos do Sono-Vigília 407
Disfunções Sexuais 477
Disforia de Gênero 511
Transtornos Disruptivos, do Controle de Impulsos e da Conduta 521
Transtornos Relacionados a Substâncias e Transtornos Aditivos 543
Transtornos Neurocognitivos 667
Transtornos da Personalidade 735
Transtornos Parafílicos 781
Outros Transtornos Mentais e Códigos Adicionais 805
Transtornos do Movimento Induzidos por Medicamentos e
Outros Efeitos Adversos de Medicamentos 809
Outras Condições que Podem ser Foco da Atenção Clínica 823

Esta seção contém os critérios diagnósticos aprovados para uso clínico de rotina juntamente com os códigos da CID-10-MC. Em cada transtorno mental, os critérios diagnósticos são seguidos por um texto descritivo para auxiliar na tomada de decisão diagnóstica. Sempre que necessário, há notas e procedimentos de registro para facilitar a seleção adequada do código da CID-10-MC.

A Seção II também inclui dois capítulos de outras condições que não são transtornos mentais, mas com as quais os profissionais podem se deparar. Em "Transtornos do Movimento Induzidos por Medicamentos e Outros Efeitos Adversos de Medicamentos" são descritas condições frequentemente importantes no manejo de medicações para tratamento de transtornos mentais ou outras condições médicas e os diagnósticos diferenciais com transtornos mentais (p. ex., transtorno de ansiedade *versus* acatisia aguda induzida por medicamentos). "Outras Condições que Podem ser Foco da Atenção Clínica" incluem condições e problemas psicossociais ou ambientais que não são considerados transtornos mentais, mas que também afetam o diagnóstico, o curso, o prognóstico ou o tratamento do transtorno mental de um indivíduo.

Esses três componentes – os critérios com texto correspondente, os transtornos do movimento induzidos por medicamentos e outros efeitos adversos de medicamentos e as descrições de outras condições que podem ser foco da atenção clínica – representam os elementos fundamentais do processo diagnóstico clínico e, portanto, são apresentados juntos.

Transtornos do Neurodesenvolvimento

Os transtornos do neurodesenvolvimento são um grupo de condições com início no período do desenvolvimento. Os transtornos tipicamente se manifestam cedo no desenvolvimento, em geral antes de a criança ingressar na escola, sendo caracterizados por déficits no desenvolvimento ou diferenças nos processos cerebrais, o que acarreta prejuízos no funcionamento pessoal, social, acadêmico ou profissional. Os déficits de desenvolvimento variam desde limitações muito específicas na aprendizagem ou no controle de funções executivas até prejuízos globais em habilidades sociais ou inteligência. Recentes abordagens dimensionais para medir sintomas demonstraram diferentes graus de gravidade, com frequência sem ligação clara com o desenvolvimento típico, para algo que antes se pensava ser categoricamente definido. Portanto, para o diagnóstico de um transtorno é necessária a presença tanto de sintomas quanto de funções prejudicadas.

É frequente a ocorrência de mais de um transtorno do neurodesenvolvimento concomitantemente; por exemplo, indivíduos com transtorno do espectro autista frequentemente apresentam o transtorno do desenvolvimento intelectual (deficiência intelectual), e muitas crianças com transtorno de déficit de atenção/hiperatividade (TDAH) também têm algum transtorno específico da aprendizagem. Os transtornos do neurodesenvolvimento com frequência também são comórbidos a outros transtornos mentais e comportamentais com início na infância (p. ex., transtornos da comunicação e o transtorno do espectro autista podem estar associados a transtornos de ansiedade; o TDAH pode estar associado a transtorno de oposição desafiante; tiques podem estar associados a transtorno obsessivo-compulsivo). Em alguns transtornos do neurodesenvolvimento, a apresentação clínica inclui comportamentos que são mais frequentes ou intensos se comparados com os de crianças da mesma idade de desenvolvimento e gênero sem transtornos, além de incluir déficits e atrasos para alcançar certos marcos esperados na infância. Por exemplo, o transtorno do espectro autista é diagnosticado apenas quando os déficits característicos na comunicação social são acompanhados de comportamentos excessivamente repetitivos, interesses restritos e insistência nas mesmas coisas.

O transtorno do desenvolvimento intelectual é caracterizado por déficits em capacidades mentais genéricas, como raciocínio, solução de problemas, planejamento, pensamento abstrato, julgamento, aprendizagem acadêmica e aprendizagem pela experiência. Os déficits resultam em prejuízos no funcionamento adaptativo, de modo que o indivíduo não consegue atingir padrões de independência pessoal e responsabilidade social em um ou mais aspectos da vida diária, incluindo comunicação, participação social, funcionamento acadêmico ou profissional e independência pessoal em casa ou na comunidade. O atraso global do desenvolvimento, como o próprio nome sugere, é diagnosticado quando um indivíduo não atinge os marcos de desenvolvimento esperados em várias áreas do funcionamento intelectual. O diagnóstico se aplica a indivíduos com menos de 5 anos que são incapazes de passar por avaliações sistemáticas do funcionamento intelectual e, portanto, não podem ter o nível de gravidade clínica da condição confiavelmente avaliada. O transtorno do desenvolvimento intelectual pode resultar de alguma lesão ocorrida durante o período de desenvolvimento, como, por exemplo, um traumatismo craniano grave, situação na qual um transtorno neurocognitivo também pode ser diagnosticado.

Os transtornos da comunicação incluem o transtorno da linguagem, o transtorno da fala, o transtorno da comunicação social (pragmática) e o transtorno da fluência com início na infância (gagueira). Os três primeiros transtornos são caracterizados por déficits no desenvolvimento e no uso da linguagem, da fala e da comunicação social, respectivamente. O transtorno da comunicação social é caracterizado por déficits tanto nas habilidades de comunicação verbal quanto nas de comunicação não verbal que resultam em prejuízos sociais e que não são mais bem explicados por falta de domínio da linguagem estrutural, transtorno do desenvolvimento intelectual ou transtorno do espectro autista. O transtorno da fluência com início na infância é caracterizado por perturbações da fluência normal e da produção motora da fala, incluindo sons e sílabas repetidas, prolongamento dos sons de consoantes ou vogais, interrupção de palavras, bloqueio ou palavras pronunciadas com tensão física excessiva. Como outros transtornos do neurodesenvolvimento, os transtornos da comunicação iniciam-se precocemente e podem acarretar prejuízos funcionais durante toda a vida.

O transtorno do espectro autista caracteriza-se por déficits persistentes na comunicação e na interação sociais em múltiplos contextos, incluindo déficits em reciprocidade social, em comportamentos não verbais de comunicação usados para interação social e em habilidades para desenvolver, manter e compreender relacionamentos. Além dos déficits na comunicação social, o diagnóstico do transtorno do espectro autista requer a presença de padrões restritos e repetitivos de comportamento, interesses ou atividades. Considerando que os sintomas mudam com o desenvolvimento, podendo ser mascarados por mecanismos compensatórios, os critérios diagnósticos podem ser preenchidos com base em informações retrospectivas, mesmo que a condição presente esteja causando prejuízos significativos.

No diagnóstico do transtorno do espectro autista, as características clínicas individuais são registradas por meio do uso de especificadores (com ou sem comprometimento intelectual concomitante; com ou sem comprometimento da linguagem concomitante; associado a uma condição genética conhecida ou outra condição médica ou fator ambiental; associado a uma alteração do neurodesenvolvimento, mental ou comportamental), bem como especificadores que descrevem os sintomas autistas. Esses especificadores fornecem aos clínicos a oportunidade de individualização do diagnóstico e a possibilidade de comunicar de maneira mais rica a descrição clínica dos indivíduos afetados. Por exemplo, muitos indivíduos anteriormente diagnosticados com transtorno de Asperger atualmente receberiam um diagnóstico de transtorno do espectro autista sem comprometimento linguístico ou intelectual.

O TDAH é um transtorno do neurodesenvolvimento definido por níveis prejudiciais de desatenção, desorganização e/ou hiperatividade-impulsividade. A desatenção e a desorganização estão relacionadas à incapacidade de permanecer em uma única tarefa, a aparentar não ouvir e à perda de materiais necessários para alguma tarefa em níveis inconsistentes com a idade ou com o nível de desenvolvimento. Hiperatividade-impulsividade implicam atividade excessiva, inquietação, incapacidade de permanecer sentado, intromissão em atividades de outros e incapacidade de aguardar – sintomas que são excessivos para a idade ou para o nível de desenvolvimento. Na infância, o TDAH frequentemente se sobrepõe a transtornos geralmente considerados "de externalização", tais como o transtorno de oposição desafiante e o transtorno da conduta. O TDAH costuma persistir na vida adulta, resultando em prejuízos no funcionamento social, acadêmico e profissional.

Um transtorno específico da aprendizagem, como o nome implica, é diagnosticado quando há déficits específicos na capacidade do indivíduo de perceber ou processar informações para aprender eficiente ou precisamente questões acadêmicas. Esse transtorno do neurodesenvolvimento manifesta-se, inicialmente, durante os anos de escolaridade formal, caracterizando-se por dificuldades persistentes e prejudiciais nas habilidades básicas acadêmicas de leitura, escrita e/ou matemática. O desempenho individual nas habilidades acadêmicas afetadas é bastante abaixo da média para a idade, ou os níveis de desempenho aceitáveis são atingidos somente com esforço extraordinário. O transtorno específico da aprendizagem pode ocorrer em pessoas identificadas como apresentando altas habilidades intelectuais e manifestar-se apenas quando as demandas de aprendizagem ou procedimentos de avaliação (p. ex., testes cronometrados) impõem barreiras que não podem ser superadas pela inteligência inata ou por estratégias compensatórias. Para todas as pessoas, o transtorno específico da aprendizagem pode acarretar prejuízos duradouros em atividades que dependam dessas habilidades, inclusive no desempenho profissional.

Os transtornos motores incluem o transtorno do desenvolvimento da coordenação, o transtorno do movimento estereotipado e transtornos de tiques. O transtorno do desenvolvimento da coordenação é caracterizado por déficits na aquisição e execução de habilidades motoras coordenadas, manifestando-se por meio da efetuação dessas habilidades motoras de forma desastrada, lenta ou imprecisa em um grau que interfira nas atividades do cotidiano. O transtorno do movimento estereotipado é diagnosticado quando um indivíduo apresenta comportamentos motores repetitivos, aparentemente involuntários e sem propósito, como agitar as mãos, balançar o corpo, sacudir a cabeça, morder-se ou machucar-se. Os movimentos interferem com atividades sociais, acadêmicas ou de outras áreas. Se os comportamentos causam lesões, isso deve ser especificado como parte da descrição diagnóstica. Os transtornos de tique caracterizam-se pela presença de tiques motores ou vocais, que são movimentos ou vocalizações motores estereotípicos imprevisíveis, rápidos, recorrentes e sem ritmo. Duração, etiologia presumida e apresentação clínica definem o transtorno de tique específico a ser diagnosticado: transtorno de Tourette, transtorno de tique motor ou vocal persistente (crônico), transtorno de tique transitório, outro transtorno de tique especificado e transtorno de tique não especificado. O transtorno de Tourette é diagnosticado quando o indivíduo apresenta múltiplos tiques motores e vocais, presentes por ao menos um ano e que apresentam sintomas que aumentam e diminuem no decorrer do tempo.

O uso de especificadores para diagnósticos de transtornos do neurodesenvolvimento enriquece a descrição do curso clínico e da sintomatologia atual do indivíduo. Dentre esses especificadores estão os especificadores de gravidade, que estão disponíveis para transtorno do desenvolvimento intelectual, TDAH, transtorno específico da aprendizagem e transtorno do movimento estereotipado. Especificadores indicativos de sintomas atuais estão disponíveis para TDAH, transtorno específico da aprendizagem e transtorno de tique motor ou vocal persistente. O transtorno do espectro autista e o transtorno do movimento estereotipado também incluem o especificador "associado a alguma condição médica ou genética conhecida ou a fator ambiental". Esse especificador oportuniza aos clínicos a documentação de fatores que podem ter desempenhado um papel na etiologia do transtorno, bem como daqueles capazes de afetar o curso clínico dele.

Transtornos do Desenvolvimento Intelectual

Transtorno do Desenvolvimento Intelectual (Deficiência Intelectual)

Critérios Diagnósticos

O transtorno do desenvolvimento intelectual (deficiência intelectual) é um transtorno com início no período do desenvolvimento que inclui déficits funcionais, tanto intelectuais quanto adaptativos, nos domínios conceitual, social e prático. Os três critérios a seguir devem ser preenchidos:

A. Déficits em funções intelectuais como raciocínio, solução de problemas, planejamento, pensamento abstrato, juízo, aprendizagem acadêmica e aprendizagem pela experiência confirmados tanto pela avaliação clínica quanto por testes de inteligência padronizados e individualizados.

B. Déficits em funções adaptativas que resultam em falha em atingir padrões de desenvolvimento e socioculturais em relação a independência pessoal e responsabilidade social. Sem apoio continuado, os déficits de adaptação limitam o funcionamento em uma ou mais atividades diárias, como comunicação, participação social e vida independente, e em múltiplos ambientes, como em casa, na escola, no local de trabalho e na comunidade.

C. Início dos déficits intelectuais e adaptativos durante o período de desenvolvimento.

> **Nota:** O termo *transtorno do desenvolvimento intelectual* é usado para clarificar sua relação com o sistema de classificação da CID-11, da OMS, que usa o termo *Transtornos do Desenvolvimento Intelectual*. O termo equivalente, *deficiência intelectual*, é colocado entre parênteses para uso continuado. A literatura médica e de pesquisa usa ambos os termos, enquanto deficiência intelectual é o termo mais comumente usado por educadores e outros profissionais, por grupos de defesa dos direitos desses indivíduos e pelo público leigo. Além disso, a Lei Federal dos Estados Unidos (Public Law 111-256, Rosa's Law) substituiu todas as referências ao termo *retardo mental* em leis federais pelo termo *deficiência intelectual*.
>
> *Especificar* a gravidade atual (ver Tabela 1):
> F70 Leve
> F71 Moderada
> F72 Grave
> F73 Profunda

Especificadores

Os vários níveis de gravidade são definidos com base no funcionamento adaptativo, e não em escores de QI, uma vez que é o funcionamento adaptativo que determina o nível de apoio necessário. Além disso, medidas de QI são menos válidas na extremidade mais inferior da variação desse coeficiente.

Características Diagnósticas

As características essenciais do transtorno do desenvolvimento intelectual (deficiência intelectual) incluem déficits em capacidades mentais gerais (Critério A) e prejuízo na função adaptativa diária na comparação com indivíduos com a mesma idade, gênero e aspectos socioculturais (Critério B). O início ocorre durante o período do desenvolvimento (Critério C). O diagnóstico de transtorno do desenvolvimento intelectual baseia-se tanto em avaliação clínica quanto em testes padronizados de funções intelectuais, testes padronizados neuropsicológicos e testes padronizados de funcionamento adaptativo.

O Critério A refere-se a funções intelectuais que envolvem raciocínio, solução de problemas, planejamento, pensamento abstrato, juízo, aprendizagem acompanhada de instrução e por meio da experiência e compreensão prática. Os componentes críticos incluem compreensão verbal, memória de trabalho, raciocínio perceptivo, raciocínio quantitativo, pensamento abstrato e eficiência cognitiva. O funcionamento intelectual é tipicamente mensurado com testes de inteligência abrangentes e adequados do ponto de vista psicométrico e cultural, aplicados de forma individual. Indivíduos com transtorno do desenvolvimento intelectual apresentam escores em torno de dois desvios-padrão ou mais abaixo da média populacional, incluindo uma margem de erro de medida (em geral, ± 5 pontos). Em testes com desvio-padrão de 15 e média de 100, isso significa um escore de 65-75 (70 ± 5). Treinamento e julgamento clínicos são necessários para a interpretação dos resultados dos testes e a avaliação do desempenho intelectual.

Fatores que podem influenciar os escores dos testes incluem efeitos de prática (i. e., aprendizado por testes repetidos) e o "efeito Flynn" (i. e., escores excessivamente elevados devido a normas desatualizadas dos testes). Escores inválidos podem resultar do uso de testes ou grupos de triagem limitados; escores de subtestes individuais altamente discrepantes podem invalidar um escore geral de QI. Há necessidade de normatização dos instrumentos em termos de contexto sociocultural e idioma nativo do indivíduo. Transtornos concomitantes que influenciem a comunicação, a linguagem e/ou a função motora ou sensorial podem afetar os escores do teste. Perfis cognitivos individuais baseados em testes neuropsicológicos, assim como a avaliação intelectual cruzada (que usa múltiplos testes de QI ou outros testes cognitivos para criar um perfil), são mais úteis para o entendimento de capacidades intelectuais do que o escore de um único teste de QI.

TABELA 1 Níveis de gravidade para o transtorno do desenvolvimento intelectual (deficiência intelectual)

Nível de gravidade	Domínio conceitual	Domínio social	Domínio prático
Leve	Em crianças pré-escolares, pode não haver diferenças conceituais óbvias. Para crianças em idade escolar e adultos, existem dificuldades em aprender habilidades acadêmicas que envolvam leitura, escrita, matemática, tempo ou dinheiro, sendo necessário apoio em uma ou mais áreas para o alcance das expectativas associadas à idade. Nos adultos, pensamento abstrato, função executiva (i. e., planejamento, estabelecimento de estratégias, fixação de prioridades e flexibilidade cognitiva) e memória de curto prazo, bem como uso funcional de habilidades acadêmicas (p. ex., leitura, controle do dinheiro), estão prejudicados. Há uma abordagem um tanto concreta a problemas e soluções em comparação com indivíduos na mesma faixa etária.	Comparado a indivíduos na mesma faixa etária com desenvolvimento típico, o indivíduo mostra-se imaturo nas relações sociais. Por exemplo, pode haver dificuldade em perceber, com precisão, pistas sociais dos pares. Comunicação, conversação e linguagem são mais concretas ou imaturas do que o esperado para a idade. Podem existir dificuldades na regulação da emoção e do comportamento de uma forma adequada para a idade; tais dificuldades são percebidas pelos pares em situações sociais. Há compreensão limitada do risco em situações sociais; o julgamento social é imaturo para a idade, e a pessoa corre o risco de ser manipulada pelos outros (credulidade).	O indivíduo pode funcionar de acordo com a idade nos cuidados pessoais. Precisa de algum apoio nas tarefas complexas da vida diária em comparação com os pares. Na vida adulta, o apoio costuma envolver compras de itens para a casa, transporte, organização do lar e dos cuidados com os filhos, preparo de alimentos nutritivos, atividades bancárias e controle do dinheiro. As habilidades recreativas assemelham-se às dos companheiros de faixa etária, embora o juízo relativo ao bem-estar e à organização da recreação precise de apoio. Na vida adulta, pode conseguir emprego em funções que não enfatizem habilidades conceituais. Os indivíduos em geral necessitam de apoio para tomar decisões de cuidados de saúde e decisões legais, bem como para aprender a desempenhar uma profissão de forma competente. Apoio costuma ser necessário para criar uma família.

(Continua)

TABELA 1 Níveis de gravidade para o transtorno do desenvolvimento intelectual (deficiência intelectual) (*continuação*)

Nível de gravidade	Domínio conceitual	Domínio social	Domínio prático
Moderada	Durante todo o desenvolvimento, as habilidades conceituais do indivíduo ficam destacadamente atrás das dos pares. Em crianças pré-escolares, a linguagem e as habilidades pré-acadêmicas desenvolvem-se lentamente. Nas crianças em idade escolar, ocorre lento progresso em leitura, escrita, matemática e na compreensão de tempo e do dinheiro ao longo dos anos escolares, com marcadas limitações em comparação com os colegas. Nos adultos, o desenvolvimento de habilidades acadêmicas costuma mostrar-se em um nível elementar, havendo necessidade de apoio para todo o emprego de habilidades acadêmicas no trabalho e na vida pessoal. Assistência contínua diária é necessária para a realização de tarefas conceituais cotidianas, sendo que outras pessoas podem assumir integralmente essas responsabilidades pelo indivíduo.	O indivíduo mostra diferenças marcadas em relação aos pares no comportamento social e na comunicação durante o desenvolvimento. A linguagem falada costuma ser um recurso primário para a comunicação social, embora com muito menos complexidade que a dos companheiros. A capacidade de relacionamento é evidente nos laços com família e amigos, e o indivíduo pode manter amizades bem-sucedidas na vida e, por vezes, relacionamentos românticos na vida adulta. Pode, entretanto, não perceber ou interpretar com exatidão sinais sociais. O julgamento social e a capacidade de tomar decisões são limitados, com cuidadores tendo que auxiliar a pessoa nas decisões. Amizades com companheiros com desenvolvimento normal costumam ser afetadas pelas limitações de comunicação e sociais. Há necessidade de apoio social e de comunicação significativo para o sucesso nos locais de trabalho.	O indivíduo é capaz de dar conta das necessidades pessoais envolvendo alimentar-se, vestir-se, eliminações e higiene como adulto, ainda que haja necessidade de um período prolongado de ensino e de tempo para que se torne independente nessas áreas, talvez com necessidade de lembretes. Da mesma forma, participação em todas as tarefas domésticas pode ser alcançada na vida adulta, ainda que seja necessário longo período de aprendizagem e que um apoio continuado tenha que ocorrer para um desempenho adulto. Emprego independente em tarefas que necessitem de habilidades conceituais e comunicacionais limitadas pode ser conseguido, embora com necessidade de apoio considerável de colegas, supervisores e outras pessoas para o manejo das expectativas sociais, complexidades de trabalho e responsabilidades auxiliares, como horário, transporte, benefícios de saúde e controle do dinheiro. Uma variedade de habilidades recreacionais pode ser desenvolvida. Essas costumam demandar apoio e oportunidades de aprendizagem por um longo período de tempo. Comportamento mal-adaptativo está presente em uma minoria significativa, causando problemas sociais.

(*Continua*)

TABELA 1 Níveis de gravidade para o transtorno do desenvolvimento intelectual (deficiência intelectual) *(continuação)*

Nível de gravidade	Domínio conceitual	Domínio social	Domínio prático
Grave	A aquisição de habilidades conceituais é limitada. Geralmente, o indivíduo tem pouca compreensão da linguagem escrita ou de conceitos que envolvam números, quantidade, tempo e dinheiro. Os cuidadores proporcionam grande apoio para a solução de problemas ao longo da vida.	A linguagem falada é bastante limitada em termos de vocabulário e gramática. A fala pode ser composta de palavras ou frases, com possível suplementação por meios aumentativos. A fala e a comunicação têm foco no aqui e agora dos eventos do cotidiano. A linguagem é usada para comunicação social mais do que para explicações. Os indivíduos entendem discursos e comunicação gestual simples. As relações com familiares e pessoas conhecidas constituem fonte de prazer e ajuda.	O indivíduo necessita de apoio para todas as atividades cotidianas, inclusive refeições, vestir-se, banhar-se e eliminação. O indivíduo precisa de supervisão em todos os momentos. O indivíduo não é capaz de tomar decisões responsáveis quanto a seu bem-estar e o dos demais. Na vida adulta, há necessidade de apoio e assistência contínuos nas tarefas domésticas, recreativas e profissionais. A aquisição de habilidades em todos os domínios envolve ensino prolongado e apoio contínuo. Comportamento mal-adaptativo, incluindo autolesão, está presente em uma minoria significativa.
Profunda	As habilidades conceituais costumam envolver mais o mundo físico do que os processos simbólicos. A pessoa pode usar objetos de maneira direcionada a metas para o autocuidado, o trabalho e a recreação. Algumas habilidades visuoespaciais, como combinar e classificar, baseadas em características físicas, podem ser adquiridas. A ocorrência concomitante de prejuízos motores e sensoriais, porém, pode impedir o uso funcional dos objetos.	O indivíduo apresenta compreensão muito limitada da comunicação simbólica na fala ou nos gestos. Pode entender algumas instruções ou gestos simples. Há ampla expressão dos próprios desejos e emoções pela comunicação não verbal e não simbólica. A pessoa aprecia os relacionamentos com membros bem conhecidos da família, cuidadores e outras pessoas conhecidas, além de iniciar interações sociais e reagir a elas por meio de pistas gestuais e emocionais. A ocorrência concomitante de prejuízos sensoriais e físicos pode impedir muitas atividades sociais.	O indivíduo depende de outros para todos os aspectos do cuidado físico diário, saúde e segurança, ainda que possa conseguir participar também de algumas dessas atividades. Aqueles sem prejuízos físicos graves podem ajudar em algumas tarefas diárias de casa, como levar os pratos para a mesa. Ações simples com objetos podem constituir a base para a participação em algumas atividades profissionais com níveis elevados de apoio continuado. Atividades recreativas podem envolver, por exemplo, apreciar ouvir música, assistir a filmes, sair para passear ou participar de atividades aquáticas, tudo isso com apoio de outras pessoas. A ocorrência concomitante de prejuízos físicos e sensoriais é barreira frequente à participação (além da observação) em atividades domésticas, recreativas e profissionais. Comportamento mal-adaptativo está presente em uma minoria significativa.

Esses testes podem identificar áreas de pontos fortes e fracos, sendo uma avaliação importante para o planejamento acadêmico e profissional. Escores de QI são aproximações do funcionamento conceitual, mas podem ser insuficientes para a avaliação do raciocínio em situações da vida real e do domínio de tarefas práticas. Por exemplo, uma pessoa com déficits em funções intelectuais com um escore de QI um tanto acima de 65-75 pode ter problemas de comportamento adaptativo tão graves relativos a julgamento social ou outras áreas do funcionamento adaptativo que seu funcionamento real é comparável ao de pessoas com um escore de QI mais baixo. Portanto, o julgamento clínico é necessário para a interpretação dos resultados dos testes de QI e o uso dos testes como único critério para diagnóstico de um transtorno do desenvolvimento intelectual é insuficiente.

Déficits no funcionamento adaptativo (Critério B) referem-se a quão bem uma pessoa alcança os padrões de sua comunidade em termos de independência pessoal e responsabilidade social em comparação a outros com idade e antecedentes socioculturais similares. O funcionamento adaptativo envolve raciocínio adaptativo em três domínios: conceitual, social e prático. O *domínio conceitual (acadêmico)* envolve competência em termos de memória, linguagem, leitura, escrita, raciocínio matemático, aquisição de conhecimentos práticos, solução de problemas e julgamento em situações novas, entre outros. O *domínio social* envolve percepção de pensamentos, sentimentos e experiências dos outros; empatia; habilidades de comunicação interpessoal; habilidades de amizade; julgamento social; entre outros. O *domínio prático* envolve aprendizagem e autogestão em todos os cenários de vida, inclusive cuidados pessoais, responsabilidades profissionais, controle do dinheiro, recreação, autocontrole comportamental e organização de tarefas escolares e profissionais, entre outros. Capacidade intelectual, educação, motivação, socialização, aspectos de personalidade, oportunidade vocacional, experiência cultural e condições médicas gerais e transtornos mentais coexistentes influenciam o funcionamento adaptativo.

O funcionamento adaptativo é investigado mediante o uso tanto da avaliação clínica quanto da aplicação individualizada de instrumentos adequados do ponto de vista psicométrico e cultural. Instrumentos padronizados são empregados com informantes (p. ex., pais ou outros membros da família; professor; conselheiro; provedor de cuidados) e com o indivíduo, na medida do possível. Outras fontes de informação incluem avaliações educacionais, desenvolvimentais, médicas e de saúde mental. Escores de medidas padronizadas e fontes de entrevista devem ser interpretados com uso de julgamento clínico. Quando a realização de um teste padronizado é difícil ou impossível por uma variedade de fatores (p. ex., prejuízo sensorial, comportamento problemático grave), o indivíduo pode ser diagnosticado com um transtorno do desenvolvimento intelectual não especificado. O funcionamento adaptativo pode ser de difícil investigação em um cenário controlado (p. ex., prisões, centros de detenção); se possível, informações corroborativas que reflitam o funcionamento fora desses locais devem ser obtidas.

O Critério B é preenchido quando pelo menos um domínio do funcionamento adaptativo – conceitual, social ou prático – está suficientemente prejudicado a ponto de ser necessário apoio contínuo para que a pessoa tenha desempenho adequado em um ou mais de um local, tais como escola, local de trabalho, casa ou comunidade. O Critério C, com início durante o período do desenvolvimento, refere-se ao reconhecimento da presença de déficits intelectuais e adaptativos durante a infância ou adolescência.

Uma análise abrangente inclui a avaliação da capacidade intelectual e do funcionamento adaptativo do indivíduo, identificação de etiologias genéticas e não genéticas, avaliação da existência ou não de condições médicas associadas (p. ex., paralisia cerebral, epilepsia) e avaliação de comorbidade de transtornos mentais, emocionais e comportamentais. Os componentes da avaliação podem incluir histórico médico pré-natal e perinatal, genograma familiar incluindo três gerações, exames físicos, avaliação genética (p. ex., cariótipo ou análise cromossômica por *microarray* e testes para detecção de síndromes genéticas específicas), bem como triagem metabólica e investigação por neuroimagem.

Características Associadas

O transtorno do desenvolvimento intelectual é uma condição heterogênea com múltiplas causas. Pode haver dificuldades associadas ao julgamento social; à avaliação de riscos; ao autocontrole do comportamento, emoções ou relações interpessoais; ou à motivação na escola ou nos ambientes de trabalho. Em decorrência da falta da consciência de riscos e perigos, taxas de lesões acidentais podem aumentar. A falta de habilidades de comunicação pode predispor a comportamentos disruptivos ou agressivos. A credulidade costuma ser uma característica, envolvendo ingenuidade em situações sociais e tendência a ser facilmente conduzido pelos outros. Credulidade e falta de consciência sobre riscos podem resultar em exploração por outros e possível vitimização, fraude, envolvimento criminal não intencional, falsas confissões e risco de abuso físico e sexual. Esses aspectos associados podem ser importantes em casos criminais, incluindo audiências do tipo Atkins, envolvendo pena de morte.

Além de déficits no funcionamento adaptativo, os indivíduos também podem ficar aflitos com suas limitações intelectuais. Mesmo que essa aflição nem sempre tenha um impacto no funcionamento, ela pode representar uma característica relevante do cenário clínico.

Prevalência

O transtorno do desenvolvimento intelectual tem uma prevalência geral na população de aproximadamente 10 por 1.000; porém, a prevalência global varia de acordo com o país e seu nível de desenvolvimento, sendo de cerca de 16 por 1.000 em países de renda média e de 9 por 1.000 em países de renda alta. A prevalência também varia com a idade, sendo mais alta em jovens do que em adultos. Nos Estados Unidos, a prevalência por 1.000 habitantes não varia significativamente entre os diferentes grupos étnico-raciais.

Desenvolvimento e Curso

O início do transtorno do desenvolvimento intelectual ocorre no período de desenvolvimento. Idade e aspectos característicos no início dependem da etiologia e da gravidade da disfunção cerebral. Atrasos em marcos motores, linguísticos e sociais podem ser identificáveis nos primeiros dois anos de vida entre aqueles com transtorno do desenvolvimento intelectual mais grave, ao passo que níveis leves podem não ser identificados até a idade escolar, quando ficam aparentes as dificuldades de aprendizagem acadêmica. Todos os critérios (inclusive o Critério C) devem ser atendidos pela história ou pela apresentação atual. Algumas crianças com menos de 5 anos de idade, cuja apresentação atenderá, em última análise, aos critérios de transtorno do desenvolvimento intelectual, têm déficits que satisfazem os critérios de atraso global do desenvolvimento.

Quando o transtorno do desenvolvimento intelectual está associado a uma síndrome genética, pode haver uma aparência física característica (p. ex., como na síndrome de Down). Algumas síndromes têm um *fenótipo comportamental*, o que se refere a comportamentos específicos, característicos de determinado transtorno genético (p. ex., síndrome de Lesch-Nyhan). Nas formas adquiridas, o aparecimento pode ser abrupto, após doenças como meningite ou encefalite ou traumatismo encefálico durante o período do desenvolvimento. Quando o transtorno do desenvolvimento intelectual decorre de perda de habilidades cognitivas previamente adquiridas, como em lesões cerebrais traumáticas, pode ser atribuído tanto diagnóstico de transtorno do desenvolvimento intelectual quanto de um transtorno neurocognitivo.

Embora o transtorno do desenvolvimento intelectual em geral não seja progressivo, em algumas doenças genéticas (p. ex., síndrome de Rett) há períodos de piora seguidos de estabilização, e, em outras (p. ex., síndrome de Sanfilippo, síndrome de Down), ocorre piora progressiva da função intelectual em diversos graus. Em alguns casos, a piora progressiva das funções intelectuais pode representar uma camada do transtorno neurocognitivo a ser desenvolvido na idade adulta (i. e., pessoas com síndrome de Down têm um alto risco de desenvolver transtorno neurocognitivo devido à doença de Alzheimer na idade adulta). Nessa situação, ambos os diagnósticos, de transtorno do desenvolvimento intelectual e transtorno neurocognitivo, são dados.

O transtorno geralmente perdura por toda a vida, ainda que os níveis de gravidade possam variar ao longo do tempo. O curso do transtorno pode ser influenciado por condições médicas ou genéticas subjacentes e por condições comórbidas (p. ex., deficiências auditivas ou visuais, epilepsia). Intervenções precoces e continuadas podem melhorar o funcionamento adaptativo na infância e na vida adulta. Em alguns casos, ocorre melhora significativa da função intelectual, até tornando o diagnóstico de transtorno do desenvolvimento intelectual não mais apropriado. Desse modo, é prática comum ao avaliar bebês e crianças pequenas postergar o diagnóstico de transtorno do desenvolvimento intelectual para até depois de um curso apropriado de intervenção ter sido proporcionado. Em crianças mais velhas e adultos, o nível de apoio oferecido é capaz de possibilitar a completa participação em todas as atividades cotidianas e melhora na função adaptativa. As avaliações diagnósticas devem determinar se uma melhora nas habilidades de adaptação é resultado da aquisição de uma nova habilidade estável e generalizada (caso em que o diagnóstico de transtorno do desenvolvimento intelectual pode não ser mais apropriado) ou contingência da presença de apoios e intervenções ininterruptas (caso em que o diagnóstico de transtorno do desenvolvimento intelectual pode ainda ser apropriado).

Fatores de Risco e Prognóstico

Genéticos e fisiológicos. Etiologias pré-natais incluem síndromes genéticas (p. ex., variações na sequência ou variações no número de cópias envolvendo um ou mais genes; alterações cromossômicas), erros inatos do metabolismo, malformações encefálicas, doença materna (inclusive doença placentária) e influências ambientais (p. ex., álcool, outras drogas, toxinas e teratógenos). Causas perinatais incluem uma gama de eventos no trabalho de parto e no nascimento que levam a encefalopatia neonatal. Causas pós-natais incluem lesão isquêmica hipóxica, lesão cerebral traumática, infecções, doenças desmielinizantes, doenças convulsivas (p. ex., espasmos infantis), privação social grave e crônica, síndromes metabólicas tóxicas e intoxicações (p. ex., chumbo e mercúrio).

Questões Diagnósticas Relativas à Cultura

O transtorno do desenvolvimento intelectual ocorre em todos os grupos étnico-raciais. As diferenças de prevalência do transtorno de acordo com os contextos sociais e culturais podem ser devidas à variação dos riscos ambientais (p. ex., lesões durante o nascimento ou privação social crônica) para os transtornos que sejam associados com *status* socioeconômico e acesso a assistência médica de qualidade. Por exemplo, na Austrália Ocidental, a prevalência populacional de transtorno do desenvolvimento intelectual entre crianças aborígenes é de 39 por 1.000, em contraste com a de 16 por 1.000 do restante da população jovem não aborígene. Sensibilidade e conhecimento culturais das condições socioestruturais são necessários durante a avaliação, devendo ser considerados os contextos socioeconômicos, étnicos, culturais e linguísticos dos indivíduos, além de experiências disponíveis e funcionamento adaptativo de sua comunidade e ambiente cultural. Explicações culturais para o transtorno do desenvolvimento intelectual variam e podem incluir crenças culturais sobre influência ou punição sobrenatural por erros cometidos (tanto presumidamente quanto de fato) pela mãe ou ambos os pais, o que pode ser associado a vergonha e a falta de notificação de casos desse transtorno.

Questões Diagnósticas Relativas ao Sexo e ao Gênero

Indivíduos do sexo masculino, em geral, têm mais propensão do que os do sexo feminino para receber diagnóstico tanto de quadro leve (razão média masculino/feminino 1,6:1) quanto grave (razão média masculino/feminino 1,2:1) de transtorno do desenvolvimento intelectual. As proporções de sexo, todavia, variam muito nos relatos de estudos. Fatores genéticos associados ao sexo, diferenças entre sexos em outros fatores genéricos, como variantes do número de cópias específicas, e a vulnerabilidade do sexo masculino a lesões no cérebro podem ser fatores responsáveis por algumas dessas diferenças de prevalência.

Associação com Pensamentos ou Comportamentos Suicidas

Indivíduos com transtorno do desenvolvimento intelectual podem apresentar risco de suicídio associado a transtorno mental comórbido, função intelectual e adaptativa mais altas e estressores passados imediatos. O transtorno mental comórbido pode se manifestar atipicamente no transtorno do desenvolvimento intelectual; portanto é importante no processo de avaliação que se reconheçam comorbidades e se faça uma triagem para identificar a possível presença de pensamentos suicidas, com atenção especial às mudanças de comportamento do indivíduo.

Diagnóstico Diferencial

O diagnóstico de transtorno do desenvolvimento intelectual deve ser feito sempre que atendidos os Critérios A, B e C. O diagnóstico de transtorno do desenvolvimento intelectual jamais deve ser pressuposto em razão de determinada condição genética ou médica. Uma síndrome genética associada ao transtorno do desenvolvimento intelectual deve ser registrada como um diagnóstico concorrente com o transtorno do desenvolvimento intelectual.

Transtornos neurocognitivos maiores e leves. O transtorno do desenvolvimento intelectual é definido como um transtorno do neurodesenvolvimento e é diferente dos transtornos neurocognitivos, que se caracterizam por perda do funcionamento cognitivo. Um transtorno neurocognitivo maior pode ocorrer concomitantemente com transtorno do desenvolvimento intelectual (p. ex., uma pessoa com síndrome de Down que desenvolve doença de Alzheimer ou uma pessoa com transtorno do desenvolvimento intelectual que perde um pouco mais a capacidade cognitiva após um traumatismo encefálico). Em casos assim, podem ser feitos diagnósticos de transtorno do desenvolvimento intelectual e transtorno neurocognitivo. Além disso, quando há estabilização das funções cognitivas após lesão cerebral traumática ou não traumática ocorrida no período de desenvolvimento (infância e adolescência) e não há declínio cognitivo continuado, tanto o diagnóstico de transtorno neurocognitivo quanto o de transtorno do desenvolvimento intelectual podem ser utilizados, contanto que os critérios diagnósticos para o transtorno do desenvolvimento intelectual sejam preenchidos.

Transtornos da comunicação e transtorno específico da aprendizagem. Esses transtornos do neurodesenvolvimento são específicos do domínio da comunicação e da aprendizagem, não exibindo déficits no comportamento intelectual e adaptativo. Podem ser comórbidos com transtorno do desenvolvimento intelectual. Ambos os diagnósticos são feitos se a totalidade dos critérios para transtorno do desenvolvimento intelectual e para transtorno da comunicação ou específico da aprendizagem for preenchida.

Transtorno do espectro autista. O transtorno do desenvolvimento intelectual é comum entre pessoas com transtorno do espectro autista. Sua investigação pode ser complicada por déficits sociocomunicacionais e comportamentais, inerentes ao transtorno do espectro autista, que podem interferir na compreensão e no engajamento nos procedimentos dos testes. Uma investigação adequada da função intelectual no transtorno do espectro autista é fundamental, com reavaliação ao longo do período do desenvolvimento, uma vez que escores do QI no transtorno do espectro autista podem ser instáveis, particularmente na primeira infância.

Comorbidade

A ocorrência concomitante de condições do neurodesenvolvimento e outras condições mentais e médicas é frequente no transtorno do desenvolvimento intelectual, com taxas de algumas condições (p. ex., transtornos mentais, paralisia cerebral e epilepsia) 3 a 4 vezes mais altas que na população geral. O prognóstico e o resultado de diagnósticos comórbidos podem ser influenciados pela presença do transtorno do desenvolvimento intelectual. Os procedimentos de avaliação podem demandar mudanças em função dos transtornos associados, tais como transtornos da comunicação, transtorno do espectro autista e transtornos motores, sensoriais e outros. Informantes familiarizados com o assunto são essenciais para a identificação de sintomas como irritabilidade, desregulação do humor, agressividade, alterações alimentares e do sono, bem como para a avaliação da função adaptativa em locais variados na comunidade.

Os transtornos do neurodesenvolvimento e outros transtornos mentais comórbidos mais comuns são o transtorno de déficit de atenção/hiperatividade, os transtornos depressivo e bipolar, os transtornos de ansiedade, o transtorno do espectro autista, o transtorno do movimento estereotipado (com ou sem comportamento autolesivo), os transtornos do controle de impulsos e o transtorno neurocognitivo maior. Um transtorno depressivo maior pode ocorrer nos diferentes níveis de gravidade do transtorno do desenvolvimento intelectual. Comportamento autolesivo requer imediata atenção diagnóstica, podendo gerar um diagnóstico separado de transtorno do movimento estereotipado. Indivíduos com transtorno do desenvolvimento intelectual, em especial os com uma apresentação mais grave do transtorno, podem também evidenciar agressividade e comportamentos disruptivos, inclusive causando danos a outros ou destruindo propriedades.

Indivíduos com transtorno do desenvolvimento intelectual têm desproporcionalmente mais problemas de saúde, incluindo obesidade, do que a população geral. Eles com frequência não conseguem expressar verbalmente os sintomas físicos que sentem e isso pode fazer com que problemas de saúde não sejam diagnosticados e tratados.

Relação com Outras Classificações

A CID-11 utiliza o termo *transtornos do desenvolvimento intelectual* para indicar que se está falando de transtornos que envolvem função cerebral prejudicada precocemente na vida. Esses transtornos estão descritos na CID-11 como uma metassíndrome que ocorre no período do desenvolvimento análoga à demência ou ao transtorno neurocognitivo maior em fases posteriores da vida. Existem quatro subtipos de transtornos do desenvolvimento intelectual na CID-11: leve, moderado, grave e profundo.

A American Association on Intellectual and Developmental Disabilities (AAIDD) usa o termo *deficiência intelectual*. A classificação da AAIDD é mais multidimensional que categórica, baseada no construto da incapacidade. Mais do que listar especificadores, como está sendo feito no DSM-5, a AAIDD salienta um perfil de apoio com base na gravidade.

Atraso Global do Desenvolvimento

F88

Este diagnóstico está reservado a indivíduos *com menos* de 5 anos de idade, quando o nível de gravidade clínica não pode ser avaliado de modo confiável durante a primeira infância. Esta categoria é diagnosticada quando um indivíduo fracassa em alcançar os marcos do desenvolvimento esperados em várias áreas da função intelectual, sendo aplicada a pessoas que não são capazes de passar por avaliações sistemáticas do funcionamento intelectual, incluindo crianças jovens demais para participar de testes padronizados. É uma categoria que requer reavaliações após um período de tempo.

Transtorno do Desenvolvimento Intelectual (Deficiência Intelectual) Não Especificado

F79

Esta categoria está reservada a pessoas *com mais* de 5 anos de idade, quando a investigação do grau de transtorno do desenvolvimento intelectual (deficiência intelectual), por meio de procedimentos disponíveis localmente, fica difícil ou impossível devido a prejuízos sensoriais ou físicos associados, como na cegueira ou na surdez pré-linguística, na deficiência locomotora ou na presença de comportamentos problemáticos graves ou nos casos de comorbidade com transtorno mental. É uma categoria que somente deve ser usada em circunstâncias excepcionais e que requer reavaliações após um período de tempo.

Transtornos da Comunicação

Os transtornos da comunicação incluem déficits na linguagem, na fala e na comunicação. *Fala* é a produção expressiva de sons e inclui a articulação, a fluência, a voz e a qualidade da ressonância de um indivíduo. *Linguagem* inclui a forma, a função e o uso de um sistema convencional de símbolos (i. e., palavras faladas, linguagem de sinais, palavras escritas, figuras), com um conjunto de regras para a comunicação.

Comunicação inclui todo comportamento verbal e não verbal (intencional ou não) que tem o potencial de influenciar o comportamento, as ideias ou as atitudes de outro indivíduo. A investigação das capacidades de fala, linguagem e comunicação deve levar em consideração o contexto cultural e linguístico do indivíduo, em especial para aqueles que crescem em ambientes bilíngues. As medidas padronizadas de desenvolvimento da linguagem e da capacidade intelectual não verbal devem ser relevantes para o grupo cultural e linguístico (i. e., testes desenvolvidos e padronizados para um grupo podem não oferecer normas apropriadas para outro). A categoria diagnóstica dos transtornos da comunicação inclui os seguintes transtornos: transtorno da linguagem, transtorno da fala, transtorno da fluência com início na infância (gagueira), transtorno da comunicação social (pragmática) e transtornos da comunicação não especificados. Diferenças entre os sexos no desenvolvimento inicial da comunicação podem ser a causa de uma prevalência maior de transtornos da comunicação em meninos do que em meninas. Dadas as características associadas aos transtornos da comunicação e a relação da comunicação com outras áreas do desenvolvimento, os transtornos da comunicação têm altas taxas de comorbidade com outros transtornos do neurodesenvolvimento (p. ex., transtorno do espectro autista, transtorno de déficit de atenção/hiperatividade [TDAH], transtorno específico da aprendizagem e transtorno do desenvolvimento intelectual [deficiência intelectual]), transtornos mentais (p. ex., transtornos de ansiedade) e com algumas outras condições médicas (p. ex., epilepsia e anomalias cromossômicas específicas).

Transtorno da Linguagem

Critérios Diagnósticos   F80.2

A. Dificuldades persistentes na aquisição e no uso da linguagem em suas diversas modalidades (i. e., falada, escrita, linguagem de sinais ou outra) devido a déficits na compreensão ou na produção, inclusive:
   1. Vocabulário reduzido (conhecimento e uso de palavras).
   2. Estrutura limitada de frases (capacidade de unir palavras e terminações de palavras de modo a formar frases, com base nas regras gramaticais e morfológicas).
   3. Prejuízos no discurso (capacidade de usar vocabulário e unir frases para explicar ou descrever um tópico ou uma série de eventos, ou ter uma conversa).
B. As capacidades linguísticas estão, de forma substancial e quantificável, abaixo do esperado para a idade, resultando em limitações funcionais na comunicação efetiva, na participação social, no sucesso acadêmico ou no desempenho profissional, individualmente ou em qualquer combinação.
C. O início dos sintomas ocorre precocemente no período do desenvolvimento.
D. As dificuldades não são atribuíveis a deficiência auditiva ou outro prejuízo sensorial, a disfunção motora ou a outra condição médica ou neurológica, não sendo mais bem explicadas por transtorno do desenvolvimento intelectual (deficiência intelectual) ou por atraso global do desenvolvimento.

Características Diagnósticas

As características diagnósticas centrais do transtorno da linguagem incluem dificuldades na aquisição e no uso da linguagem por déficits na compreensão ou na produção de vocabulário, na estrutura das frases e no discurso. Esses déficits linguísticos ficam evidentes na comunicação falada, escrita ou na linguagem de sinais. A aprendizagem e o uso da linguagem dependem de habilidades receptivas e expressivas. *Capacidade expressiva* refere-se à produção de sinais vocálicos, gestuais ou verbais, enquanto *capacidade receptiva* refere-se ao processo de receber e compreender mensagens linguísticas. As habilidades linguísticas precisam ser investigadas nas modalidades expressiva e receptiva, uma vez que podem diferir quanto à gravidade.

O transtorno da linguagem costuma afetar vocabulário e gramática, e esses efeitos passam a limitar a capacidade para o discurso. As primeiras palavras e expressões da criança possivelmente surgem com atraso; o tamanho do vocabulário é menor e menos variado do que o esperado, e as frases são mais curtas e menos complexas, com erros gramaticais, em especial as que descrevem o passado. Déficits na compreensão da linguagem costumam ser subestimados, uma vez que as crianças podem se sair bem em utilizar contexto para inferir sentido. Pode haver problemas para encontrar palavras, definições verbais pobres ou compreensão insatisfatória de sinônimos, múltiplos significados ou jogo de palavras apropriado à idade e à cultura. Problemas para recordar palavras e frases novas ficam evidentes por dificuldades em seguir instruções com mais palavras, dificuldades para ensaiar encadeamentos de informações verbais (p. ex., recordar um número de telefone ou uma lista de compras) e dificuldades para lembrar sequências sonoras novas, uma habilidade que pode ser importante para o aprendizado de palavras novas. As dificuldades com o discurso são evidenciadas pela redução da capacidade de fornecer informações adequadas sobre eventos importantes e de narrar uma história coerente.

A dificuldade na linguagem fica clara por capacidades que de forma substancial e quantificável estão aquém do esperado para a idade, interferindo, de forma significativa, no sucesso acadêmico, no desempenho profissional, na comunicação eficaz ou na socialização (Critério B). Um diagnóstico de transtorno da linguagem pode ser feito com base na síntese da história do indivíduo, na observação clínica direta em contextos variados (i. e., casa, escola ou trabalho) e em escores de testes padronizados de capacidade linguística, que podem ser empregados para orientar estimativas da gravidade.

Características Associadas

As pessoas, inclusive as crianças, podem optar por uma acomodação a seus limites linguísticos. Podem parecer tímidas ou reticentes em falar. Os indivíduos afetados podem preferir comunicar-se somente com membros da família ou com outras pessoas conhecidas. Ainda que tais indicadores sociais não diagnostiquem um transtorno da linguagem, se perceptíveis e persistentes, justificam encaminhamento para uma avaliação completa da linguagem.

Desenvolvimento e Curso

A aquisição da linguagem é marcada por mudanças que se iniciam na infância e vão até o nível adulto de competência, que surge na adolescência. Elas aparecem nas dimensões de linguagem (sons, palavras, gramática, narrativas/textos expositivos e habilidades de conversação), em incrementos e sincronias em graus relativos à idade. O transtorno da linguagem surge durante o período inicial de desenvolvimento, porém, há uma variação considerável na aquisição e combinação de vocabulário nesse período. Diferenças individuais no início da infância não são, se considerados indicadores únicos, bons preditores de desfechos posteriores, apesar de um início tardio do uso da linguagem, aos 24 meses de idade, em uma amostra baseada na população, ter sido o melhor preditor de desfechos aos 7 anos de idade. Por volta dos 4 anos de idade, as diferenças individuais na capacidade linguística ficam mais estáveis, mais fáceis de serem medidas, e são muito mais preditivas dos desfechos futuros. Um transtorno da linguagem diagnosticado em crianças de 4 anos de idade ou mais tende a ficar estável com o tempo e tipicamente persiste na vida adulta, ainda que o perfil particular dos pontos fortes e fracos em termos linguísticos possivelmente mude ao longo do desenvolvimento.

Transtornos da linguagem podem causar consequências sociais ao longo da vida. Crianças com transtornos da linguagem correm o risco de serem vitimizadas pelos seus pares. Para mulheres que tiveram transtornos da linguagem na infância, pode haver um risco até três vezes maior de abuso sexual na idade adulta em relação àquelas que não tiveram esses transtornos.

Fatores de Risco e Prognóstico

Crianças com prejuízos na linguagem receptiva têm pior prognóstico que aquelas em que predominam prejuízos expressivos. Prejuízos na linguagem receptiva são mais resistentes ao tratamento e frequentemente acompanham dificuldades de compreensão de leitura.

Ambientais. Ser bilíngue não causa ou agrava um transtorno da linguagem, mas crianças que são bilíngues podem demonstrar atrasos ou diferenças no desenvolvimento da linguagem. Um transtorno da linguagem em crianças bilíngues afeta ambas as línguas; portanto, é importante considerar uma avaliação nas duas línguas.

Genéticos e fisiológicos. Os transtornos da linguagem são altamente herdáveis, e membros da família têm maior propensão a apresentar história de prejuízos na linguagem. Estudos com gêmeos baseados na população reportaram consistentemente uma herdabilidade substancial para transtornos da linguagem, e estudos moleculares sugerem a interação de múltiplos genes nas vias causais desses transtornos.

Diagnóstico Diferencial

Variações normais na linguagem. O transtorno da linguagem deve ser diferenciado das variações normais do desenvolvimento, distinção esta que pode ser difícil antes dos 4 anos de idade. Variações regionais, sociais ou culturais/étnicas da linguagem (p. ex., dialetos) devem ser consideradas quando a pessoa está sendo avaliada para prejuízo da linguagem.

Deficiência auditiva ou outra deficiência sensorial. Deficiência auditiva deve ser excluída como a principal causa das dificuldades linguísticas. Os déficits de linguagem podem estar associados a deficiência auditiva, a outro déficit sensorial ou a déficit motor da fala. Quando os déficits linguísticos excedem os déficits geralmente associados a essas alterações, um diagnóstico de transtorno da linguagem pode ser feito.

Transtorno do desenvolvimento intelectual (deficiência intelectual). Deficiência linguística é uma característica frequentemente presente no transtorno do desenvolvimento intelectual. Porém, o diagnóstico definitivo do transtorno do desenvolvimento intelectual não deve ser feito até que a criança seja capaz de completar avaliações padronizadas. O transtorno da linguagem pode ocorrer com graus variáveis de habilidade intelectual, e uma discrepância entre habilidades verbais e não verbais não é necessária para um diagnóstico desse transtorno.

Transtorno do espectro autista. O transtorno do espectro autista frequentemente se manifesta com o atraso do desenvolvimento da linguagem. Porém, o transtorno do espectro autista é muitas vezes acompanhado por comportamentos que não estão presentes no transtorno da linguagem, como falta de interesse social ou interações sociais incomuns (p. ex., puxar as pessoas pela mão sem nenhuma tentativa de olhar para elas), padrões incomuns de brincadeiras (p. ex., carregar brinquedos, mas nunca brincar com eles), padrões incomuns de comunicação (p. ex., conhecer o alfabeto, mas não responder ao próprio nome), aderência rígida às rotinas e comportamentos repetitivos (p. ex., balançar-se, ecolalia).

Distúrbios neurológicos. O transtorno da linguagem pode ser adquirido em associação a doenças neurológicas, inclusive epilepsia (p. ex., afasia adquirida ou síndrome de Landau-Kleffner).

Regressão da linguagem. Perda da fala e da linguagem em crianças de qualquer idade exige uma avaliação meticulosa para determinar se há alguma condição neurológica específica, como a síndrome de Landau-Kleffner. A perda da linguagem pode ser sintoma de convulsões, havendo necessidade de avaliação diagnóstica para excluir a presença de epilepsia (p. ex., eletroencefalograma de rotina e em sono). A deterioração de comportamentos sociais e comunicacionais críticos durante os dois primeiros anos de vida é evidente na maioria das crianças que apresentam transtorno do espectro autista e deve indicar a necessidade de avaliação para esse transtorno.

Comorbidade

O transtorno da linguagem pode estar associado a outros transtornos do neurodesenvolvimento em termos de transtorno específico da aprendizagem (leitura, escrita e aritmética), transtorno do desenvolvimento intelectual, transtorno de déficit de atenção/hiperatividade, transtorno do espectro autista e transtorno do desenvolvimento da coordenação. Está, ainda, associado a transtorno da comunicação social (pragmática). Em amostras clínicas, transtorno da linguagem pode ocorrer em comorbidade com transtorno da fluência, apesar de os dados de uma grande amostra populacional de crianças de 6 anos de idade dos Estados Unidos sugerirem que essa comorbidade pode ser rara (1,3%). História familiar positiva de transtornos da fala e da linguagem costuma estar presente.

Transtorno da Fala

Critérios Diagnósticos F80.0

A. Dificuldade persistente para produção da fala que interfere na inteligibilidade da fala ou impede a comunicação verbal de mensagens.
B. A perturbação causa limitações na comunicação eficaz, que interferem na participação social, no sucesso acadêmico ou no desempenho profissional, individualmente ou em qualquer combinação.
C. O início dos sintomas ocorre precocemente no período do desenvolvimento.
D. As dificuldades não são atribuíveis a condições congênitas ou adquiridas, como paralisia cerebral, fenda palatina, surdez ou perda auditiva, lesão cerebral traumática ou outras condições médicas ou neurológicas.

Características Diagnósticas

A produção da fala descreve a articulação clara de fonemas (i. e., sons individuais), que, combinados, formam as palavras faladas. Essa produção exige tanto o conhecimento fonológico dos sons da fala quanto a capacidade de coordenar os movimentos dos articuladores (i. e., mandíbula, língua e lábios) com a respiração e a vocalização para a fala. Crianças com dificuldades para produzir a fala podem apresentar dificuldade no reconhecimento fonológico dos sons da fala ou na capacidade de coordenar os movimentos para falar, nos mais variados graus. Um transtorno da fala é diagnosticado quando a produção da fala não ocorre como esperado, de acordo com a idade e o estágio de desenvolvimento da criança, e quando as deficiências não são consequências de prejuízo físico, estrutural, neurológico ou auditivo. Entre crianças com desenvolvimento típico, aos 3 anos de idade a fala geral deve ser inteligível, enquanto aos 2 anos, somente 50% podem ser passíveis de compreensão. Meninos são mais propensos (em uma proporção de 1,5–1,8 para 1) a ter transtorno da fala do que meninas.

Características Associadas

É comum a comorbidade de transtorno da linguagem com transtorno da fala, mesmo que ela seja rara até os 6 anos de idade. História familiar positiva de transtornos da fala ou da linguagem costuma estar presente.

Se a capacidade de coordenar os articuladores com rapidez constitui um aspecto particular da dificuldade, pode existir história de atraso ou descoordenação na aquisição das habilidades que também utilizam os articuladores e a musculatura facial relacionada; essas habilidades incluem, entre outras, mastigação, manutenção do fechamento da boca e ato de assoar o nariz. Outras áreas da coordenação motora podem estar prejudicadas, como no transtorno do desenvolvimento da coordenação. São usados os termos *apraxia da fala na infância* e *dispraxia verbal* para problemas na produção de fala com componentes motores.

Desenvolvimento e Curso

Aprender a produzir sons da fala de maneira clara e precisa e aprender a produzir fala fluente conectada são habilidades do desenvolvimento. A articulação da fala segue um padrão ao longo do desenvolvimento, o qual se reflete nas normas etárias dos testes padronizados. Não raro, crianças com desenvolvimento normal encurtam palavras e sílabas ao aprender a falar, mas sua progressão no domínio da produção da fala deve resultar em discurso predominantemente inteligível por volta dos 3 anos de idade. Crianças com transtorno da fala continuam a empregar processos imaturos de simplificação fonológica além da idade, quando a maior parte das crianças consegue produzir sons com clareza.

A maior parte dos sons da fala deve ser produzida de maneira clara, e a maioria das palavras, pronunciada com precisão, conforme a idade e as normas da comunidade, por volta dos 5 anos de idade.

Os sons que com mais frequência são mal articulados também tendem a ser aprendidos mais tarde, o que os leva a receber o nome de "os oito atrasados" (*l, r, s, z, th, ch, dzh* e *zh*) na língua inglesa. A articulação errada de qualquer um desses sons por si só pode ser considerada dentro de limites normais até os 8 anos de idade, porém, quando esse é o caso com múltiplos sons, é importante abordar alguns deles com planos para melhorar a inteligibilidade, em vez de esperar até uma idade em que quase todas as crianças possam produzi-los com precisão para interferir. O ceceio (i. e., a má articulação das sibilantes) é especialmente comum e pode envolver padrões frontais ou laterais da direção da corrente de ar. Ele pode estar associado a um padrão anormal de projeção lingual na deglutição.

A maior parte das crianças com transtorno da fala responde bem ao tratamento, e as dificuldades de fala melhoram com o tempo; assim, o transtorno pode não ser persistente. Quando, no entanto, um transtorno da linguagem também está presente, o transtorno da fala tem pior prognóstico, podendo estar associado a transtornos específicos da aprendizagem.

Diagnóstico Diferencial

Variações normais na fala. Variações regionais, sociais ou culturais/étnicas da fala devem ser consideradas antes que seja feito o diagnóstico. Crianças bilíngues, quando avaliadas apenas em inglês, podem demonstrar, em geral, uma menor taxa de inteligibilidade, errar com mais frequência o som de consoantes e vogais e produzir erros de padrão mais incomuns do que crianças monolíngues falantes de inglês.

Deficiência auditiva ou outra deficiência sensorial. Surdos ou deficientes auditivos podem apresentar erros na produção da fala. Quando déficits da fala ultrapassam os que costumam estar associados a essas alterações, um diagnóstico de transtorno da fala pode ser feito.

Déficits estruturais. Problemas da fala podem ser ocasionados por déficits estruturais (p. ex., fenda palatina).

Disartria. Problemas da fala podem ser atribuídos a uma alteração motora, como a paralisia cerebral. Sinais neurológicos, bem como características distintivas de voz, diferenciam a disartria do transtorno da fala, ainda que em crianças pequenas (menos de 3 anos) a distinção possa ser difícil, em especial quando não existe comprometimento motor corporal geral ou quando ele existe em pequeno grau (p. ex., na síndrome de Worster-Drought).

Mutismo seletivo. Uso limitado da fala pode ser um sinal de mutismo seletivo, um transtorno de ansiedade caracterizado por ausência da fala em um ou mais contextos ou cenários. O mutismo seletivo pode aparecer em crianças com algum transtorno da fala devido ao constrangimento causado por suas limitações. Muitas crianças com mutismo seletivo, todavia, apresentam fala normal em locais "seguros", como em casa ou junto dos amigos mais próximos.

Comorbidade

A fala também pode ser afetada de maneiras diferentes por certas condições genéticas (p. ex., síndrome de Down, síndrome de deleção 22q ou mutação do gene *FoxP2*). Quando presentes, estas também devem ser codificadas.

Transtorno da Fluência com Início na Infância (Gagueira)

Critérios Diagnósticos   F80.81

A. Perturbações na fluência normal e no padrão temporal da fala inapropriadas para a idade e para as habilidades linguísticas do indivíduo persistentes e caracterizadas por ocorrências frequentes e marcantes de um (ou mais) entre os seguintes:
   1. Repetição de som e sílabas.
   2. Prolongamentos sonoros das consoantes e das vogais.

3. Palavras interrompidas (p. ex., pausas em uma palavra).
4. Bloqueio audível ou silencioso (pausas preenchidas ou não preenchidas na fala).
5. Circunlocuções (substituições de palavras para evitar palavras problemáticas).
6. Palavras produzidas com excesso de tensão física.
7. Repetições de palavras monossilábicas (p. ex., "Eu-eu-eu-eu vejo").

B. A perturbação causa ansiedade em relação à fala ou limitações na comunicação efetiva, na participação social ou no desempenho acadêmico ou profissional, individualmente ou em qualquer combinação.

C. O início dos sintomas ocorre precocemente no período do desenvolvimento. (**Nota:** Casos de início tardio são diagnosticados como F98.5 - transtorno da fluência com início na idade adulta.)

D. A perturbação não é passível de ser atribuída a um déficit motor da fala ou sensorial, a disfluência associada a lesão neurológica (p. ex., acidente vascular cerebral, tumor, trauma) ou a outra condição médica, não sendo mais bem explicada por outro transtorno mental.

Características Diagnósticas

A característica essencial do transtorno da fluência com início na infância (gagueira) é uma perturbação na fluência normal e no padrão temporal da fala inapropriada à idade do indivíduo. Essa perturbação caracteriza-se por repetições frequentes ou prolongamentos de sons ou sílabas e por outros tipos de disfluências da fala, incluindo palavras interrompidas (p. ex., pausas no meio de uma palavra), bloqueio audível ou silencioso (i. e., pausas preenchidas ou não preenchidas na fala), circunlocuções (i. e., substituições de palavras para evitar palavras problemáticas), palavras produzidas com excesso de tensão física e repetições de palavras monossilábicas (p. ex., "Eu-eu-eu-eu vejo"). A perturbação na fluência pode interferir no sucesso acadêmico ou profissional ou na comunicação social. A gravidade da perturbação varia conforme a situação e costuma ser mais grave quando há pressão especial para se comunicar (p. ex., apresentar um trabalho na escola, entrevista para emprego). A disfluência está frequentemente ausente durante a leitura oral, o ato de cantar ou conversar com objetos inanimados ou animais de estimação.

Características Associadas

Pode surgir um temor antecipatório do problema. O falante pode tentar evitar disfluências por meio de mecanismos linguísticos (p. ex., alterando a velocidade da fala, evitando algumas palavras ou sons) ou por esquiva de determinadas situações de discurso, como telefonar ou falar em público. Além de constituírem características da condição, estresse e ansiedade aparecem como elementos que exacerbam a disfluência.

O transtorno da fluência com início na infância pode ser também acompanhado por movimentos motores (p. ex., piscar de olhos, tiques, tremores labiais ou faciais, movimentos descontrolados da cabeça, movimentos respiratórios, mãos em punho). Crianças com esse transtorno apresentam capacidades linguísticas variáveis, e a relação entre o transtorno da fluência e as capacidades linguísticas ainda não está clara.

Estudos mostraram diferenças neurológicas estruturais e funcionais em crianças que gaguejam. Meninos são mais propensos a gaguejar do que meninas, com estimativas que variam de acordo com a idade e a possível causa da gagueira. As causas da gagueira são multifatoriais, incluindo certos fatores genéticos e neurofisiológicos.

Desenvolvimento e Curso

O transtorno da fluência com início na infância, ou gagueira do desenvolvimento, ocorre até os 6 anos de idade para 80 a 90% dos indivíduos afetados, com a idade de início variando dos 2 aos 7 anos. O início pode ser insidioso ou mais repentino. Normalmente, as disfluências têm início gradativo, com repetição das consoantes iniciais, das primeiras palavras de uma frase ou de palavras longas. A criança pode não perceber as disfluências. Com a progressão, elas ficam mais frequentes e causam interferência, ocorrendo nas palavras ou frases mais significativas dos enunciados. À medida que a criança percebe a dificuldade da fala, ela pode desenvolver mecanismos de esquiva das disfluências e reações emocionais, incluindo esquiva de falar em público e uso de enunciados curtos e simples. Pesquisas longitudinais mostram que 65 a 85% das crianças recuperam-se da disfluência, com a gravidade desse transtorno aos 8 anos sendo um preditor de recuperação ou persistência na adolescência ou após.

Fatores de Risco e Prognóstico

Genéticos e fisiológicos. O risco de gagueira entre parentes biológicos de primeiro grau de indivíduos com o transtorno da fluência com início na infância é mais de três vezes maior do que o risco na população geral. Até hoje, mutações em quatro genes que estão ligados a alguns casos de gagueira foram identificadas.

Consequências Funcionais do Transtorno da Fluência com Início na Infância (Gagueira)

Além de serem características da condição, o estresse e a ansiedade podem exacerbar a disfluência. Prejuízo no funcionamento social pode ser uma consequência dessa ansiedade. Atitudes comunicacionais negativas podem ser uma consequência funcional da gagueira, começando nos anos de pré-escola e aumentando com a idade.

Diagnóstico Diferencial

Déficits sensoriais. Disfluências da fala podem estar associadas a deficiência auditiva ou a outro déficit sensorial ou motor da fala. Quando as disfluências da fala excedem as comumente associadas a esses problemas, pode ser feito um diagnóstico de transtorno da fluência com início na infância.

Disfluências normais da fala. O transtorno deve ser diferenciado das disfluências normais que ocorrem frequentemente em crianças pequenas, incluindo repetições de palavras ou expressões inteiras (p. ex., "Quero, quero sorvete"), frases incompletas, interjeições, pausas silenciosas e comentários parentéticos. Se essas dificuldades aumentam em frequência ou complexidade durante o crescimento da criança, um diagnóstico de transtorno da fluência com início na infância pode ser adequado.

Transtorno específico da aprendizagem com dificuldades na leitura. Crianças que têm disfluências quando leem em voz alta podem ser diagnosticadas erroneamente como tendo um transtorno da leitura. A fluência de leitura oral é normalmente medida por avaliações cronometradas. Taxas mais lentas de velocidade de leitura podem não refletir com precisão a verdadeira habilidade de leitura de crianças com gagueira.

Bilinguismo. É necessário diferenciar disfluências que resultam de tentativas de aprender uma nova língua e disfluências que indicam um transtorno da fluência, o que geralmente aparece em ambas as línguas.

Efeitos colaterais de medicamentos. A gagueira pode ocorrer como um efeito colateral de medicamentos, podendo ser detectada por uma relação temporal com a exposição à medicação.

Disfluências com início na idade adulta. Quando o aparecimento das disfluências se dá durante ou após a adolescência, trata-se de uma "disfluência com início na idade adulta", e não um transtorno do neurodesenvolvimento. Disfluências com início na idade adulta estão associadas a lesões neurológicas específicas e a uma variedade de condições médicas e transtornos mentais, podendo ser especificadas com eles, ainda que não constituam um diagnóstico do DSM-5.

Transtorno de Tourette. Tiques vocais e vocalizações repetitivas do transtorno de Tourette devem ser passíveis de distinção dos sons repetitivos do transtorno da fluência com início na infância por sua natureza e momento do aparecimento.

Comorbidade

O transtorno da fluência com início na infância pode ocorrer em comorbidade com outros transtornos, como transtorno de déficit de atenção/hiperatividade, transtorno do espectro autista, transtorno do desenvolvimento intelectual (deficiência intelectual), transtorno da linguagem ou transtorno específico da aprendizagem, epilepsia, transtorno da ansiedade social, transtorno da fala e outros transtornos do desenvolvimento.

Transtorno da Comunicação Social (Pragmática)

Critérios Diagnósticos — F80.82

A. Dificuldades persistentes no uso social da comunicação verbal e não verbal como manifestado por todos os elementos a seguir:
  1. Déficits no uso da comunicação com fins sociais, como em saudações e compartilhamento de informações, de forma adequada ao contexto social.
  2. Prejuízo da capacidade de adaptar a comunicação para se adequar ao contexto ou às necessidades do ouvinte, tal como falar de forma diferente em uma sala de aula do que em uma pracinha, falar de forma diferente a uma criança do que a um adulto e evitar o uso de linguagem excessivamente formal.
  3. Dificuldades de seguir regras para conversar e contar histórias, tais como aguardar a vez, reconstituir o que foi dito quando não entendido e saber como usar sinais verbais e não verbais para regular a interação.
  4. Dificuldades para compreender o que não é dito de forma explícita (p. ex., fazer inferências) e sentidos não literais ou ambíguos da linguagem (p. ex., expressões idiomáticas, humor, metáforas, múltiplos significados que dependem do contexto para interpretação).
B. Os déficits resultam em limitações funcionais na comunicação efetiva, na participação social, nas relações sociais, no sucesso acadêmico ou no desempenho profissional, individualmente ou em combinação.
C. O início dos sintomas ocorre precocemente no período inicial do desenvolvimento (embora os déficits possam não se tornar plenamente manifestos até que as demandas de comunicação social excedam as capacidades limitadas).
D. Os sintomas não são atribuíveis a outra condição médica ou neurológica ou a baixas capacidades nos domínios da estrutura da palavra e da gramática, não sendo mais bem explicados por transtorno do espectro autista, transtorno do desenvolvimento intelectual (deficiência intelectual), atraso global do desenvolvimento ou outro transtorno mental.

Características Diagnósticas

O transtorno da comunicação social (pragmática) caracteriza-se por uma dificuldade primária com a *pragmática*, ou o uso social da linguagem e da comunicação, conforme evidenciado por déficits em compreender e seguir regras sociais de comunicação verbal e não verbal em contextos naturais, adaptar a linguagem conforme as necessidades do ouvinte ou da situação e seguir as regras para conversar e contar histórias. Déficits na comunicação social resultam em limitações funcionais na comunicação efetiva, na participação social, no desenvolvimento de relações sociais, no sucesso acadêmico ou no desempenho profissional. Esses déficits não são mais bem explicados por baixas capacidades nos domínios da linguagem estrutural, capacidade cognitiva ou por transtorno do espectro autista.

Características Associadas

A característica associada mais comum do transtorno da comunicação social (pragmática) é o comprometimento na linguagem, caracterizado por história de atraso na aquisição dos marcos linguísticos, bem como uma história prévia, se não atual, de problemas na linguagem estrutural (ver "Transtorno da Linguagem", no começo deste capítulo). Indivíduos com déficits na comunicação social podem evitar as interações sociais. Transtorno de déficit de atenção/hiperatividade (TDAH), alterações comportamentais e transtornos específicos da aprendizagem são também mais comuns entre pessoas afetadas.

Desenvolvimento e Curso

Uma vez que a comunicação social (pragmática) depende de um progresso adequado do desenvolvimento da fala e da linguagem, o diagnóstico de transtorno da comunicação social (pragmática) é raro entre crianças com menos de 4 anos de idade. Por volta dos 4 ou 5 anos, a maioria das crianças deve apresentar capacidades de fala e linguagem suficientes para permitir a identificação de déficits específicos na comunicação social. Formas mais moderadas do transtorno podem não ficar aparentes antes do início da adolescência, quando a linguagem e as interações sociais ficam mais complexas.

A evolução do transtorno da comunicação social (pragmática) é variável, com algumas crianças apresentando melhoras substanciais com o tempo e outras mantendo dificuldades até a idade adulta. Mesmo entre as que têm melhoras significativas, os primeiros déficits na pragmática podem causar prejuízos duradouros nas relações sociais e no comportamento, bem como na aquisição de outras habilidades relacionadas, como a expressão escrita.

Fatores de Risco e Prognóstico

Genéticos e fisiológicos. História familiar de transtorno do espectro autista, transtornos da comunicação ou transtorno específico da aprendizagem parece aumentar o risco de transtorno da comunicação social (pragmática); isso inclui irmãos de crianças com esses transtornos, que podem apresentar sintomas precoces de transtorno da comunicação social (pragmática).

Diagnóstico Diferencial

Transtorno do espectro autista. O transtorno do espectro autista é a consideração diagnóstica primária para indivíduos que apresentam déficits na comunicação social. Os dois transtornos podem ser diferenciados pela presença, no transtorno do espectro autista, de padrões restritos/repetitivos de comportamento, interesses ou atividades e pela ausência deles no transtorno da comunicação social (pragmática). Indivíduos com transtorno do espectro autista podem apresentar os padrões restritos/repetitivos de comportamento, interesses e atividades apenas durante o período inicial do desenvolvimento, tornando necessária a obtenção de uma história completa. Ausência atual de sintomas não excluiria um diagnóstico de transtorno do espectro autista se os interesses restritos e os comportamentos repetitivos estivessem presentes no passado. Um diagnóstico de transtorno da comunicação social (pragmática) deve ser considerado tão somente quando a história do desenvolvimento não revelar nenhuma evidência de padrões restritos/repetitivos de comportamento, interesses ou atividades relacionados ao transtorno do espectro autista (i. e., Critério B) causando prejuízo atual. Os sintomas de comunicação social podem ser mais leves no transtorno da comunicação social (pragmática) do que no transtorno do espectro autista, apesar de serem qualitativamente similares.

Transtorno de déficit de atenção/hiperatividade. Déficits primários do TDAH podem causar prejuízos na comunicação social e limitações funcionais na comunicação efetiva, na participação social ou no sucesso acadêmico.

Transtorno de ansiedade social. Os sintomas do transtorno da comunicação social (pragmática) sobrepõem-se aos do transtorno de ansiedade social. A característica que os distingue é o momento de início dos sintomas. No transtorno da comunicação social (pragmática), o indivíduo nunca teve uma comunicação social efetiva; no transtorno de ansiedade social, as habilidades de comunicação social desenvolveram-se de forma correta, mas não são utilizadas devido a ansiedade, medo ou sofrimento acerca de interações sociais.

Transtorno do desenvolvimento intelectual (deficiência intelectual) e atraso global do desenvolvimento. As habilidades de comunicação social podem ser deficientes entre indivíduos com atraso global do desenvolvimento ou transtorno do desenvolvimento intelectual, mas um diagnóstico separado não é realizado a menos que os déficits de comunicação social estejam claramente excedendo as limitações intelectuais.

Transtorno da Comunicação Não Especificado

F80.9

Esta categoria aplica-se a apresentações em que sintomas característicos do transtorno da comunicação que causam sofrimento clinicamente significativo ou prejuízo no funcionamento social, profissional ou em outras áreas importantes da vida do indivíduo predominam, mas não satisfazem todos os critérios para transtorno da comunicação ou para qualquer transtorno na classe diagnóstica dos transtornos do neurodesenvolvimento. A categoria transtorno da comunicação não especificado é usada nas situações em que o clínico opta por *não* especificar a razão pela qual os critérios para transtorno de comunicação ou para algum transtorno do neurodesenvolvimento específico não são satisfeitos e inclui as apresentações para as quais não há informações suficientes para que seja feito um diagnóstico mais específico.

Transtorno do Espectro Autista

Transtorno do Espectro Autista

Critérios Diagnósticos — F84.0

A. Déficits persistentes na comunicação social e na interação social em múltiplos contextos, conforme manifestado por todos os seguintes aspectos, atualmente ou por história prévia (os exemplos são apenas ilustrativos, e não exaustivos; ver o texto):
  1. Déficits na reciprocidade socioemocional, variando, por exemplo, de abordagem social anormal e dificuldade para estabelecer uma conversa normal a compartilhamento reduzido de interesses, emoções ou afeto, a dificuldade para iniciar ou responder a interações sociais.
  2. Déficits nos comportamentos comunicativos não verbais usados para interação social, variando, por exemplo, de comunicação verbal e não verbal pouco integrada a anormalidade no contato visual e linguagem corporal ou déficits na compreensão e uso de gestos, a ausência total de expressões faciais e comunicação não verbal.
  3. Déficits para desenvolver, manter e compreender relacionamentos, variando, por exemplo, de dificuldade em ajustar o comportamento para se adequar a contextos sociais diversos a dificuldade em compartilhar brincadeiras imaginativas ou em fazer amigos, a ausência de interesse por pares.

B. Padrões restritos e repetitivos de comportamento, interesses ou atividades, conforme manifestado por pelo menos dois dos seguintes, atualmente ou por história prévia (os exemplos são apenas ilustrativos, e não exaustivos; ver o texto):
  1. Movimentos motores, uso de objetos ou fala estereotipados ou repetitivos (p. ex., estereotipias motoras simples, alinhar brinquedos ou girar objetos, ecolalia, frases idiossincráticas).

2. Insistência nas mesmas coisas, adesão inflexível a rotinas ou padrões ritualizados de comportamento verbal ou não verbal (p. ex., sofrimento extremo em relação a pequenas mudanças, dificuldades com transições, padrões rígidos de pensamento, rituais de saudação, necessidade de fazer o mesmo caminho ou ingerir os mesmos alimentos diariamente).
3. Interesses fixos e altamente restritos que são anormais em intensidade ou foco (p. ex., forte apego a ou preocupação com objetos incomuns, interesses excessivamente circunscritos ou perseverativos).
4. Hiper ou hiporreatividade a estímulos sensoriais ou interesse incomum por aspectos sensoriais do ambiente (p. ex., indiferença aparente a dor/temperatura, reação contrária a sons ou texturas específicas, cheirar ou tocar objetos de forma excessiva, fascinação visual por luzes ou movimento).

C. Os sintomas devem estar presentes precocemente no período do desenvolvimento (mas podem não se tornar plenamente manifestos até que as demandas sociais excedam as capacidades limitadas ou podem ser mascarados por estratégias aprendidas mais tarde na vida).

D. Os sintomas causam prejuízo clinicamente significativo no funcionamento social, profissional ou em outras áreas importantes da vida do indivíduo no presente.

E. Essas perturbações não são mais bem explicadas por transtorno do desenvolvimento intelectual (deficiência intelectual) ou por atraso global do desenvolvimento. Transtorno do desenvolvimento intelectual ou transtorno do espectro autista costumam ser comórbidos; para fazer o diagnóstico da comorbidade de transtorno do espectro autista e transtorno do desenvolvimento intelectual, a comunicação social deve estar abaixo do esperado para o nível geral do desenvolvimento.

Nota: Indivíduos com um diagnóstico do DSM-IV bem estabelecido de transtorno autista, transtorno de Asperger ou transtorno global do desenvolvimento sem outra especificação devem receber o diagnóstico de transtorno do espectro autista. Indivíduos com déficits acentuados na comunicação social, cujos sintomas, porém, não atendam, de outra forma, critérios de transtorno do espectro autista, devem ser avaliados em relação a transtorno da comunicação social (pragmática).

Especificar a gravidade atual com base em prejuízos na comunicação social e em padrões de comportamento restritos e repetitivos (ver Tabela 2).

Exigindo apoio muito substancial
Exigindo apoio substancial
Exigindo apoio

Especificar se:
Com ou sem comprometimento intelectual concomitante
Com ou sem comprometimento da linguagem concomitante

Especificar se:
Associado a uma condição genética conhecida ou outra condição médica ou fator ambiental (Nota para codificação: Usar código adicional para identificar a condição genética ou outra condição médica associada.)
Associado a uma alteração do neurodesenvolvimento, mental ou comportamental

Especificar se:
Com catatonia (consultar os critérios para catatonia associada a outro transtorno mental, p. 135, para definição) (**Nota para codificação:** Usar o código adicional F06.1 de catatonia associada a transtorno do espectro autista para indicar a presença de catatonia comórbida.)

Procedimentos para Registro

Pode ser útil registrar o nível de apoio necessário para cada um dos dois principais domínios psicopatológicos da Tabela 2 (p. ex., "exigindo apoio muito substancial para déficits na comunicação social e exigindo apoio substancial para comportamentos restritos e repetitivos"). A especificação "com comprometimento intelectual concomitante" ou "sem comprometimento intelectual concomitante" deve ser registrada em seguida. A especificação de comprometimento da linguagem deve ser registrada em seguida. Havendo

TABELA 2 Níveis de gravidade para o transtorno do espectro autista (exemplos de níveis de necessidade de suporte)

Nível de gravidade	Comunicação social	Comportamentos restritivos e repetitivos
Nível 3 "Exigindo apoio muito substancial"	Déficits graves nas habilidades de comunicação social verbal e não verbal causam prejuízos graves de funcionamento, grande limitação em dar início a interações sociais e resposta mínima a aberturas sociais que partem de outros. Por exemplo, uma pessoa com fala inteligível de poucas palavras que raramente inicia as interações e, quando o faz, tem abordagens incomuns apenas para satisfazer a necessidades e reage somente a abordagens sociais muito diretas.	Inflexibilidade de comportamento, extrema dificuldade em lidar com a mudança ou outros comportamentos restritos/repetitivos interferem acentuadamente no funcionamento em todas as esferas. Grande sofrimento/dificuldade para mudar o foco ou as ações.
Nível 2 "Exigindo apoio substancial"	Déficits graves nas habilidades de comunicação social verbal e não verbal; prejuízos sociais aparentes mesmo na presença de apoio; limitação em dar início a interações sociais e resposta reduzida ou anormal a aberturas sociais que partem de outros. Por exemplo, uma pessoa que fala frases simples, cuja interação se limita a interesses especiais reduzidos e que apresenta comunicação não verbal acentuadamente estranha.	Inflexibilidade do comportamento, dificuldade de lidar com a mudança ou outros comportamentos restritos/repetitivos aparecem com frequência suficiente para serem óbvios ao observador casual e interferem no funcionamento em uma variedade de contextos. Sofrimento e/ou dificuldade de mudar o foco ou as ações.
Nível 1 "Exigindo apoio"	Na ausência de apoio, déficits na comunicação social causam prejuízos notáveis. Dificuldade para iniciar interações sociais e exemplos claros de respostas atípicas ou sem sucesso a aberturas sociais dos outros. Pode parecer apresentar interesse reduzido por interações sociais. Por exemplo, uma pessoa que consegue falar frases completas e envolver-se na comunicação, embora apresente falhas na conversação com os outros e cujas tentativas de fazer amizades são estranhas e comumente malsucedidas.	Inflexibilidade de comportamento causa interferência significativa no funcionamento em um ou mais contextos. Dificuldade em trocar de atividade. Problemas para organização e planejamento são obstáculos à independência.

comprometimento da linguagem concomitante, o nível atual do funcionamento verbal deve ser registrado (p. ex., "com comprometimento da linguagem concomitante – ausência de fala inteligível" ou "com comprometimento da linguagem concomitante – fala telegráfica").

No caso de transtorno do espectro autista para o qual os especificadores "associado a uma condição genética conhecida ou outra condição médica ou fator ambiental" ou "associado a uma alteração do neurodesenvolvimento, mental ou comportamental" forem apropriados, registrar transtorno do espectro autista associado a (nome da condição, do transtorno ou do fator) (p. ex., transtorno do espectro autista associado a complexo de esclerose tuberosa). Esses especificadores são aplicados a apresentações em que as condições ou alterações listadas são potencialmente relevantes para o tratamento clínico do indivíduo e não necessariamente indicam que a condição ou problema tem relação causal com o transtorno do espectro autista. Se a alteração do neurodesenvolvimento, mental ou comportamental associada atender aos critérios para um transtorno do neurodesenvolvimento ou outro transtorno mental, tanto o transtorno do espectro autista quanto o outro transtorno devem ser diagnosticados.

Na presença de catatonia, registrar separadamente "catatonia associada a transtorno do espectro autista". Para mais informações, ver os critérios para catatonia associada a outro transtorno mental no capítulo "Espectro da Esquizofrenia e Outros Transtornos Psicóticos".

Especificadores

Os especificadores de gravidade (ver Tabela 2) podem ser usados para descrever, de maneira sucinta, a sintomatologia atual (que pode situar-se aquém do nível 1), com o reconhecimento de que a gravidade pode variar de acordo com o contexto ou oscilar com o tempo. A gravidade das dificuldades de comunicação social e dos comportamentos restritos e repetitivos deve ser classificada em separado. As categorias descritivas de gravidade não devem ser usadas para determinar a escolha e a provisão de serviços. Indivíduos com habilidades relativamente melhores em geral podem experimentar desafios psicossociais diferentes ou até maiores. Portanto, as necessidades de serviço só podem ser definidas de forma individual e mediante a discussão de prioridades e metas pessoais.

Em relação ao especificador "com ou sem comprometimento intelectual concomitante", há necessidade de compreender o perfil intelectual (frequentemente irregular) de uma criança ou um adulto com transtorno do espectro autista para interpretar as características diagnósticas. São necessárias estimativas separadas das habilidades verbal e não verbal (p. ex., uso de testes não verbais sem cronometragem para avaliar potenciais pontos fortes em indivíduos com linguagem limitada).

Para usar o especificador "com ou sem comprometimento da linguagem concomitante", o nível atual de funcionamento verbal deve ser avaliado e descrito. Exemplos das descrições específicas de "com comprometimento da linguagem concomitante" podem incluir ausência de fala inteligível (não verbal), apenas palavras isoladas ou fala telegráfica. O nível linguístico em pessoas "sem comprometimento da linguagem concomitante" pode ser descrito adicionalmente por fala em frases completas ou apresenta fala fluente. Uma vez que a linguagem receptiva pode se mostrar mais atrasada do que o desenvolvimento da linguagem expressiva, no transtorno do espectro autista as habilidades de linguagem receptiva e expressiva devem ser consideradas em separado.

O especificador "associado a uma condição genética conhecida ou outra condição médica ou fator ambiental" deve ser usado quando a pessoa tem alguma condição genética conhecida (p. ex., síndrome de Rett, síndrome do X frágil, síndrome de Down), condição médica conhecida (p. ex., epilepsia) ou história de exposição ambiental intrauterina a algum agente teratogênico ou infecção conhecido (p. ex., ácido valproico, síndrome alcoólica fetal ou rubéola congênita). Esse especificador não deve ser visto como sinônimo de causa de transtorno do espectro autista. Uma condição pode ser listada como sendo associada com o transtorno do espectro autista quando se conclui que ela tem potencial de ser relevante clinicamente ou para os cuidados com o indivíduo, e não porque o clínico está afirmando uma causa. Exemplos incluem o transtorno do espectro autista associado com uma variante de número de cópia genômica única que pode ser clinicamente relevante mesmo que a anomalia específica não tenha causado diretamente ou tenha sido ligada anteriormente ao transtorno do espectro autista, ou à doença de Crohn, o que poderia exacerbar sintomas comportamentais.

O especificador "associado a uma alteração do neurodesenvolvimento, mental ou comportamental" pode ser aplicado para indicar alterações (p. ex., irritabilidade, alterações de sono, comportamentos autolesivos ou regressão de desenvolvimento) que contribuam para a formulação funcional ou sejam foco do tratamento. Outras condições do neurodesenvolvimento, mentais ou comportamentais também devem ser consideradas como diagnósticos separados (p. ex., transtorno de déficit de atenção/hiperatividade, transtorno do desenvolvimento da coordenação, transtorno disruptivo, do controle de impulsos ou da conduta, transtornos de ansiedade, depressivo ou bipolar, transtorno de tique ou de Tourette e transtornos alimentares, de eliminação ou do sono).

A catatonia pode ocorrer como condição comórbida ao transtorno do espectro autista. Além dos clássicos sintomas de postura comportamental, negativismo (oposição ou falta de resposta a estímulos externos ou instruções), mutismo e estupor, um aumento ou piora de estereotipia e comportamentos autolesivos podem fazer parte do complexo de sintomas de catatonia no contexto do transtorno do espectro autista.

Características Diagnósticas

As características essenciais do transtorno do espectro autista são prejuízo persistente na comunicação social recíproca e na interação social (Critério A) e padrões restritos e repetitivos de comportamento, interesses ou atividades (Critério B). Esses sintomas estão presentes desde o início da infância e limitam ou prejudicam o funcionamento diário (Critérios C e D). O estágio em que o prejuízo funcional fica evidente irá variar de acordo com características do indivíduo e seu ambiente. Características diagnósticas nucleares estão evidentes no período do desenvolvimento, mas intervenções, compensações e apoio atual podem mascarar as dificuldades, pelo menos em alguns contextos. Manifestações do transtorno também variam muito dependendo da gravidade da condição autista, do nível de desenvolvimento e da idade cronológica; daí o uso do termo *espectro*. Indivíduos que não apresentam comprometimento cognitivo ou de linguagem podem ter déficits manifestados mais sutilmente (p. ex., Critério A e Critério B) que indivíduos com comprometimento intelectual ou de linguagem e podem fazer grandes esforços para esconder esses déficits. Os déficits do Critério A na comunicação social são mais sutis se o indivíduo tiver, em geral, melhores habilidades de comunicação (p. ex., ser verbalmente fluente e não ter prejuízos intelectuais). Do mesmo modo, os déficits do Critério B (i. e., padrões restritos de comportamentos e interesses) podem ser menos óbvios se os interesses forem próximos dos interesses típicos da idade em questão (p. ex., Antigo Egito ou trens em comparação com balançar uma corda). O transtorno do espectro autista engloba transtornos anteriormente referidos como autismo infantil precoce, autismo infantil, autismo de Kanner, autismo de alto funcionamento, autismo atípico, transtorno global do desenvolvimento sem outra especificação, transtorno desintegrativo da infância e transtorno de Asperger.

Os prejuízos na comunicação e na interação social especificados no Critério A são pervasivos e sustentados. Os diagnósticos são mais válidos e confiáveis quando baseados em múltiplas fontes de informação, incluindo observações do clínico, história do cuidador e, quando possível, autorrelato. Déficits verbais e não verbais na comunicação social têm manifestações variadas, dependendo da idade, do nível intelectual e da capacidade linguística do indivíduo, bem como de outros fatores, como história de tratamento e apoio atual. Muitos indivíduos têm déficits de linguagem que variam de ausência total da fala, passando por atrasos na linguagem, compreensão reduzida da fala e fala em eco até linguagem explicitamente literal ou afetada. Mesmo quando habilidades linguísticas formais (p. ex., vocabulário e gramática) estão intactas, o uso da linguagem para comunicação social recíproca está prejudicado no transtorno do espectro autista.

Déficits na reciprocidade socioemocional (i. e., capacidade de envolvimento com outros e compartilhamento de ideias e sentimentos) podem ser vistos, por exemplo, em crianças pequenas com pouca ou nenhuma iniciação de interações sociais e de compartilhamento de emoções, juntamente com redução ou ausência de imitação do comportamento dos outros. Havendo linguagem, costuma ser unilateral, sem reciprocidade social, usada mais para solicitar ou rotular do que para comentar, compartilhar sentimentos ou conversar. Em crianças mais velhas e adultos sem prejuízos intelectuais ou atrasos de linguagem, os déficits na reciprocidade socioemocional podem aparecer mais em dificuldades de processamento e resposta a pistas sociais complexas (p. ex., quando e como entrar em uma conversa, o que não dizer). Indivíduos que desenvolveram estratégias compensatórias para alguns desafios sociais ainda enfrentam dificuldades em situações novas ou sem apoio, sofrendo com o esforço e a ansiedade para, de forma consciente, calcular o que é socialmente intuitivo para a maioria dos indivíduos. Esse comportamento pode contribuir para a baixa asserção do transtorno do espectro autista nesses indivíduos, talvez especialmente em mulheres adultas. Portanto, podem ser necessárias avaliações mais extensas, observação em contextos naturais e investigação sobre quaisquer problemas em interações sociais. Se questionados sobre os custos das interações sociais, por exemplo, esses indivíduos podem responder que são exaustivas, que são incapazes de se concentrar por causa do esforço mental em ficar monitorando as convenções sociais, que sua autoestima é afetada adversamente por não poderem ser eles mesmos, e assim por diante.

Déficits em comportamentos de comunicação não verbal usados para interações sociais são expressos por uso reduzido, ausente ou atípico de contato visual (relativo a normas culturais), gestos, expressões faciais, orientação corporal ou entonação da fala. Um aspecto precoce do transtorno do espectro autista é a atenção compartilhada prejudicada, conforme manifestado por falta do gesto de apontar, mostrar ou trazer objetos para compartilhar o interesse com outros ou dificuldade para seguir o gesto de apontar ou o olhar indicador de outras pessoas. Os indivíduos podem aprender alguns poucos gestos funcionais, mas seu repertório é menor do que o de outros e costumam fracassar no uso de gestos expressivos com espontaneidade na comunicação. Entre jovens e adultos com linguagem fluente, a dificuldade para coordenar a comunicação não verbal com a fala pode passar a impressão de "linguagem corporal" estranha, rígida ou exagerada durante as interações. O prejuízo pode ser relativamente sutil em áreas individuais (p. ex., alguém pode ter contato visual relativamente bom ao falar), mas perceptível na integração insatisfatória entre contato visual, gestos, postura corporal, prosódia e expressão facial para a comunicação social ou em dificuldade para manter esses aspectos por períodos prolongados ou sob estresse.

Déficits para desenvolver, manter e compreender as relações devem ser julgados em relação aos padrões relativos a idade, gênero e cultura. Pode haver interesse social ausente, reduzido ou atípico, manifestado por rejeição de outros, passividade ou abordagens inadequadas que pareçam agressivas ou disruptivas. Essas dificuldades são particularmente evidentes em crianças pequenas, em quem costuma existir uma falta de jogo social e imaginação compartilhados (p. ex., brincar de fingir de forma flexível e adequada à idade) e, posteriormente, insistência em brincar seguindo regras muito fixas. Indivíduos mais velhos podem relutar para entender qual o comportamento considerado apropriado em uma situação e não em outra (p. ex., comportamento casual durante uma entrevista de emprego) ou as diversas formas de uso da linguagem para a comunicação (p. ex., ironia ou mentirinhas). Pode existir aparente preferência por atividades solitárias ou por interações com pessoas muito mais jovens ou mais velhas. Com frequência, há desejo de estabelecer amizades sem uma ideia completa ou realista do que isso significa (p. ex., amizades unilaterais ou baseadas unicamente em interesses especiais compartilhados). Também é importante considerar o relacionamento com irmãos, colegas de trabalho e cuidadores (em termos de reciprocidade).

O transtorno do espectro autista também é definido por padrões restritos e repetitivos de comportamento, interesses ou atividades (conforme especificado no Critério B) que mostram uma gama de manifestações de acordo com a idade e a capacidade, intervenções e apoios atuais. Comportamentos estereotipados ou repetitivos incluem estereotipias motoras simples (p. ex., abanar as mãos, estalar os dedos), uso repetitivo de objetos (p. ex., girar moedas, enfileirar objetos) e fala repetitiva (p. ex., ecolalia, repetição atrasada ou imediata de palavras ouvidas, uso de "tu" ao referir-se a si mesmo, uso estereotipado de palavras, frases ou padrões de prosódia). Adesão excessiva a rotinas e padrões restritos de comportamento podem ser manifestados por resistência a mudanças (p. ex., sofrimento relativo a mudanças aparentemente pequenas, como embalagem de um alimento favorito; insistência em aderir a regras; rigidez de pensamento) ou por padrões ritualizados de comportamento verbal ou não verbal (p. ex., perguntas repetitivas, percorrer um perímetro). Interesses altamente limitados e fixos, no transtorno do espectro autista, tendem a ser anormais em intensidade ou foco (p. ex., criança pequena muito apegada a uma panela; criança preocupada com aspiradores de pó; um adulto que gasta horas escrevendo tabelas com horário). Alguns encantamentos e rotinas podem estar relacionados a uma aparente hiper ou hiporreatividade a estímulos sensoriais, manifestada por meio de respostas extremadas a sons e texturas específicos, cheirar ou tocar objetos de forma excessiva, encantamento por luzes ou objetos giratórios e, algumas vezes, aparente indiferença a dor, calor ou frio. Reações extremas ou rituais envolvendo gosto, cheiro, textura ou aparência da comida ou excesso de restrições alimentares são comuns, podendo constituir a forma de apresentação do transtorno do espectro autista.

Muitos indivíduos com transtorno do espectro autista sem prejuízos intelectuais ou linguísticos aprendem a suprimir comportamentos repetitivos em público. Nesses indivíduos, comportamentos repetitivos como se balançar ou tiques com os dedos podem ter a função de ajudar a pessoa a se acalmar.

Interesses especiais podem constituir fonte de prazer e motivação, propiciando vias de educação e emprego mais tarde na vida. Os critérios diagnósticos podem ser satisfeitos quando padrões limitados e repetitivos de comportamento, interesses ou atividades estiverem claramente presentes na infância ou em algum momento do passado mesmo que os sintomas não estejam mais presentes.

O Critério D exige que as características devam ocasionar prejuízo clinicamente significativo no funcionamento social, profissional ou em outras áreas importantes da vida do indivíduo no presente. O Critério E especifica que os déficits de comunicação social, ainda que algumas vezes acompanhados por transtorno do desenvolvimento intelectual (deficiência intelectual), não estão alinhados com o nível de desenvolvimento individual e que os prejuízos excedem as dificuldades esperadas com base no nível do desenvolvimento.

Instrumentos padronizados de diagnóstico do comportamento, com boas propriedades psicométricas, incluindo entrevistas com cuidadores, questionários e medidas de observação clínica, estão disponíveis e podem aumentar a confiabilidade do diagnóstico ao longo do tempo e entre clínicos. Porém, os sintomas do transtorno do espectro autista ocorrem como dimensões sem uma pontuação de corte aceita universalmente para o que constituiria um transtorno. Portanto, o diagnóstico permanece clínico, devendo levar em consideração todas as informações disponíveis, não sendo apenas ditado pelo resultado de um questionário em particular ou medida de observação.

Características Associadas

Muitos indivíduos com transtorno do espectro autista também apresentam comprometimento intelectual e/ou da linguagem (p. ex., atraso na fala ou compreensão da linguagem aquém da produção). Mesmo aqueles com inteligência média ou alta apresentam um perfil irregular de capacidades. A discrepância entre habilidades funcionais adaptativas e intelectuais costuma ser grande. É comum para indivíduos com autismo terem déficits de teoria da mente (i. e., terem dificuldade em ver o mundo da perspectiva de outras pessoas), mas nem sempre esses déficits estão presentes. Déficits de função executiva também são comuns, mas não específicos, assim como dificuldades com coerência central (i. e., ser capaz de entender contextos ou "ver a situação como um todo", ou seja, tender a focar demais em detalhes).

Déficits motores estão frequentemente presentes, incluindo marcha atípica, falta de coordenação e outros sinais motores anormais (p. ex., caminhar na ponta dos pés). Pode ocorrer autolesão (p. ex., bater a cabeça, morder o punho), e comportamentos disruptivos/desafiadores são mais comuns em crianças e adolescentes com transtorno do espectro autista do que em outros transtornos, incluindo transtorno do desenvolvimento intelectual. Alguns indivíduos desenvolvem comportamento motor semelhante à catatonia (lentificação e "congelamento" em meio a ação), embora isso tipicamente não costume alcançar a magnitude de um episódio catatônico. É possível, porém, que indivíduos com transtorno do espectro autista apresentem deterioração acentuada em sintomas motores e um episódio catatônico completo com sintomas como mutismo, posturas atípicas, trejeitos faciais e flexibilidade cérea. O período de risco de catatonia comórbida parece ser maior nos anos de adolescência.

Prevalência

A frequência de transtorno do espectro autista nos Estados Unidos foi reportada como estando entre 1 e 2% da população, com estimativas similares em amostras de crianças e de adultos. Porém, a prevalência parece ser menor entre afro-americanos (1,1%) e crianças latinas (0,8%) se comparada à de crianças brancas (1,3%), mesmo depois de considerados os efeitos dos recursos socioeconômicos. A prevalência reportada do transtorno do espectro autista pode ser afetada por diagnósticos errôneos ou tardios ou falta de diagnóstico para indivíduos de alguns contextos étnico-raciais. A prevalência em outros países que não os Estados Unidos se aproxima de 1% da população (a média de prevalência global é de 0,62%), sem variação substancial entre regiões geográficas ou etnicidade e entre amostras de crianças e de adultos. Mundialmente, a proporção entre os sexos masculino e feminino em amostras epidemiológicas bem determinadas é de cerca de 3:1, com preocupações relativas à falta de reconhecimento do transtorno do espectro autista em mulheres e meninas.

Desenvolvimento e Curso

A idade e o padrão de início também devem ser observados para o transtorno do espectro autista. As características comportamentais do transtorno do espectro autista tornam-se inicialmente evidentes na primeira infância, com alguns casos apresentando falta de interesse em interações sociais no primeiro ano de vida. Os sintomas costumam ser reconhecidos durante o segundo ano de vida (12 a 24 meses), embora possam ser vistos antes dos 12 meses de idade, se os atrasos do desenvolvimento forem graves, ou percebidos após os 24 meses, se os sintomas forem mais sutis. A descrição do padrão de início pode incluir informações sobre atrasos precoces do desenvolvimento ou quaisquer perdas de habilidades sociais ou linguísticas. Nos casos em que houve perda de habilidades, pais ou cuidadores podem relatar história de deterioração gradual ou relativamente rápida em comportamentos sociais ou nas habilidades linguísticas. Em geral, isso pode ocorrer entre 12 e 24 meses de idade.

Estudos prospectivos demonstram que, na maioria dos casos, o início do transtorno do espectro autista está associado com o declínio de comportamentos sociais e comunicacionais críticos nos primeiros dois anos de vida. Esses declínios das funções são raros em outros transtornos do neurodesenvolvimento e podem ser indicadores especialmente úteis da presença de transtorno do espectro autista. Em casos raros há regressão do desenvolvimento após dois anos de desenvolvimento normal (anteriormente descrito como transtorno desintegrativo da infância), o que é muito mais incomum e pede uma investigação médica mais extensa (i. e., síndrome de Landau-Kleffner e picos e ondas contínuas durante a síndrome de ondas lentas no sono). Muito vezes inclusas nessas condições de encefalopatia estão perdas de habilidades além da comunicação social (p. ex., perda do autocuidado, do controle de esfíncteres e de habilidades motoras) (ver também síndrome de Rett, na seção "Diagnóstico Diferencial" para esse transtorno).

Os primeiros sintomas do transtorno do espectro autista frequentemente envolvem atraso no desenvolvimento da linguagem, em geral acompanhado por ausência de interesse social ou interações sociais incomuns (p. ex., puxar as pessoas pela mão sem nenhuma tentativa de olhar para elas), padrões estranhos de brincadeiras (p. ex., carregar brinquedos, mas nunca brincar com eles) e padrões incomuns de comunicação (p. ex., conhecer o alfabeto, mas não responder ao próprio nome). Um diagnóstico de surdez é geralmente considerado, mas costuma ser descartado. Durante o segundo ano, comportamentos estranhos e repetitivos e ausência de brincadeiras típicas tornam-se mais evidentes. Uma vez que muitas crianças pequenas com desenvolvimento normal têm fortes preferências e gostam de repetição (p. ex., ingerir os mesmos alimentos, assistir muitas vezes ao mesmo filme), em pré-escolares pode ser difícil distinguir padrões restritos e repetitivos de comportamentos diagnósticos do transtorno do espectro autista. A distinção clínica baseia-se no tipo, na frequência e na intensidade do comportamento (p. ex., uma criança que diariamente alinha os objetos durante horas e sofre bastante quando algum deles é movimentado).

O transtorno do espectro autista não é um transtorno degenerativo, sendo comum que aprendizagem e compensação continuem ao longo da vida. Os sintomas são frequentemente mais acentuados na primeira infância e nos primeiros anos da vida escolar, com ganhos no desenvolvimento sendo frequentes no fim da infância pelo menos em certas áreas (p. ex., aumento no interesse por interações sociais). Uma pequena proporção de indivíduos apresenta deterioração comportamental na adolescência, enquanto a maioria dos outros melhora. Antigamente apenas uma minoria entre os indivíduos com transtorno do espectro autista vivia e trabalhava de forma independente na idade adulta, mas, atualmente, conforme o diagnóstico de transtorno do espectro autista é feito com mais frequência naqueles com habilidades intelectuais e de linguagem superiores, mais indivíduos estão sendo capazes de encontrar um nicho que combina com seus interesses especiais e habilidades e, portanto, mais indivíduos estão produtivamente empregados. O acesso a serviços de reabilitação vocacional melhora significativamente os resultados de ocupação competitiva de empregos para jovens em idade de transição com transtorno do espectro autista.

Em geral, indivíduos com níveis de prejuízo menores podem ser mais capazes de funcionar com independência. Mesmo esses indivíduos, no entanto, podem continuar socialmente ingênuos e vulneráveis, com dificuldades para organizar as demandas práticas sem ajuda, mais propensos a ansiedade e depressão. Muitos adultos informam usar estratégias compensatórias e mecanismos de enfrentamento para mascarar suas dificuldades em público, mas sofrem com o estresse e os esforços para manter uma fachada socialmente aceitável. Sabe-se relativamente pouco sobre o transtorno do espectro autista na terceira idade, mas maiores taxas de condições médicas comórbidas foram documentadas na literatura.

Alguns indivíduos aparecem pela primeira vez para o diagnóstico na idade adulta, talvez levados pelo diagnóstico de autismo em alguma criança da família ou pelo rompimento de relações profissionais ou familiares. Pode ser difícil, nesses casos, obter uma história detalhada do desenvolvimento, sendo importante levar em conta as dificuldades autorrelatadas. Quando a observação clínica sugerir que os critérios são preenchidos no presente, pode ser diagnosticado o transtorno do espectro autista, desde que não haja evidências de boas habilidades sociais e de comunicação na infância. Por exemplo, o relato (de pais ou outro familiar) de que a pessoa teve amizades recíprocas comuns e permanentes e boas habilidades de comunicação não verbais durante a infância diminuiria significativamente a probabilidade de um diagnóstico de transtorno do espectro autista; entretanto, informações de desenvolvimento ambíguas ou ausentes por si só não são suficientes para descartar um diagnóstico de transtorno do espectro autista.

Manifestações de prejuízos sociais e de comunicação e comportamentos restritos/repetitivos que definam o transtorno do espectro autista são claras no período do desenvolvimento. Mais tarde na vida, intervenção e compensação, além dos apoios atuais, podem mascarar essas dificuldades pelo menos em alguns contextos. Os sintomas, em geral, permanecem suficientes para causar prejuízo atual no funcionamento social, profissional ou em outras áreas importantes da vida do indivíduo.

Fatores de Risco e Prognóstico

Os melhores fatores prognósticos estabelecidos para as evoluções individuais no transtorno do espectro autista são presença ou ausência de transtorno do desenvolvimento intelectual e comprometimento da linguagem associados (p. ex., linguagem funcional por volta dos 5 anos de idade é um sinal de bom prognóstico), bem como outras condições de saúde mental. Epilepsia, como um diagnóstico de comorbidade, está associada a maior prejuízo intelectual e menor capacidade verbal.

Ambientais. Uma variedade de fatores de risco para transtornos do neurodesenvolvimento, como idade avançada dos pais, prematuridade extrema ou exposição intrauterina a certas drogas ou agentes teratogênicos, como ácido valproico, podem contribuir em grande parte com o aumento do risco de transtorno do espectro autista.

Genéticos e fisiológicos. Estimativas de herdabilidade para o transtorno do espectro autista variam de 37% até mais de 90%, com base em taxas de concordância entre gêmeos. Um estudo de coorte mais recente feito por cinco países estima a herdabilidade em 80%. Atualmente, até 15% dos casos de transtorno do espectro autista parecem estar associados a uma mutação genética conhecida, com diferentes variações no número de cópias *de novo* ou mutações *de novo* em genes específicos associados ao transtorno em diferentes famílias. No entanto, mesmo quando um transtorno do espectro autista está associado a uma mutação genética conhecida, não parece haver penetrância completa (i. e., nem todos os indivíduos com a mesma anomalia genética desenvolvem transtorno do espectro autista). O risco, na maioria dos casos, parece ser poligênico, com talvez centenas de *loci* genéticos tendo pequenas contribuições para o resultado. Não está claro se esses achados podem ser aplicados a todas as etnias, dada a inclusão limitada em pesquisas genéticas de comunidades afro-americanas, nativas americanas, asiáticas, latinas, entre outras.

Questões Diagnósticas Relativas à Cultura

Haverá diferenças culturais nas normas de interação social, comunicação não verbal e relacionamentos; indivíduos com transtorno do espectro autista, entretanto, apresentam prejuízos marcados em relação aos padrões de seu contexto cultural. A cultura influência na percepção de comportamentos autistas, a saliência percebida de alguns comportamentos sobre outros, bem como as expectativas em relação ao comportamento das crianças e às práticas parentais. Discrepâncias consideráveis são encontradas na idade de diagnóstico de transtorno do espectro autista em crianças de contextos étnico-raciais diversos; a maioria dos estudos encontra diagnósticos tardios entre crianças de contextos étnicos socialmente oprimidos. Além de terem diagnósticos tardios, crianças afro-americanas são mais frequentemente diagnosticadas erroneamente com transtorno de adaptação ou da conduta do que crianças brancas.

Questões Diagnósticas Relativas ao Sexo e ao Gênero

O transtorno do espectro autista é diagnosticado de três a quatro vezes mais frequentemente no sexo masculino do que no feminino, e, em média, a idade em que a pessoa é diagnosticada é mais tardia para o sexo feminino. Em amostras clínicas, pessoas do sexo feminino têm mais propensão a apresentar transtorno do desenvolvimento intelectual concomitante, assim como epilepsia, sugerindo que meninas sem prejuízos intelectuais ou atrasos de linguagem podem não ter o transtorno identificado, talvez devido à manifestação mais sutil das dificuldades sociais e de comunicação. Em comparação com pessoas do sexo masculino com transtorno do espectro autista, pessoas do sexo feminino podem ter uma melhor conversação recíproca e ser mais propensas a compartilhar interesses, a integrar os comportamentos verbais e não verbais e a modificar seus comportamentos dependendo da situação, apesar de terem dificuldades de compreensão social similares às do sexo masculino. A tentativa de esconder ou mascarar comportamentos autistas (p. ex., ao copiar as roupas, a voz e o jeito de mulheres socialmente bem-sucedidas) também pode dificultar o diagnóstico em alguns indivíduos do sexo feminino. Comportamentos repetitivos podem ser um pouco menos evidentes em indivíduos do sexo feminino do que em indivíduos do sexo masculino, e interesses especiais podem ter um foco mais social (p. ex., um cantor ou uma atriz) ou "normativo" (p. ex., cavalos), ainda permanecendo incomuns em sua intensidade. Em relação à população geral, foi reportado que as taxas de variação de gênero aumentaram para o transtorno do espectro autista, com mais alta variação entre indivíduos do sexo feminino se comparados aos indivíduos do sexo masculino.

Associação com Pensamentos ou Comportamentos Suicidas

Indivíduos com transtorno do espectro autista têm maior risco de morte por suicídio do que aqueles sem o transtorno. Crianças com transtorno do espectro autista que apresentaram problemas com a comunicação social tiveram maior risco de automutilação com intenção suicida, pensamentos suicidas e planos de se suicidar até os 16 anos de idade se comparadas com aquelas sem problemas de comunicação social. Adolescentes e jovens adultos com transtorno do espectro autista têm maior risco de tentar suicídio se comparados com indivíduos do mesmo sexo e idade, mesmo depois de ajustes relativos a fatores demográficos e comorbidades psiquiátricas.

Consequências Funcionais do Transtorno do Espectro Autista

Em crianças pequenas com transtorno do espectro autista, a ausência de capacidades sociais e comunicacionais pode ser um impedimento à aprendizagem, especialmente à aprendizagem por meio da interação social ou em contextos com seus colegas. Em casa, a insistência em rotinas e a aversão à mudança, bem como sensibilidades sensoriais, podem interferir na alimentação e no sono e tornar os cuidados de rotina extremamente difíceis (p. ex., cortes de cabelo e cuidados dentários). As capacidades adaptativas costumam estar abaixo dos resultados de QI medido. Dificuldades extremas para planejar, organizar e enfrentar a mudança causam impacto negativo no sucesso acadêmico, mesmo para alunos com inteligência acima da média. Na vida adulta, esses indivíduos podem ter dificuldades de estabelecer sua independência devido à rigidez e à dificuldade contínuas com o novo.

Muitos indivíduos com transtorno do espectro autista, mesmo sem transtorno do desenvolvimento intelectual, têm funcionamento psicossocial insatisfatório na idade adulta, conforme avaliado por indicadores como vida independente e emprego remunerado. As consequências funcionais no envelhecimento são desconhecidas; isolamento social e problemas de comunicação (p. ex., redução da busca por ajuda) provavelmente têm consequências para a saúde na velhice.

A comorbidade com transtorno do desenvolvimento intelectual, epilepsia, transtornos mentais e condições médicas crônicas pode estar associada com maior risco de mortalidade prematura para indivíduos com transtorno do espectro autista. Mortes relacionadas a lesões ou envenenamento são maiores do que na população geral, assim como mortes por suicídio. Afogamento é a principal causa de mortes acidentais de crianças com transtorno do espectro autista.

Diagnóstico Diferencial

Transtorno de déficit de atenção/hiperatividade. Anormalidades de atenção (foco exagerado ou distração fácil) são comuns em pessoas com transtorno do espectro autista, assim como o é a hiperatividade. Além disso, alguns indivíduos com TDAH podem exibir déficits de comunicação social como interromper os outros, falar muito alto e não respeitar espaço pessoal. Apesar de ser potencialmente difícil discriminar o TDAH do transtorno do espectro autista, o curso do desenvolvimento e a ausência de comportamentos restritos e repetitivos e interesses incomuns no primeiro pode ajudar a diferenciar as duas condições. Um diagnóstico simultâneo de TDAH deve ser considerado quando as dificuldades de concentração e a hiperatividade excedem aquelas normalmente vistas em indivíduos de idade mental comparável. O TDAH é uma das comorbidades mais comuns com o transtorno do espectro autista.

Transtorno do desenvolvimento intelectual (deficiência intelectual) sem transtorno do espectro autista. Pode ser difícil diferenciar o transtorno do desenvolvimento intelectual sem transtorno do espectro autista de apenas transtorno do espectro autista em crianças muito jovens. Indivíduos com transtorno do desenvolvimento intelectual que não desenvolveram habilidades linguísticas ou simbólicas também representam um desafio para o diagnóstico diferencial, uma vez que comportamentos repetitivos frequentemente também ocorrem em tais indivíduos. Um diagnóstico de transtorno do espectro autista em uma pessoa com transtorno do desenvolvimento intelectual é adequado quando a comunicação e a interação sociais estão significativamente prejudicadas em relação ao nível de desenvolvimento de suas habilidades não verbais (p. ex., habilidades motoras finas, solução de problemas não verbais). Diferentemente, a transtorno do desenvolvimento intelectual é o diagnóstico apropriado quando não há discrepância aparente entre o nível das habilidades de comunicação social e outras habilidades intelectuais.

Transtornos da linguagem e transtorno da comunicação social (pragmática). Em algumas formas de transtorno da linguagem, pode haver problemas de comunicação e algumas dificuldades sociais secundárias. O transtorno específico da linguagem, porém, não costuma estar associado a comunicação não verbal anormal nem à presença de padrões restritos e repetitivos de comportamento, interesses ou atividades.

Quando um indivíduo apresenta prejuízo na comunicação social e nas interações sociais, mas não exibe comportamentos ou interesses restritos ou repetitivos, podem ser preenchidos critérios para transtorno da comunicação social (pragmática) em vez de transtorno do espectro autista. O diagnóstico de transtorno do espectro autista se sobrepõe ao de transtorno da comunicação social (pragmática) sempre que preenchidos os critérios para transtorno do espectro autista, devendo-se indagar cuidadosamente sobre comportamento restrito/repetitivo anterior ou atual.

Mutismo seletivo. No mutismo seletivo, o desenvolvimento precoce não costuma ser acometido. A criança afetada normalmente exibe habilidades comunicacionais apropriadas em alguns contextos e locais. Mesmo nos contextos em que a criança é muda, a reciprocidade social não se mostra prejudicada, nem estão presentes padrões de comportamento restritivos ou repetitivos.

Transtorno do movimento estereotipado. Estereotipias motoras estão entre as características diagnósticas do transtorno do espectro autista, de modo que um diagnóstico adicional de transtorno do movimento estereotipado não é feito quando tais comportamentos repetitivos são mais bem explicados pela presença do transtorno do espectro autista. Quando as estereotipias causam autolesão e se tornam um foco do tratamento, os dois diagnósticos podem ser apropriados.

Síndrome de Rett. Uma ruptura da interação social pode ser observada durante a fase regressiva da síndrome de Rett (em geral, entre 1 e 4 anos de idade); assim, uma proporção substancial das meninas afetadas pode ter uma apresentação que preenche critérios diagnósticos para transtorno do espectro autista. Depois desse período, no entanto, a maioria dos indivíduos com síndrome de Rett melhora as habilidades de comunicação social, e as características autistas não são mais grande foco de preocupação. Consequentemente, o transtorno do espectro autista somente deve ser considerado quando preenchidos todos os critérios diagnósticos.

Sintomas associados a transtornos de ansiedade. A sobreposição de sintomas de ansiedade com os sintomas centrais do transtorno do espectro autista pode tornar a classificação desses sintomas dentro do transtorno bastante desafiadora. Por exemplo, retraimento social e comportamentos repetitivos são características centrais do transtorno do espectro autista, mas também podem ser uma expressão de ansiedade. Os transtornos de ansiedade mais comuns no transtorno do espectro autista são fobias específicas (em até 30% dos casos) e ansiedade social e agorafobia (em até 17% dos casos).

Transtorno obsessivo-compulsivo. Comportamento repetitivo é uma característica determinante tanto do transtorno obsessivo-compulsivo quanto do transtorno do espectro autista. Nas duas condições, esses comportamentos repetitivos são considerados inapropriados ou incomuns. No transtorno obsessivo-compulsivo, pensamentos intrusivos estão frequentemente relacionados a temas de contaminação, de organização, sexuais ou religiosos. Compulsões são realizadas em resposta a esses pensamentos intrusivos em uma tentativa de aliviar a ansiedade. No transtorno do espectro autista, comportamentos repetitivos incluem classicamente mais comportamentos motores estereotipados, como balançar a mão ou tremer o dedo, ou comportamentos mais complexos, como insistência em rotinas ou alinhar objetos. Ao contrário do transtorno obsessivo-compulsivo, comportamentos repetitivos no transtorno do espectro autista podem ser percebidos como prazerosos e reforçadores.

Esquizofrenia. Esquizofrenia com início na infância costuma desenvolver-se após um período de desenvolvimento normal ou quase normal. Há descrição de um estado prodrômico no qual ocorrem prejuízo social, interesses e crenças atípicos que podem ser confundidos com os déficits sociais encontrados no transtorno do espectro autista. Alucinações e delírios, características definidoras da esquizofrenia, não são elementos do transtorno do espectro autista. Os clínicos, entretanto, devem levar em conta que indivíduos com transtorno do espectro autista podem ser concretos na interpretação de perguntas sobre aspectos-chave da esquizofrenia (p. ex., "Você ouve vozes quando não há ninguém por perto?", "Sim [no rádio]"). O transtorno do espectro autista e a esquizofrenia podem ser comórbidos e ambos devem ser diagnosticados quando os critérios são preenchidos.

Transtornos da personalidade. Em adultos sem transtorno do desenvolvimento intelectual ou prejuízos significativos na linguagem, alguns comportamentos associados com o transtorno do espectro autista podem ser notados pelos outros como sintomas dos transtornos da personalidade narcisista, esquizotípica ou esquizoide. O transtorno da personalidade esquizotípica, em particular, pode coincidir com o transtorno do espectro autista em preocupações e experiências de percepção incomuns, pensamentos e fala estranhos, afeto restrito e ansiedade social, falta de amigos íntimos e comportamento estranho ou excêntrico. O curso de desenvolvimento inicial do transtorno do espectro autista (falta de brincadeiras que usam a imaginação, comportamento restrito/repetitivo e sensibilidade sensorial) é a parte que mais ajuda a diferenciar o transtorno de transtornos da personalidade.

Comorbidade

O transtorno do espectro autista é frequentemente associado com transtorno do desenvolvimento intelectual e transtorno da linguagem (i. e., incapacidade de compreender e construir frases gramaticalmente corretas). Dificuldades específicas de aprendizagem (leitura, escrita e aritmética) são comuns, assim como o transtorno do desenvolvimento da coordenação.

Comorbidades psiquiátricas também ocorrem no transtorno do espectro autista. Cerca de 70% das pessoas com o transtorno podem ter um transtorno mental comórbido, e 40% podem ter dois ou mais transtornos mentais comórbidos. Transtornos de ansiedade, depressão e TDAH são especialmente comuns. Transtorno alimentar restritivo/evitativo é uma característica que se apresenta com bastante frequência no transtorno do espectro autista, e preferências alimentares extremas e reduzidas podem persistir.

Entre indivíduos que não falam ou têm déficits de linguagem, sinais observáveis, como mudanças no sono ou na alimentação e aumento no comportamento desafiante, devem desencadear uma avaliação para ansiedade ou depressão, assim como para dor ou desconforto decorrentes de problemas médicos ou dentais não diagnosticados. Condições médicas normalmente associadas ao transtorno do espectro autista incluem epilepsia e constipação.

Transtorno de Déficit de Atenção/Hiperatividade

Transtorno de Déficit de Atenção/Hiperatividade

Critérios Diagnósticos

A. Um padrão persistente de desatenção e/ou hiperatividade-impulsividade que interfere no funcionamento e no desenvolvimento, conforme caracterizado por (1) e/ou (2):

1. **Desatenção:** Seis (ou mais) dos seguintes sintomas persistem por pelo menos seis meses em um grau que é inconsistente com o nível do desenvolvimento e têm impacto negativo diretamente nas atividades sociais e acadêmicas/profissionais:
   Nota: Os sintomas não são apenas uma manifestação de comportamento opositor, desafio, hostilidade ou dificuldade para compreender tarefas ou instruções. Para adolescentes mais velhos e adultos (17 anos ou mais), pelo menos cinco sintomas são necessários.
   a. Frequentemente não presta atenção em detalhes ou comete erros por descuido em tarefas escolares, no trabalho ou durante outras atividades (p. ex., negligencia ou deixa passar detalhes, o trabalho é impreciso).
   b. Frequentemente tem dificuldade de manter a atenção em tarefas ou atividades lúdicas (p. ex., dificuldade de manter o foco durante aulas, conversas ou leituras prolongadas).
   c. Frequentemente parece não escutar quando alguém lhe dirige a palavra diretamente (p. ex., parece estar com a cabeça longe, mesmo na ausência de qualquer distração óbvia).
   d. Frequentemente não segue instruções até o fim e não consegue terminar trabalhos escolares, tarefas ou deveres no local de trabalho (p. ex., começa as tarefas, mas rapidamente perde o foco e facilmente perde o rumo).
   e. Frequentemente tem dificuldade para organizar tarefas e atividades (p. ex., dificuldade em gerenciar tarefas sequenciais; dificuldade em manter materiais e objetos pessoais em ordem; trabalho desorganizado e desleixado; mau gerenciamento do tempo; dificuldade em cumprir prazos).
   f. Frequentemente evita, não gosta ou reluta em se envolver em tarefas que exijam esforço mental prolongado (p. ex., trabalhos escolares ou lições de casa; para adolescentes mais velhos e adultos, preparo de relatórios, preenchimento de formulários, revisão de trabalhos longos).
   g. Frequentemente perde coisas necessárias para tarefas ou atividades (p. ex., materiais escolares, lápis, livros, instrumentos, carteiras, chaves, documentos, óculos, celular).

h. Com frequência é facilmente distraído por estímulos externos (para adolescentes mais velhos e adultos, pode incluir pensamentos não relacionados).
i. Com frequência é esquecido em relação a atividades cotidianas (p. ex., realizar tarefas, obrigações; para adolescentes mais velhos e adultos, retornar ligações, pagar contas, manter horários agendados).

2. **Hiperatividade e impulsividade:** Seis (ou mais) dos seguintes sintomas persistem por pelo menos seis meses em um grau que é inconsistente com o nível do desenvolvimento e têm impacto negativo diretamente nas atividades sociais e acadêmicas/profissionais:

Nota: Os sintomas não são apenas uma manifestação de comportamento opositor, desafio, hostilidade ou dificuldade para compreender tarefas ou instruções. Para adolescentes mais velhos e adultos (17 anos ou mais), pelo menos cinco sintomas são necessários.

a. Frequentemente remexe ou batuca as mãos ou os pés ou se contorce na cadeira.
b. Frequentemente se levanta da cadeira em situações em que se espera que permaneça sentado (p. ex., sai do seu lugar em sala de aula, no escritório ou em outro local de trabalho ou em outras situações que exijam que se permaneça em um mesmo lugar).
c. Frequentemente corre ou sobe nas coisas em situações em que isso é inapropriado. (**Nota:** Em adolescentes ou adultos, pode se limitar a sensações de inquietude.)
d. Com frequência é incapaz de brincar ou se envolver em atividades de lazer calmamente.
e. Com frequência "não para", agindo como se estivesse "com o motor ligado" (p. ex., não consegue ou se sente desconfortável em ficar parado por muito tempo, como em restaurantes, reuniões; outros podem ver o indivíduo como inquieto ou difícil de acompanhar).
f. Frequentemente fala demais.
g. Frequentemente deixa escapar uma resposta antes que a pergunta tenha sido concluída (p. ex., termina frases dos outros, não consegue aguardar a vez de falar).
h. Frequentemente tem dificuldade para esperar a sua vez (p. ex., aguardar em uma fila).
i. Frequentemente interrompe ou se intromete (p. ex., mete-se nas conversas, jogos ou atividades; pode começar a usar as coisas de outras pessoas sem pedir ou receber permissão; para adolescentes e adultos, pode intrometer-se em ou assumir o controle sobre o que outros estão fazendo).

B. Vários sintomas de desatenção ou hiperatividade-impulsividade estavam presentes antes dos 12 anos de idade.
C. Vários sintomas de desatenção ou hiperatividade-impulsividade estão presentes em dois ou mais ambientes (p. ex., em casa, na escola, no trabalho; com amigos ou parentes; em outras atividades).
D. Há evidências claras de que os sintomas interferem no funcionamento social, acadêmico ou profissional ou de que reduzem sua qualidade.
E. Os sintomas não ocorrem exclusivamente durante o curso de esquizofrenia ou outro transtorno psicótico e não são mais bem explicados por outro transtorno mental (p. ex., transtorno do humor, transtorno de ansiedade, transtorno dissociativo, transtorno da personalidade, intoxicação ou abstinência de substância).

Determinar o subtipo:

F90.2 Apresentação combinada: Se tanto o Critério A1 (desatenção) quanto o Critério A2 (hiperatividade-impulsividade) são preenchidos nos últimos 6 meses.

F90.0 Apresentação predominantemente desatenta: Se o Critério A1 (desatenção) é preenchido, mas o Critério A2 (hiperatividade-impulsividade) não é preenchido nos últimos 6 meses.

F90.1 Apresentação predominantemente hiperativa/impulsiva: Se o Critério A2 (hiperatividade-impulsividade) é preenchido, e o Critério A1 (desatenção) não é preenchido nos últimos 6 meses.

Especificar se:

Em remissão parcial: Quando todos os critérios foram preenchidos no passado, nem todos os critérios foram preenchidos nos últimos 6 meses, e os sintomas ainda resultam em prejuízo no funcionamento social, acadêmico ou profissional.

Especificar a gravidade atual:
   Leve: Poucos sintomas, se algum, estão presentes além daqueles necessários para fazer o diagnóstico, e os sintomas resultam em não mais do que pequenos prejuízos no funcionamento social ou profissional.
   Moderada: Sintomas ou prejuízo funcional entre "leve" e "grave" estão presentes.
   Grave: Muitos sintomas além daqueles necessários para fazer o diagnóstico estão presentes, ou vários sintomas particularmente graves estão presentes, ou os sintomas podem resultar em prejuízo acentuado no funcionamento social ou profissional.

Características Diagnósticas

A característica essencial do transtorno de déficit de atenção/hiperatividade é um padrão persistente de desatenção e/ou hiperatividade-impulsividade que interfere no funcionamento ou no desenvolvimento. A *desatenção* manifesta-se comportamentalmente no TDAH como divagação em tarefas, falta de persistência, dificuldade de manter o foco e desorganização, e não constitui consequência de desafio ou falta de compreensão. A *hiperatividade* refere-se a atividade motora excessiva quando não apropriada (como uma criança que corre por tudo), a remexer, batucar ou conversar em excesso. Nos adultos, a hiperatividade pode se manifestar como inquietude extrema ou desgaste dos outros com sua atividade. A *impulsividade* refere-se a ações precipitadas que ocorrem no momento, sem premeditação, e com elevado potencial para dano à pessoa (p. ex., atravessar uma rua sem olhar). A impulsividade pode ser reflexo de um desejo de recompensas imediatas ou de incapacidade de postergar a gratificação. Comportamentos impulsivos podem se manifestar com intromissão social (p. ex., interromper os outros em excesso) e/ou tomada de decisões importantes sem considerações acerca das consequências no longo prazo (p. ex., assumir um emprego sem informações adequadas).

O TDAH começa na infância. A exigência de que vários sintomas estejam presentes antes dos 12 anos de idade exprime a importância de uma apresentação clínica substancial durante a infância. Ao mesmo tempo, uma idade de início mais precoce não é especificada devido a dificuldades para se estabelecer retrospectivamente um início na infância. As lembranças dos adultos sobre sintomas na infância tendem a não ser confiáveis, sendo benéfico obter informações complementares. O TDAH não deve ser diagnosticado na ausência de qualquer um dos sintomas antes dos 12 anos de idade. Quando sintomas do que parece ser TDAH ocorrem apenas depois dos 13 anos, é mais provável que sejam explicados por outro transtorno mental ou representem os efeitos cognitivos do uso de substâncias.

Manifestações do transtorno devem estar presentes em mais de um ambiente (p. ex., em casa e na escola ou em casa e no trabalho). A confirmação de sintomas substanciais em vários ambientes não costuma ser feita com precisão sem uma consulta a informantes que tenham visto o indivíduo em tais ambientes. É comum os sintomas variarem conforme o contexto em um determinado ambiente. Sinais do transtorno podem ser mínimos ou ausentes quando o indivíduo está recebendo recompensas frequentes por comportamento apropriado, está sob estreita supervisão, está em uma situação nova, está envolvido em atividades especialmente interessantes, recebe estímulos externos consistentes (p. ex., por meio de telas eletrônicas) ou está interagindo em situações individualizadas (p. ex., em um consultório).

Características Associadas

Atrasos leves no desenvolvimento linguístico, motor ou social não são específicos do TDAH, embora costumem ser comórbidos. Desregulação ou impulsividade emocionais normalmente ocorrem em crianças e adultos com TDAH. Indivíduos com TDAH costumam se autoavaliar e são descritos como pessoas que ficam com raiva e frustradas facilmente e reagem emocionalmente de maneira exagerada.

Mesmo na ausência de um transtorno específico da aprendizagem, o desempenho acadêmico ou profissional costuma ser afetado negativamente. Indivíduos com TDAH podem exibir déficits neurocognitivos em uma variedade de áreas, incluindo memória de trabalho, troca de tarefas, variação no tempo de reação, inibição de resposta, vigilância e planejamento/organização, apesar de os testes não serem suficientemente sensíveis ou específicos para servir como índice para um diagnóstico.

O TDAH não está associado a características físicas específicas, ainda que taxas de anomalias físicas menores (p. ex., hipertelorismo, palato bastante arqueado, baixa implantação de orelhas) possam ser elevadas. Atrasos motores sutis e outros sinais neurológicos leves podem ocorrer. (Notar que falta de jeito e atrasos motores comórbidos devem ser codificados separadamente [por exemplo, transtorno do desenvolvimento da coordenação].)

Crianças com transtornos do neurodesenvolvimento com causa conhecida (p. ex., síndrome do X frágil ou síndrome da deleção 22q11) podem frequentemente apresentar sintomas de desatenção e impulsividade/hiperatividade. Elas devem receber um diagnóstico de TDAH se os sintomas se encaixarem com os critérios estabelecidos para o transtorno.

Prevalência

Pesquisas com a população sugerem que o TDAH ocorre no mundo todo em cerca de 7,2% das crianças, porém, a diferença de prevalência entre países apresenta uma grande variação, de 0,1 a 10,2% das crianças e adolescentes. A prevalência é maior em populações especiais como crianças de lares adotivos ou ambientes prisionais. Em uma metanálise envolvendo amostras de vários países, cerca de 2,5% dos adultos apresentaram TDAH.

Desenvolvimento e Curso

Muitos pais observam pela primeira vez uma atividade motora excessiva quando a criança começa a andar, mas é difícil distinguir os sintomas do comportamento normal, que é altamente variável, antes dos 4 anos de idade. O TDAH costuma ser identificado com mais frequência durante os anos do ensino fundamental, com a desatenção ficando mais saliente e prejudicial. O transtorno fica relativamente estável nos anos iniciais da adolescência, mas alguns indivíduos têm piora no curso, com o desenvolvimento de comportamentos antissociais. Na maioria das pessoas com TDAH, sintomas de hiperatividade motora ficam menos claros na adolescência e na vida adulta, embora persistam dificuldades relacionadas ao planejamento, inquietude, desatenção e impulsividade. Uma proporção substancial de crianças com TDAH permanece relativamente prejudicada até a vida adulta.

Na pré-escola, a principal manifestação é a hiperatividade. A desatenção fica mais proeminente nos anos do ensino fundamental. Na adolescência, sinais de hiperatividade (p. ex., correr e subir nas coisas) são menos comuns, podendo limitar-se a comportamento mais irrequieto ou sensação interna de nervosismo, inquietude ou impaciência. Na vida adulta, além da desatenção e da inquietude, a impulsividade pode permanecer problemática, mesmo quando ocorreu redução da hiperatividade.

Fatores de Risco e Prognóstico

Temperamentais. O TDAH está associado a níveis menores de inibição comportamental, de controle à base de esforço ou de contenção; de afetividade negativa; e/ou maior busca por novidades. Esses traços podem predispor algumas crianças ao TDAH, embora não sejam específicos do transtorno.

Ambientais. Muito baixo peso ao nascer e algum grau de prematuridade confere um risco maior de TDAH; quanto mais baixo o peso, maior o risco. A exposição pré-natal ao fumo é associada ao TDAH, mesmo depois de considerados a história psiquiátrica dos pais e o nível socioeconômico. Uma minoria de casos pode estar relacionada a reações a aspectos da dieta. Exposição pré-natal a neurotoxinas (p. ex., chumbo), infecções (p. ex., encefalite) e ao álcool já foram correlacionadas com TDAH, mas não se sabe se essas associações são causais.

Genéticos e fisiológicos. A herdabilidade do TDAH é de cerca de 74%. Estudos de larga escala relacionados à associação genômica (GWAS) identificaram um número de *loci* com uma abundância de regiões genômicas limitadas evolutivamente e com genes que perdem suas funções, assim como em volta de regiões regulatórias expressadas pelo cérebro. Não há um gene único para o TDAH.

Deficiências visuais e auditivas, anormalidades metabólicas e deficiências nutricionais devem ser consideradas influências possíveis sobre os sintomas de TDAH. Indivíduos com epilepsia idiopática apresentam um risco mais elevado para o transtorno.

Modificadores do curso. Padrões de interação familiar no começo da infância provavelmente não causam TDAH, embora possam influenciar seu curso ou contribuir para o desenvolvimento secundário de alterações de conduta.

Questões Diagnósticas Relativas à Cultura

Diferenças regionais nas taxas de prevalência do TDAH parecem principalmente atribuíveis a práticas diagnósticas e metodológicas diferentes, incluindo o uso de entrevistas diagnósticas distintas e diferenças em se prejuízos funcionais são necessários para o diagnóstico e, se sim, qual a definição deles. A prevalência também é afetada por variação cultural em atitudes sobre normas comportamentais e expectativas projetadas sobre crianças e jovens em diferentes contextos sociais, assim como diferenças culturais na interpretação do comportamento infantil por pais e professores, incluindo diferenças por gênero. As taxas de identificação clínica nos Estados Unidos para populações afro-americanas e latinas tendem a ser mais baixas do que para populações brancas. A baixa detecção de TDAH pode ser resultado de erro na identificação dos sintomas do transtorno, principalmente relacionados a oposição e disrupção, em grupos étnicos socialmente oprimidos devido a vieses explícitos ou implícitos do clínico, o que pode levar a um diagnóstico exagerado de transtornos disruptivos. Maior prevalência de TDAH na população jovem branca também pode ocorrer devido a influência de maiores demandas por parte dos pais de diagnósticos de comportamentos vistos como relacionados ao TDAH. As pontuações de sintomas por informantes podem ser influenciadas pelo grupo cultural da criança e do informante, sugerindo que práticas de diagnóstico culturalmente apropriadas são relevantes na avaliação do TDAH.

Questões Diagnósticas Relativas ao Sexo e ao Gênero

O TDAH é mais frequente no sexo masculino do que no feminino na população geral, com uma proporção de cerca de 2:1 nas crianças e de 1,6:1 nos adultos. Há maior probabilidade de pessoas do sexo feminino se apresentarem primariamente com características de desatenção na comparação com as do sexo masculino. As diferenças entre os sexos na gravidade dos sintomas do TDAH podem ocorrer devido a diferenças genéticas e diferentes aptidões cognitivas entre os sexos.

Marcadores Diagnósticos

Nenhum marcador biológico é diagnóstico para o TDAH. Apesar de o TDAH já ter sido associado com o poder de ondas lentas elevado (4–7 Hz "theta"), assim como o poder de ondas rápidas reduzido (14–30 Hz "beta"), uma revisão posterior não encontrou diferenças em poder theta ou beta nem em crianças nem em adultos com TDAH se comparados à amostra de controle.

Apesar de alguns estudos de neuroimagem mostrarem diferenças em crianças com TDAH se comparadas com a amostra de controle, uma metanálise envolvendo *todos* os estudos de neuroimagem demonstrou que não há diferenças entre indivíduos com TDAH e a amostra de controle nesse aspecto. Isso provavelmente se deve a diferenças em critérios diagnósticos, tamanho da amostra, tarefas empregadas e aspectos técnicos da técnica de produção de neuroimagem. Até que essas questões sejam resolvidas, nenhuma técnica de neuroimagem deve ser usada para diagnosticar TDAH.

Associação com Pensamentos ou Comportamentos Suicidas

O TDAH é um fator de risco para ideação e comportamento suicida em crianças. Do mesmo modo, está associado a um risco aumentado de tentativa de suicídio na vida adulta, principalmente quando em comorbidade com transtornos do humor, da conduta ou de uso de substâncias, mesmo controlando-se a presença de comorbidades. Pensamentos suicidas também são mais comuns na população com TDAH do que na amostra de controle sem TDAH. O TDAH foi preditor de persistência de pensamentos suicidas em soldados norte-americanos.

Consequências Funcionais do Transtorno de Déficit de Atenção/Hiperatividade

O TDAH está associado a desempenho escolar e sucesso acadêmico abaixo da média. Déficits acadêmicos e problemas relacionados à escola tendem a ser associados a sintomas marcados de desatenção, enquanto rejeição por parte dos pares e, em menor medida, lesões acidentais são mais salientes em indivíduos com sintomas marcados de hiperatividade e impulsividade. O envolvimento variável ou inadequado com tarefas que exijam esforço sustentado é frequentemente interpretado pelos outros como preguiça, irresponsabilidade ou falta de cooperação.

Jovens adultos com TDAH apresentam menor estabilidade em empregos. Adultos com TDAH mostram desempenho, realização e comparecimento ao emprego diminuídos e uma maior probabilidade de desemprego, assim como uma propensão a conflitos interpessoais. Em média, pessoas com o transtorno apresentam menor escolaridade, têm pior desempenho profissional e escores intelectuais na comparação com seus pares, embora exista grande variabilidade. Em sua forma grave, o transtorno é marcadamente prejudicial, afetando a adaptação social, familiar e escolar/profissional.

As relações familiares podem se caracterizar por discórdia e interações negativas. Indivíduos com TDAH têm autoestima mais baixa se comparados a pares sem TDAH. As relações com os pares costumam ser conturbadas devido a rejeição, negligência ou provocações por parte destes últimos, em relação ao indivíduo com TDAH.

Crianças com TDAH apresentam uma probabilidade significativamente maior do que seus pares para desenvolver transtorno da conduta na adolescência e transtorno da personalidade antissocial na idade adulta, aumentando, assim, a probabilidade de transtornos por uso de substâncias e encarceramento. O risco subsequente para transtornos por uso de substâncias é alto, especialmente quando se desenvolve transtorno da conduta ou transtorno da personalidade antissocial.

Indivíduos com TDAH são mais propensos a sofrer lesões do que seus pares. Crianças e adultos com TDAH têm maior risco de sofrer traumas e, subsequentemente, desenvolver transtorno de estresse pós-traumático. Acidentes e violações de trânsito são mais frequentes em condutores com o transtorno. Indivíduos com TDAH têm uma maior taxa de mortalidade em geral, sobretudo por causa de acidentes e lesões. Também há maior probabilidade de obesidade e hipertensão entre indivíduos com TDAH.

Diagnóstico Diferencial

Transtorno de oposição desafiante. Indivíduos com transtorno de oposição desafiante podem resistir a tarefas profissionais ou escolares que exijam envolvimento porque resistem a se conformar às exigências dos outros. Seu comportamento caracteriza-se por negatividade, hostilidade e desafio. Tais sintomas devem ser diferenciados de aversão à escola ou a tarefas de alta exigência mental devido a dificuldade em manter um esforço mental prolongado, esquecimento de orientações e impulsividade que caracteriza os indivíduos com TDAH. Um complicador do diagnóstico diferencial é o fato de que alguns indivíduos com TDAH podem desenvolver atitudes de oposição secundárias em relação a tais tarefas e, assim, desvalorizar sua importância.

Transtorno explosivo intermitente. O TDAH e o transtorno explosivo intermitente compartilham níveis elevados de comportamento impulsivo. Entretanto, indivíduos com o transtorno explosivo intermitente apresentam agressividade importante dirigida aos outros, o que não é característico do TDAH, e não têm problemas em manter a atenção como se vê no TDAH. Além disso, o transtorno explosivo intermitente é raro na infância. O transtorno explosivo intermitente pode ser diagnosticado na presença de TDAH.

Outros transtornos do neurodesenvolvimento. A atividade motora aumentada que pode ocorrer no TDAH deve ser diferenciada do comportamento motor repetitivo que caracteriza o transtorno do movimento estereotipado e alguns casos de transtorno do espectro autista. No transtorno do movimento estereotipado, o comportamento motor costuma ser fixo e repetitivo (p. ex., balançar o corpo, morder a si mesmo), enquanto a inquietude e a agitação no TDAH costumam ser generalizadas e não caracterizadas por movimentos estereotipados repetitivos. No transtorno de Tourette, tiques múltiplos e frequentes podem ser confundidos com a inquietude generalizada do TDAH. Pode haver necessidade de observação prolongada para que seja feita a distinção entre inquietude e ataques de múltiplos tiques.

Transtorno específico da aprendizagem. Crianças com um transtorno específico da aprendizagem podem parecer desatentas devido a frustração, falta de interesse ou capacidade limitada em processos neurocognitivos, incluindo memória de trabalho e velocidade de processamento. A desatenção, no entanto, é reduzida consideravelmente quando o indivíduo está desempenhando alguma habilidade que não exija o processo cognitivo prejudicado.

Transtorno do desenvolvimento intelectual (deficiência intelectual). Sintomas de TDAH são comuns entre crianças colocadas em ambientes acadêmicos inadequados à sua capacidade intelectual. Nesses casos, os sintomas não são evidentes durante tarefas não acadêmicas. Um diagnóstico de TDAH no transtorno do desenvolvimento intelectual exige que desatenção ou hiperatividade sejam excessivas para a idade mental.

Transtorno do espectro autista. Indivíduos com TDAH e aqueles com transtorno do espectro autista exibem desatenção, disfunção social e comportamento de difícil manejo. A disfunção social e a rejeição pelos pares encontradas em pessoas com TDAH devem ser diferenciadas da falta de envolvimento social, do isolamento e da indiferença a pistas de comunicação faciais e de tonalidade encontrados em indivíduos com transtorno do espectro autista. Crianças com transtorno do espectro autista podem ter ataques de raiva devido a incapacidade de tolerar mudanças no curso dos eventos esperado por elas. Em contraste, crianças com TDAH podem se comportar mal ou ter um ataque de raiva durante alguma transição importante devido a impulsividade ou autocontrole insatisfatório.

Transtorno de apego reativo. Crianças com transtorno de apego reativo podem apresentar desinibição social, mas não o conjunto completo de sintomas de TDAH, exibindo, ainda, outras características, tais como ausência de relações duradouras, que não são características do TDAH.

Transtornos de ansiedade. O TDAH compartilha sintomas de desatenção com transtornos de ansiedade. Indivíduos com TDAH são desatentos por causa de sua atração por estímulos externos, atividades novas ou predileção por atividades agradáveis. Isso é diferente da desatenção por preocupação e ruminação encontrada nos transtornos de ansiedade. Agitação pode ser encontrada em transtornos de ansiedade. No TDAH, todavia, o sintoma não está associado a preocupação e ruminação.

Transtorno de estresse pós-traumático. Dificuldades de concentração associadas com estresse pós--traumático (TEPT) podem ser diagnosticadas erroneamente como TDAH em crianças. Crianças com menos de 6 anos frequentemente manifestam TEPT em sintomas não específicos como inquietação, irritabilidade, desatenção e dificuldades de concentração, o que pode imitar o TDAH. Também é possível que os pais minimizem os sintomas da criança relacionados ao trauma e que professores e outros cuidadores não estejam conscientes da exposição dela a eventos traumáticos. Uma avaliação abrangente de exposição passada a eventos traumáticos pode descartar TEPT.

Transtornos depressivos. Indivíduos com transtornos depressivos podem se apresentar com incapacidade de se concentrar. Entretanto, a dificuldade de concentração nos transtornos do humor fica proeminente apenas durante um episódio depressivo.

Transtorno bipolar. Indivíduos com transtorno bipolar podem ter aumento de atividade, dificuldade de concentração e aumento na impulsividade, mas essas características são episódicas, diferentemente do TDAH, em que os sintomas são persistentes. Além disso, no transtorno bipolar, aumento na impulsividade ou desatenção é acompanhado por humor elevado, grandiosidade e outras características bipolares específicas. Crianças com TDAH podem apresentar mudanças importantes de humor em um mesmo dia; essa labilidade é diferente de um episódio maníaco ou hipomaníaco, que deve durar quatro dias ou mais para ser um indicador clínico de transtorno bipolar, mesmo em crianças. O transtorno bipolar é raro em pré-adolescentes, mesmo quando irritabilidade grave e raiva são proeminentes, ao passo que o TDAH é comum entre crianças e adolescentes que apresentam raiva e irritabilidade excessivas.

Transtorno disruptivo da desregulação do humor. O transtorno disruptivo da desregulação do humor é caracterizado por irritabilidade pervasiva e por intolerância a frustração, mas impulsividade e atenção desorganizada não são aspectos essenciais. A maioria das crianças e dos adolescentes com o transtorno, no entanto, tem sintomas que também preenchem critérios para TDAH, que deve ser diagnosticado em separado.

Transtornos por uso de substâncias. Diferenciar o TDAH dos transtornos por uso de substância pode ser um problema se a primeira apresentação dos sintomas do TDAH ocorrer após o início do abuso ou do uso frequente. Evidências claras de TDAH antes do uso problemático de substâncias, obtidas por meio de informantes ou registros prévios, podem ser essenciais para o diagnóstico diferencial.

Transtornos da personalidade. Em adolescentes e adultos, pode ser difícil diferenciar TDAH dos transtornos da personalidade *borderline*, narcisista e outros transtornos da personalidade. Alguns transtornos da personalidade tendem a compartilhar características de desorganização, intromissão social, desregulação emocional e desregulação cognitiva. O TDAH, porém, não é caracterizado por medo do abandono, autolesão, ambivalência extrema ou outras características de transtornos da personalidade. Pode haver necessidade de observação prolongada, entrevista com informantes ou história detalhada para distinguir comportamento impulsivo, socialmente intromissivo ou inadequado de comportamento narcisista, agressivo ou dominador para que seja feito esse diagnóstico diferencial.

Transtornos psicóticos. O TDAH não é diagnosticado se os sintomas de desatenção e hiperatividade ocorrem exclusivamente durante o curso de um transtorno psicótico.

Sintomas de TDAH induzidos por medicamentos. Sintomas de desatenção, hiperatividade ou impulsividade atribuíveis ao uso de medicamentos (p. ex., broncodilatadores, isoniazida, neurolépticos [resultando em acatisia], terapia de reposição para a tireoide) são diagnosticados como transtorno induzido por outra substância (ou substância desconhecida) especificado ou não especificado.

Transtornos neurocognitivos. Enquanto prejuízos na atenção complexa possam ser um dos domínios cognitivos afetados no transtorno neurocognitivo, eles devem representar uma piora de um nível de desempenho anterior a fim de justificar um diagnóstico de transtorno neurocognitivo grave ou leve. Além disso, o transtorno neurocognitivo, grave ou leve, normalmente tem seu início na idade adulta. Em contraste, a desatenção no TDAH deve estar presente antes dos 12 anos de idade e não representar uma piora do funcionamento anterior.

Comorbidade

Apesar de o TDAH ser mais comum em em indivíduos do sexo masculino, indivíduos do sexo feminino com TDAH têm maiores taxas de transtornos comórbidos, particularmente transtorno de oposição desafiante, transtorno do espectro autista e transtornos da personalidade ou por uso de substâncias. O transtorno de oposição desafiante é comórbido com TDAH em cerca de metade das crianças com a apresentação combinada e em cerca de um quarto daquelas com a apresentação predominantemente desatenta. Transtorno da conduta é comórbido com TDAH em aproximadamente um quarto das crianças e dos adolescentes com a apresentação combinada, dependendo da idade e do ambiente. A maioria das crianças e dos adolescentes com transtorno disruptivo da desregulação do humor tem sintomas que também preenchem critérios para TDAH; uma porcentagem menor de crianças com TDAH tem sintomas que preenchem critérios para transtorno disruptivo da desregulação do humor. Transtornos de ansiedade, transtorno depressivo maior, transtorno obsessivo-compulsivo e transtorno explosivo intermitente ocorrem em uma minoria de indivíduos com TDAH, embora com maior frequência do que na população geral. Ainda que transtornos por abuso de substância sejam relativamente mais frequentes entre adultos com TDAH se comparados à população geral, eles estão presentes em apenas uma minoria dessas pessoas. Nos adultos, transtorno da personalidade antissocial e outros transtornos da personalidade podem ser comórbidos com TDAH.

O TDAH pode ser comórbido em perfis de sintomas variáveis com outros transtornos do neurodesenvolvimento, incluindo transtorno específico da aprendizagem, transtorno do espectro autista, transtorno do desenvolvimento intelectual, transtornos da linguagem, transtorno do desenvolvimento da coordenação e transtornos de tique.

Transtornos do sono comórbidos com TDAH são associados com prejuízos cognitivos durante o dia (p. ex., desatenção). Muitos indivíduos com TDAH reportam sono durante o dia, o que condiz com os critérios para transtorno de hipersonolência. De 25 a 50% dos indivíduos com TDAH reportam dificuldades no sono; estudos mostraram uma associação de TDAH com insônia, transtornos do sono-vigília do ritmo circadiano, apneia do sono e síndrome das pernas inquietas.

Indivíduos com TDAH mostraram tendência a taxas elevadas de várias condições médicas, particularmente alergias e distúrbios autoimunes, assim como epilepsia.

Outro Transtorno de Déficit de Atenção/Hiperatividade Especificado

F90.8

Esta categoria aplica-se a apresentações em que sintomas característicos do transtorno de déficit de atenção/hiperatividade que causam sofrimento clinicamente significativo ou prejuízo no funcionamento social, profissional ou em outras áreas importantes da vida do indivíduo predominam, mas não satisfazem todos os critérios para transtorno de déficit de atenção/hiperatividade ou para qualquer transtorno na classe diagnóstica dos transtornos do neurodesenvolvimento. A categoria outro transtorno de déficit de atenção/hiperatividade especificado é usada em situações em que o clínico opta por comunicar a razão específica pela qual a apresentação não satisfaz os critérios para transtorno de déficit de atenção/hiperatividade ou qualquer transtorno do neurodesenvolvimento específico. Isso é feito por meio do registro "outro transtorno de déficit de atenção/hiperatividade especificado", seguido pela razão específica (p. ex., "com sintomas insuficientes de desatenção").

Transtorno de Déficit de Atenção/Hiperatividade Não Especificado

F90.9

Esta categoria aplica-se a apresentações em que sintomas característicos do transtorno de déficit de atenção/hiperatividade que causam sofrimento clinicamente significativo ou prejuízo no funcionamento social, profissional ou em outras áreas importantes da vida do indivíduo predominam, mas não satisfazem todos os critérios para transtorno de déficit de atenção/hiperatividade ou para qualquer transtorno na classe diagnóstica de transtornos do neurodesenvolvimento. A categoria transtorno de déficit de atenção/hiperatividade não especificado é usada nas situações em que o clínico opta por *não* especificar a razão pela qual os critérios para transtorno de déficit de atenção/hiperatividade ou para qualquer transtorno do neurodesenvolvimento específico não são satisfeitos e inclui apresentações para as quais não há informações suficientes para que seja feito um diagnóstico mais específico.

Transtorno Específico da Aprendizagem

Transtorno Específico da Aprendizagem

Critérios Diagnósticos

A. Dificuldades na aprendizagem e no uso de habilidades acadêmicas, conforme indicado pela presença de ao menos um dos sintomas a seguir que tenha persistido por pelo menos 6 meses, apesar da provisão de intervenções dirigidas a essas dificuldades:

1. Leitura de palavras de forma imprecisa ou lenta e com esforço (p. ex., lê palavras isoladas em voz alta, de forma incorreta ou lenta e hesitante, frequentemente adivinha palavras, tem dificuldade de soletrá-las).
2. Dificuldade para compreender o sentido do que é lido (p. ex., pode ler o texto com precisão, mas não compreende a sequência, as relações, as inferências ou os sentidos mais profundos do que é lido).

3. Dificuldades para ortografar (ou escrever ortograficamente) (p. ex., pode adicionar, omitir ou substituir vogais e consoantes).
4. Dificuldades com a expressão escrita (p. ex., comete múltiplos erros de gramática ou pontuação nas frases; emprega organização inadequada de parágrafos; expressão escrita das ideias sem clareza).
5. Dificuldades para dominar o senso numérico, fatos numéricos ou cálculo (p. ex., entende números, sua magnitude e relações de forma insatisfatória; conta com os dedos para adicionar números de um dígito em vez de lembrar o fato aritmético, como fazem os colegas; perde-se no meio de cálculos aritméticos e pode trocar as operações).
6. Dificuldades no raciocínio (p. ex., tem grave dificuldade em aplicar conceitos, fatos ou operações matemáticas para solucionar problemas quantitativos).

B. As habilidades acadêmicas afetadas estão substancial e quantitativamente abaixo do esperado para a idade cronológica do indivíduo, causando interferência significativa no desempenho acadêmico ou profissional ou nas atividades cotidianas, confirmada por meio de medidas de desempenho padronizadas administradas individualmente e por avaliação clínica abrangente. Para indivíduos com 17 anos ou mais, história documentada das dificuldades de aprendizagem com prejuízo pode ser substituída por uma avaliação padronizada.

C. As dificuldades de aprendizagem iniciam-se durante os anos escolares, mas podem não se manifestar completamente até que as exigências pelas habilidades acadêmicas afetadas excedam as capacidades limitadas do indivíduo (p. ex., em testes cronometrados, em leitura ou escrita de textos complexos longos e com prazo curto, em alta sobrecarga de exigências acadêmicas).

D. As dificuldades de aprendizagem não podem ser explicadas por deficiências intelectuais, acuidade visual ou auditiva não corrigida, outros transtornos mentais ou neurológicos, adversidade psicossocial, falta de proficiência na língua de instrução acadêmica ou instrução educacional inadequada.

Nota: Os quatro critérios diagnósticos devem ser preenchidos com base em uma síntese clínica da história do indivíduo (do desenvolvimento, médica, familiar, educacional), em relatórios escolares e em avaliação psicoeducacional.

Nota para codificação: Especificar todos os domínios e sub-habilidades acadêmicos prejudicados. Quando mais de um domínio estiver prejudicado, cada um deve ser codificado individualmente conforme os especificadores a seguir.

Especificar se:

F81.0 Com prejuízo na leitura:
Precisão na leitura de palavras
Velocidade ou fluência da leitura
Compreensão da leitura

Nota: *Dislexia* é um termo alternativo usado em referência a um padrão de dificuldades de aprendizagem caracterizado por problemas no reconhecimento preciso ou fluente de palavras, problemas de decodificação e dificuldades de ortografia. Se o termo dislexia for usado para especificar esse padrão particular de dificuldades, é importante também especificar quaisquer dificuldades adicionais que estejam presentes, tais como dificuldades na compreensão da leitura ou no raciocínio matemático.

F81.81 Com prejuízo na expressão escrita:
Precisão na ortografia
Precisão na gramática e na pontuação
Clareza ou organização da expressão escrita

F81.2 Com prejuízo na matemática:
Senso numérico
Memorização de fatos aritméticos
Precisão ou fluência de cálculos
Precisão no raciocínio matemático

> **Nota:** *Discalculia* é um termo alternativo usado em referência a um padrão de dificuldades caracterizado por problemas no processamento de informações numéricas, aprendizagem de fatos aritméticos e realização de cálculos precisos ou fluentes. Se o termo discalculia for usado para especificar esse padrão particular de dificuldades matemáticas, é importante também especificar quaisquer dificuldades adicionais que estejam presentes, tais como dificuldades no raciocínio matemático ou na precisão na leitura de palavras.
>
> *Especificar* a gravidade atual:
> **Leve:** Alguma dificuldade em aprender habilidades em um ou dois domínios acadêmicos, mas com gravidade suficientemente leve que permita ao indivíduo ser capaz de compensar ou funcionar bem quando lhe são propiciados adaptações ou serviços de apoio adequados, especialmente durante os anos escolares.
> **Moderada:** Dificuldades acentuadas em aprender habilidades em um ou mais domínios acadêmicos, de modo que é improvável que o indivíduo se torne proficiente sem alguns intervalos de ensino intensivo e especializado durante os anos escolares. Algumas adaptações ou serviços de apoio por pelo menos parte do dia na escola, no trabalho ou em casa podem ser necessários para completar as atividades de forma precisa e eficiente.
> **Grave:** Dificuldades graves em aprender habilidades afetando vários domínios acadêmicos, de modo que é improvável que o indivíduo aprenda essas habilidades sem um ensino individualizado e especializado contínuo durante a maior parte dos anos escolares. Mesmo com um conjunto de adaptações ou serviços de apoio adequados em casa, na escola ou no trabalho, o indivíduo pode não ser capaz de completar todas as atividades de forma eficiente.

Procedimentos para Registro

Cada um dos domínios e sub-habilidades acadêmicos prejudicados no transtorno específico da aprendizagem deve ser registrado. Devido às exigências da CID, prejuízos na leitura, na expressão escrita e na matemática, com os prejuízos correspondentes em sub-habilidades, devem ser codificados em separado. Por exemplo, prejuízos em leitura e matemática e em sub-habilidades na velocidade ou fluência de leitura, na compreensão da leitura, no cálculo exato ou fluente e no raciocínio matemático preciso devem ser codificados e registrados como F81.0, transtorno específico da aprendizagem com prejuízo em leitura, com prejuízo na velocidade ou fluência de leitura e prejuízo na compreensão da leitura; como F81.2, transtorno específico da aprendizagem com prejuízo em matemática, com prejuízo no cálculo exato ou fluente e prejuízo no raciocínio matemático preciso.

Características Diagnósticas

O transtorno específico da aprendizagem é um transtorno do neurodesenvolvimento com uma origem biológica que é a base das anormalidades no nível cognitivo, as quais são associadas com as manifestações comportamentais. A origem biológica inclui uma interação de fatores genéticos, epigenéticos e ambientais que influenciam a capacidade do cérebro para perceber ou processar informações verbais ou não verbais com eficiência e exatidão.

Uma característica essencial do transtorno específico da aprendizagem são dificuldades persistentes para aprender habilidades acadêmicas fundamentais (Critério A), com início durante os anos de escolarização formal (i. e., o período do desenvolvimento). Habilidades acadêmicas básicas incluem leitura exata e fluente de palavras isoladas, compreensão da leitura, expressão escrita e ortografia, cálculos aritméticos e raciocínio matemático (solução de problemas matemáticos). Diferentemente de andar ou falar, que são marcos adquiridos do desenvolvimento que emergem com a maturação cerebral, as habilidades acadêmicas (p. ex., leitura, ortografia, escrita, matemática) precisam ser ensinadas e aprendidas de forma explícita. Transtornos específicos da aprendizagem perturbam o padrão normal de aprendizagem de habilidades acadêmicas; não constituem, simplesmente, uma consequência de falta de oportunidade de aprendizagem ou educação escolar inadequada. Dificuldades para dominar essas habilidades acadêmicas básicas podem também ser impedimento para aprendizagem de outras matérias acadêmicas (p. ex., história, ciências, estudos sociais), mas esses problemas são atribuíveis a dificuldades de aprendizagem de habilidades acadêmicas subjacentes. Dificuldade de aprender a correlacionar letras a sons do próprio idioma – a ler palavras impressas (frequentemente chamada de *dislexia* [transtorno específico da aprendizagem com prejuízo na leitura]) – é uma das manifestações mais comuns do transtorno específico da aprendizagem. As dificuldades de aprendizagem manifestam-se como uma gama de comportamentos ou sintomas descritivos e observáveis (conforme listado nos Critérios A1-A6). Esses sintomas clínicos podem ser observados, investigados a fundo por entrevista clínica ou confirmados a partir de relatórios escolares, escalas classificatórias ou descrições em avaliações educacionais ou psicológicas prévias. As dificuldades de aprendizagem são persistentes e não transitórias. Em crianças e adolescentes, define-se *persistência* como um limitado progresso na aprendizagem (i. e., ausência de evidências de que o indivíduo está alcançando o mesmo nível dos colegas) durante pelo menos seis meses apesar de ter sido proporcionada ajuda adicional em casa ou na escola. Por exemplo, dificuldades em aprender a ler palavras isoladas que não se resolvem completa ou rapidamente com a provisão de instrução em habilidades fonológicas ou estratégias de identificação de palavras podem indicar um transtorno específico da aprendizagem. Evidências de dificuldades persistentes de aprendizagem podem ser detectadas em relatórios escolares cumulativos, portfólios de trabalhos da criança avaliados, medidas baseadas no currículo ou entrevista clínica. Nos adultos, dificuldade persistente refere-se a dificuldades contínuas no letramento ou numeralização que se manifestam na infância ou na adolescência, conforme indicado por evidências cumulativas de relatórios escolares, portfólios de trabalhos avaliados ou avaliações prévias.

Uma segunda característica-chave é a de que o desempenho do indivíduo nas habilidades acadêmicas afetadas está bem abaixo da média para a idade (Critério B). Um forte indicador clínico de dificuldades para aprender habilidades acadêmicas é baixo desempenho acadêmico para a idade ou desempenho mediano mantido apenas por níveis extraordinariamente elevados de esforço ou apoio. Em crianças, habilidades escolares de baixo nível causam interferência significativa no desempenho escolar (conforme indicado por relatórios escolares e notas e avaliações de professores). Outro indicador clínico, particularmente em adultos, é a evitação de atividades que exigem habilidades acadêmicas. Também na vida adulta, baixas habilidades acadêmicas interferem no desempenho profissional ou nas atividades cotidianas que exijam essas habilidades (conforme indicado por autorrelato ou relato de outros). Esse critério, todavia, também requer evidências psicométricas resultantes de teste de desempenho acadêmico administrado individualmente, psicometricamente apropriado e culturalmente adequado, padronizado ou referenciado a critérios. As habilidades acadêmicas distribuem-se ao longo de um *continuum*; assim, não há ponto de corte natural que possa ser usado para diferenciar indivíduos com ou sem transtorno específico da aprendizagem. Portanto, qualquer limiar usado para especificar o que constitui desempenho acadêmico significativamente baixo (p. ex., habilidades acadêmicas muito abaixo do esperado para a idade) é, em grande parte, arbitrário. Baixos escores acadêmicos em um ou mais de um teste padronizado ou em subtestes em um domínio acadêmico (i. e., no mínimo 1,5 desvio-padrão [DP] abaixo da média populacional para a idade, o que se traduz por um escore-padrão de 78 ou menos, abaixo do percentil 7) são necessários para maior certeza diagnóstica. Escores exatos, entretanto, irão variar de acordo com os testes padronizados específicos empregados. Com base em juízos clínicos, pode ser usado um limiar mais tolerante (p. ex., 1,0 DP abaixo da média populacional para a idade) quando as dificuldades de aprendizagem são apoiadas por evidências convergentes de avaliação clínica, história acadêmica, relatórios escolares ou escores de testes. Além do mais, considerando que testes padronizados não estão disponíveis em todos os idiomas, o diagnóstico pode então ser baseado, em parte, no julgamento clínico dos escores de testes disponíveis.

Uma terceira característica central é a de que as dificuldades de aprendizagem estejam prontamente aparentes nos primeiros anos escolares, na maior parte dos indivíduos (Critério C). Entretanto, em outros, as dificuldades de aprendizagem podem não se manifestar plenamente até os anos escolares mais tardios, período em que as demandas de aprendizagem aumentam e excedem as capacidades individuais limitadas.

Outra característica diagnóstica fundamental é a de que as dificuldades de aprendizagem sejam consideradas "específicas" por quatro razões. Primeiro, elas não são atribuíveis a transtornos do desenvolvimento intelectual (transtorno do desenvolvimento intelectual [deficiência intelectual]); a atraso global do desenvolvimento; a deficiências auditivas ou visuais; ou a alterações neurológicas ou motoras (Critério D). O transtorno específico da aprendizagem afeta a aprendizagem em indivíduos que, de outro modo, demonstram níveis normais de funcionamento intelectual (geralmente estimado por escore de QI superior a cerca de 70 [±5 pontos de margem de erro de medida]). A expressão "insucesso acadêmico inesperado" é frequentemente citada como a característica definidora do transtorno específico da aprendizagem, no sentido de que as incapacidades de aprendizagem específicas não são parte de uma dificuldade de aprendizagem mais genérica, como a que ocorre no transtorno do desenvolvimento intelectual ou no atraso global do desenvolvimento.

Segundo, a dificuldade de aprendizagem não pode ser atribuída a fatores externos mais gerais, como desvantagem econômica ou ambiental, absenteísmo crônico ou falta de educação, conforme geralmente oferecida no contexto da comunidade do indivíduo. Terceiro, a dificuldade para aprender não pode ser atribuída a algum transtorno neurológico (p. ex., acidente vascular cerebral pediátrico) ou motor ou a deficiência visual ou auditiva, os quais costumam ser associados a problemas de aprendizagem de habilidades acadêmicas, mas que são distinguíveis pela presença de sinais neurológicos. Por fim, a dificuldade de aprendizagem pode se limitar a uma habilidade ou domínio acadêmico (p. ex., leitura de palavras isoladas, evocação ou cálculos numéricos).

O transtorno específico da aprendizagem pode, ainda, ocorrer em indivíduos identificados como intelectualmente "talentosos". Eles podem conseguir manter um funcionamento acadêmico aparentemente adequado mediante o uso de estratégias compensatórias, esforço extraordinariamente alto ou apoio, até que as exigências de aprendizagem ou os procedimentos avaliativos (p. ex., testes cronometrados) imponham barreiras à sua aprendizagem ou à realização de tarefas exigidas. Nesses casos, as pontuações de desempenho do indivíduo serão baixas em relação ao nível de habilidade ou desempenho em outros domínios, comparados à média populacional de desempenho.

Uma avaliação abrangente é necessária. Um transtorno específico da aprendizagem só pode ser diagnosticado após o início da educação formal, mas, a partir daí, pode ser diagnosticado em qualquer momento em crianças, adolescentes e adultos, desde que haja evidência de início durante os anos de escolarização formal (i. e., o período do desenvolvimento). Nenhuma fonte única de dados é suficiente para o diagnóstico de transtorno específico da aprendizagem. Ao contrário, o diagnóstico é clínico e baseia-se na síntese da história médica, de desenvolvimento, educacional e familiar do indivíduo; na história da dificuldade de aprendizagem, incluindo sua manifestação atual e prévia; no impacto da dificuldade no funcionamento acadêmico, profissional ou social; em relatórios escolares prévios ou atuais; em portfólios de trabalhos que demandem habilidades acadêmicas; em avaliações de base curricular; e em escores prévios e atuais resultantes de testes individuais padronizados de desempenho acadêmico. Diante da suspeita de uma alteração intelectual, sensorial, neurológica ou motora, a avaliação clínica de transtorno específico da aprendizagem deve, ainda, incluir métodos apropriados para esses distúrbios. Assim, uma investigação abrangente envolverá profissionais especialistas em transtorno específico da aprendizagem e em avaliação psicológica/cognitiva. Uma vez que o transtorno costuma persistir na vida adulta, raramente há necessidade de reavaliação, a não ser que indicada por mudanças marcantes nas dificuldades de aprendizagem (melhora ou piora) ou por solicitação para fins específicos.

Características Associadas

Os sintomas do transtorno específico da aprendizagem (dificuldades com aspectos de leitura, escrita ou matemática) frequentemente são comórbidos. Um perfil irregular de habilidades é comum, como habilidades acima da média para desenhar, para *design* e outras habilidades visuoespaciais, mas leitura lenta, trabalhosa e imprecisa, bem como dificuldades na compreensão da leitura e na expressão escrita. O transtorno específico da aprendizagem é precedido, frequentemente, embora não de forma invariável, nos anos pré-escolares, por atrasos na atenção, na linguagem ou nas habilidades motoras que podem persistir e ser comórbidos com transtorno específico da aprendizagem.

Indivíduos com transtorno específico da aprendizagem tipicamente (mas não invariavelmente) exibem baixo desempenho em testes psicológicos de processamento cognitivo. Ainda não está claro, entretanto, se essas anormalidades cognitivas são causa, correlatos ou consequência das dificuldades de aprendizagem. Déficits cognitivos associados com dificuldades de aprendizagem na leitura de palavras são bem documentados e há um entendimento que tem se desenvolvido muito sobre os déficits cognitivos associados com dificuldades na aquisição de habilidades matemáticas. Porém, déficits cognitivos associados com outras manifestações de transtorno específico da aprendizagem (p. ex., compreensão de leitura e expressão escrita) estão menos especificados.

Apesar de déficits cognitivos individuais contribuírem particularmente para cada transtorno específico da aprendizagem, alguns déficits cognitivos são compartilhados por muitos subtipos do transtorno específico da aprendizagem (p. ex., velocidade de processamento) e podem contribuir para a comorbidade de sintomas do transtorno específico da aprendizagem. A natureza comórbida dos sintomas do transtorno específico da aprendizagem e os déficits cognitivos compartilhados por seus subtipos sugerem mecanismos biológicos subjacentes compartilhados.

Ademais, indivíduos com sintomas comportamentais ou com pontuações de testes comparáveis apresentam uma variedade de déficits cognitivos, e muitos desses déficits de processamento também são encontrados em outros transtornos do neurodesenvolvimento (p. ex., TDAH, transtorno do espectro autista, transtornos da comunicação e transtorno do desenvolvimento da coordenação).

Como grupo, indivíduos com o transtorno apresentam alterações circunscritas no processamento cognitivo e na estrutura e no funcionamento cerebral. Diferenças genéticas também são evidentes em nível de grupo. Entretanto, testes cognitivos, neuroimagem ou testes genéticos não são úteis para o diagnóstico atualmente, e a avaliação dos déficits de processamento cognitivo não é necessária para a avaliação do diagnóstico.

Prevalência

A prevalência do transtorno específico da aprendizagem nos domínios acadêmicos da leitura, escrita e matemática é de 5 a 15% entre crianças em idade escolar no Brasil, na Irlanda do Norte e nos Estados Unidos. A prevalência em adultos é desconhecida.

Desenvolvimento e Curso

Início, reconhecimento e diagnóstico de transtorno específico da aprendizagem costumam ocorrer durante os anos do ensino fundamental, quando as crianças precisam aprender a ler, soletrar, escrever e calcular. Precursores, porém, como atrasos ou déficits linguísticos, dificuldades para rimar e contar ou dificuldades com habilidades motoras finas necessárias para a escrita costumam ocorrer na primeira infância, antes do início da escolarização formal.

As manifestações podem ser comportamentais (p. ex., relutância em envolver-se na aprendizagem; comportamento de oposição). O transtorno específico da aprendizagem permanece ao longo da vida, mas seu curso e expressão clínica variam, em parte, dependendo das interações entre as exigências ambientais, a variedade e a gravidade das dificuldades individuais de aprendizagem, as capacidades individuais de aprendizagem, comorbidades e sistemas de apoio e intervenção disponíveis. Ainda assim, na vida diária, problemas na fluência e compreensão da leitura, na soletração, na expressão escrita e na habilidade com números costumam persistir na vida adulta.

Mudanças na manifestação dos sintomas ocorrem com a idade, de modo que um indivíduo pode ter um conjunto persistente ou mutável de dificuldades de aprendizagem em seu ciclo de vida. Adultos com transtorno específico da aprendizagem parecem experimentar limitações e restrições na participação em atividades em áreas da comunicação, em interações interpessoais e com a comunidade e na vida social e cívica.

Exemplos de sintomas que podem ser observados entre crianças pré-escolares incluem falta de interesse em jogos com sons da língua (p. ex., repetição, rimas), e elas podem ter problemas para aprender rimas infantis. Crianças pré-escolares com transtorno específico da aprendizagem podem, com frequência, falar como bebês, pronunciar mal as palavras e ter dificuldade para lembrar os nomes de letras, números ou dias da semana. Elas podem não conseguir reconhecer as letras do próprio nome e ter problemas para aprender a contar. Crianças de jardim da infância com transtorno específico da aprendizagem podem não ser capazes de reconhecer e escrever as letras; podem não ser capazes de escrever o próprio nome ou podem usar combinações inventadas de letras que não condizem com o desenvolvimento típico de suas idades.

Podem ter problemas para quebrar palavras faladas em sílabas (p. ex., quarto, separado em quar-to), bem como problemas no reconhecimento de palavras que rimam (p. ex., gato, rato, pato). Crianças que vão ao jardim de infância podem, ainda, ter problemas para conectar letras e seus sons (p. ex., a letra "b" tem o som /b/) e podem também não ser capazes de reconhecer fonemas (p. ex., não sabem qual, em um conjunto de palavras [p. ex., bolo, vaca, carro], inicia com o mesmo som de "casa").

O transtorno específico da aprendizagem em crianças do ensino fundamental costuma se manifestar como uma dificuldade acentuada para aprender a correspondência entre letra e som (especialmente em crianças cujo idioma é o inglês), decodificar as palavras com fluência, ortografar ou compreender fatos matemáticos; a leitura em voz alta é lenta, imprecisa e trabalhosa, e algumas crianças sofrem para compreender a magnitude que um número falado ou escrito representa. As crianças, nos primeiros anos escolares (1º a 3º ano), podem continuar a ter problemas no reconhecimento e na manipulação de fonemas, ser incapazes de ler palavras comuns monossilábicas (tais como *cão* ou *pó*) e ser incapazes de reconhecer palavras comuns soletradas irregularmente (p. ex., *ficho* por *fixo*). Elas podem cometer erros de leitura, indicativos de problemas para conectar sons e letras (p. ex., *jato* por *gato* em inglês), além de apresentar dificuldades para colocar números e letras em sequência. Crianças do 1º ao 3º ano podem também ter dificuldade para lembrar fatos numéricos ou operações matemáticas de adição, subtração, e assim por diante, podendo ter queixas de que a leitura ou a aritmética são difíceis e evitando fazê-las. Crianças com transtorno específico da aprendizagem nas séries intermediárias (4º a 6º ano) podem pronunciar mal ou pular partes de palavras longas e multissilábicas (p. ex., *convido* em vez de *convidado*, *aminal* em vez de *animal*) e confundir palavras com sons semelhantes (p. ex., *comestível* e *combustível*, *inferno* e *inverno*). Podem apresentar problemas para recordar datas, nomes e números de telefone e ainda dificuldades para completar no tempo temas de casa ou testes. Crianças nas séries intermediárias podem, ainda, ter problemas de compreensão, com ou sem leitura lenta, trabalhosa e imprecisa, e podem ter problemas para ler pequenas palavras funcionais (p. ex., que, o/a, em). Podem ter uma ortografia muito ruim, bem como apresentar trabalhos escritos insatisfatórios. Podem acertar a primeira parte de uma palavra e depois tentar adivinhar o restante (p. ex., ler "prata" como "praga") e podem expressar medo ou até recusa a ler em voz alta.

Em contraste, os adolescentes podem ter dominado a decodificação de palavras, mas a leitura permanece lenta e trabalhosa, com tendência a problemas acentuados na compreensão da leitura e na expressão escrita (inclusive problemas ortográficos), bem como domínio insatisfatório de fatos matemáticos ou solução de problemas matemáticos. Na adolescência e na vida adulta, indivíduos com transtorno específico da aprendizagem podem continuar a cometer vários erros de ortografia, ler palavras isoladas e textos lentamente e com muito esforço, com problemas na pronúncia de palavras multissilábicas. Com frequência, podem precisar reler o material para compreender ou captar o ponto principal e ter problemas para fazer inferências a partir de textos escritos. Adolescentes e adultos podem evitar atividades que exijam leitura ou matemática (ler por prazer, ler instruções). Adultos com o transtorno têm problemas contínuos de ortografia, leitura lenta e trabalhosa ou problemas para fazer inferências importantes a partir de informações numéricas, em documentos escritos relacionados à vida profissional. Podem evitar atividades de lazer e profissionais que demandem leitura ou escrita ou usar estratégias alternativas para ter acesso a material impresso (p. ex., *software* texto-pronúncia/pronúncia-texto, audiolivros ou mídia audiovisual).

Uma expressão clínica alternativa inclui dificuldades de aprendizagem circunscritas que persistam ao longo da vida, como incapacidade de dominar o sentido básico dos números (p. ex., saber qual de um par de números ou pontos representa a magnitude maior) ou não ter proficiência na identificação e na ortografia das palavras. Evitação ou relutância em se envolver em atividades que exijam habilidades acadêmicas são comuns em crianças, adolescentes e adultos. Indivíduos não habilidosos com leitura ou matemática têm mais probabilidade de reportar angústia socioemocional (p. ex., tristeza, solidão) conforme avançam nas séries do ensino fundamental.

Episódios de ansiedade grave ou transtornos de ansiedade, incluindo queixas somáticas ou ataques de pânico, são comuns ao longo da vida e acompanham as expressões circunscrita e ampla das dificuldades de aprendizagem.

Fatores de Risco e Prognóstico

Ambientais. Fatores ambientais, incluindo condições socioeconômicas (p. ex., baixo nível socioeconômico) e exposição a neurotoxinas aumentam o risco de transtorno específico da aprendizagem ou dificuldades em leitura e matemática. Os riscos para o transtorno específico da aprendizagem em leitura e matemática incluem exposição pré-natal ou na infância a qualquer um dos seguintes: poluição do ar, nicotina, éteres difenílicos polibromados ou bifenilpoliclorado (retardante de chamas), chumbo ou manganês.

Genéticos e fisiológicos. O transtorno específico da aprendizagem parece agregar-se em famílias, particularmente quando afeta a leitura, a matemática e a ortografia. O risco relativo de transtorno específico da aprendizagem da leitura ou da matemática é substancialmente maior (p. ex., 4 a 8 vezes e 5 a 10 vezes mais alto, respectivamente) em parentes de primeiro grau de indivíduos com essas dificuldades de aprendizagem na comparação com aqueles que não as apresentam. Notavelmente, as taxas variam dependendo do método de averiguação (testes objetivos ou autorrelato) do *status* diagnóstico do parente. História familiar de dificuldades de leitura (dislexia) e de alfabetização prediz problemas de alfabetização ou transtorno específico da aprendizagem na prole, indicando o papel combinado de fatores genéticos e ambientais.

Existe elevada herdabilidade na capacidade e na incapacidade de leitura, nos idiomas alfabéticos e não alfabéticos, incluindo alta herdabilidade para a maioria das manifestações de capacidades e incapacidades de aprendizagem (p. ex., estimativas de herdabilidade maiores do que 0,6). A covariação entre as várias manifestações de dificuldades de aprendizagem é alta, sugerindo que genes relacionados a uma apresentação estão altamente correlacionados com genes relacionados a outra manifestação.

Parto prematuro ou peso de nascimento muito baixo aumentam o risco de transtorno específico da aprendizagem. Em indivíduos com neurofibromatose tipo 1, o risco de transtorno específico da aprendizagem é alto, com até 75% dos indivíduos demonstrando algum transtorno da aprendizagem.

Modificadores do curso. Problemas acentuados com comportamento de desatenção, internalização e externalização nos anos pré-escolares predizem dificuldades posteriores em leitura e matemática (mas não necessariamente transtorno específico da aprendizagem) e não resposta a intervenções acadêmicas efetivas. Prejuízos na linguagem nos anos pré-escolares são fortemente associados com prejuízos posteriores na leitura (p. ex., leitura de palavras e compreensão de leitura). Atraso ou transtornos na fala ou na linguagem, ou processamento cognitivo prejudicado (p. ex., consciência fonológica, memória de trabalho e capacidade de nomear rapidamente em série) nos anos pré-escolares predizem transtorno específico da aprendizagem posterior em leitura e expressão escrita. Adicionalmente, um diagnóstico de TDAH na infância está associado ao insucesso em leitura e matemática na idade adulta. A comorbidade desses problemas com TDAH é preditora de pior evolução da saúde mental quando comparada àquela associada a um transtorno específico da aprendizagem sem TDAH. Instrução sistemática, intensiva e individualizada, utilizando intervenções baseadas em evidências, pode melhorar ou diminuir as dificuldades de aprendizagem em alguns indivíduos ou promover o uso de estratégias compensatórias em outros, mitigando, dessa forma, evoluções de outro modo negativas.

Questões Diagnósticas Relativas à Cultura

Transtorno específico da aprendizagem ocorre em diferentes idiomas, culturas, raças e condições socioeconômicas; pode, porém, variar em sua manifestação, de acordo com a natureza dos sistemas de símbolos escritos e falados e práticas culturais e educacionais. Por exemplo, as exigências para processamento cognitivo da leitura e do trabalho com números variam muito nas várias ortografias. No inglês, o sintoma clínico observável que constitui um marco de dificuldades de aprendizagem para ler é a leitura lenta e imprecisa de palavras isoladas; em outros idiomas alfabéticos, com uma combinação mais direta entre sons e letras (p. ex., espanhol, alemão), e em idiomas não alfabéticos (p. ex., chinês, japonês), o aspecto marcante é uma leitura lenta, mas exata. Nos indivíduos que aprendem o idioma inglês, a avaliação deve incluir uma análise sobre se a fonte das dificuldades de leitura é uma proficiência limitada no idioma ou um transtorno específico da aprendizagem. Fatores de risco para transtorno específico da aprendizagem entre aqueles que aprendem inglês incluem história familiar de transtorno específico da aprendizagem ou atraso de linguagem na língua nativa, bem como dificuldades de aprendizagem em inglês e incapacidade de acompanhar os colegas. Diante da suspeita de diferenças culturais ou de idioma (p. ex., caso de pessoa que está aprendendo inglês), a avaliação precisa levar em conta a proficiência linguística do indivíduo no próprio idioma, bem como na segunda língua (neste caso, o inglês). É importante ressaltar que as crianças que falam uma língua em casa que difere fonologicamente da língua de instrução escolar não são mais propensas a ter déficits fonológicos do que seus pares que falam a mesma língua em casa e na escola. Dificuldades comórbidas de leitura podem variar entre diferentes línguas; por exemplo, dificuldades de leitura são menos frequentes entre crianças com transtorno do desenvolvimento da coordenação em Taiwan que leem em chinês se comparadas com crianças em países falantes de inglês. Isso possivelmente acontece por causa dos sistemas de escrita particulares de cada língua (uma é logográfica e a outra alfabética). Além disso, a avaliação deve considerar o contexto linguístico e cultural em que a pessoa vive, além da história educacional e de aprendizagem na cultura e idioma originais. Fatores de risco para problemas de aprendizagem entre refugiados e crianças migrantes incluem estereotipação e baixas expectativas por parte dos professores, *bullying*, discriminação étnica e racial, falta de entendimento por parte dos pais de como funcionam os estilos e expectativas educacionais, trauma e estressores pós-migração.

Questões Diagnósticas Relativas ao Sexo e ao Gênero

O transtorno específico da aprendizagem é mais comum no sexo masculino do que no feminino (as proporções variam de cerca de 2:1 a 3:1), não podendo ser atribuído a fatores como viés de recrutamento, variação em definições ou medidas, linguagem, raça ou nível socioeconômico. Diferenças entre os sexos na dislexia (transtorno específico da aprendizagem com dificuldades de leitura) podem ser parcialmente mediadas pela velocidade de processamento.

Associação com Pensamentos ou Comportamentos Suicidas

Em adolescentes norte-americanos de 15 anos que estão em escolas públicas, dificuldades com a leitura foram associadas a pensamentos e comportamentos suicidas em uma comparação com adolescentes com pontuações padrão de leitura, mesmo depois de aplicados o controle sociodemográfico e as variáveis psiquiátricas da amostra. Em um estudo baseado na população adulta do Canadá, a prevalência de tentativas de suicídio ao longo da vida entre aqueles com transtorno específico da aprendizagem foi mais alta que a média entre aqueles sem o transtorno, mesmo depois de ajustes para adversidades na infância, história de transtornos mentais e uso de substâncias e fatores sociodemográficos. Entre aqueles com transtorno específico da aprendizagem, histórico de presenciar violência doméstica parental crônica e de ter tido alguma vez um transtorno depressivo maior foi associado ao aumento do risco de comportamentos suicidas.

Consequências Funcionais do Transtorno Específico da Aprendizagem

O transtorno específico da aprendizagem pode ter consequências funcionais negativas ao longo da vida, incluindo baixo desempenho acadêmico, taxas mais altas de evasão do ensino médio, menores taxas de educação superior, níveis altos de sofrimento psicológico e pior saúde mental geral, taxas mais elevadas de desemprego e subemprego e renda menor. Evasão escolar e sintomas depressivos comórbidos aumentam o risco de piores desfechos de saúde mental, incluindo pensamentos e comportamentos suicidas, enquanto altos níveis de apoio social ou emocional predizem uma melhor saúde mental.

Diagnóstico Diferencial

Variações normais no desempenho acadêmico. O transtorno específico da aprendizagem distingue-se de variações normais no desempenho acadêmico devido a fatores externos (p. ex., falta de oportunidade educacional, educação escolar consistentemente insatisfatória, aprendizagem em uma segunda língua), uma vez que as dificuldades de aprendizagem persistem na presença de oportunidade educacional adequada, exposição à mesma educação escolar que o grupo de colegas e competência no idioma da educação escolar, mesmo quando este é diferente da língua materna do indivíduo.

Transtorno do desenvolvimento intelectual (deficiência intelectual). O transtorno específico da aprendizagem difere de dificuldades gerais de aprendizagem associadas a transtorno do desenvolvimento intelectual porque as dificuldades para aprender ocorrem na presença de níveis normais de funcionamento intelectual (i. e., escore do QI de, no mínimo, 70± 5). Diante da presença de transtorno do desenvolvimento intelectual, o transtorno específico da aprendizagem pode ser diagnosticado somente se as dificuldades para aprender excedem as comumente associadas a transtorno do desenvolvimento intelectual.

Dificuldades de aprendizagem devidas a alterações neurológicas ou sensoriais. O transtorno específico da aprendizagem distingue-se de dificuldades de aprendizagem devidas a alterações neurológicas ou sensoriais (p. ex., acidente vascular cerebral pediátrico, lesão cerebral traumática, deficiência auditiva, deficiência visual), porque, nesses casos, há achados anormais no exame neurológico.

Transtornos neurocognitivos. O transtorno específico da aprendizagem distingue-se de problemas de aprendizagem associados com transtornos cognitivos neurodegenerativos. No transtorno específico da aprendizagem, a expressão clínica de dificuldades de aprendizagem específicas ocorre durante o período de desenvolvimento, o que às vezes só se torna aparente quando as demandas de aprendizagem aumentam e excedem as capacidades limitadas dos indivíduos (como pode acontecer na idade adulta), e as dificuldades não se manifestam como uma piora marcante no estado anterior.

Transtorno de déficit de atenção/hiperatividade. O transtorno específico da aprendizagem distingue-se do desempenho acadêmico insatisfatório associado ao TDAH, porque nessa condição os problemas podem não necessariamente refletir dificuldades específicas na aprendizagem de habilidades, podendo, sim, ser reflexo de dificuldades no desempenho daquelas habilidades. Todavia, a comorbidade de transtorno específico da aprendizagem e TDAH é mais frequente do que o esperado apenas. Se critérios para ambos os transtornos forem preenchidos, os dois diagnósticos podem ser dados.

Transtornos psicóticos. O transtorno específico da aprendizagem distingue-se das dificuldades de processamento cognitivo associadas com esquizofrenia ou outros transtornos psicóticos, porque, no caso desses transtornos, ocorre um declínio (frequentemente rápido) nesses domínios funcionais. Entretanto, déficits nas habilidades de leitura são mais graves no transtorno específico da aprendizagem do que seria previsto pelos prejuízos cognitivos gerais associados com a esquizofrenia. Se critérios para ambos os transtornos forem preenchidos, os dois diagnósticos podem ser dados.

Comorbidade

Os diferentes tipos de transtorno específico da aprendizagem normalmente são comórbidos (p. ex., transtorno específico da aprendizagem com prejuízo em matemática e em leitura) e com outros transtornos do neurodesenvolvimento (p. ex., TDAH, transtornos da comunicação, transtorno do desenvolvimento da coordenação ou transtorno do espectro autista) ou outros transtornos mentais (p. ex., transtornos depressivo e de ansiedade) ou alterações comportamentais. Notavelmente, as estimativas de comorbidade de dificuldades de matemática e leitura variam dependendo do teste usado para definir a dificuldade com matemática, provavelmente porque o mesmo sintoma (p. ex., problemas com aritmética) pode ser associado a diferentes déficits cognitivos (p. ex., déficit em habilidades linguísticas ou déficits no processamento de números). Essas comorbidades não necessariamente excluem o diagnóstico de transtorno específico da aprendizagem, mas podem dificultar mais os testes e o diagnóstico diferencial, uma vez que cada um desses transtornos comórbidos interfere, de forma independente, na execução de atividades da vida diária, inclusive na aprendizagem. Assim, o julgamento clínico é necessário para atribuir tal prejuízo a dificuldades de aprendizagem. Havendo indicação de que outro diagnóstico possa ser responsável pelas dificuldades na aprendizagem de habilidades acadêmicas fundamentais, descritas no Critério A, o transtorno específico da aprendizagem não deve ser diagnosticado.

Transtornos Motores

Transtorno do Desenvolvimento da Coordenação

Critérios Diagnósticos   F82

A. A aquisição e a execução de habilidades motoras coordenadas estão substancialmente abaixo do esperado considerando-se a idade cronológica do indivíduo e a oportunidade de aprender e usar a habilidade. As dificuldades manifestam-se por falta de jeito (p. ex., derrubar ou bater em objetos), bem como por

lentidão e imprecisão no desempenho de habilidades motoras (p. ex., apanhar um objeto, usar tesouras ou facas, escrever a mão, andar de bicicleta ou praticar esportes).
B. O déficit nas habilidades motoras do Critério A interfere, significativa e persistentemente, nas atividades cotidianas apropriadas à idade cronológica (p. ex., autocuidado e automanutenção), causando impacto na produtividade acadêmica/escolar, em atividades pré-profissionais e profissionais, no lazer e nas brincadeiras.
C. O início dos sintomas ocorre precocemente no período do desenvolvimento.
D. Os déficits nas habilidades motoras não são mais bem explicados por transtorno do desenvolvimento intelectual (deficiência intelectual) ou por deficiência visual e não são atribuíveis a alguma condição neurológica que afete os movimentos (p. ex., paralisia cerebral, distrofia muscular, doença degenerativa).

Características Diagnósticas

O diagnóstico de transtorno do desenvolvimento da coordenação é feito por meio de uma síntese clínica da história (de desenvolvimento e médica), do exame físico, de relatórios escolares ou profissionais e da avaliação individual utilizando-se testes padronizados, adequados do ponto de vista psicométrico e cultural. A manifestação de habilidades prejudicadas que exigem coordenação motora (Critério A) varia com a idade. Crianças menores podem apresentar atraso para atingir marcos motores (i. e., sentar, engatinhar, andar), embora muitas alcancem os marcos motores típicos. Elas também podem apresentar atraso no desenvolvimento de habilidades como subir escadas, pedalar, abotoar camisas, completar quebra-cabeças e usar fechos. Mesmo quando a habilidade é dominada, a execução do movimento pode parecer estranha, lenta ou menos precisa que a dos pares. Crianças maiores e adultos podem apresentar menor velocidade ou imprecisão em aspectos motores de atividades como montar quebra-cabeças, construir modelos, jogar bola (especialmente em equipes), escrever a mão, digitar, dirigir ou executar tarefas de autocuidado.

O transtorno do desenvolvimento da coordenação é diagnosticado apenas se o prejuízo nas habilidades motoras interferir significativamente no desempenho ou na participação nas atividades diárias da vida familiar, social, escolar ou comunitária (Critério B). Exemplos de tais atividades incluem vestir-se, fazer as refeições com utensílios adequados à idade e sem sujeira, envolver-se em jogos físicos com outros, usar materiais específicos em aula, como réguas e tesouras, e participar de atividades físicas em equipe na escola. Não somente há prejuízo na capacidade de desempenhar essas ações; é comum, ainda, lentidão acentuada na execução. A competência para escrever a mão está frequentemente afetada, com repercussão na legibilidade e/ou velocidade da produção escrita e afetando o desempenho acadêmico (o impacto é diferente da dificuldade específica da aprendizagem devido à ênfase no componente motor das habilidades de produção escrita). Nos adultos, as habilidades cotidianas na educação e no trabalho, especialmente as que exigem velocidade e exatidão, são afetadas por alterações na coordenação.

O Critério C informa que o início dos sintomas do transtorno do desenvolvimento da coordenação deve se dar precocemente no período do desenvolvimento. O transtorno, entretanto, não costuma ser diagnosticado antes dos 5 anos, já que há grande variação de idade na aquisição de muitas habilidades motoras, ou falta de estabilidade de mensuração na primeira infância (p. ex., algumas crianças se recuperam), ou porque outras causas de atraso motor podem não ter-se manifestado plenamente.

O Critério D especifica que o diagnóstico de transtorno do desenvolvimento da coordenação é feito se as dificuldades de coordenação não são mais bem explicadas por deficiência visual ou não são atribuíveis a alguma condição neurológica. Assim, exame da função visual e exame neurológico devem ser incluídos na avaliação diagnóstica. Se transtorno do desenvolvimento intelectual (deficiência intelectual) estiver presente, as dificuldades motoras excedem as esperadas para a idade mental; entretanto, não há especificação de ponto de corte ou critério de discrepância de QI.

O transtorno do desenvolvimento da coordenação não tem subtipos distintos; entretanto, os indivíduos podem estar predominantemente prejudicados em habilidades motoras grossas ou finas, incluindo habilidades de escrita manual.

Outros termos usados para descrever o transtorno do desenvolvimento da coordenação incluem *dispraxia da infância*, *transtorno do desenvolvimento específico da função motora* e *síndrome da criança desajeitada*.

Características Associadas

Algumas crianças com transtorno do desenvolvimento da coordenação mostram atividade motora adicional (comumente suprimida), como movimentos coreiformes de membros sem apoio ou movimentos espelhados. Esses movimentos "excessivos" são mais conhecidos como *imaturidades do neurodesenvolvimento* ou *sinais neurológicos leves* do que como anormalidades neurológicas. Tanto na literatura atual quanto na prática clínica seu papel no diagnóstico ainda não está claro, exigindo estudos adicionais.

Prevalência

A prevalência do transtorno do desenvolvimento da coordenação em crianças com 5 a 11 anos de idade fica entre 5 e 8% em diferentes nações (no Reino Unido, entre crianças com 7 anos, 1,8% têm diagnóstico de transtorno do desenvolvimento da coordenação grave, e 3% apresentam provável transtorno do desenvolvimento da coordenação); 7 a 8% especificamente no Canadá, na Suécia e em Taiwan. Indivíduos do sexo masculino são mais frequentemente afetados do que os do sexo feminino, com uma proporção entre 2:1 e 7:1.

Desenvolvimento e Curso

O curso do transtorno do desenvolvimento da coordenação é variável, embora estável, pelo menos um a dois anos de acompanhamento. Embora possa ocorrer melhora no longo prazo, alterações em movimentos coordenados continuam durante a adolescência em 50 a 70% das crianças. O início ocorre na primeira infância. Atrasos em marcos motores podem ser o primeiro sinal, ou o transtorno é identificado pela primeira vez quando a criança tenta tarefas como segurar faca e garfo, abotoar roupas ou jogar bola. Na infância intermediária, há dificuldades com aspectos motores em montar quebra-cabeças, construir modelos, jogar bola e escrever a mão, bem como com a organização de pertences, quando coordenação e sequenciamento motores são necessários. No começo da vida adulta, há dificuldade continuada para aprender tarefas novas que envolvam habilidades motoras complexas/automáticas, incluindo dirigir e usar ferramentas. Incapacidade de fazer anotações e de escrever a mão com rapidez pode afetar o desempenho profissional. A comorbidade com outros transtornos (ver a seção "Comorbidade" para este transtorno) causa impacto adicional na apresentação, no curso e no desfecho.

Fatores de Risco e Prognóstico

Ambientais. O transtorno do desenvolvimento da coordenação é associado com prematuridade e baixo peso ao nascimento e com exposição pré-natal a álcool.

Genéticos e fisiológicos. Prejuízos em processos subjacentes do neurodesenvolvimento foram identificados em habilidades visuomotoras, incluindo tanto a percepção visuomotora quanto a mentalização espacial. A disfunção cerebelar, que afeta a habilidade de fazer ajustes motores rápidos conforme aumenta a complexidade dos movimentos necessários, também pode estar envolvida. Porém, a base neural precisa do transtorno do desenvolvimento da coordenação ainda não está clara. Devido à comorbidade do transtorno do desenvolvimento da coordenação com TDAH, transtorno específico da aprendizagem e transtorno do espectro autista, um efeito genético compartilhado foi proposto. No entanto, uma ocorrência concomitante e consistente em gêmeos aparece apenas nos casos graves.

Modificadores do curso. Indivíduos com TDAH e com transtorno do desenvolvimento da coordenação demonstram mais prejuízos do que aqueles com TDAH sem transtorno do desenvolvimento da coordenação.

Questões Diagnósticas Relativas à Cultura

O transtorno do desenvolvimento da coordenação ocorre em contextos culturais, étnico-raciais e socioeconômicos variados. Ao mesmo tempo, variações culturais no desenvolvimento motor (tanto acelerado quanto atrasado em relação às normas norte-americanas) foram reportadas. Essas variações parecem estar associadas a práticas de cuidado das crianças relacionadas a expectativas de mobilidade independente durante o desenvolvimento, oportunidades inadequadas de mobilidade entre crianças em estado de pobreza severa e diferenças na metodologia de mensuração. Por definição, "atividades da vida diária" implicam diferenças culturais que devem ser consideradas no contexto em que cada criança está vivendo, bem como se a criança tem oportunidades apropriadas para aprender e praticar tais atividades. Uma maior prevalência de transtorno do desenvolvimento da coordenação em estudos com crianças de países de baixa e média renda pode refletir o impacto de desvantagens socioeconômicas no desenvolvimento motor.

Consequências Funcionais do Transtorno do Desenvolvimento da Coordenação

O transtorno do desenvolvimento da coordenação leva a prejuízo no desempenho funcional em atividades da vida diária (Critério B), o qual é maior com condições comórbidas. Consequências do transtorno do desenvolvimento da coordenação incluem participação reduzida em brincadeiras e esportes de equipe; autoestima e sentimento de valor próprio baixos; alterações emocionais e comportamentais; prejuízo no desempenho acadêmico; baixa aptidão física; pouca prática de atividades físicas e obesidade; e baixa qualidade de vida relacionada à saúde.

Diagnóstico Diferencial

Prejuízos motores devidos a outra condição médica. Alterações na coordenação podem estar associadas a prejuízo na função visual e a doenças neurológicas específicas (p. ex., paralisia cerebral, lesões progressivas do cerebelo, alterações neuromusculares). Nesses casos, há achados adicionais em exames neurológicos.

Transtorno do desenvolvimento intelectual (deficiência intelectual). Se transtorno do desenvolvimento intelectual estiver presente, as competências motoras podem estar prejudicadas, em conformidade com o transtorno. Se as dificuldades motoras ultrapassam o que pode ser atribuído ao transtorno do desenvolvimento intelectual, e critérios para transtorno do desenvolvimento da coordenação são preenchidos, o transtorno do desenvolvimento da coordenação também pode ser diagnosticado. ·

Transtorno de déficit de atenção/hiperatividade. Indivíduos com TDAH podem sofrer quedas, esbarrar em objetos ou deixar as coisas cair. Uma observação cuidadosa em contextos diferentes é necessária para determinar se a falta de competência motora é atribuível mais a distração e impulsividade do que ao transtorno do desenvolvimento da coordenação. Se preenchidos os critérios tanto para TDAH quanto para transtorno do desenvolvimento da coordenação, ambos os diagnósticos podem ser feitos.

Transtorno do espectro autista. Indivíduos com transtorno do espectro autista podem não ter interesse em participar de tarefas que exijam habilidades complexas de coordenação, como esportes com bola, o que afetará o desempenho e a função em testes, embora não seja reflexo da competência motora central. A comorbidade de transtorno do desenvolvimento da coordenação e transtorno do espectro autista é comum. Se atendidos os critérios para os dois transtornos, ambos os diagnósticos podem ser feitos.

Síndrome da hipermobilidade articular. Indivíduos com síndromes que causam hiperextensão das articulações (identificada por exame físico; frequentemente com queixas de dor) podem apresentar sintomas similares aos do transtorno do desenvolvimento da coordenação.

Comorbidade

Os transtornos que comumente são comórbidos com o transtorno do desenvolvimento da coordenação incluem transtorno da fala e da linguagem; transtorno específico da aprendizagem (em especial na leitura e na escrita); problemas de desatenção, incluindo TDAH (a condição comórbida mais frequente, com cerca de 50% de concomitância); transtorno do espectro autista; alterações comportamentais disruptivas e emocionais; e síndrome da hipermobilidade articular. Diferentes grupos de transtornos comórbidos podem estar presentes (p. ex., um grupo com transtornos graves de leitura, alterações na motricidade fina e problemas de escrita a mão; outro grupo com prejuízo no controle e planejamento motor). A presença de outros transtornos não exclui o transtorno do desenvolvimento da coordenação, mas pode dificultar mais a testagem e, de forma independente, interferir na execução de atividades da vida diária, de modo a exigir do examinador julgamento na atribuição do prejuízo de habilidades motoras.

Transtorno do Movimento Estereotipado

Critérios Diagnósticos	F98.4

A. Comportamento motor repetitivo, aparentemente direcionado e sem propósito (p. ex., apertar as mãos ou abanar, balançar o corpo, bater a cabeça, morder-se, golpear o próprio corpo).
B. O comportamento motor repetitivo interfere em atividades sociais, acadêmicas ou outras, podendo resultar em autolesão.
C. O início se dá precocemente no período do desenvolvimento.
D. O comportamento motor repetitivo não é atribuível aos efeitos fisiológicos de uma substância ou a condição neurológica, não sendo mais bem explicado por outro transtorno do neurodesenvolvimento ou mental (p. ex., tricotilomania [transtorno de arrancar o cabelo], transtorno obsessivo-compulsivo).

Especificar se:
Com comportamento autolesivo (ou comportamento que resulte em lesão, quando não usadas medidas preventivas)
Sem comportamento autolesivo

Especificar se:
Associado a alguma condição médica ou genética conhecida, transtorno do neurodesenvolvimento ou fator ambiental (p. ex., síndrome de Lesch-Nyhan, transtorno do desenvolvimento intelectual [deficiência intelectual], exposição intrauterina ao álcool)

Nota para codificação: Usar código adicional para identificar a condição genética ou outra condição médica, transtorno do neurodesenvolvimento ou fatores ambientais.

Especificar a gravidade atual:
Leve: Os sintomas são facilmente suprimidos por estímulo sensorial ou distração.
Moderada: Os sintomas exigem medidas protetivas ou modificação comportamental explícita.
Grave: Monitoração contínua e medidas de proteção são necessárias para prevenir lesão grave.

Procedimentos para Registro

No caso de transtorno do movimento estereotipado associado a alguma condição médica ou genética conhecida, transtorno do neurodesenvolvimento ou fator ambiental, registrar transtorno do movimento estereotipado associado com (nome da condição, do transtorno ou do fator) (p. ex., transtorno do movimento estereotipado associado a síndrome de Lesch-Nyhan).

Especificadores

A gravidade dos movimentos estereotipados não autolesivos varia desde apresentações leves, facilmente suprimidas por um estímulo sensorial ou uma distração, até movimentos contínuos que, de forma acentuada, interferem em todas as atividades cotidianas. Os comportamentos autolesivos variam em gravidade ao longo de muitas dimensões, incluindo frequência, impacto no funcionamento adaptativo e gravidade da lesão corporal (de hematoma leve ou eritema por atingir o corpo com as mãos, passando por lacerações ou amputação de dedos da mão, até descolamento da retina por bater a cabeça).

Características Diagnósticas

A característica essencial do transtorno do movimento estereotipado é um comportamento motor repetitivo, aparentemente direcionado e sem propósito claro (Critério A). Esses comportamentos costumam ser movimentos ritmados da cabeça, das mãos ou do corpo, sem função adaptativa óbvia. Os movimentos podem ou não responder a tentativas de pará-los. Entre crianças com desenvolvimento normal, os movimentos repetitivos podem ser interrompidos quando atenção é dirigida a elas ou quando a criança é distraída da realização dos movimentos. Entre crianças com transtornos do neurodesenvolvimento, os comportamentos costumam responder menos a tais tentativas. Nos demais casos, o indivíduo demonstra comportamentos de autocontenção (p. ex., sentar-se sobre as mãos, enrolar as mãos nas roupas, encontrar dispositivo de proteção).

O repertório de comportamentos é variável; cada indivíduo se apresenta com seu padrão específico, "assinatura" comportamental. Exemplos de movimentos estereotipados não autolesivos incluem, embora não se limitem a, balançar o corpo, fazer movimentos de abano ou rotação das mãos bilaterais, agitar ou tremular os dedos na frente do rosto, sacudir ou abanar os braços e acenar com a cabeça; o alongamento da boca é normalmente visto em associação com movimentos do membro superior. Comportamentos estereotipados autolesivos incluem, embora não se limitem a, bater a cabeça repetidas vezes, dar tapas no rosto, cutucar os olhos e morder as mãos, os lábios ou outras partes do corpo. Cutucar os olhos causa preocupação especial; ocorre com maior frequência entre crianças com deficiência visual. Múltiplos movimentos podem ser combinados (p. ex., erguer a cabeça, balançar o torso, sacudir uma corda pequena repetidas vezes diante do rosto).

Movimentos estereotipados podem ocorrer muitas vezes durante o dia, com duração de alguns segundos a vários minutos, ou mais. A frequência pode variar de diversas ocorrências em um único dia a um intervalo de várias semanas entre os episódios. Os comportamentos variam no contexto, ocorrendo quando a pessoa está envolvida em outras atividades, quando excitada, estressada, cansada ou chateada. O Critério A exige que os movimentos sejam "aparentemente" sem propósito. Todavia, eles podem atender a algumas funções. Por exemplo, podem reduzir a ansiedade em resposta a estressores externos.

O Critério B requer que os movimentos estereotipados tenham interferência em atividades sociais, acadêmicas ou outras e, em certas crianças, podem resultar em autolesão (ou resultariam se medidas de proteção não fossem usadas). A presença ou ausência de comportamentos autolesivos deve ser indicada com o uso dos especificadores "com comportamento autolesivo" ou "sem comportamento autolesivo". O início dos movimentos estereotipados ocorre precocemente no período do desenvolvimento (Critério C). O Critério D afirma que comportamento repetitivo e estereotipado, no transtorno do movimento estereotipado, não é atribuível a efeitos fisiológicos de uma substância ou a condição neurológica e não é mais bem explicado por outro transtorno do neurodesenvolvimento ou mental. A presença de movimentos estereotipados pode indicar uma alteração do neurodesenvolvimento não detectada, em especial em crianças entre 1 e 3 anos de idade.

Prevalência

Movimentos estereotipados simples (p. ex., balançar) são comuns em crianças jovens com desenvolvimento típico (cerca de 5 a 19% no Reino Unido e nos Estados Unidos). Movimentos estereotipados complexos são muito menos comuns (ocorrem em cerca de 3 a 4%). Entre 4 e 16% dos indivíduos com transtorno do desenvolvimento intelectual (deficiência intelectual) em amostras de países com alta renda apresentam comportamentos estereotipados e de autolesão. O risco é maior naqueles com transtorno do desenvolvimento intelectual grave. Entre pessoas com transtorno do desenvolvimento intelectual institucionalizadas, 10 a 15% podem apresentar transtorno do movimento estereotipado com autolesão. Comportamentos e interesses restritivos e repetitivos podem ser marcadores de risco para o início de comportamentos de autolesão, agressão e destruição em crianças com transtorno do desenvolvimento intelectual grave.

Desenvolvimento e Curso

Os movimentos estereotipados costumam iniciar-se nos primeiros três anos de vida. Movimentos estereotipados simples são comuns na infância e podem estar envolvidos na aquisição do domínio motor. Em crianças que desenvolvem estereotipias motoras complexas, cerca de 80% exibem sintomas antes dos 24 meses de vida, 12%, entre 24 e 35 meses, e 8%, aos 36 meses ou após. Na maioria das crianças com desenvolvimento típico, a gravidade e a frequência dos movimentos estereotipados diminuem com o tempo. O início das estereotipias motoras complexas pode dar-se na infância ou mais tarde no período do desenvolvimento. Entre indivíduos com transtorno do desenvolvimento intelectual, comportamentos estereotipados e autolesivos podem persistir durante anos, mesmo que a topografia ou o padrão da autolesão possa mudar.

Fatores de Risco e Prognóstico

Ambientais. Isolamento social é um fator de risco para autoestimulação, que pode progredir para movimentos estereotipados, com autolesão repetitiva. Estresse ambiental também pode desencadear comportamento estereotipado. O medo é capaz de alterar o estado fisiológico, resultando em aumento da frequência de comportamentos estereotipados.

Genéticos e fisiológicos. Acredita-se que o transtorno do movimento estereotipado pode ser em parte hereditário, baseando-se na alta frequência de casos em que há história familiar de estereotipias motoras. Uma redução significativa no volume do putame em crianças com estereotipias sugere que diferentes caminhos corticoestriatais associados com comportamentos habituais podem ser a localização anatômica subjacente em estereotipias motoras complexas. Funcionamento cognitivo inferior está associado a risco maior para comportamentos estereotipados e pior resposta a intervenções. Movimentos estereotipados são mais frequentes entre indivíduos com transtorno do desenvolvimento intelectual de moderado a grave/profundo, que, devido a alguma síndrome particular (p. ex., síndrome de Rett) ou a fator ambiental (p. ex., um ambiente com estimulação relativamente insuficiente), parecem estar sob maior risco para o aparecimento de estereotipias. Comportamento autolesivo repetitivo pode ser um fenótipo comportamental em síndromes neurogenéticas. Por exemplo, na síndrome de Lesch-Nyhan, há movimentos distônicos estereotipados e automutilação dos dedos, mordida dos lábios e outras formas de autolesão, a menos que o indivíduo seja contido, e, nas síndromes de Rett e de Cornelia de Lange, a autolesão pode ser consequência de estereotipias mão-boca. Os comportamentos estereotipados podem resultar de alguma condição médica dolorosa (p. ex., infecção no ouvido médio, problemas dentários, refluxo gastroesofágico).

Questões Diagnósticas Relativas à Cultura

Comportamentos estereotipados repetitivos, com ou sem autolesão, manifestam-se variadamente em muitas culturas. Atitudes culturais voltadas a comportamentos incomuns podem resultar em diagnóstico atrasado. Tolerância e atitudes culturais em relação a movimentos estereotipados variam e devem ser consideradas.

Diagnóstico Diferencial

Desenvolvimento normal. Movimentos estereotipados simples são comuns na primeira infância. Balançar-se pode ocorrer na transição do sono para a vigília, um comportamento que costuma desaparecer com a idade. Estereotipias complexas são menos comuns em crianças com desenvolvimento típico e podem geralmente ser suprimidas por distração ou estimulação sensorial. A rotina diária do indivíduo raramente é afetada, e os movimentos, em geral, não causam sofrimento à criança. O diagnóstico não seria apropriado nessas circunstâncias.

Transtorno do espectro autista. Movimentos estereotipados podem ser um sintoma de apresentação de transtorno do espectro autista e devem ser considerados quando movimentos e comportamentos repetitivos estão sendo avaliados. Déficits na comunicação social e na reciprocidade, que se manifestam no transtorno do espectro autista, costumam estar ausentes no transtorno do movimento estereotipado; assim, interações sociais, comunicação social e comportamentos e interesses repetitivos e rígidos constituem aspectos distintivos. Quando o transtorno do espectro autista está presente, o transtorno do movimento estereotipado somente é diagnosticado quando há autolesão, ou quando os comportamentos estereotipados são suficientemente graves para tornarem-se foco de tratamento.

Transtornos de tique. Tipicamente, as estereotipias têm início em uma idade mais precoce (antes dos 3 anos de idade) na comparação com tiques, que têm idade de início média entre 4 e 6 anos. Elas também são consistentes e fixas em seu padrão ou topografia na comparação com os tiques, que são variáveis em sua apresentação e, normalmente, mudam de caráter com o tempo. As estereotipias podem envolver braços, mãos ou todo o corpo, ao passo que os tiques costumam envolver os olhos, o rosto, a cabeça e os ombros. As estereotipias são mais fixas, rítmicas e prolongadas em duração do que os tiques, que geralmente são breves, rápidos, aleatórios e flutuantes. As estereotipias são egossintônicas (crianças gostam delas) em oposição aos tiques, que geralmente são egodistônicos. Os tiques têm fases e variam de localidade e com o tempo, sendo associados exclusivamente com desejo premonitório (um sentimento físico que precede muitos movimentos de tique). Ambos, tiques e movimentos estereotipados, são reduzidos por meio de distração.

Transtorno obsessivo-compulsivo e transtornos relacionados. Transtorno do movimento estereotipado é diferente de transtorno obsessivo-compulsivo (TOC) pela ausência de obsessões, bem como pela natureza dos comportamentos repetitivos. No TOC, o indivíduo sente-se impulsionado a realizar comportamentos repetitivos em resposta a uma obsessão ou em conformidade com regras que precisam ser aplicadas com rigidez, enquanto no transtorno do movimento estereotipado os comportamentos são, aparentemente, dirigidos, mas sem propósito. Tricotilomania (transtorno de arrancar o cabelo) e transtorno de escoriação (*skin-picking*) caracterizam-se por comportamentos repetitivos com foco no corpo (i. e., arrancar cabelos e beliscar a pele), que podem aparentemente ser voluntários, mas que não parecem sem propósito e que podem não ter padrão ou ritmo. Além disso, o início da tricotilomania e do transtorno de escoriação não costuma ocorrer precocemente no período do desenvolvimento, e sim por volta da puberdade ou mais tarde.

Outras condições neurológicas e médicas. O diagnóstico de movimentos estereotipados exige a exclusão de hábitos, maneirismos, discinesias paroxísticas e coreia hereditária benigna. São necessários história e exame neurológico para avaliar as características sugestivas de outras alterações, tais como mioclonia, distonia, tiques e coreia. Movimentos involuntários associados a uma condição neurológica podem ser diferenciados por seus sinais e sintomas. Por exemplo, movimentos estereotipados e repetitivos na discinesia tardia podem ser distinguidos por uma história de uso crônico de neurolépticos e por discinesia facial ou oral característica ou movimentos irregulares de tronco ou membros. Esses tipos de movimentos não resultam em autolesão. Estereotipias são manifestações comuns de uma variedade de transtornos neurogenéticos, como síndrome de Lesch-Nyhan, síndrome de Rett, síndrome do X frágil, síndrome de Cornelia de Lange e síndrome de Smith-Magenis. No caso de transtorno do movimento estereotipado associado a alguma condição médica ou genética conhecida, transtorno do neurodesenvolvimento ou fator ambiental, registrar transtorno do movimento estereotipado associado a (nome da condição, do transtorno ou do fator; p. ex., transtorno do movimento estereotipado associado a síndrome de Lesch-Nyhan).

Comportamentos repetitivos induzidos por substâncias. Um diagnóstico de transtorno do movimento estereotipado não é apropriado para quem faz escoriações ou arranhões repetitivos na pele associados à intoxicação ou ao abuso de anfetamina. Nesses casos, o diagnóstico de transtorno obsessivo-compulsivo e transtornos relacionados induzidos por substância/medicamento deve ser aplicado.

Estereotipias funcionais (de conversão). Movimentos estereotipados devem ser distinguidos de movimentos funcionais (de conversão). Início repentino, distração, troca de padrões com melhoras ou pioras sem explicação e a coexistência de outros sintomas do transtorno de sintomas neurológicos funcionais (transtorno conversivo) são algumas das características típicas que ajudam na identificação de estereotipias.

Comorbidade

Comorbidades comuns em crianças com estereotipias motoras crônicas incluem transtorno de déficit de atenção/hiperatividade, alterações de coordenação motora, transtorno de Tourette/tiques e ansiedade.

Transtornos de Tique

Critérios Diagnósticos

Nota: Um tique é um movimento motor ou vocalização repentino, rápido, recorrente e não ritmado.

Transtorno de Tourette   F95.2

A. Múltiplos tiques motores e um ou mais tiques vocais estiveram presentes em algum momento durante o quadro, embora não necessariamente ao mesmo tempo.
B. Os tiques podem aumentar e diminuir em frequência, mas persistiram por mais de um ano desde o início do primeiro tique.
C. O início ocorre antes dos 18 anos de idade.
D. A perturbação não é atribuível aos efeitos fisiológicos de uma substância (p. ex., cocaína) ou a outra condição médica (p. ex., doença de Huntington, encefalite pós-viral).

Transtorno de Tique Motor ou Vocal Persistente (Crônico)   F95.1

A. Tiques motores ou vocais únicos ou múltiplos estão presentes durante o quadro, embora não ambos.
B. Os tiques podem aumentar e diminuir em frequência, mas persistiram por mais de um ano desde o início do primeiro tique.
C. O início ocorre antes dos 18 anos de idade.
D. A perturbação não é atribuível aos efeitos fisiológicos de uma substância (p. ex., cocaína) ou a outra condição médica (p. ex., doença de Huntington ou encefalite pós-viral).
E. Jamais foram preenchidos critérios para transtorno de Tourette.

Especificar se:
    Apenas com tiques motores
    Apenas com tiques vocais

Transtorno de Tique Transitório   F95.0

A. Tiques motores e/ou vocais, únicos ou múltiplos.
B. Os tiques estiveram presentes por pelo menos um ano desde o início do primeiro tique.
C. O início ocorre antes dos 18 anos de idade.
D. A perturbação não é atribuível aos efeitos fisiológicos de uma substância (p. ex., cocaína) ou a outra condição médica (p. ex., doença de Huntington ou encefalite pós-viral).
E. Jamais foram preenchidos critérios para transtorno de Tourette ou transtorno de tique motor ou vocal persistente (crônico).

Especificadores

O especificador "apenas com tiques motores" ou "apenas com tiques vocais" é exigido somente no caso de transtorno de tique motor ou vocal persistente (crônico).

Características Diagnósticas

Os transtornos de tique incluem cinco categorias diagnósticas: transtorno de Tourette, transtorno de tique motor ou vocal persistente (crônico), transtorno de tique transitório e outro transtorno de tique especificado e transtorno de tique não especificado. O diagnóstico para qualquer transtorno de tique baseia-se na presença de tiques motores e/ou vocais (Critério A), na duração dos sintomas dos tiques (Critério B), na idade de início (Critério C) e na ausência de qualquer causa conhecida, como outra condição médica ou uso de substância (Critério D). Os transtornos de tique são hierárquicos em ordem (i. e., transtorno de Tourette, seguido de transtorno de tique motor ou vocal persistente [crônico], seguido de transtorno de tique transitório, seguido de outro transtorno de tique especificado e transtorno de tique não especificado).

Uma vez diagnosticado um transtorno de tique em um nível hierárquico, um diagnóstico hierarquicamente inferior não pode ser feito (Critério E).

Os tiques são movimentos motores ou vocalizações súbitos, rápidos, recorrentes e não ritmados. Alguns tiques motores podem ser movimentos de torção ou aperto mais lentos que ocorrem em períodos de tempo variados. Um indivíduo pode ter vários tiques diferentes ao longo do tempo, mas em qualquer momento o repertório de tiques pode retornar a alguns mais usuais. Embora os tiques possam incluir praticamente qualquer grupo muscular ou vocalização, alguns sintomas de tiques, como piscar os olhos ou limpar a garganta, são comuns entre grupos de pacientes. Frequentemente há uma sensação desconfortável localizada (sensação premonitória) antes da ocorrência de um tique e a maioria dos indivíduos reportam um "desejo" de fazer o tique. Consequentemente, os tiques costumam ser vivenciados como involuntários, mas podem ser voluntariamente suprimidos por períodos variáveis.

Uma discussão explícita de tiques pode servir como gatilho para eles. Da mesma maneira, observar um gesto ou som em outra pessoa pode fazer um indivíduo com transtorno de tique realizar um gesto ou som similar, o que pode ser percebido, incorretamente, por outros como algo proposital. Isso pode ser particularmente problemático quando o indivíduo está interagindo com figuras de autoridade que não têm um entendimento adequado de transtornos de tique (p. ex., professores, supervisores e policiais).

Os tiques são classicamente categorizados como simples ou complexos. *Tiques motores simples* são caracterizados pelo envolvimento limitado de grupos musculares específicos, frequentemente são de curta duração e podem incluir piscar os olhos, encolher os ombros e/ou estender extremidades. Tiques vocálicos simples incluem limpar a garganta, fungar e produzir sons guturais, frequentemente causados pela contração do diafragma ou dos músculos da orofaringe. *Tiques motores complexos* costumam durar mais tempo e com frequência incluem uma combinação de tiques simples, como viradas simultâneas da cabeça e encolhimento dos ombros. Tiques complexos podem parecer voluntários, como gestos com a cabeça ou movimentos com o torso. Eles também podem incluir imitações dos movimentos de alguém (*ecopraxia*) ou gestos sexuais ou obscenos (*copropraxia*). De forma semelhante, tiques vocais complexos incluem significados linguísticos (palavras ou parte de palavras) e podem incluir repetição dos próprios sons ou palavras (*palilalia*), repetição da última palavra ou frase ouvida (*ecolalia*) ou enunciação de palavras socialmente inaceitáveis, incluindo obscenidades ou calúnias étnico, raciais ou religiosas (*coprolalia*). A coprolalia é uma enunciação abrupta de um ganido ou grunhido, sem a prosódia de uma fala inapropriada similar observada nas interações humanas.

A presença de tiques motores e/ou vocais varia entre os cinco transtornos de tique (Critério A). No caso do transtorno de Tourette, devem estar presentes tiques motores e tiques vocais (apesar de não necessariamente de maneira simultânea), ao passo que no transtorno de tique motor ou vocal persistente (crônico) estão presentes apenas tiques motores ou apenas tiques vocais. No caso do transtorno de tique transitório, podem estar presentes tiques motores e/ou vocais. Em outro transtorno de tique especificado e em transtorno de tique não especificado, os sintomas de tique ou semelhantes ao tique são mais bem caracterizados como tiques, embora sejam atípicos na apresentação ou na idade de início ou tenham etiologia conhecida.

O critério de duração de pelo menos um ano (Critério B) garante que pessoas diagnosticadas com transtorno de Tourette ou transtorno de tique motor ou vocal persistente (crônico) tenham tido sintomas persistentes. Os tiques aumentam e diminuem em gravidade, e algumas pessoas podem ter períodos livres de tiques durante semanas e até meses; porém, um indivíduo que teve sintomas de tiques por mais de um ano, desde o início do primeiro tique, seria considerado portador de sintomas persistentes, independentemente da duração dos períodos livres de tique. No caso de indivíduos com tiques motores e/ou vocais por menos de um ano desde o início do primeiro tique, um diagnóstico provisório de transtorno de tique pode ser considerado. O início dos tiques deve ocorrer antes dos 18 anos de idade (Critério C). Transtornos de tique tipicamente começam no período pré-puberal, com média de idade de início entre 4 e 6 anos e com a incidência de novos casos de transtornos de tique reduzindo no final da adolescência. O surgimento de sintomas de tique na idade adulta é muito raro e está frequentemente associado a exposição a drogas (p. ex., uso excessivo de cocaína), também podendo ser resultado de uma lesão no sistema nervoso central ou estar relacionado com o transtorno de sintomas neurológicos funcionais. Embora o aparecimento de tiques seja raro em adolescentes e adultos, não é incomum que estes se apresentem para uma avaliação diagnóstica inicial e, quando cuidadosamente avaliados, relatem história de tiques leves com início na infância, mesmo que fases iniciais do desenvolvimento incluíssem períodos sem tiques por meses ou anos. O surgimento de movimentos anormais sugestivos de tiques fora da faixa etária habitual deve levar à avaliação de outros transtornos do movimento, incluindo movimentos ou vocalizações complexos semelhantes a tiques.

Sintomas de tique não podem ser atribuídos a efeitos fisiológicos de alguma substância ou a outra condição médica (Critério D). Havendo evidências sólidas resultantes de história médica, exame físico e/ou achados laboratoriais sugestivas de uma causa plausível, proximal e provável de transtorno de tique, um diagnóstico de outro transtorno de tique especificado deve ser usado.

O preenchimento anterior de critérios diagnósticos para transtorno de Tourette impede a possibilidade de um diagnóstico de transtorno de tique motor ou vocal persistente (crônico) (Critério E). De modo similar, um diagnóstico prévio de transtorno de tique motor ou vocal persistente (crônico) impede um diagnóstico de transtorno de tique transitório, outro transtorno de tique especificado ou transtorno de tique não especificado (Critério E).

Prevalência

Tiques são comuns na infância, embora transitórios na maioria dos casos. Um levantamento nacional norte-americano estimou como sendo 3 por 1.000 a prevalência de casos clinicamente identificados. A frequência de casos identificados foi mais baixa entre afro-americanos e latinos, o que pode ter relação com diferenças no acesso a atendimento. A prevalência estimada de transtorno de Tourette varia de 3 a 9 a cada 1.000 crianças em idade escolar. O sexo masculino costuma ser mais afetado do que o feminino, com a proporção variando de 2:1 a 4:1. Estudos epidemiológicos mostraram que tiques estão presentes em crianças de todos os continentes, mas que as taxas exatas de prevalência são influenciadas por diferenças metodológicas nas pesquisas.

Desenvolvimento e Curso

O início dos tiques ocorre tipicamente entre 4 e 6 anos de idade. O piscar de olhos é uma característica muito comum como sintoma inicial. O pico da gravidade ocorre entre 10 e 12 anos, com declínio na adolescência. Muitos adultos com transtornos de tique podem ter diminuição dos sintomas. Porém, um percentual de indivíduos terá sintomas persistentemente graves ou que pioram na vida adulta.

Sintomas de tique manifestam-se de modo similar em todas as faixas etárias e ao longo da vida. Tiques aumentam e diminuem de gravidade (frequência e intensidade) e, ao longo do tempo, mudam os grupos musculares afetados e a natureza das vocalizações. Muitos indivíduos, incluindo crianças, reportam que seus tiques estão associados a sensações corporais localizadas precedentes ao tique e uma incitação premonitória de se mover. Pode ser difícil encontrar palavras para descrever essas sensações e incitações premonitórias. Tiques associados a um impulso premonitório podem ser vividos como não totalmente "involuntários", no sentido de que pode haver resistência à sensação e ao tique. Um indivíduo pode também sentir a necessidade de realizar o tique de modo específico, ou repeti-lo, até que tenha a sensação de que o tique saiu "direito". Frequentemente há um sentimento de alívio e redução de tensão após a expressão de um ou uma série de tiques.

A vulnerabilidade para o desenvolvimento de comorbidades se modifica à medida que as pessoas passam pelas idades de risco para as várias condições comórbidas. Por exemplo, crianças pré-púberes com transtornos de tique são mais propensas a ter TDAH, TOC e transtorno de ansiedade de separação. Adolescentes e adultos são mais propensos a desenvolver transtornos do humor e ansiedade, assim como transtorno por abuso de substâncias.

Fatores de Risco e Prognóstico

Ambientais. No início do desenvolvimento cerebral, uma série de fatores de risco ambientais foram identificados, incluindo idade paterna avançada, assim como eventos adversos pré e perinatais (p. ex., crescimento fetal prejudicado, febre materna intraparto, mãe fumante, estresse psicossocial severo materno, nascimento prematuro, apresentação pélvica e cesariana).

Genéticos e fisiológicos. Fatores genéticos influenciam a expressão e a gravidade dos sintomas de tique. Estima-se que a hereditariedade de transtornos de tique é de 70 a 85%, e não há diferenças no risco familiar e hereditariedade entre indivíduos dos sexos masculino e feminino. Alelos de risco importantes para o transtorno de Tourette e variantes genéticas raras em famílias com transtornos de tique foram identificados. Variantes genéticas comuns também foram identificadas. Elas são compartilhadas entre os transtornos de tique de uma maneira graduada que se correlacionam com a gravidade da doença. Na realidade, transtornos de tique provavelmente existem junto a um espectro de desenvolvimento contínuo, baseando-se tanto em suas fenomenologias quanto em seus contextos genéticos.

Transtornos de tique crônicos têm variação genética compartilhada com TOC, TDAH e outros transtornos do neurodesenvolvimento, incluindo transtorno do espectro autista. Além disso, indivíduos com transtornos de tique têm maior risco de desenvolver doenças autoimunes (p. ex., tireoidite de Hashimoto). É cada vez mais evidente que o sistema imunológico e a neuroinflamação têm papéis importantes na biopatologia dos tiques em, pelo menos, um subconjunto de indivíduos afetados (p. ex., aqueles com coreia de Syndenham). Entretanto, mais pesquisas são necessárias para se entender os alicerces biocomportamentais e o potencial papel causal das infecções para outras condições neuropsiquiátricas, incluindo síndrome neuropsiquiátrica pediátrica de início agudo e transtornos neuropsiquiátricos pediátricos autoimunes associados com infecções por estreptococos.

Modificadores do curso. Os tiques pioram com ansiedade, excitação e exaustão, melhorando durante atividades calmas e focadas. Por exemplo, muitos indivíduos tipicamente têm menos tiques quando estão engajados em tarefas que exigem atenção e controle motor. Eventos estressantes/estimulantes (p. ex., fazer um teste, participar de atividades excitantes) costumam piorar os tiques.

Questões Diagnósticas Relativas à Cultura

Os transtornos de tique não parecem variar quanto a características clínicas, curso ou etiologia conforme antecedentes étnicos, culturais e raciais. Entretanto, esses antecedentes podem ter impacto em como os transtornos são percebidos e manejados na família e na comunidade, bem como influenciar padrões de busca de ajuda e opções de tratamento, como a idade de contato com serviços especializados. Por exemplo, a preferência por distanciamento social por parte de indivíduos com transtornos de tique (p. ex., quando trabalhando ou estudando juntos) foi maior em uma amostra coreana do que em estudos norte-americanos.

Questões Diagnósticas Relativas ao Sexo e ao Gênero

O sexo masculino é mais comumente acometido do que o feminino, embora não existam diferenças entre os sexos em relação ao tipo de tiques, idade do início ou curso. Mulheres com transtornos de tique persistentes podem ter mais propensão a sofrer de ansiedade e depressão.

Associação com Pensamentos ou Comportamentos Suicidas

Um estudo de coorte de ligação de casos feito na Suécia entre 1969 e 2013 demonstrou que indivíduos com transtorno de Tourette ou transtorno de tique motor ou vocal persistente (crônico) têm um risco substancialmente mais alto de tentativas de suicídio (*odds ratio* 3,86) e morte por suicídio (*odds ratio* 4,39), mesmo depois de ajustamento de comorbidades psiquiátricas, se comparados com a população geral da amostra de controle. A persistência de tiques após a juventude e uma tentativa anterior de suicídio foram os maiores preditores de morte por suicídio. Dados de estudos de controle de casos sugerem que cerca de 1 em cada 10 jovens com transtornos de tique motor ou vocal persistente (crônico) tem pensamentos e/ou comportamentos suicidas, particularmente em contextos de raiva/frustração e associados com ansiedade/depressão, problemas sociais ou isolamento, agressão e internalização de problemas, severidade do tique e deficiências relacionadas.

Consequências Funcionais dos Transtornos de Tique

Muitos indivíduos com tiques de gravidade leve a moderada não vivenciam sofrimento ou prejuízo no funcionamento e podem, inclusive, não perceber seus tiques. Indivíduos com sintomas mais graves geralmente têm mais prejuízos na vida diária, mas mesmo aqueles com transtornos de tique moderados ou até graves podem funcionar bem. A presença de uma condição comórbida, como TDAH ou TOC, pode causar maior impacto no funcionamento do que os próprios tiques. De modo menos comum, os tiques perturbam o funcionamento nas atividades diárias e resultam em isolamento social, conflitos interpessoais, vitimização pelos pares, incapacidade para o trabalho ou escola e baixa qualidade de vida. Frequentemente indivíduos com tiques têm dificuldades em focar a atenção em tarefas relacionadas ao trabalho enquanto estão ativamente tentando suprimir seus tiques. O indivíduo pode, ainda, ter sofrimento psicológico substancial e até mesmo pensamentos suicidas. Complicações raras do transtorno de Tourette incluem lesão física, como lesões nos olhos (decorrentes de golpear o próprio rosto), e lesões ortopédicas e neurológicas (p. ex., doença envolvendo discos vertebrais relacionada a movimentos forçados de cabeça e pescoço).

Diagnóstico Diferencial

Movimentos anormais que podem acompanhar outras condições médicas, incluindo outros transtornos de movimento. *Estereotipias motoras* são definidas como movimentos involuntários ritmados, repetitivos e previsíveis que parecem ter propósito, embora funcionem sem função adaptativa ou finalidade óbvia. Elas frequentemente são relaxantes ou agradáveis e param mediante a distrações. Os exemplos incluem abanar/girar as mãos, sacudir os braços e movimentar os dedos repetidamente. Estereotipias motoras podem ser diferenciadas de tiques, com base em sua idade de início mais precoce (antes dos 3 anos), duração prolongada (segundos a minutos), forma e local fixos, constantes e repetitivos, ausência de uma sensação premonitória e interrupção com distrações (p. ex., ser chamado pelo nome ou ser tocado). A *coreia* representa ações rápidas, aleatórias, contínuas, repentinas, irregulares, imprevisíveis e não estereotipadas comumente bilaterais e afetando todas as partes do corpo (i. e., rosto, tronco e membros). O momento, a direção e a distribuição dos movimentos variam de um momento para outro, e os movimentos costumam piorar durante tentativa de ação voluntária. A *distonia* é a contratura sustentada e simultânea de músculos agonistas e antagonistas, resultando em postura ou movimentos corporais distorcidos. As posturas distônicas são frequentemente desencadeadas por tentativas de realizar movimentos voluntários e não são observadas durante o sono.

Discinesias paroxísticas. As discinesias paroxísticas são caracterizadas por movimentos episódicos involuntários distônicos ou coreoatetoides que são precipitados por movimentos voluntários e, menos comumente, surgem de atividades em contextos normais.

Mioclonia. A mioclonia caracteriza-se por um movimento unidirecional repentino, frequentemente não ritmado. Pode piorar devido a movimento e ocorrer durante o sono. A mioclonia é diferente dos tiques por sua rapidez, impossibilidade de supressão e ausência de sensação premonitória.

Transtorno obsessivo-compulsivo e transtornos relacionados. Diferenciar as compulsões no TOC de tiques complexos pode ser difícil, sobretudo porque com frequência ocorrem concomitantemente no mesmo indivíduo. As compulsões do TOC visam prevenir ou reduzir a ansiedade ou angústia e geralmente são realizadas em resposta a uma obsessão (p. ex., medo de contaminação). Em contraste, muitos indivíduos com transtornos de tique sentem a necessidade de realizar a ação de uma maneira particular, igualmente em ambos os lados do corpo um certo número de vezes ou até que uma sensação "correta" seja alcançada. Transtornos de comportamento repetitivo focados no corpo (i. e., puxar o cabelo persistentemente, cutucar a pele, roer as unhas) são mais complexos e direcionados a objetivos do que os tiques.

Transtorno funcional de tique. Transtornos funcionais também devem ser considerados quando um indivíduo apresenta "ataques de tique" que se estendem por longos períodos, durando de 15 minutos até muitas horas.

Comorbidade

Muitas condições médicas e psiquiátricas foram descritas como comórbidas com transtornos de tique, sendo TDAH, comportamento disruptivo, TOC e transtornos relacionados particularmente comuns. Crianças com TDAH podem demonstrar comportamento disruptivo, imaturidade social e dificuldades de aprendizagem capazes de interferir no progresso acadêmico e nas relações interpessoais, levando a prejuízo maior do que o causado por um transtorno de tique. Os sintomas obsessivo-compulsivos observados nos transtornos de tique tendem a iniciar cedo na vida e frequentemente são caracterizados por uma necessidade de simetria e exatidão e/ou pensamentos proibidos ou considerados tabu (p. ex., obsessões agressivas, sexuais ou religiosas e compulsões relacionadas). Indivíduos com transtornos de tique podem ainda ter outros transtornos do movimento (p. ex., coreia de Syndenham ou transtorno do movimento estereotipado) e outras condições psiquiátricas e de neurodesenvolvimento, como transtorno do espectro autista e transtorno específico da aprendizagem. Como já ressaltado, adolescentes e adultos com transtorno de tique têm risco mais alto de desenvolver transtornos do humor, ansiedade ou por uso de substâncias.

Outro Transtorno de Tique Especificado

F95.8

Esta categoria aplica-se a apresentações em que sintomas característicos de um transtorno de tique que causam sofrimento clinicamente significativo ou prejuízo no funcionamento social, profissional ou em outras áreas importantes da vida do indivíduo predominam, mas não satisfazem todos os critérios para um transtorno de tique ou para qualquer transtorno na classe diagnóstica dos transtornos do neurodesenvolvimento. A categoria *outro transtorno de tique especificado* é usada nas situações em que o clínico opta por comunicar a razão específica pela qual a apresentação não satisfaz os critérios para um transtorno de tique ou qualquer transtorno do neurodesenvolvimento específico. Isso é feito por meio do registro de "outro transtorno de tique especificado", seguido pela razão específica (p. ex., "com início após os 18 anos de idade").

Transtorno de Tique Não Especificado

F95.9

Esta categoria aplica-se a apresentações em que sintomas característicos de um transtorno de tique que causam sofrimento clinicamente significativo ou prejuízo no funcionamento social, profissional ou em outras áreas importantes da vida do indivíduo predominam, mas não satisfazem todos os critérios para um transtorno de tique ou para qualquer transtorno na classe diagnóstica dos transtornos do neurodesenvolvimento. A categoria *transtorno de tique não especificado* é usada nas situações em que o clínico opta por *não* especificar a razão pela qual os critérios para um transtorno de tique ou para um transtorno do neurodesenvolvimento específico não são satisfeitos e inclui apresentações para as quais não há informações suficientes para que seja feito um diagnóstico mais específico.

Outros Transtornos do Neurodesenvolvimento

Outro Transtorno do Neurodesenvolvimento Especificado

F88

Esta categoria aplica-se a apresentações em que sintomas característicos de um transtorno do neurodesenvolvimento que causam prejuízo no funcionamento social, profissional ou em outras áreas importantes da vida do indivíduo predominam, mas não satisfazem todos os critérios para qualquer transtorno na classe diagnóstica dos transtornos do neurodesenvolvimento. A categoria outro transtorno do neurodesenvolvimento especificado é usada nas situações em que o clínico opta por comunicar a razão específica pela qual a apresentação não satisfaz os critérios para qualquer transtorno do neurodesenvolvimento específico. Isso é feito por meio de registro de "outro transtorno do neurodesenvolvimento especificado", seguido pela razão específica (p. ex., "transtorno do neurodesenvolvimento associado com exposição pré-natal ao álcool").

Um exemplo de uma apresentação que pode ser especificada usando a designação "outro transtorno do neurodesenvolvimento especificado" é o seguinte:

Transtorno do neurodesenvolvimento associado a exposição pré-natal ao álcool: Transtorno do neurodesenvolvimento associado a exposição pré-natal ao álcool é caracterizado por uma gama de alterações de desenvolvimento após exposição intrauterina ao álcool.

Transtorno do Neurodesenvolvimento Não Especificado

F89

Esta categoria aplica-se a apresentações em que sintomas característicos de um transtorno do neurodesenvolvimento que causam prejuízo no funcionamento social, profissional ou em outras áreas importantes da vida do indivíduo predominam, mas não satisfazem todos os critérios para qualquer transtorno na classe diagnóstica dos transtornos do neurodesenvolvimento. A categoria transtorno do neurodesenvolvimento não especificado é usada nas situações em que o clínico opta por *não* especificar a razão pela qual os critérios para um transtorno do neurodesenvolvimento específico não são satisfeitos e inclui apresentações para as quais não há informações suficientes para que seja feito um diagnóstico mais específico (p. ex., em salas de emergência).

Espectro da Esquizofrenia e Outros Transtornos Psicóticos

O espectro da esquizofrenia e outros transtornos psicóticos inclui esquizofrenia, outros transtornos psicóticos e transtorno (da personalidade) esquizotípica. Esses transtornos são definidos por anormalidades em um ou mais dos cinco domínios a seguir: delírios, alucinações, pensamento (discurso) desorganizado, comportamento motor grosseiramente desorganizado ou anormal (incluindo catatonia) e sintomas negativos.

Características Essenciais que Definem os Transtornos Psicóticos

Delírios

Os *delírios* são crenças fixas, não passíveis de mudança à luz de evidências conflitantes. Seu conteúdo pode incluir uma variedade de temas (p. ex., persecutório, de referência, somático, religioso, de grandeza). *Delírios persecutórios* (i. e., crença de que o indivíduo irá ser prejudicado, assediado, e assim por diante, por outra pessoa, organização ou grupo) são mais comuns. *Delírios de referência* (i. e., crença de que alguns gestos, comentários, estímulos ambientais, e assim por diante, são direcionados à própria pessoa) também são comuns. *Delírios de grandeza* (i. e., quando uma pessoa crê que tem habilidades excepcionais, riqueza ou fama) e *delírios erotomaníacos* (i. e., quando o indivíduo crê falsamente que outra pessoa está apaixonada por ele) são também encontrados. *Delírios niilistas* envolvem a convicção de que ocorrerá uma grande catástrofe, e *delírios somáticos* concentram-se em preocupações referentes à saúde e à função dos órgãos.

Delírios são considerados *bizarros* se claramente implausíveis e incompreensíveis por outros indivíduos da mesma cultura, não se originando de experiências comuns da vida. Um exemplo de delírio bizarro é a crença de que uma força externa retirou os órgãos internos de uma pessoa, substituindo-os pelos de outra sem deixar feridas ou cicatrizes. Um exemplo de delírio não bizarro é acreditar que a pessoa está sob vigilância da polícia, apesar da falta de evidências convincentes. Os delírios que expressam perda de controle da mente ou do corpo costumam ser considerados bizarros; eles incluem a crença de que os pensamentos da pessoa foram "removidos" por alguma força externa (*retirada de pensamento*), de que pensamentos estranhos foram colocados na mente (*inserção de pensamento*) ou de que o corpo ou as ações do indivíduo estão sendo manipulados por uma força externa (*delírios de controle*).

Distinguir um delírio de uma ideia firmemente defendida é algumas vezes difícil e depende, em parte, do grau de convicção com que a crença é defendida apesar de evidências contraditórias claras ou razoáveis acerca de sua veracidade. Avaliar os delírios em indivíduos de uma variedade de contextos culturais diferentes pode ser difícil. Algumas crenças religiosas e sobrenaturais (p. ex., mau olhado, doenças causadas por maldições e influência de espíritos) podem ser vistas como bizarras e possivelmente delirantes em alguns contextos culturais, mas podem ser aceitas em geral em outros. Entretanto, religiosidade elevada pode ser uma característica de muitas apresentações de psicose.

Indivíduos que já experienciaram tortura, violência política ou discriminação podem reportar medos que podem ser julgados erroneamente como delírios de perseguição; esses, na verdade, podem representar medo intenso de recorrência ou sintomas pós-traumáticos. Uma avaliação cuidadosa de se os medos da pessoa são justificados, dada a natureza do trauma, pode ajudar a diferenciar medos apropriados de delírios de perseguição.

Alucinações

Alucinações são experiências semelhantes à percepção que ocorrem sem um estímulo externo. São vívidas e claras, com toda a força e o impacto das percepções normais, não estando sob controle voluntário. Podem ocorrer em qualquer modalidade sensorial, embora as alucinações auditivas sejam as mais comuns na esquizofrenia e em transtornos relacionados. Alucinações auditivas costumam ser vividas como vozes, familiares ou não, percebidas como diferentes dos próprios pensamentos do indivíduo. As alucinações devem ocorrer no contexto de um sensório sem alterações; as que ocorrem ao adormecer (*hipnagógicas*) ou ao acordar (*hipnopômpicas*) são consideradas como pertencentes ao âmbito das experiências normais. Em alguns contextos culturais, alucinações podem ser elemento normal de experiências religiosas.

Desorganização do Pensamento (Discurso)

A *desorganização do pensamento* (transtorno do pensamento formal) costuma ser inferida a partir do discurso do indivíduo. Este pode mudar de um tópico a outro (*descarrilamento ou afrouxamento das associações*). As respostas a perguntas podem ter uma relação oblíqua ou não ter relação alguma (*tangencialidade*). Raras vezes, o discurso pode estar tão gravemente desorganizado que é quase incompreensível, lembrando a afasia receptiva em sua desorganização linguística (*incoerência* ou "salada de palavras"). Uma vez que o discurso levemente desorganizado é comum e inespecífico, o sintoma deve ser suficientemente grave a ponto de prejudicar de forma substancial a comunicação efetiva. A gravidade do prejuízo pode ser de difícil avaliação quando a pessoa que faz o diagnóstico vem de um contexto linguístico diferente daquele de quem está sendo examinado. Por exemplo, alguns grupos religiosos usam a glossolalia (falar em língua desconhecida durante oração); outros descrevem experiências de transe de possessão (estados de transe em que a identidade pessoal é substituída por uma identidade externa possuidora). Esses fenômenos são caracterizados por discurso desorganizado. Esses casos não representam sinais de psicose a não ser que eles sejam acompanhados por outros sintomas claramente psicóticos. Pode ocorrer desorganização menos grave do pensamento ou do discurso durante os períodos prodrômicos ou residuais da esquizofrenia.

Comportamento Motor Grosseiramente Desorganizado ou Anormal (Incluindo Catatonia)

Comportamento motor grosseiramente desorganizado ou anormal pode se manifestar de várias formas, desde o comportamento "tolo e pueril" até a agitação imprevisível. As alterações podem ser observadas em qualquer forma de comportamento dirigido a um objetivo, levando a dificuldades na realização das atividades cotidianas.

Comportamento catatônico é uma redução acentuada na reatividade ao ambiente. Varia da resistência a instruções (*negativismo*), passando por manutenção de postura rígida, inapropriada ou bizarra, até a falta total de respostas verbais e motoras (*mutismo* e *estupor*). Pode, ainda, incluir atividade motora sem propósito e excessiva sem causa óbvia (*excitação catatônica*). Outras características incluem movimentos estereotipados repetidos, olhar fixo, caretas, mutismo e eco da fala. Ainda que a catatonia seja historicamente associada à esquizofrenia, os sintomas catatônicos são inespecíficos, podendo ocorrer em outros transtornos mentais (p. ex., transtornos bipolar ou depressivo com catatonia) e em condições médicas (transtorno catatônico devido a outra condição médica).

Sintomas Negativos

Sintomas negativos respondem por uma porção substancial da morbidade associada à esquizofrenia, embora sejam menos proeminentes em outros transtornos psicóticos. Dois sintomas negativos são especialmente proeminentes na esquizofrenia: expressão emocional diminuída e avolia. *Expressão emocional diminuída* inclui reduções na expressão de emoções pelo rosto, no contato visual, na entonação da fala (prosódia) e nos movimentos das mãos, da cabeça e da face, os quais normalmente conferem ênfase emocional ao discurso. A *avolia* é uma redução em atividades motivadas, autoiniciadas e com uma finalidade. A pessoa pode ficar sentada por períodos longos e mostrar pouco interesse em participar de atividades profissionais ou sociais. Outros sintomas negativos incluem alogia, anedonia e falta de sociabilidade. A *alogia* é manifestada por produção diminuída do discurso. A *anedonia* é a capacidade reduzida de experimentar prazer. Indivíduos com esquizofrenia ainda podem desfrutar de uma atividade prazerosa no momento e se lembrar dela, mas demonstram uma redução na frequência de envolvimento com atividades prazerosas. A falta de sociabilidade refere-se à aparente ausência de interesse em interações sociais, podendo estar associada à avolia, embora possa ser uma manifestação de falta de oportunidades de interações sociais.

Transtornos Neste Capítulo

Este capítulo está organizado com base em um aumento gradual da psicopatologia. Os clínicos devem primeiro analisar as condições que não satisfazem a totalidade dos critérios para cada transtorno psicótico ou que se limitam a um domínio da psicopatologia. Em seguida, devem avaliar as condições limitadas pelo tempo. Por fim, o diagnóstico de um transtorno do espectro da esquizofrenia exige a exclusão de outra condição capaz de originar uma psicose.

O transtorno da personalidade esquizotípica está neste capítulo porque é considerado dentro do espectro da esquizofrenia, embora sua descrição completa seja encontrada no capítulo "Transtornos da Personalidade". O diagnóstico de transtorno da personalidade esquizotípica engloba um padrão global de déficits sociais e interpessoais, incluindo capacidade reduzida para relações próximas, distorções cognitivas e perceptivas e excentricidades comportamentais, frequentemente com início no começo da fase adulta, embora, em certos casos, o início ocorra na infância e na adolescência. Anormalidades de crenças, pensamento e percepção estão abaixo do limiar para o diagnóstico de um transtorno psicótico.

Duas condições são definidas por anormalidades limitadas a um domínio de psicose: delírios ou catatonia. O transtorno delirante caracteriza-se por pelo menos um mês de delírios, ainda que nenhum outro sintoma psicótico esteja presente. A catatonia é descrita mais adiante no capítulo e com mais detalhes nesta discussão.

O transtorno psicótico breve dura mais de um dia e remite em um mês. O transtorno esquizofreniforme caracteriza-se por uma apresentação sintomática equivalente à da esquizofrenia, exceto pela duração (menos de seis meses) e pela ausência de exigência de declínio funcional.

A esquizofrenia dura pelo menos seis meses, incluindo ao menos um mês de sintomas da fase ativa. No transtorno esquizoafetivo, um episódio de humor e sintomas da fase ativa da esquizofrenia ocorrem concomitantemente, tendo sido antecedidos ou seguidos de pelo menos duas semanas de delírios ou alucinações sem sintomas proeminentes de humor.

Os transtornos psicóticos podem ser induzidos por substâncias, medicamentos, toxinas e outras condições médicas. No transtorno psicótico induzido por substância/medicamento, os sintomas psicóticos são entendidos como consequência de uma droga de abuso, um medicamento ou exposição a uma toxina, cessando após a remoção do agente. No transtorno psicótico devido a outra condição médica, acredita-se que os sintomas psicóticos sejam uma consequência fisiológica direta de outra condição médica.

Pode ocorrer catatonia em vários transtornos, incluindo transtorno do neurodesenvolvimento, psicótico, bipolar, depressivo, entre outros. Este capítulo também inclui os diagnósticos de catatonia associada a outro transtorno mental (especificador de catatonia), transtorno catatônico devido a outra condição médica e catatonia não especificada. Os critérios diagnósticos para todas as três condições são descritos em conjunto.

Outro transtorno do espectro da esquizofrenia e outro transtorno psicótico especificado ou transtorno do espectro da esquizofrenia e outro transtorno psicótico não especificado estão inclusos para a classificação de apresentações psicóticas que não atendam aos critérios para qualquer outro transtorno psicótico especificado ou para sintomatologia psicótica sobre a qual há informações inadequadas ou contraditórias.

Avaliação de Sintomas Classificados pelo Clínico e Fenômenos Clínicos Relacionados em Psicoses

Os transtornos psicóticos são heterogêneos, e a gravidade dos sintomas pode prever aspectos importantes da doença, como o grau de déficits cognitivos ou neurobiológicos. Para aperfeiçoamento do campo, uma estrutura detalhada da avaliação da gravidade é parte da Seção III, "Instrumentos de Avaliação", a qual pode ser útil no planejamento do tratamento, no processo decisório do prognóstico e em pesquisas sobre os mecanismos fisiopatológicos. Essa seção contém, ainda, avaliações dimensionais dos sintomas primários de psicose, incluindo alucinações, delírios, desorganização do discurso (exceto para transtorno psicótico induzido por substância/medicamento e transtorno psicótico devido a outra condição médica), comportamento psicomotor anormal e sintomas negativos, bem como avaliações dimensionais de depressão e mania. A gravidade dos sintomas de humor na psicose tem valor prognóstico e orienta o tratamento. Assim, avaliações dimensionais de depressão e mania para todos os transtornos psicóticos alertam os clínicos para a patologia do humor e para a necessidade de eventualmente tratar. A escala da Seção III inclui também uma avaliação dimensional de prejuízo cognitivo. Muitos indivíduos com transtornos psicóticos têm prejuízos em uma gama de domínios cognitivos, que são elementos preditivos da condição funcional. Uma avaliação clínica neuropsicológica pode ser útil para orientar o diagnóstico e o tratamento; avaliações breves, no entanto, sem investigação neuropsicológica formal, podem propiciar informações úteis capazes de ser suficientes para fins diagnósticos. Testes neuropsicológicos formais, quando realizados, devem ser administrados e pontuados por pessoal treinado no uso desses instrumentos. Se uma avaliação neuropsicológica formal não for realizada, o clínico deve usar as melhores informações disponíveis para fazer um julgamento. Há necessidade de mais pesquisa sobre essas avaliações para a determinação de sua utilidade clínica; as avaliações disponíveis na Seção III devem, então, funcionar como um protótipo para estimular tais pesquisas.

Considerações Culturais na Avaliação de Sintomas Psicóticos

A precisão do diagnóstico e a qualidade do plano de tratamento podem melhorar com o uso de uma abordagem com entrevistas, escalas e ferramentas que foram adaptadas ou validadas para a cultura da pessoa, assim como com o uso de uma entrevista de formulação cultural (ver Seção III, "Cultura e Diagnóstico Psiquiátrico"). A avaliação de psicose por meio de intérpretes ou em uma segunda ou terceira língua deve evitar mal-entendidos, como a consideração de metáforas para delírios que não são familiares na cultura do avaliador.

Transtorno (da Personalidade) Esquizotípica

Os critérios e o texto para transtorno da personalidade esquizotípica podem ser encontrados no capítulo "Transtornos da Personalidade". Como esse transtorno é considerado parte dos transtornos do espectro da esquizofrenia e é classificado nessa seção da CID-10 como transtorno esquizotípico, está listado neste capítulo e é discutido detalhadamente no capítulo do DSM-5 sobre "Transtornos da Personalidade".

Transtorno Delirante

Critérios Diagnósticos   F22

A. A presença de um delírio (ou mais) com duração de um mês ou mais.
B. O Critério A para esquizofrenia jamais foi atendido.

Nota: Alucinações, quando presentes, não são proeminentes e têm relação com o tema do delírio (p. ex., a sensação de estar infestado de insetos associada a delírios de infestação).

C. Exceto pelo impacto do(s) delírio(s) ou de seus desdobramentos, o funcionamento não está acentuadamente prejudicado, e o comportamento não é claramente bizarro ou esquisito.

D. Se episódios maníacos ou depressivos ocorreram, eles foram breves em comparação com a duração dos períodos delirantes.

E. A perturbação não é atribuível aos efeitos de uma substância ou a outra condição médica, não sendo mais bem explicada por outro transtorno mental, como transtorno dismórfico corporal ou transtorno obsessivo-compulsivo.

Determinar o subtipo:

Tipo erotomaníaco: Esse subtipo aplica-se quando o tema central do delírio é o de que outra pessoa está apaixonada pelo indivíduo.

Tipo grandioso: Esse subtipo aplica-se quando o tema central do delírio é a convicção de ter algum grande talento (embora não reconhecido), *insight* ou ter feito uma descoberta importante.

Tipo ciumento: Esse subtipo aplica-se quando o tema central do delírio do indivíduo é o de que o cônjuge ou parceiro é infiel.

Tipo persecutório: Esse subtipo aplica-se quando o tema central do delírio envolve a crença de que o próprio indivíduo está sendo vítima de conspiração, enganado, espionado, perseguido, envenenado ou drogado, difamado maliciosamente, assediado ou obstruído na busca de objetivos de longo prazo.

Tipo somático: Esse subtipo aplica-se quando o tema central do delírio envolve funções ou sensações corporais.

Tipo misto: Esse subtipo aplica-se quando não há um tema delirante predominante.

Tipo não especificado: Esse subtipo aplica-se quando a crença delirante dominante não pode ser determinada com clareza ou não está descrita nos tipos específicos (p. ex., delírios referenciais sem um componente persecutório ou grandioso proeminente).

Especificar se:

Com conteúdo bizarro: Os delírios são considerados bizarros se são claramente implausíveis, incompreensíveis e não originados de experiências comuns da vida (p. ex., a crença de um indivíduo de que um estranho retirou seus órgãos internos, substituindo-os pelos de outro sem deixar feridas ou cicatrizes).

Especificar se:

Os especificadores de curso a seguir devem ser usados somente após um ano de duração do transtorno:

Primeiro episódio, atualmente em episódio agudo: Primeira manifestação do transtorno preenchendo os sintomas diagnósticos definidores e o critério de tempo. Um *episódio agudo* é um período de tempo em que são atendidos os critérios dos sintomas.

Primeiro episódio, atualmente em remissão parcial: *Remissão parcial* é um período de tempo durante o qual é mantida melhora após um episódio prévio e em que os critérios definidores do transtorno são atendidos apenas em parte.

Primeiro episódio, atualmente em remissão completa: *Remissão completa* é um período de tempo após um episódio prévio durante o qual não estão presentes sintomas específicos do transtorno.

Episódios múltiplos, atualmente em episódio agudo

Episódios múltiplos, atualmente em remissão parcial

Episódios múltiplos, atualmente em remissão completa

Contínuo: Os sintomas que atendem aos critérios diagnósticos do transtorno permanecem durante a maior parte do curso da doença, com períodos sintomáticos em nível subclínico muito breves em relação ao curso geral.

Não especificado

Especificar a gravidade atual:

A gravidade é classificada por uma avaliação quantitativa dos sintomas primários de psicose, o que inclui delírios, alucinações, desorganização do discurso, comportamento psicomotor anormal e sintomas

> negativos. Cada um desses sintomas pode ser classificado quanto à gravidade atual (mais grave nos últimos sete dias) em uma escala com 5 pontos, variando de 0 (não presente) a 4 (presente e grave). (Ver Gravidade das Dimensões de Sintomas de Psicose Avaliada pelo Clínico no capítulo "Instrumentos da Avaliação".)
> **Nota:** O diagnóstico de transtorno delirante pode ser feito sem a utilização desse especificador de gravidade.

Subtipos

No *tipo erotomaníaco*, o tema central do delírio é o de que outra pessoa está apaixonada pelo indivíduo. A pessoa em relação à qual há tal convicção costuma ter condição superior (p. ex., alguém famoso ou em cargo superior no trabalho), embora possa ser um completo estranho. Tentativas de contato com o objeto do delírio são comuns. No *tipo grandioso*, o tema central do delírio é a convicção de ter algum grande talento ou conhecimento ou de ter feito alguma descoberta importante. Menos comum, a pessoa pode ter o delírio de manter uma relação especial com alguém renomado ou de ser uma pessoa famosa (caso em que o indivíduo verdadeiro pode ser visto como impostor). Delírios grandiosos podem ter conteúdo religioso. No *tipo ciumento*, o tema central do delírio é ter um parceiro infiel. Essa crença é injustificada e está baseada em inferências incorretas apoiadas por pequenas "evidências" (p. ex., roupas desalinhadas). A pessoa com o delírio costuma confrontar o cônjuge ou o parceiro e tenta intervir na infidelidade imaginada. No *tipo persecutório*, o tema central do delírio envolve a crença de que o próprio indivíduo está sendo vítima de conspiração, enganado, espionado, perseguido, envenenado ou drogado, difamado maliciosamente, assediado ou obstruído na busca de objetivos de longo prazo. Pequenas descortesias podem ser exageradas, tornando-se foco de um sistema delirante. O indivíduo afetado pode se envolver em tentativas repetidas de conseguir satisfação por alguma ação legal ou legislativa. Pessoas com delírios persecutórios costumam ser ressentidas e enraivecidas, podendo até recorrer à violência contra aqueles que, em sua opinião, lhe causam danos. No *tipo somático*, o tema central do delírio envolve funções ou sensações corporais. Podem ocorrer delírios somáticos de várias formas. Mais comum é a crença de que a pessoa emite odor desagradável, de existir uma infestação de insetos na pele ou sob ela, de haver um parasita interno ou de que certas partes do corpo não estão funcionando.

Características Diagnósticas

A característica essencial do transtorno delirante é a presença de um ou mais delírios que persistem por pelo menos um mês (Critério A). Não é feito o diagnóstico de transtorno delirante se o indivíduo alguma vez teve apresentação de sintomas que satisfaçam o Critério A para esquizofrenia (Critério B). Independentemente do impacto direto dos delírios, prejuízos no funcionamento psicossocial podem estar mais circunscritos que os encontrados em outros transtornos psicóticos, como a esquizofrenia, e o comportamento não é claramente bizarro ou esquisito (Critério C). Se ocorrerem episódios de humor concomitantemente com os delírios, sua duração total é breve em relação à duração total dos períodos delirantes (Critério D). Os delírios não podem ser atribuídos aos efeitos de uma substância (p. ex., cocaína) ou a outra condição médica (p. ex., doença de Alzheimer), não sendo mais bem explicados por outro transtorno mental, como transtorno dismórfico corporal ou transtorno obsessivo-compulsivo (Critério E).

Além das áreas de domínio de sintomas identificadas nos critérios diagnósticos, é fundamental a avaliação dos sintomas dos domínios cognição, depressão e mania para que sejam feitas distinções importantes entre os vários transtornos do espectro da esquizofrenia e outros transtornos psicóticos. Enquanto delírios são um pré-requisito de transtorno delirante, alucinações e sintomas negativos são incomuns, e desorganização é rara. Por definição, a presença de catatonia juntamente com delírios descarta transtorno delirante, já que o Critério A para esquizofrenia seria preenchido. Um subconjunto de casos tem sintomas depressivos proeminentes, mas déficit cognitivo e mania raramente são demonstrados.

Características Associadas

Problemas sociais, conjugais ou profissionais podem ser consequências de crenças ou transtorno delirante. Indivíduos com transtorno delirante podem ser capazes de descrever, de forma factual, que outras pessoas veem suas crenças como irracionais, mas são incapazes de aceitar isso (i. e., pode existir "*insight* dos fatos", mas não um *insight* verdadeiro). Muitos indivíduos desenvolvem humor irritável ou disfórico, que costuma ser compreendido como uma reação às suas crenças delirantes. Raiva e comportamento violento podem ocorrer com os tipos persecutório, ciumento e erotomaníaco. A pessoa pode se envolver em comportamento litigioso ou antagonista (p. ex., envio de centenas de cartas de protesto ao governo). Podem ocorrer dificuldades legais especialmente nos tipos ciumento e erotomaníaco.

Prevalência

A prevalência ao longo da vida de um transtorno delirante foi estimada em 0,2% em uma amostra finlandesa, e o subtipo mais frequente é o persecutório. O transtorno delirante do tipo ciumento é provavelmente mais comum em homens do que em mulheres, embora não haja grandes diferenças de sexo ou gênero na frequência geral do transtorno delirante ou no conteúdo dos delírios.

Desenvolvimento e Curso

Em média, a função global é geralmente melhor que a observada na esquizofrenia. Embora o diagnóstico costume ser estável, parte das pessoas acaba desenvolvendo esquizofrenia. Enquanto cerca de um terço dos indivíduos com transtorno delirante com duração de 1 a 3 meses recebe, subsequentemente, um diagnóstico de esquizofrenia, o diagnóstico de transtorno delirante tem uma probabilidade muito menor de mudar se a duração do transtorno é maior do que 6 a 12 meses. Embora o transtorno possa ocorrer em grupos mais jovens, a condição pode ser mais prevalente em pessoas idosas.

Fatores de Risco e Prognóstico

Genéticos e fisiológicos. O transtorno delirante tem uma relação familiar tanto com a esquizofrenia quando com o transtorno da personalidade esquizotípica.

Questões Diagnósticas Relativas à Cultura

Antecedentes culturais e religiosos individuais devem ser levados em conta na avaliação de possível presença de transtorno delirante. Algumas crenças tradicionais que não são familiares para culturas ocidentais podem ser classificadas erroneamente como delirantes, logo, é importante avaliar cuidadosamente o contexto. O conteúdo dos delírios também varia entre diferentes grupos culturais.

Consequências Funcionais do Transtorno Delirante

O prejuízo funcional costuma ser mais circunscrito que o encontrado em outros transtornos psicóticos, ainda que possa ser substancial em alguns casos, incluindo funcionamento profissional insatisfatório e isolamento social. Quando está presente funcionamento psicossocial insatisfatório, as próprias crenças delirantes costumam ter papel importante. Uma característica comum dos indivíduos com transtorno delirante é a aparente normalidade de seu comportamento e aparência quando não estão sendo discutidas ou acionadas suas ideias delirantes. Homens com transtorno delirante normalmente têm sintomas mais graves e resultados funcionais piores se comparados aos das mulheres.

Diagnóstico Diferencial

Transtorno obsessivo-compulsivo e transtornos relacionados. Se um indivíduo com transtorno obsessivo-compulsivo está totalmente convencido da veracidade das crenças de seu transtorno, o diagnóstico de transtorno obsessivo-compulsivo, com o especificador com *insight* ausente/crenças delirantes, deve ser feito, em vez do diagnóstico de transtorno delirante. Da mesma forma, se uma pessoa com transtorno dismórfico corporal está totalmente convencida da veracidade das crenças de seu transtorno, deve ser feito o diagnóstico de transtorno dismórfico corporal, com especificador com *insight* ausente/crenças delirantes, em vez de transtorno delirante.

***Delirium*, transtorno neurocognitivo maior e transtorno psicótico devido a outra condição médica.** Pessoas com esses transtornos podem apresentar sintomas sugestivos de transtorno delirante. Por exemplo, delírios persecutórios simples, no contexto de transtorno neurocognitivo maior, seriam diagnosticados como transtorno neurocognitivo maior com alterações comportamentais.

Transtorno psicótico induzido por substância/medicamento. Um delírio psicótico induzido por substância/medicamento pode, em uma observação transversal, ter sintomatologia idêntica ao transtorno delirante, mas pode ser diferenciado pela relação cronológica do uso da substância com o aparecimento e a remissão das crenças delirantes.

Esquizofrenia e transtorno esquizofreniforme. Pode-se diferenciar transtorno delirante de esquizofrenia e de transtorno esquizofreniforme pela ausência dos demais sintomas característicos da fase ativa da esquizofrenia. Além disso, a qualidade dos delírios pode ajudar na distinção entre esquizofrenia e transtorno delirante. Na esquizofrenia, delírios mostram maior desorganização (o grau em que os delírios são internamente consistentes, lógicos e sistematizados), enquanto no transtorno delirante, mostram uma maior convicção (o grau em que o indivíduo está convencido da realidade do delírio), uma maior extensão (o grau em que o delírio envolve as várias áreas da vida do indivíduo) e uma maior pressão (o grau em que o indivíduo está preocupado com o delírio expresso).

Transtornos depressivo e bipolar e transtorno esquizoafetivo. Esses transtornos podem ser diferenciados do transtorno delirante pela relação temporal entre a perturbação do humor e os delírios e pela gravidade dos sintomas de humor. Quando os delírios ocorrem exclusivamente durante os episódios de humor, o diagnóstico é transtorno depressivo ou transtorno bipolar com características psicóticas. Os sintomas de humor que satisfazem todos os critérios de um episódio de humor podem estar sobrepostos ao transtorno delirante. Este só pode ser diagnosticado se a duração de todos os episódios de humor permanece curta em relação à duração total da perturbação delirante. Caso contrário, é mais apropriado um diagnóstico de outro transtorno do espectro da esquizofrenia e outro transtorno psicótico especificado ou de transtorno do espectro da esquizofrenia e outro transtorno psicótico não especificado acompanhado por outro transtorno depressivo especificado, transtorno depressivo não especificado, outro transtorno bipolar e transtorno relacionado especificado ou transtorno bipolar e transtorno relacionado não especificado.

Transtorno Psicótico Breve

Critérios Diagnósticos   F23

A. Presença de um (ou mais) dos sintomas a seguir. Pelo menos um deles deve ser (1), (2) ou (3):
   1. Delírios.
   2. Alucinações.
   3. Discurso desorganizado (p. ex., descarrilamento ou incoerência frequentes).
   4. Comportamento grosseiramente desorganizado ou catatônico.

   Nota: Não incluir um sintoma que seja um padrão de resposta culturalmente aceito.

B. A duração de um episódio da perturbação é de, pelo menos, um dia, mas inferior a um mês, com eventual retorno completo a um nível de funcionamento pré-mórbido.

C. A perturbação não é mais bem explicada por transtorno depressivo maior ou transtorno bipolar com características psicóticas, por outro transtorno psicótico como esquizofrenia ou catatonia, nem se deve aos efeitos de uma substância (p. ex., droga de abuso, medicamento) ou a outra condição médica.

Especificar se:

Com estressor(es) evidente(s) (psicose reativa breve): Se os sintomas ocorrem em resposta a eventos que, isoladamente ou em conjunto, seriam notadamente estressantes a quase todos os indivíduos daquela cultura em circunstâncias similares.

Sem estressor(es) evidente(s): Se os sintomas não ocorrem em resposta a eventos que, isoladamente ou em conjunto, seriam notadamente estressantes a quase todos os indivíduos daquela cultura em circunstâncias similares.

Com início no periparto: Se o início é durante a gestação ou em até quatro semanas após o parto.

Especificar se:

Com catatonia (consultar os critérios para catatonia associada a outro transtorno mental, p. 135, para definição)

Nota para codificação: Usar o código adicional F06.1 de catatonia associada ao transtorno psicótico breve para indicar a presença da comorbidade com catatonia.

Especificar a gravidade atual:

A gravidade é classificada por uma avaliação quantitativa dos sintomas primários de psicose, o que inclui delírios, alucinações, desorganização do discurso, comportamento psicomotor anormal e sintomas negativos. Cada um desses sintomas pode ser classificado quanto à gravidade atual (mais grave nos últimos sete dias) em uma escala com 5 pontos, variando de 0 (não presente) a 4 (presente e grave). (Ver Gravidade das Dimensões de Sintomas de Psicose Avaliada pelo Clínico no capítulo "Instrumentos de Avaliação".)

Nota: O diagnóstico de transtorno psicótico breve pode ser feito sem a utilização desse especificador de gravidade.

Características Diagnósticas

A característica essencial do transtorno psicótico breve consiste em uma perturbação que envolve o aparecimento repentino de pelo menos um dos seguintes sintomas psicóticos positivos: delírios, alucinações, discurso desorganizado (p. ex., descarrilamento ou incoerência frequente) ou comportamento psicomotor grosseiramente anormal, incluindo catatonia (Critério A). A duração de um episódio da perturbação é de, pelo menos, um dia, mas inferior a um mês, com eventual retorno completo a um nível de funcionamento pré-mórbido (Critério B). A perturbação não é mais bem explicada por transtorno depressivo maior ou transtorno bipolar com características psicóticas, por outro transtorno psicótico como esquizofrenia ou catatonia, nem se deve aos efeitos de uma substância (p. ex., um alucinógeno) ou a outra condição médica (p. ex., hematoma subdural) (Critério C).

Além das quatro áreas de domínio de sintomas identificadas nos critérios diagnósticos, a avaliação dos sintomas dos domínios cognição, depressão e mania é fundamental para que sejam feitas distinções importantes entre os vários transtornos do espectro da esquizofrenia e outros transtornos psicóticos.

Características Associadas

Pessoas com transtorno psicótico breve costumam vivenciar turbulência emocional ou grande confusão. Podem apresentar mudanças rápidas de um afeto intenso a outro. Ainda que a perturbação seja breve, o nível de prejuízo pode ser grave, podendo haver necessidade de supervisão para garantir o atendimento às necessidades nutricionais e higiênicas e para que a pessoa fique protegida das consequências de julgamento insatisfatório, prejuízo cognitivo ou atos baseados em delírios. Parece haver risco aumentado de comportamento suicida, particularmente durante o episódio agudo.

Prevalência

O transtorno psicótico breve pode corresponder de 2 a 7% dos casos de primeiro surto psicótico em diversos países.

Desenvolvimento e Curso

O transtorno psicótico breve pode aparecer na adolescência e no início da fase adulta, podendo ocorrer durante a vida toda, com idade média de início situando-se aos 35 anos. Por definição, um diagnóstico de transtorno psicótico breve exige remissão completa de todos os sintomas e eventual retorno completo ao nível de funcionamento pré-mórbido em um mês do aparecimento da perturbação. Em algumas pessoas, a duração dos sintomas psicóticos pode ser muito breve (p. ex., alguns dias).

Apesar de o transtorno psicótico breve, por definição, alcançar uma remissão completa dentro de 1 mês, mais de 50% dos indivíduos sofrem uma recaída subsequentemente. Apesar das elevadas taxas de recaída, para a maioria das pessoas, o desfecho é excelente em termos de funcionamento social e sintomatologia.

Em menos da metade dos casos diagnosticados como transtorno psicótico breve (nomenclatura do DSM-IV) ou transtorno psicótico agudo e transitório (nomenclatura da CID-10) o diagnóstico muda. Quando muda, geralmente é para transtornos do espectro da esquizofrenia e menos frequentemente para transtornos afetivos ou outros transtornos psicóticos.

Questões Diagnósticas Relativas à Cultura

É importante distinguir sintomas do transtorno psicótico breve dos padrões de resposta culturalmente aceitos. Por exemplo, em algumas cerimônias religiosas, uma pessoa pode relatar ouvir vozes, mas em geral elas não persistem e não são percebidas como anormais pela maioria dos membros da comunidade. Em uma grande variedade de contextos culturais, é comum ou esperado para familiares em luto escutarem, verem ou interagirem com o espírito de algum parente recentemente falecido sem sequelas patológicas perceptíveis. Além disso, antecedentes culturais e religiosos devem ser levados em conta quando se considera se as crenças são delirantes.

Diagnóstico Diferencial

Outras condições médicas. Uma variedade de distúrbios médicos pode se manifestar com sintomas psicóticos de breve duração. Transtorno psicótico devido a outra condição médica ou a *delirium* é diagnosticado quando há evidências oriundas da história, do exame físico ou dos testes laboratoriais que demonstram que os delírios ou as alucinações são consequência fisiológica direta de determinada condição médica (p. ex., síndrome de Cushing, tumor cerebral) (ver "Transtorno Psicótico Devido a Outra Condição Médica" mais adiante neste capítulo).

Transtornos relacionados a substâncias. Transtorno psicótico induzido por substância/medicamento, *delirium* induzido por substância e intoxicação por substância são diferentes do transtorno psicótico breve pelo fato de que uma substância (p. ex., droga de abuso, medicamento, exposição a uma toxina) é considerada etiologicamente relacionada aos sintomas psicóticos (ver "Transtorno Psicótico Induzido por Substância/Medicamento" mais adiante neste capítulo). Exames laboratoriais, como detecção de drogas na urina ou nível de álcool no sangue, podem ser úteis para o julgamento clínico, da mesma forma que uma história criteriosa do uso de substância, com atenção às relações temporais entre a ingestão da substância e o aparecimento dos sintomas e à natureza da substância que está sendo usada.

Transtornos depressivo e bipolar. O diagnóstico de transtorno psicótico breve não pode ser feito se os sintomas psicóticos são mais bem explicados por um episódio de humor (i. e., os sintomas psicóticos ocorrem exclusivamente durante um episódio depressivo maior, maníaco ou misto pleno).

Outros transtornos psicóticos. Se os sintomas psicóticos persistirem por um mês ou mais, o diagnóstico é de transtorno esquizofreniforme, transtorno delirante, transtorno depressivo com características psicóticas, transtorno bipolar com características psicóticos, outro transtorno do espectro da esquizofrenia e outro transtorno psicótico especificado ou transtorno do espectro da esquizofrenia e outro transtorno psicótico não especificado, dependendo dos outros sintomas na apresentação. O diagnóstico diferencial entre transtorno psicótico breve e transtorno esquizofreniforme é difícil quando os sintomas psicóticos entraram em remissão antes de completar um mês em resposta a um tratamento medicamentoso bem-sucedido. Deve ser dada atenção à possibilidade de que um transtorno recorrente (p. ex., transtorno bipolar, exacerbações agudas recorrentes da esquizofrenia) seja responsável por quaisquer episódios psicóticos recorrentes.

Transtornos factício ou de simulação. Um episódio de transtorno factício, com predominância de sinais e sintomas psicológicos, pode parecer um transtorno psicótico breve; todavia, em casos assim, há evidências de que os sintomas foram produzidos de forma intencional. Quando a simulação envolve sintomas aparentemente psicóticos, costuma haver evidência de que a doença está sendo simulada em prol de um objetivo compreensível.

Transtornos da personalidade. Em determinados indivíduos com transtornos da personalidade, estressores psicossociais podem precipitar períodos breves de sintomas psicóticos. Esses sintomas são geralmente transitórios e não justificam um diagnóstico separado. Se os sintomas psicóticos persistirem por pelo menos um dia, pode ser apropriado um diagnóstico adicional de transtorno psicótico breve.

Transtorno Esquizofreniforme

Critérios Diagnósticos F20.81

A. Dois (ou mais) dos itens a seguir, cada um presente por uma quantidade significativa de tempo durante um período de um mês (ou menos, se tratados com sucesso). Pelo menos um deles deve ser (1), (2) ou (3):
   1. Delírios.
   2. Alucinações.
   3. Discurso desorganizado (p. ex., descarrilamento ou incoerência frequentes).
   4. Comportamento grosseiramente desorganizado ou catatônico.
   5. Sintomas negativos (i. e., expressão emocional diminuída ou avolia).

B. Um episódio do transtorno que dura pelo menos um mês, mas menos do que seis meses. Quando deve ser feito um diagnóstico sem aguardar a recuperação, ele deve ser qualificado como "provisório".

C. Transtorno esquizoafetivo e transtorno depressivo ou transtorno bipolar com características psicóticas foram descartados porque 1) nenhum episódio depressivo maior ou maníaco ocorreu concomitantemente com os sintomas da fase ativa ou 2) se os episódios de humor ocorreram durante os sintomas da fase ativa, estiveram presentes pela menor parte da duração total dos períodos ativo e residual da doença.

D. A perturbação não é atribuível aos efeitos de uma substância (p. ex., droga de abuso, medicamento) ou a outra condição médica.

Especificar se:

Com características de bom prognóstico: Esse especificador exige a presença de pelo menos duas das seguintes características: início de sintomas psicóticos proeminentes em quatro semanas da primeira mudança percebida no comportamento ou funcionamento habitual; confusão ou perplexidade; bom funcionamento social e profissional pré-mórbido; ausência de afeto embotado ou plano.

Sem características de bom prognóstico: Esse especificador é aplicado se duas ou mais entre as características anteriores não estiveram presentes.

Especificar se:

Com catatonia (consultar os critérios para catatonia associada a outro transtorno mental, p. 135, para definição)

> **Nota para codificação:** Usar o código adicional F06.1 de catatonia associada ao transtorno esquizofreniforme para indicar a presença da comorbidade com catatonia.
>
> *Especificar* a gravidade atual:
> A gravidade é classificada por uma avaliação quantitativa dos sintomas primários de psicose, o que inclui delírios, alucinações, desorganização do discurso, comportamento psicomotor anormal e sintomas negativos. Cada um desses sintomas pode ser classificado quanto à gravidade atual (mais grave nos últimos sete dias) em uma escala com 5 pontos, variando de 0 (não presente) a 4 (presente e grave). (Ver Gravidade das Dimensões de Sintomas de Psicose Avaliada pelo Clínico no capítulo "Instrumentos de Avaliação".)
>
> **Nota:** O diagnóstico de transtorno esquizofreniforme pode ser feito sem a utilização desse especificador de gravidade.

Nota: Para mais informações sobre Características Associadas, Desenvolvimento e Curso (fatores relacionados à idade), Questões Diagnósticas Relativas à Cultura, Questões Diagnósticas Relativas ao Sexo e ao Gênero, Diagnóstico Diferencial e Comorbidade, ver as seções correspondentes em Esquizofrenia.

Características Diagnósticas

Os sintomas característicos do transtorno esquizofreniforme são idênticos aos da esquizofrenia (Critério A). O transtorno esquizofreniforme se distingue por sua diferença na duração: a duração total da doença, incluindo as fases prodrômica, ativa e residual, é de pelo menos um mês, mas inferior a seis meses (Critério B). A exigência de duração para transtorno esquizofreniforme é intermediária entre aquela para transtorno psicótico breve, que dura mais de um dia e remite em um mês, e aquela para esquizofrenia, que dura pelo menos seis meses. O diagnóstico de transtorno esquizofreniforme é feito em duas condições: 1) quando um episódio da doença dura entre 1 e 6 meses, e a pessoa já se recuperou, e 2) quando um indivíduo está sintomático por menos de seis meses, tempo necessário para o diagnóstico de esquizofrenia, mas ainda não se recuperou. Nesse caso, o diagnóstico deve ser registrado como "transtorno esquizofreniforme (provisório)", porque ainda não há certeza se o indivíduo irá se recuperar da perturbação no período de seis meses. Se a perturbação persistir por mais de seis meses, o diagnóstico deve ser mudado para esquizofrenia.

Outra característica distintiva do transtorno esquizofreniforme é a falta de um critério que exija funcionamento social e profissional prejudicado. Apesar de tais prejuízos poderem potencialmente estar presentes, eles não são necessários para um diagnóstico de transtorno esquizofreniforme.

Além das cinco áreas de domínio sintomático identificadas nos critérios diagnósticos, a avaliação de sintomas nos domínios cognição, depressão e mania é fundamental para que sejam feitas distinções importantes entre os vários transtornos do espectro da esquizofrenia e outros transtornos psicóticos.

Características Associadas

Como na esquizofrenia, não existem atualmente exames laboratoriais ou testes psicométricos para o transtorno esquizofreniforme. Há múltiplas regiões cerebrais em que as pesquisas de neuroimagem, neuropatologia e neurofisiologia indicam anormalidades, mas nada que seja diagnóstico.

Prevalência

A incidência do transtorno esquizofreniforme em diferentes contextos socioculturais é provavelmente similar à observada na esquizofrenia. Nos Estados Unidos e em outros países desenvolvidos, a incidência é baixa, possivelmente cinco vezes menor que a da esquizofrenia. Nos países em desenvolvimento, a incidência pode ser maior, em especial para o especificador "com características de bom prognóstico"; em alguns desses contextos, o transtorno esquizofreniforme pode ser tão comum quanto a esquizofrenia.

Esquizofrenia

Desenvolvimento e Curso

O desenvolvimento do transtorno esquizofreniforme assemelha-se ao da esquizofrenia. Cerca de um terço dos indivíduos com diagnóstico inicial de transtorno esquizofreniforme (provisório) recupera-se em seis meses, e o transtorno esquizofreniforme é seu diagnóstico final. A maioria dos dois terços restantes irá eventualmente receber um diagnóstico de esquizofrenia ou transtorno esquizoafetivo.

Fatores de Risco e Prognóstico

Genéticos e fisiológicos. Familiares de pessoas com transtorno esquizofreniforme têm risco aumentado de desenvolver esquizofrenia.

Consequências Funcionais do Transtorno Esquizofreniforme

Para a maioria das pessoas com transtorno esquizofreniforme que por fim recebem um diagnóstico de esquizofrenia ou transtorno esquizoafetivo, as consequências funcionais são semelhantes às destes transtornos. A maioria das pessoas tem disfunção em várias áreas do funcionamento diário, como escola ou trabalho, relações interpessoais e autocuidado. Indivíduos que se recuperam do transtorno esquizofreniforme têm melhor evolução funcional.

Diagnóstico Diferencial

Outros transtornos mentais e condições médicas. Uma ampla variedade de transtornos mentais e condições médicas pode se manifestar com sintomas psicóticos, o que deve ser considerado no diagnóstico diferencial de transtorno esquizofreniforme. Essa variedade pode incluir transtorno psicótico devido a outra condição médica ou seu tratamento; *delirium* ou transtorno neurocognitivo maior; transtorno psicótico induzido por substância/medicamento ou *delirium*; transtorno depressivo ou transtorno bipolar com características psicóticas; transtorno esquizoafetivo; outro transtorno bipolar e transtorno relacionado especificado ou transtorno bipolar e transtorno relacionado não especificado; transtorno depressivo ou transtorno bipolar com características catatônicas; esquizofrenia; transtorno psicótico breve; transtorno delirante; outro transtorno do espectro da esquizofrenia e outro transtorno psicótico especificado ou transtorno do espectro da esquizofrenia e outro transtorno psicótico não especificado; transtornos da personalidade esquizotípica, esquizoide ou paranoide; transtorno do espectro autista; transtornos que se apresentam na infância com discurso desorganizado; transtorno de déficit de atenção/hiperatividade; transtorno obsessivo-compulsivo; transtorno de estresse pós-traumático; e lesão cerebral traumática.

Uma vez que os critérios diagnósticos para transtorno esquizofreniforme e esquizofrenia diferem principalmente na duração da doença, a discussão do diagnóstico diferencial de esquizofrenia aplica-se também ao transtorno esquizofreniforme.

Transtorno psicótico breve. O transtorno esquizofreniforme difere em relação à duração do transtorno psicótico breve, que dura menos de um mês.

Esquizofrenia

Critérios Diagnósticos   F20.9

A. Dois (ou mais) dos itens a seguir, cada um presente por uma quantidade significativa de tempo durante um período de um mês (ou menos, se tratados com sucesso). Pelo menos um deles deve ser (1), (2) ou (3):
   1. Delírios.
   2. Alucinações.

3. Discurso desorganizado (p. ex., descarrilamento ou incoerência frequentes).
4. Comportamento grosseiramente desorganizado ou catatônico.
5. Sintomas negativos (i. e., expressão emocional diminuída ou avolia).

B. Por período significativo de tempo desde o aparecimento da perturbação, o nível de funcionamento em uma ou mais áreas importantes do funcionamento, como trabalho, relações interpessoais ou autocuidado, está acentuadamente abaixo do nível alcançado antes do início (ou, quando o início se dá na infância ou na adolescência, incapacidade de atingir o nível esperado de funcionamento interpessoal, acadêmico ou profissional).

C. Sinais contínuos de perturbação persistem durante, pelo menos, seis meses. Esse período de seis meses deve incluir no mínimo um mês de sintomas (ou menos, se tratados com sucesso) que precisam satisfazer ao Critério A (i. e., sintomas da fase ativa) e pode incluir períodos de sintomas prodrômicos ou residuais. Durante esses períodos prodrômicos ou residuais, os sinais da perturbação podem ser manifestados apenas por sintomas negativos ou por dois ou mais sintomas listados no Critério A presentes em uma forma atenuada (p. ex., crenças esquisitas, experiências perceptivas incomuns).

D. Transtorno esquizoafetivo e transtorno depressivo ou transtorno bipolar com características psicóticas são descartados porque 1) não ocorreram episódios depressivos maiores ou maníacos concomitantemente com os sintomas da fase ativa, ou 2) se episódios de humor ocorreram durante os sintomas da fase ativa, sua duração total foi breve em relação aos períodos ativo e residual da doença.

E. A perturbação não pode ser atribuída aos efeitos de uma substância (p. ex., droga de abuso, medicamento) ou a outra condição médica.

F. Se há história de transtorno do espectro autista ou de um transtorno da comunicação iniciado na infância, o diagnóstico adicional de esquizofrenia é realizado somente se delírios ou alucinações proeminentes, além dos demais sintomas exigidos de esquizofrenia, estão também presentes por pelo menos um mês (ou menos, se tratados com sucesso).

Especificar se:
Os especificadores de curso a seguir devem ser usados apenas após duração de um ano do transtorno e se não estiverem em contradição com os critérios diagnósticos do curso.

Primeiro episódio, atualmente em episódio agudo: A primeira manifestação do transtorno atende aos sintomas diagnósticos definidos e aos critérios de tempo. Um *episódio agudo* é um período de tempo em que são atendidos os critérios dos sintomas.

Primeiro episódio, atualmente em remissão parcial: *Remissão parcial* é um período de tempo durante o qual é mantida uma melhora após um episódio anterior e em que os critérios definidores do transtorno são atendidos apenas em parte.

Primeiro episódio, atualmente em remissão completa: *Remissão completa* é um período de tempo após um episódio anterior durante o qual não estão presentes sintomas específicos do transtorno.

Episódios múltiplos, atualmente em episódio agudo: Múltiplos episódios podem ser determinados após um mínimo de dois episódios (i. e., após um primeiro episódio, uma remissão e pelo menos uma recaída).

Episódios múltiplos, atualmente em remissão parcial

Episódios múltiplos, atualmente em remissão completa

Contínuo: Os sintomas que atendem aos critérios diagnósticos do transtorno permanecem durante a maior parte do curso da doença, com períodos sintomáticos em nível subclínico muito breves em relação ao curso geral.

Não especificado

Especificar se:
Com catatonia (consultar os critérios para catatonia associada a outro transtorno mental, p. 135, para definição)

Nota para codificação: Usar o código adicional F06.1 de catatonia associada a esquizofrenia para indicar a presença de catatonia comórbida.

Especificar a gravidade atual:
A gravidade é classificada por uma avaliação quantitativa dos sintomas primários de psicose, o que inclui delírios, alucinações, desorganização do discurso, comportamento psicomotor anormal e sintomas negativos. Cada um desses sintomas pode ser classificado quanto à gravidade atual (mais grave nos últimos sete dias) em uma escala com 5 pontos, variando de 0 (não presente) a 4 (presente e grave). (Ver Gravidade das Dimensões de Sintomas de Psicose Avaliada pelo Clínico no capítulo "Instrumentos de Avaliação".)

Nota: O diagnóstico de esquizofrenia pode ser feito sem a utilização desse especificador de gravidade.

Características Diagnósticas

Os sintomas característicos da esquizofrenia envolvem uma gama de disfunções cognitivas, comportamentais e emocionais, mas nenhum sintoma é patognomônico do transtorno. O diagnóstico envolve o reconhecimento de um conjunto de sinais e sintomas associados a um funcionamento profissional ou social prejudicado. Indivíduos com o transtorno apresentarão variações substanciais na maior parte das características, uma vez que a esquizofrenia é uma síndrome clínica heterogênea.

Pelo menos dois sintomas do Critério A devem estar presentes durante parte significativa do tempo em um mês ou mais. Pelo menos um desses sintomas deve ser a presença clara de delírios (Critério A1), alucinações (Critério A2) ou discurso desorganizado (Critério A3). Comportamento grosseiramente desorganizado ou catatônico (Critério A4) e sintomas negativos (Critério A5) podem também estar presentes. Nas situações em que ocorre remissão dos sintomas da fase ativa em um mês em resposta ao tratamento, o Critério A ainda é satisfeito se o médico avalia que eles teriam persistido na ausência de tratamento.

A esquizofrenia envolve prejuízo em uma ou mais das principais áreas do funcionamento (Critério B). Se a perturbação iniciar na infância ou na adolescência, o nível esperado de funcionamento não é alcançado. A comparação do indivíduo com os irmãos não afetados pode ajudar. A disfunção persiste por período substancial durante o curso do transtorno e não parece ser um resultado direto de uma única característica. A avolia (i. e., disposição reduzida para manter comportamento voltado a metas; Critério A5) está ligada à disfunção social descrita no Critério B. Há também fortes evidências de relação entre prejuízo cognitivo (ver a seção "Características Associadas" para esse transtorno) e prejuízo funcional em indivíduos com esquizofrenia.

Alguns sinais da perturbação devem persistir por um período contínuo de pelo menos seis meses (Critério C). Sintomas prodrômicos costumam anteceder a fase ativa, e os sintomas residuais podem segui-la, caracterizados por formas leves ou em níveis subclínicos de alucinações ou delírios. Os indivíduos podem manifestar uma variedade de crenças incomuns ou estranhas que não sejam de proporções delirantes (p. ex., ideias de referência ou pensamento mágico); podem ter experiências perceptivas raras (p. ex., sentir a presença de uma pessoa invisível); seu discurso pode ser, em geral, compreensível, porém vago; seu comportamento pode ser incomum, mas não grosseiramente desorganizado (p. ex., murmurar em público). Sintomas negativos são comuns nas fases prodrômica e residual, podendo ser graves. Indivíduos que eram socialmente ativos podem ficar retraídos em relação a rotinas anteriores. Esses comportamentos são frequentemente o primeiro sinal de um transtorno.

Sintomas de humor e episódios completos de humor são comuns na esquizofrenia e podem ocorrer concomitantemente com a sintomatologia da fase ativa. Porém, como diferença do transtorno do humor psicótico, um diagnóstico de esquizofrenia exige a presença de delírios ou alucinações na ausência de episódios de humor. Além disso, episódios de humor, tomados em sua totalidade, devem estar presentes por somente uma parte mínima da duração total do período ativo e residual da doença.

Além das cinco áreas de domínio dos sintomas identificadas nos critérios diagnósticos, a avaliação dos sintomas dos domínios cognição, depressão e mania é crucial para que sejam feitas distinções importantes entre os vários transtornos do espectro da esquizofrenia e outros transtornos psicóticos.

Características Associadas

Indivíduos com esquizofrenia podem exibir afeto inadequado (p. ex., rir na ausência de um estímulo apropriado); humor disfórico que pode assumir a forma de depressão, ansiedade ou raiva; padrão de sono perturbado (p. ex., sono durante o dia e atividade durante a noite); e falta de interesse em alimentar-se ou recusa da comida. Despersonalização, desrealização e preocupações somáticas podem ocorrer e por vezes atingem proporções delirantes. Ansiedade e fobias são comuns. Déficits cognitivos na esquizofrenia são comuns e fortemente associados a prejuízos profissionais e funcionais. Esses déficits podem incluir diminuições na memória declarativa, na memória de trabalho, na função da linguagem e em outras funções executivas, bem como velocidade de processamento mais lenta. Anormalidades no processamento sensorial e na capacidade inibitória, bem como redução na atenção, são também encontradas. Alguns indivíduos com esquizofrenia mostram déficits na cognição social, incluindo déficits na capacidade de inferir as intenções dos outros (teoria da mente), podendo atender a eventos ou estímulos irrelevantes e depois interpretá-los como significativos, talvez levando à geração de delírios explanatórios. Esses prejuízos costumam persistir durante a remissão dos sintomas.

Alguns indivíduos com psicose podem carecer de *insight* ou consciência de seu transtorno (i. e., anosognosia). Essa falta de *insight* inclui não perceber os sintomas de esquizofrenia, podendo estar presente em todo o curso da doença. Não perceber a doença costuma ser um sintoma da própria esquizofrenia em vez de uma estratégia de enfrentamento. É comparável à falta de percepção de déficits neurológicos após dano cerebral, chamada de *anosognosia*. Esse sintoma é o mais comum preditor de não adesão ao tratamento e prevê elevadas taxas de recaída, aumento no número de tratamentos involuntários, mau funcionamento psicossocial, agressão e um pior curso da doença.

Hostilidade e agressão podem estar associadas a esquizofrenia, embora agressão espontânea ou aleatória não seja comum. A agressão é mais frequente em indivíduos do sexo masculino mais jovens e em pessoas com história anterior de violência, não adesão ao tratamento, abuso de substância e impulsividade. Deve-se observar que a maioria das pessoas com esquizofrenia não é agressiva, sendo, com mais frequência, mais vitimizada que aquelas na população geral.

Atualmente não há exames laboratoriais, radiológicos ou testes psicométricos para o transtorno. As diferenças são claras em múltiplas regiões do cérebro entre grupos de pessoas saudáveis e pessoas com esquizofrenia, incluindo evidências de estudos por neuroimagem, neuropatologia e neurofisiologia. Diferenças ficam também evidentes na arquitetura celular, na conectividade da substância branca e no volume da substância cinzenta em uma variedade de regiões, como os córtices pré-frontal e temporal. É observada redução no volume cerebral total, bem como aumento da redução de volume com o envelhecimento. Reduções do volume cerebral com o envelhecimento são mais pronunciadas em pessoas com esquizofrenia do que em indivíduos saudáveis. Por fim, pessoas com a doença parecem diferir daquelas sem o transtorno em índices eletrofisiológicos e de *eye-tracking*.

Sinais neurológicos leves em indivíduos com esquizofrenia incluem prejuízos na coordenação motora, na integração sensorial e no sequenciamento motor de movimentos complexos, confusão esquerda-direita e desinibição de movimentos associados. Além disso, podem ocorrer anomalias físicas leves da face e dos membros.

Prevalência

A prevalência da esquizofrenia ao longo da vida parece ser de 0,3 a 0,7%, com uma variação de até cinco vezes em metanálises norte-americanas de levantamentos representativos nacionalmente. Estudos mostraram um aumento em prevalência e incidência de esquizofrenia para alguns grupos baseando-se no *status* de migrante ou refugiado, na urbanidade e na classe econômica e latitude do país. É importante destacar que a prevalência reportada e a incidência da esquizofrenia podem ser afetadas pelo fato de que alguns grupos são mais propensos a ser diagnosticados errônea ou exageradamente.

Esquizofrenia

A proporção entre os sexos difere em amostras e populações: por exemplo, ênfase em sintomas negativos e duração maior do transtorno (associada a pior prognóstico) demonstram taxas mais elevadas de incidência nos homens, ao passo que definições que possibilitam a inclusão de mais sintomas de humor e apresentações breves (associadas a melhor prognóstico) demonstram riscos equivalentes para ambos os sexos. Um grande estudo mundial, baseado em uma variedade de definições de esquizofrenia, não encontrou diferença na prevalência entre sexos.

Desenvolvimento e Curso

As características psicóticas da esquizofrenia costumam surgir entre o fim da adolescência e meados dos 30 anos; início antes da adolescência é raro. A idade de pico do início do primeiro episódio psicótico é entre o início e a metade da faixa dos 20 anos para os homens e final dos 20 anos para as mulheres. O início pode ser abrupto ou insidioso, mas a maioria dos indivíduos manifesta um desenvolvimento lento e gradativo de uma variedade de sinais e sintomas clinicamente importantes, particularmente isolamento social, mudanças emocionais e mudanças cognitivas, o que acaba produzindo uma deterioração no funcionamento de papéis. Metade desses indivíduos apresenta sintomas depressivos. O prognóstico é influenciado tanto pela duração quanto pela gravidade da condição e pelo gênero. Homens, especialmente aqueles com psicose de longa duração anterior ao tratamento e menor ajuste pré-mórbido, têm sintomas negativos, prejuízos cognitivos e piora funcional mais proeminentes do que mulheres. Déficits sociocognitivos podem se manifestar durante o desenvolvimento e preceder o surgimento de psicose, tomando a forma de prejuízos estáveis durante a idade adulta, refratários aos medicamentos antipsicóticos.

Os cursos e desfecho na esquizofrenia são heterogêneos, e o prognóstico é incerto no início da psicose. Apesar de a maioria dos indivíduos com esquizofrenia permanecer vulnerável à exacerbação de sintomas psicóticos e um curso crônico definido por sintomas e prejuízos funcionais ser comum, muitos indivíduos experimentam períodos de remissão e até recuperação. De acordo com uma metanálise de 79 estudos longitudinais de primeiro episódio psicótico com mais de 1 ano de seguimento, a taxa de remissão (definida qualitativamente como sintomas leves ou ausência de sintomas por pelo menos 6 meses) para primeiro episódio de esquizofrenia foi de 56% e a taxa de recuperação (definida qualitativamente como melhora sintomática e funcional por mais de 2 anos) foi de 30%. Uma outra metanálise, de 50 estudos de indivíduos com uma definição mais ampla de esquizofrenia (i. e., esquizofrenia, transtorno esquizofreniforme, esquizoafetivo ou delirante), encontrou que a proporção média de indivíduos que preenchem os critérios de recuperação (no máximo sintomas leves e melhorias no funcionamento social e/ou ocupacional persistentes por pelo menos 2 anos) foi de 13,5%. Há uma tendência de redução de experiências psicóticas em idades mais avançadas. Juntamente com a psicose, prejuízos cognitivos e patologia de sintomas negativos são características centrais da esquizofrenia, e o curso dessas características é diferente do curso com sintomas psicóticos positivos. A cognição tende a piorar durante a evolução até a psicose completa e é relativamente estável a longo prazo. Sintomas negativos, se presentes durante a evolução da doença, também tendem a ser relativamente estáveis ao longo do tempo. Sintomas negativos que começam depois do início da psicose são mais variáveis e podem refletir causas secundárias. O diagnóstico para esquizofrenia requer que ela seja em certo grau crônica, e o curso de longo prazo da doença reflete uma necessidade de tratamento mental e apoio para muitos indivíduos. Embora a esquizofrenia, geralmente, não seja um transtorno neurodegenerativo progressivo, desafios, mudanças de estilo de vida e sintomas persistentes podem levar a disfunção progressiva em casos crônicos mais graves.

As características essenciais da esquizofrenia tendem a ser as mesmas na infância, ainda que seja mais difícil fazer o diagnóstico. Nas crianças, delírios e alucinações podem ser menos elaborados do que em adultos, e alucinações visuais são mais comuns, devendo ser diferenciadas de brincadeiras de fantasia normais. Discurso desorganizado ocorre em muitos transtornos que começam na infância (p. ex., transtorno do espectro autista), assim como comportamentos desorganizados (p. ex., transtorno de déficit de atenção/hiperatividade). Esses sintomas não devem ser atribuídos à esquizofrenia sem a devida consideração dos transtornos mais comuns na infância. Casos com início na infância tendem a se assemelhar a casos com evolução ruim em adultos, com início gradual e sintomas negativos proeminentes. Crianças que mais tarde recebem o diagnóstico de esquizofrenia são mais propensas a ter sofrido perturbações e psicopatologia emocionais e/ou comportamentais não especificadas, alterações intelectuais e na linguagem e atrasos motores sutis.

Casos com início tardio (i. e., após os 40 anos de idade) são mais comuns nas mulheres, que podem ter casado. Frequentemente, o curso caracteriza-se por predominância de sintomas psicóticos com preservação do afeto e do funcionamento social. Esses casos de início tardio podem satisfazer os critérios diagnósticos para esquizofrenia, mas ainda não está claro se essa é a mesma condição da esquizofrenia diagnosticada antes da meia-idade (p. ex., antes dos 55 anos).

Fatores de Risco e Prognóstico

Ambientais. A estação do ano no nascimento é associada à incidência da esquizofrenia, incluindo fim do inverno/início da primavera em alguns locais e verão para a forma da doença com déficits. A incidência de esquizofrenia e transtornos relacionados pode ser mais alta em crianças que crescem em um ambiente urbano, refugiados, alguns grupos de migrantes e grupos socialmente oprimidos que enfrentam discriminação. Há evidência de que privação e adversidade sociais, além de fatores socioeconômicos, podem ser associadas a um aumento nas taxas do transtorno. Entre indivíduos com esquizofrenia e outros transtornos psicóticos, a gravidade de sintomas positivos e negativos parece estar correlacionada com a gravidade de experiências adversas na infância, como traumas e negligência. Maiores taxas de esquizofrenia para alguns grupos étnicos foram documentadas quando eles viviam em áreas com menor proporção de pessoas da mesma etnia. As razões para isso não estão completamente claras, mas parecem estar relacionadas a vários fatores, incluindo 1) maior nível de discriminação e medo de discriminação; 2) menor apoio social e maior estigmatização de pessoas com esquizofrenia; 3) maior isolamento social; e 4) menor disponibilidade de acesso a explicações normalizadoras de experiências perceptivas e crenças anormais reportadas por indivíduos com alto risco de desenvolvimento de esquizofrenia.

Genéticos e fisiológicos. Existe forte contribuição dos fatores genéticos na determinação do risco para esquizofrenia, embora a maioria dos indivíduos com diagnóstico do transtorno não tenha história familiar de psicose. Essa tendência é atribuída a um espectro de alelos de risco, comuns e raros, com cada um contribuindo somente com uma pequena parcela para a variância total da população. Os alelos de risco identificados até agora são também associados a outros transtornos mentais, incluindo transtorno bipolar, depressão e transtorno do espectro autista. Complicações na gestação e no nascimento, com hipoxia, e idade avançada dos pais estão associadas a maior risco de esquizofrenia para o feto. Além disso, outras adversidades no pré-natal e no perinatal, incluindo estresse, infecções, desnutrição, diabetes materno e outras condições médicas, têm ligação com a esquizofrenia. A grande maioria dos bebês com esses fatores de risco, entretanto, não desenvolve a doença.

Questões Diagnósticas Relativas à Cultura

A forma e o conteúdo dos sintomas de esquizofrenia podem variar culturalmente, incluindo as seguintes formas: a proporção relativa de alucinações visuais e auditivas (enquanto alucinações auditivas tendem a ser mais comuns que as visuais ao redor do mundo, a proporção relativa de alucinações visuais pode ser particularmente alta em algumas regiões se comparadas a outras), o conteúdo específico dos delírios (p. ex., de perseguição, grandiosidade ou somáticos) e alucinações (p. ex., de comando, abuso ou religiosas) e o nível de medo associado a eles. Fatores socioeconômicos e culturais devem ser considerados, em especial quando o indivíduo e o clínico não têm os mesmos antecedentes culturais e socioeconômicos. Ideias que parecem ser delirantes em um contexto cultural (p. ex., mau olhado, doenças causadas por maldições ou influência de espíritos) podem ser comuns em outras. Em algumas culturas, alucinações visuais e auditivas com conteúdo religioso (p. ex., ouvir a voz de Deus) são elementos normais das experiências religiosas. Além disso, a avaliação do discurso desorganizado pode ser difícil devido a variações linguísticas em estilos narrativos nas várias culturas. A avaliação do afeto demanda sensibilidade a diferenças em estilos de expressão emocional, contato visual e linguagem corporal, elementos que variam entre culturas. Se a avaliação é feita em um idioma diferente da língua materna do indivíduo, deve-se ter cuidado para garantir que a alogia não tenha relação com barreiras linguísticas. Em algumas culturas, o sofrimento pode assumir a forma de alucinações ou pseudoalucinações e ideias supervalorizadas que podem se apresentar clinicamente similares à psicose verdadeira, mas são normais ao subgrupo do paciente. Diagnósticos errados de esquizofrenia em indivíduos com transtornos do humor com características psicóticas ou com outros transtornos psiquiátricos têm maior probabilidade de ocorrer com membros de grupos étnicos com menor assistência (nos Estados Unidos, sobretudo afro-americanos). Isso pode acontecer devido a vieses clínicos, racismo ou discriminação, o que leva a informações de má qualidade e potencial interpretação errônea de sintomas.

Questões Diagnósticas Relativas ao Sexo e ao Gênero

Numerosas características distinguem a expressão clínica da esquizofrenia em mulheres e homens. A idade de início é mais tardia em mulheres, havendo um pico na meia-idade. Os sintomas tendem a ser mais carregados de afeto nas mulheres, havendo mais sintomas psicóticos, bem como uma propensão maior para a piora destes mais tarde na vida. Outras diferenças incluem menor frequência de sintomas negativos e desorganização. Por fim, o funcionamento social tende a permanecer mais bem preservado em mulheres. Existem, porém, exceções frequentes a essas explicações gerais.

Observou-se que sintomas psicóticos pioram durante o período pré-menstrual, quando o nível de estrogênio está caindo; consequentemente, taxas de internação psiquiátrica mais altas são vistas em mulheres com esquizofrenia logo antes de suas menstruações. Níveis mais baixos de estrogênio resultantes da menopausa podem ser outro fator associado com o segundo pico de início da esquizofrenia em mulheres na idade adulta. Do mesmo modo, sintomas psicóticos parecem ser atenuados durante a gravidez, quando os níveis de estrogênio estão altos, e piorar novamente após o parto, quando os níveis caem rapidamente.

Associação com Pensamentos ou Comportamentos Suicidas

Cerca de 5 a 6% dos indivíduos com esquizofrenia morrem por suicídio; em torno de 20% tentam suicídio em uma ou mais ocasiões, e muitos mais têm ideação suicida importante. Um comportamento suicida ocorre por vezes em resposta ao comando das alucinações para prejudicar a si mesmo ou a outros. O risco de suicídio permanece elevado durante o ciclo de vida para homens e mulheres, embora possa ser especialmente alto em homens mais jovens com uso de substância comórbido. Outros fatores de risco incluem sintomas depressivos, falta de esperança, estar desempregado, o período após o episódio psicótico ou alta hospitalar, número de internações psiquiátricas, proximidade do início da doença e idade avançada no início da doença. Uma revisão sistemática e metanálise de estudos longitudinais encontrou que a probabilidade de comportamento suicida durante o acompanhamento após o primeiro episódio psicótico era mais alta entre indivíduos com sintomas depressivos do que entre aqueles sem sintomas depressivos. Uma metanálise de vários estudos sobre a relação entre esquizofrenia e comportamento suicida apontou que abuso de álcool, tabaco e drogas; depressão; número de internações; comorbidades físicas e história familiar de depressão e comportamento suicida aumentam o risco de tentativa de suicídio. Fatores de risco para suicídio incluem ser do sexo masculino, ser jovem, ter um alto QI, tentativas prévias, desesperança e baixa adesão ao tratamento.

Consequências Funcionais da Esquizofrenia

A esquizofrenia está associada a significativa disfunção social e profissional. Entre indivíduos com esquizofrenia, déficits na capacidade de leitura são mais graves do que seria previsto pelos prejuízos cognitivos gerais associados ao transtorno. Esses déficits podem ser concebidos como uma dislexia secundária ou adquirida que é subjacente aos prejuízos acadêmicos observados na esquizofrenia. A progressão educacional e a manutenção do emprego costumam ficar prejudicadas pela avolia ou por outras manifestações do transtorno, mesmo quando as habilidades cognitivas são suficientes para as tarefas a serem realizadas. A maior parte dos indivíduos tem empregos inferiores aos de seus pais, e a maioria, especialmente os homens, não casa ou tem contatos sociais limitados fora da família.

Diagnóstico Diferencial

Transtorno depressivo maior ou transtorno bipolar com características psicóticas ou catatônicas. A distinção entre esquizofrenia e transtorno depressivo maior ou transtorno bipolar com características psicóticas ou catatonia depende da relação temporal entre a perturbação do humor e a psicose, bem como da gravidade dos sintomas depressivos ou maníacos. Se delírios ou alucinações ocorrem exclusivamente durante um episódio depressivo maior ou maníaco, o diagnóstico é transtorno depressivo ou transtorno bipolar com características psicóticas.

Transtorno esquizoafetivo. O diagnóstico de transtorno esquizoafetivo exige que um episódio depressivo maior ou maníaco ocorra ao mesmo tempo em que ocorrem os sintomas da fase ativa e que os sintomas de humor estejam presentes na maior parte do tempo da duração total dos períodos ativos.

Transtorno esquizofreniforme e transtorno psicótico breve. Esses transtornos têm duração menor que a esquizofrenia, conforme especificado no Critério C, que exige seis meses de sintomas. No transtorno esquizofreniforme, a perturbação está presente durante menos de seis meses, enquanto no transtorno psicótico breve os sintomas estão presentes durante pelo menos um dia, porém em tempo inferior a um mês.

Transtorno delirante. O transtorno delirante pode ser diferenciado da esquizofrenia pela ausência dos demais sintomas característicos de esquizofrenia (p. ex., delírios, alucinações auditivas ou visuais proeminentes, discurso desorganizado, comportamento grosseiramente desorganizado ou catatônico, sintomas negativos).

Transtorno da personalidade esquizotípica. O transtorno da personalidade esquizotípica pode ser diferenciado de esquizofrenia por sintomas subclínicos associados a características persistentes de personalidade.

Transtorno obsessivo-compulsivo e transtorno dismórfico corporal. Indivíduos com transtorno obsessivo-compulsivo e transtorno dismórfico corporal podem apresentar *insight* prejudicado ou ausente, e as preocupações podem atingir proporções delirantes. Esses transtornos, porém, são diferentes da esquizofrenia por apresentarem obsessões proeminentes, compulsões, preocupações com aparência ou odores do corpo, acumulação compulsiva, comportamentos repetitivos com foco no corpo.

Transtorno de estresse pós-traumático. O transtorno de estresse pós-traumático pode incluir *flashbacks* com uma qualidade alucinatória, e a hipervigilância pode atingir proporções paranoides. Todavia, há necessidade de um evento traumático e de aspectos sintomáticos característicos relativos a reviver ou reagir ao evento traumático para que seja feito um diagnóstico.

Transtorno do espectro autista ou transtornos da comunicação. Esses transtornos podem também ter sintomas semelhantes a um episódio psicótico, mas diferem pelos respectivos déficits na interação social, com comportamentos repetitivos e restritos e outros déficits cognitivos e de comunicação. Um indivíduo com transtorno do espectro autista ou transtorno da comunicação deve ter sintomas que satisfaçam todos os critérios de esquizofrenia, com alucinações ou delírios proeminentes durante pelo menos um mês a fim de ser diagnosticado com esquizofrenia como uma condição comórbida.

Outros transtornos mentais associados com um episódio psicótico. O diagnóstico de esquizofrenia é feito apenas quando o episódio psicótico é persistente, não podendo ser atribuído a efeitos de uma substância ou a outra condição médica. Indivíduos com *delirium* ou transtorno neurocognitivo maior ou menor podem apresentar sintomas psicóticos, mas estes devem ter relação temporal com o início das mudanças cognitivas consistentes com esses transtornos.

Transtorno psicótico induzido por substância/medicamento. Indivíduos com transtorno psicótico induzido por substância/medicamento podem apresentar sintomas característicos do Critério A para esquizofrenia, porém o transtorno psicótico induzido por substância/medicamento pode ser geralmente diferenciado pela relação cronológica do uso da substância com o início e a remissão da psicose na ausência do uso de substância.

Comorbidade

Taxas de comorbidade com transtornos relacionados ao uso de substância são elevadas na esquizofrenia. Mais de metade dos indivíduos com esquizofrenia tem transtorno por uso de tabaco e fuma com regularidade. A comorbidade com transtornos de ansiedade é cada vez mais reconhecida na esquizofrenia. A proporção de transtorno obsessivo-compulsivo e transtorno de pânico é elevada em indivíduos com esquizofrenia em comparação com a população geral. Transtorno da personalidade esquizotípica ou paranoide pode, algumas vezes, anteceder o início da esquizofrenia.

A expectativa de vida é reduzida em indivíduos com esquizofrenia em razão das condições médicas associadas. Ganho de peso, diabetes, síndrome metabólica e doença cardiovascular e pulmonar são mais comuns em indivíduos com esquizofrenia do que na população geral. Pouco envolvimento em comportamentos de manutenção da saúde (p. ex., testes de câncer, exercícios) aumenta o risco de doença crônica. Outros fatores do transtorno, inclusive medicamentos, estilo de vida, tabagismo e dieta, também podem contribuir. Uma vulnerabilidade partilhada por psicose e distúrbios médicos pode explicar algumas das comorbidades médicas da esquizofrenia.

Transtorno Esquizoafetivo

Critérios Diagnósticos

A. Um período ininterrupto de doença durante o qual há um episódio depressivo maior ou maníaco concomitante com o Critério A da esquizofrenia.
   Nota: O episódio depressivo maior deve incluir o Critério A1: humor deprimido.
B. Delírios ou alucinações por duas semanas ou mais na ausência de episódio depressivo maior ou maníaco durante a duração da doença ao longo da vida.
C. Os sintomas que satisfazem os critérios para um episódio de humor estão presentes na maior parte da duração total das fases ativa e residual da doença.
D. A perturbação não é atribuível aos efeitos de uma substância (p. ex., drogas de abuso ou medicamentos) ou outra condição médica.

Determinar o subtipo:

F25.0 Tipo bipolar: Esse subtipo aplica-se se um episódio maníaco fizer parte da apresentação. Podem também ocorrer episódios depressivos maiores.

F25.1 Tipo depressivo: Esse subtipo aplica-se se somente episódios depressivos maiores fizerem parte da apresentação.

Especificar se:

Com catatonia (consultar os critérios para catatonia associada a outro transtorno mental, p. 135, para definição)

Nota para codificação: Usar o código adicional F06.1 de catatonia associada com transtorno esquizoafetivo para indicar a presença de catatonia comórbida.

Especificar se:

Os especificadores de curso a seguir devem ser usados apenas após duração de um ano do transtorno e se não estiverem em contradição com os critérios diagnósticos do curso.

Primeiro episódio, atualmente em episódio agudo: A primeira manifestação do transtorno atende aos sintomas diagnósticos definidos e aos critérios de tempo. Um *episódio agudo* é um período de tempo em que são atendidos os critérios dos sintomas.

Primeiro episódio, atualmente em remissão parcial: *Remissão parcial* é um período de tempo durante o qual é mantida melhora após um episódio anterior e em que os critérios definidores do transtorno são atendidos apenas em parte.

Primeiro episódio, atualmente em remissão completa: *Remissão completa* é um período de tempo após um episódio anterior durante o qual não estão presentes sintomas específicos do transtorno.

Episódios múltiplos, atualmente em episódio agudo: Múltiplos episódios podem ser determinados após um mínimo de dois episódios (i. e., após um primeiro episódio, uma remissão e pelo menos uma recaída).

Episódios múltiplos, atualmente em remissão parcial

Episódios múltiplos, atualmente em remissão completa

Contínuo: Os sintomas que atendem aos critérios diagnósticos do transtorno permanecem durante a maior parte do curso da doença, com períodos sintomáticos em nível subclínico muito breves em relação ao curso geral.

Não especificado

Especificar a gravidade atual:

A gravidade é classificada por uma avaliação quantitativa dos sintomas primários de psicose, o que inclui delírios, alucinações, desorganização do discurso, comportamento psicomotor anormal e sintomas negativos. Cada um desses sintomas pode ser classificado quanto à gravidade atual (mais grave nos últimos sete dias) em uma escala com 5 pontos, variando de 0 (não presente) a 4 (presente e grave). (Ver Gravidade das Dimensões de Sintomas de Psicose Avaliada pelo Clínico no capítulo "Instrumentos de Avaliação".)

Nota: O diagnóstico de transtorno esquizoafetivo pode ser feito sem a utilização desse especificador de gravidade.

Características Diagnósticas

O diagnóstico de transtorno esquizoafetivo baseia-se em uma avaliação de um período ininterrupto da doença durante o qual o indivíduo continua a exibir sintomas ativos ou residuais da doença psicótica. Embora não necessariamente, o diagnóstico costuma ser feito durante o período da doença psicótica. Em algum momento durante o período, deve ser satisfeito o Critério A para esquizofrenia. O Critério B (disfunção social) e o F (exclusão de transtorno do espectro do autismo e de outro transtorno da comunicação com início na infância) para esquizofrenia não precisam ser satisfeitos. Além de satisfazer o Critério A para esquizofrenia, há um episódio depressivo maior ou maníaco (Critério A para transtorno esquizoafetivo). Uma vez que é comum a perda de interesse ou prazer na esquizofrenia, para que seja satisfeito o Critério A para transtorno esquizoafetivo, o episódio depressivo maior deve incluir humor deprimido generalizado (i. e., a presença de interesse ou prazer acentuadamente diminuídos não é suficiente). Episódios de depressão ou mania estão presentes na maior parte da duração total da doença (i. e., após atendido o Critério A) (Critério C para transtorno esquizoafetivo). Para separar o transtorno esquizoafetivo de um transtorno depressivo ou transtorno bipolar com características psicóticas, devem estar presentes delírios ou alucinações durante pelo menos duas semanas na ausência de um episódio de humor (depressivo ou maníaco) em algum momento ao longo da duração da doença na vida (Critério B para transtorno esquizoafetivo). Os sintomas não devem ser atribuídos aos efeitos de uma substância ou a outra condição médica (Critério D para transtorno esquizoafetivo).

O Critério C para transtorno esquizoafetivo especifica que os sintomas de humor que satisfazem os critérios para episódio depressivo maior ou maníaco devem estar presentes durante a maior parte da duração total das fases ativa e residual da doença. O Critério C exige a avaliação dos sintomas de humor durante todo o curso de uma doença psicótica. Se os sintomas de humor estão presentes durante apenas um período relativamente curto, o diagnóstico é esquizofrenia, e não transtorno esquizoafetivo. Ao decidir se a apresentação do indivíduo satisfaz o Critério C, o clínico deve revisar a duração total da doença psicótica (i. e., sintomas ativos e residuais) e determinar quando sintomas de humor significativos (não tratados ou precisando de tratamento com antidepressivo e/ou medicamento estabilizador do humor) acompanharam os sintomas psicóticos. Essa determinação demanda informações suficientes da história e juízo clínico. Por exemplo, um indivíduo com história de quatro anos de sintomas ativos e residuais de esquizofrenia desenvolve episódios depressivos e maníacos que, no conjunto, não ocupam mais de um ano na história de quatro anos da doença psicótica. Essa apresentação não satisfaz o Critério C.

Além das cinco áreas de domínio dos sintomas identificadas nos critérios diagnósticos, é fundamental a avaliação dos sintomas dos domínios cognição, depressão e mania para que sejam feitas distinções importantes entre os vários transtornos do espectro da esquizofrenia e outros transtornos psicóticos.

Características Associadas

O funcionamento profissional costuma estar prejudicado, mas não se trata de um critério definidor (diferentemente do que ocorre na esquizofrenia). Contato social restrito e dificuldades com o autocuidado estão associados ao transtorno esquizoafetivo, mas os sintomas negativos podem ser menos graves e menos persistentes do que os encontrados na esquizofrenia. Anosognosia (i. e., *insight* prejudicado) também é comum no transtorno esquizoafetivo, mas os déficits no *insight* podem ser menos graves e generalizados do que os da esquizofrenia. Indivíduos com transtorno esquizoafetivo podem ter risco aumentado de desenvolvimento posterior de episódios de transtorno depressivo maior ou transtorno bipolar se os sintomas de humor continuarem após a remissão dos sintomas que satisfazem o Critério A para esquizofrenia. Pode haver transtornos associados ao álcool ou relacionados a outras substâncias.

Não há testes ou medidas biológicas capazes de auxiliar no diagnóstico de transtorno esquizoafetivo. Testes neuropsicológicos geralmente mostram déficits cognitivos em áreas como função executiva, memória verbal e velocidade de processamento. Esses déficits podem ser menores do que na esquizofrenia. O transtorno esquizoafetivo é frequentemente caracterizado por perda de volume de substância cinzenta no cérebro observada em neuroimagens, de maneira similar à esquizofrenia.

Prevalência

O transtorno esquizoafetivo parece ser cerca de um terço tão comum quanto a esquizofrenia. A prevalência do transtorno esquizoafetivo ao longo da vida é estimada em 0,3%, segundo uma amostra finlandesa, e é maior em mulheres do que em homens quando os critérios diagnósticos do DSM-IV foram usados. Espera-se que essa taxa seja menor devido ao requisito mais rigoroso do Critério C do DSM-5 (ou seja, os sintomas que satisfazem os critérios para um episódio de humor devem estar presentes na maior parte da duração total das fases ativa e residual da doença).

Desenvolvimento e Curso

A idade habitual de início do transtorno esquizoafetivo é o começo da fase adulta, embora possa ocorrer a qualquer momento da adolescência até mais adiante na vida. Uma quantidade significativa de indivíduos diagnosticados inicialmente com transtorno psicótico receberá diagnóstico de transtorno esquizoafetivo mais tarde, quando o padrão dos episódios de humor tornar-se mais aparente; enquanto outros podem ser diagnosticados com transtornos do humor antes que os sintomas psicóticos independentes sejam detectados.

Por sua vez, alguns indivíduos terão uma mudança no diagnóstico de transtorno esquizoafetivo para um transtorno do humor ou esquizofrenia com o tempo. Uma mudança de diagnóstico de transtorno esquizoafetivo para esquizofrenia era mais comum do que uma mudança para transtorno do humor segundo os critérios do DSM-IV e espera-se que essa diferença aumente ainda mais sob os critérios do DSM-5, pois o atual Critério C para transtorno esquizoafetivo se tornou mais rigoroso, exigindo que sintomas de humor estejam presentes durante a maior parte da doença, em contraste com a definição do DSM-IV, que exigia apenas que os sintomas de humor estivessem presentes durante uma parte "substancial" da doença. O prognóstico para transtorno esquizoafetivo é um pouco melhor do que para esquizofrenia, porém pior que aquele para transtornos do humor.

O transtorno esquizoafetivo pode ocorrer em uma variedade de padrões temporais. O seguinte é um padrão típico: um indivíduo pode ter alucinações auditivas pronunciadas e delírios persecutórios durante dois meses antes do início de um episódio depressivo maior proeminente. Os sintomas psicóticos e o episódio depressivo maior completo estão, assim, presentes durante quatro meses. Em seguida, o indivíduo recupera-se completamente do episódio depressivo maior, mas os sintomas psicóticos persistem por mais um mês antes de também desaparecerem. Durante esse período da doença, os sintomas do indivíduo atendem, ao mesmo tempo, aos critérios para episódio depressivo maior e ao Critério A para esquizofrenia, e, durante esse mesmo período da doença, estiveram presentes alucinações auditivas e delírios antes e depois da fase depressiva. O período total da doença durou cerca de sete meses, com sintomas psicóticos isolados presentes durante os dois primeiros meses, sintomas depressivos e psicóticos nos três meses seguintes e apenas sintomas psicóticos presentes durante o último mês. Nesse caso, o episódio depressivo esteve presente durante a maior parte da duração total da psicose e, portanto, a apresentação se qualifica para um diagnóstico de transtorno esquizoafetivo.

A relação temporal entre sintomas de humor e sintomas psicóticos ao longo da vida é variável. Sintomas depressivos ou maníacos podem ocorrer antes do início de uma psicose, durante episódios psicóticos agudos, durante os períodos residuais e após o término de uma psicose. Por exemplo, um indivíduo pode se apresentar com sintomas pronunciados de humor durante o estágio prodrômico da esquizofrenia. Esse padrão não necessariamente indica transtorno esquizoafetivo, uma vez que é a concomitância de sintomas psicóticos e de humor que é crucial para o diagnóstico. Para uma pessoa com sintomas que claramente satisfazem os critérios de transtorno esquizoafetivo, mas que no seguimento apresenta somente sintomas psicóticos residuais (como sintomas psicóticos subclínicos e/ou sintomas negativos proeminentes), o diagnóstico pode ser mudado para esquizofrenia, uma vez que a proporção total da doença psicótica comparada com sintomas de humor torna-se mais proeminente. Transtorno esquizoafetivo, tipo bipolar, pode ser mais comum em adultos jovens, ao passo que transtorno esquizoafetivo, tipo depressivo, pode ser mais comum em pessoas idosas.

Fatores de Risco e Prognóstico

Genéticos e fisiológicos. Entre os indivíduos com esquizofrenia, pode haver risco aumentado de transtorno esquizoafetivo em parentes de primeiro grau. O risco desse transtorno pode ser maior entre indivíduos que têm parentes de primeiro grau com esquizofrenia, transtorno bipolar ou transtorno esquizoafetivo. As assinaturas de composição molecular genéticas conhecidas como pontuações de risco poligênico para esquizofrenia, transtorno bipolar e transtornos depressivos maiores podem estar todas elevadas no transtorno esquizoafetivo.

Questões Diagnósticas Relativas à Cultura

Fatores culturais e socioeconômicos devem ser levados em consideração, especialmente quando o indivíduo e o clínico não têm os mesmos antecedentes culturais e econômicos. Ideias que parecem ser delirantes em um contexto cultural (p. ex., mau olhado, doenças causadas por maldições ou influência de espíritos) podem ser comuns em outros. Há alguma evidência na literatura de que as populações afro-americanas e hispânicas cujos sintomas se encaixam nos critérios para transtorno esquizoafetivo são mais propensas a serem diagnosticadas com esquizofrenia. Para mitigar o impacto dos vieses dos clínicos, deve-se tomar cuidado para garantir uma avaliação abrangente que inclua tanto sintomas psicóticos quanto sintomas de humor.

Associação com Pensamentos ou Comportamentos Suicidas

O risco de suicídio ao longo da vida para esquizofrenia e transtorno esquizoafetivo é de 5%, e a presença de sintomas depressivos tem correlação com risco mais alto de suicídio. Em indivíduos com esquizofrenia ou transtorno esquizoafetivo, há evidências de que as taxas de suicídio são mais altas em populações norte--americanas do que europeias, do Leste Europeu, da América do Sul e da Índia.

Consequências Funcionais do Transtorno Esquizoafetivo

O transtorno esquizoafetivo está associado a disfunção profissional e social, porém disfunção não é um critério diagnóstico (como é para esquizofrenia), e há variabilidade substancial entre indivíduos diagnosticados com o transtorno.

Diagnóstico Diferencial

Outros transtornos mentais e condições médicas. Uma ampla variedade de condições psiquiátricas e médicas pode manifestar-se com sintomas psicóticos e de humor e deve ser levada em consideração no diagnóstico diferencial de transtorno esquizoafetivo. Elas incluem *delirium*; transtorno neurocognitivo maior; transtorno psicótico ou transtorno neurocognitivo induzido por substâncias/medicamentos; transtornos bipolares com características psicóticas; transtorno depressivo maior com características psicóticas; transtorno depressivo ou transtorno bipolar com características catatônicas; transtornos da personalidade esquizotípica, esquizoide ou paranoide; transtorno psicótico breve; transtorno esquizofreniforme; esquizofrenia; transtorno delirante; outro transtorno do espectro da esquizofrenia e outro transtorno psicótico especificado ou transtorno do espectro da esquizofrenia e outro transtorno psicótico não especificado.

Transtorno psicótico devido a outra condição médica. Outras condições médicas e uso de substância podem se manifestar com uma combinação de sintomas psicóticos e de humor, necessitando-se, assim, excluir transtorno psicótico devido a outra condição médica.

Esquizofrenia, transtornos depressivo e bipolar. Costuma ser difícil distinguir transtorno esquizoafetivo de esquizofrenia e de transtornos depressivo e bipolar com características psicóticas. O Critério C foi criado para separar transtorno esquizoafetivo de esquizofrenia, e o Critério B, para uma distinção entre transtorno esquizoafetivo e transtornos depressivo ou bipolar com características psicóticas. Mais especificamente, o transtorno esquizoafetivo pode ser diferenciado de transtornos depressivo ou bipolar com características psicóticas pela presença de delírios e/ou alucinações marcantes durante pelo menos duas semanas na ausência de um episódio maior de humor. Diferentemente, nos transtornos depressivo ou bipolar com características psicóticas, essas características ocorrem apenas durante o(s) episódio(s) de humor. Considerando-se que a proporção relativa de sintomas de humor e psicóticos pode mudar com o tempo, o diagnóstico apropriado pode mudar de e para transtorno esquizoafetivo (p. ex., um diagnóstico de transtorno esquizoafetivo para um episódio depressivo maior grave e proeminente com duração de quatro meses durante os primeiros seis meses de uma doença psicótica crônica seria modificado para esquizofrenia se sintomas psicóticos ativos ou residuais proeminentes persistissem por vários anos sem uma recorrência de outro episódio de humor). Para se alcançar uma maior clareza sobre a proporção relativa entre sintomas de humor e psicóticos ao longo do tempo e sobre a concorrência entre eles, são necessárias informações complementares entre histórias médica e de informantes.

Comorbidade

Muitas pessoas diagnosticadas com transtorno esquizoafetivo são também diagnosticadas com outros transtornos mentais, em especial transtornos por uso de substância e transtornos de ansiedade. Da mesma maneira, a incidência de condições médicas aumenta além da taxa básica para a população geral, levando a uma menor expectativa de vida.

Transtorno Psicótico Induzido por Substância/Medicamento

Critérios Diagnósticos

A. Presença de pelo menos um dos sintomas a seguir:
   1. Delírios.
   2. Alucinações.
B. Existe evidências da história, do exame físico ou de achados laboratoriais de (1) e (2):
   1. Os sintomas do Critério A se desenvolveram durante ou logo após intoxicação por uma substância ou abstinência ou após exposição a um medicamento.
   2. A substância/medicamento envolvido é capaz de produzir os sintomas do Critério A.
C. A perturbação não é mais bem explicada por um transtorno psicótico não induzido por substância/medicamento. Essas evidências de um transtorno psicótico independente podem incluir:

   Os sintomas antecederam o aparecimento do uso de substância/medicamento; os sintomas persistem por um período de tempo substancial (p. ex., cerca de um mês) após o término da abstinência aguda ou intoxicação grave; ou há outras evidências de um transtorno psicótico independente não induzido por substância/medicamento (p. ex., história de episódios recorrentes não relacionados a substância/medicamento).

D. A perturbação não ocorre exclusivamente durante o curso de *delirium*.
E. A perturbação causa sofrimento clinicamente significativo ou prejuízo no funcionamento social, profissional ou em outras áreas importantes da vida do indivíduo.

Nota: Esse diagnóstico deve ser feito, em vez de um diagnóstico de abstinência ou de intoxicação por substância, somente quando houver predominância dos sintomas mencionados no Critério A no quadro clínico e quando forem suficientemente graves para justificar atenção clínica.

Nota para codificação: Os códigos da CID-10-MC para o transtorno psicótico induzido por [substância/medicamento específico] estão indicados na tabela a seguir. Observar que o código da CID-10-MC depende de haver ou não transtorno comórbido por uso de substância presente para a mesma classe de substância. De qualquer modo, não é dado um diagnóstico adicional separado de transtornos por uso de substâncias. Se um transtorno por uso de substância leve é comórbido ao transtorno psicótico induzido por substância, o número da 4ª posição é "1", e o clínico deve registrar "Transtorno por uso [de substância], leve" antes de transtorno psicótico induzido por substância (p. ex., "transtorno por uso de cocaína, leve com transtorno psicótico induzido por cocaína"). Se um transtorno por uso de substância moderado ou grave é comórbido a transtorno psicótico induzido por substância, o número da 4ª posição é "2", e o clínico deve registrar "transtorno por uso de [substância], moderado" ou "transtorno por uso de [substância], grave", dependendo da gravidade do transtorno comórbido por uso de substância. Se não há transtorno comórbido por uso de substância (p. ex., após uso pesado da substância uma única vez), então o número da 4ª posição é "9", e o clínico deve registrar somente o transtorno psicótico induzido por substância.

	CID-10-MC		
	Com transtorno por uso, leve	Com transtorno por uso, moderado ou grave	Sem transtorno por uso
Álcool	F10.159	F10.259	F10.959
Cannabis	F12.159	F12.259	F12.959
Fenciclidina	F16.159	F16.259	F16.959
Outro alucinógeno	F16.159	F16.259	F16.959
Inalante	F18.159	F18.259	F18.959
Sedativo, hipnótico ou ansiolítico	F13.159	F13.259	F13.959
Substância tipo anfetamina (ou outro estimulante)	F15.159	F15.259	F15.959
Cocaína	F14.159	F14.259	F14.959
Outras substâncias (ou substâncias desconhecidas)	F19.159	F19.259	F19.959

Especificar se (ver a Tabela 1 no capítulo "Transtornos Relacionados a Substâncias e Transtornos Aditivos", que indica se "com início durante a intoxicação" e/ou "com início durante a abstinência" se aplica a determinada classe de substância; ou *especificar* "com início após o uso de medicamento"):

Com início durante a intoxicação: Se são satisfeitos os critérios para intoxicação pela substância e os sintomas se desenvolvem durante a intoxicação.
Com início durante a abstinência: Se os critérios para abstinência da substância são preenchidos, e os sintomas se desenvolvem durante ou imediatamente após a abstinência.
Com início após o uso de medicamento: Se os sintomas se desenvolveram com o início de medicação, com uma mudança no uso de medicação ou durante a retirada do uso de medicação.

Especificar a gravidade atual:
A gravidade é classificada por uma avaliação quantitativa dos sintomas primários de psicose, o que inclui delírios, alucinações, comportamento psicomotor anormal e sintomas negativos. Cada um desses sintomas pode ser classificado quanto à gravidade atual (mais grave nos últimos sete dias) em uma escala com 5 pontos, variando de 0 (não presente) a 4 (presente e grave). (Ver Gravidade das Dimensões de Sintomas de Psicose Avaliada pelo Clínico no capítulo "Instrumentos da Avaliação".)
Nota: O diagnóstico de transtorno psicótico induzido por substância/medicamento pode ser feito sem a utilização desse especificador de gravidade.

Procedimentos para Registro

O nome do transtorno psicótico induzido por substância/medicamento termina com o nome da substância específica (p. ex., cocaína, dexametasona) que presumidamente causou os delírios ou as alucinações. O código diagnóstico é selecionado da tabela que é parte do conjunto de critérios, com base na classe do fármaco ou da droga e na presença ou ausência de um transtorno por uso de substância comórbido. No caso de substâncias que não se enquadram em nenhuma classe (p. ex., dexametasona), o código para "outra substância" deve ser usado; e, nos casos em que se acredita que uma substância seja o fator etiológico, embora sua classe seja desconhecida, o mesmo código deve ser utilizado.

Ao registrar o nome do transtorno, o transtorno por uso de substâncias comórbido (se houver) é listado primeiro, seguido da palavra "com", seguido do nome do transtorno psicótico induzido por substância, seguido da especificação do início (i. e., início durante a intoxicação, início durante a abstinência). Por exemplo, no caso de delírios que ocorrem durante a intoxicação em um homem com um transtorno grave por uso de cocaína, o diagnóstico é transtorno psicótico induzido por cocaína F14.259, com início durante a intoxicação. Um diagnóstico separado do transtorno grave por uso de cocaína comórbido não é fornecido. Se ocorre o transtorno psicótico induzido por substância sem um transtorno comórbido por uso de substância (p. ex., após um único uso pesado da substância), não é anotado transtorno adicional por uso de substância (p. ex., transtorno psicótico induzido por fenciclidina com início durante a intoxicação F16.959). Quando se acredita que mais de uma substância tem papel significativo no desenvolvimento dos sintomas psicóticos, cada uma deve ser listada separadamente (p. ex., transtorno psicótico induzido por *Cannabis* com início durante a intoxicação F12.259 com transtorno grave por uso de *Cannabis*; transtorno psicótico induzido por fenciclidina F16.159 com início durante a intoxicação, com transtorno leve por uso de fenciclidina).

Características Diagnósticas

As características essenciais do transtorno psicótico induzido por substância/medicamento são delírios e/ou alucinações proeminentes (Critério A), que são considerados como devidos aos efeitos de uma substância/medicamento (i. e., droga de abuso, medicamento ou exposição a toxina) (Critério B). As alucinações que o indivíduo percebe que são induzidas por substância/medicamento não são incluídas aqui, devendo ser diagnosticadas como intoxicação por substância ou abstinência de substância acompanhada do especificador "com perturbações da percepção" (aplicável a abstinência de álcool; intoxicação por *Cannabis*; abstinência de sedativo, hipnótico ou ansiolítico e intoxicação por estimulante).

Um transtorno psicótico induzido por substância/medicamento é distinguido de um transtorno psicótico primário por meio da análise do início, do curso e de outros fatores. No caso de drogas de abuso, precisa haver evidências da história, do exame físico ou achados laboratoriais de uso de substância, intoxicação ou abstinência. Os transtornos psicóticos induzidos por substância/medicamento surgem durante, ou logo após, exposição a um medicamento ou após intoxicação por substância ou abstinência, mas podem persistir por semanas, ao passo que os transtornos psicóticos primários podem anteceder o início do uso de substância/medicamento ou podem ocorrer em períodos de abstinência sustentada. Quando iniciados, os sintomas psicóticos podem continuar enquanto persistir o uso da substância/medicamento. Outra consideração é a presença de características atípicas de um transtorno psicótico primário (p. ex., idade de início ou curso atípicos). Por exemplo, o surgimento de delírios *de novo* em uma pessoa com mais de 35 anos, sem história conhecida de algum transtorno psicótico primário, sugere a possibilidade de um transtorno psicótico induzido por substância/medicamento. Mesmo uma história anterior de transtorno psicótico primário não descarta a possibilidade de transtorno psicótico induzido por substância/medicamento. Diferentemente, fatores que sugerem que os sintomas psicóticos são mais bem justificados por um transtorno psicótico primário incluem persistência de sintomas psicóticos durante período de tempo substancial (i. e., um mês ou mais) após o término da intoxicação por substância ou abstinência aguda de substância ou após o término do uso de um medicamento, bem como história prévia de transtornos psicóticos primários recorrentes. Outras causas de sintomas psicóticos precisam ser levadas em consideração mesmo em pessoas com intoxicação por substância ou abstinência, porque problemas com uso de substância não são raros entre indivíduos com transtornos psicóticos não induzidos por substância/medicamento.

Além das áreas de domínio de sintomas identificadas nos critérios diagnósticos, a avaliação dos sintomas dos domínios cognição, depressão e mania é fundamental para que sejam feitas distinções importantes entre os vários transtornos do espectro da esquizofrenia e outros transtornos psicóticos.

Características Associadas

Podem ocorrer transtornos psicóticos associados a intoxicação pelas seguintes classes de substâncias: álcool; *Cannabis*; alucinógenos, inclusive fenciclidina e substâncias relacionadas; inalantes; sedativos, hipnóticos e ansiolíticos; estimulantes (inclusive cocaína); outras substâncias (ou substâncias desconhecidas). Podem ocorrer transtornos psicóticos associados a abstinência das seguintes classes de substâncias: álcool; sedativos, hipnóticos e ansiolíticos; outras substâncias (ou substâncias desconhecidas).

Alguns dos medicamentos relatados como evocativos de sintomas psicóticos incluem anestésicos e analgésicos, agentes anticolinérgicos, anticonvulsivantes, anti-histamínicos, anti-hipertensivos e medicamentos cardiovasculares, antimicrobianos, antiparkinsonianos, agentes quimioterápicos (p. ex., ciclosporina, procarbazina), corticosteroides, medicamentos gastrintestinais, relaxantes musculares, medicamentos anti-inflamatórios não esteroidais, outros fármacos sem receita médica (p. ex., fenilefrina, pseudoefedrina), antidepressivos e dissulfiram. As toxinas relatadas como indutoras de sintomas psicóticos incluem anticolinesterase, inseticidas organofosforados, gás sarin e outros gases que atuam sobre o sistema nervoso, monóxido de carbono, dióxido de carbono e substâncias voláteis como combustível ou tintas.

Prevalência

É desconhecida a prevalência do transtorno psicótico induzido por substância/medicamento na população geral. Entre 7 e 25% dos indivíduos que apresentam um primeiro episódio de psicose em diferentes contextos têm transtorno psicótico induzido por substância/medicamento.

Desenvolvimento e Curso

O início do transtorno pode variar muito de acordo com a substância. Por exemplo, fumar uma dose elevada de cocaína pode produzir psicose em minutos, ao passo que pode haver necessidade de dias ou semanas com elevadas doses de álcool e uso de sedativos para produzir psicose. Transtorno psicótico induzido por álcool, com alucinações, costuma ocorrer somente após ingestão pesada e prolongada de álcool em indivíduos com transtorno moderado a grave por uso de álcool, e as alucinações são geralmente de natureza auditiva.

Transtornos psicóticos induzidos por anfetamina e cocaína partilham características clínicas similares. Delírios persecutórios podem rapidamente surgir logo após uso de anfetamina ou de um simpatomimético de ação semelhante. A alucinação com insetos ou vermes rastejantes sob ou sobre a pele (formigamento) pode levar ao ato de coçar e a grandes escoriações. Transtorno psicótico induzido por *Cannabis* pode surgir logo após o uso de dose elevada de *Cannabis*, normalmente envolvendo delírios persecutórios, ansiedade acentuada, labilidade emocional e despersonalização. O transtorno costuma ter remissão em um dia; em certos casos, no entanto, pode persistir por alguns dias.

Transtorno psicótico induzido por substância/medicamento pode, algumas vezes, persistir quando o agente ofensivo é removido, podendo ser difícil inicialmente distingui-lo de um transtorno psicótico independente. Há relatos de que agentes como anfetaminas, fenciclidina e cocaína evocam estados psicóticos temporários que por vezes podem persistir durante semanas ou mais, apesar da retirada do agente e do tratamento com medicamento neuroléptico. Em idades mais avançadas, o uso de muitos fármacos para condições médicas e a exposição a medicamentos para parkinsonismo, doença cardiovascular e outros problemas médicos podem estar associados a maior probabilidade de psicose induzida por medicamentos receitados em oposição a substâncias de abuso.

De acordo com dados coletados de um estudo dinamarquês que acompanhou longitudinalmente casos de psicose induzida por substâncias durante 20 anos, cerca de um terço (32%) dos indivíduos com psicose induzida por substância é posteriormente diagnosticado com um transtorno do espectro da esquizofrenia (26%) ou um transtorno bipolar (8%), com a maior taxa sendo com transtorno psicótico induzido por *Cannabis* (44%).

Marcadores Diagnósticos

Com substâncias para as quais é possível se avaliar os níveis sanguíneos (p. ex., nível de álcool no sangue, outros níveis quantificáveis, como digoxina), a presença de um nível consistente com toxicidade pode aumentar a certeza diagnóstica.

Consequências Funcionais do Transtorno Psicótico Induzido por Substância/Medicamento

Transtorno psicótico induzido por substância/medicamento costuma ser gravemente incapacitante e, consequentemente, é observado com mais frequência em salas de emergência, uma vez que os indivíduos costumam ser levados para locais de atendimento a pacientes agudos. A incapacidade, todavia, em geral é autolimitada e resolve-se com a retirada do agente ofensivo.

Diagnóstico Diferencial

Intoxicação por substância ou abstinência de substância. Indivíduos intoxicados com estimulantes, *Cannabis*, o opioide meperidina, fenciclidina ou os que estão tendo uma síndrome de abstinência de álcool ou sedativos podem ter alteração da percepção que reconhecem como efeitos da droga. Se o teste de realidade para essas experiências continua intacto (i. e., a pessoa reconhece que a percepção é induzida por substância, não acreditando nela ou agindo conforme), o diagnóstico não é transtorno psicótico induzido por substância/medicamento. Diferentemente, é diagnosticada intoxicação por substância ou abstinência de substância, com perturbação da percepção (p. ex., intoxicação por cocaína, com perturbação da percepção). Alucinações com *flashback*, capazes de ocorrer muito tempo depois de cessado o uso de alucinógenos, são diagnosticadas como transtorno persistente da percepção induzido por alucinógenos. Se ocorrem sintomas psicóticos induzidos por substância/medicamento exclusivamente durante o curso de *delirium*, como nas formas graves de abstinência alcoólica, os sintomas psicóticos são considerados uma característica associada do *delirium*, não sendo diagnosticados separadamente. Delírios no contexto de um transtorno neurocognitivo maior ou leve serão diagnosticados como transtorno neurocognitivo maior ou leve, com perturbação comportamental.

Transtorno psicótico independente. Transtorno psicótico induzido por substância/medicamento é diferente de transtorno psicótico independente por uso de substância/medicamento, como esquizofrenia, transtorno esquizoafetivo, transtorno delirante, transtorno psicótico breve, outro transtorno do espectro da esquizofrenia e outro transtorno psicótico especificado ou transtorno do espectro da esquizofrenia e outro transtorno psicótico não especificado, pelo fato de se acreditar que uma substância esteja etiologicamente relacionada aos sintomas.

Transtorno psicótico devido a outra condição médica. Um transtorno psicótico induzido por substância/medicamento devido a tratamento prescrito para uma condição mental ou médica deve ter início enquanto o indivíduo está recebendo o medicamento (ou durante a abstinência, caso haja uma síndrome de abstinência associada ao medicamento). Como indivíduos com condições médicas normalmente tomam fármacos para essas condições, o clínico deve avaliar a possibilidade de que os sintomas psicóticos sejam causados pelas consequências fisiológicas da condição médica em vez de pelo fármaco, caso em que é diagnosticado um transtorno psicótico devido a outra condição médica. A avaliação da história do paciente com frequência oferece a base primária para esse julgamento. Por vezes, uma mudança no tratamento da condição médica (p. ex., substituição ou interrupção do fármaco) pode ser necessária para determinar de forma empírica se o medicamento é o agente causador. Se o clínico confirmar que a perturbação pode ser atribuída à condição médica e ao uso de substância/medicamento, podem ser dados os dois diagnósticos (i. e., transtorno psicótico devido a outra condição médica e transtorno psicótico induzido por substância/medicamento).

Outro transtorno do espectro da esquizofrenia especificado ou não especificado e outro transtorno psicótico. Os sintomas psicóticos incluídos no diagnóstico de transtorno psicótico induzido por substância/medicamento limitam-se a alucinações ou delírios. Indivíduos com outros sintomas psicóticos induzidos por substância/medicamento (p. ex., comportamento desorganizado ou catatônico, fala desorganizada, conteúdo incoerente ou irracional) devem ser classificados na categoria outro transtorno do espectro da esquizofrenia especificado ou não especificado e outro transtorno psicótico.

Transtorno Psicótico Devido a Outra Condição Médica

Critérios Diagnósticos

A. Alucinações ou delírios proeminentes.
B. Há evidências da história, do exame físico ou de achados laboratoriais de que a perturbação é a consequência fisiopatológica direta de outra condição médica.
C. A perturbação não é mais bem explicada por outro transtorno mental.
D. A perturbação não ocorre exclusivamente durante o curso de *delirium*.
E. A perturbação causa sofrimento clinicamente significativo ou prejuízo no funcionamento social, profissional ou em outras áreas importantes da vida do indivíduo.

Determinar o subtipo:
Código baseado no sintoma predominante:
F06.2 Com delírios: Se os delírios são o sintoma predominante.
F06.0 Com alucinações: Se as alucinações são o sintoma predominante.
Nota para codificação: Incluir o nome da outra condição médica no nome do transtorno mental (p. ex., F06.2 transtorno psicótico devido a neoplasia pulmonar maligna, com delírios). A outra condição médica deve ser codificada e listada em separado imediatamente antes do transtorno psicótico devido à condição médica (p. ex., C34.90 neoplasia pulmonar maligna; F06.2 transtorno psicótico devido a neoplasia pulmonar maligna, com delírios).

Especificar a gravidade atual:
A gravidade é classificada por uma avaliação quantitativa dos sintomas primários de psicose, o que inclui delírios, alucinações, comportamento psicomotor anormal e sintomas negativos. Cada um desses sintomas pode ser classificado pela gravidade atual (mais grave nos últimos sete dias) em uma escala com 5 pontos, variando de 0 (não presente) a 4 (presente e grave). (Ver Gravidade das Dimensões de Sintomas de Psicose Avaliada pelo Clínico no capítulo "Instrumentos da Avaliação".)
Nota: O diagnóstico de transtorno psicótico devido a outra condição médica pode ser feito sem a utilização desse especificador de gravidade.

Especificadores

Além das áreas de domínio de sintomas identificadas nos critérios diagnósticos, a avaliação dos sintomas dos domínios cognição, depressão e mania é fundamental para que sejam feitas distinções importantes entre os vários transtornos do espectro da esquizofrenia e outros transtornos psicóticos.

Características Diagnósticas

As características essenciais do transtorno psicótico devido a outra condição médica são delírios e alucinações proeminentes atribuídos aos efeitos fisiológicos de outra condição médica, não sendo mais bem explicados por outro transtorno mental (p. ex., os sintomas não são uma resposta psicologicamente mediada por alguma condição médica grave, caso em que deve ser apropriado um diagnóstico de transtorno psicótico breve, com estressor evidente).

Podem ocorrer alucinações em qualquer modalidade sensorial (i. e., visual, olfativa, gustativa, tátil ou auditiva), mas alguns fatores etiológicos provavelmente evocam fenômenos alucinatórios específicos. Alucinações olfativas sugerem epilepsia do lobo temporal, por exemplo. As alucinações podem variar de simples e informes a altamente complexas e organizadas, dependendo de fatores etiológicos e ambientais. Transtorno psicótico devido a outra condição médica não costuma ser diagnosticado se o indivíduo tem o teste de realidade preservado para alucinações e avalia que elas resultam da condição médica. Delírios podem ter uma variedade de temas, incluindo somático, de grandeza, religioso e, mais comumente, persecutório. Em geral, porém, as associações entre delírios e condições médicas particulares parecem ser menos específicas do que no caso das alucinações.

Embora não existam diretrizes infalíveis para determinar se a relação entre a psicose e a condição médica é etiológica, três fatores oferecem alguma orientação: plausibilidade biológica, temporalidade e tipicidade. Primeiramente, a presença de uma condição médica que tenha potencial de causar sintomas psicóticos por meio de um mecanismo fisiológico putativo (p. ex., infecção generalizada grave; porfiria; lúpus ou epilepsia do lobo temporal) deve ser identificada (plausibilidade biológica). O segundo fator é se há a presença de associação temporal entre o início, a exacerbação ou a remissão da condição médica e o dos sintomas psicóticos (temporalidade). A terceira consideração, sobre a etiologia médica dos sintomas psicóticos, é se há presença de características que seriam incomuns para um transtorno psicótico primário (p. ex., idade de início atípica ou presença de alucinações visuais ou olfativas) (tipicidade). Por fim, causas de sintomas psicóticos que não sejam também efeitos fisiológicos de uma condição médica devem ser consideradas e descartadas (p. ex., transtorno psicótico induzido por substância/medicamento ou sintomas psicóticos ocorrendo como efeitos colaterais do tratamento de uma condição médica).

A associação temporal do início ou da exacerbação da condição médica oferece a maior certeza diagnóstica de que os delírios ou as alucinações são atribuíveis a uma condição médica. Outros fatores podem incluir tratamentos concomitantes para a condição médica subjacente que conferem risco de psicose independente, como tratamento com esteroides para distúrbios autoimunes.

O diagnóstico de transtorno psicótico devido a outra condição médica depende da condição clínica de cada pessoa, e os exames diagnósticos irão variar conforme essa condição. Uma variedade de condições médicas pode causar sintomas psicóticos. Incluem condições neurológicas (p. ex., neoplasias, doença cerebrovascular, doença de Huntington, doença de Parkinson, esclerose múltipla, epilepsia, lesão ou prejuízo nervoso visual ou auditivo, surdez, enxaqueca, infecções do sistema nervoso central), condições endócrinas (p. ex., hiper e hipotireoidismo, hiper e hipoparatireoidismo, hiper e hipoadrenocorticismo), condições metabólicas (p. ex., hipoxia, hipercarbia, hipoglicemia), deficiência de vitamina B_{12}, desequilíbrios hídricos e eletrolíticos, doenças hepáticas ou renais e distúrbios autoimunes, com envolvimento do sistema nervoso central (p. ex., lúpus eritematoso sistêmico ou encefalite autoimune do receptor N-metil--D-aspartato [NMDA]). Achados associados do exame físico, achados laboratoriais e padrões de prevalência ou aparecimento refletem a condição médica etiológica.

Prevalência

Taxas de prevalência para transtorno psicótico devido a outra condição médica são de difícil estimativa, considerando-se a ampla variedade de etiologias médicas subjacentes. A prevalência ao longo da vida foi estimada como variando entre 0,21 e 0,54% em estudos suecos e finlandeses. Quando os achados da prevalência são estratificados por faixa etária, pessoas com mais de 65 anos têm prevalência significativamente mais elevada, de 0,74%, na comparação com as que pertencem a faixas etárias mais jovens na Finlândia. As taxas de psicose também variam conforme a condição médica subjacente; as condições mais comumente associadas à psicose incluem distúrbios endócrinos e metabólicos não tratados, distúrbios autoimunes (p. ex., lúpus eritematoso sistêmico, encefalite autoimune do receptor N-metil-D-aspartato [NMDA]) ou epilepsia do lobo temporal. Psicose em decorrência de epilepsia foi, ainda, diferenciada em psicose ictal, pós-ictal e interictal. A mais comum é a pós-ictal, observada em 2 a 7,8% dos pacientes com epilepsia. Entre os indivíduos com mais idade, pode haver elevada prevalência do transtorno em mulheres, embora características adicionais relativas a sexo ou gênero não estejam claras, e apresentem variações consideráveis em razão das distribuições por sexo e gênero das condições médicas subjacentes. Estima-se que 60% dos indivíduos de idade mais avançada com psicose de início recente têm uma etiologia médica para seus sintomas psicóticos.

Desenvolvimento e Curso

Transtorno psicótico devido a outra condição médica pode ser um estado passageiro isolado ou pode ser recorrente, ciclando com as exacerbações e remissões da condição médica subjacente. Apesar de o tratamento da condição médica subjacente frequentemente resultar em uma resolução da psicose, esse não é sempre o caso, e os sintomas psicóticos podem persistir por um longo período de tempo depois do evento médico (p. ex., transtorno psicótico devido a lesão cerebral focal). No contexto de condições crônicas, como esclerose múltipla ou psicose interictal crônica da epilepsia, a psicose pode assumir um curso prolongado.

A expressão de um transtorno psicótico devido a outra condição médica não difere substancialmente na fenomenologia, dependendo da idade na ocorrência. Grupos de pessoas com mais idade, porém, têm alta prevalência do transtorno, o que é, mais provavelmente, devido à maior sobrecarga médica associada à idade avançada e aos efeitos cumulativos de exposições nocivas e processos relacionados ao envelhecimento (p. ex., aterosclerose). A natureza das condições médicas subjacentes provavelmente muda ao longo da vida, com grupos mais jovens mais afetados por epilepsia, trauma encefálico, doença autoimune e doenças neoplásicas no começo ou porção intermediária da vida, e pessoas idosas mais afetadas por doença como acidente vascular cerebral, doenças neurodegenerativas (como doença de Alzheimer), eventos anóxicos e múltiplas comorbidades sistêmicas. Os fatores subjacentes ao aumento da idade, como prejuízo cognitivo preexistente e prejuízos visuais e auditivos, podem significar risco maior de psicose, possivelmente funcionando para baixar o limiar para a ocorrência da doença.

Fatores de Risco e Prognóstico

Modificadores do curso. A identificação e o tratamento da condição médica subjacente causam o maior impacto no curso, ainda que lesão preexistente no sistema nervoso central possa conferir um resultado pior no curso (p. ex., trauma encefálico, doença cerebrovascular).

Associação com Pensamentos ou Comportamentos Suicidas

O risco de suicídio no contexto de um transtorno psicótico devido a outra condição médica não está delineado com clareza, embora algumas condições como epilepsia e esclerose múltipla sejam associadas a taxas mais altas de suicídio, que podem aumentar ainda mais na presença de psicose.

Consequências Funcionais do Transtorno Psicótico Devido a Outra Condição Médica

A incapacidade funcional é comumente grave no contexto de transtorno psicótico devido a outra condição médica, mas varia consideravelmente de acordo com o tipo de condição, com possível melhora se ocorrer resolução exitosa desta.

Diagnóstico Diferencial

Delirium **e transtorno neurocognitivo maior ou leve.** Alucinações e delírios costumam ocorrer no contexto de *delirium*. Um diagnóstico separado de transtorno psicótico devido a outra condição médica não é dado, no entanto, quando a perturbação ocorrer exclusivamente durante o curso de *delirium*. Entretanto, um diagnóstico de transtorno psicótico devido a outra condição médica pode ser adicionado a um diagnóstico de transtorno neurocognitivo maior ou leve se os delírios ou alucinações forem consequência fisiológica do processo patológico que causa o transtorno neurocognitivo (p. ex., transtorno psicótico devido a doença com corpos de Lewy com delírios).

Transtorno psicótico induzido por substância/medicamento. Existindo evidências de uso recente ou prolongado de substância (inclusive fármacos com efeitos psicoativos), abstinência de substância ou exposição a alguma toxina (p. ex., LSD [dietilamida do ácido lisérgico], intoxicação, abstinência de álcool), deve ser avaliada possibilidade de transtorno psicótico induzido por substância/medicamento. Os sintomas que ocorrem durante ou logo após (i. e., em quatro semanas) a intoxicação por substância, a abstinência ou após o uso de medicamento podem ser especialmente indicativos de um transtorno psicótico induzido por substância, dependendo do caráter, da duração ou da quantidade da substância usada. Se o clínico confirmar que a perturbação é decorrente de uma condição médica e de uso de substância, os dois diagnósticos (i. e., transtorno psicótico devido a outra condição médica e transtorno psicótico induzido por substância/medicamento) podem ser dados.

Transtorno psicótico. Um transtorno psicótico devido a outra condição médica deve ser distinguido de um transtorno psicótico (p. ex., esquizofrenia, transtorno delirante, transtorno esquizoafetivo) ou de um transtorno depressivo ou transtorno bipolar com características psicóticas. Em transtornos psicóticos e transtornos depressivos ou transtornos bipolares com características psicóticas, não podem ser demonstrados mecanismos fisiológicos causadores específicos e diretos associados a uma condição médica. Idade tardia no aparecimento e ausência de história pessoal ou familiar de esquizofrenia ou transtorno delirante sugerem a necessidade de uma avaliação completa para descartar diagnóstico de transtorno psicótico devido a outra condição médica. Alucinações auditivas que envolvem vozes que falam frases complexas são mais características de esquizofrenia do que de transtorno psicótico devido a outra condição médica. Enquanto certos sintomas sugerem uma etiologia médica ou tóxica (p. ex., alucinações visuais ou olfativas, delírios que parecem sonhos [com o indivíduo como um observador não envolvido]), não há sinais patognomônicos ou sintomas que apontem absolutamente para apenas um lado. Alucinações visuais não são incomuns em esquizofrenia ou transtorno bipolar, e alucinações olfativas (como cheiros desagradáveis) também são consistentes com um diagnóstico de esquizofrenia. Portanto, clínicos não devem dar um peso indevido para qualquer alucinação em particular quando estão decidindo entre uma causa psiquiátrica ou outra causa médica para a psicopatologia.

Comorbidade

Transtorno psicótico devido a outra condição médica em pessoas com mais de 80 anos está associado a transtorno neurocognitivo maior concorrente (demência). A doença de Alzheimer normalmente é acompanhada de psicose, e a psicose é uma característica definidora na doença com corpos de Lewy.

Catatonia

Catatonia pode ocorrer no contexto de vários transtornos, incluindo transtorno do neurodesenvolvimento, bipolar, depressivo e outras condições médicas (p. ex., deficiência de folato no cérebro, doenças autoimunes e paraneoplásicas raras). O Manual não trata a catatonia como uma classe independente, mas reconhece: a) catatonia associada a outro transtorno mental (i. e., transtorno do neurodesenvolvimento, transtorno psicótico, transtorno bipolar, transtorno depressivo e outro transtorno mental), b) transtorno catatônico devido a outra condição médica e c) catatonia não especificada.

A catatonia é definida pela presença de três ou mais de 12 características psicomotoras nos critérios diagnósticos de catatonia associada a outro transtorno mental e transtorno catatônico devido a outra condição médica. A característica essencial da catatonia é uma perturbação psicomotora acentuada que pode envolver atividade motora diminuída, participação diminuída durante entrevista ou exame físico ou atividade motora excessiva e peculiar. A apresentação clínica da catatonia pode confundir, uma vez que a perturbação psicomotora pode variar desde ausência acentuada de resposta até agitação acentuada. A imobilidade motora pode ser grave (estupor) ou moderada (catalepsia e flexibilidade cérea). Igualmente, a participação diminuída pode ser grave (mutismo) ou moderada (negativismo). Comportamentos motores excessivos e peculiares podem ser complexos (p. ex., estereotipia) ou simples (agitação), podendo incluir ecolalia e ecopraxia. Em casos extremos, a mesma pessoa pode ter aumentos e diminuições entre atividade motora reduzida e excessiva. As características clínicas aparentemente opostas, as manifestações variáveis do diagnóstico e a ênfase excessiva no ensino de sinais raros e graves como flexibilidade cérea, contribuem para falta de percepção e diminuição do reconhecimento da catatonia. Durante seus estágios graves, o indivíduo pode precisar de supervisão atenta para evitar autolesão e lesão a outros. Há riscos potenciais decorrentes de desnutrição, exaustão, tromboembolismo, úlceras por pressão, contrações musculares, hiperpirexia e lesões autoinfligidas.

Catatonia Associada a Outro Transtorno Mental (Especificador de Catatonia)

F06.1

A. O quadro clínico é dominado por três (ou mais) dos sintomas a seguir:
1. Estupor (i. e., ausência de atividade psicomotora; sem relação ativa com o ambiente).
2. Catalepsia (i. e., indução passiva de uma postura mantida contra a gravidade).
3. Flexibilidade cérea (i. e., resistência leve ao posicionamento pelo examinador).
4. Mutismo (i. e., resposta verbal ausente ou muito pouca [excluir com afasia conhecida]).
5. Negativismo (i. e., oposição ou resposta ausente a instruções ou a estímulos externos).
6. Postura (i. e., manutenção espontânea e ativa de uma postura contrária à gravidade).
7. Maneirismo (i. e., caricatura esquisita e circunstancial de ações normais).
8. Estereotipia (i. e., movimentos repetitivos, anormalmente frequentes e não voltados a metas).
9. Agitação, não influenciada por estímulos externos.
10. Caretas.
11. Ecolalia (i. e., imitação da fala de outra pessoa).
12. Ecopraxia (i. e., imitação dos movimentos de outra pessoa).

Nota para codificação: Indicar o nome do transtorno mental associado ao registrar o nome da condição (i. e., F06.1 catatonia associada a transtorno depressivo maior). Codificar primeiro o transtorno mental associado (p. ex., transtorno do neurodesenvolvimento, transtorno psicótico breve, transtorno esquizofreniforme, esquizofrenia, transtorno esquizoafetivo, transtorno bipolar, transtorno depressivo maior ou outro transtorno mental) (p. ex., F25.1 transtorno esquizoafetivo, tipo depressivo; F06.1 catatonia associada a transtorno esquizoafetivo).

Características Diagnósticas

A catatonia associada a outro transtorno mental (especificador de catatonia) pode ser diagnosticada quando atendidos critérios de catatonia durante o curso de um transtorno do neurodesenvolvimento, psicótico, bipolar, depressivo ou outro transtorno mental. O especificador de catatonia é apropriado quando o quadro clínico se caracteriza por perturbação psicomotora acentuada e envolve pelo menos três das 12 características diagnósticas listadas no Critério A. A catatonia costuma ser diagnosticada em contexto de internação, e ela ocorre em até 35% das pessoas com esquizofrenia. A maioria dos casos de catatonia, no entanto, envolve indivíduos com transtornos depressivos ou bipolares. Metanálise de amostras clínicas indicou que aproximadamente 9% dos pacientes tinham catatonia. Antes de ser usado o especificador de catatonia nos transtornos do neurodesenvolvimento, psicótico, bipolar, depressivo ou outro transtorno mental, precisa ser descartada uma ampla gama de outras condições médicas; estas incluem, embora não se limitem a elas, condições médicas devidas a condições infecciosas, metabólicas ou neurológicas (ver "Transtorno Catatônico Devido a Outra Condição Médica"). A catatonia pode também ser efeito colateral de um medicamento (ver o capítulo "Transtornos do Movimento Induzidos por Medicamentos e Outros Efeitos Adversos de Medicamentos"). Devido à gravidade das complicações, deve ser dada atenção especial à possibilidade de a catatonia ser atribuível a síndrome neuroléptica maligna (G21.0).

Questões Diagnósticas Relativas à Cultura

A associação entre catatonia e transtornos do humor foi encontrada em uma grande variedade de contextos culturais.

Transtorno Catatônico Devido a Outra Condição Médica

Critérios Diagnósticos   F06.1

A. O quadro clínico é dominado por três (ou mais) dos sintomas a seguir:
   1. Estupor (i. e., ausência de atividade psicomotora; sem relação ativa com o ambiente).
   2. Catalepsia (i. e., indução passiva de uma postura mantida contra a gravidade).
   3. Flexibilidade cérea (i. e., resistência leve ao posicionamento pelo examinador).
   4. Mutismo (i. e., resposta verbal ausente ou muito pouca [**Nota:** não se aplica se houver afasia estabelecida]).
   5. Negativismo (i. e., oposição ou ausência de resposta a instruções ou a estímulos externos).
   6. Postura (i. e., manutenção espontânea e ativa de uma postura contrária à gravidade).
   7. Maneirismo (i. e., caricatura esquisita e circunstancial de ações normais).
   8. Estereotipia (i. e., movimentos repetitivos, anormalmente frequentes e não voltados a metas).
   9. Agitação, não influenciada por estímulos externos.
   10. Caretas.
   11. Ecolalia (i. e., imitação da fala de outra pessoa).
   12. Ecopraxia (i. e., imitação dos movimentos de outra pessoa).
B. Há evidências da história, do exame físico ou de achados laboratoriais de que a perturbação é a consequência fisiopatológica direta de outra condição médica.
C. A perturbação não é mais bem explicada por outro transtorno mental (p. ex., um episódio maníaco).
D. A perturbação não ocorre exclusivamente durante o curso de *delirium*.

E. A perturbação causa sofrimento clinicamente significativo e prejuízo no funcionamento social, profissional ou em outras áreas importantes da vida do indivíduo.

Nota para codificação: Incluir o nome da condição médica no nome do transtorno mental (p. ex., F06.1 transtorno catatônico devido a encefalopatia hepática). A outra condição médica deve ser codificada e listada em separado, imediatamente antes do transtorno catatônico devido a outra condição médica (p. ex., K76.82 encefalopatia hepática; F06.15 transtorno catatônico devido a encefalopatia hepática).

Características Diagnósticas

A característica essencial de um transtorno catatônico devido a outra condição médica é a presença de catatonia que, supostamente, é atribuída aos efeitos fisiológicos de outra condição médica. A catatonia pode ser diagnosticada pela presença de pelo menos três de 12 características clínicas do Critério A. Deve haver evidências da história, do exame físico ou de achados laboratoriais de que a catatonia é atribuível a outra condição médica (Critério B). Não é dado o diagnóstico se a catatonia for mais bem explicada por outro transtorno mental (p. ex., episódio maníaco) (Critério C) ou se ela ocorrer exclusivamente durante o curso de *delirium* (Critério D).

Características Associadas

Uma variedade de condições médicas pode causar catatonia, em especial condições neurológicas (p. ex., neoplasias, trauma encefálico, doença vascular encefálica, encefalite) e metabólicas (p. ex., hipercalcemia, encefalopatia hepática, homocistinúria, cetoacidose diabética). Os achados do exame físico associado, laboratoriais e os padrões de prevalência e aparecimento refletem os da condição médica etiológica.

Diagnóstico Diferencial

Um diagnóstico separado de transtorno catatônico devido a outra condição médica não é dado se a catatonia ocorrer exclusivamente durante o curso de *delirium* ou síndrome neuroléptica maligna. Porém, mesmo que um diagnóstico separado de catatonia não possa ser feito, as pesquisas sugerem que sintomas de catatonia ocorrem em uma porção significativa dos casos de *delirium*. Quando o indivíduo está tomando medicamento neuroléptico, devem ser levados em conta transtornos do movimento induzidos por medicamento (p. ex., posicionamento anormal pode ser devido a distonia aguda induzida por neuroléptico) ou síndrome neuroléptica maligna (p. ex., características tipo catatônicas podem estar presentes, com sinais vitais e/ou anormalidades laboratoriais associadas). Sintomas catatônicos podem estar presentes em qualquer um dos cinco transtornos psicóticos a seguir: transtorno psicótico breve, transtorno esquizofreniforme, esquizofrenia, transtorno esquizoafetivo e transtorno psicótico induzido por substância/medicamento. Podem também estar presentes em alguns transtornos do neurodesenvolvimento, em todos os transtornos bipolares ou depressivos e em outros transtornos mentais.

Catatonia Não Especificada

Esta categoria aplica-se a apresentações em que sintomas característicos de catatonia causam sofrimento clinicamente significativo ou prejuízo no funcionamento social, profissional ou em outras áreas importantes da vida do indivíduo, embora não haja clareza quanto à natureza do transtorno mental subjacente ou de outra condição médica, não sejam satisfeitos todos os critérios para catatonia ou a informação existente não seja suficiente para que seja feito um diagnóstico mais específico (p. ex., em salas de emergência).

Nota para codificação: Codificar primeiro **R29.818** outros sintomas envolvendo sistema nervoso e musculoesquelético, seguido de **F06.1** catatonia não especificada.

Outro Transtorno do Espectro da Esquizofrenia e Outro Transtorno Psicótico Especificado

F28

Esta categoria aplica-se a apresentações em que sintomas característicos de um transtorno do espectro da esquizofrenia e outro transtorno psicótico que causam sofrimento clinicamente significativo ou prejuízo no funcionamento social, profissional ou em outras áreas importantes da vida do indivíduo predominam, mas não satisfazem todos os critérios para qualquer transtorno na classe diagnóstica transtorno do espectro da esquizofrenia e outros transtornos psicóticos. A categoria outro transtorno do espectro da esquizofrenia e outro transtorno psicótico especificado é usada nas situações em que o clínico opta por comunicar a razão específica pela qual a apresentação não satisfaz os critérios para qualquer transtorno do espectro da esquizofrenia e outro transtorno psicótico específico. Isso é feito por meio de registro de "outro transtorno do espectro da esquizofrenia e outro transtorno psicótico especificado", seguido da razão específica (p. ex., "alucinações auditivas persistentes").

Exemplos de apresentações que podem ser especificadas mediante uso do termo "outro transtorno do espectro da esquizofrenia e outro transtorno psicótico especificado" incluem:

1. **Alucinações auditivas persistentes** que ocorrem na ausência de quaisquer outras características.
2. **Delírios com episódios significativos de humor sobrepostos:** Inclui delírios persistentes com períodos de episódios sobrepostos de humor que estão presentes durante parte substancial da perturbação delirante (de modo que o critério que estipula apenas perturbação breve do humor no transtorno delirante não está atendido).
3. **Síndrome psicótica atenuada:** Essa síndrome caracteriza-se por sintomas do tipo psicóticos que estão abaixo de um limiar para psicose plena (p. ex., os sintomas são menos graves e mais passageiros, e o *insight* é relativamente mantido).
4. **Sintomas delirantes em parceiro de pessoa com transtorno delirante:** No contexto de um relacionamento, os conteúdos delirantes do parceiro com transtorno psicótico oferecem base para uma crença delirante pelo indivíduo que, de outra forma, não poderia satisfazer totalmente os critérios para transtorno psicótico.

Transtorno do Espectro da Esquizofrenia e Outro Transtorno Psicótico Não Especificado

F29

Esta categoria aplica-se a apresentações em que sintomas característicos de um transtorno do espectro da esquizofrenia e outro transtorno psicótico que causam sofrimento clinicamente significativo ou prejuízo no funcionamento social, profissional ou em outras áreas importantes da vida do indivíduo predominam, mas não satisfazem todos os critérios para qualquer transtorno na classe diagnóstica transtorno do espectro da esquizofrenia e outros transtornos psicóticos. A categoria transtorno do espectro da esquizofrenia e outro transtorno psicótico não especificado é usada nas situações em que o clínico opta por *não* especificar a razão pela qual os critérios para um transtorno do espectro da esquizofrenia e outro transtorno psicótico específico não são satisfeitos e inclui apresentações para as quais não há informações suficientes para que seja feito um diagnóstico mais específico (p. ex., em salas de emergência).

Transtorno Bipolar e Transtornos Relacionados

O transtorno bipolar e transtornos relacionados são encontrados no DSM-5 entre o capítulo sobre transtornos do espectro da esquizofrenia e outros transtornos psicóticos e o capítulo sobre transtornos depressivos, como um reconhecimento de seu lugar como uma ponte entre as duas classes diagnósticas em termos de sintomatologia, história familiar e genética. Os diagnósticos inclusos neste capítulo são transtorno bipolar tipo I, transtorno bipolar tipo II, transtorno ciclotímico, transtorno bipolar e transtorno relacionado induzido por substância/medicamento, transtorno bipolar e transtorno relacionado devido a outra condição médica, outro transtorno bipolar e transtorno relacionado especificado e transtorno bipolar e outro transtorno relacionado não especificado.

Os critérios para transtorno bipolar tipo I representam o entendimento moderno do transtorno maníaco-depressivo clássico, ou psicose afetiva, descrito no século XIX. Diferem da descrição clássica somente no que se refere ao fato de não haver exigência de psicose ou de experiência na vida de um episódio depressivo maior. No entanto, a vasta maioria dos indivíduos cujos sintomas atendem aos critérios para um episódio maníaco também tem episódios depressivos maiores durante o curso de suas vidas.

O transtorno bipolar tipo II, que requer um ou mais episódios depressivos maiores e pelo menos um episódio hipomaníaco (mas sem histórico de mania) durante o curso da vida, não é mais considerado uma condição "mais leve" que o transtorno bipolar tipo I, em grande parte em razão da carga que pessoas com essa condição passam com a depressão e pelo fato de a instabilidade do humor vivenciada ser tipicamente acompanhada de sérios prejuízos no funcionamento profissional e social.

O diagnóstico de transtorno ciclotímico é feito em adultos que têm pelo menos dois anos (um ano em crianças) de períodos hipomaníacos e depressivos, sem jamais atender aos critérios para um episódio de mania, hipomania ou depressão maior.

Muitas substâncias de abuso, alguns medicamentos prescritos e várias condições médicas podem estar associados a um fenômeno semelhante ao episódio maníaco. Esse fato é reconhecido nos diagnósticos de transtorno bipolar e transtorno relacionado induzido por substância/medicamento e transtorno bipolar e transtorno relacionado devido a outra condição médica.

O reconhecimento de que há muitos indivíduos que vivenciam fenômenos semelhantes ao transtorno bipolar, com sintomas que não atendem aos critérios para transtorno bipolar tipo I, transtorno bipolar tipo II ou transtorno ciclotímico, reflete-se na disponibilidade da categoria outro transtorno bipolar e transtorno relacionado especificado. Critérios específicos para um transtorno que envolva hipomania de curta duração são parte da Seção III, na esperança de estimular mais estudos desta apresentação sintomatológica do transtorno bipolar e seu curso.

Transtorno Bipolar Tipo I

Critérios Diagnósticos

Para diagnosticar transtorno bipolar tipo I, é necessário o preenchimento dos critérios a seguir para um episódio maníaco. O episódio maníaco pode ter sido antecedido ou seguido por episódios hipomaníacos ou depressivos maiores.

Episódio Maníaco

A. Um período distinto de humor anormal e persistentemente elevado, expansivo ou irritável e aumento anormal e persistente da atividade ou da energia, com duração mínima de uma semana e presente na maior parte do dia, quase todos os dias (ou qualquer duração, se a hospitalização se fizer necessária).
B. Durante o período de perturbação do humor e aumento da energia ou atividade, três (ou mais) dos seguintes sintomas (quatro se o humor é apenas irritável) estão presentes em grau significativo e representam uma mudança notável do comportamento habitual:
   1. Autoestima inflada ou grandiosidade.
   2. Redução da necessidade de sono (p. ex., sente-se descansado com apenas três horas de sono).
   3. Mais loquaz que o habitual ou pressão para continuar falando.
   4. Fuga de ideias ou experiência subjetiva de que os pensamentos estão acelerados.
   5. Distratibilidade (i. e., a atenção é desviada muito facilmente por estímulos externos insignificantes ou irrelevantes), conforme relatado ou observado.
   6. Aumento da atividade dirigida a objetivos (seja socialmente, no trabalho ou escola, seja sexualmente) ou agitação psicomotora (i. e., atividade sem propósito não dirigida a objetivos).
   7. Envolvimento excessivo em atividades com elevado potencial para consequências dolorosas (p. ex., envolvimento em surtos desenfreados de compras, indiscrições sexuais ou investimentos financeiros insensatos).
C. A perturbação do humor é suficientemente grave a ponto de causar prejuízo acentuado no funcionamento social ou profissional ou para necessitar de hospitalização a fim de prevenir dano a si mesmo ou a outras pessoas, ou existem características psicóticas.
D. O episódio não é atribuível aos efeitos fisiológicos de uma substância (p. ex., droga de abuso, medicamento, outro tratamento) ou a outra condição médica.
   Nota: Um episódio maníaco completo que surge durante tratamento antidepressivo (p. ex., medicamento, eletroconvulsoterapia), mas que persiste em um nível de sinais e sintomas além do efeito fisiológico desse tratamento, é evidência suficiente para um episódio maníaco e, portanto, para um diagnóstico de transtorno bipolar tipo I.

Nota: Os Critérios A-D representam um episódio maníaco. Pelo menos um episódio maníaco na vida é necessário para o diagnóstico de transtorno bipolar tipo I.

Episódio Hipomaníaco

A. Um período distinto de humor anormal e persistentemente elevado, expansivo ou irritável e aumento anormal e persistente da atividade ou energia, com duração mínima de quatro dias consecutivos e presente na maior parte do dia, quase todos os dias.
B. Durante o período de perturbação do humor e aumento de energia e atividade, três (ou mais) dos seguintes sintomas (quatro se o humor é apenas irritável) persistem, representam uma mudança notável em relação ao comportamento habitual e estão presentes em grau significativo:
   1. Autoestima inflada ou grandiosidade.
   2. Redução da necessidade de sono (p. ex., sente-se descansado com apenas três horas de sono).
   3. Mais loquaz que o habitual ou pressão para continuar falando.
   4. Fuga de ideias ou experiência subjetiva de que os pensamentos estão acelerados.
   5. Distratibilidade (i. e., atenção é desviada muito facilmente por estímulos externos insignificantes ou irrelevantes), conforme relatado ou observado.
   6. Aumento da atividade dirigida a objetivos (seja socialmente, no trabalho ou escola, seja sexualmente) ou agitação psicomotora.
   7. Envolvimento excessivo em atividades com elevado potencial para consequências dolorosas (p. ex., envolvimento em surtos desenfreados de compras, indiscrições sexuais ou investimentos financeiros insensatos).

C. O episódio está associado a uma mudança clara no funcionamento que não é característica do indivíduo quando assintomático.
D. A perturbação do humor e a mudança no funcionamento são observáveis por outras pessoas.
E. O episódio não é suficientemente grave a ponto de causar prejuízo acentuado no funcionamento social ou profissional ou para necessitar de hospitalização. Existindo características psicóticas, por definição, o episódio é maníaco.
F. O episódio não é atribuível aos efeitos fisiológicos de uma substância (p. ex., droga de abuso, medicamento, outro tratamento) ou a outra condição médica.
   Nota: Um episódio hipomaníaco completo que surge durante tratamento antidepressivo (p. ex., medicamento, eletroconvulsoterapia), mas que persiste em um nível de sinais e sintomas além do efeito fisiológico desse tratamento, é evidência suficiente para um diagnóstico de episódio hipomaníaco. Recomenda-se, porém, cautela para que 1 ou 2 sintomas (principalmente aumento da irritabilidade, nervosismo ou agitação após uso de antidepressivo) não sejam considerados suficientes para o diagnóstico de episódio hipomaníaco nem necessariamente indicativos de uma diátese bipolar.

Nota: Os Critérios A-F representam um episódio hipomaníaco. Esses episódios são comuns no transtorno bipolar tipo I, embora não necessários para o diagnóstico desse transtorno.

Episódio Depressivo Maior

A. Cinco (ou mais) dos seguintes sintomas estiveram presentes durante o mesmo período de duas semanas e representam uma mudança em relação ao funcionamento anterior; pelo menos um dos sintomas é (1) humor deprimido ou (2) perda de interesse ou prazer.
   Nota: Não incluir sintomas que sejam claramente atribuíveis a outra condição médica.
   1. Humor deprimido na maior parte do dia, quase todos os dias, conforme indicado por relato subjetivo (p. ex., sente-se triste, vazio ou sem esperança) ou por observação feita por outra pessoa (p. ex., parece choroso). (**Nota:** Em crianças e adolescentes, pode ser humor irritável.)
   2. Acentuada diminuição de interesse ou prazer em todas, ou quase todas, as atividades na maior parte do dia, quase todos os dias (conforme indicado por relato subjetivo ou observação feita por outra pessoa).
   3. Perda ou ganho significativo de peso sem estar fazendo dieta (p. ex., mudança de mais de 5% do peso corporal em um mês) ou redução ou aumento no apetite quase todos os dias. (**Nota:** Em crianças, considerar insucesso em obter o ganho de peso esperado.)
   4. Insônia ou hipersonia quase diária.
   5. Agitação ou retardo psicomotor quase todos os dias (observável por outras pessoas; não meramente sensações subjetivas de inquietação ou de estar mais lento).
   6. Fadiga ou perda de energia quase todos os dias.
   7. Sentimentos de inutilidade ou culpa excessiva ou inapropriada (que podem ser delirantes) quase todos os dias (não meramente autorrecriminação ou culpa por estar doente).
   8. Capacidade diminuída para pensar ou se concentrar, ou indecisão, quase todos os dias (por relato subjetivo ou observação feita por outra pessoa).
   9. Pensamentos recorrentes de morte (não somente medo de morrer), ideação suicida recorrente sem um plano específico, um plano específico de suicídio ou tentativa de suicídio.
B. Os sintomas causam sofrimento clinicamente significativo ou prejuízo no funcionamento social, profissional ou em outras áreas importantes da vida do indivíduo.
C. O episódio não é atribuível aos efeitos fisiológicos de uma substância ou a outra condição médica.

Nota: Os Critérios A-C representam um episódio depressivo maior. Esse tipo de episódio é comum no transtorno bipolar tipo I, embora não seja necessário para o diagnóstico desse transtorno.

Nota: Respostas a uma perda significativa (p. ex., luto, ruína financeira, perdas por desastre natural, doença médica grave ou incapacidade) podem incluir sentimentos de tristeza intensos, ruminação acerca da perda, insônia, falta de apetite e perda de peso observados no Critério A, que podem se assemelhar a um episódio depressivo. Embora tais sintomas possam ser entendidos ou considerados apropriados à perda, a presença de um episódio depressivo maior, além da resposta normal a uma perda significativa, deve ser também cuidadosamente considerada. Essa decisão exige inevitavelmente exercício do juízo clínico, baseado na história do indivíduo e nas normas culturais para a expressão de sofrimento no contexto de uma perda.[1]

Transtorno Bipolar Tipo I

A. Foram atendidos os critérios para pelo menos um episódio maníaco (Critérios A-D em "Episódio Maníaco" descritos anteriormente).

B. Pelo menos um episódio maníaco não é mais bem explicado por transtorno esquizoafetivo e não está sobreposto a esquizofrenia, transtorno esquizofreniforme, transtorno delirante, outro transtorno do espectro da esquizofrenia e outro transtorno psicótico especificado ou transtorno do espectro da esquizofrenia e outro transtorno psicótico não especificado.

Procedimentos para Codificação e Registro

O código diagnóstico para transtorno bipolar tipo I é baseado no tipo de episódio atual ou mais recente e seu *status* em relação à gravidade atual, presença de características psicóticas e estado de remissão. A gravidade atual e as características psicóticas só são indicadas se todos os critérios estiverem atualmente presentes para episódio maníaco ou depressivo maior. Os especificadores de remissão são indicados somente se todos os critérios não estão atualmente presentes para episódio maníaco, hipomaníaco ou depressivo maior. Os códigos são descritos a seguir:

Transtorno bipolar tipo I	Episódio atual ou mais recente maníaco	Episódio atual ou mais recente hipomaníaco*	Episódio atual ou mais recente depressivo	Episódio atual ou mais recente não especificado**
Leve (p. 175)	F31.11	NA	F31.31	NA
Moderado (p. 175)	F31.12	NA	F31.32	NA
Grave (p. 175)	F31.13	NA	F31.4	NA

---

[1] Ao diferenciar luto de um episódio depressivo maior (EDM), é útil considerar que, no luto, o afeto predominante inclui sentimentos de vazio e perda, enquanto no EDM há humor deprimido persistente e incapacidade de antecipar felicidade ou prazer. A disforia no luto pode diminuir de intensidade ao longo de dias a semanas, ocorrendo em ondas, conhecidas como "dores do luto". Essas ondas tendem a estar associadas a pensamentos ou lembranças do falecido. O humor deprimido de um EDM é mais persistente e não está ligado a pensamentos ou preocupações específicos. A dor do luto pode vir acompanhada de emoções e humor positivos que não são característicos da infelicidade e angústia generalizadas de um EDM. O conteúdo do pensamento associado ao luto geralmente apresenta preocupação com pensamentos e lembranças do falecido, em vez das ruminações autocríticas ou pessimistas encontradas no EDM. No luto, a autoestima costuma estar preservada, ao passo que no EDM sentimentos de desvalia e aversão a si mesmo são comuns. Se presente no luto, a ideação autodepreciativa tipicamente envolve a percepção de falhas em relação ao falecido (p. ex., não ter feito visitas com frequência suficiente, não dizer ao falecido o quanto o amava). Se um indivíduo enlutado pensa em morte e em morrer, tais pensamentos costumam ter o foco no falecido e possivelmente em "se unir" a ele, enquanto no EDM esses pensamentos têm o foco em acabar com a própria vida em razão dos sentimentos de desvalia, de não merecer estar vivo ou da incapacidade de enfrentar a dor da depressão.

Transtorno bipolar tipo I	Episódio atual ou mais recente maníaco	Episódio atual ou mais recente hipomaníaco*	Episódio atual ou mais recente depressivo	Episódio atual ou mais recente não especificado**
Com características psicóticas*** (p. 173)	F31.2	NA	F31.5	NA
Em remissão parcial (p. 175)	F31.73	F31.71	F31.75	NA
Em remissão completa (p. 175)	F31.74	F31.72	F31.76	NA
Não especificado	F31.9	F31.9	F31.9	NA

*Os especificadores de gravidade e de características psicóticas não se aplicam; código F31.0 para casos que não estão em remissão.
**Os especificadores de gravidade, de características psicóticas e de remissão não se aplicam. Código F31.9.
***Se características psicóticas estão presentes, codificar com o especificador "com características psicóticas" independentemente da gravidade do episódio.

Ao registrar o nome de um diagnóstico, os termos devem ser listados na ordem a seguir: transtorno bipolar tipo I, tipo do episódio atual (ou mais recente, se o transtorno bipolar tipo I estiver em remissão parcial ou completa), especificadores de gravidade/características psicóticas/remissão, seguidos por tantos especificadores sem códigos quantos se aplicarem ao episódio atual (ou mais recente, se o transtorno bipolar tipo I estiver em remissão parcial ou completa). **Nota:** Os especificadores "com ciclagem rápida" e "com padrão sazonal" descrevem o padrão dos episódios de humor.

Especificar se:
  Com sintomas ansiosos (p. 169-170)
  Com características mistas (p. 170-171)
  Com ciclagem rápida (p. 171)
  Com características melancólicas (p. 171-72)
  Com características atípicas (p. 172-173)
  Com características psicóticas congruentes com o humor (p. 173; *é aplicável a episódio maníaco e/ou episódio depressivo maior*)
  Com características psicóticas incongruentes com o humor (p. 173; *é aplicável a episódio maníaco e/ou episódio depressivo maior*)
  Com catatonia (p. 173). **Nota para codificação:** Usar código adicional F06.1.
  Com início no periparto (p. 173-174)
  Com padrão sazonal (p. 174-175)

Características Diagnósticas

O transtorno bipolar tipo I é caracterizado por um curso clínico de episódios de humor recorrentes (maníaco, depressivo e hipomaníaco), mas a ocorrência de ao menos um episódio maníaco é necessária para o diagnóstico. A característica essencial de um episódio maníaco é um período distinto de humor anormal e persistentemente elevado, expansivo ou irritável e aumento persistente da atividade ou da energia, com duração de pelo menos uma semana e presente na maior parte do dia, quase todos os dias (ou qualquer duração, se a hospitalização se fizer necessária), acompanhado por pelo menos três sintomas adicionais do Critério B. Se o humor é irritável em vez de elevado ou expansivo, pelo menos quatro sintomas do Critério B devem estar presentes.

O humor, em um episódio maníaco, costuma ser descrito como eufórico, excessivamente alegre, elevado ou "sentindo-se no topo do mundo". Em certos casos, o humor é tão anormalmente contagiante que é reconhecido com facilidade como excessivo e pode ser caracterizado por entusiasmo ilimitado e indiscriminado para interações interpessoais, sexuais ou profissionais. Por exemplo, a pessoa pode espontaneamente iniciar conversas longas com estranhos em público. Algumas vezes, o humor predominante é irritável em vez de elevado, em particular quando os desejos do indivíduo são negados ou quando ele esteve usando substâncias. Mudanças rápidas no humor durante períodos breves de tempo podem ocorrer, sendo referidas como labilidade (i. e., alternância entre euforia, disforia e irritabilidade). Em crianças, felicidade, tolice e "estupidez" são normais em muitos contextos sociais. Porém, se esses sintomas forem recorrentes, inapropriados para o contexto e além do esperado para o nível de desenvolvimento da criança, eles podem se encaixar nos requisitos de humor para o Critério A de humor anormalmente elevado. Para que a felicidade ou tolice de uma criança se encaixem no Critério A, elas devem ser distintamente aumentadas a partir do habitual da criança e ser acompanhadas por níveis de atividade ou energia persistentemente aumentados, algo perceptível pelas pessoas que conhecem bem a criança. Para que os sintomas de uma criança se encaixem nos critérios para um episódio maníaco, eles também devem se encaixar no Critério B para mania e devem representar uma mudança do comportamento padrão da criança.

Durante o episódio maníaco, a pessoa pode se envolver em vários projetos novos ao mesmo tempo. Os projetos costumam ser iniciados com pouco conhecimento do tópico, sendo que nada parece estar fora do alcance do indivíduo. Os níveis de atividade aumentados podem se manifestar em horas pouco habituais do dia, como durante a fase normal do sono do indivíduo.

Autoestima inflada costuma estar presente, variando de autoconfiança sem críticas a grandiosidade acentuada, podendo chegar a proporções delirantes (Critério B1). Apesar da falta de qualquer experiência ou talento particular, o indivíduo pode dar início a tarefas complexas, como escrever um romance ou buscar publicidade por alguma invenção impraticável. Delírios de grandeza (p. ex., de ter um relacionamento especial com uma pessoa famosa) são comuns. Em crianças, supervalorização das capacidades e crença de que, por exemplo, podem ser as melhores no esporte ou as mais inteligentes em sala de aula são comuns; quando, no entanto, essas crenças estão presentes apesar de evidências claras do contrário, ou a criança tenta atos claramente perigosos e, mais importante, representa uma mudança de seu comportamento habitual, o critério de grandiosidade deve ser satisfeito.

Uma das características mais comuns é a redução da necessidade de sono (Critério B2), que difere da insônia (em que o indivíduo deseja dormir ou sente necessidade disso, mas não consegue). Ele pode dormir pouco, se conseguir, ou pode acordar várias horas mais cedo que o habitual, sentindo-se repousado e cheio de energia. Quando o distúrbio do sono é grave, o indivíduo pode ficar sem dormir durante dias e não ter cansaço. Frequentemente, a redução da necessidade de sono anuncia o início de um episódio maníaco.

A fala pode ser rápida, pressionada, alta e difícil de interromper (Critério B3). Os indivíduos podem falar continuamente e sem preocupação com os desejos de comunicação de outras pessoas, frequentemente de forma invasiva ou sem atenção à relevância do que é dito. Algumas vezes, a fala caracteriza-se por piadas, trocadilhos, bobagens divertidas e teatralidade, com maneirismos dramáticos, canto e gestos excessivos. A intensidade e o tom da fala costumam ser mais importantes que o que está sendo transmitido. Quando o humor está mais irritável do que expansivo, a fala pode ser marcada por reclamações, comentários hostis ou tiradas raivosas, especialmente se feitas tentativas para interromper o indivíduo. Sintomas do Critério A e do Critério B podem vir acompanhados de sintomas do polo oposto (i. e., depressivo) (ver o especificador "com características mistas", p. 170-171).

Com frequência, os pensamentos do indivíduo fluem a uma velocidade maior do que aquela que pode ser expressa na fala (Critério B4). É comum haver fuga de ideias, evidenciada por um fluxo quase contínuo de fala acelerada, com mudanças repentinas de um tópico a outro. Quando a fuga de ideias é grave, a fala pode se tornar desorganizada, incoerente e particularmente sofrida para o indivíduo. Os pensamentos às vezes são sentidos como tão abarrotados que fica difícil falar.

A distratibilidade (Critério B5) é evidenciada por incapacidade de filtrar estímulos externos irrelevantes (p. ex., a roupa do entrevistador, os ruídos ou as conversas de fundo, os móveis da sala) e, com frequência, não permite que os indivíduos em episódio maníaco mantenham uma conversa racional ou respeitem orientações.

O aumento de atividades dirigida a objetivos (Critério B6) frequentemente consiste em planejamento excessivo e participação em múltiplas atividades, incluindo atividades sexuais, profissionais, políticas ou religiosas. Impulso, fantasia e comportamento sexuais aumentados costumam estar presentes. Indivíduos em episódio maníaco costumam mostrar aumento da sociabilidade (p. ex., renovar velhas amizades ou telefonar para amigos ou até mesmo estranhos), sem preocupação com a natureza incômoda, dominadora e exigente dessas interações. Com frequência, exibem agitação ou inquietação psicomotoras (i. e., atividade sem uma finalidade), andando de um lado a outro ou mantendo múltiplas conversas simultaneamente. Há os que escrevem demasiadas cartas, *e-mails*, mensagens de texto, etc., sobre assuntos diversos a amigos, figuras públicas ou meios de comunicação.

O critério de aumento da atividade pode ser difícil de averiguar em crianças; quando, porém, a criança assume várias tarefas simultaneamente, começa a elaborar planos complicados e irreais para projetos, desenvolve preocupações sexuais antes ausentes e inadequadas ao nível de desenvolvimento (não justificadas por abuso sexual ou exposição a material de sexo explícito), o Critério B pode ser satisfeito com base no juízo clínico. É fundamental determinar se o comportamento representa uma mudança em relação ao habitual da criança; se ocorre na maior parte do dia, quase todos os dias, durante o período de tempo necessário; e se ocorre em associação temporal com outros sintomas de mania.

Humor expansivo, otimismo excessivo, grandiosidade e juízo crítico prejudicado costumam levar a envolvimento imprudente em atividades como surtos de compras, doação de objetos pessoais, direção imprudente, investimentos financeiros insensatos e promiscuidade sexual incomuns ao indivíduo, mesmo quando essas atividades podem levar a consequências catastróficas (Critério B7). O indivíduo pode adquirir muitos itens desnecessários sem que tenha dinheiro para pagar por eles e, em alguns casos, doar esses objetos. O comportamento sexual pode incluir infidelidade ou encontros sexuais indiscriminados com estranhos, em geral sem atenção a risco de infecções sexualmente transmissíveis ou consequências interpessoais.

O episódio maníaco deve resultar em prejuízo acentuado no funcionamento social ou profissional (p. ex., perdas financeiras, perda de emprego, reprovação na escola ou divórcio) ou necessitar de hospitalização para a prevenção de dano a si ou a outras pessoas (p. ex., exaustão física ou hipertermia causados por excitação maníaca ou comportamento autolesivo). Por definição, a presença de características psicóticas durante um episódio maníaco também satisfaz o Critério C.

Sinais ou sintomas de mania que são atribuídos a efeitos fisiológicos de uma droga de abuso (p. ex., no contexto de intoxicação por cocaína ou anfetamina), a efeitos colaterais de medicamentos ou tratamentos (p. ex., esteroides, L-dopa, antidepressivos, estimulantes) ou a outra condição médica não justificam o diagnóstico de transtorno bipolar tipo I. Um episódio maníaco completo, no entanto, surgido durante tratamento (p. ex., medicamentos, eletroconvulsoterapia, fototerapia) ou uso de droga e que persiste além do efeito fisiológico do agente indutor (i. e., após o medicamento estar completamente ausente do organismo do indivíduo ou os efeitos esperados da eletroconvulsoterapia estarem totalmente dissipados) é evidência suficiente para um diagnóstico de episódio maníaco (Critério D). Recomenda-se cautela para que um ou dois sintomas (principalmente aumento da irritabilidade, nervosismo ou agitação após uso de antidepressivo) não sejam considerados suficientes para o diagnóstico de episódio maníaco ou hipomaníaco nem necessariamente indicativos de uma diátese bipolar. Apesar de não serem essenciais para o diagnóstico de transtorno bipolar tipo I, episódios hipomaníacos ou depressivos frequentemente precedem ou seguem um episódio maníaco. Descrições completas das características diagnósticas de um episódio hipomaníaco podem ser encontradas no texto do transtorno bipolar tipo II, e as características de um episódio depressivo maior estão descritas no texto sobre transtorno depressivo maior.

Características Associadas

Durante um episódio maníaco, é comum os indivíduos não perceberem que estão doentes ou necessitando de tratamento, resistindo, com veemência, às tentativas de tratamento. Podem mudar a forma de se vestir, a maquiagem ou a aparência pessoal para um estilo com maior apelo sexual ou extravagante. Alguns percebem maior acurácia olfativa, auditiva ou visual. Jogos de azar e comportamentos antissociais podem acompanhar o episódio maníaco. O humor pode mudar rapidamente para raiva ou depressão; há pessoas que podem se tornar hostis e fisicamente ameaçadoras a outras e, quando delirantes, podem agredir outros fisicamente ou suicidar-se. As sérias consequências de um episódio maníaco (p. ex., hospitalização involuntária, problemas com a justiça, dificuldades financeiras graves) costumam ser resultantes do juízo crítico prejudicado, da perda de *insight* e da hiperatividade. Sintomas depressivos ocorrem em cerca de 35% dos episódios maníacos (ver especificador "com características mistas", p. 170), e características mistas estão associadas com piores resultados e aumento de tentativas de suicídio. Transtorno bipolar tipo I também é associado com significativa piora na qualidade de vida e no bem-estar em geral.

Características típicas e traços associados com o diagnóstico incluem temperamentos hipertímico, depressivo, ciclotímico, ansioso e irritável, alterações no ritmo circadiano e sono, sensibilidade a recompensa e criatividade. Ter um parente de primeiro grau com transtorno bipolar aumenta o risco do diagnóstico em cerca de dez vezes.

Prevalência

A prevalência em 12 meses para o transtorno bipolar tipo I descrito no DSM-5 em uma amostra nacionalmente representativa de adultos norte-americanos foi de 1,5% e não houve diferença entre homens (1,6%) e mulheres (1,5%). Em comparação com brancos não hispânicos, a prevalência de transtorno bipolar tipo I parece ser maior em nativos norte-americanos e menor em afro-americanos, hispânicos e asiáticos/nativos das ilhas do Pacífico. A prevalência em 12 meses do transtorno bipolar tipo I descrito no DSM-IV em 11 países variou de 0,0 a 0,6% e foi maior em países de alta renda do que em países de baixa e média rendas, exceto Japão, onde a prevalência foi baixa (0,01%). A razão da prevalência ao longo da vida entre homens e mulheres é de aproximadamente 1,1:1.

Desenvolvimento e Curso

A média de idade com mais casos de início de transtorno bipolar tipo I entre estudos é de 20 a 30 anos, mas o início pode ocorrer em qualquer momento da vida. Nos Estados Unidos, a idade média de início do transtorno bipolar tipo I descrito no DSM-5 é de 22 anos, sendo levemente menor para as mulheres (21,5 anos) e maior para os homens (23 anos). Em uma comparação entre seis localidades internacionais, a idade média de início de transtorno bipolar tipo I como descrito no DSM-IV-TR foi de 24,3 anos. Considerações especiais são necessárias para a aplicação do diagnóstico em crianças. Uma vez que crianças com a mesma idade podem estar em estágios do desenvolvimento diferentes, fica difícil definir com precisão o que é "normal" ou "esperado" em um determinado ponto. Assim, cada criança deve ser julgada de acordo com seu comportamento habitual. Apesar de poder acontecer de a idade de início ser entre os 60 ou 70 anos, o início de sintomas maníacos (p. ex., desinibição sexual ou social) no fim da meia-idade ou idade avançada deve ser prontamente considerado como causado por condição médica (p. ex., transtorno neurocognitivo frontotemporal) e ingestão ou abstinência de substância.

Mais de 90% dos indivíduos que tiveram um único episódio de mania têm episódios recorrentes de humor. Cerca de 60% dos episódios maníacos ocorrem imediatamente antes de um episódio depressivo maior. Pessoas com transtorno bipolar tipo I que tiveram múltiplos episódios (quatro ou mais) de humor (depressivo maior, maníaco ou hipomaníaco) em um ano recebem o especificador "com ciclagem rápida", uma variante comum associada com resultados piores. Cerca de metade dos indivíduos diagnosticados com transtorno bipolar exibe uma polaridade predominante (recaída tendendo a ser ou depressiva ou maníaca). Um estudo internacional sobre transtorno bipolar tipo I concluiu que 31,3% dos indivíduos apresentam predominantemente mania, 21,4% depressão e 47,3% não apresentam uma polaridade dominante.

O curso do transtorno bipolar tipo I é bastante heterogêneo. Alguns padrões foram notados entre episódios (p. ex., um episódio maníaco com características psicóticas pode estar associado com características psicóticas em episódios maníacos subsequentes). A polaridade do primeiro episódio tende a estar associada com a polaridade predominante em episódios futuros e características clínicas (p. ex., início de depressão é associado com maior densidade de episódios depressivos e comportamentos suicidas). A presença de características mistas em episódios maníacos é associada com um prognóstico ruim, má resposta a lítio e comportamento suicida.

Fatores de Risco e Prognóstico

Ambientais. Adversidades na infância (incluindo trauma emocional, psicopatologia dos pais e conflitos familiares) é um fator de risco conhecido para transtorno bipolar e parece causar predisposição a início precoce do transtorno. Adversidades na infância também são associadas com pior prognóstico e pior quadro clínico, que pode incluir comorbidades médicas ou psiquiátricas, suicídio e características psicóticas associadas. É importante destacar que estresse recente e outros eventos negativos na vida aumentam o risco de recaída depressiva em indivíduos diagnosticados com transtorno bipolar, enquanto recaída maníaca parece estar ligada especificamente a eventos de vida de realização de metas (p. ex., casar-se ou concluir a faculdade). O uso de *Cannabis* ou outras substâncias está associado com a exacerbação de sintomas maníacos entre indivíduos diagnosticados com transtorno bipolar, bem como ao primeiro aparecimento de sintomas maníacos na população geral. Há evidências de que se casar é menos comum para indivíduos com transtorno bipolar em comparação com a população geral e que um diagnóstico de transtorno bipolar está associado a ser divorciado em vez de casado.

Genéticos e fisiológicos. Processos genéticos afetam significativamente a predisposição a transtorno bipolar, com hereditariedade estimada em 90% em estudos com gêmeos. O risco de transtorno bipolar na população geral é de cerca de 1%, enquanto em pessoas com parentes de primeiro grau com o transtorno é de 5 a 10%. Porém, as taxas de concordância monozigóticas são significativamente inferiores a 100% (entre 40 e 70%), o que indica que muito do risco não é explicável apenas pelos genes. O mecanismo de hereditariedade não é mendeliano e envolve múltiplos genes (ou mecanismos genéticos mais complexos) de pequeno efeito interagindo entre si, com o ambiente e fatores aleatórios. Descobertas genéticas emergentes sugerem que tendências maníacas e depressivas são herdadas separadamente, e o transtorno bipolar compartilha uma origem genética com a esquizofrenia.

Questões Diagnósticas Relativas à Cultura

Os sintomas do transtorno bipolar tipo I tendem a ser consistentes entre contextos culturais, mas algumas variações existem na expressão e na interpretação dos sintomas. Por exemplo, indivíduos de diferentes contextos culturais com transtorno bipolar tipo I, com características psicóticas, podem variar em suas prevalências de mudanças abruptas de ideias ou tipos de delírios (p. ex., de grandeza, de perseguição, sexuais, religiosos ou somáticos). Fatores culturais podem afetar a prevalência do transtorno. Por exemplo, países com valores culturais voltados a recompensas, que colocam significado na busca individual por recompensas, têm, relativamente, uma prevalência mais alta de transtorno bipolar. Nos Estados Unidos, indivíduos com transtorno bipolar tiveram uma idade de início mais cedo do que aqueles na Europa e foram mais propensos a ter história familiar de transtorno psiquiátrico.

A cultura também influencia as práticas diagnósticas dos clínicos em relação ao transtorno bipolar. Se comparados a brancos não latinos nos Estados Unidos, afro-americanos com transtorno bipolar tipo I têm maior risco de serem diagnosticados erroneamente com esquizofrenia. Razões para isso incluem a falta de reconhecimento de sintomas de humor, desentendimentos culturais e linguísticos entre os médicos e os indivíduos que se apresentam para tratamento (p. ex., interpretação errônea de uma desconfiança cultural como sendo paranoia), sintomas psicóticos mais acentuados na apresentação devido a atraso no atendimento e diagnósticos baseados em avaliações clínicas mais curtas. Esses fatores podem resultar em diagnósticos errôneos discriminatórios de esquizofrenia, especialmente em afro-americanos com transtornos do humor que apresentem características psicóticas.

Questões Diagnósticas Relativas ao Sexo e ao Gênero

Mulheres são mais suscetíveis a estados de ciclagem rápida e mistos e a padrões de comorbidade que diferem daqueles de homens, incluindo taxas mais altas de transtornos alimentares ao longo da vida.

Mulheres com transtorno bipolar tipo I ou tipo II têm maior probabilidade de apresentar sintomas depressivos do que homens. Elas também têm um risco maior de transtorno por uso de álcool ao longo da vida do que os homens e uma probabilidade muito maior de transtorno por uso de álcool do que as mulheres na população geral.

Algumas mulheres com transtorno bipolar experimentam exacerbação de sintomas de humor durante o período pré-menstrual, e isso foi associado a pior curso da doença. Muitas mulheres com transtorno bipolar também reportam transtornos emocionais graves durante a perimenopausa, quando os níveis de estrogênio estão baixando. Não parece haver maior risco de episódios de humor durante a gravidez de mulheres com transtorno bipolar, exceto naquelas que descontinuam a medicação nesse período. Em contraste, há evidências fortes e consistentes de maior risco de episódios de humor (tanto depressão quanto mania) em mulheres com transtorno bipolar tipo I no período pós-parto. O especificador "com início no periparto" deve ser usado para episódios de humor que comecem durante a gravidez ou dentro de 4 semanas após o parto. A "psicose pós-parto" normalmente parece um episódio maníaco ou de humor misto com sintomas psicóticos e é fortemente associada com transtorno bipolar tipo I.

Associação com Pensamentos ou Comportamentos Suicidas

Estima-se que o risco de suicídio ao longo da vida em pessoas com transtorno bipolar é de 20 a 30 vezes o da população geral. Cerca de 5 a 6% dos indivíduos com transtorno bipolar morrem por suicídio. Enquanto as tentativas de suicídio são maiores entre as mulheres, o suicídio letal é mais comum entre homens com transtorno bipolar. História pregressa de tentativa de suicídio e o percentual de dias passados deprimidos no ano anterior estão associados com risco maior de tentativas de suicídio e sucesso nessas tentativas. Mais da metade das pessoas cujos sintomas satisfazem os critérios de transtorno bipolar tem um transtorno por uso de álcool, e aquelas com ambos os transtornos têm grande risco de tentar suicídio.

Consequências Funcionais do Transtorno Bipolar Tipo I

Embora muitos indivíduos com transtorno bipolar retornem a um nível totalmente funcional entre os episódios, aproximadamente 30% mostram prejuízo importante no funcionamento profissional. A recuperação funcional está muito aquém da recuperação dos sintomas, em especial em relação à recuperação do funcionamento profissional, resultando em condição socioeconômica inferior apesar de níveis equivalentes de educação, quando comparados com a população geral. Os prejuízos cognitivos persistem ao longo da vida, mesmo em períodos eutímicos, e podem contribuir para dificuldades vocacionais e interpessoais. Maior nível de autoestigma é associado a menor nível de funcionamento.

Diagnóstico Diferencial

Transtorno depressivo maior. Existe o risco de um diagnóstico errôneo de transtorno bipolar tipo I como depressão unipolar devido à proeminência da depressão na apresentação do transtorno bipolar tipo I. Por isso, é importante destacar que: 1) o primeiro episódio do transtorno bipolar é frequentemente depressivo; 2) sintomas depressivos são os mais frequentes no curso de longo prazo do transtorno bipolar tipo I; e 3) o problema pelo qual os indivíduos normalmente buscam ajuda é a depressão. Quando o indivíduo se apresenta em um episódio de depressão maior, deve-se atentar para episódios anteriores de mania ou hipomania. Fatores que podem indicar que o diagnóstico deve ser de transtorno bipolar tipo I e não transtorno depressivo maior em um indivíduo que esteja apresentando um episódio depressivo incluem história familiar de transtorno bipolar, início da doença próximo aos 20 anos, numerosos episódios anteriores, presença de sintomas psicóticos, história de falta de resposta a tratamento antidepressivo ou o surgimento de um episódio maníaco durante o tratamento antidepressivo (p. ex., medicação ou eletroconvulsoterapia).

Outros transtornos bipolares. Transtorno bipolar tipo II, transtorno ciclotímico e outros transtornos bipolares especificados e transtornos relacionados são semelhantes ao transtorno bipolar tipo I devido à inclusão de períodos com sintomas hipomaníacos em suas apresentações, mas se diferenciam dele pela ausência de episódios maníacos.

Transtorno de ansiedade generalizada, transtorno de pânico, transtorno de estresse pós-traumático ou outros transtornos de ansiedade. Uma história clínica cuidadosa é necessária para diferenciar transtorno de ansiedade generalizada de transtorno bipolar, uma vez que ruminações ansiosas podem ser confundidas com pensamentos acelerados (e vice-versa), e esforços para minimizar sentimentos de ansiedade podem ser entendidos como comportamento impulsivo. Da mesma maneira, sintomas de transtorno de estresse pós-traumático precisam ser diferenciados de transtorno bipolar. É útil considerar a natureza episódica dos sintomas descritos (o transtorno bipolar tipo I clássico é episódico), bem como avaliar possíveis desencadeadores dos sintomas, ao ser feito esse diagnóstico diferencial.

Transtorno bipolar e transtorno relacionado devido a outra condição médica. O diagnóstico de transtorno bipolar e transtorno relacionado devido a outra condição médica deve ser feito no lugar de transtorno bipolar tipo I se os episódios maníacos forem julgados, com base na história, em achados laboratoriais ou exames físicos, como consequências fisiológicas diretas de outra condição médica (p. ex., doença de Cushing ou esclerose múltipla).

Transtorno bipolar e transtorno relacionado induzido por substância/medicamento. Um transtorno bipolar e transtorno relacionado induzido por substância/medicamento se diferencia do transtorno bipolar tipo I pelo fato de que uma substância (p. ex., estimulantes, fenciclidina) ou medicamento (p. ex., esteroides) são considerados etiologicamente relacionados ao episódio maníaco. Como indivíduos com episódios maníacos têm uma tendência a abusar de substâncias durante os episódios, é importante determinar se o uso da substância é uma consequência de um episódio maníaco primário ou se o episódio em questão foi causado pelo uso da substância. Em alguns casos, um diagnóstico definitivo pode envolver o estabelecimento de que os sintomas maníacos permanecem uma vez que o indivíduo não esteja mais usando a substância. Note que os episódios maníacos que surgem no contexto do tratamento com um medicamento antidepressivo, mas que persistem em um nível totalmente sindrômico além do efeito fisiológico do medicamento, garantem um diagnóstico de transtorno bipolar tipo I em vez de transtorno bipolar e transtorno relacionado induzido por substância/medicamento.

Transtorno esquizoafetivo. O transtorno esquizoafetivo é caracterizado por períodos em que episódios maníacos e depressivos maiores são simultâneos à fase de sintomas ativos da esquizofrenia e períodos em que delírios e alucinações ocorrem por pelo menos duas semanas na ausência de um episódio maníaco ou depressivo maior. O diagnóstico é de "transtorno bipolar tipo I com características psicóticas" se os sintomas psicóticos ocorreram exclusivamente durante os episódios maníaco ou depressivo maior.

Transtorno de déficit de atenção/hiperatividade. O transtorno de déficit de atenção/hiperatividade é caracterizado por sintomas persistentes de desatenção, hiperatividade e impulsividade, o que pode lembrar os sintomas de um episódio maníaco (p. ex., distratibilidade, hiperatividade e comportamento impulsivo) e ter seu início próximo aos 12 anos. Em contraste, os sintomas de mania no transtorno bipolar tipo I ocorrem em episódios distintos e normalmente começam no fim da adolescência ou começo da idade adulta.

Transtorno disruptivo da desregulação do humor. Em indivíduos com irritabilidade acentuada, especialmente crianças e adolescentes, deve-se ter o cuidado de diagnosticar transtorno bipolar tipo I apenas aos que tiveram um episódio claro de mania ou hipomania – isto é, um período de tempo distinto, com a duração necessária, durante o qual a irritabilidade foi claramente diferente do comportamento habitual do indivíduo e foi acompanhada pelo início de outros sintomas característicos (p. ex., grandiosidade, redução da necessidade de sono, pressão por fala, envolvimento em atividades com um grande potencial de ter consequências dolorosas). Quando a irritabilidade de uma criança é persistente e particularmente grave, é mais apropriado o diagnóstico de transtorno disruptivo da desregulação do humor. De fato, quando qualquer criança está sendo avaliada para mania, é fundamental que os sintomas representem uma mudança inequívoca de seu comportamento típico.

Transtornos da personalidade. Os transtornos da personalidade, como o transtorno da personalidade *borderline*, podem ter sobreposição sintomática substancial com o transtorno bipolar tipo I, uma vez que a labilidade do humor e a impulsividade são comuns nas duas condições. Para o diagnóstico de transtorno bipolar tipo I, os sintomas de labilidade e impulsividade do humor devem representar um episódio distinto da doença, ou deve haver um aumento notável nesses sintomas em relação ao comportamento habitual do indivíduo para que um diagnóstico adicional de transtorno bipolar tipo I seja justificado.

Comorbidade

Transtornos mentais comórbidos são comuns no transtorno bipolar tipo I, com a maioria dos indivíduos tendo história de três ou mais transtornos. Os transtornos comórbidos mais frequentes são os transtornos de ansiedade, transtorno por uso de álcool, transtorno por uso de outras substâncias e transtorno de déficit de atenção/hiperatividade. Fatores socioculturais influenciam o padrão de condições comórbidas no transtorno bipolar. Por exemplo, países com proibições culturais a álcool ou outras substâncias podem ter menor prevalência de comorbidade de uso de substâncias. O transtorno bipolar tipo I é frequentemente associado com os transtornos da personalidade *borderline*, esquizotípica e antissocial. Em particular, apesar de a natureza subjacente da relação entre o transtorno bipolar tipo I e o transtorno da personalidade *borderline* não estar clara, a comorbidade substancial entre os dois pode refletir semelhanças na fenomenologia (p. ex., diagnosticar erroneamente os extremos emocionais do transtorno da personalidade *borderline* como sendo do transtorno bipolar tipo I), a influência dos traços de personalidade *borderline* na vulnerabilidade ao transtorno bipolar tipo I e o impacto da adversidade da primeira infância no desenvolvimento de ambos os transtornos.

Indivíduos com transtorno bipolar tipo I também têm altas taxas de condições médicas comórbidas graves frequentemente não tratadas, o que explica em grande parte sua baixa expectativa de vida. Comorbidades aparecem em múltiplos sistemas de órgãos, sendo doenças cardiovasculares e autoimunes, apneia obstrutiva do sono, síndrome metabólica e enxaquecas mais comuns em indivíduos com transtorno bipolar do que na população geral. Obesidade comórbida é uma preocupação em particular para indivíduos com transtorno bipolar, sendo associada a resultados negativos no tratamento.

Transtorno Bipolar Tipo II

Critérios Diagnósticos   F31.81

Para diagnosticar transtorno bipolar tipo II, é necessário o preenchimento dos critérios a seguir para um episódio hipomaníaco atual ou anterior *e* os critérios a seguir para um episódio depressivo maior atual ou anterior:

Episódio Hipomaníaco

A. Um período distinto de humor anormal e persistentemente elevado, expansivo ou irritável e aumento anormal e persistente da atividade ou energia, com duração mínima de quatro dias consecutivos e presente na maior parte do dia, quase todos os dias.

B. Durante o período de perturbação do humor e aumento de energia e atividade, três (ou mais) dos seguintes sintomas (quatro se o humor for apenas irritável) persistem, representam uma mudança notável em relação ao comportamento habitual e estão presentes em grau significativo:

1. Autoestima inflada ou grandiosidade.
2. Redução da necessidade de sono (p. ex., sente-se descansado com apenas três horas de sono).
3. Mais loquaz que o habitual ou pressão para continuar falando.
4. Fuga de ideias ou experiência subjetiva de que os pensamentos estão acelerados.

5. Distratibilidade (i. e., atenção é desviada muito facilmente por estímulos externos insignificantes ou irrelevantes), conforme relatado ou observado.
6. Aumento da atividade dirigida a objetivos (seja socialmente, no trabalho ou escola, seja sexualmente) ou agitação psicomotora.
7. Envolvimento excessivo em atividades com elevado potencial para consequências dolorosas (p. ex., envolvimento em surtos desenfreados de compras, indiscrições sexuais ou investimentos financeiros insensatos).

C. O episódio está associado a uma mudança clara no funcionamento que não é característica do indivíduo quando assintomático.
D. A perturbação no humor e a mudança no funcionamento são observáveis por outras pessoas.
E. O episódio não é suficientemente grave a ponto de causar prejuízo acentuado no funcionamento social ou profissional ou para necessitar de hospitalização. Existindo características psicóticas, por definição, o episódio é maníaco.
F. O episódio não é atribuível aos efeitos fisiológicos de uma substância (p. ex., droga de abuso, medicamento, outro tratamento) ou a outra condição médica.

Nota: Um episódio hipomaníaco completo que surge durante tratamento antidepressivo (p. ex., medicamento, eletroconvulsoterapia), mas que persiste em um nível de sinais e sintomas além do efeito fisiológico desse tratamento, é evidência suficiente para um diagnóstico de episódio hipomaníaco. Recomenda-se, porém, cautela para que 1 ou 2 sintomas (principalmente aumento da irritabilidade, nervosismo ou agitação após uso de antidepressivo) não sejam considerados suficientes para o diagnóstico de episódio hipomaníaco nem necessariamente indicativos de uma diátese bipolar.

Episódio Depressivo Maior

A. Cinco (ou mais) dos seguintes sintomas estiveram presentes durante o mesmo período de duas semanas e representam uma mudança em relação ao funcionamento anterior; pelo menos um dos sintomas é (1) humor deprimido ou (2) perda de interesse ou prazer.

Nota: Não incluir sintomas que sejam claramente atribuíveis a outra condição médica.
1. Humor deprimido na maior parte do dia, quase todos os dias, conforme indicado por relato subjetivo (p. ex., sente-se triste, vazio ou sem esperança) ou por observação feita por outra pessoa (p. ex., parece choroso). (**Nota:** Em crianças e adolescentes, pode ser humor irritável.)
2. Acentuada diminuição de interesse ou prazer em todas, ou quase todas, as atividades na maior parte do dia, quase todos os dias (conforme indicado por relato subjetivo ou observação).
3. Perda ou ganho significativo de peso sem estar fazendo dieta (p. ex., mudança de mais de 5% do peso corporal em um mês) ou redução ou aumento no apetite quase todos os dias. (**Nota:** Em crianças, considerar insucesso em obter o peso esperado.)
4. Insônia ou hipersonia quase diária.
5. Agitação ou retardo psicomotor quase todos os dias (observável por outras pessoas; não meramente sensações subjetivas de inquietação ou de estar mais lento).
6. Fadiga ou perda de energia quase todos os dias.
7. Sentimentos de inutilidade ou culpa excessiva ou inapropriada (que podem ser delirantes) quase todos os dias (não meramente autorrecriminação ou culpa por estar doente).
8. Capacidade diminuída para pensar ou se concentrar, ou indecisão, quase todos os dias (por relato subjetivo ou observação feita por outra pessoa).
9. Pensamentos recorrentes de morte (não somente medo de morrer), ideação suicida recorrente sem um plano específico, um plano específico de suicídio ou tentativa de suicídio.

B. Os sintomas causam sofrimento clinicamente significativo ou prejuízo no funcionamento social, profissional ou em outras áreas importantes da vida do indivíduo.
C. O episódio não é atribuível aos efeitos fisiológicos de uma substância ou outra condição médica.

Nota: Os Critérios A-C representam um episódio depressivo maior.

Nota: Respostas a uma perda significativa (p. ex., luto, ruína financeira, perdas por desastre natural, doença médica grave ou incapacidade) podem incluir sentimentos de tristeza intensos, ruminação acerca da perda, insônia, falta de apetite e perda de peso observados no Critério A, que podem se assemelhar a um episódio depressivo. Embora tais sintomas possam ser entendidos ou considerados apropriados à perda, a presença de um episódio depressivo maior, além da resposta normal a uma perda significativa, deve ser também cuidadosamente considerada. Essa decisão exige inevitavelmente exercício de juízo clínico, baseado na história do indivíduo e nas normas culturais para a expressão de sofrimento no contexto de uma perda.[1]

Transtorno Bipolar Tipo II

A. Foram atendidos os critérios para pelo menos um episódio hipomaníaco (Critérios A-F em "Episódio Hipomaníaco" descritos anteriormente) e para pelo menos um episódio depressivo maior (Critérios A-C em "Episódio Depressivo Maior").

B. Jamais houve um episódio maníaco.

C. Pelo menos um episódio hipomaníaco e pelo menos um episódio depressivo maior não são mais bem explicados por transtorno esquizoafetivo e não estão sobrepostos a esquizofrenia, transtorno esquizofreniforme, transtorno delirante, outro transtorno do espectro da esquizofrenia e outro transtorno psicótico especificado ou transtorno do espectro da esquizofrenia e outro transtorno psicótico não especificado.

D. Os sintomas de depressão ou a imprevisibilidade causada por alternância frequente entre períodos de depressão e hipomania causam sofrimento clinicamente significativo ou prejuízo no funcionamento social, profissional ou em outra área importante da vida do indivíduo.

Procedimentos para Codificação e Registro

O transtorno bipolar tipo II tem o seguinte código diagnóstico: F31.81. Sua caracterização com respeito a gravidade atual, presença de características psicóticas, curso e outros especificadores não pode ser codificada, mas deve ser indicada por escrito (p. ex., transtorno bipolar tipo II F31.81, episódio atual depressivo, gravidade moderada, com características mistas; transtorno bipolar tipo II F31.81, episódio mais recente depressivo, em remissão parcial).

Especificar episódio atual ou mais recente:

    Hipomaníaco
    Depressivo

Se o episódio atual é **hipomaníaco** (ou o episódio mais recente, se o transtorno bipolar tipo II estiver em remissão parcial ou completa):

---

[1] Ao diferenciar luto de um episódio depressivo maior (EDM), é útil considerar que, no luto, o afeto predominante inclui sentimentos de vazio e perda, enquanto no EDM há humor deprimido persistente e incapacidade de antecipar felicidade ou prazer. A disforia no luto pode diminuir de intensidade ao longo de dias a semanas, ocorrendo em ondas, conhecidas como "dores do luto". Essas ondas tendem a estar associadas a pensamentos ou lembranças do falecido. O humor deprimido de um EDM é mais persistente e não está ligado a pensamentos ou preocupações específicos. A dor do luto pode vir acompanhada de emoções e humor positivos que não são característicos da infelicidade e angústia generalizadas de um EDM. O conteúdo do pensamento associado ao luto geralmente apresenta preocupação com pensamentos e lembranças do falecido, em vez das ruminações autocríticas ou pessimistas encontradas no EDM. No luto, a autoestima costuma estar preservada, ao passo que no EDM os sentimentos de desvalia e aversão a si mesmo são comuns. Se presente no luto, a ideação autodepreciativa tipicamente envolve a percepção de falhas em relação ao falecido (p. ex., não ter feito visitas com frequência suficiente, não dizer ao falecido o quanto o amava). Se um indivíduo enlutado pensa em morte e em morrer, tais pensamentos costumam ter o foco no falecido e possivelmente em "se unir" a ele, enquanto no EDM esses pensamentos têm o foco em acabar com a própria vida por causa dos sentimentos de desvalia, de não merecer estar vivo ou da incapacidade de enfrentar a dor da depressão.

Ao registrar o diagnóstico, os termos devem ser listados na seguinte ordem: transtorno bipolar tipo II, episódio atual ou mais recente hipomaníaco em remissão parcial ou completa (p. 175) (se todos os critérios para episódio hipomaníaco não se aplicarem no momento), além disso, todos os especificadores de episódio hipomaníaco listados a seguir que sejam aplicáveis. **Nota:** Os especificadores "com ciclagem rápida" e "com padrão sazonal" descrevem o padrão dos episódios de humor.

Especificar se:
  Com sintomas ansiosos (p. 169-170)
  Com características mistas (p. 170-171)
  Com ciclagem rápida (p. 171)
  Com início no periparto (p. 173-174)
  Com padrão sazonal (p. 174-175)

Se o episódio atual é depressivo (ou o episódio mais recente, se o transtorno bipolar tipo II estiver em remissão parcial ou completa):

Ao registrar o diagnóstico, os termos devem ser listados na seguinte ordem: transtorno bipolar tipo II, episódio atual ou mais recente depressivo, leve/moderado/grave (se todos os critérios para episódio depressivo não se aplicarem no momento), além disso, todos os especificadores de episódio depressivo maior listados a seguir que sejam aplicáveis. **Nota:** Os especificadores "com ciclagem rápida" e "com padrão sazonal" descrevem o padrão dos episódios de humor.

Especificar se:
  Com sintomas ansiosos (p. 169-170)
  Com características mistas (p. 170-171)
  Com ciclagem rápida (p. 171)
  Com características melancólicas (p. 171-172)
  Com características atípicas (p. 172-173)
  Com características psicóticas congruentes com o humor (p. 173)
  Com características psicóticas incongruentes com o humor (p. 173)
  Com catatonia (p. 173). **Nota para codificação:** Usar código adicional F06.1.
  Com início no periparto (p. 172-174)
  Com padrão sazonal (p. 174-175)

Especificar o curso se todos os critérios para um episódio de humor não estão atualmente satisfeitos:
  Em remissão parcial (p. 175)
  Em remissão completa (p. 175)

Especificar a gravidade se todos os critérios para um episódio depressivo maior estão atualmente satisfeitos:
  Leve (p. 175)
  Moderada (p. 175)
  Grave (p. 175)

Características Diagnósticas

O transtorno bipolar tipo II caracteriza-se por um curso clínico de episódios de humor recorrentes, consistindo em um ou mais episódios depressivos maiores (Critérios A-C em "Episódio Depressivo Maior") e pelo menos um episódio hipomaníaco (Critérios A-F em "Episódio Hipomaníaco"). Um diagnóstico de episódio depressivo maior exige um período de humor deprimido ou, como alternativa, uma diminuição marcada de interesse ou prazer pela maior parte do dia, quase todos os dias, com uma duração de pelo menos duas semanas. O humor deprimido ou perda de interesse devem estar acompanhados de sintomas adicionais ocorrendo quase todos os dias (p. ex., alterações de sono ou agitação ou retardo psicomotor) com um total de pelo menos cinco sintomas. O diagnóstico de episódio hipomaníaco exige um período distinto de humor anormal e persistentemente elevado, expansivo ou irritável e atividade ou energia anormal e persistentemente aumentada na maior parte do dia, quase todos os dias, por pelo menos quatro dias consecutivos, acompanhados por três (ou quatro, se o humor for apenas irritável) sintomas adicionais (p. ex., autoestima inflada, redução da necessidade de sono e distratibilidade) que persistam e representem uma mudança perceptível em comparação com comportamento e funcionamento usual do indivíduo. Por definição, sintomas psicóticos não ocorrem em episódios hipomaníacos e parecem ser menos frequentes em episódios depressivos maiores do transtorno bipolar tipo II do que nos do transtorno bipolar tipo I. A presença de um episódio maníaco durante o curso da doença exclui o diagnóstico de transtorno bipolar tipo II (Critério B em "Transtorno Bipolar tipo II"). Além disso, para que episódios depressivos ou hipomaníacos estejam contidos no diagnóstico de transtorno bipolar tipo II, pelo menos um dos episódios depressivos e pelo menos um dos episódios hipomaníacos não podem ser atribuíveis a efeitos de uma substância (p. ex., medicamento, drogas de abuso ou exposição a toxinas) ou outras condições médicas. Note que episódios hipomaníacos que surgem durante tratamento da depressão e persistem por pelo menos quatro dias em um nível completo de sintomas, além dos efeitos fisiológicos do tratamento, não são considerados como induzidos por substâncias e devem ser considerados para o diagnóstico de transtorno bipolar tipo II. Além disso, pelo menos um episódio hipomaníaco e pelo menos um episódio depressivo maior não são mais bem explicados por transtorno esquizoafetivo e não estão sobrepostos a esquizofrenia, transtorno esquizofreniforme, transtorno delirante, outro transtorno do espectro da esquizofrenia e outro transtorno psicótico especificado ou transtorno do espectro da esquizofrenia e outro transtorno psicótico não especificado (Critério C em "Transtorno Bipolar Tipo II"). Os episódios depressivos ou o padrão de mudanças de humor imprevisíveis devem causar sofrimento ou prejuízo clinicamente significativo no funcionamento social, profissional ou em outras áreas importantes da vida do indivíduo (Critério D em "Transtorno Bipolar Tipo II"). Os episódios depressivos maiores recorrentes costumam ser mais frequentes e prolongados do que os que ocorrem no transtorno bipolar tipo I.

Pessoas com transtorno bipolar tipo II normalmente se apresentam ao clínico durante um episódio depressivo maior. É improvável que se elas se queixem inicialmente de hipomania, pois ou não reconhecem os sintomas ou consideram hipomania algo desejável. Por definição, episódios hipomaníacos não causam prejuízos significativos. Em vez disso, o prejuízo é consequência dos episódios depressivos maiores ou do padrão persistente de mudanças e oscilações imprevisíveis de humor e da instabilidade do funcionamento interpessoal ou profissional. Os indivíduos com transtorno bipolar tipo II podem não encarar os episódios hipomaníacos como patológicos ou prejudiciais, embora outras pessoas possam se sentir perturbadas por seu comportamento errático. Informações clínicas dadas por outras pessoas, como amigos mais próximos ou parentes, costumam ser úteis para o estabelecimento de um diagnóstico de transtorno bipolar tipo II.

Um episódio hipomaníaco não deve ser confundido com os vários dias de eutimia e de restauração da energia ou da atividade que podem vir após a remissão de um episódio depressivo maior. Apesar das diferenças substanciais na duração e na gravidade entre um episódio maníaco e um hipomaníaco, o transtorno bipolar tipo II não representa uma "forma mais leve" do transtorno bipolar tipo I. Comparados com indivíduos com transtorno bipolar tipo I, os que apresentam transtorno bipolar tipo II têm maior cronicidade da doença e passam, em média, mais tempo na fase depressiva, que pode ser grave e/ou incapacitante.

Apesar de as exigências para o diagnóstico de episódio depressivo maior serem idênticas, seja se ele ocorrer no contexto do transtorno bipolar tipo II ou do transtorno depressivo maior, certas características clínicas dos episódios podem indicar um possível diagnóstico diferencial. Por exemplo, a coexistência de insônia e hipersonia não é incomum em episódios depressivos maiores tanto no transtorno bipolar tipo II quanto no transtorno depressivo maior. Porém, tanto insônia quanto hipersonia são bem representadas entre mulheres com transtorno bipolar tipo II. Do mesmo modo, sintomas depressivos atípicos (hipersonia e hiperfagia) são comuns em ambos os transtornos, mas de maneira mais acentuada em pessoas com transtorno bipolar tipo II.

Sintomas depressivos durante um episódio hipomaníaco ou sintomas hipomaníacos durante um episódio depressivo são comuns em indivíduos com transtorno bipolar tipo II e são mais comuns no sexo feminino, especialmente hipomania com características mistas. Indivíduos com hipomania com características mistas podem não caracterizar seus sintomas como hipomania, experimentando-os como depressão com aumento de energia ou irritabilidade.

Características Associadas

Uma característica comum do transtorno bipolar tipo II é a impulsividade, que pode contribuir com tentativas de suicídio e transtornos por uso de substância.

Pode haver níveis aumentados de criatividade durante episódios hipomaníacos em alguns indivíduos com transtorno bipolar tipo II. A relação pode ser, no entanto, não linear; isto é, grandes realizações criativas na vida têm sido associadas a formas mais leves de transtorno bipolar, e criatividade superior foi identificada em familiares não afetados. A satisfação que o indivíduo tem com a criatividade aumentada durante episódios hipomaníacos pode contribuir para ambivalência quanto a buscar tratamento ou prejudicar a adesão a ele.

Prevalência

A prevalência em 12 meses de transtorno bipolar tipo II nos Estados Unidos é de 0,8%. A prevalência internacional em 12 meses é de 0,3%. A taxa de prevalência do transtorno bipolar tipo II pediátrico é difícil de estabelecer. No DSM-IV, transtornos bipolar tipo I, bipolar tipo II e bipolar sem outras especificações resultaram em uma taxa de prevalência combinada de 1,8% em amostras de comunidades nos Estados Unidos e fora do país, com taxas superiores (2,7% inclusive) em jovens com 12 anos ou mais.

Desenvolvimento e Curso

Embora o transtorno bipolar tipo II possa começar no fim da adolescência e durante a fase adulta, a idade média de início situa-se por volta dos 25 anos, o que é um pouco mais tarde em comparação ao transtorno bipolar tipo I e mais cedo em comparação ao transtorno depressivo maior. A idade de início não difere relevantemente entre os transtornos bipolar tipo I e tipo II. Normalmente, a doença inicia com um episódio depressivo e não é reconhecida como transtorno bipolar tipo II até o surgimento de um episódio hipomaníaco, o que acontece em cerca de 12% das pessoas com diagnóstico inicial de transtorno depressivo maior. Transtorno de ansiedade, por uso de substância ou transtorno alimentar podem também anteceder o diagnóstico, complicando sua detecção. Muitos indivíduos experimentam vários episódios de depressão maior antes do primeiro episódio hipomaníaco reconhecido, com tipicamente um intervalo de mais de 10 anos entre o início da doença e o diagnóstico de transtorno bipolar.

O transtorno bipolar tipo II é um transtorno altamente recorrente, com mais de 50% dos indivíduos vivenciando um novo episódio dentro de um ano após o primeiro episódio. Indivíduos com transtorno bipolar tipo II também têm uma variação de humor mais sazonal do que os com transtorno bipolar tipo I.

A quantidade de episódios na vida (hipomaníacos e depressivos maiores) tende a ser superior para transtorno bipolar tipo II em comparação a transtorno depressivo maior ou transtorno bipolar tipo I. Porém, indivíduos com transtorno bipolar tipo I são, na verdade, mais propensos a vivenciar episódios hipomaníacos do que indivíduos com transtorno bipolar tipo II. O intervalo entre episódios de humor, no curso de um transtorno bipolar tipo II, tende a diminuir com o envelhecimento. Enquanto o episódio hipomaníaco é a característica que define o transtorno bipolar tipo II, os episódios depressivos são mais duradouros e incapacitantes ao longo do tempo. Apesar do predomínio da depressão, ocorrido um episódio hipomaníaco, o diagnóstico passa a transtorno bipolar tipo II e jamais se reverte para transtorno depressivo maior.

Aproximadamente 5 a 15% dos indivíduos com transtorno bipolar tipo II têm múltiplos (quatro ou mais) episódios de humor (hipomaníaco ou depressivo maior) nos 12 meses anteriores. Quando presente, esse padrão é registrado pelo especificador "com ciclagem rápida". A ciclagem rápida é mais comum em mulheres e pode refletir uma piora no quadro geral do transtorno bipolar.

Mudança de um episódio depressivo para um maníaco ou hipomaníaco (com ou sem características mistas) pode ocorrer tanto espontaneamente como durante o tratamento para depressão. Cerca de 5 a 15%

dos indivíduos com transtorno bipolar tipo II desenvolvem um episódio maníaco, o que muda o diagnóstico para transtorno bipolar tipo I, independentemente do curso posterior.

Costuma ser um desafio fazer o diagnóstico em crianças, sobretudo naquelas com irritabilidade e hiperexcitabilidade *não episódicas* (i. e., ausência de períodos bem delimitados de humor alterado). Irritabilidade não episódica nos jovens está associada a risco elevado para transtornos de ansiedade e transtorno depressivo maior, mas não transtorno bipolar, na vida adulta. Jovens persistentemente irritáveis têm taxas familiares inferiores de transtorno bipolar, na comparação com jovens com transtorno bipolar. Para o diagnóstico de um episódio hipomaníaco, os sintomas da criança devem exceder o esperado em determinado ambiente e cultura para seu estágio de desenvolvimento. De maneira semelhante aos adultos, jovens com transtorno bipolar tipo II passam menos tempo em estado hipomaníaco se comparados com aqueles com transtorno bipolar tipo I, e o episódio inicial de apresentação normalmente é o de depressão. Comparado ao início no adulto, o início do transtorno bipolar tipo II na infância ou na adolescência pode estar associado a um curso mais grave ao longo da vida.

A taxa de incidência em três anos do início do transtorno bipolar tipo II em adultos com mais de 60 anos é de 0,34%. No entanto, distinguir indivíduos com mais de 60 anos com transtorno bipolar tipo II de início precoce ou tardio não parece ter qualquer utilidade clínica. A presença de sintomas hipomaníacos simultâneos durante um episódio depressivo é mais comum durante episódios depressivos do transtorno bipolar tipo II em relação aos episódios depressivos que ocorrem no contexto de depressão maior e pode ajudar a distinguir indivíduos mais velhos com transtorno bipolar tipo II daqueles com transtorno depressivo maior. Em qualquer apresentação de transtorno bipolar em idade avançada, é importante considerar fatores médicos, incluindo possíveis causas médicas e neurológicas para novos sintomas.

Fatores de Risco e Prognóstico

Genéticos e fisiológicos. O risco de transtorno bipolar tipo II tende a ser mais elevado entre parentes de pessoas com essa condição, em oposição a pessoas com transtorno bipolar tipo I ou transtorno depressivo maior. Cerca de um terço dos indivíduos com o transtorno relata história familiar de transtorno bipolar. Pode haver fatores genéticos influenciando a idade do início de transtornos bipolares. Também há evidência de que o transtorno bipolar tipo II pode ter uma arquitetura genética que é pelo menos parcialmente distinta do transtorno bipolar tipo I e da esquizofrenia.

Modificadores do curso. Um padrão de ciclagem rápida está associado a pior prognóstico. O retorno a um nível prévio de funcionamento social para pessoas com transtorno bipolar tipo II é mais provável para indivíduos mais jovens e com depressão menos grave, sugerindo efeitos adversos da doença prolongada na recuperação. Mais educação, menos anos da doença e estar casado têm associação independente com a recuperação funcional em indivíduos com transtorno bipolar, mesmo depois de ser levado em conta o tipo de diagnóstico (I vs. II), os sintomas depressivos atuais e a presença de comorbidade psiquiátrica.

Questões Diagnósticas Relativas ao Sexo e ao Gênero

Enquanto a proporção de gênero para transtorno bipolar tipo I é igual, os achados sobre diferenças de gênero no transtorno bipolar tipo II são mistos, diferindo pelo tipo de amostra (i. e., registro, comunidade ou clínico) e país de origem. Há pouca ou nenhuma evidência de diferenças de gênero em indivíduos bipolares, enquanto algumas amostras clínicas, mas não todas, sugerem que o transtorno bipolar tipo II é mais comum em mulheres do que em homens, o que pode refletir diferenças de gênero na busca de tratamento ou outros fatores.

Padrões de doença e comorbidade, porém, parecem diferir por sexo, com indivíduos do sexo feminino apresentando mais probabilidade do que os do sexo masculino de relatar hipomania com características mistas depressivas e um curso de ciclagem rápida. O parto pode ser um desencadeador específico para um episódio hipomaníaco, o que pode ocorrer em 10 a 20% das mulheres em populações não clínicas, mais comumente no começo do período pós-parto. Diferenciar hipomania de humor eufórico e sono reduzido, que costumam acompanhar o nascimento de um filho, pode ser um desafio. A hipomania pós-parto pode prenunciar o início de uma depressão que ocorre em cerca de metade das mulheres que apresentam "euforia" pós-parto. A transição da perimenopausa também pode ser um período de instabilidade de humor no transtorno bipolar tipo II. Nenhuma diferença significativa entre os sexos foi encontrada em muitas variáveis clínicas pesquisadas, incluindo taxas de episódios depressivos, idade e polaridade do início do transtorno, sintomas e gravidade da doença.

Associação com Pensamentos ou Comportamentos Suicidas

Cerca de um terço dos indivíduos com o transtorno relata história de tentativa de suicídio ao longo da vida. As taxas de prevalência de tentativas de suicídio nos transtornos bipolar tipo I e tipo II parecem ser semelhantes. Em geral, parece haver taxas de tentativa e morte por suicídio iguais para indivíduos com transtorno bipolar tipo II e transtorno bipolar tipo I, apesar de ambas as taxas serem significativamente mais altas do que as da população geral. A duração em um episódio depressivo está associada mais significativamente com os diagnósticos de transtorno bipolar tipo I ou transtorno bipolar tipo II em termos de risco de tentativa de suicídio. Porém, a letalidade das tentativas, como definida por uma proporção menor entre tentativas e mortes por suicídio, pode ser mais alta em indivíduos com transtorno bipolar tipo II se comparada com a de indivíduos com transtorno bipolar tipo I. Pode existir associação entre marcadores genéticos e risco aumentado de comportamento suicida em indivíduos com transtorno bipolar, incluindo risco 6,5 vezes maior de suicídio entre parentes de primeiro grau de pacientes com transtorno bipolar tipo II se comparados com parentes de primeiro grau de pacientes com transtorno bipolar tipo I.

Consequências Funcionais do Transtorno Bipolar Tipo II

Embora muitas pessoas com transtorno bipolar tipo II voltem a um nível totalmente funcional entre os episódios de humor, pelo menos 15% continuam a ter alguma disfunção entre os episódios, e 20% mudam diretamente para outro episódio de humor sem recuperação entre episódios. A recuperação funcional está muito aquém da recuperação dos sintomas do transtorno bipolar tipo II, especialmente no que diz respeito à recuperação profissional, resultando em condição socioeconômica mais baixa apesar de níveis equivalentes de educação em comparação com a população geral. Indivíduos com transtorno bipolar tipo II têm desempenho inferior ao daqueles saudáveis em testes cognitivos. Os prejuízos cognitivos associados ao transtorno bipolar tipo II podem contribuir para dificuldades no trabalho. Desemprego prolongado em indivíduos com transtorno bipolar está associado a mais episódios de depressão, idade mais avançada, taxas maiores de transtorno de pânico atual e história de transtorno por uso de álcool ao longo da vida.

Diagnóstico Diferencial

Transtorno depressivo maior. O transtorno depressivo maior é caracterizado pela ausência tanto de episódios maníacos quanto de episódios hipomaníacos. Dado que a presença de alguns sintomas maníacos e hipomaníacos (p. ex., menos sintomas ou duração menor do que o necessário para hipomania) ainda pode ser compatível com um diagnóstico para transtorno depressivo maior, é importante avaliar se os sintomas preenchem os critérios para episódio hipomaníaco para determinar se é mais apropriado fazer o diagnóstico de transtorno bipolar tipo II. Episódios depressivos dominam o curso geral da doença para a maioria dos indivíduos com transtorno bipolar tipo II, contribuindo para a diferença de 10 anos entre o início da doença e o diagnóstico. Pelo fato de os critérios diagnósticos para episódio depressivo maior serem idênticos no transtorno depressivo maior e no transtorno bipolar tipo II, o diagnóstico de transtorno bipolar tipo II pode ser feito apenas por informações obtidas de ao menos um episódio hipomaníaco anterior, para que seja possível distinguir as duas condições.

Transtorno ciclotímico. No transtorno ciclotímico, há vários períodos de sintomas hipomaníacos e inúmeros períodos de sintomas depressivos que não atendem aos critérios de números de sintomas ou de duração para episódio depressivo maior. O transtorno bipolar tipo II é diferente do transtorno ciclotímico pela presença de um ou mais episódios hipomaníacos e um ou mais episódios depressivos maiores.

Esquizofrenia. A esquizofrenia é caracterizada por períodos de sintomas psicóticos ativos que podem estar acompanhados de episódios depressivos maiores. O diagnóstico de esquizofrenia é feito se nenhum dos episódios depressivos maiores ocorreu simultaneamente ao período de sintomas ativos. Se ocorreram simultaneamente, o diagnóstico de esquizofrenia é feito se os episódios depressivos maiores tiverem sido presentes apenas por pouco tempo. O diagnóstico é de transtorno bipolar tipo II com características psicóticas se os sintomas psicóticos ocorreram exclusivamente durante os episódios depressivos maiores.

Transtorno esquizoafetivo. O transtorno esquizoafetivo é caracterizado por períodos em que episódios maníacos e depressivos maiores são simultâneos à fase de sintomas ativos da esquizofrenia e períodos em que delírios e alucinações ocorrem por pelo menos duas semanas na ausência de um episódio maníaco ou depressivo maior. O diagnóstico é de transtorno bipolar tipo II com características psicóticas se os sintomas psicóticos ocorreram exclusivamente durante os episódios de transtorno depressivo maior.

Transtorno bipolar e transtorno relacionado devido a outra condição médica. O diagnóstico de transtorno bipolar e transtorno relacionado devido a outra condição médica deve ser feito no lugar de transtorno bipolar tipo II se os episódios maníacos forem julgados, com base na história, em achados laboratoriais ou exames físicos, como consequências fisiológicas diretas de outra condição médica (p. ex., doença de Cushing ou esclerose múltipla).

Transtorno bipolar e transtorno relacionado induzido por substância/medicamento. Um transtorno bipolar e transtorno relacionado induzido por substância/medicamento se diferencia do transtorno bipolar tipo II pelo fato de se julgar que uma substância (p. ex., estimulantes, fenciclidina) ou medicamento (p. ex., esteroides) está etiologicamente relacionado com os episódios hipomaníaco e depressivo maior. Como indivíduos com episódios hipomaníacos têm tendência a abusar de substâncias durante os episódios, é importante determinar se o uso da substância é uma consequência de um episódio hipomaníaco primário ou se o episódio em questão foi causado pelo uso da substância. Em alguns casos, um diagnóstico definitivo pode envolver o estabelecimento de que os sintomas hipomaníacos ou depressivos permanecem uma vez que o indivíduo não esteja mais usando a substância. Note que episódios hipomaníacos emergentes no contexto de tratamento com um medicamento antidepressivo, mas persistindo em um nível totalmente sindrômico além do efeito fisiológico do medicamento, garantem um diagnóstico de transtorno bipolar tipo II, em vez de transtorno bipolar induzido por substância/medicamento ou transtorno relacionado induzido por substância/medicamento.

Transtorno de déficit de atenção/hiperatividade. Este transtorno pode ser erroneamente diagnosticado como transtorno bipolar tipo II, em especial em adolescentes e crianças. Muitos sintomas do transtorno de déficit de atenção/hiperatividade, como falar em excesso, se distrair e menor necessidade de sono, são também sintomas comuns de hipomania. A "dupla contagem" de sintomas para transtorno de déficit de atenção/hiperatividade e transtorno bipolar tipo II pode ser evitada se o clínico esclarecer se os sintomas representam um episódio distinto e se o aumento notável em relação ao comportamento habitual do indivíduo, necessário para o diagnóstico de transtorno bipolar tipo II, está presente.

Transtornos da personalidade. A mesma convenção aplicada para o transtorno de déficit de atenção/hiperatividade vale para a avaliação de um indivíduo para transtorno da personalidade, como o transtorno da personalidade *borderline*, uma vez que a oscilação do humor e a impulsividade são comuns nos transtornos da personalidade e no transtorno bipolar tipo II. Os sintomas devem representar um episódio distinto, e o aumento notável em relação ao comportamento habitual do indivíduo, necessário para o diagnóstico de transtorno bipolar tipo II, deve estar presente. Não deve ser feito diagnóstico de transtorno da personalidade durante episódio não tratado de humor, a não ser que a história de vida apoie a presença de um transtorno da personalidade.

Outros transtornos bipolares. Diagnóstico de transtorno bipolar tipo II deve ser diferenciado de transtorno bipolar tipo I pela avaliação criteriosa quanto a ter havido ou não episódios passados de mania. Deve ser diferenciado de outro transtorno bipolar e transtorno relacionado especificado ou transtorno bipolar e transtorno relacionado não especificado pela confirmação da presença de episódios completos de hipomania e depressão.

Comorbidade

O transtorno bipolar tipo II é associado, com muita frequência, a um ou mais de um transtorno mental comórbido, sendo os transtornos de ansiedade os mais comuns. Cerca de 60% das pessoas com transtorno bipolar tipo II têm três ou mais transtornos mentais comórbidos; 75% têm um transtorno de ansiedade, sendo ansiedade social (38%) o mais comum, seguido de fobia específica (36%) e ansiedade generalizada (30%). A prevalência durante toda a vida de transtorno de ansiedade comórbido não é difere entre transtorno bipolar tipo I e transtorno bipolar tipo II, mas é associada a pior curso da doença. Crianças e adolescentes com transtorno bipolar tipo II têm uma taxa superior de transtornos de ansiedade comórbidos comparados àqueles com transtorno bipolar tipo I, e o transtorno de ansiedade ocorre mais frequentemente antes do transtorno bipolar.

Transtorno de ansiedade e transtornos por uso de substâncias ocorrem em indivíduos com transtorno bipolar tipo II em proporção mais alta do que na população geral. Esses transtornos comórbidos geralmente parecem não seguir um curso que seja realmente independente daquele do transtorno bipolar tipo II, mas, em vez disso, têm fortes associações com os estados de humor. Por exemplo, transtornos de ansiedade e transtornos alimentares tendem a associar-se mais com sintomas depressivos, e transtornos por uso de substâncias estão moderadamente associados a sintomas hipomaníacos.

A prevalência de transtornos por uso de substâncias parece ser semelhante entre transtorno bipolar tipo I e transtorno bipolar tipo II, sendo transtornos relacionados ao abuso de álcool (42%) os mais comuns, seguidos de transtornos relacionados ao uso de *Cannabis* (20%). Fatores socioculturais influenciam o padrão de condições comórbidas no transtorno bipolar tipo II. Por exemplo, países com proibições culturais de álcool ou outras substâncias podem ter menor prevalência de comorbidade de uso de substâncias.

Indivíduos com transtorno bipolar tipo II parecem ter menores taxas de transtorno de estresse pós-traumático comórbido se comparados a indivíduos com transtorno bipolar tipo I.

Cerca de 14% das pessoas com transtorno bipolar tipo II têm pelo menos um transtorno alimentar ao longo da vida, com o transtorno de compulsão alimentar sendo mais comum que a bulimia nervosa e a anorexia nervosa.

Síndrome pré-menstrual e transtorno disfórico pré-menstrual são comuns em mulheres com transtorno bipolar, especialmente naquelas com transtorno bipolar tipo II. Entre mulheres que têm síndrome pré-menstrual ou transtorno disfórico pré-menstrual, sintomas de humor bipolar e labilidade podem ser mais graves.

Indivíduos com transtorno bipolar tipo II também têm condições médicas comórbidas, que têm o potencial de complicar substancialmente o curso e o prognóstico da doença. Entre elas estão doenças cardiovasculares, enxaqueca e doenças autoimunes.

Transtorno Ciclotímico

Critérios Diagnósticos   F34.0

A. Por pelo menos dois anos (um ano em crianças e adolescentes), presença de vários períodos com sintomas hipomaníacos que não satisfazem os critérios para episódio hipomaníaco e vários períodos com sintomas depressivos que não satisfazem os critérios para episódio depressivo maior.

B. Durante o período antes citado de dois anos (um ano em crianças e adolescentes), os períodos hipomaníaco e depressivo estiveram presentes por pelo menos metade do tempo, e o indivíduo não permaneceu sem os sintomas por mais que dois meses consecutivos.

C. Os critérios para um episódio depressivo maior, maníaco ou hipomaníaco nunca foram satisfeitos.

D. Os sintomas do Critério A não são mais bem explicados por transtorno esquizoafetivo, esquizofrenia, transtorno esquizofreniforme, transtorno delirante, outro transtorno do espectro da esquizofrenia e outro transtorno psicótico especificado ou transtorno do espectro da esquizofrenia e outro transtorno psicótico não especificado.

E. Os sintomas não são atribuíveis aos efeitos fisiológicos de uma substância (p. ex., droga de abuso, medicamento) ou a outra condição médica (p. ex., hipertireoidismo).

F. Os sintomas causam sofrimento ou prejuízo clinicamente significativo no funcionamento social, profissional ou em outras áreas importantes da vida do indivíduo.

Especificar se:
  Com sintomas ansiosos (ver p. 169-170)

Características Diagnósticas

O transtorno ciclotímico tem como característica essencial a cronicidade e a oscilação do humor, envolvendo vários períodos de sintomas hipomaníacos e períodos de sintomas depressivos (Critério A). Os sintomas hipomaníacos têm número, gravidade, abrangência ou duração insuficientes para preencher todos os critérios de um episódio hipomaníaco; e os sintomas depressivos têm número, gravidade, abrangência ou duração insuficientes para preencher todos os critérios de um episódio depressivo maior. Durante o período inicial de dois anos (um ano para crianças e adolescentes), os sintomas precisam ser persistentes (presentes na maioria dos dias), e qualquer intervalo sem sintomas não pode durar mais do que dois meses (Critério B). O diagnóstico de transtorno ciclotímico é feito somente quando os critérios para episódio depressivo maior, maníaco ou hipomaníaco nunca foram satisfeitos (Critério C).

Se um indivíduo com transtorno ciclotímico subsequente (i. e., após os primeiros dois anos em adultos e um ano em crianças e adolescentes) apresenta um episódio depressivo maior, maníaco ou hipomaníaco, o diagnóstico muda para transtorno depressivo maior, transtorno bipolar tipo I, outro transtorno bipolar e transtorno relacionado especificado ou transtorno bipolar e transtorno relacionado não especificado (subclassificado como episódio hipomaníaco sem episódio depressivo maior anterior), respectivamente, e o diagnóstico de transtorno ciclotímico é abandonado.

O diagnóstico de transtorno ciclotímico não é feito se o padrão de mudanças do humor é mais bem explicado por transtorno esquizoafetivo, esquizofrenia, transtorno esquizofreniforme, transtorno delirante, outro transtorno do espectro da esquizofrenia e outro transtorno psicótico especificado ou transtorno do espectro da esquizofrenia e outro transtorno psicótico não especificado (Critério D), caso em que os sintomas de humor são considerados características associadas ao transtorno psicótico. A perturbação do humor também não deve ser atribuível aos efeitos fisiológicos de uma substância (p. ex., droga de abuso, medicamento) ou a outra condição médica (p. ex., hipertireoidismo) (Critério E). Embora alguns indivíduos possam funcionar particularmente bem durante certos períodos de hipomania, ao longo do curso prolongado do transtorno deve ocorrer sofrimento ou prejuízo clinicamente significativo no funcionamento social, profissional ou em outras áreas importantes da vida do indivíduo em consequência da perturbação do humor (Critério F). O padrão prolongado de mudanças de humor repetidas, frequentemente imprevisíveis, leva a prejuízos atribuíveis aos efeitos negativos dos próprios sintomas combinados com os efeitos negativos que os padrões de imprevisibilidade e inconsistência têm no funcionamento interpessoal e desempenho de papéis (i. e., papéis familiares ou ocupacionais).

Prevalência

A prevalência ao longo da vida do transtorno ciclotímico nos Estados Unidos e na Europa é de aproximadamente 0,4 a 2,5%. A prevalência em clínicas de transtorno do humor pode variar de 3 a 5%. Na população geral, o transtorno ciclotímico aparenta ser igualmente comum em ambos os sexos. Em contextos clínicos, indivíduos do sexo feminino com o transtorno provavelmente buscam mais o atendimento em comparação com os do sexo masculino.

Desenvolvimento e Curso

O transtorno ciclotímico costuma ter início na adolescência ou no início da vida adulta e é, às vezes, considerado reflexo de uma predisposição do temperamento a outros transtornos apresentados neste capítulo. A maioria de jovens com transtorno ciclotímico teve o início dos sintomas de humor antes dos 10 anos. O transtorno ciclotímico normalmente tem início insidioso e curso persistente. O risco de um indivíduo com transtorno ciclotímico desenvolver posteriormente transtorno bipolar tipo I ou transtorno bipolar tipo II é de 15 a 50%; as taxas de conversão diagnóstica são mais altas em jovens do que em adultos. O início de sintomas hipomaníacos e depressivos persistentes e oscilantes no fim da vida adulta precisa ser claramente diferenciado de transtorno bipolar e transtorno relacionado devido a outra condição médica e de transtorno depressivo devido a outra condição médica (p. ex., esclerose múltipla) antes de ser dado diagnóstico de transtorno ciclotímico.

Fatores de Risco e Prognóstico

Genéticos e fisiológicos. Transtorno depressivo maior, transtorno bipolar tipo I e transtorno bipolar tipo II são mais comuns entre parentes biológicos de primeiro grau de pessoas com transtorno ciclotímico do que na população geral. Pode, ainda, haver risco familiar aumentado de transtornos relacionados a substâncias. O transtorno ciclotímico pode ser mais comum em parentes biológicos de primeiro grau de indivíduos com transtorno bipolar tipo I do que na população geral.

Diagnóstico Diferencial

Transtorno bipolar e transtorno relacionado devido a outra condição médica. O diagnóstico de transtorno bipolar e transtorno relacionado devido a outra condição médica é realizado quando a perturbação do humor é avaliada como atribuível ao efeito fisiológico de uma condição médica específica, normalmente crônica (p. ex., hipertireoidismo). Essa determinação baseia-se na história, no exame físico ou nos achados laboratoriais. Quando avaliado que os sintomas hipomaníacos e depressivos não são consequência fisiológica da condição médica, o transtorno mental primário (i. e., transtorno ciclotímico) e a condição médica são diagnosticados. Por exemplo, seria esse o caso se os sintomas de humor fossem considerados como a consequência psicológica (não fisiológica) de ter uma condição médica crônica, ou quando não houver relação etiológica entre os sintomas hipomaníacos e depressivos e a condição médica.

Transtorno bipolar e transtorno relacionado induzido por substância/medicamento e transtorno depressivo induzido por substância/medicamento. Transtorno bipolar e transtorno relacionado induzido por substância/medicamento e transtorno depressivo induzido por substância/medicamento são diferentes de transtorno ciclotímico pelo fato de que uma substância/medicamento (sobretudo estimulantes) tem relação etiológica com a perturbação do humor. As frequentes alterações de humor sugestivas de transtorno ciclotímico em geral se dissipam após a cessação do uso da substância/medicamento.

Transtorno bipolar tipo I, com ciclagem rápida, e transtorno bipolar tipo II, com ciclagem rápida. Os dois transtornos podem se assemelhar ao transtorno ciclotímico devido às mudanças frequentes e acentuadas no humor. Por definição, no transtorno ciclotímico, os critérios para um episódio depressivo maior, maníaco ou hipomaníaco, nunca foram satisfeitos, ao passo que o especificador "com ciclagem rápida" para transtorno bipolar tipo I e transtorno bipolar tipo II exige a presença de episódios completos de humor.

Transtorno da personalidade *borderline*. O transtorno da personalidade *borderline* está associado a mudanças acentuadas no humor que podem sugerir transtorno ciclotímico. Envolvimento com comportamentos potencialmente autolesivos pode ser visto em ambas as condições, mas precisariam ocorrer no contexto de outros sintomas hipomaníacos para estarem relacionados à ciclotimia. Instabilidade de humor no transtorno da personalidade *borderline* ocorre nos domínios da ansiedade, irritabilidade e tristeza, enquanto euforia e aumento de energia não são características comuns. Se os critérios forem preenchidos para os dois transtornos, ambos devem ser diagnosticados.

Comorbidade

Transtornos relacionados a substâncias e transtornos do sono (i. e., dificuldades para iniciar e manter o sono) podem estar presentes em pessoas com transtorno ciclotímico. As taxas de transtornos psiquiátricos comórbidos em crianças com transtorno ciclotímico tratadas em ambulatórios psiquiátricos são mais altas do que daquelas com transtorno de comportamento disruptivo ou transtorno de déficit de atenção/hiperatividade e semelhantes às das crianças com transtorno bipolar tipo I e tipo II.

Transtorno Bipolar e Transtorno Relacionado Induzido por Substância/Medicamento

Critérios Diagnósticos

A. Perturbação acentuada e persistente no humor que predomina no quadro clínico, caracterizada por humor eufórico, expansivo ou irritável e atividade ou energia anormalmente elevadas.

B. Há evidências da história, do exame físico ou de achados laboratoriais de (1) e (2):
   1. Os sintomas no Critério A desenvolveram-se durante ou logo depois de intoxicação ou abstinência da substância ou após a exposição ao medicamento.
   2. A substância/medicamento envolvida é capaz de produzir os sintomas mencionados no Critério A.

C. A perturbação no humor não é mais bem explicada por transtorno bipolar ou transtorno relacionado que não é induzido por substância/medicamento. Tais evidências de um transtorno bipolar ou transtorno relacionado independente podem incluir:

   Os sintomas antecedem o início do uso da substância/medicamento; os sintomas persistem por um período substancial de tempo (p. ex., cerca de um mês) após a interrupção de abstinência aguda ou intoxicação grave; ou há outra evidência sugerindo a existência de transtorno bipolar e transtorno relacionado não induzido por substância/medicamento independente (p. ex., história de episódios recorrentes não relacionados a substância/medicamento).

D. A perturbação não ocorre exclusivamente durante o curso de *delirium*.

E. A perturbação causa sofrimento clinicamente significativo ou prejuízo no funcionamento social, profissional ou em outras áreas importantes da vida do indivíduo.

Nota: Este diagnóstico deve ser feito, em vez de um diagnóstico de abstinência ou de intoxicação por substância, somente quando houver predominância dos sintomas mencionados no Critério A no quadro clínico e quando forem suficientemente graves para justificar atenção clínica.

Nota para codificação: Os códigos da CID-10-MC para transtorno bipolar e transtorno relacionado induzido por [substância/medicamento específico] estão indicados na tabela a seguir. Observar que o código da CID-10-MC depende de haver ou não transtorno comórbido por uso de substância presente para a mesma classe de substância. De qualquer modo, não é dado um diagnóstico de transtornos por uso de substâncias adicional separado. Se um transtorno por uso de substância leve é comórbido a transtorno bipolar e transtorno relacionado induzido por substância, o número da 4ª posição é "1", e o clínico deve registrar "transtorno por uso de [substância], leve" antes de transtorno bipolar e transtorno relacionado induzido por substância (p. ex., "transtorno por uso de cocaína, leve com transtorno bipolar e transtorno relacionado induzido por cocaína"). Se um transtorno por uso de substância moderado ou grave é comórbido a transtorno bipolar e transtorno relacionado induzido por substância, o número da 4ª posição é "2", e o clínico deve registrar "transtorno por uso de [substância], moderado" ou "transtorno por uso de [substância], grave", dependendo da gravidade do transtorno por uso de substância comórbido. Se não houver transtorno por uso de substância comórbido (p. ex., após um único uso pesado da substância), o número da 4ª posição é "9", e o clínico deve registrar somente transtorno bipolar e transtorno relacionado induzido por substância.

	CID-10-MC		
	Com transtorno por uso, leve	Com transtorno por uso, moderado ou grave	Sem transtorno por uso
Álcool	F10.14	F10.24	F10.94
Fenciclidina	F16.14	F16.24	F16.94
Outro alucinógeno	F16.14	F16.24	F16.94
Sedativo, hipnótico ou ansiolítico	F13.14	F13.24	F13.94
Anfetamina (ou outro estimulante)	F15.14	F15.24	F15.94
Cocaína	F14.14	F14.24	F14.94
Outra substância (ou substância desconhecida)	F19.14	F19.24	F19.94

Especificar se (ver a Tabela 1 no capítulo "Transtornos Relacionados a Substâncias e Transtornos Aditivos", que indica se "com início durante a intoxicação" e/ou "com início durante a abstinência" se aplica a determinada classe de substância; ou *especificar* "com início após o uso de medicamento"):

Com início durante a intoxicação: Se os critérios são preenchidos para intoxicação pela substância, e os sintomas desenvolvem-se durante a intoxicação.

Com início durante a abstinência: Se os critérios são preenchidos para abstinência da substância, e os sintomas desenvolvem-se durante, ou logo após, a abstinência.

Com início após o uso de medicamento: Se os sintomas se desenvolveram com o início do uso, com uma mudança no uso ou durante a retirada do uso de medicamento.

Procedimentos para Registro

O nome do transtorno bipolar e transtorno relacionado induzido por substância/medicamento termina com o nome da substância (p. ex., cocaína, dexametasona) que supostamente causou os sintomas de humor bipolar. O código diagnóstico é selecionado da tabela, com base na classe da substância e na presença ou ausência de transtorno comórbido por uso de substância. No caso de substâncias que não se encaixam em nenhuma das classes (p. ex., dexametasona), o código para "outra substância (ou desconhecida)" deve ser usado; e, nos casos em que se acredita que uma substância seja o fator etiológico, embora sua classe seja desconhecida, o mesmo código deve ser utilizado.

Ao registrar o nome do transtorno, é listado primeiro o transtorno por uso de substância comórbido (se houver), seguido da palavra "com", seguido do nome do transtorno bipolar e transtorno relacionado induzido por substância, seguido da especificação do início (i. e., início durante a intoxicação, início durante a abstinência). Por exemplo, no caso de sintomas irritáveis que ocorrem durante a intoxicação em um homem com transtorno por uso de cocaína grave, o diagnóstico é F14.24, transtorno por uso de cocaína grave com transtorno bipolar e transtorno relacionado induzido por cocaína, com início durante a intoxicação. Não é feito um diagnóstico separado de transtorno comórbido e grave por intoxicação por cocaína. Se ocorre o transtorno bipolar e transtorno relacionado induzido por substância sem um transtorno comórbido por uso de substância (p. ex., após um único uso pesado da substância), não é anotado transtorno adicional por uso de substância (p. ex., transtorno bipolar e transtorno relacionado induzido por anfetamina com início durante a intoxicação F15.94). Quando se acredita que mais de uma substância tem papel importante no desenvolvimento de sintomas de humor bipolar, cada uma deve ser listada separadamente (p. ex., transtorno por uso de metilfenidato grave com transtorno bipolar e transtorno relacionado induzido por metilfenidato F15.24, com início durante a intoxicação; transtorno bipolar e transtorno relacionado induzido por dexametasona F19.94, com início durante a intoxicação).

Características Diagnósticas

A característica essencial do transtorno bipolar e transtorno relacionado induzido por substância/medicamento é uma perturbação acentuada e persistente no humor que predomina no quadro clínico, caracterizada por humor eufórico, expansivo ou irritável e atividade ou energia anormalmente elevadas (Critério A). Além disso, esses sintomas são avaliados como sendo atribuíveis aos efeitos de uma substância (p. ex., uma droga de abuso, um medicamento ou exposição a toxinas) (Critério B).

Para preencher os critérios para o diagnóstico, o humor anormalmente elevado, expansivo ou irritável e o aumento de atividade ou energia devem ter se desenvolvido durante ou logo após a exposição ou a abstinência da substância ou após a exposição ou a abstinência de um medicamento, conforme evidenciado pela história clínica, avaliação física ou descobertas laboratoriais (Critério B1). Além disso, a substância ou medicamento envolvidos devem ser capazes de produzir os sintomas descritos: humor anormalmente elevado, expansivo ou irritável e aumento de atividade ou energia (Critério B2). Ademais, humor anormalmente elevado, expansivo ou irritável e atividade ou energia elevadas não são mais bem explicados por um transtorno bipolar e transtorno relacionado não induzido por substância/medicamento.

Evidências de um transtorno bipolar e transtorno relacionado independentes incluem a observação de que humor anormalmente elevado, expansivo ou irritável e atividade ou energia elevadas precederam o início do uso da substância/medicamento em questão, de que os sintomas persistem além do período substancial de tempo depois da cessação da abstinência aguda ou intoxicação grave (i. e., normalmente mais de um mês), ou de que há evidências que sugerem a existência de um transtorno bipolar e transtorno relacionado não induzido por substância/medicamento independente (Critério C), como história de episódios maníacos recorrentes não induzidos por substância. O diagnóstico de transtorno bipolar e transtorno relacionado induzido por substância/medicamento não deve ser feito quando os sintomas ocorrem exclusivamente durante o curso de *delirium* (Critério D). Por fim, o diagnóstico exige que os sintomas induzidos por substância/medicamento causem sofrimento clinicamente significativo ou prejuízo no funcionamento social, profissional ou em outras áreas importantes da vida do indivíduo (Critério E). O diagnóstico de transtorno bipolar e transtorno relacionado induzido por substância/medicamento deve ser feito em vez de um diagnóstico de intoxicação por substância ou de abstinência de substância apenas quando os sintomas no Critério A são predominantes no quadro clínico e são suficientemente graves para indicar atenção clínica independente.

Uma exceção importante ao diagnóstico de transtorno bipolar e transtorno relacionado induzido por substância/medicamento é o caso de hipomania ou mania que ocorre após uso de medicamento antidepressivo ou outros tratamentos e persiste além dos efeitos fisiológicos do fármaco. A persistência de hipomania ou mania é considerada indicadora de transtorno bipolar real, e não de transtorno bipolar e transtorno relacionado induzido por substância/medicamento. Da mesma forma, os indivíduos com episódios maníacos ou hipomaníacos evidentes induzidos por eletroconvulsoterapia que persistem além dos efeitos fisiológicos do tratamento são diagnosticados com transtorno bipolar, e não com transtorno bipolar e transtorno relacionado induzido por substância/medicamento. Além disso, sintomas de transtorno bipolar e transtorno relacionado induzido por substância/medicamento podem sugerir diátese bipolar subjacente em indivíduos anteriormente não diagnosticados com transtornos bipolares.

Efeitos colaterais de alguns fármacos antidepressivos e outros psicotrópicos (p. ex., nervosismo, agitação) podem se assemelhar a sintomas primários de síndrome maníaca, embora sejam fundamentalmente distintos de sintomas bipolares e insuficientes para o diagnóstico. Isto é, os sintomas dos critérios de mania/hipomania têm especificidade (simples agitação não é o mesmo que envolvimento excessivo em atividades com uma finalidade), e uma quantidade suficiente desses sintomas deve estar presente (não apenas 1 ou 2) para que sejam feitos esses diagnósticos. Particularmente, o início de 1 ou 2 sintomas não específicos – irritabilidade, nervosismo ou agitação durante tratamento antidepressivo – na ausência de uma síndrome completa de mania ou hipomania não deve ser entendido como apoio a um diagnóstico de transtorno bipolar.

Características Associadas

Substâncias/medicamentos comumente considerados como associados ao transtorno bipolar e transtorno relacionado induzido por substância/medicamento incluem a classe dos estimulantes, além da fenciclidina e dos esteroides; entretanto, uma série de substâncias potenciais continua surgindo conforme novos compostos são sintetizados (p. ex., os chamados sais de banho).

Prevalência

Os dados epidemiológicos relacionados à prevalência de transtorno bipolar ou mania induzida por substância/medicamento são limitados. A prevalência de transtorno bipolar induzido por substância depende da disponibilidade da substância e do nível de uso dela na sociedade; por exemplo, países com proibições culturais de álcool ou outras substâncias podem ter uma prevalência menor de transtornos relacionados a substâncias.

Desenvolvimento e Curso

Na mania induzida por fenciclidina, a apresentação inicial pode ter *delirium* com características afetivas, o que acaba se tornando um estado maníaco de aparência atípica ou estado misto. Essa condição ocorre após ingestão ou inalação rápida, em geral em horas ou, no máximo, poucos dias. Nos estados maníacos ou hipomaníacos induzidos por estimulantes, a resposta ocorre em minutos a uma hora após uma ou várias ingestões ou injeções. O episódio é muito curto e costuma terminar em 1 a 2 dias. Com corticosteroides e alguns medicamentos imunossupressores, a mania (ou estado misto ou depressivo) normalmente ocorre após vários dias de ingestão, e doses mais altas parecem ter probabilidade maior de produzir sintomas bipolares.

Marcadores Diagnósticos

A determinação da substância de uso pode ser feita por meio de marcadores no sangue ou na urina para corroborar o diagnóstico.

Diagnóstico Diferencial

Transtorno bipolar e transtorno relacionado induzido por substância/medicamento deve ser diferenciado de outros transtornos bipolares, *delirium* por intoxicação por substância ou induzido por substância e efeitos colaterais de medicamentos (conforme observado anteriormente). Um episódio maníaco completo que surge durante tratamento antidepressivo (p. ex., com medicamento ou eletroconvulsoterapia), mas que persiste em um nível de sinais e sintomas além do efeito fisiológico desse tratamento, é evidência suficiente para um diagnóstico de transtorno bipolar tipo I. Um episódio hipomaníaco completo que surge durante tratamento antidepressivo (p. ex., medicamento ou eletroconvulsoterapia), mas que persiste em um nível de sinais e sintomas além do efeito fisiológico desse tratamento, é evidência suficiente para um diagnóstico de transtorno bipolar tipo II apenas se precedido de um episódio depressivo maior.

Intoxicação por substância e abstinência de substância. Euforia, irritabilidade e energia em excesso podem ocorrer em intoxicação por substância (p. ex., intoxicação por estimulante) ou em abstinência da substância (p. ex., abstinência de *Cannabis*). O diagnóstico de intoxicação por substância específica ou abstinência de substância específica em geral é suficiente para categorizar a apresentação do sintoma. Um diagnóstico de transtorno bipolar e transtorno relacionado induzido por substância/medicamento com início durante a intoxicação ou com início durante a abstinência deve ser feito em vez de um diagnóstico de intoxicação por substância ou abstinência de substância quando os sintomas de humor eufórico ou irritável ou de energia em excesso são predominantes no quadro clínico e são graves o suficiente para exigir atenção clínica.

Comorbidade

Comorbidades são aquelas associadas ao uso de substâncias ilícitas (no caso de estimulantes ilegais ou fenciclidina) ou ao uso inadequado dos estimulantes prescritos. As comorbidades relacionadas a esteroides ou imunossupressores são as decorrentes das indicações médicas para esses medicamentos. Pode ocorrer *delirium* antes ou ao longo dos sintomas maníacos em indivíduos que ingerem fenciclidina ou naqueles com prescrição de medicamentos esteroides ou outros fármacos imunossupressores.

Transtorno Bipolar e Transtorno Relacionado Devido a Outra Condição Médica

Critérios Diagnósticos

A. Uma perturbação acentuada e persistente no humor que predomina no quadro clínico, caracterizada por humor anormalmente elevado, expansivo ou irritável e atividade ou energia anormalmente aumentadas.
B. Há evidência, a partir da história, do exame físico ou de achados laboratoriais, de que a perturbação é a consequência fisiopatológica direta de outra condição médica.
C. A perturbação não é mais bem explicada por outro transtorno mental.
D. A perturbação não ocorre exclusivamente durante o curso de *delirium*.
E. A perturbação causa sofrimento ou prejuízo clinicamente significativo no funcionamento social, profissional ou em outras áreas importantes da vida do indivíduo, demanda hospitalização para prevenir lesão a si ou a outras pessoas, ou há características psicóticas.

Nota para codificação: O código da CID-10-MC depende do especificador (ver adiante).

Especificar se:
   F06.33 Com características maníacas: Não estão satisfeitos todos os critérios para um episódio maníaco ou hipomaníaco.
   F06.33 Com episódio tipo maníaco ou hipomaníaco: Estão atendidos todos os critérios, exceto o Critério D para um episódio maníaco, ou exceto o Critério F para um episódio hipomaníaco.
   F06.34 Com características mistas: Os sintomas de depressão também estão presentes, embora não predominem no quadro clínico.

Nota para codificação: Incluir o nome da outra condição médica no nome do transtorno mental (p. ex. F06.33 transtorno bipolar devido a hipertireoidismo, com características maníacas). A outra condição médica também deve ser codificada e listada em separado, imediatamente antes de transtorno bipolar e transtorno relacionado devido à condição médica (p. ex., E05.90 hipertireoidismo; F06.33 transtorno bipolar devido a hipertireoidismo, com características maníacas).

Características Diagnósticas

As características essenciais do transtorno bipolar e transtorno relacionado devido a outra condição médica incluem a presença de um período proeminente e persistente de humor anormalmente elevado, expansivo ou irritável e de atividade ou energia anormalmente aumentada predominando no quadro clínico (Critério A) atribuível a outra condição médica (Critério B). Na maioria dos casos, o quadro maníaco ou hipomaníaco pode surgir durante a apresentação inicial da condição médica (i. e., em um mês); há, no entanto, exceções, especialmente nas condições médicas crônicas, que podem piorar ou entrar em recaída, antecedendo o início do quadro maníaco ou hipomaníaco. Transtorno bipolar e transtorno relacionado devido a outra condição médica não é diagnosticado quando os episódios maníaco ou hipomaníaco definitivamente antecedem a condição médica, uma vez que o diagnóstico adequado seria transtorno bipolar (exceto na circunstância incomum em que todos os episódios maníacos ou hipomaníacos precedentes – ou, quando ocorreu apenas um episódio assim, o episódio precedente maníaco ou hipomaníaco – estavam associados à ingestão de uma substância/medicamento). O diagnóstico de transtorno bipolar e transtorno relacionado devido a outra condição médica não deve ser feito durante o curso de *delirium* (Critério D). O episódio maníaco ou hipomaníaco no transtorno bipolar e transtorno relacionado devido a outra condição médica deve causar sofrimento ou prejuízo clinicamente significativo no funcionamento social, profissional ou em outras áreas importante da vida do indivíduo para se qualificar para esse diagnóstico (Critério E).

Características Associadas

A lista completa de condições médicas supostamente capazes de induzir mania nunca está completa, e o melhor julgamento do clínico é a essência desse diagnóstico. Entre as condições médicas mais conhecidas que causam mania ou hipomania estão doença de Cushing e esclerose múltipla, além de acidente vascular cerebral e lesões cerebrais traumáticas. Anticorpos para o receptor N-metil-D-aspartato (NMDA) têm sido associados a humor maníaco ou misto e sintomas psicóticos. Em tais casos, a condição médica causadora seria encefalite antirreceptor NMDA.

Desenvolvimento e Curso

Transtorno bipolar e transtorno relacionado devido a outra condição médica costuma ter início de forma aguda ou subaguda na primeira semana ou no primeiro mês do surgimento da condição médica associada. Nem sempre, entretanto, é esse o caso, uma vez que piora ou recaída posterior da condição médica associada pode preceder o início da síndrome maníaca ou hipomaníaca. O clínico deve julgar se nessas situações a condição médica é o agente causal, com base na sequência temporal e na plausibilidade de uma relação causal. Por fim, pode ocorrer remissão da síndrome maníaca ou hipomaníaca antes ou logo após a remissão da condição médica, especialmente quando o tratamento dos sintomas maníacos/hipomaníacos for efetivo.

Questões Diagnósticas Relativas à Cultura

Diferenças relacionadas à cultura, na medida em que exista alguma evidência, dizem respeito àquelas associadas com a condição médica (p. ex., taxas de esclerose múltipla e acidente vascular cerebral variam ao redor do mundo com base em fatores genéticos, na dieta e em outros aspectos ambientais).

Questões Diagnósticas Relativas ao Sexo e ao Gênero

As diferenças de sexo e gênero dizem respeito àquelas associadas à condição médica (p. ex., lúpus eritematoso sistêmico é mais comum no sexo feminino; acidente vascular cerebral é pouco mais comum em indivíduos do sexo masculino de meia-idade em comparação a indivíduos do sexo feminino).

Marcadores Diagnósticos

Os marcadores diagnósticos dizem respeito àqueles associados à condição médica (p. ex., níveis de esteroides no sangue ou na urina ajudam a corroborar o diagnóstico de doença de Cushing, que pode estar associada a síndrome maníaca ou depressiva; exames laboratoriais confirmam o diagnóstico de esclerose múltipla).

Consequências Funcionais do Transtorno Bipolar e Transtorno Relacionado Devido a Outra Condição Médica

Consequências funcionais dos sintomas bipolares podem exacerbar prejuízos associados à condição médica, podendo implicar resultados piores devido à interferência no tratamento médico.

Diagnóstico Diferencial

***Delirium* e transtorno neurocognitivo maior ou leve.** Um diagnóstico separado de transtorno bipolar e transtorno relacionado devido a outra condição médica não é feito se a perturbação do humor ocorrer exclusivamente durante o curso de *delirium*. No entanto, um diagnóstico de transtorno bipolar e transtorno relacionado devido a outra condição médica pode ser dado além de um diagnóstico de transtorno neurocognitivo maior ou leve, se a perturbação de humor for considerada consequência fisiológica do processo patológico que causa o transtorno neurocognitivo e se os sintomas de irritabilidade ou humor elevado forem uma parte proeminente da apresentação clínica.

Sintomas de catatonia e ansiedade aguda. É importante diferenciar sintomas de mania dos de excitação relacionada a sintomas catatônicos e de agitação relacionada a estados agudos de ansiedade.

Sintomas depressivos ou maníacos induzidos por medicamentos. Uma importante observação no diagnóstico diferencial é a de que a outra condição médica pode ser tratada com medicamentos (p. ex., esteroides ou interferon alfa) capazes de induzir sintomas depressivos ou maníacos. Nesses casos, o julgamento clínico, utilizando todas as evidências, é a melhor forma de tentar separar o mais provável e/ou o mais importante dos dois fatores etiológicos (i. e., associação com a condição médica vs. síndrome induzida por substância/medicamento). O diagnóstico diferencial das condições médicas associadas é relevante, no entanto, está além do objetivo deste Manual.

Comorbidade

Condições comórbidas com transtorno bipolar e transtorno relacionado devido a outra condição médica são aquelas associadas com as condições médicas de relevância etiológica. *Delirium* pode ocorrer antes ou durante os sintomas maníacos em pessoas com a doença de Cushing.

Outro Transtorno Bipolar e Transtorno Relacionado Especificado

F31.89

Esta categoria aplica-se a apresentações em que sintomas característicos de transtorno bipolar e transtorno relacionado que causam sofrimento clinicamente significativo ou prejuízo no funcionamento social, profissional ou em outras áreas importantes da vida do indivíduo predominam, mas não satisfazem todos os critérios para qualquer transtorno na classe diagnóstica de transtorno bipolar e transtornos relacionados. A categoria outro transtorno bipolar e transtorno relacionado especificado é usada em situações em que o clínico opta por comunicar a razão específica pela qual a apresentação não satisfaz os critérios para qualquer transtorno bipolar e transtorno relacionado específico. Isso é feito por meio do registro de "outro transtorno bipolar e transtorno relacionado especificado", seguido pela razão específica (p. ex., "ciclotimia de curta duração").

Exemplos de apresentações que podem ser especificadas usando a designação "outro transtorno bipolar e transtorno relacionado especificado" incluem:

1. **Episódios maníacos de curta duração (2 a 3 dias) e episódios depressivos maiores:** História de vida com um ou mais episódios depressivos maiores em pessoas cuja apresentação nunca atendeu a todos os critérios para um episódio maníaco ou hipomaníaco, embora tenham vivido dois ou mais episódios de hipomania de curta duração que atenderam a todos os critérios sintomáticos para um episódio maníaco, porém com duração de apenas 2 a 3 dias. Os episódios de sintomas hipomaníacos não se sobrepuseram no tempo aos episódios depressivos maiores, de modo que a perturbação de humor não atende a critérios para episódio depressivo maior, com características mistas.
2. **Episódios hipomaníacos com sintomas insuficientes e episódios depressivos maiores:** História de vida com um ou mais episódios depressivos maiores em pessoas cuja apresentação nunca atendeu a todos os critérios para um episódio maníaco ou hipomaníaco, embora tenham vivido um ou mais episódios de hipomania que não atenderam a todos os critérios de sintomas (i. e., um mínimo de quatro dias consecutivos de humor elevado e 1 ou 2 dos outros sintomas de um episódio hipomaníaco, ou humor irritável e 2 ou 3 dos outros sintomas de um episódio hipomaníaco). Os episódios de sintomas hipomaníacos não se sobrepuseram no tempo aos episódios depressivos maiores, de modo que a perturbação não atende a critérios para episódio depressivo maior, com características mistas.
3. **Episódio hipomaníaco sem episódio depressivo maior anterior:** Um ou mais episódios hipomaníacos em pessoa cuja apresentação nunca atendeu à totalidade dos critérios para um episódio depressivo maior ou um episódio maníaco.

4. **Ciclotimia de curta duração (menos de 24 meses):** Episódios múltiplos de sintomas hipomaníacos que não satisfazem os critérios para um episódio hipomaníaco e episódios múltiplos de sintomas depressivos que não satisfazem os critérios para um episódio depressivo maior que persistem por um período de menos de 24 meses (menos de 12 meses em crianças e adolescentes) em indivíduo cuja apresentação nunca satisfez todos os critérios para um episódio depressivo maior, maníaco ou hipomaníaco e que não atende aos critérios para nenhum transtorno psicótico. No curso do transtorno, os sintomas hipomaníacos ou depressivos estão presentes na maioria dos dias, a pessoa não ficou sem sintomas por mais de dois meses consecutivos, e os sintomas causam sofrimento ou prejuízo clinicamente significativo.
5. **Episódio maníaco sobreposto** a esquizofrenia, transtorno esquizofreniforme, transtorno delirante ou outro transtorno do espectro da esquizofrenia e outros transtornos psicóticos especificado ou não especificado. **Nota:** Episódios maníacos que são parte do transtorno esquizoafetivo não exigem um diagnóstico adicional de outro transtorno bipolar e transtorno relacionado especificado.

Transtorno Bipolar e Transtorno Relacionado Não Especificado

F31.9

Esta categoria aplica-se a apresentações em que sintomas característicos de transtorno bipolar e transtorno relacionado que causam sofrimento clinicamente significativo ou prejuízo no funcionamento social, profissional ou em outras áreas importantes da vida do indivíduo predominam, mas não satisfazem todos os critérios para qualquer transtorno na classe diagnóstica de transtorno bipolar e transtornos relacionados. A categoria transtorno bipolar e transtorno relacionado não especificado é usada em situações em que o clínico opta por *não* especificar a razão pela qual os critérios para um transtorno bipolar e transtorno relacionado específico não são satisfeitos e inclui apresentações para as quais não há informações suficientes para que seja feito um diagnóstico mais específico (p. ex., em salas de emergência).

Transtorno do Humor Não Especificado

F39

Esta categoria aplica-se a apresentações em que sintomas característicos de transtornos do humor que causam sofrimento clinicamente significativo ou prejuízo no funcionamento social, profissional ou em outras áreas importantes da vida do indivíduo predominam, mas não satisfazem, no momento da avaliação, todos os critérios para qualquer transtorno na classe diagnóstica dos transtornos bipolares ou depressivos e nos quais é difícil escolher entre transtorno bipolar e transtorno relacionado não especificado e transtorno depressivo não especificado (p. ex., agitação aguda).

Especificadores para Transtorno Bipolar e Transtornos Relacionados

Especificar se:
   Com sintomas ansiosos: A presença de pelo menos dois dos sintomas a seguir, durante a maioria dos dias do episódio maníaco, hipomaníaco ou depressivo maior atual no transtorno bipolar tipo I (ou do episódio mais recente se o transtorno bipolar tipo I estiver em remissão parcial ou total); ou do atual episódio hipomaníaco ou depressivo maior no transtorno bipolar tipo II (ou do episódio mais recente se o transtorno bipolar tipo II estiver em remissão parcial ou total); ou durante a maioria dos dias sintomáticos no transtorno ciclotímico:
   1. Sentir-se nervoso ou tenso.
   2. Sentir-se incomumente inquieto.

3. Dificuldade de concentrar-se por estar preocupado.
4. Medo de que algo terrível possa acontecer.
5. Sensação de que a pessoa pode perder o controle de si mesma.

Especificar a gravidade atual:
Leve: Dois sintomas.
Moderada: Três sintomas.
Moderada-grave: Quatro ou cinco sintomas.
Grave: Quatro ou cinco sintomas com agitação motora.

Nota: Foi observado que sintomas ansiosos são uma característica proeminente do transtorno bipolar e do transtorno depressivo maior em ambientes tanto de atenção primária quanto de cuidados especializados. Altos níveis de ansiedade têm sido associados a risco aumentado de suicídio, maior duração do transtorno e maior probabilidade de não resposta ao tratamento. Desse modo, é clinicamente útil especificar com precisão a presença e os níveis de gravidade dos sintomas ansiosos para o planejamento do tratamento e o monitoramento da resposta a ele.

Com características mistas: O especificador com características mistas pode se aplicar ao atual episódio maníaco, hipomaníaco ou depressivo nos transtornos bipolar tipo I (ou episódio mais recente se o transtorno bipolar tipo I estiver em remissão parcial ou completa) ou tipo II (ou episódio mais recente se o transtorno bipolar tipo II estiver em remissão parcial ou completa):

Episódio maníaco ou hipomaníaco, com características mistas:

A. São atendidos todos os critérios para um episódio maníaco ou hipomaníaco, e pelo menos três dos sintomas a seguir estão presentes durante a maioria dos dias do episódio atual ou mais recente de mania ou hipomania:

1. Disforia ou humor depressivo acentuado conforme indicado por relato subjetivo (p. ex., sente-se triste ou vazio) ou observação feita por outra pessoa (p. ex., parece chorar).
2. Interesse ou prazer diminuído em todas, ou quase todas, as atividades (conforme indicado por relato subjetivo ou observação feita por outra pessoa).
3. Retardo psicomotor quase diário (observável por outra pessoa; não são simples sensações subjetivas de estar mais lento).
4. Fadiga ou perda de energia.
5. Sentimentos de inutilidade ou de culpa excessiva ou inapropriada (não uma simples autorrecriminação ou culpa por estar doente).
6. Pensamentos recorrentes de morte (não somente medo de morrer), ideação suicida recorrente sem plano específico, um plano específico de suicídio ou tentativa de suicídio.

B. Sintomas mistos são observáveis por outras pessoas e representam uma mudança em relação ao comportamento habitual do indivíduo.

C. Para indivíduos cujos sintomas satisfazem todos os critérios de mania e depressão simultaneamente, o diagnóstico deve ser de episódio maníaco, com características mistas, devido ao prejuízo acentuado e à gravidade clínica da mania plena.

D. Os sintomas mistos não são atribuíveis aos efeitos fisiológicos de uma substância (p. ex., droga de abuso, medicamento ou outro tratamento).

Episódio depressivo, com características mistas:

A. São atendidos todos os critérios para um episódio depressivo maior, e pelo menos três dos sintomas maníacos/hipomaníacos a seguir estão presentes durante a maioria dos dias do episódio atual ou mais recente de depressão:

1. Humor elevado, expansivo.
2. Autoestima inflada ou grandiosidade.

3. Mais loquaz que o habitual ou pressão para continuar falando.
4. Fuga de ideias ou experiência subjetiva de que os pensamentos estão acelerados.
5. Aumento na energia ou na atividade dirigida a objetivos (seja socialmente, no trabalho ou escola, seja sexualmente).
6. Envolvimento aumentado ou excessivo em atividades com elevado potencial para consequências dolorosas (p. ex., envolvimento em surtos desenfreados de compras, indiscrições sexuais ou investimentos financeiros insensatos).
7. Redução da necessidade de sono (sente-se descansado apesar de dormir menos que o habitual; para ser contrastado com insônia).

B. Sintomas mistos são passíveis de observação por outras pessoas e representam uma mudança em relação ao comportamento habitual do indivíduo.
C. Para indivíduos cujos sintomas satisfazem todos os critérios do episódio para mania e depressão simultaneamente, o diagnóstico deve ser de episódio maníaco, com características mistas.
D. Os sintomas mistos não são atribuíveis aos efeitos fisiológicos de uma substância (p. ex., droga de abuso, medicamento ou outro tratamento).

Nota: As características mistas associadas a um episódio depressivo maior foram consideradas fatores de risco significativo para o desenvolvimento dos transtornos bipolar tipo I e tipo II. Assim, é clinicamente útil registrar a presença desse especificador para planejar o tratamento e monitorar a resposta a ele.

Com ciclagem rápida: Presença de pelo menos quatro episódios de humor nos 12 meses anteriores que atendam aos critérios de episódio maníaco, hipomaníaco ou depressivo maior no transtorno bipolar tipo I ou que atendam aos critérios de episódio hipomaníaco ou depressivo maior no transtorno bipolar tipo II.

Nota: Os episódios são demarcados por remissões parciais ou totais de pelo menos dois meses ou por troca para um episódio da polaridade oposta (p. ex., episódio depressivo maior para episódio maníaco).

Nota: A característica essencial de um transtorno bipolar de ciclagem rápida é a ocorrência de pelo menos quatro episódios de humor durante os 12 meses anteriores. Esses episódios podem ocorrer em qualquer combinação e ordem e devem atender a critérios de duração e quantidade de sintomas para episódio depressivo maior, maníaco ou hipomaníaco, devendo também ser demarcados por um período de remissão completa ou por uma troca para um episódio da polaridade oposta. Episódios maníacos e hipomaníacos são contados como do mesmo polo. A não ser pelo fato de ocorrerem com mais frequência, os episódios que ocorrem em um padrão de ciclagem rápida não diferem daqueles que não ocorrem em um padrão de ciclagem rápida. Episódios de humor que contam para a definição de um padrão de ciclagem rápida excluem aqueles diretamente causados por uma substância (p. ex., cocaína, corticosteroides) ou outra condição médica.

Com características melancólicas:
A. Uma das seguintes está presente durante o período mais grave do episódio depressivo maior atual (ou mais recente se transtorno bipolar tipo I ou II estiver em remissão parcial ou completa):
1. Perda de prazer em todas ou quase todas as atividades.
2. Falta de reatividade a estímulos em geral prazerosos (não se sente muito bem, mesmo temporariamente, quando acontece alguma coisa boa).
B. Três (ou mais) das seguintes:
1. Uma qualidade distinta de humor depressivo caracterizada por prostração profunda, desespero e/ou morosidade ou pelo chamado humor vazio.
2. Depressão geralmente é pior pela manhã.

3. Despertar muito cedo pela manhã (i. e., pelo menos duas horas antes do habitual).
4. Agitação ou retardo psicomotor acentuados.
5. Anorexia ou perda de peso significativa.
6. Culpa excessiva ou inadequada.

Nota: O especificador "com características melancólicas" é aplicado se essas características estão presentes no estágio mais grave do episódio. Há ausência quase total da capacidade para o prazer, não meramente uma redução. Uma diretriz para a avaliação da falta de reatividade do humor é que mesmo os eventos muito desejados não estão associados a acentuada melhora do humor. O humor não mostra melhora alguma, ou a melhora é apenas parcial (p. ex., até 20 a 40% do normal por apenas alguns minutos de cada vez). A "qualidade distinta" de humor que é característica do especificador "com características melancólicas" é experimentada como qualitativamente diferente do que ocorre durante um episódio depressivo não melancólico. Um humor deprimido que é descrito como meramente mais grave, de maior duração, ou que se apresenta sem uma razão não é considerado distinto em qualidade. Alterações psicomotoras estão quase sempre presentes e são observáveis por outras pessoas.

As características melancólicas exibem apenas uma tendência modesta a se repetir em um mesmo indivíduo. Elas são mais frequentes em pacientes internados, em comparação com pacientes ambulatoriais; têm menos probabilidade de ocorrer em episódios depressivos maiores mais leves do que em episódios mais graves; e têm mais probabilidade de ocorrer naqueles com características psicóticas.

Com características atípicas: Esse especificador é aplicado quando essas características predominam durante a maioria dos dias do episódio depressivo maior atual (ou mais recente se transtorno bipolar tipo I ou II estiver em remissão parcial ou completa).

A. Reatividade do humor (i. e., o humor melhora em resposta a eventos positivos reais ou potenciais).
B. Duas (ou mais) das seguintes características:
   1. Aumento significativo de peso ou do apetite.
   2. Hipersonia.
   3. Paralisia "de chumbo" (i. e., sensação de peso nos braços ou nas pernas).
   4. Um padrão prolongado de sensibilidade à rejeição interpessoal (não limitado aos episódios de perturbação do humor) que resulta em prejuízo social ou profissional significativo.
C. Não são satisfeitos os critérios para "com características melancólicas" ou "com catatonia" durante o mesmo episódio.

Nota: "Depressão atípica" tem significado histórico (i. e., atípica em contraste com as apresentações agitadas "endógenas" mais clássicas de depressão que eram a norma quando a doença era raramente diagnosticada em pacientes ambulatoriais e quase nunca em adolescentes ou jovens adultos) e hoje não tem a conotação de uma apresentação clínica incomum ou excepcional, como o termo pode implicar.

Reatividade do humor consiste na capacidade de se alegrar ante eventos positivos (p. ex., visita dos filhos, elogios de outras pessoas). O humor pode se tornar eutímico (não triste) até mesmo por longos períodos de tempo quando as circunstâncias externas permanecem favoráveis. O aumento do apetite pode se manifestar por clara elevação no consumo alimentar ou por ganho de peso. A hipersonia pode incluir um período prolongado de sono noturno ou cochilos diurnos que totalizam no mínimo 10 horas de sono por dia (ou pelo menos duas horas a mais do que quando não deprimido). A paralisia "de chumbo" é definida como sentir-se pesado, "de chumbo", ou com sobrecarga, geralmente nos braços ou pernas. Essa sensação costuma estar presente por pelo menos uma hora por dia, mas com frequência dura muitas horas seguidas. Diferentemente de outras características atípicas, a sensibilidade patológica à percepção de rejeição interpessoal é um traço de início precoce que persiste durante a maior parte da vida adulta. A sensibilidade à rejeição ocorre tanto quando a pessoa está ou não está deprimida, embora possa ser exacerbada durante os períodos depressivos.

Com características psicóticas: Delírios ou alucinações estão presentes a qualquer momento no atual episódio maníaco ou depressivo maior nos transtornos bipolar tipo I (ou episódio mais recente se o transtorno bipolar tipo I estiver em remissão parcial ou completa) ou no episódio depressivo maior atual no transtorno bipolar tipo II (ou episódio mais recente se o transtorno bipolar tipo II estiver em remissão parcial ou completa). Se as características psicóticas estão presentes, *especificar* se congruentes ou incongruentes com o humor:

Quando aplicado ao episódio maníaco atual ou mais recente (no transtorno bipolar tipo I):

Com características psicóticas congruentes com o humor: O conteúdo de todos os delírios e alucinações é consistente com os temas maníacos típicos de grandiosidade, invulnerabilidade, etc., embora possa incluir também temas de suspeita ou paranoia, especialmente em relação a dúvidas de outras pessoas sobre as capacidades e realizações do indivíduo.

Com características psicóticas incongruentes com o humor: O conteúdo dos delírios e das alucinações não envolve temas maníacos típicos descritos anteriormente, ou o conteúdo é uma mistura de temas incongruentes e congruentes com o humor.

Quando aplicado ao episódio depressivo maior atual ou mais recente (no transtorno bipolar I ou transtorno bipolar II):

Com características psicóticas congruentes com o humor: O conteúdo de todos os delírios e alucinações é consistente com os temas depressivos típicos de inadequação pessoal, culpa, doença, morte, niilismo ou punição merecida.

Com características psicóticas incongruentes com o humor: O conteúdo dos delírios e alucinações não envolve temas depressivos típicos ou inadequação pessoal, culpa, doença, morte, niilismo ou punição merecida, ou o conteúdo é uma mistura de temas incongruentes e congruentes com o humor.

Com catatonia: Este especificador é aplicado ao episódio maníaco ou depressivo maior atual no transtorno bipolar tipo I (ou episódio mais recente se o transtorno bipolar tipo I estiver em remissão parcial ou completa) ou no episódio depressivo maior atual no transtorno bipolar tipo II (ou episódio mais recente se o transtorno bipolar tipo II estiver em remissão parcial ou completa) se características catatônicas estiverem presentes durante a maior parte do episódio. Ver os critérios para catatonia associada a um transtorno mental no capítulo "Espectro da Esquizofrenia e Outros Transtornos Psicóticos".

Com início no periparto: Este especificador é aplicado ao atual episódio maníaco, hipomaníaco ou depressivo no transtorno bipolar tipo I (ou episódio mais recente se o transtorno bipolar tipo I estiver em remissão parcial ou completa) ou ao atual episódio hipomaníaco ou depressivo maior no transtorno bipolar tipo II (ou episódio mais recente se o transtorno bipolar tipo II estiver em remissão parcial ou completa) se o início dos sintomas de humor ocorre durante a gestação ou até 4 semanas após o parto.

Nota: Os episódios de humor podem ter seu início durante a gestação ou no pós-parto. Na verdade, 50% dos episódios depressivos maiores no "pós-parto" começam antes do parto. Assim, esses episódios são designados coletivamente como episódios no *periparto*.

Entre a concepção e o nascimento da criança, cerca de 9% das mulheres vivenciam um episódio depressivo maior. A melhor estimativa da prevalência de episódios depressivos maiores entre o parto e 12 meses após o parto é um pouco menos de 7%.

Os episódios de humor com início no periparto podem se apresentar com ou sem características psicóticas. O infanticídio está frequentemente associado a episódios psicóticos no pós-parto caracterizados por alucinações de comando para matar o bebê ou delírios de que este está possuído, mas os sintomas psicóticos também podem ocorrer em episódios de humor pós-parto graves sem delírios ou alucinações específicos.

Episódios de humor após o parto (depressivos maiores ou maníacos) com características psicóticas parecem ocorrer em 1 a cada 500 a 1 a cada 1.000 nascimentos e podem ser mais comuns em mulheres primíparas. O risco para episódios com características psicóticas no pós-parto é particularmente aumentado em mulheres com episódios de humor psicótico pós-parto anteriores, mas também é elevado entre as que têm história prévia de um transtorno depressivo ou bipolar (em especial transtorno bipolar tipo I) e entre aquelas com história familiar de transtornos bipolares.

Depois que uma mulher teve um episódio no pós-parto com características psicóticas, o risco de recorrência em cada parto subsequente situa-se entre 30 e 50%. Os episódios pós-parto devem ser distinguidos do *delirium* que pode ocorrer nesse período, o qual se diferencia por um nível flutuante de consciência ou atenção.

Transtornos depressivos com início no periparto devem ser diferenciados das muito mais comuns "*maternity blues*" ou, como é conhecida popularmente, "*baby blues*". "*Maternity blues*" não é considerada um transtorno mental e é caracterizada por mudanças repentinas no humor (p. ex., começar a chorar repentinamente com ausência de depressão) que não causam prejuízos funcionais e que são provavelmente causadas por mudanças fisiológicas que ocorrem após o parto. Elas são temporárias e autolimitadas, e em geral passam rapidamente (dentro de uma semana) sem necessidade de tratamento. Outros sintomas de "*maternity blues*" incluem perturbação do sono e até confusão que pode ocorrer pouco tempo após o parto.

Mulheres no período perinatal podem ter risco mais alto de transtornos depressivos devido a anormalidade na tireoide, assim como outras condições médicas que podem causar sintomas depressivos. Se os sintomas depressivos são julgados como devidos a outra condição médica relacionada ao período perinatal, deve ser diagnosticado transtorno depressivo devido a outra condição médica, em vez de episódio depressivo maior com início no periparto.

Com padrão sazonal: Este especificador aplica-se ao padrão ao longo da vida dos episódios de humor. A característica essencial é um padrão sazonal regular de pelo menos um tipo de episódio (i. e., mania, hipomania ou depressão). Os demais tipos de episódios podem não seguir esse padrão. Por exemplo, uma pessoa pode ter manias sazonais, mas suas depressões não ocorrem regularmente em determinada época do ano.

A. Há relação temporal regular entre o início dos episódios maníacos, hipomaníacos ou depressivos maiores e determinada época do ano (p. ex., outono ou inverno) nos transtornos bipolar tipo I ou tipo II.

   Nota: Não incluir casos nos quais existe um óbvio efeito de estressores psicossociais relacionados à sazonalidade (p. ex., estar regularmente desempregado a cada inverno).

B. Remissões completas (ou mudança de depressão maior para mania ou hipomania, ou vice-versa) também ocorrem em uma determinada época do ano (p. ex., a depressão desaparece na primavera).

C. Nos últimos dois anos, episódios maníacos, hipomaníacos ou depressivos maiores do indivíduo têm demonstrado uma relação temporal sazonal, como definido anteriormente, e não ocorreram episódios não sazonais daquela polaridade durante esse período de dois anos.

D. Manias, hipomanias ou depressões sazonais (conforme descrição anterior) ultrapassam substancialmente em quantidade todas as manias, hipomanias ou depressões não sazonais que possam ter ocorrido ao longo da vida de uma pessoa.

   Nota: Este especificador pode ser aplicado ao padrão de episódios depressivos maiores nos transtornos bipolares tipo I e tipo II, ao padrão de episódios maníacos e hipomaníacos no transtorno bipolar tipo I e ao padrão de episódios hipomaníacos no transtorno bipolar tipo II. A característica essencial é o início e a remissão de episódios depressivos maiores em épocas características do ano. Na maioria dos casos, os episódios iniciam no outono ou no inverno e remitem na primavera. Com menor frequência, pode haver episódios depressivos recorrentes no verão. Esse padrão de início e remissão dos episódios deve ter ocorrido durante pelo menos dois anos, sem quaisquer episódios não sazonais ocorrendo durante esse período. Além disso, os episódios depressivos sazonais devem superar em número substancial quaisquer episódios depressivos não sazonais durante o tempo de vida do indivíduo.

Este especificador não se aplica àquelas situações nas quais o padrão é mais bem explicado por estressores psicossociais ligados à sazonalidade (p. ex., desemprego ou compromissos escolares sazonais). Não está claro se um padrão sazonal é mais provável no transtorno depressivo maior recorrente ou em transtornos bipolares. No grupo dos transtornos bipolares, entretanto, parece ser mais provável um padrão sazonal no transtorno bipolar tipo II do que no transtorno bipolar tipo I. Em alguns indivíduos, o início de episódios maníacos ou hipomaníacos pode também estar associado a determinada estação do ano, com picos de sazonalidade de mania ou hipomania entre a primavera e o verão.

A prevalência do padrão sazonal do tipo inverno parece variar com a latitude, a idade e o sexo. A prevalência aumenta em latitudes mais elevadas. A idade também é um forte preditor de sazonalidade, estando as pessoas mais jovens em maior risco para episódios depressivos de inverno.

Especificar se:

Em remissão parcial: Sintomas do episódio maníaco, hipomaníaco ou depressivo imediatamente anterior estão presentes, mas não estão satisfeitos todos os critérios, ou há um período com duração inferior a dois meses sem nenhum sintoma importante de um episódio maníaco, hipomaníaco ou depressivo maior após o término desse episódio.

Em remissão completa: Durante os últimos dois meses, nenhum sinal ou sintoma significativo da perturbação do humor esteve presente.

Especificar a gravidade atual do episódio maníaco:

A gravidade baseia-se na quantidade de sintomas dos critérios, na gravidade desses sintomas e no grau de incapacidade funcional.

Leve: São satisfeitos critérios mínimos para episódio maníaco.

Moderada: Aumento muito significativo na atividade ou prejuízo no julgamento.

Grave: Supervisão praticamente contínua é necessária a fim de prevenir dano físico a si ou a outros.

Especificar a gravidade atual do episódio depressivo maior:

A gravidade baseia-se na quantidade de sintomas dos critérios, na gravidade desses sintomas e no grau de incapacidade funcional.

Leve: Estão presentes poucos sintomas, ou nenhum, que excedam os necessários para preenchimento dos critérios diagnósticos, a intensidade dos sintomas causa sofrimento, mas é manejável, e os sintomas resultam em prejuízo menor ao funcionamento social ou profissional.

Moderada: A quantidade de sintomas, sua intensidade e/ou o prejuízo funcional estão entre aqueles especificados para "leve" e "grave".

Grave: A quantidade de sintomas excede substancialmente aqueles necessários para fazer um diagnóstico, a intensidade deles causa sofrimento sério e de difícil manejo, e eles interferem no funcionamento social e profissional de forma acentuada.

Transtornos Depressivos

Os transtornos depressivos incluem transtorno disruptivo da desregulação do humor, transtorno depressivo maior (incluindo episódio depressivo maior), transtorno depressivo persistente, transtorno disfórico pré-menstrual, transtorno depressivo induzido por substância/medicamento, transtorno depressivo devido a outra condição médica, outro transtorno depressivo especificado e transtorno depressivo não especificado. A característica comum desses transtornos é a presença de humor triste, vazio ou irritável, acompanhado de alterações somáticas e cognitivas que afetam significativamente a capacidade de funcionamento do indivíduo (p. ex., mudanças somáticas e cognitivas no transtorno depressivo maior e no transtorno depressivo persistente). O que difere entre eles são os aspectos de duração, momento ou etiologia presumida.

Para abordar questões referentes ao potencial de diagnóstico e tratamento excessivos do transtorno bipolar em crianças nos Estados Unidos e, cada vez mais, internacionalmente, um novo diagnóstico, transtorno disruptivo da desregulação do humor, referente à apresentação de crianças com irritabilidade persistente e episódios frequentes de descontrole comportamental extremo, é acrescentado aos transtornos depressivos para crianças até 12 anos. Sua inclusão neste capítulo reflete o achado de que as crianças com esse padrão de sintomas em geral desenvolvem transtornos depressivos unipolares ou transtornos de ansiedade, em vez de transtornos bipolares, quando ingressam na adolescência e na idade adulta.

O transtorno depressivo maior representa a condição clássica desse grupo de transtornos. Ele é caracterizado por episódios distintos de pelo menos duas semanas de duração (embora a maioria dos episódios dure um tempo consideravelmente maior) envolvendo alterações nítidas no afeto, na cognição e em funções neurovegetativas, e remissões interepisódicas. O diagnóstico baseado em um único episódio é possível, embora o transtorno seja recorrente na maioria dos casos. Atenção especial é dada à diferenciação da tristeza e do luto normais em relação a um episódio depressivo maior. O luto pode induzir grande sofrimento, mas não costuma provocar um episódio de transtorno depressivo maior. Quando ocorrem em conjunto, os sintomas depressivos e o prejuízo funcional tendem a ser mais graves, e o prognóstico é pior comparado com o luto que não é acompanhado de transtorno depressivo maior. Episódios depressivos maiores relacionados ao luto tendem a ocorrer em pessoas com outras vulnerabilidades a transtornos depressivos.

Uma forma mais crônica de depressão, o transtorno depressivo persistente, pode ser diagnosticada quando a perturbação do humor continua por pelo menos dois anos em adultos e um ano em crianças. Esse diagnóstico, novo no DSM-5, inclui as categorias diagnósticas do DSM-IV de transtorno depressivo maior crônico e distimia.

Após cuidadoso exame científico das evidências, o transtorno disfórico pré-menstrual foi deslocado de um apêndice do DSM-IV ("Conjunto de Critérios e Eixos Propostos para Estudos Adicionais") para a Seção II do DSM-5. Quase 20 anos de pesquisa adicional sobre essa condição confirmaram uma forma de transtorno depressivo específico e responsivo a tratamento que inicia em algum momento após a ovulação e remite poucos dias após a menstruação, causando impacto significativo no funcionamento.

Um grande número de substâncias de abuso, alguns medicamentos e diversas condições médicas podem estar associados a fenômenos semelhantes à depressão. Esse fato é reconhecido nos diagnósticos de transtorno depressivo induzido por substância/medicamento e de transtorno depressivo devido a outra condição médica.

Transtorno Disruptivo da Desregulação do Humor

Critérios Diagnósticos   F34.81

A. Explosões de raiva recorrentes e graves manifestadas pela linguagem (p. ex., violência verbal) e/ou pelo comportamento (p. ex., agressão física a pessoas ou propriedade) que são consideravelmente desproporcionais em intensidade ou duração à situação ou provocação.
B. As explosões de raiva são inconsistentes com o nível de desenvolvimento.
C. As explosões de raiva ocorrem, em média, três ou mais vezes por semana.
D. O humor entre as explosões de raiva é persistentemente irritável ou zangado na maior parte do dia, quase todos os dias, e é observável por outras pessoas (p. ex., pais, professores, pares).
E. Os Critérios A-D estão presentes por 12 meses ou mais. Durante esse tempo, o indivíduo não teve um período que durou três ou mais meses consecutivos sem todos os sintomas dos Critérios A-D.
F. Os Critérios A e D estão presentes em pelo menos dois de três ambientes (p. ex., em casa, na escola, com os pares) e são graves em pelo menos um deles.
G. O diagnóstico não deve ser feito pela primeira vez antes dos 6 anos ou após os 18 anos de idade.
H. Por relato ou observação, a idade de início dos Critérios A-E é antes dos 10 anos.
I. Nunca houve um período distinto durando mais de um dia durante o qual foram satisfeitos todos os critérios de sintomas, exceto a duração, para um episódio maníaco ou hipomaníaco. **Nota:** Uma elevação do humor apropriada para o desenvolvimento, como a que ocorre no contexto de um evento altamente positivo ou de sua antecipação, não deve ser considerada como um sintoma de mania ou hipomania.
J. Os comportamentos não ocorrem exclusivamente durante um episódio de transtorno depressivo maior e não são mais bem explicados por outro transtorno mental (p. ex., transtorno do espectro autista, transtorno de estresse pós-traumático, transtorno de ansiedade de separação, transtorno depressivo persistente).
Nota: Este diagnóstico não pode coexistir com transtorno de oposição desafiante, transtorno explosivo intermitente ou transtorno bipolar, embora possa coexistir com outros, incluindo transtorno depressivo maior, transtorno de déficit de atenção/hiperatividade, transtorno da conduta e transtornos por uso de substância. Os indivíduos cujos sintomas satisfazem critérios para transtorno disruptivo da desregulação do humor e transtorno de oposição desafiante devem somente receber o diagnóstico de transtorno disruptivo da desregulação do humor. Se um indivíduo já experimentou um episódio maníaco ou hipomaníaco, o diagnóstico de transtorno disruptivo da desregulação do humor não deve ser atribuído.
K. Os sintomas não são consequência dos efeitos fisiológicos de uma substância ou de outra condição médica ou neurológica.

Características Diagnósticas

A característica central do transtorno disruptivo da desregulação do humor é a irritabilidade crônica grave. Essa irritabilidade grave apresenta duas manifestações clínicas proeminentes, sendo a primeira as frequentes explosões de raiva. Essas explosões em geral ocorrem em resposta à frustração e podem ser verbais ou comportamentais (estas últimas na forma de agressão contra propriedade, si mesmo ou outros). Elas devem ocorrer com frequência (i. e., em média três ou mais vezes por semana) (Critério C) por pelo menos um ano em pelo menos dois ambientes (Critérios E e F), como em casa e na escola, e devem ser inapropriadas para o desenvolvimento (Critério B). A segunda manifestação de irritabilidade grave consiste em humor persistentemente irritável ou zangado que está presente entre as explosões de raiva. Esse humor irritável ou zangado deve ser característico da criança, estando presente na maior parte do dia, quase todos os dias, e ser observável por outras pessoas no ambiente da criança (Critério D).

A apresentação clínica do transtorno disruptivo da desregulação do humor deve ser cuidadosamente distinguida das apresentações de outras condições relacionadas, em particular o transtorno bipolar na infância. Na verdade, o transtorno disruptivo da desregulação do humor foi acrescentado ao DSM-5 para abordar a preocupação quanto à classificação e ao tratamento apropriados das crianças que apresentam irritabilidade crônica persistente em relação a crianças que apresentam transtorno bipolar clássico (i. e., episódico).

Alguns pesquisadores encaram a irritabilidade grave não episódica como característica do transtorno bipolar em crianças, embora tanto o DSM-IV quanto o DSM-5 requeiram que crianças e adultos tenham episódios distintos de mania e hipomania para se qualificarem para o diagnóstico de transtorno bipolar tipo I. Durante as últimas décadas do século XX, essa discussão dos pesquisadores de que a irritabilidade grave não episódica é uma manifestação de mania pediátrica coincidiu com o aumento da frequência com que os clínicos atribuíam o diagnóstico de transtorno bipolar a seus pacientes pediátricos. Esse forte aumento pode ser conferido ao fato de os clínicos combinarem pelo menos duas apresentações clínicas em uma única categoria. Isto é, as apresentações clássicas episódicas de mania e as apresentações não episódicas de irritabilidade grave foram rotuladas como transtorno bipolar em crianças. No DSM-5, o termo *transtorno bipolar* está explicitamente reservado a apresentações episódicas de sintomas bipolares. O DSM-IV não incluía um diagnóstico concebido para abranger os jovens cujos sintomas característicos consistiam em irritabilidade muito grave não episódica, enquanto o DSM-5, com a inclusão do transtorno disruptivo da desregulação do humor, proporciona uma categoria distinta para essas apresentações.

Prevalência

O transtorno disruptivo da desregulação do humor é comum entre as crianças que se apresentam nas clínicas pediátricas de saúde mental. As estimativas da prevalência do transtorno na comunidade não são claras. Em um estudo de coorte de base populacional com crianças brasileiras de 11 anos que utilizou um módulo específico para transtorno disruptivo da desregulação do humor, a prevalência foi de 2,5%.

Diferenças consistentes de prevalência entre os gêneros não foram reportadas nas amostras populacionais, apesar de as amostras clínicas reportarem preponderância no sexo masculino. Por exemplo, até 80% das crianças com características de transtorno disruptivo da desregulação do humor que se apresentaram em clínicas na Turquia eram meninos, segundo uma revisão de prontuários. Os dados sugerem que o diagnóstico pode ser mais comum em faixas etárias mais jovens (p. ex., 8,2% em uma amostra comunitária de crianças de 6 anos nos Estados Unidos).

Desenvolvimento e Curso

O início do transtorno disruptivo da regulação do humor deve ser antes dos 10 anos, e o diagnóstico não deve ser aplicado a crianças com idade desenvolvimental de menos de 6 anos. Não é sabido se a condição se apresenta somente dessa forma delimitada pela idade. Como os sintomas do transtorno disruptivo da desregulação do humor provavelmente se modificam à medida que a criança cresce, o uso do diagnóstico deve ser restringido a faixas etárias similares àquelas em que a validade foi estabelecida (6 a 18 anos). Aproximadamente metade das crianças com transtorno disruptivo da desregulação do humor que vivem em uma área predominantemente rural continuam a ter sintomas que atendem aos critérios para a condição após um ano, segundo um grande estudo norte-americano; embora essas crianças, cujos sintomas não atendem mais ao limiar para a condição diagnóstica, muitas vezes apresentem irritabilidade persistente e clinicamente prejudicial. As taxas de conversão de irritabilidade grave não episódica em transtorno bipolar são muito baixas. Em vez disso, as crianças com transtorno disruptivo da desregulação do humor estão em risco de desenvolver transtornos depressivos unipolares e/ou ansiedade na idade adulta.

Fatores de Risco e Prognóstico

Temperamentais. Crianças com irritabilidade crônica costumam exibir história psiquiátrica complicada. Nelas, uma história relativamente extensa de irritabilidade crônica é comum, manifestando-se, em geral, antes que todos os critérios para o transtorno sejam satisfeitos. Tais apresentações diagnósticas podem ter-se qualificado para um diagnóstico de transtorno de oposição desafiante. Muitas crianças com transtorno disruptivo da desregulação do humor têm sintomas que também satisfazem os critérios para transtorno de déficit de atenção/hiperatividade (TDAH) e para um transtorno de ansiedade, com a presença desses diagnósticos com frequência a partir de uma idade relativamente precoce. Para algumas crianças, os critérios para transtorno depressivo maior também podem ser satisfeitos.

Ambientais. Fatores associados com uma vida familiar disruptiva, como abuso psicológico ou negligência, transtorno psiquiátrico parental, educação parental limitada, família monoparental, trauma precoce, morte de um dos pais, luto parental, divórcio e subnutrição (p. ex., deficiência vitamínica), são associados com os comportamentos centrais do transtorno disruptivo da desregulação do humor.

Genéticos e fisiológicos. As pesquisas sugerem que história familiar de depressão pode ser um fator de risco para transtorno disruptivo da desregulação do humor. Consistentemente com isso, dados de estudos conduzidos com gêmeos sugerem que a associação entre irritabilidade precoce e depressão unipolar e ansiedade posteriormente pode ser, em parte, geneticamente mediada.

Comparadas com crianças com transtorno bipolar pediátrico ou outras doenças mentais, aquelas com transtorno disruptivo da desregulação do humor exibem tanto semelhanças quanto diferenças nos déficits de processamento da informação. Por exemplo, déficits no reconhecimento de emoções faciais, bem como tomada de decisão e controle cognitivo perturbados, estão presentes em crianças com transtorno bipolar e em crianças cronicamente irritáveis, assim como naquelas com outras condições psiquiátricas. É importante destacar, porém, que o mesmo déficit comportamental pode estar associado com diferentes padrões de disfunção neural. Também existem evidências de disfunções específicas do transtorno, como durante as tarefas que avaliam a alocação da atenção em resposta a estímulos emocionais, que demonstraram sinais peculiares de disfunção em crianças com irritabilidade crônica.

Questões Diagnósticas Relativas à Cultura

São limitados os dados sobre transtorno disruptivo da desregulação do humor relacionados à cultura. Entretanto, fatores socioculturais afetam a apresentação de características psicológicas centrais do transtorno, incluindo impulsividade, assim como emoção, recompensa, ameaça e comportamentos desregulados, especialmente em contextos caracterizados por disrupção social grave, como zonas de pós-conflitos ou comunidades afetadas por racismo e discriminação de longa data. É importante diferenciar transtorno disruptivo da desregulação do humor de respostas adaptativas à adversidade que são dependentes de contexto e transitórias.

Questões Diagnósticas Relativas ao Sexo e ao Gênero

Há evidências de estudos conduzidos com gêmeos de que, enquanto a irritabilidade tem um componente genético forte em ambos os sexos, os padrões são diferentes entre meninos e meninas. Para meninos, os fatores genéticos parecem ser responsáveis por um aumento na variação do fenótipo de irritabilidade durante a infância. Embora os fatores genéticos sejam responsáveis por uma grande proporção da variação do fenótipo de irritabilidade em meninas em idade escolar, isso diminui durante a adolescência e início da idade adulta, quando fatores ambientais começam a ter um papel maior. Por ora, ainda não se sabe como esse risco genético de irritabilidade é traduzido em risco e prognóstico de transtorno disruptivo da desregulação do humor.

Consequências Funcionais do Transtorno Disruptivo da Desregulação do Humor

A irritabilidade crônica grave, como observada no transtorno disruptivo da desregulação do humor, está associada à marcada perturbação na família da criança e nas relações com os pares, bem como no desempenho escolar. Devido à sua tolerância extremamente baixa à frustração, essas crianças, em geral, têm dificuldade em ter sucesso na escola; com frequência não conseguem participar das atividades que costumam ser desfrutadas por crianças saudáveis; sua vida familiar tem perturbação grave devido a suas explosões e irritabilidade; e elas têm problemas em iniciar ou manter amizades. Os níveis de disfunção em crianças com transtorno bipolar e transtorno disruptivo da desregulação do humor são geralmente comparáveis. Ambas as condições causam perturbação grave nas vidas do indivíduo afetado e de sua família. Tanto no transtorno disruptivo da desregulação do humor quanto no transtorno bipolar pediátrico são comuns agressividade e hospitalização psiquiátrica.

Diagnóstico Diferencial

Como as crianças e os adolescentes cronicamente irritáveis costumam apresentar histórias complexas, o diagnóstico de transtorno disruptivo da desregulação do humor deve ser feito considerando-se a presença ou a ausência de diversas outras condições. Apesar da necessidade de levar em consideração muitas outras síndromes, a diferenciação do transtorno disruptivo da desregulação do humor em relação ao transtorno bipolar e ao transtorno de oposição desafiante requer avaliação particularmente cuidadosa.

Transtornos bipolares. A característica central que diferencia o transtorno disruptivo da desregulação do humor dos transtornos bipolares em crianças envolve o curso longitudinal dos sintomas principais. Em crianças, como em adultos, o transtorno bipolar tipo I e o transtorno bipolar tipo II se manifestam como uma condição episódica com episódios distintos de perturbação do humor que podem ser diferenciados da apresentação típica da criança. A perturbação do humor que ocorre durante um episódio maníaco é diferente do humor habitual da criança. Além disso, durante um episódio maníaco, a alteração no humor deve ser acompanhada pelo início, ou piora, dos sintomas cognitivos, comportamentais e físicos associados (p. ex., distratibilidade, aumento na atividade dirigida a objetivos), que também estão presentes até um grau que é diferente da linha de base habitual da criança. Assim, no caso de um episódio maníaco, os pais (e, dependendo do nível desenvolvimental, os filhos) devem ser capazes de identificar um período de tempo distinto durante o qual o humor e o comportamento da criança eram significativamente diferentes do habitual. Em contraste, a irritabilidade do transtorno disruptivo da desregulação do humor é persistente e está presente por muitos meses; embora possa ter remissões e recidivas até certo ponto, a irritabilidade grave é característica da criança com transtorno disruptivo da desregulação do humor. Assim, enquanto os transtornos bipolares são condições episódicas, o transtorno disruptivo da desregulação do humor não é. Na verdade, o diagnóstico de transtorno disruptivo da desregulação do humor não pode ser atribuído a uma criança que experimentou um episódio hipomaníaco ou maníaco (irritável ou eufórico) de duração completa ou que teve um episódio maníaco ou hipomaníaco que durasse mais de um dia. Outra característica diferenciadora central entre os transtornos bipolares e o transtorno disruptivo da desregulação do humor é a presença de humor elevado ou expansivo e grandiosidade. Esses sintomas são manifestações comuns da mania, mas não são característicos do transtorno disruptivo da desregulação do humor.

Transtorno de oposição desafiante. Embora os sintomas do transtorno de oposição desafiante ocorram com frequência em crianças com transtorno disruptivo da desregulação do humor, os sintomas do humor do transtorno disruptivo da desregulação do humor são relativamente raros em crianças com transtorno de oposição desafiante. As características-chave que justificam o diagnóstico de transtorno disruptivo da desregulação do humor em crianças cujos sintomas também satisfazem os critérios de transtorno de oposição desafiante são a presença de explosões graves e frequentemente recorrentes e uma perturbação persistente no humor entre as explosões. Além disso, o diagnóstico de transtorno disruptivo da desregulação do humor requer prejuízo grave em pelo menos um ambiente (i. e., em casa, na escola ou entre os pares) e prejuízo leve a moderado em um segundo ambiente. Por essa razão, embora a maioria das crianças cujos sintomas satisfazem os critérios para transtorno disruptivo da desregulação do humor também tenha apresentação que satisfaz os critérios para transtorno de oposição desafiante, o inverso não é o caso. Ou seja, em apenas cerca de 15% dos indivíduos com transtorno de oposição desafiante seriam satisfeitos os critérios para transtorno disruptivo da desregulação do humor. Além do mais, mesmo para as crianças em que os critérios para ambos os transtornos são satisfeitos, somente o diagnóstico de transtorno disruptivo da desregulação do humor deve ser estabelecido. Por fim, os sintomas proeminentes do humor no transtorno disruptivo da desregulação do humor e o alto risco de transtornos depressivos e de ansiedade em estudos de seguimento justificam a colocação do transtorno disruptivo da desregulação do humor entre os transtornos depressivos no DSM-5. (O transtorno de oposição desafiante está incluso no capítulo "Transtornos Disruptivo, do Controle dos Impulsos e da Conduta".) Isso reflete o componente mais proeminente do humor entre os indivíduos com transtorno disruptivo da desregulação do humor, se comparados com indivíduos com transtorno de oposição desafiante. Entretanto, também deve ser observado que o transtorno disruptivo da desregulação do humor parece implicar alto risco para problemas comportamentais e também problemas do humor.

Transtorno de déficit de atenção/hiperatividade, transtorno depressivo maior, transtornos de ansiedade e transtorno do espectro autista. Diferentemente das crianças diagnosticadas com transtorno bipolar ou transtorno de oposição desafiante, para as quais um diagnóstico de transtorno disruptivo da desregulação do humor não pode ser dado mesmo que os sintomas preencham os critérios diagnósticos exigidos, uma criança cujos sintomas satisfazem os critérios para transtorno disruptivo da desregulação do humor também pode receber um diagnóstico comórbido de TDAH, transtorno depressivo maior e/ou transtorno de ansiedade. Contudo, as crianças cuja irritabilidade está presente somente no contexto de um episódio depressivo maior ou transtorno depressivo persistente devem receber um desses diagnósticos em vez de transtorno disruptivo da desregulação do humor. As crianças com transtorno disruptivo da desregulação do humor podem ter sintomas que também satisfazem os critérios para um transtorno de ansiedade e podem receber os dois diagnósticos, mas aquelas cuja irritabilidade é manifestada apenas no contexto de exacerbação de um transtorno de ansiedade devem receber o diagnóstico do transtorno de ansiedade em questão em vez de transtorno disruptivo da desregulação do humor. Além disso, crianças com transtorno do espectro autista frequentemente apresentam explosões de raiva quando, por exemplo, sua rotina é perturbada. Nesse caso, as explosões de raiva seriam consideradas secundárias ao transtorno do espectro autista e a criança não deveria receber o diagnóstico de transtorno disruptivo da desregulação do humor.

Transtorno explosivo intermitente. Crianças com sintomas sugestivos de transtorno explosivo intermitente apresentam momentos de explosões de raiva graves, muito parecidos com o que ocorre com crianças com transtorno disruptivo da desregulação do humor. No entanto, diferentemente do transtorno disruptivo da desregulação do humor, o transtorno explosivo intermitente não requer que o humor do indivíduo seja persistentemente irritável ou raivoso entre os acessos de raiva. Além disso, um diagnóstico de transtorno explosivo intermitente envolvendo agressão verbal ou física que não resulte em danos a propriedade ou lesões a animais ou outros indivíduos, ocorrendo duas vezes por semana, pode ser feito somente após três meses de sintomas ativos, em contraste com a exigência de 12 meses para o transtorno disruptivo da desregulação do humor. Assim, esses dois diagnósticos não devem ser feitos na mesma criança. Para crianças com explosões e irritabilidade intercorrente e persistente, deve ser feito somente o diagnóstico de transtorno disruptivo da desregulação do humor.

Comorbidade

As taxas de comorbidade no transtorno disruptivo da desregulação do humor são extremamente altas. É raro encontrar indivíduos cujos sintomas satisfazem os critérios para transtorno disruptivo da desregulação do humor de modo isolado. A comorbidade entre o transtorno disruptivo da desregulação do humor e outras síndromes definidas no DSM parece mais alta do que para muitos outros transtornos mentais pediátricos; a maior sobreposição é com o transtorno de oposição desafiante. Não só a taxa geral de comorbidade é alta no transtorno disruptivo da desregulação do humor, como também a variação das doenças comórbidas parece particularmente diversa. Essas crianças costumam se apresentar à clínica com ampla gama de comportamentos disruptivos, bem como com sintomas e diagnósticos de humor, ansiedade e até do espectro autista. Entretanto, as crianças com transtorno disruptivo da desregulação do humor não devem ter sintomas que satisfaçam os critérios para transtorno bipolar, pois, nesse contexto, somente deve ser feito o diagnóstico de transtorno bipolar. Se as crianças têm sintomas que satisfazem os critérios para transtorno de oposição desafiante ou transtorno explosivo intermitente *e* transtorno disruptivo da desregulação do humor, somente o diagnóstico de transtorno disruptivo da desregulação do humor deve ser feito. Além disso, como observado anteriormente, o diagnóstico de transtorno disruptivo da desregulação do humor não deve ser feito se os sintomas ocorrerem somente em um contexto que desperta ansiedade, quando as rotinas de uma criança com transtorno do espectro autista ou transtorno obsessivo-compulsivo são perturbadas ou no contexto de um episódio depressivo maior.

Transtorno Depressivo Maior

Critérios Diagnósticos

A. Cinco (ou mais) dos seguintes sintomas estiveram presentes durante o mesmo período de duas semanas e representam uma mudança no funcionamento anterior; pelo menos um dos sintomas é (1) humor deprimido ou (2) perda de interesse ou prazer.
   Nota: Não incluir sintomas nitidamente devidos a outra condição médica.

   1. Humor deprimido na maior parte do dia, quase todos os dias, conforme indicado por relato subjetivo (p. ex., sente-se triste, vazio, sem esperança) ou por observação feita por outras pessoas (p. ex., parece choroso). (**Nota:** Em crianças e adolescentes, pode ser humor irritável.)
   2. Acentuada diminuição do interesse ou prazer em todas ou quase todas as atividades na maior parte do dia, quase todos os dias (conforme indicado por relato subjetivo ou por observação feita por outras pessoas).
   3. Perda ou ganho significativo de peso sem estar fazendo dieta (p. ex., uma alteração de mais de 5% do peso corporal em um mês), ou redução ou aumento do apetite quase todos os dias. (**Nota:** Em crianças, considerar o insucesso em obter o ganho de peso esperado.)
   4. Insônia ou hipersonia quase todos os dias.
   5. Agitação ou retardo psicomotor quase todos os dias (observáveis por outras pessoas; não meramente sensações subjetivas de inquietação ou de estar mais lento).
   6. Fadiga ou perda de energia quase todos os dias.
   7. Sentimentos de inutilidade ou culpa excessiva ou inapropriada (que podem ser delirantes) quase todos os dias (não meramente autorrecriminação ou culpa por estar doente).
   8. Capacidade diminuída para pensar ou se concentrar, ou indecisão, quase todos os dias (por relato subjetivo ou observação feita por outras pessoas).
   9. Pensamentos recorrentes de morte (não somente medo de morrer), ideação suicida recorrente, sem um plano específico, um plano específico de suicídio ou tentativa de suicídio.

B. Os sintomas causam sofrimento clinicamente significativo ou prejuízo no funcionamento social, profissional ou em outras áreas importantes da vida do indivíduo.

C. O episódio não é atribuível aos efeitos fisiológicos de uma substância ou a outra condição médica.

Nota: Os Critérios A-C representam um episódio depressivo maior.

Nota: Respostas a uma perda significativa (p. ex., luto, ruína financeira, perdas por desastre natural, doença médica grave ou incapacidade) podem incluir sentimentos de tristeza intensos, ruminação acerca da perda, insônia, falta de apetite e perda de peso observados no Critério A, que podem se assemelhar a um episódio depressivo. Embora tais sintomas possam ser entendidos ou considerados apropriados à perda, a presença de um episódio depressivo maior, além da resposta normal a uma perda significativa, também deve ser cuidadosamente considerada. Essa decisão requer inevitavelmente o exercício do julgamento clínico baseado na história do indivíduo e nas normas culturais para a expressão de sofrimento no contexto de uma perda.[1]

D. Pelo menos um episódio depressivo maior não é mais bem explicado pelo transtorno esquizoafetivo e não se sobrepõe a esquizofrenia, transtorno esquizofreniforme, transtorno delirante ou outro transtorno do espectro da esquizofrenia e outros transtornos psicóticos especificado ou não especificado.

E. Nunca houve um episódio maníaco ou um episódio hipomaníaco.

   Nota: Essa exclusão não se aplica se todos os episódios do tipo maníaco ou do tipo hipomaníaco são induzidos por substância ou são atribuíveis aos efeitos fisiológicos de outra condição médica.

Procedimentos para Codificação e Registro

O código diagnóstico para transtorno depressivo maior está baseado em se este é um episódio único ou recorrente, gravidade atual, presença de características psicóticas e estado de remissão. A gravidade atual e as características psicóticas são indicadas apenas se todos os critérios são satisfeitos atualmente para um episódio depressivo maior. Os especificadores de remissão são indicados apenas se todos os critérios não estão atualmente presentes para episódio depressivo maior. Os códigos são descritos a seguir:

Especificador de gravidade/curso	Episódio único	Episódio recorrente*
Leve (p. 214)	F32.0	F33.0
Moderada (p. 214)	F32.1	F33.1
Grave (p. 214)	F32.2	F33.2
Com características psicóticas** (p. 212-213)	F32.3	F33.3
Em remissão parcial (p. 214)	F32.4	F33.41
Em remissão completa (p. 214)	F32.5	F33.42
Não especificado	F32.9	F33.9

*Para que um episódio seja considerado recorrente, deve haver um intervalo de pelo menos dois meses consecutivos entre episódios separados em que não são satisfeitos os critérios para um episódio depressivo maior. As definições dos especificadores são encontradas nas páginas indicadas.

**Se estão presentes características psicóticas, codifique o especificador "com características psicóticas", independentemente da gravidade do episódio.

Ao registrar o nome de um diagnóstico, os termos devem ser listados na seguinte ordem: transtorno depressivo maior, episódio único ou recorrente, especificadores de gravidade/psicótico/remissão, seguidos pelos seguintes especificadores sem código que se aplicam ao episódio atual (ou episódio mais recente se o transtorno depressivo maior estiver em remissão parcial ou total). **Nota:** O especificador "com padrão sazonal" descreve o padrão de recorrência do transtorno depressivo maior.

Especificar se:
    Com sintomas ansiosos (p. 210-211)
    Com características mistas (p. 211)
    Com características melancólicas (p. 211-212)
    Com características atípicas (p. 212)

---

[1] Ao diferenciar luto de um episódio depressivo maior (EDM), é útil considerar que, no luto, o afeto predominante inclui sentimentos de vazio e perda, enquanto no EDM há humor deprimido persistente e incapacidade de antecipar felicidade ou prazer. A disforia no luto pode diminuir de intensidade ao longo de dias a semanas, ocorrendo em ondas, conhecidas como "dores do luto". Essas ondas tendem a estar associadas a pensamentos ou lembranças do falecido. O humor deprimido de um EDM é mais persistente e não está ligado a pensamentos ou preocupações específicos. A dor do luto pode vir acompanhada de emoções e humor positivos que não são característicos da infelicidade e angústia generalizadas de um EDM. O conteúdo do pensamento associado ao luto geralmente apresenta preocupação com pensamentos e lembranças do falecido, em vez das ruminações autocríticas ou pessimistas encontradas no EDM. No luto, a autoestima costuma estar preservada, ao passo que no EDM os sentimentos de desvalia e aversão a si mesmo são comuns. Se presente no luto, a ideação autodepreciativa costuma envolver a percepção de falhas em relação ao falecido (p. ex., não ter feito visitas com frequência suficiente, não dizer ao falecido o quanto o amava). Se um indivíduo enlutado pensa em morte e em morrer, tais pensamentos costumam ter o foco no falecido e possivelmente em "se unir" a ele, enquanto no EDM esses pensamentos têm o foco em acabar com a própria vida por causa dos sentimentos de desvalia, de não merecer estar vivo ou da incapacidade de enfrentar a dor da depressão.

> **Com características psicóticas congruentes com o humor** (p. 213)
> **Com características psicóticas incongruentes com o humor** (p. 213)
> **Com catatonia** (p. 213). **Nota para codificação:** Usar código adicional F06.1.
> **Com início no periparto** (p. 213)
> **Com padrão sazonal** (se aplica ao padrão de recorrência do transtorno depressivo maior) (p. 214)

Características Diagnósticas

O transtorno depressivo maior é definido pela presença de pelo menos um episódio depressivo maior ocorrendo na ausência de história de episódios maníacos ou hipomaníacos. A característica essencial de um episódio depressivo maior é um período de pelo menos duas semanas durante as quais há um humor depressivo ou perda de interesse ou prazer em quase todas as atividades pela maior parte do dia, quase todos os dias (Critério A). O indivíduo também deve experimentar pelo menos quatro sintomas adicionais durante o mesmo período de duas semanas, entre uma lista que inclui mudanças no apetite ou peso, no sono e na atividade psicomotora; diminuição de energia; sentimentos de desvalia ou culpa; dificuldade para pensar, concentrar-se ou tomar decisões; ou pensamentos recorrentes de morte ou ideação suicida, planos ou tentativas de suicídio. Para contar para um episódio depressivo maior, um sintoma deve ser recente ou então ter claramente piorado em comparação com o estado pré-episódico. Além disso, os sintomas devem persistir na maior parte do dia, quase todos os dias, por pelo menos duas semanas consecutivas, com exceção de pensamentos de morte e ideação suicida, que devem ser recorrentes, e tentativa de suicídio ou fazer planos específicos para ele, o que só precisa ocorrer uma vez. O episódio deve ser acompanhado por sofrimento ou prejuízo clinicamente significativo no funcionamento social, profissional ou em outras áreas importantes da vida do indivíduo. Para algumas pessoas com episódios mais leves, o funcionamento pode parecer normal, mas exige um esforço acentuadamente aumentado. As queixas apresentadas geralmente são insônia ou fadiga, em vez de humor deprimido ou perda de interesses, portanto, a falha em investigar sintomas depressivos associados pode resultar em um subdiagnóstico. Fadiga e alterações do sono estão presentes em alta proporção de casos; perturbações psicomotoras são muito menos comuns, mas são indicativas de maior gravidade geral, assim como a presença de culpa delirante ou quase delirante.

O humor em um episódio depressivo maior frequentemente é descrito pela pessoa como deprimido, triste, desesperançado, desencorajado ou "na fossa" (Critério A1). Em alguns casos, a tristeza pode ser negada de início, mas depois pode ser revelada pela entrevista (p. ex., assinalando que o indivíduo parece prestes a chorar). Em alguns indivíduos que se queixam de sentirem "um vazio", sem sentimentos ou com sentimentos ansiosos, a presença de um humor deprimido pode ser inferida a partir da expressão facial e por atitudes. Alguns enfatizam queixas somáticas (p. ex., dores ou mazelas corporais) em vez de relatar sentimentos de tristeza. Muitos referem ou demonstram irritabilidade aumentada (p. ex., raiva persistente, tendência a responder a eventos com ataques de raiva ou culpando outros ou sentimento exagerado de frustração por questões menores). Em crianças e adolescentes, pode desenvolver-se um humor irritável ou rabugento, em vez de um humor triste ou abatido. Essa apresentação deve ser diferenciada de um padrão de irritabilidade em caso de frustração.

A perda de interesse ou prazer quase sempre está presente, pelo menos em algum grau. Os indivíduos podem relatar menor interesse por passatempos, "não se importar mais" ou falta de prazer com qualquer atividade anteriormente considerada prazerosa (Critério A2). Os membros da família com frequência percebem retraimento social ou negligência de atividades prazerosas (p. ex., um indivíduo que antes era um ávido golfista deixa de jogar, uma criança que gostava de futebol encontra desculpas para não praticá-lo). Em algumas pessoas, há redução significativa nos níveis anteriores de interesse ou desejo sexual.

As alterações no apetite podem envolver redução ou aumento. Alguns indivíduos deprimidos relatam que precisam se forçar para se alimentar. Outros podem comer mais ou demonstrar avidez por alimentos específicos (p. ex., doces ou outros carboidratos). Quando as alterações no apetite são graves (em qualquer direção), pode haver perda ou ganho significativos de peso, ou, em crianças, pode-se notar insucesso em obter o ganho de peso esperado (Critério A3).

Perturbações do sono podem assumir a forma de dificuldades para dormir ou dormir excessivamente (Critério A4). Quando a insônia está presente, costuma assumir a forma de insônia intermediária (p. ex., despertar durante a noite, com dificuldade para voltar a dormir) ou insônia terminal (p. ex., despertar muito cedo, com incapacidade de retornar a dormir). A insônia inicial (p. ex., dificuldade para adormecer) também pode ocorrer. Os indivíduos que apresentam sonolência excessiva (hipersonia) podem experimentar episódios prolongados de sono noturno ou de sono durante o dia. Ocasionalmente, a razão pela qual o indivíduo busca tratamento pode ser a perturbação do sono.

As alterações psicomotoras incluem agitação (p. ex., incapacidade de ficar sentado quieto, ficar andando sem parar, agitar as mãos, puxar ou esfregar a pele, roupas ou outros objetos) ou retardo psicomotor (p. ex., discurso, pensamento ou movimentos corporais lentificados; maiores pausas antes de responder; fala diminuída em termos de volume, inflexão, quantidade ou variedade de conteúdos, ou mutismo) (Critério A5). A agitação ou o retardo psicomotor devem ser suficientemente graves a ponto de serem observáveis por outros, não representando meros sentimentos subjetivos. Indivíduos que apresentam qualquer uma das duas alterações motoras provavelmente têm histórico da outra.

Diminuição da energia, cansaço e fadiga são comuns (Critério A6). O indivíduo pode relatar fadiga persistente sem esforço físico. Mesmo as tarefas mais leves parecem exigir um esforço substancial. Pode haver diminuição na eficiência para realizar tarefas. O indivíduo pode queixar-se, por exemplo, de que se lavar e se vestir pela manhã é algo exaustivo e pode levar o dobro do tempo habitual. Esse sintoma pode ser responsável por grande parte do prejuízo causado pelo transtorno depressivo maior, tanto durante os episódios agudos quanto em remissão incompleta.

O sentimento de desvalia ou culpa associado com um episódio depressivo maior pode incluir avaliações negativas e irrealistas do próprio valor, preocupações cheias de culpa ou ruminações acerca de pequenos fracassos do passado (Critério A7). Esses indivíduos frequentemente interpretam mal eventos triviais ou neutros do cotidiano como evidências de defeitos pessoais e têm um senso exagerado de responsabilidade pelas adversidades. O sentimento de desvalia ou culpa pode assumir proporções delirantes (p. ex., convicção de ser pessoalmente responsável pela pobreza que há no mundo). A autorrecriminação por estar doente e por não conseguir cumprir com as responsabilidades profissionais ou interpessoais em consequência da depressão é muito comum e, a menos que seja delirante, não é considerada suficiente para satisfazer esse critério.

Muitos indivíduos relatam prejuízo na capacidade de pensar, concentrar-se ou tomar decisões (Critério A8). Essas pessoas podem mostrar-se facilmente distraídas ou queixar-se de dificuldades de memória. Os indivíduos com atividades acadêmicas ou profissionais com frequência são incapazes de funcionar de forma adequada. Em crianças, uma queda abrupta no rendimento escolar pode refletir uma concentração pobre. Em indivíduos idosos, as dificuldades de memória podem ser a queixa principal e ser confundidas com os sinais iniciais de uma demência ("pseudodemência"). Quando o episódio depressivo maior é tratado com sucesso, os problemas de memória frequentemente apresentam recuperação completa. Em alguns indivíduos, entretanto, em particular pessoas idosas, um episódio depressivo maior pode, às vezes, ser a apresentação inicial de uma demência irreversível.

Pensamentos sobre morte, ideação suicida ou tentativas de suicídio (Critério A9) são comuns. Esses pensamentos variam desde um desejo passivo de não acordar pela manhã, ou uma crença de que os outros estariam melhor se o indivíduo estivesse morto, até pensamentos transitórios, porém recorrentes, sobre cometer suicídio ou planos específicos para se matar. As pessoas mais gravemente suicidas podem ter colocado seus negócios em ordem (p. ex., atualizar o testamento, pagar as dívidas), podem ter adquirido materiais necessários (p. ex., corda ou arma de fogo) e podem ter estabelecido um local e momento para consumarem o suicídio. As motivações para o suicídio podem incluir desejo de desistir diante de obstáculos percebidos como insuperáveis, intenso desejo de pôr fim a um estado emocional extremamente doloroso, incapacidade de antever algum prazer na vida ou o desejo de não ser uma carga para os outros. A resolução desses pensamentos pode ser uma medida mais significativa de risco reduzido de suicídio do que a negação de planos suicidas.

O grau dos prejuízos associados com um episódio depressivo maior varia, mas, mesmo nos casos mais leves, deve haver ou uma angústia clinicamente significativa ou alguma interferência no funcionamento social, ocupacional ou de outras áreas importantes para o indivíduo (Critério B). Se os prejuízos forem graves, o indivíduo pode perder a habilidade de funcionar social ou profissionalmente. Em casos extremos, pode não conseguir desempenhar autocuidado mínimo (como alimentar-se ou vestir-se) ou manter a higiene pessoal básica.

O relato de sintomas do indivíduo pode ser comprometido por dificuldades de concentração, prejuízos de memória ou tendência a negar, diminuir ou inventar desculpas para sintomas. Dados de informantes adicionais podem ser úteis sobretudo para esclarecer o curso do episódio depressivo maior atual ou anterior e para avaliar a possível ocorrência de episódios maníacos ou hipomaníacos. Como o episódio depressivo maior pode começar gradualmente, uma revisão de informações clínicas que se concentre na pior parte do episódio atual deve ser o meio mais efetivo de detectar a presença de sintomas.

A avaliação dos sintomas de um episódio depressivo maior é especialmente difícil quando eles ocorrem em um indivíduo que também apresenta uma condição médica geral (p. ex., câncer, acidente vascular cerebral [AVC], infarto do miocárdio, diabetes, gravidez). Alguns dos critérios e sintomas de um episódio depressivo maior são idênticos aos sinais e sintomas característicos de condições médicas gerais (p. ex., perda de peso com diabetes não tratado; fadiga com o câncer; hipersonia no início da gravidez; insônia no fim da gravidez ou no pós-parto). Esses sintomas devem contar a favor de um episódio depressivo maior, exceto quando são clara e completamente explicados por uma condição médica geral. Sintomas não vegetativos de disforia, anedonia, culpa ou desvalia, concentração prejudicada ou indecisão e pensamentos suicidas devem ser avaliados com atenção particular em tais casos. As definições de episódios depressivos maiores que foram modificadas para incluir somente esses sintomas não vegetativos parecem identificar quase os mesmos indivíduos que os critérios completos.

Características Associadas

O transtorno depressivo maior está associado com alta mortalidade, em boa parte contabilizada pelo suicídio; entretanto, esta não é a única causa. Por exemplo, indivíduos deprimidos admitidos em asilos com cuidados de enfermagem têm probabilidade aumentada de morte no primeiro ano. Frequentemente apresentam tendência a choro, irritabilidade, inquietação, ruminação obsessiva, ansiedade, fobias, preocupação excessiva com a saúde física e queixas de dor (p. ex., cefaleia, dores nas articulações, abdominais ou outras). Em crianças, pode ocorrer ansiedade de separação.

Embora exista ampla literatura descrevendo correlatos neuroanatômicos, neuroendócrinos e neurofisiológicos do transtorno depressivo maior, nenhum teste laboratorial produziu resultados de sensibilidade e especificidade suficientes para serem usados como ferramenta diagnóstica para esse transtorno. Até há pouco tempo, a hiperatividade do eixo hipotalâmico-hipofisário-suprarrenal era a anormalidade mais amplamente investigada na associação com episódios depressivos maiores e parece estar associada a melancolia (um tipo particularmente grave de depressão), características psicóticas e risco de eventual suicídio. Estudos moleculares também implicaram fatores periféricos, incluindo variantes genéticas em fatores neurotróficos e citocinas pró-inflamatórias. Além disso, estudos de imagem de ressonância magnética funcional fornecem evidências de anormalidades em sistemas neurais específicos envolvidos no processamento das emoções, na busca por recompensa e na regulação emocional em adultos com depressão maior.

Prevalência

A prevalência de 12 meses do transtorno depressivo maior nos Estados Unidos é de aproximadamente 7%, com acentuadas diferenças por faixa etária, sendo que a prevalência em indivíduos de 18 a 29 anos é três vezes maior do que a prevalência em indivíduos acima dos 60 anos. O achado mais reprodutível na epidemiologia do transtorno depressivo maior tem sido a maior prevalência no sexo feminino, com um pico de ocorrências na adolescência seguido por estabilização. As mulheres apresentam taxas aproximadamente duas vezes maiores do que os homens, especialmente entre a menarca e a menopausa. Mulheres reportam mais sintomas atípicos de depressão caracterizados por hipersonia, apetite aumentado e paralisia "de chumbo" se comparadas aos homens.

Revisões sistemáticas mostram que a prevalência de 12 meses e a prevalência pontual de transtorno depressivo maior varia de oito a nove vezes entre diferentes regiões geográficas globais. Nos Estados Unidos, a prevalência aumentou de 2005 a 2015, com taxas de crescimento maiores para os jovens se comparados com os grupos mais velhos. Após a estratificação por grupos étnico-raciais, brancos não hispânicos mostraram um aumento significativo na prevalência após o ajuste de características demográficas, enquanto nenhuma mudança significativa foi observada nas taxas de depressão entre afro-americanos não hispânicos e hispânicos.

Desenvolvimento e Curso

O transtorno depressivo maior pode aparecer pela primeira vez em qualquer idade, mas a probabilidade de início aumenta sensivelmente com a puberdade. Nos Estados Unidos, a incidência parece atingir seu pico na década dos 20 anos; no entanto, o primeiro episódio na idade avançada não é incomum.

O curso do transtorno depressivo maior é bastante variável, de modo que alguns indivíduos raramente experimentam remissão (um período de dois meses ou mais sem sintomas ou apenas 1 ou 2 sintomas não mais do que em um grau leve), enquanto outros experimentam muitos anos com poucos ou nenhum sintoma entre episódios discretos. O curso da depressão pode refletir adversidades socioestruturais associadas com pobreza, racismo e marginalização.

É importante distinguir os indivíduos que se apresentam para tratamento durante uma exacerbação de uma doença depressiva crônica daqueles cujos sintomas se desenvolveram recentemente. A cronicidade dos sintomas depressivos aumenta de modo substancial a probabilidade de transtornos da personalidade, ansiedade e abuso de substância subjacentes e diminui a probabilidade de que o tratamento seja seguido pela resolução completa dos sintomas. Portanto, é útil pedir que os indivíduos que apresentam sintomas depressivos identifiquem o último período de pelo menos dois meses durante o qual estiveram inteiramente livres de sintomas depressivos. Casos em que os sintomas depressivos estão presentes em mais dias do que não estão podem indicar um diagnóstico adicional de transtorno depressivo persistente.

A recuperação de um transtorno depressivo maior começa dentro de três meses após o início para 40% das pessoas com depressão maior e dentro de um ano para 80%. O início recente é um forte determinante da probabilidade de recuperação em curto prazo, e pode-se esperar que muitos indivíduos que estiveram deprimidos por apenas alguns meses se recuperem espontaneamente. As características associadas a taxas mais baixas de recuperação, além da duração do episódio atual, incluem características psicóticas, ansiedade proeminente, transtornos da personalidade e gravidade dos sintomas.

O risco de recorrência torna-se progressivamente mais baixo ao longo do tempo, à medida que aumenta a duração da remissão. O risco é mais alto em indivíduos cujo episódio anterior foi grave, em indivíduos mais jovens e naqueles que já experimentaram múltiplos episódios. A persistência de sintomas, mesmo leves, durante a remissão é um forte preditor de recorrência.

Muitos transtornos bipolares iniciam com um ou mais episódios depressivos, e uma proporção substancial de indivíduos que de início parecem ter um transtorno depressivo maior apresentará, com o tempo, um transtorno bipolar. Isso é mais provável em pessoas com início na adolescência, naquelas com características psicóticas e naquelas com história familiar de transtorno bipolar. A presença de um especificador "com características mistas" também aumenta o risco de diagnóstico maníaco ou hipomaníaco futuro. O transtorno depressivo maior, particularmente com características psicóticas, também pode fazer uma transição para esquizofrenia, uma mudança que é muito mais frequente do que o inverso.

Não existem efeitos claros da idade no curso ou na resposta ao tratamento do transtorno depressivo maior. Existem, entretanto, algumas diferenças nos sintomas, de forma que hipersonia e hiperfagia são mais prováveis em indivíduos mais jovens e que sintomas melancólicos, em particular perturbações psicomotoras, são mais comuns em pessoas idosas. Depressões com início em idades mais precoces são mais familiares e mais prováveis de envolver transtornos da personalidade. O curso do transtorno depressivo maior, de modo geral, não se altera com o envelhecimento. Os tempos médios de recuperação parecem não mudar ao longo de múltiplos episódios, e a probabilidade de estar em um episódio não aumenta ou diminui com o tempo.

Fatores de Risco e Prognóstico

Temperamentais. Afetividade negativa (neuroticismo) é um fator de risco bem estabelecido para o início do transtorno depressivo maior, e altos níveis parecem aumentar a probabilidade de os indivíduos desenvolverem episódios depressivos em resposta a eventos estressantes na vida.

Ambientais. Experiências adversas na infância, particularmente quando existem múltiplas experiências de tipos diversos, constituem um conjunto de fatores de risco potenciais para transtorno depressivo maior. O risco de experiências adversas na infância parece ser desproporcionalmente maior para mulheres, incluindo abuso sexual, o que pode contribuir para a maior prevalência de depressão nesse grupo. Outros determinantes sociais de saúde mental, como baixa renda, baixo nível educacional, racismo e outras formas de discriminação, são associados a maior risco de transtorno depressivo maior. Eventos estressantes na vida são bem reconhecidos como precipitantes de episódios depressivos maiores, porém, a presença ou ausência de eventos adversos na vida próximos ao início dos episódios não parece oferecer um guia útil para prognóstico ou seleção do tratamento. Etiologicamente, mulheres são desproporcionalmente afetadas pelos principais fatores de risco para depressão ao longo da vida, incluindo trauma interpessoal.

Genéticos e fisiológicos. Os familiares de primeiro grau de indivíduos com transtorno depressivo maior têm risco 2 a 4 vezes mais elevado de desenvolver a doença que a população geral. Os riscos relativos parecem ser mais altos para as formas de início precoce e recorrente. A herdabilidade é de aproximadamente 40%, e o traço de personalidade neuroticismo representa uma parte substancial dessa propensão genética.

Mulheres também apresentam risco de depressão em relação a estágios da vida reprodutiva específicos, incluindo os períodos pré-menstrual, pós-parto e perimenopausa.

Modificadores do curso. Essencialmente todos os transtornos maiores não relacionados ao humor (i. e., ansiedade, uso de substâncias, relacionados a trauma e a estressores, alimentação, obsessivo-compulsivo e transtornos relacionados) aumentam o risco de desenvolvimento de depressão. Os episódios depressivos maiores que se desenvolvem no contexto de outro transtorno com frequência seguem um curso mais refratário. Uso de substâncias, ansiedade e transtorno da personalidade *borderline* estão entre os mais comuns, e os sintomas depressivos que se apresentam podem obscurecer e retardar seu reconhecimento. No entanto, a melhora clínica persistente nos sintomas depressivos pode depender do tratamento adequado dos transtornos subjacentes. Condições médicas crônicas ou incapacitantes também aumentam os riscos de episódios depressivos maiores. Doenças prevalentes como diabetes, obesidade mórbida e doença cardiovascular são frequentemente complicadas por episódios depressivos, os quais têm maior probabilidade de se tornarem crônicos do que episódios depressivos em indivíduos clinicamente saudáveis.

Questões Diagnósticas Relativas à Cultura

Apesar de haver uma variação substancial de prevalência, curso e sintomatologia da depressão entre culturas, uma síndrome semelhante ao transtorno depressivo maior pode ser identificada em múltiplos contextos culturais. Sintomas normalmente associados com depressão entre contextos culturais, não listados nos critérios do DSM, incluem isolamento social ou solidão, raiva, choro e dores difusas. Uma grande variedade de outras queixas somáticas é comum, variando de acordo com o contexto cultural.

Entender o que esses sintomas representam requer a exploração de seus significados nos contextos sociais locais.

Sintomas de transtorno depressivo maior podem não ser detectados ou reportados, levando, potencialmente, a diagnósticos errôneos, incluindo diagnósticos em demasia de transtornos do espectro da esquizofrenia para alguns grupos étnicos que enfrentam discriminação. Em diferentes países, altos níveis de desigualdade de renda estão associados a maior prevalência de transtorno depressivo maior. Nos Estados Unidos, a cronicidade do transtorno depressivo maior parece ser maior entre afro-americanos e afro-caribenhos em comparação a brancos não latinos, possivelmente por causa do impacto do racismo, da discriminação, da maior adversidade socioestrutural e da falta de acesso a assistência médica de qualidade.

Questões Diagnósticas Relativas ao Sexo e ao Gênero

Não há diferenças claras entre os gêneros em relação à resposta ao tratamento ou a consequências funcionais. Há alguma evidência de diferenças na fenomenologia e no curso da doença. Mulheres tendem a experimentar mais alterações no apetite e no sono, incluindo características atípicas como hiperfagia e hipersonia, além de terem maior probabilidade de experimentar sensibilidade interpessoal e sintomas gastrintestinais. Homens com depressão, no entanto, podem ser mais propensos do que mulheres deprimidas a relatar maiores frequências e intensidades de estratégias de autoenfrentamento e resolução de problemas mal-adaptativos, incluindo uso indevido de álcool ou outras drogas, tomada de risco e controle deficiente dos impulsos.

Associação com Pensamentos ou Comportamentos Suicidas

As taxas de suicídio nos Estados Unidos, ajustadas por idade, aumentaram de 10,5 para 14,0 por 100.000 nas últimas duas décadas. Uma revisão da literatura indicou que indivíduos com depressão têm um risco 17 vezes maior de suicídio em relação à taxa da população geral ajustada por idade e sexo. A probabilidade de tentativas de suicídio diminui na meia-idade e no fim da vida, embora o risco de morte por suicídio não. A possibilidade de comportamento suicida existe permanentemente durante os episódios depressivos maiores. O fator de risco descrito com mais consistência é história prévia de tentativas ou ameaças de suicídio, porém deve ser lembrado que a maioria dos suicídios completados não é precedida por tentativas sem sucesso. A anedonia tem associação particularmente forte com a ideação suicida. Outras características associadas a risco aumentado de morte por suicídio incluem ser solteiro, morar sozinho, desconexão social, adversidade no início da vida, disponibilidade de métodos letais (p. ex., arma de fogo), alterações do sono, déficits cognitivos e de tomada de decisão e ter sentimentos proeminentes de desesperança. As mulheres têm uma taxa maior de tentativa de suicídio do que os homens, enquanto os homens são mais propensos a cometer suicídio. Porém, a diferença na taxa de suicídio entre homens e mulheres com transtornos depressivos é menor do que na população geral. Comorbidades, incluindo traços agressivo-impulsivos, transtorno da personalidade *borderline*, transtorno por uso de substância, ansiedade, outras condições médicas e comprometimento funcional, aumentam o risco de comportamento suicida futuro.

Consequências Funcionais do Transtorno Depressivo Maior

Muitas das consequências funcionais do transtorno depressivo maior derivam de sintomas individuais. O prejuízo pode ser muito leve, de forma que muitos daqueles que interagem com o indivíduo afetado não percebem os sintomas depressivos. O prejuízo, no entanto, pode se estender até a total incapacidade, de modo que a pessoa deprimida é incapaz de dar atenção às necessidades básicas de cuidado consigo mesma ou fica muda ou catatônica. Entre os indivíduos atendidos em contextos médicos gerais, aqueles com transtorno depressivo maior têm mais dor e doença física e maior redução no funcionamento físico, social e de papéis. Mulheres deprimidas reportam mais prejuízos funcionais em seus relacionamentos do que homens.

Diagnóstico Diferencial

Episódios maníacos com humor irritável ou com características mistas. Episódios depressivos maiores com humor irritável proeminente podem ser difíceis de distinguir de episódios maníacos com humor irritável ou com características mistas. Essa distinção requer uma avaliação clínica cuidadosa da presença de sintomas maníacos suficientes para preencher os critérios (i. e., três se o humor for maníaco, quatro se o humor for irritável, mas não maníaco).

Transtornos bipolares tipos I e II ou outro transtorno bipolar e transtorno relacionado. Episódios depressivos maiores juntamente com história de episódios maníacos ou hipomaníacos excluem o diagnóstico de transtorno depressivo maior. Episódios depressivos maiores com história de episódios hipomaníacos e sem história de episódios maníacos indicam um diagnóstico de transtorno bipolar tipo II, enquanto episódios depressivos maiores com história de episódios maníacos (com ou sem episódios hipomaníacos) indicam um diagnóstico de transtorno bipolar tipo I. Por sua vez, apresentações de episódios depressivos maiores com história de períodos de hipomania que não preenchem os critérios para episódio hipomaníaco podem ser diagnosticadas ou como outro transtorno bipolar especificado e transtorno relacionado ou como transtorno depressivo maior, dependendo do julgamento clínico. Por exemplo, a apresentação de outro transtorno bipolar especificado e transtorno relacionado pode ser considerada a melhor opção diagnóstica devido ao significado clínico dos sintomas hipomaníacos subclínicos, ou a apresentação pode ser melhor considerada um caso de transtorno depressivo maior com alguns sintomas hipomaníacos subclínicos entre os episódios.

Transtorno depressivo devido a outra condição médica. Um diagnóstico de transtorno depressivo devido a outra condição médica exige a presença de uma condição médica etiológica. O transtorno depressivo maior não é diagnosticado se os episódios semelhantes ao depressivo maior são atribuíveis à consequência fisiopatológica direta de uma condição médica específica (p. ex., esclerose múltipla, AVC ou hipotireoidismo).

Transtorno depressivo induzido por substância/medicamento. Este transtorno é distinguido do transtorno depressivo maior pelo fato de que uma substância (p. ex., uma droga de abuso, um medicamento, uma toxina) parece estar etiologicamente relacionada à perturbação do humor. Por exemplo, o humor depressivo que ocorre apenas no contexto da abstinência de cocaína seria diagnosticado como transtorno depressivo induzido por cocaína.

Transtorno depressivo persistente. O transtorno depressivo persistente é caracterizado por humor deprimido na maioria dos dias por pelo menos 2 anos. Se os critérios forem preenchidos tanto para transtorno depressivo maior quanto para transtorno depressivo persistente, ambos podem ser diagnosticados.

Transtorno disfórico pré-menstrual. O transtorno disfórico pré-menstrual é caracterizado por humor disfórico que esteja presente na semana final antes do início da menstruação, que comece a melhorar dentro de alguns dias após o início da menstruação e que se torne mínimo ou ausente na semana seguinte à menstruação. Em contraste, os episódios do transtorno depressivo maior não são temporariamente conectados com o ciclo menstrual.

Transtorno disruptivo da desregulação do humor. O transtorno disruptivo da desregulação do humor é caracterizado por acessos temperamentais graves e recorrentes manifestados verbal e/ou comportamentalmente, acompanhados de humor persistente ou variável, pela maior parte do dia, quase todos os dias, entre os acessos. Em contraste, no transtorno depressivo maior, a irritabilidade se limita aos episódios depressivos maiores.

Episódio depressivo maior sobreposto a esquizofrenia, transtorno esquizofreniforme, transtorno delirante ou outro transtorno especificado ou não especificado do espectro da esquizofrenia e outros transtornos psicóticos. Sintomas depressivos podem estar presentes durante a esquizofrenia, o transtorno delirante, o transtorno esquizofreniforme ou outro transtorno especificado ou não especificado do espectro da esquizofrenia e outros transtornos psicóticos. Em geral, os sintomas depressivos podem ser considerados características associadas a esses transtornos e não pedem um diagnóstico separado. Porém, quando os sintomas depressivos preenchem todos os critérios para um episódio depressivo maior, um diagnóstico de outro transtorno depressivo especificado pode ser feito em adição ao diagnóstico de transtorno psicótico.

Transtorno esquizoafetivo. O transtorno esquizoafetivo se diferencia do transtorno depressivo maior, com características psicóticas, pela exigência de que delírios e alucinações estejam presentes por pelo menos duas semanas na ausência de um episódio depressivo maior.

Transtorno de déficit de atenção/hiperatividade. Distratibilidade e baixa tolerância à frustração podem ocorrer tanto no TDAH quanto em um episódio depressivo maior; caso sejam satisfeitos os critérios para ambos, TDAH pode ser diagnosticado em conjunto com transtorno do humor. Entretanto, o clínico deve ter cautela para não hiperdiagnosticar um episódio depressivo maior em crianças com TDAH cuja perturbação no humor se caracteriza mais por irritabilidade do que por tristeza ou perda de interesse.

Transtorno de adaptação com humor deprimido. Um episódio depressivo maior que ocorre em resposta a um estressor psicossocial é diferenciado do transtorno de adaptação com humor deprimido pelo fato de que no transtorno de adaptação não são satisfeitos todos os critérios para um episódio depressivo maior.

Luto. Luto é a experiência de perder uma pessoa amada para a morte. Ele geralmente desencadeia uma resposta que pode ser intensa e envolver muitas características em comum com sintomas de um episódio depressivo maior, como tristeza, dificuldade de dormir e falta de concentração. Características que ajudam a diferenciar respostas de tristeza relacionadas ao luto de um episódio depressivo maior incluem: os sentimentos predominantes na tristeza são de perda e vazio, enquanto em episódio depressivo maior são de humor deprimido persistente e capacidade diminuída de experienciar prazer. Além disso, o humor disfórico do luto tende a diminuir em intensidade ao longo dos dias e das semanas e ocorre em ondas que tendem a ser associadas a pensamentos ou lembranças da pessoa falecida, enquanto o humor deprimido em um episódio depressivo maior é mais persistente e não está ligado especificamente a pensamentos ou preocupações. É importante notar que, em um indivíduo vulnerável (p. ex., alguém com história de transtorno deprimido maior), o luto pode desencadear não apenas uma resposta de tristeza, mas também o desenvolvimento de um episódio depressivo ou a piora de um episódio existente.

Tristeza. Por fim, períodos de tristeza são aspectos inerentes à experiência humana. Esses períodos não devem ser diagnosticados como um episódio depressivo maior, a menos que sejam satisfeitos os critérios de gravidade (i. e., cinco dos nove sintomas), duração (i. e., na maior parte do dia, quase todos os dias, por pelo menos duas semanas) e sofrimento ou prejuízo clinicamente significativos. O diagnóstico de outro transtorno depressivo especificado pode aplicar-se a apresentações de humor deprimido com prejuízo clinicamente significativo que não satisfazem os critérios de duração ou gravidade.

Transtorno do luto prolongado. Uma resposta de luto persistente e generalizada que continua a causar sofrimento ou prejuízo clinicamente significativo por mais de 12 meses após a morte de alguém próximo. Pode ser diferenciado de um episódio depressivo maior não apenas pela exigência de intensa saudade, ou preocupação com o falecido, mas também pela exigência de que os outros sintomas, como dor emocional (p. ex., raiva, amargura, tristeza), redução marcada nas experiências emocionais, sentimento de que a vida perdeu sentido e dificuldades de se reintegrar socialmente ou sentir-se engajado em atividades em andamento, podem ser julgados como resultado da perda interpessoal significativa. Em contraste, em um episódio depressivo maior, há humor deprimido mais generalizado, não especificamente relacionado à perda. Deve-se notar que tanto o transtorno do luto prolongado quanto o transtorno depressivo maior devem ser diagnosticados se os critérios para ambos são atendidos.

Comorbidade

Outros transtornos concomitantemente aos quais o transtorno depressivo maior frequentemente ocorre são transtornos relacionados a substâncias, transtorno de pânico, transtorno de ansiedade generalizada, transtorno de estresse pós-traumático, transtorno obsessivo-compulsivo, anorexia nervosa, bulimia nervosa e transtorno da personalidade *borderline*.

Enquanto as mulheres são mais propensas do que os homens a reportar transtornos de ansiedade, bulimia nervosa e transtorno somatoforme (transtornos de sintoma somáticos e transtornos relacionados) comórbidos, os homens têm maior probabilidade de reportar comorbidade com abuso de álcool e substâncias.

Transtorno Depressivo Persistente

Critérios Diagnósticos   F34.1

Este transtorno representa uma consolidação do transtorno depressivo maior crônico e do transtorno distímico definidos no DSM-IV.

A. Humor deprimido na maior parte do dia, na maioria dos dias, indicado por relato subjetivo ou por observação feita por outras pessoas, pelo período mínimo de dois anos.

   Nota: Em crianças e adolescentes, o humor pode ser irritável, com duração mínima de um ano.

B. Presença, enquanto deprimido, de duas (ou mais) das seguintes características:
   1. Apetite diminuído ou alimentação em excesso.
   2. Insônia ou hipersonia.
   3. Baixa energia ou fadiga.
   4. Baixa autoestima
   5. Concentração pobre ou dificuldade em tomar decisões.
   6. Sentimentos de desesperança.

C. Durante o período de dois anos (um ano para crianças ou adolescentes) de perturbação, o indivíduo jamais esteve sem os sintomas dos Critérios A e B por mais de dois meses.

D. Os critérios para um transtorno depressivo maior podem estar continuamente presentes por dois anos.

E. Nunca houve um episódio maníaco ou um episódio hipomaníaco.

F. A perturbação não é mais bem explicada por um transtorno esquizoafetivo persistente, esquizofrenia, transtorno delirante, outro transtorno do espectro da esquizofrenia e outro transtorno psicótico especificado ou transtorno do espectro da esquizofrenia e outro transtorno psicótico não especificado.

G. Os sintomas não se devem aos efeitos fisiológicos de uma substância (p. ex., droga de abuso, medicamento) ou a outra condição médica (p. ex., hipotireoidismo).

H. Os sintomas causam sofrimento clinicamente significativo ou prejuízo no funcionamento social, profissional ou em outras áreas importantes da vida do indivíduo.

Nota: Se os critérios forem suficientes para o diagnóstico de episódio depressivo maior em qualquer momento durante o período de dois anos de humor depressivo, então um diagnóstico separado de depressão maior deve ser feito, além do diagnóstico de transtorno depressivo persistente, juntamente com o especificador relevante (p. ex., com episódios depressivos maiores intermitentes ou com episódio atual).

Especificar se:
   Com sintomas ansiosos (p. 210-211)
   Com características atípicas (p. 212)

Especificar se:
   Em remissão parcial (p. 214)
   Em remissão completa (p. 214)

Especificar se:
   Início precoce: Se o início ocorre antes dos 21 anos de idade.
   Início tardio: Se o início ocorre aos 21 anos ou mais.

Especificar se (para os dois anos mais recentes de transtorno depressivo persistente):
   Com síndrome distímica pura: Não foram satisfeitos todos os critérios para um episódio depressivo maior pelo menos nos dois anos precedentes.
   Com episódio depressivo maior persistente: Foram satisfeitos todos os critérios para um episódio depressivo maior durante o período precedente de dois anos.

> **Com episódios depressivos maiores intermitentes, com episódio atual:** São satisfeitos atualmente todos os critérios para um episódio depressivo maior, mas houve períodos de pelo menos oito semanas pelo menos nos dois anos precedentes com sintomas abaixo do limiar para um episódio depressivo maior completo.
>
> **Com episódios depressivos maiores intermitentes, sem episódio atual:** Não são satisfeitos atualmente todos os critérios para um episódio depressivo maior, mas houve um ou mais episódios depressivos maiores pelo menos nos dois anos precedentes.
>
> *Especificar* a gravidade atual:
> **Leve** (p. 214)
> **Moderada** (p. 214)
> **Grave** (p. 214)

Características Diagnósticas

A característica essencial do transtorno depressivo persistente é um humor depressivo que ocorre na maior parte do dia, na maioria dos dias, por pelo menos dois anos, ou por pelo menos um ano para crianças e adolescentes (Critério A). Este transtorno representa uma consolidação do transtorno depressivo maior crônico e do transtorno distímico definidos no DSM-IV. Depressão maior pode preceder o transtorno depressivo persistente, e episódios depressivos maiores podem ocorrer durante o transtorno depressivo persistente. Os indivíduos cujos sintomas satisfazem os critérios para transtorno depressivo maior por dois anos devem receber diagnóstico de transtorno depressivo persistente, além de transtorno depressivo maior.

As pessoas com transtorno depressivo persistente descrevem seu humor como triste ou "na fossa". Durante os períodos de humor deprimido, pelo menos dois dos seis sintomas do Critério B estão presentes. Como esses sintomas tornaram-se uma parte tão presente na experiência cotidiana do indivíduo, em particular no caso de início precoce (p. ex., "Sempre fui desse jeito"), eles podem não ser relatados, a menos que diretamente investigados pelo entrevistador. Durante o período de dois anos (um ano para crianças ou adolescentes), qualquer intervalo livre de sintomas dura não mais do que dois meses (Critério C).

Prevalência

O transtorno depressivo persistente é efetivamente um amálgama do transtorno distímico e do episódio depressivo maior crônico do DSM-IV. A prevalência de 12 meses nos Estados Unidos é de aproximadamente 0,5% para transtorno distímico e de 1,5% para transtorno depressivo maior crônico, com a prevalência entre mulheres sendo cerca de 1,5 a 2 vezes maior do que entre homens para cada um desses diagnósticos, respectivamente. Com base em estudos usando procedimentos de averiguação comparáveis, as estimativas ao longo da vida e em 12 meses de distimia no DSM-IV podem ser maiores em países de alta renda do que em países de baixa e média rendas. Porém, o transtorno é associado com risco elevado de resultados suicidas e níveis comparáveis de deficiências independentemente da localidade.

Desenvolvimento e Curso

O transtorno depressivo persistente com frequência apresenta um início precoce e insidioso (i. e., na infância, na adolescência ou no início da idade adulta) e, por definição, um curso crônico. O transtorno da personalidade *borderline* é um fator de risco particularmente robusto para transtorno depressivo persistente. Entre os indivíduos com transtorno depressivo persistente e transtorno da personalidade *borderline*, a covariância das características correspondentes ao longo do tempo sugere a operação de um mecanismo comum. O início precoce (i. e., antes dos 21 anos) está associado a uma probabilidade maior de transtornos da personalidade e de transtornos por uso de substâncias comórbidos.

Quando os sintomas aumentam até o nível de um episódio depressivo maior, eles provavelmente retornarão um nível inferior. Entretanto, os sintomas depressivos têm muito menos probabilidade de desaparecer em determinado período de tempo no contexto do transtorno depressivo persistente do que em um episódio depressivo maior não crônico.

Fatores de Risco e Prognóstico

Temperamentais. Os fatores preditivos de pior evolução em longo prazo incluem níveis mais elevados de afetividade negativa (neuroticismo), maior gravidade dos sintomas, pior funcionamento geral e presença de transtornos de ansiedade ou transtorno da conduta.

Ambientais. Os fatores de risco na infância incluem perda ou separação dos pais e adversidades nessa etapa do desenvolvimento.

Genéticos e fisiológicos. Não existem diferenças claras no desenvolvimento, no curso ou na história familiar entre o transtorno distímico e o transtorno depressivo maior crônico no DSM-IV. Portanto, os achados anteriores relativos a cada transtorno provavelmente se aplicam ao transtorno depressivo persistente. É provável, assim, que os indivíduos com transtorno depressivo persistente tenham uma proporção maior de parentes de primeiro grau com essa doença do que os indivíduos com transtorno depressivo maior, e mais transtornos depressivos em geral.

Inúmeras regiões cerebrais (p. ex., córtex pré-frontal, cingulado anterior, amígdala, hipocampo) foram implicadas no transtorno depressivo persistente. Também existem possíveis anormalidades polissonográficas.

Questões Diagnósticas Relativas à Cultura

A anormalidade percebida ou a tolerância dos sintomas depressivos crônicos podem variar entre as culturas, afetando a detecção de sintomas e a aceitação do tratamento. Por exemplo, alguns grupos sociais ou coortes de idade podem considerar sintomas depressivos de longa duração como reações normais às adversidades.

Associação com Pensamentos ou Comportamentos Suicidas

O transtorno depressivo persistente está associado a um risco elevado de desfechos suicidas e níveis comparáveis de incapacidade, independentemente de ocorrer em países de alta, média ou baixa rendas.

Consequências Funcionais do Transtorno Depressivo Persistente

O grau em que o transtorno depressivo persistente repercute no funcionamento social e profissional provavelmente varia bastante, porém os efeitos podem ser tão grandes quanto ou maiores do que os do transtorno depressivo maior.

Diagnóstico Diferencial

Transtorno depressivo maior. Caso exista um humor depressivo na maioria dos dias e dois ou mais sintomas do Critério B para transtorno depressivo persistente por dois anos ou mais, é feito o diagnóstico de transtorno depressivo persistente. Se os critérios dos sintomas são suficientes para o diagnóstico de um episódio depressivo maior em qualquer momento durante esse período, então o diagnóstico adicional de depressão maior deve ser feito. A presença comórbida de episódios depressivos maiores durante esse período também deve ser apontada pela atribuição do especificador de curso apropriado para o diagnóstico de transtorno depressivo persistente da seguinte maneira: se os sintomas do indivíduo preencherem atualmente todos os critérios para um episódio depressivo maior, e sintomas abaixo dos critérios para um episódio depressivo maior completo estiveram presentes em períodos de pelo menos 8 semanas, pelo menos nos dois últimos anos, então o especificador "com episódios depressivos maiores intermitentes, com episódio atual" deve ser usado. Se todos os critérios para um episódio depressivo maior não são satisfeitos atualmente, mas houve um ou mais episódios depressivos maiores pelo menos nos dois anos precedentes, então o especificador "com episódios depressivos maiores intermitentes, sem episódio atual" deve ser usado. Se o episódio depressivo maior persistiu por pelo menos dois anos e continua presente, então é usado o especificador "com episódio depressivo maior persistente". Se o indivíduo não experimentou um episódio de depressão maior nos últimos dois anos, então é usado o especificador "com síndrome distímica pura".

Outro transtorno depressivo especificado. Já que os critérios para um episódio depressivo maior incluem sintomas (i. e., interesse ou prazer acentuadamente diminuído em atividades; agitação ou retardo psicomotor; pensamentos recorrentes de morte, ideação suicida e tentativa ou plano de suicídio) que estão ausentes da lista de sintomas para transtorno depressivo persistente (i. e., humor deprimido e dois dos seis sintomas do Critério B), um número muito limitado de indivíduos terá sintomas depressivos que persistam por mais de 2 anos, mas que não atendam aos critérios para transtorno depressivo persistente. Caso tenham sido satisfeitos todos os critérios para um episódio depressivo maior em algum momento durante o episódio atual da doença, é aplicável um diagnóstico de transtorno depressivo maior. Caso contrário, um diagnóstico de outro transtorno depressivo especificado ou transtorno depressivo não especificado deve ser dado.

Transtornos bipolares tipos I e II. História de episódios maníacos ou hipomaníacos exclui o diagnóstico de transtorno depressivo persistente. História de episódios maníacos (com ou sem episódios hipomaníacos) indica um diagnóstico de transtorno bipolar tipo I. História de episódios hipomaníacos (sem qualquer história de episódios maníacos em indivíduos com apresentações depressivas persistentes durante as quais os critérios para episódio depressivo maior foram preenchidos) justifica um diagnóstico de transtorno bipolar tipo II. Outro transtorno bipolar especificado se aplica a indivíduos cujas apresentações incluem história de episódios hipomaníacos juntamente com apresentação depressiva persistente que nunca preencheu todos os critérios para um episódio depressivo maior.

Transtorno ciclotímico. Um diagnóstico de transtorno ciclotímico exclui o diagnóstico de transtorno depressivo persistente. Assim, se durante um período de pelo menos 2 anos de humor deprimido na maior parte do dia, na maioria dos dias, 1) existem vários períodos com sintomas hipomaníacos que não atendem aos critérios para um episódio hipomaníaco, 2) não houve períodos sem sintomas por mais de 2 meses de cada vez, e 3) nunca foram preenchidos os critérios para um episódio depressivo maior, maníaco ou hipomaníaco, então o diagnóstico será transtorno ciclotímico em vez de transtorno depressivo persistente.

Transtornos psicóticos. Os sintomas depressivos são uma característica comum associada aos transtornos psicóticos crônicos (p. ex., transtorno esquizoafetivo, esquizofrenia, transtorno delirante). Um diagnóstico separado de transtorno depressivo persistente não é feito se os sintomas ocorrem apenas durante o curso do transtorno psicótico (incluindo fases residuais).

Transtorno depressivo ou transtorno bipolar e transtorno relacionado devido a outra condição médica. O transtorno depressivo persistente deve ser diferenciado de um transtorno depressivo ou transtorno bipolar e transtorno relacionado devido a outra condição médica. O diagnóstico é transtorno depressivo ou transtorno bipolar e transtorno relacionado devido a outra condição médica se a perturbação do humor for considerada, com base na história, no exame físico ou em achados laboratoriais, consequência dos efeitos fisiopatológicos diretos de uma condição médica específica, geralmente crônica (p. ex., esclerose múltipla). Se o entendimento for de que os sintomas depressivos não são atribuíveis aos efeitos fisiológicos de outra condição médica, então o transtorno mental primário (p. ex., transtorno depressivo persistente) é registrado, e a condição médica é anotada como condição médica concomitante (p. ex., diabetes melito).

Transtorno depressivo ou bipolar e transtorno relacionado induzidos por substância/medicamento. Um transtorno depressivo ou transtorno bipolar e transtorno relacionado induzidos por substância/medicamento são diferenciados do transtorno depressivo persistente quando uma substância (p. ex., droga de abuso, medicamento, exposição a uma toxina) está etiologicamente relacionada à perturbação do humor.

Transtornos da personalidade. Um transtorno da personalidade é caracterizado por um padrão persistente de experiência interna e comportamento que se desvia acentuadamente das expectativas da cultura do indivíduo, com início na adolescência ou início da idade adulta. Transtornos da personalidade normalmente ocorrem junto com o transtorno depressivo persistente. Se os critérios forem preenchidos tanto para transtorno depressivo persistente quanto para transtorno da personalidade, ambos podem ser diagnosticados.

Comorbidade

Em comparação com indivíduos com transtorno depressivo maior, aqueles com transtorno depressivo persistente estão em maior risco para comorbidade psiquiátrica em geral, transtornos de ansiedade, transtornos por uso de substâncias e transtornos da personalidade em particular. O transtorno depressivo persistente de início precoce está fortemente associado aos transtornos da personalidade dos Grupos B e C do DSM-5.

Transtorno Disfórico Pré-menstrual

Critérios Diagnósticos   F32.81

A. Na maioria dos ciclos menstruais, pelo menos cinco sintomas devem estar presentes na semana final antes do início da menstruação, começar a *melhorar* poucos dias depois do início da menstruação e tornar-se *mínimos* ou ausentes na semana pós-menstrual.

B. Um (ou mais) dos seguintes sintomas deve estar presente:
   1. Labilidade afetiva acentuada (p. ex., mudanças de humor; sentir-se repentinamente triste ou chorosa ou sensibilidade aumentada à rejeição).
   2. Irritabilidade ou raiva acentuadas ou aumento nos conflitos interpessoais.
   3. Humor deprimido acentuado, sentimentos de desesperança ou pensamentos autodepreciativos.
   4. Ansiedade acentuada, tensão e/ou sentimentos de estar nervosa ou no limite.

C. Um (ou mais) dos seguintes sintomas deve adicionalmente estar presente para atingir um total de *cinco* sintomas quando combinados com os sintomas do Critério B.
   1. Interesse diminuído pelas atividades habituais (p. ex., trabalho, escola, amigos, passatempos).
   2. Sentimento subjetivo de dificuldade em se concentrar.
   3. Letargia, fadiga fácil ou falta de energia acentuada.
   4. Alteração acentuada do apetite; comer em demasia; ou avidez por alimentos específicos.
   5. Hipersonia ou insônia.
   6. Sentir-se sobrecarregada ou fora de controle.
   7. Sintomas físicos como sensibilidade ou inchaço das mamas, dor articular ou muscular, sensação de "inchaço" ou ganho de peso.

Nota: Os sintomas nos Critérios A-C devem ser satisfeitos para a maioria dos ciclos menstruais que ocorreram no ano precedente.

D. Os sintomas estão associados a sofrimento clinicamente significativo ou a interferência no trabalho, na escola, em atividades sociais habituais ou relações com outras pessoas (p. ex., esquiva de atividades sociais; diminuição da produtividade e eficiência no trabalho, na escola ou em casa).

E. A perturbação não é meramente uma exacerbação dos sintomas de outro transtorno, como transtorno depressivo maior, transtorno de pânico, transtorno depressivo persistente ou um transtorno da personalidade (embora possa ser concomitante a qualquer um desses transtornos).

F. O Critério A deve ser confirmado por avaliações prospectivas diárias durante pelo menos dois ciclos sintomáticos. (**Nota:** O diagnóstico pode ser feito provisoriamente antes dessa confirmação.)

G. Os sintomas não são consequência dos efeitos fisiológicos de uma substância (p. ex., droga de abuso, medicamento, outro tratamento) ou de outra condição médica (p. ex., hipertireoidismo).

Procedimentos para Registro

Se os sintomas não foram confirmados por avaliações prospectivas diárias de pelo menos dois ciclos sintomáticos, "provisório" deve ser anotado depois do nome do diagnóstico (i. e., "transtorno disfórico pré-menstrual, provisório").

Características Diagnósticas

As características essenciais do transtorno disfórico pré-menstrual são a expressão de labilidade do humor, irritabilidade, disforia e sintomas de ansiedade que ocorrem repetidamente durante a fase pré-menstrual do ciclo e remitem por volta do início da menstruação ou logo depois. Esses sintomas podem ser acompanhados de sintomas comportamentais e físicos. Devem ter ocorrido na maioria dos ciclos menstruais durante o último ano e ter um efeito adverso no trabalho ou no funcionamento social. A intensidade e/ou expressividade dos sintomas associados podem estar intimamente relacionadas a características dos contextos sociais e culturais, bem como crenças religiosas, tolerância social, atitude em relação ao ciclo reprodutivo feminino e questões de papel de gênero feminino em geral.

Em geral, os sintomas atingem seu auge perto do momento de início da menstruação. Embora não seja incomum perdurarem até os primeiros dias da menstruação, a mulher deve ter um período livre de sintomas na fase folicular depois que inicia o período menstrual. Embora os sinais principais incluam sintomas de humor e ansiedade, sintomas comportamentais e somáticos também costumam ocorrer. Entretanto, a presença de sintomas físicos e/ou comportamentais na ausência de sintomas de humor e/ou ansiosos não é suficiente para um diagnóstico. Os sintomas são de gravidade (mas não duração) comparável à de outro transtorno mental, como o episódio depressivo maior ou o transtorno de ansiedade generalizada. Para a confirmação de um diagnóstico provisório, é necessária a avaliação prospectiva diária dos sintomas por pelo menos dois ciclos sintomáticos.

Os sintomas devem estar associados a sofrimento clinicamente significativo e/ou prejuízo claro e acentuado na capacidade de funcionar social e profissionalmente na semana anterior à menstruação.

Características Associadas

Delírios e alucinações foram descritos no fim da fase lútea do ciclo menstrual, mas são raros.

Prevalência

A prevalência de 12 meses de transtorno disfórico pré-menstrual na comunidade foi estimada em 5,8% por um grande estudo feito na Alemanha. Outro estudo que examinou a prevalência sobre dois ciclos menstruais concluiu que 1,3% das mulheres no período de menstruação tinham o transtorno nos Estados Unidos. Estimativas baseadas em relatos retrospectivos são frequentemente mais altas do que aquelas baseadas em análises com avaliações diárias prospectivas. Entretanto, a prevalência estimada com base em um registro diário dos sintomas por 1 a 2 meses pode ser menos representativa, uma vez que as mulheres com os sintomas mais graves podem não conseguir manter o processo de avaliação. A estimativa mais rigorosa da prevalência de transtorno disfórico pré-menstrual nos Estados Unidos, usando classificações prospectivas de dois ciclos menstruais consecutivos, foi de 1,3% para mulheres cujos sintomas preenchiam os critérios diagnósticos, apresentavam comprometimento funcional e não apresentavam transtorno mental concomitante. A prevalência dos sintomas do transtorno disfórico pré-menstrual em meninas adolescentes pode ser maior do que a observada em mulheres adultas.

Desenvolvimento e Curso

O início do transtorno disfórico pré-menstrual pode ocorrer a qualquer momento após a menarca. A incidência de novos casos, segundo um acompanhamento por um período de 40 meses feito por um estudo alemão, é de 2,5% (intervalo de confiança de 95% = 1,7-3,7%). Os sintomas cessam após a menopausa, embora a reposição hormonal cíclica possa desencadear nova manifestação deles.

Fatores de Risco e Prognóstico

Ambientais. Os fatores ambientais associados à expressão do transtorno disfórico pré-menstrual incluem estresse, história de trauma interpessoal, mudanças sazonais e aspectos socioculturais do comportamento sexual feminino em geral e o papel do gênero feminino em particular.

Genéticos e fisiológicos. Nenhum estudo examinou especificamente a hereditariedade do transtorno disfórico pré-menstrual. Estimativas de herdabilidade de sintomas disfóricos pré-menstruais estão entre 30 e 80%, apesar de não estar claro se os sintomas em si são hereditários ou se estão simplesmente associados a outros fatores ou características hereditários.

Questões Diagnósticas Relativas à Cultura

O transtorno disfórico pré-menstrual foi observado em mulheres nos Estados Unidos, Europa, Índia, Nigéria, Brasil e Ásia, com ampla faixa de prevalência. Todavia, como com a maioria dos transtornos mentais, frequência, intensidade e expressividade dos sintomas; consequências perceptíveis; padrões de busca de ajuda; e administração da condição podem ser significativamente influenciados por fatores sociais e culturais, como história de abuso sexual ou violência doméstica, apoio social limitado e variações culturais em atitudes relacionadas à menstruação.

Marcadores Diagnósticos

Conforme já indicado, o diagnóstico de transtorno disfórico pré-menstrual é apropriadamente confirmado por 2 meses de avaliação prospectiva dos sintomas. Inúmeras escalas, incluindo a Daily Rating of Severity of Problems e a Visual Analogue Scales for Premenstrual Mood Symptoms, foram validadas e costumam ser usadas em ensaios clínicos para o transtorno. A Premenstrual Tension Syndrome Rating Scale apresenta uma versão de autorrelato e uma do observador, ambas validadas e utilizadas amplamente para medir a gravidade da doença em mulheres com o transtorno.

Associação com Pensamentos ou Comportamentos Suicidas

A fase pré-menstrual foi considerada por alguns como um período de risco de suicídio.

Consequências Funcionais do Transtorno Disfórico Pré-menstrual

Prejuízos no funcionamento social podem ser manifestados por discordâncias no relacionamento, com os filhos, com familiares ou com amigos, que ocorrem apenas em associação com o transtorno disfórico pré-menstrual (i. e., em contraste com problemas crônicos interpessoais). Prejuízos na vida profissional e na qualidade de vida relacionada à saúde também são proeminentes. Há evidências de que o transtorno disfórico pré-menstrual pode ser associado com prejuízos no funcionamento e na qualidade de vida relacionada à saúde de maneira semelhante aos prejuízos observados no transtorno depressivo maior e no transtorno depressivo persistente.

Diagnóstico Diferencial

Síndrome pré-menstrual. A síndrome pré-menstrual difere do transtorno disfórico pré-menstrual por não ser necessária a presença de um mínimo de cinco sintomas e por não existir estipulação de sintomas afetivos para as mulheres com a síndrome. Além disso, em geral, a síndrome pré-menstrual é considerada menos grave do que o transtorno disfórico pré-menstrual, podendo ser mais comum do que o transtorno disfórico pré-menstrual, embora sua prevalência estimada fique em cerca de 20%. Embora a síndrome pré-menstrual compartilhe a característica de expressão de sintomas durante a fase pré-menstrual do ciclo menstrual, a presença de sintomas somáticos ou comportamentais, sem os sintomas afetivos necessários, provavelmente atende aos critérios para síndrome pré-menstrual e não para transtorno disfórico pré-menstrual.

Dismenorreia. A dismenorreia é uma síndrome dolorosa da menstruação, mas é diferente de uma síndrome caracterizada por alterações afetivas. Além do mais, os sintomas da dismenorreia começam com o início da menstruação, enquanto os sintomas do transtorno disfórico pré-menstrual, por definição, começam antes do início da menstruação, mesmo que perdurem nos primeiros dias do período.

Transtorno bipolar, transtorno depressivo maior e transtorno depressivo persistente. Muitas mulheres (seja naturalmente ou induzido por substância/medicamento) com transtorno bipolar, transtorno depressivo maior ou transtorno depressivo persistente acreditam que têm transtorno disfórico pré-menstrual. Entretanto, quando anotam os sintomas, percebem que estes não seguem um padrão pré-menstrual. Como o início da menstruação constitui um evento memorável, elas podem relatar que os sintomas ocorrem apenas durante o período pré-menstrual ou que pioram antes da menstruação. Essa é uma das justificativas para a exigência de que os sintomas sejam confirmados por avaliações prospectivas diárias. O processo de diagnóstico diferencial, particularmente se o clínico se baseia apenas nos sintomas retrospectivos, torna-se mais difícil devido à sobreposição entre os sintomas do transtorno disfórico pré-menstrual e alguns outros diagnósticos. A sobreposição dos sintomas é particularmente importante para a diferenciação entre transtorno disfórico pré-menstrual e episódios depressivos, transtorno depressivo persistente, transtornos bipolares e transtorno da personalidade *borderline*.

Uso de tratamentos hormonais. Algumas mulheres que apresentam sintomas pré-menstruais moderados a graves podem estar fazendo tratamentos hormonais, incluindo contraceptivos hormonais. Se tais sintomas ocorrem após o início do uso de hormônios exógenos, eles podem ser devidos ao uso de hormônios em vez de à condição subjacente de transtorno disfórico pré-menstrual. Se a mulher interrompe os hormônios e os sintomas desaparecem, isso é compatível com o transtorno depressivo induzido por substância/medicamento.

Outras condições médicas. Mulheres com condições médicas crônicas podem apresentar sintomas de disforia pré-menstrual. Como em qualquer transtorno depressivo, condições médicas que possam explicar melhor os sintomas devem ser descartadas, como alterações na tireoide ou anemia.

Comorbidade

Um episódio depressivo maior é o transtorno prévio mais frequentemente relatado em mulheres com transtorno disfórico pré-menstrual. Uma ampla variedade de condições médicas (p. ex., cefaleia, asma, alergias, transtornos convulsivos) ou outros transtornos mentais (p. ex., transtornos depressivos e transtornos bipolares, transtornos de ansiedade, bulimia nervosa, transtornos por uso de substância) podem piorar na fase pré-menstrual; entretanto, a ausência de um período livre de sintomas durante o intervalo pós-menstrual impede um diagnóstico de transtorno disfórico pré-menstrual. Essas condições são mais bem consideradas exacerbação pré-menstrual de um transtorno mental ou de uma doença médica atual. Embora o diagnóstico de transtorno disfórico pré-menstrual não deva ser dado em situações em que uma mulher apenas experimenta uma exacerbação pré-menstrual de outro transtorno mental ou distúrbio físico, ele pode ser considerado além do diagnóstico deste último se ela experimenta sintomas e alterações no nível de funcionamento que são característicos do transtorno disfórico pré-menstrual e acentuadamente diferentes dos sintomas experimentados como parte do transtorno em curso.

Transtorno Depressivo Induzido por Substância/Medicamento

Critérios Diagnósticos

A. Uma perturbação proeminente e persistente do humor que predomina no quadro clínico, caracterizada por humor depressivo ou diminuição acentuada de interesse ou prazer em todas ou quase todas as atividades.

B. Existem evidências, a partir da história, do exame físico ou de achados laboratoriais de (1) e (2):
   1. Os sintomas no Critério A desenvolveram-se durante ou logo após intoxicação ou abstinência de substância ou após exposição a medicamento.
   2. A substância/medicamento envolvida é capaz de produzir os sintomas mencionados no Critério A.

C. A perturbação não é mais bem explicada por um transtorno depressivo não induzido por substância/medicamento. Tais evidências de um transtorno depressivo independente podem incluir:

   Os sintomas precedem o início do uso da substância/medicamento; os sintomas persistem por um período substancial (p. ex., cerca de um mês) após a cessação da abstinência aguda ou intoxicação grave; ou existem outras evidências sugerindo a existência de um transtorno depressivo independente, não induzido por substância/medicamento (p. ex., história de episódios recorrentes não relacionados a substância/medicamento).

D. A perturbação não ocorre exclusivamente durante o curso de *delirium*.

E. A perturbação causa sofrimento clinicamente significativo ou prejuízo no funcionamento social, profissional ou em outras áreas importantes da vida do indivíduo.

Nota: Este diagnóstico deve ser feito, em vez de um diagnóstico de abstinência ou de intoxicação por substância, apenas quando os sintomas no Critério A predominam no quadro clínico e quando são suficientemente graves a ponto de justificar atenção clínica.

Nota para codificação: Os códigos da CID-10-MC para os transtornos depressivos induzidos por [substância/medicamento específico] são indicados na tabela a seguir. Observe que o código da CID-10-MC depende de haver ou não transtorno comórbido por uso de substância presente para a mesma classe de substância. De qualquer modo, não é dado um diagnóstico adicional separado de transtornos por uso de substâncias. Se o transtorno por uso de uma substância leve for comórbido com o transtorno depressivo induzido por substância, o dígito da 4ª posição é "1", e o clínico deve registrar "transtorno por uso de [substância], leve" antes do transtorno depressivo induzido por substância (p. ex., "transtorno por uso de cocaína, leve com transtorno depressivo induzido por cocaína"). Se um transtorno por uso de substância moderado ou grave for comórbido ao transtorno depressivo induzido por substância, o caractere da 4ª posição é "2", e o clínico deve registrar "transtorno por uso de [substância], moderado" ou "transtorno por uso de [substância], grave", dependendo da gravidade do transtorno por uso de substância comórbido. Se não houver nenhum transtorno por uso de substância comórbido (p. ex., depois do uso pesado da substância por uma vez), o dígito da 4ª posição é "9", e o clínico deve registrar somente o transtorno depressivo induzido por substância.

	CID-10-MC		
	Com transtorno por uso, leve	Com transtorno por uso, moderado ou grave	Sem transtorno por uso
Álcool	F10.14	F10.24	F10.94
Fenciclidina	F16.14	F16.24	F16.94
Outro alucinógeno	F16.14	F16.24	F16.94
Inalantes	F18.14	F18.24	F18.94
Opioides	F11.14	F11.24	F11.94
Sedativo, hipnótico ou ansiolítico	F13.14	F13.24	F13.94
Anfetamina (ou outro estimulante)	F15.14	F15.24	F15.94
Cocaína	F14.14	F14.24	F14.94
Outra substância (ou substância desconhecida)	F19.14	F19.24	F19.94

Especificar se (ver a Tabela 1 no capítulo "Transtornos Relacionados a Substâncias e Transtornos Aditivos", que indica se "com início durante a intoxicação" e/ou "com início durante a abstinência" se aplica a determinada classe de substância; ou *especificar* "com início após o uso de medicamento"):
  Com início durante a intoxicação: Se são satisfeitos os critérios para intoxicação pela substância e os sintomas se desenvolvem durante a intoxicação.
  Com início durante a abstinência: Se os critérios para abstinência da substância são preenchidos, e os sintomas se desenvolvem durante ou imediatamente após a abstinência.
  Com início após o uso de medicamento: Se os sintomas se desenvolveram com o início de uso de medicamento, com uma mudança no uso de medicamento ou durante a retirada do uso de medicamento.

Procedimentos para Registro

O nome do transtorno depressivo induzido por substância/medicamento começa com a substância específica (p. ex., cocaína, dexametasona) que presumivelmente está causando os sintomas depressivos. O código diagnóstico é selecionado a partir da tabela inclusa no conjunto de critérios, a qual está baseada na classe de drogas e na presença ou ausência de um transtorno por uso de substância comórbido. No caso de substâncias que não se enquadram em nenhuma classe (p. ex., dexametasona), o código para "outra substância (ou desconhecida)" deve ser usado; e, nos casos em que se acredita que uma substância seja o fator etiológico, embora sua classe seja desconhecida, o mesmo código deve ser utilizado.

Ao registrar o nome do transtorno, o transtorno por uso de substância comórbido (se houver) é listado primeiro, seguido pela palavra "com", seguida pelo nome do transtorno depressivo induzido por substância, seguido pela especificação do início (i. e., início durante a intoxicação, início durante a abstinência). Por exemplo, no caso de sintomas depressivos que ocorrem durante a intoxicação em um homem com um transtorno grave por uso de cocaína, o diagnóstico é o F14.24, transtorno por uso de cocaína grave com transtorno depressivo induzido por cocaína, com início durante a intoxicação. Um diagnóstico separado de transtorno por uso de cocaína grave comórbido não é dado. Se ocorre o transtorno depressivo induzido por substância sem um transtorno comórbido por uso de substância (p. ex., após um único uso pesado da substância), não é anotado transtorno adicional por uso de substância (p. ex., F16.94 transtorno depressivo induzido por fenciclidina com início durante a intoxicação). Quando se considera que mais de uma substância desempenha papel significativo no desenvolvimento de sintomas de humor depressivo, cada uma deve ser listada separadamente (p. ex., F15.24 transtorno depressivo induzido por metilfenidato com transtorno grave por uso de metilfenidato, com início durante a abstinência; F19.94 transtorno depressivo induzido por dexametasona, com início durante a intoxicação).

Características Diagnósticas

A característica essencial do transtorno depressivo induzido por substância/medicamento é uma perturbação acentuada e persistente no humor que predomina no quadro clínico, caracterizada por humor depressivo ou diminuição de interesse ou prazer em todas ou quase todas as atividades (Critério A) devido a efeitos fisiológicos diretos de uma substância (p. ex., uma droga de abuso, um medicamento ou exposição a toxinas) (Critério B). Para preencher os critérios para o diagnóstico, os sintomas depressivos devem ter se desenvolvido durante ou logo após a intoxicação ou abstinência da substância ou após exposição ou abstinência de um medicamento, como evidenciado pela história clínica, avaliação física ou achados laboratoriais (Critério B1). Além disso, a substância ou medicamento envolvidos devem ser capazes de produzir os sintomas depressivos (Critério B2). Também deve-se considerar que os sintomas depressivos não podem ser mais bem explicados por transtorno depressivo não induzido por substância/medicamento.

Evidências de um transtorno depressivo independente incluem a observação de que os sintomas depressivos precederam o início do uso da substância/medicamento em questão, de que os sintomas persistem além do período substancial de tempo depois da cessação da abstinência aguda ou intoxicação grave (i. e., normalmente mais de 1 mês), ou de que há evidências que sugerem a existência de um transtorno depressivo independente não induzido por substância/medicamento (Critério C), como história de episódios depressivos recorrentes não induzidos por substância. Esse diagnóstico não deve ser feito quando os sintomas ocorrem exclusivamente durante o curso de *delirium* (Critério D). Por fim, o diagnóstico exige que os sintomas induzidos por substância/medicamento causem sofrimento clinicamente significativo ou prejuízo no funcionamento social, profissional ou em outras áreas importantes da vida do indivíduo (Critério E). O diagnóstico de transtorno depressivo induzido por substância/medicamento deve ser feito em vez de um diagnóstico de intoxicação por substância ou de abstinência de substância apenas quando os sintomas no Critério A são predominantes no quadro clínico e são suficientemente graves para indicar atenção clínica independente.

As duas categorias de drogas mais propensas a causar transtorno depressivo induzido por substância/medicamento são a dos depressores (p. ex., intoxicação com álcool, benzodiazepínicos e outros sedativos, hipnóticos ou drogas ansiolíticas) e a dos estimulantes (p. ex., abstinência de substâncias tipo anfetamina e cocaína). Alguns medicamentos (p. ex., esteroides, anti-hipertensivos como clonidina, guanetidina, metildopa e reserpina, interferon e levodopa) são especialmente propensos a causar síndromes depressivas induzidas por substância/medicamento. As substâncias implicadas no transtorno depressivo induzido por medicamento, com graus variados de evidências, incluem agentes antivirais (efavirenz), agentes cardiovasculares (clonidina, guanetidina, metildopa, reserpina), derivados do ácido retinoico (isotretinoína), antidepressivos, anticonvulsivantes, agentes antienxaqueca (triptanos), antipsicóticos, agentes hormonais (corticosteroides, contraceptivos orais, agonistas do hormônio liberador de gonadotrofina, tamoxifeno), drogas quimioterápicas e agentes de cessação do fumo (vareniclina). Essa lista tende a aumentar conforme novos compostos vão sendo sintetizados.

História clínica clara e avaliação cuidadosa são essenciais para determinar se a substância de abuso ou medicamento está realmente associado a sintomas depressivos induzidos ou se os sintomas são mais bem descritos como causa de um transtorno depressivo independente. Um diagnóstico de transtorno depressivo induzido por substância/medicamento é mais provável se o indivíduo estiver tomando doses altas de uma droga de abuso ou medicamento relevante e não houver história anterior de episódios depressivos independentes. Por exemplo, um episódio depressivo que se desenvolveu no contexto de uso pesado de uma substância de abuso relevante ou dentro das primeiras semanas de uso de alfa-metildopa (um agente anti-hipertensivo) em um indivíduo sem história de transtorno depressivo maior qualifica-se para o diagnóstico de transtorno depressivo induzido por substância/medicamento. Em alguns casos, uma condição estabelecida de forma prévia (p. ex., transtorno depressivo maior, recorrente) pode ter recorrência enquanto o indivíduo está coincidentemente tomando um medicamento que tem a capacidade de causar sintomas depressivos (p. ex., álcool e/ou uso pesado de estimulantes, L-dopa, contraceptivos orais). Em todos esses casos, o clínico deve avaliar se o medicamento é causador dessa situação específica.

Um transtorno depressivo induzido por substância/medicamento é diferenciado de um transtorno depressivo independente mediante a consideração do início, do curso e de outros fatores associados ao uso da substância ou medicamento. Deve haver evidência da história, da avaliação física ou de achados laboratoriais de uso de drogas de abuso ou medicamentos capazes de produzir sintomas depressivos depois de exposição, abstinência ou intoxicação, antes do início do transtorno depressivo. As alterações neuroquímicas associadas aos estados de intoxicação e abstinência de algumas substâncias podem ser relativamente prolongadas e, portanto, sintomas depressivos intensos podem durar mais tempo após a cessação do uso da substância e ainda serem consistentes com um diagnóstico de transtorno depressivo induzido por substância/medicamento.

Prevalência

A taxa de episódios depressivos induzidos por álcool ou estimulantes ao longo de toda a vida é de 40% ou mais entre indivíduos com transtornos por uso de substâncias relevantes. Porém, em um estudo populacional nacionalmente representativo nos Estados Unidos, a prevalência ao longo da vida de transtorno depressivo induzido por substância/medicamento na ausência de história ao longo da vida de transtorno depressivo não induzido por substância/medicamento foi de apenas 0,26%. Esses dados indicam que cuidados especiais devem ser tomados na busca e abordagem de condições induzidas por substâncias em indivíduos com transtornos por uso de álcool e estimulantes.

Desenvolvimento e Curso

Um transtorno depressivo associado ao uso de substância (i. e., álcool, drogas ilícitas ou um tratamento prescrito para um transtorno mental ou outra condição médica) deve ter seu início enquanto o indivíduo está usando a substância ou durante a abstinência, se houver uma síndrome de abstinência associada à substância. Com mais frequência, o transtorno depressivo tem seu início nas primeiras semanas ou após um mês de uso pesado da substância. Depois que esta é descontinuada, os sintomas depressivos geralmente desaparecem no período de dias a várias semanas, dependendo da meia-vida da substância/medicamento e da presença de uma síndrome de abstinência. Se os sintomas persistem quatro semanas além do curso de tempo esperado da abstinência de uma substância/medicamento particular, outras causas para os sintomas de humor depressivo devem ser consideradas.

Existem vários estudos prospectivos controlados examinando a associação de sintomas depressivos com o uso de medicamentos prescritos, mas a maioria dos relatos sobre esse tópico envolve séries retrospectivas de indivíduos que iniciam o tratamento ou participantes de grandes estudos transversais. Há mais estudos sobre o curso clínico de depressão induzida por álcool e drogas ilícitas, e a maioria apoia a afirmação de que as condições induzidas por substâncias provavelmente desaparecerão dentro de um tempo relativamente curto após a abstinência. Igualmente importantes são as indicações de que indivíduos com sintomas depressivos residuais significativos após o tratamento para transtornos por uso de substâncias têm maior probabilidade de terem uma recaída.

Fatores de Risco e Prognóstico

Os fatores de risco para transtorno depressivo induzido por substância incluem história de transtorno da personalidade antissocial, esquizofrenia e transtorno bipolar; história de eventos de vida estressores nos últimos 12 meses; história de depressões induzidas por drogas anteriores; e história familiar de transtornos por uso de substâncias. Além disso, alterações neuroquímicas associadas com álcool e outras drogas de abuso frequentemente contribuem para os sintomas depressivos e de ansiedade durante a abstinência, o que subsequentemente influencia o uso contínuo de substância e uma redução na probabilidade de remissão dos transtornos por uso de substâncias. O curso do transtorno depressivo induzido por substância pode refletir adversidades socioestruturais associadas a pobreza, racismo e marginalização.

Questões Diagnósticas Relativas ao Sexo e ao Gênero

Entre indivíduos com transtorno por uso de substância, o risco de desenvolvimento de transtorno depressivo induzido por substância parece ser similar entre homens e mulheres.

Marcadores Diagnósticos

Ensaios laboratoriais da substância suspeita no sangue ou na urina são de valor limitado na identificação do transtorno depressivo induzido por substância, porque os níveis sanguíneos e urinários são frequentemente negativos quando um indivíduo chega para avaliação, refletindo o fato de que as depressões induzidas pela substância podem durar até 4 semanas após o uso da droga de abuso ou da interrupção do uso do medicamento. Portanto, um teste positivo é apenas um indicativo de que o indivíduo usou recentemente a substância, mas, por si só, não estabelece um curso temporal ou outras características que normalmente são associadas com o transtorno depressivo induzido por substância. Porém, como é verdadeiro para grande parte dos transtornos mentais, os dados mais importantes para o diagnóstico vêm de uma história clínica detalhada e do exame do estado mental do paciente.

Associação com Pensamentos ou Comportamentos Suicidas

O risco de tentativas de suicídio é mais alto entre indivíduos com possível transtorno por uso de álcool que já tiveram episódios depressivos, induzidos por substâncias ou independentes, em comparação com controle.

Diagnóstico Diferencial

Intoxicação por substância e abstinência de substância. Os sintomas depressivos costumam ocorrer durante a intoxicação ou a abstinência de substância. Deve ser feito um diagnóstico de transtorno depressivo induzido por substância em vez de um diagnóstico de intoxicação por substância ou abstinência de substância quando os sintomas de humor são suficientemente graves para serem objeto de atenção e tratamento. Por exemplo, humor disfórico é uma característica típica da abstinência de cocaína. O transtorno depressivo induzido por substância com início durante a abstinência deve ser diagnosticado em vez de abstinência de cocaína apenas se as perturbações de humor descritas no Critério A predominarem no quadro clínico e se forem graves a ponto de exigir atenção e tratamento separados.

Transtorno depressivo independente. Um transtorno depressivo induzido por substância/medicamento é diferenciado de um transtorno depressivo independente pelo fato de que mesmo que uma substância seja ingerida em quantidades suficientemente altas para ser etiologicamente relacionada aos sintomas, se a síndrome depressiva for observada em momentos em que a substância ou medicação não está sendo usada, ela deve ser diagnosticada como um transtorno depressivo independente, ou seja, não induzido por substância/medicamento.

Transtorno depressivo devido a outra condição médica. Uma vez que os indivíduos com outras condições médicas frequentemente tomam medicamentos para esses problemas, o clínico precisa considerar a possibilidade de os sintomas de humor serem causados pelas consequências fisiológicas da condição médica, e não pelo medicamento, sendo que, nesse caso, se aplica um diagnóstico de transtorno depressivo devido a outra condição médica. A avaliação da história do paciente com frequência oferece a base primária para tal julgamento. Às vezes, uma mudança no tratamento para a outra condição médica (p. ex., substituição ou descontinuação do medicamento) pode ser necessária para determinar empiricamente se o medicamento é o agente causador. Se o clínico se assegurou de que a perturbação se deve tanto a outra condição médica quanto ao uso ou abstinência de uma substância, ambos os diagnósticos (i. e., transtorno depressivo devido a outra condição médica e transtorno depressivo induzido por substância/medicamento) podem ser dados. Quando existem evidências insuficientes para determinar se os sintomas depressivos estão associados à ingestão de substância (inclusive medicamentos), à abstinência ou à outra condição médica ou se são primários (i. e., não devidos a uma substância nem a outra condição médica), os diagnósticos de outro transtorno depressivo especificado ou de transtorno depressivo não especificado são indicados.

Comorbidade

Em um estudo usando o DSM-IV, comparando indivíduos com transtorno depressivo maior e sem transtorno por uso de substância comórbido a indivíduos com transtorno depressivo induzido por substância/medicamento, aqueles com transtorno depressivo induzido por substância/medicamento apresentaram taxas maiores de comorbidade com algum transtorno mental do DSM-IV; eram mais propensos a ter transtorno específico por uso de tabaco, transtorno de jogo e transtorno da personalidade antissocial; e eram menos propensos a ter transtorno depressivo persistente. Comparados a indivíduos com transtorno depressivo maior e um transtorno por uso de substância comórbido, aqueles com transtorno depressivo induzido por substância/medicamento têm mais probabilidade de ter transtorno por uso de álcool; entretanto, têm menos probabilidade de apresentar transtorno depressivo persistente.

Transtorno Depressivo Devido a Outra Condição Médica

Critérios Diagnósticos

A. Uma perturbação proeminente e persistente do humor que predomina no quadro clínico, caracterizada por humor depressivo ou diminuição acentuada de interesse ou prazer em todas ou quase todas as atividades.
B. Existem evidências, a partir da história, do exame físico ou de achados laboratoriais, de que a perturbação é consequência fisiopatológica direta de outra condição médica.
C. A perturbação não é mais bem explicada por outro transtorno mental (p. ex., transtorno de adaptação com humor depressivo em resposta ao estresse de ter uma condição médica grave).
D. A perturbação não ocorre exclusivamente durante o curso de *delirium*.
E. A perturbação causa sofrimento clinicamente significativo ou prejuízo no funcionamento social, profissional ou em outras áreas importantes da vida do indivíduo.

Nota para codificação: O código da CID-10-MC depende do especificador (ver a seguir).

Especificar se:

F06.31 Com características depressivas: Não são satisfeitos todos os critérios para um episódio depressivo maior.

F06.32 Com episódio do tipo depressivo maior: São satisfeitos todos os critérios (exceto o Critério C) para um episódio depressivo maior.

F06.34 Com características mistas: Sintomas de mania e hipomania também estão presentes, mas não predominam no quadro clínico.

Nota para codificação: Incluir o nome da outra condição médica no nome do transtorno mental (p. ex., F06.31 transtorno depressivo devido a hipotireoidismo, com características depressivas). A outra condição médica também deve ser codificada e listada em separado, imediatamente antes de transtorno depressivo devido à condição médica (p. ex., E03.9 hipertireoidismo; F06.31 transtorno depressivo devido a hipertireoidismo, com características depressivas).

Características Diagnósticas

A característica essencial do transtorno depressivo devido a outra condição médica é um período proeminente e persistente de humor deprimido ou de diminuição acentuada de interesse ou prazer em todas ou quase todas as atividades (Critério A) que é considerado relacionado aos efeitos fisiológicos diretos de outra condição médica (Critério B). Ao determinar se a perturbação do humor se deve a uma condição médica geral, o clínico deve, primeiramente, estabelecer a presença de uma condição médica geral. Além disso, deve estabelecer que a perturbação do humor está etiologicamente relacionada à condição médica geral por meio de um mecanismo fisiológico. Uma avaliação criteriosa e abrangente de múltiplos fatores é necessária para esse julgamento. Embora não existam diretrizes infalíveis para determinar se a relação entre a perturbação do humor e a condição médica geral é etiológica, diversas considerações oferecem alguma orientação nessa área. Uma delas é a presença de associação temporal entre o início, a exacerbação ou a remissão da condição médica, bem como da perturbação de humor. Uma segunda consideração é a presença de características que são atípicas no transtorno depressivo primário (p. ex., idade de início ou curso atípico ou ausência de história familiar). Evidências da literatura que sugerem a possível existência de uma associação direta entre a condição médica geral em questão e o desenvolvimento de sintomas de humor podem oferecer um contexto útil na avaliação de determinada situação.

Características Associadas

A etiologia (i. e., uma relação causal com outra condição médica baseada na melhor evidência clínica) é a variável-chave no transtorno depressivo devido a outra condição médica. A listagem das condições médicas que são consideradas capazes de induzir depressão maior nunca está completa, e o melhor julgamento do clínico é a essência desse diagnóstico.

Existem claras associações, assim como alguns correlatos neuroanatômicos, da depressão com AVC, doença de Huntington, doença de Parkinson e lesão cerebral traumática. Entre as condições neuroendócrinas mais intimamente associadas à depressão estão a síndrome de Cushing e o hipotireoidismo. Distúrbios autoimunes, como lúpus eritematoso sistêmico e deficiências de certas vitaminas, como vitamina B_{12}, também foram vinculados à depressão. Existem inúmeras outras condições associadas à depressão, tais como a esclerose múltipla. Entretanto, o apoio da literatura para uma associação causal é maior em relação a algumas condições do que a outras. Atualmente, as pesquisas apontam um mecanismo fisiopatológico direto para sintomas depressivos em lesões focais (AVC, traumatismo cranioencefálico ou neoplasma) que afetam certas regiões cerebrais, na doença de Parkinson, na doença de Huntington, no hipotireoidismo, na síndrome de Cushing e no câncer no pâncreas.

Prevalência

As diferenças entre os sexos na prevalência dependem de diferenças sexuais associadas a condições médicas (p. ex., lúpus eritematoso sistêmico é mais comum em mulheres; AVC é um pouco mais comum em homens de meia-idade em comparação com as mulheres).

Desenvolvimento e Curso

Após um AVC, o início da depressão parece ser muito agudo, ocorrendo no espaço de poucos dias na maioria dos casos. Entretanto, em algumas situações, o início da depressão ocorre semanas a meses depois do AVC. Nas maiores séries, a duração média do episódio depressivo maior após um AVC foi de 9 a 11 meses. Na doença de Parkinson e na doença de Huntington, a depressão com frequência precede os prejuízos motores maiores e os prejuízos cognitivos associados a cada condição. Isso ocorre mais proeminentemente no caso da doença de Huntington, em que a depressão é considerada o primeiro sintoma neuropsiquiátrico. Existem algumas evidências observacionais de que a depressão é menos comum à medida que a demência da doença de Huntington progride. Em alguns indivíduos com lesões cerebrais estáticas e outras doenças do sistema nervoso central, sintomas de humor podem ser episódicos (i. e., recorrentes) ao longo do curso do transtorno. Na síndrome de Cushing e no hipotireoidismo, a depressão pode ser uma manifestação precoce da doença. No câncer de pâncreas, a depressão frequentemente precede os demais sintomas.

Fatores de Risco e Prognóstico

O risco para início agudo de transtorno depressivo maior após AVC (um dia a uma semana a partir do evento) parece ter forte correlação à localização da lesão, com maior risco associado a acidentes vasculares frontais esquerdos e menor risco aparentemente associado a lesões frontais direitas naqueles indivíduos em que se apresenta poucos dias após o AVC. A associação com regiões frontais e lateralidade não é observada em estados depressivos que ocorrem de 2 a 6 meses após o AVC; talvez esse seja um indicativo de sintomas depressivos posteriores representando transtorno depressivo maior, transtorno de adaptação ou desmoralização. Em indivíduos com doença de Parkinson, um início precoce, uma maior carga de sintomas motores e uma maior duração da doença foram associados com depressão. Risco de depressão depois de um traumatismo cranioencefálico foi associado com o gênero feminino, com transtornos depressivos anteriores, com começo de sintomas psiquiátricos logo após a lesão, com menor volume do cérebro e com desemprego.

Questões Diagnósticas Relativas ao Sexo e ao Gênero

As mulheres podem ter um risco particularmente mais alto de desenvolver depressão no contexto de doenças cardiovasculares e especialmente após um AVC.

Marcadores Diagnósticos

Os marcadores diagnósticos dizem respeito àqueles associados à condição médica (p. ex., níveis de esteroides no sangue ou na urina para ajudar a corroborar o diagnóstico da doença de Cushing, que pode estar associada a síndromes maníacas ou depressivas).

Associação com Pensamentos ou Comportamentos Suicidas

Não existem estudos epidemiológicos que forneçam evidências para diferenciar o risco de suicídio de um episódio depressivo maior devido a outra condição médica comparado com o risco de um episódio depressivo maior em geral. Existem relatos de caso de suicídios em associação com episódios depressivos maiores associados a outra condição médica. Há clara associação entre doenças médicas graves e suicídio, particularmente logo após o início ou diagnóstico da doença. Assim, seria prudente presumir que o risco de suicídio para episódios depressivos maiores associados a condições médicas não é menor do que o risco para outras formas de episódio depressivo maior, podendo ser ainda maior.

Diagnóstico Diferencial

Transtornos depressivos não devidos a outra condição médica. Determinar se uma condição médica que acompanha um transtorno depressivo está causando o transtorno depende dos seguintes fatores: a) ausência de episódios depressivos antes do início da condição médica, b) probabilidade de que a condição médica associada tenha um potencial de promover ou causar um transtorno depressivo e c) um curso de sintomas depressivos logo após o início ou piora da condição médica, sobretudo se os sintomas depressivos entram em remissão próximo ao momento em que a condição médica é efetivamente tratada ou entra em remissão.

Transtorno depressivo induzido por medicamento. Um alerta importante é que algumas condições médicas são tratadas com medicamentos (p. ex., esteroides ou interferon alfa) que podem induzir sintomas depressivos ou maníacos. Nesses casos, o julgamento clínico, baseado em todas as evidências disponíveis, é a melhor forma de tentar separar o mais provável e/ou o mais importante dos dois fatores etiológicos (i. e., associação com a condição médica vs. uma síndrome induzida por substância).

***Delirium* e transtorno neurocognitivo maior ou leve.** Um diagnóstico separado de transtorno depressivo devido a outra condição médica não é feito quando o sintoma depressivo ocorre exclusivamente durante o curso de *delirium*. No entanto, um diagnóstico de transtorno depressivo devido a outra condição médica pode ser dado em adição a um diagnóstico de transtorno neurocognitivo maior ou leve se os sintomas depressivos forem considerados consequência fisiológica do processo patológico causador do transtorno neurocognitivo e se os sintomas de depressão forem uma parte proeminente da apresentação clínica.

Transtornos de adaptação. É importante diferenciar um episódio depressivo de um transtorno de adaptação, já que o início da condição médica é, em si, um estressor vital que poderia desencadear um transtorno de adaptação ou um episódio de depressão maior. Os principais elementos distintivos são o caráter difuso do quadro depressivo, bem como o número e a qualidade dos sintomas depressivos que o paciente relata ou demonstra no exame do estado mental. O diagnóstico diferencial das condições médicas associadas é relevante, mas vai além do âmbito deste Manual.

Desmoralização. A desmoralização é uma reação comum a doenças médicas crônicas. É marcada por uma sensação de incompetência subjetiva, desamparo, desesperança e um desejo de desistir. Muitas vezes é acompanhada por sintomas depressivos, como desânimo e fadiga. Em geral, a desmoralização não tem a anedonia associada ao transtorno depressivo devido a outra condição médica, e os indivíduos geralmente conseguem encontrar prazer em atividades anteriormente significativas e podem experimentar momentos de felicidade.

Comorbidade

As condições comórbidas com o transtorno depressivo devido a outra condição médica são aquelas associadas às condições médicas de relevância etiológica. Foi observado que pode ocorrer *delirium* antes ou junto com os sintomas depressivos em indivíduos com uma variedade de condições médicas, como a doença de Cushing. A associação de sintomas de ansiedade, em geral sintomas generalizados, é comum em transtornos depressivos, independentemente da causa.

Outro Transtorno Depressivo Especificado

F32.89

Esta categoria aplica-se a apresentações em que sintomas característicos de um transtorno depressivo que causa sofrimento clinicamente significativo ou prejuízo no funcionamento social, profissional ou em outras áreas importantes da vida do indivíduo predominam, mas não satisfazem todos os critérios para qualquer transtorno na classe diagnóstica dos transtornos depressivos ou para transtorno de adaptação com misto de ansiedade e humor deprimido. A categoria outro transtorno depressivo especificado é usada nas situações em que o clínico opta por comunicar a razão específica pela qual a apresentação não satisfaz os critérios para qualquer transtorno depressivo específico. Isso é feito por meio do registro de "outro transtorno depressivo especificado", seguido pela razão específica (p. ex., "episódio depressivo de curta duração").

Exemplos de apresentações que podem ser especificadas usando a designação "outro transtorno depressivo especificado" incluem:

1. **Depressão breve recorrente:** Presença concomitante de humor depressivo e pelo menos quatro outros sintomas de depressão por 2 a 13 dias pelo menos uma vez por mês (não associados ao ciclo menstrual) por pelo menos 12 meses consecutivos em um indivíduo cuja apresentação nunca satisfez os critérios para qualquer outro transtorno depressivo ou transtorno bipolar e atualmente não satisfaz critérios ativos ou residuais de qualquer transtorno psicótico.
2. **Episódio depressivo de curta duração (4 a 13 dias):** Afeto depressivo e pelo menos quatro dos outros oito sintomas de um episódio depressivo maior associados a sofrimento clinicamente significativo ou prejuízo que persiste por mais de quatro dias, porém menos de 14 dias, em um indivíduo cuja apresentação nunca satisfez critérios para qualquer outro transtorno depressivo ou transtorno bipolar, atualmente não satisfaz critérios ativos ou residuais para qualquer transtorno psicótico e não satisfaz critérios para depressão breve recorrente.
3. **Episódio depressivo com sintomas insuficientes:** Afeto depressivo e pelo menos um dos outros oito sintomas de um episódio depressivo maior associados a sofrimento ou prejuízo clinicamente significativo que persiste por pelo menos duas semanas em um indivíduo cuja apresentação nunca satisfez critérios para qualquer outro transtorno depressivo ou transtorno bipolar, atualmente não satisfaz critérios ativos ou residuais para qualquer transtorno psicótico e não satisfaz critérios para transtorno de adaptação com sintomas mistos de ansiedade e depressão.

4. **Episódio depressivo maior sobreposto** a esquizofrenia, transtorno esquizofreniforme, transtorno delirante ou outro transtorno especificado ou não especificado do espectro da esquizofrenia e outros transtornos psicóticos. **Nota:** Episódios depressivos maiores que são parte do transtorno esquizoafetivo não exigem um diagnóstico adicional de outro transtorno depressivo especificado.

Transtorno Depressivo Não Especificado

F32.A

Esta categoria aplica-se a apresentações em que sintomas característicos de um transtorno depressivo que causa sofrimento clinicamente significativo ou prejuízo no funcionamento social, profissional ou em outras áreas importantes da vida do indivíduo predominam, mas não satisfazem todos os critérios para qualquer transtorno na classe diagnóstica dos transtornos depressivos ou para transtorno de adaptação com humor deprimido ou transtorno de adaptação com misto de ansiedade e humor deprimido. A categoria transtorno depressivo não especificado é usada nas situações em que o clínico opta por *não* especificar a razão pela qual os critérios para um transtorno depressivo específico não são satisfeitos e inclui apresentações para as quais não há informações suficientes para fazer um diagnóstico mais específico (p. ex., em salas de emergência).

Transtorno do Humor Não Especificado

F39

Esta categoria aplica-se a apresentações em que sintomas característicos de um transtorno do humor que causem sofrimento clinicamente significativo ou prejuízo no funcionamento social, profissional ou em outras áreas importantes da vida do indivíduo predominem, mas não satisfaçam, no momento da avaliação, todos os critérios para qualquer transtorno na classe diagnóstica dos transtornos bipolares ou depressivos e nos quais seja difícil escolher entre transtorno bipolar e transtorno relacionado não especificado e transtorno depressivo não especificado (p. ex., agitação aguda).

Especificadores para Transtornos Depressivos

Especificar se:

Com sintomas ansiosos: Definido como a presença de pelo menos dois dos seguintes sintomas durante a maioria dos dias de um episódio depressivo maior (ou mais recente se o transtorno estiver em remissão parcial ou completa) ou transtorno depressivo persistente:

1. Sentir-se nervoso ou tenso.
2. Sentir-se incomumente inquieto.
3. Dificuldade de se concentrar devido a preocupações.
4. Temor de que algo terrível aconteça.
5. Sentimento de que o indivíduo possa perder o controle de si mesmo.

Especificar a gravidade atual:
  Leve: Dois sintomas.
  Moderada: Três sintomas.
  Moderada-grave: Quatro ou cinco sintomas.
  Grave: Quatro ou cinco sintomas e com agitação motora.

Nota: Foi observado que sintomas ansiosos são uma característica proeminente do transtorno bipolar e do transtorno depressivo maior em ambientes tanto de atenção primária quanto de cuidados especializados. Altos níveis de ansiedade têm sido associados a risco aumentado de suicídio, maior duração do transtorno e maior probabilidade de não resposta ao tratamento. Desse modo, é clinicamente útil especificar com precisão a presença e os níveis de gravidade dos sintomas ansiosos para o planejamento do tratamento e o monitoramento da resposta a ele.

Com características mistas:

A. Esse especificador é aplicado quando pelo menos três dos sintomas maníacos/hipomaníacos a seguir predominam durante a maioria dos dias do episódio depressivo maior atual (ou mais recente se o transtorno estiver em remissão parcial ou completa):
  1. Humor elevado, expansivo.
  2. Autoestima inflada ou grandiosidade.
  3. Mais loquaz que o habitual ou pressão para continuar falando.
  4. Fuga de ideias ou experiência subjetiva de que os pensamentos estão acelerados.
  5. Aumento na energia ou na atividade dirigida a objetivos (seja socialmente, no trabalho ou escola, seja sexualmente).
  6. Envolvimento aumentado ou excessivo em atividades com elevado potencial para consequências prejudiciais (p. ex., envolvimento em surtos desenfreados de compras, indiscrições sexuais ou investimentos financeiros insensatos).
  7. Redução da necessidade de sono (sente-se descansado apesar de dormir menos que o habitual; deve ser contrastado com insônia).

B. Sintomas mistos são passíveis de observação por outras pessoas e representam uma alteração em relação ao comportamento habitual do indivíduo.

C. Para os indivíduos cujos sintomas satisfazem todos os critérios para mania ou hipomania, o diagnóstico deve ser transtorno bipolar tipo I ou bipolar tipo II.

D. Os sintomas mistos não são consequência de efeitos fisiológicos de uma substância (p. ex., droga de abuso, medicamento ou outro tratamento).

Nota: As características mistas associadas a um episódio depressivo maior se revelaram como fator de risco significativo para o desenvolvimento de transtorno bipolar tipo I ou bipolar tipo II. Desse modo, é clinicamente útil observar a presença desse especificador para o planejamento do tratamento e o monitoramento da resposta a ele.

Com características melancólicas:

A. Uma das características seguintes está presente durante o período mais grave do episódio depressivo maior atual (ou mais recente se o transtorno estiver em remissão parcial ou completa):
  1. Perda de prazer em todas ou quase todas as atividades.
  2. Falta de reatividade a estímulos em geral prazerosos (não se sente muito bem, mesmo temporariamente, quando acontece alguma coisa boa).

B. Três (ou mais) das seguintes:
  1. Uma qualidade distinta de humor depressivo caracterizado por prostração profunda, desespero e/ou morosidade ou pelo chamado humor vazio.
  2. Depressão regularmente pior pela manhã.
  3. Despertar muito cedo pela manhã (i. e., pelo menos duas horas antes do despertar habitual).
  4. Acentuada agitação ou retardo psicomotor.
  5. Anorexia ou perda de peso significativa.
  6. Culpa excessiva ou inadequada.

Nota: O especificador "com características melancólicas" é aplicado se essas características estão presentes no estágio mais grave do episódio. Existe ausência quase total da capacidade para o prazer, não meramente uma diminuição. Uma diretriz para a avaliação da falta de reatividade do humor é que mesmo os eventos muito desejados não estão associados a acentuada melhora do humor. O humor absolutamente não melhora, ou então melhora apenas de forma parcial (p. ex., até 20 a 40% do normal por apenas alguns minutos de cada vez). A "qualidade distinta" de humor que é característica do especificador "com características melancólicas" é experimentada como qualitativamente diferente do que ocorre durante um episódio depressivo não melancólico. Um humor depressivo que é descrito como meramente mais grave, de maior duração, ou que se apresenta sem uma razão não é considerado distinto em qualidade. Alterações psicomotoras estão quase sempre presentes e são observáveis por outras pessoas.

As características melancólicas exibem apenas uma tendência modesta a se repetir em um mesmo indivíduo. Elas são mais frequentes em pacientes internados, em comparação com pacientes ambulatoriais; têm menos probabilidade de ocorrer em episódios depressivos maiores mais leves do que em episódios mais graves; e têm mais probabilidade de ocorrer naqueles com características psicóticas.

Com características atípicas: Este especificador é aplicado quando essas características predominam durante a maioria dos dias do episódio depressivo maior atual (ou mais recente se o transtorno estiver em remissão parcial ou completa) ou do transtorno depressivo persistente atual.

A. Reatividade do humor (i. e., o humor melhora em resposta a eventos positivos reais ou potenciais).
B. Duas (ou mais) das seguintes características:
   1. Ganho de peso ou aumento do apetite significativos.
   2. Hipersonia.
   3. Paralisia "de chumbo" (i. e., sensação de peso nos braços ou nas pernas).
   4. Um padrão persistente de sensibilidade à rejeição interpessoal (não limitado aos episódios de perturbação do humor) que resulta em prejuízo social ou profissional significativo.
C. Não são satisfeitos os critérios para "com características melancólicas" ou "com catatonia" durante o mesmo episódio.

Nota: "Depressão atípica" tem significado histórico (i. e., atípica em contraste com as apresentações agitadas "endógenas" mais clássicas de depressão que eram a norma quando a doença era raramente diagnosticada em pacientes ambulatoriais e quase nunca em adolescentes ou jovens adultos) e hoje não tem a conotação de uma apresentação clínica incomum ou excepcional, como o termo poderia implicar.

A reatividade do humor consiste na capacidade de se alegrar ante eventos positivos (p. ex., visita dos filhos, elogios de outras pessoas). O humor pode se tornar eutímico (não triste) até mesmo por longos períodos de tempo quando as circunstâncias externas permanecem favoráveis. O aumento do apetite pode ser manifestado por clara elevação no consumo alimentar ou por ganho de peso. A hipersonia pode incluir um período de sono noturno estendido ou cochilos diurnos que totalizam no mínimo 10 horas de sono por dia (ou pelo menos duas horas a mais do que quando não deprimido). A paralisia "de chumbo" é definida como sentir-se pesado, "de chumbo", ou com sobrecarga, geralmente nos braços ou pernas. Essa sensação costuma estar presente por pelo menos uma hora por dia, mas com frequência dura muitas horas seguidas. Diferentemente de outras características atípicas, a sensibilidade patológica à percepção de rejeição interpessoal é um traço de início precoce que persiste durante a maior parte da vida adulta. A sensibilidade à rejeição ocorre tanto quando a pessoa está quanto quando não está deprimida, embora possa ser exacerbada durante os períodos depressivos.

Com características psicóticas: Quando delírios e/ou alucinações estão presentes durante o período mais grave do episódio depressivo maior atual (ou mais recente se o transtorno estiver em remissão parcial ou completa). Se as características psicóticas estão presentes, *especificar* se congruentes ou incongruentes com o humor:

Com características psicóticas congruentes com o humor: Delírios e alucinações cujo conteúdo é coerente com os temas depressivos típicos de inadequação pessoal, culpa, doença, morte, niilismo ou punição merecida.

Com características psicóticas incongruentes com o humor: Delírios ou alucinações cujo conteúdo não envolve temas depressivos típicos ou inadequação pessoal, culpa, doença, morte, niilismo ou punição merecida ou cujo conteúdo é uma mistura de temas incongruentes e congruentes com o humor.

Com catatonia: Este especificador é aplicado ao episódio depressivo maior atual (ou mais recente se o transtorno estiver em remissão parcial ou completa) se características catatônicas estiverem presentes durante a maior parte do episódio. Ver os critérios para catatonia associada a um transtorno mental no capítulo "Espectro da Esquizofrenia e Outros Transtornos Psicóticos".

Com início no periparto: Este especificador é aplicado ao episódio depressivo maior atual (ou mais recente se o transtorno estiver em remissão parcial ou completa) se o início dos sintomas de humor ocorrerem durante a gravidez ou dentro de 4 semanas após o parto.

Nota: Os episódios de humor podem ter seu início durante a gravidez ou no pós-parto. Na verdade, 50% dos episódios depressivos maiores no "pós-parto" começam antes do parto. Assim, esses episódios são designados coletivamente como episódios no *periparto*.

Entre a concepção e o nascimento da criança, cerca de 9% das mulheres vivenciam um episódio depressivo maior. A melhor estimativa da prevalência de episódios depressivos maiores entre o parto e 12 meses após o parto é um pouco menos de 7%.

Os episódios de humor com início no periparto podem se apresentar com ou sem características psicóticas. O infanticídio (uma ocorrência rara) está frequentemente associado a episódios psicóticos no pós-parto caracterizados por alucinações de comando para matar o bebê ou delírios de que este está possuído, mas os sintomas psicóticos também podem ocorrer em episódios de humor pós-parto graves sem delírios ou alucinações específicos.

Os episódios de humor (depressivo ou maníaco) no pós-parto com características psicóticas parecem ocorrer de 1 em 500 a 1 em 1.000 partos e podem ser mais comuns em mulheres primíparas. O risco para episódios com características psicóticas no pós-parto é particularmente aumentado em mulheres com episódios de humor psicótico pós-parto, mas também é elevado entre as que têm a história prévia de um transtorno depressivo ou bipolar (em especial transtorno bipolar tipo I) e entre aquelas com história familiar de transtornos bipolares.

Depois que uma mulher teve um episódio no pós-parto com características psicóticas, o risco de recorrência em cada parto subsequente situa-se entre 30 e 50%. Os episódios pós-parto devem ser distinguidos do *delirium* que pode ocorrer nesse período, o qual se diferencia por um nível flutuante de consciência ou atenção.

Transtornos depressivos com início no periparto devem ser diferenciados dos muito mais comuns "*maternity blues*" ou, como é conhecido popularmente "*baby blues*". Os "*maternity blues*" não são considerados um transtorno mental e são caracterizados por mudanças repentinas no humor (p. ex., começar a chorar repentinamente com ausência de depressão) que não causam prejuízos funcionais e que são provavelmente causadas por mudanças fisiológicas que ocorrem após o parto. Eles são temporários e autolimitados, e normalmente passam rapidamente (dentro de uma semana) sem necessidade de tratamento. Outros sintomas de "*maternity blues*" incluem perturbação do sono e até confusão que pode ocorrer pouco tempo após o parto.

Mulheres em perinatal podem ter risco mais alto de transtornos depressivos devido a anormalidade na tireoide, assim como outras condições médicas que podem causar sintomas depressivos. Se os sintomas depressivos são julgados como sendo devidos a outra condição médica relacionada ao período perinatal, deve ser diagnosticado transtorno depressivo devido a outra condição médica, em vez de episódio depressivo maior com início no periparto.

Com padrão sazonal: Este especificador se aplica ao transtorno depressivo maior recorrente.

A. Há relação temporal regular entre o início dos episódios depressivos maiores no transtorno depressivo maior e determinada estação do ano (p. ex., no outono ou no inverno).

   Nota: Não incluir os casos nos quais existe um óbvio efeito de estressores psicossociais relacionados à estação (p. ex., estar regularmente desempregado a cada inverno).

B. Remissões completas também ocorrem em épocas características do ano (p. ex., a depressão desaparece na primavera).

C. Nos últimos dois anos, ocorreram dois episódios depressivos maiores, demonstrando as relações temporais sazonais definidas acima, e nenhum episódio depressivo maior não sazonal ocorreu durante o mesmo período.

D. Os episódios depressivos maiores sazonais (como já descritos) superam substancialmente em número os episódios depressivos maiores não sazonais que podem ter ocorrido durante a vida do indivíduo.

Nota: O especificador "com padrão sazonal" pode ser aplicado ao padrão de episódios depressivos maiores no transtorno depressivo maior, recorrente. A característica essencial é o início e a remissão de episódios depressivos maiores em épocas características do ano. Na maioria dos casos, os episódios iniciam no outono ou no inverno e remitem na primavera. Com menor frequência, pode haver episódios depressivos de verão recorrentes. Esse padrão de início e remissão dos episódios deve ter ocorrido durante pelo menos dois anos, sem quaisquer episódios não sazonais ocorrendo durante esse período. Além disso, os episódios depressivos sazonais devem superar em número substancial quaisquer episódios depressivos não sazonais durante o tempo de vida do indivíduo.

Este especificador não se aplica àquelas situações nas quais o padrão é mais bem explicado por estressores psicossociais ligados à estação do ano (p. ex., desemprego ou compromissos escolares sazonais). Os episódios depressivos maiores que ocorrem em um padrão sazonal frequentemente se caracterizam por diminuição da energia, hipersonia, hiperfagia, ganho de peso e avidez por carboidratos.

A prevalência do padrão sazonal do tipo inverno parece variar com a latitude, a idade e o sexo. A prevalência aumenta com maiores latitudes. A idade também é um forte preditor de sazonalidade, estando as pessoas mais jovens em maior risco para episódios depressivos de inverno.

Especificar se:

Em remissão parcial: Presença de sintomas do episódio depressivo maior imediatamente anterior, mas não são satisfeitos todos os critérios ou existe um período de menos de dois meses sem sintomas significativos de um episódio depressivo maior após o término desse episódio.

Em remissão completa: Durante os últimos dois meses, nenhum sinal ou sintoma significativo da perturbação esteve presente.

Especificar a gravidade atual:

A gravidade está baseada no número de sintomas dos critérios, em sua gravidade e no grau de incapacitação funcional.

Leve: Caso ocorram, são poucos os sintomas presentes além daqueles necessários para fazer o diagnóstico, a intensidade dos sintomas causa sofrimento, mas é manejável, e os sintomas resultam em pouco prejuízo no funcionamento social ou profissional.

Moderada: O número de sintomas, sua intensidade e/ou o prejuízo funcional estão entre aqueles especificados para "leve" e "grave".

Grave: O número de sintomas está substancialmente além do requerido para fazer o diagnóstico, sua intensidade causa grave sofrimento e não é manejável, e os sintomas interferem acentuadamente no funcionamento social e profissional.

Transtornos de Ansiedade

Os transtornos de ansiedade incluem transtornos que compartilham características de medo e ansiedade excessivos e perturbações comportamentais relacionados. *Medo* é a resposta emocional a ameaça iminente real ou percebida, enquanto *ansiedade* é a antecipação de ameaça futura. Obviamente, esses dois estados se sobrepõem, mas também se diferenciam, com o medo sendo com mais frequência associado a períodos de excitabilidade autonômica aumentada, necessária para luta ou fuga, pensamentos de perigo imediato e comportamentos de fuga, e a ansiedade sendo mais frequentemente associada a tensão muscular e vigilância em preparação para perigo futuro e comportamentos de cautela ou esquiva. Às vezes, o nível de medo ou ansiedade é reduzido por comportamentos constantes de esquiva. Os *ataques de pânico* se destacam dentro dos transtornos de ansiedade como um tipo particular de resposta ao medo. Os ataques de pânico não se limitam aos transtornos de ansiedade, mas também podem ser vistos em outros transtornos mentais.

Os transtornos de ansiedade diferem entre si nos tipos de objetos ou situações que induzem medo, ansiedade ou comportamento de esquiva e na ideação cognitiva associada. Assim, embora os transtornos de ansiedade tendam a ser altamente comórbidos entre si, podem ser diferenciados pelo exame detalhado dos tipos de situações que são temidos ou evitados e pelo conteúdo dos pensamentos ou crenças associados.

Os transtornos de ansiedade se diferenciam do medo ou da ansiedade adaptativos por serem excessivos ou persistirem além de períodos apropriados ao nível de desenvolvimento. Eles diferem do medo ou da ansiedade provisórios, com frequência induzidos por estresse, por serem persistentes (p. ex., em geral durante seis meses ou mais), embora o critério para a duração seja tido como um guia geral, com a possibilidade de algum grau de flexibilidade, sendo às vezes de duração mais curta em crianças (como no transtorno de ansiedade de separação e no mutismo seletivo). Como os indivíduos com transtornos de ansiedade em geral superestimam o perigo nas situações que temem ou evitam, a determinação primária do quanto o medo ou a ansiedade são excessivos ou fora de proporção é feita pelo clínico, levando em conta fatores contextuais culturais. Muitos dos transtornos de ansiedade se desenvolvem na infância e tendem a persistir se não forem tratados. A maioria ocorre com mais frequência em meninas do que em meninos (proporção de aproximadamente 2:1). Cada transtorno de ansiedade é diagnosticado somente quando os sintomas não são consequência dos efeitos fisiológicos do uso de uma substância/medicamento ou de outra condição médica ou não são mais bem explicados por outro transtorno mental.

Este capítulo está organizado segundo os estágios do desenvolvimento, com os transtornos sequenciados de acordo com a idade típica de início. O indivíduo com transtorno de ansiedade de separação é apreensivo ou ansioso quanto à separação das figuras de apego até um ponto em que é impróprio para o nível de desenvolvimento. Existe medo ou ansiedade persistente quanto à ocorrência de dano às figuras de apego e em relação a eventos que poderiam levar a perda ou separação de tais figuras e relutância em se afastar delas, além de pesadelos e sintomas físicos de sofrimento. Embora os sintomas geralmente se desenvolvam na infância, eles podem ser expressos ao longo da vida adulta, bem como na ausência de uma história de transtorno de ansiedade de separação na infância.

O mutismo seletivo é caracterizado por fracasso consistente para falar em situações sociais nas quais existe expectativa para que se fale (p. ex., na escola), mesmo que o indivíduo fale em outras situações. O fracasso para falar acarreta consequências significativas em contextos de conquistas acadêmicas ou profissionais ou interfere em outros aspectos na comunicação social normal.

Os indivíduos com fobia específica são apreensivos, ansiosos ou se esquivam de objetos ou situações circunscritos. Uma cognição específica não está caracterizada nesse transtorno, como está em outros transtornos de ansiedade. Medo, ansiedade ou esquiva é quase sempre imediatamente induzido pela situação fóbica, até um ponto em que é persistente e fora de proporção em relação ao risco real que se apresenta. Existem vários tipos de fobias específicas: a animais, ambiente natural, sangue-injeção-ferimentos, situacional e outros.

No transtorno de ansiedade social (fobia social), o indivíduo é temeroso, ansioso ou se esquiva de interações e situações sociais que envolvem a possibilidade de ser avaliado. Estão inclusas situações sociais como encontrar-se com pessoas que não são familiares, situações em que o indivíduo pode ser observado comendo ou bebendo e situações de desempenho diante de outras pessoas. A ideação cognitiva associada é a de ser avaliado negativamente pelos demais, ficar envergonhado, ser humilhado ou rejeitado ou ofender os outros.

No transtorno de pânico, o indivíduo experimenta ataques de pânico inesperados recorrentes e está persistentemente apreensivo ou preocupado com a possibilidade de sofrer novos ataques de pânico ou alterações mal-adaptativas em seu comportamento devido aos ataques de pânico (p. ex., esquiva de exercícios ou de locais que não são familiares). Os ataques de pânico são ataques abruptos de medo intenso ou desconforto intenso que atingem um pico em poucos minutos, acompanhados de sintomas físicos e/ou cognitivos. Os ataques de pânico com sintomas limitados incluem menos de quatro sintomas. Os ataques podem ser *esperados*, como em resposta a um objeto ou situação normalmente temido, ou *inesperados*, significando que o ataque não ocorre por uma razão aparente. Eles funcionam como um marcador e fator prognóstico para a gravidade do diagnóstico, curso e comorbidade com uma gama de transtornos, incluindo, mas não limitados, os transtornos de ansiedade (p. ex., transtornos por uso de substância, transtornos depressivos e psicóticos). O especificador "com ataques de pânico" pode, portanto, ser usado para ataques de pânico que ocorram no contexto de qualquer transtorno de ansiedade, assim como no de outros transtornos mentais (p. ex., transtornos depressivos ou transtorno de estresse pós-traumático).

Os indivíduos com agorafobia são apreensivos e ansiosos em várias situações diferentes, e os critérios diagnósticos requerem sintomas em duas ou mais das seguintes situações: usar transporte público; estar em espaços abertos; estar em lugares fechados; ficar em uma fila ou estar no meio de uma multidão; ou estar fora de casa sozinho em outras situações. O indivíduo teme essas situações devido aos pensamentos de que pode ser difícil escapar ou de que pode não haver auxílio disponível caso desenvolva sintomas do tipo pânico ou outros sintomas incapacitantes ou constrangedores. Essas situações quase sempre induzem medo ou ansiedade e com frequência são evitadas ou requerem a presença de um acompanhante.

As características principais do transtorno de ansiedade generalizada são ansiedade e preocupação persistentes e excessivas acerca de vários domínios, incluindo desempenho no trabalho e escolar, que o indivíduo encontra dificuldade em controlar. Além disso, são experimentados sintomas físicos, incluindo inquietação ou sensação de "nervos à flor da pele"; fatigabilidade; dificuldade de concentração ou "ter brancos"; irritabilidade; tensão muscular; e perturbação do sono.

O transtorno de ansiedade induzido por substância/medicamento envolve ansiedade devido a intoxicação ou abstinência de substância ou a um tratamento medicamentoso. No transtorno de ansiedade devido a outra condição médica, os sintomas de ansiedade são consequência fisiológica de outra condição médica.

Escalas específicas estão disponíveis para melhor caracterizar a gravidade de cada transtorno de ansiedade e captar as alterações na gravidade ao longo do tempo. Para facilitar o uso, particularmente para indivíduos com mais de um transtorno de ansiedade, essas escalas foram desenvolvidas para ter o mesmo formato (porém focos diferentes) em todos os transtornos de ansiedade, com classificações de sintomas comportamentais, sintomas cognitivos e sintomas físicos relevantes para cada transtorno.

Indivíduos com ansiedade podem ser mais propensos a ter pensamentos suicidas, a tentar suicidar-se e a morrer por suicídio do que aqueles sem ansiedade. Transtorno de pânico, transtorno de ansiedade generalizada e fobias específicas foram identificados como os transtornos de ansiedade mais fortemente associados com a transição de pensamentos suicidas para tentativas de suicídio.

Transtorno de Ansiedade de Separação

Critérios Diagnósticos	F93.0

A. Medo ou ansiedade impróprios e excessivos em relação ao estágio de desenvolvimento, envolvendo a separação daqueles com quem o indivíduo tem apego, evidenciados por três (ou mais) dos seguintes aspectos:
   1. Sofrimento excessivo e recorrente ante a ocorrência ou previsão de afastamento de casa ou de figuras importantes de apego.
   2. Preocupação persistente e excessiva acerca da possível perda ou de perigos envolvendo figuras importantes de apego, tais como doença, ferimentos, desastres ou morte.
   3. Preocupação persistente e excessiva de que um evento indesejado leve à separação de uma figura importante de apego (p. ex., perder-se, ser sequestrado, sofrer um acidente, ficar doente).
   4. Relutância persistente ou recusa a sair, afastar-se de casa, ir para a escola, o trabalho ou a qualquer outro lugar, em virtude do medo da separação.
   5. Temor persistente e excessivo ou relutância em ficar sozinho ou sem as figuras importantes de apego em casa ou em outros contextos.
   6. Relutância ou recusa persistente em dormir longe de casa ou dormir sem estar próximo a uma figura importante de apego.
   7. Pesadelos repetidos envolvendo o tema da separação.
   8. Repetidas queixas de sintomas somáticos (p. ex., cefaleias, dores abdominais, náusea ou vômitos) quando a separação de figuras importantes de apego ocorre ou é prevista.
B. O medo, a ansiedade ou a esquiva é persistente, durando pelo menos quatro semanas em crianças e adolescentes e geralmente seis meses ou mais em adultos.
C. A perturbação causa sofrimento clinicamente significativo ou prejuízo no funcionamento social, acadêmico, profissional ou em outras áreas importantes da vida do indivíduo.
D. A perturbação não é mais bem explicada por outro transtorno mental, como a recusa em sair de casa devido à resistência excessiva à mudança no transtorno do espectro autista; delírios ou alucinações envolvendo a separação em transtornos psicóticos; recusa em sair sem um acompanhante confiável na agorafobia; preocupações com doença ou outros danos afetando pessoas significativas no transtorno de ansiedade generalizada; ou preocupações envolvendo ter uma doença no transtorno de ansiedade de doença.

Características Diagnósticas

A característica essencial do transtorno de ansiedade de separação é o medo ou a ansiedade excessivos envolvendo a separação de casa ou de figuras de apego. A ansiedade excede o esperado com relação ao estágio de desenvolvimento do indivíduo (Critério A). Os indivíduos com transtorno de ansiedade de separação têm sintomas que satisfazem pelo menos três dos critérios apresentados a seguir. Eles vivenciam sofrimento excessivo e recorrente ante a ocorrência ou previsão de afastamento de casa ou de figuras importantes de apego (Critério A1). Eles se preocupam com o bem-estar ou a morte de figuras de apego, particularmente quando separados delas, precisam saber o paradeiro das suas figuras de apego e querem ficar em contato com elas (Critério A2). Também se preocupam com eventos indesejados consigo mesmos, como perder-se, ser sequestrado ou sofrer um acidente, que os impediriam de se reunir à sua figura importante de apego (Critério A3). Os indivíduos com transtorno de ansiedade de separação são relutantes ou se recusam a sair sozinhos devido ao medo de separação (Critério A4). Eles têm medo ou relutância persistente e excessiva em ficar sozinhos ou sem as figuras importantes de apego em casa ou em outros ambientes. As crianças com transtorno de ansiedade de separação podem não conseguir permanecer ou ir até um quarto sozinhas e podem exibir comportamento de agarrar-se, ficando perto ou "sendo a sombra" dos pais por toda a casa ou precisando que alguém esteja com elas quando vão para outro cômodo na casa (Critério A5). Elas têm relutância ou recusa persistente em dormir à noite sem estarem perto de uma figura importante de apego ou em dormir fora de casa (Critério A6). As crianças com esse transtorno frequentemente têm dificuldade na hora de dormir e podem insistir para que alguém fique com elas até que adormeçam. Durante a noite, podem ir para a cama dos pais (ou para a de outra pessoa significativa, como um irmão). As crianças podem ser relutantes ou se recusar a participar de acampamentos, dormir na casa de amigos ou executar tarefas. Os adultos podem se sentir desconfortáveis quando viajam sozinhos (p. ex., dormindo em um quarto de hotel longe de casa ou de figuras de apego). Pode haver pesadelos repetidos nos quais o conteúdo expressa a ansiedade de separação do indivíduo (p. ex., destruição da família devido a fogo, assassinato ou outra catástrofe) (Critério A7). Sintomas físicos (p. ex., cefaleias, dores abdominais, náusea, vômitos) são comuns em crianças quando ocorre ou é prevista a separação das figuras importantes de apego (Critério A8). Sintomas cardiovasculares como palpitações, tonturas e sensação de desmaio são raros em crianças menores, mas podem ocorrer em adolescentes e adultos.

A perturbação pode durar por um período de pelo menos quatro semanas em crianças e adolescentes com menos de 18 anos e geralmente dura seis meses ou mais em adultos (Critério B). Entretanto, o critério de duração para adultos deve ser usado como um guia geral, com a possibilidade de algum grau de flexibilidade. A perturbação pode causar sofrimento clinicamente significativo ou prejuízo nas áreas de funcionamento social, acadêmico, profissional ou em outras áreas importantes da vida do indivíduo (Critério C).

Características Associadas

Quando separadas das figuras importantes de apego, as crianças com transtorno de ansiedade de separação podem exibir retraimento social, apatia, tristeza ou dificuldade de concentração no trabalho ou nos brinquedos. Dependendo da idade, os indivíduos podem ter medo de animais, monstros, escuro, assaltantes, ladrões, sequestradores, acidentes de carro, viagens de avião e de outras situações que lhes dão a percepção de perigo à família ou a eles próprios. Alguns indivíduos ficam com saudades de casa e extremamente desconfortáveis quando estão longe dela. O transtorno de ansiedade de separação em crianças pode levar à recusa de ir à escola, o que, por sua vez, pode ocasionar dificuldades acadêmicas e isolamento social. Quando extremamente perturbadas pela perspectiva de separação, as crianças podem demonstrar raiva ou, às vezes, agressão em relação a quem está forçando a separação. Quando sozinhas, em especial à noite ou no escuro, as crianças pequenas podem relatar experiências perceptuais incomuns (p. ex., ver pessoas espreitando no quarto, criaturas assustadoras tentando agarrá-las, sentir que estão sendo observadas). As crianças com esse transtorno podem ser descritas como exigentes, intrusivas e com necessidade de atenção constante e, quando adultas, podem parecer dependentes e superprotetoras. Adultos com o transtorno são propensos a mandar mensagens ou ligar para suas principais figuras de apego ao longo do dia e verificar onde elas estão repetidamente. As demandas excessivas do indivíduo com frequência se tornam fonte de frustração para os membros da família, levando a ressentimento e conflito familiar.

Prevalência

A prevalência de 6 a 12 meses de transtorno de ansiedade de separação em crianças é de cerca de 4%. Em uma amostra de comunidade de crianças pré-escolares, o transtorno de ansiedade de separação parece estar igualmente representado entre meninas e meninos; porém, meninas em idade escolar parecem ter maior prevalência do que meninos em idade escolar. Em adolescentes, nos Estados Unidos, a prevalência de 12 meses é de 1,6%. O transtorno de ansiedade de separação diminui em prevalência desde a infância até a adolescência e a idade adulta. Em amostras clínicas de crianças, o transtorno parece ter a mesma prevalência entre meninos e meninas, enquanto as amostras comunitárias mostram que o transtorno é mais frequente em meninas. Relatos de crianças tendem a gerar maiores taxas de transtorno de ansiedade de separação do que relatos dos pais sobre os sintomas das crianças.

Para adultos, a prevalência de 12 meses do transtorno de ansiedade de separação nos Estados Unidos varia entre 0,9 e 1,9%. Entre os adultos com transtorno de ansiedade de separação, as mulheres tendem a ter taxas de prevalência maiores tanto em estudos clínicos quanto comunitários. Em estudos com 18 países, a média da prevalência de 12 meses em adultos é de 1,0%, com uma variação de <0,1 até 2,7% (p. ex., 0,3% na Romênia e 2,7% na Colômbia). Maior prevalência foi observada nas mulheres quando comparadas com homens na amostra total (1,3 contra 0,8%).

Desenvolvimento e Curso

Períodos de alta na ansiedade devido à separação de figuras de apego fazem parte da fase inicial do desenvolvimento normal e podem indicar o estabelecimento de relações seguras (p. ex., em torno de 1 ano de idade, quando os bebês podem sofrer de ansiedade reativa a pessoas estranhas). O início do transtorno de ansiedade de separação pode ocorrer em idade pré-escolar e em qualquer momento durante a infância e mais raramente na adolescência. A média de início do transtorno entre adultos (18 anos ou mais), segundo reportado por um estudo que abrangeu mais de 18 países, foi na adolescência tardia em países de alta e média renda e entre os 20 e 30 anos em países de baixa ou média-baixa renda. A maioria dos adultos relata um curso flutuante do transtorno ao longo da vida e pode, inclusive, relatar alguns sintomas na infância.

Em geral, existem períodos de exacerbação e remissão. Em alguns casos, tanto a ansiedade relativa a possível separação quanto a esquiva de situações envolvendo separação de casa ou do núcleo familiar (p. ex., ir para a universidade, mudar-se para longe das figuras de apego) podem persistir durante a idade adulta. Entretanto, a maioria das crianças com transtorno de ansiedade de separação passa a não ter mais sintomas prejudiciais de ansiedade de separação ao longo de sua vida adulta.

As manifestações do transtorno de ansiedade de separação variam com a idade. As crianças menores são mais relutantes em ir para a escola ou podem evitá-la totalmente. Podem não expressar preocupações ou medos específicos de ameaças definidas aos pais, à casa ou a si mesmas, e a ansiedade é manifestada somente quando a separação é vivenciada. À medida que as crianças crescem, emergem as preocupações; com frequência são preocupações acerca de perigos específicos (p. ex., acidentes, sequestro, assalto, morte) ou preocupações vagas acerca de não se reencontrarem com as figuras de apego. Em adultos, o transtorno de ansiedade de separação pode limitar a capacidade de enfrentar mudanças circunstanciais (p. ex., mudar-se de casa, casar-se). Os adultos com a perturbação são, em geral, excessivamente preocupados em relação aos seus filhos, cônjuges, pais e animais de estimação e vivenciam desconforto acentuado quando separados deles. Também podem experimentar perturbação significativa no trabalho ou em experiências sociais devido à necessidade de checar continuamente o paradeiro de uma pessoa significativa.

Fatores de Risco e Prognóstico

Ambientais. O transtorno de ansiedade de separação frequentemente se desenvolve após um estresse vital, sobretudo uma perda (p. ex., a morte de um parente ou animal de estimação; doença do indivíduo ou de um parente; mudança de escola; divórcio dos pais; mudança para outro bairro; imigração; um desastre que envolveu períodos de separação das figuras de apego). Sofrer *bullying* durante a infância se mostrou um fator de risco para o desenvolvimento de transtorno de ansiedade de separação. Em jovens adultos, outros exemplos de estresse vital incluem sair da casa dos pais, iniciar uma relação romântica e tornar-se pai. História de superproteção e invasividade parental pode estar associada com o transtorno de ansiedade de separação tanto em crianças quanto em adultos.

Genéticos e fisiológicos. Há evidências de que o transtorno de ansiedade de separação pode ser herdado. A herdabilidade foi estimada em 73% em uma amostra com base em comunidade de gêmeos de 6 anos, com taxas mais altas entre as meninas. As crianças com o transtorno exibem sensibilidade particularmente aumentada à estimulação respiratória usando ar enriquecido com CO_2. O transtorno de ansiedade de separação também parece se agregar em famílias.

Questões Diagnósticas Relativas à Cultura

Existem variações culturais no grau em que é considerado desejável tolerar a separação, tanto que as demandas e oportunidades de separação entre pais e filhos são evitadas em algumas culturas. Por exemplo, existe ampla variação entre países e culturas no que diz respeito à idade em que é esperado que os filhos deixem a casa dos pais. Os jovens variam em seus autorrelatos sobre sintomas de ansiedade de separação; por exemplo, os jovens taiwaneses reportam sintomas de ansiedade de separação maiores do que os jovens norte-americanos. É importante diferenciar o transtorno de ansiedade de separação do alto valor que algumas culturas depositam na forte interdependência entre os membros da família.

Associação com Pensamentos ou Comportamentos Suicidas

O transtorno de ansiedade de separação em crianças e adolescentes pode estar associado a maior risco de suicídio, apesar de essa associação não ser específica para transtorno de ansiedade de separação e também ser encontrada em outros transtornos de ansiedade em que existam comorbidades significativas. Um grande estudo feito com gêmeos mostrou que sofrer *bullying* durante a infância foi um fator de risco para pensamentos suicidas no início da idade adulta.

Consequências Funcionais do Transtorno de Ansiedade de Separação

Os indivíduos com transtorno de ansiedade de separação com frequência limitam as atividades independentes longe de casa ou das figuras de apego (p. ex., em crianças, evitar a escola, não ir acampar, ter dificuldade para dormir sozinho; em adolescentes, não ir para a universidade; em adultos, não sair da casa dos pais, não viajar, não trabalhar fora de casa). Os sintomas em adultos são frequentemente debilitantes e afetam múltiplas áreas de suas vidas. Adultos com transtorno de ansiedade de separação pode reorganizar deliberadamente suas rotinas de trabalho e outras atividades por causa de suas ansiedades, para evitar possíveis separações de figuras próximas, por exemplo. Esses adultos podem frequentemente expressar frustração com as limitações em suas vidas por causa da necessidade de manter proximidade, ou pelo menos estar em contato virtual, com suas figuras de afeto principais (p. ex., ao mandar mensagens ou ligar repetidamente para a pessoa ao longo do dia). O transtorno de ansiedade de separação está associado a maiores prejuízos relatados em indivíduos de países de alta ou média-alta renda se comparados àqueles de países de baixa ou média-baixa renda.

Diagnóstico Diferencial

Transtorno de ansiedade generalizada. O transtorno de ansiedade de separação se distingue do transtorno de ansiedade generalizada no sentido de que a ansiedade no primeiro envolve predominantemente a separação, real ou imaginada, de figuras de apego. Além disso, se outras preocupações ocorrem, elas não são excessivas.

Transtorno de pânico. No transtorno de ansiedade de separação, ameaças de separação de pessoas próximas pode levar a ansiedade extrema e ataques de pânico. Em contraste com o transtorno de pânico, em que ataques de pânico ocorrem inesperadamente e em geral são acompanhados de medo da morte ou de "enlouquecer", os ataques de pânico do transtorno de ansiedade de separação ocorrem em antecipação a separações reais ou imaginárias de figuras de apego ou de locais de segurança e proteção ou como preocupações de que coisas aconteçam às pessoas próximas do indivíduo.

Agorafobia. Diferentemente dos indivíduos com agorafobia, aqueles com transtorno de ansiedade de separação não são ansiosos quanto a ficarem presos ou incapacitados em situações em que a fuga é percebida como difícil no caso de sintomas similares a pânico ou outros sintomas incapacitantes. Em vez disso, eles temem estar longe de lugares seguros associados a suas principais figuras de apego.

Transtorno da conduta. A esquiva da escola (evasão) é comum no transtorno da conduta, mas a ansiedade pela separação não é responsável pelas ausências escolares, e a criança ou adolescente habitualmente fica longe de casa em vez de voltar para ela.

Transtorno de ansiedade social. A recusa de ir à escola pode ser devida a transtorno de ansiedade social. Nesses casos, evitar a escola se deve ao medo de ser julgado negativamente pelos outros, e não a preocupações relativas a ser separado das figuras de apego.

Transtorno de estresse pós-traumático. O medo de separação das pessoas amadas é comum após eventos traumáticos como desastres, particularmente quando foram experimentados períodos de separação dessas pessoas durante o evento traumático. No transtorno de estresse pós-traumático (TEPT), os sintomas centrais são relativos a intrusões e esquiva de lembranças associadas ao evento traumático, enquanto no transtorno de ansiedade de separação as preocupações e a esquiva estão relacionadas ao bem-estar das figuras de apego e à separação delas.

Transtorno de ansiedade de doença. O transtorno de ansiedade de separação está relacionado a preocupações sobre a saúde e o bem-estar de pessoas próximas. Em contraste, indivíduos com transtorno de ansiedade de doença se preocupam com doenças específicas que eles mesmos podem ter.

Transtorno do luto prolongado. Anseio intenso ou saudades da pessoa falecida, tristeza intensa e dor emocional e preocupação com a pessoa falecida ou com as circunstâncias da morte são respostas esperadas no transtorno do luto prolongado, enquanto o medo de separação de outras figuras de apego é central no transtorno de ansiedade de separação.

Transtornos depressivo e bipolar. Esses transtornos podem estar associados a relutância em sair de casa, mas a perturbação principal não é a preocupação ou o medo de eventos indesejados afetarem as figuras de apego, mas a baixa motivação para se envolver com o mundo externo. No entanto, os indivíduos com transtorno de ansiedade de separação podem ficar deprimidos quando são separados ou quando é prevista uma separação.

Transtorno de oposição desafiante. Crianças e adolescentes com transtorno de ansiedade de separação podem apresentar oposição no contexto em que são forçados a se separar das figuras de apego. O transtorno de oposição desafiante só deve ser considerado quando há comportamentos de oposição persistentes não relacionados a antecipação ou ocorrência de separação de figuras de apego.

Transtornos psicóticos. Diferentemente das alucinações nos transtornos psicóticos, as experiências perceptuais incomuns que podem ocorrer no transtorno de ansiedade de separação estão em geral baseadas em uma percepção equivocada de um estímulo real, ocorrendo apenas em certas situações (p. ex., à noite), sendo revertidas pela presença de uma figura de apego.

Transtornos da personalidade. O transtorno da personalidade dependente é caracterizado por uma tendência indiscriminada a depender de outra pessoa, enquanto o transtorno de ansiedade de separação envolve preocupação quanto à proximidade e à segurança das principais figuras de apego. O transtorno da personalidade *borderline* é caracterizado pelo medo do abandono pelas pessoas amadas, mas os problemas na identidade, no autodirecionamento, no funcionamento interpessoal e na impulsividade são adicionalmente centrais a esse transtorno, enquanto não são centrais para o transtorno de ansiedade de separação.

Comorbidade

Em crianças, o transtorno de ansiedade de separação é altamente comórbido a transtorno de ansiedade generalizada e fobia específica. Em adultos, as comorbidades comuns incluem fobia específica, transtorno de estresse pós-traumático, transtorno de ansiedade generalizada, transtorno de ansiedade social, agorafobia, transtorno obsessivo-compulsivo, transtorno do luto prolongado e transtornos da personalidade. Entre os transtornos da personalidade, os transtornos da personalidade dependente, evitativa ou obsessivo-compulsiva (Grupo C) podem ser comórbidos com o transtorno de ansiedade de separação. Os transtornos depressivo e bipolar também são comórbidos ao transtorno de ansiedade de separação em adultos.

Mutismo Seletivo

Critérios Diagnósticos — F94.0

A. Fracasso persistente para falar em situações sociais específicas nas quais existe a expectativa para tal (p. ex., na escola), apesar de falar em outras situações.
B. A perturbação interfere na realização educacional ou profissional ou na comunicação social.
C. A duração mínima da perturbação é um mês (não limitada ao primeiro mês de escola).
D. O fracasso para falar não se deve a um desconhecimento ou desconforto com o idioma exigido pela situação social.
E. A perturbação não é mais bem explicada por um transtorno da comunicação (p. ex., transtorno da fluência com início na infância) nem ocorre exclusivamente durante o curso de transtorno do espectro autista, esquizofrenia ou outro transtorno psicótico.

Características Diagnósticas

Ao se encontrarem com outros indivíduos em interações sociais, as crianças com mutismo seletivo não iniciam a conversa ou respondem reciprocamente quando os outros falam com elas. O fracasso na fala ocorre em interações sociais com crianças ou adultos. As crianças com mutismo seletivo falarão na sua casa na presença de membros da família imediata, mas com frequência não o farão nem mesmo diante de amigos próximos ou parentes de segundo grau, como avós ou primos. A perturbação é com frequência marcada por intensa ansiedade social. As crianças com mutismo seletivo comumente se recusam a falar na escola, o que leva a prejuízos acadêmicos ou educacionais, uma vez que os professores têm dificuldade para avaliar habilidades como a leitura. O fracasso na fala pode interferir na comunicação social, embora as crianças com esse transtorno ocasionalmente usem meios não verbais (p. ex., grunhindo, apontando, escrevendo) para se comunicar e podem desejar ou ansiar pela participação em encontros em que a fala não é exigida (p. ex., papéis não verbais em peças teatrais na escola).

Características Associadas

As características associadas ao mutismo seletivo podem incluir timidez excessiva, medo de constrangimento, isolamento e retraimento sociais, apego, traços compulsivos, negativismo, ataques de birra ou comportamento opositor leve. Embora as crianças com esse transtorno em geral tenham habilidades de linguagem normais, às vezes pode haver um transtorno da comunicação associado, apesar de nenhuma associação particular com um transtorno da comunicação específico tenha sido identificada. Mesmo quando esses transtornos estão presentes, também está presente a ansiedade. Em contextos clínicos, as crianças com mutismo seletivo quase sempre recebem um diagnóstico adicional de outro transtorno de ansiedade – mais comumente transtorno de ansiedade social.

Prevalência

O mutismo seletivo é um transtorno relativamente raro e não foi incluído como categoria diagnóstica em estudos epidemiológicos de prevalência dos transtornos na infância. Prevalências pontuais usando várias amostras clínicas ou de escolas nos Estados Unidos e em Israel variam entre 0,03 e 1,9%, dependendo do contexto e da idade dos indivíduos na amostra. Estudos em amostras baseadas na comunidade e baseadas nos registros de busca de tratamento sugerem uma distribuição igual de gênero para o mutismo seletivo, embora também haja evidências de que o mutismo seletivo seja mais comum entre meninas do que meninos. A prevalência não parece ser afetada por etnicidade, mas os indivíduos que precisam falar em uma língua que não é a sua língua nativa (p. ex., crianças em famílias de imigrantes) têm maior risco de desenvolver o transtorno. Manifesta-se com maior frequência em crianças menores do que em adolescentes e adultos.

Desenvolvimento e Curso

O início do mutismo seletivo é habitualmente antes dos 5 anos de idade, mas a perturbação pode não receber atenção clínica até a entrada na escola, quando existe aumento na interação social e na realização de tarefas, como a leitura em voz alta. A persistência do transtorno é variável. Embora relatos clínicos sugiram que muitos indivíduos "superam" o mutismo seletivo, o curso longitudinal do transtorno é amplamente desconhecido. Na maioria dos casos, o mutismo seletivo pode desaparecer, mas os sintomas de transtorno de ansiedade social geralmente permanecem.

Fatores de Risco e Prognóstico

Temperamentais. Os fatores de risco temperamentais para o mutismo seletivo não estão bem identificados. Afetividade negativa (neuroticismo) ou inibição comportamental podem desempenhar algum papel, assim como história parental de timidez, isolamento e ansiedade social. As crianças com mutismo seletivo podem ter dificuldades sutis de linguagem receptiva comparadas com seus pares, embora ainda esteja dentro da variação normal.

Ambientais. A inibição social por parte dos pais pode servir como modelo para a reticência social e o mutismo seletivo em crianças. Além do mais, os pais de crianças com mutismo seletivo foram descritos como superprotetores ou mais controladores do que os pais de crianças com outros transtornos de ansiedade ou nenhum transtorno.

Genéticos e fisiológicos. Devido à sobreposição significativa entre mutismo seletivo e transtorno de ansiedade social, pode haver fatores genéticos compartilhados por ambos. Também há evidências de aumento de anormalidades na atividade neural eferente auditiva durante a vocalização em indivíduos com mutismo seletivo, o que pode levar a peculiaridades na percepção da própria voz e, portanto, causar resistência para falar.

Questões Diagnósticas Relativas à Cultura

As crianças de famílias que imigraram para um país onde é falada uma língua diferente podem se recusar a falar a nova língua devido ao desconhecimento desta. Essas crianças não se qualificam para o diagnóstico, porque tais casos são explicitamente excluídos do diagnóstico.

Consequências Funcionais do Mutismo Seletivo

O mutismo seletivo pode resultar em prejuízo social, uma vez que as crianças podem ficar excessivamente ansiosas para se engajar em interações sociais com outras. À medida que as crianças com mutismo seletivo crescem, podem enfrentar um isolamento social cada vez maior. Em contextos escolares, essas crianças podem sofrer prejuízo acadêmico porque com frequência não se comunicam com os professores no que se refere às suas necessidades acadêmicas ou pessoais (p. ex., não compreendendo uma tarefa de classe, não pedindo para ir ao banheiro). Prejuízo grave no funcionamento escolar e social, incluindo o resultante de ser importunado pelos pares, é comum. Em certos casos, o mutismo seletivo pode servir como estratégia compensatória para reduzir o aumento da ansiedade em encontros sociais.

Diagnóstico Diferencial

Período de silêncio em crianças imigrantes aprendendo uma segunda língua. O mutismo seletivo deve ser diferenciado do "período de silêncio" típico associado com a aquisição de uma nova língua por uma criança. Se a compreensão da nova língua for adequada, mas persistir a recusa em falar em ambas as línguas, em diferentes contextos não familiares e por um período prolongado, um diagnóstico de mutismo seletivo pode ser justificado.

Transtornos da comunicação. O mutismo seletivo deve ser diferenciado das perturbações da fala que são mais bem explicadas por um transtorno da comunicação, como transtorno da linguagem, transtorno dos sons da fala (anteriormente transtorno fonológico), transtorno na fluência da fala com início na infância (gagueira) ou transtorno da comunicação social (pragmática). Diferentemente do mutismo seletivo, a perturbação da fala nessas condições não está restrita a uma situação social específica.

Transtornos do neurodesenvolvimento e esquizofrenia e outros transtornos psicóticos. Os indivíduos com um transtorno do espectro autista, esquizofrenia ou outro transtorno psicótico ou transtorno do desenvolvimento intelectual (deficiência intelectual) podem ter problemas na comunicação social e não conseguir falar apropriadamente em situações sociais. Em contraste, o mutismo seletivo deve ser diagnosticado apenas quando uma criança tem a capacidade de falar bem estabelecida em algumas situações sociais (p. ex., geralmente em casa).

Transtorno de ansiedade social. A ansiedade social e a esquiva no transtorno de ansiedade social podem estar associadas ao mutismo seletivo. Nesses casos, os dois diagnósticos devem ser estabelecidos.

Comorbidade

As condições comórbidas mais comuns são outros transtornos de ansiedade, mais frequentemente o transtorno de ansiedade social, seguido pelo transtorno de ansiedade de separação e por fobia específica. No contexto clínico, o mutismo seletivo e o transtorno do espectro autista têm sido notados como condições que ocorrem concomitantemente com frequência. Comportamentos de oposição podem ser observados observada em uma minoria substancial de crianças com mutismo seletivo, embora o comportamento de oposição possa ser limitado a situações que requerem fala. Atrasos ou transtornos da comunicação também podem aparecer em algumas crianças com mutismo seletivo.

Fobia Específica

Critérios Diagnósticos

A. Medo ou ansiedade acentuados acerca de um objeto ou situação (p. ex., voar, alturas, animais, tomar uma injeção, ver sangue).

   Nota: Em crianças, o medo ou ansiedade pode ser expresso por choro, ataques de raiva, imobilidade ou comportamento de agarrar-se.

B. O objeto ou situação fóbica quase invariavelmente provoca uma resposta imediata de medo ou ansiedade.

C. O objeto ou situação fóbica é ativamente evitado ou suportado com intensa ansiedade ou sofrimento.

D. O medo ou ansiedade é desproporcional em relação ao perigo real imposto pelo objeto ou situação específica e ao contexto sociocultural.

E. O medo, ansiedade ou esquiva é persistente, geralmente durando mais de seis meses.

F. O medo, ansiedade ou esquiva causa sofrimento clinicamente significativo ou prejuízo no funcionamento social, profissional ou em outras áreas importantes da vida do indivíduo.

G. A perturbação não é mais bem explicada pelos sintomas de outro transtorno mental, incluindo medo, ansiedade e esquiva de situações associadas a sintomas do tipo pânico ou outros sintomas incapacitantes (como na agorafobia); objetos ou situações relacionados a obsessões (como no transtorno obsessivo-compulsivo); evocação de eventos traumáticos (como no transtorno de estresse pós-traumático); separação de casa ou de figuras de apego (como no transtorno de ansiedade de separação); ou situações sociais (como no transtorno de ansiedade social).

Especificar se:

   Código baseado no estímulo fóbico:

   F40.218 Animal (p. ex., aranhas, insetos, cães).

   F40.228 Ambiente natural (p. ex., alturas, tempestades, água).

   F40.23x Sangue-injeção-ferimentos (p. ex., agulhas, procedimentos médicos invasivos).

> **Nota para codificação:** Escolher o código específico da CID-10-MC como segue: **F40.230** medo de sangue; **F40.231** medo de injeções e transfusões; **F40.232** medo de outros cuidados médicos; ou **F40.233** medo de ferimentos.
> **F40.248 Situacional** (p. ex., aviões, elevadores, locais fechados).
> **F40.298 Outro** (p. ex., situações que podem levar a asfixia ou vômitos; em crianças, p. ex., sons altos ou personagens vestidos com trajes de fantasia).
> **Nota para codificação:** Quando está presente mais de um estímulo fóbico, codificar todos os códigos da CID-10-MC que se aplicam (p. ex., para medo de cobras e de voar, F40.218 fobia específica, animal e F40.248 fobia específica, situacional).

Especificadores

É comum que os indivíduos tenham múltiplas fobias específicas. O indivíduo com fobia específica em geral teme três objetos ou situações, e aproximadamente 75% daqueles com fobia específica temem mais de uma situação ou objeto. Nesses casos, seria necessário dar os diagnósticos de fobia específica múltipla, cada uma com seu código diagnóstico refletindo o estímulo fóbico. Por exemplo, se um indivíduo teme tempestades e voar, então seriam dados dois diagnósticos: fobia específica, ambiente natural e fobia específica, situacional.

Características Diagnósticas

Uma característica essencial desse transtorno é que o medo ou ansiedade está circunscrito à presença de uma situação ou objeto particular (Critério A), que pode ser denominado *estímulo fóbico*. As categorias das situações ou objetos temidos são apresentadas como especificadores. Muitos indivíduos temem objetos ou situações de mais de uma categoria, ou estímulo fóbico. Para o diagnóstico de fobia específica, a resposta deve ser diferente dos medos normais transitórios que comumente ocorrem na população. Para satisfazer os critérios para um diagnóstico, o medo ou ansiedade deve ser intenso ou grave (i. e., "acentuado") (Critério A). O grau do medo experimentado pode variar com a proximidade do objeto ou situação temida e pode ocorrer com a antecipação da presença ou na presença real do objeto ou situação. Além disso, o medo ou ansiedade pode assumir a forma de um ataque de pânico com sintomas completos ou limitados (i. e., ataque de pânico esperado). Outra característica das fobias específicas é que o medo ou ansiedade é evocado quase todas as vezes que o indivíduo entra em contato com o estímulo fóbico (Critério B). Assim, um indivíduo que fica ansioso apenas ocasionalmente ao ser confrontado com a situação ou objeto (p. ex., fica ansioso apenas em um de cada cinco voos que faz) não seria diagnosticado com fobia específica. Entretanto, o grau de medo ou ansiedade expresso pode variar (desde a ansiedade antecipatória até um ataque de pânico completo) nas diferentes ocasiões de encontro com o objeto ou situação fóbica devido a vários fatores contextuais, como a presença de outra pessoa, a duração da exposição, e a outros elementos ameaçadores, como turbulência em um voo para indivíduos que têm medo de voar. O medo e a ansiedade são com frequência expressos de formas diferentes entre crianças e adultos. Além disso, o medo ou ansiedade ocorre tão logo o objeto ou situação fóbica é encontrado (i. e., imediatamente, em vez de ser retardado).

O indivíduo evita ativamente a situação, ou, se não consegue ou decide não evitá-la, a situação ou objeto evoca temor ou ansiedade intensos (Critério C). *Esquiva ativa* significa que o indivíduo intencionalmente se comporta de formas destinadas a prevenir ou minimizar o contato com objetos ou situações fóbicas (p. ex., pega túneis em vez de pontes em sua ida diária para o trabalho devido ao medo de alturas; evita entrar em um quarto escuro pelo medo de aranhas; evita aceitar um trabalho em um local em que um estímulo fóbico é mais comum). Os comportamentos de esquiva são com frequência óbvios (p. ex., um indivíduo que tem medo de sangue recusando-se a ir ao médico), mas às vezes são menos óbvios (p. ex., um indivíduo que tem medo de cobras recusando-se a olhar para figuras que se assemelham ao contorno ou à forma de cobras). Muitas pessoas com fobias específicas sofreram durante muitos anos e alteraram suas circunstâncias de vida com o objetivo de evitar o objeto ou situação fóbica o máximo possível (p. ex., uma pessoa diagnosticada com fobia específica, animal, que se muda a fim de residir em uma área desprovida do animal temido em particular). Consequentemente, elas não mais experimentam medo ou ansiedade em sua vida diária. Em tais circunstâncias, os comportamentos de esquiva ou a recusa persistente de se engajar em atividades que envolveriam exposição ao objeto ou situação fóbica (p. ex., recusa repetida em aceitar ofertas para viagens a trabalho devido ao medo de voar) podem ser úteis para a confirmação do diagnóstico na ausência de ansiedade ou pânico explícito.

O medo ou ansiedade é desproporcional em relação ao perigo real apresentado pelo objeto ou situação ou mais intenso do que é considerado necessário (Critério D). Embora os indivíduos com fobia específica com frequência reconheçam que suas reações são desproporcionais, tendem a superestimar o perigo nas situações temidas, e assim o julgamento do caráter desproporcional é feito pelo clínico. O contexto sociocultural do indivíduo também deve ser levado em conta. Por exemplo, o medo do escuro pode ser razoável em um contexto de violência constante, e o medo de insetos pode ser mais desproporcional em contextos em que insetos são consumidos na dieta. O medo, a ansiedade ou a esquiva é persistente, geralmente durando mais de seis meses (Critério E), o que ajuda a distinguir o transtorno de medos transitórios que são comuns na população, em particular entre crianças. A fobia específica deve causar sofrimento clinicamente significativo ou prejuízo no funcionamento social, profissional ou em outras áreas importantes da vida do indivíduo para que o transtorno seja diagnosticado (Critério F).

Características Associadas

Os indivíduos com fobia específica geralmente experimentam aumento na excitabilidade autonômica pela antecipação ou durante a exposição a um objeto ou situação fóbica. Entretanto, a resposta fisiológica à situação ou ao objeto temidos varia. Enquanto os indivíduos com fobias específicas situacionais, de ambiente natural e de animais têm probabilidade de apresentar excitabilidade aumentada do sistema nervoso simpático, aqueles com fobia específica a sangue-injeção-ferimentos frequentemente demonstram uma resposta de desmaio ou quase desmaio vasovagal que é marcada por breve aceleração inicial do ritmo cardíaco e elevação da pressão arterial seguida por desaceleração do ritmo cardíaco e queda na pressão arterial. Adicionalmente, fobias específicas são mais consistentemente associadas com atividades anormais na amígdala, córtex cingulado anterior, tálamo e ínsula em resposta ao objeto/situação fóbica.

Prevalência

Nos Estados Unidos, a estimativa de prevalência de 12 meses na comunidade para fobia específica é de 8 a 12%. As taxas de prevalência nos países europeus são, em grande parte, similares às dos Estados Unidos (p. ex., cerca de 6%), mas mais baixas nos países asiáticos, africanos e latino-americanos (2 a 4%). Estimativas de prevalência em crianças são de, em média, 5% levando em conta vários países, com a variação ficando entre 3 e 9%. Para adolescentes, com 13 a 17 anos, nos Estados Unidos, a prevalência é de aproximadamente 16%. As estimativas de prevalência são mais baixas em pessoas idosas (de 3 a 5%), possivelmente refletindo diminuição da severidade para níveis subclínicos. Mulheres são afetadas mais frequentemente do que os homens independentemente do subtipo, com uma razão em torno de 2:1.

Desenvolvimento e Curso

Ocasionalmente, a fobia específica se desenvolve após um evento traumático (p. ex., ser atacado por um animal ou ficar preso no elevador), por observação de outras pessoas que passam por um evento traumático (p. ex., ver alguém se afogar), por um ataque de pânico inesperado na situação a ser temida (p. ex., um ataque de pânico inesperado no metrô) ou por transmissão de informações (p. ex., ampla cobertura da mídia de um acidente aéreo). Entretanto, muitas pessoas com fobia específica não conseguem se lembrar da razão para o início de suas fobias. A fobia específica geralmente se desenvolve no início da infância, com a maioria dos casos se estabelecendo antes dos 10 anos de idade. A idade média de início situa-se entre 7 e 11 anos, com a média aproximadamente aos 10 anos. As fobias específicas situacionais tendem a ter uma idade mais tardia de início em comparação às fobias específicas de ambiente natural, animais ou sangue-injeção-ferimentos. As fobias específicas que se desenvolvem na infância e na adolescência têm probabilidade de apresentar recidivas e remissões durante esse período. No entanto, aquelas que persistem até a idade adulta provavelmente não terão remissão na maioria dos indivíduos.

Quando a fobia específica está sendo diagnosticada em crianças, duas questões devem ser consideradas. Primeiro, as crianças pequenas podem expressar medo e ansiedade chorando, com ataques de raiva, imobilidade ou comportamento de agarrar-se. Segundo, elas geralmente não são capazes de compreender o conceito de esquiva. Portanto, o clínico deve reunir informações adicionais com os pais, professores ou outras pessoas que conheçam bem a criança. Os medos excessivos são bastante comuns em crianças pequenas, mas costumam ser transitórios e apenas levemente prejudiciais e, assim, são considerados apropriados ao estágio de desenvolvimento. Nesses casos, um diagnóstico de fobia específica não deve ser feito. Quando o diagnóstico de fobia específica está sendo considerado em uma criança, é importante avaliar o grau de prejuízo e a duração do medo, ansiedade ou esquiva e se ele é típico para o estágio do desenvolvimento particular da criança.

Embora a prevalência de fobia específica seja mais baixa nas populações idosas, ela permanece como um dos transtornos mais comumente experimentados no fim da vida. Várias questões devem ser consideradas ao diagnosticar fobia específica em populações idosas. Primeiro, as pessoas idosas podem ter mais probabilidade de aceitar fobias específicas do ambiente natural, assim como fobias de queda. Segundo, a fobia específica (como todos os transtornos de ansiedade) tende a ocorrer em comorbidade com condições médicas em pessoas idosas, incluindo doença coronariana, doença pulmonar obstrutiva crônica e doença de Parkinson. Terceiro, as pessoas idosas podem ter mais probabilidade de atribuir os sintomas de ansiedade às condições médicas. Quarto, essas pessoas podem ter mais probabilidade de manifestar ansiedade de uma maneira atípica (p. ex., envolvendo sintomas de ansiedade e depressão) e, assim, têm mais chance de justificar um diagnóstico de transtorno de ansiedade não especificado. Além disso, a presença de fobia específica em pessoas idosas está associada a redução na qualidade de vida e pode servir como fator de risco para transtornos demenciais.

Embora outras fobias mais específicas se desenvolvam na infância e na adolescência, é possível que elas se estabeleçam em qualquer idade, frequentemente como consequência de experiências traumáticas. Por exemplo, fobia a asfixia quase sempre aparece após um evento de quase asfixia em qualquer idade.

Fatores de Risco e Prognóstico

Temperamentais. Os fatores de risco temperamentais para fobia específica, como afetividade negativa (neuroticismo) ou inibição comportamental, também são fatores de risco para outros transtornos de ansiedade.

Ambientais. Os fatores de risco ambientais para fobias específicas, como superproteção, perda e separação parentais e abuso físico e sexual, também tendem a predizer outros transtornos de ansiedade. Conforme observado anteriormente, encontros negativos ou traumáticos com o objeto ou situação temidos ocasionalmente (mas nem sempre) precedem o desenvolvimento de fobia específica.

Genéticos e fisiológicos. Pode haver suscetibilidade genética para certa categoria de fobia específica (p. ex., um indivíduo com um parente de primeiro grau com uma fobia específica de animais tem probabilidade significativamente maior de ter a mesma fobia específica do que qualquer outra categoria de fobia). Estudos com gêmeos examinaram a hereditariedade dos subtipos individuais de medos e fobias, sugerindo que a fobia de animais tem aproximadamente 32% de herdabilidade, a fobia de sangue, machucados ou injeções tem 33% e a fobia situacional, 25%.

Questões Diagnósticas Relativas à Cultura

Nos Estados Unidos, indivíduos de descendência asiática ou latina mostram uma prevalência menor de fobias específicas do que brancos não latinos e afro-americanos. A prevalência dos subtipos de fobias específicas varia em diferentes países.

Questões Diagnósticas Relativas ao Sexo e ao Gênero

As fobias específicas de animais, ambientes naturais e situacionais são predominantemente vivenciadas por mulheres, enquanto a fobia por sangue, injeções ou ferimentos é experimentada quase da mesma forma por mulheres e homens. A média de início de fobias específicas durante a infância não varia entre meninas/mulheres e meninos/homens.

Associação com Pensamentos ou Comportamentos Suicidas

Fobias específicas são associadas tanto com pensamentos suicidas quanto com tentativas de suicídio, segundo dados de pesquisas feitas nos Estados Unidos. As fobias específicas também são associadas com uma transição de ideação suicida para tentativas de suicídio. Para indivíduos com idades entre 14 e 24 anos, um extenso estudo alemão prospectivo, que durou mais de 10 anos, concluiu que 30% das primeiras tentativas de suicídio podem ser atribuíveis a fobias específicas.

Consequências Funcionais da Fobia Específica

Os indivíduos com fobia específica apresentam padrões semelhantes de prejuízo no funcionamento psicossocial e de redução na qualidade de vida aos de indivíduos com outros transtornos de ansiedade e transtornos por uso de álcool e substâncias, incluindo prejuízos no funcionamento profissional e interpessoal. Em pessoas idosas, o prejuízo pode ser visto nas funções de cuidador e nas atividades voluntárias. Além disso, o medo de cair, em pessoas idosas, pode levar a mobilidade reduzida e funcionamento físico e social reduzido. O sofrimento e o prejuízo causados por fobias específicas tendem a aumentar com o número de objetos e situações temidos. Assim, um indivíduo que teme quatro objetos ou situações provavelmente tem mais prejuízo nos seus papéis profissionais e sociais e qualidade de vida pior do que um que teme apenas um objeto ou situação. Indivíduos com fobia específica de sangue, injeção ou ferimentos são com frequência relutantes em obter cuidados médicos, mesmo quando uma condição médica está presente. Além disso, o medo de vomitar e de se asfixiar pode reduzir substancialmente o consumo alimentar.

Diagnóstico Diferencial

Agorafobia. A fobia específica situacional pode se parecer com a agorafobia na sua apresentação clínica, dada a sobreposição nas situações temidas (p. ex., voar, locais fechados, elevadores). Se um indivíduo teme apenas uma das situações da agorafobia, então fobia específica, situacional, pode ser diagnosticada. Se duas ou mais situações agorafóbicas são temidas, um diagnóstico de agorafobia é provavelmente justificado. Por exemplo, um indivíduo que tem medo de aviões e elevadores (que se sobrepõe à situação agorafóbica do "transporte público"), mas não tem medo de outras situações agorafóbicas, seria diagnosticado com fobia específica situacional, enquanto um indivíduo que tem medo de aviões, elevadores e multidões (que se sobrepõe a duas situações agorafóbicas, "uso de transporte público" e "ficar em uma fila e estar em uma multidão") seria diagnosticado com agorafobia. O Critério B da agorafobia (as situações são temidas ou evitadas "devido a pensamentos de que escapar poderia ser difícil ou de que o auxílio pode não estar disponível no caso de desenvolvimento de sintomas do tipo pânico ou outros sintomas incapacitantes ou constrangedores") também pode ser útil na diferenciação entre agorafobia e fobia específica. Se as situações são temidas por outras razões, como o medo de ser ferido diretamente pelo objeto ou situação (p. ex., medo de o avião cair, medo da mordida do animal), um diagnóstico de fobia específica pode ser mais apropriado.

Transtorno de ansiedade social. Se as situações são temidas devido a possível avaliação negativa, deve ser diagnosticado transtorno de ansiedade social em vez de fobia específica.

Transtorno de ansiedade de separação. Se as situações são temidas devido à separação de um cuidador primário ou figura de apego, deve ser diagnosticado transtorno de ansiedade de separação em vez de fobia específica.

Transtorno de pânico. Os indivíduos com fobia específica podem experimentar ataques de pânico quando confrontados com a situação ou objeto temido. Deve ser dado um diagnóstico de fobia específica se os ataques de pânico ocorrem apenas em resposta ao objeto ou situação específica, e um diagnóstico de transtorno de pânico se o indivíduo também experimentou ataques de pânico inesperados (i. e., não em resposta ao objeto ou situação da fobia específica).

Transtorno obsessivo-compulsivo. Se o medo ou a ansiedade primária de um indivíduo é de um objeto ou situação como resultado de obsessões (p. ex., medo de sangue devido a pensamentos obsessivos acerca de contaminação por agentes patogênicos transmitidos pelo sangue [p. ex., HIV]; medo de dirigir devido a imagens obsessivas de causar ferimentos a outras pessoas) e se outros critérios diagnósticos para transtorno obsessivo-compulsivo são satisfeitos, então este último transtorno deve ser diagnosticado.

Transtornos relacionados a trauma e a estressores. Se a fobia se desenvolve após um evento traumático, deve ser considerado TEPT como diagnóstico. Entretanto, eventos traumáticos podem preceder o início de TEPT e a fobia específica. Nesse caso, um diagnóstico de fobia específica é dado somente se não são satisfeitos todos os critérios para TEPT.

Transtornos alimentares. Um diagnóstico de fobia específica não é dado se o comportamento de esquiva está limitado exclusivamente à esquiva de alimentos e estímulos relacionados a alimentos, em cujo caso um diagnóstico de anorexia nervosa ou bulimia deveria ser considerado.

Transtornos do espectro da esquizofrenia e outros transtornos psicóticos. Quando o medo e a esquiva são devidos a pensamento delirante (como na esquizofrenia ou outro transtorno do espectro da esquizofrenia e outros transtornos psicóticos), um diagnóstico de fobia específica não é justificado.

Comorbidade

A fobia específica é raramente vista em contextos clínicos na ausência de outra patologia e costuma ser mais observada em contextos de saúde mental não médicos. Fobias específicas estão frequentemente associadas a uma variedade de outros transtornos. Devido a seu início precoce, a fobia específica costuma ser o transtorno que primeiro se desenvolve. Os indivíduos com a doença estão em risco aumentado de desenvolvimento de outros transtornos, incluindo outros transtornos de ansiedade, transtornos depressivo e bipolar, transtornos relacionados a uso de substâncias, transtorno de sintomas somáticos e transtornos relacionados e os transtornos da personalidade (particularmente transtorno da personalidade dependente).

Transtorno de Ansiedade Social

Critérios Diagnósticos — F40.10

A. Medo ou ansiedade acentuados acerca de uma ou mais situações sociais em que o indivíduo é exposto a possível avaliação por outras pessoas. Exemplos incluem interações sociais (p. ex., manter uma conversa, encontrar pessoas que não são familiares), ser observado (p. ex., comendo ou bebendo) e situações de desempenho diante de outros (p. ex., proferir palestras).

   Nota: Em crianças, a ansiedade deve ocorrer em contextos que envolvem seus pares, e não apenas em interações com adultos.

B. O indivíduo teme agir de forma a demonstrar sintomas de ansiedade que serão avaliados negativamente (i. e., será humilhante ou constrangedor; provocará a rejeição ou ofenderá a outros).

C. As situações sociais quase sempre provocam medo ou ansiedade.

   Nota: Em crianças, o medo ou ansiedade pode ser expresso chorando, com ataques de raiva, imobilidade, comportamento de agarrar-se, encolhendo-se ou fracassando em falar em situações sociais.

D. As situações sociais são evitadas ou suportadas com intenso medo ou ansiedade.

E. O medo ou ansiedade é desproporcional à ameaça real apresentada pela situação social e o contexto sociocultural.

> F. O medo, ansiedade ou esquiva é persistente, geralmente durando mais de seis meses.
> G. O medo, ansiedade ou esquiva causa sofrimento clinicamente significativo ou prejuízo no funcionamento social, profissional ou em outras áreas importantes da vida do indivíduo.
> H. O medo, ansiedade ou esquiva não é consequência dos efeitos fisiológicos de uma substância (p. ex., droga de abuso, medicamento) ou de outra condição médica.
> I. O medo, ansiedade ou esquiva não é mais bem explicado pelos sintomas de outro transtorno mental, como transtorno de pânico, transtorno dismórfico corporal ou transtorno do espectro autista.
> J. Se outra condição médica (p. ex., doença de Parkinson, obesidade, desfiguração por queimaduras ou ferimentos) está presente, o medo, ansiedade ou esquiva é claramente não relacionado ou é excessivo.
>
> *Especificar se:*
> **Somente desempenho:** Se o medo está restrito à fala ou ao desempenhar em público.

Especificadores

Os indivíduos com transtorno de ansiedade social do tipo somente desempenho têm preocupações com desempenho que são geralmente mais prejudiciais em sua vida profissional (p. ex., músicos, dançarinos, artistas, atletas) ou em papéis que requerem falar em público. Os medos de desempenho também podem se manifestar em contextos de trabalho, escola ou acadêmicos nos quais são necessárias apresentações públicas regulares. Os indivíduos com transtorno de ansiedade social somente desempenho não temem ou evitam situações sociais que não envolvam o desempenho.

Características Diagnósticas

A característica essencial do transtorno de ansiedade social é um medo ou ansiedade acentuados ou intensos de situações sociais nas quais o indivíduo pode ser avaliado pelos outros. Em crianças, o medo ou ansiedade deve ocorrer em contextos com os pares, e não apenas durante interações com adultos (Critério A). Quando exposto a essas situações sociais, o indivíduo tem medo de ser avaliado negativamente. Ele tem a preocupação de que será julgado como ansioso, débil, maluco, estúpido, enfadonho, amedrontado, sujo ou desagradável. O indivíduo teme agir ou aparecer de certa forma ou demonstrar sintomas de ansiedade, tais como ruborizar, tremer, transpirar, tropeçar nas palavras, que serão avaliados negativamente pelos demais (Critério B). Alguns têm medo de ofender os outros ou de ser rejeitados como consequência. O medo de ofender os outros – por exemplo, por meio de um olhar ou demonstrando sintomas de ansiedade – pode ser o medo predominante em pessoas de culturas com forte orientação coletivista. Um indivíduo com medo de tremer as mãos pode evitar beber, comer, escrever ou apontar em público; um com medo de transpirar pode evitar apertar mãos ou comer alimentos picantes; e um com medo de ruborizar pode evitar desempenho em público, luzes brilhantes ou discussão sobre tópicos íntimos. Alguns têm medo e evitam urinar em banheiros públicos quando outras pessoas estão presentes (i. e., parurese, ou "síndrome da bexiga tímida").

As situações sociais quase sempre provocam medo ou ansiedade (Critério C). Assim, um indivíduo que fica ansioso apenas ocasionalmente em situação(ões) social(is) não seria diagnosticado com transtorno de ansiedade social. Entretanto, o grau e o tipo de medo e ansiedade podem variar (p. ex., ansiedade antecipatória, ataque de pânico) em diferentes ocasiões. A ansiedade antecipatória pode ocorrer às vezes muito antes das próximas situações (p. ex., preocupar-se todos os dias durante semanas antes de participar de um evento social, repetir antecipadamente um discurso por dias). Em crianças, o medo ou ansiedade pode ser expresso por choro, ataques de raiva, imobilização, comportamento de agarrar-se ou encolher-se em situações sociais. O indivíduo irá frequentemente evitar as situações sociais temidas. Alternativamente, ele pode passar pelas situações, mas com medo e ansiedade intensos. A esquiva pode ser extensa (p. ex., não ir a festas, recusar-se a ir à escola) ou sutil (p. ex., preparar excessivamente o texto de um discurso, desviar a atenção para os outros, limitar o contato visual).

O medo ou ansiedade é julgado desproporcional ao risco real de ser avaliado negativamente ou às consequências dessa avaliação negativa (Critério E). Às vezes, a ansiedade pode não ser julgada excessiva porque está relacionada a um perigo real (p. ex., ser alvo de *bullying* ou atormentado pelos outros). No entanto, os indivíduos com transtorno de ansiedade social com frequência superestimam as consequências negativas das situações sociais, e, assim, o julgamento quanto a ser desproporcional é feito pelo clínico. O contexto sociocultural do indivíduo precisa ser levado em conta quando está sendo feito esse julgamento. Por exemplo, em certas culturas, o comportamento que de outra forma parece socialmente ansioso pode ser considerado apropriado em situações sociais (p. ex., pode ser visto como um sinal de respeito).

A duração do transtorno é geralmente de pelo menos seis meses (Critério F). Esse limiar de duração ajuda a diferenciar o transtorno dos medos sociais transitórios comuns, particularmente entre crianças e na comunidade. O medo, a ansiedade e a esquiva devem interferir significativamente na rotina normal do indivíduo, no funcionamento profissional ou acadêmico ou em atividades sociais ou relacionamentos ou deve causar sofrimento clinicamente significativo (Critério G). Por exemplo, alguém que tem medo de falar em público não receberia um diagnóstico de transtorno de ansiedade social se essa atividade não é rotineiramente encontrada no trabalho ou nas tarefas de classe e se o indivíduo não tem um sofrimento significativo a respeito disso. Entretanto, se evita ou ignora o trabalho ou educação que realmente deseja ter devido aos sintomas de ansiedade social, o Critério G é satisfeito.

Características Associadas

Os indivíduos com transtorno de ansiedade social podem ser inadequadamente assertivos ou muito submissos ou, com menos frequência, muito controladores da conversa. Podem mostrar uma postura corporal excessivamente rígida ou contato visual inadequado ou falar com voz extremamente suave. Podem ser tímidos ou retraídos e ser menos abertos em conversas e revelar pouco a seu respeito. Podem procurar emprego em atividades que não exigem contato social, embora esse não seja o caso para indivíduos com transtorno de ansiedade social somente desempenho. Podem sair da casa dos pais mais tarde. Os homens podem adiar o casamento e a paternidade, enquanto as mulheres que gostariam de trabalhar fora de casa podem viver uma vida inteira como donas de casa. A automedicação com substâncias é comum (p. ex., beber antes de ir a uma festa). A ansiedade social entre pessoas idosas também pode incluir a exacerbação de sintomas de doenças médicas, como tremor aumentado ou taquicardia. O rubor é a resposta física característica do transtorno de ansiedade social.

Prevalência

A estimativa de prevalência de 12 meses do transtorno de ansiedade social nos Estados Unidos é de 7%. As estimativas de prevalência de menos de 12 meses são vistas em muitas partes do mundo utilizando-se o mesmo instrumento diagnóstico, agregando em torno de 0,5 a 2,0%; a prevalência média na Europa é de 2,3%. A prevalência parece estar aumentando nos Estados Unidos e em países do Leste Asiático. As taxas de prevalência de 12 meses em adolescentes (entre 13 e 17 anos) são aproximadamente metade das dos adultos. A prevalência de 12 meses diminui depois dos 65 anos. A prevalência de 12 meses para adultos mais velhos na América do Norte, na Europa e na Austrália variam de 2 a 5%. Em geral, maiores taxas de transtorno de ansiedade social são encontradas em mulheres do que em homens na população geral (com *odds ratios* variando de 1,5 a 2,2), e a diferença de gênero na prevalência é mais pronunciada em adolescentes e jovens adultos. As taxas de gênero são equivalentes ou um pouco mais altas para homens nas amostras clínicas, e presume-se que os papéis de gênero e as expectativas sociais desempenham um papel significativo na explicação do maior comportamento de busca de ajuda nesses pacientes. A prevalência nos Estados Unidos foi menor em indivíduos de descendência asiática, latina, afro-americana e afro-caribenha em comparação com brancos não hispânicos.

Desenvolvimento e Curso

A idade média de início do transtorno de ansiedade social nos Estados Unidos é 13 anos, e 75% dos indivíduos têm idade de início entre 8 e 15 anos. O transtorno ocasionalmente emerge de história infantil de inibição social ou timidez nos estudos norte-americanos e europeus. O início também pode ocorrer no princípio da infância. Pode se seguir a uma experiência estressante ou humilhante (p. ex., ser alvo de *bullying*, vomitar durante uma palestra pública) ou pode ser insidioso, desenvolvendo-se lentamente. O início na idade adulta é relativamente raro e é mais provável de ocorrer após um evento estressante ou humilhante ou após mudanças na vida que exigem novos papéis sociais (p. ex., casar-se com alguém de uma classe social diferente, receber uma promoção no trabalho). O transtorno de ansiedade social pode diminuir depois que um indivíduo com medo de encontros se casa e pode ressurgir após o divórcio. Entre as pessoas que buscam atendimento clínico, o transtorno tende a ser particularmente persistente.

Os adolescentes apresentam um padrão mais amplo de medo e esquiva, incluindo os encontros, comparados com crianças menores. As pessoas idosas expressam ansiedade social em níveis mais baixos, mas dentro de uma variedade mais ampla de situações, enquanto os adultos mais jovens expressam níveis mais altos de ansiedade social para situações específicas. Em pessoas idosas, a ansiedade social pode referir-se a incapacidade devida ao declínio do funcionamento sensorial (audição, visão), vergonha em relação à própria aparência (p. ex., tremor como um sintoma da doença de Parkinson) ou funcionamento devido a condições médicas, incontinência ou prejuízo cognitivo (p. ex., esquecer os nomes das pessoas). A detecção do transtorno de ansiedade social em pessoas idosas pode ser desafiadora devido a diversos fatores, incluindo foco nos sintomas somáticos, doença médica comórbida, *insight* limitado, mudanças no ambiente ou nos papéis sociais, os quais podem obscurecer o prejuízo no funcionamento social ou psíquico. Há uma grande variação nas taxas de remissão de transtorno de ansiedade social, o que é sugestivo de diferentes trajetórias (curtas, flutuantes e crônicas).

Fatores de Risco e Prognóstico

Temperamentais. Os traços subjacentes que predispõem os indivíduos ao transtorno de ansiedade social incluem inibição comportamental e medo de avaliação negativa, assim como evitação de danos. Os traços de personalidade frequentemente associados com transtorno de ansiedade social são alta afetividade negativa (neuroticismo) e baixa extroversão.

Ambientais. Há evidências de que experiências sociais negativas, particularmente vitimização por pares, estão associadas com o desenvolvimento do transtorno de ansiedade social, apesar de os caminhos causais ainda permanecerem desconhecidos. Maus-tratos e adversidades na infância são fatores de risco para o transtorno. Entre afro-americanos e afro-caribenhos nos Estados Unidos, formas de discriminação étnica e racismo do cotidiano são associadas com transtorno de ansiedade social.

Genéticos e fisiológicos. Os traços que predispõem os indivíduos ao transtorno de ansiedade social, como inibição comportamental, são fortemente influenciados pela genética. Essa influência está sujeita à interação gene-ambiente; ou seja, crianças com alta inibição comportamental são mais suscetíveis às influências ambientais, tais como um modelo socialmente ansioso por parte dos pais. Além disso, o transtorno de ansiedade social é hereditário. Parentes de primeiro grau têm uma chance 2 a 6 vezes maior de ter o transtorno, e a propensão a ele envolve a interação de fatores específicos (p. ex., medo de avaliação negativa) e fatores genéticos não específicos (p. ex., neuroticismo). Verificou-se que a contribuição genética para transtorno de ansiedade social é maior em crianças do que em adultos e é maior para os sintomas de ansiedade social do que para o diagnóstico clínico em si.

Questões Diagnósticas Relativas à Cultura

A natureza e os tipos de situações sociais que antecipam os sintomas de transtorno de ansiedade social são semelhantes em todos os grupos étnico-raciais nos Estados Unidos, incluindo medo de falar/se apresentar em público, de interações sociais e de ser observado. Americanos brancos não latinos reportam uma idade de início do transtorno mais cedo do que americanos latinos, mas, mesmo assim, estes últimos apresentam maiores prejuízos em domínios como trabalho, em casa ou em relacionamentos, associados com o transtorno. O *status* de imigrante está associado a taxas significativamente mais baixas de transtorno de ansiedade social em grupos brancos latinos e não latinos. A síndrome de *taijin kyofusho* (p. ex., no Japão e na Coreia) é com frequência caracterizada por preocupações de avaliação social, satisfazendo os critérios para transtorno de ansiedade social, associadas ao medo de que o indivíduo deixe *outras* pessoas desconfortáveis (p. ex., "O meu olhar incomoda as pessoas, então elas olham para outro lado para me evitar"), um medo que é por vezes experimentado com intensidade delirante. Outras apresentações de *taijin kyofusho* podem satisfazer os critérios para transtorno dismórfico corporal ou transtorno delirante.

Questões Diagnósticas Relativas ao Sexo e ao Gênero

A idade de início do transtorno de ansiedade social não varia entre os gêneros. Mulheres com transtorno de ansiedade social relatam um número maior de medos e transtornos depressivo, bipolar e de ansiedade comórbidos, enquanto homens têm maior probabilidade de ter medo de encontros, como no transtorno de oposição desafiante ou transtorno da conduta, e abusar de álcool e drogas ilícitas para aliviar os sintomas do transtorno. A parurese é mais comum em homens.

Associação com Pensamentos ou Comportamentos Suicidas

Entre os adolescentes norte-americanos, o transtorno de ansiedade social foi responsabilizado pelo aumento do risco de pensamentos suicidas ativos e tentativas de suicídio em latinos, mas não em brancos não latinos, independentemente do efeito de depressão maior ou renda familiar.

Consequências Funcionais do Transtorno de Ansiedade Social

O transtorno de ansiedade social está associado a taxas elevadas de evasão escolar e prejuízos no bem-estar, no emprego, na produtividade no ambiente de trabalho, no *status* socioeconômico e na qualidade de vida. O transtorno também está associado a ser solteiro, não casado ou divorciado e sem filhos, particularmente entre os homens, enquanto as mulheres com o transtorno têm maior probabilidade de estarem desempregadas. O transtorno de ansiedade social também é associado negativamente com a qualidade de amizades, de modo que indivíduos com o transtorno relatam ter amizades menos próximas e menos solidárias do que pessoas sem o transtorno. Em pessoas idosas, pode haver prejuízo nas funções de cuidador e em atividades voluntárias. O transtorno também impede atividades de lazer. Apesar da extensão do sofrimento e do prejuízo social associados ao transtorno, apenas cerca da metade dos indivíduos com a doença nas sociedades ocidentais acaba buscando tratamento, e eles tendem a fazer isso somente depois de 15 a 20 anos com sintomas. Não estar empregado é um forte preditor para a persistência de transtorno de ansiedade social.

Diagnóstico Diferencial

Timidez normal. A timidez (i. e., reticência social) é um traço de personalidade comum e não é por si só patológica. Em algumas sociedades, a timidez é até avaliada positivamente. Entretanto, quando existe um impacto adverso significativo no funcionamento social, profissional ou em outras áreas importantes da vida do indivíduo, um diagnóstico de transtorno de ansiedade social deve ser considerado, e, quando são satisfeitos todos os critérios para transtorno de ansiedade social, o transtorno deve ser diagnosticado. Somente uma minoria (12%) dos indivíduos tímidos autoidentificados nos Estados Unidos tem sintomas que satisfazem os critérios diagnósticos para transtorno de ansiedade social.

Agorafobia. Os indivíduos com agorafobia podem ter medo ou evitar situações sociais (p. ex., ir ao cinema) porque escapar pode ser difícil ou o auxílio pode não estar disponível no caso de incapacitação ou sintomas do tipo pânico, enquanto os indivíduos com transtorno de ansiedade social têm mais medo da avaliação dos outros. Além disso, aqueles com transtorno de ansiedade social ficam normalmente calmos quando deixados inteiramente sozinhos, o que com frequência não é o caso na agorafobia.

Transtorno de pânico. Indivíduos com transtorno de ansiedade social podem ter ataques de pânico, mas os ataques de pânico são sempre desencadeados por situações sociais e não acontecem "do nada". Adicionalmente, indivíduos com transtorno de ansiedade social ficam mais angustiados por medo de serem malvistos por causa de algo que fizeram durante o ataque de pânico do que pelo ataque de pânico em si.

Transtorno de ansiedade generalizada. Preocupações sociais são comuns no transtorno de ansiedade generalizada, mas o foco é mais na natureza das relações existentes do que no medo de avaliação negativa. Os indivíduos com transtorno de ansiedade generalizada, particularmente crianças, podem ter preocupações excessivas acerca da qualidade do seu desempenho social, mas essas preocupações também são pertinentes ao desempenho não social e a quando o indivíduo não está sendo avaliado pelos outros. No transtorno de ansiedade social, as preocupações focam no desempenho social e na avaliação dos demais.

Transtorno de ansiedade de separação. Os indivíduos com transtorno de ansiedade de separação podem evitar contextos sociais (incluindo recusa à escola) devido às preocupações de serem separados das figuras de apego ou, em crianças, por demandarem a presença de um dos pais quando essa exigência não é apropriada ao seu estágio de desenvolvimento. Geralmente ficam confortáveis em contextos sociais quando sua figura de apego está presente ou quando estão em casa, enquanto aqueles com transtorno de ansiedade social podem ficar desconfortáveis quando ocorrem situações sociais em casa ou na presença das figuras de apego.

Fobias específicas. Os indivíduos com fobias específicas podem ter medo de constrangimento ou humilhação (p. ex., vergonha de desmaiar quando lhes é tirado sangue), mas geralmente não têm medo de avaliação negativa em outras situações sociais.

Mutismo seletivo. Os indivíduos com mutismo seletivo podem fracassar em falar devido ao medo de avaliação negativa, mas não têm medo de avaliação negativa em outras situações sociais em que não seja exigido falar (p. ex., um jogo não verbal).

Transtorno depressivo maior. Os indivíduos com transtorno depressivo maior podem se preocupar em serem avaliados negativamente pelos outros porque acham que são maus ou não merecedores de que gostem deles. Em contraste, aqueles com transtorno de ansiedade social preocupam-se em serem avaliados negativamente devido a certos comportamentos sociais ou sintomas físicos.

Transtorno dismórfico corporal. Os indivíduos com transtorno dismórfico corporal preocupam-se com a percepção de um ou mais defeitos ou falhas em sua aparência física que não são observáveis ou parecem leves para os outros; essa preocupação frequentemente causa ansiedade social e esquiva. Se seus medos e a esquiva social são causados apenas por suas crenças sobre sua aparência, um diagnóstico separado de transtorno de ansiedade social não se justifica.

Transtorno delirante. Os indivíduos com transtorno delirante podem ter delírios e/ou alucinações não bizarros relacionados ao tema delirante que foca em ser rejeitado por ou em ofender os outros. Embora a extensão do *insight* das crenças acerca das situações sociais possa variar, muitos indivíduos com transtorno de ansiedade social têm bom *insight* de que suas crenças são desproporcionais à ameaça real apresentada pela situação social.

Transtorno do espectro autista. Ansiedade social e déficits na comunicação social são características do transtorno do espectro autista. Os indivíduos com transtorno de ansiedade social geralmente têm relações sociais adequadas à idade e capacidade de comunicação, embora possam parecer ter prejuízo nessas áreas quando inicialmente interagem com pessoas ou adultos estranhos.

Transtornos da personalidade. Dado seu frequente início na infância e sua persistência durante a idade adulta, o transtorno de ansiedade social pode se parecer com um transtorno da personalidade. A sobreposição mais evidente é com o transtorno da personalidade evitativa. Os indivíduos com esse transtorno têm um padrão mais amplo de esquiva e maiores taxas de prejuízos do que aqueles com transtorno de ansiedade social. Além disso, indivíduos com transtorno da personalidade evitativa têm um autoconceito forte e amplamente negativo, uma visão da rejeição como sendo algo semelhante a uma avaliação global deles como sendo pessoas de pouco valor e um senso de não pertencimento social que vem desde a infância. No entanto, o transtorno de ansiedade social é geralmente mais comórbido com o transtorno da personalidade evitativa do que com outros transtornos da personalidade, e o transtorno da personalidade evitativa é mais comórbido com o transtorno de ansiedade social do que com outros transtornos de ansiedade.

Outros transtornos mentais. Medos sociais e desconforto podem ocorrer como parte da esquizofrenia, mas outras evidências de transtornos psicóticos costumam estar presentes. Em indivíduos com transtornos alimentares, é importante determinar que o medo de uma avaliação negativa dos sintomas ou comportamentos do transtorno (i. e., vomitar) não seja a única fonte de ansiedade social antes de aplicar um diagnóstico de transtorno de ansiedade social. Igualmente, o transtorno obsessivo-compulsivo pode estar associado à ansiedade social, mas o diagnóstico adicional de transtorno de ansiedade social é usado apenas quando os medos sociais e a esquiva são independentes dos focos das obsessões e compulsões.

Outras condições médicas. Condições médicas podem produzir sintomas constrangedores (p. ex., tremor na doença de Parkinson). Quando o medo de avaliação negativa devido a outras condições médicas é excessivo, um diagnóstico de transtorno de ansiedade social deve ser considerado.

Transtorno de oposição desafiante. A recusa em falar devido à oposição a figuras de autoridade deve ser diferenciada do fracasso em falar devido ao medo de avaliação negativa.

Comorbidade

O transtorno de ansiedade social é com frequência comórbido com outros transtornos de ansiedade, transtorno depressivo maior e transtornos por uso de substâncias, e seu início geralmente precede o de outros transtornos, exceto a fobia específica e o transtorno de ansiedade de separação. O isolamento social crônico no curso de um transtorno de ansiedade social pode resultar em transtorno depressivo maior. A comorbidade com depressão é alta também em pessoas idosas. Substâncias podem ser usadas como automedicação para medos sociais; porém, os sintomas de intoxicação ou abstinência, como tremor, também podem ser uma fonte de (mais) medo social. O transtorno de ansiedade social é frequentemente comórbido com o transtorno dismórfico corporal, e o transtorno de ansiedade social generalizada é frequentemente comórbido com transtorno da personalidade evitativa. Em crianças, as comorbidades com autismo de alto funcionamento e mutismo seletivo são comuns.

Transtorno de Pânico

Critérios Diagnósticos F41.0

A. Ataques de pânico recorrentes e inesperados. Um ataque de pânico é um surto abrupto de medo intenso ou desconforto intenso que alcança um pico em minutos e durante o qual ocorrem quatro (ou mais) dos seguintes sintomas:

Nota: O surto abrupto pode ocorrer a partir de um estado calmo ou de um estado ansioso.

1. Palpitações, coração acelerado ou taquicardia.
2. Sudorese.
3. Tremores ou abalos.
4. Sensações de falta de ar ou sufocamento.
5. Sensações de asfixia.
6. Dor ou desconforto torácico.
7. Náusea ou desconforto abdominal.
8. Sensação de tontura, instabilidade, vertigem ou desmaio.
9. Calafrios ou ondas de calor.
10. Parestesias (anestesia ou sensações de formigamento).

11. Desrealização (sensações de irrealidade) ou despersonalização (sensação de estar distanciado de si mesmo).
12. Medo de perder o controle ou "enlouquecer".
13. Medo de morrer.

Nota: Podem ser vistos sintomas específicos da cultura (p. ex., tinido, dor na nuca, cefaleia, gritos ou choro incontrolável). Esses sintomas não devem contar como um dos quatro sintomas exigidos.

B. Pelo menos um dos ataques foi seguido de um mês (ou mais) de uma ou de ambas as seguintes características:
   1. Apreensão ou preocupação persistente acerca de ataques de pânico adicionais ou sobre suas consequências (p. ex., perder o controle, ter um ataque cardíaco, "enlouquecer").
   2. Uma mudança mal-adaptativa significativa no comportamento relacionada aos ataques (p. ex., comportamentos que têm por finalidade evitar ter ataques de pânico, como a esquiva de exercícios ou situações desconhecidas).
C. A perturbação não é consequência dos efeitos psicológicos de uma substância (p. ex., droga de abuso, medicamento) ou de outra condição médica (p. ex., hipertireoidismo, doenças cardiopulmonares).
D. A perturbação não é mais bem explicada por outro transtorno mental (p. ex., os ataques de pânico não ocorrem apenas em resposta a situações sociais temidas, como no transtorno de ansiedade social; em resposta a objetos ou situações fóbicas circunscritas, como na fobia específica; em resposta a obsessões, como no transtorno obsessivo-compulsivo; em resposta à evocação de eventos traumáticos, como no transtorno de estresse pós-traumático; ou em resposta à separação de figuras de apego, como no transtorno de ansiedade de separação).

Características Diagnósticas

O transtorno de pânico é caracterizado por ataques de pânico inesperados recorrentes (Critério A). (Para uma descrição detalhada dos sintomas e curso caracterizando um ataque de pânico, ver Especificador de Ataque de Pânico, seção "Características", após este texto sobre transtorno de pânico.) Um *ataque de pânico* é um surto abrupto de medo ou desconforto intenso que alcança um pico em minutos e durante o qual ocorrem quatro ou mais de uma lista de 13 sintomas físicos e cognitivos. O termo *recorrente* significa literalmente mais de um ataque de pânico inesperado. O termo *inesperado* se refere a um ataque de pânico para o qual não existe um indício ou desencadeante óbvio no momento da ocorrência – ou seja, o ataque parece vir do nada, como quando o indivíduo está relaxando ou emergindo do sono (ataque de pânico noturno). Em contraste, os ataques de pânico *esperados* são ataques para os quais existe um indício ou desencadeante óbvio, como uma situação em que os ataques de pânico ocorrem geralmente. A determinação de os ataques de pânico serem esperados ou inesperados é feita pelo clínico, que faz esse julgamento com base na combinação de um questionamento cuidadoso quanto à sequência dos eventos que precederam ou conduziram ao ataque e do próprio julgamento do indivíduo do quanto o ataque lhe pareceu ocorrer sem razão aparente. As interpretações culturais podem influenciar a designação do ataque de pânico como esperado ou inesperado (ver a seção "Questões Diagnósticas Relativas à Cultura" para esse transtorno). Nos Estados Unidos e na Europa, aproximadamente metade dos indivíduos com transtorno de pânico tem ataques de pânico esperados tanto quanto ataques inesperados. Assim, a presença de ataques de pânico esperados não exclui o diagnóstico de transtorno de pânico.

A frequência e a gravidade dos ataques de pânico variam de forma considerável. Em termos de frequência, pode haver ataques moderadamente frequentes (p. ex., um por semana) durante meses, pequenos surtos de ataques mais frequentes (p. ex., todos os dias) separados por semanas, meses sem ataques ou ataques menos frequentes (p. ex., dois por mês) durante muitos anos. As pessoas que têm ataques de pânico infrequentes se parecem com as pessoas com ataques de pânico mais frequentes em termos de sintomas do ataque, características demográficas, comorbidade com outros transtornos, história familiar e dados biológicos. Em termos de gravidade, os indivíduos com transtorno de pânico podem ter ataques com sintomas completos (quatro ou mais sintomas) ou com sintomas limitados (menos de quatro sintomas), e o número e o tipo de sintomas do ataque de pânico frequentemente diferem de um ataque de pânico para o seguinte. No entanto, é necessário mais de um ataque de pânico completo inesperado para o diagnóstico de transtorno de pânico.

Um ataque de pânico *noturno* (i. e., acordar do sono em um estado de pânico), difere do pânico depois de acordar completamente do sono. Nos Estados Unidos, foi estimado que esse tipo de ataque de pânico ocorre pelo menos uma vez em aproximadamente um quarto a um terço dos indivíduos com transtorno de pânico, dos quais a maioria também tem ataques de pânico durante o dia. Indivíduos com ataques de pânico tanto noturnos quanto diurnos tendem a ter, em geral, um quadro mais grave de transtorno de pânico.

As preocupações acerca dos ataques de pânico ou de suas consequências geralmente relacionam-se a preocupações físicas, como a preocupação de que os ataques de pânico reflitam a presença de doenças ameaçadoras à vida (p. ex., doença cardíaca, transtorno convulsivo); preocupações pessoais, como constrangimento ou medo de ser julgado negativamente pelos outros devido aos sintomas visíveis de pânico; e preocupações acerca do funcionamento mental, como "enlouquecer" ou perder o controle (Critério B). Indivíduos que relatam medo de morrer durante seus ataques de pânico tendem a apresentar quadros de transtorno de pânico mais graves (p. ex., ataques de pânico envolvendo mais sintomas). As mudanças mal-adaptativas no comportamento representam as tentativas de minimizar ou evitar os ataques de pânico ou suas consequências. Os exemplos incluem a esquiva de esforço físico, reorganização da vida diária para garantir que haja ajuda disponível no caso de um ataque de pânico, restrição das atividades diárias habituais e esquiva de situações agorafóbicas, como sair de casa, usar transporte público ou fazer compras. Se a agorafobia está presente, um diagnóstico adicional de agorafobia é estabelecido.

Características Associadas

Além da preocupação acerca dos ataques e de suas consequências, muitos indivíduos com o transtorno relatam sentimentos constantes ou intermitentes de ansiedade que são mais amplamente relacionados a preocupações com a saúde em geral e com a saúde mental em específico. Por exemplo, indivíduos com transtorno de pânico frequentemente antecipam um resultado catastrófico de um sintoma físico leve ou de efeitos colaterais de medicamentos (p. ex., achar que eles podem ter uma condição cardíaca ou que uma dor de cabeça possa ser um tumor cerebral). Essas pessoas em geral são relativamente intolerantes aos efeitos colaterais de medicamentos. Além disso, pode haver preocupações acerca da capacidade de concluir as tarefas ou suportar os estressores diários; pode haver uso excessivo de drogas (p. ex., álcool, medicamentos de prescrição ou drogas ilícitas) ou comportamentos extremos que visam a controlar os ataques de pânico (p. ex., restrições severas na ingestão de alimentos ou evitação de alimentos ou medicamentos específicos devido a preocupações acerca dos sintomas físicos que provocam ataques de pânico).

Prevalência

Na população geral, a estimativa de prevalência de 12 meses para o transtorno de pânico nos Estados Unidos e em vários países europeus é de 2 a 3% em adultos e adolescentes. A prevalência global ao longo da vida é estimada em 1,7%, com um risco de vida projetado de 2,7% pelas World Mental Health Surveys. Nos Estados Unidos, taxas significativamente mais baixas de transtorno de pânico são relatadas entre latinos, afro-americanos, negros caribenhos e asiáticos americanos em comparação com brancos não latinos. A estimativa de prevalência de transtorno de pânico entre nativos americanos é de 2,6 a 4,1%. Estimativas mais baixas foram reportadas em países asiáticos, africanos e latinos, variando entre 0,1 e 0,8%. Mulheres são afetadas mais frequentemente do que os homens, com uma razão em torno de 2:1. A diferenciação de gênero ocorre na adolescência e já é observável antes dos 14 anos de idade. Embora ocorram ataques de pânico em crianças, a prevalência geral do transtorno é baixa antes dos 14 anos (< 0,4%). As taxas de transtorno de pânico mostram um aumento gradual durante a adolescência e, possivelmente, após o início da puberdade, com o pico durante a idade adulta. A prevalência diminui em indivíduos mais velhos (i. e., 1,2% em adultos com mais de 55 anos, 0,7% em adultos com mais de 64 anos), possivelmente refletindo uma diminuição da severidade para níveis subclínicos.

Desenvolvimento e Curso

A idade média de início do transtorno de pânico nos Estados Unidos é de 20 a 24 anos, e de 32 anos entre várias nações. A idade média de início é de 34,7 anos. Um pequeno número de casos começa na infância, e o início após os 55 anos é incomum, mas pode ocorrer. O curso habitual, se o transtorno não é tratado, é crônico, mas com oscilações. Alguns indivíduos podem ter surtos episódicos com anos de remissão entre eles, e outros podem ter sintomatologia grave contínua. De acordo com um estudo longitudinal feito na Holanda, cerca de um quarto dos indivíduos com transtorno de pânico experimenta recorrência de sintomas dentro dos dois primeiros anos de acompanhamento. Apenas uma minoria dos indivíduos tem remissão completa sem recaída subsequente no espaço de poucos anos. O curso do transtorno de pânico geralmente é complicado por uma variedade de outros transtornos, em particular outros transtornos de ansiedade, transtornos depressivos e transtornos por uso de substâncias (ver a seção "Comorbidade" para esse transtorno). Adultos afro-americanos mostraram ter um curso mais crônico do transtorno de pânico se comparados a adultos brancos não latinos, possivelmente por causa do impacto duradouro do racismo e discriminação, o estigma da doença mental e o acesso limitado a assistência adequada.

Embora o transtorno de pânico seja muito raro na infância, a primeira ocorrência de "períodos de medo" com frequência remonta a esse período de desenvolvimento. Como nos adultos, o transtorno de pânico em adolescentes tende a ter um curso crônico e é frequentemente comórbido com outros transtornos de ansiedade, transtorno depressivo e transtorno bipolar. Até o momento, não foram encontradas diferenças na apresentação clínica entre adolescentes e adultos. No entanto, os adolescentes podem ser menos preocupados acerca de ataques de pânico adicionais do que os jovens adultos. A prevalência mais baixa do transtorno em pessoas idosas parece dever-se à "atenuação" da resposta do sistema nervoso autônomo relacionada à idade. Observa-se que muitas pessoas idosas com "sensações de pânico" têm um "híbrido" de ataques de pânico de sintomas limitados e ansiedade generalizada. Além disso, tendem a atribuir seus ataques de pânico a certas situações estressantes, como um procedimento médico ou o contexto social. As pessoas idosas podem apresentar explicações para o ataque de pânico (o que excluiria o diagnóstico de transtorno de pânico), mesmo que ele tenha sido inesperado no momento (e assim se qualifique como base para um diagnóstico de transtorno de pânico). Isso pode resultar na subavaliação do ataque de pânico inesperado nesses indivíduos. Assim, é necessário o questionamento cuidadoso às pessoas idosas para avaliar se os ataques de pânico eram esperados antes de entrarem na situação, de forma que os ataques inesperados e o diagnóstico de transtorno de pânico não sejam negligenciados.

Embora a baixa taxa de transtorno de pânico em crianças possa estar relacionada a dificuldades no relato dos sintomas, isso parece improvável, já que as crianças são capazes de relatar medo intenso ou pânico em relação a separação ou a objetos ou situações fóbicas. Os adolescentes podem ser menos dispostos do que os adultos a discutir abertamente os ataques de pânico. Portanto, os clínicos devem estar cientes de que ataques de pânico inesperados ocorrem em adolescentes, assim como em adultos, e devem estar atentos a essa possibilidade quando encontrarem adolescentes que apresentam episódios de medo ou sofrimento intenso.

Fatores de Risco e Prognóstico

Temperamentais. Afetividade negativa (neuroticismo) (i. e., tendência a experimentar emoções negativas) e sensibilidade à ansiedade (i. e., disposição a acreditar que os sintomas de ansiedade são prejudiciais), inibição comportamental e evitação de danos são fatores de risco para o início de ataques de pânico. História de "períodos de medo" (i. e., ataques com sintomas limitados que não satisfazem todos os critérios para um ataque de pânico) pode ser um fator de risco para ataques de pânico posteriores e transtorno de pânico, particularmente quando a primeira experiência de pânico é avaliada como negativa. Embora a ansiedade de separação na infância, especialmente quando grave, possa preceder o desenvolvimento posterior de transtorno de pânico, não se trata de um fator de risco consistente.

Ambientais. A maioria dos indivíduos relata estressores identificáveis nos meses anteriores ao seu primeiro ataque de pânico (p. ex., estressores interpessoais e estressores relacionados ao bem-estar físico, como experiências negativas com drogas ilícitas ou de prescrição, doença ou morte na família). Além disso, mais estresse crônico na vida é associado com maior severidade de transtorno de pânico. Entre 10 e 60% dos indivíduos com transtorno de pânico reportam uma história de trauma e experiências de vida estressantes; adversidades na infância estão associadas com uma patologia de pânico mais grave. Superproteção parental e pouca afeição emocional também são fatores de risco para o transtorno de pânico. Indivíduos com poucos recursos econômicos são mais propensos a terem sintomas que preenchem os critérios para transtorno de pânico. Fumar é um fator de risco para ataques de pânico e para o transtorno.

Genéticos e fisiológicos. Múltiplos genes provavelmente causam vulnerabilidade ao transtorno de pânico; no entanto, os genes exatos, produtos de genes ou funções relacionadas às regiões genéticas implicadas permanecem desconhecidos. Existe risco aumentado para transtorno de pânico entre filhos de pais com transtornos de ansiedade, depressivo e bipolar.

Indivíduos com o transtorno exibem sensibilidade particularmente aumentada à estimulação respiratória usando ar enriquecido com CO_2. Distúrbios respiratórios, como asma, estão associados ao transtorno de pânico, em termos de história passada, comorbidade e história familiar.

Questões Diagnósticas Relativas à Cultura

A taxa dos medos acerca dos sintomas mentais e somáticos de ansiedade parece variar entre as culturas e pode influenciar as taxas de ataques de pânico e de transtorno de pânico. Além disso, as expectativas culturais podem influenciar a classificação dos ataques de pânico como esperados ou inesperados. Por exemplo, um indivíduo vietnamita que tem um ataque de pânico após caminhar em um ambiente ventoso (*trúng gió*; "atingido pelo vento") pode atribuir o ataque à exposição ao vento como consequência da síndrome cultural que liga essas duas experiências, resultando na classificação do ataque de pânico como esperado. Várias outras síndromes culturais estão associadas ao transtorno de pânico, incluindo *ataque de nervios* ("ataque de nervos") entre os latino-americanos e *khyâl* e "perda da alma" entre os cambojanos. O *ataque de nervios* pode envolver tremor, gritos ou choro descontrolado, comportamento agressivo ou suicida e despersonalização ou desrealização, que podem ser experimentados por mais tempo do que os poucos minutos típicos dos ataques de pânico. Algumas apresentações clínicas do *ataque de nervios* satisfazem os critérios para outras condições além do ataque de pânico (p. ex., transtorno de sintomas neurológicos funcionais). Essas síndromes têm impacto nos sintomas e na frequência do transtorno de pânico, incluindo a atribuição do indivíduo de imprevisibilidade, pois as síndromes culturais podem criar medo de certas situações, variando desde discussões interpessoais (associadas ao *ataque de nervios*) até alguns tipos de esforço (associados aos ataques de *khyâl*) e o vento atmosférico (associado a ataques de *trúng gió*). O esclarecimento dos detalhes das atribuições culturais pode auxiliar na distinção de ataques de pânico esperados e inesperados. Para mais informações sobre conceitos culturais de sofrimento, ver o capítulo "Diagnósticos Culturais e Psiquiátricos" na Seção III.

As preocupações específicas quanto aos ataques de pânico ou suas consequências podem variar entre contextos culturais e grupos étnico-raciais (e entre as diferentes faixas etárias e os gêneros). Entre asiáticos americanos, americanos hispânicos e afro-americanos nos Estados Unidos, o transtorno de pânico é associado com relatos de discriminação étnica e racismo, depois de que o efeito de fatores demográficos é levado em conta. Para o transtorno de pânico, as amostras da comunidade norte-americana de brancos não latinos têm significativamente menos prejuízos funcionais do que as de afro-americanos. Também existem taxas mais elevadas de gravidade definida objetivamente nos negros não latinos caribenhos com transtorno de pânico e taxas mais baixas de transtorno de pânico em geral nos grupos afro-americano e afro-caribenho, sugerindo que, entre os indivíduos descendentes de africanos, os critérios para o transtorno podem ser satisfeitos somente quando há gravidade e prejuízo substanciais. A taxa de uso de assistência médica especializada para transtorno de pânico varia entre os grupos étnico-raciais.

Questões Diagnósticas Relativas ao Sexo e ao Gênero

A taxa de transtorno de pânico é duas vezes maior para mulheres do que para homens. Recaídas de transtorno de pânico também ocorrem mais frequentemente em mulheres adultas se comparadas a homens, sugerindo que mulheres têm um curso mais instável do transtorno. As diferenças de gênero no curso clínico também são encontradas entre adolescentes. O transtorno de pânico tem um impacto maior na qualidade de vida relacionada à saúde em mulheres do que em homens, o que pode ser atribuído a uma maior sensibilidade à ansiedade em algumas mulheres ou maior comorbidade com agorafobia e depressão. Há evidências de dimorfismo sexual, com alta expressão dos alelos *MAOA*-uVNTR agindo como fator de risco de transtorno de pânico específico para o sexo feminino.

Marcadores Diagnósticos

Indivíduos com transtorno de pânico exibem um viés de atenção para estímulos ameaçadores. Ataques de pânico podem ser provocados por agentes com mecanismos de ação discrepantes, como o lactato de sódio, a cafeína, o isoproterenol, a ioimbina, o CO_2 e a colecistoquinina, com muito mais frequência em indivíduos com transtorno de pânico do que naqueles sem. Há um interesse considerável na relação entre o transtorno de pânico e a sensibilidade a esses agentes provocadores de pânico. Enquanto os dados não sugerem uma utilidade diagnóstica, dados de sensibilidade a estímulos respiratórios refletem algum nível de especificidade para o transtorno de pânico e condições relacionadas, como o transtorno de ansiedade de separação. Hiperventilação e quantidade de suspiros acima da média podem ocorrer cronicamente entre indivíduos com transtorno de pânico. Entretanto, nenhum desses achados laboratoriais é considerado diagnóstico de transtorno de pânico.

Associação com Pensamentos ou Comportamentos Suicidas

Ataques de pânico e diagnóstico de transtorno de pânico nos últimos 12 meses estão relacionados a uma taxa mais elevada de comportamentos suicidas e ideação suicida nos últimos 12 meses, mesmo quando as comorbidades e história de abuso infantil e outros fatores de risco de suicídio são levados em conta. Cerca de 25% dos pacientes em cuidado primário com transtorno de pânico relatam pensamentos sobre suicídio. O transtorno de pânico pode aumentar o risco de comportamentos suicidas futuros, mas não de mortes.

Dados epidemiológicos levantados sobre os sintomas de ataques de pânico mostram que os sintomas cognitivos do pânico (p. ex., desrealização) podem ser associados a pensamentos suicidas, enquanto os sintomas físicos, (p. ex., tontura e náusea) podem ser associados a comportamentos suicidas.

Consequências Funcionais do Transtorno de Pânico

O transtorno de pânico está associado a níveis altos de incapacidade social, profissional e física; custos econômicos consideráveis; e ao número mais alto de consultas médicas entre os transtornos de ansiedade, embora os efeitos sejam mais fortes com a presença de agorafobia. Os indivíduos com transtorno de pânico podem se ausentar com frequência do trabalho ou escola para visitas ao médico ou ao serviço de urgência, o que pode levar a desemprego ou evasão escolar. Em pessoas idosas, prejuízos podem ser vistos nas responsabilidades como cuidador ou em atividades voluntárias, e o transtorno de pânico é relacionado a menor qualidade de vida relacionada à saúde e maior número de vezes em que o indivíduo usa serviços de emergência. Além disso, os ataques de pânico com sintomas completos geralmente estão associados a maior morbidade (i. e., maior utilização dos serviços de saúde, mais incapacidade, pior qualidade de vida) do que os ataques com sintomas limitados.

Diagnóstico Diferencial

Apenas ataques de pânico com sintomas limitados. O transtorno de pânico não deve ser diagnosticado se nunca foram experimentados ataques de pânico com sintomas completos (inesperados). No caso de ataques de pânico inesperados apenas com sintomas limitados, um diagnóstico de outro transtorno de ansiedade especificado ou transtorno de ansiedade não especificado deve ser considerado.

Transtorno de ansiedade devido a outra condição médica. O transtorno de pânico não é diagnosticado se os ataques de pânico são considerados consequência fisiológica direta de outra condição médica.

Exemplos de condições médicas que podem causar ataques de pânico incluem hipertireoidismo, hiperparatireoidismo, feocromocitoma, disfunções vestibulares, transtornos convulsivos e condições cardiopulmonares (p. ex., arritmias, taquicardia supraventricular, asma, doença pulmonar obstrutiva crônica [DPOC]). Testes laboratoriais apropriados (p. ex., níveis séricos de cálcio para hiperparatireoidismo; monitor Holter para arritmias) ou exame físico (p. ex., para condições cardíacas) podem ser úteis na determinação do papel etiológico de outra condição médica. Características como o início após 45 anos de idade ou a presença de sintomas atípicos durante um ataque de pânico (p. ex., vertigem, perda da consciência, perda de controle esfincteriano, fala confusa ou amnésia) sugerem a possibilidade de que outra condição médica ou uma substância possam estar causando os sintomas de ataque de pânico.

Transtorno de ansiedade induzido por substância/medicamento. O transtorno de pânico não é diagnosticado se os ataques forem considerados consequência fisiológica direta de uma substância. Intoxicação por estimulantes do sistema nervoso central (p. ex., cocaína, anfetaminas, cafeína) ou *Cannabis* e abstinência de depressores do sistema nervoso central (p. ex., álcool, barbitúricos) podem precipitar um ataque de pânico.

Entretanto, se os ataques continuam a ocorrer fora do contexto do uso da substância (p. ex., muito tempo depois que terminaram os efeitos da intoxicação ou abstinência), um diagnóstico de transtorno de pânico deve ser considerado. Além disso, como o transtorno pode preceder o uso da substância em alguns indivíduos e pode estar associado a aumento no seu uso, especialmente com fins de automedicação, uma história detalhada deve ser colhida para determinar se o indivíduo teve ataques de pânico antes do uso excessivo da substância. Nesse caso, um diagnóstico de transtorno de pânico deve ser considerado além de um diagnóstico de transtorno por uso de substância. Características como o início após a idade de 45 anos ou a presença de sintomas atípicos durante um ataque de pânico (p. ex., vertigem, perda da consciência, perda de controle esfincteriano, fala confusa, amnésia) sugerem a possibilidade de que outra condição médica ou uma substância possam estar causando os sintomas de ataque de pânico.

Outros transtornos mentais com ataques de pânico como característica associada (p. ex., outros transtornos de ansiedade e transtornos psicóticos). Os ataques de pânico que ocorrem como sintoma de outros transtornos de ansiedade são esperados (p. ex., desencadeados por situações sociais no transtorno de ansiedade social, por objetos ou situações fóbicas em fobia específica ou agorafobia, por preocupação no transtorno de ansiedade generalizada, por separação de casa e de figuras de apego no transtorno de ansiedade de separação) e, assim, não satisfariam os critérios para transtorno de pânico. (**Nota:** Ocasionalmente, um ataque de pânico inesperado está associado ao início de outro transtorno de ansiedade, mas então os ataques se tornam esperados, enquanto o transtorno de pânico é caracterizado por ataques de pânico inesperados recorrentes). Se os ataques de pânico ocorrem apenas em resposta a gatilhos específicos, então somente o transtorno de ansiedade relevante é atribuído. Porém, se o indivíduo experimentar ataques de pânico inesperados assim como mostrar preocupações persistentes ou mudança de comportamento por causa dos ataques, então um diagnóstico adicional de transtorno de pânico deve ser considerado.

Comorbidade

O transtorno de pânico raramente ocorre em contextos clínicos na ausência de outra psicopatologia. Na população geral, 80% das pessoas com transtorno de pânico tiveram algum diagnóstico mental comórbido ao longo da vida. Sua prevalência é elevada em indivíduos com outros transtornos, sobretudo outros transtornos de ansiedade (e em especial agorafobia), transtorno depressivo maior, transtornos bipolares tipos I e II e possivelmente transtorno leve por uso de álcool. Embora o transtorno de pânico ocorra com frequência em idade mais precoce do que o(s) transtorno(s) comórbido(s), às vezes pode se manifestar depois do transtorno comórbido e pode ser visto como um marcador da severidade da doença comórbida.

As taxas de comorbidade com transtorno depressivo maior relatadas durante a vida variam de forma considerável, podendo ser de 10 a 65% em indivíduos com transtorno de pânico. Em aproximadamente um terço das pessoas com os dois transtornos, a depressão precede o início do transtorno de pânico. Nos dois terços restantes, a depressão ocorre ao mesmo tempo ou após o início do transtorno de pânico. Um subgrupo de indivíduos com transtorno de pânico desenvolve um transtorno relacionado a substância, o que para alguns representa uma tentativa de tratar sua ansiedade com álcool ou medicamentos. A comorbidade com outros transtornos de ansiedade e transtorno de ansiedade de doença também é comum.

O transtorno de pânico é significativamente comórbido com inúmeros sintomas e condições médicas gerais, incluindo, mas não limitado a, tontura, arritmias cardíacas, hipertireoidismo, asma, DPOC e síndrome do intestino irritável. Entretanto, a natureza da associação (p. ex., causa e efeito) entre transtorno de pânico e essas condições permanece incerta. Apesar de prolapso da válvula mitral e doença da tireoide serem mais comuns em indivíduos com transtorno de pânico do que na população geral, os aumentos na prevalência não são consistentes.

Especificador de Ataque de Pânico

Nota: Os sintomas são apresentados com o propósito de identificação de um ataque de pânico; no entanto, o ataque de pânico não é um transtorno mental e não pode ser codificado. Os ataques de pânico podem ocorrer no contexto de um transtorno de ansiedade, além de outros transtornos mentais (p. ex., transtornos depressivos, transtorno de estresse pós-traumático, transtornos por uso de substâncias) e algumas condições médicas (p. ex., cardíaca, respiratória, vestibular, gastrintestinal). Quando a presença de um ataque de pânico é identificada, ela deve ser anotada como um especificador (p. ex., "transtorno de estresse pós-traumático com ataques de pânico"). Para transtorno de pânico, a presença de ataque de pânico está inclusa nos critérios diagnósticos, e o ataque de pânico não é usado como especificador.

Um surto abrupto de medo ou de desconforto intenso que alcança um pico em minutos e durante o qual ocorrem quatro (ou mais) dos seguintes sintomas:

Nota: O surto abrupto pode ocorrer a partir de um estado calmo ou de um estado ansioso.

1. Palpitações, coração acelerado ou taquicardia.
2. Sudorese.
3. Tremores ou abalos.
4. Sensações de falta de ar ou sufocamento.
5. Sensações de asfixia.
6. Dor ou desconforto torácico.
7. Náusea ou desconforto abdominal.
8. Sensação de tontura, instabilidade, vertigem ou desmaio.
9. Calafrios ou ondas de calor.
10. Parestesias (anestesia ou sensações de formigamento).
11. Desrealização (sensações de irrealidade) ou despersonalização (sensação de estar distanciado de si mesmo).
12. Medo de perder o controle ou "enlouquecer".
13. Medo de morrer.

Nota: Podem ser vistos sintomas específicos da cultura (p. ex., tinido, dor na nuca, cefaleia, gritos ou choro incontrolável). Esses sintomas não devem contar como um dos quatro sintomas exigidos.

Características

A característica essencial de um ataque de pânico é um surto abrupto de medo ou desconforto intenso que alcança um pico em minutos e durante a qual ocorrem quatro ou mais dos 13 sintomas físicos e cognitivos. Onze desses sintomas são físicos (p. ex., palpitações, sudorese), enquanto dois são cognitivos (i. e., medo de perder o controle ou enlouquecer, medo de morrer). "Medo de enlouquecer" é um coloquialismo usado com frequência por indivíduos com ataques de pânico e não tem a pretensão de ser um termo pejorativo ou diagnóstico. A expressão *em minutos* significa que o tempo para atingir o pico de intensidade é literalmente uns poucos minutos. Um ataque de pânico pode se originar a partir de um estado calmo ou de um estado ansioso, e o tempo para alcançar o pico de intensidade deve ser avaliado independentemente da ansiedade precedente.

Ou seja, o início do ataque de pânico é o ponto no qual existe um aumento abrupto no desconforto, e não o ponto em que a ansiedade começou a se desenvolver. Da mesma forma, um ataque de pânico pode retornar a um estado ansioso ou a um estado calmo e possivelmente ter outro pico. Um ataque de pânico é diferenciado de ansiedade persistente por seu tempo até o pico de intensidade, que ocorre em minutos; sua natureza distinta; e sua gravidade geralmente maior. Os ataques que satisfazem todos os outros critérios, mas têm menos de quatro sintomas físicos e/ou cognitivos, são denominados *ataques com sintomas limitados*.

Existem dois tipos característicos de ataques de pânico: esperado e inesperado. Os *ataques de pânico esperados* são ataques para os quais existe um sinal ou desencadeante óbvio, como as situações em que eles geralmente ocorreram. Os *ataques de pânico inesperados* são aqueles para os quais não há gatilho ou desencadeante óbvio no momento da ocorrência (p. ex., quando em relaxamento ou durante o sono [ataque de pânico noturno]). A determinação de os ataques de pânico serem esperados ou inesperados é feita pelo clínico, que faz esse julgamento com base na combinação de um questionamento cuidadoso quanto à sequência dos eventos que precederam ou conduziram ao ataque e do próprio julgamento do indivíduo do quanto o ataque lhe pareceu ocorrer sem razão aparente. Os ataques de pânico podem ocorrer no contexto de um transtorno mental (p. ex., transtornos de ansiedade, transtornos depressivos, transtornos bipolares, transtornos alimentares, transtorno obsessivo-compulsivo e transtornos relacionados, transtornos da personalidade, transtornos psicóticos, transtornos por uso de substâncias) e de algumas condições médicas (p. ex., cardíaca, respiratória, vestibular, gastrintestinal), com a maioria nunca satisfazendo os critérios para transtorno de pânico. São necessários ataques de pânico inesperados recorrentes para um diagnóstico de transtorno de pânico.

Características Associadas

Um tipo de ataque de pânico inesperado é o *ataque de pânico noturno* (i. e., acordar do sono em estado de pânico), o qual difere de entrar em pânico depois de estar completamente acordado.

Prevalência

Na população geral, as estimativas de prevalência de 12 meses de ataques de pânico na Espanha e nos Estados Unidos variam entre 9,5 e 11,2% em adultos. Ela não parece diferir significativamente entre afro-americanos, asiáticos americanos e latinos. Aproximadamente 8,5% dos nativos americanos relatam história de ataques de pânico durante a vida. A taxa de prevalência global de ataques de pânico ao longo da vida é de 13,2%. Mulheres são afetadas com mais frequência do que homens, embora essa diferença de gênero seja mais pronunciada para o transtorno de pânico. Ataques de pânico podem ocorrer em crianças, mas são relativamente raros até a puberdade, quando a prevalência aumenta. As taxas de prevalência diminuem em pessoas idosas, possivelmente refletindo a diminuição na severidade até níveis subclínicos.

Desenvolvimento e Curso

A idade média de início dos ataques de pânico nos Estados Unidos é de 22 a 23 anos entre adultos. No entanto, é provável que o curso dos ataques seja influenciado pelo curso de transtorno(s) mental(is) e eventos estressantes na vida que ocorrem concomitantemente. Os ataques de pânico são incomuns, e os ataques de pânico inesperados são raros em pré-adolescentes. Estes podem ser menos dispostos do que os adultos a discutir abertamente os ataques de pânico, muito embora eles estejam presentes com episódios de medo e desconforto intensos. A prevalência mais baixa de ataques de pânico em pessoas idosas pode estar relacionada a uma resposta autonômica mais tênue aos estados emocionais em comparação com os indivíduos mais jovens. As pessoas idosas podem ser menos inclinadas a usar a palavra "medo" e mais inclinadas a usar a palavra "desconforto" para descrever ataques de pânico. Aquelas com "sensações de pânico" podem ter um misto de ataques com sintomas limitados e ansiedade generalizada. Além disso, as pessoas idosas tendem a atribuir os ataques de pânico a determinadas situações estressantes (p. ex., procedimentos médicos, ambientes sociais) e podem dar explicações para eles mesmo que tenham sido inesperados no momento. Isso pode resultar em subavaliação dos ataques de pânico inesperados nesses indivíduos.

Fatores de Risco e Prognóstico

Temperamentais. Afetividade negativa (neuroticismo) (i. e., tendência a experimentar emoções negativas) e sensibilidade à ansiedade (i. e., disposição a acreditar que os sintomas de ansiedade são prejudiciais), inibição comportamental e evitação de danos são fatores de risco para o início de ataques. História de "períodos de medo" (i. e., ataques com sintomas limitados que não satisfazem todos os critérios para um ataque de pânico) pode ser um fator de risco para ataques de pânico posteriores.

Ambientais. Fumar é um fator de risco para ataques de pânico. A maioria dos indivíduos relata estressores identificáveis nos meses anteriores ao seu primeiro ataque de pânico (p. ex., estressores interpessoais e estressores relacionados a bem-estar físico, como experiências negativas com drogas ilícitas ou de prescrição, doença ou morte na família). A separação das crianças dos pais, pais superprotetores e rejeição parental são fatores de risco para ataques de pânico.

Genéticos e fisiológicos. Indivíduos com doença pulmonar obstrutiva crônica que reportam baixa percepção de controle sobre a doença e crenças negativas sobre as consequências de ataques de dispneia imprevisíveis são mais propensos a ter sintomas de pânico.

Questões Diagnósticas Relativas à Cultura

As interpretações culturais podem influenciar a determinação dos ataques de pânico como esperados ou inesperados. Os sintomas específicos da cultura (p. ex., tinido, dor na nuca, dor de cabeça e gritos ou choro incontrolável) podem ser vistos; entretanto, não devem ser contabilizados como um dos quatro sintomas requeridos. A frequência de cada um dos 13 sintomas varia entre as culturas (p. ex., taxas mais altas de parestesias em afro-americanos e de tontura em vários grupos asiáticos). Os conceitos culturais de sofrimento também influenciam a apresentação transcultural dos ataques de pânico, resultando em diferentes perfis de sintomas nos diferentes grupos culturais. Exemplos incluem ataques de *khyâl* (vento), uma síndrome cultural cambojana envolvendo tontura, tinido e dor na nuca, e ataques de *trúng gió* (relacionado ao vento), uma síndrome cultural vietnamita associada a dores de cabeça. Modelos explanatórios culturais podem aumentar a saliência de sintomas de pânico específicos. Por exemplo, visões cambojanas tradicionais sobre a circulação anormal de *khyâl* (vento) pelo corpo estão associadas com o perigo percebido de alguns sintomas (p. ex., dor no pescoço), o que pode desencadear cognições catastróficas e ataques de pânico. O *ataque de nervios* (ataque de nervos) é uma síndrome cultural entre latino-americanos que pode envolver tremor, gritos ou choro descontrolado, comportamento agressivo ou suicida e despersonalização ou desrealização, e que pode ser experimentado por mais tempo do que apenas poucos minutos. Algumas apresentações clínicas do *ataque de nervios* satisfazem os critérios para outras condições além do ataque de pânico (p. ex., outro transtorno dissociativo especificado). Além disso, as expectativas culturais podem influenciar a classificação dos ataques de pânico como esperados ou inesperados, já que as síndromes culturais podem criar medo de certas situações, variando desde discussões interpessoais (associadas ao *ataque de nervios*) até tipos de esforço (associados aos ataques de *khyâl*) e vento atmosférico (associado a ataques de *trúng gió*). O esclarecimento dos detalhes das atribuições culturais pode auxiliar na distinção de ataques de pânico esperados e inesperados. Para mais informações sobre conceitos culturais de sofrimento, ver o capítulo "Diagnósticos Culturais e Psiquiátricos" na Seção III.

Questões Diagnósticas Relativas ao Sexo e ao Gênero

Ataques de pânico são mais comuns em mulheres do que em homens. Entre aqueles que reportam ataques de pânico, as mulheres são mais propensas a mostrar sintomas de dispneia e náusea, mas menos propensas a ter problemas com o suor do que homens.

Marcadores Diagnósticos

Registros fisiológicos de ataques de pânico de ocorrência natural em indivíduos com transtorno de pânico indicam surtos abruptos de excitação, habitualmente se manifestando como aumento na frequência cardíaca, que atingem um pico em minutos e cedem também em minutos, e, para uma proporção desses indivíduos, o ataque de pânico pode ser precedido por instabilidades cardiorrespiratórias. Os ataques de pânico são caracterizados por aumento na frequência cardíaca e no volume corrente e uma diminuição em pCO_2.

Associação com Pensamentos ou Comportamentos Suicidas

Os ataques de pânico estão relacionados a uma taxa mais alta de tentativas de suicídio e ideação suicida, mesmo quando as comorbidades e outros fatores de risco de suicídio são levados em conta.

Consequências Funcionais dos Ataques de Pânico

No contexto da concomitância dos transtornos mentais, incluindo transtornos de ansiedade, transtornos depressivos, transtorno bipolar, transtornos por uso de substâncias, transtornos psicóticos e transtornos da personalidade, os ataques de pânico estão associados a aumento na gravidade dos sintomas, taxas mais altas de comorbidade e suicídio e pior resposta ao tratamento. Ataques de pânico recorrentes, em particular, estão associados com maior probabilidade de muitos diagnósticos de saúde mental. Além disso, ataques de pânico mais graves estão associados com maior probabilidade de desenvolvimento de transtorno de pânico e uma variedade de outras condições de saúde mental, assim como maior persistência de transtornos mentais e prejuízos no funcionamento. Os ataques de pânico com sintomas completos também estão tipicamente associados a maior morbidade (i. e., maior uso dos serviços de saúde, mais incapacidade, pior qualidade de vida) do que os ataques com sintomas limitados.

Diagnóstico Diferencial

Outros episódios paroxísticos (p. ex., "ataques de raiva"). Os ataques de pânico não devem ser diagnosticados se os episódios não envolvem a característica essencial de um surto abrupto de intenso medo ou desconforto, e sim outros estados emocionais (p. ex., raiva, tristeza).

Transtorno de ansiedade devido a outra condição médica. As condições médicas que podem causar ou ser mal diagnosticadas como ataques de pânico incluem hipertireoidismo, hiperparatireoidismo, feocromocitoma, disfunções vestibulares, transtornos convulsivos e condições cardiopulmonares (p. ex., arritmias, taquicardia supraventricular, asma, DPOC). Testes laboratoriais apropriados (p. ex., níveis séricos de cálcio para hiperparatireoidismo; monitor Holter para arritmias) ou exame físico (p. ex., para condições cardíacas) podem ser úteis na determinação do papel etiológico de outra condição médica.

Transtorno de ansiedade induzido por substância/medicamento. Intoxicação por estimulantes do sistema nervoso central (p. ex., cocaína, anfetaminas, cafeína) ou *Cannabis* e abstinência de depressores do sistema nervoso central (p. ex., álcool, barbitúricos) podem precipitar um ataque de pânico. Deve ser coletada uma história detalhada para determinar se o indivíduo teve ataques de pânico antes do uso excessivo de substância. Características como o início após os 45 anos ou a presença de sintomas atípicos durante um ataque de pânico (p. ex., vertigem, perda da consciência, perda de controle esfincteriano, fala confusa ou amnésia) sugerem a possibilidade de que uma condição médica ou substância possa estar causando os sintomas de ataque de pânico.

Transtorno de pânico. Ataques de pânico inesperados repetidos são necessários, mas não suficientes, para o diagnóstico de transtorno de pânico (i. e., todos os critérios diagnósticos para transtorno de pânico devem ser satisfeitos).

Comorbidade

Os ataques de pânico estão associados à probabilidade aumentada de vários transtornos mentais comórbidos, incluindo transtornos de ansiedade, transtornos depressivos, transtornos bipolares, transtornos do controle dos impulsos e transtornos por uso de substâncias. Também estão associados à probabilidade aumentada de desenvolvimento posterior de transtornos de ansiedade, transtornos depressivos, transtornos bipolares, transtorno por uso de álcool e possivelmente ainda outros transtornos.

Agorafobia

Critérios Diagnósticos — F40.00

A. Medo ou ansiedade marcantes acerca de duas (ou mais) das cinco situações seguintes:
   1. Uso de transporte público (p. ex., automóveis, ônibus, trens, navios, aviões).
   2. Permanecer em espaços abertos (p. ex., áreas de estacionamentos, mercados, pontes).
   3. Permanecer em locais fechados (p. ex., lojas, teatros, cinemas).
   4. Permanecer em uma fila ou ficar em meio a uma multidão.
   5. Sair de casa sozinho.
B. O indivíduo tem medo ou evita essas situações devido a pensamentos de que pode ser difícil escapar ou de que o auxílio pode não estar disponível no caso de desenvolver sintomas do tipo pânico ou outros sintomas incapacitantes ou constrangedores (p. ex., medo de cair nos idosos; medo de incontinência).
C. As situações agorafóbicas quase sempre provocam medo ou ansiedade.
D. As situações agorafóbicas são ativamente evitadas, requerem a presença de uma companhia ou são suportadas com intenso medo ou ansiedade.
E. O medo ou ansiedade é desproporcional ao perigo real apresentado pelas situações agorafóbicas e ao contexto sociocultural.
F. O medo, ansiedade ou esquiva é persistente, geralmente durando mais de seis meses.
G. O medo, ansiedade ou esquiva causa sofrimento clinicamente significativo ou prejuízo no funcionamento social, profissional ou em outras áreas importantes da vida do indivíduo.
H. Se outra condição médica (p. ex., doença inflamatória intestinal, doença de Parkinson) está presente, o medo, ansiedade ou esquiva é claramente excessivo.
I. O medo, ansiedade ou esquiva não é mais bem explicado pelos sintomas de outro transtorno mental – por exemplo, os sintomas não estão restritos a fobia específica, tipo situacional; não envolvem apenas situações sociais (como no transtorno de ansiedade social); e não estão relacionados exclusivamente a obsessões (como no transtorno obsessivo-compulsivo), percepção de defeitos ou falhas na aparência física (como no transtorno dismórfico corporal) ou medo de separação (como no transtorno de ansiedade de separação).

Nota: A agorafobia é diagnosticada independentemente da presença de transtorno de pânico. Se a apresentação de um indivíduo satisfaz os critérios para transtorno de pânico e agorafobia, ambos os diagnósticos devem ser dados.

Características Diagnósticas

A característica essencial da agorafobia é o medo ou ansiedade acentuado ou intenso desencadeado pela exposição real ou prevista a diversas situações (Critério A). O diagnóstico requer presença dos sintomas ocorrendo em pelo menos duas das cinco situações seguintes: 1) uso de transporte público, como automóveis, ônibus, trens, navios ou aviões; 2) permanecer em espaços abertos, como áreas de estacionamento, mercados ou pontes; 3) permanecer em locais fechados, como lojas, teatros ou cinemas; 4) permanecer em uma fila ou ficar em meio a uma multidão; ou 5) sair de casa sozinho. Os exemplos de cada situação não são exaustivos; outras situações podem ser temidas. Quando experimentam medo e ansiedade acionada por essas situações, os indivíduos geralmente experimentam pensamentos de que algo terrível possa acontecer (Critério B). Acreditam com frequência que escapar dessas situações poderia ser difícil (p. ex., "não consigo sair daqui") ou que o auxílio pode não estar disponível (p. ex., "não há ninguém para me ajudar") quando ocorrem sintomas do tipo pânico ou outros sintomas incapacitantes ou constrangedores. "Sintomas do tipo pânico" se referem a algum dos 13 sintomas inclusos nos critérios para ataque de pânico, como tontura, desmaio e medo de morrer. "Outros sintomas incapacitantes ou constrangedores" incluem sintomas como vomitar e sintomas inflamatórios intestinais, bem como, em pessoas idosas, medo de cair ou, em crianças, uma sensação de desorientação e de estar perdido.

A quantidade de medo experimentada pode variar com a proximidade da situação temida e pode ocorrer em antecipação ou na presença real da situação agorafóbica. Além disso, o medo ou ansiedade pode assumir a forma de um ataque de pânico com sintomas completos ou sintomas limitados (i. e., um ataque de pânico esperado). O medo ou ansiedade é evocado quase todas as vezes em que o indivíduo entra em contato com a situação temida (Critério C). Assim, alguém que fica ansioso apenas ocasionalmente em uma situação agorafóbica (p. ex., fica ansioso quando permanece em uma fila ou em apenas uma a cada cinco ocasiões) não seria diagnosticado com agorafobia. O indivíduo evita ativamente a situação, ou, se não consegue ou decide não evitá-la, a situação evoca medo ou ansiedade intensos (Critério D). *Esquiva ativa* significa que o indivíduo está, no momento, comportando-se de formas intencionalmente concebidas para prevenir ou minimizar o contato com situações agorafóbicas. A esquiva pode ser comportamental (p. ex., mudar as rotinas diárias, escolher um emprego próximo para evitar o uso de transporte público, organizar a entrega de alimentos para evitar ter de entrar em lojas e supermercados), bem como cognitiva por natureza (p. ex., usando a distração para passar por situações agorafóbicas). O evitamento pode tornar-se grave a ponto de a pessoa ficar completamente confinada à sua casa. Com frequência, um indivíduo é mais capaz de enfrentar uma situação temida quando acompanhado por alguém como um parceiro, amigo ou profissional da saúde. Além disso, o indivíduo pode empregar comportamentos de segurança (p. ex., sentar-se perto de saídas de emergência quando está em transportes públicos ou no cinema) para melhor aturar as situações.

O medo, ansiedade ou esquiva deve ser desproporcional ao perigo real apresentado pelas situações agorafóbicas e ao contexto sociocultural (Critério E). A diferenciação de medos agorafóbicos clinicamente significativos de medos razoáveis (p. ex., sair de casa durante uma forte tempestade) ou de situações que são consideradas perigosas (p. ex., caminhar em uma área de estacionamento ou usar o transporte público em uma área de alta criminalidade) é importante por inúmeras razões. Primeiramente, o que constitui esquiva pode ser difícil de julgar entre as culturas e nos contextos socioculturais (p. ex., é culturalmente apropriado que as mulheres muçulmanas ortodoxas em certas partes do mundo evitem sair de casa sozinhas, e assim essa esquiva não seria considerada indicativa de agorafobia). Segundo, pessoas idosas provavelmente superestimam a relação entre seus medos e as restrições relacionadas à idade e, de modo semelhante, podem não julgar seus medos como desproporcionais ao risco real. Terceiro, os indivíduos com agorafobia têm probabilidade de superestimar o perigo em relação aos sintomas do tipo pânico ou outros sintomas corporais. A agorafobia deve ser diagnosticada somente se persiste o medo, ansiedade ou esquiva (Critério F) e se eles causam sofrimento clinicamente significativo ou prejuízo no funcionamento social, profissional ou em outras áreas importantes da vida do indivíduo (Critério G). A duração de "mais de seis meses" significa excluir os indivíduos com problemas transitórios de curta duração.

Características Associadas

Em suas formas mais graves, a agorafobia pode fazer com que indivíduos fiquem completamente confinados em casa, incapazes de deixarem suas residências e dependentes dos outros para serviços ou assistência mesmo de necessidades mais básicas. A desmoralização e os sintomas depressivos, bem como o abuso de álcool e medicamentos sedativos como estratégias inadequadas de automedicação, são comuns.

Prevalência

Todos os anos, aproximadamente 1 a 1,7% dos adolescentes e adultos ao redor do mundo demonstram sintomas que preenchem os critérios diagnósticos para agorafobia. Mulheres têm uma probabilidade duas vezes maior do que homens de apresentar o transtorno. A agorafobia pode ocorrer na infância, mas a incidência atinge o pico no fim da adolescência e no início da idade adulta. Estudos mostraram que a prevalência de 12 meses em indivíduos que moram nos Estados Unidos com mais de 65 anos é de 0,4%, e de 0,5% entre indivíduos com mais de 55 anos que moram na Europa e na América do Norte. Entre 0,2 e 0,8% da população adulta de vários países tem um diagnóstico de agorafobia sem transtorno de pânico nos últimos 12 meses.

Desenvolvimento e Curso

A porcentagem de indivíduos com agorafobia que relatam ataques de pânico ou transtorno de pânico antes do início de agorafobia varia de 30% nas amostras da comunidade a mais de 50% nas amostras clínicas.

Em dois terços de todos os casos de agorafobia, o início ocorre antes dos 35 anos de idade, com 21 anos sendo a idade média, embora a média de idade de início da agorafobia sem ataques de pânico ou transtorno de pânico anteriores seja de entre 25 e 29 anos. O início na infância é raro. Existe um risco substancial de incidência no fim da adolescência e início da idade adulta, com indicações para um segundo pico de incidência depois dos 40 anos. Aproximadamente 10% das pessoas idosas com agorafobia reportaram seus primeiros episódios como ocorrendo depois dos 65 anos.

O curso da agorafobia é tipicamente persistente e crônico. A remissão completa é rara (10%), a menos que a doença seja tratada. Indivíduos com transtorno de pânico e agorafobia comórbidos são mais propensos a experimentar recorrência de sintomas depois de um período de remissão se eles tiveram o início do transtorno cedo na vida (menos de 20 anos). Com agorafobia mais grave, as taxas de remissão completa decrescem, enquanto as taxas de recaída e cronicidade aumentam. Aproximadamente 36% dos indivíduos com agorafobia que alcançam a remissão eventualmente experimentam uma recaída. Uma variedade de outros transtornos, em particular outros transtornos de ansiedade, transtornos depressivos, transtornos por uso de substâncias e transtornos da personalidade, pode complicar o curso da agorafobia. Seu curso de longo prazo e sua evolução estão associados a um risco substancialmente elevado de transtorno depressivo maior secundário, transtorno depressivo persistente (distimia) e transtornos por uso de substâncias.

As características clínicas da agorafobia são relativamente consistentes ao longo da vida, embora o tipo de situações agorafóbicas que desencadeiam medo, ansiedade ou esquiva, assim como o tipo de cognições, possa variar. Por exemplo, em crianças, estar fora de casa sozinho é a situação temida mais frequente, enquanto, em pessoas idosas, estar em lojas, ficar em uma fila e estar em espaços abertos são as situações que costumam ser mais temidas. Além disso, as cognições com frequência são relativas a se perder (em crianças), experimentar sintomas do tipo pânico (em adultos), cair (em pessoas idosas).

A baixa prevalência de agorafobia em crianças pode refletir as dificuldades em relatar os sintomas, e assim avaliações em crianças pequenas podem requerer a solicitação de informações de múltiplas fontes, incluindo os pais e os professores. Os adolescentes, particularmente os meninos, podem estar menos dispostos do que os adultos a discutir abertamente os medos agorafóbicos e a esquiva; no entanto, a agorafobia pode ocorrer antes da idade adulta e deve ser avaliada em crianças e adolescentes. Em pessoas idosas, transtorno de sintomas somáticos comórbido, ter complicações médicas e ter perturbações motoras (p. ex., sensação de cair) são frequentemente mencionados pelos indivíduos como a razão do seu medo e esquiva. Nesses casos, deve-se ter cuidado na avaliação do quanto o medo e a esquiva são desproporcionais ao perigo real envolvido.

Fatores de Risco e Prognóstico

Temperamentais. Inibição comportamental, afetividade negativa (neuroticismo), sensibilidade à ansiedade e traço de ansiedade estão fortemente associados a agorafobia, mas são relevantes para maioria dos transtornos de ansiedade (fobia específica, transtorno de ansiedade social, transtorno de pânico e transtorno de ansiedade generalizada). A sensibilidade à ansiedade (disposição a acreditar que os sintomas de ansiedade são prejudiciais) também é característica de indivíduos com agorafobia.

Ambientais. Eventos negativos na infância (p. ex., separação, morte de um dos pais) e outros eventos estressantes, como ser atacado ou assaltado, estão associados ao início de agorafobia. Além disso, indivíduos com agorafobia descrevem o clima familiar e a criação dos seus filhos como caracterizados por afeto reduzido e superproteção.

Genéticos e fisiológicos. A herdabilidade para agorafobia é de 61%. Das várias fobias, a agorafobia é a que tem associação mais forte e mais específica com o fator genético que representa a predisposição a fobias. História familiar de transtornos de ansiedade está associada a início mais precoce de agorafobia na vida (com menos de 27 anos), e história familiar de transtorno de pânico, em particular, também está associada a agorafobia.

Questões Diagnósticas Relativas ao Sexo e ao Gênero

Mulheres apresentam padrões diferentes de transtornos comórbidos com relação aos homens. Consistentemente com as diferenças de gênero na prevalência dos transtornos mentais, homens têm taxas mais elevadas de transtorno por uso de substância comórbido.

Associação com Pensamentos ou Comportamentos Suicidas

Aproximadamente 15% dos indivíduos com agorafobia relatam pensamentos e comportamentos suicidas. Para indivíduos com transtorno de pânico, os sintomas de agorafobia podem ser um fator de risco para pensamentos suicidas.

Consequências Funcionais da Agorafobia

Como a maioria dos outros transtornos de ansiedade, a agorafobia está associada a considerável prejuízo e incapacidade em termos de desempenho de papéis, produtividade no trabalho e dias com incapacidade. Sua gravidade é um forte determinante do grau de incapacidade, independentemente da presença de transtorno de pânico, ataques de pânico comórbidos ou outras condições comórbidas. Indivíduos com agorafobia podem ficar completamente presos a suas casas ou serem incapazes de trabalhar. Indivíduos com transtorno de pânico com agorafobia que tiveram um início de curso precoce (menos de 20 anos) têm menor probabilidade de se casarem.

Diagnóstico Diferencial

Fobia específica, tipo situacional. A diferenciação entre agorafobia e fobia específica situacional pode ser desafiadora em alguns casos porque essas condições compartilham várias características de sintomas e critérios. A fobia específica tipo situacional deve ser diagnosticada vs. agorafobia se o medo, ansiedade ou esquiva estiver limitado a uma das situações agorafóbicas. A exigência de medo de duas ou mais situações agorafóbicas é uma forma eficiente de diferenciar agorafobia de fobias específicas, particularmente o subtipo situacional. As características diferenciadoras adicionais incluem a cognição associada. Assim, se a situação é temida por outras razões além dos sintomas do tipo pânico ou outros sintomas incapacitantes ou constrangedores (p. ex., medos de ser diretamente prejudicado pela situação em si, como o medo de queda do avião em indivíduos que temem voar), então o diagnóstico de fobia específica pode ser o mais apropriado.

Transtorno de ansiedade de separação. O transtorno de ansiedade de separação pode ser mais bem diferenciado da agorafobia examinando as cognições do indivíduo. No transtorno de ansiedade de separação, os pensamentos são acerca da separação de pessoas significativas e do ambiente doméstico (i. e., pais ou outras figuras de apego), enquanto na agorafobia o foco está nos sintomas do tipo pânico ou outros sintomas incapacitantes ou constrangedores nas situações temidas.

Transtorno de ansiedade social. A agorafobia deve ser diferenciada do transtorno de ansiedade social principalmente quanto aos tipos de situações que desencadeiam medo, ansiedade ou esquiva e à cognição associada. No transtorno de ansiedade social, o foco está no medo de ser avaliado negativamente.

Transtorno de pânico. Quando são satisfeitos os critérios para transtorno de pânico, a agorafobia não deve ser diagnosticada se os comportamentos de esquiva associados aos ataques de pânico não se estendem para o comportamento de esquiva de duas ou mais situações agorafóbicas.

Transtorno de estresse agudo e transtorno de estresse pós-traumático. O transtorno de estresse agudo e o TEPT podem ser diferenciados da agorafobia examinando se o medo, ansiedade ou esquiva está relacionado somente com situações que lembram o indivíduo de um evento traumático. Se o medo, ansiedade ou esquiva está restrito aos evocadores do trauma e se o comportamento de esquiva não se estende para duas ou mais situações agorafóbicas, então um diagnóstico de agorafobia não é indicado.

Transtorno depressivo maior. No transtorno depressivo maior, o indivíduo pode evitar sair de casa devido a apatia, perda da energia, baixa autoestima e anedonia. Se a esquiva não está relacionada a medos do tipo pânico ou outros sintomas incapacitantes ou constrangedores, então agorafobia não deve ser diagnosticada.

Esquiva relacionada a outras condições médicas. Indivíduos com certas condições médicas podem evitar situações por causa de preocupações realistas sobre serem incapazes (p. ex., os desmaios de uma pessoa com ataques isquêmicos transitórios) ou por se sentirem envergonhadas (p. ex., diarreia em uma pessoa com doença de Crohn). O diagnóstico de agorafobia deve ser dado apenas quando o medo ou esquiva é claramente excessivo em relação ao medo habitualmente associado a essas condições médicas.

Comorbidade

Cerca de 90% dos indivíduos com agorafobia também têm outros transtornos mentais. Os diagnósticos adicionais mais frequentes são outros transtornos de ansiedade (p. ex., fobias específicas, transtorno de pânico, transtorno de ansiedade social), depressivos (transtorno depressivo maior), TEPT e transtorno por uso de álcool. Enquanto outros transtornos de ansiedade (p. ex., de ansiedade de separação, fobias específicas e de pânico) com frequência precedem o início da agorafobia, os transtornos depressivos e aqueles por uso de substâncias geralmente ocorrem secundários à agorafobia. Em alguns indivíduos, um transtorno por uso de substâncias precede a agorafobia. Indivíduos com agorafobia e transtorno depressivo maior comórbidos tendem a ter cursos de doença mais resistentes ao tratamento do que indivíduos apenas com agorafobia.

Transtorno de Ansiedade Generalizada

Critérios Diagnósticos — F41.1

A. Ansiedade e preocupação excessivas (expectativa apreensiva), ocorrendo na maioria dos dias por pelo menos seis meses, com diversos eventos ou atividades (tais como desempenho escolar ou profissional).

B. O indivíduo considera difícil controlar a preocupação.

C. A ansiedade e a preocupação estão associadas com três (ou mais) dos seguintes seis sintomas (com pelo menos alguns deles presentes na maioria dos dias nos últimos seis meses).

Nota: Apenas um dos itens é necessário para crianças.

1. Inquietação ou sensação de estar com os nervos à flor da pele.
2. Fatigabilidade.
3. Dificuldade em concentrar-se ou sensações de "branco" na mente.
4. Irritabilidade.
5. Tensão muscular.
6. Perturbação do sono (dificuldade em conciliar ou manter o sono, ou sono insatisfatório e inquieto).

D. A ansiedade, a preocupação ou os sintomas físicos causam sofrimento clinicamente significativo ou prejuízo no funcionamento social, profissional ou em outras áreas importantes da vida do indivíduo.

E. A perturbação não é atribuível aos efeitos fisiológicos de uma substância (p. ex., droga de abuso, medicamento) ou a outra condição médica (p. ex., hipertireoidismo).

F. A perturbação não é mais bem explicada por outro transtorno mental (p. ex., ansiedade ou preocupação quanto a ter ataques de pânico no transtorno de pânico, avaliação negativa no transtorno de ansiedade social, contaminação ou outras obsessões no transtorno obsessivo-compulsivo, separação das figuras de apego no transtorno de ansiedade de separação, lembranças de eventos traumáticos no transtorno de estresse pós-traumático, ganho de peso na anorexia nervosa, queixas físicas no transtorno de sintomas somáticos, percepção de problemas na aparência no transtorno dismórfico corporal, ter uma doença séria no transtorno de ansiedade de doença ou o conteúdo de crenças delirantes na esquizofrenia ou transtorno delirante).

Características Diagnósticas

As características essenciais do transtorno de ansiedade generalizada são ansiedade e preocupação excessivas (expectativa apreensiva) acerca de diversos eventos ou atividades. A intensidade, duração ou frequência da ansiedade e preocupação é desproporcional à probabilidade real ou ao impacto do evento antecipado. O indivíduo tem dificuldade de controlar a preocupação e de evitar que pensamentos preocupantes interfiram na atenção às tarefas em questão. Os adultos com transtorno de ansiedade generalizada frequentemente se preocupam com circunstâncias diárias da rotina de vida, como possíveis responsabilidades no trabalho, saúde e finanças, a saúde dos membros da família, desgraças com seus filhos ou questões menores (p. ex., realizar as tarefas domésticas ou se atrasar para compromissos). As crianças com o transtorno tendem a se preocupar excessivamente com sua competência ou a qualidade de seu desempenho. Durante o curso do transtorno, o foco da preocupação pode mudar de uma preocupação para outra.

Várias características distinguem o transtorno de ansiedade generalizada da ansiedade não patológica. Primeiro, as preocupações associadas ao transtorno de ansiedade generalizada são excessivas e geralmente interferem de forma significativa no funcionamento psicossocial, enquanto as preocupações da vida diária não são excessivas e são percebidas como mais manejáveis, podendo ser adiadas quando surgem questões mais prementes. Segundo, as preocupações associadas ao transtorno de ansiedade generalizada são mais disseminadas, intensas e angustiantes; têm maior duração e frequentemente ocorrem sem precipitantes. Quanto maior a variação das circunstâncias de vida sobre as quais a pessoa se preocupa (p. ex., finanças, segurança dos filhos, desempenho no trabalho), mais provavelmente seus sintomas satisfazem os critérios para transtorno de ansiedade generalizada. Terceiro, as preocupações diárias são muito menos prováveis de ser acompanhadas por sintomas físicos (p. ex., inquietação ou sensação de estar com os nervos à flor da pele). Os indivíduos com transtorno de ansiedade generalizada relatam sofrimento subjetivo devido à preocupação constante e prejuízo relacionado ao funcionamento social, profissional ou em outras áreas importantes de sua vida.

A ansiedade e a preocupação são acompanhadas por pelo menos três dos seguintes sintomas adicionais: inquietação ou sensação de estar com os nervos à flor da pele, fatigabilidade, dificuldade de concentrar-se ou sensações de "branco" na mente, irritabilidade, tensão muscular, perturbação do sono, embora apenas um sintoma adicional seja exigido para crianças.

Características Associadas

Pode haver tremores, contrações, abalos e dores musculares, nervosismo ou irritabilidade associados a tensão muscular. Muitos indivíduos com transtorno de ansiedade generalizada também experimentam sintomas somáticos (p. ex., sudorese, náusea, diarreia) e uma resposta de sobressalto exagerada. Sintomas de excitabilidade autonômica aumentada (p. ex., batimentos cardíacos acelerados, falta de ar, tonturas) são menos proeminentes no transtorno de ansiedade generalizada do que em outros transtornos de ansiedade, tais como o transtorno de pânico. Outras condições que podem estar associadas ao estresse (p. ex., síndrome do intestino irritável, cefaleia) frequentemente acompanham o transtorno.

Prevalência

A prevalência de 12 meses do transtorno de ansiedade generalizada é de 0,9% entre adolescentes e de 2,9% entre adultos na comunidade geral nos Estados Unidos. A média da prevalência de 12 meses para o transtorno ao redor do mundo é de 1,3%, com uma variação entre 0,2 e 4,3%. O risco de morbidade ao longo da vida nos Estados Unidos é de 9,0%. Mulheres e meninas adolescentes são pelo menos duas vezes mais propensas do que homens e meninos adolescentes a experimentar o transtorno de ansiedade generalizada. A prevalência de 12 meses entre pessoas idosas, incluindo indivíduos com 75 anos ou mais, varia entre 2,8 e 3,1% nos Estados Unidos, em Israel e em países europeus.

Indivíduos de descendência europeia tendem a ter sintomas que preenchem os critérios para transtorno de ansiedade generalizada mais frequentemente do que indivíduos de descendência asiática ou africana. Além disso, indivíduos de países com alta renda têm maior probabilidade do que os de países de baixa e média renda de relatar que experimentaram sintomas que satisfazem os critérios para transtorno de ansiedade generalizada durante a vida.

Desenvolvimento e Curso

Muitos indivíduos com transtorno de ansiedade generalizada relatam que se sentem ansiosos e nervosos por toda a vida. A idade média de início para o transtorno de ansiedade generalizada na América do Norte é de 35 anos, o que é mais tarde do que para outros transtornos de ansiedade. O transtorno raramente surge antes da adolescência. Porém, a idade de início apresenta grande variação e tende a ser maior em países de baixa renda. Os sintomas de preocupação e ansiedade excessivas podem ocorrer cedo na vida, mas manifestam-se como um temperamento ansioso. Os sintomas do transtorno de ansiedade generalizada tendem a ser crônicos e têm idas e voltas ao longo da vida, oscilando entre formas sindrômicas e subsindrômicas do transtorno. O curso do transtorno é mais persistente em países de baixa renda, mas os prejuízos nos indivíduos tendem a ser maiores em países de alta renda. As taxas de remissão completa são muito baixas.

Quanto mais cedo na vida os indivíduos têm sintomas que satisfazem os critérios para transtorno de ansiedade generalizada, mais eles tendem a ter comorbidade e mais provavelmente serão prejudicados. Os adultos mais jovens experimentam maior gravidade dos sintomas do que as pessoas idosas.

A manifestação clínica do transtorno de ansiedade generalizada é relativamente consistente ao longo da vida. A diferença primária entre grupos etários está no conteúdo das preocupações; portanto, o conteúdo das preocupações dos indivíduos tende a ser apropriado para a idade.

Em crianças e adolescentes com transtorno de ansiedade generalizada, as ansiedades e preocupações frequentemente envolvem a qualidade de seu desempenho ou a competência na escola ou em eventos esportivos, mesmo quando seu desempenho não está sendo avaliado por outros. Pode haver preocupação excessiva com a pontualidade. Também podem preocupar-se com eventos catastróficos, como terremotos ou guerra nuclear. As crianças com o transtorno podem ser excessivamente conformistas, perfeccionistas e inseguras, apresentando tendência a refazer tarefas em razão de excessiva insatisfação com um desempenho menos que perfeito. Elas demonstram zelo excessivo na busca de aprovação e exigem constantes garantias sobre seu desempenho e outras preocupações.

O advento de uma doença física crônica pode ser uma questão importante para preocupação excessiva em pessoas idosas. Na pessoa idosa frágil, as preocupações com a segurança – e especialmente quanto a quedas – podem limitar as atividades.

Fatores de Risco e Prognóstico

Temperamentais. Inibição comportamental, afetividade negativa (neuroticismo), evitação de sofrimento, dependência de recompensas e viés de atenção para ameaças foram associados com o transtorno de ansiedade generalizada.

Ambientais. Adversidades na infância e práticas parentais (p. ex., superproteção e controle exagerado) foram associados com o transtorno de ansiedade generalizada.

Genéticos e fisiológicos. Um terço do risco de ter o transtorno de ansiedade generalizada é genético, e esses fatores genéticos são sobrepostos aos riscos de afetividade negativa (neuroticismo) e são compartilhados com outros transtornos de ansiedade e de humor, particularmente transtorno depressivo maior.

Questões Diagnósticas Relativas à Cultura

Existe considerável variação cultural na expressão do transtorno de ansiedade generalizada. Por exemplo, em algumas culturas, os sintomas somáticos predominam na expressão do transtorno, enquanto em outras tendem a predominar os sintomas cognitivos. Essa diferença pode ser mais evidente na apresentação inicial do que posteriormente, quando mais sintomas são relatados ao longo do tempo. Não existem informações sobre se a propensão à preocupação excessiva está relacionada à cultura, embora o tópico que causa a preocupação possa ser específico desta. É importante considerar o contexto social e cultural quando se avalia se as preocupações acerca de certas situações são excessivas. Nos Estados Unidos, uma maior prevalência é associada com exposição ao racismo e à discriminação étnica e, para alguns grupos étnico-raciais, com ter nascido nos Estados Unidos.

Questões Diagnósticas Relativas ao Sexo e ao Gênero

Em contextos clínicos, o transtorno de ansiedade generalizada é diagnosticado com frequência um pouco maior em mulheres do que em homens (cerca de 55 a 60% dos indivíduos que se apresentam com o transtorno são mulheres). Em estudos epidemiológicos, aproximadamente dois terços são mulheres. Mulheres e homens com transtorno de ansiedade generalizada parecem ter sintomas semelhantes, mas demonstram padrões diferentes de comorbidade consistentes com as diferenças de gênero na prevalência dos transtornos. Em mulheres, a comorbidade está em grande parte confinada a transtornos de ansiedade e depressão unipolar, enquanto, em homens, tem mais probabilidade de também se estender aos transtornos por uso de substâncias.

Associação com Pensamentos ou Comportamentos Suicidas

O transtorno de ansiedade generalizada está associado com maior incidência de pensamentos e comportamentos suicidas, mesmo depois de ajustes para transtornos comórbidos e eventos estressantes na vida. Estudos de autópsia psicológica mostram que o transtorno de ansiedade generalizada é o transtorno de ansiedade diagnosticado com mais frequência em casos de suicídio. Tanto o transtorno de ansiedade generalizada clínico quanto subclínico, se ocorridos dentro de um ano, são associados com maior frequência de pensamentos suicidas.

Consequências Funcionais do Transtorno de Ansiedade Generalizada

A preocupação excessiva prejudica a capacidade do indivíduo de fazer as coisas de forma rápida e eficiente, seja em casa, seja no trabalho. A preocupação toma tempo e energia; os sintomas associados de tensão muscular e sensação de estar com os nervos à flor da pele, cansaço, dificuldade em concentrar-se e perturbação do sono contribuem para o prejuízo. A preocupação excessiva pode prejudicar de forma importante a capacidade desses indivíduos de incentivar o sentimento de confiança em seus filhos.

O transtorno de ansiedade generalizada está associado a incapacidade e sofrimento significativos que são independentes dos transtornos comórbidos, e a maioria dos adultos não institucionalizados com o transtorno tem incapacidade moderada a grave. O transtorno corresponde a 110 milhões de dias de incapacidade por ano na população norte-americana. O transtorno de ansiedade generalizada também é ligado a pior desempenho no trabalho, maior uso de recursos médicos e maior risco de doenças coronarianas.

Diagnóstico Diferencial

Transtorno de ansiedade devido a outra condição médica.   O diagnóstico de transtorno de ansiedade devido a outra condição médica deve ser dado se a ansiedade e a preocupação são consideradas, com base na história, em achados laboratoriais ou em exame físico, como efeitos fisiológicos de outra condição médica específica (p. ex., feocromocitoma, hipertireoidismo).

Transtorno de ansiedade induzido por substância/medicamento. Um transtorno de ansiedade induzido por substância/medicamento se diferencia do transtorno de ansiedade generalizada pelo fato de que uma substância ou medicamento (p. ex., droga de abuso, exposição a uma toxina) está etiologicamente relacionada com a ansiedade. Por exemplo, a ansiedade grave que ocorre apenas no contexto de consumo pesado de café seria diagnosticada como transtorno de ansiedade induzido por cafeína.

Transtorno de ansiedade social. Os indivíduos com transtorno de ansiedade social frequentemente têm ansiedade antecipatória que está focada nas próximas situações sociais em que devem apresentar um desempenho ou ser avaliados por outros, enquanto aqueles com transtorno de ansiedade generalizada se preocupam independentemente de estarem ou não sendo avaliados.

Transtorno de ansiedade de separação. Indivíduos com transtorno de ansiedade de separação se preocupam excessivamente apenas sobre a separação de figuras de apego, enquanto indivíduos com transtorno de ansiedade generalizada podem se preocupar sobre separação, mas apresentam outras preocupações excessivas também.

Transtorno de pânico. Ataques de pânico desencadeados por preocupação no transtorno de ansiedade generalizada não se qualificam para o diagnóstico de transtorno de pânico. Porém, se o indivíduo experimentar ataques de pânico inesperados, assim como mostrar preocupações persistentes ou mudança de comportamento por causa dos ataques, então um diagnóstico adicional de transtorno de pânico deve ser considerado.

Transtorno de ansiedade de doença e transtorno de sintomas somáticos. Indivíduos com transtorno de ansiedade generalizada preocupam-se com múltiplos eventos, situações ou atividades, apenas uma das quais pode envolver a própria saúde. Se o único medo do indivíduo é a própria doença, então o transtorno de ansiedade de doença deve ser diagnosticado. A preocupação focada em sintomas somáticos é característica do transtorno de sintomas somáticos.

Transtorno obsessivo-compulsivo. Diversas características distinguem a preocupação excessiva do transtorno de ansiedade generalizada dos pensamentos obsessivos do transtorno obsessivo-compulsivo. No transtorno de ansiedade generalizada, o foco da preocupação são os problemas que estão por vir, e a anormalidade é o excesso de preocupação acerca dos eventos futuros. No transtorno obsessivo-compulsivo, as obsessões são ideias inadequadas que assumem a forma de pensamentos, impulsos ou imagens intrusivos e indesejados.

Transtorno de estresse pós-traumático e transtornos de adaptação. A ansiedade está invariavelmente presente no TEPT. O transtorno de ansiedade generalizada não é diagnosticado se a ansiedade e a preocupação são mais bem explicadas por sintomas de TEPT. Apesar de a ansiedade poder se manifestar no transtorno de adaptação, essa categoria residual só deve ser usada quando os critérios não são preenchidos para nenhum outro transtorno (incluindo transtorno de ansiedade generalizada). Além disso, nos transtornos de adaptação, a ansiedade ocorre em resposta a um estressor identificável dentro de três meses do início do estressor e não persiste por mais de seis meses após o término do estressor e das suas consequências.

Transtornos depressivo, bipolar e psicótico. Apesar de ansiedade e preocupações generalizadas serem características comuns associadas aos transtornos de ansiedade, bipolar e psicótico, o transtorno de ansiedade generalizada pode ser diagnosticado como comórbido se a ansiedade ou preocupação for grave o suficiente para requisitar atenção clínica.

Comorbidade

Os indivíduos cuja apresentação satisfaz os critérios para transtorno de ansiedade generalizada provavelmente já preencheram, ou preenchem atualmente, os critérios para outro transtorno de ansiedade ou transtorno depressivo unipolar. O afeto negativo (neuroticismo) ou labilidade emocional que acompanha esse padrão de comorbidade está associado a antecedentes temperamentais e a fatores de risco genéticos e ambientais compartilhados, embora caminhos independentes também sejam possíveis. A comorbidade com transtornos por uso de substâncias, da conduta, psicóticos, do neurodesenvolvimento e neurocognitivos é menos comum.

Transtorno de Ansiedade Induzido por Substância/Medicamento

Critérios Diagnósticos

A. Ataques de pânico ou ansiedade proeminente predominam no quadro clínico.
B. Existem evidências, a partir da história, do exame físico ou de achados laboratoriais de (1) e (2):
   1. Os sintomas no Critério A desenvolveram-se durante ou logo após a intoxicação ou abstinência de substância ou após exposição a um medicamento.
   2. A substância/medicamento envolvida é capaz de produzir os sintomas mencionados no Critério A.
C. A perturbação não é mais bem explicada por um transtorno de ansiedade não induzido por substância/medicamento. As evidências de um transtorno de ansiedade independente podem incluir:

   Os sintomas precedem o início do uso da substância/medicamento; os sintomas persistem por um período substancial de tempo (p. ex., cerca de um mês) após a cessação da abstinência aguda ou intoxicação grave; ou existem evidências sugerindo a existência de um transtorno de ansiedade independente, não induzido por substância/medicamento (p. ex., história de episódios recorrentes não relacionados a substância/medicamento).
D. A perturbação não ocorre exclusivamente durante o curso de *delirium*.
E. A perturbação causa sofrimento clinicamente significativo ou prejuízo no funcionamento social, profissional ou em outras áreas importantes da vida do indivíduo.

Nota: Este diagnóstico deve ser feito em vez de um diagnóstico de intoxicação por substância ou abstinência de substância apenas quando os sintomas no Critério A predominam no quadro clínico e são suficientemente graves a ponto de indicar atenção clínica.

Nota para codificação: Os códigos da CID-10-MC para os transtornos de ansiedade induzidos por [substância/medicamento específico] são indicados na tabela a seguir. Observe que o código da CID-10-MC depende de haver ou não transtorno comórbido por uso de substância presente para a mesma classe de substância. De qualquer modo, não é dado um diagnóstico de transtornos por uso de substâncias adicional separado. Se um transtorno por uso de substância leve é comórbido com o transtorno de ansiedade induzido por substância/medicamento, o caractere da 4ª posição é "1", e o clínico deve registrar "transtorno por uso de [substância], leve" antes de transtorno de ansiedade induzido por substância (p. ex., "transtorno por uso de cocaína, leve, com transtorno de ansiedade induzido por cocaína"). Se um transtorno por uso de substância moderado ou grave é comórbido ao transtorno de ansiedade induzido por substância, o caractere da 4ª posição é "2", e o clínico deve registrar "transtorno por uso de [substância], moderado" ou "transtorno por uso de [substância], grave", dependendo da gravidade do transtorno por uso de substância comórbido. Se não há transtorno por uso de substância comórbido (p. ex., após uma vez de uso pesado da substância), então o caractere da 4ª posição é "9", e o clínico deve registrar apenas transtorno de ansiedade induzido por substância.

	CID-10-MC		
	Com transtorno por uso, leve	Com transtorno por uso, moderado ou grave	Sem transtorno por uso
Álcool	F10.180	F10.280	F10.980
Cafeína	NA	NA	F15.980
Cannabis	F12.180	F12.280	F12.980
Fenciclidina	F16.180	F16.280	F16.980
Outro alucinógeno	F16.180	F16.280	F16.980
Inalante	F18.180	F18.280	F18.980
Opioide	F11.188	F11.288	F11.988
Sedativo, hipnótico ou ansiolítico	F13.180	F13.280	F13.980
Substância do tipo anfetamina (ou outro estimulante)	F15.180	F15.280	F15.980
Cocaína	F14.180	F14.280	F14.980
Outra substância (ou substância desconhecida)	F19.180	F19.280	F19.980

Especificar se (ver a Tabela 1 no capítulo "Transtornos Relacionados a Substâncias e Transtornos Aditivos", que indica se "com início durante a intoxicação" e/ou "com início durante a abstinência" se aplica a determinada classe de substância; ou *especificar* "com início após o uso de medicamento"):

Com início durante a intoxicação: Se são satisfeitos os critérios para intoxicação pela substância e os sintomas se desenvolvem durante a intoxicação.

Com início durante a abstinência: Se os critérios para abstinência da substância são preenchidos, e os sintomas se desenvolvem durante ou imediatamente após a abstinência.

Com início após o uso de medicamento: Se os sintomas se desenvolveram com o início de medicação, com uma mudança no uso de medicação ou durante a retirada do uso de medicação.

Procedimentos para Registro

O nome do transtorno de ansiedade induzido por substância/medicamento começa com a substância específica (p. ex., cocaína, salbutamol) presumivelmente causadora dos sintomas de ansiedade. O código diagnóstico é escolhido na tabela incluída no conjunto de critérios, com base na classe da substância e na presença ou ausência de um transtorno comórbido por uso de substância. No caso de substâncias que não se enquadram em nenhuma classe (p. ex., dexametasona), o código para "outra substância (ou desconhecida)" deve ser usado; e, nos casos em que se acredita que uma substância seja o fator etiológico, embora sua classe seja desconhecida, o mesmo código deve ser utilizado.

Ao registrar o nome do transtorno, o transtorno por uso de substância comórbido (se houver) é listado primeiro, seguido pela palavra "com transtorno de ansiedade induzido por substância/medicamento" (incorporando o nome da substância/medicamento etiológica específica), seguido pela especificação do início (i. e., com início durante a intoxicação, com início durante a abstinência, com início durante o uso de medicamento). Por exemplo, no caso dos sintomas de ansiedade que ocorrem durante a retirada de um medicamento em um homem com um transtorno grave por uso de lorazepam, o diagnóstico é o F13.280, transtorno de uso de lorazepam grave, com transtorno de ansiedade induzido por lorazepam, com início durante a retirada. Não há um diagnóstico específico de transtorno comórbido grave por uso de lorazepam. Se ocorre o transtorno de ansiedade induzido por substância sem um transtorno comórbido por uso de substância (p. ex., após um único uso pesado da substância), não é anotado transtorno adicional por uso de substância (p. ex., transtorno de ansiedade induzido por psilocibina com início durante a intoxicação F16.980). Quando mais de uma substância é considerada como desempenhando um papel significativo no desenvolvimento dos sintomas de ansiedade, cada uma deve ser listada separadamente (p. ex., F15.280 transtorno de ansiedade induzido por metilfenidato, com início durante a intoxicação; F19.280 transtorno de ansiedade induzido por salbutamol, com início após o uso do medicamento).

Características Diagnósticas

As características essenciais do transtorno de ansiedade induzido por substância/medicamento são sintomas proeminentes de pânico ou ansiedade (Critério A) que são considerados como decorrentes dos efeitos de uma substância (p. ex., droga de abuso, medicamento ou exposição a uma toxina). Os sintomas de pânico ou ansiedade devem ter se desenvolvido durante ou logo após a intoxicação ou abstinência da substância ou medicamento, e as substâncias ou medicamentos devem ser capazes de produzir os sintomas (Critério B2). Um transtorno psicótico induzido por substância/medicamento devido a tratamento prescrito para uma condição mental ou médica deve ter início enquanto o indivíduo está recebendo o medicamento (ou durante a abstinência, caso haja uma síndrome de abstinência associada ao medicamento). Depois que o tratamento é descontinuado, os sintomas de pânico ou ansiedade em geral irão melhorar ou ter remissão em um espaço de dias até várias semanas ou um mês (dependendo da meia-vida da substância/medicamento e da presença de abstinência). O diagnóstico de transtorno de ansiedade induzido por substância/medicamento não deve ser dado se o início dos sintomas de pânico ou ansiedade precede a intoxicação ou a abstinência da substância/medicamento ou se os sintomas persistem por um período de tempo substancial (i. e., em geral por mais de um mês) desde o momento da intoxicação grave ou da abstinência. Se os sintomas de pânico ou ansiedade persistem por períodos substanciais de tempo, outras causas para os sintomas devem ser consideradas.

O diagnóstico de transtorno de ansiedade induzido por substância/medicamento deve ser feito em vez de um diagnóstico de intoxicação por substância ou de abstinência de substância apenas quando os sintomas no Critério A são predominantes no quadro clínico e são suficientemente graves para indicar atenção clínica independente.

Características Associadas

Pânico ou ansiedade podem ocorrer em associação com intoxicação pelas seguintes classes de substâncias: álcool, cafeína, *Cannabis*, fenciclidina, outros alucinógenos, inalantes, estimulantes (incluindo cocaína) e outras substâncias (ou substâncias desconhecidas). Pânico ou ansiedade podem ocorrer em associação com a abstinência das seguintes classes de substâncias: álcool, opioides, sedativos, hipnóticos e ansiolíticos, estimulantes (incluindo cocaína), e outras substâncias (ou substâncias desconhecidas). Alguns medicamentos que evocam sintomas de ansiedade incluem anestésicos e analgésicos, simpatomiméticos ou outros broncodilatadores, anticolinérgicos, insulina, compostos para tireoide, contraceptivos orais, anti-histamínicos, medicamentos antiparkinsonianos, corticosteroides, medicamentos anti-hipertensivos e cardiovasculares, anticonvulsivantes, carbonato de lítio, medicamentos antipsicóticos e medicamentos antidepressivos. Metais pesados e toxinas (p. ex., inseticidas organofosforados, gases asfixiantes, monóxido de carbono, dióxido de carbono, substâncias voláteis, como gasolina e tinta) também podem causar sintomas de pânico ou ansiedade.

Prevalência

A prevalência do transtorno de ansiedade induzido por substância/medicamento não é clara. Dados da população geral sugerem que ele pode ser raro, com prevalência de 12 meses de 0,002% nos Estados Unidos. Entretanto, em populações clínicas, a prevalência é provavelmente mais alta.

Marcadores Diagnósticos

Avaliações laboratoriais (p. ex., toxicologia urinária) podem ser úteis para medir a intoxicação por substância como parte de uma avaliação para o transtorno de ansiedade induzido por substância/medicamento.

Diagnóstico Diferencial

Intoxicação por substância e abstinência de substância. Os sintomas de ansiedade ocorrem comumente em intoxicação ou abstinência de substância. O diagnóstico de intoxicação por substância específica ou abstinência de substância específica em geral é suficiente para categorizar a apresentação do sintoma. Um diagnóstico de transtorno de ansiedade induzido por substância/medicamento com início ou durante a intoxicação ou durante a abstinência deve ser feito no lugar de um diagnóstico de intoxicação por substância ou abstinência de substância quando os sintomas de pânico ou ansiedade são predominantes no quadro clínico e são graves o suficiente para exigir atenção clínica. Por exemplo, sintomas de pânico ou ansiedade são um aspecto característico da abstinência de álcool.

Transtorno de ansiedade independente (i. e., não induzido por uma substância/medicamento). Um transtorno de ansiedade independente que ocorre concomitantemente com o uso de substância/medicamento é diferenciado de um transtorno de ansiedade induzido por substância/medicamento pelo fato de que, embora uma substância/medicamento possa ser ingerida em quantidades suficientemente altas para estar etiologicamente relacionada aos sintomas de ansiedade, os sintomas de ansiedade são observados em outros momentos que não durante o uso de substância/medicamento (ou seja, precedendo o início do uso de substância/medicamento ou persistindo por um período substancial de tempo após intoxicação por substância, abstinência de substância ou uso de medicamento) e justificariam o diagnóstico de um transtorno de ansiedade independente.

Delirium. Se os sintomas de pânico ou ansiedade ocorrem exclusivamente durante o curso de um episódio de *delirium*, são considerados uma característica associada ao *delirium* e não são diagnosticados separadamente.

Transtorno de ansiedade devido a outra condição médica. Se os sintomas de pânico ou ansiedade são atribuídos às consequências fisiológicas de outra condição médica (i. e., em vez de atribuídos a medicamento tomado para a condição médica), um transtorno de ansiedade devido a outra condição médica deve ser diagnosticado. A história com frequência fornece a base para esse julgamento. Ocasionalmente, uma alteração no tratamento para outra condição médica (p. ex., substituição ou descontinuação do medicamento) pode ser necessária para determinar se o medicamento é o agente causador (caso em que os sintomas podem ser mais bem explicados pelo transtorno de ansiedade induzido por substância/medicamento). Se a perturbação é devida a outra condição médica e uso de substância, ambos os diagnósticos (i. e., transtorno de ansiedade devido a outra condição médica e transtorno de ansiedade induzido por substância/medicamento) podem ser dados. Quando existem evidências insuficientes para determinar se os sintomas de pânico ou ansiedade são devidos a uma substância/medicamento ou a outra condição médica ou se são primários (i. e., não atribuíveis a uma substância ou a outra condição médica), um diagnóstico de outro transtorno de ansiedade especificado ou não especificado seria indicado.

Transtorno de Ansiedade Devido a Outra Condição Médica

Critérios Diagnósticos   F06.4

A. Ataques de pânico ou ansiedade predominam no quadro clínico.
B. Existem evidências, a partir da história, do exame físico ou de achados laboratoriais, de que a perturbação é a consequência fisiopatológica direta de outra condição médica.
C. A perturbação não é mais bem explicada por outro transtorno mental.
D. A perturbação não ocorre exclusivamente durante o curso de *delirium*.
E. A perturbação causa sofrimento clinicamente significativo ou prejuízo no funcionamento social, profissional ou em outras áreas importantes da vida do indivíduo.

Nota para codificação: Incluir o nome da outra condição médica no nome do transtorno mental (p. ex., F06.4 transtorno de ansiedade devido a feocromocitoma). A outra condição médica também deve ser codificada e

> listada em separado, imediatamente antes transtorno de ansiedade devido a outra condição médica (p. ex., D35.00 feocromocitoma; F06.4 transtorno de ansiedade devido a feocromocitoma).

Características Diagnósticas

A característica essencial do transtorno de ansiedade devido a outra condição médica é uma ansiedade clinicamente significativa que pode ser mais bem explicada como um efeito fisiológico direto de outra condição médica. Os sinais podem incluir sintomas proeminentes de ansiedade ou ataques de pânico (Critério A). O julgamento de que os sintomas são mais bem explicados pela condição física associada deve estar baseado em evidências a partir da história, do exame físico ou de achados laboratoriais (Critério B). Adicionalmente, deve-se julgar se os sintomas não são mais bem explicados por outro transtorno mental (Critério C), em particular transtornos de adaptação com ansiedade, em que o estressor é a condição médica. Nesse caso, um indivíduo com transtorno de adaptação está especialmente angustiado acerca do significado ou das consequências da condição médica associada. Em contraste, existe com frequência um componente físico proeminente para a ansiedade (p. ex., falta de ar) quando esta se deve a outra condição médica. O diagnóstico não é feito se os sintomas de ansiedade ocorrem apenas durante o curso de *delirium* (Critério D). Os sintomas de ansiedade devem causar sofrimento clinicamente significativo ou prejuízo no funcionamento social, profissional ou em outras áreas importantes da vida do indivíduo (Critério E).

Ao determinar se os sintomas de ansiedade se devem a uma condição médica geral, o clínico deve, em primeiro lugar, estabelecer a presença da condição médica. Além disso, deve ser estabelecido se os sintomas de ansiedade podem ser etiologicamente relacionados à condição médica geral por meio de um mecanismo fisiológico antes de fazer um julgamento de que essa é a melhor explicação para os sintomas em um indivíduo específico. Uma avaliação criteriosa e abrangente de múltiplos fatores é necessária para esse julgamento. Vários aspectos da apresentação clínica devem ser considerados: 1) a presença de associação temporal entre início, exacerbação ou remissão da condição médica e os sintomas de ansiedade; 2) a presença de aspectos atípicos de um transtorno de ansiedade primário (p. ex., idade de início ou curso atípicos); e 3) evidências na literatura de que um mecanismo fisiológico conhecido (p. ex., hipertireoidismo) causa a ansiedade. Além disso, a perturbação não é mais bem explicada por um transtorno de ansiedade independente, um transtorno de ansiedade induzido por substância ou outro transtorno mental (p. ex., transtorno de adaptação).

Inúmeras condições médicas incluem a ansiedade como uma manifestação sintomática. Exemplos incluem doença endócrina (p. ex., hipertireoidismo, feocromocitoma, hipoglicemia, hipercortisolismo), distúrbios cardiovasculares (p. ex., insuficiência cardíaca congestiva, embolia pulmonar, arritmias como a fibrilação atrial), doença respiratória (p. ex., doença pulmonar obstrutiva crônica, asma, pneumonia), distúrbios metabólicos (p. ex., deficiência de vitamina B_{12}, porfiria) e doença neurológica (p. ex., neoplasias, disfunção vestibular, encefalite, transtornos convulsivos).

Prevalência

A prevalência do transtorno de ansiedade devido a outra condição médica é incerta. Parece haver prevalência elevada dos transtornos de ansiedade entre indivíduos com uma variedade de condições médicas, incluindo asma, hipertensão, úlcera e artrite. No entanto, essa prevalência aumentada pode se dever a outras razões, além do transtorno de ansiedade causando diretamente a condição médica.

Desenvolvimento e Curso

O desenvolvimento e o curso do transtorno de ansiedade devido a outra condição médica geralmente seguem o curso da doença subjacente. Esse diagnóstico não pretende incluir transtornos de ansiedade primários que surgem no contexto de doença médica crônica. Isso é importante de ser considerado com pessoas idosas, que podem experimentar doença médica crônica e então desenvolver transtornos de ansiedade independentes, secundários a essa doença.

Marcadores Diagnósticos

Avaliações laboratoriais e/ou exames médicos são necessários para confirmar o diagnóstico da condição médica associada.

Diagnóstico Diferencial

Delirium e transtorno neurocognitivo maior ou leve. Um diagnóstico separado de transtorno de ansiedade devido a outra condição médica não é feito quando o transtorno de ansiedade ocorre exclusivamente durante o curso de *delirium*. No entanto, um diagnóstico de transtorno de ansiedade devido a outra condição médica pode ser dado em adição a um diagnóstico de transtorno neurocognitivo maior ou leve, se os transtornos de ansiedade forem considerados consequência fisiológica do processo patológico que causa o transtorno neurocognitivo e se os sintomas de ansiedade forem uma parte proeminente da apresentação clínica.

Apresentação mista dos sintomas (p. ex., humor e ansiedade). Se a apresentação inclui um misto de diferentes tipos de sintomas, o transtorno mental específico devido a outra condição médica depende dos sintomas predominantes no quadro clínico.

Transtorno de ansiedade induzido por substância/medicamento. Se existem evidências de uso recente ou prolongado de substância (incluindo medicamentos com efeitos psicoativos), abstinência de uma substância ou exposição a uma toxina, um transtorno de ansiedade induzido por substância/medicamento deve ser considerado. Certos medicamentos são conhecidos por aumentar a ansiedade (p. ex., corticosteroides, estrogênio, metoclopramida), e, quando este é o caso, o medicamento pode ser a etiologia mais provável, embora possa ser difícil diferenciar se a ansiedade se deve aos medicamentos ou à própria doença médica. Quando um diagnóstico de ansiedade induzida por substância está sendo feito em relação a drogas recreativas ou não prescritas, pode ser útil obter um exame de drogas na urina ou no sangue ou outra avaliação laboratorial apropriada. Os sintomas que ocorrem durante ou logo após intoxicação ou abstinência de substância ou após o uso de medicamento podem ser especialmente indicativos de um transtorno de ansiedade induzido por substância, dependendo do tipo, da duração ou da quantidade da substância usada. Se a perturbação está associada a outra condição médica e ao uso de substância, ambos os diagnósticos (i. e., transtorno de ansiedade devido a outra condição médica e transtorno de ansiedade induzido por substância/medicamento) podem ser estabelecidos. Características como o início após os 45 anos ou a presença de sintomas atípicos durante um ataque de pânico (p. ex., vertigem, perda da consciência, perda de controle esfincteriano, fala confusa, amnésia) sugerem a possibilidade de que outra condição médica ou uma substância possam estar causando os sintomas de ataque de pânico.

Transtorno de ansiedade (não devido a uma condição médica conhecida). O transtorno de ansiedade devido a outra condição médica deve ser diferenciado de outros transtornos de ansiedade (especialmente os transtornos de pânico e de ansiedade generalizada). Em outros transtornos de ansiedade, não podem ser demonstrados mecanismos fisiológicos causadores específicos e diretos associados a outra condição médica. Idade de início tardia, sintomas atípicos e ausência de história pessoal ou familiar de transtornos de ansiedade sugerem a necessidade de uma completa avaliação para descartar o diagnóstico de transtorno de ansiedade devido a outra condição médica. Os transtornos de ansiedade podem exacerbar ou acarretar risco aumentado para condições médicas como eventos cardiovasculares e infarto do miocárdio e não devem ser diagnosticados como transtorno de ansiedade devido a outra condição médica nesses casos.

Transtorno de ansiedade de doença. O transtorno de ansiedade devido a outra condição médica deve ser diferenciado do transtorno de ansiedade de doença. O transtorno de ansiedade de doença é caracterizado pela preocupação com doença, preocupação com dor e preocupações corporais. No caso desse transtorno, os indivíduos podem ou não ter condições médicas diagnosticadas. Embora uma pessoa com transtorno de ansiedade de doença e uma condição médica diagnosticada tenha probabilidade de experimentar ansiedade acerca da condição médica, esta não está fisiologicamente relacionada aos sintomas de ansiedade.

Transtornos de adaptação. O transtorno de ansiedade devido a outra condição médica deve ser diferenciado de transtornos de adaptação, com ansiedade ou com ansiedade e humor depressivo. O transtorno de adaptação é justificado quando os indivíduos experimentam uma resposta mal-adaptativa ao estresse de ter outra condição médica ou ter que lidar com a condição médica. A reação ao estresse em geral se refere ao significado ou às consequências da condição médica, em contraste com a experiência de ansiedade ou sintomas de humor que ocorrem como consequência fisiológica da outra condição médica. No transtorno de adaptação, os sintomas de ansiedade estão geralmente relacionados ao enfrentamento do estresse de ter uma condição médica geral, enquanto, no transtorno de ansiedade devido a outra condição médica, os indivíduos têm mais probabilidade de ter sintomas físicos proeminentes e de estar focados em outras questões além do estresse da doença em si.

Outro Transtorno de Ansiedade Especificado

F41.8

Esta categoria aplica-se a apresentações em que sintomas característicos de um transtorno de ansiedade que causam sofrimento clinicamente significativo ou prejuízo no funcionamento social, profissional ou em outras áreas importantes da vida do indivíduo predominam, mas não satisfazem todos os critérios para qualquer transtorno na classe diagnóstica dos transtornos de ansiedade ou para transtorno de adaptação misto de ansioso e humor deprimido. A categoria outro transtorno de ansiedade especificado é usada nas situações em que o clínico opta por comunicar a razão específica pela qual a apresentação não satisfaz os critérios para qualquer transtorno de ansiedade específico. Isso é feito por meio do registro de "outro transtorno de ansiedade especificado", seguido pela razão específica (p. ex., "ansiedade generalizada não ocorrendo na maioria dos dias").

Exemplos de apresentações que podem ser especificadas usando a designação "outro transtorno de ansiedade especificado" incluem:

1. **Ataques com sintomas limitados.**
2. **Ansiedade generalizada não ocorrendo na maioria dos dias.**
3. ***Khyâl cap* (ataques de vento):** Ver "Diagnósticos Culturais e Psiquiátricos" na Seção III.
4. ***Ataque de nervios* (ataque de nervos):** Ver "Diagnósticos Culturais e Psiquiátricos" na Seção III.

Transtorno de Ansiedade Não Especificado

F41.9

Esta categoria aplica-se a apresentações em que sintomas característicos de um transtorno de ansiedade que causam sofrimento clinicamente significativo ou prejuízo no funcionamento social, profissional ou em outras áreas importantes da vida do indivíduo predominam, mas não satisfazem todos os critérios para qualquer transtorno na classe diagnóstica dos transtornos de ansiedade ou para transtorno de adaptação ou transtorno de adaptação com humor deprimido e ansioso mistos. A categoria transtorno de ansiedade não especificado é usada nas situações em que o clínico opta por *não* especificar a razão pela qual os critérios para um transtorno de ansiedade específico não são satisfeitos e inclui apresentações para as quais não há informações suficientes para que seja feito um diagnóstico mais específico (p. ex., em salas de emergência).

Transtorno Obsessivo-compulsivo e Transtornos Relacionados

Transtorno obsessivo-compulsivo e transtornos relacionados incluem transtorno obsessivo-compulsivo (TOC), transtorno dismórfico corporal, transtorno de acumulação, tricotilomania (transtorno de arrancar o cabelo), transtorno de escoriação (*skin-picking*), transtorno obsessivo-compulsivo e transtorno relacionado induzido por substância/medicamento, transtorno obsessivo-compulsivo e transtorno relacionado devido a outra condição médica, outro transtorno obsessivo-compulsivo e transtorno relacionado especificado (p. ex., roer as unhas, morder os lábios, mastigar a bochecha, ciúme obsessivo ou transtorno de referência olfativa [síndrome de referência olfativa]) e transtorno obsessivo-compulsivo e transtorno relacionado não especificado.

O TOC é caracterizado pela presença de obsessões e/ou compulsões. *Obsessões* são pensamentos, impulsos ou imagens recorrentes e persistentes que são vivenciados como intrusivos e indesejados, enquanto *compulsões* são comportamentos repetitivos ou atos mentais que um indivíduo se sente compelido a executar em resposta a uma obsessão ou de acordo com regras que devem ser aplicadas rigidamente. Alguns outros transtornos obsessivo-compulsivos e transtornos relacionados também são caracterizados por preocupações e por comportamentos repetitivos ou atos mentais em resposta a preocupações. Outros transtornos obsessivo-compulsivos e transtornos relacionados são caracterizados principalmente por comportamentos repetitivos recorrentes focados no corpo (p. ex., arrancar os cabelos, beliscar a pele) e tentativas repetidas de reduzi-los ou pará-los.

A inclusão de um capítulo sobre os transtornos obsessivo-compulsivos e transtornos relacionados no DSM-5 reflete as crescentes evidências da relação desses transtornos entre si em termos de uma gama de validadores diagnósticos, bem como a utilidade clínica de agrupá-los em um mesmo capítulo. Os clínicos são encorajados a avaliar essas condições em indivíduos que se apresentam com uma delas e a terem conhecimento das sobreposições existentes entre elas. Ao mesmo tempo, há diferenças importantes nos validadores diagnósticos e nas abordagens de tratamento entre esses transtornos. Além do mais, existem relações íntimas entre os transtornos de ansiedade e alguns dos transtornos obsessivo-compulsivos e transtornos relacionados (p. ex., TOC), o que se reflete na sequência dos capítulos do DSM-5, com os transtornos obsessivo-compulsivos e transtornos relacionados vindo logo após os transtornos de ansiedade.

Os transtornos obsessivo-compulsivos e transtornos relacionados diferem das preocupações e rituais típicos das diferentes fases de desenvolvimento por serem excessivos e persistirem além dos períodos apropriados ao nível de desenvolvimento. A distinção entre a presença de sintomas subclínicos e um transtorno clínico requer a avaliação de inúmeros fatores, incluindo o nível de sofrimento do indivíduo e o prejuízo no funcionamento.

O capítulo inicia com o TOC. Segue abordando o transtorno dismórfico corporal e o transtorno de acumulação, que são caracterizados por sintomas cognitivos, como a percepção de defeitos ou falhas na aparência física ou a percepção da necessidade de guardar os pertences, respectivamente. Em seguida, o capítulo inclui a tricotilomania (transtorno de arrancar o cabelo) e o transtorno de escoriação (*skin-picking*), que são caracterizados por comportamentos repetitivos recorrentes focados no corpo. Por fim, o capítulo abrange transtorno obsessivo-compulsivo e transtorno relacionado induzido por substância/medicamento, transtorno obsessivo-compulsivo e transtorno relacionado devido a outra condição médica, outro transtorno obsessivo-compulsivo e transtorno relacionado especificado e transtorno obsessivo-compulsivo e transtorno relacionado não especificado.

Embora o conteúdo específico das obsessões e compulsões varie entre os indivíduos, certas dimensões dos sintomas são comuns no TOC, incluindo as de limpeza (obsessões por contaminação e compulsões por limpeza); simetria (obsessões por simetria e compulsões de repetição, organização e contagem); pensamentos proibidos ou tabus (p. ex., obsessões agressivas, sexuais e religiosas e compulsões relacionadas); e ferimentos (p. ex., medo de ferir a si mesmo ou aos outros e compulsões de verificação relacionadas). O especificador de TOC relacionado a tique é usado quando um indivíduo tem um transtorno de tique atual ou uma história passada.

O transtorno dismórfico corporal é caracterizado pela preocupação com a percepção de um ou mais defeitos ou falhas na aparência física que não são observáveis ou parecem apenas leves para os outros e por comportamentos repetitivos (p. ex., verificar-se no espelho, arrumar-se excessivamente, beliscar a pele, buscar tranquilização) ou atos mentais (p. ex., comparar a própria aparência com a de outra pessoa) em resposta às preocupações com a aparência. As preocupações com a aparência não são mais bem explicadas por preocupações com gordura ou peso corporal em um indivíduo com um transtorno alimentar. Dismorfia muscular é uma forma de transtorno dismórfico corporal que é caracterizada pela crença de que o corpo do indivíduo é pequeno demais ou insuficientemente musculoso.

O transtorno de acumulação é caracterizado pela dificuldade persistente de descartar ou se desfazer de pertences, independentemente de seu valor real, em consequência de uma forte percepção da necessidade de conservá-los e do sofrimento associado ao seu descarte. O transtorno de acumulação se diferencia do colecionar normal. Por exemplo, os sintomas do transtorno de acumulação resultam na acumulação de inúmeros pertences que congestionam e obstruem áreas em uso até o ponto em que o uso pretendido é substancialmente comprometido. A forma de aquisição excessiva do transtorno de acumulação, que caracteriza a maioria, mas não todos os indivíduos com o transtorno, consiste em acúmulo excessivo, compra ou roubo de itens que não são necessários ou para os quais não há espaço disponível.

A tricotilomania (transtorno de arrancar o cabelo) é caracterizada pelo comportamento recorrente de arrancar os próprios cabelos resultando em perda de cabelo e tentativas repetidas de reduzir ou parar de arrancá-los. O transtorno de escoriação (*skin-picking*) é caracterizado por beliscar a própria pele de forma recorrente, resultando em lesões cutâneas, e tentativas repetidas de reduzir ou parar esse comportamento. Os comportamentos repetitivos focados no corpo que caracterizam esses dois transtornos não são desencadeados por obsessões ou preocupações; entretanto, podem ser precedidos ou acompanhados por vários estados emocionais, como sentimentos de ansiedade ou tédio. Eles também podem ser precedidos por uma sensação aumentada de tensão ou podem levar a gratificação, prazer ou sentimento de alívio quando o cabelo é arrancado ou a pele é beliscada. Os indivíduos com esses transtornos podem ter graus variados de consciência do comportamento enquanto o praticam, com alguns exibindo atenção mais focada no comportamento (com a tensão precedendo e alívio posterior), e outros, comportamento mais automático (com os comportamentos parecendo ocorrer sem consciência completa).

O transtorno obsessivo-compulsivo e transtorno relacionado induzido por substância/medicamento consiste de sintomas característicos do transtorno obsessivo-compulsivo e transtorno relacionado desenvolvidos no contexto de intoxicação ou abstinência de substância ou depois da retirada de uso de um medicamento. Transtorno obsessivo-compulsivo e transtorno relacionado devido a outra condição médica envolve sintomas característicos de transtorno obsessivo-compulsivo e transtorno relacionado que são consequência fisiopatológica direta de um transtorno médico.

Outro transtorno obsessivo-compulsivo e transtorno relacionado especificado (p. ex., roer unhas, morder os lábios, mastigar a bochecha, ciúme obsessivo ou transtorno de referência olfativa [síndrome de referência olfativa]) e transtorno obsessivo-compulsivo e transtorno relacionado não especificado consistem de sintomas que causam sofrimento clinicamente significativo ou prejuízos que não preenchem os critérios para um transtorno obsessivo-compulsivo e transtorno relacionado especificado no DSM-5 por causa de apresentação atípica ou etiologia incerta. Essas categorias também são usadas para outras síndromes específicas que não estão listadas na Seção II e quando não há informações suficientes para diagnosticar a apresentação como outro transtorno obsessivo-compulsivo e transtorno relacionado.

Os transtornos obsessivo-compulsivos e transtornos relacionados que têm um componente cognitivo (i. e., TOC, transtorno dismórfico corporal e transtorno de acumulação) incluem um especificador para indicar o grau de *insight* do indivíduo a respeito das crenças relacionadas ao transtorno, o que pode variar desde "*insight* bom ou razoável" até "*insight* pobre" ou "*insight* ausente/crenças delirantes". Os indivíduos cujos graus de *insight* se encaixam em "*insight* ausente/crenças delirantes" não devem receber o diagnóstico adicional de transtorno psicótico, a não ser que as crenças delirantes envolvam conteúdo que se estenda além do que é característico do transtorno obsessivo-compulsivo e transtorno relacionado (p. ex., um indivíduo com transtorno dismórfico corporal que está convencido que sua comida foi envenenada).

Transtorno Obsessivo-compulsivo

Critérios Diagnósticos   F42.2

A. Presença de obsessões, compulsões ou ambas:

   Obsessões são definidas por (1) e (2):

   1. Pensamentos, impulsos ou imagens recorrentes e persistentes que são vivenciados, em algum momento durante a perturbação, como intrusivos e indesejados e que na maioria dos indivíduos causam acentuada ansiedade ou sofrimento.
   2. O indivíduo tenta ignorar ou suprimir tais pensamentos, impulsos ou imagens ou neutralizá-los com algum outro pensamento ou ação (i. e., executando uma compulsão).

   As compulsões são definidas por (1) e (2):

   1. Comportamentos repetitivos (p. ex., lavar as mãos, organizar, verificar) ou atos mentais (p. ex., orar, contar ou repetir palavras em silêncio) que o indivíduo se sente compelido a executar em resposta a uma obsessão ou de acordo com regras que devem ser rigidamente aplicadas.
   2. Os comportamentos ou os atos mentais visam a prevenir ou reduzir a ansiedade ou o sofrimento ou evitar algum evento ou situação temida; entretanto, esses comportamentos ou atos mentais não têm uma conexão realista com o que visam a neutralizar ou evitar ou são claramente excessivos.

   Nota: Crianças pequenas podem não ser capazes de enunciar os objetivos desses comportamentos ou atos mentais.

B. As obsessões ou compulsões tomam tempo (p. ex., tomam mais de uma hora por dia) ou causam sofrimento clinicamente significativo ou prejuízo no funcionamento social, profissional ou em outras áreas importantes da vida do indivíduo.

C. Os sintomas obsessivo-compulsivos não se devem aos efeitos fisiológicos de uma substância (p. ex., droga de abuso, medicamento) ou a outra condição médica.

D. A perturbação não é mais bem explicada pelos sintomas de outro transtorno mental (p. ex., preocupações excessivas, como no transtorno de ansiedade generalizada; preocupação com a aparência, como no transtorno dismórfico corporal; dificuldade de descartar ou se desfazer de pertences, como no transtorno de acumulação; arrancar os cabelos, como na tricotilomania [transtorno de arrancar o cabelo]; beliscar a pele, como no transtorno de escoriação [*skin-picking*]; estereotipias, como no transtorno de movimento estereotipado; comportamento alimentar ritualizado, como nos transtornos alimentares; preocupação com substâncias ou jogo, como nos transtornos relacionados a substâncias e transtornos aditivos; preocupação com ter uma doença, como no transtorno de ansiedade de doença; impulsos ou fantasias sexuais, como nos transtornos parafílicos; impulsos, como nos transtornos disruptivos, do controle de impulsos e da conduta; ruminações de culpa, como no transtorno depressivo maior; inserção de pensamento ou preocupações delirantes, como nos transtornos do espectro da esquizofrenia e outros transtornos psicóticos; ou padrões repetitivos de comportamento, como no transtorno do espectro autista).

> *Especificar* se:
> **Com *insight* bom ou razoável:** O indivíduo reconhece que as crenças do transtorno obsessivo-compulsivo são definitiva ou provavelmente não verdadeiras ou que podem ou não ser verdadeiras.
> **Com *insight* pobre:** O indivíduo acredita que as crenças do transtorno obsessivo-compulsivo são provavelmente verdadeiras.
> **Com *insight* ausente/crenças delirantes:** O indivíduo está completamente convencido de que as crenças do transtorno obsessivo-compulsivo são verdadeiras.
>
> *Especificar* se:
> **Relacionado a tiques:** O indivíduo tem história atual ou passada de um transtorno de tique.

Especificadores

Os indivíduos com TOC variam no grau de *insight* que têm quanto à exatidão das crenças subjacentes aos seus sintomas obsessivo-compulsivos. Muitos têm *insight* bom ou razoável (p. ex., o indivíduo acredita que a casa definitivamente não irá, provavelmente não irá ou poderá ou não incendiar se o fogão não for verificado 30 vezes). Alguns têm *insight* pobre (p. ex., o indivíduo acredita que a casa provavelmente irá incendiar se o fogão não for verificado 30 vezes), e poucos (menos de 4%) têm *insight* ausente/crenças delirantes (p. ex., o indivíduo está convencido de que a casa irá incendiar se o fogão não for verificado 30 vezes). O *insight* pode variar em um indivíduo durante o curso da doença. O *insight* mais pobre foi vinculado a pior evolução no longo prazo.

Até 30% dos indivíduos com TOC têm um transtorno de tique ao longo da vida. Isso é mais comum em homens com início do TOC na infância. Esses indivíduos tendem a diferir daqueles sem história de transtornos de tique nos temas dos seus sintomas obsessivo-compulsivos, comorbidade, curso e padrão de transmissão familiar.

Características Diagnósticas

O sintoma característico do TOC é a presença de obsessões e compulsões (Critério A). *Obsessões* são pensamentos repetitivos e persistentes (p. ex., de contaminação), imagens (p. ex., de cenas violentas ou horrorizantes) ou impulsos (p. ex., apunhalar alguém). É importante observar que as obsessões não são prazerosas ou experimentadas como voluntárias: são intrusivas e indesejadas e causam acentuado sofrimento ou ansiedade na maioria das pessoas. O indivíduo tenta ignorá-las ou suprimi-las (p. ex., evitando os desencadeantes ou usando a supressão do pensamento) ou neutralizá-las com outro pensamento ou ação (p. ex., executando uma compulsão). *Compulsões* (ou rituais) são comportamentos repetitivos (p. ex., lavar, verificar) ou atos mentais (p. ex., contar, repetir palavras em silêncio) que o indivíduo se sente compelido a executar em resposta a uma obsessão ou de acordo com regras que devem ser aplicadas rigidamente. A maioria das pessoas com TOC tem obsessões e compulsões. Obsessões e compulsões são tipicamente relacionadas tematicamente (p. ex., pensamentos de contaminação associados com rituais de limpeza ou pensamentos de perigo associados com verificação repetitiva). Os indivíduos frequentemente relatam que as compulsões são realizadas para reduzir o sofrimento desencadeado pelas obsessões ou evitar um evento temido (p. ex., ficar doente). Contudo, essas compulsões não estão conectadas de forma realista ao evento temido (p. ex., organizar itens simetricamente para evitar danos a uma pessoa amada) ou são claramente excessivas (p. ex., tomar banho durante horas todos os dias). As compulsões não são executadas por prazer, embora alguns indivíduos experimentem alívio da ansiedade ou sofrimento.

O conteúdo específico das obsessões e compulsões varia entre os indivíduos. Entretanto, certos temas, ou dimensões, são comuns, incluindo os de limpeza (obsessões por contaminação e compulsões por limpeza); simetria (obsessões por simetria e compulsões por repetição, organização e contagem); pensamentos proibidos ou tabus (p. ex., obsessões agressivas, sexuais ou religiosas e compulsões relacionadas); e danos (p. ex., medo de causar danos a si mesmo ou a outros e compulsões de verificação). Alguns indivíduos também têm dificuldades em descartar objetos e acaba os acumulando como uma consequência de obsessões e compulsões típicas (p. ex., medo de ferir os outros); tais compulsões devem ser diferenciadas de comportamentos primários de acumulação vistos no transtorno de acumulação, discutido em outros capítulos. Esses temas ocorrem em diferentes culturas, são relativamente consistentes ao longo do tempo em adultos com o transtorno e podem estar associados a diferentes substratos neurais. É importante observar que os indivíduos com frequência têm sintomas em mais de uma dimensão.

O Critério B enfatiza que as obsessões e compulsões devem tomar tempo (p. ex., mais de uma hora por dia) ou causar sofrimento ou prejuízo clinicamente significativos para justificar um diagnóstico de TOC. Esse critério ajuda a distinguir o transtorno dos pensamentos intrusivos ocasionais ou comportamentos repetitivos que são comuns na população geral (p. ex., verificar duas vezes se a porta está trancada). A frequência e a gravidade das obsessões e compulsões variam entre os indivíduos com TOC (p. ex., alguns têm sintomas leves a moderados, passando uma a três horas por dia com obsessões ou executando compulsões, enquanto outros têm pensamentos intrusivos ou compulsões quase constantes que podem ser incapacitantes).

Características Associadas

Fenômenos sensoriais, definidos como experiências físicas (p. ex., sensações físicas, sensações de satisfação e sentimentos de incompletude) que precedem as compulsões, são comuns no TOC. Até 60% dos indivíduos com TOC relatam esse fenômeno.

As pessoas com TOC experimentam uma gama de respostas afetivas quando confrontadas com situações que desencadeiam obsessões e compulsões. Por exemplo, muitos indivíduos experimentam ansiedade acentuada que pode incluir ataques de pânico recorrentes. Outros relatam fortes sentimentos de nojo. Enquanto executam as compulsões, algumas pessoas relatam uma angustiante sensação de "incompletude" ou inquietação até que as coisas pareçam ou soem "perfeitas" (*just right*).

É comum que indivíduos com o transtorno evitem pessoas, lugares e coisas que desencadeiam obsessões e compulsões. Por exemplo, indivíduos com preocupações com contaminação podem evitar situações públicas (p. ex., restaurantes, banheiros públicos) para reduzir a exposição aos contaminantes temidos; pessoas com pensamentos intrusivos sobre causar danos podem evitar as interações sociais.

Muitos indivíduos com TOC têm crenças disfuncionais. Essas crenças podem incluir senso aumentado de responsabilidade e tendência a superestimar a ameaça; perfeccionismo e intolerância à incerteza; e superestimação dos pensamentos (p. ex., acreditar que ter um pensamento proibido é tão ruim quanto executá-lo) e necessidade de controlá-los. Essas crenças, porém, não são específicas do TOC. O envolvimento da família ou amigos em rituais compulsivos, denominado de *acomodação*, pode exacerbar ou manter sintomas e é um alvo importante para o tratamento, sobretudo de crianças.

Prevalência

A prevalência de 12 meses do TOC nos Estados Unidos é de 1,2% com uma prevalência semelhante internacionalmente (incluindo Canadá, Porto Rico, Alemanha, Taiwan, Coreia e Nova Zelândia; 1,1 a 1,8%). Mulheres são afetadas em uma taxa ligeiramente mais alta do que homens na idade adulta, embora os homens sejam mais comumente afetados na infância.

Desenvolvimento e Curso

Nos Estados Unidos, a idade média de início do TOC é de 19,5 anos, e 25% dos casos começam por volta dos 14 anos de idade. O início após os 35 anos é incomum, mas ocorre. Os homens têm início do transtorno mais precoce do que as mulheres: cerca de 25% dos homens têm o transtorno antes dos 10 anos. O início dos sintomas é tipicamente gradual, porém, um início agudo também pode ocorrer.

Quando o TOC não é tratado, seu curso é, em geral, crônico, frequentemente com os sintomas tendo aumentos e diminuições de intensidade. Alguns indivíduos têm um curso episódico, e uma minoria tem um curso de deterioração. Sem tratamento, as taxas de remissão em adultos são baixas (p. ex., 20% para aqueles reavaliados 40 anos depois). O início na infância ou na adolescência pode fazer o TOC permanecer durante a vida inteira. No entanto, 40% dos indivíduos com início do transtorno na infância ou na adolescência podem experimentar remissão até o início da idade adulta. O curso do TOC é com frequência complicado pela concomitância de outros transtornos (ver a seção "Comorbidade" para esse transtorno).

As compulsões são mais facilmente diagnosticadas em crianças do que as obsessões porque as primeiras são observáveis. No entanto, a maioria das crianças tem obsessões e compulsões (como a maioria dos adultos). O padrão de sintomas em adultos pode ser estável ao longo do tempo, porém é mais variável em crianças. Algumas diferenças no conteúdo das obsessões e compulsões foram relatadas quando amostras de crianças e adolescentes foram comparadas com amostras de adultos. Essas diferenças provavelmente refletem um conteúdo apropriado aos diferentes estágios do desenvolvimento (p. ex., taxas mais altas de obsessões sexuais e religiosas em adolescentes do que em crianças; taxas mais altas de obsessões por danos [p. ex., medo de eventos catastróficos, como doença ou a própria morte ou de pessoas amadas] em crianças e adolescentes do que em adultos).

Fatores de Risco e Prognóstico

Temperamentais. Mais sintomas internalizantes, afetividade negativa mais alta e inibição do comportamento na infância são possíveis fatores de risco temperamentais.

Ambientais. Fatores ambientais diversos podem aumentar o risco de TOC. Entre eles estão eventos perinatais adversos, nascimento prematuro, uso de tabaco por parte da mãe durante a gravidez, abuso físico e sexual na infância e outros eventos estressantes ou traumáticos. Algumas crianças podem desenvolver o início abrupto de sintomas obsessivo-compulsivos, o que foi associado a diferentes fatores ambientais, incluindo vários agentes infecciosos e uma síndrome autoimune pós-infecciosa.

Genéticos e fisiológicos. A taxa de TOC entre parentes de primeiro grau de adultos com o transtorno é aproximadamente duas vezes a de parentes de primeiro grau daqueles sem o transtorno; no entanto, entre os parentes de primeiro grau de indivíduos com TOC de início na infância ou adolescência, a taxa é aumentada em 10 vezes. A transmissão familiar se deve em parte a fatores genéticos (p. ex., uma taxa de concordância de 0,57 para gêmeos monozigóticos e 0,22 para gêmeos dizigóticos). Estudos com gêmeos sugerem que efeitos genéticos adicionais explicam ~40% da variância dos sintomas obsessivo-compulsivos. Disfunções no córtex orbitofrontal, córtex cingulado anterior e corpo estriado têm sido fortemente implicadas; alterações nas redes neurais frontolímbica, frontoparietal e cerebelar também foram reportadas.

Questões Diagnósticas Relativas à Cultura

O TOC ocorre em todo o mundo. Existem semelhanças substanciais entre as culturas na distribuição por gênero, idade de início e comorbidade do transtorno. Além do mais, em todo o globo existe uma estrutura de sintomas similar envolvendo limpeza, simetria, acúmulo, pensamentos tabus ou medo de danos. No entanto, existem variações regionais na expressão dos sintomas, e os fatores culturais podem moldar o conteúdo das obsessões e compulsões. Por exemplo, obsessões relacionadas a conteúdo sexual podem ser reportadas menos frequentemente em alguns grupos religiosos e culturais, e obsessões relacionadas a violência e agressão podem ser mais comuns em contextos com maior prevalência de violência urbana. As atribuições de sintomas de TOC variam entre culturas, incluindo causas físicas, sociais, espirituais e sobrenaturais. Compulsões específicas e opções de busca de ajuda podem ser reforçadas por essas atribuições culturais.

Questões Diagnósticas Relativas ao Sexo e ao Gênero

Os homens têm idade de início de TOC mais precoce do que as mulheres, além de maior probabilidade de ter transtornos de tique comórbidos. O início do transtorno em meninas é mais comum na adolescência; entre adultos, o TOC é levemente mais comum em mulheres do que em homens. Diferenças de gênero no padrão das dimensões dos sintomas foram relatadas, por exemplo, as mulheres têm maior probabilidade de apresentar sintomas da dimensão limpeza, e os homens das dimensões pensamentos proibidos e simetria. O início ou a exacerbação do TOC, assim como sintomas que podem interferir na relação mãe-bebê (p. ex., obsessões agressivas como pensamentos intrusivos violentos de machucar a criança, levando à evitação do bebê), foram relatados no período do periparto. Algumas mulheres também relatam exacerbação de sintomas de TOC no período pré-menstrual.

Associação com Pensamentos ou Comportamentos Suicidas

Uma revisão de literatura sistemática de ideação suicida e tentativas de suicídio em amostras clínicas de TOC de múltiplos países evidenciou uma taxa média de tentativas de suicídio ao longo da vida de 14,2%, uma taxa média de ideação suicida ao longo da vida de 44,1% e uma taxa média de ideação suicida atual de 25,9%. Preditores de maior risco de suicídio foram a gravidade do TOC, a dimensão de sintomas pensamentos inaceitáveis, a gravidade dos sintomas depressivos e de ansiedade comórbidos e a história prévia de suicídio. Outra revisão sistemática internacional, envolvendo 48 estudos, encontrou associação moderada a alta entre ideação suicida/tentativas de suicídio e TOC.

Um estudo transversal de 582 pacientes ambulatoriais com TOC no Brasil encontrou que 36% da amostra referiu pensamentos suicidas ao longo da vida, 20% haviam feito planos suicidas, 11% haviam realizado a tentativa de suicídio e 10% apresentavam pensamentos suicidas atuais. A dimensão sexual/religiosa do TOC e transtornos por uso de substâncias comórbidos foram associados com pensamentos e planos suicidas, transtornos do controle de impulsos foram associados com pensamentos suicidas atuais e tentativas e planos de suicídio, e transtorno depressivo maior e transtorno de estresse pós-traumático (TEPT) comórbidos foram associados com todos os aspectos de comportamentos suicidas.

Em estudo que utilizou dados dos registros nacionais suecos envolvendo 36.788 indivíduos com TOC e um número semelhante de sujeitos pareados da população geral, os indivíduos com TOC apresentaram risco aumentado de morte por suicídio (OR = 9,8) e tentativas de suicídio (OR = 5,5), e o risco aumentado para ambos os desfechos permaneceu substancial mesmo controlando-se a presença de comorbidades psiquiátricas. Transtornos da personalidade e por uso de substâncias comórbidos aumentaram o risco de suicídio, enquanto que gênero feminino, maior educação dos pais e transtorno de ansiedade comórbido foram fatores de proteção.

Consequências Funcionais do Transtorno Obsessivo-compulsivo

O TOC está associado a uma qualidade de vida reduzida, assim como a altos níveis de prejuízo social e profissional. O prejuízo ocorre em muitos domínios diferentes da vida, está associado à gravidade do sintoma e pode ser causado pelo tempo gasto em obsessões e na execução das compulsões. A esquiva de situações que podem desencadear as obsessões ou compulsões também pode prejudicar gravemente o funcionamento. Além disso, sintomas específicos podem criar obstáculos específicos. Por exemplo, obsessões sobre danos podem fazer com que as relações com a família e os amigos pareçam perigosas; o resultado pode ser a esquiva dessas relações. Obsessões sobre simetria podem inviabilizar a conclusão apropriada das atividades escolares ou de trabalho porque as mesmas nunca parecem "perfeitas", potencialmente resultando em fracasso escolar ou perda de emprego. Consequências de saúde também podem ocorrer. Por exemplo, os indivíduos com preocupações com contaminação podem evitar consultórios médicos e hospitais (p. ex., devido ao medo da exposição a germes) ou desenvolver problemas dermatológicos (p. ex., lesões cutâneas devido à lavagem excessiva). Ocasionalmente, os sintomas do transtorno interferem no próprio tratamento (p. ex., quando os medicamentos são considerados contaminados). Quando o transtorno começa na infância ou na adolescência, os indivíduos podem experimentar dificuldades desenvolvimentais. Por exemplo, adolescentes podem evitar a socialização com os colegas; jovens adultos podem ter dificuldades quando saem de casa para viver de forma independente. O resultado pode ser poucas relações significativas fora da família e falta de autonomia e de independência financeira em relação à família de origem. Além disso, alguns indivíduos com TOC tentam impor regras e proibições aos membros da família devido ao transtorno (p. ex., ninguém na família pode receber visitas em casa por medo de contaminação), e isso pode levar à disfunção familiar.

Diagnóstico Diferencial

Transtornos de ansiedade. Pensamentos recorrentes, comportamentos de esquiva e solicitações repetitivas de tranquilização também podem ocorrer nos transtornos de ansiedade. Entretanto, os pensamentos recorrentes que estão presentes no transtorno de ansiedade generalizada (i. e., preocupações) são geralmente relacionados a preocupações da vida real, enquanto as obsessões do TOC não costumam envolver preocupações da vida real e podem incluir conteúdo estranho, irracional ou de natureza aparentemente mágica; além disso, as compulsões frequentemente estão presentes e em geral são ligadas às obsessões. Assim como os indivíduos com TOC, aqueles com fobia específica podem ter uma reação de medo a objetos ou situações específicas; no entanto, na fobia específica, o objeto temido está geralmente muito mais circunscrito, e os rituais não estão presentes. No transtorno de ansiedade social, os objetos ou situações temidas estão limitados às interações sociais, e a esquiva ou a busca de tranquilização é focada na redução de sentimentos de constrangimento.

Transtorno depressivo maior. O TOC pode ser diferenciado da ruminação do transtorno depressivo maior, no qual os pensamentos são geralmente congruentes com o humor e não necessariamente experimentados como intrusivos ou angustiantes; além disso, as ruminações não estão ligadas a compulsões, como é típico no TOC.

Outros transtornos obsessivo-compulsivos e transtornos relacionados. No transtorno dismórfico corporal, as obsessões e compulsões estão limitadas a preocupações acerca da aparência física, e, na tricotilomania (transtorno de arrancar o cabelo), o comportamento compulsivo está limitado a arrancar os cabelos na ausência de obsessões. Os sintomas do transtorno de acumulação focam exclusivamente na dificuldade persistente de descartar ou dispor dos pertences, no sofrimento acentuado associado ao descarte de itens e na acumulação excessiva de objetos. No entanto, se um indivíduo tem obsessões típicas de TOC (p. ex., preocupações acerca de incompletude ou danos), e essas obsessões conduzem a comportamentos compulsivos de acumulação (p. ex., adquirindo todos os objetos de um conjunto para alcançar uma sensação de completude ou não descartar jornais velhos porque eles podem conter informações que poderiam evitar danos), um diagnóstico de TOC deve ser realizado.

Transtornos alimentares. O TOC pode ser diferenciado da anorexia nervosa na medida em que no TOC as obsessões e compulsões não estão limitadas a preocupações acerca do peso e dos alimentos.

Tiques (no transtorno de tique) e movimentos estereotipados. Um *tique* é um movimento motor ou vocalização súbito, rápido, recorrente e não rítmico (p. ex., piscar os olhos, pigarrear). Um *movimento estereotipado* é um comportamento motor repetitivo, aparentemente impulsivo, não funcional (p. ex., bater a cabeça, balançar o corpo, morder a si mesmo). Os tiques e os movimentos estereotipados são geralmente menos complexos do que as compulsões e não visam a neutralizar as obsessões. Entretanto, a distinção entre tiques e compulsões complexos pode ser difícil. Enquanto as compulsões costumam ser precedidas por obsessões, os tiques são, com frequência, precedidos por impulsos sensoriais premonitórios. Alguns indivíduos têm sintomas de TOC e transtorno de tique, em cujo caso ambos os diagnósticos devem ser indicados.

Transtornos psicóticos. Alguns indivíduos com TOC têm *insight* pobre ou mesmo crenças de TOC delirantes. Entretanto, eles têm obsessões e compulsões (distinguindo sua condição do transtorno delirante) e não têm outras características da esquizofrenia ou do transtorno esquizoafetivo (p. ex., alucinações ou fala desorganizada). Para os indivíduos cujos sintomas de transtorno obsessivo-compulsivo justificam o especificador "com *insight* ausente/crenças delirantes", esses sintomas não devem ser diagnosticados como um transtorno psicótico.

Outros comportamentos do tipo compulsivo. Certos comportamentos são ocasionalmente descritos como "compulsivos", incluindo comportamento sexual (no caso das parafilias), jogo (i. e., transtorno do jogo) e uso de substância (p. ex., transtorno por uso de álcool). No entanto, tais comportamentos diferem das compulsões do TOC, pois a pessoa costuma obter prazer com a atividade e pode ter desejo de resistir à sua execução apenas em razão de suas consequências prejudiciais.

Transtorno da personalidade obsessivo-compulsiva. Embora o transtorno da personalidade obsessivo-compulsiva e o TOC tenham nomes semelhantes, suas manifestações clínicas são bem diferentes. O transtorno da personalidade obsessivo-compulsiva não é caracterizado por pensamentos intrusivos, imagens ou impulsos ou por comportamentos repetitivos que são executados em resposta a essas intrusões; em vez disso, ele envolve um padrão mal-adaptativo duradouro e disseminado de perfeccionismo excessivo e controle rígido. Se um indivíduo manifesta sintomas de TOC e transtorno da personalidade obsessivo-compulsiva, ambos os diagnósticos podem ser dados.

Comorbidade

Os indivíduos com TOC frequentemente têm outra psicopatologia. Muitos adultos com o transtorno têm um diagnóstico de transtorno de ansiedade ao longo da vida (76%; p. ex., transtorno de pânico, transtorno de ansiedade social, transtorno de ansiedade generalizada, fobia específica) ou um transtorno depressivo ou bipolar (63% para qualquer transtorno depressivo ou bipolar, sendo o mais comum o transtorno depressivo maior [41%]); um diagnóstico de transtorno do controle de impulsos ao longo da vida (56%) ou de transtornos por uso de substâncias (39%) também são comuns. O início do TOC é geralmente mais tardio do que a maioria dos transtornos de ansiedade comórbidos (com exceção do transtorno de ansiedade de separação) e TEPT, mas com frequência precede os transtornos depressivos. Em um estudo com 214 adultos com TOC (segundo o DSM-IV) em tratamento nos Estados Unidos, o transtorno da personalidade obsessivo-compulsiva foi evidenciado em 23 a 32% dos indivíduos acompanhados longitudinalmente.

Até 30% dos indivíduos com TOC também têm um transtorno de tique ao longo da vida. Um transtorno de tique comórbido é mais comum em homens com início de TOC na infância. Esses indivíduos tendem a diferir daqueles sem história de transtornos de tique nos temas dos seus sintomas obsessivo-compulsivos, comorbidade, curso e padrão de transmissão familiar. Uma tríade de TOC, transtorno de tique e transtorno de déficit de atenção/hiperatividade também pode ser vista em crianças.

Vários transtornos obsessivo-compulsivos e transtornos relacionados, incluindo transtorno dismórfico corporal, tricotilomania e transtorno de escoriação (*skin-picking*), também ocorrem mais frequentemente em indivíduos com TOC do que naqueles sem.

O TOC também é muito mais comum em indivíduos com determinados transtornos do que seria esperado com base em sua prevalência na população geral; quando um desses outros transtornos é diagnosticado, o indivíduo também deve ser avaliado para TOC. Por exemplo, em pessoas com esquizofrenia ou transtorno esquizoafetivo, a prevalência de TOC é de aproximadamente 12%. As taxas de TOC também são elevadas no transtorno bipolar, em transtornos alimentares, como anorexia nervosa e bulimia nervosa, no transtorno dismórfico corporal e no transtorno de Tourette.

Transtorno Dismórfico Corporal

Critérios Diagnósticos   F45.22

A. Preocupação com um ou mais defeitos ou falhas percebidas na aparência física que não são observáveis ou que parecem leves para os outros.
B. Em algum momento durante o curso do transtorno, o indivíduo executou comportamentos repetitivos (p. ex., verificar-se no espelho, arrumar-se excessivamente, beliscar a pele, buscar tranquilização) ou atos mentais (p. ex., comparando sua aparência com a de outros) em resposta às preocupações com a aparência.
C. A preocupação causa sofrimento clinicamente significativo ou prejuízo no funcionamento social, profissional ou em outras áreas importantes da vida do indivíduo.

D. A preocupação com a aparência não é mais bem explicada por preocupações com a gordura ou o peso corporal em um indivíduo cujos sintomas satisfazem os critérios diagnósticos para um transtorno alimentar.

Especificar se:
Com dismorfia muscular: O indivíduo está preocupado com a ideia de que sua estrutura corporal é muito pequena ou insuficientemente musculosa. O especificador é usado mesmo que o indivíduo esteja preocupado com outras áreas do corpo, o que com frequência é o caso.

Especificar se:
Indicar o grau de *insight* em relação às crenças do transtorno dismórfico corporal (p. ex., "Eu pareço feio" ou "Eu pareço deformado").
Com *insight* bom ou razoável: O indivíduo reconhece que as crenças do transtorno dismórfico corporal são definitiva ou provavelmente não verdadeiras ou que podem ou não ser verdadeiras.
Com *insight* pobre: O indivíduo acredita que as crenças do transtorno dismórfico corporal são provavelmente verdadeiras.
Com *insight* ausente/crenças delirantes: O indivíduo está completamente convencido de que as crenças do transtorno dismórfico corporal são verdadeiras.

Especificadores

A *dismorfia muscular*, uma forma de transtorno dismórfico corporal que ocorre quase exclusivamente em homens adultos e adolescentes, consiste na preocupação com a ideia de que o próprio corpo é muito pequeno ou insuficientemente magro ou musculoso. Os indivíduos com essa forma de transtorno, na verdade, têm uma aparência corporal normal ou são até mais musculosos. Eles também podem ser preocupados com outras áreas do corpo, como a pele ou o cabelo. A maioria (mas não todos) faz dieta, exercícios e/ou levantamento de peso excessivamente, às vezes causando danos ao corpo. Alguns usam esteroides anabolizantes androgênicos potencialmente perigosos e outras substâncias para tentar tornar seu corpo maior e mais musculoso.

Indivíduos com transtorno dismórfico corporal variam no grau de *insight* que têm sobre a precisão de suas crenças de transtorno dismórfico corporal (p. ex., "eu pareço feio", "eu pareço deformado"). *Insights* em relação às crenças sobre o transtorno dismórfico corporal podem variar desde boas até ausentes/delirantes (i. e., crenças delirantes que consistem em uma convicção completa de que a visão do indivíduo sobre a própria aparência é precisa e não distorcida). No geral, o *insight* é pobre; um terço ou mais dos indivíduos atualmente tem *insight* ausente/delirante em relação às crenças do transtorno dismórfico corporal. Indivíduos com transtorno dismórfico corporal delirante tendem a ter maior morbidade em algumas áreas (p. ex., pensamentos ou comportamentos suicidas), mas isso parece ser explicado pela tendência a apresentarem sintomas mais graves do transtorno dismórfico corporal.

Características Diagnósticas

Os indivíduos com transtorno dismórfico corporal (anteriormente conhecido como *dismorfofobia*) são preocupados com um ou mais defeitos ou falhas percebidas em sua aparência física, que acreditam parecer feia, sem atrativos, anormal ou deformada (Critério A). As falhas percebidas não são observáveis ou parecem apenas leves para outros indivíduos. As preocupações variam desde parecer "sem atrativos" ou "não adequado" até parecer "hediondo" ou "como um monstro". Podem focar em uma ou mais áreas do corpo, mais comumente a pele (p. ex., percepção de acne, cicatrizes, rugas, palidez), os pelos (p. ex., cabelo "escasso" ou pelo corporal ou facial "excessivo") ou o nariz (p. ex., o tamanho ou formato). No entanto, qualquer área do corpo pode ser foco de preocupação (p. ex., olhos, dentes, peso, estômago, mamas, pernas, tamanho ou formato do rosto, lábios, queixo, sobrancelhas, genitais). Algumas pessoas são preocupadas com a percepção de assimetria de áreas corporais. As preocupações são intrusivas, indesejadas, tomam tempo (ocorrendo, em média, de três a oito horas por dia) e geralmente são difíceis de resistir ou controlar.

Os comportamentos repetitivos ou atos mentais excessivos (p. ex., comparações) são executados em resposta à preocupação (Critério B). O indivíduo se sente compelido a executar esses comportamentos, os quais não são prazerosos e podem aumentar a ansiedade e a disforia. Eles geralmente tomam tempo e são difíceis de resistir ou controlar. Alguns comportamentos comuns são comparar a própria aparência com a de outros indivíduos; verificar repetidamente os defeitos percebidos em espelhos ou em outras superfícies refletoras ou examiná-los diretamente; arrumar-se de maneira excessiva (p. ex., penteando, barbeando, depilando ou arrancando os pelos); procurar tranquilização acerca do aspecto das falhas percebidas; tocar as áreas em questão para verificá-las; fazer exercícios ou levantamento de peso em excesso; e procurar procedimentos estéticos. Alguns indivíduos se bronzeiam de forma excessiva (p. ex., para escurecer a pele "pálida" ou diminuir a acne percebida), mudam constantemente de roupa (p. ex., para camuflar os defeitos percebidos) ou compram de maneira compulsiva (p. ex., produtos de beleza). Arrancar a pele compulsivamente com a intenção de melhorar os defeitos percebidos é comum e pode causar lesões cutâneas, infecções ou ruptura de vasos sanguíneos. Camuflar (i. e., esconder ou cobrir) defeitos percebidos, um comportamento muito comum em indivíduos com transtorno dismórfico corporal, pode envolver comportamentos repetitivos (p. ex., aplicar maquiagem repetidamente, ajustar um chapéu ou peça de roupa ou arrumar o cabelo de maneira a cobrir a testa ou os olhos). A preocupação deve causar sofrimento clinicamente significativo ou prejuízo no funcionamento social, profissional ou em outras áreas importantes da vida do indivíduo (Critério C); geralmente ambos estão presentes. O transtorno dismórfico corporal deve ser diferenciado de um transtorno alimentar. O transtorno dismórfico corporal por procuração é uma forma de transtorno dismórfico corporal em que indivíduos se preocupam com defeitos percebidos na aparência de outras pessoas, mais frequentemente na de um parceiro, mas, às vezes, na dos pais, dos filhos, de irmãos ou de estranhos.

Características Associadas

Muitos indivíduos com transtorno dismórfico corporal têm ideias ou delírios de referência, acreditando que outras pessoas prestam especial atenção neles ou caçoam deles devido a sua aparência. O transtorno dismórfico corporal está associado a altos níveis de ansiedade, ansiedade social, esquiva social, humor deprimido, neuroticismo e perfeccionismo, bem como a baixa extroversão e baixa autoestima. O transtorno dismórfico corporal também é associado com maior hostilidade e comportamento agressivo. Muitos indivíduos têm vergonha da sua aparência e do foco excessivo em seu visual e têm relutância em revelar suas preocupações aos outros. A maioria dessas pessoas faz tratamento estético para tentar melhorar seus defeitos percebidos. Tratamento dermatológico e cirurgia são mais comuns, mas qualquer tipo de tratamento (p. ex., dentário, eletrólise) pode ser feito. Às vezes, os indivíduos podem realizar cirurgias em si mesmos. O transtorno dismórfico corporal parece ter uma resposta pobre a tais tratamentos e por vezes piora. Algumas pessoas tomam providências legais ou são violentas com o clínico (p. ex., o cirurgião) porque estão insatisfeitas com o resultado estético.

O transtorno dismórfico corporal foi associado com anormalidades no reconhecimento de emoções, na atenção e no funcionamento executivo, assim como com vieses de processamento de informações e interpretações imprecisas de informações e situações sociais. Por exemplo, os indivíduos com esse transtorno tendem a interpretar de forma negativa e ameaçadora expressões faciais ou cenários ambíguos. O transtorno dismórfico corporal também é caracterizado por anormalidades no processamento visual, com uma propensão a analisar e codificar detalhes em vez de aspectos holísticos ou configuracionais dos estímulos visuais.

Prevalência

A prevalência pontual em um estudo epidemiológico nacional norte-americano entre adultos foi de 2,4% (2,5% em mulheres e 2,2% em homens). Fora dos Estados Unidos (i. e., na Alemanha), estudos semelhantes indicaram a prevalência pontual de 1,7 a 2,9%, com uma distribuição entre os gêneros similar à dos Estados Unidos. Ao redor do mundo, a prevalência pontual é de 11 a 13% entre pacientes de dermatologia, 13 a 15% entre pacientes de cirurgias cosméticas gerais, 20% entre pacientes de cirurgia de rinoplastia, 11% entre pacientes adultos de cirurgias de correção da mandíbula e 5 a 10% entre adultos pacientes de ortodontia cosmética. Entre adolescentes e estudantes universitários, as taxas de prevalência pontual são relativamente mais altas em meninas/jovens mulheres se comparadas a meninos/jovens homens.

Desenvolvimento e Curso

A média de idade de início do transtorno é 16 a 17 anos, a mediana de idade de início é 15 anos, e a idade mais comum de início é 12 a 13 anos. Em dois terços dos indivíduos, o início ocorre antes dos 18 anos. Os sintomas subclínicos do transtorno dismórfico corporal começam, em média, aos 12 ou 13 anos. As preocupações subclínicas geralmente evoluem gradualmente para o transtorno completo, embora alguns indivíduos experimentem início abrupto do transtorno. O transtorno dismórfico corporal parece ser crônico, embora uma melhora seja provável quando o tratamento baseado em evidências é instituído. As características clínicas do transtorno parecem muito semelhantes em crianças/adolescentes e adultos. O transtorno também ocorre em idosos, mas pouco se sabe sobre o transtorno nessa faixa etária. Indivíduos com início do transtorno antes dos 18 anos têm mais comorbidade e são mais propensos a ter um início gradual do transtorno (em vez de agudo) se comparados com aqueles com início do transtorno na idade adulta.

Fatores de Risco e Prognóstico

Ambientais. O transtorno dismórfico corporal foi associado a altas taxas de negligência, abuso e trauma na infância, assim como a altas taxas de provocações sofridas.

Genéticos e fisiológicos. A prevalência do transtorno dismórfico corporal é elevada em parentes de primeiro grau de indivíduos com transtorno obsessivo-compulsivo (TOC). A herdabilidade dos sintomas do transtorno dismórfico corporal é estimada entre 37 e 49% em estudos com adolescentes e jovens adultos gêmeos e pode ser maior em mulheres. Há uma vulnerabilidade genética compartilhada com o TOC, assim como influências genéticas que são específicas aos sintomas do transtorno dismórfico corporal.

Questões Diagnósticas Relativas à Cultura

O transtorno dismórfico corporal tem sido relatado em todo o mundo. Algumas características do transtorno são evidenciados em várias culturas, como a proporção de incidência entre os gêneros, áreas do corpo que são objeto de preocupação, tipos de comportamentos repetitivos e níveis de sofrimento e prejuízos associados. Outras características podem variar (p. ex., em alguns contextos culturais com um foco coletivista, como no Japão, as preocupações dismórficas corporais podem enfatizar o medo de ofender os outros por causa de alguma deformidade percebida).

Padrões culturais variados podem ser associados com preocupações de imagem corporal específicas, como pálpebras no Japão e dismorfia muscular em países ocidentais. O *Taijin kyofusho,* incluso no sistema diagnóstico tradicional japonês, tem um subtipo semelhante ao transtorno dismórfico corporal: o *shubo-kyofu* ("a fobia de um corpo deformado"). Para mais informações sobre conceitos culturais de sofrimento, ver o capítulo "Diagnósticos Culturais e Psiquiátricos".

Questões Diagnósticas Relativas ao Sexo e ao Gênero

Dismorfia muscular ocorre quase sempre em homens, e eles são mais propensos a ter um transtorno por uso de substâncias comórbido, enquanto mulheres são mais propensas a transtornos alimentares comórbidos. Homens e mulheres parecem ter mais semelhanças do que diferenças em relação à maioria das características clínicas – por exemplo, áreas do corpo que desagradam, tipos de comportamentos repetitivos, gravidade dos sintomas, suicídio, comorbidade, curso da doença e realização de procedimentos estéticos para o transtorno dismórfico corporal. No entanto, há algumas diferenças. Por exemplo, homens são mais propensos a apresentar preocupações com os genitais, com o porte físico (pensando que podem ser muito pequenos ou não musculosos o suficiente) e com queda de cabelos, enquanto mulheres são mais propensas a se preocupar com o peso (geralmente pensando que estão pesando muito), seios/peito, nádegas, pernas, quadris e excesso de pelos corporais ou faciais.

Associação com Pensamentos ou Comportamentos Suicidas

Em uma revisão sistemática e metanálise de 17 estudos que examinaram pensamentos e comportamentos suicidas em vários países, indivíduos com transtorno dismórfico corporal eram quatro vezes mais propensos a ter pensamentos suicidas (OR combinado = 3,87) e 2,6 vezes mais propensos a tentar suicídio (OR combinado = 2,57) quando comparados com controles saudáveis e indivíduos diagnosticados com transtornos alimentares, TOC ou qualquer transtorno de ansiedade. Dois estudos com a população geral na Alemanha encontraram maiores taxas de pensamentos suicidas, 19 vs. 3% e 31,0 vs. 3,5%, e comportamentos suicidas 7 vs. 1%, e 22,2 vs. 2,1% em indivíduos diagnosticados com transtorno dismórfico corporal do que naqueles sem o diagnóstico.

A gravidade do transtorno dismórfico corporal fortalece a sua associação com pensamentos e comportamentos suicidas. A relação entre transtorno dismórfico corporal e taxas elevadas de pensamentos e comportamentos suicidas é independente da presença de comorbidades, mas algumas comorbidades podem fortalecer ainda mais essa relação. Uma proporção substancial de indivíduos com transtorno dismórfico corporal atribui a ideação suicida ou as tentativas de suicídio principalmente às suas preocupações com a aparência.

Indivíduos com transtorno dismórfico corporal têm muitos fatores de risco demográficos e clínicos que predizem, em geral, morte por suicídio, como altas taxas de pensamentos suicidas e tentativas de suicídio, desemprego, abuso percebido, baixa autoestima e altas taxas de transtorno depressivo maior e transtornos por uso de substância.

Consequências Funcionais do Transtorno Dismórfico Corporal

Quase todos os indivíduos com transtorno dismórfico corporal experimentam funcionamento psicossocial prejudicado devido às suas preocupações com a aparência. O prejuízo pode variar de moderado (p. ex., esquiva de algumas situações sociais) até extremo e incapacitante (p. ex., ficar completamente confinado à sua casa).

Em média, o funcionamento psicossocial e a qualidade de vida são acentuadamente pobres. Os sintomas mais graves do transtorno dismórfico corporal estão associados a funcionamento e qualidade de vida mais pobres. A maioria dos indivíduos experimenta comprometimento em seu trabalho, no desempenho acadêmico ou de papéis (p. ex., como pai ou cuidador), que são com frequência graves (p. ex., desempenho pobre, faltas à escola ou ao trabalho, não trabalhar). Cerca de 20% dos jovens com o transtorno relatam evasão escolar principalmente devido aos seus sintomas. Uma alta proporção de adultos e adolescentes é internada em hospitais psiquiátricos.

Diagnóstico Diferencial

Preocupações normais com a aparência e defeitos físicos claramente perceptíveis. O transtorno dismórfico corporal diferencia-se das preocupações normais com a aparência por se caracterizar por preocupações excessivas relacionadas à aparência e por comportamentos repetitivos que tomam tempo que também são geralmente difíceis de resistir ou controlar e que causam sofrimento clinicamente significativo ou prejuízo no funcionamento. Os defeitos físicos que são claramente perceptíveis (i. e., não leves) não são diagnosticados como transtorno dismórfico corporal. No entanto, beliscar a pele como sintoma de transtorno dismórfico corporal pode causar lesões e cicatrizes visíveis; nesses casos, o transtorno deve ser diagnosticado.

Transtornos alimentares. Em um indivíduo com transtorno alimentar, as preocupações com ser gordo são consideradas um sintoma do transtorno alimentar em vez de transtorno dismórfico corporal. No entanto, preocupações com o peso podem ocorrer no transtorno dismórfico corporal. Os transtornos alimentares e o transtorno dismórfico corporal podem ser comórbidos; nesse caso, ambos devem ser diagnosticados.

Outros transtornos obsessivo-compulsivos e transtornos relacionados. As preocupações e os comportamentos repetitivos do transtorno dismórfico corporal diferem das obsessões e compulsões do TOC na medida em que o primeiro foca somente na aparência. Esses transtornos têm outras diferenças, como *insights* pobres, depressão mais frequente e maiores taxas de ideação suicida no transtorno dismórfico corporal. Quando arrancar a pele tem a intenção de melhorar a aparência dos defeitos nela percebidos, deve ser diagnosticado transtorno dismórfico corporal em vez de transtorno de escoriação (*skin-picking*). Quando a remoção de pelos (depilar, arrancar ou outros tipos de remoção) tem a intenção de melhorar defeitos percebidos na aparência do pelo facial ou corporal, o transtorno dismórfico corporal é diagnosticado em vez de tricotilomania (transtorno de arrancar o cabelo).

Transtorno de ansiedade de doença. Os indivíduos com transtorno dismórfico corporal não são preocupados em ter ou contrair uma doença grave e, em amostras clínicas, não têm níveis particularmente elevados de somatização.

Transtorno depressivo maior. A preocupação proeminente com a aparência e os comportamentos repetitivos excessivos no transtorno dismórfico corporal diferenciam-no do transtorno depressivo maior. Entretanto, o transtorno depressivo maior e os sintomas depressivos são comuns em indivíduos com transtorno dismórfico corporal, com frequência parecendo ser secundários ao sofrimento e ao prejuízo causados por essa perturbação. O transtorno dismórfico corporal deve ser diagnosticado em indivíduos deprimidos se os critérios diagnósticos para ele forem satisfeitos.

Transtornos de ansiedade. Ansiedade social e evitação são comuns no transtorno dismórfico corporal. Porém, diferentemente de transtorno de ansiedade social, agorafobia e transtorno da personalidade evitativa, o transtorno dismórfico corporal inclui preocupação proeminente com a aparência, o que pode ser delirante, e comportamentos repetitivos. Além disso, a ansiedade social e a evitação que são características do transtorno dismórfico corporal são atribuíveis a preocupações sobre defeitos de aparência percebidos e sobre a crença ou medo que outras pessoas considerem esses indivíduos como feios, que os ridicularizem ou os rejeitem por causa de suas características físicas. Diferentemente do transtorno de ansiedade generalizada, a ansiedade e a preocupação no transtorno dismórfico corporal focam nas falhas percebidas na aparência.

Transtornos psicóticos. Muitos indivíduos com transtorno dismórfico corporal têm crenças delirantes sobre a aparência (i. e., completa convicção de que sua visão dos seus defeitos percebidos é correta), o que é diagnosticado como transtorno dismórfico corporal, com *insight* ausente/crenças delirantes, não como transtorno delirante. Ideias ou delírios de referência relacionados à aparência são comuns no transtorno dismórfico corporal (i. e., pensar que outras pessoas notam especialmente o indivíduo de uma maneira negativa por causa da aparência dele). Contudo, diferentemente da esquizofrenia ou do transtorno esquizoafetivo, o transtorno dismórfico corporal envolve preocupações proeminentes com a aparência e comportamentos repetitivos relacionados, e o comportamento desorganizado e outros sintomas psicóticos estão ausentes (exceto pelas crenças acerca da aparência, que podem ser delirantes). Para os indivíduos cujos sintomas de transtorno obsessivo-compulsivo e transtorno relacionado justificam o especificador "com *insight* ausente/crenças delirantes", esses sintomas não devem ser diagnosticados como um transtorno psicótico.

Outros transtornos e sintomas. O transtorno dismórfico corporal não deve ser diagnosticado se a preocupação é limitada a desconforto ou desejo de se livrar de uma característica sexual primária e/ou secundária em um indivíduo com *disforia de gênero*. O transtorno também não deve ser diagnosticado se a preocupação se concentrar na crença de que o indivíduo emite um odor corporal ruim ou ofensivo, como no transtorno de referência olfativa (síndrome de referência olfativa), o que é um exemplo de outro transtorno obsessivo-compulsivo especificado e transtorno relacionado no DSM-5. A *disforia de integridade corporal* (que está inclusa no CID-11, mas não no DSM-5) envolve um desejo persistente de se tornar uma pessoa com membro amputado para corrigir um desequilíbrio entre o senso do indivíduo de como seu corpo deveria estar representado e como o corpo está anatomicamente representado de fato. Em contraste ao transtorno dismórfico corporal, os indivíduos com essa condição não sentem que o membro a ser amputado é feio ou defeituoso de qualquer maneira, apenas que ele não deveria estar ali. O *Koro*, um transtorno relacionado culturalmente que em geral ocorre em epidemias no sudoeste da Ásia, consiste no medo de que o pênis (lábios, mamilos ou mamas nas mulheres) esteja encolhendo ou se retraindo e vá desaparecer no abdome, com frequência acompanhado de uma crença de que isso resultará em morte. O *koro* difere do transtorno dismórfico corporal em vários aspectos, incluindo um foco na morte em vez da preocupação com a feiura percebida. A *preocupação dismórfica* (que não é um transtorno do DSM-5) é um construto muito mais amplo do que o transtorno dismórfico corporal e não é equivalente a ele. Envolve sintomas que refletem uma preocupação excessiva com falhas leves ou imaginadas na aparência.

Comorbidade

O transtorno depressivo maior é o transtorno comórbido mais comum, com início geralmente após o do transtorno dismórfico corporal. Comorbidades com transtorno de ansiedade social, TOC e transtornos por uso de substâncias (incluindo uso de esteroides anabolizantes androgênicos na forma de dismorfia muscular do transtorno dismórfico corporal) também são comuns.

Transtorno de Acumulação

Critérios Diagnósticos   F42.3

A. Dificuldade persistente de descartar ou de se desfazer de pertences, independentemente do seu valor real.
B. Esta dificuldade se deve a uma necessidade percebida de guardar os itens e ao sofrimento associado a descartá-los.
C. A dificuldade de descartar os pertences resulta na acumulação de itens que congestionam e obstruem as áreas em uso e compromete substancialmente o uso pretendido. Se as áreas de estar não estão obstruídas, é somente devido a intervenções de outras pessoas (p. ex., membros da família, funcionários de limpeza, autoridades).
D. A acumulação causa sofrimento significativo ou prejuízo no funcionamento social, profissional ou em outras áreas importantes da vida do indivíduo (incluindo a manutenção de um ambiente seguro para si e para os outros).
E. A acumulação não é devida a outra condição médica (p. ex., lesão cerebral, doença cerebrovascular, síndrome de Prader-Willi).
F. A acumulação não é mais bem explicada pelos sintomas de outro transtorno mental (p. ex., obsessões no transtorno obsessivo-compulsivo, energia reduzida no transtorno depressivo maior, delírios na esquizofrenia ou outro transtorno psicótico, déficits cognitivos no transtorno neurocognitivo maior, interesses restritos no transtorno do espectro autista).

Especificar se:

Com aquisição excessiva: Se a dificuldade de descartar os pertences está acompanhada pela aquisição excessiva de itens que não são necessários ou para os quais não existe espaço disponível.

Especificar se:

Com *insight* bom ou razoável: O indivíduo reconhece que as crenças e os comportamentos relacionados à acumulação (relativos à dificuldade de descartar itens, à obstrução ou à aquisição excessiva) são problemáticos.

Com *insight* pobre: O indivíduo acredita que as crenças e os comportamentos relacionados à acumulação (relativos à dificuldade de descartar itens, à obstrução ou à aquisição excessiva) não são problemáticos apesar das evidências em contrário.

Com *insight* ausente/crenças delirantes: O indivíduo está completamente convencido de que as crenças e os comportamentos relacionados à acumulação (relativos à dificuldade de descartar itens, à obstrução ou à aquisição excessiva) não são problemáticos apesar das evidências em contrário.

Especificadores

Com aquisição excessiva. Aproximadamente 80 a 90% dos indivíduos com transtorno de acumulação apresentam aquisição excessiva. A forma mais frequente de aquisição são as compras excessivas, seguidas pela aquisição de itens gratuitos (p. ex., panfletos, itens descartados por outros). Roubar é menos comum. Alguns indivíduos podem negar a aquisição excessiva quando são avaliados inicialmente, embora mais tarde ela possa aparecer durante o curso do tratamento. As pessoas com transtorno de acumulação geralmente experimentam sofrimento se não conseguem ou são impedidas de adquirir itens.

Características Diagnósticas

A característica essencial do transtorno de acumulação são as dificuldades persistentes de descartar ou se desfazer de pertences, independentemente do seu valor real (Critério A). O termo *persistente* indica uma dificuldade permanente em vez de circunstâncias vitais mais transitórias que podem levar ao acúmulo excessivo, como herdar uma propriedade. A dificuldade em descartar pertences observada no Critério A refere-se a qualquer forma de descarte, incluindo jogar fora, vender, dar ou reciclar. As razões principais para essa dificuldade são a utilidade percebida ou o valor estético dos itens ou ligação emocional forte a eles. Alguns indivíduos se sentem responsáveis pelo destino dos seus pertences e com frequência se esforçam muito para evitar o desperdício. O medo de perder informações importantes também é comum. Os itens mais comuns a serem acumulados são jornais, revistas, roupas, malas, livros, correspondência e papéis, mas praticamente qualquer coisa pode ser acumulada. A natureza dos itens não está limitada aos pertences que a maior parte das outras pessoas definiria como inúteis ou de valor limitado. Muitos indivíduos juntam e também guardam muitas coisas valiosas, as quais com frequência são encontradas em pilhas misturadas com outros itens menos valiosos.

Os indivíduos com transtorno de acumulação guardam intencionalmente os pertences e experimentam sofrimento (p. ex., ansiedade, frustração, arrependimento, tristeza e culpa) quando enfrentam a perspectiva de descartá-los (Critério B). Esse critério enfatiza que guardar os pertences é intencional, o que discrimina o transtorno de acumulação de outras formas de psicopatologia que são caracterizadas pela acumulação passiva de itens ou pela ausência de sofrimento quando os pertences são removidos.

Os indivíduos acumulam muitos itens que se empilham e obstruem áreas em uso a ponto de sua utilização pretendida não ser mais possível (Critério C). Por exemplo, o indivíduo pode não conseguir preparar alimentos na cozinha, dormir na sua cama ou sentar em uma cadeira. Se o espaço pode ser usado, é somente com grande dificuldade. *Obstrução* é definida como um grande grupo de objetos em geral não relacionados ou marginalmente relacionados empilhados juntos de forma desorganizada em espaços designados para outros propósitos (p. ex., em cima de mesas, no chão, no corredor). O Critério C enfatiza as áreas de estar "ativas" da casa, em vez de áreas mais periféricas, como garagens, sótãos ou porões, que às vezes ficam obstruídas nas casas de pessoas sem o transtorno. Entretanto, os indivíduos com transtorno de acumulação com frequência têm pertences que se espalham além das áreas em uso e podem ocupar e prejudicar a utilização de outros espaços, como veículos, pátios, o ambiente de trabalho e as casas de amigos e parentes. Em alguns casos, as áreas de estar podem estar desobstruídas devido à intervenção de outras pessoas (p. ex., membros da família, funcionários de limpeza, autoridades locais). Os indivíduos que foram forçados a limpar suas casas ainda têm um quadro de sintomas que satisfaz os critérios para transtorno de acumulação, porque a ausência de obstrução deve-se à intervenção de outras pessoas. O transtorno de acumulação contrasta com o comportamento normal de colecionar, que é organizado e sistemático, mesmo que em alguns casos a quantidade real de pertences possa ser similar à quantidade acumulada por uma pessoa com transtorno de acumulação. A atividade de colecionar normal não produz obstrução, sofrimento ou prejuízo típicos do transtorno de acumulação.

Os sintomas (i. e., dificuldades de descartar e/ou obstrução) devem causar sofrimento clinicamente significativo ou prejuízo no funcionamento social, profissional ou em outras áreas importantes da vida do sujeito, incluindo a manutenção de um ambiente seguro para si e para os outros (Critério D). Em alguns casos, particularmente quando há *insight* pobre, o indivíduo pode não mostrar sofrimento, e o prejuízo pode ser aparente apenas para as pessoas próximas ao indivíduo. No entanto, qualquer tentativa de descartar ou limpar os pertences por terceiros resulta em altos níveis de sofrimento.

Características Associadas

Outras características comuns do transtorno de acumulação incluem indecisão, perfeccionismo, esquiva, procrastinação, dificuldade de planejar e organizar tarefas e distratibilidade. Alguns indivíduos com o transtorno vivem em condições insalubres que podem ser uma consequência lógica de espaços gravemente obstruídos e/ou que estão relacionados a dificuldades de planejamento e organização. *Acumulação de animais* pode ser definida como a acumulação de muitos animais e a falha em proporcionar padrões mínimos de nutrição, saneamento e cuidados veterinários e em agir sobre a condição deteriorante dos animais (incluindo doenças, fome ou morte) e do ambiente (p. ex., superpopulação, condições extremamente insalubres). A acumulação de animais pode ser uma manifestação especial do transtorno de acumulação. A maioria dos indivíduos que acumula animais também acumula objetos inanimados. As diferenças mais proeminentes entre a acumulação de animais e a de objetos são a extensão das condições insalubres e o *insight* mais pobre na acumulação de animais.

Prevalência

Estudos de prevalência nacionalmente representativos do transtorno de acumulação não estão disponíveis. Pesquisas comunitárias estimam que a prevalência pontual de acumulação clinicamente significativa nos Estados Unidos e na Europa seja de aproximadamente 1,5 a 6%. Em uma metanálise de 12 estudos conduzidos em países de renda alta, encontrou-se uma prevalência de 2,5%, sem diferenças entre os gêneros. Isso contrasta com as amostras clínicas, nas quais a predominância é em mulheres. Em um estudo populacional dos Países Baixos, os sintomas de acumulação se mostraram quase três vezes mais prevalentes em pessoas idosas (mais de 65 anos) se comparados com adultos mas jovens (entre 30 e 40 anos).

Desenvolvimento e Curso

A acumulação parece iniciar cedo na vida e estender-se até os estágios finais. Os sintomas de acumulação podem emergir inicialmente em torno dos 15 aos 19 anos de idade, começam a interferir no funcionamento diário do indivíduo por volta dos 20 e 30 anos e causam prejuízo clinicamente significativo por volta dos 30 e 40 anos. Os participantes de estudos de pesquisa clínica estão geralmente na década dos 50 anos. Assim, a gravidade da acumulação aumenta a cada década da vida, especialmente após os 30 anos. Depois de iniciados os sintomas, o curso da acumulação é com frequência crônico, com poucos indivíduos relatando um curso com remissões e recidivas.

A acumulação patológica em crianças parece ser facilmente distinguida de comportamentos de poupar e colecionar adaptativos de acordo com o nível do desenvolvimento. Como as crianças e os adolescentes geralmente não controlam o ambiente em que vivem e os comportamentos de descarte, a possível intervenção de outras pessoas (p. ex., os pais mantendo os espaços utilizáveis e, assim, reduzindo a interferência) deve ser considerada quando é feito o diagnóstico.

Fatores de Risco e Prognóstico

Temperamentais. A indecisão é uma característica proeminente dos indivíduos com transtorno de acumulação e em seus parentes de primeiro grau.

Ambientais. Os indivíduos com transtorno de acumulação com frequência relatam retrospectivamente eventos vitais estressantes e traumáticos precedendo o início do transtorno ou causando uma exacerbação.

Genéticos e fisiológicos. O comportamento de acumulação é familiar, com cerca de 50% dos indivíduos que acumulam relatando ter um parente que também acumula. Estudos com gêmeos indicam que aproximadamente 50% da variância do comportamento de acumulação deve-se a fatores genéticos aditivos e o resto a fatores ambientais não compartilhados.

Questões Diagnósticas Relativas à Cultura

Enquanto a maior parte da pesquisa foi feita em países ocidentais industrializados e comunidades urbanas, os dados disponíveis de países de baixa e média renda sugerem que a acumulação tem características clínicas consistentes entre as diferentes culturas, incluindo semelhanças em gravidade de apresentação clínica e cognições e comportamentos associados. Em contextos culturais em que é colocado um alto valor em economizar e estocar as posses, a presença de sofrimento e prejuízos funcionais deve ser a base do diagnóstico.

Questões Diagnósticas Relativas ao Sexo e ao Gênero

As principais características do transtorno de acumulação (i. e., dificuldades de descartar, obstrução excessiva) são, em geral, comparáveis em homens e mulheres, porém as mulheres tendem a exibir aquisição mais excessiva, particularmente o comprar excessivo.

Consequências Funcionais do Transtorno de Acumulação

A obstrução prejudica as atividades básicas, como transitar pela casa, cozinhar, limpar, fazer a higiene pessoal e até mesmo dormir. Os aparelhos podem estar quebrados, e serviços como água e eletricidade podem estar desligados, já que o acesso para o trabalho de conserto pode ser difícil. A qualidade de vida está, com frequência, consideravelmente prejudicada. Em casos graves, a acumulação pode colocar os indivíduos em risco de incêndio, de cair (especialmente indivíduos idosos), bem como submetê-los a condições sanitárias deficientes e a outros riscos à saúde. O transtorno de acumulação está associado a prejuízo profissional, saúde física deficiente e intensa utilização do serviço social. As relações familiares com frequência estão sob grande tensão. O conflito com os vizinhos e as autoridades locais é comum, e uma proporção substancial dos indivíduos com transtorno de acumulação grave esteve envolvida em procedimentos legais de despejo, sendo que alguns têm história de despejo.

Diagnóstico Diferencial

Outras condições médicas. O transtorno de acumulação não é diagnosticado se os sintomas são avaliados como consequência direta de outra condição médica (Critério E), como lesão cerebral traumática, ressecção cirúrgica para o tratamento de um tumor ou controle de convulsões, doença cerebrovascular, infecções do sistema nervoso central (p. ex., encefalite por herpes simples) ou condições neurogenéticas como a síndrome de Prader-Willi. Danos aos córtices anteriores ventromedial pré-frontal e cingulado foram particularmente associados com a acumulação excessiva de objetos. Nesses indivíduos, o comportamento de acumulação não está presente antes do início da lesão cerebral e surge logo após a ocorrência desta. Algumas dessas pessoas parecem ter pouco interesse nos itens acumulados e são capazes de descartá-los com facilidade ou não se importam se outros os descartam, enquanto outras parecem ser muito relutantes em descartar qualquer coisa.

Transtornos do neurodesenvolvimento. O transtorno de acumulação não é diagnosticado se a acumulação de objetos é considerada consequência direta de um transtorno do neurodesenvolvimento, como um transtorno do espectro autista ou transtorno do desenvolvimento intelectual (deficiência intelectual).

Transtornos do espectro da esquizofrenia e outros transtornos psicóticos. O transtorno de acumulação não é diagnosticado se a acumulação de objetos é considerada consequência direta de delírios ou sintomas negativos no espectro da esquizofrenia ou outros transtornos psicóticos.

Episódio depressivo maior. O transtorno de acumulação não é diagnosticado se a acumulação de objetos é considerada consequência direta de retardo psicomotor, fadiga ou perda da energia durante um episódio depressivo maior.

Transtorno obsessivo-compulsivo. O transtorno de acumulação não é diagnosticado se os sintomas são considerados consequência direta de obsessões ou compulsões típicas, como medos de contaminação, de ferimentos ou sentimentos de incompletude no TOC. Os sentimentos de incompletude (p. ex., perder a identidade ou ter de documentar e preservar todas as experiências de vida) são os sintomas mais frequentes de TOC associados a essa forma de acumulação. A acumulação de objetos também pode ser resultado de rituais onerosos de esquiva persistente (p. ex., não descartar objetos para evitar rituais intermináveis de lavagem e verificação).

No TOC, o comportamento é, em geral, indesejado e altamente angustiante, e o indivíduo não experimenta prazer ou recompensa com ele. A aquisição excessiva geralmente não está presente; se está, os itens são adquiridos devido a uma obsessão específica (p. ex., a necessidade de comprar itens que foram tocados acidentalmente para evitar a contaminação de outras pessoas), e não devido a um desejo genuíno de possuir os itens. Os indivíduos que acumulam no contexto do TOC também têm mais probabilidade de acumular itens bizarros, como lixo, fezes, urina, unhas, cabelo, fraldas usadas ou comida estragada. A acumulação desses itens é muito incomum no transtorno de acumulação.

Quando a acumulação grave aparece concomitantemente a outros sintomas típicos de TOC, mas é considerada independente desses sintomas, ambos devem ser diagnosticados, transtorno de acumulação e TOC.

Transtornos neurocognitivos. O transtorno de acumulação não é diagnosticado se a acumulação de objetos é considerada consequência direta de um transtorno degenerativo, como um transtorno neurocognitivo associado com degeneração frontotemporal ou doença de Alzheimer. Geralmente, o início do comportamento de acumulação é gradual e acompanha o início do transtorno neurocognitivo. O comportamento de acumulação pode ser acompanhado de negligência para consigo mesmo e degradação doméstica grave, em conjunto com outros sintomas neuropsiquiátricos, como desinibição, jogo patológico, rituais/estereotipias, tiques e comportamentos de autoflagelação.

Comorbidade

Aproximadamente 75% dos indivíduos com transtorno de acumulação têm um transtorno do humor ou de ansiedade comórbido. As condições comórbidas mais comuns são transtorno depressivo maior (de 30 a 50% dos casos), transtorno de ansiedade social e transtorno de ansiedade generalizada. Cerca de 20% dos indivíduos com transtorno de acumulação também têm sintomas que satisfazem os critérios para TOC. Essas comorbidades podem, com frequência, ser a razão principal para consulta, porque os indivíduos provavelmente não relatarão de forma espontânea os sintomas de acumulação, e estes frequentemente não são investigados nas entrevistas clínicas de rotina.

Tricotilomania (Transtorno de Arrancar o Cabelo)

Critérios Diagnósticos   F63.3

A. Arrancar o próprio cabelo de forma recorrente, resultando em perda de cabelo.
B. Tentativas repetidas de reduzir ou parar o comportamento de arrancar o cabelo.
C. O ato de arrancar cabelo causa sofrimento clinicamente significativo ou prejuízo no funcionamento social, profissional ou em outras áreas importantes da vida do indivíduo.
D. O ato de arrancar cabelo ou a perda de cabelo não se deve a outra condição médica (p. ex., uma condição dermatológica).
E. O ato de arrancar cabelo não é mais bem explicado pelos sintomas de outro transtorno mental (p. ex., tentativas de melhorar um defeito ou falha percebidos na aparência, no transtorno dismórfico corporal).

Características Diagnósticas

A característica essencial da tricotilomania (transtorno de arrancar o cabelo) é arrancar o próprio cabelo de forma recorrente (Critério A). Esse comportamento pode ocorrer em qualquer região do corpo em que crescem pelos; os locais mais comuns são o couro cabeludo, as sobrancelhas e os cílios, enquanto os menos comuns são as regiões axilar, facial, púbica e perirretal. Os locais de onde o cabelo é arrancado podem variar com o tempo. O ato de arrancar o cabelo pode ocorrer em breves episódios distribuídos durante o dia ou durante períodos menos frequentes, porém mais intensos, que podem continuar por horas, e esse ato pode durar por meses ou anos. O Critério A requer que arrancar os cabelos ou pelos leve a sua perda, apesar de indivíduos com esse transtorno poderem puxar o cabelo em padrões variados (i. e., eles podem puxar fio por fio de uma localidade específica) de maneira que a perda de cabelo ou pelos possa não ser clara. Além disso, indivíduos podem tentar esconder ou camuflar a perda de cabelos ou pelos (p. ex., usando maquiagem, lenços ou perucas). Os indivíduos com tricotilomania já fizeram repetidas tentativas de diminuir ou parar o ato de arrancar o cabelo (Critério B). O Critério C indica que arrancar o cabelo causa sofrimento clinicamente significativo ou prejuízo no funcionamento social, profissional ou em outras áreas importantes da vida do indivíduo. O termo *sofrimento* inclui afetos negativos que podem ser experimentados pelos indivíduos que arrancam o cabelo, tais como sensação de perda de controle, constrangimento e vergonha. Pode ocorrer prejuízo significativo em várias áreas diferentes de funcionamento (p. ex., social, profissional, acadêmica e lazer), em parte devido à evitação do trabalho, da escola ou de outras situações públicas.

Características Associadas

O ato de arrancar o cabelo pode vir acompanhado de uma gama de comportamentos ou rituais que envolvem os fios. Assim, os indivíduos podem procurar um tipo particular de pelo para arrancar (p. ex., pelos com uma textura ou cor específica), podem tentar arrancar o pelo de uma forma específica (p. ex., de modo que a raiz saia intacta) ou podem examinar pela visão ou pelo tato ou manipular oralmente o cabelo depois que ele foi arrancado (p. ex., enrolar o cabelo entre os dedos, puxar o fio entre os dentes, morder o cabelo, deixando-o em pedaços, ou engoli-lo).

O ato de arrancar o cabelo também pode ser precedido ou acompanhado de vários estados emocionais; pode ser desencadeado por sentimentos de ansiedade ou tédio, pode ser precedido de um crescente sentimento de tensão (seja imediatamente antes de arrancar o cabelo, seja quando tenta resistir ao impulso de arrancá-lo) ou pode levar a gratificação, prazer ou um sentimento de alívio quando é arrancado. O comportamento de arrancar o cabelo pode envolver graus variados de percepção consciente, com alguns indivíduos exibindo atenção mais focada no ato de arrancá-lo (com tensão precedendo e posterior alívio) e outros apresentando um comportamento mais automático (no qual arrancar o cabelo parece ocorrer sem consciência completa). Muitos indivíduos relatam um misto dos dois estilos. Alguns experimentam uma sensação "como uma coceira" ou formigamento no couro cabeludo que é aliviada pelo ato de arrancar o cabelo. Geralmente, o arrancar cabelo não é acompanhado de dor.

Os padrões de perda de cabelo são altamente variáveis. Áreas de completa alopecia, assim como áreas de escassa densidade de cabelo, são comuns. Quando o couro cabeludo está envolvido, pode haver predileção por arrancar o cabelo na coroa ou nas regiões parietais. Pode haver um padrão de calvície quase completa, exceto por um perímetro estreito em torno das margens externas do couro cabeludo, particularmente na nuca ("tricotilomania com tonsura"). Sobrancelhas e cílios podem estar completamente ausentes.

O ato de arrancar os cabelos, em geral, não ocorre na presença de outros indivíduos, exceto membros da família imediata. Alguns têm o impulso de arrancar o cabelo de outros e podem, às vezes, tentar encontrar oportunidades de fazê-lo veladamente. Outros podem arrancar o pelo de animais de estimação, cabelos de bonecas e outros materiais fibrosos (p. ex., de casacos ou tapetes). Alguns indivíduos podem negar para os outros que arrancam o cabelo. A maioria das pessoas com tricotilomania também tem um ou mais comportamentos repetitivos focados no corpo, incluindo beliscar a pele, roer as unhas e morder os lábios.

Prevalência

Na população geral, dados de amostras não representativas dos Estados Unidos sugeriram que a estimativa de prevalência de 12 meses para tricotilomania em adultos e adolescentes pode ser de 1 e 2%.

Mulheres são afetadas mais frequentemente do que homens em amostras clínicas ou de sujeitos autoidentificados, em uma proporção estimada de 10:1 ou mais, mas a proporção de gênero pode ser mais próxima de 2:1 em amostras comunitárias. Entre as crianças com tricotilomania, meninos e meninas estão igualmente representados. Uma pesquisa *on-line* com mais de 10.000 adultos com idades entre 18 e 69 anos, representativos da população estadunidense em geral, concluiu que 1,7% deles se identificou como tendo tricotilomania atualmente e que as taxas não variaram significativamente entre os gêneros (1,8% para homens e 1,7% para mulheres).

Desenvolvimento e Curso

O ato de arrancar o cabelo pode ser visto em bebês, e esse comportamento se resolve durante o início do desenvolvimento. O início do comportamento de arrancar o cabelo na tricotilomania coincide mais comumente com a puberdade ou após seu início. Os locais de onde o cabelo é arrancado podem variar com o tempo. O curso habitual da tricotilomania é crônico, com algumas remissões e recidivas se o transtorno não é tratado. Os sintomas podem piorar em mulheres logo antes da menstruação, mas não pioram consistentemente durante a gravidez. Para algumas pessoas, o transtorno pode ir e vir por semanas, meses ou anos. Uma minoria remite sem recaída subsequente em poucos anos do início.

Fatores de Risco e Prognóstico

Genéticos e fisiológicos. Existem evidências de vulnerabilidade genética para a tricotilomania. O transtorno é mais comum em indivíduos com TOC e em seus parentes de primeiro grau do que na população geral.

Questões Diagnósticas Relativas à Cultura

A tricotilomania parece manifestar-se igualmente entre as culturas e etnicidades, embora haja escassez de dados de regiões não ocidentais.

Marcadores Diagnósticos

A maioria dos indivíduos com tricotilomania admite que arranca o cabelo; assim, o diagnóstico dermatopatológico é raramente necessário. A biópsia da pele e a dermatoscopia (ou tricoscopia) da tricotilomania são capazes de diferenciar o transtorno de outras causas de alopecia. Na tricotilomania, a dermatoscopia mostra uma variedade de características específicas, incluindo a densidade reduzida dos cabelos, o cabelo viloso curto e fios partidos com diferentes comprimentos de haste.

Consequências Funcionais da Tricotilomania (Transtorno de Arrancar o Cabelo)

A tricotilomania está associada a sofrimento, além de prejuízo social e profissional. Pode haver dano irreversível ao crescimento e à qualidade do pelo. As consequências médicas infrequentes da tricotilomania incluem púrpura nos dedos, lesão musculoesquelética (p. ex., síndrome do túnel do carpo; dor nas costas, nos ombros e no pescoço), blefarite e danos dentários (p. ex., dentes desgastados ou quebrados por morder o cabelo). Engolir cabelos ou pelos (tricofagia) pode levar a tricobezoares, com anemia subsequente, dor abdominal, hematêmese, náusea e vômito, obstrução do intestino e até perfuração intestinal.

Diagnóstico Diferencial

Remoção/manuseio normal dos cabelos. A tricotilomania não deve ser diagnosticada quando a remoção do pelo é realizada unicamente por razões estéticas (i. e., para melhorar a própria aparência física). Muitos indivíduos enrolam e brincam com seu cabelo, mas esse comportamento em geral não se qualifica para um diagnóstico de tricotilomania. Algumas pessoas podem morder em vez de arrancar o cabelo; mais uma vez, isso não se qualifica para um diagnóstico de tricotilomania.

Outros transtornos obsessivo-compulsivos e transtornos relacionados. Os indivíduos com TOC e preocupações com simetria podem arrancar o cabelo como parte de seus rituais de simetria, e os com transtorno dismórfico corporal podem remover pelos do corpo que percebem como feios, assimétricos ou anormais; nesses casos, um diagnóstico de tricotilomania não é dado.

Transtorno do movimento estereotipado. O transtorno do movimento estereotipado pode, às vezes, envolver comportamentos de arrancar os pelos. Por exemplo, uma criança com transtorno do desenvolvimento intelectual (deficiência intelectual) ou transtorno do espectro autista pode ter os comportamentos estereotípicos de balançar a cabeça, morder as mãos ou braço e puxar os cabelos ou pelos quando fica frustrada ou com raiva ou, às vezes, quando fica entusiasmada. Esse comportamento, se prejudicial, deve ser diagnosticado como transtorno do movimento estereotipado (comórbido com transtorno do desenvolvimento intelectual ou transtorno do espectro autista) em vez de tricotilomania.

Transtorno psicótico. Os indivíduos com um transtorno psicótico podem remover o cabelo em resposta a um delírio ou alucinação. A tricotilomania não é diagnosticada em tais casos.

Outra condição médica. A tricotilomania não é diagnosticada se o comportamento de arrancar o cabelo ou a perda de cabelo devem-se a outra condição médica (p. ex., inflamação da pele ou outras condições dermatológicas). Outras causas de alopecia não cicatricial (p. ex., alopecia areata, alopecia androgênica ou eflúvio telógeno) ou cicatricial (p. ex., lúpus eritematoso discoide crônico, líquen plano, alopecia cicatricial centrífuga central, pseudopelada, foliculite decalvante, foliculite dissecante ou foliculite queloidiana) devem ser consideradas em indivíduos com perda de cabelos que negam arrancá-los. A biópsia da pele ou a dermatoscopia podem ser usadas para diferenciar os indivíduos com tricotilomania daqueles com distúrbios dermatológicos.

Transtornos por uso de substâncias. Os sintomas de arrancar o cabelo podem ser exacerbados por certas substâncias – por exemplo, estimulantes –, porém é menos provável que as substâncias sejam a causa primária de arrancar o cabelo persistentemente.

Comorbidade

A tricotilomania é, com frequência, acompanhada por outros transtornos mentais, mais comumente transtorno depressivo maior e transtorno de escoriação (*skin-picking*). Outros sintomas repetitivos focados no corpo, além de arrancar o cabelo e beliscar a pele (p. ex., roer as unhas), ocorrem na maioria dos indivíduos com tricotilomania e podem merecer um diagnóstico adicional de outro transtorno obsessivo-compulsivo e transtorno relacionado especificado (i. e., transtorno de comportamento repetitivo focado no corpo).

Transtorno de Escoriação (*Skin-picking*)

Critérios Diagnósticos   F42.4

A. Beliscar a pele de forma recorrente, resultando em lesões.
B. Tentativas repetidas de reduzir ou parar o comportamento de beliscar a pele.
C. O ato de beliscar a pele causa sofrimento clinicamente significativo ou prejuízo no funcionamento social, profissional ou em outras áreas importantes da vida do indivíduo.
D. O ato de beliscar a pele não se deve aos efeitos fisiológicos de uma substância (p. ex., cocaína) ou a outra condição médica (p. ex., escabiose).
E. O ato de beliscar a pele não é mais bem explicado pelos sintomas de outro transtorno mental (p. ex., delírios ou alucinações táteis em um transtorno psicótico, tentativas de melhorar um defeito ou falha percebida na aparência no transtorno dismórfico corporal, estereotipias no transtorno de movimento estereotipado ou intenção de causar danos a si mesmo na autolesão não suicida).

Características Diagnósticas

A característica essencial do transtorno de escoriação (*skin-picking*) é o beliscar recorrente da própria pele (Critério A). Os locais mais comumente beliscados são rosto, braços e mãos, porém muitos indivíduos beliscam múltiplas partes do corpo. Podem beliscar pele saudável, irregularidades menores na pele, lesões como espinhas ou calosidades ou cascas de lesões anteriores. A maioria das pessoas belisca com as unhas, embora muitas usem pinças, alfinetes ou outros objetos. Além de beliscar a pele, pode haver comportamentos de esfregar, espremer e morder. Os indivíduos com transtorno de escoriação frequentemente passam quantidades significativas de tempo em seu comportamento de beliscar, às vezes várias horas por dia, e esse comportamento pode durar meses ou anos. O Critério A exige que a escoriação leve a lesões na pele, apesar de indivíduos com esse transtorno frequentemente tentaram esconder ou camuflar tais lesões (p. ex., com maquiagem ou roupas). Essas pessoas já fizeram repetidas tentativas de reduzir ou parar de beliscar a pele (Critério B).

O Critério C indica que beliscar a pele causa sofrimento clinicamente significativo ou prejuízo no funcionamento social, profissional ou em outras áreas importantes da vida do indivíduo. O termo *sofrimento* inclui afetos negativos que podem ser experimentados por aqueles que beliscam a pele, tais como sensação de perda de controle, constrangimento e vergonha. Pode ocorrer prejuízo significativo em várias áreas diferentes de funcionamento (p. ex., social, profissional acadêmica e lazer), em parte devido à evitação de situações sociais.

Características Associadas

O comportamento de beliscar a pele pode ser acompanhado de uma gama de comportamentos ou rituais envolvendo a pele ou cascas de ferida. Assim, os indivíduos podem procurar por um tipo particular de casca de ferida para arrancar e podem examinar, brincar ou colocar na boca ou engolir a pele depois de arrancada. O ato de beliscar a pele também pode ser precedido ou acompanhado por vários estados emocionais. O comportamento pode ser desencadeado por sentimentos de ansiedade ou tédio, pode ser precedido por uma tensão crescente (seja imediatamente antes de beliscar a pele, seja quando tenta resistir ao impulso de beliscar) e pode levar a gratificação, prazer ou um sentimento de alívio quando a pele ou casca foram arrancadas. Algumas pessoas relatam que beliscam em resposta a uma irregularidade menor na pele ou para aliviar uma sensação corporal desconfortável. Não costuma ser relatada dor acompanhando o beliscar da pele. Alguns indivíduos se engajam em beliscar a pele de forma mais focada (i. e., precedido por tensão e com posterior alívio), enquanto outros se engajam de forma mais automática (i. e., quando ocorre o beliscar da pele sem tensão precedente e sem a consciência completa), e muitos têm um misto de ambos os estilos comportamentais. O ato de beliscar a pele geralmente não ocorre na presença de outros indivíduos, exceto membros da família imediata. Alguns relatam beliscar a pele de outras pessoas.

Prevalência

Uma pesquisa *on-line* feita com mais de 10.000 adultos, com idade entre 18 e 69 anos, pareados por idade e gênero à população dos Estados Unidos, concluiu que 2,1% das pessoas se identificaram como tendo transtorno de escoriação atual e 3,1% reportaram um transtorno de escoriação ao longo da vida. Mais de três quartos dos indivíduos com o transtorno, segundo amostras comunitárias, são mulheres.

Desenvolvimento e Curso

Embora indivíduos de várias idades possam apresentar transtorno de escoriação, beliscar a pele tem seu início mais frequentemente durante a adolescência, em geral coincidindo ou logo após o início da puberdade. O transtorno com frequência começa com uma condição dermatológica, como acne. Os locais onde o indivíduo belisca a pele podem variar com o tempo. O curso em geral é crônico, com algumas remissões e recidivas se não tratado. Para algumas pessoas, o transtorno pode ir e vir por semanas, meses ou anos.

Fatores de Risco e Prognóstico

Genéticos e fisiológicos. Existem evidências de vulnerabilidade genética para transtorno de escoriação. O transtorno de escoriação é mais comum em indivíduos com TOC e em seus familiares de primeiro grau do que na população geral.

Questões Diagnósticas Relativas à Cultura

Existem poucos dados sobre a prevalência e características clínicas do transtorno de escoriação entre culturas. Porém, as características clínicas parecem semelhantes em estudos com indivíduos dos Estados Unidos e de outros países.

Marcadores Diagnósticos

A maioria dos indivíduos com transtorno de escoriação admite beliscar a pele; portanto, o diagnóstico dermatopatológico raramente é necessário. No entanto, o transtorno pode ter características próprias na histopatologia.

Consequências Funcionais do Transtorno de Escoriação (*Skin-picking*)

O transtorno de escoriação está associado a prejuízos sociais e profissionais. A maioria dos indivíduos com essa condição gasta no mínimo uma hora por dia beliscando a pele, pensando em beliscá-la e resistindo ao impulso de fazê-lo. Muitos relatam evitação de eventos sociais ou de entretenimento, bem como sair em público. A maioria das pessoas com o transtorno também relata experimentar interferência do beliscar a pele no trabalho com uma frequência no mínimo diária ou semanal. Uma proporção significativa de estudantes com transtorno de escoriação relata ter faltado à escola, ter experimentado dificuldades no manejo das responsabilidades na escola ou ter tido dificuldades de estudar devido ao comportamento de beliscar a pele. As complicações médicas de beliscar a pele incluem danos ao tecido, cicatrizes e infecção e podem ser ameaçadoras à vida. Raramente foi relatada sinovite do punho devido ao comportamento crônico de beliscar. Beliscar a pele comumente resulta em dano significativo aos tecidos e em cicatrizes. Com frequência, exige tratamento antibiótico para infecção e eventualmente pode requerer cirurgia.

Diagnóstico Diferencial

Transtorno psicótico. O comportamento de beliscar a pele pode ocorrer em resposta a um delírio (i. e., parasitose) ou alucinação tátil (i. e., formigamento) em um transtorno psicótico. Em tais casos, o transtorno de escoriação não deve ser diagnosticado.

Outros transtornos obsessivo-compulsivos e transtornos relacionados. Compulsões por lavagem excessiva em resposta a obsessões com contaminação em indivíduos com TOC podem levar a lesões cutâneas, e beliscar a pele pode ocorrer em indivíduos com transtorno dismórfico corporal, que beliscam sua pele unicamente devido a preocupações com a aparência; nesses casos, o transtorno de escoriação não deve ser diagnosticado. A descrição do transtorno de comportamento repetitivo focado no corpo em outro transtorno obsessivo-compulsivo e transtorno relacionado especificado exclui indivíduos cujos sintomas satisfazem os critérios para o transtorno de escoriação.

Transtornos do neurodesenvolvimento. Embora o transtorno do movimento estereotipado possa ser caracterizado pelo comportamento repetitivo de automutilação, seu início é em período precoce do desenvolvimento. Por exemplo, indivíduos com a condição neurogenética da síndrome de Prader-Willi podem ter início precoce do comportamento de beliscar a pele, e seus sintomas podem satisfazer os critérios para transtorno do movimento estereotipado. Enquanto tiques em indivíduos com transtorno de Tourette podem levar a autolesão, o comportamento no transtorno de escoriação não tem as mesmas características de tiques.

Dermatite artefacta. Dermatite artefacta (também conhecida como "dermatite factícia") é um termo usado em dermatologia para se referir a lesões de pele medicamente inexplicáveis, presumivelmente autoinduzidas, nas quais o indivíduo nega qualquer papel no desenvolvimento da lesão. Os casos em que há evidência de dissimulação por parte do indivíduo em relação às lesões de pele podem ser diagnosticados como fingimento (se a escoriação da pele for motivada por incentivos externos) ou transtorno factício (se a escoriação da pele ocorrer na ausência de recompensas externas óbvias). Na ausência de fraude, o transtorno de escoriação pode ser diagnosticado se houver tentativas repetidas de reduzir ou parar o comportamento de beliscar a pele.

Outros transtornos. O transtorno de escoriação não é diagnosticado se o beliscar da pele é principalmente atribuído à intenção de ferir-se que é característica da automutilação não suicida.

Outras condições médicas. O transtorno de escoriação não é diagnosticado se o beliscar a pele é principalmente atribuído a outra condição médica. Por exemplo, a escabiose é uma condição dermatológica invariavelmente associada a coceira grave e arranhões. No entanto, o transtorno de escoriação pode ser precipitado ou exacerbado por uma condição dermatológica subjacente. Por exemplo, a acne pode levar a um coçar ou beliscar, o que também pode ser associado ao transtorno de escoriação comórbido (a chamada acne escoriada). A diferenciação entre essas duas situações clínicas (acne com alguns arranhões e escoriações *versus* acne com transtorno de escoriação comórbida) requer uma avaliação da extensão em que a escoriação da pele do indivíduo se tornou independente da condição dermatológica subjacente.

Transtornos induzidos por substância/medicamento. Os sintomas de beliscar a pele também podem ser induzidos por certas substâncias (p. ex., cocaína), em cujo caso o transtorno de escoriação não deve ser diagnosticado. Se esse beliscar da pele é clinicamente significativo, então um diagnóstico de transtorno obsessivo-compulsivo e transtorno relacionado induzido por substância/medicamento deve ser considerado.

Comorbidade

O transtorno de escoriação é com frequência acompanhado de outros transtornos mentais. Estes incluem TOC e tricotilomania (transtorno de arrancar o cabelo), bem como transtorno depressivo maior. A comorbidade com depressão parece ser mais comum em mulheres. Outros sintomas repetitivos focados no corpo, além de beliscar a pele e arrancar o cabelo (p. ex., roer as unhas), ocorrem em muitos indivíduos com transtorno de escoriação e podem merecer um diagnóstico adicional de outro transtorno obsessivo-compulsivo e transtorno relacionado especificado (i. e., transtorno de comportamento repetitivo focado no corpo).

Transtorno Obsessivo-compulsivo e Transtorno Relacionado Induzido por Substância/Medicamento

Critérios Diagnósticos

A. Obsessões, compulsões, beliscar a pele, arrancar o cabelo, outros comportamentos repetitivos focados no corpo ou outros sintomas característicos do transtorno obsessivo-compulsivo e transtornos relacionados predominam no quadro clínico.

B. Existem evidências, a partir da história, do exame físico ou de achados laboratoriais de (1) e (2):
 1. Os sintomas do Critério A desenvolveram-se durante ou logo após intoxicação ou abstinência de substância ou após exposição a um medicamento.
 2. A substância/medicamento envolvido é capaz de produzir os sintomas do Critério A.

C. A perturbação não é mais bem explicada por um transtorno obsessivo-compulsivo e transtorno relacionado não induzido por substância/medicamento. Tais evidências de um transtorno obsessivo-compulsivo e transtorno relacionado podem incluir as seguintes:

Os sintomas precedem o início do uso da substância/medicamento; os sintomas persistem por um período de tempo substancial (p. ex., cerca de um mês) após a cessação da abstinência aguda ou intoxicação grave; ou existem outras evidências sugerindo a existência de um transtorno obsessivo-compulsivo e transtorno relacionado independente não induzido por substância/medicamento (p. ex., história de episódios recorrentes não relacionados a substância/medicamento).

D. A perturbação não ocorre exclusivamente durante o curso de *delirium*.
E. A perturbação causa sofrimento clinicamente significativo ou prejuízo no funcionamento social, profissional ou em outras áreas importantes da vida do indivíduo.

Nota: Este diagnóstico deve ser feito, além de um diagnóstico de intoxicação por substância ou abstinência de substância, quando os sintomas do Critério A predominam no quadro clínico e são suficientemente graves para indicar atenção clínica.

Nota para codificação: Os códigos da CID-10-MC para o transtorno obsessivo-compulsivo induzido por [substância/medicamento específico] estão indicados na tabela a seguir. Observar que o código da CID-10-MC depende de haver ou não transtorno comórbido por uso de substância presente para a mesma classe de substância. De qualquer modo, não é dado um diagnóstico de transtornos por uso de substâncias adicional separado. Se um transtorno por uso de substância leve é comórbido com o transtorno obsessivo-compulsivo e transtorno relacionado induzido por substância, o caractere da 4ª posição é "1", e o clínico deve registrar "transtorno por uso de [substância], leve" antes do transtorno obsessivo-compulsivo e transtorno relacionado induzido por substância (p. ex., "transtorno por uso de cocaína leve com transtorno obsessivo-compulsivo e transtorno relacionado induzido por cocaína"). Se um transtorno por uso de substância for moderado ou grave, o caractere da 4ª posição é "2", e o clínico deve registrar "transtorno por uso de [substância], moderado" ou "transtorno por uso de [substância], grave", dependendo da gravidade do transtorno por uso de substância comórbido. Se não existe transtorno por uso de substância comórbido (p. ex., após uma vez de uso pesado da substância), então o caractere da 4ª posição é "9" e o clínico deve registrar apenas transtorno obsessivo-compulsivo e transtorno relacionado induzido por substância.

	CID-10-MC		
	Com transtorno por uso, leve	Com transtorno por uso, moderado ou grave	Sem transtorno por uso
Substância do tipo anfetamina (ou outro estimulante)	F15.188	F15.288	F15.988
Cocaína	F14.188	F14.288	F14.988
Outra substância (ou substância desconhecida)	F19.188	F19.288	F19.988

Especificar se (ver a Tabela 1 no capítulo "Transtornos Relacionados a Substâncias e Transtornos Aditivos", que indica se "com início durante a intoxicação" e/ou "com início durante a abstinência" se aplica a determinada classe de substância; ou *especificar* "com início após o uso de medicamento"):

Com início durante a intoxicação: Se são satisfeitos os critérios para intoxicação pela substância e os sintomas se desenvolvem durante a intoxicação.

Com início durante a abstinência: Se os critérios para abstinência da substância são preenchidos, e os sintomas se desenvolvem durante ou imediatamente após a abstinência.

> **Com início após o uso de medicamento:** Se os sintomas se desenvolveram com o início de uso de medicamento, com uma mudança no uso de medicamento ou durante a retirada do uso de medicamento.

Procedimentos para Registro

O nome do transtorno obsessivo-compulsivo e transtorno relacionado induzido por substância/medicamento começa com a substância específica (p. ex., cocaína) que presumivelmente está causando os sintomas obsessivo-compulsivos e transtornos relacionados. O código diagnóstico é escolhido na tabela inclusa no conjunto de critérios, que está baseado na classe das substâncias e na presença ou ausência de um transtorno por uso de substância comórbido. No caso de substâncias que não se enquadram em nenhuma classe (p. ex., dexametasona), o código para "outra substância (ou desconhecida)" deve ser usado; e, nos casos em que se acredita que uma substância seja o fator etiológico, embora sua classe seja desconhecida, o mesmo código deve ser utilizado.

Ao registrar o nome do transtorno, o transtorno por uso de substância comórbido (se houver) é listado primeiro, seguido pela palavra "com transtorno obsessivo-compulsivo induzido por substância/medicamento" (incorporando o nome da substância/medicamento etiológica específica), seguido pela especificação do início (i. e., início durante a intoxicação, início durante a abstinência, com início durante o uso de medicamento). Por exemplo, no caso de escoriação repetitiva que ocorre durante a intoxicação em um homem com um transtorno grave por uso de cocaína, o diagnóstico é o F14.288, transtorno de uso de cocaína grave com transtorno obsessivo-compulsivo e transtorno relacionado induzido por cocaína, com início durante a intoxicação. Não é feito um diagnóstico separado de transtorno comórbido e grave por intoxicação por cocaína. Se ocorre o transtorno obsessivo-compulsivo e transtorno relacionado induzido por substância sem um transtorno comórbido por uso de substância (p. ex., após um único uso pesado da substância), não é anotado transtorno adicional por uso de substância (p. ex., transtorno obsessivo-compulsivo e transtorno relacionado induzido por anfetamina com início durante a intoxicação F15.988). Quando mais de uma substância é considerada como tendo um papel significativo no desenvolvimento do transtorno obsessivo-compulsivo e transtorno relacionado, cada uma deve ser listada separadamente.

Características Diagnósticas

As características essenciais do transtorno obsessivo-compulsivo e transtorno relacionado induzido por substância/medicamento são os sintomas proeminentes de um transtorno obsessivo-compulsivo e transtorno relacionado (Critério A) que são considerados devidos aos efeitos de uma substância (p. ex., droga de abuso, medicamento). Os sintomas do transtorno obsessivo-compulsivo e transtorno relacionado devem ter se desenvolvido durante ou logo após a intoxicação ou abstinência de uma substância ou após a exposição a um medicamento ou toxina, e a substância/medicamento deve ser capaz de produzir os sintomas (Critério B). Um transtorno obsessivo-compulsivo induzido por substância/medicamento devido a tratamento prescrito para uma condição mental ou médica deve ter início enquanto o indivíduo está recebendo o medicamento. Depois que o tratamento é descontinuado, os sintomas de transtorno obsessivo-compulsivo e transtorno relacionado irão melhorar ou ter remissão em um espaço de dias até várias semanas ou um mês (dependendo da meia-vida da substância/medicamento e da presença de abstinência). O diagnóstico de transtorno obsessivo compulsivo e transtorno relacionado induzido por substância/medicamento não deve ser dado se o início dos sintomas precede a intoxicação ou a abstinência da substância/medicamento ou se os sintomas persistem por um período de tempo substancial (i. e., em geral por mais de um mês) desde o momento da intoxicação grave ou da abstinência. O diagnóstico de transtorno obsessivo-compulsivo e transtorno relacionado induzido por substância/medicamento deve ser feito em vez de um diagnóstico de intoxicação por substância ou de abstinência de substância apenas quando os sintomas no Critério A são predominantes no quadro clínico e são suficientemente graves para indicar atenção clínica independente.

Características Associadas

Obsessões, compulsões, arrancar cabelos, escoriar a pele ou outros comportamentos repetitivos focados no corpo podem ocorrer em associação com intoxicação nas seguintes classes de substâncias: estimulantes (incluindo cocaína) e outras substâncias (ou substâncias desconhecidas). Metais pesados e toxinas também podem causar sintomas obsessivo-compulsivos e de transtorno relacionado.

Prevalência

Na população geral norte-americana, a escassez de dados disponíveis indica que a incidência do transtorno obsessivo-compulsivo e transtorno relacionado induzido por substância/medicamento é muito rara.

Diagnóstico Diferencial

Intoxicação por substância e abstinência de substância. Os sintomas de transtorno obsessivo-compulsivo e transtorno relacionado podem ocorrer no contexto de intoxicação por substância ou abstinência de substância. O diagnóstico de intoxicação por substância específica ou abstinência de substância específica em geral é suficiente para categorizar a apresentação do sintoma. Um diagnóstico de transtorno obsessivo-compulsivo e transtorno relacionado induzido por substância/medicamento no início ou durante a intoxicação ou durante a abstinência deve ser feito no lugar de um diagnóstico de intoxicação por substância ou abstinência de substância quando os sintomas de transtorno obsessivo-compulsivo e transtorno relacionado são predominantes no quadro clínico e são graves o suficiente para exigir atenção clínica.

Transtorno obsessivo-compulsivo e transtorno relacionado (i. e., não induzido por substância). O transtorno obsessivo-compulsivo e transtorno relacionado induzido por substância/medicamento é diferenciado de um transtorno obsessivo-compulsivo e transtorno relacionado primário com base no início, no curso e em outros fatores que dizem respeito às substâncias/medicamentos. Para drogas de abuso, deve haver evidências a partir da história, do exame físico ou de achados laboratoriais de uso, intoxicação ou abstinência. O transtorno obsessivo-compulsivo e transtorno relacionado induzido por substância/medicamento surge apenas em associação com intoxicação, enquanto um transtorno obsessivo-compulsivo e transtorno relacionado primário pode preceder o início do uso de substâncias/medicamentos. A presença de características que são atípicas para um transtorno obsessivo-compulsivo e transtorno relacionado primário, como início em idade atípica, pode sugerir uma etiologia induzida por substância. O diagnóstico de transtorno obsessivo-compulsivo e transtorno relacionado primário é devido se os sintomas persistirem por um período de tempo substancial (cerca de um mês ou mais) depois do fim da intoxicação por substância ou se o indivíduo tiver história de transtorno obsessivo-compulsivo e transtorno relacionado.

Transtorno obsessivo-compulsivo e transtorno relacionado devido a outra condição médica. Se os sintomas de transtorno obsessivo-compulsivo e transtorno relacionado são atribuídos às consequências fisiológicas de outra condição médica (i. e., em vez de atribuídos a medicamento tomado para a condição médica), um transtorno obsessivo-compulsivo e transtorno relacionado devido a outra condição médica deve ser diagnosticado. A história com frequência fornece a base para a avaliação. Ocasionalmente, uma alteração no tratamento para outra condição médica (p. ex., substituição ou descontinuação do medicamento) pode ser necessária para determinar se o medicamento é o agente causador (caso em que os sintomas podem ser mais bem explicados pelo transtorno obsessivo-compulsivo e transtorno relacionado induzido por substância/medicamento). Se a perturbação se deve a outra condição médica e uso de substância, ambos os diagnósticos (i. e., transtorno obsessivo-compulsivo e transtorno relacionado devido a outra condição médica e transtorno obsessivo-compulsivo e transtorno relacionado induzido por substância/medicamento) podem ser dados. Quando existem evidências insuficientes para determinar se os sintomas são atribuíveis a uma substância/medicamento ou a outra condição médica ou se são primários (i. e., não atribuíveis a uma substância ou a outra condição médica), um diagnóstico de outro transtorno obsessivo-compulsivo e transtorno relacionado especificado ou não especificado é indicado.

Delirium. Se os sintomas do transtorno obsessivo-compulsivo e transtorno relacionado ocorrem exclusivamente durante o curso de *delirium*, eles são considerados uma característica associada ao *delirium* e não são diagnosticados separadamente.

Transtorno Obsessivo-compulsivo e Transtorno Relacionado Devido a Outra Condição Médica

Critérios Diagnósticos   F06.8

A. Obsessões, compulsões, preocupações com a aparência, acumulação, beliscar a pele, arrancar o cabelo, outros comportamentos repetitivos focados no corpo ou outros sintomas característicos do transtorno obsessivo-compulsivo e transtorno relacionado predominam no quadro clínico.

B. Existem evidências, a partir da história, do exame físico ou de achados laboratoriais, de que a perturbação é consequência fisiopatológica direta de outra condição médica.

C. A perturbação não é mais bem explicada por outro transtorno mental.

D. A perturbação não ocorre exclusivamente durante o curso de *delirium*.

E. A perturbação causa sofrimento clinicamente significativo ou prejuízo no funcionamento social, profissional ou em outras áreas importantes da vida do indivíduo.

Especificar se:

Com sintomas semelhantes ao transtorno obsessivo-compulsivo: Se sintomas semelhantes ao transtorno obsessivo-compulsivo predominam na apresentação clínica.

Com preocupações com a aparência: Se a preocupação com defeitos ou falhas percebidas na aparência predomina na apresentação clínica.

Com sintomas de acumulação: Se a acumulação predomina na apresentação clínica.

Com sintomas de arrancar o cabelo: Se arrancar o cabelo predomina na apresentação clínica.

Com sintomas de beliscar a pele: Se beliscar a pele predomina na apresentação clínica.

Nota para codificação: Incluir o nome da outra condição médica no nome do transtorno mental (p. ex., F06.8 transtorno obsessivo-compulsivo e transtorno relacionado devido a infarto cerebral). A outra condição médica deve ser codificada e listada em separado imediatamente antes do transtorno obsessivo-compulsivo e transtorno relacionado devido a outra condição médica (p. ex., I69.398 infarto cerebral; F06.8 transtorno obsessivo-compulsivo e transtorno relacionado devido a infarto cerebral).

Características Diagnósticas

A característica essencial do transtorno obsessivo-compulsivo e transtorno relacionado devido a outra condição médica refere-se a sintomas obsessivo-compulsivos e sintomas relacionados clinicamente significativos que são considerados mais bem explicados como consequência fisiopatológica direta de outra condição médica. Os sintomas podem incluir obsessões proeminentes, compulsões, preocupações com a aparência, acumulação, arrancar os cabelos, beliscar a pele ou outros comportamentos repetitivos focados no corpo (Critério A). O julgamento de que os sintomas são mais bem explicados pela condição médica associada deve estar baseado em evidências a partir da história, do exame físico ou de achados laboratoriais (Critério B). Além disso, deve ser avaliado se os sintomas não são mais bem explicados por outro transtorno mental (Critério C). O diagnóstico não é feito se os sintomas de transtorno obsessivo-compulsivo e sintomas relacionados ocorrem apenas durante o curso de *delirium* (Critério D). Os sintomas obsessivo-compulsivos e sintomas relacionados devem causar sofrimento clinicamente significativo ou prejuízo no funcionamento social, profissional ou em outras áreas importantes da vida do indivíduo (Critério E).

Na determinação de se os sintomas obsessivo-compulsivos e de transtorno relacionado são atribuíveis a outra condição médica, uma condição médica deve estar presente no momento do início dos sintomas. Além disso, deve ser estabelecido se os sintomas obsessivo-compulsivos e sintomas relacionados podem ser etiologicamente relacionados à condição médica por meio de um mecanismo fisiopatológico e que isso explica melhor os sintomas do indivíduo. Embora não haja diretrizes infalíveis para determinar se a relação entre os sintomas obsessivo-compulsivos e sintomas relacionados e a condição médica é etiológica, as considerações que podem fornecer alguma orientação para fazer o diagnóstico incluem a presença de uma clara associação temporal entre o início, a exacerbação ou a remissão da condição médica e os sintomas obsessivo-compulsivos e sintomas relacionados; a presença de características atípicas de um transtorno obsessivo-compulsivo e transtorno relacionado (p. ex., idade atípica de início ou curso); e evidências na literatura de que um mecanismo fisiológico conhecido (p. ex., lesão estriatal) causa os sintomas obsessivo-compulsivos e sintomas relacionados. Além disso, a perturbação não pode ser mais bem explicada por um transtorno obsessivo-compulsivo e transtorno relacionado, um transtorno obsessivo-compulsivo e transtorno relacionado induzido por substância/medicamento ou por outro transtorno mental.

Existe controvérsia sobre se o transtorno obsessivo-compulsivo e transtorno relacionado pode ser atribuído a uma infecção estreptocócica do Grupo A. A coreia de Sydenham é a manifestação neurológica da febre reumática, a qual, por sua vez, se deve a infecção estreptocócica do Grupo A. A coreia de Sydenham é caracterizada por uma combinação de sintomas motores e não motores. As características não motoras incluem obsessões, compulsões, déficit de atenção e labilidade emocional. Embora os indivíduos com coreia de Sydenham possam apresentar características não neuropsiquiátricas de febre reumática aguda, tais como cardite e artrite, podem mostrar sintomas semelhantes ao transtorno obsessivo-compulsivo; essas pessoas devem ser diagnosticadas com transtorno obsessivo-compulsivo e transtorno relacionado devido a outra condição médica.

Transtornos neuropsiquiátricos pediátricos autoimunes associados a infecções estreptocócicas (PANDAS) foram identificados como outro transtorno autoimune pós-infeccioso caracterizado pelo início súbito de obsessões, compulsões e/ou tiques acompanhados por uma variedade de sintomas neuropsiquiátricos agudos na ausência de coreia, cardite ou artrite, após infecção estreptocócica do Grupo A. Porém, dado que tais sintomas de início agudo podem ser devidos a uma variedade de outras infecções ou traumas, o termo *síndrome neuropsiquiátrica pediátrica de início agudo* (PANS) tem sido usado. A PANS é caracterizada pelo início abrupto e drástico de sintomas obsessivo-compulsivos ou restrição grave de ingestão de comida, junto com uma variedade de sintomas neuropsiquiátricos. Diretrizes para avaliação dessa síndrome estão disponíveis.

Características Associadas

Inúmeras doenças médicas incluem os sintomas obsessivo-compulsivos e sintomas relacionados como manifestação. Exemplos incluem distúrbios que levam a lesão estriatal, como infarto cerebral ou doença de Huntington.

Desenvolvimento e Curso

O desenvolvimento e o curso do transtorno obsessivo-compulsivo e transtorno relacionado devido a outra condição médica geralmente seguem o curso da doença subjacente.

Marcadores Diagnósticos

Avaliações laboratoriais e/ou exames médicos são necessários para confirmar o diagnóstico de outra condição médica.

Diagnóstico Diferencial

Delirium. Um diagnóstico separado de transtorno obsessivo-compulsivo e transtorno relacionado devido a outra condição médica não é feito quando a perturbação ocorre exclusivamente durante o curso de *delirium*. No entanto, tal diagnóstico pode ser dado, além de um diagnóstico de transtorno neurocognitivo maior (demência), se a etiologia dos sintomas obsessivo-compulsivos é considerada uma consequência fisiológica do processo patológico que causa a demência e se os sintomas obsessivo-compulsivos são uma parte proeminente da apresentação clínica.

Apresentação mista de sintomas (p. ex., sintomas de humor e obsessivo-compulsivos e relacionados) avaliados como sendo devidos a outra condição médica. Se a apresentação inclui uma mistura de diferentes tipos de sintomas, o transtorno mental específico devido a outra condição médica depende de quais sintomas predominam no quadro clínico.

Transtorno obsessivo-compulsivo e transtorno relacionado induzido por substância/medicamento. Se existem evidências de uso de substância recente ou uso prolongado (incluindo medicações com efeitos psicoativos), abstinência de uma substância ou exposição a toxina, um transtorno obsessivo-compulsivo e transtorno relacionado induzido por substância/medicamento deve ser considerado. Quando um transtorno obsessivo-compulsivo e transtorno relacionado induzido por substância/medicamento está sendo diagnosticado em relação a drogas de abuso, pode ser útil a obtenção de um exame de urina ou sangue para identificar presença de drogas ou outra avaliação laboratorial apropriada. Os sintomas que ocorrem durante ou logo após (i. e., dentro de quatro semanas) a intoxicação ou abstinência de substância ou após o uso de medicamento podem ser especialmente indicativos de um transtorno obsessivo-compulsivo e transtorno relacionado induzido por substância/medicamento, dependendo do tipo, da duração ou da quantidade da substância usada.

Transtorno obsessivo-compulsivo e transtornos relacionados (primários). O transtorno obsessivo-compulsivo e transtorno relacionado devido a outra condição médica deve ser diferenciado de um transtorno obsessivo-compulsivo e transtorno relacionado primário. Nos transtornos mentais primários, nenhum mecanismo fisiológico causal específico e direto associado a uma condição médica pode ser demonstrado. Idade de início tardia ou sintomas atípicos sugerem a necessidade de uma avaliação minuciosa para excluir o diagnóstico de transtorno obsessivo-compulsivo e transtorno relacionado devido a outra condição médica.

Transtorno de ansiedade de doença. O transtorno de ansiedade de doença é caracterizado por preocupação em ter ou contrair uma doença grave. No caso desse transtorno, os indivíduos podem ou não ter condições médicas diagnosticadas.

Característica associada a outro transtorno mental. Os sintomas de transtorno obsessivo-compulsivo e transtorno associado podem ser uma característica associada a outro transtorno mental (p. ex., esquizofrenia, anorexia nervosa).

Outro transtorno obsessivo-compulsivo e transtorno relacionado especificado ou transtorno obsessivo-compulsivo e transtorno relacionado não especificado. Esses diagnósticos são dados se não estiver claro se os sintomas obsessivo-compulsivos e sintomas relacionados são primários, induzidos por substância ou devidos a outra condição médica.

Outro Transtorno Obsessivo-compulsivo e Transtorno Relacionado Especificado

F42.8

Esta categoria aplica-se a apresentações em que sintomas característicos de um transtorno obsessivo-compulsivo e transtorno relacionado que causam sofrimento clinicamente significativo ou prejuízo no funcionamento social, profissional ou em outras áreas importantes da vida do indivíduo predominam, mas não satisfazem todos os critérios para qualquer transtorno na classe diagnóstica de transtorno obsessivo-compulsivo e transtornos relacionados. A categoria outro transtorno obsessivo-compulsivo e transtorno relacionado especificado é usada nas situações em que o clínico opta por comunicar a razão específica pela qual a apresentação não satisfaz os critérios para qualquer transtorno obsessivo-compulsivo e transtorno relacionado específico. Isso é feito por meio do registro de "outro transtorno obsessivo-compulsivo e transtorno relacionado especificado", seguido pela razão específica (p. ex., "ciúme obsessivo").

Exemplos de apresentações que podem ser especificadas usando a designação "outro transtorno obsessivo-compulsivo especificado" incluem:

1. **Transtorno tipo dismórfico corporal com defeitos reais:** Este é semelhante ao transtorno dismórfico corporal, exceto pelo fato de os defeitos ou imperfeições na aparência física serem claramente observáveis pelos outros (i. e., eles são mais observáveis do que "leves"). Nesses casos, a preocupação com tais defeitos é claramente excessiva e causa prejuízo significativo ou sofrimento.
2. **Transtorno tipo dismórfico corporal sem comportamentos repetitivos:** Apresentações que satisfazem os critérios para transtorno dismórfico corporal, exceto pelo fato de o indivíduo não realizar comportamentos repetitivos ou atos mentais em resposta às preocupações com a aparência.
3. **Outro transtorno de comportamento repetitivo focado no corpo:** Apresentações envolvendo comportamentos repetitivos recorrentes focados no corpo, além de puxar o cabelo e escoriar a pele (p. ex., roer unhas, morder os lábios, mastigar a bochecha) que são acompanhados por tentativas repetidas de diminuir ou parar os comportamentos e que causam sofrimento clinicamente significativo ou prejuízo social, ocupacional ou em outras áreas importantes de funcionamento.
4. **Ciúme obsessivo:** Caracterizado pela preocupação não delirante com a infidelidade percebida do parceiro. As preocupações podem levar a comportamentos ou atos mentais repetitivos em resposta às preocupações com a infidelidade; elas causam sofrimento clinicamente significativo ou prejuízo no funcionamento social, profissional ou em outras áreas importantes da vida do indivíduo e não são mais bem explicadas por outro transtorno mental, como transtorno delirante, tipo ciumento, ou transtorno da personalidade paranoide.
5. **Transtorno de referência olfativa (síndrome de referência olfativa):** Este transtorno é caracterizado pela preocupação persistente do indivíduo com a crença de que emite um odor corporal desagradável ou ofensivo que é imperceptível ou apenas levemente perceptível aos outros; em resposta a essa preocupação, esses indivíduos geralmente se envolvem em comportamentos repetitivos e excessivos, como verificar repetidamente o odor corporal, tomar banhos excessivamente ou buscar segurança, bem como tentativas excessivas de camuflar o odor percebido. Os sintomas causam sofrimento clinicamente significativo ou prejuízo social, profissional ou em outras áreas importantes do funcionamento. Na psiquiatria japonesa tradicional, é conhecido como *jikoshu-kyofu*, uma variação do *taijin kyofusho* (ver "Diagnósticos Culturais e Psiquiátricos" na Seção III).
6. ***Shubo-kyofu:*** Uma variante do *taijin kyofusho* (ver o "Diagnósticos Culturais e Psiquiátricos" na Seção III) que é semelhante ao transtorno dismórfico corporal e caracterizada pelo medo excessivo de ter uma deformidade corporal.
7. ***Koro:*** Relacionado à síndrome *dhat* (ver "Diagnósticos Culturais e Psiquiátricos" na Seção III), um episódio de ansiedade abrupta e intensa de que o pênis (ou a vulva e os mamilos, nas mulheres) se retraia para dentro do corpo, possivelmente levando à morte.

Transtorno Obsessivo-compulsivo e Transtorno Relacionado Não Especificado

F42.9

Esta categoria aplica-se a apresentações em que sintomas característicos de um transtorno obsessivo-compulsivo e transtorno relacionado que causam sofrimento clinicamente significativo ou prejuízo no funcionamento social, profissional ou em outras áreas importantes da vida do indivíduo predominam, mas não satisfazem todos os critérios para qualquer transtorno na classe diagnóstica de transtorno obsessivo-compulsivo e transtornos relacionados. A categoria transtorno obsessivo-compulsivo e transtorno relacionado não especificado é usada nas situações em que o clínico opta por *não* especificar a razão pela qual os critérios para um transtorno obsessivo-compulsivo e transtorno relacionado específico não são satisfeitos e inclui apresentações para as quais não há informações suficientes para que seja feito um diagnóstico mais específico (p. ex., em salas de emergência).

Transtornos Relacionados a Trauma e a Estressores

Os transtornos relacionados a trauma e a estressores incluem transtornos nos quais a exposição a um evento traumático ou estressante está listada explicitamente como um critério diagnóstico. Entre eles estão o transtorno de apego reativo, o transtorno de interação social desinibida, o transtorno de estresse pós-traumático (TEPT), o transtorno de estresse agudo, os transtornos de adaptação e o transtorno do luto prolongado. A disposição deste capítulo reflete a relação íntima entre esses diagnósticos e transtornos dos capítulos adjacentes: transtornos de ansiedade, transtorno obsessivo-compulsivo e transtornos relacionados e transtorno dissociativo.

O sofrimento psicológico subsequente à exposição a um evento traumático ou estressante é bastante variável. Em alguns casos, os sintomas podem ser bem entendidos em um contexto de ansiedade ou medo. Entretanto, está claro que muitos indivíduos que foram expostos a um evento traumático ou estressante exibem um fenótipo no qual, em vez de sintomas de ansiedade ou medo, as características clínicas mais proeminentes são sintomas anedônicos e disfóricos, externalizações de raiva e agressividade ou sintomas dissociativos. Em virtude dessas expressões variáveis de sofrimento clínico depois da exposição a eventos catastróficos ou aversivos, esses transtornos foram agrupados em uma categoria distinta: *transtornos relacionados a trauma e a estressores*. Ademais, não é incomum que o quadro clínico inclua uma combinação dos sintomas mencionados (com ou sem sintomas de ansiedade ou medo). Esse quadro heterogêneo há muito já foi reconhecido também nos transtornos de adaptação. A negligência social – ou seja, a ausência de cuidados adequados durante a infância – é uma exigência diagnóstica tanto do transtorno de apego reativo quanto do transtorno de interação social desinibida. Embora esses dois transtornos compartilhem uma mesma etiologia, o primeiro é manifestado como um transtorno internalizante com sintomas depressivos e comportamento retraído, enquanto o último é marcado por desinibição e comportamento externalizante. Por fim, já é reconhecido há muito tempo que mesmo que tristeza, desespero e disforia sejam partes normais do processo de luto depois da morte de um ente querido, a expressão de tais emoções é, às vezes, anormalmente excessiva em duração e/ou intensidade. O diagnóstico de transtorno do luto prolongado foi introduzido a este capítulo para abordar essa preocupação clínica.

Transtorno de Apego Reativo

Critérios Diagnósticos   F94.1

A. Um padrão consistente de comportamento inibido e emocionalmente retraído em relação ao cuidador adulto, manifestado por dois aspectos:
   1. A criança rara ou minimamente busca conforto quando aflita.
   2. A criança rara ou minimamente responde a medidas de conforto quando aflita.
B. Perturbação social e emocional persistente caracterizada por pelo menos dois dos seguintes aspectos:
   1. Responsividade social e emocional mínima a outras pessoas.
   2. Afeto positivo limitado.

3. Episódios de irritabilidade, tristeza ou temor inexplicados, evidentes até mesmo durante interações não ameaçadoras com cuidadores adultos.
C. A criança vivenciou um padrão de extremos de cuidado insuficiente evidenciado por pelo menos um dos seguintes aspectos:
1. Negligência ou privação social na forma de ausência persistente de atendimento às suas necessidades emocionais básicas de conforto, estimulação e afeto por parte de cuidadores adultos.
2. Mudanças repetidas de cuidadores, limitando as oportunidades de formar vínculos estáveis (p. ex., trocas frequentes de lares adotivos temporários).
3. Criação em contextos peculiares que limitam gravemente oportunidades de formar vínculos seletivos (p. ex., instituições com alta proporção de crianças por cuidador).
D. Presume-se que o cuidado do Critério C seja responsável pela perturbação comportamental do Critério A (p. ex., as perturbações do Critério A iniciam após a ausência de cuidado adequado do Critério C).
E. Não são preenchidos os critérios para transtorno do espectro autista.
F. A perturbação é evidente antes dos 5 anos de idade.
G. A criança tem uma idade de desenvolvimento mínima de 9 meses.

Especificar se:
Persistente: O transtorno está presente há mais de 12 meses.

Especificar a gravidade atual:
O transtorno de apego reativo é especificado como **grave** quando a criança exibe todos os sintomas do transtorno, e cada sintoma se manifesta em níveis relativamente elevados.

Características Diagnósticas

O transtorno de apego reativo é caracterizado por um padrão de comportamentos de vínculo extremamente perturbados e inapropriados, nos quais a criança rara ou minimamente recorre de preferência a uma figura de apego para obter conforto, apoio, proteção e carinho. A característica essencial é a ausência ou um vínculo grosseiramente não desenvolvido entre a criança e os supostos cuidadores adultos. Acredita-se que crianças com transtorno de apego reativo tenham a capacidade de formar vínculos seletivos. Entretanto, em virtude das oportunidades limitadas durante o desenvolvimento inicial, elas não conseguem demonstrar as manifestações comportamentais de vínculos seletivos. Isto é, quando aflitas, não demonstram esforços consistentes para obter conforto, apoio, carinho ou proteção dos cuidadores. Ademais, quando aflitas, crianças com esse transtorno não respondem mais do que minimamente aos esforços reconfortantes dos cuidadores. Dessa forma, o transtorno está associado à ausência da procura esperada por conforto e de resposta a comportamentos reconfortantes. Por isso, crianças com transtorno de apego reativo mostram diminuição ou ausência de expressão de emoções positivas durante interações de rotina com os cuidadores. Além disso, sua capacidade de regular emoções é comprometida, e essas crianças manifestam episódios de emoções negativas de medo, tristeza ou irritabilidade que não são facilmente explicadas. Não se deve fazer um diagnóstico de transtorno de apego reativo em crianças incapazes, pelo estágio do desenvolvimento, de formar vínculos seletivos. Por essa razão, é preciso que a criança tenha uma idade de desenvolvimento mínima de 9 meses. A avaliação diagnóstica é reforçada por múltiplas fontes, o que respalda a ideia de que os sintomas são aparentes em diferentes contextos.

Características Associadas

Em virtude da associação etiológica com negligência social, o transtorno de apego reativo ocorre com frequência concomitantemente a atrasos no desenvolvimento, sobretudo atrasos na cognição e na linguagem. Outras características associadas incluem estereotipias e outros sinais de negligência grave (p. ex., desnutrição ou sinais de maus cuidados).

Prevalência

A prevalência do transtorno de apego reativo é desconhecida, mas ele é relativamente raro em contextos clínicos. Observou-se o transtorno em crianças pequenas expostas a negligência grave antes de serem colocadas em lares adotivos temporários ou criadas em instituições. O transtorno é incomum, normalmente ocorrendo em menos de 10% das crianças negligenciadas, mesmo em casos de negligência grave.

Desenvolvimento e Curso

Condições de negligência social estão frequentemente presentes nos primeiros meses de vida em crianças diagnosticadas com transtorno de apego reativo, até mesmo antes de ele ser diagnosticado. As características clínicas do transtorno manifestam-se de maneira semelhante entre 9 meses e 5 anos de idade. Isto é, sinais de comportamentos de apego ausentes a mínimos e comportamentos emocionalmente aberrantes associados são evidentes em crianças nessa faixa etária, embora diferenças nas habilidades cognitivas e motoras possam afetar a expressão desses comportamentos. A remediação e recuperação sintomática pode ocorrer por meio de ambientes normativos de cuidado; porém, na ausência de um cuidado acentuado, os sinais do transtorno podem persistir por muitos anos. Sinais persistentes de transtorno de apego reativo no começo da adolescência podem ser associados a problemas no funcionamento social. Sabe-se menos sobre a apresentação clínica do transtorno de apego reativo em crianças mais velhas, e o diagnóstico deve ser feito com cautela em crianças com mais de 5 anos.

Fatores de Risco e Prognóstico

Ambientais. Negligência social grave é um critério diagnóstico necessário para o transtorno de apego reativo e é também o único fator de risco conhecido para o transtorno. Entretanto, a maioria das crianças gravemente negligenciadas não desenvolve esse transtorno. O prognóstico parece depender da qualidade do ambiente de cuidados depois da negligência grave.

Questões Diagnósticas Relativas à Cultura

Há informações limitadas sobre comportamentos de apego reativo em crianças pequenas de diferentes origens culturais em todo o mundo. As expectativas culturais de comportamentos de apego e práticas de cuidado podem influenciar o desenvolvimento desses padrões de comportamento e suas apresentações em diferentes contextos. É preciso ter cautela ao diagnosticar transtorno de apego reativo em culturas nas quais o apego não foi estudado. Sintomas de transtorno de apego reativo podem ser mais comuns em situações em que as figuras de apego tiveram traumas extensos, como em situações de guerra. Estilos de apego também podem variar entre crianças migrantes e refugiadas durante o período de readaptação. Variações na qualidade de cuidados podem influenciar o risco de transtorno de apego reativo.

Consequências Funcionais do Transtorno de Apego Reativo

O transtorno de apego reativo prejudica de maneira significativa a capacidade das crianças menores de se relacionar com adultos ou amigos e está associado a prejuízo funcional em diversos domínios da primeira infância.

Diagnóstico Diferencial

Transtorno do espectro autista. Comportamentos sociais aberrantes manifestam-se em crianças pequenas com transtorno de apego reativo, mas também são aspectos-chave do transtorno do espectro autista. De maneira mais específica, crianças pequenas com ambas as condições podem manifestar expressão reduzida de emoções positivas, atrasos cognitivos e de linguagem, além de prejuízos na reciprocidade social. Consequentemente, é preciso diferenciar o transtorno de apego reativo do transtorno do espectro autista. Esses dois transtornos podem ser distinguidos com base em histórias diferenciadas de negligência e na presença de interesses restritos ou comportamentos ritualísticos, déficit específico na comunicação social e comportamentos de vínculo seletivos. Crianças com transtorno de apego reativo sofreram negligência social grave, embora nem sempre seja possível obter histórias detalhadas a respeito da natureza precisa de suas experiências, especialmente nas avaliações iniciais. Crianças com transtorno do espectro autista apenas raramente têm história de negligência social. A presença de interesses restritos e de comportamentos repetitivos típicos do transtorno do espectro autista não é uma característica do transtorno de apego reativo. Essas características clínicas manifestam-se como uma adesão excessiva a rituais e rotinas; interesses restritos e fixos; e reações sensoriais incomuns. Entretanto, é importante observar que crianças com ambas as condições podem exibir comportamentos estereotipados como balançar o corpo ou brincar com as mãos. Crianças com ambos os transtornos também podem exibir funcionamento intelectual variado, mas apenas aquelas com transtorno do espectro autista exibem prejuízos seletivos em comportamentos comunicativos sociais, como comunicação intencional (i. e., prejuízo na comunicação que é deliberada, orientada por objetivo e voltada para influenciar o comportamento do interlocutor). Crianças com transtorno de apego reativo mostram funcionamento comunicativo social compatível com seu nível global de funcionamento intelectual. Por fim, crianças com transtorno do espectro autista mostram regularmente comportamentos de apego típicos para o seu nível de desenvolvimento. Já aquelas com transtorno de apego reativo o fazem apenas raramente ou de maneira inconsistente, se o fizerem. Observações estruturadas podem ajudar a diferenciar os dois transtornos.

Transtorno do desenvolvimento intelectual (deficiência intelectual). Atrasos no desenvolvimento com frequência acompanham o transtorno de apego reativo, mas não devem ser confundidos com ele. Crianças com transtorno do desenvolvimento intelectual devem exibir habilidades sociais e emocionais compatíveis com suas habilidades cognitivas e não demonstram a redução profunda no afeto positivo e dificuldades de regulagem de emoções evidentes em crianças com transtorno de apego reativo. Além disso, crianças com atrasos no desenvolvimento que chegaram a uma idade cognitiva de 7 a 9 meses deverão demonstrar vínculos seletivos independentemente de sua idade cronológica. Por sua vez, crianças com transtorno de apego reativo exibem ausência de vínculo preferencial a despeito de terem chegado a uma idade de desenvolvimento mínima de 9 meses.

Transtornos depressivos. A depressão em crianças pequenas também está associada a reduções no afeto positivo. Entretanto, há evidências limitadas para sugerir que crianças com transtornos depressivos tenham prejuízos no apego. Ou seja, crianças pequenas diagnosticadas com transtornos depressivos ainda deverão buscar e responder a esforços dos cuidadores para proporcionar conforto.

Comorbidade

Condições associadas a negligência, incluindo atrasos cognitivos, atrasos de linguagem e estereotipias, frequentemente são concomitantes com o transtorno de apego reativo. Condições médicas, como subnutrição grave, podem acompanhar os sinais do transtorno. A internalização de sintomas também pode ocorrer concomitantemente com o transtorno de apego reativo. Uma relação entre o transtorno de apego reativo e problemas de comportamentos externalizantes ou transtorno de déficit de atenção/hiperatividade (TDAH) foi sugerida, mas não claramente estabelecida.

Transtorno de Interação Social Desinibida

Critérios Diagnósticos — F94.2

A. Um padrão de comportamento no qual uma criança aborda e interage com adultos desconhecidos e exibe pelo menos dois dos seguintes comportamentos:
1. Discrição reduzida ou ausente em abordar e interagir com adultos desconhecidos.
2. Comportamento verbal ou físico excessivamente familiar (não compatível com limites sociais culturalmente aceitos ou apropriados à idade).

3. Diminuição ou ausência de retorno ao cuidador adulto depois de aventurar-se, mesmo em contextos não familiares.
4. Vontade de sair com um adulto estranho com mínima ou nenhuma hesitação.

B. Os comportamentos do Critério A não se limitam a impulsividade (como no transtorno de déficit de atenção/hiperatividade), incluindo comportamento socialmente desinibido.

C. A criança sofreu um padrão de extremos de cuidado insuficiente evidenciado por pelo menos um dos seguintes aspectos:
1. Negligência ou privação social na forma de ausência persistente de atendimento às suas necessidades emocionais básicas de conforto, estimulação e afeto por parte de cuidadores adultos.
2. Mudanças repetidas de cuidadores, limitando as oportunidades de formar vínculos estáveis (p. ex., trocas frequentes de lares adotivos temporários).
3. Criação em contextos peculiares que limitam gravemente as oportunidades de formar vínculos seletivos (p. ex., instituições com alta proporção de crianças por cuidador).

D. Presume-se que o cuidado do Critério C seja responsável pela perturbação comportamental do Critério A (p. ex., as perturbações do Critério A começam depois do cuidado patogênico do Critério C).

E. A criança tem uma idade de desenvolvimento mínima de 9 meses.

Especificar se:
Persistente: O transtorno está presente há mais de 12 meses.

Especificar a gravidade atual:
O transtorno de interação social desinibida é especificado como **grave** quando a criança exibe todos os sintomas do transtorno, e cada sintoma se manifesta em níveis relativamente elevados.

Características Diagnósticas

A característica essencial do transtorno de interação social desinibida é um padrão de comportamento que envolve uma conduta excessivamente familiar e culturalmente inapropriada com pessoas estranhas (Critério A). Esse comportamento excessivamente familiar viola os limites sociais da cultura. Um diagnóstico de transtorno de interação social desinibida não deverá ser feito antes de a criança ser capaz, em termos do desenvolvimento, de formar vínculos seletivos. Por essa razão, é preciso que a criança tenha uma idade de desenvolvimento mínima de 9 meses.

Características Associadas

Em virtude da associação etiológica com negligência social, o transtorno de interação social desinibida pode coexistir com atrasos no desenvolvimento, especialmente atrasos cognitivos e de linguagem, estereotipias e outros sinais de negligência grave, como desnutrição ou maus cuidados. Entretanto, os sinais do transtorno com frequência persistem mesmo depois de outros sinais de negligência não estarem mais presentes. Portanto, não é incomum que crianças com o transtorno se apresentem sem sinais atuais de negligência. Ademais, a condição pode estar presente em crianças que não exibem sinais de vínculo perturbado. Assim, o transtorno de interação social desinibida pode ser visto em crianças com história de negligência que carecem de vínculos ou cujos vínculos com seus cuidadores variam de perturbados até seguros.

Prevalência

A prevalência do transtorno de interação social desinibida é desconhecida. Mesmo assim, o transtorno parece ser raro, ocorrendo em uma minoria de crianças, mesmo entre aquelas que vivenciaram privação precoce grave. Em populações de baixa renda no Reino Unido, a prevalência é de até 2%.

Desenvolvimento e Curso

Condições de negligência social estão frequentemente presentes nos primeiros meses de vida em crianças diagnosticadas com transtorno de interação social desinibida, mesmo antes de ele ser diagnosticado. Como observado em pesquisas com crianças com história de acolhimento institucional, se a negligência ocorrer precocemente, e sinais do transtorno se manifestarem, as características clínicas do transtorno são moderadamente estáveis com o tempo, sobretudo se as condições de negligência persistirem.

Sinais de interação social desinibida foram descritos do segundo ano de vida até a adolescência entre crianças que cresceram em contextos institucionais, mesmo entre jovens adultos. Existem algumas diferenças na manifestação do transtorno desde a primeira infância até a adolescência. Nas idades menos avançadas, entre muitas culturas, crianças normalmente se mostram reticentes quando interagem com estranhos, o que é não patológico, mesmo se elas tiverem sido criadas em instituições e lares adotivos. Porém, crianças mais novas com o transtorno não se mostram reticentes em se aproximar desses estranhos, interagindo com e até acompanhando adultos desconhecidos sem hesitação, como mostrado por pesquisas com crianças com história de passagem por instituições. Crianças de pré-escola que cresceram em contextos institucionais no Reino Unido ou Estados Unidos demonstraram maior proeminência de intrusividade verbal e social, frequentemente acompanhadas de comportamentos de busca por atenção. Crianças de pré-escola que cresceram em contextos institucionais em vários países demonstraram um padrão de entrar em contato fisicamente com estranhos. A intimidade verbal e física excessiva continua na segunda infância, acompanhada por expressões não autênticas de emoção. Na adolescência, o comportamento indiscriminado estende-se aos pares. Em relação a adolescentes saudáveis, aqueles com o transtorno têm relacionamentos mais "superficiais" e conflituosos com os pares. Manifestações adultas do transtorno parecem ser semelhantes, mas podem incluir compartilhamento excessivo de informações sobre si mesmo e consciência reduzida em relação a estranhos.

Fatores de Risco e Prognóstico

Temperamentais. Há evidências de pesquisas com crianças adotadas de outros países nos Estados Unidos de que tanto sensibilidade à recompensa embotada quanto controle inibitório reduzido estão associados com comportamento social indiscriminado.

Ambientais. Negligência social grave é uma exigência diagnóstica para o transtorno de interação social desinibida. A lógica para essa exigência inclui os achados de que há uma forte associação entre a negligência e as características do transtorno. Outros fatores também foram implicados, como mudanças bruscas de lugar de moradia, transtorno da personalidade *borderline* na mãe e comportamentos de cuidado aberrantes e de pouca qualidade. Todos esses fatores contribuem para o critério de "cuidados insuficientes". Entretanto, a maioria das crianças gravemente negligenciadas não desenvolve esse transtorno. O transtorno não foi identificado em crianças que sofrem negligência social depois dos 2 anos de idade. O prognóstico está apenas moderadamente associado à qualidade do ambiente de cuidados depois da negligência grave. Em muitos casos, o transtorno persiste até mesmo em crianças cujo ambiente de cuidados melhora de maneira marcante.

Genéticos e fisiológicos. Vários fatores neurobiológicos têm sido associados aos sintomas do transtorno, mas os achados sobre a natureza de tais fatores e sua ligação específica com o transtorno permanecem preliminares.

Modificadores do curso. A qualidade dos cuidados parece moderar o curso do transtorno de interação social desinibida, pelo menos nas crianças mais novas. Contudo, até mesmo depois de colocadas em ambientes normativos de cuidados, algumas crianças mostram sinais persistentes do transtorno, da adolescência até a idade adulta.

Questões Diagnósticas Relativas à Cultura

Há poucas informações transculturais sobre o transtorno de interação social desinibida. As expectativas culturais dos comportamentos sociais das crianças podem afetar o nível de desinibição delas em relação a estranhos. A ausência de reticência característica do transtorno de interação social desinibida deve exceder as normas culturalmente aceitas.

Consequências Funcionais do Transtorno de Interação Social Desinibida

O transtorno de interação social desinibida prejudica de maneira significativa as habilidades das crianças mais jovens em seus relacionamentos interpessoais com adultos e pares. Tanto o funcionamento social geral quanto a competência social podem ser prejudicadas, juntamente com um maior risco de conflitos com os pares e vitimização.

Diagnóstico Diferencial

Transtorno de déficit de atenção/hiperatividade. Crianças com o transtorno de interação social desinibida podem se diferenciar das que apresentam TDAH acompanhado de impulsividade social por não exibirem dificuldades com atenção ou hiperatividade.

Comorbidade

Condições associadas a negligência, incluindo atrasos cognitivos, atrasos de linguagem e estereotipias, podem ocorrer concomitantemente ao transtorno de interação social desinibida. O transtorno do espectro autista também pode ocorrer concomitantemente. Em crianças mais novas e na segunda infância, o transtorno de interação social desinibida geralmente ocorre concomitantemente com TDAH e transtornos externalizantes. Acredita-se que essa ocorrência tem ligação com deficiências comuns no controle inibitório cognitivo.

Transtorno de Estresse Pós-traumático

Critérios Diagnósticos   F43.10

Transtorno de Estresse Pós-traumático em Indivíduos com Mais de 6 Anos

Nota: Os critérios a seguir aplicam-se a adultos, adolescentes e crianças acima de 6 anos de idade. Para crianças com menos de 6 anos, consulte os critérios correspondentes a seguir.

A. Exposição a episódio concreto ou ameaça de morte, lesão grave ou violência sexual em uma (ou mais) das seguintes formas:
 1. Vivenciar diretamente o evento traumático.
 2. Testemunhar pessoalmente o evento ocorrido a outras pessoas.
 3. Saber que o evento traumático ocorreu com familiar ou amigo próximo. Nos casos de episódio concreto ou ameaça de morte envolvendo um familiar ou amigo, é preciso que o evento tenha sido violento ou acidental.
 4. Ser exposto de forma repetida ou extrema a detalhes aversivos do evento traumático (p. ex., socorristas que recolhem restos de corpos humanos; policiais repetidamente expostos a detalhes de abuso infantil).
 Nota: O Critério A4 não se aplica à exposição por meio de mídia eletrônica, televisão, filmes ou fotografias, a menos que tal exposição esteja relacionada ao trabalho.

B. Presença de um (ou mais) dos seguintes sintomas intrusivos associados ao evento traumático, começando depois de sua ocorrência:
 1. Lembranças intrusivas angustiantes, recorrentes e involuntárias do evento traumático.
 Nota: Em crianças acima de 6 anos de idade, pode ocorrer brincadeira repetitiva na qual temas ou aspectos do evento traumático são expressos.

2. Sonhos angustiantes recorrentes nos quais o conteúdo e/ou o sentimento do sonho estão relacionados ao evento traumático.

    Nota: Em crianças, pode haver pesadelos sem conteúdo identificável.

3. Reações dissociativas (p. ex., *flashbacks*) nas quais o indivíduo sente ou age como se o evento traumático estivesse ocorrendo novamente. (Essas reações podem ocorrer em um *continuum*, com a expressão mais extrema na forma de uma perda completa de percepção do ambiente ao redor.)

    Nota: Em crianças, a reencenação específica do trauma pode ocorrer nas brincadeiras.

4. Sofrimento psicológico intenso ou prolongado ante a exposição a sinais internos ou externos que simbolizem ou se assemelhem a algum aspecto do evento traumático.
5. Reações fisiológicas intensas a sinais internos ou externos que simbolizem ou se assemelhem a algum aspecto do evento traumático.

C. Evitação persistente de estímulos associados ao evento traumático, começando após a ocorrência do evento, conforme evidenciado por um ou ambos dos seguintes aspectos:

1. Evitação ou esforços para evitar recordações, pensamentos ou sentimentos angustiantes acerca de ou associados de perto ao evento traumático.
2. Evitação ou esforços para evitar lembranças externas (pessoas, lugares, conversas, atividades, objetos, situações) que despertem recordações, pensamentos ou sentimentos angustiantes acerca de ou associados de perto ao evento traumático.

D. Alterações negativas em cognições e no humor associadas ao evento traumático começando ou piorando depois da ocorrência de tal evento, conforme evidenciado por dois (ou mais) dos seguintes aspectos:

1. Incapacidade de recordar algum aspecto importante do evento traumático (geralmente devido a amnésia dissociativa, e não a outros fatores, como traumatismo craniano, álcool ou drogas).
2. Crenças ou expectativas negativas persistentes e exageradas a respeito de si mesmo, dos outros e do mundo (p. ex., "Sou mau", "Não se deve confiar em ninguém", "O mundo é perigoso", "Todo o meu sistema nervoso está arruinado para sempre").
3. Cognições distorcidas persistentes a respeito da causa ou das consequências do evento traumático que levam o indivíduo a culpar a si mesmo ou os outros.
4. Estado emocional negativo persistente (p. ex., medo, pavor, raiva, culpa ou vergonha).
5. Interesse ou participação bastante diminuída em atividades significativas.
6. Sentimentos de distanciamento e alienação em relação aos outros.
7. Incapacidade persistente de sentir emoções positivas (p. ex., incapacidade de vivenciar sentimentos de felicidade, satisfação ou amor).

E. Alterações marcantes na excitação e na reatividade associadas ao evento traumático, começando ou piorando após o evento, conforme evidenciado por dois (ou mais) dos seguintes aspectos:

1. Comportamento irritadiço e surtos de raiva (com pouca ou nenhuma provocação) geralmente expressos sob a forma de agressão verbal ou física em relação a pessoas e objetos.
2. Comportamento imprudente ou autodestrutivo.
3. Hipervigilância.
4. Respostas de sobressalto exageradas.
5. Problemas de concentração.
6. Perturbação do sono (p. ex., dificuldade em iniciar ou manter o sono, ou sono agitado).

F. A perturbação (Critérios B, C, D e E) dura mais de um mês.

G. A perturbação causa sofrimento clinicamente significativo e prejuízo social, profissional ou em outras áreas importantes da vida do indivíduo.

H. A perturbação não se deve aos efeitos fisiológicos de uma substância (p. ex., medicamento, álcool) ou a outra condição médica.

Determinar o subtipo:

Com sintomas dissociativos: Os sintomas do indivíduo satisfazem os critérios de transtorno de estresse pós-traumático, e, além disso, em resposta ao estressor, o indivíduo tem sintomas persistentes ou recorrentes de:

1. **Despersonalização:** Experiências persistentes ou recorrentes de sentir-se separado e como se fosse um observador externo dos processos mentais ou do corpo (p. ex., sensação de estar em um sonho; sensação de irrealidade de si mesmo ou do corpo ou como se estivesse em câmera lenta).
2. **Desrealização:** Experiências persistentes ou recorrentes de irrealidade do ambiente ao redor (p. ex., o mundo ao redor do indivíduo é sentido como irreal, onírico, distante ou distorcido).

Nota: Para usar esse subtipo, os sintomas dissociativos não podem ser atribuíveis aos efeitos fisiológicos de uma substância (p. ex., apagões, comportamento durante intoxicação alcoólica) ou a outra condição médica (p. ex., convulsões parciais complexas).

Especificar se:

Com expressão tardia: Se todos os critérios diagnósticos não forem atendidos até pelo menos seis meses depois do evento (embora a manifestação inicial e a expressão de alguns sintomas possam ser imediatas).

Transtorno de Estresse Pós-traumático em Crianças com 6 Anos ou Menos

A. Em crianças de 6 anos ou menos, exposição a episódio concreto ou ameaça de morte, lesão grave ou violência sexual em uma (ou mais) das seguintes formas:
   1. Vivenciar diretamente o evento traumático.
   2. Testemunhar pessoalmente o evento ocorrido com outras pessoas, especialmente cuidadores primários.
   3. Saber que o evento traumático ocorreu com pai/mãe ou cuidador.
B. Presença de um (ou mais) dos seguintes sintomas intrusivos associados ao evento traumático, começando depois de sua ocorrência:
   1. Lembranças intrusivas angustiantes, recorrentes e involuntárias do evento traumático.

   Nota: Lembranças espontâneas e intrusivas podem não parecer necessariamente angustiantes e podem ser expressas como reencenação em brincadeiras.

   2. Sonhos angustiantes recorrentes nos quais o conteúdo e/ou a emoção do sonho estão relacionados ao evento traumático.

   Nota: Pode não ser possível determinar que o conteúdo assustador está relacionado ao evento traumático.

   3. Reações dissociativas (p. ex., *flashbacks*) nas quais a criança sente ou age como se o evento traumático estivesse acontecendo novamente. (Essas reações podem ocorrer em um *continuum*, com a expressão mais extrema manifestada como uma perda completa da percepção do ambiente ao redor.) Essa reencenação específica do trauma pode ocorrer na brincadeira.
   4. Sofrimento psicológico intenso ou prolongado ante a exposição a sinais internos ou externos que simbolizem ou se assemelhem a algum aspecto do evento traumático.
   5. Reações fisiológicas intensas a lembranças do evento traumático.
C. Um (ou mais) dos seguintes sintomas, representando evitação persistente de estímulos associados ao evento traumático ou alterações negativas em cognições e no humor associadas ao evento traumático, deve estar presente, começando depois do evento ou piorando após sua ocorrência.

Evitação Persistente de Estímulos

1. Evitação ou esforços para evitar atividades, lugares ou lembranças físicas que despertem recordações do evento traumático.
2. Evitação ou esforços para evitar pessoas, conversas ou situações interpessoais que despertem recordações do evento traumático.

Alterações Negativas em Cognições

3. Frequência substancialmente maior de estados emocionais negativos (p. ex., medo, culpa, tristeza, vergonha, confusão).
4. Interesse ou participação bastante diminuídos em atividades significativas, incluindo redução do brincar.
5. Comportamento socialmente retraído.
6. Redução persistente na expressão de emoções positivas.

D. Alterações na excitação e na reatividade associadas ao evento traumático, começando ou piorando depois de sua ocorrência, conforme evidenciado por dois (ou mais) dos seguintes aspectos:

1. Comportamento irritadiço ou surtos de raiva (com pouca ou nenhuma provocação) geralmente manifestados como agressão verbal ou física em relação a pessoas ou objetos (incluindo acessos de raiva extremos).
2. Hipervigilância.
3. Respostas de sobressalto exageradas.
4. Problemas de concentração.
5. Perturbação do sono (p. ex., dificuldade em iniciar ou manter o sono, ou sono agitado).

E. A perturbação dura mais de um mês.
F. A perturbação causa sofrimento clinicamente significativo ou prejuízo nas relações com pais, irmãos, amigos ou outros cuidadores ou no comportamento na escola.
G. A perturbação não se deve aos efeitos fisiológicos de uma substância (p. ex., medicamento ou álcool) ou a outra condição médica.

Determinar o subtipo:

Com sintomas dissociativos: Os sintomas do indivíduo satisfazem os critérios para transtorno de estresse pós-traumático, e o indivíduo sofre sintomas persistentes ou recorrentes de:

1. **Despersonalização:** Experiências persistentes ou recorrentes de sentir-se separado e como se fosse um observador externo dos processos mentais ou do corpo (p. ex., sensação de estar em um sonho; sensação de irrealidade de si mesmo ou do corpo ou como se estivesse em câmera lenta).
2. **Desrealização:** Experiências persistentes ou recorrentes de irrealidade do ambiente ao redor (p. ex., o mundo ao redor do indivíduo é sentido como irreal, onírico, distante ou distorcido).

Nota: Para usar esse subtipo, é preciso que os sintomas dissociativos não sejam atribuíveis aos efeitos fisiológicos de uma substância (p. ex., apagões) ou a outra condição médica (p. ex., convulsões parciais complexas).

Especificar se:

Com expressão tardia: Se todos os critérios diagnósticos não forem atendidos até pelo menos seis meses depois do evento (embora a manifestação inicial e a expressão de alguns sintomas possam ser imediatas).

Características Diagnósticas

A característica essencial do transtorno de estresse pós-traumático (TEPT) é o desenvolvimento de sintomas característicos após a exposição a um ou mais eventos traumáticos. A apresentação clínica do TEPT é variada. Em alguns indivíduos, sintomas de revivência do medo, emocionais e comportamentais podem predominar. Em outros, estados de humor anedônicos ou disfóricos e cognições negativas podem ser mais perturbadores. Em alguns outros, a excitação e sintomas reativos externalizantes são proeminentes, enquanto em outros, sintomas dissociativos predominam. Por fim, algumas pessoas exibem combinações desses padrões de sintomas.

A discussão a seguir sobre critérios específicos para TEPT se refere a critérios específicos para adultos. Os critérios para crianças de 6 anos ou menos podem ser diferentes, principalmente em número, já que alguns deles não são aplicáveis a esse grupo de idade.

Os eventos traumáticos do Critério A envolvem morte real ou ameaças de morte, lesões graves ou ameaças ou alguma forma de violência sexual, mas podem diferir na maneira como o indivíduo é exposto ao evento, podendo ser por meio de exposição direta (Critério A1), presenciando pessoalmente o evento ocorrido com outros (Critério A2), sabendo que o evento aconteceu com um familiar ou uma pessoa próxima (Critério A3) ou por meio de exposição indireta, no exercício de funções ocupacionais, a detalhes aversivos de um evento (Critério A4). O transtorno pode ser especialmente grave ou duradouro quando o estressor é interpessoal e intencional (p. ex., tortura, violência sexual).

Os eventos do Critério A experienciados diretamente incluem, mas não se limitam a, exposição a guerra como combatente ou civil, ocorrência real de agressão física ou ameaça, sendo esta percebida como iminente e realista (p. ex., ataque físico, roubo, furto, abuso físico infantil), sequestro, ser mantido refém, ataque terrorista, tortura, encarceramento como prisioneiro de guerra, desastres naturais ou perpetrados pelo homem e acidentes automobilísticos graves.

Traumas sexuais incluem, mas não se limitam a, ameaça ou ocorrência real de violência sexual (p. ex., penetração sexual forçada, sexo não consentido facilitado por álcool/drogas, contato sexual abusivo, abuso sexual sem contato ou tráfico sexual; outros contatos sexuais indesejados; e outras experiências sexuais não desejadas, como ser forçado a assistir pornografia, ser exposto aos genitais de um exibicionista ou ser vítima de fotos ou vídeos não desejados de natureza sexual ou de disseminação não desejada de fotos ou vídeos).

Sofrer intimidação pode ser qualificado como uma experiência do Critério A1 quando houver ameaças realistas contra a integridade física ou de violência sexual. Para crianças, eventos sexualmente violentos podem incluir experiências sexuais inapropriadas em termos do estágio de desenvolvimento sem violência física ou lesão.

Uma doença potencialmente fatal ou uma condição clínica debilitante não são consideradas necessariamente eventos traumáticos. Por sua vez, eventos qualificados desse tipo incluem emergências médicas com risco à vida (p. ex., infarto agudo do miocárdio, choque anafilático) ou um evento específico no tratamento que evoque sentimentos catastróficos de terror, dor, desamparo ou morte iminente (p. ex., despertar durante a cirurgia, desbridamento de queimaduras graves ou cardioversão de emergência).

Eventos testemunhados (Critério A2) incluem, mas não se limitam a, observação de ameaça de lesão ou lesão real grave, morte não natural, abuso físico ou sexual de outra pessoa em virtude de agressão violenta, violência doméstica, acidente, guerra ou desastre. Por exemplo, isso incluiria pais presenciando o filho em um incidente grave, correndo risco de vida (p. ex., um acidente de mergulho) ou sofrendo uma complicação médica durante o curso de uma doença ou tratamento (p. ex., uma hemorragia com risco à vida).

A exposição indireta por meio do conhecimento de um evento (Critério A3) está limitada a experiências que afetam parentes ou amigos próximos e experiências violentas ou acidentais (p. ex., morte por causas naturais não se qualifica). Tais eventos incluem assassinato, agressão violenta, ataque terrorista, violência sexual, suicídio e acidentes ou lesões graves.

A exposição indireta de profissionais aos efeitos aversivos de guerra, estupro, genocídio ou violência abusiva infringidos aos outros, ocorrendo no contexto de trabalho, também pode resultar em TEPT e, portanto, é considerado um trauma qualificável (Critério A4). Exemplos incluem socorristas expostos a lesões graves ou morte e militares recolhendo corpos ou restos humanos. A exposição indireta também pode ocorrer por meio de fotos, vídeos, relatos verbais ou escritos (p. ex., policiais revisando os detalhes de um crime ou conduzindo entrevistas com vítimas de crimes, operadores de drones, repórteres cobrindo eventos traumáticos e psicoterapeutas expostos a detalhes das experiências traumáticas de seus pacientes).

A exposição a múltiplos eventos traumáticos é comum e pode assumir muitas formas. Alguns indivíduos experienciam diferentes tipos de eventos traumáticos em momentos diferentes (p. ex., violência sexual durante a infância e desastre natural durante a idade adulta). Outros experienciam o mesmo tipo de evento traumático em momentos diferentes ou em série, cometido pela mesma pessoa ou pelas mesmas pessoas, ao longo de um período prolongado de tempo (p. ex., agressão física ou sexual na infância ou agressão física ou sexual pelo parceiro). Outros podem experienciar vários eventos traumáticos, que podem ser iguais ou diferentes, durante um período específico de perigo, como servir como soldado ou viver em uma zona de conflito. Ao avaliar os critérios de TEPT em indivíduos que vivenciaram múltiplos eventos traumáticos ao longo de suas vidas, pode ser útil determinar se há um exemplo específico que o indivíduo considera o pior, uma vez que as expressões sintomáticas dos Critério B e C de TEPT referem-se especificamente ao evento traumático (p. ex., lembranças angustiantes recorrentes, involuntárias e intrusivas do evento traumático). No entanto, se for difícil para o indivíduo identificar o pior exemplo, é apropriado considerar toda a exposição como atendendo ao Critério A. Além disso, alguns eventos distintos podem incorporar vários tipos de eventos traumáticos (p. ex., um indivíduo envolvido em um acidente em massa sofre uma lesão grave, testemunha outra pessoa sendo ferida e, em seguida, descobre que um membro da família foi morto no acidente).

O evento traumático pode ser revivido de diversas maneiras. É comum que a pessoa tenha lembranças recorrentes, involuntárias e intrusivas do evento (Critério B1). As lembranças intrusivas no TEPT são distintas das ruminações depressivas no sentido de que só se aplicam a recordações angustiantes involuntárias e intrusivas. A ênfase está nas memórias recorrentes do evento que geralmente incluem componentes intrusivos, vívidos, sensoriais e emocionais que são angustiantes e não meramente ruminativos. Um sintoma comum de revivência são sonhos angustiantes que repetem o evento em si ou são representativos ou relacionados tematicamente às ameaças principais envolvidas no evento traumático (Critério B2). A pessoa pode sofrer estados dissociativos que geralmente duram alguns segundos e raramente têm longa duração, durante os quais aspectos do evento são revividos e a pessoa se comporta como se o evento estivesse ocorrendo naquele momento (Critério B3). Esses eventos ocorrem em um *continuum*, indo desde intrusões visuais ou sensoriais breves de parte do evento traumático sem perda de senso de realidade até a perda total de percepção do ambiente ao redor. Esses episódios, conhecidos como *flashbacks*, são geralmente breves, mas podem estar associados a sofrimento prolongado e excitação elevada. No caso de crianças pequenas, a reencenação de eventos relacionados ao trauma pode aparecer na brincadeira ou em estados dissociativos. Frequentemente ocorre sofrimento psicológico intenso (Critério B4) ou reatividade fisiológica (Critério B5) quando o indivíduo é exposto a eventos precipitadores que se assemelham a ou simbolizam algum aspecto do evento traumático (p. ex., dias ventosos depois de um furacão; ver alguém parecido com o perpetrador de uma violência). O fator desencadeante pode ser uma sensação física (p. ex., tontura para sobreviventes de traumatismo craniano; frequência cardíaca acelerada para uma criança previamente traumatizada), particularmente para indivíduos com apresentações altamente somáticas.

Estímulos associados ao trauma são persistentemente evitados. O indivíduo costuma fazer esforços deliberados para evitar pensamentos, lembranças, sentimentos ou diálogos a respeito do evento traumático (p. ex., utilizando técnicas de distração para evitar recordações internas) (Critério C1) e para evitar atividades, conversas, objetos, situações ou pessoas que desencadeiem lembranças do evento (Critério C2).

Alterações negativas em cognições ou no humor associadas ao evento surgem ou pioram depois da exposição a ele. Essas alterações negativas podem tomar várias formas, incluindo uma inabilidade de relembrar aspectos-chave e aspectos emocionalmente dolorosos do evento traumático. Essa perda de memória é tipicamente atribuível a amnésia dissociativa e não a lesões na cabeça ou falhas na memória devido a drogas ou álcool (Critério D1). Indivíduos com TEPT com frequência relatam que o evento traumático alterou irrevogavelmente suas vidas e suas visões de mundo. Isso é caracterizado por crenças e expectativas negativas persistentes e exageradas em relação a aspectos importantes da vida aplicados a si mesmos, aos outros, ao mundo ou ao futuro (Critério D2) (p. ex., "coisas ruins sempre acontecerão comigo"; "o mundo é perigoso, e eu nunca estarei adequadamente protegido"; "eu não posso confiar em ninguém nunca mais"; "minha vida está arruinada para sempre"; "eu perdi qualquer chance de felicidade futura"; "minha vida será abreviada"). Indivíduos com TEPT podem ter cognições errôneas persistentes a respeito das causas do evento traumático que as levam a se culpar ou a culpar os outros (p. ex., "É culpa minha ter sido abusada pelo meu tio") (Critério D3). Um estado de humor negativo persistente (p. ex., medo, horror, raiva, culpa, vergonha) surge ou piora depois da exposição ao evento (Critério D4). O indivíduo pode apresentar interesse ou participação notadamente menor em atividades que antes eram prazerosas (Critério D5), sentindo-se alheio ou isolado de outras pessoas (Critério D6), ou incapacidade persistente de sentir emoções positivas (especialmente felicidade, alegria, satisfação ou emoções associadas a intimidade, ternura e sexualidade) (Critério D7).

As alterações negativas relacionadas a excitação ou reatividade também começam ou pioram depois da exposição ao evento. Indivíduos com TEPT podem irritar-se facilmente e até mesmo adotar um comportamento físico e/ou verbal agressivo com pouca ou nenhuma provocação (p. ex., gritar com os outros, envolver-se em brigas ou destruir objetos) (Critério E1). Eles também podem se envolver voluntariamente em comportamentos imprudentes ou autodestrutivos, o que mostra uma desconsideração pela integridade física própria ou de terceiros, o que pode resultar diretamente em graves danos físicos ou morte (Critério E2). Os exemplos incluem, mas não estão limitados a, direção perigosa (p. ex., dirigir embriagado, dirigir em velocidades perigosamente altas), abuso de álcool ou drogas, ter relações sexuais de risco (p. ex., sexo desprotegido com um parceiro cujo *status* de HIV é desconhecido ou alto número de parceiros sexuais) ou violência consigo mesmo, incluindo comportamentos suicidas. O Critério E2 não inclui circunstâncias nas quais os indivíduos devem se envolver em situações perigosas como parte de seu trabalho (p. ex., membros das forças armadas em situações de combate ou socorristas em situações de emergência) e tomar precauções de segurança razoáveis para reduzir seu risco ou quando os indivíduos se envolvem em comportamentos que podem ser imprudentes, insalubres ou financeiramente prejudiciais, mas que não representam risco direto de danos físicos graves imediatos ou morte (p. ex., jogo patológico, más decisões financeiras, compulsão alimentar ou estilos de vida pouco saudáveis). O TEPT é com frequência caracterizado por hipersensibilidade a ameaças potenciais, incluindo as relacionadas à experiência traumática (p. ex., depois de um acidente automobilístico, ficar especialmente sensível à ameaça potencial representada por carros ou caminhões) e as não relacionadas ao evento traumático (p. ex., medo de sofrer infarto agudo do miocárdio) (Critério E3). Indivíduos com TEPT podem mostrar-se bastante reativos a estímulos inesperados, exibindo uma resposta de sobressalto intensa ou tensão/nervosismo a ruídos elevados ou movimentos inesperados (p. ex., pulando de susto em resposta ao toque de um telefone) (Critério E4). Respostas de sobressalto são reflexas e involuntárias (automáticas, instantâneas), e os estímulos que evocam essas respostas de sobressalto exageradas (Critério E4) não precisam necessariamente estar relacionados ao evento traumático. Respostas de sobressalto são diferentes das respostas de agitação fisiológica do Critério B5, em que é necessária a presença de pelo menos algum nível de avaliação consciente do estímulo para a produção de uma resposta fisiológica ao evento relacionado ao trauma. Dificuldades de concentração, incluindo dificuldade para lembrar de eventos diários (p. ex., esquecer o número do próprio telefone) ou participar de tarefas que exigem concentração (p. ex., acompanhar uma conversa por um determinado período), são comumente relatadas (Critério E5). Problemas para iniciar e manter o sono são comuns e podem estar associados a pesadelos e preocupações com a segurança ou a hiperexcitação generalizada, que interfere no sono adequado (Critério E6).

O diagnóstico de TEPT exige que a duração dos sintomas dos Critérios B, C, D e E seja superior a um mês (Critério F). Para o diagnóstico de TEPT atual, os Critérios B, C, D e E devem ser preenchidos por mais de um mês, incluindo o último mês. Para um diagnóstico de TEPT ao longo da vida, deve haver um período de tempo com duração superior a 1 mês durante o qual os Critérios B, C, D e E tenham sido atendidos pelo mesmo período de 1 mês.

Um subgrupo significativo de indivíduos com TEPT experimenta sintomas dissociativos persistentes ou de despersonalização (separação de seus próprios corpos) ou desrealização (separação do mundo ao redor). Isso pode ser indicado com o uso do especificador "com sintomas dissociativos".

Características Associadas

A regressão do desenvolvimento, como a perda da fala em crianças pequenas, pode ocorrer. Pseudoalucinações auditivas, como ter a experiência sensorial de escutar seus próprios pensamentos ditos em uma voz ou em vozes diferentes, bem como ideias paranoides, podem estar presentes. Depois de eventos traumáticos graves, prolongados e repetidos (p. ex., abuso infantil, tortura), o indivíduo pode apresentar também dificuldades na regulação de emoções ou na manutenção de relacionamentos interpessoais estáveis, ou ainda sintomas dissociativos. Quando o evento traumático envolve a morte violenta de alguém com quem o indivíduo tinha uma relação próxima, sintomas tanto de transtorno do luto prolongado quanto de TEPT podem estar presentes.

Prevalência

A estimativa nacional de prevalência de TEPT ao longo da vida, usando os critérios diagnósticos do DSM-IV, é de 6,8% para adultos norte-americanos. A prevalência ao longo da vida para adolescentes norte-americanos, usando os critérios diagnósticos do DSM-IV, varia entre 5,0 e 8,1% e a prevalência nos últimos 6 meses é de 4,9%. Embora dados populacionais definitivos e abrangentes usando os critérios diagnósticos do DSM-5 não estejam disponíveis, algumas evidências começam a ser apresentadas. Em dois estudos epidemiológicos norte-americanos, a prevalência de TEPT ao longo da vida, baseada nos critérios diagnósticos do DSM-5, foi estimada entre 6,1 e 8,3%, e a prevalência nacional de 12 meses, também baseada nos critérios diagnósticos do DSM-5, foi estimada em 4,7% em ambos os estudos. A estimativa de prevalência nacional ao longo da vida, baseada nos critérios diagnósticos do DSM-IV de TEPT, segundo a World Mental Health Surveys, em 24 países, teve uma variação substancial entre diferentes países, entre grupos de países classificados por renda e regiões da OMS, sendo a média geral de 3,9%. Em populações afetadas por conflitos ao redor do mundo, a prevalência pontual do TEPT com prejuízo funcional é de 11% depois de ajustes para diferenças de idade entre os estudos.

As taxas de TEPT são maiores entre veteranos de guerra e outros cuja ocupação aumente o risco de exposição traumática (p. ex., policiais, bombeiros, socorristas). As taxas mais altas (desde um terço a mais da metade dos expostos) são encontradas entre sobreviventes de estupro, combate e captura militar, em sobreviventes de campo de concentração e genocídio com motivação étnica ou política. A prevalência do transtorno pode variar de acordo com o desenvolvimento; crianças e adolescentes, incluindo crianças em idade pré-escolar, geralmente têm exibido uma prevalência menor depois da exposição a eventos traumáticos graves; entretanto, esse fato pode se dever às informações insuficientes, nos critérios prévios, quanto ao desenvolvimento. Diferenças raciais, segundo dados baseados no DSM-IV, mostram maiores taxas de TEPT entre latinos estadunidenses, afro-americanos e nativos americanos do que em brancos. As possíveis razões para essas variações de prevalência incluem diferenças em fatores de predisposição ou facilitadores, como exposição passada a adversidades, racismo e discriminação, e na disponibilidade ou qualidade do tratamento, apoio social, *status* socioeconômico e outros recursos sociais que facilitam a recuperação e se confundem com a origem étnica e racial.

Desenvolvimento e Curso

O TEPT pode ocorrer em qualquer idade a partir do primeiro ano de vida. Os sintomas geralmente se manifestam dentro dos primeiros três meses depois do trauma, embora possa haver um atraso de meses, ou até anos, antes de os critérios para o diagnóstico serem atendidos. Existem evidências abundantes para o que o DSM-IV chamou de "início tardio", mas que agora é chamado de "expressão tardia", com o reconhecimento de que alguns sintomas normalmente se manifestam imediatamente e de que a demora está em satisfazer plenamente os critérios.

Com frequência, a reação de um indivíduo a um trauma satisfaz inicialmente os critérios para transtorno de estresse agudo imediatamente após o trauma. Os sintomas de TEPT e a predominância relativa de diferentes sintomas podem variar com o tempo. A duração dos sintomas também varia, com a recuperação completa em três meses ocorrendo em aproximadamente metade dos adultos, enquanto alguns indivíduos permanecem sintomáticos por mais de 12 meses e às vezes por mais de 50 anos. A recorrência e a intensificação de sintomas podem ocorrer em resposta a lembranças do trauma original, estressores da vida cotidiana ou novas experiências traumáticas.

A expressão clínica da revivência pode variar de acordo com o desenvolvimento. As variações de desenvolvimento na expressão clínica apontam o uso de critérios diferentes para crianças de 6 anos ou menos e em indivíduos com a idade mais avançada. Crianças pequenas podem relatar o surgimento de sonhos assustadores sem conteúdo específico do evento traumático. Crianças com 6 anos ou menos podem desenvolver TEPT como resultado de abuso emocional grave (p. ex., ameaça de abandono), o que pode ser percebido como uma ameaça de morte. Durante o tratamento de doenças com risco de vida (p. ex., câncer ou transplante de órgãos sólidos), a experiência de crianças pequenas com a gravidade e intensidade do tratamento pode contribuir para o risco de desenvolver sintomas de estresse pós-traumático. A autoavaliação da ameaça também pode contribuir para o risco de desenvolvimento de sintomas de estresse pós-traumático em adolescentes. Antes dos 6 anos de idade, as crianças pequenas são mais propensas a expressar sintomas de revivência por meio da brincadeira que se refere direta ou simbolicamente ao trauma (ver critérios do TEPT para crianças com 6 anos ou menos). Elas podem não manifestar reações de medo no momento da exposição ou durante a revivência. Os pais podem relatar uma ampla gama de mudanças emocionais ou comportamentais nas crianças pequenas. As crianças podem focar em intervenções imaginárias nos seus jogos ou ao contar histórias. Além da evitação, elas podem ficar apreensivas com lembranças. Em virtude das limitações das crianças pequenas para expressar pensamentos e definir emoções, alterações negativas no humor ou na cognição tendem a envolver essencialmente mudanças de humor. Crianças podem experimentar traumas simultâneos (p. ex., abuso físico e presenciar violência doméstica) e, em circunstâncias crônicas, podem não ser capazes de identificar o início da sintomatologia. O comportamento de evitação pode estar associado a restrição do brincar ou do comportamento exploratório em crianças pequenas; participação reduzida em novas atividades em crianças de idade escolar; ou relutância em buscar o que o desenvolvimento oportuniza em adolescentes (p. ex., namorar, dirigir). Crianças mais velhas e adolescentes podem julgar-se covardes. Os adolescentes podem nutrir crenças de terem mudado a ponto de terem-se tornado socialmente indesejáveis e estranhos a seus pares e perder aspirações para o futuro. O comportamento irritadiço ou agressivo em crianças e adolescentes pode interferir nas relações com os colegas e na conduta escolar. O comportamento imprudente pode levar a lesões acidentais a si mesmo ou a outras pessoas, busca de emoções fortes ou comportamentos de alto risco. Em pessoas idosas, o transtorno está associado a percepções de saúde negativas, utilização da rede de atenção básica e pensamentos suicidas. Além disso, a deterioração da saúde, a piora do funcionamento cognitivo e o isolamento social podem exacerbar sintomas de TEPT.

Fatores de Risco e Prognóstico

Fatores de risco para TEPT podem atuar de muitas maneiras, incluindo predisposições individuais a traumas ou respostas emocionais extremas ante eventos traumáticos. Os fatores de risco (e de proteção) geralmente são divididos em fatores pré-traumáticos, peritraumáticos e pós-traumáticos.

Fatores pré-traumáticos

Temperamentais. Fatores de alto risco incluem problemas emocionais na infância até os 6 anos de idade (p. ex., problemas de externalização ou ansiedade) e transtornos mentais prévios (p. ex., transtorno de pânico, transtorno depressivo, TEPT ou transtorno obsessivo-compulsivo [TOC]). Diferenças individuais na personalidade pré-mórbida podem influenciar a trajetória de resposta ao trauma e os resultados do tratamento. Traços de personalidade associados com respostas emocionais negativas, como humor deprimido e ansiedade, representam fatores de risco para o desenvolvimento de TEPT. Esses traços podem ser capturados por medidas de afetividade negativa (neuroticismo) em escalas de personalidade padronizadas. A impulsividade pré-mórbida tende a estar associada a manifestações externalizantes de TEPT e comorbidades do espectro externalizante, incluindo transtorno por uso de substâncias ou comportamento agressivo.

Ambientais. Conforme documentado entre civis e veteranos militares dos Estados Unidos, esses fatores de risco incluem *status* socioeconômico mais baixo, menor educação, exposição prévia a traumas (especialmente durante a infância), adversidade na infância (p. ex., privação econômica, disfunção familiar, separação dos pais ou morte), inteligência inferior, discriminação étnica e racismo e história familiar de condições psiquiátricas. O apoio social antes da exposição ao evento é protetor.

Genéticos e fisiológicos. O risco de desenvolvimento de TEPT após exposição traumática demonstrou ser modestamente hereditário em estudos com gêmeos e estudos moleculares. Os dados de associação a nível de genoma de um grande estudo de coorte multiétnico apoiam a herdabilidade do TEPT e demonstram três *loci* robustos significativos em todo o genoma que variam de acordo com a ascendência geográfica. A suscetibilidade ao TEPT também pode ser influenciada por fatores epigenéticos. Os dados de associação a nível de genoma de veteranos militares norte-americanos de descendência europeia identificaram oito regiões significativas associadas com sintomas de TEPT de revivência intrusiva; dados de estudos do Reino Unido também apoiam essas associações.

Fatores peritraumáticos

Ambientais. Os fatores peritraumáticos incluem gravidade do trauma, ter a vida ameaçada, lesão corporal, violência interpessoal (particularmente para crianças, trauma causado por um cuidador ou envolvendo uma ameaça testemunhada a um cuidador) e, para militares, ser um perpetrador de violência, testemunhar atrocidades, ou matar o inimigo. Por fim, dissociação, medo, pânico e outras respostas peritraumáticas que ocorram durante o trauma e persistam após podem ser considerados fatores de risco.

Fatores pós-traumáticos

Temperamentais. Incluem avaliações negativas, estratégias de enfrentamento inapropriadas e desenvolvimento de transtorno de estresse agudo.

Ambientais. Incluem exposição subsequente a lembranças desagradáveis repetidas, eventos de vida adversos subsequentes e perdas financeiras ou outras perdas relacionadas ao trauma. Experiências pós-traumáticas como migração forçada e altos níveis de estresse diário podem contribuir para diferentes riscos condicionais de TEPT em diversos contextos culturais. Exposição a discriminação étnica ou racial foi associada a um curso mais crônico da doença entre adultos afro-americanos e latinos. O apoio social (incluindo estabilidade familiar para crianças) é um fator protetor que modera a evolução depois do trauma.

Questões Diagnósticas Relativas à Cultura

Grupos demográficos, culturais e ocupacionais distintos têm diferentes níveis de exposição a eventos traumáticos, e o risco relativo do desenvolvimento de TEPT depois de um nível semelhante de exposição (p. ex., perseguição religiosa) também pode variar entre os grupos culturais e étnicos. Variação no tipo de exposição traumática (p. ex., genocídio), o impacto na gravidade do transtorno do significado atribuído ao evento traumático (p. ex., incapacidade de realizar ritos funerários após um assassinato em massa), o contexto sociocultural em curso (p. ex., residir entre perpetradores de violência impunes em ambientes pós-conflito), exposição à discriminação racial e étnica e outros fatores culturais (p. ex., estresse aculturativo em migrantes) podem influenciar o risco de início e gravidade do TEPT entre grupos culturais. Algumas comunidades estão expostas a ambientes traumáticos generalizados e contínuos, em vez de eventos isolados como os do Critério A. Nessas comunidades, o poder preditivo de eventos traumáticos individuais para o desenvolvimento de TEPT pode diminuir. Em culturas em que a imagem social (p. ex., manter "as aparências" da família) é enfatizada, difamação pública pode aumentar o impacto de eventos como os do Critério A. Algumas culturas podem atribuir as síndromes de TEPT a experiências sobrenaturais negativas.

A expressão clínica dos sintomas ou conjuntos de sintomas do TEPT pode variar culturalmente tanto para adultos quanto para crianças. Em muitos grupos não ocidentais, a evitação é menos comumente observada, enquanto os sintomas somáticos (p. ex., tontura, falta de ar ou sensações de calor) são mais comuns. Outros sintomas que variam culturalmente são sonhos angustiantes, amnésia não relacionada a traumatismo craniano e comportamentos imprudentes, mas não suicidas. Humor negativo, sobretudo raiva, é comum em diferentes culturas em indivíduos com TEPT, assim como sonhos angustiantes e paralisia do sono. Entre diferentes culturas, sintomas somáticos são frequentes, ocorrendo tanto em crianças quanto em adultos, especialmente depois de trauma sexual. Os sintomas que variam culturalmente em relação ao TEPT entre crianças incluem pensamentos intrusivos, diminuição da participação em atividades, incapacidade de experimentar emoções positivas, irritabilidade, agressividade e hipervigilância. Sonhos angustiantes, *flashbacks*, sofrimento psicológico após exposição a sinais de trauma e esforços para evitar memórias e pensamentos são comuns em crianças com TEPT em todas as culturas.

Em certos contextos culturais, pode ser normativo responder a eventos traumáticos com crenças negativas sobre si mesmo ou com atribuições espirituais que podem parecer exageradas para os outros. Por exemplo, culpar a si mesmo pode ser consistente com ideias de *karma* do Sul e Leste Asiáticos, ou destino, na cultura do Oeste da África.

Em muitas populações ao redor do mundo, existem conceitos culturais de sofrimento que se assemelham ao TEPT e são caracterizados por diversas manifestações de sofrimento psíquico atribuído a experiências assustadoras ou traumáticas. Portanto, conceitos culturais de sofrimento influenciam a expressão do TEPT e o alcance de seus transtornos comórbidos (ver "Diagnósticos Culturais e Psiquiátricos" na Seção III).

Questões Diagnósticas Relativas ao Sexo e ao Gênero

O TEPT é mais prevalente nas mulheres do que nos homens ao longo da vida. A taxa de prevalência de TEPT ao longo da vida é de 8,0 a 11,0% para mulheres e 4,1 a 5,4% para homens segundo dois grandes estudos populacionais norte-americanos que usaram os critérios diagnósticos do DSM-5. Parte do risco aumentado de TEPT em mulheres parece ser atribuível a uma maior probabilidade de exposição a abuso sexual infantil, agressão sexual e outras formas de violência interpessoal, que favorecem maior risco de causar TEPT. Mulheres da população geral também experimentam TEPT por um período maior do que os homens. Porém, outros fatores que provavelmente contribuem para a maior prevalência em mulheres incluem diferenças de gênero no processamento emocional e cognitivo de traumas e efeitos de hormônios reprodutivos. Quando as respostas de homens e mulheres a estressores específicos são comparadas, as diferenças de gênero no risco para TEPT persistem. No entanto, os perfis de sintomas de TEPT e a estrutura de fatores são semelhantes entre homens e mulheres.

Associação com Pensamentos ou Comportamentos Suicidas

Eventos traumáticos como abuso infantil ou trauma sexual aumentam o risco de suicídio tanto em civis quanto em veteranos de guerra. O TEPT é associado a pensamentos suicidas, tentativas de suicídio e mortes por suicídio. A presença do TEPT foi associada a maior chance de transição de pensamentos suicidas para planos ou tentativas de suicídio. Esse feito do TEPT ocorre independentemente do aumento de risco dos transtornos do humor na probabilidade de comportamentos suicidas. Entre adolescentes, também há uma relação significativa entre TEPT e pensamentos ou comportamentos suicidas, mesmo depois de ajustes para os efeitos de comorbidade.

Consequências Funcionais do Transtorno de Estresse Pós-traumático

O TEPT é associado com maiores prejuízos no funcionamento social, ocupacional e físico, com menor qualidade de vida e com problemas de saúde física. O prejuízo ao funcionamento fica evidente nos domínios social, interpessoal, do desenvolvimento, educacional, da saúde física e profissional. Em amostras da comunidade e de veteranos de guerra, o TEPT está associado a relações sociais e familiares empobrecidas, ausências ao trabalho, renda mais baixa e menor sucesso acadêmico e profissional.

Diagnóstico Diferencial

Transtornos de adaptação. Nos transtornos de adaptação, o estressor pode ser de qualquer gravidade ou tipo, em vez de um estressor envolvendo exposição a morte real ou ameaça de morte, lesão grave ou violência sexual, conforme exigido pelo Critério A do TEPT. O diagnóstico de transtorno de adaptação é usado quando a resposta a um estressor que atende ao Critério A do TEPT não atende a todos os outros critérios de TEPT (ou critérios para outro transtorno mental). Um transtorno de adaptação também é diagnosticado quando o padrão sintomático de TEPT ocorre em resposta a um estressor que não satisfaz o Critério A de TEPT (p. ex., separação/abandono conjugal, demissão do trabalho).

Outros transtornos e condições pós-traumáticas. Nem toda psicopatologia que ocorre em indivíduos expostos a um estressor extremo necessariamente deve ser atribuída ao TEPT. O diagnóstico requer que a exposição ao trauma preceda o início ou a exacerbação dos sintomas pertinentes. Se o padrão de resposta sintomática ao estressor extremo satisfaz critérios de outro transtorno mental, esses diagnósticos devem ser dados em vez (ou em adição) do diagnóstico de TEPT. Outros diagnósticos e condições são excluídos se forem mais bem explicados por TEPT (p. ex., sintomas de transtorno de pânico que ocorrem apenas depois da exposição a lembranças traumáticas). Se graves, os padrões de resposta dos sintomas aos estressores extremos que preencham os critérios para outro transtorno mental podem exigir um diagnóstico separado (p. ex., amnésia dissociativa) em adição ao diagnóstico de TEPT.

Transtorno de estresse agudo. O transtorno de estresse agudo é distinto do TEPT porque seu padrão sintomático é restrito à duração de 3 dias a um mês depois da exposição ao evento traumático.

Transtornos de ansiedade e transtorno obsessivo-compulsivo. No TOC, existem pensamentos intrusivos recorrentes, mas estes satisfazem os critérios de uma obsessão. Além disso, os pensamentos intrusivos não estão relacionados a um evento traumático vivenciado; compulsões costumam estar presentes; e outros sintomas de TEPT ou transtorno de estresse agudo estão em geral ausentes. Nem os sintomas de excitação e dissociativos do transtorno de pânico, nem a evitação, a irritabilidade e a ansiedade do transtorno de ansiedade generalizada estão associados a um evento traumático específico. Os sintomas do transtorno de ansiedade de separação estão claramente relacionados à separação do lar ou da família, em vez de a um evento traumático.

Transtorno depressivo maior. A depressão maior pode ou não ser precedida por um evento traumático e deverá ser diagnosticada se todos os critérios forem preenchidos. O transtorno depressivo maior não inclui especificamente quaisquer sintomas dos Critérios B e C do TEPT. Também não inclui muitos dos sintomas dos Critérios D e E de TEPT, mas, se todos os critérios para TEPT também forem preenchidos, os dois diagnósticos podem ser dados.

Transtorno de déficit de atenção/hiperatividade. Tanto TDAH quanto TEPT podem incluir problemas de atenção, concentração e aprendizagem. Em contraste com o TDAH, em que os problemas de atenção, concentração e aprendizagem devem ter seu início antes dos 12 anos, no TEPT os sintomas têm seu início após a exposição a um evento traumático, como mencionado no Critério A. No TEPT, perturbações na atenção e concentração de um indivíduo podem ser atribuíveis ao estado de alerta ao perigo e a respostas de susto exageradas a situações ou coisas que fazem a pessoa lembrar do trauma.

Transtornos da personalidade. Dificuldades interpessoais que tiveram seu início ou ficaram extremamente exacerbadas depois da exposição a um evento traumático podem ser um indicativo de TEPT em vez de um transtorno da personalidade, no qual essas dificuldades seriam esperadas independentemente de qualquer exposição traumática.

Transtornos dissociativos. Amnésia dissociativa, transtorno dissociativo de identidade e transtorno de despersonalização-desrealização podem ou não ser precedidos pela exposição a um evento traumático ou podem ou não ter sintomas de TEPT concomitantes. Quando os critérios plenos de TEPT também são atendidos, no entanto, o subtipo de TEPT "com sintomas dissociativos" deverá ser considerado.

Transtorno de sintomas neurológicos funcionais (transtorno conversivo). O surgimento de novos sintomas somáticos no contexto de sofrimento pós-traumático pode ser uma indicação de TEPT em vez de transtorno de sintomas neurológicos funcionais.

Transtornos psicóticos. É preciso que os *flashbacks* do TEPT sejam distinguidos de delírios, alucinações e outras perturbações da sensopercepção que podem ocorrer na esquizofrenia, no transtorno psicótico breve e em outros transtornos psicóticos; nos transtornos depressivo e bipolar com aspectos psicóticos; no *delirium*; nos transtornos induzidos por substância/medicamento; e nos transtornos psicóticos devidos a outra condição médica. Os *flashbacks* do TEPT são distintos dessas outras perturbações perceptivas por estarem diretamente relacionados à experiência traumática e por ocorrerem na ausência de outros aspectos psicóticos ou induzidos por substância.

Lesão cerebral traumática. Alguns tipos de eventos traumáticos aumentam o risco de TEPT e traumatismo cranioencefálico (TCE) porque podem produzir lesões na cabeça (p. ex., combate militar, explosões de bombas, abuso físico infantil, violência do parceiro, crimes violentos, acidentes de veículos motorizados ou outros acidentes). Nesses casos, indivíduos que apresentem TEPT também podem estar sofrendo de TCE e vice-versa. Indivíduos com TEPT que também tenham TCE podem apresentar sintomas pós-concussivos persistentes (p. ex., dores de cabeça, tontura, sensibilidade a luzes ou sons, irritabilidade ou dificuldades de concentração). Porém, esses sintomas também podem ocorrer em pessoas sem lesões cerebrais, incluindo indivíduos com TEPT. Já que os sintomas de TEPT e os sintomas neurocognitivos relacionados ao TCE podem se sobrepor, um diagnóstico diferencial entre TEPT e sintomas de transtorno neurocognitivo atribuíveis ao TCE pode ser possível com base na presença de sintomas distintos de cada apresentação. Enquanto a revivência e a evitação são características do TEPT, e não efeitos de TCE, a desorientação e a confusão persistentes são mais específicas de TCE (efeitos neurocognitivos) do que de TEPT. Problemas de memória relacionados ao TCE ligados ao evento traumático são normalmente atribuíveis a inabilidade relacionada à lesão de codificar a informação, enquanto problemas de memória relacionados ao TEPT normalmente são reflexo da amnésia dissociativa. Problemas de sono são comuns em ambas as condições.

Comorbidade

Indivíduos com TEPT são mais propensos do que aqueles sem o transtorno a ter sintomas que satisfazem os critérios diagnósticos de pelo menos um outro transtorno mental, como transtornos depressivos, bipolares, de ansiedade ou por uso de substância. O TEPT também é associado com um maior risco de transtorno neurocognitivo maior. Em um estudo norte-americano, mulheres se mostraram mais propensas a desenvolver TEPT após um TCE. Embora a maioria das crianças pequenas com TEPT também apresente pelo menos um outro diagnóstico, os padrões de comorbidade são diferentes dos de adultos, com transtorno de oposição desafiante e transtorno de ansiedade de separação predominando.

Transtorno de Estresse Agudo

Critérios Diagnósticos F43.0

A. Exposição a episódio concreto ou ameaça de morte, lesão grave ou violência sexual em uma (ou mais) das seguintes formas:
 1. Vivenciar diretamente o evento traumático.
 2. Testemunhar pessoalmente o evento ocorrido a outras pessoas.

3. Saber que o evento ocorreu com familiar ou amigo próximo. **Nota:** Nos casos de morte ou ameaça de morte de um familiar ou amigo, é preciso que o evento tenha sido violento ou acidental.
4. Ser exposto de forma repetida ou extrema a detalhes aversivos do evento traumático (p. ex., socorristas que recolhem restos de corpos humanos, policiais repetidamente expostos a detalhes de abuso infantil).

   Nota: Isso não se aplica à exposição por intermédio de mídia eletrônica, televisão, filmes ou fotografias, a menos que tal exposição esteja relacionada ao trabalho.

B. Presença de nove (ou mais) dos seguintes sintomas de qualquer uma das cinco categorias de intrusão, humor negativo, dissociação, evitação e excitação, começando ou piorando depois da ocorrência do evento traumático:

Sintomas de Intrusão

1. Lembranças angustiantes recorrentes, involuntárias e intrusivas do evento traumático. **Nota:** Em crianças, pode ocorrer a brincadeira repetitiva na qual temas ou aspectos do evento traumático são expressos.
2. Sonhos angustiantes recorrentes nos quais o conteúdo e/ou o afeto do sonho estão relacionados ao evento. **Nota:** Em crianças, pode haver pesadelos sem conteúdo identificável.
3. Reações dissociativas (p. ex., *flashbacks*) nas quais o indivíduo sente ou age como se o evento traumático estivesse acontecendo novamente. (Essas reações podem ocorrer em um *continuum*, com a expressão mais extrema sendo uma perda completa de percepção do ambiente ao redor.) **Nota:** Em crianças, a reencenação específica do trauma pode ocorrer nas brincadeiras.
4. Sofrimento psicológico intenso ou prolongado ou reações fisiológicas acentuadas em resposta a sinais internos ou externos que simbolizem ou se assemelhem a algum aspecto do evento traumático.

Humor Negativo

5. Incapacidade persistente de vivenciar emoções positivas (p. ex., incapacidade de vivenciar sentimentos de felicidade, satisfação ou amor).

Sintomas Dissociativos

6. Senso de realidade alterado acerca de si mesmo ou do ambiente ao redor (p. ex., ver-se a partir da perspectiva de outra pessoa, estar entorpecido, sentir-se como se estivesse em câmera lenta).
7. Incapacidade de recordar um aspecto importante do evento traumático (geralmente devido a amnésia dissociativa, e não a outros fatores, como traumatismo craniano, álcool ou drogas).

Sintomas de Evitação

8. Esforços para evitar recordações, pensamentos ou sentimentos angustiantes acerca do, ou fortemente relacionados ao, evento traumático.
9. Esforços para evitar lembranças (pessoas, lugares, conversas, atividades, objetos, situações) que despertem recordações, pensamentos ou sentimentos angustiantes acerca do, ou fortemente relacionados ao, evento traumático.

Sintomas de Excitação

10. Perturbação do sono (p. ex., dificuldade de iniciar ou manter o sono, sono agitado).
11. Comportamento irritadiço e surtos de raiva (com pouca ou nenhuma provocação) geralmente expressos como agressão verbal ou física em relação a pessoas ou objetos.
12. Hipervigilância.
13. Problemas de concentração.
14. Resposta de sobressalto exagerada.

C. A duração da perturbação (sintomas do Critério B) é de três dias a um mês depois do trauma.

> **Nota:** Os sintomas começam geralmente logo após o trauma, mas é preciso que persistam no mínimo três dias e até um mês para satisfazerem os critérios do transtorno.
>
> D. A perturbação causa sofrimento clinicamente significativo e prejuízo no funcionamento social, profissional ou em outras áreas importantes da vida do indivíduo.
> E. A perturbação não se deve aos efeitos fisiológicos de uma substância (p. ex., medicamento ou álcool) ou a outra condição médica (p. ex., lesão cerebral traumática leve) e não é mais bem explicada por um transtorno psicótico breve.

Características Diagnósticas

A característica principal do transtorno de estresse agudo é o desenvolvimento de sintomas que duram de três dias a um mês após a exposição a um ou mais eventos traumáticos (Critério A), que são do mesmo tipo descrito no Critério A para TEPT (para mais informações, ver "Características Diagnósticas" para TEPT). A apresentação clínica do transtorno de estresse agudo pode variar de acordo com o indivíduo, mas em geral envolve uma resposta de ansiedade que inclui alguma forma de revivência ou reatividade ao evento traumático. Apresentações podem incluir sintomas de intrusão, humor negativo, sintomas dissociativos, sintomas de evitação e sintomas de excitação (Critérios B1-B14). Em alguns indivíduos, um quadro dissociativo ou de distanciamento pode predominar, embora essas pessoas também apresentem geralmente forte reatividade emocional ou fisiológica em resposta a lembranças do trauma. Em outros indivíduos, pode haver uma resposta de raiva intensa, na qual a reatividade é caracterizada por respostas irritadiças ou possivelmente agressivas

Sintomas de intrusão (Critérios B1-B4) são como os descritos nos Critérios B1 a B5 para o TEPT (para discussão desses sintomas, ver "Características Diagnósticas" para TEPT; note que o Critério B4 para transtorno de estresse agudo abrange os Critérios B4 e B5 para TEPT). Indivíduos com transtorno de estresse agudo podem ter incapacidade persistente de sentir emoções positivas (p. ex., felicidade, alegria, satisfação ou emoções associadas a intimidade, ternura ou sexualidade), mas conseguem sentir emoções negativas como medo, tristeza, raiva, culpa ou vergonha (Critério B5). Alterações na consciência podem incluir *despersonalização*, uma sensação de distanciamento de si mesmo (p. ex., ver-se do outro lado do quarto), ou *desrealização*, uma visão distorcida do ambiente que o cerca (p. ex., percepção de que as coisas estão em câmera lenta, ver coisas ofuscadas, não perceber eventos que normalmente registraria) (Critério B6). Alguns indivíduos também relatam incapacidade de recordar algum aspecto importante do evento traumático que foi presumidamente registrado. Esse sintoma deve-se à amnésia dissociativa, e não a traumatismo cranioencefálico, álcool ou drogas (Critério B7). Estímulos associados ao trauma são persistentemente evitados. O indivíduo costuma fazer esforços deliberados para evitar pensamentos, lembranças, sentimentos ou diálogos a respeito do evento traumático (p. ex., utilizando técnicas de distração para evitar recordações internas) (Critério B8) e para evitar atividades, conversas, objetos, situações ou pessoas que desencadeiem lembranças do evento (Critério B9).

É muito comum que pessoas com transtorno de estresse agudo tenham problemas em iniciar e manter o sono, o que pode estar associado a pesadelos e preocupações com segurança ou excitação elevada generalizada que impedem o sono adequado (Critério B10). Indivíduos com transtorno de estresse agudo podem irritar-se facilmente e até mesmo adotar um comportamento físico e/ou verbal agressivo diante de pouca ou nenhuma provocação (p. ex., gritar com os outros, envolver-se em brigas ou destruir objetos) (Critério B11). O transtorno de estresse agudo é com frequência caracterizado por hipersensibilidade a ameaças potenciais, incluindo as relacionadas à experiência traumática (p. ex., depois de um acidente automobilístico, ficar especialmente sensível à ameaça potencial representada por carros ou caminhões) e as não relacionadas ao evento traumático (p. ex., medo de sofrer infarto agudo do miocárdio) (Critério B12). Dificuldades de concentração (Critério B13) incluem dificuldades para lembrar de fatos conhecidos (p. ex., esquecer o próprio número telefônico) ou eventos do cotidiano (p. ex., esquecer parte de um livro ou jornal lido recentemente) ou a se dedicar a tarefas com foco (p. ex., manter uma conversa por certo período de tempo).

Indivíduos com transtorno de estresse agudo podem mostrar-se bastante reativos a estímulos inesperados, exibindo uma resposta de sobressalto intensa ou tensão/nervosismo a ruídos elevados ou movimentos inesperados (p. ex., pulando de susto em resposta ao toque de um telefone) (Critério B14). Respostas de sobressalto são involuntárias e reflexas (automáticas, instantâneas), e estímulos que evocam essas respostas de sobressalto exageradas (Critério B14) não precisam necessariamente estar relacionados ao evento traumático.

É preciso que o quadro sintomático pleno esteja presente por pelo menos três dias depois do evento traumático, e o diagnóstico só pode ser feito até um mês depois do evento (Critério C). Sintomas que ocorrem imediatamente depois do evento, mas cedem em menos de três dias, não atenderiam aos critérios de transtorno de estresse agudo.

Características Associadas

Indivíduos com transtorno de estresse agudo costumam adotar pensamentos catastróficos ou extremamente negativos a respeito do seu papel no evento traumático, da sua resposta à experiência traumática ou da probabilidade de danos futuros. Por exemplo, uma pessoa com transtorno de estresse agudo pode sentir culpa excessiva por não ter impedido o evento traumático ou por não se adaptar à experiência com mais êxito. Indivíduos com transtorno de estresse agudo também podem interpretar seus sintomas de maneira catastrófica, de modo que memórias de *flashback* ou entorpecimento emocional podem ser interpretadas como um sinal de capacidade mental diminuída. É comum que as pessoas com o transtorno sofram ataques de pânico no primeiro mês depois da exposição ao trauma, os quais podem ser desencadeados por lembranças do trauma ou aparentemente ocorrer de maneira espontânea. Além disso, indivíduos com transtorno de estresse agudo podem demonstrar comportamentos caóticos ou impulsivos. Por exemplo, podem dirigir imprudentemente, tomar decisões irracionais ou apostar excessivamente. Em crianças, pode haver ansiedade de separação significativa, possivelmente manifestada por necessidades excessivas de atenção dos cuidadores. No caso do luto subsequente a uma morte que ocorreu em circunstâncias traumáticas, os sintomas de transtorno de estresse agudo podem envolver reações de tristeza agudas. Nesses casos, sintomas de revivência, dissociativos e de excitação podem envolver reações à perda, como recordações intrusivas das circunstâncias da morte do indivíduo, negação da morte da pessoa e raiva a respeito da morte. Sintomas pós-concussivos (p. ex., cefaleia, tontura, sensibilidade a luz ou som, irritabilidade, déficits de concentração), que ocorrem frequentemente em seguida a uma lesão cerebral traumática leve, também costumam ser vistos em indivíduos com transtorno de estresse agudo. Sintomas pós-concussivos são igualmente comuns em populações que sofreram lesão cerebral e nas que não sofreram, e a ocorrência frequente desses sintomas poderia ser atribuída a sintomas de transtorno de estresse agudo.

Prevalência

A prevalência do transtorno de estresse agudo em populações recentemente expostas a trauma (i. e., dentro de um mês da exposição ao trauma) varia de acordo com a natureza do evento e o contexto no qual é avaliado. Em uma pesquisa conduzida na Austrália, no Reino Unido e nos Estados Unidos, o transtorno de estresse agudo foi identificado em menos de 20% dos casos após eventos traumáticos que não envolviam agressão interpessoal (p. ex., acidentes de carro, lesões cerebrais traumáticas leves, queimaduras graves e acidentes industriais). Taxas maiores (i. e., 19 a 50%) geralmente foram encontradas após eventos traumáticos interpessoais (p. ex., agressão, estupro).

Desenvolvimento e Curso

O transtorno de estresse agudo não pode, por definição, ser diagnosticado até três dias após um evento traumático. Apesar de o transtorno poder progredir para o transtorno de estresse pós-traumático depois de um mês, ele também pode ser uma resposta de estresse temporária que cede dentro de um mês da exposição ao trauma e não resulta em TEPT. Aproximadamente metade dos indivíduos que acabam desenvolvendo TEPT apresenta-se inicialmente com transtorno de estresse agudo. Análises longitudinais indicam que os sintomas de estresse agudo podem entrar em remissão, permanecer constantes ou piorar com o tempo, em grande parte como resultado de estressores da vida ou de outros eventos traumáticos.

As formas de revivência podem variar de acordo com o desenvolvimento do indivíduo. Diferentemente de adultos ou adolescentes, crianças pequenas podem relatar sonhos assustadores sem conteúdo que reflita claramente aspectos do trauma (p. ex., acordar apavorado em consequência do trauma, mas não conseguir relacionar o conteúdo do sonho ao evento traumático). Crianças com 6 anos de idade ou menos são mais propensas do que crianças mais velhas a expressar sintomas de revivência em brincadeiras que se referem direta ou simbolicamente ao trauma. Por exemplo, uma criança muito pequena que sobreviveu a um incêndio pode fazer desenhos de labaredas. Crianças pequenas também não manifestam necessariamente reações de medo no momento da exposição ou até mesmo durante a revivência. Os pais, em geral, relatam uma gama de expressões emocionais, como raiva, vergonha ou retraimento, e até mesmo afeto excessivamente positivo, em crianças pequenas traumatizadas. Embora as crianças possam evitar recordações do trauma, elas às vezes se tornam preocupadas com as recordações (p. ex., uma criança pequena mordida por um cachorro pode falar a respeito de cachorros constantemente, embora evite sair de casa com medo de encontrar um cachorro).

Fatores de Risco e Prognóstico

Temperamentais. Os fatores de risco incluem transtorno mental prévio, níveis elevados de respostas emocionais negativas, como humor deprimido e ansiedade (também chamados de *afetividade negativa* ou *neuroticismo*), percepção de maior gravidade do evento traumático e um estilo de enfrentamento evitativo. Uma visão catastrófica da experiência traumática, frequentemente caracterizada por avaliações exageradas de dano futuro, culpa ou desespero, é fortemente preditiva de transtorno de estresse agudo.

Ambientais. Antes de qualquer coisa, é preciso que o indivíduo tenha sido exposto a um evento traumático para estar em risco de sofrer transtorno de estresse agudo. Os fatores de risco para o transtorno incluem história de trauma anterior.

Genéticos e fisiológicos. Reatividade elevada, refletida por uma resposta de sobressalto acústico, antes da exposição ao trauma aumenta o risco de desenvolver transtorno de estresse agudo.

Questões Diagnósticas Relativas à Cultura

O perfil de sintomas do transtorno de estresse agudo pode variar entre as culturas, particularmente com respeito a sintomas dissociativos, pesadelos, evitação e sintomas somáticos (p. ex., tontura, falta de ar, sensações de calor). Reações de estresse agudo podem ser moldadas por valores e normas culturais em relação à expressão de emoções extremas, mesmo em situações extraordinárias. Conceitos culturais de sofrimento moldam os perfis sintomáticos locais de transtorno de estresse agudo. Alguns grupos culturais podem exibir variantes de respostas dissociativas, como possessão ou comportamentos de transe no primeiro mês depois da exposição ao trauma. Sintomas de pânico podem ser acentuados no transtorno de estresse agudo entre cambojanos em virtude da associação da exposição traumática com ataques *khyâl* similares aos ataques de pânico, e *ataques de nervios* entre latino-americanos também podem ocorrer após uma exposição traumática. Para mais informações sobre conceitos culturais de sofrimento, ver o capítulo "Diagnósticos Culturais e Psiquiátricos" na Seção III.

Questões Diagnósticas Relativas ao Sexo e ao Gênero

O transtorno de estresse agudo é mais prevalente entre as mulheres segundo estudos desenvolvidos em múltiplos países. O risco maior para as mulheres pode ser atribuído a uma probabilidade maior de exposição aos tipos de eventos traumáticos com alto risco condicional para transtorno de estresse agudo, como estupro, outras violências interpessoais e traumas de infância, incluindo abuso sexual. Outros fatores que provavelmente contribuem para a maior prevalência em mulheres incluem diferenças de gênero no processamento emocional e cognitivo de traumas. Diferenças neurobiológicas ligadas ao sexo na resposta ao estresse, assim como fatores socioculturais, podem contribuir para o risco maior de desenvolvimento do transtorno entre mulheres.

Consequências Funcionais do Transtorno de Estresse Agudo

O prejuízo funcional nos domínios social, interpessoal ou profissional tem sido demonstrado entre sobreviventes de acidentes, assalto e estupro que desenvolvem transtorno de estresse agudo. Os níveis extremos de ansiedade que podem estar associados ao transtorno podem interferir no sono, nos níveis de energia e na capacidade de realizar tarefas. A evitação no transtorno de estresse agudo pode resultar em afastamento generalizado de muitas situações percebidas como potencialmente ameaçadoras, o que pode levar ao não comparecimento a consultas médicas, à evitação de dirigir para compromissos importantes e ao absenteísmo no trabalho.

Diagnóstico Diferencial

Transtornos de adaptação. No transtorno de adaptação, o estressor pode ser de qualquer gravidade em vez da gravidade e do tipo exigidos pelo Critério A do transtorno de estresse agudo. O diagnóstico de transtorno de adaptação é usado quando a resposta a um evento de Critério A não satisfaz os critérios de transtorno de estresse agudo (ou outro transtorno mental específico) e quando o padrão sintomático de transtorno de estresse agudo ocorre em resposta a um estressor que não satisfaz o Critério A para exposição a ameaça ou episódio concreto de morte, lesão grave ou violência sexual (p. ex., separação/abandono conjugal, demissão do emprego). Por exemplo, reações de estresse graves a doenças potencialmente fatais que podem incluir alguns sintomas do transtorno de estresse agudo podem ser mais apropriadamente descritas como um transtorno de adaptação. Algumas formas de resposta de estresse agudo não incluem sintomas desse transtorno e podem ser caracterizadas por raiva, depressão ou culpa. Essas respostas são descritas de forma mais adequada como essencialmente um transtorno de adaptação. Respostas depressivas ou raivosas em um transtorno de adaptação podem envolver ruminação acerca do evento traumático, em oposição a recordações angustiadas involuntárias e intrusivas no transtorno de estresse agudo.

Transtorno de pânico. Ataques de pânico espontâneos são muito comuns no transtorno de estresse agudo. Entretanto, o transtorno de pânico é diagnosticado apenas se os ataques de pânico forem inesperados e se houver ansiedade a respeito de ataques futuros ou mudanças mal-adaptativas no comportamento associadas ao medo das consequências terríveis dos ataques.

Transtornos dissociativos. Respostas dissociativas graves (na ausência de sintomas característicos de transtorno de estresse agudo) podem ser diagnosticadas como transtorno de desrealização/despersonalização. Se a amnésia grave do trauma persistir na ausência de sintomas característicos de transtorno de estresse agudo, o diagnóstico de amnésia dissociativa pode ser indicado.

Transtorno de estresse pós-traumático. O transtorno de estresse agudo é distinto do TEPT porque o padrão sintomático no primeiro ocorre e acaba dentro de um mês depois do evento traumático. Se os sintomas persistirem por mais de um mês e satisfizerem os critérios de TEPT, o diagnóstico muda de transtorno de estresse agudo para TEPT.

Transtorno obsessivo-compulsivo. No transtorno obsessivo-compulsivo, existem pensamentos intrusivos recorrentes, porém estes atendem à definição de uma obsessão. Além disso, os pensamentos intrusivos não estão relacionados a um evento traumático vivenciado; compulsões em geral estão presentes; e outros sintomas de transtorno de estresse agudo estão comumente ausentes.

Transtornos psicóticos. É preciso distinguir os *flashbacks* do transtorno de estresse agudo de delírios, alucinações e outras perturbações da sensopercepção que podem ocorrer na esquizofrenia, em outros transtornos psicóticos, nos transtornos depressivo ou bipolar com aspectos psicóticos, no *delirium*, em transtornos induzidos por substância/medicamento e em transtornos psicóticos devidos a outra condição médica. Os *flashbacks* do transtorno de estresse agudo são distintos dessas outras perturbações da sensopercepção por estarem diretamente relacionados à experiência traumática e por ocorrerem na ausência de outros aspectos psicóticos ou induzidos por substância.

Lesão cerebral traumática. Quando ocorre uma lesão cerebral no contexto de um evento traumático (p. ex., acidente traumático, explosão de bomba, trauma por aceleração/desaceleração), sintomas de transtorno de estresse agudo podem surgir. Um evento que causa traumatismo cranioencefálico também pode constituir um evento traumático psicológico, e sintomas neurocognitivos relacionados a lesão cerebral traumática (LCT) não são mutuamente excludentes e podem ocorrer de forma concomitante. Sintomas antes denominados *pós-concussivos* (p. ex., cefaleias, tontura, sensibilidade a luz ou som, irritabilidade, déficits de concentração) podem ocorrer em populações com e sem lesão cerebral, incluindo indivíduos com transtorno de estresse agudo. Na medida em que sintomas do transtorno de estresse agudo e sintomas neurocognitivos relacionados a LCT podem se sobrepor, um diagnóstico diferencial entre transtorno de estresse agudo e sintomas de transtorno neurocognitivo atribuíveis a LCT é possível com base na presença de sintomas distintos de cada apresentação. Enquanto a revivência e a evitação são características do transtorno de estresse agudo, e não efeitos de LCT, a desorientação e a confusão persistentes são mais específicas da LCT (efeitos neurocognitivos) do que do transtorno de estresse agudo. Além disso, um diferencial é que os sintomas de transtorno de estresse agudo persistem por no máximo um mês após a exposição ao trauma.

Transtornos de Adaptação

Critérios Diagnósticos

A. Desenvolvimento de sintomas emocionais ou comportamentais em resposta a um estressor ou estressores identificáveis ocorrendo dentro de três meses do início do estressor ou estressores.

B. Esses sintomas ou comportamentos são clinicamente significativos, conforme evidenciado por um ou mais dos seguintes aspectos:
   1. Sofrimento intenso desproporcional à gravidade ou à intensidade do estressor, considerando-se o contexto cultural e os fatores culturais que poderiam influenciar a gravidade e a apresentação dos sintomas.
   2. Prejuízo significativo no funcionamento social, profissional ou em outras áreas importantes da vida do indivíduo.

C. A perturbação relacionada ao estresse não satisfaz os critérios para outro transtorno mental e não é meramente uma exacerbação de um transtorno mental preexistente.

D. Os sintomas não representam luto normal e não são mais bem explicados por transtorno do luto prolongado.

E. Uma vez que o estressor ou suas consequências tenham cedido, os sintomas não persistem por mais de seis meses.

Determinar o subtipo:

F43.21 Com humor deprimido: Humor deprimido, choro fácil ou sentimentos de desesperança são predominantes.

F43.22 Com ansiedade: Nervosismo, preocupação, inquietação ou ansiedade de separação são predominantes.

F43.23 Com misto de ansiedade e humor deprimido: Predomina uma combinação de depressão e ansiedade.

F43.24 Com perturbação da conduta: Predomina a perturbação da conduta.

F43.25 Com perturbação mista das emoções e da conduta: Tanto sintomas emocionais (p. ex., depressão, ansiedade) quanto a perturbação de conduta são predominantes.

F43.20 Não especificado: Para reações mal-adaptativas que não são classificáveis como um dos subtipos específicos do transtorno de adaptação.

> *Especificar* se:
> **Agudo:** Esse especificador pode ser usado para indicar a persistência de sintomas por menos de 6 meses.
> **Persistente (crônico):** Esse especificador pode ser usado para indicar a persistência de sintomas por 6 meses ou mais. Por definição, os sintomas não podem persistir por mais de 6 meses depois do fim do estressor ou de suas consequências. O especificador "persistente", portanto, é aplicado quando a duração da perturbação é mais longa do que 6 meses em resposta a um estressor crônico ou a um estressor com consequências duradouras.

Especificadores

Por definição, um transtorno de adaptação deve se resolver em até 6 meses depois do fim do estressor ou de suas consequências. Porém, os sintomas podem persistir por um período prolongado (i. e., mais de 6 meses) se eles ocorrerem em resposta a um estressor persistente (p. ex., uma outra condição médica crônica) ou a um estressor que tenha consequências duradouras (p. ex., as dificuldades financeiras e emocionais resultantes de um divórcio). A duração dos sintomas do transtorno de adaptação pode ser indicada pelo uso dos especificadores agudo ou persistente (crônico). O especificador "agudo" pode ser usado para indicar a persistência de sintomas por menos de 6 meses. O especificador "persistente (crônico)" pode ser usado para indicar a persistência de sintomas por 6 meses ou mais. O especificador "persistente", portanto, é aplicado quando a duração da perturbação é maior que 6 meses em resposta a um estressor crônico ou a um estressor com consequências duradouras.

Características Diagnósticas

A presença de sintomas emocionais ou comportamentais em resposta a um estressor identificável é uma característica essencial dos transtornos de adaptação (Critério A). O estressor pode ser um único evento (p. ex., o término de um relacionamento afetivo), ou pode haver múltiplos estressores (p. ex., dificuldades profissionais acentuadas e problemas conjugais). Os estressores podem ser recorrentes (p. ex., associados a crises profissionais cíclicas, relacionamentos sexuais insatisfatórios) ou contínuos (p. ex., uma doença dolorosa persistente com incapacidade crescente, morar em área de alta criminalidade) e podem afetar um único indivíduo ou uma família inteira, um grupo maior ou uma comunidade (p. ex., um desastre natural). Alguns estressores podem acompanhar eventos específicos do desenvolvimento (p. ex., ir para a escola, deixar a casa dos pais, voltar para a casa dos pais, casar-se, tornar-se pai/mãe, fracassar em metas profissionais, aposentadoria).

Transtornos de adaptação podem ser diagnosticados após a morte de um ente querido quando a intensidade, a qualidade e a persistência das reações de luto excedem o que se esperaria normalmente, quando normas culturais, religiosas e apropriadas à idade são consideradas e o processo de luto não preenche os critérios para transtorno do luto prolongado.

Prevalência

Os transtornos de adaptação são comuns, embora a prevalência varie bastante em função da população estudada e dos métodos de avaliação usados. A porcentagem de indivíduos em tratamento ambulatorial de saúde mental nos Estados Unidos com um diagnóstico principal de transtorno de adaptação vai de aproximadamente 5 a 20%. As taxas do transtorno de adaptação podem ser maiores em mulheres, segundo pesquisas dinamarquesas. Nos serviços de interconsulta psiquiátrica de hospitais da Austrália, Canadá, Israel e Estados Unidos, o transtorno de adaptação foi frequentemente o diagnóstico mais comum nos anos 1990, alcançando, com frequência, mais de 50% dos casos.

Desenvolvimento e Curso

Por definição, a perturbação nos transtornos de adaptação inicia nos primeiros três meses desde o surgimento de um estressor. Se o estressor for um evento agudo (p. ex., demissão do emprego), o início da perturbação geralmente é imediato (i. e., dentro de poucos dias) e a duração é relativamente breve (i. e., não mais do que poucos meses). Se o estressor e suas consequências persistirem, o transtorno de adaptação pode manter-se presente e evoluir para a forma persistente. Por definição, se os sintomas persistirem mais de 6 meses depois da cessação do estressor ou de suas consequências, o diagnóstico de transtorno de adaptação não se aplicaria mais.

Fatores de Risco e Prognóstico

Ambientais. Indivíduos com circunstâncias de vida desvantajosas vivenciam uma taxa elevada de estressores e podem estar em risco maior de sofrer transtornos de adaptação.

Questões Diagnósticas Relativas à Cultura

Como a natureza, o significado e a experiência dos estressores e a avaliação da resposta a eles podem variar entre culturas, o contexto cultural é importante na determinação de se a resposta de adaptação é mal-adaptativa. Migrantes e refugiados podem experimentar grandes mudanças contextuais e culturais estressantes que podem dificultar essa avaliação. O sofrimento é assumido como aspecto intrínseco de uma vida normal em alguns contextos culturais, de maneira que reações de sofrimento a eventos estressantes da vida podem não ser vistas como mal-adaptativas ou merecedoras de tratamento. Autoimolação também é um risco associado com o transtorno de adaptação em alguns contextos culturais.

Associação com Pensamentos ou Comportamentos Suicidas

Os transtornos de adaptação estão associados a um risco maior de tentativas e consumação de suicídio. Entre populações de migrantes, incluindo migrantes turcos no Leste Europeu e migrantes do Sul e Leste Asiáticos em países do Golfo, o transtorno de adaptação foi visto como sendo um dos diagnósticos mais comuns associados com comportamentos relacionados a suicídio.

Consequências Funcionais dos Transtornos de Adaptação

O sofrimento subjetivo ou o prejuízo funcional associados aos transtornos de adaptação manifestam-se frequentemente por meio de queda no desempenho profissional ou acadêmico e por meio de mudanças temporárias nas relações sociais. Um transtorno de adaptação pode complicar o curso da doença em indivíduos que tenham outra condição médica (p. ex., menos obediência ao esquema médico recomendado; estada hospitalar mais prolongada).

Diagnóstico Diferencial

Transtorno depressivo maior. Se um indivíduo tem sintomas que satisfazem os critérios para um transtorno depressivo maior em resposta a um estressor, o diagnóstico de transtorno de adaptação não é aplicável. O perfil sintomático do transtorno depressivo maior o diferencia dos transtornos de adaptação.

Transtorno de estresse pós-traumático e transtorno de estresse agudo. Nos transtornos de adaptação, o estressor pode ser de qualquer gravidade em vez da gravidade e do tipo exigidos pelo Critério A do transtorno de estresse agudo e do transtorno de estresse pós-traumático (TEPT). Ao fazer a distinção entre transtornos desses dois diagnósticos pós-traumáticos, existem considerações tanto temporais como do perfil sintomático. Os transtornos de adaptação podem ser diagnosticados imediatamente e persistir por até 6 meses depois de exposição ao evento traumático, enquanto o transtorno de estresse agudo só pode ocorrer entre três dias e um mês da exposição ao estressor, e o TEPT não pode ser diagnosticado até que pelo menos um mês tenha se passado desde a ocorrência do estressor traumático. O perfil de sintomas exigido pelo TEPT e pelo transtorno de estresse agudo os diferencia dos transtornos de adaptação. Com relação aos perfis sintomáticos, um transtorno de adaptação pode ser diagnosticado após um evento traumático quando um indivíduo exibe sintomas de transtorno de estresse agudo ou de TEPT que não satisfazem nem excedem o limiar diagnóstico dos transtornos. Como o transtorno de adaptação não pode persistir por mais de seis meses após o término do estressor ou de suas consequências, os casos em que os sintomas que ocorrem em resposta a um evento traumático ficam aquém do limiar diagnóstico para TEPT e persistem por mais de seis meses devem ser diagnosticados como outro transtorno relacionado a trauma e a estressores especificado. Um transtorno de adaptação também deverá ser diagnosticado para indivíduos que não tenham sido expostos a um evento traumático como os do Critério A para TEPT, mas ainda assim exibem o perfil sintomático pleno de transtorno de estresse agudo ou TEPT.

Transtornos da personalidade. Com relação aos transtornos da personalidade, algumas características da personalidade podem estar associadas a uma vulnerabilidade ao sofrimento situacional que pode assemelhar-se a um transtorno de adaptação. Uma história do funcionamento da personalidade ao longo da vida ajudará na interpretação de comportamentos que expressam sofrimento para auxiliar a distinguir um transtorno da personalidade duradouro de um transtorno de adaptação. Além de alguns transtornos da personalidade que acarretam vulnerabilidade ao sofrimento, estressores também podem exacerbar sintomas de transtornos da personalidade. Na presença de um transtorno da personalidade, se os critérios de sintomas para um transtorno de adaptação forem atendidos e a perturbação relacionada ao estresse exceder o que pode ser atribuível a sintomas de transtornos da personalidade mal-adaptativos (ou seja, se o Critério C for atendido), então o diagnóstico de um transtorno de adaptação deve ser feito.

Luto. O sofrimento agudo clinicamente significativo relacionado ao luto pode às vezes ser diagnosticado como um transtorno de adaptação se o luto for considerado desproporcional ao que seria esperado ou prejudicar significativamente o autocuidado e as relações interpessoais. Quando esses sintomas persistirem por mais de 12 meses após a morte em questão, o diagnóstico é ou de transtorno do luto prolongado, se todos os critérios forem preenchidos, ou de outro transtorno relacionado a trauma e a estressores especificado.

Fatores psicológicos que afetam outras condições médicas. Em fatores psicológicos que afetam outras condições médicas, entidades psicológicas específicas (p. ex., sintomas psicológicos, comportamentos, outros fatores) exacerbam uma condição clínica. Esses fatores psicológicos podem precipitar, exacerbar ou pôr o indivíduo em risco de desenvolver uma doença médica ou piorar uma condição existente. Por sua vez, um transtorno de adaptação é uma reação ao estressor (p. ex., ter uma doença médica).

Reações normais de estresse. Quando coisas ruins acontecem, a maioria das pessoas se perturba. Não se trata de um transtorno de adaptação. O diagnóstico só deverá ser feito quando a magnitude do sofrimento (p. ex., alterações no humor, na ansiedade ou na conduta) exceder o que se esperaria normalmente (o que pode variar de acordo com as culturas), ou quando o evento adverso desencadear um prejuízo funcional.

Comorbidade

Transtornos de adaptação podem acompanhar a maioria dos transtornos mentais e qualquer condição médica. Os transtornos de adaptação podem ser diagnosticados em adição a outro transtorno mental apenas se o transtorno mental não explicar os sintomas particulares que ocorrem em resposta a um estressor. Por exemplo, um indivíduo pode desenvolver um transtorno de adaptação, com humor deprimido, depois de perder um emprego e ao mesmo tempo ter um diagnóstico de transtorno obsessivo-compulsivo. Ou, então, um indivíduo pode ter um transtorno depressivo ou bipolar e um transtorno de adaptação desde que os critérios para ambos sejam atendidos. Transtornos de adaptação comumente acompanham as doenças médicas e podem ser a principal resposta psicológica a um distúrbio médico.

Transtorno do Luto Prolongado

Critérios Diagnósticos   F43.81

A. Morte, há pelo menos 12 meses, de uma pessoa próxima ao indivíduo em luto (para crianças e adolescentes, há pelo menos 6 meses).

B. Desde a morte, o desenvolvimento de uma resposta de luto persistente caracterizada por um ou ambos dos seguintes sintomas, presentes na maioria dos dias em um nível clinicamente significativo. Além disso, os sintomas ocorreram quase todos os dias pelo menos no último mês:
   1. Saudade intensa da pessoa falecida.
   2. Preocupação com pensamentos ou memórias da pessoa falecida (em crianças e adolescentes, a preocupação pode centrar-se nas circunstâncias do falecimento).
C. Desde a morte, pelo menos três dos seguintes sintomas, presentes na maioria dos dias em um nível clinicamente significativo. Além disso, os sintomas ocorreram quase todos os dias pelo menos no último mês:
   1. Perturbação na identidade (p. ex., sentir como se uma parte de si tivesse morrido) desde o falecimento.
   2. Senso acentuado de descrença sobre o falecimento.
   3. Evitação de lembranças de que a pessoa está morta (em crianças e adolescentes, pode ser caracterizado por esforços em evitar situações que lembrem a pessoa falecida).
   4. Dor emocional intensa (p. ex., raiva, amargura e tristeza) relacionada ao falecimento.
   5. Dificuldades de reintegração aos relacionamentos e atividades após o falecimento (p. ex., problemas para se relacionar com amigos, buscar interesses ou planejar o futuro).
   6. Apatia emocional (ausência ou redução marcada de experiência emocional) em decorrência do falecimento.
   7. Sentimento de que a vida perdeu o sentido em decorrência do falecimento.
   8. Solidão intensa em decorrência do falecimento.
D. A perturbação causa sofrimento clinicamente significativo ou prejuízo no funcionamento social, profissional ou de outras áreas importantes.
E. A duração e a gravidade da reação de luto claramente excedem as normas sociais, culturais ou religiosas esperadas para o contexto e cultura do indivíduo.
F. O(s) sintoma(s) não é(são) mais bem explicado(s) por outro transtorno mental, como transtorno depressivo maior ou transtorno de estresse pós-traumático e não é(são) atribuído(s) aos efeitos fisiológicos de uma substância (p. ex., medicamentos ou álcool) ou a outra condição médica.

Características Diagnósticas

O transtorno do luto prolongado representa uma reação de luto prolongada e mal-adaptativa que só pode ser diagnosticada depois que tiverem se passado pelo menos 12 meses (seis meses em crianças) desde a morte de alguém com quem o enlutado tinha um relacionamento próximo (Critério A). Apesar de, em geral, esse quadro temporal conseguir diferenciar luto normal de um luto grave e prejudicial, a duração do luto adaptativo pode variar individualmente e entre culturas. A condição envolve o desenvolvimento de uma resposta de luto persistente caracterizada por saudade intensa da pessoa falecida (muitas vezes com tristeza intensa e choro frequente) ou preocupação com pensamentos ou memórias da pessoa falecida, embora em crianças e adolescentes essa preocupação possa se concentrar nas circunstâncias do falecimento. A saudade intensa ou a preocupação estiveram presentes na maioria dos dias em um nível clinicamente significativo e ocorreram quase todos os dias pelo menos no último mês (Critério B). Além disso, desde a morte, pelo menos três sintomas adicionais estiveram presentes na maioria dos dias em um nível clinicamente significativo e ocorreram quase todos os dias pelo menos no último mês. Esses sintomas incluem perturbação na identidade da pessoa desde o falecimento (p. ex., sentir que uma parte de si morreu) (Critério C1); uma sensação marcada de descrença sobre o falecimento (Critério C2); evitação de lembranças de que a pessoa está morta, o que em crianças e adolescentes pode ser caracterizado por esforços para evitar situações que lembrem da pessoa falecida (Critério C3); dor emocional intensa (raiva, amargura e culpa) relacionada ao falecimento (Critério C4); dificuldades de se envolver em relacionamentos pessoais e atividades desde o falecimento (p. ex., problemas para se relacionar com amigos, buscar interesses e planejar o futuro) (Critério C5);

apatia emocional (ausência ou redução marcada para sentir emoções) devido ao falecimento (Critério C6); sentimentos de que a vida não tem sentido após o falecimento (Critério C7); ou solidão intensa como consequência do falecimento (Critério C8).

Esses sintomas de transtorno do luto prolongado devem causar sofrimento clinicamente significativo ou prejuízo no funcionamento social, profissional ou em outras áreas importantes da vida do indivíduo enlutado (Critério D). A duração e a gravidade da reação de luto claramente excedem as normas sociais, culturais ou religiosas esperadas para o contexto e cultura do indivíduo (Critério E). Embora haja variações em como o luto pode se manifestar, os sintomas do transtorno do luto prolongado ocorrem em ambos os gêneros e em grupos sociais e culturais diversos.

Características Associadas

Indivíduos com sintomas de transtorno do luto prolongado frequentemente experimentam cognições mal-adaptativas sobre si mesmos, culpa sobre a morte e diminuição de expectativas sobre a vida futura. Queixas somáticas geralmente acompanham a condição e podem estar relacionadas a depressão e ansiedade comórbidas, ruptura da identidade social e aumento das consultas de saúde. Os sintomas somáticos podem estar associados aos que foram experimentados pela pessoa falecida (p. ex., alterações no apetite). Comportamentos prejudiciais à saúde relacionados a falta de autocuidados e preocupações também são comuns em indivíduos com sintomas de transtorno do luto prolongado. Alucinações sobre a pessoa falecida (p. ex., ouvir a voz da pessoa falecida) podem ocorrer durante o luto normal, mas podem ser mais comuns em indivíduos com sintomas de transtorno do luto prolongado. Alucinações experimentadas por indivíduos com sintomas de transtorno do luto prolongado podem estar associadas a rupturas da identidade social e propósito relacionado à morte (p. ex., confusão sobre o papel de alguém na vida e sentimento de falta de sentido). Outras características associadas ao transtorno do luto prolongado incluem ressentimento, raiva e inquietação, além de culpar outras pessoas pela morte e diminuição na quantidade e qualidade do sono.

Prevalência

A prevalência do transtorno do luto prolongado, segundo critérios do DSM-5, é desconhecida. Metanálises de estudos envolvendo países dos quatro continentes que usaram uma definição diferente para transtorno do luto prolongado, com pelo menos 6 meses de duração pós-perda, sugerem uma prevalência combinada de 9,8%; no entanto, houve heterogeneidade metodológica substancial entre os estudos (p. ex., nas definições de sintomas, medidas e duração do luto), o que pode ter influenciado resultados. Populações com elevada exposição ao trauma podem ter maiores taxas de prevalência. A prevalência média de apresentações de luto prolongado pode ser maior em países ocidentais de alta renda do que em países asiáticos de média ou alta renda, mas estudos recentes na China revelaram maiores taxas e uma variação substancial. A prevalência do transtorno do luto complexo persistente (incluído no DSM-5, na Seção III, "Condições para Estudos Posteriores") entre jovens norte-americanos enlutados foi estimada em 18%.

Desenvolvimento e Curso

Existem poucos dados sobre o curso do transtorno do luto prolongado ao longo da vida das pessoas. Os sintomas em geral se iniciam nos primeiros meses após a morte, embora possa haver um atraso de meses antes que a síndrome apareça completamente. Evidências preliminares sugerem que o curso do transtorno pode ser especialmente prolongado entre pais depois da morte de um filho. O curso do transtorno do luto prolongado pode ser complicado pelo transtorno de estresse pós-traumático comórbido, que é mais comum em situações de luto que seguem a morte violenta de uma pessoa querida (p. ex., assassinato, suicídio), quando o luto pode ter sido acompanhado por uma ameaça de morte e/ou a pessoa pode ter presenciado morte violenta e potencialmente aversiva. Idades mais avançadas podem ser associadas a um maior risco para o desenvolvimento do transtorno após a morte de uma pessoa querida. Pessoas idosas com sintomas de transtorno do luto prolongado podem ter um risco elevado de declínio cognitivo progressivo.

Nas crianças, o sofrimento pode ser expresso em brincadeiras e no comportamento, em regressões no desenvolvimento e em comportamento ansioso ou de protesto em momentos de separação e reencontro. Crianças mais jovens podem experimentar sintomas de transtorno do luto prolongado de maneiras específicas por causa da idade. A perda de um cuidador primário pode ser particularmente traumática para crianças pequenas, dados os efeitos desorganizadores da ausência do cuidador. Crianças mais jovens podem protestar ou expressar raiva quando atividades cotidianas são feitas de maneira diferente de como eram feitas pela pessoa falecida (p. ex., refeições, disciplina e rituais de higiene do sono). Elas podem expressar uma insegurança intensa sobre o futuro, frequentemente manifestada como preocupações sobre a saúde e segurança dos cuidadores ou delas mesmas, com repetidas perguntas sobre a morte. Elas podem se empenhar em procurar a pessoa falecida porque não entendem a permanência da morte. Crianças mais jovens tendem a ter manifestações somáticas, como distúrbios no sono, na alimentação, na digestão e nos níveis de energia. Elas podem expressar seus anseios em pensamentos e brincadeiras como um desejo, literalmente, de se reunir fisicamente com o falecido para superar a dolorosa separação física (p. ex., subir uma escada para o céu ou se deitar no chão ao lado de um dos pais). Crianças mais jovens normalmente não entendem ou descrevem apatia, enquanto adolescentes podem descrever "não sentir nada".

Em crianças e adolescentes, preocupação contínua com as circunstâncias da morte pode envolver foco em aspectos angustiantes da deterioração física ao longo do curso de uma doença fatal e/ou inabilidade do cuidador de desempenhar funções vitais de cuidado. A ruptura de identidade pode incluir sentir-se profundamente diferente dos outros, muitas vezes em resposta a lembranças da perda (p. ex., fazer cartões de Dia das Mães na escola, assistir a um amigo desfrutar de um *hobby* com um irmão). Crianças e adolescentes podem demonstrar verbalmente, em seus comportamentos, ou por meio de omissão emocional, uma relutância em se juntar a adultos em atividades que servem como lembranças da perda. Eles podem experimentar dor emocional intensa por se sentirem privados ("roubados") da ajuda da pessoa falecida diante de situações da vida (p. ex., início da menstruação). O sofrimento de separação pode ser predominante em crianças mais novas, e o sofrimento sobre rupturas na identidade social (p. ex., confusão sobre o propósito da vida) e o risco de depressão comórbida podem se manifestar de forma crescente em crianças mais velhas e adolescentes.

A falha em alcançar marcos e transições de desenvolvimento apropriados à idade é uma manifestação de falha na reintegração aos papéis da vida. Para crianças mais velhas e adolescentes, sentir que a vida não tem sentido sem a pessoa que morreu pode incluir desistir de aspirações de desenvolvimento ("não vale a pena tentar se eles não podem estar aqui"), não se importar com comportamentos de risco ("e daí se eu me machucar ou morrer?"), ou sentir que seu futuro está "arruinado". Crianças mais velhas e adolescentes podem ser apreensivos sobre ter um destino parecido com o da pessoa falecida, incluindo morte prematura. A solidão pode ser intensificada quando o luto é mantido para si, às vezes por não querer piorar o sofrimento de um outro cuidador também em luto ou para evitar o estigma com os pares.

Fatores de Risco e Prognóstico

Ambientais. O risco de sintomas do transtorno do luto prolongado é elevado pelo aumento da dependência do falecido antes da morte, pela morte de uma criança, por mortes violentas ou inesperadas e por estressores econômicos. O transtorno tem maior prevalência após a morte do cônjuge/parceiro ou filho em comparação com outras relações de parentesco com o falecido. Problemas relacionados à disponibilidade de cuidadores e de apoio aumentam o risco do luto para as crianças.

Questões Diagnósticas Relativas à Cultura

Os sintomas do transtorno do luto prolongado são observados em diversos contextos culturais, mas as respostas ao luto podem se manifestar de maneiras culturalmente específicas, inclusive em relação à duração esperada, além de apresentar variação histórica. Por exemplo, em diversas culturas, pesadelos sobre o falecido podem ser especialmente angustiantes por causa de seu significado atribuído; a prevalência de alucinações sobre o falecido ou de sintomas somáticos relacionados ao luto pode variar; e expressões indiretas de comprometimento funcional relacionado ao transtorno do luto prolongado (p. ex., comportamentos não saudáveis como o aumento do consumo de bebidas alcoólicas ou falta de autocuidado) podem ser mais prevalentes do que expressões diretas de luto. A incapacidade de realizar rituais funerários em algumas culturas pode agravar os sintomas do transtorno do luto prolongado, possivelmente devido à interpretação de seu impacto no estado espiritual do falecido. Alguns estudos sugerem maior prevalência de sintomas do transtorno do luto prolongado em afro-americanos se comparados a brancos não hispânicos; a causa para essa elevação requer estudos mais aprofundados em áreas como exposição diferencial à morte súbita ou violenta. Diferenças nas práticas de luto podem contribuir para a prescrição cultural ou proibição de expressões específicas de luto, e as normas culturais sobre o *status* social do enlutado podem afetar a intensidade e a duração do luto, como diferentes níveis de apoio ou sanção social em relação a um novo casamento, dependendo do gênero do enlutado. O diagnóstico do transtorno requer que as respostas persistentes e graves estejam além das normas culturais de respostas de luto e não sejam mais bem explicadas por rituais culturalmente específicos.

Questões Diagnósticas Relativas ao Sexo e ao Gênero

Alguns estudos encontraram prevalência mais alta do transtorno ou de gravidade dos sintomas entre mulheres enlutadas, mas outros estudos concluíram que a disparidade entre gêneros é pequena e não estatisticamente significativa.

Associação com Pensamentos ou Comportamentos Suicidas

Indivíduos com sintomas de transtorno do luto prolongado correm maior risco de ideação suicida, mesmo após ajuste para o efeito de depressão maior e TEPT. A associação dos sintomas de transtorno do luto prolongado e ideação suicida é consistente ao longo da vida e em diferentes países. Porém, a literatura existente não estabelece se a ideação suicida associada com os sintomas de transtorno do luto prolongado está ligada a uma maior incidência de comportamentos suicidas. Estigma, isolamento, frustração em relação a pertencimento, evitação e sofrimento psicológico em indivíduos enlutados estão associados a ideação suicida. Em comparação com indivíduos cujo luto é devido a causas não violentas, indivíduos cujos sintomas de transtorno do luto prolongado são resultado de uma perda violenta (p. ex., por homicídio, suicídio, acidente) correm maior risco de ideação suicida. Do mesmo modo, indivíduos que experienciam a morte de um filho, especialmente se ele tiver menos de 25 anos, são mais propensos a desenvolver sintomas de transtorno do luto prolongado associados com ideação suicida.

Consequências Funcionais do Transtorno do Luto Prolongado

Sintomas de transtorno do luto prolongado estão associados a déficits no trabalho e no funcionamento social e a comportamentos prejudiciais à saúde, tais como aumento do uso de tabaco e álcool. Também estão associados a aumento acentuado nos riscos de condições médicas graves, incluindo doença cardíaca, hipertensão, câncer, deficiência imunológica e qualidade de vida reduzida. As consequências de longo prazo no desenvolvimento de crianças e adolescentes incluem abandono escolar prematuro, aspirações educacionais e desempenho acadêmico reduzidos; mulheres jovens, em particular, podem hesitar em se casar durante a transição para a idade adulta. Funcionamento cognitivo prejudicado pode ser associado com sintomas de transtorno do luto prolongado, especialmente em adultos de meia-idade ou idosos.

Diagnóstico Diferencial

Luto normal.   O transtorno do luto prolongado distingue-se do luto normal pela presença de reações graves de luto que persistem por pelo menos 12 meses (ou seis meses em crianças ou adolescentes) após a morte da pessoa próxima. O transtorno é diagnosticado somente quando persistem níveis graves de resposta ao luto pela duração especificada, após a morte, interferindo na capacidade de funcionamento do indivíduo e excedendo normas culturais, sociais e religiosas. Ao avaliar a necessidade de sintomas clinicamente significativos estarem presentes na maioria dos dias no último mês, deve-se notar que aumentos acentuados na gravidade do luto podem ser observados no luto normal em torno de dias que reforçam as lembranças da perda, como aniversários, bodas, aniversário da morte e feriados; essa exacerbação da gravidade do luto não constitui, por si só, na ausência de luto persistente em outros momentos, evidência de transtorno do luto prolongado.

Transtornos depressivos. Transtorno do luto prolongado, transtorno depressivo maior e transtorno depressivo persistente compartilham vários sintomas, incluindo tristeza, choro e pensamentos suicidas. Porém, no transtorno do luto prolongado, o sofrimento está focado nos sentimentos de perda e separação de um ente querido, em vez de refletir humor deprimido em geral. O transtorno depressivo maior também pode ser precedido da morte de um ente querido, com ou sem transtorno do luto prolongado comórbido.

Transtorno de estresse pós-traumático. Indivíduos que experimentam o luto como resultado de uma morte violenta ou acidental podem desenvolver tanto TEPT quanto transtorno do luto prolongado. Ambas as condições podem envolver pensamentos intrusivos e evitação. Enquanto as intrusões no TEPT giram em torno do evento traumático (que pode ter causado a morte de um ente querido), as memórias intrusivas no transtorno do luto prolongado são focadas em pensamentos a respeito de muitos aspectos do relacionamento com a pessoa falecida, incluindo aspectos positivos do relacionamento e sofrimento pela separação. Ao contrário da evitação no TEPT, que se manifesta pela evitação de memórias, pensamentos ou sentimentos associados ao evento traumático que levou ao falecimento do ente querido (p. ex., memórias do acidente automobilístico que causou a morte), a evitação no transtorno do luto prolongado é de lembranças de que a pessoa não está mais presente (p. ex., evitar atividades que eram realizadas em conjunto com o falecido). Além disso, reviver memórias no TEPT tende a ser algo mais perceptivo, com o indivíduo relatando que a memória parece estar ocorrendo no "aqui e agora", o que não é o caso no transtorno do luto prolongado. No transtorno do luto prolongado, também há saudade intensa da pessoa falecida, o que não acontece no TEPT.

Transtorno de ansiedade de separação. O transtorno de ansiedade de separação é caracterizado por ansiedade pela separação de figuras de apego atuais, enquanto o transtorno do luto prolongado envolve sofrimento pela separação de um indivíduo falecido.

Transtorno psicótico. Alucinações sobre o falecido (p. ex., ver a pessoa na cadeira favorita dela) ou sensações transitórias sobre a presença do falecido (p. ex., pelo toque, voz ou visão) são comuns transculturalmente durante o luto normal; podem ser experimentadas como tranquilizadoras e geralmente ocorrem enquanto o indivíduo está adormecendo (hipnagógico). Para receber um diagnóstico de transtorno psicótico, os indivíduos com transtorno do luto prolongado devem mostrar outros sintomas de psicose, como delírios, pensamento desorganizado ou sintomas negativos.

Comorbidade

Os transtornos comórbidos mais comuns com o transtorno do luto prolongado são o transtorno depressivo maior, o TEPT e os transtornos por uso de substâncias. O TEPT é mais frequentemente comórbido com o transtorno do luto prolongado quando a morte ocorreu em circunstâncias violentas ou acidentais. O transtorno de ansiedade de separação envolvendo figuras de apego importantes ainda vivas pode ser comórbido com sintomas de transtorno do luto prolongado.

Outro Transtorno Relacionado a Trauma e a Estressores Especificado

F43.89

Esta categoria aplica-se a apresentações em que sintomas característicos de um transtorno relacionado a trauma e a estressores que causam sofrimento clinicamente significativo ou prejuízo no funcionamento social, profissional ou em outras áreas importantes da vida do indivíduo predominam, mas não satisfazem todos os critérios para qualquer transtorno na classe diagnóstica de transtornos relacionados a trauma e a estressores. A categoria "outro transtorno especificado" relacionado a trauma e a estressores é usada nas situações em que o clínico opta por comunicar a razão específica pela qual a apresentação não satisfaz os critérios para qualquer transtorno relacionado a trauma e a estressores especificado. Isso é feito por meio do registro de "outro transtorno relacionado a trauma e a estressores especificado", seguido pela razão específica (p. ex., "resposta persistente ao trauma com sintomas semelhantes aos de TEPT").

Exemplos de apresentações que podem ser especificadas usando a designação "outro transtorno relacionado a trama e a estressores especificado" incluem:

1. **Transtornos similares ao de adaptação com início tardio de sintomas ocorrendo mais de três meses após o estressor.**
2. **Transtornos similares ao de adaptação com duração acima de seis meses sem duração prolongada do estressor.**
3. **Resposta persistente ao trauma com sintomas semelhantes ao TEPT** (i. e., sintomas que ocorrem em resposta a um evento traumático que ficam aquém do limiar diagnóstico para TEPT e que persistem por mais de 6 meses, às vezes referido como "TEPT parcial/subclínico").
4. *Ataque de nervios:* Ver "Diagnósticos Culturais e Psiquiátricos" na Seção III.
5. **Outras síndromes culturais:** Ver "Diagnósticos Culturais e Psiquiátricos" na Seção III.

Transtorno Relacionado a Trauma e a Estressores Não Especificado

F43.9

Esta categoria aplica-se a apresentações em que sintomas característicos de um transtorno relacionado a trauma e a estressores que causam sofrimento clinicamente significativo ou prejuízo no funcionamento social, profissional ou em outras áreas importantes da vida do indivíduo predominam, mas não satisfazem todos os critérios para qualquer transtorno na classe diagnóstica de transtornos relacionados a trauma e a estressores. A categoria transtorno relacionado a trauma e a estressores não especificado é usada nas situações em que o clínico opta por *não* especificar a razão pela qual os critérios para um transtorno específico relacionado a trauma e estressores não são satisfeitos e inclui apresentações para as quais não há informações suficientes para que seja feito um diagnóstico mais específico (p. ex., em salas de emergência).

Transtornos Dissociativos

Os transtornos dissociativos são caracterizados por perturbação e/ou descontinuidade da integração normal de consciência, memória, identidade, emoção, percepção, representação corporal, controle motor e comportamento. Os sintomas dissociativos podem potencialmente perturbar todas as áreas do funcionamento psicológico. Este capítulo inclui transtorno dissociativo de identidade, amnésia dissociativa, transtorno de despersonalização/desrealização, outro transtorno dissociativo especificado e transtorno dissociativo não especificado.

Os transtornos dissociativos são frequentemente encontrados após uma ampla variedade de experiências psicologicamente traumáticas em crianças, adolescentes e adultos. Ao longo deste capítulo, "experiências traumáticas" se referem a experiências que resultam em sequelas psicológicas, em contraste com o impacto físico que pode causar lesões cerebrais traumáticas. Portanto, no DSM-5, os transtornos dissociativos são colocados próximo, mas não como parte de, transtornos relacionados a trauma e a estressores, refletindo a relação próxima entre essas duas classes diagnósticas. Tanto o transtorno de estresse agudo quanto o transtorno de estresse pós-traumático contêm sintomas dissociativos, como amnésia, *flashbacks*, apatia e despersonalização/desrealização.

Sintomas dissociativos são vivenciados como intrusões espontâneas na consciência e no comportamento, acompanhadas por perdas de continuidade na experiência subjetiva (i. e., sintomas dissociativos "positivos", como fragmentação da identidade, despersonalização e desrealização) e/ou incapacidade de acessar informações e de controlar funções mentais que normalmente são de fácil acesso ou controle (i. e., sintomas dissociativos "negativos", como amnésia).

Em diferentes contextos culturais, fatores de risco para patologias dissociativas incluem trauma precoce, negligência e abuso sexual, físico ou emocional por parte dos pais, adversidades e traumas acumulados precocemente e repetidos traumas ou torturas associados a cárcere (p. ex., experimentado por prisioneiros de guerra ou vítimas de tráfico de pessoas).

O *transtorno de despersonalização/desrealização* é caracterizado por despersonalização (i. e., experiências de irrealidade ou distanciamento da própria mente, de si ou do corpo) e/ou desrealização (i. e., experiências de irrealidade ou distanciamento do ambiente ao redor) clinicamente persistentes ou recorrentes. Essas alterações da experiência ocorrem sem que haja prejuízo ao teste de realidade. Não há evidências de qualquer distinção entre sintomas predominantemente de despersonalização e predominantemente de desrealização. Indivíduos com esse transtorno podem ter despersonalização, desrealização ou ambos.

A *amnésia dissociativa* é basicamente uma incapacidade de recordar informações autobiográficas incompatível com o esquecimento normal. Esse tipo de amnésia pode ser localizada (i. e., um evento ou período de tempo), seletiva (i. e., um aspecto específico de um evento) ou generalizada (i. e., identidade e história de vida). Na amnésia dissociativa, os déficits de memória são primariamente retrógrados e frequentemente associados com experiências traumáticas (p. ex., não lembrar da terceira série, quando o indivíduo foi sequestrado e mantido refém). Apesar de alguns indivíduos com amnésia notarem na hora que existem lacunas, ou um senso de fragmentação, em suas memórias remotas, a maioria dos indivíduos com transtornos dissociativos inicialmente não nota sua amnésia ou minimiza ou racionaliza os déficits. A consciência da amnésia ocorre quando eles notam que não lembram de suas identidades ou quando as circunstâncias fazem com que percebam a falta de informações autobiográficas importantes (p. ex., quando descobrem evidências ou ouvem sobre eventos passados dos quais não conseguem lembrar). A amnésia dissociativa generalizada com perda de maior parte ou de toda história de vida do indivíduo ou de sua identidade é rara.

O *transtorno dissociativo de identidade* é caracterizado por a) presença de dois ou mais estados distintos de personalidade ou uma experiência de possessão e b) episódios recorrentes de amnésia. A fragmentação ou divisão da identidade pode variar entre contextos culturais (p. ex., apresentações na forma de possessões) e circunstâncias. Assim, os indivíduos podem vivenciar descontinuidades na identidade e na memória que talvez não fiquem imediatamente evidentes aos outros ou estejam obscurecidas por tentativas de ocultar a disfunção. Indivíduos com transtorno dissociativo de identidade sofrem intrusões recorrentes inexplicáveis em seu funcionamento consciente e no senso de identidade própria (p. ex., vozes; ações e fala dissociadas; pensamentos, emoções e impulsos intrusivos), alterações do senso de identidade própria (p. ex., atitudes, preferências, e sentir como se o corpo ou as ações não lhes pertencessem), mudanças bizarras da percepção (p. ex., despersonalização ou desrealização, como sentir-se distanciado do próprio corpo enquanto se corta) e sintomas neurológicos funcionais intermitentes. O estresse, muitas vezes, produz exacerbação transitória dos sintomas dissociativos, o que os torna mais evidentes.

A categoria residual de *outro transtorno dissociativo especificado* inclui apresentações em que predominam sintomas característicos de um transtorno dissociativo que cause sofrimento ou prejuízo clínico significativo, mas não preencha os critérios para qualquer um dos transtornos dissociativos especificados. Exemplos incluem perturbações de identidade associadas a descontinuidades levemente marcadas no senso de *self* e agência, alterações de identidade ou episódios de possessão na ausência de história de episódios de amnésia dissociativa; perturbação de identidade devido a persuasão coercitiva prolongada e intensiva, como pode ocorrer em seitas/cultos ou organizações terroristas; reações dissociativas agudas a eventos estressantes que duram menos de um mês; e o transe dissociativo, caracterizado por um estreitamento agudo ou perda completa da consciência do ambiente imediato que se manifesta como profunda falta de resposta ou insensibilidade aos estímulos do ambiente.

Transtorno Dissociativo de Identidade

Critérios Diagnósticos　　　　　　　　　　　　　　　　　　　　　　F44.81

A. Ruptura da identidade caracterizada pela presença de dois ou mais estados de personalidade distintos, descrita em algumas culturas como uma experiência de possessão. A ruptura na identidade envolve descontinuidade acentuada no senso de si mesmo e de domínio das próprias ações, acompanhada por alterações relacionadas no afeto, no comportamento, na consciência, na memória, na percepção, na cognição e/ou no funcionamento sensório-motor. Esses sinais e sintomas podem ser observados por outros ou relatados pelo indivíduo.

B. Lacunas recorrentes na recordação de eventos cotidianos, informações pessoais importantes e/ou eventos traumáticos que são incompatíveis com o esquecimento comum.

C. Os sintomas causam sofrimento clinicamente significativo e prejuízo no funcionamento social, profissional ou em outras áreas importantes da vida do indivíduo.

D. A perturbação não é parte normal de uma prática religiosa ou cultural amplamente aceita.

   Nota: Em crianças, os sintomas não são mais bem explicados por amigos imaginários ou outros jogos de fantasia.

E. Os sintomas não são atribuíveis aos efeitos fisiológicos de uma substância (p. ex., apagões ou comportamento caótico durante intoxicação alcoólica) ou a outra condição médica (p. ex., convulsões parciais complexas).

Características Diagnósticas

A característica definidora do transtorno dissociativo de identidade é a presença de dois ou mais estados de personalidade distintos ou uma experiência de possessão (Critério A). A manifestação ou dissimulação desses estados de personalidade variam em função da motivação psicológica, do nível de estresse, do contexto cultural, de conflitos e dinâmicas internas e da resiliência emocional, entre outros fatores. Períodos longos de perturbação da identidade podem ocorrer quando pressões psicossociais são graves e/ou prolongadas. Nos casos de transtorno dissociativo de identidade que se apresentam com o indivíduo sendo possuído por identidades externas (p. ex., espíritos ou demônios) (transtorno dissociativo de identidade em forma de possessão) e em uma pequena proporção de casos sem forma de possessão, manifestações de identidades alternativas são facilmente observáveis. A maioria dos indivíduos com transtorno dissociativo de identidade que não envolve possessão não exibe abertamente, ou exibe sutilmente, a descontinuidade da identidade, e apenas uma minoria se apresenta ao atendimento clínico com alternância observável de identidades. A elaboração de estados dissociativos de personalidade com diferentes nomes, penteados, caligrafias, sotaques, guarda-roupas e assim por diante, ocorre em apenas uma *minoria* de indivíduos com o transtorno dissociativo de identidade do tipo "não possessão" e *não é* essencial para o diagnóstico. Nesses casos, estados de personalidade alternativa não podem ser observados diretamente e a presença de estados de personalidade distintos pode ser identificada por alterações súbitas ou descontinuidades repentinas nos sensos de *self* e de agência do indivíduo (Critério A), e amnésias dissociativas recorrentes (Critério B).

Sintomas do Critério A estão relacionados a descontinuidades que podem afetar qualquer aspecto do funcionamento de um indivíduo. Indivíduos com transtorno dissociativo de identidade podem relatar o sentimento de terem-se tornado subitamente observadores despersonalizados de suas "próprias" falas e ações, e podem sentir-se incapazes de reverter essa situação (i. e., sensos de *self* e de agência prejudicados). Essas pessoas também podem relatar escutar vozes (p. ex., a voz de uma criança, vozes comentando os pensamentos ou comportamentos do indivíduo, vozes opressoras e alucinações de comando). Em alguns casos, escutar vozes é especificamente negado, mas o indivíduo relata fluxos de pensamentos múltiplos, desconcertantes e independentes, os quais não consegue controlar. Indivíduos com transtorno dissociativo de identidade reportam alucinações em todas as modalidades sensoriais: auditivas, visuais, táteis, olfativas e gustativas.

Emoções fortes, impulsos e até mesmo a fala ou outras ações podem emergir repentinamente, sem um senso de domínio ou controle pessoal (i. e., falta de senso de agência). Em contrapartida, pensamentos e emoções podem sumir inesperadamente, e ações e falas podem ser inibidas abruptamente. Essas experiências frequentemente são relatadas como egodistônicas e embaraçosas. Atitudes, mentalidade e preferências pessoais (p. ex., acerca de alimentos, atividades e identidade de gênero) podem mudar subitamente repetidas vezes. Os indivíduos podem relatar que sentem seus corpos diferentes (p. ex., como o de uma criança pequena, como do gênero oposto ou como tendo idades diferentes simultaneamente). Alterações no senso de si mesmo e de perda de domínio das próprias ações podem ser acompanhadas por um sentimento de que tais atitudes, emoções e comportamentos, até mesmo o próprio corpo, "não são meus" e/ou "não estão sob meu controle". Embora a maioria dos sintomas do Critério A seja subjetiva, muitas dessas descontinuidades repentinas na fala, no afeto e no comportamento podem ser observadas pela família, por amigos ou pelo clínico.

Na maioria dos indivíduos com transtorno dissociativo de identidade, a troca de estado é sutil e pode ocorrer apenas com mudanças sutis na apresentação externa. A troca de estados pode ficar mais evidente no tipo possessivo do transtorno dissociativo de identidade. Em geral, os indivíduos com transtorno dissociativo de identidade experienciam a si mesmos como estados múltiplos, sobrepostos e interferentes simultaneamente entre si.

A amnésia dissociativa (Critério B) se manifesta em muitos domínios importantes: 1) lacunas em aspectos da memória autobiográfica (p. ex., eventos importantes da vida como se casar, dar à luz ou experiências antes do ensino médio); 2) lapsos na memória de eventos recentes ou habilidades já bem concretizadas (p. ex., como fazer o próprio trabalho, usar um computador, ler, dirigir); e 3) descoberta de posses que o indivíduo não lembra de ter (p. ex., roupas, armas, ferramentas, desenhos ou textos feitos pela própria pessoa). Fugas dissociativas, como amnésia de deslocamento, são comuns. Indivíduos podem relatar se encontrar repentinamente em outra cidade, no trabalho ou até em casa, dentro do armário, embaixo da cama ou saindo correndo de casa. A amnésia em indivíduos com transtorno dissociativo de identidade não se limita a eventos estressantes ou traumáticos; essas pessoas com frequência também não conseguem recordar os eventos cotidianos. Indivíduos podem relatar grandes lacunas na memória contínua (p. ex., experienciar "perda de tempo", "apagões" ou "voltar a si" no meio de uma ação). A amnésia dissociativa pode ser aparente para os outros (p. ex., com o indivíduo não lembrando de algo que disse ou fez que outras pessoas testemunharam, não lembrando do próprio nome ou não reconhecendo o parceiro, filho ou amigos próximos). A minimização ou racionalização da amnésia é comum.

A forma de possessão do transtorno dissociativo de identidade manifesta-se, em geral, como comportamentos que surgem como se um "espírito", um ser sobrenatural ou uma entidade externa tivesse assumido o controle, de tal forma que o indivíduo começa a falar e agir de maneira claramente diferente. Por exemplo, o comportamento de uma pessoa pode fazer parecer que sua identidade foi substituída pelo "fantasma" de uma menina que cometeu suicídio na mesma comunidade anos atrás, falando e agindo como se ela ainda estivesse viva. As identidades que surgem durante o transtorno na forma de possessão apresentam-se de maneira recorrente, são indesejadas e involuntárias e causam sofrimento ou prejuízo clinicamente significativos (Critério C). Entretanto, em sua maioria, os estados de possessão ao redor do mundo são parte normal de práticas culturais ou religiosas amplamente aceitas e, portanto, não preenchem os critérios de transtorno dissociativo de identidade (Critério D).

Características Associadas

Indivíduos com transtorno dissociativo de identidade apresentam-se geralmente com depressão, ansiedade, abuso de substância, automutilação ou outros sintomas comórbidos. Convulsões não epiléticas e outros sintomas neurológicos funcionais são proeminentes em algumas apresentações do transtorno dissociativo de identidade, especialmente em contextos não ocidentais. Alguns indivíduos, especialmente em contextos ocidentais, podem apresentar sintomas neurológicos refratários aparentes, como cefaleias, convulsões ou sintomas sugestivos de esclerose múltipla.

Indivíduos com transtorno dissociativo de identidade com frequência ocultam, ou não têm consciência completa de, perturbações na consciência, amnésia e outros sintomas dissociativos. Muitos com o transtorno relatam *flashbacks* dissociativos durante os quais revivem sensorialmente um evento pregresso como se ele estivesse ocorrendo no presente, em geral com mudança de identidade, perda parcial ou completa de contato com a realidade presente durante o *flashback* e amnésia subsequente em relação ao conteúdo do *flashback*. Indivíduos com transtorno dissociativo de identidade comumente relatam múltiplos tipos de maus-tratos sofridos durante a infância ou a idade adulta. Eles também podem relatar outros eventos precoces opressivos, como múltiplos procedimentos médicos prolongados e dolorosos. Automutilação não suicida também é frequente. Em testes padronizados, esses indivíduos apresentam níveis maiores de suscetibilidade à hipnose e de capacidade dissociativa comparados a outros grupos clínicos e controles sadios. Algumas pessoas sofrem fenômenos ou episódios psicóticos transitórios.

Entre as características de personalidade, características de evitação são frequentes em indivíduos com transtorno dissociativo de identidade. Alguns têm esse traço tão forte que preferem ficar sozinhos. Quando descompensados, alguns indivíduos com transtorno dissociativo de identidade apresentam características de transtorno da personalidade *borderline* (ou seja, comportamentos autodestrutivos de alto risco e instabilidade de humor). Muitos indivíduos com transtorno dissociativo de identidade mostram problemas para estabelecer ligações emocionais, mas em geral tentam conter a exaltação para evitar serem abandonados. Alguns têm relacionamentos estáveis de longa data, embora frequentemente disfuncionais e/ou abusivos, dos quais podem ter dificuldades de se distanciar. Características de personalidade obsessiva são comuns no transtorno dissociativo de identidade, mais até do que características de personalidade histriônica. Um subgrupo de indivíduos com o transtorno também apresenta características de personalidade narcisista ou antissocial.

Prevalência

A prevalência de 12 meses do transtorno dissociativo de identidade entre adultos em um estudo de uma pequena comunidade nos Estados Unidos foi de 1,5%. A prevalência ao longo da vida do transtorno dissociativo de identidade foi de 1,1% em uma amostra representativa de mulheres em comunidades no leste da Turquia.

Desenvolvimento e Curso

O transtorno pode se manifestar pela primeira vez em praticamente qualquer idade, desde a primeira infância até a idade adulta avançada. Crianças normalmente não apresentam mudança de identidade, em vez disso, apresentam-se principalmente com amigos imaginários, agindo independentemente, ou estados de "humor" personificados (fenômenos do Critério A). A dissociação em crianças pode gerar problemas de memória, concentração e apego e pode estar associada a brincadeiras traumáticas. Em adolescentes, o transtorno dissociativo de identidade normalmente desperta atenção clínica por causa dos sintomas externalizantes, comportamento suicida/autodestrutivo ou mudanças comportamentais bruscas, frequentemente atribuíveis a outros transtornos como transtorno de déficit de atenção/hiperatividade ou transtorno bipolar infantil. Algumas crianças com transtorno dissociativo de identidade também podem ser agressivas e facilmente irritáveis. Pessoas idosas com transtorno dissociativo de identidade podem apresentar sintomas que parecem ser transtornos do humor da terceira idade, transtorno obsessivo-compulsivo, paranoia, transtornos do humor psicótico ou até transtornos cognitivos atribuíveis a amnésia dissociativa.

Manifestações de alterações/confusão de identidade podem ser desencadeadas por muitos fatores, como experiências traumáticas tardias (p. ex., agressão sexual) ou estressores aparentemente irrelevantes, como um acidente automobilístico leve. A experiência de outros estressores grandes ou cumulativos também pode agravar os sintomas, incluindo eventos como o filho ou a filha do indivíduo chegando na mesma idade em que a pessoa foi significativamente abusada ou traumatizada. A morte ou início de uma doença fatal no(s) abusador(es) do indivíduo é outro exemplo de evento que pode agravar os sintomas. Indivíduos com transtorno dissociativo de identidade têm alto risco de traumas interpessoais adultos, como estupro, violência doméstica e exploração sexual, incluindo abusos incestuosos contínuos até a idade adulta, assim como tráfico de pessoas.

Fatores de Risco e Prognóstico

Ambientais. No contexto de patologias na família ou de apego, traumas precoces (p. ex., negligência e abuso físico, sexual e emocional, geralmente antes dos 5 ou 6 anos) representam um fator de risco para transtorno dissociativo de identidade. Em estudos de diversas regiões geográficas, cerca de 90% dos indivíduos com o transtorno relataram múltiplos tipos de negligência e abuso na infância, frequentemente até o fim da adolescência. Alguns indivíduos relaram que os maus-tratos ocorreram primeiramente fora do ambiente familiar, como na escola, igreja e/ou bairros e incluíam *bullying*. Outras formas de experiências traumáticas precoces repetidas incluem procedimentos médicos múltiplos e dolorosos na infância, guerra, terrorismo ou ser traficado desde a infância. O início do transtorno também é descrito depois de exposição prolongada, e frequentemente ao longo de mais de uma geração, a dinâmicas familiares disfuncionais (p. ex., criação supercontroladora dos pais, insegurança nas relações de apego e abuso emocional) na ausência de negligência ou abuso sexual ou físico claros.

Genéticos e fisiológicos. Estudos com gêmeos sugerem que a genética conta para cerca de 45 a 50% da variação individual nos sintomas dissociativos, com experiências não compartilhadas estressantes e traumáticas do ambiente contando para maior parte da variação adicional. Muitas regiões cerebrais foram implicadas na fisiopatologia do transtorno dissociativo de identidade, incluindo o córtex orbitofrontal, o hipocampo, o giro para-hipocampal e a amígdala.

Modificadores do curso. Traumas sexuais, físicos e emocionais contínuos frequentemente levam a dificuldades significativas no funcionamento mais tarde na vida. Piores resultados em adultos estão normalmente relacionados a estressores psicossociais graves, revitimização, abuso ou exploração sexual ou física contínua, violência doméstica, uso refratário de substâncias, transtornos alimentares, doenças médicas graves, envolvimento com a família de origem abusiva do indivíduo ou envolvimento contínuo em subgrupos criminosos. Um pior funcionamento também pode estar relacionado a perpetração de maus-tratos à criança ou violência doméstica por indivíduos com transtorno dissociativo de identidade.

Questões Diagnósticas Relativas à Cultura

Muitos aspectos do transtorno dissociativo de identidade podem ser influenciados pelo contexto sociocultural do indivíduo. Em contextos nos quais os sintomas de possessão são comuns (p. ex., áreas rurais em países em desenvolvimento e entre determinados grupos religiosos nos Estados Unidos e na Europa), as identidades fragmentadas podem adotar a forma de espíritos, divindades, demônios, animais ou figuras míticas de possessão. A aculturação ou contato intercultural prolongado podem formar a apresentação das outras identidades (p. ex., identidades na Índia podem falar exclusivamente inglês e vestir roupas ocidentais). O transtorno dissociativo de identidade na forma de possessão pode ser diferenciado de estados de possessão culturalmente aceitos no sentido de que o primeiro é involuntário, angustiante, incontrolável e muitas vezes recorrente ou persistente; envolve conflito entre o indivíduo e seus ambientes familiar, social ou ocupacional; e manifesta-se em momentos e lugares que violam as normas da cultura ou da religião. Episódios dissociativos-psicóticos combinados podem ser mais comuns em contextos culturais com violência ou opressão comunitária marcados e oportunidades limitadas de reparação.

Questões Diagnósticas Relativas ao Sexo e ao Gênero

Mulheres com transtorno dissociativo de identidade predominam em ambientes clínicos adultos, mas não em ambientes clínicos infantis ou em estudos com a população geral. Foram achadas poucas diferenças nos perfis de sintomas, história clínica e história de traumas na infância em comparações entre homens e mulheres com transtorno dissociativo de identidade, exceto pelo fato de que as mulheres têm maiores taxas de somatização.

Associação com Pensamentos ou Comportamentos Suicidas

Comportamentos suicidas são frequentes. Mais de 70% dos pacientes ambulatoriais com transtorno dissociativo de identidade tentaram suicídio; múltiplas tentativas são comuns, e outros comportamentos de automutilação e de alto risco são muito prevalentes. Indivíduos com transtorno dissociativo de identidade têm múltiplos fatores de risco que interagem entre si para comportamentos autodestrutivos e/ou suicidas. Esses fatores incluem traumas cumulativos e graves, tanto precoces quanto tardios, altas taxas de transtorno de estresse pós-traumático (TEPT), transtornos depressivos e transtornos por uso de substâncias comórbidos e características de transtornos da personalidade. A dissociação em si é um fator de risco independente para múltiplas tentativas de suicídio. Maior gravidade nas pontuações de sintomas dissociativos é associada com maior frequência de tentativas de suicídio e automutilação não suicida entre indivíduos com transtornos dissociativos.

Consequências Funcionais do Transtorno Dissociativo de Identidade

Algumas crianças e adolescentes com o transtorno dissociativo de identidade podem apresentar dificuldades de funcionamento na escola e em relacionamentos. Outros vão bem na escola, levando-a como uma folga. Em adultos os prejuízos funcionais variam bastante, podendo ser mínimos em profissionais de alto nível funcional, por exemplo, ou profundos. Os sintomas de indivíduos de alto nível funcional podem comprometer suas funções relacionais, conjugais, familiares e parentais mais do que a vida ocupacional ou profissional (embora esta última também possa ser afetada). Muitos indivíduos prejudicados mostram melhoras nas funções ocupacionais e pessoais ao longo do tempo, enquanto alguns indivíduos com transtorno dissociativo de identidade podem levar esses prejuízos para a maioria das atividades na vida no mesmo nível de transtorno mental crônico e persistente.

Diagnóstico Diferencial

Amnésia dissociativa. Tanto o transtorno dissociativo de identidade quanto a amnésia dissociativa são caracterizados por lacunas na recordação de eventos cotidianos, informações pessoais importantes ou eventos traumáticos que são incompatíveis com o esquecimento comum. O transtorno dissociativo de identidade é diferenciado da amnésia dissociativa pela presença adicional de disrupção de identidade caracterizada por dois ou mais estados de personalidade distintos.

Transtorno de despersonalização/desrealização. A principal característica do transtorno de despersonalização/desrealização são os episódios de despersonalização e/ou desrealização persistentes e recorrentes. Indivíduos com transtorno de despersonalização/desrealização não apresentam estados de personalidade/identidade com alterações do *self* ou de agência, nem reportam, normalmente, amnésia dissociativa.

Transtorno depressivo maior. A maioria dos indivíduos com transtorno dissociativo de identidade apresenta um estado emocional pós-traumático negativo ao longo da vida, frequentemente com início na infância, e seus sintomas podem parecer satisfazer os critérios de um episódio depressivo maior. Além disso, reatividade pós-traumática a períodos do ano em que o trauma ocorreu (reações de aniversário), principalmente manifestadas por maiores desânimo, sofrimento e ideação suicida, também podem parecer ser transtorno depressivo maior com padrão sazonal. Entretanto, indivíduos com transtorno depressivo maior ou transtorno depressivo persistente não experienciam oscilações dissociativas no *self* e na agência e nem amnésia dissociativa. É importante avaliar se todos ou a maioria dos estados de identidade experienciam o estado de humor adverso, uma vez que sintomas de transtornos do humor podem flutuar, já que são presentes em alguns estados de identidade, mas não em outros.

Transtornos bipolares. O transtorno dissociativo de identidade é normalmente diagnosticado erroneamente como transtorno bipolar, geralmente transtorno bipolar tipo II, com características mistas. As mudanças relativamente rápidas de estados nos indivíduos com transtorno dissociativo de identidade, geralmente em minutos ou horas, são atípicas até para os indivíduos com ciclagem mais rápida de transtornos bipolares. Esses estados de alteração se devem às rápidas mudanças de estado dissociativo e/ou a intrusões pós-traumáticas oscilantes. Às vezes essas mudanças são acompanhadas por rápidas alterações nos níveis de atividade, mas normalmente duram minutos ou horas, não dias inteiros, e são associadas com a ativação de estados de identidade específicos. Humor agitado ou deprimido pode ser experimentado exclusivamente em identidades específicas, por meio de fenômenos de interferência/sobreposição. Normalmente, o indivíduo com transtorno dissociativo de identidade não apresenta perturbações de sono bipolares clássicas (p. ex., menor necessidade de sono), em vez disso, sofre com pesadelos e *flashbacks* noturnos crônicos e graves que interrompem o sono.

Transtorno de estresse pós-traumático. A maioria dos indivíduos com transtorno dissociativo de identidade também tem sintomas que satisfazem os critérios para TEPT. Sintomas dissociativos característicos do transtorno dissociativo de identidade devem ser distinguidos da amnésia dissociativa, dos *flashbacks* dissociativos e de despersonalização/desrealização características do transtorno de estresse agudo ou de subtipos dissociativos de TEPT. A amnésia dissociativa no TEPT normalmente se manifesta apenas para eventos traumáticos específicos ou aspectos de eventos traumáticos, em contraste com a amnésia dissociativa crônica e complexa característica do transtorno dissociativo de identidade. Os sintomas de despersonalização/desrealização no subtipo dissociativo do TEPT estão relacionados a lembranças pós-traumáticas específicas. Os sintomas de despersonalização/desrealização no transtorno dissociativo de identidade podem ocorrer não apenas em resposta às lembranças pós-traumáticas, como também em um hábito contínuo no cotidiano, incluindo resposta a interações interpessoais estressantes e quando há interferências/sobreposições entre estados.

Esquizofrenia e outros transtornos psicóticos. Indivíduos com transtorno dissociativo de identidade podem experienciar sintomas que podem parecer superficialmente semelhantes aos de transtornos psicóticos.

Eles incluem alucinações auditivas e sintomas característicos de intrusões de estados de personalidade na consciência do indivíduo. Esses sintomas podem aparentemente assemelhar-se a alguns dos sintomas schneiderianos de primeira ordem, anteriormente considerados indicativos de esquizofrenia (p. ex., transmissão de pensamentos, inserção de pensamentos, retirada de pensamentos, ouvir vozes comentando sobre o indivíduo). Por exemplo, escutar diferentes estados de personalidade discutindo sobre o indivíduo pode remeter às alucinações auditivas de vozes discutindo na esquizofrenia. O indivíduo com transtorno dissociativo de identidade também pode experimentar os pensamentos ou emoções de um estado de personalidade intrusivo, o que pode se assemelhar à inserção de pensamentos na esquizofrenia, assim como experimentar o desaparecimento repentino desses pensamentos ou emoções, que podem se assemelhar à retirada de pensamentos. Essas experiências em um indivíduo com esquizofrenia normalmente são acompanhadas de crenças delirantes sobre a causa dos sintomas (i. e., pensamentos sendo inseridos por uma força externa), enquanto indivíduos com transtorno dissociativo de identidade normalmente experienciam esses sintomas como estranhos ao ego e assustadores. Indivíduos com transtorno dissociativo de identidade também podem reportar uma variedade de alucinações visuais, olfativas, gustativas e somáticas, que normalmente estão relacionadas a fatores auto-hipnóticos, pós-traumáticos e dissociativos, como *flashbacks* parciais, em contraste com indivíduos com esquizofrenia, em quem as alucinações são primariamente auditivas e com menos frequência visuais. O transtorno dissociativo de identidade e os transtornos psicóticos são, portanto, distinguidos por sintomas presentes em uma dessas condições e não na outra (p. ex., amnésia dissociativa no transtorno dissociativo de identidade e não em transtornos psicóticos). Por fim, indivíduos com esquizofrenia têm uma capacidade hipnótica baixa, enquanto indivíduos com transtorno dissociativo de identidade têm a capacidade hipnótica mais alta entre todos os grupos clínicos.

Transtornos induzidos por substância/medicamento. Indivíduos com transtorno dissociativo de identidade frequentemente têm história atual ou passada de transtornos por uso de substâncias. Sintomas associados aos efeitos fisiológicos de uma substância (p. ex., apagões) podem ser distinguidos de amnésia dissociativa no transtorno dissociativo de identidade se a substância em questão for avaliada como etiologicamente relacionada à perda de memória.

Transtornos da personalidade. Indivíduos com transtorno dissociativo de identidade geralmente apresentam identidades que parecem encapsular uma variedade de aspectos dos transtornos graves da personalidade, sugerindo um diagnóstico diferencial de transtorno da personalidade, especialmente do tipo *borderline*. É importante ressaltar, no entanto, que a variabilidade longitudinal no estilo da personalidade do indivíduo (devido à inconsistência entre identidades) difere da disfunção generalizada e persistente no controle do afeto e nas relações interpessoais típicas dos transtornos da personalidade.

Amnésia pós-traumática devido a lesão cerebral. Tanto transtorno dissociativo de identidade quanto lesão cerebral traumática (LCT) são caracterizados por lacunas na memória. Outras características da LCT incluem perda de consciência, desorientação e confusão ou, em casos mais graves, sinais e sintomas neurológicos. Um transtorno neurocognitivo atribuível a LCT se manifesta imediatamente após a ocorrência de uma lesão cerebral ou imediatamente após o indivíduo recuperar a consciência após a lesão, persistindo além do período agudo pós-lesão. O quadro cognitivo de um transtorno neurocognitivo depois de LCT é variável e inclui dificuldades nos domínios de atenção complexa, função executiva e aprendizagem e memória, assim como diminuição da velocidade do processamento de informações e perturbações na cognição social. Enquanto a despersonalização não é comum após uma LCT, as características neurocognitivas adicionais descritas anteriormente ajudam a distingui-la da amnésia dissociativa, que é parte do transtorno dissociativo de identidade. Além disso, a amnésia dissociativa que ocorre no contexto de transtorno dissociativo de identidade é acompanhada por uma descontinuidade marcada dos sensos de *self* e de agência, que não são características da LCT.

Transtorno de sintomas neurológicos funcionais (transtorno conversivo). Esse transtorno pode ser distinguido do transtorno dissociativo de identidade pela ausência de fragmentação da identidade caracterizada por dois ou mais estados de personalidade distintos ou uma experiência de possessão. A amnésia dissociativa no transtorno de sintomas neurológicos funcionais é mais limitada e circunscrita (p. ex., amnésia de uma convulsão não epilética).

Transtorno factício e simulação. Indivíduos que fingem o transtorno dissociativo de identidade não informam sintomas intrusivos sutis característicos do transtorno, tendendo a relatar de forma exagerada sintomas mais conhecidos do transtorno, como uma amnésia dissociativa dramática e mudanças de comportamento melodramáticas, ao mesmo tempo que relatam bem menos sintomas comórbidos menos divulgados, como depressão. Indivíduos que fingem o transtorno dissociativo de identidade tendem a não ficar perturbados pelo transtorno e parecem até mesmo gostar de "tê-lo". Eles podem inclusive pedir para o clínico "achar" memórias traumáticas. Em contraste, a maioria dos indivíduos com um transtorno dissociativo de identidade genuíno tem vergonha e é sobrecarregada pelos sintomas do transtorno, podendo negar o diagnóstico, deixar de relatar possíveis sintomas e apresentar uma minimização ou evitação da história de traumas.

Indivíduos que fingem sintomas do transtorno dissociativo de identidade normalmente criam identidades alternativas limitadas e estereotipadas, com a amnésia falsa relacionada apenas aos eventos em que o indivíduo pode ter ganhos e com mudanças de comportamento aparentes e amnésia mostradas apenas enquanto ele está sendo observado. Esses indivíduos podem apresentar uma identidade completamente "boa" e uma completamente "ruim" na esperança de serem absolvidos de um crime.

Comorbidade

Os transtornos comórbidos com o transtorno dissociativo de identidade incluem o TEPT, transtornos depressivos, transtornos por uso de substâncias, transtornos alimentares, transtorno obsessivo-compulsivo, transtorno da personalidade antissocial e outros transtornos da personalidade especificados com traços de evitação, obsessivo-compulsivos ou *borderline*. As formas mais comuns de sintomas do transtorno de sintomas neurológicos funcionais incluem convulsões não epiléticas, perturbações na marcha e paralisias. Normalmente, convulsões não epiléticas assemelham-se a convulsões tônico-clônicas ou convulsões parciais complexas com foco no lobo temporal; outras podem imitar crises de ausência ou convulsões parciais.

Amnésia Dissociativa

Critérios Diagnósticos   F44.0

A. Incapacidade de recordar informações autobiográficas importantes, geralmente de natureza traumática ou estressante, incompatível com o esquecimento normal.

   Nota: A amnésia dissociativa consiste mais frequentemente em amnésia localizada ou seletiva de um evento ou eventos específicos ou amnésia generalizada da identidade e da história de vida.

B. Os sintomas causam sofrimento clinicamente significativo ou prejuízo no funcionamento social, profissional ou em outras áreas importantes do funcionamento.

C. A perturbação não é atribuível aos efeitos fisiológicos de uma substância (p. ex., álcool ou outra droga de abuso, um medicamento) ou a uma condição neurológica ou médica (p. ex., convulsões complexas parciais, amnésia global transitória, sequelas de traumatismo craniano/lesão cerebral traumática, outra condição neurológica).

D. A perturbação não é mais bem explicada por transtorno dissociativo de identidade, transtorno de estresse pós-traumático, transtorno de estresse agudo, transtorno de sintomas somáticos ou transtorno neurocognitivo maior ou menor.

Nota para codificação: O código para amnésia dissociativa sem fuga dissociativa é **F44.0**. O código para amnésia com fuga dissociativa é **F44.1**.

Especificar se:

   F44.1 Com fuga dissociativa: Viagem aparentemente proposital ou perambulação sem rumo associada à amnésia de identidade ou de outras informações autobiográficas importantes.

Especificadores

O especificador "com fuga dissociativa" é aplicado quando a amnésia dissociativa ocorre no contexto de uma fuga dissociativa, que é caracterizada por uma viagem aparentemente proposital ou perambulação desnorteada associada à amnésia de identidade ou outras informações autobiográficas relevantes.

Características Diagnósticas

A característica definidora da amnésia dissociativa é uma incapacidade de recordar informações autobiográficas importantes que 1) deveriam estar bem guardadas na memória e 2) comumente seriam prontamente lembradas (Critério A). A amnésia dissociativa é conceitualizada como um déficit de resgate de memória potencialmente reversível. Dessa maneira, juntamente com algumas outras características, ela se distingue de outras amnésias atribuíveis a danos neurobiológicos ou toxicidade que prejudicam o armazenamento ou resgate da memória.

Uma grande variedade de tipos de amnésia dissociativa pode se manifestar. Em geral, o déficit de memória na amnésia dissociativa é *retrógrado* e, exceto em casos raros, não é associado com amnésia contínua para eventos do cotidiano. *Prejuízos de memória retrospectiva* incluem não apenas memórias perdidas de experiências traumáticas, mas também memórias perdidas da vida cotidiana, eventos sem nenhum trauma. Normalmente, indivíduos com amnésia dissociativa reportam *amnésia localizada*, uma falha em se lembrar de eventos durante um período específico de tempo; e/ou *amnésia seletiva*, em que o indivíduo consegue lembrar de alguns, mas não todos os, eventos em um período de tempo específico. Na *amnésia sistematizada*, o indivíduo perde a memória de uma categoria de informação específica (p. ex., lembrar-se fragmentadamente de como foi sua infância em casa, mas ter memórias contínuas da escola; não lembrar de um irmão mais velho violento; não lembrar de um quarto em específico na casa da infância). Indivíduos raramente reclamam dos sintomas dessas formas de *amnésia dissociativa* e tentam minimizar ou racionalizar a perda de memória.

A *amnésia dissociativa generalizada* envolve uma perda completa das memórias sobre a maioria ou toda a história de vida da pessoa. Indivíduos com amnésia generalizada podem esquecer a própria identidade (p. ex., uma mulher que perde a memória de toda sua vida depois de ceder à pressão repetitiva de um amigo próximo a se envolver em relações sexuais), podem perder conhecimentos prévios sobre o mundo (p. ex., eventos políticos recentes ou como usar a tecnologia atual), e, mais raramente, podem perder o acesso a habilidades já bem concretizadas (p. ex., esquecer o que são lentes de contato e como colocá-las). A amnésia generalizada tem um início agudo; a perplexidade, a desorientação e a perambulação sem rumo de indivíduos com amnésia generalizada geralmente os levam à atenção policial ou a serviços de emergência psiquiátrica. A fuga dissociativa é frequentemente associada com amnésia dissociativa generalizada e pode ser indicada pelo uso do especificador "com fuga dissociativa". Esse tipo de amnésia pode ser mais comum entre veteranos de guerra, vítimas de ataque sexual e indivíduos que sofrem estresse ou conflito emocional extremo. Na amnésia contínua (i. e., amnésia dissociativa anterógrada), o indivíduo esquece todos os eventos novos à medida que eles acontecem.

Indivíduos com amnésia dissociativa com frequência não percebem (ou percebem apenas parcialmente) seus problemas de memória. Eles podem lembrar de alguns eventos traumáticos, ou partes de eventos traumáticos, mas não de outros do mesmo tipo. Muitos, especialmente os que têm amnésia localizada, minimizam a importância de sua perda de memória e podem sentir-se desconfortáveis quando levados a enfrentá-la.

Características Associadas

Muitos indivíduos com amnésia dissociativa apresentam prejuízo crônico em sua capacidade de formar e manter relacionamentos satisfatórios. História de trauma, abuso infantil e vitimização são comuns. Alguns indivíduos com amnésia dissociativa relatam *flashbacks* dissociativos (i. e., revivência comportamental de eventos traumáticos). Muitos têm história de automutilação não suicida, tentativas de suicídio e outros comportamentos de alto risco. Sintomas depressivos e de sintomatologia neurológica funcional são comuns, assim como despersonalização, sintomas auto-hipnóticos e suscetibilidade à hipnose. Disfunções sexuais são comuns. Uma lesão cerebral traumática (LCT) leve pode preceder a amnésia dissociativa.

Prevalência

A prevalência de 12 meses de amnésia dissociativa entre adultos em um estudo de uma pequena comunidade nos Estados Unidos foi de 1,8%.

Desenvolvimento e Curso

A amnésia dissociativa já foi observada em crianças pequenas, adolescentes, adultos e idosos. Pode ser mais difícil avaliar amnésia em crianças com menos de 12 anos, porque elas com frequência têm dificuldade para entender perguntas a respeito da amnésia, e os entrevistadores podem ter dificuldade em formular perguntas apropriadas às crianças a respeito de memória e amnésia. Observações de aparente amnésia dissociativa são frequentemente difíceis de serem diferenciadas de transtornos de desatenção, absorção, ansiedade, comportamento opositivo e aprendizagem. Pode ser necessário obter relatos de diversas fontes diferentes (p. ex., professor, terapeuta, assistente social) para diagnosticar amnésia em crianças. Alguns adolescentes traumatizados com amnésia dissociativa são menos propensos a buscar atenção clínica por causa dos sintomas intrusivos de transtorno de estresse pós-traumático (TEPT) de menor nível e menos comportamentos externalizantes. O comportamento de fuga dissociativa em crianças e adolescentes pode ser limitado pelo espaço de vida deles (p. ex., uma criança em fuga "voltando a si" depois de andar de bicicleta até um bairro desconhecido ou uma adolescente percebendo que pegou um ônibus até outra cidade próxima).

O início da amnésia dissociativa costuma ser súbito. Os indivíduos podem relatar múltiplos episódios desse tipo de amnésia dissociativa. Um único episódio pode predispor a episódios futuros. Entre os episódios de amnésia, o indivíduo pode ou não parecer estar agudamente sintomático. Alguns episódios de amnésia generalizada aguda passam rapidamente (p. ex., quando um indivíduo é removido de uma situação de combate ou outra situação estressante e/ou busca atenção clínica). Um subgrupo substancial de indivíduos desenvolve déficits crônicos de memória autobiográfica que são altamente prejudiciais e debilitantes, de maneira que até o "reaprendizado" da história da própria vida não cura a perda de memória.

A remoção das circunstâncias traumáticas que geraram a amnésia dissociativa generalizada e aguda (p. ex., participação em combate) pode provocar um retorno rápido da memória. A perda de memória em indivíduos com fuga dissociativa pode ser particularmente refratária. Traumas em idades mais avançadas, estresses na vida ou perdas de entes queridos podem preceder um colapso com déficits de longa duração de memórias autobiográficas relacionadas a traumas de infância ou na idade adulta, podendo causar sintomas como o início de TEPT agudo, transtornos do humor, abuso de substâncias e comportamentos perigosos para si e para os outros, entre outros sintomas.

Fatores de Risco e Prognóstico

Ambientais. Traumas graves, agudos ou crônicos são o principal fator de risco para amnésia dissociativa. Traumas e adversidades acumulados precocemente, sobretudo abuso físico e sexual, são os principais fatores de risco para amnésia dissociativa na infância e na adolescência. Abuso sexual grave, múltiplos episódios de abuso sexual na infância e abuso sexual por um parente, particularmente com traição por uma figura de apego próximo, podem aumentar a extensão dos distúrbios de memória autobiográfica infantil. Indivíduos com amnésia dissociativa podem negar se lembrarem de traumas de infância específicos (p. ex., abuso sexual), mesmo que esses traumas estejam documentados em relatórios médicos ou de assistência social, apesar de se lembrarem de outros eventos traumáticos semelhantes, tanto antes quanto depois do evento causador da amnésia. Traumas graves acumulados em idade adulta (p. ex., repetidas experiências de combate, com tráfico, como prisioneiro de guerra ou em campos de concentração) também podem resultar em amnésia dissociativa localizada, seletiva e/ou sistematizada. A amnésia dissociativa generalizada pode ser mais comum entre indivíduos que experimentaram traumas agudos extremos recentemente (p. ex., combate militar brutal, estupro, tortura, frequentemente em um contexto de inabilidade de escapar) e/ou têm história de grande deslocamento social, busca por asilo ou *status* de refugiado. Outros desenvolvem amnésia generalizada no contexto de conflito psicológico profundo, do qual o indivíduo também se sente incapaz de escapar. Praticamente todos os indivíduos que desenvolvem amnésia dissociativa generalizada no contexto de conflito psicológico relatam histórias passadas de trauma grave na infância e/ou em idade adulta. Experiências traumáticas agudas extremas também podem causar grandes conflitos psicológicos (p. ex., uma mulher desenvolve amnésia generalizada depois de passar por um estupro brutal que resulta em uma gravidez não desejada e se torna suicida; na avaliação, revela que sua religião vê aborto como assassinato e suicídio como grande pecado).

Genéticos e fisiológicos. Estudos genéticos quantitativos sugerem que a genética é responsável por cerca de 50% da variação interindividual em sintomas dissociativos, com experiências ambientais estressantes não compartilhadas representando a maior parte da variação adicional. Estudos com genes candidatos sugerem uma interação entre genes e ambiente com mais experiências crônicas traumáticas na infância levando a aumentos significativos em sintomas dissociativos mais tarde na vida.

Questões Diagnósticas Relativas à Cultura

Em contextos culturais onde a possessão faz parte da prática religiosa ou espiritual normativa, amnésia e fuga dissociativas podem ser interpretadas como resultantes de possessão patológica. Em contextos ou situações em que indivíduos se sentem presos a circunstâncias sociais ou tradições culturais, os causadores de amnésia dissociativa muitas vezes não envolvem apenas traumas. Em tais casos, a amnésia também pode ser precedida por estresses ou conflitos psicológicos graves (p. ex., conflitos conjugais, outras perturbações familiares, problemas de apego, conflitos em virtude de restrição ou opressão).

Associação com Pensamentos ou Comportamentos Suicidas

Comportamentos suicidas e outros comportamentos autodestrutivos são comuns em indivíduos com amnésia dissociativa. As forças psicológicas que produzem a amnésia generalizada podem ser extremas, e pensamentos, impulsos, planos e comportamentos suicidas são um risco quando a amnésia diminui. Relatos de casos sugerem que o comportamento suicida pode representar risco particular quando a amnésia cede repentinamente e sobrecarrega o indivíduo com recordações intoleráveis.

Consequências Funcionais da Amnésia Dissociativa

Os prejuízos funcionais em indivíduos com amnésia dissociativa resultante de traumas na infância ou adolescência vão de leves a graves. Alguns desses indivíduos apresentam prejuízo crônico em sua capacidade de formar e manter relacionamentos satisfatórios. Alguns podem se tornar muito bem-sucedidos no funcionamento ocupacional, mas com frequência atingem esse nível por trabalhar de forma exagerada e compulsiva. Indivíduos com amnésia dissociativa generalizada crônica geralmente têm prejuízo em todos os aspectos do funcionamento. Um subgrupo substancial de indivíduos com amnésia generalizada desenvolve déficits crônicos de memória autobiográfica altamente prejudiciais, que nem mesmo o reaprendizado sobre a própria história de vida consegue curar. Esses indivíduos experimentam um curso crônico altamente debilitante, com mau funcionamento geral em vários domínios.

Diagnóstico Diferencial

Transtorno dissociativo de identidade. Episódios recorrentes de amnésia dissociativa podem ser atribuíveis a transtorno dissociativo de identidade. Indivíduos com amnésia dissociativa podem relatar sintomas de despersonalização e auto-hipnóticos, como também é relatado por indivíduos com transtorno

Amnésia Dissociativa

dissociativo de identidade. Indivíduos com transtorno dissociativo de identidade relatam lacunas significativas no senso de si mesmo e de domínio das próprias ações, acompanhadas por vários outros sintomas dissociativos. Amnésias no transtorno dissociativo de identidade, além de incluírem déficits de memória autobiográfica retrospectiva, também incluem amnésia contínua ("lacunas de tempo") para eventos cotidianos e interações interpessoais; encontrar posses inexplicáveis; grandes oscilações em habilidades e conhecimentos e frequentes e breves intervalos amnésicos durante as interações interpessoais.

Transtorno de estresse pós-traumático. Alguns indivíduos com TEPT não conseguem recordar uma parte ou o todo de um evento traumático específico (p. ex., vítima de estupro que não consegue recordar a maioria dos eventos do dia do trauma). Quando a amnésia se estende para além do momento imediato do trauma, um diagnóstico comórbido de amnésia dissociativa é justificável. Indivíduos com subtipo dissociativo de TEPT também podem apresentar amnésia dissociativa em adição a despersonalização/desrealização.

Transtornos neurocognitivos. Nos transtornos neurocognitivos maiores, normalmente há evidências de tecido neural danificado acompanhado por uma diminuição nas funções cognitivas, com déficits em atenção, funções executivas, aprendizagem e memória, linguagem e cognições perceptomotora e social que prejudicam a capacidade da pessoa de desempenhar atividades do cotidiano de maneira independente. A perda de memória para informações pessoais geralmente está incorporada a perturbações cognitivas, linguísticas, afetivas, da atenção e comportamentais. Em geral, a consciência da identidade própria é poupada até tarde no curso do transtorno neurocognitivo. Nos transtornos neurocognitivos, a amnésia retrógrada é quase sempre acompanhada por amnésia anterógrada. A amnésia dissociativa anterógrada pode ser confundida com *delirium*. Porém, na primeira, os exames médicos, laboratoriais, toxicológicos e neurológicos, incluindo estudos de imagem, apresentam resultados normais. Avaliações cuidadosas e repetidas ao longo do tempo mostram que, assim como em outras formas de amnésia dissociativa, não há um déficit cognitivo verdadeiro.

Transtornos por uso de substâncias. No contexto de intoxicações repetidas com álcool ou outras substâncias/medicamentos, pode haver episódios de "apagões" ou períodos dos quais o indivíduo não tem nenhuma memória, ou tem memórias parciais. Para ajudar a distinguir esses episódios e amnésia dissociativa, história longitudinal deve mostrar que os episódios de amnésia ocorrem apenas no contexto de intoxicação. Porém, pode ser difícil fazer a distinção quando o indivíduo com amnésia dissociativa também abusa de álcool ou outras substâncias, particularmente no contexto de situações estressantes que também podem exacerbar os sintomas dissociativos. Esse pode ser um diagnóstico diferencial mais complexo quando o uso de substâncias começa na infância ou adolescência, geralmente no contexto de abuso intrafamiliar, de negligência e de transtornos relacionados ao uso de substâncias. Observação sequencial desses indivíduos depois da desintoxicação, juntamente com uma análise cuidadosa da história deles, normalmente pode ajudar a separar a perda de memória atribuível a uso de longa data de substâncias da atribuível a amnésia dissociativa. Algumas pessoas com amnésia dissociativa e transtornos por uso de substância comórbidos tentarão minimizar a amnésia dissociativa e atribuirão seus problemas de memória exclusivamente ao uso da substância. Uso prolongado de álcool ou outras substâncias pode resultar em um transtorno neurocognitivo induzido por substância que pode se associar a funções cognitivas comprometidas. Entretanto, nesse contexto, a história prolongada de uso de substância e os déficits persistentes associados com o transtorno neurocognitivo serviriam para distingui-lo de amnésia dissociativa, na qual geralmente não há evidência de prejuízo persistente no funcionamento intelectual.

Amnésia pós-traumática devido a lesão cerebral. Pode ocorrer amnésia no contexto de uma lesão cerebral traumática (LCT) na qual tenha havido impacto na cabeça ou outros mecanismos de movimento ou deslocamento rápido do cérebro no interior da caixa craniana. Outras características do LCT incluem perda de consciência, desorientação e confusão ou, em casos mais graves, sinais e sintomas neurológicos (p. ex., anormalidades na neuroimagem, um novo início de convulsões ou um agravamento acentuado de um distúrbio convulsivo preexistente, cortes no campo visual ou anosmia). Um transtorno neurocognitivo atribuível a LCT deve estar presente seja imediatamente depois da ocorrência de uma lesão cerebral, seja imediatamente depois que o indivíduo recupera a consciência após a lesão e também persistir além do período agudo pós-lesão. O quadro cognitivo de um transtorno neurocognitivo depois de LCT é variável e inclui dificuldades nos domínios de atenção, função executiva, aprendizagem e memória, bem como diminuição da velocidade do processamento de informações e perturbações na cognição social. Os padrões de déficits de memória são típicos de transtornos neurocognitivos. Uma LCT leve pode preceder as apresentações de amnésia dissociativa aguda, mas os déficits de memória dissociativa são desproporcionais ao traumatismo do LCT e normalmente seguem os padrões dissociativos, não os neurocognitivos.

Transtornos convulsivos. Indivíduos com transtornos convulsivos podem exibir comportamento alterado durante as convulsões ou no período pós-ictal, com amnésia subsequente. Alguns indivíduos com um transtorno convulsivo adotam um comportamento de perambulação sem rumo limitado ao período da atividade convulsiva. Já o comportamento durante uma fuga dissociativa geralmente tem um propósito, é complexo e orientado a um objetivo e pode durar dias, semanas ou mais. Eventualmente, indivíduos com um transtorno convulsivo relatarão que memórias autobiográficas mais remotas foram "apagadas" à medida que o transtorno convulsivo progride. Essa perda de memória não está associada a traumas psicológicos ou adversidades e parece ocorrer aleatoriamente. Em transtornos convulsivos, uma série de eletroencefalogramas pode mostrar anormalidades. O monitoramento eletroencefalográfico telemétrico frequentemente mostra associação entre os episódios de amnésia e a atividade convulsiva. Amnésias dissociativas e epiléticas podem coexistir.

Déficits de memória associados a eletroconvulsoterapia. Déficits de memória após eletroconvulsoterapia (ECT) normalmente ocorrem no dia da aplicação da terapia. Qualquer amnésia retrógrada ou anterógrada depois da ECT normalmente não está relacionada a momentos estressantes ou traumáticos da vida e geralmente regride depois da conclusão da ECT. A ECT aplicada em indivíduos depressivos com transtornos dissociativos não piora a dissociação. Além disso, o acesso a memórias pode melhorar conforme a depressão regride.

Estupor catatônico. O mutismo no estupor catatônico pode sugerir amnésia dissociativa, mas a impossibilidade de recordar está ausente. Outros sintomas catatônicos (p. ex., rigidez, postura fixa, negativismo) geralmente estão presentes. Sintomas catatônicos em crianças podem ser associados a trauma, abuso e/ou privação. Diferentemente da amnésia dissociativa, o padrão de perda de memória na catatonia só ocorre no episódio catatônico.

Reações dissociativas agudas a eventos estressantes (outro transtorno dissociativo especificado). As reações dissociativas agudas a eventos estressantes, um exemplo de outro transtorno dissociativo especificado, são caracterizadas por uma combinação de sintomas dissociativos que ocorrem juntos, agudamente, em resposta a eventos estressantes, durando em geral menos de um mês. Episódios amnésicos que ocorrem como parte dessas reações são acompanhados por outros sintomas dissociativos proeminentes, têm curta duração (horas ou dias) e tendem a se limitar a períodos ou eventos específicos na vida da pessoa (microamnésias).

Transtorno factício e simulação. Não há exame, bateria de testes ou conjunto de procedimentos que diferencie invariavelmente amnésia dissociativa e amnésia simulada. A falsa amnésia é mais comum em indivíduos com 1) amnésia dissociativa aguda e florida; 2) problemas financeiros, sexuais ou legais; 3) um desejo de escapar de circunstâncias estressantes; 4) desejo de parecer um paciente mais interessante; e/ou 5) um plano para entrar em litígio por "memórias recuperadas". Porém, a amnésia dissociativa pode ser associada com essas mesmas circunstâncias e pode coexistir com um fingimento deliberado. Muitos indivíduos que simulam a amnésia confessam espontaneamente ou quando confrontados.

Alterações de memória com o envelhecimento ou com transtorno neurocognitivo leve. Os decréscimos de memória no transtorno neurocognitivo leve são diferentes dos da amnésia dissociativa, pois, no transtorno neurocognitivo leve, as alterações de memória se manifestam como dificuldade em aprender e reter novas informações. Isso geralmente pode ser medido em testes de aprendizagem verbal de listas de palavras ou de uma breve história com uma avaliação de recordação imediata e tardia. Com o envelhecimento cognitivo normal, os indivíduos também podem ter fraquezas semelhantes na lembrança imediata e tardia de novas informações, embora o envelhecimento normal também possa afetar a velocidade de processamento de informações e outras tarefas complexas de funções executivas, além da memória.

Comorbidade

Como é comum em indivíduos com história de trauma, muitas comorbidades ocorrem concomitantemente com amnésia dissociativa, particularmente quando ela começa a remitir. Uma grande variedade de fenômenos afetivos pode surgir, incluindo disforia, luto, raiva, vergonha, culpa e confusão ou conflitos psicológicos. Indivíduos podem se envolver em automutilação não suicida e outros comportamentos de alto risco. Eles também podem apresentar sintomas que preenchem os critérios diagnósticos para transtorno depressivo persistente, transtorno depressivo maior ou os critérios básicos para depressão (outro transtorno depressivo especificado). Muitos indivíduos com amnésia dissociativa desenvolvem TEPT em algum momento durante a vida, especialmente quando os antecedentes traumáticos da amnésia são trazidos à percepção consciente. Muitos desses indivíduos podem mostrar sintomas do subtipo dissociativo de TEPT. Muitos indivíduos com amnésia dissociativa têm sintomas que preenchem os critérios diagnósticos para sintomas somáticos comórbidos e transtornos relacionados (e vice-versa), particularmente transtorno de sintomas neurológicos funcionais (transtorno conversivo). Transtornos de dependência relacionados a substâncias podem ser comórbidos com amnésia dissociativa, assim como transtornos alimentares e disfunções sexuais. O transtorno da personalidade comórbido mais comum é outro transtorno da personalidade especificado (com características mistas de transtorno da personalidade), que frequentemente inclui características de evitação, obsessivo-compulsivas, de dependência e *borderline*.

Transtorno de Despersonalização/Desrealização

Critérios Diagnósticos   F48.1

A. Presença de experiências persistentes ou recorrentes de despersonalização, desrealização ou ambas:
  1. **Despersonalização:** Experiências de irrealidade, distanciamento ou de ser um observador externo dos próprios pensamentos, sentimentos, sensações, corpo ou ações (p. ex., alterações da percepção, senso distorcido do tempo, sensação de irrealidade ou senso de si mesmo irreal ou ausente, anestesia emocional e/ou física).
  2. **Desrealização:** Experiências de irrealidade ou distanciamento em relação ao ambiente ao redor (p. ex., indivíduos ou objetos são vivenciados como irreais, oníricos, nebulosos, inertes ou visualmente distorcidos).
B. Durante as experiências de despersonalização ou desrealização, o teste de realidade permanece intacto.
C. Os sintomas causam sofrimento clinicamente significativo ou prejuízo no funcionamento social, profissional ou em outras áreas importantes da vida do indivíduo.
D. A perturbação não é atribuível aos efeitos fisiológicos de uma substância (p. ex., droga de abuso, medicamento) ou a outra condição médica (p. ex., convulsões).
E. A perturbação não é mais bem explicada por outro transtorno mental, como esquizofrenia, transtorno de pânico, transtorno depressivo maior, transtorno de estresse agudo, transtorno de estresse pós-traumático ou outro transtorno dissociativo.

Características Diagnósticas

A principal característica do transtorno de despersonalização/desrealização são os episódios de despersonalização e/ou desrealização persistentes e recorrentes. Episódios de despersonalização são caracterizados por um sentimento de irrealidade ou distanciamento ou estranhamento de si mesmo como um todo ou de aspectos de si mesmo (Critério A1). O indivíduo pode sentir-se distanciado de seu próprio ser como um todo (p. ex., "Não sou ninguém", "Não tenho identidade"). A pessoa pode se sentir subjetivamente desapegada de aspectos de sua identidade, incluindo sentimentos (p. ex., a falta de sentimentos, "eu sei que tenho sentimentos, mas não consigo senti-los"), pensamentos (p. ex., "meus pensamentos não parecem meus"), seu corpo ou partes dele ou sensações (p. ex., toque, fome, sede, libido). Pode haver também sensação de perda de domínio das próprias ações (p. ex., sentir-se como um robô, autômato; perda de controle da fala e dos movimentos). A experiência de despersonalização pode, às vezes, envolver uma cisão no senso de si mesmo, com uma parte observando e outra participando, fenômeno conhecido como "experiência extracorpórea" em sua forma mais extrema. O sintoma unitário de "despersonalização" consiste em diversos fatores sintomáticos: experiências corporais anômalas (i. e., irrealidade de si mesmo e alterações perceptuais); anestesia emocional ou física; e distorções temporais com recordação subjetiva alterada.

Episódios de desrealização são caracterizados por um sentimento de irrealidade ou distanciamento ou estranhamento do mundo como um todo: indivíduos, objetos inanimados ou o meio (Critério A2). O indivíduo pode sentir como se estivesse dentro de um nevoeiro, em um sonho ou em uma bolha, ou como se houvesse um véu ou um vidro entre ele e o mundo ao redor. O ambiente ao redor pode parecer artificial, sem cores ou sem vida. A desrealização normalmente é acompanhada por distorções visuais subjetivas, como ver as coisas embaçadas, acuidade apurada, campo de visão aumentado ou diminuído, planificação ou ver as coisas em duas dimensões, ver as coisas exageradamente em três dimensões ou ver objetos em uma distância ou com um tamanho alterados (i. e., macropsia ou micropsia). Distorções auditivas também podem ocorrer, nas quais vozes ou sons são mudos ou mais intensos do que de fato são. Além disso, o Critério C requer a presença de sofrimento clinicamente significativo ou prejuízo no funcionamento social, profissional ou em outras áreas importantes da vida do indivíduo, e os Critérios D e E descrevem diagnósticos de exclusão.

Características Associadas

Indivíduos com transtorno de despersonalização/desrealização podem ter dificuldade em descrever seus sintomas e podem achar que estão "loucos" ou "enlouquecendo". Outra experiência comum é o medo de dano cerebral irreversível. Um sintoma que costuma estar associado é um sentido de tempo subjetivamente alterado (i. e., rápido ou lento demais), bem como dificuldade subjetiva em recordar vividamente memórias passadas e considerá-las pessoais e emocionais. Sintomas somáticos vagos, como pressão na cabeça, formigamento ou atordoamento, não são incomuns. Os indivíduos podem sofrer de ruminação extrema ou preocupação obsessiva (p. ex., constantemente obcecado com a dúvida de se realmente existe ou verificando suas percepções para determinar se parecem reais). Graus variados de ansiedade e depressão também são aspectos associados comuns. Observou-se que indivíduos com esse transtorno têm hiporreatividade fisiológica a estímulos emocionais. Substratos neurais de interesse incluem o eixo hipotalâmico-hipofisário-suprarrenal, o lóbulo parietal inferior e circuitos corticolímbicos pré-frontais.

Prevalência

Sintomas transitórios de despersonalização/desrealização que duram de horas a dias são comuns na população geral. A prevalência em 12 meses do transtorno de despersonalização/desrealização é consideravelmente menor do que a de sintomas transitórios, embora estimativas precisas do transtorno não estejam disponíveis. Em termos gerais, aproximadamente metade de todos os adultos já sofreu pelo menos um episódio na vida de despersonalização/desrealização. Entretanto, a sintomatologia que satisfaz plenamente os critérios para transtorno de despersonalização/desrealização é consideravelmente menos comum do que sintomas transitórios. A prevalência de um mês no Reino Unido é de aproximadamente 1 a 2%.

Desenvolvimento e Curso

A média de idade na primeira manifestação do transtorno de despersonalização/desrealização é 16 anos, embora ele possa se manifestar na primeira infância e na infância intermediária. Uma minoria não consegue lembrar períodos da vida sem os sintomas. Menos de 20% dos indivíduos sofrem a manifestação inicial depois dos 20 anos de idade, e apenas 5% depois dos 25 anos. O início na quarta década de vida ou posteriormente é bastante incomum. A manifestação inicial pode ser desde extremamente súbita a gradual. A duração dos episódios do transtorno de despersonalização/desrealização pode variar muito, desde breve (horas a dias) até prolongada (semanas, meses ou anos). Considerando-se a raridade da manifestação inicial do transtorno depois dos 40 anos, nesses casos o indivíduo deverá ser examinado mais atentamente quanto à presença de condições clínicas subjacentes (p. ex., lesões cerebrais, transtornos convulsivos, apneia do sono). O curso do transtorno é com frequência persistente. Cerca de um terço dos casos envolve episódios distintos, bem delimitados; outro terço, sintomas contínuos desde o início; e outro terço, ainda, um curso inicialmente episódico que acaba se tornando contínuo.

Enquanto em alguns indivíduos a intensidade dos sintomas pode aumentar e diminuir consideravelmente, outros relatam um nível estável de intensidade que, em casos extremos, pode estar presente de maneira constante por anos ou décadas. Fatores internos e externos que afetam a intensidade dos sintomas variam entre os indivíduos, embora alguns padrões típicos sejam relatados. As exacerbações podem ser desencadeadas por estresse, piora dos sintomas de humor e ansiedade ou ambientes hiperestimulantes e por fatores físicos como iluminação e privação de sono.

Fatores de Risco e Prognóstico

Temperamentais. Indivíduos com transtorno de despersonalização/desrealização são caracterizados por temperamento orientado para a evitação de danos, defesas imaturas e esquemas cognitivos tanto de desconexão quanto de superconexão. Defesas imaturas como idealização/desvalorização, projeção e atuação resultam em negação da realidade e má adaptação. *Esquemas cognitivos de desconexão* refletem inibição emocional e vergonha e incluem temas de abuso, negligência e privação. *Esquemas de superconexão* envolvem prejuízo da autonomia e incluem temas de dependência, vulnerabilidade e incompetência.

Ambientais. Existe associação clara entre o transtorno e traumas interpessoais na infância em uma proporção significativa dos indivíduos, embora tal associação não seja tão prevalente ou extrema na natureza dos traumas quanto em outros transtornos dissociativos, como o transtorno dissociativo de identidade. Abuso e negligência emocionais foram particularmente associados de maneira mais forte e consistente com o transtorno. Outros estressores podem incluir abuso físico; testemunho de violência doméstica; crescer com pai/mãe com doença mental grave; ou morte ou suicídio inesperado de um familiar ou amigo próximo. O abuso sexual é um antecedente bem menos comum, mas pode ser encontrado. Os desencadeantes próximos mais comuns do transtorno são estresse grave (interpessoal, financeiro, profissional), depressão, ansiedade (particularmente ataques de pânico) e uso de drogas ilícitas. Sintomas podem ser induzidos especificamente por substâncias como o tetraidrocanabinol (THC), alucinógenos, ketamina, MDMA (3,4-metilenodioximetanfetamina; o *"ecstasy"*) e *Salvia divinorum*. O uso de maconha pode desencadear a manifestação inicial de ataques de pânico e sintomas de despersonalização/desrealização simultaneamente.

Questões Diagnósticas Relativas à Cultura

Experiências de despersonalização/desrealização induzidas voluntariamente podem fazer parte de práticas de meditação prevalentes em muitas religiões e culturas e não devem ser diagnosticadas como um transtorno. Entretanto, existem indivíduos que inicialmente induzem esses estados de maneira intencional, mas com o tempo perdem o controle sobre eles e podem desenvolver medo e aversão por práticas relacionadas. As estruturas culturais podem afetar o nível de sofrimento ou a gravidade percebida associada a experiências descontroladas de despersonalização/desrealização ao fornecer explicações para elas (p. ex., causas espirituais/sobrenaturais), o que pode aliviar os medos dos indivíduos de que eles possam estar "enlouquecendo".

Consequências Funcionais do Transtorno de Despersonalização/Desrealização

Sintomas do transtorno de despersonalização/desrealização são altamente perturbadores e estão associados a grande morbidade. A conduta afetivamente embotada e robótica que esses indivíduos com frequência demonstram pode aparentar ser incongruente com a dor emocional relatada por aqueles com o transtorno. O prejuízo é comumente sentido tanto nas esferas interpessoais quanto nas esferas profissionais, muito devido à hipoemocionalidade em relação aos outros, à dificuldade subjetiva de concentrar-se e reter informações e à sensação generalizada de desconexão da vida.

Diagnóstico Diferencial

Transtorno de ansiedade de doença. Embora indivíduos com transtorno de despersonalização/desrealização possam apresentar queixas somáticas vagas, bem como temor de dano cerebral permanente, o diagnóstico desse transtorno é caracterizado pela presença de uma constelação de sintomas típicos de despersonalização/desrealização e pela ausência de outras manifestações do transtorno de ansiedade de doença.

Transtorno depressivo maior. Sentimentos de insensibilidade, anestesia, inércia, apatia e de estar em um sonho não são incomuns em episódios depressivos maiores. Entretanto, no transtorno de despersonalização/desrealização, esses sintomas estão associados a outros sintomas do transtorno. Se a despersonalização/desrealização preceder claramente o início de um transtorno depressivo maior ou claramente continuar depois de sua resolução, o diagnóstico de transtorno de despersonalização/desrealização se aplica.

Transtorno obsessivo-compulsivo. Alguns indivíduos com transtorno de despersonalização/desrealização podem tornar-se obsessivamente preocupados com sua experiência subjetiva ou desenvolver rituais de verificação do estado de seus sintomas. Entretanto, outros sintomas de transtorno obsessivo-compulsivo não relacionados a despersonalização/desrealização não estão presentes.

Outros transtornos dissociativos. Para diagnosticar o transtorno de despersonalização/desrealização, os sintomas não deverão ocorrer no contexto de outro transtorno dissociativo, como o transtorno dissociativo de identidade. A diferenciação de amnésia dissociativa e transtorno de sintomas neurológicos funcionais (transtorno conversivo) é mais simples, já que os sintomas desses transtornos não se sobrepõem aos do transtorno de despersonalização/desrealização.

Ataques de pânico. Despersonalização/desrealização é um dos sintomas de ataques de pânico, ocorrendo de forma progressivamente mais comum à medida que a gravidade dos ataques de pânico aumenta. Dessa forma, o transtorno de despersonalização/desrealização não deverá ser diagnosticado quando os sintomas ocorrerem apenas durante ataques de pânico que fazem parte de um transtorno de pânico, de um transtorno de ansiedade social ou de uma fobia específica. Além disso, não é incomum que sintomas de despersonalização/desrealização surjam primeiro no contexto de um primeiro ataque de pânico ou à medida que o transtorno de pânico progride e piora. Nesses quadros, o diagnóstico de transtorno de despersonalização/desrealização pode ser feito se 1) o componente de despersonalização/desrealização do quadro for muito proeminente desde o início, excedendo nitidamente em duração e intensidade a ocorrência do ataque de pânico; ou 2) a despersonalização/desrealização continuar depois do transtorno de pânico ter cedido ou sido tratado com êxito.

Transtornos psicóticos. A presença de um teste de realidade intacto especificamente com relação aos sintomas de despersonalização/desrealização é essencial para diferenciar esse transtorno de transtornos psicóticos. Em raros casos, a esquizofrenia com sintomas positivos pode representar um desafio diagnóstico quando delírios niilistas estão presentes. Por exemplo, um indivíduo pode relatar que está morto ou que o mundo não é real; isso pode ser tanto uma experiência subjetiva que o indivíduo sabe que não é verdadeira quanto uma convicção delirante.

Transtornos induzidos por substância/medicamento. A despersonalização/desrealização associada aos efeitos fisiológicos de substâncias durante a intoxicação aguda ou durante a abstinência não é diagnosticada como transtorno de despersonalização/desrealização. As substâncias desencadeantes mais comuns são: maconha, alucinógenos, ketamina, *ecstasy* e *Salvia divinorum*. Em cerca de 15% de todos os casos de transtorno de despersonalização/desrealização, os sintomas são precipitados pela ingestão dessas substâncias. Se os sintomas persistirem por algum tempo na ausência de uso adicional de substância ou medicamento, o diagnóstico de transtorno de despersonalização/desrealização se aplica. Geralmente é fácil estabelecer esse diagnóstico, já que a grande maioria dos indivíduos com essa apresentação torna-se altamente fóbica e aversa à substância desencadeante e não a usa novamente.

Lesão cerebral traumática. Os sintomas de despersonalização/desrealização são comuns em lesão cerebral traumática (LCT), mas são diferenciados do transtorno de despersonalização/desrealização por ter um início dos sintomas após a LCT e pela ausência de outros sintomas do transtorno de despersonalização/desrealização.

Sintomas dissociativos devido a outra condição médica. Alguns aspectos como a manifestação inicial depois dos 40 anos de idade ou a presença de sintomas e curso atípicos sugerem a possibilidade de uma condição médica subjacente. Em casos com sintomas dissociativos, é essencial conduzir uma avaliação clínica e neurológica completa, que pode incluir exames laboratoriais de rotina, testes virais, eletroencefalograma, testagem vestibular, testagem visual, polissonografia e/ou exame de neuroimagem. Quando a suspeita de um distúrbio convulsivo subjacente for difícil de se confirmar, um eletroencefalograma ambulatorial pode ser indicado; embora a epilepsia de lobo temporal seja a mais comum, as epilepsias de lobo parietal e frontal também podem ser associadas.

Comorbidade

Em uma amostra por conveniência de adultos recrutados para vários estudos de pesquisa de despersonalização, as comorbidades ao longo da vida foram altas para transtorno depressivo unipolar e transtornos de ansiedade, com uma proporção significativa da amostra apresentando ambos os transtornos. A comorbidade com transtorno de estresse pós-traumático foi baixa. Os três transtornos da personalidade que mais ocorreram de forma concomitante foram evitativa, *borderline* e obsessivo-compulsiva.

Outro Transtorno Dissociativo Especificado

F44.89

Esta categoria aplica-se a apresentações em que sintomas característicos de um transtorno dissociativo que causam sofrimento clinicamente significativo ou prejuízo no funcionamento social, profissional ou em outras áreas importantes da vida do indivíduo predominam, mas não satisfazem todos os critérios para qualquer transtorno na classe diagnóstica dos transtornos dissociativos. A categoria outro transtorno dissociativo especificado é usada nas situações em que o clínico opta por comunicar a razão específica pela qual a apresentação não satisfaz os critérios para qualquer transtorno dissociativo específico. Isso é feito por meio do registro de "outro transtorno dissociativo especificado", seguido pela razão específica (p. ex., "transe dissociativo").

Exemplos de apresentações que podem ser especificadas usando a designação "outro transtorno dissociativo especificado" incluem os seguintes:

1. **Síndromes crônicas e recorrentes de sintomas dissociativos mistos:** Esta categoria inclui perturbação da identidade associada a alterações brandas no senso de si mesmo e no senso de domínio das próprias ações ou alterações da identidade ou episódios de possessão em um indivíduo que relata não ter amnésia dissociativa.
2. **Perturbação da identidade devido a persuasão coercitiva prolongada e intensa:** Indivíduos sujeitos a persuasão coercitiva intensa (p. ex., lavagem cerebral, reforma de pensamentos, doutrinação em cativeiro, tortura, prisão política prolongada, recrutamento por seitas/cultos ou organizações terroristas) podem apresentar mudanças prolongadas na, ou questionamento consciente da, própria identidade.

3. **Reações dissociativas agudas a eventos estressantes:** Esta categoria inclui condições transitórias agudas que geralmente duram menos de um mês e às vezes apenas poucas horas ou dias. Essas condições são caracterizadas por estreitamento da consciência; despersonalização; desrealização; perturbações da percepção (p. ex., lentificação do tempo, macropsia); microamnésias; estupor transitório; e/ou alterações no funcionamento sensório-motor (p. ex., analgesia, paralisia).
4. **Transe dissociativo:** Esta condição é caracterizada por estreitamento ou perda completa da consciência do ambiente que se manifesta como ausência profunda de responsividade ou insensibilidade a estímulos ambientais. A ausência de responsividade pode estar acompanhada por comportamentos estereotipados menores (p. ex., movimentos dos dedos) que o indivíduo não percebe e/ou não consegue controlar, bem como paralisia transitória ou perda da consciência. O transe dissociativo não é parte habitual de práticas culturais ou religiosas coletivas amplamente aceitas.

Transtorno Dissociativo Não Especificado

F44.9

Esta categoria aplica-se a apresentações em que sintomas característicos de um transtorno dissociativo que causam sofrimento clinicamente significativo ou prejuízo no funcionamento social, profissional ou em outras áreas importantes da vida do indivíduo predominam, mas não satisfazem todos os critérios para qualquer transtorno na classe diagnóstica dos transtornos dissociativos. A categoria transtorno dissociativo não especificado é usada nas situações em que o clínico opta por *não* especificar a razão pela qual os critérios para um transtorno dissociativo específico não são satisfeitos e inclui apresentações para as quais não há informação suficiente para que seja feito um diagnóstico mais específico (p. ex., em salas de emergência).

Transtorno de Sintomas Somáticos e Transtornos Relacionados

Este capítulo inclui os diagnósticos de transtorno de sintomas somáticos, transtorno de ansiedade de doença, transtorno de sintomas neurológicos funcionais (transtorno conversivo), fatores psicológicos que afetam outras condições médicas, transtorno factício, outro transtorno de sintomas somáticos e transtorno relacionado especificado e transtorno de sintomas somáticos e transtorno relacionado não especificado. Todos os transtornos neste capítulo compartilham de um aspecto comum: a proeminência de sintomas somáticos associados a sofrimento e prejuízo significativos. Indivíduos com transtornos com sintomas somáticos proeminentes costumam ser encontrados em contextos de atendimento primário e em outros contextos médicos, porém menos comumente em contextos psiquiátricos e em outros contextos de saúde mental. Esses diagnósticos reconceitualizados, baseados em uma reorganização dos diagnósticos de transtorno somatoforme do DSM-IV, são mais úteis para profissionais de atendimento primário e outros médicos clínicos (não psiquiatras).

O principal diagnóstico nessa classe diagnóstica, transtorno de sintomas somáticos, enfatiza o diagnóstico feito com base em sinais e sintomas (sintomas somáticos aflitivos associados a pensamentos, sentimentos e comportamentos anormais em resposta a esses sintomas) em vez da ausência de uma explicação médica para sintomas somáticos. O que caracteriza indivíduos com transtorno de sintomas somáticos não são os sintomas somáticos em si, mas como eles se apresentam e como são interpretados. A integração de componentes afetivos, cognitivos e comportamentais aos critérios do transtorno de sintomas somáticos proporciona uma reflexão mais abrangente e precisa do verdadeiro quadro clínico do que seria possível avaliando-se apenas as queixas somáticas.

Os princípios por trás das mudanças nos diagnósticos de sintomas somáticos e diagnósticos relacionados a partir do DSM-IV são cruciais para entender os diagnósticos do DSM-5. O termo do DSM-IV *transtornos somatoformes* era confuso e foi substituído por *transtorno de sintomas somáticos e transtornos relacionados*. No DSM-IV, havia grande sobreposição entre os transtornos somatoformes e falta de clareza acerca das fronteiras dos diagnósticos. Embora indivíduos com esses transtornos se apresentem essencialmente em contextos gerais de saúde e não mentais, médicos não psiquiatras consideravam os diagnósticos somatoformes do DSM-IV difíceis de entender e usar. A classificação atual do DSM-5 reconhece tal sobreposição ao reduzir o número total de transtornos, bem como suas subcategorias.

Os critérios anteriores superenfatizavam o papel central de sintomas clinicamente inexplicados por processos fisiopatológicos reconhecidos. Esses sintomas estão presentes em graus variados, particularmente no transtorno de sintomas neurológicos funcionais, mas transtornos de sintomas somáticos também podem acompanhar doenças médicas diagnosticadas (i. e., aqueles transtornos relacionados a processos fisiopatológicos claramente reconhecidos). A confiabilidade para determinar que um sintoma somático clinicamente não pode ser explicado por um processo fisiopatológico reconhecido relacionado a uma condição médica é limitada, e estabelecer um diagnóstico na ausência de uma explicação é algo problemático e reforça a dicotomia mente-corpo. Não é apropriado dar a um indivíduo um diagnóstico de transtorno mental unicamente por não se conseguir demonstrar uma causa médica. Ademais, a presença de um diagnóstico médico não exclui a possibilidade de um transtorno mental comórbido, incluindo um transtorno de sintomas somáticos e transtornos relacionados. Talvez em virtude do foco predominante na ausência de uma explicação médica no DSM-IV, os indivíduos consideravam esses diagnósticos pejorativos e degradantes, como se sugerissem que seus sintomas físicos não fossem "reais". A nova classificação do DSM-5 define o diagnóstico principal, transtorno de sintomas somáticos, com base em sintomas positivos (sintomas somáticos perturbadores associados a pensamentos, sentimentos e comportamentos anormais em resposta a esses sintomas). No transtorno de sintomas neurológicos funcionais e na pseudociese (outro transtorno de sintomas somáticos e transtornos relacionados especificados), a ênfase está em demonstrar evidências clínicas da incompatibilidade com processos fisiológicos reconhecidos.

É importante observar que alguns outros transtornos mentais podem manifestar-se inicialmente com sintomas essencialmente somáticos (p. ex., transtorno depressivo maior, transtorno de pânico). Esses diagnósticos podem ser responsáveis pelos sintomas somáticos ou podem ocorrer paralelamente a um dos transtornos de sintomas somáticos e transtornos relacionados deste capítulo. Também há comorbidade médica considerável entre indivíduos com transtorno de sintomas somáticos e transtornos relacionados. Embora sintomas somáticos estejam com frequência associados a sofrimento psicológico e psicopatologia, alguns transtornos de sintomas somáticos e transtornos relacionados podem surgir de forma espontânea, e suas causas podem permanecer obscuras. Transtornos de ansiedade e transtornos depressivos podem acompanhar transtornos de sintomas somáticos e transtornos relacionados. O componente somático agrega gravidade e complexidade a transtornos depressivos e de ansiedade e resulta em maior gravidade, prejuízo funcional e até mesmo refratariedade aos tratamentos tradicionais. Em casos raros, o grau de preocupação pode ser tão grave a ponto de merecer a consideração de um diagnóstico de transtorno delirante.

Uma série de fatores pode contribuir para transtorno de sintomas somáticos e transtornos relacionados. Entre eles estão vulnerabilidade genética e biológica (p. ex., maior sensibilidade à dor), experiências traumáticas precoces (p. ex., violência, abuso, privação), iatrogênese médica (p. ex., reforço do papel de doente, referências e testes diagnósticos excessivos) e aprendizagem (p. ex., atenção obtida por causa da doença, ausência de reforço de expressões não somáticas de sofrimento), bem como normas culturais/sociais que desvalorizam e estigmatizam o sofrimento psicológico em comparação com o sofrimento físico. Diferenças nos cuidados médicos entre culturas afetam a apresentação, o reconhecimento e o tratamento dessas manifestações somáticas. Variações na apresentação sintomática provavelmente resultam da interação de múltiplos fatores em contextos culturais que afetam como os indivíduos identificam e classificam sensações corporais, percebem a doença e buscam atenção médica para si.

Todos esses transtornos são caracterizados pelo foco predominante em preocupações somáticas e por sua apresentação inicial sobretudo em contextos médicos em vez de nos de saúde mental. O transtorno de sintomas somáticos e o transtorno de ansiedade de doença oferecem um método clinicamente mais útil para caracterizar indivíduos que podem ter sido considerados no passado como tendo um diagnóstico de transtorno de somatização e hipocondria. Ademais, cerca de dois terços a três quartos das pessoas previamente diagnosticadas com hipocondria estão inclusas no diagnóstico de transtorno de sintomas somáticos. Entretanto, cerca de um quarto a um terço daquelas com hipocondria apresentam um alto nível de ansiedade relacionado à saúde na ausência de sintomas somáticos, e muitos dos sintomas dessas pessoas não preencheriam os critérios para o diagnóstico de um transtorno de ansiedade. O diagnóstico do DSM-5 de transtorno de ansiedade de doença encaixa-se neste último grupo de indivíduos. O transtorno de ansiedade de doença pode ser considerado tanto um transtorno de sintomas somáticos e transtornos relacionados quanto como um transtorno de ansiedade. Devido à forte ênfase nas preocupações somáticas, e na medida em que o transtorno de ansiedade de doença é encontrado com mais frequência em contextos médicos, por razões de utilidade, ele está listado no grupo do transtorno de sintomas somáticos e transtornos relacionados. No transtorno de sintomas neurológicos funcionais, a chave para o diagnóstico é a demonstração de que sintomas neurológicos, com base em características positivas de exame clínico, são incompatíveis com uma fisiopatologia reconhecida. Este é um diagnóstico de "inclusão", e não um diagnóstico de exclusão, e pode ser feito na presença de um transtorno neurológico reconhecido. Ele não exige mais a presença de um estressor psicológico recente, porque esses estressores não estão sempre presentes. Fatores psicológicos que afetam outras condições médicas também estão inclusos neste capítulo. Seu aspecto essencial é a presença de um ou mais fatores psicológicos ou comportamentais clinicamente significativos que afetam de maneira adversa uma condição médica ao aumentar o risco de sofrimento, morte ou incapacidade. Assim como outros transtornos de sintomas somáticos e transtornos relacionados, o transtorno factício incorpora problemas persistentes relacionados à percepção da doença e à identidade. Na maioria dos casos descritos de transtorno factício, tanto impostos a si mesmo quanto a outros, os indivíduos apresentam-se com sintomas somáticos e convicção de uma doença médica. Assim, o transtorno factício está incluso, no DSM-5, no grupo do transtorno de sintomas somáticos e transtornos relacionados. Outro transtorno de sintomas somáticos e transtorno relacionado especificado e transtorno de sintomas somáticos e transtorno relacionado não especificado incluem condições para as quais alguns dos, mas nem todos os, critérios para transtorno de sintomas somáticos ou transtorno de ansiedade de doença são atendidos, bem como pseudociese.

Transtorno de Sintomas Somáticos

Critérios Diagnósticos   F45.1

A. Um ou mais sintomas somáticos que causam aflição ou resultam em perturbação significativa da vida diária.
B. Pensamentos, sentimentos ou comportamentos excessivos relacionados aos sintomas somáticos ou associados a preocupações com a saúde manifestados por pelo menos um dos seguintes:
   1. Pensamentos desproporcionais e persistentes acerca da gravidade dos próprios sintomas.
   2. Nível de ansiedade persistentemente elevado acerca da saúde e dos sintomas.
   3. Tempo e energia excessivos dedicados a esses sintomas ou a preocupações a respeito da saúde.
C. Embora algum dos sintomas somáticos possa não estar continuamente presente, a condição de estar sintomático é persistente (em geral mais de 6 meses).

Especificar se:
   Com dor predominante (anteriormente transtorno doloroso): Este especificador é para indivíduos cujos sintomas somáticos envolvem predominantemente dor.

Especificar se:
   Persistente: Um curso persistente é caracterizado por sintomas graves, prejuízo marcante e longa duração (mais de 6 meses).

Especificar a gravidade atual:
   Leve: Apenas um dos sintomas especificados no Critério B é satisfeito.
   Moderada: Dois ou mais sintomas especificados no Critério B são satisfeitos.
   Grave: Dois ou mais sintomas especificados no Critério B são satisfeitos, além da presença de múltiplas queixas somáticas (ou um sintoma somático muito grave).

Características Diagnósticas

Indivíduos com transtorno de sintomas somáticos geralmente apresentam sintomas somáticos múltiplos e atuais que provocam sofrimento ou resultam em perturbação significativa da vida diária (Critério A), embora às vezes apenas um sintoma grave, mais comumente dor, esteja presente. Os sintomas podem ser específicos (p. ex., dor localizada) ou relativamente inespecíficos (p. ex., fadiga). Por vezes representam sensações ou desconfortos corporais normais que geralmente não significam doença grave. Sintomas somáticos sem uma explicação médica evidente não são suficientes para fazer esse diagnóstico. O sofrimento do indivíduo é autêntico, seja ou não explicado em termos médicos.

Os sintomas podem ou não estar associados a uma outra condição médica. Os diagnósticos de transtorno de sintomas somáticos e uma doença médica concomitante não são mutuamente excludentes e com frequência ocorrem em conjunto. Por exemplo, um indivíduo pode tornar-se gravemente incapacitado por sintomas do transtorno de sintomas somáticos depois de um infarto do miocárdio sem complicações mesmo se o infarto em si não resultar em nenhuma incapacidade. Se outra condição médica ou o alto risco de desenvolver uma estiver presente (p. ex., forte história familiar), os pensamentos, sentimentos e comportamentos associados a essa condição são excessivos (Critério B).

Indivíduos com transtorno de sintomas somáticos tendem a manifestar níveis muito elevados de preocupação a respeito de doenças (Critério B). Eles avaliam seus sintomas corporais como indevidamente ameaçadores, nocivos ou problemáticos e com frequência pensam o pior a respeito da própria saúde. Mesmo quando há evidência do contrário, alguns pacientes ainda temem a gravidade médica de seus sintomas. No transtorno de sintomas somáticos grave, as preocupações acerca da saúde podem assumir um papel central na vida do indivíduo, tornando-se um traço da sua identidade e dominando as relações interpessoais.

Os indivíduos geralmente sentem sofrimento, o qual é sobretudo focado em sintomas somáticos e em seu significado. Quando questionados diretamente a respeito de seu sofrimento, alguns o descrevem como associado a outros aspectos de suas vidas, enquanto outros negam qualquer fonte de sofrimento que não os sintomas somáticos. A qualidade de vida relacionada à saúde é com frequência prejudicada, tanto física quanto mentalmente. O diagnóstico pode ser ainda mais específico indicando se as queixas envolvem predominantemente dor e/ou se são marcadas por um curso persistente.

Além disso, a gravidade do transtorno de sintomas somáticos pode ser especificada pelo número de sintomas do Critério B preenchidos. Formas leves do transtorno (em que apenas um sintoma, conforme especificado no Critério B, é preenchido) são mais prevalentes, enquanto os casos moderados (dois ou mais sintomas do Critério B estão presentes) e graves (dois ou mais sintomas conforme especificado no Critério B são preenchidos em combinação com múltiplas queixas somáticas ou um sintoma somático muito grave) são marcados por prejuízos de níveis mais altos. No transtorno de sintomas somáticos grave, o prejuízo é marcante e, quando persistente, pode levar à invalidez.

Há, com frequência, alto nível de utilização de serviços médicos, o que raramente alivia as preocupações do indivíduo. Consequentemente, o paciente pode acabar buscando múltiplos médicos para os mesmos sintomas. Esses indivíduos muitas vezes parecem não responder a intervenções médicas, e novas intervenções podem apenas exacerbar os sintomas presentes. Algumas pessoas com o transtorno parecem ficar excepcionalmente sensíveis aos efeitos colaterais de medicamentos. Outras sentem que as avaliações médicas e os tratamentos foram inadequados.

Os critérios para transtorno de sintomas somáticos parecem adequados para serem usados em crianças e adolescentes; mas são menos estudados em jovens do que em adultos.

Características Associadas

Aspectos cognitivos incluem atenção focada em sintomas somáticos, atribuição de sensações corporais normais a doenças físicas (possivelmente com interpretações catastróficas), preocupação a respeito de doenças, autoconceito de fraqueza corporal e intolerância a problemas físicos. Além da ansiedade relacionada à saúde, as características emocionais podem incluir afetividade negativa, desespero e desmoralização relacionados a sintomas somáticos. As características comportamentais associadas relevantes podem incluir verificar o corpo repetidamente em busca de anormalidades, busca repetida de ajuda médica e segurança e evitação de atividades físicas, as quais são mais destacadas em quadros do transtorno de sintomas somáticos graves e persistentes. Essas características geralmente são associadas com requisições frequentes de atenção médica para diferentes sintomas somáticos. Isso pode levar a consultas médicas em que os indivíduos estão tão focados em suas preocupações com o(s) sintoma(s) somático(s) que fica difícil redirecioná-los para outras questões. Qualquer garantia recebida do médico no sentido de que os sintomas não são indicativos de doença física grave tende a ser fugaz e/ou é sentida pelos indivíduos como se o médico não estivesse levando a sério seus sintomas. Como o foco em sintomas somáticos é um aspecto essencial do transtorno, indivíduos com transtorno de sintomas somáticos apresentam-se normalmente a serviços de saúde geral em vez de a serviços de saúde mental. A sugestão de encaminhamento a um especialista em saúde mental pode ser recebida com surpresa ou até mesmo recusa franca por pessoas com o transtorno.

Prevalência

A prevalência do transtorno de sintomas somáticos é desconhecida. Estimativas sobre a sua prevalência vêm de uma literatura epidemiológica limitada sobre transtornos somatoformes conforme o DSM-IV-TR.

Entretanto, estima-se que sua prevalência seja maior do que a do transtorno de somatização mais restritivo do DSM-IV-TR (< 1%), porém inferior à do transtorno somatoforme indiferenciado (aproximadamente 19%). Estudos populacionais mais recentes com metodologia baseada em questionário usando critérios diagnósticos do DSM-5 para transtorno de sintomas somáticos em amostras de adultos e adolescentes relatam taxas de prevalência entre 6,7 e 17,4%. Com base em pesquisas realizadas na Europa e na América do Norte, a prevalência de transtorno de sintomas somáticos na população adulta em geral pode ser de aproximadamente 4 a 6%.

Transtorno de sintomas somáticos têm maior frequência em pacientes de atenção primária do que na população geral. Com base em revisões e metanálises de estudos de vários países que ainda usavam os critérios do DSM-IV ou da CID-10, uma prevalência de 12 meses entre 10 e 20% de transtorno de sintomas somáticos e condições relacionadas em pacientes de cuidados primários parece plausível. As taxas de prevalência são mais altas em contextos clínicos especializados em transtornos psicossomáticos ou funcionais, com frequências de transtorno de sintomas somáticos reportadas como sendo entre 40 e 60%.

Mulheres tendem a relatar mais sintomas somáticos do que homens e, por conseguinte, é provável que a prevalência do transtorno de sintomas somáticos seja maior nelas.

Desenvolvimento e Curso

Em um estudo com crianças dinamarquesas com idades entre 5 e 7 anos, os sintomas somáticos funcionais eram queixas de saúde comuns, que, para uma minoria significativa (cerca de um quinto) delas, eram graves o suficiente para causar sofrimento, prejuízos, faltas na escola ou busca por assistência médica. A idade de início não parece afetar a duração do transtorno não tratado.

É provável que o curso do transtorno de sintomas somáticos seja crônico e flutuante e influenciado pelo número de sintomas, idade do indivíduo, nível de comprometimento e qualquer comorbidade. O curso também pode ser influenciado por traços de personalidade, com menor evitação de riscos e maior cooperatividade associados com um menor tempo para remissão.

Em crianças, os sintomas mais comuns são dor abdominal, cefaleia, fadiga e náusea recorrentes. A presença de um único sintoma proeminente é mais comum em crianças do que em adultos. Quando o diagnóstico está sendo feito em indivíduos mais jovens, é importante obter as avaliações do paciente, da família e outras (p. ex., da escola) em relação à apresentação dos sintomas. O envolvimento do paciente com seus cuidadores durante a avaliação e o manejo é fundamental porque a interpretação e a resposta dos pais aos sintomas podem determinar o nível de sofrimento associado, as demandas por investigações e intervenções médicas e o tempo fora da escola.

Em pessoas idosas, dor localizada em várias regiões do corpo parece ser o sintoma mais comum. Sintomas somáticos e doenças médicas concomitantes são comuns, já que a multimorbidade aumenta com a idade. As taxas de prevalência do transtorno de sintomas somáticos parecem ser estáveis até os 65 anos e podem diminuir depois disso. Para fazer o diagnóstico em pessoas idosas, o foco na necessidade de pensamentos, sentimentos ou comportamentos excessivos relacionados aos sintomas somáticos ou problemas de saúde associados (Critério B) é fundamental. O transtorno de sintomas somáticos pode ser subdiagnosticado em pessoas idosas tanto porque certos sintomas somáticos (p. ex., dor, fadiga) são considerados parte do envelhecimento normal quanto porque a preocupação com a saúde é considerada "compreensível" nessa população, que sofre mais de doenças médicas gerais e usa mais medicações do que pessoas mais jovens.

Fatores de Risco e Prognóstico

Temperamentais. O traço de personalidade afetividade negativa (neuroticismo) foi identificado como um fator correlacionado/de risco independente para muitos sintomas somáticos. Ansiedade ou depressão comórbida são aspectos comuns e podem exacerbar os sintomas e a incapacidade.

Ambientais. O transtorno de sintomas somáticos é mais frequente em indivíduos com poucos anos de instrução e baixo nível socioeconômico e nos que tenham sofrido recentemente com eventos relacionados à saúde ou eventos estressantes na vida. Adversidades na infância, como abuso sexual, também tendem a ser fator de risco para transtorno de sintomas somáticos em adultos.

Modificadores do curso. Sintomas somáticos persistentes estão associados a aspectos demográficos (gênero feminino, idade mais avançada, menos anos de instrução, baixo nível socioeconômico e desemprego), história de abuso sexual ou outra adversidade na infância, doença psiquiátrica crônica ou transtorno psiquiátrico concomitante (depressão, ansiedade, transtorno depressivo persistente, pânico), estresse social e fatores sociais reforçadores, como benefícios obtidos com a doença. A gravidade total dos sintomas somáticos está provavelmente associada ao gênero feminino, à ansiedade, à depressão e a condições médicas gerais. Fatores cognitivos que afetam o curso clínico incluem sensibilidade à dor, atenção elevada a sensações corporais e atribuição de sintomas corporais a uma possível doença médica em vez de reconhecê-los como um fenômeno normal ou estresse psicológico.

Questões Diagnósticas Relativas à Cultura

Muitos sintomas somáticos são encontrados em estudos populacionais e de atendimento primário no mundo inteiro, com um padrão similar de sintomas somáticos, prejuízo e busca por tratamento mais comumente relatados. A relação entre o número de sintomas somáticos e preocupação com doença é semelhante em contextos culturais diferentes, e a preocupação marcante com doença está associada a prejuízo e mais busca de tratamento em todas as culturas. Em muitos contextos culturais, indivíduos com depressão normalmente apresentam sintomas somáticos.

Apesar dessas similaridades, existem diferenças em sintomas somáticos entre contextos culturais e grupos étnico-raciais. Fatores socioculturais, particularmente estigmas em relação a transtornos mentais, podem explicar algumas diferenças reportadas em diferentes contextos culturais. A descrição de tais sintomas varia de acordo com fatores linguísticos e outros fatores culturais locais. As apresentações somáticas foram descritas como "idiomas de sofrimento" porque sintomas somáticos podem ter significados especiais e moldar as interações médico-paciente em contextos culturais particulares. Por exemplo, sensação de peso, queixas de "gases", excesso de calor corporal ou queimação na cabeça são sintomas comuns em algumas culturas ou grupos étnicos, porém raros em outros. Os modelos explanatórios também podem variar, e sintomas somáticos podem ser atribuídos de maneira diversa a estresses familiares, ocupacionais (p. ex., *burnout*) ou ambientais específicos; condição médica geral; supressão de sentimentos de raiva ou ressentimento; ou determinados fenômenos culturais específicos, como perda de sêmen. Certos sintomas somáticos podem fazer parte de modelos explicativos específicos em um determinado contexto cultural; por exemplo, os entendimentos tradicionais de *shenjing shuairuo* na China vinculam conceitos de "fraqueza dos nervos" (neurastenia) e desequilíbrio quente-frio com sintomas proeminentes, como fadiga e baixa energia. Pode haver também diferenças na busca por tratamento médico e uso de práticas de cura não médicas, alternativas e complementares entre grupos culturais, além de diferenças associadas ao acesso variável a serviços de saúde. Crenças culturais, doenças anteriores, ter plano de saúde, entendimento em saúde e experiências relacionadas à saúde podem influenciar a percepção de indivíduos sobre os sintomas somáticos e o uso de assistência médica. A busca por tratamentos para múltiplos sintomas somáticos em clínicas médicas gerais é um fenômeno de escala mundial.

Questões Diagnósticas Relativas ao Sexo e ao Gênero

Em estudos populacionais, as mulheres relatam mais sintomas somáticos do que os homens e, em um estudo de pacientes de cuidados primários com dor crônica, as mulheres relataram sintomas somáticos mais graves do que os homens. Embora a exposição a trauma sexual, violência doméstica e história de trauma na infância esteja associada a aumento da expressão de sintomas somáticos em mulheres e homens, uma história de múltiplas experiências adversas na infância aumenta a suscetibilidade à expressão de sintomas somáticos em mulheres.

Nas mulheres, o gênero é associado com um aumento na propensão ao desenvolvimento de sintomas persistentes de transtorno de sintomas somáticos. Não parece haver evidências de que o gênero é associado com a duração da doença não tratada ou à resposta a tratamentos psicológicos ou farmacológicos.

Associação com Pensamentos ou Comportamentos Suicidas

O transtorno de sintomas somáticos é associado com pensamentos e tentativas de suicídio. É provável que os pensamentos e comportamentos suicidas sejam parcialmente explicados pela sobreposição diagnóstica e a frequente comorbidade entre transtorno de sintomas somáticos e transtornos depressivos. Além disso, percepções disfuncionais da doença e a gravidade dos sintomas somáticos parecem ser independentemente associadas com um maior risco de ideação suicida.

Consequências Funcionais do Transtorno de Sintomas Somáticos

O transtorno está associado a comprometimento do estado de saúde e a alto nível de estresse psicológico. Muitas pessoas com transtorno de sintomas somáticos grave tendem a ter pontuações de estado de saúde comprometido mais de dois desvios padrão abaixo do padrão da população. O estado de saúde é particularmente prejudicado na presença de sintomas múltiplos ou graves.

Diagnóstico Diferencial

Se os sintomas somáticos são compatíveis com um outro transtorno mental (p. ex., transtorno de pânico), e os critérios diagnósticos para tal transtorno são satisfeitos, então esse transtorno mental deverá ser considerado como um diagnóstico alternativo ou adicional. Se, como ocorre comumente, os critérios para o diagnóstico tanto de transtorno de sintomas somáticos como de outro de transtorno mental forem satisfeitos, então ambos deverão ser codificados, já que ambos necessitam de tratamento.

Outras condições médicas. A presença de sintomas somáticos de etiologia incerta não é, em si, suficiente para justificar um diagnóstico de transtorno de sintomas somáticos. Os sintomas de muitas pessoas com distúrbios como síndrome do colo irritável ou fibromialgia não satisfariam o critério necessário para diagnosticar transtorno de sintomas somáticos (Critério B). Por sua vez, a presença de sintomas somáticos de um distúrbio médico estabelecido (p. ex., diabetes ou doença cardíaca) não exclui o diagnóstico de transtorno de sintomas somáticos se os critérios forem satisfeitos. Os fatores que distinguem indivíduos com transtorno de sintomas somáticos de indivíduos com condições médicas gerais incluem a ineficácia dos analgésicos, história de transtornos mentais, fatores provocativos ou paliativos pouco claros, persistência sem interrupção e estresse.

Fatores psicológicos que afetam outras condições médicas. O diagnóstico de transtorno de sintomas somáticos requer sintomas somáticos angustiantes ou prejudiciais que podem ou não estar associados a outra condição médica, mas devem ser acompanhados por pensamentos, sentimentos ou comportamentos excessivos ou desproporcionais relacionados aos sintomas somáticos ou a problemas de saúde associados. Em contraste, o diagnóstico de fatores psicológicos que afetam outras condições médicas exige a presença de uma condição médica, assim como a presença de fatores psicológicos que afetem adversamente o curso do transtorno ou que interfiram no tratamento.

Transtorno de pânico. No transtorno de pânico, os sintomas somáticos e a ansiedade a respeito da saúde tendem a ocorrer em episódios agudos, enquanto no transtorno de sintomas somáticos os sintomas de ansiedade e somáticos são mais persistentes.

Transtorno de ansiedade generalizada. Indivíduos com transtorno de ansiedade generalizada preocupam-se com múltiplos eventos, situações ou atividades, apenas uma das quais pode envolver a própria saúde. O foco principal geralmente não está em sintomas somáticos ou no medo de doença, como no transtorno de sintomas somáticos.

Transtornos depressivos. Transtornos depressivos geralmente são acompanhados por sintomas somáticos como fadiga, cefaleias ou dores nos tendões ou no abdome, entre outras. Porém, transtornos depressivos são diferenciados do transtorno de sintomas somáticos pela exigência da presença de humor deprimido ou, no caso de transtorno depressivo maior, humor deprimido e diminuição do interesse ou prazer em atividades. Em alguns contextos culturais, esses sintomas principais de depressão podem ser negados inicialmente ou desenfatizados por indivíduos cujas apresentações iriam, em outras situações, preencher os critérios para um transtorno depressivo. Essas pessoas podem, em vez disso, enfatizar sintomas somáticos que podem ser idiomáticos (p. ex., coração pesado) e desconhecidos por clínicos.

Transtorno de ansiedade de doença. Se o indivíduo tiver preocupações extensas a respeito da saúde, porém nenhum sintoma somático ou apenas sintomas somáticos mínimos, pode ser mais apropriado considerar o transtorno de ansiedade de doença.

Transtorno de sintomas neurológicos funcionais (transtorno conversivo). No transtorno de sintomas neurológicos funcionais, o sintoma inicial é a perda de função (p. ex., de um membro), enquanto no transtorno de sintomas somáticos o foco é no sofrimento que os sintomas específicos causam. As características listadas no Critério B do transtorno de sintomas somáticos podem ser úteis na diferenciação dos dois transtornos.

Transtorno delirante. No transtorno de sintomas somáticos, as crenças do indivíduo de que os sintomas somáticos podem refletir uma doença física subjacente grave não são mantidas com intensidade delirante. Contudo, suas crenças a respeito dos sintomas somáticos podem ser mantidas firmemente. Em contraste, no transtorno delirante, tipo somático, a convicção de que os sintomas somáticos são indicativos de uma doença séria subjacente é mais forte do que no transtorno de sintomas somáticos.

Transtorno dismórfico corporal. No transtorno dismórfico corporal, o indivíduo é excessivamente envolvido e preocupado com um defeito percebido em suas características físicas. Por sua vez, no transtorno de sintomas somáticos, a preocupação a respeito dos sintomas somáticos reflete o medo de uma doença subjacente, e não de um defeito na aparência.

Transtorno obsessivo-compulsivo. No transtorno de sintomas somáticos, as ideias recorrentes a respeito de sintomas somáticos e doenças são menos intrusivas, e os indivíduos com esse transtorno não exibem os comportamentos repetitivos associados que buscam reduzir a ansiedade que ocorrem no transtorno obsessivo-compulsivo.

Transtorno factício e simulação. No transtorno factício e em simulações, indivíduos se apresentam como doentes ou deficientes, mas fingem ter problemas físicos e sintomas com a intenção de enganar. Em contraste, os sintomas do transtorno de sintomas somáticos não são fingidos ou autoinduzidos, e pessoas com essa condição sofrem de modo autêntico e seriamente com seus problemas somáticos.

Comorbidade

O transtorno de sintomas somáticos está associado a taxas elevadas de comorbidade com transtornos mentais, bem como com condições médicas gerais. Os transtornos mentais concomitantes mais relevantes são transtornos de ansiedade e depressivos, cada um dos quais ocorre em até 50% dos casos de transtorno de sintomas somáticos e contribui significativamente para os prejuízos gerais de funcionamento e piora na qualidade de vida. Outros transtornos mentais que ocorrem de forma comórbida com transtorno de sintomas somáticos são o transtorno de estresse pós-traumático e o transtorno obsessivo-compulsivo. Outras evidências também indicam associação com disfunção sexual em homens.

Altos níveis de características psicológicas do transtorno de sintomas somáticos (Critério B) foram observados em diversas condições médicas gerais. Quando uma condição médica geral concorrente é encontrada, o grau de prejuízo causado pelo transtorno é mais marcado do que o esperado pela doença física por si só. Além disso, a somatização em condições médicas mostrou-se como um agravante de doenças e como fator que piora os resultados, a aderência ao tratamento e a qualidade de vida, aumentando o uso de serviços de assistência médica.

Transtorno de Ansiedade de Doença

Critérios Diagnósticos	F45.21

A. Preocupação em ter ou contrair uma doença grave.
B. Sintomas somáticos não estão presentes ou, se estiverem, são de intensidade apenas leve. Se uma outra condição médica está presente ou há risco elevado de desenvolver uma condição médica (p. ex., presença de forte história familiar), a preocupação é claramente excessiva ou desproporcional.
C. Há alto nível de ansiedade com relação à saúde, e o indivíduo é facilmente alarmado a respeito do estado de saúde pessoal.
D. O indivíduo tem comportamentos excessivos relacionados à saúde (p. ex., verificações repetidas do corpo procurando sinais de doença) ou exibe evitação mal-adaptativa (p. ex., evita consultas médicas e hospitais).
E. Preocupação relacionada a doença presente há pelo menos 6 meses, mas a doença específica que é temida pode mudar nesse período.
F. A preocupação relacionada a doença não é mais bem explicada por outro transtorno mental, como transtorno de sintomas somáticos, transtorno de pânico, transtorno de ansiedade generalizada, transtorno dismórfico corporal, transtorno obsessivo-compulsivo ou transtorno delirante, tipo somático.

Determinar o subtipo:
Tipo busca de cuidado: O cuidado médico, incluindo consultas ao médico ou realização de exames e procedimentos, é utilizado com frequência.
Tipo evitação de cuidado: O cuidado médico raramente é utilizado.

Características Diagnósticas

A maioria dos indivíduos que anteriormente teriam sido diagnosticados com hipocondria, segundo os critérios do DSM-IV (preocupação em ter uma doença grave baseada na interpretação errônea dos sintomas corporais pelo indivíduo), agora é classificada como tendo transtorno de sintomas somáticos; no entanto, em um terço dos casos, aplica-se o diagnóstico de transtorno de ansiedade de doença.

O transtorno de ansiedade de doença é caracterizado por preocupação em ter ou contrair uma doença grave (Critério A). Sintomas somáticos não estão presentes ou, caso estejam, são de intensidade apenas leve (Critério B). Uma avaliação completa não consegue identificar uma condição médica grave que corresponda às preocupações do indivíduo. Embora a preocupação possa ser derivada de um sinal ou sensação física não patológica, o sofrimento da pessoa não é decorrente da queixa física em si, mas sim de sua ansiedade sobre o significado, a significância ou a causa da queixa (i. e., o diagnóstico médico suspeitado). Se um sinal ou sintoma físico estiver presente, trata-se, com frequência, de uma sensação fisiológica (p. ex., tontura ortostática), uma disfunção benigna e autolimitada (p. ex., zumbido transitório) ou um desconforto corporal geralmente não considerado indicativo de doença (p. ex., eructação). Se uma condição médica diagnosticável está presente, a ansiedade e a preocupação são nitidamente excessivas e desproporcionais à gravidade da condição (Critério B). As evidências empíricas e a literatura existente referem-se a hipocondria e ansiedade com a saúde anteriormente definidas pelo DSM, e não está claro até que ponto e quão precisamente se aplicam à descrição desse novo diagnóstico.

A preocupação com a ideia de estar doente é acompanhada por uma ansiedade substancial com relação a saúde e doença (Critério C). Indivíduos com transtorno de ansiedade de doença assustam-se facilmente com doenças, como ao saber que alguém ficou doente ou ao ler uma reportagem relacionada à saúde. Suas preocupações acerca de doenças não diagnosticadas não respondem a medidas de tranquilização médica apropriadas, exames diagnósticos negativos ou um curso benigno. As tentativas do clínico de tranquilizar o indivíduo e aliviar o(s) sintoma(s) geralmente não ajudam a diminuir as preocupações e podem até aumentá-las. As preocupações com a saúde assumem uma posição de destaque na vida da pessoa, afetando atividades cotidianas e até mesmo resultando em invalidez. A doença torna-se um aspecto central na identidade e na autoimagem, um assunto frequente em conversas sociais e uma resposta característica a eventos estressantes da vida. Indivíduos com o transtorno costumam examinar-se repetidamente (p. ex., examinam a própria garganta no espelho) (Critério D). Pesquisam a doença suspeitada de forma excessiva (p. ex., na internet) e buscam repetidamente o apoio e a tranquilização de familiares, amigos ou médicos. Essa preocupação incessante muitas vezes torna-se frustrante para os outros e pode resultar em tensão considerável na família. Em alguns casos, a ansiedade leva à evitação mal-adaptativa de situações (p. ex., visitar familiares doentes) ou atividades (p. ex., exercício) que esses indivíduos temem que poderiam comprometer sua saúde.

Características Associadas

Como acreditam estar gravemente enfermos, indivíduos com transtorno de ansiedade de doença são encontrados com muito mais frequência em contextos de saúde médica do que mental. Em sua maioria, tem história extensa, porém insatisfatória, de assistência médica. Eles geralmente têm taxas elevadas de utilização de serviços médicos e de saúde mental, se comparados a população geral. Em uma minoria de casos de transtorno de ansiedade de doença, os indivíduos ficam ansiosos demais para buscar atenção médica e acabam evitando assistência médica.

Essas pessoas com frequência consultam múltiplos médicos em virtude do mesmo problema e obtêm repetidamente resultados negativos de testes diagnósticos. Às vezes, a atenção médica leva a exacerbação paradoxal da ansiedade ou complicações iatrogênicas dos testes e procedimentos diagnósticos. Indivíduos com transtorno de ansiedade de doença geralmente são insatisfeitos com a assistência médica que recebem e a consideram inútil, com frequência sentindo que não estão sendo levados a sério pelos médicos. Em alguns casos, essas preocupações podem ser justificadas, já que os médicos podem às vezes desdenhar ou responder com frustração ou hostilidade. Essa resposta pode resultar ocasionalmente em uma falha em diagnosticar uma condição médica que está presente.

Prevalência

Estimativas de prevalência do transtorno de ansiedade de doença são baseadas nas estimativas feitas com os critérios diagnósticos do DSM-III e do DSM-IV para hipocondria e ansiedade sobre a saúde. A prevalência de 1 a 2 anos de ansiedade sobre a saúde e/ou convicção de doença em amostras baseadas na população de alta renda de países como Estados Unidos e Alemanha, em um estudo com uma metodologia com questionários em comunidades, varia entre 1,3 e 10%. Em populações médicas ambulatoriais, as taxas de prevalência de 6 meses e 1 ano estão entre 2,2 e 8% em vários países, com taxas de prevalência média ponderada de 3%. Em contraste, um estudo com pacientes em clínicas especializadas mostrou que um quinto dos indivíduos reportaram ansiedade de doença. A prevalência do transtorno é similar em homens e mulheres.

Desenvolvimento e Curso

O desenvolvimento e o curso do transtorno de ansiedade de doença não estão claros. Em geral, considera-se que o transtorno seja uma condição crônica e recidivante com uma idade de manifestação inicial no início e no meio da idade adulta. O transtorno é raro em crianças, apesar de o início das ansiedades relacionadas à saúde poder ocorrer na infância ou na adolescência. Em algumas amostras populacionais, a ansiedade relacionada à saúde aumenta com a idade, mas, em outras, o pico dessa ansiedade é na meia-idade, com uma diminuição em idades mais avançadas. A faixa etária de indivíduos com alta ansiedade acerca da saúde em contextos médicos não parece ser diferente de outros pacientes nesses contextos. Em idosos, a ansiedade relacionada à saúde frequentemente se concentra em perda de memória e perdas sensoriais.

Fatores de Risco e Prognóstico

Ambientais. O transtorno de ansiedade de doença pode, às vezes, ser precipitado por um estresse de vida importante ou uma ameaça grave, porém benigna, à saúde do indivíduo. História de abuso ou alguma doença grave na infância, doença grave em um dos pais ou morte de um dos pais durante a infância pode predispor o desenvolvimento do transtorno em adultos.

Modificadores do curso. Entre aproximadamente um terço até a metade dos indivíduos com transtorno de ansiedade de doença tem a forma transitória, a qual é associada a menos comorbidade psiquiátrica, a mais comorbidade médica e ao transtorno de ansiedade de doença menos grave.

Questões Diagnósticas Relativas à Cultura

O diagnóstico deverá ser feito com cautela em indivíduos cujas ideias a respeito de doença sejam congruentes com crenças culturalmente aceitas e amplamente adotadas. A prevalência do transtorno parece ser similar em diferentes países, apesar de pouco se saber sobre a variação entre diferentes culturas na fenomenologia.

Consequências Funcionais do Transtorno de Ansiedade de Doença

O transtorno de ansiedade de doença causa comprometimento funcional substancial e perdas importantes no funcionamento físico e na qualidade de vida relacionada à saúde. As preocupações com a saúde com frequência interferem nas relações interpessoais, perturbam a vida familiar e comprometem o desempenho profissional.

Diagnóstico Diferencial

Outras condições médicas. A primeira consideração no diagnóstico diferencial é uma condição médica subjacente, incluindo condições neurológicas ou endócrinas, tumores malignos ocultos e outras doenças que afetam múltiplos sistemas corporais. A presença de uma condição médica não descarta a possibilidade de transtorno de ansiedade de doença coexistente. Se uma condição médica está presente, a ansiedade relacionada à saúde e as preocupações a respeito da doença são nitidamente desproporcionais à gravidade da condição. Preocupações transitórias relacionadas a uma condição médica não constituem transtorno de ansiedade de doença.

Transtornos de adaptação. A ansiedade relacionada à saúde é uma resposta normal a uma doença grave, e não um transtorno mental. Essa ansiedade não patológica está claramente relacionada à condição médica, e sua duração é geralmente limitada. Se a ansiedade sobre a saúde for grave o suficiente para causar sofrimento ou prejuízo clinicamente significativo em uma ou mais áreas importantes do funcionamento, um transtorno de adaptação pode ser diagnosticado. Porém, se uma ansiedade desproporcional em relação à saúde persistir por mais de 6 meses, um diagnóstico de transtorno de ansiedade de doença pode ser aplicado.

Transtorno de sintomas somáticos. Tanto o transtorno de sintomas somáticos quanto o transtorno de ansiedade de doença podem ser caracterizados por um alto nível de ansiedade sobre a saúde e comportamentos excessivos relacionados à saúde. Eles são diferenciados pelo fato de que o transtorno de sintomas somáticos exige a presença de sintomas somáticos que sejam estressantes o suficiente ou causem uma perturbação significativa no cotidiano do indivíduo, enquanto no transtorno de ansiedade de doença, os sintomas somáticos ou não estão presentes ou, se estiverem, são de intensidade leve.

Transtornos de ansiedade. No transtorno de ansiedade generalizada, os indivíduos se preocupam com múltiplos eventos, situações ou atividades, sendo que apenas um deles pode envolver a saúde. No transtorno de pânico, o indivíduo pode estar preocupado com o fato de os ataques de pânico refletirem a presença de uma doença médica; entretanto, embora essas pessoas possam ter ansiedade acerca da saúde, ela é geralmente muito aguda e episódica. No transtorno de ansiedade de doença, a ansiedade e os temores relacionados à saúde são mais persistentes e duradouros. Indivíduos com transtorno de ansiedade de doença podem sofrer ataques de pânico desencadeados pelas preocupações acerca de doenças.

Transtorno obsessivo-compulsivo e transtornos relacionados. Indivíduos com transtorno de ansiedade de doença podem ter pensamentos intrusivos de ter uma doença e também apresentar comportamentos compulsivos associados (p. ex., buscando apoio e tranquilização). Entretanto, no transtorno de ansiedade de doença, as preocupações geralmente se concentram em ter uma doença, enquanto no transtorno obsessivo-compulsivo os pensamentos são intrusivos e em geral concentrados no temor de ter uma doença no futuro. A maioria das pessoas com transtorno obsessivo-compulsivo tem obsessões ou compulsões envolvendo outras preocupações além dos temores de contrair uma doença. No transtorno dismórfico corporal, as preocupações se limitam à aparência física, que é vista como defeituosa ou imperfeita.

Transtorno depressivo maior. Alguns indivíduos com um episódio depressivo maior ruminam acerca da saúde e preocupam-se excessivamente com doenças. Um diagnóstico distinto de transtorno de ansiedade de doença não é feito se essas preocupações ocorrerem somente durante episódios depressivos maiores. Entretanto, se a preocupação excessiva com doença persistir depois da remissão de um episódio de transtorno depressivo maior, o diagnóstico de transtorno de ansiedade de doença deverá ser considerado.

Transtornos psicóticos. Indivíduos com transtorno de ansiedade de doença não são delirantes e conseguem reconhecer a possibilidade de que a doença temida não esteja presente. Suas ideias não alcançam a rigidez e a intensidade vistas nos delírios somáticos que ocorrem nos transtornos psicóticos (p. ex., esquizofrenia; transtorno delirante, tipo somático; transtorno depressivo maior, com características psicóticas). Delírios somáticos verdadeiros geralmente são mais bizarros (p. ex., de que um órgão está em putrefação ou morto) do que as preocupações vistas no transtorno de ansiedade de doença. As preocupações encontradas no transtorno de ansiedade de doença, embora não baseadas na realidade, são plausíveis.

Comorbidade

O transtorno de ansiedade de doença ocorre de maneira comórbida com transtornos de ansiedade (em particular transtorno de ansiedade generalizada e transtorno de pânico), transtorno obsessivo-compulsivo e transtornos depressivos. Aproximadamente dois terços dos indivíduos com transtorno de ansiedade têm pelo menos um outro transtorno mental maior comórbido. Pessoas com transtorno de ansiedade de doença podem ter risco elevado de transtornos da personalidade.

Transtorno de Sintomas Neurológicos Funcionais (Transtorno Conversivo)

Critérios Diagnósticos

A. Um ou mais sintomas de função motora ou sensorial alterada.
B. Achados físicos evidenciam incompatibilidade entre o sintoma e as condições médicas ou neurológicas encontradas.
C. O sintoma ou déficit não é mais bem explicado por outro transtorno mental ou médico.
D. O sintoma ou déficit causa sofrimento clinicamente significativo ou prejuízo no funcionamento social, profissional ou em outras áreas importantes da vida do indivíduo ou requer avaliação médica.

Nota para codificação: O código da CID-10-MC depende do tipo de sintoma (ver a seguir).

Especificar o tipo de sintoma:
   F44.4 Com fraqueza ou paralisia
   F44.4 Com movimento anormal (p. ex., tremor, movimento distônico, mioclonia, distúrbio da marcha)
   F44.4 Com sintomas de deglutição
   F.44.4 Com sintoma de fala (p. ex., disfonia, fala arrastada)
   F.44.5 Com ataques ou convulsões
   F.44.6 Com anestesia ou perda sensorial
   F.44.6 Com sintoma sensorial especial (p. ex., perturbação visual, olfatória ou auditiva)
   F44.7 Com sintomas mistos

Especificar se:
   Episódio agudo: Sintomas presentes por menos de 6 meses.

> **Persistente:** Sintomas ocorrendo há 6 meses ou mais.
>
> *Especificar* se:
> **Com estressor psicológico** (*especificar estressor*)
> **Sem estressor psicológico**

Características Diagnósticas

No transtorno de sintomas neurológicos funcionais (transtorno conversivo), pode haver um ou mais sintomas neurológicos de diversos tipos. Sintomas motores incluem fraqueza ou paralisia, movimentos anormais, como tremor, balanços ou movimentos distônicos, e anormalidades da marcha. Sintomas sensoriais incluem sensação cutânea, visão ou audição alteradas, reduzidas ou ausentes. Episódios de falta de responsividade aparente com ou sem movimento de membros podem assemelhar-se a convulsões epilépticas, síncope ou coma (também denominadas *convulsões* ou *ataques dissociativos, psicogênicos* ou *não epilépticos*). Outros sintomas incluem volume da fala reduzido ou ausente (disfonia/afonia), articulação, prosódia ou fluência da fala alterada, uma sensação de "bola" ou caroço na garganta (globus) e diplopia. Esse transtorno foi chamado de "transtorno conversivo" em edições anteriores do DSM, assim como em grande parte da literatura de pesquisas psiquiátricas. O termo "conversivo" se originou na teoria psicanalítica, que propõe que conflitos psíquicos inconscientes são "convertidos" em sintomas físicos.

É preciso haver achados clínicos que demonstrem claramente incompatibilidade com doença neurológica. Os sintomas devem ser deduzidos e interpretados no contexto de todo o quadro clínico por um profissional da saúde especialista no diagnóstico de condições neurológicas. O diagnóstico não é de exclusão e pode ser feito em indivíduos que também tenham doenças neurológicas como epilepsia ou esclerose múltipla. O diagnóstico não deverá ser feito simplesmente porque os resultados das investigações foram normais ou porque o sintoma é "bizarro". A inconsistência interna no exame é uma maneira de demonstrar incompatibilidade (i. e., demonstrando que os sinais físicos provocados por meio de um método de exame deixam de ser positivos quando testados de uma maneira diferente). Há vários exemplos dessas descobertas "positivas" em exames. Exemplos de achados em exames que indicam incompatibilidade com doenças neurológicas conhecidas incluem os seguintes:

- Para fraqueza ou paralisia funcional dos membros: sinal de Hoover, no qual a fraqueza da extensão do quadril retorna à força normal com flexão do quadril contralateral contra resistência; o sinal do abdutor do quadril, no qual a fraqueza da abdução da coxa volta ao normal com a abdução do quadril contralateral contra resistência; ou uma discrepância entre o desempenho na cama (p. ex., fraqueza da flexão plantar do tornozelo) em comparação com outra tarefa (p. ex., capacidade de andar na ponta dos pés).
- Para tremor funcional: o teste de sincronização do tremor, no qual um tremor muda quando o indivíduo se distrai copiando o examinador ao fazer um movimento rítmico com a mão ou o pé contralateral. O teste é positivo quando o tremor "sincroniza" o ritmo da mão ou pé não afetados, o tremor é suprimido ou o indivíduo não consegue copiar movimentos rítmicos simples. Outras características do tremor de membros funcionais incluem a variabilidade na frequência ou direção do tremor.
- Para distonia funcional: indivíduos normalmente apresentam uma posição invertida fixa do tornozelo, punho cerrado ou contração unilateral do platisma, muitas vezes com início súbito.
- Para crises semelhantes a crises epilépticas ou síncope (também chamadas de crises funcionais ou dissociativas [não epilépticas]): características sugestivas de transtorno de sintomas neurológicos funcionais incluem fechamento ocular persistente, algumas vezes com resistência à abertura, movimentos motores bilaterais com consciência preservada ou duração maior que 5 minutos. Características clínicas normalmente precisam ser combinadas e podem ser apoiadas por um eletroencefalograma ictal simultâneo (apesar de ele não excluir todas as formas de epilepsia ou síncope).

- Para sintomas da fala funcional: inconsistências internas na articulação da fala e fonação.
- Para sintomas visuais funcionais: um campo de visão tubular (i. e., visão de túnel) e testes que indiquem inconsistências internas na precisão da visão, como o "teste do nevoeiro" (i. e., enquanto o indivíduo olha para um gráfico com os dois olhos abertos, o olho "bom" é sutilmente embaçado para que qualquer visão binocular útil seja resultado do funcionamento do olho "ruim").

É importante observar que o diagnóstico de transtorno de sintomas neurológicos funcionais deverá se basear no quadro clínico geral, e não em um único achado clínico.

Características Associadas

Muitas características associadas podem apoiar o diagnóstico de transtorno de sintomas neurológicos funcionais, apesar de nenhuma delas ser específica. Pode haver história de outros sintomas somáticos funcionais ou transtornos, especialmente envolvendo dor e fadiga. A manifestação inicial pode estar associada a estresse ou trauma, tanto de natureza psicológica como física. A relevância etiológica potencial desse estresse ou trauma pode ser sugerida por uma relação temporal próxima. Entretanto, ainda que a avaliação quanto à presença de estresse ou trauma seja importante, ela pode estar ausente em até 50% dos indivíduos, e o diagnóstico não deverá ser negado se nenhum trauma ou estresse for encontrado.

O transtorno de sintomas neurológicos funcionais está, muitas vezes, associado a sintomas dissociativos, tais como despersonalização, desrealização e amnésia dissociativa, particularmente no início do quadro sintomático ou durante os ataques.

O fenômeno conhecido como *la belle indifférence* (i. e., falta de preocupação com a natureza ou implicações do sintoma) tem sido associado ao transtorno de sintomas neurológicos funcionais, mas não é específico e não deve ser usado para fazer o diagnóstico. De maneira semelhante, o conceito de *ganho secundário* (i. e., quando indivíduos ganham benefícios externos como dinheiro ou desresponsabilização) também não é específico ao transtorno de sintomas neurológicos funcionais.

Prevalência

Sintomas neurológicos funcionais transitórios são comuns, mas a prevalência exata do transtorno é desconhecida. Com base em pesquisas nos Estados Unidos e no Norte da Europa, a incidência de sintomas neurológicos funcionais persistentes individuais é estimada em 4-12/100.000 por ano. A prevalência em clínicas especializadas parece ser mais alta, apesar de os dados serem limitados. Por exemplo, 5% dos pacientes ambulatoriais de 9 a 17 anos em uma clínica psiquiátrica japonesa e 6% das admissões de adultos e adolescentes em um hospital psiquiátrico de internação em Omã receberam um diagnóstico consistente com transtorno de sintomas neurológicos funcionais. Em clínicas de neurologia, cerca de 5 a 15% dos indivíduos têm um diagnóstico de transtorno de sintomas neurológicos funcionais, segundo estudos realizados na Escócia e na Austrália.

Desenvolvimento e Curso

O transtorno pode se manifestar em qualquer momento da vida. O início médio dos ataques não epiléticos atinge o pico entre os 20 e os 29 anos, e os sintomas motores têm seu início médio entre os 30 e os 39 anos. Os sintomas podem ser transitórios ou persistentes. O prognóstico pode ser melhor em crianças pequenas do que em adolescentes e adultos.

Fatores de Risco e Prognóstico

Temperamentais. Traços de personalidade mal-adaptativos, especialmente instabilidade emocional, são frequentemente associados com transtorno de sintomas neurológicos funcionais.

Ambientais. Pode haver história de abuso e negligência na infância. Eventos estressantes na vida, incluindo lesões físicas, são comuns, mas não são fatores universais de desencadeamento do transtorno.

Genéticos e fisiológicos. A presença de doença neurológica que cause sintomas similares é um fator de risco (p. ex., cerca de 20% dos indivíduos com convulsões funcionais [não epiléticas] também têm epilepsia).

Modificadores do curso. A duração breve dos sintomas e a aceitação do diagnóstico são fatores prognósticos positivos. Traços de personalidade mal-adaptativa, a presença de doença física comórbida e a obtenção de benefícios com a incapacidade podem ser fatores prognósticos negativos.

Questões Diagnósticas Relativas à Cultura

Episódios de falta de responsividade (incluindo convulsões) e sintomas motores são os sintomas neurológicos funcionais mais comuns em diferentes contextos culturais. A alta comorbidade entre sintomas neurológicos funcionais e dissociativos é comum transculturalmente, sobretudo em indivíduos com crises não epiléticas. Mudanças que se assemelham a sintomas neurológicos funcionais (e dissociativos) são comuns em determinados rituais culturalmente aprovados. Se os sintomas são completamente explicados dentro de um contexto cultural em particular e não resultam em perturbação clínica significativa ou deficiências, então o diagnóstico de transtorno de sintomas neurológicos funcionais não deve ser dado.

Questões Diagnósticas Relativas ao Sexo e ao Gênero

O transtorno de sintomas neurológicos funcionais é de duas a três vezes mais comum em mulheres para a maioria das apresentações de sintomas. Um grande estudo clínico encontrou taxas mais altas de comprometimento cognitivo e fraqueza em homens e aumento de traumas sexuais e físicos passados em mulheres.

Associação com Pensamentos ou Comportamentos Suicidas

Estudos de coorte sobre o transtorno de sintomas neurológicos funcionais em grande parte mostram maiores taxas de pensamentos e tentativas de suicídio no grupo afetado pelo transtorno. Indivíduos com sintomas funcionais em uma clínica neurológica mostraram maior taxa de pensamentos suicidas do que indivíduos com doenças neurológicas reconhecidas. Um estudo na Turquia com 100 pacientes ambulatoriais psiquiátricos consecutivos com transtorno de sintomas neurológicos funcionais descobriu que história de tentativa de suicídio estava associada a abuso de álcool, história de maus-tratos na infância e maior gravidade de sintomas dissociativos em comparação com aqueles que não tentaram suicídio.

Consequências Funcionais do Transtorno de Sintomas Neurológicos Funcionais

Indivíduos com transtorno de sintomas neurológicos funcionais podem apresentar incapacidade física substancial. A gravidade da incapacidade pode ser semelhante à vivenciada por pessoas com doenças médicas comparáveis.

Diagnóstico Diferencial

Doença neurológica reconhecida. O principal diagnóstico diferencial é uma doença neurológica que possa explicar melhor os sintomas. Após uma avaliação neurológica completa, raramente será encontrada uma causa neurológica patológica inesperada durante o acompanhamento. Entretanto, pode ser preciso reavaliar o paciente caso os sintomas pareçam estar progredindo. O transtorno de sintomas neurológicos funcionais normalmente coexiste com uma doença neurológica reconhecida e pode ser parte do estado prodrômico de algumas doenças neurológicas progressivas.

Transtorno de sintomas somáticos. O transtorno de sintomas neurológicos funcionais pode ser diagnosticado em adição ao transtorno de sintomas somáticos. Não se pode demonstrar claramente que a maioria dos sintomas somáticos encontrados nesse transtorno é incompatível com doenças neurológicas reconhecidas ou médicas, enquanto no transtorno de sintomas neurológicos funcionais tal incompatibilidade é necessária para o diagnóstico.

Transtorno factício e simulação. O transtorno de sintomas neurológicos funcionais descreve sintomas experimentados genuinamente que não são produzidos intencionalmente (i. e., não são fingidos). Porém, evidências definitivas do fingimento (p. ex., discrepância marcada entre as atividades do cotidiano relatadas e as observadas) podem sugerir simulação se o objetivo do indivíduo for obter uma recompensa externa óbvia, ou transtorno factício na ausência dessa recompensa.

Transtornos dissociativos. Sintomas dissociativos são comuns em indivíduos com transtorno de sintomas neurológicos funcionais. Se tanto o transtorno de sintomas neurológicos funcionais quanto um transtorno dissociativo estiverem presentes, ambos os diagnósticos deverão ser feitos.

Transtorno dismórfico corporal. Indivíduos com transtorno dismórfico corporal são excessivamente preocupados com defeitos que percebem em suas características físicas, mas não se queixam de sintomas de alteração de funcionamento sensorial ou motor na parte do corpo afetada.

Transtornos depressivos. Em transtornos depressivos, indivíduos podem relatar uma sensação de peso generalizada em seus membros, enquanto a fraqueza apresentada no transtorno de sintomas neurológicos funcionais é mais concentrada e proeminente. Os transtornos depressivos são diferenciados também pela presença de sintomas depressivos centrais.

Transtorno de pânico. Sintomas neurológicos episódicos (p. ex., tremores e parestesias) podem ocorrer tanto no transtorno de sintomas neurológicos funcionais quanto em ataques de pânico. Nos ataques de pânico, os sintomas neurológicos são tipicamente associados com sintomas cardiorrespiratórios característicos e consciência retida. A perda de consciência com amnésia devido ao ataque ocorre em convulsões funcionais, mas não em ataques de pânico.

Comorbidade

Transtornos de ansiedade, especialmente transtorno de pânico, e transtornos depressivos costumam coexistir com o transtorno de sintomas neurológicos funcionais. O transtorno de sintomas somáticos pode coexistir também. Transtornos da personalidade são mais comuns em indivíduos com transtorno de sintomas neurológicos funcionais do que na população geral. Condições neurológicas e outras condições médicas geralmente coexistem com o transtorno de sintomas neurológicos funcionais.

Fatores Psicológicos que Afetam Outras Condições Médicas

Critérios Diagnósticos F54

A. Um sintoma ou condição médica (que não um transtorno mental) está presente.
B. Fatores psicológicos ou comportamentais afetam de maneira adversa a condição médica em uma das seguintes maneiras:
   1. Os fatores influenciaram o curso da condição médica conforme demonstrado por uma associação temporal próxima entre os fatores psicológicos e o desenvolvimento, a exacerbação ou a demora na recuperação da condição médica.
   2. Os fatores interferem no tratamento da condição médica (p. ex., má adesão).
   3. Os fatores constituem riscos de saúde adicionais bem estabelecidos ao indivíduo.

4. Os fatores influenciam a fisiopatologia subjacente, precipitando ou exacerbando sintomas e demandando atenção médica.

C. Os fatores psicológicos e comportamentais do Critério B não são mais bem explicados por um transtorno mental (p. ex., transtorno de pânico, transtorno depressivo maior, transtorno de estresse pós-traumático).

Especificar a gravidade atual:
Leve: Aumenta o risco médico (p. ex., adesão inconsistente ao tratamento anti-hipertensivo).
Moderada: Agrava a condição médica subjacente (p. ex., ansiedade agravando a asma).
Grave: Resulta em hospitalização ou consulta em emergência.
Extrema: Resulta em risco grave potencialmente fatal (p. ex., ignora sintomas de infarto agudo do miocárdio).

Características Diagnósticas

O aspecto essencial dos fatores psicológicos que afetam outras condições médicas é a presença de um ou mais fatores psicológicos ou comportamentais clinicamente significativos que afetam adversamente uma condição médica ao aumentar o risco de sofrimento, morte ou incapacidade (Critério B). Esses fatores podem afetar de maneira adversa uma condição médica ao influenciar seu curso ou tratamento, ao constituir um aspecto adicional de risco claro à saúde ou ao influenciar a fisiopatologia subjacente, precipitando ou exacerbando sintomas ou exigindo atenção médica.

Fatores psicológicos ou comportamentais incluem sofrimento psicológico, padrões de interação interpessoal, estilos de enfrentamento e comportamentos de saúde mal-adaptativos, como negação de sintomas ou má adesão às recomendações médicas. Exemplos clínicos comuns são a asma exacerbada por ansiedade, a recusa de tratamento necessário para dor torácica aguda e a manipulação de insulina por um indivíduo diabético visando perder peso. Muitos fatores psicológicos diferentes já demonstraram sua influência adversa em condições médicas – por exemplo, sintomas de depressão ou ansiedade, eventos estressantes da vida, estilos de relacionamento, traços de personalidade e estilos de enfrentamento. Os efeitos adversos podem ir desde agudos, com consequências médicas imediatas (p. ex., miocardiopatia de Takotsubo), até crônicos, ocorrendo durante um período prolongado (p. ex., estresse ocupacional crônico aumentando o risco de hipertensão). As condições médicas afetadas podem ser as que apresentam fisiopatologia definida (p. ex., diabetes, câncer, doença coronariana), síndromes funcionais (p. ex., enxaqueca, síndrome do colo irritável, fibromialgia) ou sintomas clínicos idiopáticos (p. ex., dor, fadiga, tontura).

Esse diagnóstico deverá ser reservado para situações nas quais o efeito do fator psicológico na condição médica seja evidente e o fator psicológico tenha efeitos clinicamente significativos no curso ou no desfecho da condição médica. Sintomas psicológicos ou comportamentais anormais que se desenvolvem em resposta a uma condição médica são mais corretamente codificados como um transtorno de adaptação (uma resposta psicológica clinicamente significativa a um estressor identificável). É preciso haver evidências consistentes sugerindo uma associação entre os fatores psicológicos e a condição médica, embora muitas vezes não seja possível demonstrar a causalidade direta ou o mecanismo subjacente à relação.

Prevalência

A prevalência de fatores psicológicos que afetam outras condições médicas não é clara. Em dados de faturamento de seguro privado dos Estados Unidos, trata-se de um diagnóstico mais comum do que de transtornos de sintomas somáticos segundo os critérios do DSM-IV.

Desenvolvimento e Curso

Fatores psicológicos que afetam outras condições médicas podem ocorrer durante toda a vida. Particularmente em crianças pequenas, uma história corroborativa dos pais ou da escola pode ajudar na avaliação diagnóstica. Algumas condições são características de determinados estágios da vida (p. ex., em pessoas idosas, o estresse associado ao papel de cuidador de um cônjuge ou parceiro enfermo).

Questões Diagnósticas Relativas à Cultura

Muitas diferenças entre culturas podem influenciar fatores psicológicos e seus efeitos em condições médicas, como linguagem e estilo de comunicação, expressões idiomáticas de sofrimento, modelos explicativos de enfermidades, padrões de busca de assistência médica, disponibilidade e organização de serviços, relações médico-paciente e outras práticas terapêuticas, papéis familiares e de gênero e atitudes em relação à dor e à morte. É preciso diferenciar fatores psicológicos que afetam outras condições médicas de comportamentos específicos da cultura, tais como o uso da cura pela fé ou de curandeiros espirituais ou outras variações no manejo de doenças aceitáveis em uma cultura e que representam uma tentativa de ajudar a condição médica em vez de interferir nela. Práticas locais podem mais complementar do que dificultar intervenções baseadas em evidências. O uso de práticas de cura alternativas pode atrasar o uso de serviços médicos e afetar os resultados de tratamentos, mas se a intenção for abordar o problema de uma maneira culturalmente aprovada, elas não deverão ser consideradas patológicas, como fatores psicológicos que afetam outras condições médicas.

Consequências Funcionais de Fatores Psicológicos que Afetam Outras Condições Médicas

Fatores psicológicos e comportamentais demonstraram afetar o curso de muitas doenças médicas.

Diagnóstico Diferencial

Transtorno mental devido a outra condição médica. Uma associação temporal entre sintomas de um transtorno mental e os de uma condição médica também é característica de um transtorno devido a outra condição médica, mas a causalidade presumida encontra-se na direção oposta. Em um transtorno mental devido a outra condição médica, esta última é considerada causadora do transtorno mental por meio de mecanismos fisiológicos diretos. Nos fatores psicológicos que afetam outras condições médicas, considera-se que os fatores psicológicos ou comportamentais afetam o curso da condição médica.

Transtornos de adaptação. Sintomas psicológicos ou comportamentais anormais que se desenvolvem em resposta a uma condição médica são mais corretamente codificados como um transtorno de adaptação (uma resposta psicológica clinicamente significativa a um estressor identificável). Por exemplo, um indivíduo cuja angina é desencadeada sempre que fica furioso seria diagnosticado como com fatores psicológicos que afetam outras condições médicas, enquanto uma pessoa com angina que desenvolveu ansiedade antecipatória mal-adaptativa seria diagnosticada como com transtorno de adaptação com ansiedade. Entretanto, na prática clínica, fatores psicológicos e uma condição médica são, muitas vezes, mutuamente exacerbantes (p. ex., ansiedade tanto como desencadeante quanto como consequência da angina), e, nesses casos, a distinção é arbitrária. Outros transtornos mentais resultam com frequência em complicações médicas, mais notadamente o transtorno por uso de substância (p. ex., transtorno por uso de álcool, transtorno por uso de tabaco). Se um indivíduo tiver um transtorno mental maior coexistente que afete de maneira adversa ou cause uma condição médica, então os diagnósticos do transtorno mental e da condição médica em geral são suficientes. Fatores psicológicos que afetam outras condições médicas é um diagnóstico estabelecido quando os traços ou comportamentos psicológicos não satisfazem os critérios de um diagnóstico mental.

Transtorno de sintomas somáticos. O transtorno de sintomas somáticos é caracterizado por uma combinação de sintomas somáticos perturbadores e pensamentos, sentimentos e comportamentos excessivos ou mal-adaptativos em resposta a esses sintomas ou a preocupações associadas à saúde. O indivíduo pode ou não ter uma condição médica diagnosticável. Por sua vez, em fatores psicológicos que afetam outras condições médicas, os fatores psicológicos afetam adversamente uma condição médica; os pensamentos, sentimentos e comportamentos do indivíduo não são necessariamente excessivos. A diferença é mais de ênfase do que uma distinção bem definida. Em fatores psicológicos que afetam outras condições médicas, a ênfase é na exacerbação da condição médica (p. ex., um indivíduo cuja angina é desencadeada sempre que fica ansioso). No transtorno de sintomas somáticos, a ênfase está nos pensamentos, sentimentos e comportamentos mal-adaptativos (p. ex., um indivíduo com angina que se preocupa constantemente com a ideia de ter um infarto do miocárdio, mede a pressão arterial várias vezes ao dia e restringe suas atividades).

Transtorno de ansiedade de doença. O transtorno de ansiedade de doença é caracterizado por elevada ansiedade de doença que causa sofrimento e/ou perturba a vida cotidiana com mínimos sintomas somáticos. O foco de interesse clínico é a preocupação do indivíduo a respeito de ter uma doença; na maioria dos casos, nenhuma doença grave está presente. Em fatores psicológicos que afetam outras condições médicas, a ansiedade pode ser um fator psicológico relevante afetando uma condição médica, mas o interesse clínico são os efeitos adversos sobre ela.

Comorbidade

Por definição, o diagnóstico de fatores psicológicos que afetam outras condições médicas carrega um traço ou uma síndrome psicológica e comportamental relevante e uma condição médica comórbida.

Transtorno Factício

Critérios Diagnósticos

Transtorno Factício Autoimposto — F68.10

A. Falsificação de sinais ou sintomas físicos ou psicológicos, ou indução de lesão ou doença, associada a fraude identificada.
B. O indivíduo se apresenta a outros como doente, incapacitado ou lesionado.
C. O comportamento fraudulento é evidente mesmo na ausência de recompensas externas óbvias.
D. O comportamento não é mais bem explicado por outro transtorno mental, como transtorno delirante ou outra condição psicótica.

Especificar:
   Episódio único
   Episódios recorrentes (dois ou mais eventos de falsificação de doença e/ou indução de lesão)

Transtorno Factício Imposto a Outro (Antes Transtorno Factício por Procuração) — F68.A

A. Falsificação de sinais ou sintomas físicos ou psicológicos, ou indução de lesão ou doença em outro, associada a fraude identificada.
B. O indivíduo apresenta outro (vítima) a terceiros como doente, incapacitado ou lesionado.
C. O comportamento fraudulento é evidente até mesmo na ausência de recompensas externas óbvias.
D. O comportamento não é mais bem explicado por outro transtorno mental, como transtorno delirante ou outro transtorno psicótico.

Nota: O agente, não a vítima, recebe esse diagnóstico.

Especificar:
   Episódio único
   Episódios recorrentes (dois ou mais eventos de falsificação de doença e/ou indução de lesão)

Procedimentos para Registro

Quando um indivíduo falsifica uma doença em outro (p. ex., crianças, adultos, animais de estimação), o diagnóstico é de transtorno factício imposto a outro. O agente, não a vítima, recebe o diagnóstico. A vítima pode receber um diagnóstico de abuso (p. ex., T74.12X; ver o capítulo "Outras Condições que Podem Ser Foco da Atenção Clínica"). Se um indivíduo com transtorno factício imposto a outro também estiver representando enganosamente a própria doença ou lesão, tanto transtorno factício imposto a outro quanto transtorno factício autoimposto podem ser diagnosticados.

Características Diagnósticas

A característica essencial do transtorno factício é a falsificação de sinais e sintomas médicos ou psicológicos em si mesmo ou em outro associado a fraude identificada. Indivíduos com transtorno factício também podem buscar tratamento para si mesmos ou para outro depois da indução de lesão ou doença. O diagnóstico requer a demonstração de que o indivíduo está agindo de maneira furtiva para falsificar, simular ou causar sinais ou sintomas de doença ou lesão na ausência de recompensas externas óbvias. O diagnóstico de transtorno factício enfatiza mais a identificação objetiva da falsificação de sinais e sintomas de doença do que uma inferência acerca da intenção ou da possível motivação subjacente do indivíduo. Os métodos de falsificação de doença podem incluir exagero, fabricação, simulação e indução. Se uma condição médica preexistente estiver presente, o comportamento enganador ou a indução de lesão fraudulenta associada à fraude faz outras pessoas verem esses indivíduos (ou, no caso de transtorno factício imposto a outro, a vítima) como mais doentes ou comprometidos, o que pode levar a intervenções médicas excessivas. Indivíduos com transtorno factício podem, por exemplo, relatar sentimentos de depressão e ideias suicidas como consequência da morte de um cônjuge a despeito de essa morte não ser verdadeira ou de o indivíduo não ter um cônjuge; relatar falsamente episódios de sintomas neurológicos (p. ex., convulsões, tonturas ou desmaios); manipular um exame laboratorial (p. ex., acrescentando sangue à urina) para indicar falsamente uma anormalidade; falsificar prontuários médicos para indicar uma doença; ingerir uma substância (p. ex., insulina ou varfarina) para induzir um resultado laboratorial anormal ou uma doença; ou se automutilar ou induzir doença em si mesmos ou em outra pessoa (p. ex., injetando material fecal para produzir um abscesso ou induzir sepse). Embora os indivíduos com transtorno factício na maioria das vezes se apresentem aos profissionais da saúde para tratamento de seus sintomas factícios, alguns optam por enganar membros da comunidade pessoalmente ou *on-line*, sem necessariamente envolver profissionais da saúde.

Características Associadas

Indivíduos com transtorno factício autoimposto ou transtorno factício imposto a outro correm o risco de grande sofrimento psicológico ou prejuízo funcional ao causar danos a si mesmos e a outros. Familiares, amigos, guias espirituais e profissionais da saúde também são frequentemente afetados adversamente pelo comportamento dessas pessoas (p. ex., dedicando tempo, atenção e recursos para prover assistência médica e suporte emocional ao indivíduo). Indivíduos com transtorno factício imposto a outro às vezes alegam falsamente a presença de déficits educacionais em seus filhos para os quais eles exigem atenção especial, frequentemente sendo uma inconveniência considerável para profissionais da educação.

Enquanto alguns aspectos dos transtornos factícios representariam comportamento criminoso (p. ex., transtorno factício imposto a outro, no qual as ações do pai ou da mãe representam abuso e maus-tratos a um filho), esse comportamento criminoso e a doença mental não são mutuamente excludentes. Ademais, esses comportamentos, incluindo a indução de lesão ou doença, estão associados a fraude.

Prevalência

A prevalência do transtorno factício é desconhecida, provavelmente em virtude do papel da enganação nessa população. O fato de os profissionais da saúde raramente registrarem o diagnóstico, mesmo em casos reconhecidos, complica ainda mais os esforços para determinar a prevalência da condição.

Com base em um estudo de pacientes internados em hospitais nos Estados Unidos encaminhados para consulta psiquiátrica, estima-se que quase 1% tenha apresentações que atendam aos critérios para transtorno factício. Os transtornos factícios autoimposto e imposto a outro parecem ser encontrados com mais frequência em ambientes de atenção terciária do que em contextos de atenção primária.

Desenvolvimento e Curso

O curso do transtorno factício geralmente envolve episódios intermitentes. Episódios únicos e episódios caracterizados como persistentes e perseverantes são menos comuns. A manifestação inicial costuma ocorrer no início da idade adulta, com frequência depois de uma hospitalização em decorrência de uma condição médica ou de um transtorno mental. Quando imposto a outro, o transtorno pode começar depois de uma hospitalização do filho ou de outro dependente da pessoa. Em indivíduos com episódios recorrentes de falsificação de sinais e sintomas de doença e/ou indução de lesão, esse padrão de contato fraudulento sucessivo com profissionais da saúde, incluindo hospitalizações, pode tornar-se vitalício.

Questões Diagnósticas Relativas ao Sexo e ao Gênero

Embora a prevalência não seja conhecida, uma análise conjunta de todas as séries de casos e estudos descobriu que dois terços dos indivíduos com transtorno factício são mulheres e um terço são homens.

Diagnóstico Diferencial

Fraude para evitar responsabilização legal.   Cuidadores que mentem a respeito de lesões que tenham provocado em dependentes por abuso unicamente para se protegerem da responsabilidade não são diagnosticados com transtorno factício imposto a outro porque a proteção da responsabilidade é uma recompensa externa (Critério C, o comportamento fraudulento é evidente mesmo na ausência de recompensas externas óbvias). Esses cuidadores que, após observação, análise de prontuários médicos e/ou entrevistas com outras pessoas, se descubra que mentem mais extensivamente do que o necessário como autoproteção imediata são diagnosticados com transtorno factício imposto a outro.

Transtorno de sintomas somáticos e transtornos relacionados.   No transtorno de sintomas somáticos e no transtorno de ansiedade de doença do tipo que busca cuidado, pode haver busca excessiva por atenção e tratamento em função de preocupações médicas percebidas, mas não há evidência de que o indivíduo esteja dando informações falsas ou se comportando de maneira fraudulenta.

Simulação.   Simulação é diferenciada de transtorno factício pelo relato intencional de sintomas para ganho pessoal (p. ex., dinheiro, licença do trabalho). Em contraste, o diagnóstico de transtorno factício exige que a falsificação da doença não seja completamente encorajada por recompensas externas. O transtorno factício e a simulação, porém, não são mutuamente excludentes. Os motivos em qualquer caso podem ser múltiplos e mudar dependendo das circunstâncias e reações dos outros.

Transtorno de sintomas neurológicos funcionais (transtorno conversivo).   O transtorno de sintomas neurológicos funcionais é caracterizado por sintomas neurológicos incompatíveis com a fisiopatologia neurológica. O transtorno factício com sintomas neurológicos é distinguido do transtorno de sintomas neurológicos funcionais por evidências de falsificação fraudulenta dos sintomas.

Transtorno da personalidade *borderline*.   A automutilação deliberada na ausência de intenção suicida também pode ocorrer em outros transtornos mentais, como no transtorno da personalidade *borderline*. O transtorno factício requer que a indução da lesão ocorra em associação a fraude.

Condição médica ou transtorno mental não associados à falsificação intencional de sintomas.   A apresentação de sinais e sintomas de doença sem conformidade com uma condição médica ou um transtorno mental identificável aumenta a probabilidade da presença de um transtorno factício. Entretanto, o diagnóstico de transtorno factício não exclui a presença de uma condição médica verdadeira ou um transtorno mental, já que doenças comórbidas com frequência ocorrem em conjunto com transtorno factício – por exemplo, pessoas que podem manipular níveis sanguíneos de glicose para produzir sintomas podem também ter diabetes.

Outro Transtorno de Sintomas Somáticos e Transtorno Relacionado Especificado

F45.8

Esta categoria aplica-se a apresentações em que sintomas característicos de um transtorno de sintomas somáticos e transtorno relacionado que causam sofrimento clinicamente significativo ou prejuízo no funcionamento social, profissional ou em outras áreas importantes da vida do indivíduo predominam, mas não satisfazem todos os critérios para qualquer transtorno na classe diagnóstica de transtorno de sintomas somáticos e transtornos relacionados.

Exemplos de apresentações que podem ser especificadas usando a designação "outro transtorno de sintomas somáticos e transtorno relacionado especificado" incluem:

1. **Transtorno de sintomas somáticos breve:** Duração dos sintomas inferior a 6 meses.
2. **Transtorno de ansiedade de doença breve:** Duração dos sintomas inferior a 6 meses.
3. **Transtorno de ansiedade de doença sem comportamentos excessivos relacionados à saúde ou evitação mal-adaptativa:** O Critério D para transtorno de ansiedade de doença não é atendido.
4. **Pseudociese:** Falsa crença de estar grávida associada a sinais objetivos e sintomas relatados de gravidez.

Transtorno de Sintomas Somáticos e Transtorno Relacionado Não Especificado

F45.9

Esta categoria aplica-se a apresentações em que sintomas característicos de um transtorno de sintomas somáticos e transtorno relacionado que causam sofrimento clinicamente significativo ou prejuízo no funcionamento social, profissional ou em outras áreas importantes da vida do indivíduo predominam, mas não satisfazem todos os critérios para qualquer transtorno na classe diagnóstica de transtorno de sintomas somáticos e transtornos relacionados. A categoria transtorno de sintomas somáticos e transtorno relacionado não especificado não deverá ser usada a menos que haja situações definitivamente incomuns sem informação suficiente para se fazer um diagnóstico mais específico.

Transtornos Alimentares

Os transtornos alimentares são caracterizados por uma perturbação persistente na alimentação ou no comportamento relacionado à alimentação que resulta no consumo ou na absorção alterada de alimentos e que compromete significativamente a saúde física ou o funcionamento psicossocial. São descritos critérios diagnósticos para pica, transtorno de ruminação, transtorno alimentar restritivo/evitativo, anorexia nervosa, bulimia nervosa e transtorno de compulsão alimentar.

Os critérios diagnósticos para anorexia nervosa, bulimia nervosa e transtorno de compulsão alimentar resultam em um esquema de classificação que é mutuamente excludente, de maneira que, durante um único episódio, apenas um desses diagnósticos pode ser atribuído. A justificativa para tal conduta é que, apesar de uma série de aspectos psicológicos e comportamentais comuns, os transtornos diferem substancialmente em termos de curso clínico, desfecho e necessidade de tratamento.

Alguns indivíduos com os transtornos descritos neste capítulo relatam sintomas alimentares semelhantes aos geralmente relatados por indivíduos com transtornos por uso de substâncias, como fissura e padrões de uso compulsivo. Essa semelhança pode refletir o envolvimento dos mesmos sistemas neurais, incluindo os implicados no autocontrole regulatório e de recompensa, em ambos os grupos de transtornos. Entretanto, as contribuições relativas de fatores compartilhados e distintos no desenvolvimento e na perpetuação de transtornos alimentares e por uso de substância permanecem insuficientemente compreendidas.

Por fim, a obesidade não está inclusa no DSM-5 como um transtorno mental. A obesidade (excesso de gordura corporal) resulta do excesso prolongado de ingestão energética em relação ao gasto energético. Uma gama de fatores genéticos, fisiológicos, comportamentais e ambientais que variam entre os indivíduos contribui para o desenvolvimento da obesidade; dessa forma, ela não é considerada um transtorno mental. Entretanto, existem associações robustas entre obesidade e uma série de transtornos mentais (p. ex., transtorno de compulsão alimentar, transtornos depressivo e bipolar, esquizofrenia). Os efeitos colaterais de alguns medicamentos psicotrópicos contribuem de maneira importante para o desenvolvimento da obesidade, e esta pode ser um fator de risco para o desenvolvimento de alguns transtornos mentais (p. ex., transtornos depressivos).

Pica

Critérios Diagnósticos

A. Ingestão persistente de substâncias não nutritivas, não alimentares, durante um período mínimo de um mês.
B. A ingestão de substâncias não nutritivas, não alimentares, é inapropriada ao estágio de desenvolvimento do indivíduo.
C. O comportamento alimentar não faz parte de uma prática culturalmente aceita.
D. Se o comportamento alimentar ocorrer no contexto de outro transtorno mental (p. ex., transtorno do desenvolvimento intelectual [deficiência intelectual], transtorno do espectro autista, esquizofrenia) ou condição médica (incluindo gestação), é suficientemente grave a ponto de necessitar de atenção clínica adicional.

> **Nota para codificação:** O código da CID-10-MC para pica é F98.3 em crianças e F50.89 em adultos.
>
> *Especificar* se:
>
> **Em remissão:** Depois de terem sido preenchidos os critérios para pica, esses critérios não foram mais preenchidos por um período de tempo sustentado.

Características Diagnósticas

A característica essencial da pica é a ingestão de uma ou mais substâncias não nutritivas, não alimentares, de forma persistente durante um período mínimo de um mês (Critério A), grave o suficiente para merecer atenção clínica. As substâncias típicas ingeridas tendem a variar com a idade e a disponibilidade e podem incluir papel, sabão, tecido, cabelo, fios, terra, giz, talco, tinta, cola, metal, pedras, carvão vegetal ou mineral, cinzas, detergente ou gelo. O termo *não alimentar* está incluso porque o diagnóstico de pica não se aplica à ingestão de produtos alimentares com conteúdo nutricional mínimo. Geralmente não há aversão a alimentos em geral. É preciso que a ingestão de substâncias não nutritivas, não alimentares, seja inapropriada ao estágio de desenvolvimento (Critério B) e não parte de uma prática culturalmente aceita (Critério C). Sugere-se uma idade mínima de 2 anos para o diagnóstico de pica, de modo a excluir a exploração de objetos com a boca que acabam por ser ingeridos, normal no desenvolvimento das crianças pequenas. A ingestão de substâncias não nutritivas, não alimentares, pode ser um aspecto associado a outros transtornos mentais (p. ex., transtorno do desenvolvimento intelectual [deficiência intelectual], transtorno do espectro autista, esquizofrenia). Se o comportamento alimentar ocorrer exclusivamente no contexto de outro transtorno mental, então um diagnóstico distinto de pica deverá ser feito apenas se o comportamento alimentar for grave o suficiente a ponto de demandar atenção clínica adicional (Critério D).

Características Associadas

Embora deficiências de vitaminas e minerais (p. ex., zinco, ferro) tenham sido descritas em alguns casos, frequentemente nenhuma outra anormalidade biológica é encontrada. Em alguns casos, os indivíduos com pica chegam ao atendimento clínico apenas após complicações médicas gerais (p. ex., problemas intestinais mecânicos; obstrução intestinal, como a resultante de um bezoar; perfuração intestinal; infecções como toxoplasmose e toxocaríase como resultado da ingestão de fezes ou sujeira; envenenamento, como por ingestão de tinta à base de chumbo).

Prevalência

Dados limitados sugerem que a prevalência de pica seja de aproximadamente 5% entre crianças em idade escolar. Cerca de um terço das mulheres grávidas, especialmente aquelas com insegurança alimentar (ou seja, sem acesso confiável a alimentos nutritivos e acessíveis), apresentam pica. Algumas condições associadas com pica incluem falta de disponibilidade de comida e deficiência de vitaminas.

Desenvolvimento e Curso

A manifestação inicial de pica pode ocorrer na infância, na adolescência ou na idade adulta, embora a manifestação na infância seja mais comumente relatada. O transtorno pode ocorrer em crianças com desenvolvimento normal em outras áreas, enquanto, em adultos, parece mais provável no contexto de transtorno do desenvolvimento intelectual ou outros transtornos mentais. O curso do transtorno pode ser prolongado e resultar em emergências médicas (p. ex., obstrução intestinal, perda aguda de peso, intoxicação). O transtorno pode ser potencialmente fatal dependendo das substâncias ingeridas.

Fatores de Risco e Prognóstico

Ambientais. Negligência, falta de supervisão e atraso do desenvolvimento podem aumentar o risco para essa condição.

Questões Diagnósticas Relativas à Cultura

Em algumas populações, acredita-se que comer terra ou outras substâncias aparentemente não nutritivas pode ter valor espiritual, medicinal ou social e pode ser uma prática normativa socialmente ou apoiada culturalmente. Tal comportamento não justifica um diagnóstico de pica (Critério C). Esse comportamento pode ser prevalente em alguns grupos culturais, mas não deve se assumir que é uma norma social sem uma avaliação mais aprofundada.

Questões Diagnósticas Relativas ao Sexo e ao Gênero

O comportamento de pica ocorre em ambos os gêneros. A ingestão de substâncias não nutritivas, não alimentares, também pode manifestar-se na gestação, quando desejos específicos (p. ex., por giz ou gelo) podem ocorrer. O diagnóstico de pica durante esse período só é apropriado se tais desejos levarem à ingestão de substâncias não nutritivas, não alimentares, até o ponto em que sua ingestão represente potenciais riscos médicos. Uma metanálise de nível mundial mostrou que a taxa de prevalência da pica é de 28% durante a gravidez e/ou no período pós-parto.

Marcadores Diagnósticos

Radiografia abdominal simples, ultrassonografia e outros métodos de imagem podem revelar obstruções relacionadas a pica. Exames de sangue e outros testes laboratoriais podem ser usados para determinar níveis de intoxicação ou a natureza da infecção.

Consequências Funcionais da Pica

A pica pode comprometer de maneira significativa o funcionamento físico, mas raramente é a única causa de prejuízo no funcionamento social. Ocorre com frequência juntamente com outros transtornos associados ao funcionamento social prejudicado.

Diagnóstico Diferencial

A ingestão de substâncias não nutritivas, não alimentares, pode ocorrer durante o curso de outros transtornos mentais (p. ex., transtorno do espectro autista, esquizofrenia) e na síndrome de Kleine-Levin. Em qualquer um desses casos, um diagnóstico adicional de pica só deve ser feito se o comportamento alimentar for suficientemente persistente e grave para justificar atenção clínica adicional.

Anorexia nervosa. A pica normalmente pode ser distinguida de outros transtornos alimentares pelo consumo de substâncias não nutritivas, não alimentares. É importante observar, no entanto, que algumas apresentações de anorexia nervosa incluem a ingestão de substâncias não nutritivas, não alimentares, como lenços de papel, na tentativa de controlar o apetite. Nesses casos, quando a ingestão de substâncias não nutritivas, não alimentares, é usada essencialmente como meio de controle do peso, anorexia nervosa deverá ser o diagnóstico primário.

Transtorno factício. Alguns indivíduos com transtorno factício podem ingerir intencionalmente objetos estranhos como parte do padrão de falsificação de sintomas físicos. Nesses casos, existe um elemento fraudulento compatível com a indução deliberada de lesão ou doença.

Autolesão não suicida e comportamentos de autolesão suicida nos transtornos da personalidade. Alguns indivíduos podem deglutir itens potencialmente nocivos (p. ex., alfinetes, agulhas, facas) no contexto de padrões mal-adaptativos de comportamento associados a transtornos da personalidade ou autolesão não suicida.

Comorbidade

Os transtornos mais comumente comórbidos com pica são transtorno do espectro autista e transtorno do desenvolvimento intelectual (deficiência intelectual) e, em um grau menor, esquizofrenia e transtorno obsessivo-compulsivo. A pica pode ser associada com tricotilomania (transtorno de arrancar o cabelo) e transtorno de escoriação (*skin-picking*). Em apresentações comórbidas, a pele ou o cabelo são geralmente ingeridos. A pica também pode estar associada ao transtorno alimentar restritivo/evitativo, em particular em indivíduos com forte componente sensorial à sua apresentação. Quando um indivíduo sabidamente tem pica, a avaliação deverá considerar a possibilidade de complicações gastrintestinais, intoxicação, infecção e deficiência nutricional.

Transtorno de Ruminação

Critérios Diagnósticos   F98.21

A. Regurgitação repetida de alimento durante um período mínimo de um mês. O alimento regurgitado pode ser remastigado, novamente deglutido ou cuspido.
B. A regurgitação repetida não é atribuível a uma condição gastrintestinal ou a outra condição médica (p. ex., refluxo gastroesofágico, estenose do piloro).
C. A perturbação alimentar não ocorre exclusivamente durante o curso de anorexia nervosa, bulimia nervosa, transtorno de compulsão alimentar ou transtorno alimentar restritivo/evitativo.
D. Se os sintomas ocorrerem no contexto de outro transtorno mental (p. ex., transtorno do desenvolvimento intelectual [deficiência intelectual] ou outro transtorno do neurodesenvolvimento), eles são suficientemente graves para justificar atenção clínica adicional.

Especificar se:
Em remissão: Depois de terem sido preenchidos os critérios para transtorno de ruminação, esses critérios não foram mais preenchidos por um período de tempo sustentado.

Características Diagnósticas

A característica essencial do transtorno de ruminação é a regurgitação repetida de alimento depois de ingerido durante um período mínimo de um mês (Critério A). O alimento previamente deglutido que já pode estar parcialmente digerido é trazido de volta à boca sem náusea aparente, ânsia de vômito ou repugnância. O alimento pode ser remastigado e então ejetado da boca ou novamente deglutido. A regurgitação no transtorno de ruminação deverá ser frequente, ocorrendo pelo menos várias vezes por semana, em geral todos os dias. O comportamento não é mais bem explicado por uma condição gastrintestinal ou outra condição médica associada (p. ex., refluxo gastroesofágico, estenose do piloro) (Critério B) e não ocorre exclusivamente durante o curso de anorexia nervosa, bulimia nervosa, transtorno alimentar restritivo/evitativo (Critério C). Se os sintomas ocorrerem no contexto de outro transtorno mental (p. ex., transtorno do desenvolvimento intelectual [deficiência intelectual], transtorno do neurodesenvolvimento), é preciso que sejam suficientemente graves para justificar atenção médica adicional (Critério D) e deverão representar um aspecto primário da apresentação do indivíduo que requer intervenção. O transtorno pode ser diagnosticado durante toda a vida, sobretudo em indivíduos que também apresentam transtorno do desenvolvimento intelectual. Muitos indivíduos com o transtorno podem ser observados diretamente durante o comportamento de ruminação pelo médico. Em outros casos, o diagnóstico pode ser feito com base no autorrelato ou em informações corroborativas de pais ou cuidadores. Indivíduos podem descrever o comportamento como habitual ou fora do controle deles.

Características Associadas

Lactentes com transtorno de ruminação mostram uma posição característica de tensionar e arquear as costas com a cabeça inclinada para trás, enquanto fazem movimentos de sucção com a língua. Pode parecer que ficam satisfeitos com a atividade. Eles podem ficar irritados e famintos entre episódios de regurgitação. A perda ponderal e o insucesso em obter o ganho de peso esperado são características comuns em lactentes com transtorno de ruminação. A desnutrição pode ocorrer a despeito da aparente fome do lactente e da ingestão de quantidades relativamente grandes de alimentos, sobretudo em casos graves, quando a regurgitação segue imediatamente cada episódio de alimentação e o alimento regurgitado é expelido. A desnutrição pode ocorrer também em crianças mais velhas e em adultos, em particular quando a regurgitação é acompanhada por restrição da ingestão. Adolescentes e adultos podem tentar disfarçar o comportamento de regurgitação colocando a mão sobre a boca ou tossindo. Alguns evitarão comer em frente a outras pessoas em virtude do aspecto social indesejável do comportamento. Eles podem ampliar esse comportamento evitando alimentar-se antes de situações sociais, como o trabalho ou a escola (p. ex., evitando o desjejum porque pode ser seguido por regurgitação).

Prevalência

Apesar de o transtorno de ruminação ser historicamente descrito como primário entre indivíduos com transtorno do desenvolvimento intelectual (deficiência intelectual), dados europeus disponíveis, mas limitados, sobre a prevalência sugerem que o transtorno possa ocorrer entre cerca de 1 e 2% das crianças em idade escolar.

Desenvolvimento e Curso

A manifestação inicial do transtorno de ruminação pode ocorrer em lactentes, na infância, na adolescência ou na idade adulta. A idade da manifestação inicial geralmente fica entre 3 e 12 meses. Nos lactentes, o transtorno cede com frequência de forma espontânea, mas seu curso pode ser prolongado e resultar em emergências médicas (p. ex., desnutrição grave). O transtorno pode ser potencialmente fatal, sobretudo em lactentes. Pode ter um curso episódico ou ocorrer continuamente até ser tratado. Em lactentes, bem como em indivíduos mais velhos com transtorno do desenvolvimento intelectual ou outros transtornos do neurodesenvolvimento, o comportamento de regurgitação e ruminação parece ter uma função calmante e estimulante semelhante à de outros comportamentos motores repetitivos, como balançar a cabeça ritmicamente.

Fatores de Risco e Prognóstico

Ambientais. Problemas psicossociais como falta de estimulação, negligência, situações de vida estressantes e problemas na relação entre pais e filhos podem ser fatores predisponentes em lactentes e crianças pequenas.

Consequências Funcionais do Transtorno de Ruminação

A desnutrição secundária à regurgitação repetida pode estar associada a atraso no crescimento e pode ter um efeito negativo no potencial de desenvolvimento e aprendizagem. Alguns indivíduos mais velhos com o transtorno restringem deliberadamente a ingestão de alimentos em virtude do aspecto socialmente indesejável da regurgitação. Eles podem, assim, apresentar-se com perda ponderal ou baixo peso. Em crianças mais velhas, adolescentes e adultos, o funcionamento social tende a ser afetado de forma mais adversa.

Diagnóstico Diferencial

Condições gastrintestinais. É importante diferenciar a regurgitação no transtorno de ruminação de outras condições caracterizadas por refluxo ou vômitos gastroesofágicos, como gastroparesia, estenose pilórica, hérnia hiatal e síndrome de Sandifer em crianças. Essas outras condições médicas normalmente podem ser descartadas com base na história do paciente e na observação clínica.

Anorexia nervosa e bulimia nervosa. Indivíduos com anorexia nervosa e bulimia nervosa também podem regurgitar com subsequente eliminação do alimento como um meio de livrar-se das calorias ingeridas em virtude da preocupação com o ganho de peso.

Comorbidade

Regurgitação com ruminação associada pode ocorrer no contexto de uma condição médica ou outro transtorno mental concomitante (p. ex., transtorno de ansiedade generalizada). Quando a regurgitação ocorre nesse contexto, um diagnóstico de transtorno de ruminação é apropriado apenas se a gravidade da perturbação exceder a habitualmente associada a tais condições ou transtornos e justificar atenção clínica adicional.

Transtorno Alimentar Restritivo/Evitativo

Critérios Diagnósticos   F50.82

A. Uma perturbação alimentar (p. ex., falta aparente de interesse na alimentação ou em alimentos; esquiva baseada nas características sensoriais do alimento; preocupação acerca de consequências aversivas alimentares) associada a um (ou mais) dos seguintes aspectos:
   1. Perda de peso significativa (ou insucesso em obter o ganho de peso esperado ou atraso de crescimento em crianças).
   2. Deficiência nutricional significativa.
   3. Dependência de alimentação enteral ou suplementos nutricionais orais.
   4. Interferência marcante no funcionamento psicossocial.
B. A perturbação não é mais bem explicada por indisponibilidade de alimento ou por uma prática culturalmente aceita.
C. A perturbação alimentar não ocorre exclusivamente durante o curso de anorexia nervosa ou bulimia nervosa, e não há evidência de perturbação na maneira como o peso ou a forma corporal é vivenciada.
D. A perturbação alimentar não é atribuível a uma condição médica concomitante ou mais bem explicada por outro transtorno mental. Quando a perturbação alimentar ocorre no contexto de uma outra condição ou transtorno, sua gravidade excede a habitualmente associada à condição ou ao transtorno e justifica atenção clínica adicional.

Especificar se:
   Em remissão: Depois de terem sido preenchidos os critérios para transtorno alimentar restritivo/evitativo, esses critérios não foram mais preenchidos por um período de tempo sustentado.

Características Diagnósticas

O transtorno alimentar restritivo/evitativo substitui e amplia o diagnóstico do DSM-IV de transtorno da alimentação da primeira infância para incluir crianças mais velhas, adolescentes e adultos. A principal característica diagnóstica do transtorno alimentar restritivo/evitativo é a esquiva ou a restrição da ingestão alimentar que está associada com uma ou mais das seguintes consequências: perda de peso significativa, deficiência nutricional significativa (ou impacto na saúde relacionado), dependência de alimentação enteral ou suplementos nutricionais orais ou interferência marcante no funcionamento psicossocial (Critério A).

Em alguns indivíduos, a evitação ou a restrição alimentar é baseada em características sensoriais da qualidade do alimento, como sensibilidade extrema a aparência, cor, odor, textura, temperatura ou paladar. Esse comportamento foi descrito como "ingestão restritiva", "ingestão seletiva", "ingestão exigente", "ingestão perseverante", "recusa crônica de alimento" e "neofobia alimentar" e pode se manifestar como recusa em comer determinadas marcas de alimentos ou intolerância ao cheiro do alimento que está sendo consumido por outros. Indivíduos com sensibilidades sensoriais mais pronunciadas associadas ao autismo podem exibir comportamentos semelhantes.

Em outros indivíduos, a evitação ou a restrição alimentar também pode representar uma resposta negativa condicionada associada à ingestão alimentar, após ou em antecipação a uma experiência aversiva, como asfixia; um procedimento traumático, geralmente envolvendo o trato gastrintestinal (p. ex., esofagoscopia); ou vômitos repetidos. Os termos *disfagia funcional* e *globus hystericus* também têm sido usados para tais condições.

Ainda, em outros indivíduos, a evitação ou restrições alimentícias se manifestam por meio de uma falta de interesse em comer.

A determinação da perda de peso significativa (Critério A1) é um julgamento clínico; em vez de perder peso, crianças e adolescentes que não concluíram o crescimento não mantêm os aumentos de peso e altura esperados em sua trajetória do desenvolvimento.

Da mesma forma, a determinação de deficiência nutricional significativa (Critério A2) é baseada em avaliações clínicas (p. ex., avaliação da ingesta alimentar, exames físicos e testes laboratoriais), e o impacto na saúde física pode ser de gravidade semelhante ao que é visto na anorexia nervosa (p. ex., hipotermia, bradicardia, anemia). Em casos graves, em particular em crianças mais novas, a desnutrição é potencialmente fatal. "Dependência" de nutrição enteral ou suplementos nutricionais orais (Critério A3) significa que é preciso suplementar a alimentação para manter a ingesta adequada. Exemplos de indivíduos que necessitam de alimentação suplementar incluem bebês com atraso no crescimento que necessitam de alimentação por sonda, crianças com transtornos do neurodesenvolvimento dependentes de suplementos nutricionalmente completos e indivíduos que dependem totalmente de alimentação por sonda de gastrostomia ou suplementos de nutrição oral completa na ausência de uma condição médica subjacente. A inabilidade em participar de atividades sociais normais, como sair para comer com outras pessoas, frequentar ambientes escolares ou de trabalho, ou manter relacionamentos, devido ao transtorno, indica uma interferência marcante no funcionamento psicossocial (Critério A4). A ruptura substancial do funcionamento familiar (p. ex., restrição marcada de alimentos permitidos em casa ou exigência de fornecer alimentos de mercearias ou restaurantes específicos) também pode satisfazer o Critério A4.

O transtorno alimentar restritivo/evitativo não inclui evitação ou restrição de consumo de alimentos relacionados a falta de disponibilidade de comida (p. ex., insegurança alimentar) ou a práticas culturais (p. ex., jejum religioso) (Critério B). A perturbação não é mais bem explicada por preocupação excessiva acerca do peso ou da forma corporal (Critério C) ou por fatores médicos ou transtornos mentais concomitantes (Critério D).

Características Associadas

Diversas características podem estar associadas à evitação de alimentos ou a uma ingestão alimentar reduzida, e essas características podem variar com a idade. Lactentes podem apresentar recusa alimentar, engasgos ou vômitos. Lactentes e crianças pequenas podem não se envolver com um cuidador primário durante a alimentação ou deixar de comunicar a fome em favor de outras atividades. Em crianças mais velhas e adolescentes, a evitação ou restrição alimentícia pode estar associada a dificuldades emocionais mais generalizadas que não atendam aos critérios diagnósticos para um transtorno de ansiedade, depressivo ou bipolar, às vezes chamadas de "transtorno emocional de evitação alimentar".

Prevalência

Pouca informação está disponível sobre a prevalência do transtorno alimentar restritivo/evitativo. Um estudo na Austrália reportou uma frequência de 0,3% entre indivíduos com 15 anos ou mais.

Desenvolvimento e Curso

A evitação e a restrição alimentar associadas a ingestão insuficiente ou falta de interesse em alimentar-se desenvolvem-se mais comumente na fase de lactente ou na primeira infância e podem persistir na idade adulta. Da mesma maneira, a evitação baseada em características sensoriais dos alimentos tende a surgir na primeira década de vida, mas pode persistir na idade adulta. A evitação relacionada a consequências aversivas pode surgir em qualquer idade. A literatura escassa a respeito das consequências a longo prazo sugere que evitação ou restrição alimentar baseada em aspectos sensoriais é relativamente estável e duradoura, mas, quando persiste na idade adulta, pode estar associada a um funcionamento relativamente normal. Existe, nos dias atuais, pouca evidência associando diretamente o transtorno alimentar restritivo/evitativo e a manifestação subsequente de um transtorno alimentar.

Crianças com transtorno alimentar restritivo/evitativo podem ser irritadiças e difíceis de consolar durante a amamentação ou parecer apáticas e retraídas. Em alguns casos, a interação parental com o filho pode contribuir para o problema de alimentação do bebê (p. ex., apresentando o alimento de maneira inapropriada ou interpretando o comportamento do bebê como um ato de agressão ou rejeição). A ingesta nutricional inadequada pode exacerbar as características associadas (p. ex., irritabilidade, atrasos no desenvolvimento) e contribuir ainda mais para dificuldades de alimentação. Fatores associados incluem temperamento e prejuízos do desenvolvimento do bebê que reduzem sua responsividade à alimentação. Psicopatologia parental coexistente ou abuso ou negligência infantil são sugeridos se a alimentação e o peso melhorarem em resposta a mudança do cuidador. Em bebês, crianças e adolescentes pré-puberais, o transtorno alimentar restritivo/evitativo pode estar associado a atrasos do crescimento, e a desnutrição resultante tem o potencial de afetar negativamente o desenvolvimento e a aprendizagem. Em crianças mais velhas, adolescentes e adultos, o funcionamento social tende a ser afetado de maneira adversa. Independentemente da idade, a função familiar pode ser afetada, com mais carga de estresse às refeições e a outros contextos de alimentação envolvendo amigos e familiares.

O transtorno alimentar restritivo/evitativo manifesta-se mais comumente em crianças e adolescentes do que em adultos, e pode existir uma grande demora entre a manifestação inicial e a apresentação clínica. Fatores que desencadeiam a apresentação variam consideravelmente e incluem dificuldades físicas, sociais e emocionais.

Fatores de Risco e Prognóstico

Temperamentais. Transtornos de ansiedade, transtorno do espectro autista, transtorno obsessivo-compulsivo e transtorno de déficit de atenção/hiperatividade podem aumentar o risco de transtorno alimentar restritivo/evitativo ou de comportamento alimentar característico do transtorno.

Ambientais. Fatores de risco ambientais para o transtorno alimentar restritivo/evitativo incluem ansiedade familiar. Taxas maiores de perturbações alimentares podem ocorrer em filhos de mães com transtornos alimentares.

Genéticos e fisiológicos. História de condições gastrintestinais, doença de refluxo gastroesofágico, vômitos e uma gama de problemas médicos foram associados a comportamentos alimentares característicos do transtorno alimentar restritivo/evitativo.

Questões Diagnósticas Relativas à Cultura

Apresentações semelhantes ao transtorno alimentar restritivo/evitativo ocorrem em diversas populações, incluindo Estados Unidos, Canadá, Austrália, Europa, Japão e China. O transtorno alimentar restritivo/evitativo não deverá ser diagnosticado quando a evitação da ingesta alimentar estiver relacionada unicamente a práticas religiosas ou culturais específicas.

Questões Diagnósticas Relativas ao Sexo e ao Gênero

O transtorno alimentar restritivo/evitativo parece ser igualmente comum em meninos e meninas; porém, quando comórbido com o transtorno do espectro autista, tem predominância no sexo masculino. A restrição ou a evitação alimentar relacionadas a sensibilidades sensoriais alteradas podem ocorrer em algumas condições fisiológicas, em particular na gestação, porém normalmente não são extremas e não satisfazem os critérios completos do transtorno.

Consequências Funcionais do Transtorno Alimentar Restritivo/Evitativo

Limitações funcionais e associadas ao desenvolvimento incluem prejuízo do desenvolvimento físico e dificuldades sociais que podem ter um impacto negativo significativo no funcionamento familiar.

Diagnóstico Diferencial

A restrição da ingestão de alimentos é um sintoma inespecífico que pode acompanhar vários transtornos mentais e condições médicas e que também pode ser apropriado para o desenvolvimento. O transtorno alimentar restritivo/evitativo pode ser diagnosticado concomitantemente com os transtornos a seguir se todos os critérios forem preenchidos e as perturbações na alimentação exijam atenção clínica específica.

Outras condições médicas (p. ex., doença gastrintestinal, alergias e intolerâncias alimentares, malignidades ocultas). A restrição de ingestão de comida pode ocorrer em outras condições médicas, especialmente aquelas com sintomas contínuos como vômito, perda de apetite, náusea, dor abdominal ou diarreia. Um diagnóstico de transtorno alimentar restritivo/evitativo requer que a perturbação da ingestão esteja além daquela diretamente explicada pelos sintomas físicos compatíveis com uma condição médica; a perturbação alimentar também pode persistir após ser desencadeada por uma condição médica e após a resolução desta.

Condições médicas subjacentes ou condições mentais comórbidas podem complicar a alimentação. Na medida em que pessoas idosas, pacientes pós-cirúrgicos e os que recebem quimioterapia com frequência ficam inapetentes, um diagnóstico adicional de transtorno alimentar restritivo/evitativo requer que a perturbação alimentar seja um foco primário para intervenção.

Transtorno obsessivo-compulsivo e transtorno relacionado devido a síndrome neuropsiquiátrica pediátrica de início agudo. Sintomas com início agudo, idade de início tardia ou sintomas atípicos sugerem a necessidade de uma avaliação minuciosa para excluir o diagnóstico de transtorno obsessivo-compulsivo e transtorno relacionado devido a síndrome neuropsiquiátrica pediátrica de início agudo (PANS). A PANS é caracterizada pelo início abrupto e drástico de sintomas obsessivo-compulsivos ou restrição severa de ingestão de comida, junto com uma variedade de sintomas neuropsiquiátricos.

Transtornos neurológicos/neuromusculares, estruturais ou congênitos específicos e condições associadas a dificuldades de alimentação. Dificuldades de alimentação são comuns em uma série de condições congênitas e neurológicas com frequência relacionadas a problemas com a estrutura e a função oral/esofágica/faríngea, como hipotonia da musculatura, protusão da língua e deglutição comprometida. O transtorno alimentar restritivo/evitativo pode ser diagnosticado em indivíduos com tais apresentações desde que todos os critérios diagnósticos sejam preenchidos.

Transtorno de apego reativo. Um certo grau de afastamento dos cuidadores é característico do transtorno de apego reativo e pode levar a uma perturbação na relação cuidador-criança que pode afetar a alimentação da criança. O transtorno alimentar restritivo/evitativo deverá ser diagnosticado concomitantemente apenas se todos os critérios forem atendidos para ambos os transtornos e a perturbação alimentar for um foco primário para intervenção.

Transtorno do espectro autista. Indivíduos com transtorno do espectro autista geralmente apresentam comportamentos alimentares rígidos e sensibilidades sensoriais aumentadas. Entretanto, esses aspectos nem sempre resultam no nível de comprometimento que seria necessário para um diagnóstico de transtorno alimentar restritivo/evitativo. Esse transtorno deverá ser diagnosticado concomitantemente apenas se todos os critérios para ambos os transtornos forem satisfeitos e quando a perturbação alimentar demandar tratamento específico.

Fobia específica, transtorno de ansiedade social e outros transtornos de ansiedade. Fobia específica do tipo "outro" menciona como exemplos "situações que possam levar a asfixia ou vômitos" e pode representar o gatilho primário para o medo, a ansiedade ou a evitação necessários para o diagnóstico. Pode ser difícil distinguir fobia específica de transtorno alimentar restritivo/evitativo quando medo de asfixia ou vômito resultou em esquiva da alimentação. Embora a restrição ou evitação da alimentação secundária a um medo pronunciado de asfixiar-se ou de vomitar possa ser conceitualizada como fobia específica, em situações nas quais o problema de alimentação torna-se o foco primário de atenção clínica, o transtorno alimentar restritivo/evitativo torna-se o diagnóstico apropriado. No transtorno de ansiedade social, o indivíduo pode apresentar-se com medo de ser observado pelos outros enquanto se alimenta, o que pode acontecer também no transtorno alimentar restritivo/evitativo.

Anorexia nervosa. A restrição da ingesta calórica em relação às necessidades que levam a um peso corporal significativamente baixo é um aspecto central da anorexia nervosa. Entretanto, indivíduos com anorexia nervosa também exibem medo de ganhar peso ou de ficar gordos ou comportamentos persistentes que interferem no ganho de peso, bem como perturbações específicas em relação à percepção e à vivência de seu próprio peso e forma corporal. Essas características não estão presentes no transtorno alimentar restritivo/evitativo, e os dois transtornos não deverão ser diagnosticados concomitantemente. O diagnóstico diferencial entre transtorno alimentar restritivo/evitativo e anorexia nervosa pode ser difícil, especialmente no fim da infância e no início da adolescência, pois esses transtornos podem compartilhar uma série de sintomas (p. ex., evitação de alimento, baixo peso). O diagnóstico diferencial também é potencialmente difícil em indivíduos com anorexia nervosa que negam o medo de engordar, contudo adotam comportamentos persistentes que impedem o ganho de peso e não reconhecem a gravidade médica de seu baixo peso – uma apresentação às vezes denominada "anorexia nervosa sem fobia de peso". A consideração integral dos sintomas, do curso e da história familiar é recomendada, e o diagnóstico pode ser mais bem feito no contexto de uma relação clínica ao longo do tempo. Em alguns indivíduos, o transtorno alimentar restritivo/evitativo pode preceder o aparecimento da anorexia nervosa.

Transtorno obsessivo-compulsivo. Indivíduos com transtorno obsessivo-compulsivo podem apresentar-se com evitação ou restrição da alimentação relacionada a preocupações com alimentos ou comportamento de alimentação ritualizado. O transtorno alimentar restritivo/evitativo deverá ser diagnosticado concomitantemente apenas se forem satisfeitos todos os critérios para ambos os transtornos e quando a alimentação aberrante for um aspecto maior da apresentação clínica que demande intervenção específica.

Transtorno depressivo maior. No transtorno depressivo maior, o apetite pode estar afetado de tal forma que os indivíduos se apresentam com ingesta alimentar significativamente restrita, em geral em relação à ingesta calórica total e muitas vezes associada a perda de peso. A inapetência e a decorrente redução da ingesta costumam ceder com a resolução dos problemas de humor. O transtorno alimentar restritivo/evitativo só deverá ser diagnosticado concomitantemente se todos os critérios forem preenchidos para ambos os transtornos e quando a perturbação alimentar demandar tratamento específico.

Transtornos do espectro da esquizofrenia. Indivíduos com esquizofrenia, transtorno delirante ou outros transtornos psicóticos podem exibir comportamentos alimentares estranhos, evitação de alimentos específicos em virtude de crenças delirantes ou outras manifestações de alimentação restritiva/evitativa. Em alguns casos, crenças delirantes podem contribuir para preocupação acerca das consequências negativas de ingerir determinados alimentos. O transtorno alimentar restritivo/evitativo deve ser usado concomitantemente apenas se todos os critérios forem satisfeitos para ambos os transtornos e quando a perturbação alimentar demandar tratamento específico.

Transtorno factício ou transtorno factício imposto a outro. O transtorno alimentar restritivo/evitativo deve ser diferenciado do transtorno factício ou do transtorno factício imposto a outro. Para assumir o papel de doente, alguns indivíduos com transtorno factício podem descrever intencionalmente dietas muito mais restritivas do que realmente são capazes de consumir, bem como complicações relacionadas a esses comportamentos, como necessidade de alimentação enteral ou suplementos nutricionais, incapacidade de tolerar uma variedade normal de alimentos e/ou incapacidade de participar normalmente de situações apropriadas à idade envolvendo alimentos. A apresentação pode ser bastante dramática e envolvente, e os sintomas, relatados de maneira inconsistente. No transtorno factício imposto a outro, o cuidador descreve sintomas compatíveis com transtorno alimentar restritivo/evitativo e pode induzir sintomas físicos, como o fracasso em ganhar peso. Assim como em qualquer diagnóstico de transtorno factício imposto a outro, o cuidador recebe o diagnóstico em vez do indivíduo afetado, e este só deverá ser feito com base em uma avaliação cuidadosa e abrangente do indivíduo afetado, do cuidador e de sua interação.

Comportamento normal relacionado ao desenvolvimento. Durante o desenvolvimento normal, algumas crianças transitoriamente diminuem a variedade de alimentos que estão dispostas a comer. Esse fenômeno, às vezes chamado de "exigência quanto à comida", normalmente se resolve espontaneamente sem necessidade de intervenção. O transtorno alimentar restritivo/evitativo não inclui comportamentos como esse, que são comportamentos normais na fase de desenvolvimento, a não ser que eles se tornem suficientemente graves para levar a criança a não suprir suas necessidades nutricionais básicas ou a produzir prejuízos funcionais (Critério A).

Comorbidade

Os transtornos comórbidos mais comumente observados com transtorno alimentar restritivo/evitativo são transtornos de ansiedade, transtorno obsessivo-compulsivo e transtornos do neurodesenvolvimento (especificamente transtorno do espectro autista, transtorno de déficit de atenção/hiperatividade e transtornos do desenvolvimento intelectual [deficiência intelectual]).

Anorexia Nervosa

Critérios Diagnósticos

A. Restrição da ingesta calórica em relação às necessidades, levando a um peso corporal significativamente baixo no contexto de idade, gênero, trajetória do desenvolvimento e saúde física. *Peso significativamente baixo* é definido como um peso inferior ao peso mínimo normal ou, no caso de crianças e adolescentes, menor do que o minimamente esperado.

B. Medo intenso de ganhar peso ou de engordar, ou comportamento persistente que interfere no ganho de peso, mesmo estando com peso significativamente baixo.

C. Perturbação no modo como o próprio peso ou a forma corporal são vivenciados, influência indevida do peso ou da forma corporal na autoavaliação ou ausência persistente de reconhecimento da gravidade do baixo peso corporal atual.

Nota para codificação: O código da CID-10-MC depende do subtipo (ver a seguir).

Determinar o subtipo:

F50.01 Tipo restritivo: Durante os últimos três meses, o indivíduo não se envolveu em episódios recorrentes de compulsão alimentar ou comportamento purgativo (i.e., vômitos autoinduzidos ou uso indevido de laxantes, diuréticos ou enemas). Esse subtipo descreve apresentações nas quais a perda de peso seja conseguida essencialmente por meio de dieta, jejum e/ou exercício excessivo.

F50.02 Tipo compulsão alimentar purgativa: Nos últimos três meses, o indivíduo se envolveu em episódios recorrentes de compulsão alimentar purgativa (i.e., vômitos autoinduzidos ou uso indevido de laxantes, diuréticos ou enemas).

Especificar se:

Em remissão parcial: Depois de terem sido preenchidos previamente todos os critérios para anorexia nervosa, o Critério A (baixo peso corporal) não foi mais satisfeito por um período de tempo sustentado, porém ou o Critério B (medo intenso de ganhar peso ou de engordar ou comportamento que interfere no ganho de peso), ou o Critério C (perturbações na autopercepção do peso e da forma) ainda está presente.

Em remissão completa: Depois de terem sido satisfeitos previamente todos os critérios para anorexia nervosa, nenhum dos critérios foi mais satisfeito por um período sustentado.

Especificar a gravidade atual:

O nível mínimo de gravidade baseia-se, em adultos, no índice de massa corporal (IMC) atual (ver a seguir) ou, para crianças e adolescentes, no percentil do IMC. Os intervalos abaixo são derivados das categorias da Organização Mundial da Saúde para baixo peso em adultos; para crianças e adolescentes, os percentis do IMC correspondentes devem ser usados. O nível de gravidade pode ser aumentado de maneira a refletir sintomas clínicos, o grau de incapacidade funcional e a necessidade de supervisão.

Leve: IMC ≥ 17 kg/m^2
Moderada: IMC ≥ 16-16,99 kg/m^2
Grave: IMC ≥ 15-15,99 kg/m^2
Extrema: IMC < 15 kg/m^2

Subtipos

A maioria dos indivíduos com anorexia nervosa do tipo compulsão alimentar purgativa que se envolvem em comportamentos periódicos de hiperfagia também purga por meio de vômitos autoinduzidos ou faz uso indevido de laxantes, diuréticos ou enemas. Alguns indivíduos com esse subtipo de anorexia nervosa não apresentam episódios de hiperfagia, mas purgam regularmente depois do consumo de pequenas quantidades de alimento.

A alternância entre os subtipos ao longo do curso do transtorno não é incomum; portanto, a descrição do subtipo deverá ser usada para indicar os sintomas atuais, e não o curso longitudinal.

Características Diagnósticas

A anorexia nervosa tem três características essenciais: restrição persistente da ingesta calórica; medo intenso de ganhar peso ou de engordar ou comportamento persistente que interfere no ganho de peso; e perturbação na percepção do próprio peso ou da própria forma. O indivíduo mantém um peso corporal abaixo daquele minimamente normal para idade, gênero, trajetória do desenvolvimento e saúde física (Critério A). O peso corporal dessas pessoas com frequência satisfaz esse critério depois de uma perda ponderal significativa, porém, entre crianças e adolescentes, pode haver insucesso em obter o ganho de peso esperado ou em manter uma trajetória de desenvolvimento normal (i.e., enquanto cresce em altura) em vez de perda de peso.

O Critério A requer que o peso do indivíduo esteja significativamente baixo (i.e., inferior à faixa mínima normal ou, no caso de crianças e adolescentes, inferior à faixa mínima esperada). A determinação do peso pode ser problemática porque a faixa de peso normal difere entre indivíduos, e limiares diferentes foram publicados definindo magreza ou peso abaixo do normal. O índice de massa corporal (IMC; calculado como o peso em quilogramas dividido pela altura em m^2) é uma medida útil para determinar o peso corporal em relação à altura. Para adultos, um IMC de 18,5 kg/m^2 tem sido empregado pelos Centros de Controle e Prevenção de Doenças (CDC) e pela Organização Mundial da Saúde (OMS) como o limite inferior de peso corporal normal. Dessa forma, a maioria dos adultos com um IMC igual ou acima de 18,5 kg/m^2 não seria considerada como com baixo peso corporal. Por sua vez, um IMC inferior a 17,0 kg/m^2 tem sido considerado pela OMS como indicativo de magreza moderada ou grave; portanto, um indivíduo com um IMC inferior a 17,0 kg/m^2 provavelmente seria considerado com um peso significativamente baixo. Um adulto com um IMC entre 17,0 e 18,5 kg/m^2, ou até mesmo acima de 18,5 kg/m^2, pode ser considerado com um peso significativamente baixo se a história clínica ou outras informações fisiológicas corroborarem essa avaliação. Adultos que não estão abaixo do peso segundo os padrões populacionais — por exemplo, adultos com IMC de 19,0 kg/m^2 ou mais — não devem receber o diagnóstico de anorexia nervosa; um diagnóstico de outro transtorno alimentar especificado (anorexia nervosa atípica) pode ser considerado.

Para crianças e adolescentes, determinar um percentil de IMC por idade é útil (ver, p. ex., o calculador de percentil de IMC do CDC para crianças e adolescentes em https://www.cdc.gov/healthyweight/bmi/calculator.html). Assim como nos adultos, não é possível fornecer padrões definitivos para julgar se o peso de uma criança ou de um adolescente está significativamente baixo, e variações nas trajetórias de desenvolvimento entre os jovens limitam a utilidade de diretrizes numéricas simples. Os CDC usam um IMC por idade abaixo do 5º percentil como sugestivo de peso abaixo do normal; entretanto, crianças e adolescentes com um IMC acima desse marco podem ser julgados como significativamente abaixo do peso em face do fracasso em manter sua trajetória de crescimento esperada. Porém, esses indivíduos cujo IMC permanece maior que o IMC médio para a idade não devem receber um diagnóstico de anorexia nervosa; um diagnóstico de outro transtorno alimentar especificado (anorexia nervosa atípica) pode ser considerado.

Indivíduos com esse transtorno exibem geralmente medo intenso de ganhar peso ou de engordar (Critério B). Esse medo intenso de engordar não costuma ser aliviado pela perda de peso. Na verdade, a preocupação acerca do peso pode aumentar até mesmo se o peso diminuir. Indivíduos mais jovens com anorexia nervosa, bem como alguns adultos, podem não reconhecer ou perceber medo de ganhar peso. Na ausência de outra explicação para o peso significativamente baixo, podem ser usados, para estabelecer o Critério B, a inferência do clínico a partir da história fornecida por informantes, dados de observação, achados físicos e laboratoriais ou curso longitudinal indicando seja um medo de ganhar peso, seja comportamentos persistentes relacionados que impeçam o ganho de peso.

A vivência e a significância do peso e da forma corporal são distorcidas nesses indivíduos (Critério C). Algumas pessoas sentem-se completamente acima do peso. Outras percebem que estão magras, mas ainda assim se preocupam com determinadas partes do corpo, em particular que o abdome, os glúteos e o quadril estão "gordos demais". Elas podem empregar uma variedade de técnicas para avaliar o tamanho ou o peso de seus corpos, incluindo pesagens frequentes, medição obsessiva de partes do corpo e uso persistente de um espelho para checar áreas percebidas de "gordura". A estima de indivíduos com anorexia nervosa é altamente dependente de suas percepções da forma e do peso corporal. Perda de peso é, com frequência, vista como uma conquista marcante e um sinal de autodisciplina extraordinária, enquanto o ganho de peso é percebido como uma falha de autocontrole inaceitável. Embora alguns indivíduos com esse transtorno talvez reconheçam que estão magros, frequentemente não assumem as graves implicações médicas de seu estado de desnutrição.

Geralmente, o indivíduo é levado à atenção profissional por familiares depois de perda de peso marcante (ou insucesso em obter o ganho de peso esperado) ter ocorrido. Se buscam ajuda por si mesmos, costuma ser devido ao sofrimento causado por sequelas somáticas e psicológicas da inanição. É raro uma pessoa com anorexia nervosa queixar-se da perda de peso por si só. Na verdade, indivíduos com anorexia nervosa com frequência carecem de *insight* ou negam o problema. É, portanto, importante obter informações de familiares ou de outras fontes para avaliar a história da perda de peso e outros aspectos da doença.

Características Associadas

A semi-inanição da anorexia nervosa e os comportamentos purgativos às vezes associados a ela podem resultar em condições médicas relevantes e potencialmente fatais. O comprometimento nutricional associado a esse transtorno afeta a maioria dos sistemas corporais e pode produzir uma variedade de perturbações. Perturbações fisiológicas, incluindo amenorreia e anormalidades nos sinais vitais, são comuns. Enquanto grande parte das perturbações fisiológicas associadas à desnutrição é reversível com reabilitação nutricional, algumas, incluindo a perda de densidade óssea mineral, com frequência não são completamente reversíveis. Comportamentos como vômitos autoinduzidos e uso indevido de laxantes, diuréticos e enemas podem causar uma série de distúrbios que levam a achados laboratoriais anormais; entretanto, alguns indivíduos com anorexia nervosa não exibem tais anormalidades.

Quando gravemente abaixo do peso, indivíduos com anorexia nervosa apresentam sinais e sintomas depressivos, como humor deprimido, isolamento social, irritabilidade, insônia e diminuição da libido. Na medida em que alguns desses aspectos também são observados em indivíduos sem anorexia nervosa, mas significativamente subnutridos, muitos dos aspectos depressivos podem ser secundários às sequelas fisiológicas da semi-inanição, embora também possam ser graves o suficiente para justificar um diagnóstico adicional de transtorno depressivo.

Características obsessivo-compulsivas, relacionadas ou não à alimentação, são com frequência proeminentes. A maioria dos indivíduos com anorexia nervosa é centrada na preocupação com os alimentos. Alguns colecionam receitas e estocam comida. Observações de comportamentos associados a outras formas de inanição sugerem que obsessões e compulsões relacionadas à alimentação podem ser exacerbadas por subnutrição. Quando indivíduos com anorexia nervosa exibem obsessões e compulsões não relacionadas a alimentos, forma corporal ou peso, um diagnóstico adicional de transtorno obsessivo-compulsivo (TOC) pode ser justificável.

Outros aspectos por vezes associados à anorexia nervosa incluem preocupações de alimentar-se publicamente, sentimentos de fracasso, forte desejo por controlar o próprio ambiente, pensamentos inflexíveis, espontaneidade social limitada e expressão emocional excessivamente contida. Comparados a indivíduos com anorexia nervosa do tipo restritiva, os que têm anorexia nervosa do tipo compulsão alimentar purgativa apresentam taxas maiores de impulsividade e tendem a abusar mais de álcool e outras drogas.

Alguns indivíduos com anorexia nervosa exibem níveis excessivos de atividade física. Aumentos na atividade física com frequência precedem a manifestação inicial do transtorno, e, durante o curso da doença, a atividade física mais intensa acelera a perda de peso. Durante o tratamento, talvez seja difícil controlar o excesso de atividade física, prejudicando, assim, a recuperação do peso.

Indivíduos com anorexia nervosa podem fazer uso indevido de medicamentos, como, por exemplo, manipular a dosagem para conseguir perder peso ou evitar ganhá-lo. Indivíduos com diabetes melito podem omitir ou reduzir as doses de insulina a fim de minimizar o metabolismo de carboidratos.

Prevalência

De acordo com dois estudos epidemiológicos realizados nos Estados Unidos com amostras da comunidade, a prevalência de 12 meses de anorexia nervosa varia de 0,0 a 0,05%, com taxas muito mais altas em mulheres do que em homens (0 a 0,08% em mulheres; 0 a 0,01% em homens). A prevalência ao longo da vida varia de 0,60 a 0,80% (0,9 a 1,42% em mulheres e 0,12 a 0,3% em homens). Em contraste com esses resultados, um estudo em adolescentes encontrou taxas semelhantes para ambos os sexos.

A anorexia nervosa parece ser mais prevalente em países pós-industriais e de alta renda, como Estados Unidos, muitos países europeus, Austrália, Nova Zelândia e Japão. Apesar de a prevalência da anorexia nervosa ser desconhecida na maioria dos países de baixa e média renda, ela parece ser crescente em muitos países do Sul Global, incluindo nações da Ásia e do Oriente Médio. A anorexia nervosa ocorre em diferentes grupos étnico-raciais nos Estados Unidos, porém, a prevalência parece ser menor entre latinos e afro-americanos não latinos do que entre brancos não latinos.

Desenvolvimento e Curso

A anorexia nervosa começa geralmente durante a adolescência ou na idade adulta jovem. Raramente se inicia antes da puberdade ou depois dos 40 anos, porém casos de início precoce e tardio já foram descritos. O início desse transtorno costuma estar associado a um evento de vida estressante, como deixar a casa dos pais para ingressar na universidade. O curso e o desfecho da anorexia nervosa são altamente variáveis. Indivíduos mais jovens podem manifestar aspectos atípicos, incluindo a negação do "medo de gordura". Pessoas idosas tendem a ter duração mais prolongada da doença, e sua apresentação clínica pode incluir mais sinais e sintomas de transtorno de longa data. Os clínicos não devem excluir anorexia nervosa do diagnóstico diferencial com base apenas em idade mais avançada.

Muitos indivíduos apresentam um período de mudança no comportamento alimentar antes de preencherem todos os critérios para o transtorno. Alguns indivíduos com anorexia nervosa se recuperam inteiramente depois de um único episódio, alguns exibem um padrão flutuante de ganho de peso seguido por recaída, e outros ainda experienciam um curso crônico ao longo de muitos anos. A hospitalização pode ser necessária para recuperar o peso e tratar complicações clínicas. A maioria dos indivíduos com anorexia nervosa sofre remissão dentro de cinco anos depois da manifestação inicial do transtorno. Entre os admitidos em hospital, as taxas de remissão podem ser menores. A taxa bruta de mortalidade (TBM) para anorexia nervosa é de cerca de 5% por década. A morte resulta mais comumente de complicações clínicas associadas ao próprio transtorno ou de suicídio.

Fatores de Risco e Prognóstico

Temperamentais. Indivíduos que desenvolvem transtornos de ansiedade ou exibem traços obsessivos na infância estão em risco maior de desenvolver anorexia nervosa.

Ambientais. A variabilidade histórica e transcultural na prevalência de anorexia nervosa corrobora sua associação com culturas e contextos que valorizam a magreza. Ocupações e trabalhos que incentivam a magreza, como modelo e atleta de elite, também estão associados a um risco maior.

Genéticos e fisiológicos. Existe maior risco de anorexia nervosa e outros transtornos alimentares e psiquiátricos entre parentes biológicos de indivíduos com anorexia nervosa. Estudos de associação de genoma começaram a identificar *loci* específicos de risco, incluindo *loci* associados a outros transtornos psiquiátricos e a características metabólicas, como resistência à insulina e perfil lipídico. Uma gama de anormalidades cerebrais, muitas sugestivas de processamento anormal do sistema da recompensa, foram descritas na anorexia nervosa usando tecnologias de imagem funcional, como imagem por ressonância magnética funcional e tomografia por emissão de pósitrons. O grau em que esses achados refletem mudanças associadas a desnutrição *versus* anormalidades primárias associadas a esse transtorno não está claro.

Questões Diagnósticas Relativas à Cultura

A anorexia nervosa ocorre entre populações diversas em termos culturais e sociais, embora as evidências disponíveis sugiram variações transculturais em sua ocorrência e apresentação. A apresentação de preocupações a respeito do peso entre indivíduos com transtornos alimentares varia substancialmente nos diferentes contextos culturais. A ausência de medo intenso manifesto de ganhar peso, às vezes referido como "fobia de gordura", parece ser relativamente mais comum em populações na Ásia, onde a justificativa de restrição dietética costuma estar relacionada a uma queixa mais culturalmente sancionada, como desconforto gastrintestinal. A utilização de serviços de assistência para saúde mental nos Estados Unidos por indivíduos com transtornos alimentares é significativamente menor entre grupos étnicos negligenciados.

Marcadores Diagnósticos

As seguintes anormalidades laboratoriais podem ser observadas na anorexia nervosa; sua presença pode servir para aumentar a confiabilidade diagnóstica.

Hematologia. É comum haver leucopenia, com a perda de todos os tipos de células, mas habitualmente com linfocitose aparente. Pode haver anemia leve, bem como trombocitopenia e, raramente, problemas de sangramento.

Bioquímica. A desidratação pode refletir-se por um nível sanguíneo elevado de ureia. A hipercolesterolemia é comum. Os níveis de enzimas hepáticas podem estar elevados. Hipomagnesemia, hipozincemia, hipofosfatemia e hiperamilasemia são ocasionalmente observadas. Vômitos autoinduzidos podem levar a alcalose metabólica (nível sérico elevado de bicarbonato), hipocloremia e hipocalemia; o uso indevido de laxantes pode causar acidose metabólica leve.

Endocrinologia. Os níveis séricos de tiroxina (T_4) geralmente se encontram na faixa entre normal e abaixo do normal; os níveis de tri-iodotironina (T_3) estão diminuídos, enquanto os níveis de T_3 reverso estão elevados. Os níveis séricos de estrogênio são baixos no sexo feminino; já no masculino, os níveis séricos de testosterona são baixos.

Eletrocardiografia. É comum a presença de bradicardia sinusal, e, raramente, arritmias são observadas. O prolongamento significativo do intervalo QTc é observado em alguns indivíduos.

Massa óssea. Com frequência se observa densidade mineral óssea baixa, com áreas específicas de osteopenia ou osteoporose. O risco de fratura é significativamente maior.

Eletroencefalografia. Anormalidades difusas, refletindo encefalopatia metabólica, podem resultar de desequilíbrios hídrico e eletrolítico significativos.

Gasto calórico em repouso. Há, com frequência, redução significativa no gasto calórico em repouso.

Sinais e sintomas físicos. Muitos dos sinais e sintomas físicos da anorexia nervosa são atribuíveis à inanição. A presença de amenorreia é comum e parece ser um indicador de disfunção fisiológica. Se presente, a amenorreia costuma ser consequência da perda de peso, porém, em uma minoria dos indivíduos, ela pode, na verdade, preceder a perda de peso. Em meninas pré-púberes, a menarca pode ser retardada. Além de amenorreia, pode haver queixas de constipação, dor abdominal, intolerância ao frio, letargia e energia excessiva.

O achado mais marcante no exame físico é a emaciação. É comum haver também hipotensão significativa, hipotermia e bradicardia. Alguns indivíduos desenvolvem lanugo, um pelo corporal muito fino e macio. Alguns desenvolvem edema periférico, especialmente durante a recuperação de peso ou na suspensão do uso indevido de laxantes e diuréticos. Raramente, petéquias ou equimoses, normalmente nas extremidades, podem indicar diátese hemorrágica. Alguns indivíduos evidenciam tonalidade amarelada na pele, associada a hipercarotenemia. Assim como é visto em indivíduos com bulimia nervosa, aqueles com anorexia nervosa que autoinduzem vômitos podem apresentar hipertrofia das glândulas salivares, sobretudo das glândulas parótidas, bem como erosão do esmalte dentário. Algumas pessoas podem apresentar cicatrizes ou calos na superfície dorsal da mão pelo contato repetido com os dentes ao induzir vômitos.

Associação com Pensamentos ou Comportamentos Suicidas

O risco de suicídio em indivíduos com anorexia nervosa é elevado, com as taxas sendo até 18 vezes maiores do que no grupo de comparação pareado por idade ou sexo. Uma revisão sistemática concluiu que suicídio é a segunda maior causa de morte em indivíduos com anorexia nervosa. Outra revisão concluiu que um quarto a um terço dos indivíduos com anorexia nervosa tem ideação suicida, e aproximadamente 9 a 25% dos indivíduos com anorexia nervosa já tentaram se suicidar. Fatores que provavelmente contribuem para o alto risco de suicídio entre aqueles com transtornos alimentares incluem maior exposição a abuso sexual, problemas com tomada de decisão, altas taxas de automutilação não suicida, que é um fator de risco conhecido para tentativas de suicídio, e comorbidade com transtornos do humor.

Consequências Funcionais da Anorexia Nervosa

Indivíduos com anorexia nervosa podem exibir uma gama de limitações funcionais associadas ao transtorno. Enquanto alguns permanecem ativos no funcionamento social e profissional, outros demonstram isolamento social significativo e/ou fracasso em atingir o nível acadêmico ou profissional potencial.

Diagnóstico Diferencial

É importante considerar outras possíveis causas de baixo peso corporal ou perda de peso significativa no diagnóstico diferencial de anorexia nervosa, especialmente quando o quadro for atípico (p. ex., manifestação depois dos 40 anos de idade).

Condições médicas (p. ex., doença gastrintestinal, hipertireoidismo, malignidades ocultas e síndrome da imunodeficiência adquirida [aids]). A perda de peso grave pode ocorrer em condições médicas, mas indivíduos com esses distúrbios geralmente não manifestam também perturbação na maneira como a forma ou o peso de seus corpos é vivenciada, medo intenso de ganhar peso nem persistem em comportamentos que interferem no ganho de peso apropriado. A perda de peso aguda associada a uma condição médica às vezes pode ser seguida pelo início ou por recaída de anorexia nervosa, que podem ser inicialmente mascarados pela condição médica comórbida. Raramente, a anorexia nervosa se desenvolve depois de uma cirurgia bariátrica para obesidade.

Transtorno depressivo maior. No transtorno depressivo maior, pode ocorrer perda de peso grave, mas a maioria dos indivíduos com esse transtorno não manifesta nem desejo de perda de peso excessiva, nem medo intenso de ganhar peso.

Esquizofrenia. Indivíduos com esquizofrenia podem exibir comportamento alimentar estranho e às vezes apresentam perda de peso significativa, mas raramente manifestam o medo de ganhar peso e a perturbação da imagem corporal necessários para um diagnóstico de anorexia nervosa.

Transtornos por uso de substâncias. Indivíduos com transtornos por uso de substâncias podem apresentar perda de peso devido à ingesta nutricional deficiente, mas geralmente não temem ganhar peso e não manifestam perturbação da imagem corporal. Indivíduos que abusam de substâncias que reduzem o apetite (p. ex., cocaína, estimulantes) e que também temem ganhar peso deverão ser avaliados cuidadosamente quanto à possibilidade de anorexia nervosa comórbida, considerando-se que o uso indevido da substância pode representar um comportamento persistente que interfere no ganho de peso (Critério B).

Transtorno de ansiedade social, transtorno obsessivo-compulsivo e transtorno dismórfico corporal. Alguns dos aspectos da anorexia nervosa se sobrepõem aos critérios para transtorno de ansiedade social, TOC e transtorno dismórfico corporal. Mais especificamente, os indivíduos podem sentir-se humilhados ou envergonhados de serem vistos comendo em público, como ocorre no transtorno de ansiedade social; podem exibir obsessões e compulsões relacionadas a alimentos, como no TOC; ou podem ficar preocupados com um defeito imaginado na aparência do corpo, como no transtorno dismórfico corporal. Se o indivíduo com anorexia nervosa tiver temores sociais que se limitem apenas ao comportamento alimentar, o diagnóstico de transtorno de ansiedade social não deve ser feito, mas temores sociais não relacionados ao comportamento alimentar (p. ex., temor excessivo de falar em público) podem justificar um diagnóstico adicional de transtorno de ansiedade social. Da mesma maneira, um diagnóstico adicional de TOC deverá ser considerado apenas se o indivíduo exibir obsessões e compulsões não relacionadas a alimento (p. ex., medo excessivo de contaminação), e um diagnóstico adicional de transtorno dismórfico corporal deverá ser considerado apenas se a distorção não estiver relacionada à forma e ao tamanho do corpo (p. ex., preocupação com o tamanho excessivo do próprio nariz).

Bulimia nervosa. Indivíduos com bulimia nervosa exibem episódios recorrentes de compulsão alimentar, adotam comportamento indevido para evitar o ganho de peso (p. ex., vômitos autoinduzidos) e preocupam-se excessivamente com a forma e o peso corporais. Entretanto, diferentemente de indivíduos com anorexia nervosa do tipo compulsão alimentar purgativa, aqueles com bulimia nervosa mantêm um peso corporal igual ou acima da faixa mínima normal.

Transtorno alimentar restritivo/evitativo. Indivíduos com esse transtorno podem exibir perda de peso ou deficiência nutricional significativas, mas não temem ganhar peso ou se tornar gordos nem apresentam perturbação na maneira como vivenciam a forma e o peso do próprio corpo.

Comorbidade

Transtornos bipolares, depressivos e de ansiedade em geral ocorrem concomitantemente com anorexia nervosa. Muitos indivíduos com anorexia nervosa relatam a presença de transtorno de ansiedade ou de sintomas de ansiedade antes do início do transtorno alimentar. O TOC é descrito em alguns indivíduos com anorexia nervosa, especialmente naqueles com o tipo restritivo. O transtorno por uso de álcool e outras substâncias pode também ser comórbido à anorexia nervosa, sobretudo entre aqueles com o tipo compulsão alimentar purgativa.

Bulimia Nervosa

Critérios Diagnósticos   F50.2

A. Episódios recorrentes de compulsão alimentar. Um episódio de compulsão alimentar é caracterizado pelos seguintes aspectos:
   1. Ingestão, em um período de tempo determinado (p. ex., dentro de cada período de duas horas), de uma quantidade de alimento definitivamente maior do que a maioria dos indivíduos consumiria no mesmo período sob circunstâncias semelhantes.
   2. Sensação de falta de controle sobre a ingestão durante o episódio (p. ex., sentimento de não conseguir parar de comer ou controlar o que e o quanto se está ingerindo).

B. Comportamentos compensatórios inapropriados recorrentes a fim de impedir o ganho de peso, como vômitos autoinduzidos; uso indevido de laxantes, diuréticos ou outros medicamentos; jejum; ou exercício em excesso.

C. A compulsão alimentar e os comportamentos compensatórios inapropriados ocorrem, em média, no mínimo uma vez por semana durante três meses.

D. A autoavaliação é indevidamente influenciada pela forma e pelo peso corporais.

E. A perturbação não ocorre exclusivamente durante episódios de anorexia nervosa.

> *Especificar* se:
> **Em remissão parcial:** Depois de todos os critérios para bulimia nervosa terem sido previamente preenchidos, alguns, mas não todos os critérios, foram preenchidos por um período de tempo sustentado.
> **Em remissão completa:** Depois de todos os critérios para bulimia nervosa terem sido previamente preenchidos, nenhum dos critérios foi preenchido por um período de tempo sustentado.
>
> *Especificar* a gravidade atual:
> O nível mínimo de gravidade baseia-se na frequência dos comportamentos compensatórios inapropriados (ver a seguir). O nível de gravidade pode ser elevado de maneira a refletir outros sintomas e o grau de incapacidade funcional.
> **Leve:** Média de 1 a 3 episódios de comportamentos compensatórios inapropriados por semana.
> **Moderada:** Média de 4 a 7 episódios de comportamentos compensatórios inapropriados por semana.
> **Grave:** Média de 8 a 13 episódios de comportamentos compensatórios inapropriados por semana.
> **Extrema:** Média de 14 ou mais comportamentos compensatórios inapropriados por semana.

Características Diagnósticas

Existem três aspectos essenciais na bulimia nervosa: episódios recorrentes de compulsão alimentar (Critério A), comportamentos compensatórios inapropriados recorrentes para impedir o ganho de peso (Critério B) e autoavaliação indevidamente influenciada pela forma e pelo peso corporais (Critério D). Para se qualificar ao diagnóstico, a compulsão alimentar e os comportamentos compensatórios inapropriados devem ocorrer, em média, no mínimo uma vez por semana por três meses (Critério C).

Um "episódio de compulsão alimentar" é definido como a ingestão, em um período de tempo determinado, de uma quantidade de alimento definitivamente maior do que a maioria dos indivíduos comeria em um mesmo período de tempo em circunstâncias semelhantes (Critério A1). O contexto no qual a ingestão ocorre pode afetar a estimativa do clínico quanto à ingestão ser ou não excessiva. Por exemplo, uma quantidade de alimento que seria considerada excessiva para uma refeição típica poderia ser considerada normal durante uma refeição comemorativa ou nas festas de fim de ano. Um "período de tempo determinado" refere-se a um período limitado, normalmente menos de duas horas. Um único episódio de compulsão alimentar não precisa se restringir a um contexto. Por exemplo, um indivíduo pode iniciar um comportamento de compulsão alimentar no restaurante e depois continuar a comer ao voltar para casa. Lanches contínuos de pequenas quantidades de alimento ao longo do dia não seriam considerados compulsão alimentar.

Uma ocorrência de consumo excessivo de alimento deve ser acompanhada por uma sensação de falta de controle (Critério A2) para ser considerada um episódio de compulsão alimentar. Um indicador da perda de controle é a incapacidade de evitar comer ou de parar de comer depois de começar. Alguns indivíduos descrevem uma qualidade dissociativa durante, ou depois de, episódios de compulsão alimentar. O prejuízo no controle associado à compulsão alimentar pode não ser absoluto; por exemplo, um indivíduo pode continuar a comer compulsivamente enquanto o telefone está tocando, mas vai parar se um conhecido ou o cônjuge entrar no recinto. Alguns indivíduos relatam que seus episódios de compulsão alimentar não são mais caracterizados por um sentimento agudo de perda de controle, e sim por um padrão mais generalizado de ingestão descontrolada. Diante do relato da desistência de controle da ingestão, a perda de controle deverá ser considerada presente. A compulsão alimentar também pode ser planejada, em alguns casos.

O tipo de alimento consumido durante episódios de compulsão alimentar varia tanto entre diferentes pessoas quanto em um mesmo indivíduo. A compulsão alimentar parece ser caracterizada mais por uma anormalidade na quantidade de alimento consumida do que pela fissura por um nutriente específico. Entretanto, durante episódios de compulsão alimentar, os indivíduos tendem a consumir alimentos que evitariam em outras circunstâncias.

Indivíduos com bulimia nervosa em geral sentem vergonha de seus problemas alimentares e tentam esconder os sintomas. A compulsão alimentar normalmente ocorre em segredo ou da maneira mais discreta possível. Com frequência continua até que o indivíduo esteja desconfortável ou até mesmo dolorosamente cheio. O antecedente mais comum da compulsão alimentar é o afeto negativo.

Outros gatilhos incluem fatores de estresse interpessoais; restrições dietéticas; sentimentos negativos relacionados ao peso corporal, à forma do corpo e a alimentos; e tédio. A compulsão alimentar pode minimizar ou aliviar fatores que precipitam o episódio a curto prazo, mas a autoavaliação negativa e a disforia com frequência são as consequências tardias.

Outro aspecto essencial da bulimia nervosa é o uso recorrente de comportamentos compensatórios inapropriados para impedir o ganho de peso (Critério B). Muitos indivíduos com bulimia nervosa empregam vários métodos para compensar a compulsão alimentar. O vômito autoinduzido, um tipo de comportamento purgativo, é o comportamento compensatório inapropriado mais comum. Os efeitos imediatos dos vômitos incluem alívio do desconforto físico e redução do medo de ganhar peso. Em alguns casos, vomitar torna-se um objetivo em si, e o indivíduo comerá excessiva e compulsivamente a fim de vomitar, ou vomitará depois de ingerir uma pequena quantidade de alimento. Indivíduos com bulimia nervosa podem usar uma variedade de métodos para induzir o vômito, incluindo o uso dos dedos ou instrumentos para estimular o reflexo do vômito. Geralmente se tornam peritos em induzir vômitos e acabam conseguindo vomitar quando querem. Raramente, consomem xarope de ipeca para induzir o vômito. Outros comportamentos purgativos após episódios de compulsão alimentar incluem uso indevido de laxantes e diuréticos e, em casos raros, de enemas, apesar de o último raramente ser o único método compensatório utilizado. Uma série de outros métodos compensatórios também pode ser usada em casos raros. As pessoas com esse transtorno podem tomar hormônio da tireoide em uma tentativa de evitar o ganho de peso. Aquelas com diabetes melito e bulimia nervosa podem omitir ou diminuir doses de insulina a fim de reduzir a metabolização do alimento consumido durante episódios de compulsão alimentar. Indivíduos com o transtorno, ainda, podem jejuar por um dia ou mais ou se exercitar excessivamente na tentativa de impedir o ganho de peso. O exercício pode ser considerado excessivo quando interfere de maneira significativa em atividades importantes, quando ocorre em horas inapropriadas ou em contextos inapropriados ou quando o indivíduo continua a se exercitar a despeito de uma lesão ou outras complicações médicas.

Indivíduos com bulimia nervosa colocam ênfase excessiva na forma do corpo ou em suas autoavaliações, e esses fatores em geral são extremamente importantes para determinar a autoestima da pessoa (Critério D). Eles podem lembrar muito os portadores de anorexia nervosa pelo medo de ganhar peso, pelo desejo de perder peso e pelo nível de insatisfação com o próprio corpo. Entretanto, um diagnóstico de bulimia nervosa não deve ser dado quando a perturbação só ocorrer durante episódios de anorexia nervosa (Critério E).

Características Associadas

Indivíduos com bulimia nervosa estão geralmente dentro da faixa normal de peso ou com sobrepeso (IMC > 18,5 kg/m^2 e < 30 em adultos). O transtorno ocorre, mas é incomum, entre indivíduos obesos. Entre os episódios de compulsão alimentar, indivíduos com bulimia nervosa costumam restringir seu consumo calórico total e optam, de preferência, por alimentos hipocalóricos ("dietéticos"), ao mesmo tempo que evitam alimentos que percebem como calóricos ou com potencial para desencadear compulsão alimentar.

Irregularidade menstrual ou amenorreia ocorrem com frequência em mulheres com bulimia nervosa; não está claro se tais perturbações estão relacionadas a oscilações no peso, a deficiências nutricionais ou a sofrimento emocional. Os distúrbios hidreletrolíticos decorrentes do comportamento purgativo são por vezes graves o suficiente para constituírem problemas clinicamente sérios. Complicações raras, porém fatais, incluem lacerações esofágicas, ruptura gástrica e arritmias cardíacas. Miopatias esqueléticas e cardíacas graves foram relatadas em indivíduos depois do uso repetido de xarope de ipeca para induzir o vômito. Indivíduos que abusam cronicamente de laxantes podem tornar-se dependentes do seu uso para estimular movimentos intestinais. Sintomas gastrintestinais costumam estar associados a bulimia nervosa, e prolapso retal já foi relatado entre indivíduos com esse transtorno.

Prevalência

De acordo com dois estudos epidemiológicos dos Estados Unidos realizados em amostras comunitárias, a prevalência de 12 meses de bulimia nervosa varia de 0,14 a 0,3%, com taxas muito mais altas em mulheres do que em homens (0 a 0,5% em mulheres; 0 a 0,1% em homens). A prevalência ao longo da vida varia de 0,28 a 1,0% (0,46 a 1,5% em mulheres e 0,05 a 0,08% em homens). Em um estudo com adolescentes de 13 a 18 anos, as taxas de prevalência ao longo da vida ficaram entre 1,3 e 0,5% para meninas e meninos, respectivamente.

Nos Estados Unidos, a prevalência de bulimia nervosa é similar entre todos os grupos étnico-raciais. Reportou-se uma maior prevalência em populações que vivem em países industrializados e de alta renda, como Estados Unidos, Canadá, Austrália, Nova Zelândia e muitos países europeus. Na maioria desses países a prevalência de bulimia nervosa é quase a mesma.

A prevalência de bulimia nervosa em algumas regiões da América Latina e do Oriente Médio é parecida com a da maioria dos países de alta renda. Parece que a prevalência de bulimia nervosa vem aumentando gradualmente em muitos países de baixa e média renda.

Desenvolvimento e Curso

A bulimia nervosa começa na adolescência ou na idade adulta jovem. A manifestação inicial antes da puberdade ou depois dos 40 anos é incomum. A compulsão alimentar com frequência começa durante ou depois de um episódio de dieta para perder peso. A vivência de múltiplos eventos estressantes na vida também pode precipitar o aparecimento de bulimia nervosa.

A perturbação do comportamento alimentar persiste por, no mínimo, muitos anos em uma porcentagem elevada de amostras clínicas. O curso pode ser crônico ou intermitente, com períodos de remissão alternando com recorrências de compulsão alimentar. Entretanto, durante o seguimento, os sintomas de muitos indivíduos parecem diminuir com ou sem tratamento, embora o tratamento nitidamente tenha impacto na evolução. Períodos de remissão acima de um ano estão associados a uma evolução de longo prazo mais favorável.

Um risco significativamente maior de mortalidade (por todas as causas e por suicídio) foi relatado para indivíduos com bulimia nervosa. A taxa de mortalidade bruta (proporção do número de mortes durante o ano em relação à população média) de bulimia nervosa é de aproximadamente 2% por década.

A alteração diagnóstica de bulimia nervosa inicial para anorexia nervosa ocorre em uma minoria dos casos (10 a 15%). Indivíduos que têm o diagnóstico alterado para anorexia nervosa geralmente voltam para bulimia nervosa ou têm múltiplas ocorrências de alternâncias entre esses dois transtornos. Um subgrupo de indivíduos com bulimia nervosa continua a manifestar compulsão alimentar, porém não se engaja mais em comportamentos compensatórios indevidos, e, portanto, seus sintomas satisfazem os critérios de transtorno de compulsão alimentar ou outro transtorno alimentar especificado. O diagnóstico deverá se basear na apresentação clínica atual (i.e., últimos três meses).

Fatores de Risco e Prognóstico

Temperamentais. Preocupações com o peso, baixa autoestima, sintomas depressivos, transtorno de ansiedade social e transtorno de ansiedade excessiva da infância estão associados a um risco maior de desenvolver bulimia nervosa.

Ambientais. Observou-se que a internalização de um ideal corporal magro aumenta o risco de desenvolver preocupações com o peso, o que, por sua vez, aumenta o risco de desenvolver bulimia nervosa. Indivíduos que sofreram abuso sexual ou físico na infância têm um risco maior de desenvolver o transtorno.

Genéticos e fisiológicos. Obesidade infantil e maturação puberal precoce aumentam o risco de bulimia nervosa. A transmissão familiar do transtorno pode estar presente, bem como vulnerabilidades genéticas para a perturbação.

Modificadores do curso. A gravidade da comorbidade psiquiátrica prediz uma evolução mais desfavorável de bulimia nervosa no longo prazo.

Questões Diagnósticas Relativas à Cultura

Apesar de os dados mostrarem que a prevalência de bulimia nervosa na comunidade não difere significativamente entre diferentes grupos étnico-raciais nos Estados Unidos, a busca por tratamento para bulimia nervosa é menor entre grupos étnicos negligenciados do que entre a população branca não latina.

Questões Diagnósticas Relativas ao Sexo e ao Gênero

A bulimia nervosa é muito mais comum entre meninas e mulheres do que em meninos e homens. Os últimos estão especialmente sub-representados nas amostras de indivíduos que buscam tratamento, por razões que ainda não foram examinadas sistematicamente.

Marcadores Diagnósticos

Não existe, atualmente, teste diagnóstico específico para bulimia nervosa. Porém, muitas anormalidades laboratoriais podem ocorrer como consequência de purgação e podem ajudar na confirmação do diagnóstico. Entre elas estão as anormalidades de fluidos e eletrólitos, como hipocalemia (que pode provocar arritmia cardíaca), hipocloremia e hiponatremia. A perda de ácido gástrico pelo vômito pode produzir alcalose metabólica (nível sérico de bicarbonato elevado), e a indução frequente de diarreia ou desidratação devido a abuso de laxantes e diuréticos pode causar acidose metabólica. Alguns indivíduos com bulimia nervosa exibem níveis ligeiramente elevados de amilase sérica, provavelmente refletindo aumento na isoenzima salivar.

O exame físico geralmente não revela achados físicos. Entretanto, a inspeção da boca pode revelar perda significativa e permanente do esmalte dentário, em especial das superfícies linguais dos dentes da frente devido aos vômitos recorrentes. Esses dentes podem lascar ou parecer desgastados, corroídos e esburacados. A frequência de cáries dentárias também pode ser maior. Em alguns indivíduos, as glândulas salivares, sobretudo as glândulas parótidas, podem ficar hipertrofiadas. Indivíduos que induzem vômitos estimulando manualmente o reflexo de vômito podem desenvolver calos ou cicatrizes na superfície dorsal da mão pelo contato repetido com os dentes. Miopatias esqueléticas e cardíacas graves foram descritas entre pessoas depois do uso repetido de xarope de ipeca para induzir vômitos.

Associação com Pensamentos ou Comportamentos Suicidas

O risco de suicídio é alto na bulimia nervosa. Uma revisão concluiu que um quarto a um terço dos indivíduos com bulimia nervosa tem ideação suicida, e aproximadamente 9 a 25% dos indivíduos com bulimia nervosa já tentaram se suicidar.

Consequências Funcionais da Bulimia Nervosa

Indivíduos com bulimia nervosa podem exibir uma gama de limitações funcionais associadas ao transtorno e apresentam uma menor qualidade de vida relacionada à saúde. Uma minoria de pessoas relata prejuízo grave no desempenho de papéis, sendo o domínio social da vida o mais provavelmente afetado de maneira adversa pela bulimia nervosa.

Diagnóstico Diferencial

Anorexia nervosa, tipo compulsão alimentar purgativa. Indivíduos cujo comportamento alimentar compulsivo ocorre apenas durante episódios de anorexia nervosa recebem o diagnóstico de anorexia nervosa tipo compulsão alimentar purgativa e não deverão receber o diagnóstico adicional de bulimia nervosa. Para aqueles com diagnóstico inicial de anorexia nervosa com compulsão alimentar purgativa, mas cuja apresentação não satisfaz mais os critérios plenos para anorexia nervosa tipo compulsão alimentar purgativa (p. ex., quando o peso é normal), um diagnóstico de bulimia nervosa só deverá ser dado quando todos os critérios desse transtorno tiverem sido preenchidos por no mínimo três meses.

Transtorno de compulsão alimentar. Alguns indivíduos apresentam compulsão alimentar, porém não adotam comportamentos compensatórios inapropriados regularmente. Nesses casos, o diagnóstico de transtorno de compulsão alimentar deve ser considerado.

Síndrome de Kleine-Levin. Em certas condições neurológicas e algumas condições médicas, como a síndrome de Kleine-Levin, existem comportamentos alterados de alimentação, mas os aspectos psicológicos característicos de bulimia nervosa, como preocupação excessiva com a forma e o peso corporais, não estão presentes.

Transtorno depressivo maior, com aspectos atípicos. A hiperfagia é comum no transtorno depressivo maior com aspectos atípicos, mas os indivíduos com esse transtorno não adotam comportamentos compensatórios indevidos e não exibem a preocupação excessiva com a forma e o peso corporais característica da bulimia nervosa. Se os critérios de ambos os transtornos forem satisfeitos, ambos os diagnósticos devem ser dados.

Transtorno da personalidade *borderline*. O comportamento de compulsão alimentar está incluso no critério de comportamento impulsivo que faz parte do transtorno da personalidade *borderline*. Se os critérios para transtorno da personalidade *borderline* e bulimia nervosa forem satisfeitos, então ambos os diagnósticos devem ser dados.

Comorbidade

A comorbidade com transtornos mentais é comum em indivíduos com bulimia nervosa, com a maioria sofrendo de pelo menos um outro transtorno mental e muitos sofrendo de múltiplas comorbidades. A comorbidade não se limita a algum subgrupo especial, mas passa por uma ampla gama de transtornos mentais. Existe uma frequência maior de sintomas depressivos (p. ex., sentimentos de desvalia) e transtornos bipolares e depressivos (sobretudo transtornos depressivos) em indivíduos com bulimia nervosa. Em muitos, a perturbação do humor começa concomitantemente ou em seguida ao desenvolvimento de bulimia nervosa, e os indivíduos afetados muitas vezes atribuem suas perturbações do humor a esse transtorno. Entretanto, em algumas pessoas, a perturbação do humor claramente precede o desenvolvimento de bulimia nervosa. Pode haver também frequência maior de sintomas de ansiedade (p. ex., medo de situações sociais) ou transtornos de ansiedade. Essas perturbações do humor e ansiedade com frequência cedem depois do tratamento efetivo para bulimia nervosa. A prevalência ao longo da vida de transtorno por uso de substâncias, particularmente transtorno por uso de álcool ou estimulantes, é de pelo menos 30% entre indivíduos com bulimia nervosa. O uso de estimulantes começa com frequência como uma tentativa de controlar o apetite e o peso. Uma porcentagem substancial de indivíduos com bulimia nervosa também apresenta aspectos da personalidade que satisfazem os critérios de um ou mais transtornos da personalidade, com mais frequência transtorno da personalidade *borderline*.

Transtorno de Compulsão Alimentar

Critérios Diagnósticos　　　　　　　　　　　　　　　　　　　　　　　F50.81

A. Episódios recorrentes de compulsão alimentar. Um episódio de compulsão alimentar é caracterizado pelos seguintes aspectos:
  1. Ingestão, em um período determinado (p. ex., dentro de cada período de duas horas), de uma quantidade de alimento definitivamente maior do que a maioria das pessoas consumiria no mesmo período sob circunstâncias semelhantes.
  2. Sensação de falta de controle sobre a ingestão durante o episódio (p. ex., sentimento de não conseguir parar de comer ou controlar o que e o quanto se está ingerindo).

B. Os episódios de compulsão alimentar estão associados a três (ou mais) dos seguintes aspectos:
  1. Comer mais rapidamente do que o normal.
  2. Comer até se sentir desconfortavelmente cheio.

3. Comer grandes quantidades de alimento na ausência da sensação física de fome.
4. Comer sozinho por vergonha do quanto se está comendo.
5. Sentir-se desgostoso de si mesmo, deprimido ou muito culpado em seguida.
C. Sofrimento marcante em virtude da compulsão alimentar.
D. Os episódios de compulsão alimentar ocorrem, em média, ao menos uma vez por semana durante três meses.
E. A compulsão alimentar não está associada ao uso recorrente de comportamento compensatório inapropriado como na bulimia nervosa e não ocorre exclusivamente durante o curso de bulimia nervosa ou anorexia nervosa.

Especificar se:
Em remissão parcial: Depois de terem sido previamente satisfeitos os critérios plenos do transtorno de compulsão alimentar, a hiperfagia ocorre em uma frequência média inferior a um episódio por semana por um período de tempo sustentado.
Em remissão completa: Depois de terem sido previamente satisfeitos os critérios plenos do transtorno de compulsão alimentar, nenhum dos critérios é mais satisfeito por um período de tempo sustentado.

Especificar a gravidade atual:
O nível mínimo de gravidade baseia-se na frequência de episódios de compulsão alimentar (ver a seguir). O nível de gravidade pode ser ampliado de maneira a refletir outros sintomas e o grau de incapacidade funcional.
Leve: 1 a 3 episódios de compulsão alimentar por semana.
Moderada: 4 a 7 episódios de compulsão alimentar por semana.
Grave: 8 a 13 episódios de compulsão alimentar por semana.
Extrema: 14 ou mais episódios de compulsão alimentar por semana.

Características Diagnósticas

A característica essencial do transtorno de compulsão alimentar são episódios recorrentes de compulsão alimentar que devem ocorrer, em média, ao menos uma vez por semana durante três meses (Critério D). Um "episódio de compulsão alimentar" é definido como a ingestão, em um período determinado, de uma quantidade de alimento definitivamente maior do que a maioria das pessoas consumiria em um mesmo período sob circunstâncias semelhantes (Critério A1). O contexto em que a ingestão ocorre pode afetar a estimativa do clínico quanto à ingestão ser ou não excessiva. Por exemplo, uma quantidade de alimento que seria considerada excessiva para uma refeição típica seria considerada normal durante uma refeição comemorativa ou nas festas de fim de ano. Um "período de tempo determinado" refere-se a um período delimitado, geralmente inferior a duas horas. Não é necessário que um episódio de compulsão alimentar se limite a um único contexto. Por exemplo, um indivíduo pode começar a comer compulsivamente em um restaurante e depois continuar a comer quando volta para casa. Lanches contínuos em pequenas quantidades de alimento ao longo do dia não seriam considerados compulsão alimentar.

Uma ocorrência de consumo excessivo de alimento deve ser acompanhada por uma sensação de falta de controle (Critério A2) para ser considerada um episódio de compulsão alimentar. Um indicador da perda de controle é a incapacidade de evitar comer ou de parar de comer depois de começar. Alguns indivíduos descrevem uma qualidade dissociativa durante ou depois de episódios de compulsão alimentar. O prejuízo no controle associado à compulsão alimentar pode não ser absoluto; por exemplo, um indivíduo pode continuar a comer compulsivamente enquanto o telefone está tocando, mas vai parar se um conhecido ou o cônjuge entrar no recinto. Alguns indivíduos relatam que seus episódios de compulsão alimentar não são mais caracterizados por um sentimento agudo de perda de controle, e sim por um padrão mais generalizado de ingestão descontrolada. Se relatarem que desistiram dos esforços para controlar a ingestão, a perda de controle ainda assim pode ser considerada presente. A compulsão alimentar também pode ser planejada, em alguns casos.

O tipo de alimento consumido durante episódios de compulsão alimentar varia tanto entre diferentes pessoas quanto em um mesmo indivíduo. A compulsão alimentar parece ser caracterizada mais por uma anormalidade na quantidade de alimento consumida do que pela fissura por um nutriente específico.

É preciso que a compulsão alimentar seja caracterizada por sofrimento marcante (Critério C) e pelo menos três dos seguintes aspectos: comer muito mais rapidamente do que o normal; comer até se sentir desconfortavelmente cheio; ingerir grandes quantidades de alimento sem estar com sensação física de fome; comer sozinho por vergonha do quanto se come; e sentir-se desgostoso de si mesmo, deprimido ou muito culpado em seguida (Critério B).

Indivíduos com transtorno de compulsão alimentar geralmente sentem vergonha de seus problemas alimentares e tentam ocultar os sintomas. A compulsão alimentar ocorre em segredo ou o mais discretamente possível. O antecedente mais comum da compulsão alimentar é o afeto negativo. Outros gatilhos incluem fatores de estresse interpessoais; restrições dietéticas; sentimentos negativos relacionados ao peso corporal, à forma do corpo e a alimentos; e tédio. A compulsão alimentar pode minimizar ou aliviar fatores que precipitam o episódio a curto prazo, mas a autoavaliação negativa e a disforia com frequência são as consequências tardias.

Características Associadas

O transtorno de compulsão alimentar ocorre em indivíduos de peso normal ou com sobrepeso e obesos. O transtorno é consistentemente associado ao sobrepeso e à obesidade em indivíduos que buscam tratamento. Contudo, é distinto da obesidade. A maioria dos indivíduos obesos não se envolve em compulsão alimentar recorrente. Além disso, comparados a indivíduos obesos de peso equivalente sem transtorno de compulsão alimentar, aqueles com o transtorno consomem mais calorias em estudos laboratoriais do comportamento alimentar e têm mais prejuízo funcional, qualidade de vida inferior, mais sofrimento subjetivo e maior comorbidade psiquiátrica.

Prevalência

De acordo com dois estudos epidemiológicos dos Estados Unidos realizados em amostras da comunidade, a prevalência de 12 meses de transtorno de compulsão alimentar varia de 0,44 a 1,2%, com taxas de duas a três vezes mais altas em mulheres do que em homens (0,6 a 1,6% em mulheres; 0,26 a 0,8% em homens). A prevalência ao longo da vida varia de 0,85 a 2,8% (1,25 a 3,5% em mulheres e 0,42 a 2,0% em homens).

Nos Estados Unidos, a prevalência de transtorno de compulsão alimentar é similar entre todos os grupos étnico-raciais.

O transtorno de compulsão alimentar tem uma prevalência similar na maioria dos países industrializados de alta renda, incluindo Estados Unidos, Canadá, muitos países europeus, Austrália e Nova Zelândia, com uma prevalência de 12 meses ficando entre 0,1 e 1,2%. Apesar de menos dados sobre populações de países de baixa e média renda estarem disponíveis, a prevalência do transtorno de compulsão alimentar em algumas regiões da América Latina parece ser pelo menos tão alta quanto nos Estados Unidos e na Europa. Os mexicanos americanos nos Estados Unidos têm uma maior prevalência de transtorno de compulsão alimentar do que os seus homólogos no México.

Desenvolvimento e Curso

Pouco se sabe a respeito do desenvolvimento do transtorno de compulsão alimentar. Tanto a compulsão alimentar quanto a perda de controle da ingestão sem consumo objetivamente excessivo ocorrem em crianças e estão associadas a maior gordura corporal, ganho de peso e mais sintomas psicológicos. A compulsão alimentar é comum em amostras de adolescentes e de universitários. A ingestão fora de controle ou a compulsão alimentar episódica podem representar uma fase prodrômica dos transtornos alimentares para alguns indivíduos.

A prática de fazer dieta segue o desenvolvimento de compulsão alimentar em muitos indivíduos com o transtorno (em contraste com a bulimia nervosa, na qual o hábito disfuncional de fazer dieta geralmente precede o início da compulsão alimentar). O transtorno começa, em geral, na adolescência ou na idade adulta jovem, mas pode ter início posteriormente, na idade adulta. Indivíduos com transtorno de compulsão alimentar que buscam tratamento costumam ser mais velhos do que aqueles com bulimia nervosa ou anorexia nervosa que buscam tratamento.

As taxas de remissão tanto em estudos do curso natural quanto nos de tratamento do transtorno são maiores para o transtorno de compulsão alimentar do que para bulimia ou anorexia nervosas. O curso do transtorno de compulsão alimentar é variável e ainda não é completamente conhecido, com pelo menos alguns indivíduos afetados mostrando uma trajetória de sintomas relativamente persistente, às vezes com relapsos e remissões, comparável à da bulimia nervosa em termos de gravidade e duração. A alteração diagnóstica de transtorno de compulsão alimentar para outros transtornos alimentares é incomum.

Fatores de Risco e Prognóstico

Genéticos e fisiológicos. O transtorno de compulsão alimentar parece comum em famílias, o que pode refletir influências genéticas adicionais.

Questões Diagnósticas Relativas à Cultura

As apresentações clínicas do transtorno de compulsão alimentar diferem entre grupos étnico-raciais nos Estados Unidos. Indivíduos negros podem relatar menos sintomas de estresse relacionados à compulsão alimentar e se apresentar para tratamento com maior frequência do que indivíduos brancos.

Associação com Pensamentos ou Comportamentos Suicidas

Ideação suicida foi observada em aproximadamente 25% dos indivíduos com transtorno de compulsão alimentar.

Consequências Funcionais do Transtorno de Compulsão Alimentar

O transtorno de compulsão alimentar está associado a uma gama de consequências funcionais, incluindo problemas no desempenho de papéis sociais, prejuízo da qualidade de vida e satisfação com a vida relacionada à saúde, maior morbidade e mortalidade médicas e maior utilização associada a serviços de saúde em comparação a controles pareados por índice de massa corporal. O transtorno pode estar associado também a um risco maior de ganho de peso e desenvolvimento de obesidade.

Diagnóstico Diferencial

Bulimia nervosa. O transtorno de compulsão alimentar tem em comum com a bulimia nervosa o comer compulsivo recorrente, porém difere desta última em alguns aspectos fundamentais. Em termos de apresentação clínica, o comportamento compensatório inapropriado recorrente (p. ex., purgação, exercício excessivo) visto na bulimia nervosa está ausente no transtorno de compulsão alimentar. Diferentemente de indivíduos com bulimia nervosa, aqueles com transtorno de compulsão alimentar não costumam exibir restrição dietética marcante ou mantida voltada para influenciar o peso e a forma corporais entre os episódios de comer compulsivo. Eles podem, no entanto, relatar tentativas frequentes de fazer dieta. O transtorno de compulsão alimentar também difere da bulimia nervosa em termos de resposta ao tratamento. As taxas de melhora são consistentemente maiores entre indivíduos com transtorno de compulsão alimentar do que entre aqueles com bulimia nervosa.

Obesidade. O transtorno de compulsão alimentar está associado a sobrepeso e obesidade, mas apresenta diversos aspectos-chave distintos da obesidade. Primeiramente, os níveis de supervalorização de peso e forma corporais são maiores em indivíduos obesos com o transtorno do que naqueles sem. Em segundo lugar, as taxas de comorbidade psiquiátrica são significativamente maiores entre indivíduos obesos com o transtorno comparados aos que não o têm. Por fim, o resultado de tratamentos psicológicos baseados em evidências para transtorno de compulsão alimentar frequentemente é mais bem-sucedido do que tratamentos para obesidade em indivíduos com obesidade e transtorno de compulsão alimentar comórbidos.

Transtornos bipolar e depressivo. Aumentos no apetite e ganho de peso estão inclusos nos critérios para episódio depressivo maior e nos especificadores de aspectos atípicos para transtornos depressivo e bipolar. O aumento da ingesta no contexto de um episódio depressivo maior pode ou não estar associado a perda de controle. Se todos os critérios para ambos os transtornos forem satisfeitos, ambos os diagnósticos podem ser dados. Compulsão alimentar e outros sintomas da ingestão desordenada são vistos em associação com transtorno bipolar. Se todos os critérios para ambos os transtornos forem preenchidos, ambos os diagnósticos deverão ser dados.

Transtorno da personalidade *borderline*. A compulsão alimentar está inclusa no critério de comportamento impulsivo que faz parte da definição do transtorno da personalidade *borderline*. Se todos os critérios de ambos os transtornos forem preenchidos, então os dois diagnósticos devem ser dados.

Comorbidade

O transtorno de compulsão alimentar está associado a comorbidade psiquiátrica significativa comparável à da bulimia nervosa e da anorexia nervosa. Os transtornos comórbidos mais comuns com transtorno de compulsão alimentar são transtorno depressivo maior e transtorno por uso de álcool. A comorbidade psiquiátrica está ligada à gravidade da compulsão alimentar, não ao grau de obesidade.

Outro Transtorno Alimentar Especificado

F50.89

Esta categoria aplica-se a apresentações em que sintomas característicos de um transtorno alimentar que causam sofrimento clinicamente significativo ou prejuízo no funcionamento social, profissional ou em outras áreas importantes da vida do indivíduo predominam, mas não satisfazem todos os critérios para qualquer transtorno na classe diagnóstica de transtornos alimentares. A categoria outro transtorno alimentar especificado é usada nas situações em que o clínico opta por comunicar a razão específica pela qual a apresentação não satisfaz os critérios para qualquer transtorno alimentar específico. Isso é feito por meio do registro de "outro transtorno alimentar especificado", seguido da razão específica (p. ex., "bulimia nervosa de baixa frequência").

Exemplos de apresentações que podem ser especificadas usando a designação "outro transtorno alimentar especificado" incluem os seguintes:

1. **Anorexia nervosa atípica:** Todos os critérios para anorexia nervosa são preenchidos, exceto que, apesar da perda de peso significativa, o peso do indivíduo está dentro ou acima da faixa normal. Indivíduos com anorexia nervosa atípica podem experimentar muitas das complicações fisiológicas associadas com a anorexia nervosa.
2. **Bulimia nervosa (de baixa frequência e/ou duração limitada):** Todos os critérios para bulimia nervosa são atendidos, exceto que a compulsão alimentar e comportamentos compensatórios indevidos ocorrem, em média, menos de uma vez por semana e/ou por menos de três meses.
3. **Transtorno de compulsão alimentar (de baixa frequência e/ou duração limitada):** Todos os critérios para transtorno de compulsão alimentar são preenchidos, exceto que a hiperfagia ocorre, em média, menos de uma vez por semana e/ou por menos de três meses.
4. **Transtorno de purgação:** Comportamento de purgação recorrente para influenciar o peso ou a forma do corpo (p. ex., vômitos autoinduzidos; uso indevido de laxantes, diuréticos ou outros medicamentos) na ausência de compulsão alimentar.
5. **Síndrome do comer noturno:** Episódios recorrentes de ingestão noturna, manifestados pela ingestão ao despertar do sono noturno ou pelo consumo excessivo de alimentos depois de uma refeição noturna. Há consciência e recordação da ingesta. A ingestão noturna não é mais bem explicada por influências externas, como mudanças no ciclo de sono-vigília do indivíduo, ou por normas sociais locais. A ingestão noturna causa sofrimento significativo e/ou prejuízo no funcionamento. O padrão desordenado de ingestão não é mais bem explicado por transtorno de compulsão alimentar ou outro transtorno mental, incluindo uso de substâncias, e não é atribuível a outro distúrbio médico ou ao efeito de uma medicação.

Transtorno Alimentar Não Especificado

F50.9

Esta categoria aplica-se a apresentações em que sintomas característicos de um transtorno alimentar que causam sofrimento clinicamente significativo ou prejuízo no funcionamento social, profissional ou em outras áreas importantes da vida do indivíduo predominam, mas não satisfazem todos os critérios para qualquer transtorno na classe diagnóstica de transtornos alimentares. A categoria transtorno alimentar não especificado é usada nas situações em que o clínico opta por *não* especificar a razão pela qual os critérios para um transtorno alimentar específico não são satisfeitos e inclui apresentações para as quais não há informações suficientes para que seja feito um diagnóstico mais específico (p. ex., em salas de emergência).

Transtornos da Eliminação

Os transtornos da eliminação envolvem a eliminação inapropriada de urina ou fezes e são habitualmente diagnosticados pela primeira vez na infância ou na adolescência. Esse grupo de transtornos inclui *enurese*, a eliminação repetida de urina em locais inapropriados, e *encoprese*, a eliminação repetida de fezes em locais inapropriados. São previstos subtipos para diferenciar micção noturna de diurna (i. e., durante as horas de vigília) para enurese e a presença ou ausência de constipação ou incontinência fecal para encoprese. Embora seja exigida uma idade mínima para o diagnóstico de ambos os transtornos, ele se baseia na idade do desenvolvimento, e não exclusivamente na idade cronológica. Os dois transtornos podem ser voluntários ou involuntários. Embora costumem ocorrer separadamente, também podem ser observados concomitantemente.

Enurese

Critérios Diagnósticos   F98.0

A. Eliminação repetida de urina na cama ou na roupa, voluntária ou involuntária.
B. O comportamento é clinicamente significativo conforme manifestado por uma frequência de no mínimo duas vezes por semana durante pelo menos três meses consecutivos ou pela presença de sofrimento clinicamente significativo ou prejuízo no funcionamento social, acadêmico (profissional) ou em outras áreas importantes da vida do indivíduo.
C. A idade cronológica mínima é de 5 anos (ou nível de desenvolvimento equivalente).
D. O comportamento não é atribuível aos efeitos fisiológicos de uma substância (p. ex., diurético, medicamento antipsicótico) ou a outra condição médica (p. ex., diabetes, espinha bífida, transtorno convulsivo).

Determinar o subtipo:
Exclusivamente noturna: Eliminação de urina apenas durante o sono noturno.
Exclusivamente diurna: Eliminação de urina durante as horas de vigília.
Noturna e diurna: Combinação dos dois subtipos.

Subtipos

O subtipo exclusivamente noturno da enurese, às vezes chamado de *enurese monossintomática,* é o mais comum e envolve incontinência apenas durante o sono noturno, geralmente durante o primeiro terço da noite. O subtipo exclusivamente diurno ocorre na ausência de enurese noturna e pode ser chamado simplesmente de *incontinência urinária*. Indivíduos com esse subtipo podem ser divididos em dois grupos. Indivíduos com "incontinência de urgência" têm sintomas de urgência urinária e instabilidade do detrusor, enquanto aqueles com "adiamento da micção" adiam conscientemente a micção até resultar em incontinência. O subtipo noturno e diurno é também conhecido como *enurese não monossintomática*.

Características Diagnósticas

A característica essencial da enurese é a eliminação repetida de urina durante o dia ou à noite na cama ou na roupa (Critério A). Essa eliminação é mais comumente involuntária, mas, às vezes, pode ser intencional. Para se qualificar para um diagnóstico de enurese, é preciso que a eliminação de urina ocorra no mínimo duas vezes por semana durante pelo menos três meses consecutivos ou que cause sofrimento clinicamente significativo ou prejuízo no funcionamento social, acadêmico (profissional) ou em outras áreas importantes da vida do indivíduo (Critério B). É preciso que o indivíduo tenha chegado a uma idade na qual se espera a continência (i. e., uma idade cronológica mínima de 5 anos ou, para crianças com atraso no desenvolvimento, uma idade mental mínima de 5 anos) (Critério C). A incontinência urinária não é atribuível aos efeitos fisiológicos de uma substância (p. ex., diurético, medicamento antipsicótico) ou a outra condição médica (p. ex., diabetes, espinha bífida, ureter ectópico em uma mulher, válvulas uretrais posteriores em um homem, transtorno convulsivo) (Critério D).

Características Associadas

Durante a enurese noturna, a eliminação ocorre ocasionalmente durante o sono de movimentos rápidos dos olhos (REM), e a criança talvez recorde um sonho que envolvia o ato de urinar. Durante a enurese diurna (em vigília), a criança adia a micção até ocorrer a incontinência, às vezes por relutância em usar o banheiro em virtude de ansiedade social ou por preocupação com atividades escolares ou lúdicas. Os eventos enuréticos normalmente ocorrem no início da tarde em dias escolares ou depois de voltar para casa. Crianças com problemas no funcionamento executivo e outros problemas neurológicos que podem estar associados a sintomas de comportamento disruptivo podem ter alto risco de incontinência urinária sem consciência sensorial. Não é incomum que crianças com incontinência urinária durante o dia e com o subtipo noturno e diurno tenham uma persistência de incontinência depois de tratamento apropriado de uma infecção associada.

Prevalência

A prevalência de incontinência diurna varia entre 3,2 e 9,0% para crianças de até 7 anos de idade, entre 1,1 e 4,2% para jovens de 11 a 13 anos de idade e entre 1,2 e 3,0% para adolescentes de 15 a 17 anos de idade. A prevalência de enurese noturna na comunidade diminui com a idade; em muitos contextos geográficos, incluindo os Estados Unidos, os Países Baixos e Hong Kong, a faixa fica entre 5 e 10% para crianças de até 5 anos de idade, 3 e 5% para crianças de 10 anos de idade, e próxima de 1% para indivíduos de 15 anos de idade ou mais. Meninos e membros de grupos socialmente oprimidos podem ter uma prevalência maior, como visto em crianças afro-americanas nos Estados Unidos e crianças turcas e marroquinas nos Países Baixos. O transtorno também pode apresentar maior prevalência em jovens com problemas de aprendizagem ou transtorno de déficit de atenção/hiperatividade.

Desenvolvimento e Curso

A enurese tem dois possíveis cursos: um tipo "primário", no qual o indivíduo nunca estabeleceu continência urinária, e um tipo "secundário", no qual a perturbação se desenvolve depois de um período de continência urinária estabelecida. Não há diferenças na prevalência de transtornos mentais comórbidos entre os dois tipos. Por definição, a enurese primária começa aos 5 anos de idade. A faixa etária mais comum de início da enurese secundária é entre 5 e 8 anos, mas ela pode ocorrer em qualquer idade. Depois dos 5 anos, a taxa de remissão espontânea é de 5 a 10% por ano. A maioria das crianças com o transtorno torna-se continente até a adolescência, mas em aproximadamente 1% dos casos o transtorno continua até a idade adulta. A enurese diurna é incomum depois dos 9 anos de idade. Enquanto a incontinência diurna ocasional não é incomum na infância intermediária, ela é substancialmente mais comum nos indivíduos que também apresentam problemas de saúde mental, incluindo problemas cognitivos e comportamentais. Quando a enurese persiste até o fim da infância ou adolescência, a incontinência pode acabar, mas a frequência urinária normalmente persiste e a incontinência pode voltar mais tarde na idade adulta em mulheres.

Fatores de Risco e Prognóstico

Um número de fatores de predisposição para disfunção da bexiga foi sugerido, incluindo atrasos no desenvolvimento e problemas neuropsiquiátricos.

Ambientais. Fatores reconhecidos por serem associados com disfunção da bexiga incluem demora para ir ao banheiro e estresse psicossocial.

Genéticos e fisiológicos. A enurese noturna é associada a um desequilíbrio entre a produção noturna de urina, a capacidade de armazenamento da bexiga durante a noite e a capacidade de acordar durante o sono. Distúrbios do processamento de sinais do sistema nervoso central e da rede de modo padrão estão, possivelmente, subjacentes a esses mecanismos. O aumento nos limiares de excitação não significa que as crianças durmam bem; na verdade, a qualidade do sono de crianças enuréticas frequentemente é ruim. A enurese noturna é um distúrbio heterogêneo em termos genéticos. A herdabilidade tem sido demonstrada em análises de famílias, de gêmeos e de segregação. O risco de enurese noturna na infância é 3,6 vezes maior na prole de mães enuréticas e 10,1 vezes maior na presença de incontinência urinária paterna. As magnitudes do risco de enurese noturna e incontinência diurna são semelhantes.

Questões Diagnósticas Relativas à Cultura

A enurese tem sido relatada em vários países europeus, africanos e asiáticos, bem como nos Estados Unidos. Em nível nacional, as taxas de prevalência são consideravelmente similares, e existe grande semelhança nas trajetórias de desenvolvimento encontradas em diferentes países. Pesquisas locais baseadas em escolas, no entanto, mostram ampla variação de prevalência de enurese noturna na África, no Sul da Ásia, na Europa e no Caribe (4 a 50%), pelo menos em parte devido à variação metodológica. As taxas muito altas de enurese em orfanatos e outras instituições residenciais não são explicadas pelo modo ou tempo inicial do treinamento esfincteriano das crianças.

Os contextos culturais afetam tanto o diagnóstico quanto a etiologia percebida da enurese. Por exemplo, a medicina chinesa tradicional atribui a enurese à deficiência de longo prazo do *yang* (energia masculina) do rim. O aumento do impacto da enurese infantil sobre os pais tem sido relatado em sociedades com limitações econômicas para os cuidados com a criança ou no contexto de políticas sociais que restringem o número de filhos (p. ex., a política do filho único da China), possivelmente levando a um maior risco de transtornos emocionais nos pais.

Questões Diagnósticas Relativas ao Sexo e ao Gênero

A enurese noturna é mais comum em homens do que em mulheres (em uma proporção de 2:1). Essa preponderância masculina é particularmente verdadeira em faixas etárias mais jovens, casos de menor gravidade e casos envolvendo enurese apenas à noite. Infecções do trato urinário são frequentemente associadas à enurese diurna, especialmente para mulheres. A incontinência diurna é mais comum entre mulheres do que entre homens, e a proporção aumenta com a idade. O risco relativo de ter um filho que desenvolva enurese é maior para pais com história de enurese do que para mães com a mesma história.

Consequências Funcionais da Enurese

O grau de prejuízo associado à enurese está relacionado a limitações nas atividades sociais da criança (p. ex., incapacidade de dormir fora de casa), efeitos na autoestima, nível de rejeição social pelos pares, além de raiva, punição e rejeição por parte dos cuidadores.

Diagnóstico Diferencial

Bexiga neurogênica ou outra condição médica. O diagnóstico de enurese não é feito na presença de bexiga neurogênica ou de qualquer outra condição estrutural (como válvula uretral posterior ou ureter ectópico) ou outra condição médica que cause poliúria ou urgência (p. ex., diabetes melito não tratado ou diabetes insípido) ou durante infecção aguda do trato urinário. Entretanto, um diagnóstico é compatível com tais condições se a incontinência urinária estiver regularmente presente antes do desenvolvimento de outra condição médica ou se persistir depois da instituição de tratamento apropriado da condição médica.

Efeitos colaterais de medicamentos. A enurese pode ocorrer durante o tratamento com medicamentos antipsicóticos, diuréticos ou outros medicamentos que podem induzir constipação, poliúria ou alterações no funcionamento executivo, os quais podem levar à incontinência. Nesse caso, o diagnóstico não deverá ser feito isoladamente, mas pode ser apontado como efeito colateral do medicamento. Entretanto, o diagnóstico de enurese pode ser feito se a incontinência urinária estiver presente regularmente antes do tratamento com o medicamento.

Comorbidade

Embora a maioria das crianças com enurese não tenha um transtorno mental comórbido, a prevalência de sintomas comportamentais e de desenvolvimento comórbidos é maior em crianças com enurese tanto noturna quanto diurna do que naquelas sem incontinência. Atrasos no desenvolvimento, incluindo atrasos nas habilidades de fala, linguagem, aprendizagem e motoras, também estão presentes em uma parcela de crianças com enurese. Encoprese e constipação estão presentes tanto na incontinência diurna quanto na noturna. A síndrome das pernas inquietas e as parassonias, como os transtornos do despertar do sono não REM (*rapid-eye movement*) (p. ex., sonambulismo e terror noturno), estão associados à enurese noturna. Adicionalmente, existe uma ligação entre enurese noturna e apneia do sono ou ronco pesado. Aproximadamente 50% das crianças com enurese com transtornos na respiração durante o sono deixam de ter os problemas de incontinência ao passar por uma adenotonsilectomia. Infecções do trato urinário são mais comuns em crianças com incontinência urinária diurna e enurese noturna não sintomática, especialmente do subtipo diurno, do que em crianças continentes.

Encoprese

Critérios Diagnósticos   F98.1

A. Eliminação intestinal repetida de fezes em locais inapropriados (p. ex., roupa, chão), voluntária ou involuntária.
B. Pelo menos um evento desse tipo ocorre a cada mês por pelo menos três meses.
C. A idade cronológica mínima é de 4 anos (ou nível de desenvolvimento equivalente).
D. O comportamento não é atribuível aos efeitos fisiológicos de uma substância (p. ex., laxantes) ou a outra condição médica, exceto por um mecanismo envolvendo constipação.

Determinar o subtipo:

Com constipação e incontinência por extravasamento: Há evidência de constipação no exame físico ou pela história.

Sem constipação e incontinência por extravasamento: Não há evidência de constipação no exame físico ou pela história.

Subtipos

As fezes na encoprese, no subtipo "com constipação e incontinência por extravasamento", são caracteristicamente (mas não invariavelmente) malformadas, e o extravasamento pode ser de infrequente a contínuo, ocorrendo sobretudo durante o dia e raramente durante o sono. Apenas parte das fezes é evacuada durante a ida ao banheiro, e a incontinência cede depois do tratamento da constipação.

No subtipo "sem constipação e incontinência por extravasamento", é provável que as fezes tenham forma e consistência normais, e a defecação é intermitente. As fezes podem ser depositadas em um local proeminente. Isso geralmente está associado à presença de transtorno de oposição desafiante ou transtorno da conduta ou pode ser consequência de masturbação anal. A incontinência fecal sem constipação parece ser menos comum do que a incontinência com constipação.

Características Diagnósticas

O aspecto característico da encoprese é a eliminação repetida de fezes em locais inapropriados (p. ex., roupa ou chão) (Critério A). Com mais frequência, essa eliminação é involuntária, porém ocasionalmente pode ser intencional. É preciso que o evento ocorra no mínimo uma vez por mês durante pelo menos três meses (Critério B) e que a idade cronológica da criança seja de no mínimo 4 anos (ou, no caso de crianças com atraso no desenvolvimento, a idade mental deve ser de pelo menos 4 anos) (Critério C). A incontinência fecal não deve ser atribuível exclusivamente aos efeitos fisiológicos de uma substância (p. ex., laxantes) ou a outra condição médica, exceto por um mecanismo envolvendo constipação (Critério D).

Quando a eliminação de fezes é involuntária e não intencional, com frequência está relacionada a constipação, impactação e retenção com extravasamento subsequente. A constipação pode se desenvolver por razões psicológicas (p. ex., ansiedade a respeito de defecar em um determinado local, um padrão mais generalizado de comportamento ansioso ou opositivo), levando à evitação de defecar e retenção voluntária de fezes. Predisposições fisiológicas à constipação incluem uma força de defecação ineficaz ou uma dinâmica de defecação paradoxal, com contração em vez de relaxamento do esfíncter externo ou do assoalho pélvico durante o esforço para defecar. Hábitos alimentares (como ingestão insuficiente de líquidos), doença celíaca, hipotireoidismo ou efeito colateral de medicamentos também podem induzir constipação. Uma vez desenvolvida, a constipação pode ser complicada por fissura anal, defecação dolorosa e mais retenção fecal. A consistência das fezes pode variar. Em alguns indivíduos, podem ter consistência normal ou quase normal. Em outros – como os que sofrem de incontinência por extravasamento secundário a retenção fecal –, podem ser líquidas.

Características Associadas

A criança com encoprese frequentemente se sente envergonhada e pode desejar evitar situações (p. ex., acampamento, escola) que possam causar constrangimentos. O grau de prejuízo depende do efeito na autoestima da criança, do nível de rejeição social pelos pares e da raiva, punição e rejeição por parte dos cuidadores. Sujar-se com fezes pode ser um ato deliberado ou acidental, resultando da tentativa da criança de limpar ou esconder fezes que foram evacuadas involuntariamente. Quando a incontinência é claramente deliberada, aspectos do transtorno de oposição desafiante ou do transtorno da conduta podem também estar presentes. Muitas crianças com encoprese e constipação crônica também apresentam sintomas de enurese e podem ter refluxo vesicoureteral, que pode levar a infecções urinárias crônicas, cujos sintomas podem ceder com o tratamento da constipação.

Prevalência

Estima-se que a maioria das crianças com mais de 4 anos de idade com encoprese têm o subtipo "com constipação e incontinência por extravasamento". A encoprese afeta de 1 a 4% das crianças em países de alta renda, enquanto em alguns países asiáticos (Irã, Coreia do Sul e Sri Lanka) a prevalência é de 2 a 8%. A encoprese é mais prevalente entre crianças de 4 a 6 anos (> 4%) do que entre crianças de 10 a 12 anos (> 2%); a prevalência também é mais alta entre crianças que sofrem abuso ou negligência e jovens em contextos de baixa renda.

Desenvolvimento e Curso

A encoprese não é diagnosticada até que a criança atinja uma idade cronológica mínima de 4 anos (ou, no caso de crianças com atraso no desenvolvimento, uma idade mental de no mínimo 4 anos). O treinamento inadequado do controle esfincteriano e estresses psicológicos (p. ex., entrada na escola, nascimento de irmão) podem ser fatores predisponentes. Dois tipos de curso foram descritos: um tipo "primário", no qual o indivíduo nunca estabelece a continência fecal, e um tipo "secundário", no qual a perturbação se desenvolve depois de um período de continência fecal estabelecida. A encoprese pode persistir, com exacerbações intermitentes, por anos.

Fatores de Risco e Prognóstico

A defecação dolorosa pode levar à constipação e a um ciclo de comportamentos de retenção que tornam a encoprese mais provável. Sexo masculino e idade anterior à adolescência são fatores de risco para encoprese. Um número de fatores contribui para o desenvolvimento de incontinência fecal, incluindo ansiedade, depressão, transtornos comportamentais, estressores psicológicos (p. ex., *bullying* ou mal desempenho escolar) e *status* socioeconômico mais baixo.

Questões Diagnósticas Relativas à Cultura

Diferenças nos tipos de alimentos e bebidas ingeridos em diferentes culturas, condições climáticas quentes em países tropicais e adversidades psicossociais podem influenciar a incidência de constipação, dor abdominal inexplicável e retenção fecal que levam à encoprese. Em algumas culturas, os pais da criança com a condição podem não buscar assistência médica por causa de razões socioculturais. Por exemplo, pais turcos e marroquinos nos Países Baixos podem não reportar a encoprese por causa de preocupações religiosas em relação à impuridade das fezes e da urina.

Questões Diagnósticas Relativas ao Sexo e ao Gênero

Em crianças com menos de 5 anos de idade, a proporção entre os gêneros parece ser igual, mas a encoprese tende a ser mais comum em meninos do que em meninas entre crianças mais velhas, com uma proporção que varia ao redor do mundo (em estudos de base comunitária e hospitalar) de 2:1 (nos Estados Unidos) até 6:1.

Marcadores Diagnósticos

O diagnóstico de encoprese é um diagnóstico clínico baseado na avaliação física e na história do paciente e geralmente não exige nenhum teste diagnóstico. A detecção de uma impactação fecal retal pelo toque retal apoiaria o diagnóstico de encoprese com constipação e incontinência por extravasamento. Apesar de não indicada para o diagnóstico de encoprese, uma radiografia abdominal demonstrando a impactação fecal também serviria para apoiar o diagnóstico de encoprese com constipação e incontinência por extravasamento. O teste de trânsito colônico, que normalmente envolve a ingestão de marcadores radiopacos seguidos de imagem abdominal para avaliar o tempo de trânsito colônico, pode ajudar a diferenciar entre encoprese com ou sem constipação e incontinência por extravasamento. Imagens abdominais demonstrando retenção de marcadores radiopacos sugerem encoprese com constipação e incontinência por extravasamento, enquanto a evacuação imediata de marcadores radiopacos apoiaria o diagnóstico de encoprese sem constipação e incontinência por extravasamento. Em certas crianças, o teste de manometria anorretal pode ser útil para entender melhor os fatores fisiológicos que podem estar contribuindo para a encoprese. A manometria anorretal ajuda na avaliação da função e sensação anorretal. Em crianças com sintomas ou sinais refratários que sugerem a presença de uma condição médica subjacente que leva à incontinência fecal, uma avaliação mais profunda é indicada. Essa avaliação deve servir para excluir outras condições médicas.

Consequências Funcionais da Encoprese

A encoprese é associada com uma diminuição significativa na qualidade de vida relacionada à saúde e ao funcionamento familiar, particularmente para crianças mais velhas.

Diagnóstico Diferencial

Um diagnóstico de encoprese na presença de outra condição médica é adequado apenas se o mecanismo envolver constipação que não possa ser explicada por outras condições médicas. Incontinência fecal relacionada a outras condições médicas (p. ex., diarreia crônica, espinha bífida, estenose anal) não justificaria um diagnóstico de encoprese do DSM-5.

Comorbidade

A enurese frequentemente está presente em crianças com encoprese, particularmente naquelas com encoprese sem constipação e incontinência por extravasamento.

Outro Transtorno da Eliminação Especificado

Esta categoria aplica-se a apresentações em que sintomas característicos de um transtorno da eliminação que causam sofrimento clinicamente significativo ou prejuízo no funcionamento social, profissional ou em outras áreas importantes da vida do indivíduo predominam, mas não satisfazem todos os critérios para qualquer transtorno na classe diagnóstica de transtornos da eliminação. A categoria outro transtorno da eliminação especificado é usada nas situações em que o clínico opta por comunicar a razão específica pela qual a apresentação não satisfaz os critérios para qualquer transtorno da eliminação específico. Isso é feito por meio do registro de "outro transtorno da eliminação especificado", seguido pela razão específica (p. ex., "enurese de baixa frequência").

Nota para codificação: Código **N39.498** para outro transtorno da eliminação especificado com sintomas urinários; **R15.9** para outro transtorno da eliminação especificado com sintomas fecais.

Transtorno da Eliminação Não Especificado

Esta categoria aplica-se a apresentações em que sintomas característicos de um transtorno da eliminação que causam prejuízo no funcionamento social, profissional ou em outras áreas importantes da vida do indivíduo predominam, mas não satisfazem todos os critérios para qualquer transtorno na classe diagnóstica de transtornos da eliminação. A categoria transtorno da eliminação não especificado é usada nas situações em que o clínico opta por *não* especificar a razão pela qual os critérios para um transtorno da eliminação específico não são satisfeitos e inclui apresentações para as quais não há informações suficientes para que seja feito um diagnóstico mais específico (p. ex., em salas de emergência).

Nota para codificação: Código **R32** para transtorno da eliminação não especificado com sintomas urinários; **R15.9** para transtorno da eliminação não especificado com sintomas fecais.

Transtornos do Sono-Vigília

A classificação dos transtornos do sono-vigília do DSM-5 destina-se ao uso de clínicos de saúde mental e de clínicos gerais (médicos que cuidam de pacientes adultos, geriátricos e pediátricos). Os transtornos do sono-vigília abrangem 10 transtornos ou grupos de transtornos: transtorno de insônia, transtorno de hipersonolência, narcolepsia, transtornos do sono relacionados à respiração, transtorno do sono-vigília do ritmo circadiano, transtornos de despertar do sono não REM (NREM), transtorno do pesadelo, transtorno comportamental do sono REM, síndrome das pernas inquietas e transtorno do sono induzido por substância/medicamento. Geralmente, os indivíduos com esses tipos de transtorno apresentam queixas de insatisfação envolvendo a qualidade, o tempo e a quantidade de sono. O sofrimento e o prejuízo resultantes durante o dia são características centrais compartilhadas por todos esses transtornos.

O objetivo da organização deste capítulo é facilitar o diagnóstico diferencial de queixas envolvendo o sono-vigília e esclarecer o momento mais adequado para encaminhar o paciente a um especialista a fim de que sejam feitos uma avaliação adicional e o planejamento do tratamento. A nosologia dos transtornos do sono do DSM-5 utiliza uma abordagem simples e bastante útil do ponto de vista clínico, ao mesmo tempo que reflete os avanços científicos em epidemiologia, genética, fisiopatologia, avaliação e pesquisas com intervenções que ocorreram a partir do DSM-IV. A abordagem usada na classificação dos transtornos do sono-vigília no DSM-5 deve ser analisada no contexto de visão "agrupar *versus* dividir", para facilitar a compreensão. Por exemplo, em algumas categorias (p. ex., transtorno de insônia), foi adotada uma abordagem de "agrupar" (i. e., três categorias que estavam separadas no DSM-IV – insônia com outros transtornos mentais, insônia com outras condições médicas e insônia com outros transtornos do sono – todas incluídas na categoria única de insônia como especificadores), enquanto em outras (p. ex., narcolepsia), foi adotada uma abordagem de "dividir" (i. e., há quatro subtipos de narcolepsia codificados separadamente, como o tipo 1 com cataplexia ou com deficiência de hipocretina, e o tipo 2 sem cataplexia e sem deficiência de hipocretina ou hipocretina não medida), refletindo a disponibilidade de validadores derivados de pesquisas epidemiológicas, neurobiológicas ou com intervenções.

Como o DSM-5 é destinado ao uso por clínicos de saúde mental e clínicos gerais que não são especialistas em medicina do sono, o DSM-5 apresenta um esforço para simplificar a classificação dos transtornos do sono-vigília e, como tal, agrega diagnósticos com características mais amplas e menos diferenciadas. Já a terceira edição da *Classificação internacional dos distúrbios do sono* (CIDS-3) elabora vários subtipos diagnósticos, refletindo a ciência e as opiniões da comunidade de especialistas do sono, tendo sido preparada com foco nesse grupo de profissionais.

A abordagem mais simples e menos diferenciada ao diagnóstico dos transtornos do sono-vigília no DSM-5 apresenta confiabilidade superior entre avaliadores, bem como validade convergente, discriminante e de face. O texto que acompanha cada grupo de critérios diagnósticos estabelece vínculos com o transtorno correspondente na CIDS-3.

O campo da medicina de transtornos do sono tem progredido nessa direção desde a publicação do DSM-IV. O uso de validadores biológicos está agora incorporado na classificação do DSM-5 de transtornos do sono-vigília, particularmente para transtornos de sonolência excessiva, como a narcolepsia, para os quais os valores da imunorreatividade da hipocretina-1 no líquido cerebrospinal podem ser diagnósticos; para transtornos do sono relacionados à respiração, para os quais são indicados estudos formais do sono (i. e., polissonografia); assim como para a síndrome das pernas inquietas, que, com frequência, pode coexistir com movimentos periódicos dos membros durante o sono, detectáveis pela polissonografia.

Coocorrência de Transtornos e Diagnóstico Diferencial

Com frequência, os transtornos do sono são acompanhados de depressão, ansiedade e alterações cognitivas, que deverão ser incluídas no planejamento e no gerenciamento do tratamento. Além disso, os transtornos persistentes do sono (tanto insônia como sonolência excessiva) são fatores de risco estabelecidos para o desenvolvimento subsequente de transtornos mentais (incluindo transtornos por uso e não uso de substâncias) e outras condições médicas. Eles podem também representar uma expressão prodrômica de um episódio de transtorno mental, possibilitando uma intervenção precoce para prevenir ou atenuar um episódio completo.

O diagnóstico diferencial de queixas relacionadas ao sono-vigília exige o uso de abordagens multidimensionais, levando-se em consideração a possível coexistência de condições médicas, que são a regra e não a exceção. As perturbações do sono são indicadores clínicos úteis de condições clínicas que, com frequência, coexistem com depressão e outros transtornos mentais comuns. Transtornos do sono relacionados à respiração, distúrbios cardíacos e pulmonares (p. ex., insuficiência cardíaca congestiva, doença pulmonar obstrutiva crônica), distúrbios neurodegenerativos (p. ex., doença de Alzheimer) e distúrbios do sistema musculoesquelético (p. ex., osteoartrite) são as condições que mais se destacam entre essas comorbidades. Esses distúrbios não apenas perturbam o sono como também podem se agravar durante ele (p. ex., apneias prolongadas ou arritmias eletrocardiográficas durante o sono REM; despertares que causam confusão em pacientes portadores de transtorno neurocognitivo maior; convulsões em pessoas que sofrem convulsões parciais complexas). Com frequência, o transtorno comportamental do sono REM é um indicador precoce de distúrbios neurodegenerativos (alfa-sinucleinopatias), como a doença de Parkinson. Por todas essas razões – relacionadas ao diagnóstico diferencial, à comorbidade clínica e à simplificação do planejamento do tratamento –, os transtornos do sono foram incluídos no DSM-5.

Principais Conceitos e Termos

Quatro estágios do sono distintos podem ser medidos por polissonografia: sono REM e três estágios do sono não REM (N1, N2 e N3).

- O sono REM, durante o qual ocorre a maioria dos sonhos semelhantes a uma história, ocupa cerca de 20 a 25% do sono total.
- O estágio 1 do sono não REM (N1) é uma transição da vigília para o sono e ocupa cerca de 5% do tempo de sono em adultos saudáveis.
- O estágio 2 do sono não REM (N2) é caracterizado por formas de ondas eletroencefalográficas específicas (fusos de sono e complexos K) e ocupa cerca de 50% do tempo de sono.
- O estágio 3 do sono não REM (N3) (também conhecido como sono de ondas lentas) é o nível mais profundo do sono e ocupa cerca de 20% do tempo de sono em adultos mais jovens saudáveis.

Esses três estágios do sono têm uma organização temporal característica durante a noite. N3 tende a ocorrer do primeiro terço à metade da noite e sua duração aumenta em resposta à privação de sono. O sono REM ocorre ciclicamente durante a noite, alternando com o sono não REM aproximadamente a cada 80 a 100 minutos. Os períodos de sono REM aumentam de duração com a aproximação da manhã.

O sono humano também varia caracteristicamente ao longo do ciclo de vida. Depois de atingir relativa estabilidade com grandes quantidades de sono de ondas lentas na infância e no início da adolescência, a continuidade e a profundidade do sono se deterioram ao longo da vida adulta. Essa deterioração é refletida por aumento da vigília e do sono N1 e redução do sono N3. Por isso, a idade deve ser levada em consideração no diagnóstico de um transtorno do sono em qualquer indivíduo.

Polissonografia é o monitoramento de múltiplos parâmetros eletrofisiológicos durante o sono. A maioria dos estudos polissonográficos são conduzidos durante o horário de sono habitual do indivíduo – isto é, à noite. Entretanto, também são usados estudos polissonográficos durante o dia para quantificar a sonolência diurna. O procedimento diurno mais comum é o teste de latência múltipla do sono, em que o indivíduo é instruído a se deitar em um quarto escuro e não resistir em adormecer; esse protocolo é repetido cinco vezes durante o dia. A quantidade de tempo necessária para conciliar o sono (latência do sono) é medida em cada ensaio e é usada como um índice de sonolência fisiológica.

A seguinte terminologia padrão para medições polissonográficas é usada durante o texto neste capítulo, e outros termos fornecem contexto para a discussão do capítulo:

- *Continuidade do sono* refere-se ao equilíbrio geral entre sono e vigília durante uma noite de sono. "Melhor" continuidade do sono indica sono consolidado com pouca vigília ou fragmentação; "pior" continuidade do sono indica sono interrompido com mais vigília e fragmentação.
- As medições específicas da continuidade do sono incluem a *latência do sono* – a quantidade de tempo necessária para adormecer (expressa em minutos); *tempo de vigília após o início do sono* – a quantidade de tempo em vigília entre o início do sono e o despertar final (expressa em minutos); o *número de despertares*; e *eficiência do sono* – a razão entre o tempo real adormecido e o tempo passado no leito (expressa como uma porcentagem, com os números mais elevados indicando melhor continuidade do sono).
- *Arquitetura do sono* refere-se à quantidade e à distribuição dos estágios do sono específicos. As medições da arquitetura do sono incluem as quantidades absolutas do sono REM e cada estágio do sono não REM (em minutos), a quantidade relativa de sono REM e estágios do sono não REM (expressas como uma porcentagem do tempo de sono total) e a latência entre a fase inicial do sono e o primeiro período do sono REM (*latência REM*). Quando a latência até o início do sono REM é inferior a 15 minutos, são empregados os termos *REM de início do sono e período* e *REM de início do sono* (*sleep onset REM period* – SOREMP).

Associação com Pensamentos ou Comportamentos Suicidas

Uma revisão de múltiplos estudos encontrou que o sintoma de insônia aumenta o risco de pensamentos suicidas, comportamentos suicidas, mesmo após ajuste para depressão, e que pesadelos aumentam o risco de pensamentos e comportamentos suicidas. Em um estudo com universitários, 31,3% dos que apresentavam problemas de sono tinham pensamentos suicidas e quase todos (82,7%) os indivíduos com pensamentos suicidas tinham problemas de sono. Uma revisão e declaração de consenso da American Academy of Sleep Medicine (AASM) concluiu que, em adolescentes, tempo de sono inferior a 8 horas está associado a maior risco de autolesão, pensamentos e comportamentos suicidas.

Transtorno de Insônia

Critérios Diagnósticos   F51.01

A. Queixas de insatisfação predominantes com a quantidade ou a qualidade do sono associadas a um (ou mais) dos seguintes sintomas:
1. Dificuldade para iniciar o sono. (Em crianças, pode se manifestar como dificuldade para iniciar o sono sem intervenção de cuidadores.)
2. Dificuldade para manter o sono, que se caracteriza por despertares frequentes ou por problemas para retornar ao sono depois de cada despertar. (Em crianças, pode se manifestar como dificuldade para retornar ao sono sem intervenção de cuidadores.)
3. Despertar antes do horário habitual com incapacidade de retornar ao sono.

B. A perturbação do sono causa sofrimento clinicamente significativo e prejuízo no funcionamento social, profissional, educacional, acadêmico, comportamental ou em outras áreas importantes da vida do indivíduo.

C. As dificuldades relacionadas ao sono ocorrem pelo menos três noites por semana.

D. As dificuldades relacionadas ao sono permanecem durante pelo menos três meses.
E. As dificuldades relacionadas ao sono ocorrem a despeito de oportunidades adequadas para dormir.
F. A insônia não é mais bem explicada ou não ocorre exclusivamente durante o curso de outro transtorno do sono-vigília (p. ex., narcolepsia, transtorno do sono relacionado à respiração, transtorno do sono-vigília do ritmo circadiano, parassonia).
G. A insônia não é atribuída aos efeitos fisiológicos de alguma substância (p. ex., abuso de drogas ilícitas, medicamentos).
H. A coexistência de transtornos mentais e de condições médicas não explica adequadamente a queixa predominante de insônia.

Especificar se:
Com transtorno mental, incluindo transtornos por de substâncias.
Com condição médica
Com outro transtorno do sono
Nota para codificação: O código F51.01 aplica-se a todos os três especificadores. Codificar também o transtorno mental associado relevante, condição médica ou qualquer outro transtorno do sono imediatamente depois do código do transtorno de insônia, a fim de indicar a associação.

Especificar se:
Episódico: Os sintomas duram pelo menos um mês, porém menos de três meses.
Persistente: Os sintomas duram três meses ou mais.
Recorrente: Dois (ou mais) episódios dentro do espaço de um ano.

Nota: Insônia aguda e insônia de curto prazo (p. ex., sintomas durando menos de três meses, porém que atendem todos os critérios relacionados a frequência, intensidade, sofrimento e/ou prejuízos) devem ser codificadas como outro transtorno de insônia especificado.

Nota: O diagnóstico do transtorno de insônia poderá ser obtido se ocorrer como condição independente ou se for comórbido com outro transtorno mental (p. ex., transtorno depressivo maior), condição médica (p. ex., dor) ou qualquer outro transtorno do sono (p. ex., transtorno do sono relacionado à respiração). Por exemplo, a insônia poderá desenvolver seu próprio curso com algumas características de ansiedade e depressão, porém sem atender aos critérios de nenhum transtorno mental. A insônia pode manifestar-se também como a característica clínica de qualquer transtorno mental predominante. Insônia persistente é um fator de risco para depressão, transtornos de ansiedade e transtorno por uso de álcool e é um sintoma residual comum após o tratamento para essas condições. No caso de insônia comórbida com um transtorno mental, o tratamento também pode focar nas duas condições. Com frequência, levando-se em consideração esses cursos distintos, é impossível estabelecer a natureza precisa da relação entre essas entidades clínicas, e, além disso, essa relação poderá se alterar ao longo do tempo. Portanto, na presença de insônia e de um transtorno comórbido, não é necessário estabelecer uma relação causal entre as duas condições. Ao contrário, o diagnóstico do transtorno de insônia é feito com especificação simultânea das condições clínicas comórbidas. Um diagnóstico concomitante de insônia deve ser somente considerado quando a insônia for suficientemente grave para justificar atenção clínica independente; caso contrário, não é necessário fazer diagnósticos separados.

Procedimentos para Registro

Os especificadores "com transtorno mental, incluindo transtornos por uso de substâncias", "com condição médica" e "com outro transtorno do sono" estão disponíveis para que o clínico registre comorbidades clinicamente relevantes. Nesses casos, registrar F51.01 transtorno de insônia, com [nome da(s) condição(ões) ou transtorno(s) comórbido(s)], seguido pelo(s) código(s) diagnóstico(s) das condições ou transtornos comórbidos (p. ex., F51.01 transtorno de insônia, com transtorno devido ao uso de cocaína, moderado e neuralgia do trigêmeo; F14.20 transtorno devido ao uso de cocaína, moderado; G50.0 neuralgia do trigêmeo).

Características Diagnósticas

A característica essencial do transtorno de insônia é a insatisfação com a quantidade ou a qualidade do sono e queixas de dificuldade para iniciar ou manter o sono. As queixas de sono são acompanhadas de sofrimento clinicamente significativo ou prejuízo no funcionamento social, profissional ou em outras áreas importantes da vida do indivíduo. A perturbação do sono pode ocorrer durante o curso de outro transtorno mental ou condição médica ou de forma independente.

Diferentes manifestações de insônia podem ocorrer em horários distintos do período de sono. *Insônia na fase inicial do sono* (ou *insônia inicial*) envolve a dificuldade em conciliar o sono na hora de dormir. *Insônia de manutenção do sono* (ou *insônia intermediária*) caracteriza-se por despertares noturnos frequentes ou prolongados. *Insônia terminal* envolve o despertar antes do horário habitual e a incapacidade para retornar ao sono. A dificuldade em manter o sono é o sintoma mais comum de insônia, afetando cerca de 60% daqueles com insônia, seguida por despertar antes do horário habitual e dificuldade em conciliar o sono, de acordo com uma amostra nacional norte-americana de membros de planos de saúde. A apresentação mais comum é uma combinação desses sintomas. Com frequência, o tipo específico de queixa de sono varia ao longo do tempo. Indivíduos que se queixam de dificuldade em conciliar o sono em um determinado momento poderão, mais tarde, queixar-se da dificuldade em manter o sono, e vice-versa. Os sintomas das dificuldades em conciliar o sono e em mantê-lo poderão ser quantificados pelos relatos retrospectivos de cada indivíduo, por diários de sono em que as informações são coletadas prospectivamente, ou por quaisquer outros métodos, tais como actigrafia ou polissonografia. Entretanto, o diagnóstico de transtorno de insônia se baseia na percepção individual subjetiva do sono ou no relato de um cuidador. Geralmente, os relatos subjetivos de indivíduos com transtorno de insônia indicam latências do sono mais prolongadas, mais tempo de vigília durante a noite e menos tempo de sono total do que os dados objetivos (p. ex., polissonográficos) demonstram. As razões para essa discrepância não são bem entendidas, mas acredita-se que perturbações na neurofisiologia subjacente decorrentes da hiperexcitação ou da ativação cortical desempenham um papel importante.

Sono não reparador, uma queixa de má qualidade do sono pela qual o indivíduo se sente cansado ao levantar-se a despeito do tempo adequado de duração do sono, geralmente é uma queixa comum relacionada ao sono que ocorre em associação com a dificuldade em conciliar ou em manter o sono; com menos frequência, pode ser isolada. A relação precisa do sono não reparador isolado com o transtorno de insônia não é clara. A prevalência de sono não restaurador isolado foi estimada em cerca de 5% e, ao contrário das queixas de insônia, é mais comumente relatada em indivíduos mais jovens. Existem também relatos dessa queixa em associação com outros transtornos do sono (p. ex., transtorno do sono relacionado à respiração). Nas situações em que uma queixa de sono não reparador ocorrer isoladamente (i. e., ausência de dificuldades em conciliar e/ou em manter o sono), o diagnóstico será de outro transtorno do sono-vigília especificado.

Além dos critérios de frequência e duração necessários para fazer o diagnóstico, critérios adicionais são úteis para quantificar a gravidade da insônia. Esses critérios quantitativos, embora arbitrários, servem apenas para fins ilustrativos. Por exemplo, a dificuldade em conciliar o sono é definida por um período de latência subjetivo superior a 20 a 30 minutos, e a dificuldade em manter o sono é definida por um período subjetivo maior do que 20 a 30 minutos em que o indivíduo permanece desperto após iniciar o sono. Embora não exista nenhuma definição-padrão para despertar antes do horário habitual, esse sintoma envolve o despertar pelo menos 1 hora antes do horário programado e antes de o tempo total de sono atingir 6 horas e meia. É essencial levar em consideração não apenas o tempo final para despertar como também o horário de dormir na noite anterior. Despertar às 4 horas não tem o mesmo significado clínico para as pessoas que vão se deitar às 21 horas em comparação com aquelas que se recolhem ao leito às 23 horas. Esse sintoma pode refletir também uma redução na capacidade de manter o sono relacionada à idade ou uma mudança associada à idade em relação ao tempo de duração do período principal de sono. Embora esses critérios quantitativos sejam frequentemente empregados em delineamentos de pesquisa, por si só não distinguem indivíduos com insônia de indivíduos com sono normal. Além disso, os indivíduos cujas apresentações não atendem mais aos critérios diagnósticos subjetivos para transtorno de insônia podem continuar a apresentar perturbações objetivas segundo esses parâmetros, além de prejuízos durante o dia.

O transtorno de insônia envolve prejuízos estruturais ou funcionais durante o dia, assim como dificuldades para conciliar o sono noturno. Isso inclui fadiga ou, com menos frequência, sonolência diurna, que é mais comum entre idosos e nos casos em que a insônia é comórbida com outra condição médica (p. ex., dor crônica) ou com algum transtorno do sono (p. ex., apneia do sono). Os prejuízos no desempenho cognitivo podem incluir dificuldades com atenção, concentração e memória e mesmo na execução de habilidades manuais mais complexas. Geralmente, as perturbações associadas ao humor são descritas como irritabilidade ou labilidade do humor e, com menor frequência, como sintomas de depressão ou de ansiedade. Nem todos os indivíduos com perturbações noturnas no sono apresentam algum desconforto ou prejuízos funcionais. Por exemplo, com frequência, a continuidade do sono é interrompida em idosos saudáveis que, mesmo assim, identificam a si próprios como pessoas que dormem bem. O diagnóstico de transtorno de insônia deve ser reservado para pessoas com sofrimento ou com prejuízos significativos durante o dia relacionados à dificuldade de conciliar o sono noturno.

Características Associadas

Com frequência, a insônia está associada a um estado de alerta fisiológico e cognitivo e a fatores condicionantes que interferem no sono. A preocupação com o sono e com o desconforto causado pela incapacidade de dormir pode levar a um círculo vicioso: o esforço que um indivíduo faz para dormir aumenta a frustração, além de prejudicar o sono. Consequentemente, atenção e esforços excessivos para dormir, que acabam predominando sobre os mecanismos normais da fase inicial do sono, podem contribuir para o desenvolvimento de insônia. Indivíduos com insônia persistente podem também adquirir hábitos inadequados em relação ao sono (p. ex., permanecer tempo excessivo na cama; seguir um horário irregular de sono; cochilar) e cognições (p. ex., medo de insônia; apreensão decorrente de problemas enfrentados durante o dia; monitoramento do relógio) ao longo do curso do transtorno. Envolver-se em tais atividades em um ambiente no qual se tenha frequentemente passado noites insones poderá complicar ainda mais as vigílias condicionadas e perpetuar as dificuldades em conciliar o sono. Entretanto, o indivíduo poderá dormir com mais facilidade se não insistir nas tentativas de conciliar o sono. Algumas pessoas percebem melhoras na qualidade do sono quando estão distantes do quarto de dormir e das rotinas habituais.

A insônia pode ser acompanhada de uma grande variedade de queixas e de sintomas diurnos, incluindo fadiga, energia diminuída e perturbações do humor. Aparentemente, indivíduos com o transtorno de insônia parecem fatigados ou abatidos ou, ao contrário, superexcitados e "ligados". Possivelmente ocorrem aumento na incidência de sintomas psicofisiológicos relacionados ao estresse (p. ex., cefaleia por tensão, tensão ou dor muscular, sintomas gastrintestinais); entretanto, não há anormalidades consistentes ou características no exame físico. Sintomas de ansiedade ou de depressão que não atendem aos critérios para um transtorno mental específico são comuns, assim como um foco excessivo nos efeitos percebidos da perda de sono no funcionamento durante o dia.

Indivíduos com insônia podem apresentar pontuações elevadas nos inventários psicológicos ou de personalidade autoaplicáveis, com perfis indicando níveis leves de depressão e de ansiedade; estilo cognitivo preocupado; estilo de solução de conflitos focado nas emoções e com base na internalização; e foco somático. Os padrões de prejuízos neurocognitivos entre indivíduos com transtorno de insônia são inconsistentes, embora possa ocorrer comprometimento na execução de tarefas de alta complexidade e de tarefas que exijam alterações frequentes nas estratégias de execução. Com frequência, indivíduos com insônia necessitam de mais esforço para manter o desempenho cognitivo.

Prevalência

As estimativas com base na população variam, dependendo da amostra e dos critérios empregados, mas indicam que, em muitos países, cerca de um terço dos adultos relata sintomas de insônia, 10 a 15% vivenciam prejuízos diurnos associados durante o dia e 4 a 22% apresentam sintomas que atendem aos critérios do transtorno de insônia, com uma média de aproximadamente 10%. O transtorno de insônia é o mais prevalente entre todos os transtornos do sono. Nos ambientes de tratamento primário em nível internacional, aproximadamente 20 a 40% dos indivíduos se queixam de sintomas significativos de insônia. As taxas de prevalência nas populações médica e psiquiátrica são significativamente mais elevadas do que na população geral, sobretudo entre indivíduos com transtornos do humor, transtornos de ansiedade e transtornos por uso de substâncias. Quarenta a cinquenta por cento dos indivíduos com um transtorno de insônia apresentam um transtorno mental comórbido. Queixa de insônia é mais prevalente em mulheres do que em homens, com uma razão entre gêneros em torno de 1,3:1 em amostras multinacionais. A razão entre gêneros aumenta para 1,7:1 depois dos 45 anos. A prevalência na Noruega entre adolescentes mais velhos (16 a 18 anos) é quase o dobro em garotas em comparação com garotos. Embora, possivelmente, seja um sintoma ou um transtorno independente, a insônia é observada com maior frequência como uma condição comórbida com outra condição médica ou com algum transtorno mental.

Desenvolvimento e Curso

Embora o início dos sintomas de insônia possa ocorrer em qualquer momento ao longo da vida, o primeiro episódio é mais comum em adultos jovens. Com menos frequência, a insônia inicia na infância ou na adolescência. Nas mulheres, a incidência de início de insônia pode ocorrer durante a menopausa e persistir mesmo depois da resolução de outros sintomas (p. ex., fogachos). A insônia pode iniciar em um período mais tardio da vida, o que está frequentemente associado ao início de outras condições relacionadas à saúde. A insônia pode ser ocasional, persistente ou recorrente. Geralmente, a insônia ocasional, ou aguda, dura alguns dias ou algumas semanas e costuma estar associada a eventos que ocorrem na vida ou a alterações rápidas nos horários ou no ambiente de sono. De maneira geral, esse tipo de insônia desaparece logo após a regressão do evento precipitante inicial. No caso de alguns indivíduos, talvez aqueles mais vulneráveis às perturbações do sono, a insônia poderá persistir por muito tempo após o evento desencadeador inicial, possivelmente por causa de fatores condicionantes e da intensificação do estado de vigília. Os fatores que precipitam a insônia são distintos daqueles que a perpetuam. Por exemplo, um indivíduo acamado em virtude de alguma lesão dolorosa e que tenha dificuldade para dormir poderá desenvolver posteriormente associações negativas em relação ao sono. A vigília condicionada poderá persistir depois e levar à insônia persistente. Um curso semelhante pode desenvolver-se no contexto de estresse psicológico agudo ou de algum transtorno mental. Por exemplo, a insônia que ocorre durante o episódio de um transtorno depressivo maior pode se tornar um foco de atenção, com condicionamento negativo consequente, e persistir mesmo depois da resolução do episódio depressivo em pelo menos 40 a 50% dos indivíduos. Em alguns casos, o início da insônia pode ser insidioso, sem nenhum fator precipitante identificável.

O curso da insônia pode também ser episódico, com episódios recorrentes de dificuldades para dormir associados à ocorrência de eventos estressantes. As taxas de cronicidade variam de 45 a 75% nos acompanhamentos por períodos de 1 a 7 anos. Mesmo nas situações em que a insônia se tornar crônica, ocorrem variações noturnas nos padrões de sono, com intercalação de um sono reparador ocasional com várias noites de sono de má qualidade. As características da insônia também podem se alterar ao longo do tempo. Muitos indivíduos apresentam história de sono "leve" ou facilmente perturbado antes do desenvolvimento de problemas mais persistentes.

As queixas de insônia prevalecem mais entre adultos de meia-idade e idosos. Os tipos de sintomas de insônia variam em função da idade, sendo que as dificuldades para conciliar o sono são mais comuns entre adultos jovens, e os problemas de manutenção do sono ocorrem com mais frequência entre indivíduos na meia-idade e idosos.

Embora as dificuldades para conciliar e manter o sono também ocorram em crianças e adolescentes, os dados sobre prevalência, fatores de risco e comorbidade durante essas fases do desenvolvimento são mais limitados. As dificuldades relacionadas ao sono na infância resultam de fatores condicionantes (p. ex., crianças que não aprendem a pegar no sono ou a retornar ao sono sem a presença de um dos pais) ou da ausência de horários consistentes para dormir e de rotinas na hora de deitar-se. Com frequência, a insônia na adolescência é desencadeada ou exacerbada por horários irregulares de sono, especialmente atraso de fase. Tanto em crianças como em adolescentes fatores psicológicos e médicos podem contribuir para a insônia.

O aumento na prevalência de insônia em idosos explica-se parcialmente pela maior incidência de problemas físicos de saúde com o envelhecimento. As alterações nos padrões de sono associadas ao processo normal de desenvolvimento devem ser diferenciadas daquelas que excedem as alterações relacionadas à idade. Os idosos podem vivenciar atrasos significativos na fase inicial do sono ou despertares frequentes que não estão associados a queixas ou a consequências durante o dia. Embora seu valor seja limitado nas avaliações rotineiras, a polissonografia pode ser mais útil no diagnóstico diferencial entre idosos, pois as condições comórbidas associadas com a insônia (p. ex., apneia do sono) são mais frequentemente identificáveis em idosos.

Fatores de Risco e Prognóstico

Embora os fatores de risco e prognóstico discutidos nesta seção aumentem a vulnerabilidade para insônia, as perturbações do sono são mais prováveis quando indivíduos predispostos são expostos a eventos precipitantes, tais como eventos marcantes na vida (p. ex., doença, separação) ou estresses diários menos graves, porém mais crônicos. A maior parte das pessoas retoma os padrões normais de sono depois de o evento desencadeador inicial ter desaparecido, embora outras – talvez aquelas mais vulneráveis à insônia – continuem vivenciando dificuldades persistentes do sono. Fatores perpetuadores, tais como maus hábitos ao dormir, horário irregular do sono e medo de não conciliar o sono, agravam o problema de insônia e podem contribuir com o círculo vicioso, que poderá induzir insônia persistente.

Temperamentais. Ansiedade, estilos cognitivos ou personalidade propensa a preocupações, maior predisposição para despertar, maior reatividade ao estresse e tendência para reprimir emoções podem aumentar a vulnerabilidade à insônia.

Ambientais. Ruído, iluminação ou temperaturas desconfortavelmente elevadas ou baixas podem aumentar a vulnerabilidade à insônia. Altitudes elevadas também podem predispor a insônia atribuída a dificuldades periódicas na respiração durante o sono.

Genéticos e fisiológicos. Sexo feminino e idade avançada estão associados a aumento na vulnerabilidade à insônia. Sono interrompido e insônia podem revelar disposição familiar. De 35 a 70% dos indivíduos com transtorno de insônia relatam um ou mais parentes de primeiro grau (mais comumente a mãe) com história de insônia. A hereditariedade pode ser mais elevada para transtorno de insônia sem comorbidades. A prevalência de insônia é mais elevada entre gêmeos monozigóticos em comparação com gêmeos dizigóticos; é mais elevada também em membros da família com parentesco de primeiro grau em comparação com a população geral. Ainda permanece indeterminada a extensão na qual essa ligação é herdada por predisposição genética, aprendida por observações de modelos parentais ou estabelecida como um subproduto de outra psicopatologia, embora a reatividade do sono ao estresse pareça desempenhar um papel.

Modificadores do curso. Os modificadores do curso que causam prejuízos incluem práticas inadequadas de higiene do sono (p. ex., uso excessivo de cafeína, horários irregulares para dormir).

Questões Diagnósticas Relativas à Cultura

A insônia é uma experiência humana universal. A identificação da insônia como um problema, os modelos explanatórios da condição, bem como as escolhas associadas de busca de ajuda são aspectos influenciados pela cultura. A insônia pode ser entendida como uma parte normal do envelhecimento ou de resposta ao estresse, levando à baixa procura de ajuda ou ao enfrentamento por meio de apoio social e de atividades tradicionais, como a oração. Os modelos explanatórios da insônia variam grandemente, incluindo atribuições às influências do ambiente (p. ex., a umidade) e a processos corporais (p. ex., má circulação sanguínea, calor interno), entre outros, e pode estar associada à busca de tratamento não biomédico.

Questões Diagnósticas Relativas ao Sexo e ao Gênero

As primeiras manifestações de insônia no sexo feminino estão associadas ao nascimento de um novo filho ou à menopausa. Apesar da prevalência mais elevada entre as mulheres na perimenopausa e na pós-menopausa, estudos polissonográficos sugerem que há melhor preservação da continuidade do sono e sono de ondas lentas em mulheres idosas do que em homens idosos.

Marcadores Diagnósticos

Em geral, a polissonografia mostra a presença de prejuízos na continuidade do sono (p. ex., aumento na latência do sono e no tempo para despertar e redução na eficiência do sono [percentual de tempo adormecido na cama]) e pode revelar também aumento no estágio 1 e diminuição no estágio 3 do sono. A gravidade desses prejuízos no sono nem sempre coincide com a apresentação clínica do indivíduo ou com queixas subjetivas de sono de má qualidade, tendo em vista que, com frequência, os indivíduos com insônia subestimam a duração do sono e superestimam a vigília em relação à polissonografia. Análises eletroencefalográficas quantitativas indicam que pessoas com insônia apresentam maior intensidade de sinais eletroencefalográficos de alta potência do que aquelas que dormem bem no período de início do sono e durante o sono não REM, uma característica que sugere aumento na excitação cortical. Essa característica é consistente com o aumento da excitação cortical. Estudos de neuroimagem sugeriram função cerebral regional alterada consistente com hiperexcitação na insônia, embora a interpretação desses achados seja complexa. Indivíduos com transtorno de insônia podem ter menor propensão para conciliar o sono e, geralmente, não apresentam aumento na sonolência diurna em medições laboratoriais objetivas do sono em comparação com indivíduos sem transtornos do sono.

Outros tipos de medição laboratorial mostram evidências, embora não consistentes, de aumento na excitação e de uma ativação generalizada do eixo hipotalâmico-hipofisário-suprarrenal (p. ex., elevação nos níveis de cortisol, variabilidade na frequência cardíaca, reatividade ao estresse, taxa metabólica). De maneira geral, os achados são consistentes com a hipótese de que aumentos na excitação fisiológica e cognitiva desempenham papel relevante no transtorno de insônia.

Associação com Pensamentos ou Comportamentos Suicidas

O sintoma de insônia foi identificado como um fator de risco independente para pensamentos e comportamentos suicidas.

Consequências Funcionais do Transtorno de Insônia

Problemas interpessoais, sociais e profissionais poderão ocorrer como resultado de insônia ou de preocupação excessiva com o sono, aumento na irritabilidade diurna e má concentração. Redução da atenção e da concentração é comum e pode estar relacionada a taxas mais elevadas de acidentes observadas em casos de insônia. A insônia persistente também está associada a consequências de longo prazo, incluindo aumento em duas vezes ou mais no risco de novo início de transtorno depressivo maior, transtornos de ansiedade e transtornos por uso de substâncias. Sintomas de insônia também podem ser um fator de risco para recaída de transtorno depressivo maior. Transtorno de insônia, sobretudo com duração de sono curto objetivamente demonstrada (inferior a 6 horas), é um fator de risco significativo para inúmeras doenças cardiovasculares, incluindo hipertensão, doença arterial coronariana/infarto do miocárdio, insuficiência cardíaca congestiva e doença cerebrovascular. Absenteísmo elevado e produtividade reduzida no trabalho, qualidade de vida insatisfatória e aumento nos problemas econômicos também são consequências funcionais significativas do transtorno de insônia.

Diagnóstico Diferencial

Variações no sono normal. A duração do sono normal varia consideravelmente entre os indivíduos. Alguns que dormem pouco ("pessoas com sono curto") preocupam-se com o tempo de duração do sono. Pessoas com sono curto são diferentes daquelas com transtorno de insônia pela ausência de dificuldade de conciliar o sono ou de permanecerem adormecidas e pela ausência de sintomas diurnos típicos (p. ex., fadiga, problemas de concentração, irritabilidade). Entretanto, algumas pessoas com sono curto que desejam ou tentam dormir por um período de tempo mais longo, prolongando o tempo de permanência na cama, podem criar um padrão de sono semelhante à insônia. A insônia clínica também deve ser distinguida de alterações normais no sono associadas à idade. Da mesma forma, é importante distinguir insônia de privação do sono causada por oportunidades ou circunstâncias inadequadas para dormir resultantes, por exemplo, de alguma emergência ou de compromissos profissionais ou familiares que forçam o indivíduo a permanecer acordado.

Insônia situacional/aguda.   *Insônia situacional/aguda* é uma condição cuja duração varia de alguns dias a várias semanas, em geral associada a estresse agudo devido a eventos da vida ou a alterações nos horários do sono. Esses sintomas de insônia aguda ou de curto prazo podem produzir também desconforto significativo e interferir nas funções sociais, pessoais e profissionais. Nas situações em que esses sintomas forem suficientemente frequentes e atenderem a todos os outros critérios, excetuando-se a duração de três meses, o diagnóstico será de outro transtorno de insônia especificado ou de transtorno de insônia não especificado. Embora o transtorno apresente remissão com a diminuição do estresse ou com a adaptação à alteração no horário de dormir, alguns indivíduos desenvolverão padrões inadequados de pensamento e de comportamento que resultarão no desenvolvimento de um transtorno de insônia crônico.

Transtorno do sono-vigília do ritmo circadiano tipo fase do sono atrasada e tipo trabalho em turnos.   Indivíduos com transtorno do sono-vigília do ritmo circadiano do tipo fase do sono atrasada relatam a presença de insônia na fase inicial do sono somente nas situações em que tentam dormir em horários socialmente normais, porém não fazem nenhuma referência a dificuldades em conciliar o sono ou em permanecer adormecidos quando os horários de dormir e acordar atrasam ou coincidem com o ritmo circadiano endógeno. Esse padrão é observado particularmente entre adolescentes e adultos mais jovens. O tipo trabalho em turnos difere do transtorno de insônia pela história de recente mudança no horário de trabalho.

Síndrome das pernas inquietas.   Com frequência, a síndrome das pernas inquietas cria dificuldades para iniciar e manter o sono. No entanto, a necessidade de movimentar as pernas, acompanhada de quaisquer sensações desconfortáveis nelas, é uma característica que distingue esse transtorno do transtorno de insônia.

Transtornos do sono relacionados à respiração.   A maioria dos indivíduos com transtorno do sono relacionado à respiração apresenta história de roncos altos, pausas respiratórias durante o sono e sonolência diurna excessiva. Não obstante, pelo menos 50% das pessoas com apneia do sono podem apresentar também sintomas de insônia, que é uma característica mais comum entre mulheres e idosos.

Narcolepsia.   Embora possa provocar queixas de insônia, a narcolepsia distingue-se do transtorno de insônia pela predominância de sintomas de sonolência diurna excessiva, cataplexia, paralisia do sono e alucinações relacionadas ao sono.

Parassonias.   As parassonias se caracterizam por queixas de comportamentos ou de eventos incomuns durante o sono que podem resultar em despertares intermitentes e na dificuldade de retomar o sono. Entretanto, são esses eventos comportamentais, e não a insônia, que dominam o quadro clínico.

Transtorno do sono tipo insônia induzido por substância/medicamento.   O transtorno do sono tipo insônia induzido por substância/medicamento distingue-se do transtorno de insônia porque se presume que qualquer substância (i. e., drogas ilícitas, medicamentos ou exposição a toxinas) esteja etiologicamente relacionada à insônia (ver "Transtorno do Sono Induzido por Substância/Medicamento" mais adiante neste mesmo capítulo). Por exemplo, a insônia que ocorre apenas no contexto de um consumo pesado de café seria diagnosticada como transtorno do sono tipo insônia induzido por cafeína com início durante a intoxicação.

Comorbidade

Insônia é uma comorbidade comum de muitas condições médicas, incluindo, mas não limitada a, câncer, diabetes, doença cardíaca coronariana, doença pulmonar obstrutiva crônica, artrite, fibromialgia, outras condições de dor crônica, doenças cerebrais degenerativas e lesão cerebral traumática. Aparentemente, a relação de risco é bidirecional: a insônia aumenta o risco de muitas dessas condições médicas, e os problemas médicos aumentam o risco de insônia. Nem sempre a direção da relação é clara, podendo alterar-se ao longo do tempo; por essa razão, insônia comórbida é a terminologia preferida na presença de insônia comórbida com outra condição médica (ou transtorno mental). O transtorno de insônia também coexiste com inúmeros outros transtornos do sono. Aproximadamente um em cada sete indivíduos com transtorno de insônia tem apneia obstrutiva do sono em grau moderado a grave. Estimam-se que as taxas de queixas de insônia entre indivíduos com narcolepsia são de aproximadamente 50%.

Com frequência, indivíduos com transtorno de insônia têm algum transtorno mental comórbido, particularmente transtornos de ansiedade, bipolares e depressivos. Insônia persistente representa um fator de risco ou um sintoma precoce de subsequentes transtornos bipolares, depressivos, de ansiedade e relacionados ao uso de substâncias. Indivíduos com insônia podem usar incorretamente medicamentos ou álcool para ajudar o sono noturno, ansiolíticos para combater a tensão ou a ansiedade, e cafeína ou outros estimulantes para combater a fadiga diurna excessiva. Em alguns casos, além de agravar a insônia, o uso desse tipo de substâncias poderá evoluir para um transtorno relacionado ao uso de substâncias.

Relação com a Classificação Internacional dos Distúrbios do Sono

A terceira edição da *Classificação internacional dos distúrbios do sono* (CIDS-3) reconhece três diagnósticos de insônia: *transtorno de insônia crônica, transtorno de insônia a curto prazo* e *outro transtorno de insônia*. O transtorno de insônia do DSM-5 e o transtorno de insônia crônica da CIDS-3 são muito semelhantes no que diz respeito aos critérios de sintomas, duração e frequência; no entanto, ao contrário do DSM-5, a CIDS-3 não inclui uma designação separada para transtorno do sono tipo insônia induzido por substância/medicamento.

Transtorno de Hipersonolência

Critérios Diagnósticos   F51.11

A. Relato do próprio indivíduo de sonolência excessiva (hipersonolência) apesar de o período principal do sono durar no mínimo 7 horas, com pelo menos um entre os seguintes sintomas:
   1. Períodos recorrentes de sono ou de cair no sono no mesmo dia.
   2. Um episódio de sono principal prolongado de mais de 9 horas por dia que não é reparador (i. e., não é revigorante).
   3. Dificuldade de estar totalmente acordado depois de um despertar abrupto.
B. A hipersonolência ocorre pelo menos três vezes por semana, durante pelo menos três meses.
C. A hipersonolência é acompanhada de sofrimento significativo ou de prejuízo no funcionamento cognitivo, social, profissional ou em outras áreas importantes da vida do indivíduo.
D. A hipersonolência não é mais bem explicada por e nem ocorre exclusivamente durante o curso de outro transtorno do sono (p. ex., narcolepsia, transtorno do sono relacionado à respiração, transtorno do sono-vigília do ritmo circadiano ou parassonia).
E. A hipersonolência não é atribuída aos efeitos fisiológicos de alguma substância (p. ex., abuso de drogas, medicamentos).
F. A coexistência de transtornos mentais e de condições médicas não explica adequadamente a queixa predominante de hipersonolência.

Especificar se:
   Com transtorno mental, incluindo transtornos por uso de substâncias
   Com condição médica
   Com outro transtorno do sono

   Nota para codificação: O código F51.11 aplica-se a todos os três especificadores. Codificar também condições associadas relevantes, como transtorno mental, condição médica ou outro transtorno do sono, imediatamente depois do código do transtorno de hipersonolência, cuja finalidade é indicar a associação.

Especificar se:
   Agudo: Duração de menos de 1 mês.
   Subagudo: Duração de 1 a 3 meses.
   Persistente: Duração de mais de 3 meses.

> *Especificar* a gravidade atual:
> Especificar a gravidade com base no grau de dificuldade para manter o estado de alerta durante o dia, manifestado pela ocorrência de ataques múltiplos de sonolência incontrolável em um determinado dia, ocorrendo, por exemplo, enquanto o indivíduo estiver sentado, dirigindo, visitando amigos ou trabalhando.
>   **Leve:** Dificuldade em manter o estado de alerta durante o dia por um período de 1 a 2 dias por semana.
>   **Moderada:** Dificuldade em manter o estado de alerta durante o dia por um período de 3 a 4 dias por semana.
>   **Grave:** Dificuldade em manter o estado de alerta durante o dia por um período 5 a 7 dias por semana.

Procedimentos para Registro

Os especificadores "com transtorno mental, incluindo transtornos por uso de substâncias", "com condição médica" e "com outro transtorno do sono" estão disponíveis para que o clínico possa registrar comorbidades clinicamente relevantes. Nesses casos, registrar F51.11 transtorno de hipersonolência, com [nome da(s) condição(ões) ou transtorno(s) comórbido(s)] seguido pelos(s) código(s) diagnóstico(s) das condições ou transtornos comórbidos (p. ex., F51.11 transtorno de hipersonolência, com transtorno depressivo maior; F33.1 transtorno depressivo maior recorrente, episódio atual moderado).

Características Diagnósticas

O transtorno de hipersonolência inclui sintomas de quantidade excessiva de sono (p. ex., sono noturno estendido ou cochilos longos), sonolência e *inércia do sono* (i. e., um período de alteração no desempenho e de vigilância diminuída após acordar depois de um episódio de sono regular ou de um cochilo) (Critério A). Os indivíduos com esse transtorno conseguem dormir rapidamente e apresentam boa eficiência no sono (> 90%). Em geral, eles sentem a sonolência se desenvolver ao longo de um período de tempo em vez de vivenciarem "ataques" repentinos de sono. Episódios de sono não intencionais geralmente ocorrem em situações sedentárias (p. ex., assistindo a palestras, lendo, vendo televisão ou dirigindo por longas distâncias), mas em casos mais graves eles podem se manifestar em situações de alta atenção, como no trabalho, em reuniões ou em encontros sociais. A necessidade persistente de dormir poderá levar a um comportamento automático (geralmente um tipo bastante rotineiro e de baixa complexidade) que o indivíduo desempenha com pouca ou nenhuma lembrança subsequente. Por exemplo, as pessoas podem pensar que dirigiram por vários quilômetros desde o ponto em que imaginavam estar, sem perceber que estiveram dirigindo "automaticamente" durante os minutos precedentes. Cerca de 40% dos indivíduos com transtorno de hipersonolência podem ter inércia do sono (também referida como "embriaguez do sono"), e esse sintoma pode ajudar a diferenciar transtorno de hipersonolência de outras causas de sonolência. Podem ter dificuldade para acordar pela manhã, às vezes parecendo confusos, combativos ou atáxicos. Os indivíduos podem usar vários despertadores ou depender de outras pessoas para ajudá-los a sair da cama. Essa condição pode ocorrer também ao despertar de um cochilo diurno. Durante esse período, embora o indivíduo aparentemente esteja desperto, há um declínio na habilidade motora, o comportamento poderá ser inadequado, podendo ocorrer lapsos de memória, desorientação no tempo e no espaço e uma sensação de atordoamento. Esse período pode variar de minutos a horas.

Para alguns indivíduos com transtorno de hipersonolência, o episódio de sono principal (para a maioria das pessoas, o sono noturno) tem duração de 9 horas ou mais. Nos casos mais extremos, os episódios de sono podem durar até 20 horas. No entanto, com frequência, o sono não é reparador e é seguido pela dificuldade de acordar no horário normal. Para outros indivíduos com transtorno de hipersonolência, o episódio de sono principal tem a duração do sono noturno normal (7 a 9 horas), e eles tiram cochilos diurnos relativamente longos (mais de 1 hora) que não melhoram o estado de alerta. A maioria dos indivíduos com hipersonolência tem cochilos diurnos quase todos os dias, seja qual for o tempo de duração do sono noturno. Embora muitos indivíduos com hipersonolência sejam capazes de diminuir o tempo de sono nos dias úteis, ele aumenta substancialmente em finais de semana e feriados (em até 3 horas).

Características Associadas

Aproximadamente 80% dos indivíduos com transtorno de hipersonolência relatam que não têm sono reparador, porém esse sintoma não é específico e pode ocorrer com transtornos que interrompem o sono, como a apneia obstrutiva do sono. Os cochilos com frequência são longos (mais de 1 hora) e não são revigorantes. Com frequência, cochilos curtos (i. e., duração de menos de 30 minutos) não são revigorantes. Na maioria das vezes, aparentemente, os indivíduos com hipersonolência são sonolentos e podem até adormecer na sala de espera do médico.

Um subgrupo de indivíduos com transtorno de hipersonolência tem história familiar de hipersonolência e, da mesma forma, apresenta sintomas de disfunção no sistema nervoso autônomo, incluindo recorrência de cefaleias do tipo vascular, reatividade do sistema vascular periférico (fenômeno de Raynaud) e desmaios.

Prevalência

O diagnóstico de aproximadamente 5 a 10% dos indivíduos nos Estados Unidos que fazem consulta em clínicas de transtornos do sono com queixas de sonolência diurna é de transtorno de hipersonolência. Estima-se que cerca de 1% da população geral da Europa e dos Estados Unidos tenha episódios de inércia do sono. A frequência de hipersonolência é relativamente a mesma em homens e mulheres.

Desenvolvimento e Curso

O transtorno de hipersonolência usualmente se manifesta no fim da adolescência ou início da fase adulta, com idade média de início de 17 a 24 anos, com uma progressão gradual variando de semanas a meses. Pouco se sabe da história natural, porém, na maioria dos indivíduos, os sintomas são persistentes e estáveis, a menos que seja iniciado tratamento. Ocorre remissão espontânea em cerca de 11 a 25% dos indivíduos depois de 5 a 7 anos. Em média, o diagnóstico em pessoas com transtorno de hipersonolência ocorre entre 10 e 15 anos depois do surgimento dos sintomas. Os casos pediátricos são raros. O desenvolvimento de outros transtornos do sono (p. ex., transtorno do sono relacionado à respiração) poderá agravar o grau de sonolência.

Fatores de Risco e Prognóstico

Ambientais. A hipersonolência pode aumentar temporariamente devido a estresse psicológico e ao consumo de álcool, embora essas hipóteses não tenham sido documentadas como fatores ambientais precipitantes. Existem relatos de que as infecções virais precedam ou acompanhem a hipersonolência em cerca de 10% dos casos. A hipersonolência é comum nos meses posteriores a lesão cerebral traumática.

Genéticos e fisiológicos. A hipersonolência pode ser familiar, com um modo de herança autossômica dominante.

Marcadores Diagnósticos

A polissonografia noturna demonstra um período de duração do sono de normal a prolongado, latência curta e continuidade normal a aumentada do sono. A distribuição noturna do sono REM também é normal. A eficiência do sono é geralmente superior a 90%. O teste de latência múltipla do sono registra a tendência ao sono, normalmente indicada por valores médios de latência do sono inferiores a 8 minutos. Geralmente, no transtorno de hipersonolência, a latência média do sono é inferior a 10 minutos e, com frequência, a 8 minutos ou menos. Períodos de REM no início do sono (i. e., ocorrência de sono REM dentro de 20 minutos após o início do sono) podem estar presentes, mas ocorrem com pouca frequência. Infelizmente, o teste de latência múltipla do sono tem baixa confiabilidade teste-reteste e não distingue bem entre transtorno de hipersonolência e narcolepsia do tipo 2.

Um diário do sono de 2 semanas ajuda a documentar as quantidades e os horários de dormir, e a actigrafia fornece dados mais acurados sobre os padrões de sono habituais. Em um protocolo de repouso no leito durante 32 horas, em que os sujeitos foram encorajados a dormir, aqueles com transtorno de hipersonolência dormiram 4 horas mais que os sujeitos do grupo-controle.

Consequências Funcionais do Transtorno de Hipersonolência

O baixo nível de alerta que ocorre enquanto um indivíduo combate a necessidade de dormir pode levar a eficiência reduzida, concentração diminuída e memória fraca durante as atividades diurnas. A hipersonolência pode resultar em desconforto significativo e em disfunção nas relações profissionais e sociais. Sono noturno prolongado e dificuldade para despertar podem dificultar o cumprimento das obrigações matinais, como, por exemplo, chegar ao trabalho no horário. Episódios involuntários de sono diurno podem ser desconcertantes e até perigosos se, por exemplo, o indivíduo estiver dirigindo ou operando uma máquina durante a ocorrência do episódio.

Diagnóstico Diferencial

Variação normal do sono. O tempo de duração do sono "normal" varia consideravelmente na população geral. "Pessoas com sono prolongado" (i. e., indivíduos que necessitam de uma quantidade de sono superior à média) não têm sonolência excessiva, inércia do sono ou comportamento automático se a quantidade necessária de sono noturno for suficiente. Os relatos indicam que o sono é revigorante. Os sintomas poderão aparecer durante o dia nas situações em que os compromissos sociais ou ocupacionais tornarem o sono mais curto. Ao contrário, o transtorno de hipersonolência apresenta sintomas de sonolência excessiva, seja qual for o tempo de duração do sono noturno.

Quantidades inadequadas de sono noturno, *ou síndrome de sono insuficiente induzida comportamentalmente*, poderão produzir sintomas de sonolência diurna, muito semelhantes aos do transtorno de hipersonolência. Um tempo médio de duração do sono inferior a 7 horas por noite sugere fortemente sono noturno inadequado, mas, nos Estados Unidos, o adulto médio obtém apenas 6,75 horas de sono em noites típicas da semana. Geralmente, indivíduos com sono noturno inadequado "colocam o sono em dia", com tempo de sono mais longo nos dias em que não tiverem compromissos sociais ou ocupacionais ou estiverem de férias. O diagnóstico de transtorno de hipersonolência não se aplica nos casos em que houver alguma questão relacionada à adequação do tempo de duração do sono noturno. Com frequência, testes diagnósticos e terapêuticos de extensão do sono por 10 a 14 dias esclarecem o diagnóstico.

Narcolepsia. Como no transtorno de hipersonolência, indivíduos com narcolepsia apresentam sonolência crônica, porém vários achados clínicos e laboratoriais auxiliam na distinção entre os transtornos. Em contraste com o transtorno de hipersonolência, os indivíduos com narcolepsia são propensos a dormir 7 a 8 horas por dia e geralmente se sentem revigorados ao acordar pela manhã. Geralmente indivíduos com narcolepsia sentem-se mais alertas depois de um cochilo de 15 a 20 minutos, enquanto aqueles com transtorno de hipersonolência tiram cochilos mais longos, têm dificuldade para acordar dos cochilos e não se sentem alertas posteriormente. Os indivíduos com narcolepsia também apresentam quantidades variadas de cataplexia, alucinações hipnagógicas, paralisia do sono e sono noturno fragmentado, enquanto cataplexia nunca ocorre no transtorno de hipersonolência e os outros sintomas são incomuns. O teste de latência múltipla do sono mostra na narcolepsia mais de dois períodos REM na fase inicial do sono.

Fadiga como um sintoma de outro transtorno mental ou outra condição médica. O transtorno de hipersonolência deve ser diferenciado do cansaço relacionado à fadiga que pode ser um sintoma de outro transtorno mental (p. ex., transtorno de ansiedade generalizada) ou condição médica (p. ex., síndrome de fadiga crônica). Ao contrário da hipersonolência, o cansaço não é necessariamente aliviado por aumento no tempo de sono e não está relacionado à quantidade ou à qualidade do sono.

Transtornos do sono relacionados à respiração. Sonolência crônica é comum em transtornos do sono relacionados à respiração. Indivíduos com hipersonolência e transtornos do sono relacionados à respiração podem apresentar padrões semelhantes de sonolência excessiva. Os transtornos do sono relacionados à respiração são sugeridos por história de ronco alto, pausas respiratórias durante o sono e sono não reparador. Frequentemente o exame revela obesidade, vias aéreas pequenas e grande diâmetro do pescoço. Hipertensão é comum, e alguns indivíduos demonstram sinais de insuficiência cardíaca. Os estudos polissonográficos podem confirmar a presença de eventos apneicos no transtorno do sono relacionado à respiração (e sua ausência no transtorno de hipersonolência).

Transtornos do sono-vigília do ritmo circadiano. Em contraste com indivíduos com o transtorno de hipersonolência, os indivíduos com subtipos específicos de transtorno do sono-vigília do ritmo circadiano apresentam padrões temporais de sintomas específicos. Por exemplo, indivíduos com tipo fase do sono atrasada frequentemente têm inércia do sono e sonolência pela manhã e sentem-se mais alertas à noite, com horário de dormir habitualmente tarde. Por sua vez, pessoas com tipo fase do sono avançada ficam sonolentas e à noite vão para a cama cedo, mas estão alertas e se acordam facilmente pela manhã antes do horário habitual.

Parassonias. Parassonias como os transtornos de despertar do sono não REM (sonambulismo/terror noturno) ou transtorno comportamental do sono REM raramente produzem o sono noturno prolongado e não perturbado ou sonolência diurna característicos do transtorno de hipersonolência. Entretanto, parassonias como o transtorno do pesadelo, que podem resultar em restrição significativa do tempo total do sono, possivelmente se manifestam com sonolência diurna.

Hipersonolência em outros transtornos mentais e condições médicas. O transtorno de hipersonolência distingue-se da hipersonolência que ocorre como sintoma de outro transtorno mental (p. ex., episódio depressivo maior, sobretudo episódios com características atípicas) ou condição médica (p. ex., certos tipos de câncer, esclerose múltipla). Se a queixa predominante de sonolência excessiva for adequadamente explicada por outro transtorno mental ou condição médica, então um diagnóstico adicional de transtorno de hipersonolência não é justificado. Entretanto, se a hipersonolência não for adequadamente explicada por um transtorno mental ou condição médica comórbida (p. ex., a gravidade e a natureza da hipersonolência excedem em muito o que seria esperado com o transtorno mental ou a condição médica), um diagnóstico adicional de transtorno de hipersonolência é justificado.

Comorbidade

Muitos indivíduos com transtorno de hipersonolência apresentam sintomas de depressão que podem se enquadrar nos critérios de transtorno depressivo. Essa apresentação pode se relacionar às consequências psicossociais da necessidade persistente de aumentar a quantidade de sono. Mais da metade dos indivíduos com transtorno de hipersonolência tem sintomas de transtorno de déficit de atenção/hiperatividade. Indivíduos com transtorno de hipersonolência correm também o risco de apresentar transtornos relacionados ao uso de substâncias, em particular os transtornos relacionados à automedicação com estimulantes. Essa falta de especificidade geral pode contribuir para perfis muito heterogêneos entre os indivíduos cujos sintomas satisfazem o mesmo critério diagnóstico para transtorno de hipersonolência. Condições neurodegenerativas, como a doença de Alzheimer, a doença de Parkinson e a atrofia multissistêmica, podem também estar associadas à hipersonolência.

Relação com a Classificação Internacional dos Distúrbios do Sono

A terceira edição da *Classificação internacional dos distúrbios do dono* (CIDS-3) diferencia nove subtipos de "transtornos centrais de hipersonolência", incluindo transtornos que não são cobertos no DSM, como a síndrome de Kleine-Levin (episódios recorrentes de hipersonia), hipersonolência devido a uma condição médica/neurológica ou uso de substâncias e síndrome do sono insuficiente.

Narcolepsia

Critérios Diagnósticos

A. Períodos recorrentes de necessidade irresistível de dormir, cair no sono ou cochilar em um mesmo dia. Esses períodos devem estar ocorrendo pelo menos três vezes por semana nos últimos três meses.

B. Presença de pelo menos um entre os seguintes sintomas:

1. Episódio de cataplexia, definido como (a) ou (b), que ocorre pelo menos algumas vezes por mês:
   a. Em indivíduos com doença de longa duração, episódios breves (variando de segundos a minutos) de perda bilateral de tônus muscular, com manutenção da consciência, precipitados por risadas ou brincadeiras.
   b. Em crianças ou em indivíduos dentro de seis meses a partir do início, episódios espontâneos de caretas ou abertura da mandíbula com projeção da língua ou hipotonia global, sem nenhum desencadeante emocional óbvio.
2. Deficiência de hipocretina, medida usando os valores de imunorreatividade da hipocretina-1 no líquido cerebrospinal (LCS) (inferior ou igual a um terço dos valores obtidos em testes feitos em indivíduos saudáveis usando o mesmo teste ou inferior ou igual a 110 pg/mL). Níveis baixos de hipocretina-1 no LCS não devem ser observados no contexto de inflamação, infecção ou lesão cerebral aguda.
3. Polissonografia do sono noturno demonstrando latência do sono REM inferior ou igual a 15 minutos ou teste de latência múltipla do sono demonstrando média de latência do sono inferior ou igual a 8 minutos e dois ou mais períodos de REM no início do sono.

Determinar o subtipo:

G47.411 Narcolepsia com cataplexia ou com deficiência de hipocretina (tipo 1): O Critério B1 (episódios de cataplexia) ou o Critério B2 (níveis baixos de hipocreina-1 no LCS) é atendido.

G47.419 Narcolepsia sem cataplexia e sem deficiência de hipocretina ou hipocretina não medida (tipo 2): O Critério B3 (resultado positivo na polissonografia/teste de latência múltipla do sono) é atendido, porém o Critério B1 não é atendido (i. e., cataplexia não está presente) e o Critério B2 não é atendido (i. e., os níveis de hipocretina-1 no LCS não são baixos ou não foram medidos).

G47.421 Narcolepsia com cataplexia ou deficiência de hipocretina devido a uma condição médica

G47.429 Narcolepsia sem cataplexia e sem deficiência de hipocretina devido a uma condição médica

Nota para codificação: Para o subtipo narcolepsia com cataplexia ou com deficiência de hipocretina devido a uma condição médica e o subtipo narcolepsia sem cataplexia e sem deficiência de hipocretina devido a uma condição médica, codificar primeiro a condição médica subjacente (p. ex., G71.11 distrofia miotônica; G47.429 narcolepsia sem cataplexia e sem deficiência de hipocretina devido à distrofia miotônica).

Especificar a gravidade atual:

Leve: Necessidade de cochilos somente uma ou duas vezes por dia. Perturbação do sono, se presente, é leve. A cataplexia, quando presente, é infrequente (ocorrendo menos de uma vez por semana).

Moderada: Necessidade de vários cochilos diariamente. O sono pode ser moderadamente perturbado. Cataplexia, quando presente, ocorre diariamente ou a cada poucos dias.

Grave: Sonolência quase constante e, com frequência, sono noturno altamente perturbado (o que pode incluir movimento corporal excessivo e sonhos vívidos). A cataplexia, quando presente, é resistente a drogas, com múltiplos ataques diariamente.

Subtipos

Um diagnóstico de narcolepsia, tipo 1 (NT1; i. e., com cataplexia ou deficiência de hipocretina) é mais frequentemente baseado na presença de sonolência recorrente e cataplexia (dado o uso limitado de determinações de hipocretina no líquido cerebrospinal [LCS]). Entretanto, a cataplexia pode surgir anos depois do início da sonolência. Assim sendo, alguns indivíduos podem receber inicialmente um diagnóstico de narcolepsia tipo 2 (NT2; i. e., sem cataplexia e sem deficiência de hipocretina ou com hipocretina não medida), com base na sonolência e em achados positivos no teste de latência múltipla do sono (TLMS), e posteriormente receber um diagnóstico de NT1 depois do surgimento da cataplexia. NT1 estabelecida pela demonstração de níveis baixos de hipocretina no LCS pode se manifestar sem evidência de cataplexia clara. Outras explicações para sonolência diurna excessiva (p. ex., privação do sono, trabalho em turnos, outros transtornos do sono) e episódios de perda repentina do tônus muscular (p. ex., convulsões, quedas de outra origem, transtorno de sintomas neurológicos funcionais [transtorno conversivo]) devem ser descartados. NT2 é estabelecida com base em sonolência crônica e achados polissonográficos do sono noturno característicos (p. ex., latência do sono REM curta) ou achados no TLMS mostrando latência média do sono curta e dois ou mais períodos REM no início do sono (SOREMPs).

NT1 e NT2 podem resultar de outras condições neurológicas, infecciosas, metabólicas e genéticas. Transtornos herdados, tumores e traumatismo craniano são as causas mais comuns de narcolepsia secundária. Em outros casos, a destruição dos neurônios hipocretinérgicos poderá ser secundária a trauma ou cirurgia hipotalâmica. No entanto, traumatismos cranianos ou infecções no sistema nervoso central podem diminuir temporariamente os níveis de hipocretina-1 no LCS, sem perda de células hipocretinérgicas, e complicar o diagnóstico.

Outras etiologias incluem lesões inflamatórias devido a esclerose múltipla e encefalomielite disseminada, transtornos vasculares como acidente vascular cerebral e encefalite. Ataxia cerebelar autossômica dominante, surdez e narcolepsia ou ADCA DN, é um transtorno degenerativo familiar devido a mutações de sentido trocado do DNA metiltransferase (DNMT1). Cataplexia com algum grau de sonolência pode ser causada por outras condições neurológicas, incluindo síndrome de Prader-Willi, doença de Niemann-Pick tipo C, síndrome de Möbius e doença de Norrie. Também foi relatada deficiência de hipocretina em doença de Parkinson. Também foi relatada fisiologia semelhante a NT2 em distrofia miotônica e síndrome de Prader-Willi.

Características Diagnósticas

As características essenciais de narcolepsia são cochilos diurnos ou ataques de sono recorrentes que em geral ocorrem diariamente, mas que devem ocorrer pelo menos três vezes por semana por um período mínimo de 3 meses (Critério A), e são acompanhados por um ou mais dos seguintes sintomas: cataplexia (Critério B1), deficiência de hipocretina (Critério B2) ou anormalidades características em uma polissonografia noturna ou no TLMS (Critério B3). Na maioria dos indivíduos com NT1, o primeiro sintoma a se manifestar é sonolência ou necessidade aumentada de sono, seguida por cataplexia. A sonolência é pior em circunstâncias sedentárias e geralmente é aliviada por cochilos breves (10 a 20 minutos).

NT1 geralmente se manifesta com *cataplexia*, geralmente episódios breves (variando de alguns segundos a 2 minutos) de perda bilateral repentina do tônus muscular precipitada por emoções. Uma gama de emoções positivas pode desencadear cataplexia, incluindo aquelas associadas a risadas, antecipação ou surpresa. Mais raramente, a cataplexia pode ser desencadeada por emoções negativas como raiva e constrangimento. Os músculos afetados incluem o pescoço, a mandíbula, os braços, as pernas ou o corpo inteiro, resultando em oscilação da cabeça, queda da mandíbula ou quedas completas. Durante a cataplexia, os indivíduos permanecem despertos e conscientes. A cataplexia não deve ser confundida com a "fraqueza" que ocorre no contexto de atividades atléticas (fisiológicas) ou exclusivamente depois de desencadeamentos emocionais incomuns, como estresse ou ansiedade (sugerindo uma possível psicopatologia).

Em crianças e raramente em adultos com início agudo de sintomas de NT1, a cataplexia pode se manifestar como hipotonia contínua em vez de crises episódicas de fraqueza desencadeadas por emoções fortes. Essa hipotonia contínua resulta em instabilidade na marcha, ptose e queda mandibular. Sobrepostos a essa fraqueza muscular, alguns indivíduos podem demonstrar fenômenos como protusão da língua e caretas. Essa cataplexia estática é mais comum dentro de 6 meses de um início rápido.

NT1 é causada pela perda de neurônios hipotalâmicos que produzem os neuropeptídeos hipocretina (orexina), e os níveis de hipocretina no LCS são geralmente inferiores a um terço dos valores de controle (inferior a 110 pg/mL na maioria dos laboratórios). Os indivíduos com cataplexia demonstraram ter níveis baixos de hipocretina no LCS em 85 a 90% dos casos. No entanto, a maioria dos indivíduos com NT2 tem níveis de hipocretina no LCS normais ou intermediários. Assim sendo, a deficiência de hipocretina é um teste diagnóstico suficiente para NT1 (Critério B2). Se a hipocretina no LCS for medida e não estiver baixa, o diagnóstico de NT2 é baseado nos sintomas clínicos (Critério A) e em dados de estudos do sono descritos no Critério B3.

Uma polissonografia noturna seguida por um TLMS é o método convencional para confirmar o diagnóstico de NT1 (se o teste da hipocretina não estiver disponível ou não for viável) e NT2 (Critério B3). Os testes devem ser realizados depois que o indivíduo tiver interrompido o uso de medicamentos psicotrópicos (com uma duração baseada na meia-vida de eliminação) seguido de tempo de sono adequado em um horário de sono-vigília normal (documentado com diários do sono ou, preferivelmente, actigrafia), idealmente por 2 semanas. Notadamente, a interrupção abrupta de antidepressivos, medicamentos agonistas de receptores alfa-adrenérgicos ou estimulantes ou o uso desses medicamentos durante o teste podem alterar a fisiologia do sono REM.

O resultado do TLMS deverá ser positivo para um diagnóstico de NT2, mostrando uma latência média do sono inferior ou igual a 8 minutos, mais pelo menos dois SOREMPs; especificamente, o sono REM deve ocorrer em pelo menos duas das cinco oportunidades de cochilo. Alternativamente, um período REM na fase inicial do sono noturno (nSOREMP; latência REM na fase inicial do sono inferior ou igual a 15 minutos) durante a polissonografia é suficiente para confirmar o diagnóstico e atende ao Critério B3. Um nSOREMP é altamente específico para NT1 (95 a 97%), mas apenas moderadamente sensível (54 a 57%). Achados falso-positivos de SOREMPs podem ocorrer com o tipo trabalho em turnos, transtornos do sono-vigília do ritmo circadiano, apneia obstrutiva do sono grave, efeitos de medicamentos e transtorno do sono insuficiente.

A polissonografia noturna e o TLMS são limitados em termos de diagnóstico, especialmente em NT2. Embora a confiabilidade diagnóstica do TLMS seja relativamente alta em 85 a 95% para NT1, para o diagnóstico de NT2 é mais baixa. A confiabilidade teste-reteste pode ser inferior a 50%. Essa baixa confiabilidade pode ser devida à variabilidade diária na fisiologia em NT2 e aos aspectos técnicos da polissonografia e do teste TLMS, especialmente atenção inadequada antes da hora de dormir e uso de medicamento/droga.

Os níveis normais ou intermediários de hipocretina no LCS entre indivíduos com sintomas de cataplexia podem diminuir para níveis indetectáveis ao longo do tempo.

Características Associadas

Provavelmente ocorram comportamentos automáticos nos casos de sonolência grave em que o indivíduo continua suas atividades em um estilo semiautomático e confuso sem memória ou consciência. Cerca de 20 a 60% das pessoas experimentam alucinações hipnagógicas vívidas antes ou ao adormecerem ou alucinações hipnopômpicas imediatamente após o despertar. Essas alucinações são tipicamente visuais ou auditivas, e algumas vezes táteis. Essas alucinações são distintas da atividade mental menos vívida, não alucinatória, semelhante ao sonho que ocorre na fase inicial do sono em pessoas com sono normal.

Aproximadamente 20 a 60% dos indivíduos afetados experimentam paralisia ao adormecer ou ao despertar e, embora despertos, sentem-se incapazes de se mover ou falar. No entanto, muitas pessoas com padrão normal de sono relatam a presença de paralisia do sono, em especial com o estresse ou a privação de sono. Os indivíduos com narcolepsia podem ter uma variedade de sintomas no sono noturno, incluindo sono interrompido durante a noite (despertares breves e frequentes), sonhos vívidos e realistas, movimentos periódicos dos membros durante o sono e transtorno comportamental do sono REM. Refeições noturnas também podem ocorrer. A obesidade é comum. Os indivíduos podem parecer sonolentos ou adormecer na sala de espera do médico ou durante o exame clínico. Durante a cataplexia, podem cair bruscamente em uma cadeira ou apresentar fala arrastada ou ptose palpebral. Os reflexos estão ausentes nos casos em que o clínico tiver tempo de verificá-los durante a cataplexia (a maior parte dos ataques dura menos de 10 segundos) – um importante achado que distingue cataplexia autêntica e transtorno conversivo.

Embora o teste de QI seja em geral normal em indivíduos com narcolepsia, foram relatados prejuízos na memória de trabalho e no funcionamento executivo.

Prevalência

A narcolepsia-cataplexia (NT1) afeta entre 0,02 e 0,05% da população adulta geral mundial e tem uma incidência de 0,74 por 100.000 pessoas/ano nos Estados Unidos. Foi relatada alguma variação na prevalência, incluindo taxas mais baixas em Israel e mais altas no Japão do que na Europa e nos Estados Unidos. A prevalência verdadeira de NT2 é desconhecida em parte devido à variabilidade diagnóstica. A narcolepsia afeta ambos os gêneros igualmente, mas pode variar entre diferentes populações.

Desenvolvimento e Curso

O início ocorre com mais frequência em crianças e adolescentes ou adultos jovens, porém raramente em idosos. O pico de início ocorre em torno de 15 a 25 anos. O início pode ser repentino ou progressivo, com a cataplexia se desenvolvendo ao longo dos anos. Foi relatado que crianças que apresentam início abrupto dos sintomas de NT1 têm gravidade maior da doença, mas nesses casos ela tende a melhorar parcialmente nos primeiros anos após o início. Início abrupto em jovens e crianças pré-púberes pode estar associado a obesidade e a puberdade prematura. Aproximadamente 50% dos indivíduos com narcolepsia diagnosticada na vida adulta recordam o início dos sintomas na infância ou na adolescência, o que chama atenção para os problemas de demora no diagnóstico para essa condição. A partir do momento em que o transtorno se manifesta, o curso é persistente e dura a vida toda.

Em 90% dos casos, o primeiro sintoma a se manifestar é o de sonolência ou de sono prolongado, seguido de cataplexia (dentro de 1 ano em 50% dos casos e dentro de 3 anos em 85%). Sonolência, alucinações hipnagógicas, sonhos vívidos e transtorno comportamental do sono REM (vocalizações ou comportamento motor complexo durante o sono REM) são os sintomas iniciais. O sono excessivo evolui rapidamente para incapacidade de permanecer acordado durante o dia e de manter um sono noturno reparador, sem aumento evidente na necessidade de sono no período total de 24 horas. A cataplexia pode ser atípica nos primeiros meses, principalmente em crianças, manifestando-se como uma hipotonia generalizada em vez de com fraqueza episódica desencadeada por emoções. Em geral, os sintomas de narcolepsia permanecem estáveis, porém muitos flutuam de acordo com eventos na vida, como gravidez e estressores. A exacerbação dos sintomas sugere falta de resposta aos medicamentos ou desenvolvimento de um transtorno do sono concomitante, notadamente a apneia do sono, que foi identificada em cerca de um quarto dos indivíduos com narcolepsia.

Com frequência, crianças jovens e adolescentes com narcolepsia desenvolvem problemas agressivos ou comportamentais secundários à sonolência e/ou falta de sono noturno. A carga de trabalho e a pressão social aumentam durante o período entre o colégio e a universidade, reduzindo o tempo de sono noturno disponível. Aparentemente, a gestação não altera os sintomas de forma consistente. Em geral, depois da aposentadoria, os indivíduos têm mais oportunidades de tirar um cochilo, diminuindo a necessidade de estimulantes. A manutenção de horários regulares de sono é benéfica para pessoas de todas as idades.

Fatores de Risco e Prognóstico

Temperamentais. Geralmente, os indivíduos relatam a necessidade de mais tempo de sono do que outros membros da família.

Ambientais. Faringite por *streptococcus* do grupo A, gripe (notadamente a gripe pandêmica H1N1 de 2009) ou outras infecções típicas do inverno, bem como vacinações (especificamente vacina Pandemrix contra H1N1), provavelmente sejam desencadeadoras do processo autoimune, produzindo narcolepsia alguns meses mais tarde. Trauma craniano e alterações repentinas nos padrões do sono-vigília (p. ex., mudança de emprego, estresse) podem ser desencadeadores adicionais.

Genéticos e fisiológicos. Gêmeos monozigóticos são 25 a 32% concordantes para narcolepsia. A prevalência de narcolepsia varia de 1 a 2% em parentes de primeiro grau (aumento total de 10 a 40 vezes). A narcolepsia está fortemente associada a HLA DQB1*06:02 (ver "Marcadores Diagnósticos"). O DQB1*03:01 aumenta, enquanto o DQB1*05:01, o DQB1*06:01 e o DQB1*06:03 diminuem o risco na presença do DQB1*06:02, mas o efeito é pequeno. Polimorfismos dentro dos genes receptores da cadeia alfa de células T e outros genes imunomoduladores também modulam ligeiramente o risco.

Questões Diagnósticas Relativas à Cultura

Existem descrições de narcolepsia em todos os grupos étnicos e em muitas culturas. Um estudo com 1.097 indivíduos que buscaram tratamento sugeriu que, entre os afro-americanos, podem se manifestar mais casos sem cataplexia ou com cataplexia atípica (embora o nível de hipocretina no LCS seja baixo), e com início mais precoce comparado com brancos não latinos. O diagnóstico pode ser mais complicado pela presença mais alta de obesidade e apneia obstrutiva do sono nessa população, o que pode estar relacionado com a exposição diferencial a determinantes sociais de saúde, incluindo insegurança alimentar, deserto alimentar e acesso limitado a lugares seguros e acessíveis para atividade física. Os indivíduos com narcolepsia geralmente vivenciam paralisia do sono, o que pode ser atribuído a forças sobrenaturais (p. ex., um espírito assustador está sentado sobre o peito do indivíduo) em algumas culturas, contribuindo para a periculosidade percebida da condição e para decisões de buscar ajuda.

Marcadores Diagnósticos

O uso de polissonografia noturna, seguido de um TLMS, facilita a confirmação do diagnóstico de narcolepsia, em especial nos casos em que o transtorno estiver sendo diagnosticado pela primeira vez e antes do início do tratamento. Na presença de cataplexia clara, a polissonografia e o TLMS são confirmatórios para NT1. Na ausência de cataplexia e deficiência de hipocretina (se medida), o TLMS é diagnóstico de NT2. Efeitos de drogas ou medicamentos (p. ex., medicamentos antidepressivos ou sedativos inibidores do sono REM), abstinência de estimulantes, privação de sono prévia, trabalho em turnos ou depressão grave podem levar a um resultado impreciso no TLMS e devem ser descartados antes do desempenho do TLMS. Em particular, sono cronicamente insuficiente é comum e deve ser considerado.

Um nSOREMP é altamente específico (aproximadamente 1% positivo em sujeitos no grupo-controle), mas moderadamente sensível (aproximadamente 50%) para NT1. No entanto, um nSOREMP só foi encontrado em 10 a 23% das pessoas com NT2 com níveis normais de hipocretina, sugerindo sensibilidade ainda mais baixa nesse subtipo. O resultado no TLMS será considerado positivo para narcolepsia se apresentar uma latência média do sono inferior ou igual a 8 minutos e SOREMPs em dois ou mais cochilos em um teste de quatro ou cinco cochilos. O resultado do TLMS é positivo em 90 a 95% dos indivíduos com NT1 contra 2 a 4% em controles ou naqueles com outros transtornos do sono. Conforme observado, a fraca confiabilidade no teste-reteste para NT2 impossibilita a determinação de dados comparáveis para NT2. Com frequência, os achados polissonográficos adicionais entre indivíduos com narcolepsia incluem despertares frequentes, redução na eficiência do sono e aumento no estágio 1 do sono. Na maioria das vezes, observam-se movimentos periódicos dos membros (em cerca de 40% dos indivíduos com NT1) e apneia do sono.

A deficiência de hipocretina poderá ser demonstrada por meio de medições da imunorreatividade da hipocretina-1 no LCS. Esse teste é particularmente útil em indivíduos com suspeita de pseudocataplexia e naqueles sem cataplexia típica ou no tratamento de casos refratários. O valor diagnóstico do teste não chega a ser afetado por medicamentos, privação do sono ou pelo tempo circadiano, embora seja difícil interpretar os resultados nos casos em que o indivíduo estiver gravemente enfermo, com alguma infecção concomitante, com traumatismo craniano ou se estiver em estado de coma. A citologia e os níveis proteicos e de glicose no LCS permanecem dentro da faixa normal, mesmo que a coleta de amostras tenha sido feita dentro de algumas semanas depois de um início rápido. Quando medida em indivíduos com sintomas de cataplexia típica, a hipocretina-1 no LCS geralmente já é muito diminuída ou indetectável.

Cerca de 85 a 95% dos indivíduos com NT1 são positivos para o haplótipo HLA DQB106:02. Esse gene influencia a apresentação do antígeno no sistema imune, corroborando uma fisiopatologia autoimune de NT1 subjacente. Crises de NT1 depois de vacinações e infecções específicas corroboram ainda mais uma etiologia autoimune. Em contraste com NT1, não há biomarcadores de NT2. Apenas cerca de 40 a 50% dos indivíduos com NT2 são positivos para DQB106:02. Como 12 a 38% da população geral é DQB106:02 positivo, o teste para esse alelo não é muito útil para diagnosticar NT2, mas pode ser útil para rastreamento de NT1.

Consequências Funcionais da Narcolepsia

O desempenho escolar, a capacidade de dirigir, trabalhar ou outras atividades está prejudicada, sendo que os indivíduos com narcolepsia devem evitar trabalhos que os coloquem em risco (p. ex., operar máquinas) e outros (p. ex., dirigir ônibus, pilotar aviões). Em geral, a partir do momento em que a narcolepsia passa a ser controlada com terapia, os pacientes poderão dirigir, embora raramente distâncias muito longas sem um acompanhante. Pessoas não tratadas também correm risco de isolamento social e de causar lesões acidentais em si próprias e em outras pessoas. Os relacionamentos sociais poderão ser afetados, tendo em vista que esses indivíduos se esforçam para evitar a incidência de cataplexia pelo controle das emoções ou de estímulos que provocam emoções.

Diagnóstico Diferencial

Outras hipersonias. Transtorno de hipersonolência (também conhecido como hipersonia idiopática) e narcolepsia são semelhantes no que diz respeito ao grau de sonolência diurna crônica, à idade no início da condição (tipicamente adolescência ou início da vida adulta) e ao curso estável ao longo do tempo, embora seja possível fazer a distinção com base em características clínicas e laboratoriais diferentes. Geralmente, indivíduos com transtornos de hipersonolência têm sono noturno mais prolongado e menos perturbado, maior dificuldade para despertar, sonolência diurna mais persistente (em comparação com "ataques de sono" mais discretos na narcolepsia), episódios mais prolongados de sono diurno e menos reparadores, poucos sonhos ou nenhum sonho durante os cochilos diurnos. Por sua vez, indivíduos com NT1 geralmente têm cataplexia. Já aqueles com NT1 e NT2 podem demonstrar intrusões recorrentes de elementos do sono REM na transição entre sono e vigília (p. ex., alucinações relacionadas ao sono e paralisia do sono). Geralmente, o TLMS mostra latência mais curta de sono (p. ex., maior sonolência fisiológica), assim como a presença de múltiplos períodos SOREMPs em indivíduos com narcolepsia.

Privação do sono e sono noturno insuficiente. Privação do sono e sono noturno insuficiente são condições comuns em adolescentes e em pessoas que trabalham em regime de turnos. Em adolescentes, as dificuldades para conciliar o sono à noite são comuns, causando privação do sono. Os resultados do TLMS poderão ser positivos nas situações em que o teste for realizado enquanto o indivíduo estiver com privação do sono ou com sono de fase atrasada.

Síndromes da apneia do sono. Apneia obstrutiva do sono é comum na população geral e pode estar presente em indivíduos com narcolepsia devido a obesidade. Como a apneia obstrutiva do sono é mais frequente do que a narcolepsia, a cataplexia pode ser negligenciada (ou ausente). Narcolepsia deve ser considerada em indivíduos com sonolência persistente apesar do tratamento da sua apneia do sono.

Transtorno de insônia. Os indivíduos com narcolepsia podem se concentrar na presença de interrupção do sono noturno e incorretamente atribuem sonolência diurna ao transtorno de insônia. Embora indivíduos com narcolepsia, como aqueles com transtorno de insônia, vivenciem despertares noturnos frequentes, geralmente não têm dificuldade em conciliar o sono ou retornar ao sono em comparação com aqueles com transtorno de insônia. Além disso, o transtorno de insônia geralmente não está associado à gravidade da sonolência diurna observada na narcolepsia.

Transtorno depressivo maior. Sonolência diurna excessiva é uma queixa comum a indivíduos com depressão maior e indivíduos com narcolepsia. A presença de cataplexia (que não é uma característica de transtorno depressivo maior) juntamente com a gravidade da sonolência diurna excessiva indica um diagnóstico de NT1 em vez de transtorno depressivo maior. Na maioria das vezes, em indivíduos com depressão maior, os resultados do TLMS são normais, com dissociação entre sonolência subjetiva e objetiva, de acordo com medições da latência média do sono durante o teste. Em uma metanálise de indivíduos com transtornos psiquiátricos avaliados para sonolência, enquanto 25% tinham uma latência média do sono inferior a 8 minutos no TLMS, raramente dois ou mais SOREMPs foram notados no TLMS, destacando a disfunção do sono REM mais específica da narcolepsia.

Transtorno de sintomas neurológicos funcionais (transtorno conversivo; pseudocataplexia). Indivíduos com transtorno de sintomas neurológicos funcionais podem apresentar fraqueza que pode levantar dúvidas sobre cataplexia. Entretanto, no transtorno de sintomas neurológicos funcionais, geralmente a fraqueza tem longa duração, desencadeadores incomuns e pode resultar em quedas frequentes. Embora os indivíduos descrevam sono e sonhos normais durante cochilos de TLMS, o TLMS não mostra o SOREMP característico. Gravações de vídeos caseiros e vídeos durante estudos do sono podem ser úteis para distinguir essa condição de cataplexia verdadeira. Geralmente a fraqueza é generalizada na pseudocataplexia, sem ataques parciais. Pseudocataplexia totalmente desenvolvida e de longa duração pode ocorrer durante as consultas, dando ao examinador tempo suficiente para verificar os reflexos, que permanecem intactos.

Transtorno de déficit de atenção/hiperatividade ou outros problemas comportamentais. Em crianças e adolescentes, a sonolência poderá causar problemas comportamentais, incluindo agressividade e falta de atenção, levando a um erro diagnóstico de transtorno de déficit de atenção/hiperatividade.

Convulsões atônicas. As convulsões atônicas, um tipo de convulsão que causa perda repentina da força muscular, devem ser distinguidas da cataplexia. Mais comumente, as convulsões atônicas são desencadeadas por emoções e tendem a se manifestar como quedas abruptas em vez da qualidade de "derretimento" mais lento da cataplexia. Geralmente, as convulsões atônicas ocorrem em indivíduos com tipos adicionais de convulsão e têm padrões característicos no eletroencefalograma.

Síncope. Assim como a síncope, a cataplexia geralmente desenvolve-se durante vários segundos, mas indivíduos com cataplexia não têm os sintomas pré-síncope de tonturas, visão em túnel e alterações auditivas.

Coreia e transtornos do movimento. Em crianças mais jovens, a cataplexia poderá ser diagnosticada erroneamente como coreia ou transtornos neuropsiquiátricos autoimunes pediátricos associados a infecções estreptocócicas (PANDAS), principalmente no contexto de infecções na garganta e níveis elevados do anticorpo antiestreptolisina O. Algumas crianças poderão apresentar sobreposição de um transtorno do movimento próximo ao início da cataplexia.

Esquizofrenia. Na presença de alucinações hipnagógicas floridas e vívidas, os indivíduos com narcolepsia poderão imaginar que essas experiências são reais – característica que sugere a presença de uma verdadeira alucinação característica de esquizofrenia. Entretanto, foram descritas várias diferenças no padrão das experiências alucinatórias em narcolepsia em comparação com esquizofrenia. Os indivíduos com narcolepsia tendem a relatar alucinações "holísticas" multissensoriais relacionadas com o sono (visuais, auditivas, táteis), em vez do modo sensorial predominantemente auditivo-verbal de indivíduos com esquizofrenia. Além disso, o tratamento com altas doses de estimulantes de indivíduos com narcolepsia pode resultar no desenvolvimento de delírios persecutórios. Na presença de cataplexia, o clínico deverá, em primeiro lugar, presumir que esses sintomas sejam secundários a narcolepsia antes de considerar o diagnóstico concomitante de esquizofrenia.

Comorbidade

Comorbidades médicas e psiquiátricas são comuns entre indivíduos com narcolepsia e incluem obesidade, bruxismo, enurese, puberdade precoce (entre indivíduos com narcolepsia com início pediátrico), transtornos do humor e TDAH. Ganhos rápidos de peso são comuns em crianças jovens com início rápido da doença. Parassonias (p. ex., sonambulismo, transtorno comportamental do sono REM), apneia obstrutiva do sono, síndrome das pernas inquietas e movimentos periódicos dos membros são comuns em indivíduos que desenvolvem narcolepsia. A apneia do sono comórbida é uma hipótese a ser levada em consideração nos casos em que houver agravamento súbito de narcolepsia preexistente.

Relação com a Classificação Internacional dos Distúrbios do Sono

A terceira edição da *Classificação internacional dos distúrbios do sono* (CIDS-3) faz distinção entre dois subtipos de narcolepsia: NT1 (narcolepsia com cataplexia ou deficiência de hipocretina) e NT2 (narcolepsia sem cataplexia ou deficiência de hipocretina). NT1 secundária a outra condição médica (G47.421) e NT2 secundária a outra condição médica (G47.429) são relatadas na CIDS-3 como subtipos de narcolepsia secundária.

Transtornos do Sono Relacionados à Respiração

A categoria transtornos do sono relacionados à respiração engloba três transtornos relativamente distintos: apneia e hipopneia obstrutivas do sono, apneia central do sono e hipoventilação relacionada ao sono.

Apneia e Hipopneia Obstrutivas do Sono

Critérios Diagnósticos   G47.33

A. Alternativamente (1) ou (2):
  1. Evidências polissonográficas de pelo menos cinco apneias ou hipopneias obstrutivas por hora de sono e qualquer um entre os seguintes sintomas do sono:
     a. Perturbações na respiração noturna: ronco, respiração difícil/ofegante ou pausas respiratórias durante o sono.
     b. Sintomas como sonolência diurna, fadiga ou sono não reparador a despeito de oportunidades suficientes para dormir que não podem ser mais bem explicados por qualquer outro transtorno mental (incluindo um transtorno do sono) nem ser atribuídos a alguma outra condição médica.
  2. Evidências polissonográficas de 15 ou mais apneias e/ou hipopneias obstrutivas por hora de sono, independentemente da presença de sintomas.

Especificar a gravidade atual:
  Leve: O índice de apneia e hipopneia é menor que 15.
  Moderada: O índice de apneia e hipopneia varia de 15 a 30.
  Grave: O índice de apneia e hipopneia é maior que 30.

Especificadores

A gravidade da doença é medida pela contagem do número de apneias e de hipopneias por hora de sono (índice de apneia e hipopneia) com auxílio da polissonografia ou de qualquer outro sistema de monitoramento noturno. *Apneia* refere-se à ausência total de fluxo de ar, e *hipopneia* refere-se a uma redução no fluxo de ar. Informações sobre a gravidade total poderão também ser obtidas pelos níveis de dessaturação noturna e de fragmentação do sono (medidos pela frequência da excitação do córtex cerebral e pelos estágios do sono), pelo grau dos sintomas associados e pelos prejuízos ocorridos durante o dia. No entanto, os números exatos e limítrofes podem variar de acordo com as técnicas específicas de medição que forem utilizadas, e, além disso, esses números poderão variar ao longo do tempo. Seja qual for o índice de apneia e hipopneia (contagem), o transtorno é considerado mais grave nos casos em que as apneias e as hipopneias forem acompanhadas de dessaturação significativa da oxiemoglobina (p. ex., nas situações em que mais de 10% do tempo de sono for despendido em níveis de dessaturação inferiores a 90%) ou quando o sono for gravemente fragmentado por índices elevados de despertares (acima de 30 despertares por hora) ou de estágios reduzidos no sono profundo (p. ex., percentual do estágio N3 [sono de ondas de lentas] inferior a 5%).

Características Diagnósticas

Apneia e hipopneia obstrutivas do sono são os transtornos do sono mais comuns relacionados à respiração. Caracterizam-se pela repetição de episódios de obstrução (apneia e hipopneia) da via aérea superior (faríngea) durante o sono. Cada apneia ou hipopneia representa uma redução na respiração com duração de pelo menos 10 segundos em adultos ou duas falhas respiratórias em crianças e geralmente está associada a quedas no nível de saturação de oxigênio iguais ou superiores a 3% e/ou a um despertar eletroencefalográfico. Os sintomas relacionados ao sono (noturnos) e os sintomas ao despertar são comuns. Os principais sintomas de apneia e hipopneia obstrutivas do sono são roncos e sonolência diurna.

O diagnóstico de apneia e hipopneia obstrutivas do sono em adultos é feito com base em sintomas e em achados polissonográficos (ou teste do sono realizado fora do centro do sono, referido como *out of center sleep testing* [OCST]). O diagnóstico é baseado em sintomas de 1) perturbações na respiração noturna (i. e., roncos, respiração difícil/ofegante ou pausas respiratórias durante o sono) ou 2) sonolência diurna, fadiga ou sono não reparador a despeito de oportunidades suficientes para dormir que não sejam mais bem explicados por outro transtorno mental nem sejam atribuídos a alguma outra condição médica, com 3) evidências polissonográficas (ou OCST) de cinco ou mais apneias ou hipopneias obstrutivas por hora de sono (Critério A1). Na ausência desses sintomas, o diagnóstico poderá ser estabelecido se houver evidências polissonográficas (ou OCST limitado) de 15 ou mais apneias e/ou hipopneias obstrutivas por hora de sono (Critério A2).

Os critérios para um diagnóstico de apneia e hipopneia obstrutivas do sono em crianças diferem dos para um diagnóstico em adultos. Um índice de apneia e hipopneia obstrutivas do sono de um ou mais eventos por hora ou evidências de hipoventilação obstrutiva em associação com roncos ou evidências polissonográficas de obstrução das vias aéreas é usado para definir os limiares de anormalidade em crianças. Os achados polissonográficos em crianças podem diferir dos de adultos, pois as crianças podem demonstrar respiração difícil; hipoventilação obstrutiva parcial (reduções sustentadas de volume corrente devido a limitação nas vias aéreas superiores) com dessaturações de oxigênio cíclicas; hipercapnia; e respiração paradoxal.

A maioria dos casos de apneia obstrutiva do sono permanece não diagnosticada. Por isso, é extremamente importante dar atenção especial às perturbações do sono que ocorrem em associação com roncos ou pausas respiratórias e aos achados físicos que aumentam o risco de apneia e hipopneia obstrutivas do sono (p. ex., obesidade central, via aérea faríngea congestionada, pressão arterial elevada) para reduzir as chances de diagnosticar erroneamente essa condição tratável.

Características Associadas

A frequência de despertares noturnos que ocorrem com a apneia e hipopneia obstrutivas do sono poderá induzir os indivíduos a relatar a presença de insônia. Outros sintomas comuns, embora inespecíficos, de apneia e hipopneia obstrutivas do sono incluem pirose, noctúria, cefaleias pela manhã, boca seca, disfunção erétil e redução da libido. Raramente, os indivíduos se queixam de dificuldades para respirar se estiverem dormindo ou em decúbito dorsal. Hipertensão poderá ocorrer em mais de 60% das pessoas com apneia e hipopneia obstrutivas do sono.

Em geral, as medições dos gases no sangue arterial enquanto o indivíduo está desperto são normais, embora algumas pessoas possam apresentar hipoxemia ou hipercapnia ao despertar. Esse padrão deve alertar o clínico sobre a possibilidade de coexistência de doença pulmonar ou de hipoventilação. Os procedimentos dos estudos de imagens podem revelar a presença de estreitamento nas vias aéreas superiores. Testes cardíacos podem evidenciar alterações na função ventricular. Arritmias como pausas sinuais, batimentos atriais e ventriculares ectópicos ou fibrilação atrial podem estar presentes durante o sono. Indivíduos com dessaturação de oxigênio noturna grave podem apresentar também níveis elevados de hemoglobina ou do hematócrito.

Prevalência

Apneia e hipopneia obstrutivas do sono são transtornos bastante comuns. A prevalência poderá ser particularmente alta entre homens em comparação com mulheres, variando de 2:1 a 4:1 entre idosos e determinados grupos raciais e étnicos. A prevalência varia entre os países, em parte devido às diferenças nos métodos de avaliação. Considerando que há forte associação entre esses transtornos e obesidade, provavelmente qualquer elevação nas taxas de obesidade poderá ser acompanhada de um aumento na sua prevalência.

Nos Estados Unidos, 13% dos homens e 6% das mulheres têm evidências polissonográficas de 15 ou mais apneias ou hipopneias obstrutivas por hora de sono, e 14% dos homens e 5% das mulheres têm mais de 5 apneias ou hipopneias obstrutivas por hora de sono, mais sintomas de sonolência diurna. As diferenças entre os gêneros diminuem em idade mais avançada, possivelmente devido ao aumento da prevalência em mulheres após a menopausa; as mulheres na pós-menopausa têm 2,6 a 3,5 vezes mais chances de ter apneia obstrutiva do sono em comparação com mulheres na pré-menopausa.

Na comunidade geral, as taxas de prevalência de apneia e hipopneia obstrutivas do sono não diagnosticadas nos Estados Unidos podem ser bastante elevadas na população de idosos. A apneia obstrutiva do sono também ocorre em crianças, estimando-se uma prevalência de 1 a 4%; não há diferença de gênero entre crianças pré-púberes. Crianças obesas têm taxas mais altas.

Aparentemente, a prevalência de apneia obstrutiva do sono é mais alta entre os afro-americanos do que entre os brancos não latino-americanos. A maior prevalência entre afro-americanos, nativos americanos e hispânicos pode estar relacionada a taxas mais altas de obesidade, o que pode estar associado à exposição diferencial a determinantes sociais de saúde, incluindo segurança alimentar, desertos alimentares e acesso limitado a lugares seguros e acessíveis para atividade física.

Desenvolvimento e Curso

A distribuição por idade da apneia e hipopneia obstrutivas do sono apresenta vários picos. O primeiro ocorre em crianças entre 3 e 8 anos, quando poderá haver comprometimento da nasofaringe por uma massa relativamente grande de tecido tonsilar em comparação com as dimensões da via aérea superior. Há redução na prevalência com o crescimento da via aérea e a regressão do tecido linfoide durante a fase final da infância. Entretanto, à medida que aumenta a prevalência da obesidade em adolescentes, ocorre um segundo pico nessa faixa etária. Finalmente, à medida que aumenta a prevalência da obesidade na meia-idade e as mulheres entram na menopausa, a incidência de apneia e hipopneia obstrutivas do sono aumenta ainda mais. O curso na velhice não é muito claro; o transtorno poderá se estabilizar depois dos 65 anos, embora em outros indivíduos possa ocorrer aumento na gravidade com o envelhecimento. Os resultados polissonográficos devem ser interpretados à luz de outros dados clínicos. Em particular, os sintomas clínicos significativos de insônia ou de hipersonia devem ser investigados independentemente da idade do indivíduo.

Em geral, o início da apneia e da hipopneia obstrutivas do sono é insidioso, com progressão gradual e curso persistente. Geralmente, a presença de roncos altos é comum durante muitos anos, com frequência desde a infância, mas um aumento na gravidade pode levar o indivíduo a buscar uma avaliação. O ganho de peso poderá precipitar aumento nos sintomas. Embora possam ocorrer em qualquer idade, apneia e hipopneia obstrutivas do sono geralmente se manifestam entre indivíduos na faixa etária de 40 a 60 anos. Em 4 a 5 anos, o índice médio de apneia e hipopneia aumenta em adultos e em idosos em aproximadamente duas apneias e/ou hipopneias por hora. O índice de apneia e hipopneia está aumentado, e a apneia e hipopneia obstrutivas do sono incidentais são maiores entre idosos e do sexo masculino ou que tenham um índice de massa corporal (IMC) basal mais elevado ou que aumentam o IMC ao longo do tempo. Existem relatos de resolução espontânea da apneia e hipopneia obstrutivas do sono com a perda de peso, principalmente depois de cirurgia bariátrica. Em crianças, observou-se uma variação sazonal na apneia e hipopneia obstrutivas do sono, assim como uma melhora com o crescimento geral.

Possivelmente, em crianças mais jovens, os sinais e sintomas de apneia e hipopneia obstrutivas do sono sejam mais sutis do que em adultos, o que dificulta ainda mais o estabelecimento do diagnóstico. A polissonografia é bastante útil na confirmação do diagnóstico. As evidências de fragmentação do sono nos polissonogramas podem não ser tão óbvias como nos estudos realizados em idosos, possivelmente por causa da alta estimulação homeostática em pessoas jovens. Em geral, sintomas como roncos são relatados pelos pais, apresentando, portanto, sensibilidade reduzida. A ocorrência de despertares agitados e posições incomuns para dormir, como dormir sobre as mãos e os joelhos, é comum. A enurese noturna também é uma probabilidade e deverá levantar suspeitas de apneia e hipopneia obstrutivas do sono nos casos de recorrência em crianças que costumavam permanecer secas à noite. As crianças poderão manifestar também sonolência diurna excessiva, embora isso não seja tão comum ou pronunciado como em adultos. Respiração bucal durante o dia, dificuldades para deglutir e má articulação da fala também são características comuns em crianças. Com frequência, crianças com menos de 5 anos de idade apresentam-se mais com sintomas noturnos, como apneia observada ou respiração difícil, do que com sintomas comportamentais (p. ex., os sintomas noturnos são mais perceptíveis e, com frequência, colocam a criança sob atenção clínica). Na maioria das vezes, em crianças com idade acima de 5 anos, os focos de preocupação são sonolência e problemas comportamentais (p. ex., impulsividade e hiperatividade), transtorno de déficit de atenção/hiperatividade, dificuldades de aprendizado e cefaleias pela manhã. Além disso, crianças com apneia e hipopneia obstrutivas do sono podem se apresentar com crescimento deficiente e com retardo no desenvolvimento. Embora a obesidade seja um fator de risco menos importante em crianças jovens, ela contribui para a ocorrência de apneia obstrutiva do sono.

Fatores de Risco e Prognóstico

Genéticos e fisiológicos. Os fatores de risco mais importantes para apneia e hipopneia obstrutivas do sono são obesidade e gênero masculino. Outros fatores incluem retrognatismo ou micrognatismo maxilomandibular, história familiar positiva de apneia do sono, síndromes genéticas que diminuem a patência da via aérea superior (p. ex., síndrome de Down, síndrome de Treacher-Collin), hipertrofia adenotonsilar (especialmente em crianças jovens), menopausa (em mulheres) e várias síndromes endócrinas (p. ex., acromegalia). Em comparação com mulheres na fase pré-menopáusica, os homens apresentam maior risco de apneia e hipopneia obstrutivas do sono, possivelmente refletindo a influência dos hormônios sexuais sobre o controle ventilatório e sobre a distribuição corporal de adiposidades, assim como por causa da diferença de gênero na estrutura das vias aéreas. Medicamentos para transtornos mentais e condições médicas que tendem a induzir sonolência podem agravar o curso dos sintomas de apneia caso seu uso não seja gerenciado com cautela.

A apneia e a hipopneia obstrutivas do sono têm uma forte base genética, evidenciada pela agregação familiar significativa do índice de apneia e hipopneia. A prevalência de apneia e hipopneia obstrutivas do sono é aproximadamente duas vezes mais elevada entre parentes de primeiro grau de probandos com a mesma condição em comparação com membros de famílias de controles. O compartilhamento de fatores familiares explica um terço da variância no índice de apneia e hipopneia. Embora marcadores genéticos com valores diagnósticos ou prognósticos ainda não estejam disponíveis para uso, a obtenção de uma história familiar de apneia e de hipopneia obstrutivas do sono aumenta as suspeitas clínicas de ocorrência desse transtorno.

Questões Diagnósticas Relativas à Cultura

Existe um potencial para sonolência e fadiga cujos relatos são apresentados de formas diferentes entre as culturas. Em alguns grupos, roncar pode ser considerado um sinal de saúde e, como tal, talvez não desperte nenhum tipo de preocupação.

Questões Diagnósticas Relativas ao Sexo e ao Gênero

Menopausa, gravidez e síndrome do ovário policístico aumentam o risco de apneia obstrutiva do sono no sexo feminino. A transição da fase da pré-menopausa para a pós-menopausa está associada a aumento na gravidade da apneia obstrutiva do sono. De modo geral, é mais comum mulheres apresentarem relatos de fadiga, falta de energia ou insônia em vez de sonolência e podem dar informações incompletas sobre roncos.

Marcadores Diagnósticos

A polissonografia fornece dados quantitativos sobre a frequência de perturbações respiratórias relacionadas ao sono, a alterações associadas na saturação de oxigênio e à continuidade do sono. O uso de medições válidas (p. ex., teste de latência múltipla do sono, teste de manutenção da vigília) facilita a identificação da sonolência.

Consequências Funcionais da Apneia e da Hipopneia Obstrutivas do Sono

Mais de 50% das pessoas com apneia e hipopneia obstrutivas do sono de moderada a grave relatam sintomas de sonolência diurna. Existem relatos de ocorrência duas vezes maior de acidentes de trabalho em associação com sintomas de ronco e de sonolência. Existem também relatos indicando que a incidência de acidentes de trânsito é sete vezes maior entre indivíduos com valores mais elevados do índice de apneia e hipopneia. Os clínicos devem tomar ciência das exigências governamentais para registrar esse tipo de transtorno, principalmente em relação aos motoristas profissionais. Pontuações mais baixas em medidas aplicáveis à qualidade de vida relacionada à saúde são comuns em indivíduos com apneia e hipopneia obstrutivas do sono. Embora o maior impacto emocional seja observado no domínio da "vitalidade", a apneia obstrutiva do sono afeta negativamente a saúde em geral e também o funcionamento físico e social.

Diagnóstico Diferencial

Ronco primário e outros transtornos do sono. É importante fazer a distinção entre indivíduos com apneia e hipopneia obstrutivas do sono daqueles com ronco primário (i. e., indivíduos assintomáticos que roncam e não apresentam anormalidades nas polissonografias noturnas). Além disso, indivíduos com apneia e hipopneia obstrutivas do sono possivelmente apresentam relatos de respiração ofegante e de asfixia durante a noite, o que pode ser confundido com a presença de asma ou refluxo gastroesofágico. A presença de sonolência ou de outros sintomas diurnos que não sejam explicados por outras etiologias sugere o diagnóstico de apneia e hipopneia obstrutivas do sono, porém somente com a polissonografia é possível fazer esse tipo de distinção. O diagnóstico diferencial definitivo entre hipersonia, apneia central do sono, hipoventilação relacionada ao sono e apneia e hipopneia obstrutivas do sono também exige a realização de estudos polissonográficos.

A apneia e a hipopneia obstrutivas do sono devem ser diferenciadas de outras causas de sonolência, como narcolepsia, hiperssonolência e transtorno do sono-vigília do ritmo circadiano. A diferença entre apneia e hipopneia obstrutivas do sono e narcolepsia é a ausência de cataplexia, alucinações relacionadas ao sono e paralisia do sono, bem como presença de ronco alto, respiração ofegante durante o sono ou apneias observadas durante o sono. Geralmente, os episódios de sono diurno na narcolepsia são mais curtos, mais revigorantes e, com frequência, estão associados aos sonhos. A apneia e a hipopneia obstrutivas do sono mostram apneias e hipopneias típicas e dessaturação de oxigênio nos estudos polissonográficos noturnos. A narcolepsia resulta em períodos múltiplos de movimentos rápidos dos olhos (REM) no início do sono durante o TLMS. Da mesma forma como ocorre nos casos de apneia e hipopneia obstrutivas do sono, a narcolepsia pode estar associada à obesidade, sendo que alguns indivíduos apresentam, concomitantemente, narcolepsia e apneia e hipopneia obstrutivas do sono. O diagnóstico de narcolepsia não exclui o diagnóstico de apneia e hipopneia obstrutivas do sono, tendo em vista que as duas condições podem ocorrer ao mesmo tempo.

Apneia central do sono. A apneia central do sono pode ser diferenciada de apneia obstrutiva do sono pela presença de apneias ou hipopneias repetidas devido a redução ou ausência de esforço respiratório no registro polissonográfico. Roncos podem estar presentes, embora possam ser menos proeminentes do que observado em apneia e hipopneia obstrutivas do sono ou completamente ausentes. Frequentemente, indivíduos com apneia central do sono exibem sono fragmentado e também podem ter queixa de sonolência diurna. Mais comumente, a apneia central do sono é vista em indivíduos com insuficiência cardíaca congestiva (respiração de Cheyne-Stokes), doença neurológica ou naqueles que usam medicamentos opioides.

Transtorno de insônia. No caso de indivíduos que se queixam de dificuldades para conciliar ou manter o sono ou para despertar antes do horário habitual, o transtorno de insônia pode ter diferenciado de apneia e hipopneia obstrutivas do sono pela ausência de roncos, assim como pela ausência de história, sinais e sintomas típicos deste último transtorno. No entanto, existe provável coexistência entre insônia e apneia e hipopneia obstrutivas do sono, e, caso isso realmente ocorra, ambos os transtornos devem ser abordados concomitantemente para melhorar a qualidade do sono.

Ataques de pânico. Os ataques noturnos de pânico incluem sintomas de respiração ofegante e de asfixia durante o sono que podem ser difíceis de distinguir clinicamente de apneia e hipopneia obstrutivas do sono. Entretanto, frequência mais baixa de episódios, padrão de estimulação autonômica intensa e ausência de sonolência excessiva distinguem ataques de pânico no período noturno de apneia e hipopneia obstrutivas do sono. Os estudos polissonográficos (ou OCST) em indivíduos com ataques noturnos de pânico não revelam a presença de um padrão típico de apneias ou de dessaturação de oxigênio característica de apneia e hipopneia obstrutivas do sono. Pessoas com apneia e hipopneia obstrutivas do sono não apresentam história de ataques de pânico no período diurno.

Asma noturna. Com frequência, a asma noturna pode causar despertar repentino com sintomas de respiração ofegante ou asfixia que não são distinguíveis de episódios dispneicos resultantes da apneia obstrutiva do sono. Entretanto, geralmente está presente história de asma e a polissonografia (ou OCST) não encontra as evidências de apneias, hipopneias ou dessaturação de oxigênio indicativas de apneia obstrutiva. No entanto, asma noturna e apneia obstrutiva do sono podem coexistir, e isso pode dificultar a determinação das contribuições relativas de cada condição.

Transtorno de déficit de atenção/hiperatividade. Em crianças, o transtorno de déficit de atenção/hiperatividade inclui sintomas de falta de atenção, comprometimento do desempenho acadêmico, hiperatividade e comportamentos internalizantes, sendo que todos eles podem também ter sintomas de apneia e hipopneia obstrutivas do sono na infância. A presença de outros sintomas e de sinais de apneia e hipopneia obstrutivas do sono na infância (p. ex., respiração difícil ou roncos durante o sono e hipertrofia adenotonsilar) sugere apneia e hipopneia obstrutivas do sono. Apneia e hipopneia obstrutivas do sono e o transtorno de déficit de atenção/hiperatividade podem, muitas vezes, ocorrer ao mesmo tempo, possivelmente existindo relações causais entre eles; em consequência, fatores de risco como tonsilas aumentadas, obesidade ou história familiar de apneia do sono podem alertar o clínico sobre essa possível comorbidade.

Insônia ou hipersonia induzida por substância/medicamento. O uso e a abstinência de substâncias (incluindo medicamentos) podem produzir insônia ou hipersonia. Uma história cuidadosa é suficiente para identificar as substâncias e os medicamentos relevantes, e o acompanhamento poderá mostrar melhoras na perturbação do sono depois da interrupção do uso desses produtos. Em outros casos, o uso de uma substância/medicamento (p. ex., álcool, barbitúricos, benzodiazepínicos, tabaco) demonstrou exacerbar a apneia e a hipopneia obstrutivas do sono. Indivíduos com sinais e sintomas consistentes com apneia e hipopneia obstrutivas do sono devem receber esse diagnóstico, mesmo nos casos de uso concomitante de substâncias que possam exacerbar a condição.

Comorbidade

Hipertensão sistêmica, doença arterial coronariana, insuficiência cardíaca, acidente vascular cerebral, diabetes e elevação na taxa de mortalidade estão associados, de forma consistente, com apneia e hipopneia obstrutivas do sono. As estimativas de risco variam de 30 até 300% para casos de apneia e hipopneia obstrutivas do sono de moderada a grave. Apneia obstrutiva do sono e doença cardiovascular estão fortemente relacionadas, e o tratamento de apneia obstrutiva do sono reduz a morbidade e a mortalidade de doença cardiovascular. Grupos étnicos e raciais que não receberam assistência de saúde adequada podem estar em maior risco para fatores de risco cardiovascular não detectados associados a apneia obstrutiva do sono. Evidências de hipertensão pulmonar e de insuficiência cardíaca direita (p. ex., cor pulmonale, edema no tornozelo, congestão hepática) são raras na apneia e hipopneia obstrutivas do sono, sendo que sua presença sugere doença muito grave, hipoventilação associada ou comorbidades cardiopulmonares. A apneia e a hipopneia obstrutivas do sono podem também ocorrer com frequência elevada em associação com inúmeras condições médicas ou neurológicas (p. ex., doença cerebrovascular, doença de Parkinson). Os achados físicos refletem a ocorrência concomitante dessas condições.

Cerca de um terço dos indivíduos que são encaminhados para avaliação de apneia e hipopneia obstrutivas do sono relata sintomas de depressão, sendo que até 10% apresentam pontuações consistentes com depressão de moderada a grave. Há uma correlação entre a gravidade da apneia e hipopneia obstrutivas do sono, medida pelo índice da apneia e hipopneia, e a gravidade dos sintomas depressivos. Essa associação pode ser mais forte em homens do que em mulheres.

Relação com a Classificação Internacional dos Distúrbios do Sono

A terceira edição da *Classificação internacional dos distúrbios do sono* (CIDS-3) diferencia 11 subtipos de "transtornos do sono relacionados à respiração", incluindo apneias centrais do sono (ACSs) (p. ex., ACS devido a uma condição médica/neurológica, ACS devido a uma substância ou medicamento), apneia obstrutiva do sono (adulta e pediátrica) e transtornos de hipoventilação relacionados ao sono.

Apneia Central do Sono

Critérios Diagnósticos

A. Evidências polissonográficas de cinco ou mais apneias centrais por hora de sono.
B. O transtorno não é mais bem explicado por nenhum outro transtorno do sono atual.

Determinar o subtipo:

G47.31 Apneia central do sono tipo idiopática: Caracteriza-se pela repetição de episódios de apneias e de hipopneias durante o sono causados pela variação no esforço respiratório, porém sem evidências de obstrução nas vias aéreas.

R06.3 Respiração de Cheyne-Stokes: Padrão de variação periódica crescendo-decrescendo no volume corrente resultando em apneias centrais e hipopneias com frequência de pelo menos cinco eventos por hora, acompanhados de despertares frequentes.

G47.37 Apneia central do sono comórbida com uso de opioide: A patogênese deste subtipo é atribuída aos efeitos de opioides nos geradores do ritmo respiratório na medula, assim como aos efeitos diferenciais da hipoxia *versus* a hipercapnia sobre a estimulação respiratória.

Nota para codificação (somente para o código G47.37): Na presença de transtornos por uso de opioides, codifica-se em primeiro lugar o transtorno por uso de opioides: F11.10 transtorno por uso de opioide leve ou F11.20 transtorno por uso de opioide moderado ou grave; a seguir, codifica-se G47.37 apneia central do sono comórbida com o uso de opioides. No caso da ausência de algum transtorno por uso de opioides (p. ex., depois do uso de uma dose pesada da substância), codifica-se apenas G47.37 apneia central do sono comórbida com o uso de opioides.

> *Especificar* a gravidade atual:
> A gravidade da apneia central do sono é classificada de acordo com a frequência das perturbações respiratórias, com a extensão da dessaturação de oxigênio associada e com a fragmentação do sono que ocorrem como consequência de perturbações respiratórias repetidas.

Subtipos

Existem vários subtipos de apneia central do sono. A apneia central do sono tipo idiopática (também denominada apneia central do sono primária) e a apneia central do sono com respiração de Cheyne-Stokes caracterizam-se por aumentos no ganho do sistema de controle ventilatório, também conhecido como *retroalimentação de alto ganho* (*high loop gain*), causando instabilidade na ventilação e nos níveis de $PaCO_2$. Essa instabilidade é chamada de *respiração periódica* e pode ser identificada pela alternância entre hiperventilação e hipoventilação. Geralmente, indivíduos com esses transtornos apresentam níveis de pCO_2 ligeiramente hipocapneicos ou normocapneicos enquanto estiverem despertos. A apneia central do sono também pode se manifestar durante o início do tratamento de apneia e hipopneia obstrutivas do sono (denominado *apneia central do sono emergente do tratamento*) ou pode ocorrer em associação com a síndrome de apneia e hipopneia obstrutivas do sono. A ocorrência de apneia central do sono em associação com apneia obstrutiva do sono é também considerada como devida a retroalimentação de alto ganho. Já a patogênese da apneia central do sono comórbida com o uso de opioides foi atribuída aos efeitos dos opioides sobre os geradores do ritmo respiratório na medula, assim como aos efeitos diferenciais da hipoxia *versus* a hipercapnia sobre a estimulação respiratória. Esses indivíduos podem apresentar níveis elevados de pCO_2 enquanto estiverem despertos. Observou-se que as pessoas que fazem terapia de manutenção crônica com metadona apresentam aumento da sonolência e dos sintomas depressivos, embora o papel dos transtornos da respiração associados com o uso de medicamentos opioides causando esses problemas não tenha sido estudado. Igualmente, apneia central devido a uma condição médica sem respiração de Cheyne-Stokes é resultante de um processo patológico que afeta os centros de controle ventilatório no tronco cerebral.

Especificadores

Elevações no índice de apneia central (i. e., número de apneias centrais por hora de sono) refletem aumento na gravidade da apneia central do sono. A continuidade e a qualidade do sono podem estar marcadamente prejudicadas com reduções nos estágios reparadores do sono não REM (i. e., sono com ondas lentas diminuídas [estágio N3]). Em indivíduos com respiração de Cheyne-Stokes do tipo grave, o padrão pode ser observado também durante vigílias em estado de repouso, um achado que é considerado marcador de prognóstico ruim para mortalidade.

Características Diagnósticas

Os transtornos da apneia central do sono caracterizam-se por episódios repetidos de apneias e de hipopneias durante o sono, causados pela variabilidade no esforço respiratório. Trata-se de transtornos no controle ventilatório nos quais os eventos ocorrem em um padrão periódico ou intermitente. A *apneia central do sono tipo idiopática* caracteriza-se por sonolência, insônia e despertares causados por dispneia em associação com cinco ou mais apneias centrais por hora de sono. Geralmente, a apneia central do sono que acomete indivíduos com insuficiência cardíaca, acidente vascular cerebral ou insuficiência renal apresenta um padrão respiratório denominado *respiração de Cheyne-Stokes*, que se caracteriza por um padrão periódico do tipo crescendo-decrescendo no volume corrente que resulta em apneias e hipopneias centrais ocorrendo com uma frequência de pelo menos cinco eventos por hora. Os eventos geralmente são associados ao despertar, mas despertares não são exigidos para que seja feito o diagnóstico. Apneia central do sono observada em grandes altitudes ocorre depois da subida de uma grande altitude, pelo menos 2.500 metros acima do nível do mar. As apneias centrais e obstrutivas do sono podem coexistir; o diagnóstico de apneia e hipopneia centrais do sono exige que os eventos centrais sejam superiores a 50% do número total de eventos respiratórios.

Possivelmente ocorrem alterações no controle neuromuscular da respiração em associação com o uso de medicamentos ou substâncias em indivíduos com condições de saúde mental, o que pode causar ou exacerbar prejuízos no ritmo respiratório e na ventilação. Pessoas que estiverem tomando esses medicamentos apresentam um transtorno respiratório relacionado ao sono que, por sua vez, poderá provocar perturbações no sono e sintomas como sonolência, confusão e depressão. Especificamente, *o uso crônico de medicamentos opioides de ação prolongada* está associado com frequência a alterações no controle respiratório, ocasionando apneia central do sono.

Características Associadas

Indivíduos com apneias e hipopneias centrais do sono podem apresentar-se com sonolência ou insônia. Normalmente, há queixas de fragmentação do sono, incluindo despertares com dispneia. Algumas pessoas são assintomáticas. A apneia e a hipopneia obstrutivas do sono podem coexistir com a respiração de Cheyne-Stokes, e, consequentemente, é provável que ocorram roncos e eventos obstrutivos interrompidos abruptamente durante o sono.

Existe uma relação entre os achados físicos em indivíduos com padrão da respiração de Cheyne-Stokes e seus fatores de risco. Achados consistentes com insuficiência cardíaca, tais como distensão da veia jugular, B3 na ausculta cardíaca, crepitações pulmonares e edema em membros inferiores, também podem estar presentes.

Prevalência

Embora seja considerada rara, a prevalência de apneia central do sono tipo idiopática é desconhecida. A prevalência da respiração de Cheyne-Stokes é alta em indivíduos com fração de ejeção ventricular cardíaca diminuída. Os relatos indicam que a prevalência varia de 15 a 44% em indivíduos com fração de ejeção inferior a 45%. Em termos de prevalência na América do Norte, Europa e Austrália, homens apresentam mais apneia e hipopneia obstrutivas do sono. A prevalência aumenta com a idade, sendo que a maior parte dos pacientes tem mais de 60 anos. A respiração de Cheyne-Stokes acomete aproximadamente 20% dos indivíduos com acidente vascular cerebral agudo avaliados em Barcelona e Toronto. A apneia central do sono comórbida com o uso de opioides ocorre em cerca de 24% das pessoas que usam opioides de forma crônica para tratamento de dor não maligna e, da mesma forma, naquelas que fazem terapia de manutenção com metadona, segundo visto em vários países com alta renda. Doses mais elevadas de opioides estão associadas a maior gravidade, especialmente em dosagens diárias equivalentes a morfina superiores a 200 mg. Em crianças avaliadas na França e no Canadá, a prevalência varia de 4 a 6%.

Desenvolvimento e Curso

Os parâmetros da polissonografia para diagnosticar apneia central do sono em crianças são diferentes dos para adultos e compreendem qualquer um dos seguintes parâmetros: 1) interrupção do fluxo de ar e esforço respiratório por mais de 20 segundos, dois ciclos respiratórios associados a um despertar do sono ou dessaturação de oxigênio superior a 3%; ou 2) dois ciclos respiratórios associados a bradicardia.

Aparentemente, há alguma ligação entre o início da respiração de Cheyne-Stokes e o desenvolvimento de insuficiência cardíaca. O padrão da respiração de Cheyne-Stokes está associado a oscilações na frequência cardíaca, na pressão arterial, na dessaturação de oxigênio e à atividade elevada do sistema nervoso simpático, o que pode promover a progressão da insuficiência cardíaca. Embora não se conheça a significância clínica da respiração de Cheyne-Stokes no contexto de acidente vascular cerebral, essa condição pode ser um achado transitório que desaparece ao longo do tempo depois de ataques agudos. Foram documentados casos de apneia central do sono comórbida com uso crônico de opioides (i. e., vários meses).

Fatores de Risco e Prognóstico

Genéticos e fisiológicos. A presença da respiração de Cheyne-Stokes é frequente em indivíduos com insuficiência cardíaca. A coexistência de fibrilação atrial aumenta ainda mais o risco, da mesma forma que a velhice e o gênero masculino. A respiração de Cheyne-Stokes pode ser observada também em associação com acidente vascular cerebral agudo e, possivelmente, com insuficiência renal. No quadro de insuficiência cardíaca, a instabilidade ventilatória subjacente foi atribuída a elevação na quimiossensibilidade ventilatória, hiperventilação devida a congestão vascular pulmonar e a retardo circulatório. A apneia central do sono em geral acomete indivíduos que utilizam opioides de ação prolongada. Em crianças, a apneia central do sono pode ser encontrada em indivíduos com anormalidades congênitas, em particular malformação de Arnold-Chiari, ou condições médicas comórbidas como refluxo gastroesofágico. Raramente, a apneia central do sono resultante de uma condição congênita pode não se manifestar até a idade adulta (p. ex., malformação de Arnold-Chiari e hipoventilação central congênita).

Marcadores Diagnósticos

A polissonografia é utilizada para tipificar as características respiratórias de cada subtipo de transtorno do sono relacionado à respiração. As apneias centrais do sono são registradas sempre que ocorrer interrupção de períodos de respiração por mais de 10 segundos. A respiração de Cheyne-Stokes caracteriza-se por uma variação com padrão crescendo-decrescendo no volume corrente, resultando em apneias e hipopneias centrais que ocorrem a uma frequência de pelo menos cinco eventos por hora, que, por sua vez, são acompanhados de apneias e hiponeias centrais superiores a 50% do número total de apneias e hipopneias. O tempo de duração do ciclo da respiração de Cheyne-Stokes (ou tempo decorrido desde o fim de uma apneia central até o fim da próxima apneia) é de aproximadamente 60 segundos.

Consequências Funcionais da Apneia Central do Sono

Existem relatos indicando que a apneia central do sono tipo idiopática pode provocar sintomas de perturbação no sono, incluindo insônia e sonolência. A respiração de Cheyne-Stokes com insuficiência cardíaca comórbida foi associada a condições como sonolência excessiva, fadiga e insônia, embora muitos indivíduos possivelmente sejam assintomáticos. A coexistência de insuficiência cardíaca e respiração de Cheyne-Stokes pode estar associada a elevações nas arritmias cardíacas e ao aumento na taxa de mortalidade ou no número de transplantes cardíacos. Indivíduos com apneia central do sono comórbida com uso de opioides podem se apresentar com sintomas de sonolência ou insônia.

Diagnóstico Diferencial

É importante distinguir apneia central do sono tipo idiopática de outros transtornos do sono relacionados à respiração, outros transtornos do sono, condições médicas e transtornos mentais que causem fragmentação do sono, sonolência e fadiga. Essa distinção poderá ser feita por meio de estudos polissonográficos.

Outros transtornos do sono relacionados à respiração e transtornos do sono. A apneia central do sono distingue-se de apneia e hipopneia obstrutivas do sono pela presença de pelo menos cinco apneias centrais por hora de sono. Embora essas condições possam ocorrer simultaneamente, há predominância da apneia central do sono nas situações em que os eventos respiratórios centrais forem superiores a 50% do número total de eventos respiratórios.

A respiração de Cheyne-Stokes pode ser diferenciada de outros transtornos mentais, incluindo outros transtornos do sono, e de outras condições médicas que causam fragmentação do sono, sonolência e fadiga, pela presença de uma condição predisponente (p. ex., insuficiência cardíaca ou acidente vascular cerebral), de sinais e de evidências polissonográficas do padrão característico de respiração. Os achados respiratórios polissonográficos facilitam a distinção entre respiração de Cheyne-Stokes e insônia devido à presença de outras condições médicas. Por exemplo, apneia do sono central devida à respiração periódica de altitudes elevadas apresenta um padrão que se assemelha à respiração de Cheyne-Stokes, porém o tempo da ciclagem é mais curto, ocorre apenas em altitudes elevadas e não está associada a insuficiência cardíaca. A apneia central do sono comórbida com o uso de opioides pode ser diferenciada de outros tipos de transtornos do sono relacionados à respiração com base no uso de medicamentos opioides de ação prolongada em conjunto com evidências polissonográficas de apneias centrais e respiração periódica ou atáxica. Distingue-se de insônia causada pelo uso de medicamentos ou de substâncias com base em evidências polissonográficas de apneia central do sono.

Comorbidade

A presença de transtornos de apneia central do sono é comum em usuários de opioides de ação prolongada, como, por exemplo, a metadona. Pessoas que usam esses medicamentos apresentam um transtorno do sono relacionado à respiração que, por sua vez, poderá provocar perturbações no sono e sintomas como sonolência, confusão e depressão. Enquanto o indivíduo está desperto, observam-se padrões como apneias centrais, apneias periódicas e respiração atáxica. A apneia e a hipopneia obstrutivas do sono podem coexistir com apneia central do sono, e características consistentes com essa condição podem também estar presentes (ver a seção "Apneia e Hipopneia Obstrutivas do Sono" apresentada anteriormente neste capítulo). A respiração de Cheyne-Stokes é mais comum em associação com condições que incluem insuficiência cardíaca, acidente vascular cerebral e insuficiência renal, além de ser observada com mais frequência em indivíduos com fibrilação atrial. Os indivíduos com respiração de Cheyne-Stokes são mais propensos a ser idosos, do sexo masculino e a ter peso mais baixo, do que aqueles com apneia e hipopneia obstrutivas do sono.

Relação com a Classificação Internacional dos Distúrbios do Sono

A terceira edição da *Classificação internacional dos distúrbios do sono* (CIDS-3) inclui oito subtipos de apneia central do sono (apneia central do sono com respiração de Cheyne-Stokes, apneia central devida a um transtorno médico sem respiração de Cheyne-Stokes, apneia central do sono devida a respiração periódica de grande altitude, apneia central do sono devida a um medicamento ou substância, apneia central do sono primária, apneia central do sono primária da infância, apneia central do sono primaria da prematuridade e apneia central do sono emergente de tratamento). Como no DSM-5, a maioria desses diagnósticos exige uma frequência de 5 ou mais eventos centrais por hora de sono. Além disso os critérios da CIDS-3 também exigem a presença de sinais ou sintomas (p. ex., queixas de insônia ou sonolência diurna). Os eventos centrais devem constituir pelo menos 50% do número total de apneias ou hipopneias. A apneia do sono central primária da infância e a apneia central do sono primária da prematuridade têm seus próprios grupos de critérios que diferem das formas adultas de apneia central do sono.

Hipoventilação Relacionada ao Sono

Critérios Diagnósticos

A. A polissonografia demonstra episódios de respiração reduzida associada a níveis elevados de CO_2. (Nota: Na ausência de medições objetivas do CO_2, níveis baixos persistentes de saturação de oxigênio na hemoglobina não associados com eventos apneicos/hipopneicos podem ser uma indicação de hipoventilação).

B. A perturbação não é mais bem explicada por nenhum outro transtorno do sono em curso.

Determinar o subtipo:

G47.34 Hipoventilação idiopática: Este subtipo não é atribuído a nenhuma condição prontamente identificável.

G47.35 Hipoventilação alveolar central congênita: Este subtipo é um transtorno congênito raro no qual, geralmente, o indivíduo se apresenta no período perinatal com respiração fraca ou cianose e apneia durante o sono.

G47.36 Hipoventilação relacionada ao sono comórbida: Este subtipo é consequência de alguma condição médica, como, por exemplo, um distúrbio pulmonar (p. ex., doença pulmonar intersticial, doença pulmonar obstrutiva crônica) ou um distúrbio neuromuscular ou da parede torácica (p. ex., distrofias musculares, síndrome pós-poliomielite, lesão medular cervical, cifoescoliose), ou de medicamentos (p. ex., benzodiazepínicos, opiáceos). Pode ocorrer também com obesidade (transtorno de hipoventilação por

> obesidade), na qual reflete uma combinação de trabalho respiratório aumentado, causada por complacência reduzida da parede torácica, descompasso entre ventilação e perfusão e estimulação ventilatória variavelmente reduzida. Em geral, esses indivíduos se caracterizam por índices de massa corporal acima de 30 e hipercapnia durante a vigília (com pCO_2 superior a 45), sem outras evidências de hipoventilação.
>
> *Especificar* a gravidade atual:
> A gravidade é classificada de acordo com o grau de hipoxemia e de hipercarbia durante o sono e com evidências de alterações em órgãos terminais causadas por essas anormalidades (p. ex., insuficiência cardíaca no lado direito). A presença de anormalidades nos gases sanguíneos durante a vigília é um indicador de gravidade maior.

Subtipos

Os subtipos de hipoventilação relacionada ao sono incluem os seguintes:

- *Hipoventilação idiopática*, também referida como *hipoventilação alveolar central idiopática*, caracteriza-se pela redução do volume corrente e elevação de CO_2 durante o sono, na ausência de alguma comorbidade identificável que justificaria a hipoventilação.
- *Hipoventilação alveolar central congênita* é um transtorno raro associado à mutação do gene *PHOX2B*. Manifesta-se tipicamente no nascimento.
- *Hipoventilação relacionada ao sono comórbida* é causada por uma das inúmeras comorbidades potenciais, incluindo doença pulmonar (p. ex., doença pulmonar obstrutiva crônica [DPOC]), anormalidades na parede torácica (p. ex., cifoescoliose), doença neuromuscular (p. ex., esclerose lateral amiotrófica) e obesidade (referida como hipoventilação da obesidade), bem como o uso de medicamentos ou substâncias, em especial opioides.

Características Diagnósticas

Hipoventilação relacionada ao sono pode ocorrer de forma independente ou, com mais frequência, comórbida com transtornos neurológicos ou médicos, com uso de medicamentos ou com transtorno por uso de substâncias. Embora os sintomas não sejam imprescindíveis para a obtenção do diagnóstico, com frequência os indivíduos relatam sonolência diurna excessiva, excitações e despertares frequentes durante o sono, cefaleias pela manhã e queixas de insônia.

Características Associadas

Indivíduos com hipoventilação relacionada ao sono podem se apresentar com queixas de insônia ou de sonolência. Episódios de ortopneia podem ocorrer em pessoas com fraqueza no diafragma. A presença de cefaleias ao acordar é comum. Durante o sono, observam-se episódios de respiração fraca, com possível coexistência de apneia e hipopneia obstrutivas do sono ou de apneia central do sono. Consequências de insuficiência ventilatória, incluindo hipertensão pulmonar, cor pulmonale (insuficiência cardíaca direita), policitemia e disfunção neurocognitiva, podem estar presentes. Com a progressão da insuficiência ventilatória, as anormalidades nos gases sanguíneos estendem-se para a vigília. Também é comum a presença de características da condição médica que estiver provocando hipoventilação relacionada ao sono. Os episódios de hipoventilação podem estar associados a despertares frequentes ou a braditaquicardia. Os indivíduos podem se queixar de sonolência excessiva e de insônia ou de cefaleias pela manhã ou podem se apresentar com achados de disfunção neurocognitiva ou depressão. A hipoventilação pode não ocorrer durante o estado de vigília.

Prevalência

A hipoventilação relacionada ao sono tipo idiopática é bastante rara em adultos. A presença de hipoventilação alveolar central congênita é desconhecida, embora o transtorno seja raro. A hipoventilação relacionada ao sono comórbida (i. e., hipoventilação comórbida com outras condições, tais como doença pulmonar obstrutiva crônica [DPOC], distúrbios neuromusculares ou obesidade) é mais comum.

Estima-se que a presença de hipoventilação relacionada ao sono comórbida devida à obesidade na população geral é de aproximadamente 0,14 a 0,6% com base nas taxas de obesidade nacionais e na prevalência de apneia obstrutiva do sono em vários países. As crescentes taxas de obesidade estão associadas à crescente prevalência de hipoventilação relacionada ao sono comórbida devida à obesidade. Em indivíduos encaminhados para uma clínica do sono que apresentam IMC > 35 kg/m^2, a prevalência pode ser de até 42%.

Desenvolvimento e Curso

Acredita-se que a hipoventilação relacionada ao sono idiopática seja um transtorno lentamente progressivo de prejuízos respiratórios. Nas situações em que o transtorno for comórbido com outros transtornos (p. ex., DPOC, distúrbios neuromusculares, obesidade), o nível de gravidade da doença reflete a gravidade da condição subjacente, sendo que o transtorno evolui de acordo com o agravamento da condição. Complicações como hipertensão pulmonar, cor pulmonale, disritmias cardíacas, policitemia, transtorno neurocognitivo e agravamento da insuficiência respiratória poderão se desenvolver com aumentos na gravidade de anormalidades nos gases sanguíneos.

Em geral, a hipoventilação alveolar central congênita manifesta-se no nascimento com respiração errática, fraca ou ausente. Esse transtorno pode se manifestar também na infância e na vida adulta por causa da penetrância variável da mutação PHOX2B.

Fatores de Risco e Prognóstico

Ambientais. A estimulação ventilatória pode ser reduzida em indivíduos que usam medicamentos depressores do sistema nervoso central, incluindo benzodiazepínicos, opiáceos e álcool.

Genéticos e fisiológicos. A hipoventilação relacionada ao sono idiopática está associada à estimulação ventilatória reduzida devido ao enfraquecimento da quimiorresponsividade ao CO_2 (estimulação respiratória reduzida; i.e., "não vou respirar"), refletindo déficits neurológicos subjacentes nos centros que administram o controle da ventilação. Mais comumente, a hipoventilação relacionada ao sono é comórbida com alguma outra condição médica, como distúrbio pulmonar, distúrbio neuromuscular ou na parede torácica, hipotireoidismo ou com o uso de medicamentos (p. ex., benzodiazepínicos, opiáceos). Nessas condições, a hipoventilação pode ser uma consequência da intensificação no trabalho de respiração e/ou de prejuízos na função muscular respiratória (i. e., "não consigo respirar") ou de estimulação respiratória reduzida.

Os distúrbios neuromusculares influenciam a respiração por meio de lesões na inervação motora respiratória ou na função dos músculos respiratórios. Esses distúrbios incluem condições como esclerose lateral amiotrófica, lesão na medula espinal, paralisia diafragmática, miastenia grave, síndrome de Lambert-Eaton, miopatias tóxicas ou metabólicas, síndrome pós-poliomielite e síndrome de Charcot-Marie-Tooth.

A hipoventilação alveolar central congênita é um distúrbio genético atribuído a mutações de PHOX2B, um gene crucial para o desenvolvimento embrionário do sistema nervoso autônomo e dos derivativos da crista neural. Crianças com hipoventilação alveolar central congênita apresentam respostas ventilatórias enfraquecidas à hipercapnia, especialmente no sono não REM.

Questões Diagnósticas Relativas ao Sexo e ao Gênero

As distribuições de gênero para hipoventilação relacionada ao sono que ocorre em associação com condições comórbidas refletem as distribuições de gênero das condições comórbidas. Por exemplo, a presença de DPOC é mais frequente em homens e com o avanço da idade. Ao contrário de dados anteriores, acredita-se agora que a hipoventilação da obesidade ocorre igualmente entre os gêneros, e em alguns estudos pode haver uma prevalência um pouco maior em mulheres.

Marcadores Diagnósticos

A hipoventilação relacionada ao sono é diagnosticada a partir de estudos polissonográficos que mostram hipoxemia e hipercapnia relacionadas ao sono que não são mais bem explicadas por nenhum outro transtorno relacionado ao sono. A documentação de 1) níveis arteriais elevados de pCO_2 de até 55 mmHg durante o sono ou 2) incrementos iguais ou superiores a 10 mmHg nos níveis de pCO_2 (até um nível que também exceda 50 mmHg) durante o sono, em comparação com valores ao despertar na posição supina por 10 minutos ou mais, é o padrão-ouro para o diagnóstico. Entretanto, é impraticável fazer medições dos gases do sangue arterial durante o sono, e as medições não invasivas de pCO_2 durante o sono ainda não foram validadas adequadamente e não são utilizadas com muita frequência durante a polissonografia em adultos. Com frequência, na ausência de evidências de obstrução na via aérea superior, as reduções prolongadas e sustentadas na saturação de oxigênio (saturação de oxigênio inferior a 90% por mais de 5 minutos com a menor taxa de pelo menos 85% ou saturação de oxigênio inferior a 90% durante pelo menos 30% do tempo de sono) são utilizadas como indicação de hipoventilação relacionada ao sono; no entanto, esse achado não é específico, tendo em vista que existem outras causas potenciais de hipoxemia, como aquela causada por doenças pulmonares.

Crianças com hipoventilação alveolar central congênita têm mais propensão a apresentar transtornos do sistema nervoso autônomo, doença de Hirschsprung, tumores na crista neural e face característica em formato de caixa (i. e., a face é curta em relação à largura).

Consequências Funcionais da Hipoventilação Relacionada ao Sono

As consequências funcionais da hipovenilação relacionada ao sono estão ligadas aos efeitos de exposição crônica a hipercapnia e hipoxemia. Esses distúrbios nos gases do sangue provocam vasoconstrição na vasculatura pulmonar, resultando em hipertensão pulmonar, que, caso seja grave, poderá causar insuficiência cardíaca no lado direito (cor pulmonale). A hipoxemia pode causar disfunção no cérebro, no sangue e no coração, levando a resultados como disfunção cognitiva, policitemia e arritmias cardíacas. A hipercapnia pode deprimir a estimulação ventilatória, resultando em insuficiência respiratória progressiva.

Diagnóstico Diferencial

Outras condições médicas que afetam a ventilação. Em adultos, a variedade idiopática de hipoventilação relacionada ao sono é bastante incomum e é determinada pela exclusão da presença de doenças pulmonares, malformações esqueléticas, distúrbios neuromusculares e outros distúrbios médicos e neurológicos ou medicamentos que possam afetar a hipoventilação. É importante distinguir hipoventilação relacionada ao sono de outras causas de hipoxemia relacionada ao sono, como o tipo provocado por doenças pulmonares.

Outros transtornos do sono relacionados à respiração. A hipoventilação relacionada ao sono pode ser diferenciada de apneia e hipopneia obstrutivas do sono e de apneia central do sono com base em características clínicas e em achados de estudos polissonográficos. Geralmente, a hipoventilação relacionada ao sono apresenta períodos mais sustentados de dessaturação de oxigênio do que os episódios periódicos observados na apneia e hipopneia obstrutivas do sono e na apneia central do sono. A apneia e a hipopneia obstrutivas do sono e a apneia central do sono mostram também um padrão de episódios discretos de diminuições repetidas no fluxo de ar, que podem estar ausentes na hipoventilação relacionada ao sono. Entretanto, apneias e hipopneias obstrutivas e centrais podem ocorrer em associação com hipoventilação relacionada ao sono. Na hipoventilação da obesidade, a maioria dos indivíduos terá apneia obstrutiva do sono comórbida.

Comorbidade

Com frequência, a hipoventilação relacionada ao sono ocorre em associação com algum distúrbio pulmonar (p. ex., doença pulmonar intersticial, DPOC), com um distúrbio neuromuscular ou na parede torácica (p. ex., distrofias musculares, síndrome pós-poliomielite, lesão na medula espinal cervical, cifoescoliose), com obesidade ou, mais relevante para os clínicos de assistência mental, com o uso de medicamentos

(p. ex., benzodiazepínicos, opiáceos). Na maior parte das vezes, a hipoventilação alveolar central congênita ocorre em associação com disfunção autonômica, podendo ocorrer também em associação com a doença de Hirschsprung. DPOC, um distúrbio obstrutivo da via aérea inferior, em geral associado ao tabagismo, poderá resultar em hipoventilação relacionada ao sono e hipoxemia. Acredita-se que a presença de apneia e hipopneia obstrutivas do sono coexistentes exacerba a hipoxemia e a hipercapnia durante o sono e a vigília. A relação entre hipoventilação alveolar central congênita e hipoventilação relacionada ao sono tipo idiopática não é clara; em alguns indivíduos, a hipoventilação relacionada ao sono tipo idiopática pode representar casos de hipoventilação alveolar central congênita de início tardio.

Relação com a Classificação Internacional dos Distúrbios do Sono

A terceira edição da *Classificação internacional dos distúrbios do sono* (CIDS-3) faz distinção entre seis subtipos de transtornos de hipoventilação relacionada ao sono. A síndrome de hipoventilação alveolar central congênita e a hipoventilação idiopática (hipoventilação idiopática alveolar central na CIDS-3) são identificadas tanto no DSM-5 como na CIDS-3. No entanto, os subtipos da CIDS-3 síndrome de hipoventilação da obesidade, hipoventilação relacionada ao sono devida a um medicamento ou substância e hipoventilação relacionada ao sono devida a um transtorno médico estão incluídos em hipoventilação relacionada ao sono no DSM-5. O subtipo hipoventilação central de início tardio com disfunção hipotalâmica não está no DSM-5. Essa abordagem à classificação reflete a coocorrência frequente de transtornos que provocam hipoventilação e hipoxemia. Já a classificação utilizada na CIDS-3 reflete evidências de que existem processos patogenéticos distintos relacionados ao sono que levam à hipoventilação.

Transtornos do Sono-Vigília do Ritmo Circadiano

Critérios Diagnósticos

A. Padrão persistente ou recorrente de interrupção do sono devido, principalmente, a alteração no sistema circadiano ou a desequilíbrio entre o ritmo circadiano endógeno e os horários de sono-vigília impostos pelos horários dos ambientes físico, social ou profissional do indivíduo.
B. A interrupção do sono leva a sonolência excessiva ou insônia, ou ambas.
C. A perturbação do sono causa sofrimento clinicamente significativo ou prejuízo no funcionamento social, profissional ou em outras áreas importantes da vida do indivíduo.

Determinar o subtipo:

G47.21 Tipo fase do sono atrasada: Padrão de atraso nos horários de início do sono e de acordar, com incapacidade de conciliar o sono ou de acordar no horário mais cedo desejado ou convencionalmente aceitável.

Especificar se:
Familiar: Presença de história familiar de fase do sono atrasada.

Especificar se:
Sobrepondo-se com o tipo sono-vigília não de 24 horas: O tipo fase do sono atrasada pode se sobrepor a outro transtorno do sono-vigília do ritmo circadiano, tipo sono-vigília não de 24 horas.

G47.22 Tipo fase do sono avançada: Padrão de adiantamento nos horários de início do sono e de vigília, com incapacidade de permanecer acordado ou adormecido até os horários desejados ou convencionalmente aceitos para dormir ou acordar.

Especificar se:
Familiar: Presença de história familiar de fase avançada do sono.

G47.23 Tipo sono-vigília irregular: Padrão de sono-vigília desorganizado temporariamente, de forma que o horário dos períodos de dormir e de acordar sejam variáveis ao longo de um período de 24 horas.

> **G47.24 Tipo sono-vigília não de 24 horas:** Padrão de ciclos de sono-vigília que não são sincronizados ao ambiente de 24 horas, com um desvio consistente (em geral em horários cada vez mais tarde) nos horários de início do sono e de acordar.
> **G47.26 Tipo trabalho em turnos:** Insônia durante o período principal de sono e/ou sonolência excessiva (incluindo sono inadvertido) durante o período principal de sono associada a um regime de trabalho em turnos (i. e., que exige horas de trabalho não convencionais).
> **G47.20 Tipo não especificado**
>
> *Especificar se:*
> **Episódico:** Os sintomas duram pelo menos um mês, porém menos de três meses.
> **Persistente:** Os sintomas duram três meses ou mais.
> **Recorrente:** Dois ou mais episódios ocorrem no intervalo de um ano.

Tipo Fase do Sono Atrasada

Características Diagnósticas

O transtorno tipo fase do sono atrasada baseia-se principalmente em histórias de atraso no horário principal de sono (em geral mais de 2 horas) em relação aos horários desejados de dormir e acordar, resultando em sintomas de insônia e de sonolência excessiva. Quando autorizados a estabelecer seus próprios horários, indivíduos com fase do sono atrasada exibem qualidade e duração do sono normais para a idade. Sintomas de insônia no início do sono, dificuldade para acordar pela manhã e sonolência excessiva nas primeiras horas do dia são proeminentes.

Características Associadas

As características mais comuns associadas ao transtorno tipo fase do sono atrasada incluem história de transtornos mentais ou de algum transtorno mental concomitante. Dificuldade extrema e prolongada para acordar, com confusão pela manhã, também é comum. O transtorno de insônia pode se desenvolver como resultado de comportamentos inadequados que prejudicam o sono e aumentam o despertar em razão de tentativas repetidas para conciliar o sono em um horário mais cedo.

Prevalência

A prevalência do transtorno tipo fase do sono atrasada é mais alta em adolescentes e adultos jovens, com taxas estimadas entre 3,3 e 4,6% na Noruega e na Suécia. Estudos de prevalência em adultos apresentam taxas significativamente mais baixas, estimadas em 0,2 a 1,7% na Noruega e na Nova Zelândia. Apesar de a prevalência familiar dessa condição não ter sido estabelecida, história familiar de fase do sono atrasada está presente em indivíduos com o transtorno.

Desenvolvimento e Curso

O curso é persistente, com exacerbações intermitentes durante a fase adulta da vida em alguns indivíduos. Embora ocorram variações na idade de início, os sintomas geralmente começam na adolescência e logo no início da vida adulta, persistindo por vários meses até alguns anos antes que seja feito o diagnóstico. A gravidade pode diminuir com a idade. A recorrência dos sintomas é comum.

A expressão clínica pode variar ao longo da vida dependendo das obrigações sociais, escolares e profissionais. Em geral, a exacerbação é desencadeada por alguma alteração nos horários escolares e de trabalho que implique acordar antes do horário habitual. Indivíduos que podem alterar os horários de trabalho para acomodar o ritmo de sono e vigília circadiano atrasado podem apresentar remissão dos sintomas.

O aumento na prevalência em adolescentes pode ser consequência de fatores fisiológicos e comportamentais. Alterações hormonais específicas podem estar envolvidas, levando-se em consideração que o transtorno tipo fase do sono atrasada está associado com o início da puberdade. Portanto, o transtorno tipo fase do sono atrasada em adolescentes deve ser diferenciado de atrasos comuns nos horários dos ritmos circadianos dessa faixa etária. Na forma familiar, o curso é persistente e pode não melhorar de forma significativa com a idade.

Fatores de Risco e Prognóstico

Genéticos e fisiológicos. Os fatores predisponentes incluem período circadiano mais longo do que a média, alterações na sensibilidade à luminosidade e prejuízo da homeostase da estimulação do sono. Possivelmente, alguns indivíduos com o transtorno tipo fase do sono atrasada sejam hipersensíveis à luz do entardecer, que pode servir como um sinal para atraso do relógio circadiano, ou hipossensíveis à luz da manhã, de forma que haja redução nos efeitos do adiantamento de fase. Fatores genéticos podem desempenhar um papel importante na patogênese das formas familiares e esporádicas do tipo fase do sono atrasada. Um estudo de famílias sem parentesco mostrando forte hereditariedade do transtorno descreveu uma mutação no gene clock, CRY1, ocorrendo em cerca de 0,6% da população, o que resulta no aumento da inibição da transcrição dos genes clock ativadores, CLOCK e BMAL1.

Marcadores Diagnósticos

A confirmação do diagnóstico inclui história completa e uso de um diário do sono ou actigrafia (i. e., um detector de movimento de pulso que monitora a atividade motora por períodos prolongados, que pode ser usado durante pelo menos sete dias como um representante dos padrões do sono-vigília). O período abrangido deve incluir fins de semana, quando os compromissos sociais e profissionais são menos rígidos, para assegurar que o indivíduo apresente um padrão consistente de sono-vigília atrasado. O marcador de fase laboratorial mais comumente disponível é o tempo de início de melatonina de luz fraca (DLMO) salivar. Contudo, nem todos os indivíduos diagnosticados com fase do sono atrasada exibem DLMO atrasado. Uma investigação de indivíduos rigorosamente diagnosticados encontrou que somente 57% exibiam atrasos na fase fisiológica (conforme medido pelo tempo de DLMO ocorrendo subsequente ao horário de dormir desejado), enquanto os demais 43% tinham tempos de DLMO que ocorriam antes dos horários de dormir desejados. Conforme mencionado, o comportamento, e não a alteração fisiológica circadiana, desempenha um papel mais predominante neste último grupo (DLMO mais cedo). Levando isso em consideração, os marcadores de fase podem, em última análise, demonstrar mais valor para otimização do horário do tratamento e/ou como uma medida da resposta ao tratamento.

Consequências Funcionais do Tipo Fase do Sono Atrasada

Sonolência excessiva logo nas primeiras horas do dia é proeminente. Dificuldade extrema e prolongada para acordar, com confusão pela manhã (i. e., inércia do sono), também é comum. A gravidade da insônia e dos sintomas de sonolência excessiva varia substancialmente entre os indivíduos e, em grande parte, depende das demandas profissionais e sociais de cada pessoa.

Diagnóstico Diferencial

Variações normais no sono. O transtorno tipo fase do sono atrasada deve ser diferenciado dos padrões de sono "normal" em que um indivíduo tem um horário e vai dormir fora do horário habitual e isso não chega a causar problemas pessoais, sociais ou profissionais (observados com frequência em adolescentes e em adultos jovens).

Outros transtornos do sono. O transtorno de insônia e outros transtornos do sono-vigília do ritmo circadiano devem ser incluídos no diagnóstico diferencial. A sonolência excessiva pode também ser causada por outras perturbações do sono, tais como transtornos do sono relacionados à respiração, insônias, síndrome das pernas inquietas e transtornos médicos, neurológicos e mentais. Durante a noite, a polissonografia poderá facilitar a avaliação de outros transtornos comórbidos do sono, como a apneia do sono. Entretanto, a natureza circadiana do transtorno tipo fase do sono atrasada deve ser diferenciada de outros transtornos com "queixas" semelhantes.

Comorbidade

O transtorno tipo fase do sono atrasada está associado a condições como transtornos depressivos, transtornos da personalidade, transtorno de sintomas somáticos ou transtorno de ansiedade de doença, transtorno obsessivo-compulsivo, transtorno de déficit de atenção/hiperatividade e transtorno do espectro autista. Além disso, transtornos comórbidos do sono, como transtorno de insônia, síndrome das pernas inquietas e apneia do sono, assim como transtornos depressivo e bipolar e transtornos de ansiedade, podem exacerbar sintomas de insônia e de sonolência excessiva. O transtorno tipo fase do sono atrasada pode se sobrepor a algum outro transtorno do sono-vigília do ritmo circadiano, tipo sono-vigília não de 24 horas. Indivíduos com o transtorno do tipo sono-vigília não de 24 horas que têm a visão preservada costumam ter também história de fase circadiana do sono atrasada.

Tipo Fase do Sono Avançada

Especificadores

A presença de história familiar de tipo fase do sono avançada pode ser indicada com o especificador "familiar". Na forma familiar, mutações específicas demonstram um modo de herança autossômica dominante, o curso é persistente, e a gravidade dos sintomas pode aumentar com a idade. A prevalência do tipo fase do sono avançada não foi estabelecida.

Características Diagnósticas

O tipo fase do sono avançada caracteriza-se por horários de sono-vigília que estão várias horas antes dos horários desejados ou convencionais. O diagnóstico baseia-se principalmente em história de antecipação no tempo do período de sono maior (em geral mais de 2 horas) em relação ao horário desejado de dormir e de acordar, com sintomas de insônia de manhã cedo e sonolência diurna excessiva. Nas situações em que for possível ajustar os próprios horários, os indivíduos com o tipo fase do sono avançada apresentam qualidade e duração normal do sono de acordo com a idade.

Características Associadas

Indivíduos com o tipo fase do sono avançada são "tipos matutinos", com horários mais cedo do sono-vigília, sendo que os horários dos biomarcadores circadianos, tais como ritmos de melatonina e temperatura interna do corpo, ocorrem entre 2 e 4 horas antes do horário normal. Sempre que for necessário manter os horários convencionais, que exijam permanecer um pouco mais na cama, esses indivíduos poderão continuar acordando antes do horário habitual, levando a uma privação consistente do sono e sonolência diurna. O uso de agentes hipnóticos ou de álcool para combater a insônia e a fim de manter o sono e de estimulantes para diminuir a sonolência diurna poderá levar ao abuso de substâncias nesses indivíduos.

Prevalência

A prevalência estimada do tipo fase do sono avançada é de cerca de 1% em adultos na meia-idade nos Estados Unidos. Provavelmente, os horários do sono-vigília e a antecipação na fase circadiana em idosos sejam responsáveis pelo aumento da prevalência nessa população.

Desenvolvimento e Curso

Em geral, o início ocorre no fim da fase adulta, embora na forma familiar, pode ocorrer mais cedo (durante a infância ou início da vida adulta). O curso costuma ser persistente, com pelo menos três meses de duração, porém a gravidade poderá aumentar dependendo dos horários ocupacionais e sociais. A fase do sono avançada é mais comum em idosos.

A expressão clínica pode variar ao longo da vida dependendo das obrigações sociais, escolares e profissionais. Indivíduos que têm a oportunidade de alterar os horários de trabalho, para adequá-los aos horários de antecipação no ritmo circadiano do sono-vigília, poderão experimentar remissão dos sintomas. O avançar da idade tende a avançar a fase do sono. Entretanto, não está claro se o tipo fase do sono avançada associado à idade é causado somente por alterações nos horários circadianos (como se observa na forma familiar) ou também por alterações relacionadas à idade na regulação homeostática do sono, resultando em despertares antes da hora habitual. A gravidade, a remissão e a recorrência dos sintomas sugerem falta de adesão aos tratamentos comportamentais e ambientais para controlar a estrutura do sono e vigília e a exposição à luz.

Fatores de Risco e Prognóstico

Ambientais. A diminuição da exposição à luz no fim da tarde/início da noite e/ou aumento da exposição à luz da manhã devido ao acordar cedo pode elevar o risco do tipo fase do sono avançada por antecipar os ritmos circadianos. Ao deitar-se mais cedo, esses indivíduos não são expostos à luz na região de atraso de fase da curva, resultando na perpetuação da fase avançada. Nos casos do tipo fase do sono avançada familiar, o encurtamento do período circadiano endógeno pode resultar na antecipação de fase do sono, embora, aparentemente, o período circadiano não diminua sistematicamente com a idade.

Genéticos e fisiológicos. O tipo fase do sono avançada demonstra presença de heranças autossômicas dominantes, incluindo uma mutação do gene PER2, causando hipofosforilação da proteína PER2, e uma mutação de sentido incorreto em CKI.

Marcadores Diagnósticos

A manutenção de diários de sono e de actigrafia pode ser utilizada como marcador diagnóstico, conforme descrito anteriormente para os transtornos do tipo fase do sono atrasada.

Consequências Funcionais do Tipo Fase do Sono Avançada

Sonolência excessiva associada com a fase do sono avançada pode exercer efeito negativo sobre o desempenho cognitivo, a interação social e a segurança. O uso de agentes de manutenção do estado de vigília para combater a sonolência ou de sedativos para o despertar cedo pode aumentar o potencial para abuso de substâncias.

Diagnóstico Diferencial

Variações normais no sono. Fatores comportamentais como horários irregulares para dormir, despertar cedo voluntariamente e exposição à luz logo de manhã cedo devem ser considerados, principalmente em idosos.

Outros transtornos que causam o despertar matinal antecipado. Deve-se ter muita cautela para excluir outros transtornos do sono-vigília (p. ex., o transtorno de insônia), outros transtornos mentais (p. ex., transtornos depressivos, transtornos bipolares) e condições médicas que possam provocar o despertar matinal antecipado.

Comorbidade

Tentativas repetidas de retomar o sono e o desenvolvimento de cognições mal-adaptativas e comportamentos relacionados ao sono podem resultar no desenvolvimento de um transtorno de insônia comórbido que requer atenção clínica.

Tipo Sono-Vigília Irregular

Características Diagnósticas

O transtorno do tipo sono-vigília irregular caracteriza-se pela falta de ritmo circadiano sono-vigília discernível. O diagnóstico de transtorno do tipo sono-vigília irregular baseia-se principalmente em histórias de sintomas de insônia à noite (durante o período habitual de sono) e de sonolência excessiva (cochilos) durante o dia. Não há um período de sono principal, e os períodos de sono e vigília durante 24 horas são fragmentados, com sono fragmentado em pelo menos três períodos durante as 24 horas do dia. O período de sono mais longo tende a ocorrer entre 2 horas e 6 horas da manhã e geralmente é inferior a 4 horas.

Características Associadas

Possivelmente ocorrem histórias de isolamento ou de reclusão em associação com o transtorno que contribuem para os sintomas pela ausência de estímulos externos para ajudar a produzir um padrão normal.

Com frequência, os indivíduos e os respectivos cuidadores relatam a ocorrência de cochilos ao longo do dia. Em geral, o tipo sono-vigília irregular está associado a distúrbios neurodegenerativos, como o transtorno neurocognitivo maior, e a muitos transtornos do neurodesenvolvimento em crianças.

Prevalência
A prevalência do tipo sono-vigília irregular na população geral é desconhecida.

Desenvolvimento e Curso
O curso do transtorno do tipo sono-vigília irregular é persistente. Embora a idade de início seja variável, esse transtorno é mais comum em idosos.

Fatores de Risco e Prognóstico
Ambientais. Exposição diminuída à luz ambiental e atividades diurnas estruturadas podem estar associadas a ritmos circadianos de baixa amplitude. Indivíduos hospitalizados são especialmente propensos a esses estímulos externos fracos, e, mesmo fora do ambiente hospitalar, indivíduos com algum transtorno neurocognitivo maior são expostos a uma luminosidade significativamente mais tênue.

Genéticos e fisiológicos. Transtornos neurodegenerativos, como doença de Alzheimer, doença de Parkinson e doença de Huntington, e transtornos do neurodesenvolvimento em crianças aumentam o risco de incidência do transtorno do tipo sono-vigília irregular.

Marcadores Diagnósticos
Histórias detalhadas do sono e diários do sono (elaborados por um cuidador) ou actigrafia facilitam a confirmação de padrões irregulares do sono-vigília.

Consequências Funcionais do Tipo Sono-Vigília Irregular
A falta de um período principal de sono e vigília claramente discernível no transtorno do tipo sono-vigília irregular resulta em insônia ou em sonolência excessiva, dependendo da hora do dia. Com frequência, a perturbação do sono de cuidadores também é uma ocorrência comum e extremamente relevante.

Diagnóstico Diferencial
Variações normais no sono. O transtorno do tipo sono-vigília irregular deve ser diferenciado de horários voluntários irregulares de sono-vigília e higiene inadequada do sono, que poderão resultar em insônia e sonolência excessiva.

Outras condições médicas e transtornos mentais. Outras causas de insônia e de sonolência diurnas, incluindo condições médicas comórbidas e transtornos mentais ou medicamentos, devem ser consideradas.

Comorbidade
Com frequência, o transtorno do tipo sono-vigília irregular é comórbido com transtornos neurodegenerativos e do neurodesenvolvimento, tais como transtorno neurocognitivo maior, transtorno do desenvolvimento intelectual (deficiência intelectual) e lesões cerebrais traumáticas. Esse tipo de transtorno pode também ser comórbido com outras condições médicas e com transtornos mentais em que haja isolamento social e/ou ausência de luminosidade e de atividades estruturadas.

Tipo Sono-Vigília Não de 24 Horas

Características Diagnósticas
O diagnóstico do transtorno do tipo sono-vigília não de 24 horas baseia-se principalmente na história de sintomas de insônia ou de sonolência excessiva relacionada à sincronização anormal entre o ciclo claro-escuro

de 24 horas e o ritmo circadiano endógeno. Geralmente, os indivíduos se apresentam com períodos de insônia, de sonolência excessiva ou ambos, que se alternam com períodos assintomáticos curtos. Iniciando com o período assintomático, quando a fase do sono do indivíduo estiver alinhada com o ambiente externo, a latência do sono aumenta gradualmente, e o indivíduo poderá se queixar de insônia no início do sono. À medida que a fase do sono continua a se desviar do curso, de forma que o horário de dormir passa a ser diurno, o indivíduo terá problemas para permanecer acordado durante o dia e passará a se queixar de sonolência. Como o período circadiano não está alinhado com o ambiente externo de 24 horas, os sintomas dependem do momento em que o indivíduo tenta dormir em relação ao ritmo circadiano de propensão para dormir.

Características Associadas

O transtorno do tipo sono-vigília não de 24 horas é mais comum entre indivíduos cegos ou com comprometimento visual que sofreram redução na percepção da luz. Com frequência, indivíduos com capacidade de visão apresentam história de fase do sono atrasada e exposição diminuída à luz e redução nas atividades sociais e físicas estruturadas. Pessoas com capacidade de visão com o transtorno do tipo sono-vigília não de 24 horas também apresentam aumento no tempo de duração do sono.

Prevalência

A prevalência do transtorno do tipo sono-vigília não de 24 horas na população geral não é clara, embora, aparentemente, o transtorno seja muito raro em indivíduos com capacidade de visão. Estima-se que a prevalência em pessoas cegas seja de 50%.

Desenvolvimento e Curso

O curso do transtorno do tipo sono-vigília não de 24 horas é persistente, com remissões intermitentes e exacerbações causadas por mudanças nos horários sociais e ocupacionais ao longo da vida. A idade de início é variável e depende do começo do comprometimento visual. Em indivíduos que enxergam, por causa da sobreposição com fase do sono atrasada, o transtorno do tipo sono-vigília não de 24 horas poderá se desenvolver na adolescência ou no início da vida adulta. A remissão e a recidiva dos sintomas em indivíduos cegos e nos que enxergam dependem, em grande parte, da adesão aos tratamentos para controle da estrutura do sono e vigília e da exposição à luz.

A expressão clínica pode variar ao longo da vida dependendo das obrigações sociais, escolares e profissionais. Em adolescentes e adultos, horários irregulares de sono-vigília e exposição à luz ou falta de luminosidade em horas importantes do dia podem exacerbar os efeitos da perda de sono e causar perturbações no ritmo circadiano. Portanto, possivelmente ocorra piora nos sintomas de insônia, de sonolência diurna e nas funções escolares, ocupacionais e interpessoais.

Fatores de Risco e Prognóstico

Ambientais. Em indivíduos com capacidade de visão, a exposição diminuída ou a sensibilidade à luz e os estímulos às atividades sociais e físicas poderão contribuir para um ritmo circadiano de curso livre. Com a alta frequência de transtornos mentais envolvendo isolamento social e casos de transtorno do tipo sono-vigília não de 24 horas que se desenvolvem depois de alguma mudança nos hábitos do sono (p. ex., trabalho em turnos noturnos, perda de emprego), fatores comportamentais em combinação com tendências fisiológicas podem precipitar e perpetuar esse transtorno em pessoas com capacidade de visão. Indivíduos hospitalizados com transtornos neurológicos e psiquiátricos podem se tornar insensíveis aos estímulos sociais, o que pode predispor ao desenvolvimento do transtorno do tipo sono-vigília não de 24 horas.

Genéticos e fisiológicos. A cegueira é um fator de risco para o transtorno do tipo sono-vigília não de 24 horas. Esse transtorno foi associado a lesões cerebrais traumáticas.

Marcadores Diagnósticos

A confirmação do diagnóstico é feita pela história e pelo diário de sono ou acitigrafia por períodos prolongados. A medição sequencial dos marcadores de fase (p. ex., melatonina) pode auxiliar a determinação da fase circadiana em indivíduos cegos e naqueles com a visão preservada.

Consequências Funcionais do Tipo Sono-Vigília Não de 24 Horas

As queixas de insônia (início e manutenção do sono), sonolência excessiva ou ambas são proeminentes. A imprevisibilidade dos horários de dormir e de acordar (tipicamente um desvio nos atrasos diários) resulta em dificuldade de ir à escola ou de manter um emprego estável, podendo aumentar o potencial para isolamento social.

Diagnóstico Diferencial

Outros transtornos do sono-vigília do ritmo circadiano. Em indivíduos que enxergam, o transtorno do tipo sono-vigília não de 24 horas deve ser diferenciado do tipo fase do sono atrasada, uma vez que as pessoas com esse tipo de transtorno podem apresentar atraso progressivo semelhante no sono por um período de vários dias.

Transtornos depressivos. Sintomas depressivos e transtornos depressivos podem resultar em sintomas e perturbações circadianas semelhantes.

Comorbidade

Com frequência, a cegueira é comórbida com o tipo sono-vigília não de 24 horas, da mesma forma que os transtornos depressivo e bipolar com isolamento social.

Tipo Trabalho em Turnos

Características Diagnósticas

O diagnóstico baseia-se principalmente na história de indivíduos que trabalham fora da janela diurna normal das 8 às 18 horas (particularmente à noite) em horários regulares (i. e., sem horas extras). Os sintomas de sonolência excessiva no trabalho e de sono prejudicado em casa de forma persistente são proeminentes. Em geral, é necessária a presença de ambos os grupos de sintomas para o diagnóstico de transtorno do sono tipo trabalho em turnos. Em geral, os sintomas desaparecem quando o indivíduo volta a trabalhar de forma rotineira durante o dia.

Prevalência

Embora a prevalência do transtorno do sono tipo trabalho em turnos não seja clara, estima-se que ele possa afetar de 5 a 10% da população de trabalhadores noturnos nos Estados Unidos (16 a 20% da força de trabalho). A prevalência aumenta na meia-idade e em idades além dela.

Desenvolvimento e Curso

Embora o transtorno do sono tipo trabalho em turnos acometa indivíduos de qualquer idade, a prevalência é maior em pessoas com mais de 50 anos e, geralmente, agrava-se com o passar do tempo se persistirem as horas perturbadoras do sono. Embora idosos possam demonstrar taxas de ajuste de fase circadiana para uma mudança na rotina semelhante ao que fazem adultos jovens, eles aparentam experimentar significativamente mais interrupções no sono como consequência da mudança na fase circadiana.

Fatores de Risco e Prognóstico

Temperamentais. Os fatores predisponentes incluem disposição pela manhã, necessidade de um período maior de duração do sono (i. e., mais de 8 horas) para sentir-se bem descansado.

Ambientais. Tentar equilibrar fortes necessidades sociais e domésticas concorrentes (p. ex., em pais de crianças pequenas) pode levar ao desenvolvimento do tipo trabalho em turnos. Aparentemente, indivíduos que conseguem comprometer-se com um estilo de vida noturno, com poucas demandas competitivas durante o dia, têm risco menor de transtorno do sono tipo trabalho em turnos.

Genéticos e fisiológicos. Em virtude de os trabalhadores de turnos serem mais propensos a obesidade do que os trabalhadores de dia, a apneia obstrutiva do sono pode estar presente e exacerbar os sintomas.

Marcadores Diagnósticos

História, diário de sono ou actigrafia podem ser úteis na obtenção do diagnóstico, conforme já discutido anteriormente para o transtorno do tipo fase do sono atrasada.

Consequências Funcionais do Tipo Trabalho em Turnos

Indivíduos com o tipo trabalho em turnos não apenas apresentam baixo desempenho profissional, mas também, aparentemente, correm o risco de sofrer acidentes no trabalho e quando estiverem dirigindo de volta para casa. Pessoas com história de transtorno bipolar são particularmente vulneráveis a episódios de mania relacionados ao transtorno do tipo trabalho em turnos, resultantes de noites passadas em claro. Com frequência, o transtorno do tipo trabalho em turnos poderá criar problemas interpessoais.

Diagnóstico Diferencial

Variações normais no sono com trabalho em turnos. O diagnóstico de transtorno do tipo trabalho em turnos, em comparação com as dificuldades "normais" do trabalho em turnos, depende, até certo ponto, da gravidade dos sintomas e/ou do nível de desconforto experimentado pelo indivíduo.

Outros transtornos do sono. A presença de sintomas de transtorno do sono tipo trabalho em turnos, mesmo quando o indivíduo consegue viver em uma rotina diurna por várias semanas, pode sugerir outros transtornos do sono, como apneia do sono, insônia e narcolepsia, que deverão ser excluídos.

Jet lag. Pessoas que viajam com muita frequência e passam por vários fusos horários poderão sentir efeitos semelhantes aos de pessoas com o transtorno do sono tipo trabalho em turnos que trabalham em turnos rotativos. A distinção deve ser clara, com base no histórico de viagens.

Comorbidade

O transtorno tipo trabalho em turnos foi associado a aumento do transtorno por uso de álcool, de outros transtornos por uso de substâncias e depressão. Uma grande variedade de distúrbios da saúde física (p. ex., distúrbios gastrintestinais, doença cardiovascular, diabetes, câncer) foi associada à exposição prolongada a trabalhos em regime de turnos.

Relação com a Classificação Internacional dos Distúrbios do Sono

Na terceira edição da *Classificação internacional dos distúrbios do sono* (CIDS-3), os transtornos do sono-vigília do ritmo circadiano se assemelham muito ao DSM-5, mas também incluem o tipo *jet lag*.

Parassonias

Parassonias são transtornos caracterizados por eventos comportamentais, experimentais ou fisiológicos anormais que ocorrem em associação com o sono, estágios específicos do sono ou transições do sono-vigília. As parassonias mais comuns são transtornos de despertar do sono não REM (NREM) e transtorno comportamental do sono REM. Cada uma dessas condições tem fisiopatologia, características clínicas e considerações prognósticas e terapêuticas distintas, discutidas nas próximas seções específicas para cada transtorno.

Transtornos de Despertar do Sono Não REM

Critérios Diagnósticos

A. Episódios recorrentes de despertares incompletos, em geral ocorrendo durante o primeiro terço do episódio de sono principal, acompanhados de uma entre as seguintes alternativas:
   1. **Sonambulismo:** Episódios repetidos de levantar-se da cama durante o sono e deambular. Durante o sonambulismo, o indivíduo se apresenta com o olhar fixo e o rosto vazio, praticamente não responde aos esforços de comunicação por parte de outras pessoas e pode ser acordado apenas com muita dificuldade.
   2. **Terrores noturnos:** Em geral, episódios recorrentes de despertares súbitos provocados por terror que iniciam com um grito de pânico. O medo é intenso, com sinais de estimulação autonômica como midríase, taquicardia, respiração rápida e sudorese durante cada episódio. Há relativa ausência de resposta aos esforços de outras pessoas para confortar o indivíduo durante os episódios.
B. Há pouca ou nenhuma lembrança de imagens oníricas (p. ex., apenas uma cena visual).
C. Presença de amnésia em relação ao episódio.
D. Os episódios causam sofrimento clinicamente significativo ou prejuízo no funcionamento social, profissional ou em outras áreas importantes da vida do indivíduo.
E. A perturbação não é atribuída aos efeitos fisiológicos de alguma substância (p. ex., abuso de drogas ou uso de algum medicamento).
F. A coexistência de outros transtornos mentais e médicos não explica os episódios de sonambulismo ou de terrores noturnos.

Determinar o subtipo:
   F51.3 Tipo sonambulismo
   Especificar se:
   Com alimentação relacionada a sono
   Com comportamento sexual relacionado ao sono (sexsônia)
   F51.4 Tipo terror noturno

Características Diagnósticas

A característica essencial dos transtornos de despertar do sono não REM é a ocorrência repetida de despertares incompletos, em geral iniciando durante o primeiro terço do episódio principal do sono (Critério A), os quais costumam ser breves, com tempo de duração de 1 a 10 minutos, mas que podem estender-se por até 1 hora. O tempo máximo de duração de cada evento é desconhecido. Em geral, os olhos abrem-se durante esses eventos. Muitos indivíduos apresentam ambos os subtipos de despertar (i. e., tipo sonambulismo e tipo terror noturno) em diferentes ocasiões, evidenciando a fisiopatologia unitária subjacente. Os subtipos refletem vários graus de ocorrência simultânea do estado de vigília e do sono não REM, resultando em comportamentos complexos oriundos do sono com vários graus de consciência, de atividade motora e ativação autonômica.

A característica essencial do *sonambulismo* diz respeito a episódios repetidos de comportamento motor complexo que se inicia durante o sono, incluindo levantar-se da cama e deambular (Critério A1). Os episódios de sonambulismo começam em qualquer estágio do sono não REM, em geral durante o sono de ondas lentas e, portanto, ocorrem com mais frequência durante a primeira terça parte da noite. Durante os episódios, o indivíduo apresenta redução do estado de alerta e das respostas, olhar vazio e relativa ausência de resposta à comunicação com outras pessoas ou aos esforços dessas pessoas para despertá-lo. Se for despertado durante o episódio (ou ao despertar na manhã seguinte), o indivíduo tem uma vaga lembrança do ocorrido. Em seguida, pode haver, inicialmente, um breve período de confusão ou dificuldade para orientar-se, seguido de plena recuperação do funcionamento cognitivo e de comportamento adequado.

A característica essencial do *terror noturno* é a ocorrência repetida de despertares precipitados, em geral iniciando com um choro ou grito de pânico (Critério A2). De maneira geral, os terrores noturnos começam durante o primeiro terço do episódio principal de sono, variando de 1 a 10 minutos, podendo estender-se, no entanto, por um período de tempo consideravelmente mais longo, sobretudo em crianças. Os episódios são acompanhados de estimulação autonômica acentuada e de manifestações comportamentais de medo intenso. Durante um episódio, é difícil acordar ou confortar o indivíduo. Nos casos em que acordar depois do terror noturno, o indivíduo tem pouca ou nenhuma lembrança do sonho ou consegue recordar-se apenas de imagens fragmentadas e simples. Nos episódios típicos de terror noturno, o indivíduo senta-se abruptamente na cama gritando ou chorando, com uma expressão amedrontada e com sinais autonômicos de intensa ansiedade (p. ex., taquicardia, respiração rápida, sudorese, dilatação das pupilas). Pode permanecer inconsolável e, em geral, não responde aos esforços de outras pessoas para acordá-lo ou confortá-lo. Os terrores noturnos são conhecidos também por "pavor noturno".

Para os dois subtipos de transtornos de despertar do sono não REM, a determinação de um "transtorno" depende de inúmeros fatores, que variam de acordo com cada pessoa, e baseia-se na frequência dos eventos, no potencial para violência ou comportamentos ofensivos e no constrangimento ou perturbação/sofrimento de outros membros da família. A determinação da gravidade é mais eficiente quando se baseia na natureza ou na consequência dos comportamentos, e não simplesmente em sua frequência.

Características Associadas

Os episódios de sonambulismo incluem uma ampla variedade de comportamentos. Podem iniciar com confusão: o indivíduo pode simplesmente sentar-se na cama, olhar ao redor ou remexer-se no cobertor ou no lençol. A seguir, esse comportamento torna-se progressivamente complexo. Na realidade, o indivíduo poderá levantar-se da cama, caminhar até os armários, sair do quarto e até mesmo sair do local em que se encontra. Pode usar o banheiro, alimentar-se, falar ou adotar comportamentos mais complexos. Corridas ou tentativas desesperadas de escapar de alguma ameaça aparente são eventos que também costumam ocorrer. A maior parte dos comportamentos durante os episódios de sonambulismo é rotineira e de baixa complexidade. No entanto, existem relatos de casos de abrir portas e mesmo de operar equipamentos (dirigir um veículo). O sonambulismo pode incluir também comportamento inadequado (p. ex., comumente urinar em um armário ou no cesto de lixo). O tempo de duração da grande maioria dos episódios varia de alguns minutos a meia hora, embora possa ser um pouco mais prolongado. Como o sono é um estado de relativa analgesia, lesões dolorosas adquiridas durante o sonambulismo podem não ser percebidas até despertar depois do fato.

Existem duas formas "específicas" de sonambulismo: comportamento alimentar relacionado ao sono e comportamento sexual relacionado ao sono (sexsônia, ou sexo do sono). Indivíduos com *comportamento alimentar relacionado ao sono* vivenciam episódios recorrentes não desejados de alimentar-se com vários graus de amnésia, variando de nenhuma consciência a consciência plena, sem a capacidade de evitar ou de parar de comer. Durante esses episódios, podem ser ingeridos alimentos inadequados ou mesmo itens não alimentares (i. e., papéis de bala, pequenas embalagens de comida ou mesmo pequenos brinquedos). Indivíduos com o transtorno alimentar relacionado ao sono poderão encontrar evidências de terem se alimentado somente na manhã seguinte. Na *sexsônia*, vários graus de atividade sexual (p. ex., masturbação, carícias, apalpações, relação sexual) ocorrem como comportamentos originados do sono sem percepção consciente. Essa condição é mais comum em indivíduos do sexo masculino e possivelmente resulta em problemas sérios de relacionamento interpessoal ou em consequências médico-legais.

Com frequência, durante episódios típicos de terror noturno, há uma sensação de pavor generalizado com a compulsão de escapar. Embora possam ocorrer imagens oníricas vívidas fragmentadas, não há relatos de sequências de sonhos semelhantes a uma história (como nos pesadelos). De maneira geral, o indivíduo não desperta completamente, mas retorna ao sono e não se lembra do episódio ao acordar na manhã seguinte. Em geral, ocorre apenas um episódio por noite. Às vezes, vários episódios podem ocorrer em intervalos durante toda a noite. Esses eventos raramente ocorrem em cochilos diurnos.

Prevalência

Transtornos de despertar do sono não REM isolados ou pouco frequentes são muito comuns na população geral. Cerca de 10 a 30% das crianças tiveram pelo menos um episódio de sonambulismo, e em nível nacional, a taxa de prevalência em 12 meses para sonambulismo em crianças é de aproximadamente 5%. A prevalência estimada de episódios de sonambulismo (não do transtorno de sonambulismo) varia de 12 a 14,5% das crianças no Canadá e 1,0 a 7,0% entre adultos no Reino Unido, sendo que ocorrem episódios em intervalos semanais a mensais em 0,5 a 0,7% dos casos. A estimativa de prevalência de sonambulismo em geral ao longo da vida é de aproximadamente 6,9 a 29,2%, com uma prevalência de 1,5 a 3,6% no ano anterior em adultos.

A prevalência do transtorno do terror noturno na população geral é desconhecida. A prevalência de episódios de terror noturno (em comparação com o transtorno de terror noturno, em que há recorrência e sofrimento ou prejuízo) é de aproximadamente 34,4 a 36,9% aos 18 meses de idade, 19,7% aos 30 meses de idade em crianças canadenses, e de 2,2% em adultos canadenses e britânicos.

Desenvolvimento e Curso

Os transtornos de despertar do sono não REM ocorrem com mais frequência na infância e diminuem com o avanço da idade. Com frequência, sonambulismo e terrores noturnos são superados depois da infância e se tornam menos frequentes na adolescência, com taxas de remissão entre 50 e 65%; para indivíduos entre 10 e 18 anos, a frequência relatada é de 1,1% para sonambulismo e 0,6% para terrores noturnos.

A ocorrência de atividade violenta ou sexual durante episódios de sonambulismo é mais provável em adultos. O início do sonambulismo em adultos sem história anterior do transtorno quando eram crianças deve ensejar a busca de etiologias específicas, tais como apneia obstrutiva do sono, convulsões noturnas ou efeito do uso de medicamentos.

Crianças mais velhas e adultos têm lembranças mais detalhadas de imagens aterrorizantes associadas ao terror noturno do que crianças mais jovens, que são mais propensas a ter amnésia completa ou a relatar somente um sentimento vago de medo.

Fatores de Risco e Prognóstico

Ambientais. Fatores como uso de sedativos, privação do sono, perturbações nos horários de sono-vigília, fadiga e estresse físico ou emocional aumentam a probabilidade dos episódios. Febre e privação do sono podem produzir elevações na frequência dos transtornos de despertar do sono não REM.

Genéticos e fisiológicos. Histórias familiares de sonambulismo ou de terrores noturnos podem ocorrer em até 80% dos indivíduos sonâmbulos. O risco de sonambulismo aumenta ainda mais (até 60% dos descendentes) nas situações em que ambos os pais tiverem história do transtorno. Foi descrita agregação familiar de terrores noturnos e sonambulismo, visto que história parental de sonambulismo prediz incidentes e terrores noturnos persistentes em seus descendentes. Com frequência, indivíduos com terrores no sono têm história familiar positiva de terrores noturnos ou de sonambulismo, com aumento de até 10 vezes na prevalência do transtorno entre parentes biológicos de primeiro grau. Terrores noturnos são muito mais comuns em gêmeos monozigóticos em comparação com dizigóticos. O modo exato de herança é desconhecido.

Questões Diagnósticas Relativas ao Sexo e ao Gênero

Alimentar-se durante episódios de sonambulismo é mais comumente visto em mulheres. O sonambulismo ocorre com mais frequência em meninas durante a infância, porém é mais frequente em homens durante a idade adulta.

Entre as crianças, os terrores noturnos são mais comuns em meninos do que no meninas. Entre os adultos, são igualmente comuns em homens e mulheres.

Marcadores Diagnósticos

Os transtornos de despertar do sono não REM surgem em qualquer estágio do sono não REM, embora mais comumente no estágio profundo (sono de ondas lentas). Muito provavelmente, surgem no primeiro terço da noite e não ocorrem com frequência nos cochilos diurnos. Durante o episódio, os polissonogramas podem estar obscurecidos com artefatos produzidos pelos movimentos. Geralmente, na ausência desses artefatos, o eletroencefalograma (EEG) mostra uma variedade de padrões, incluindo continuação da atividade delta rítmica ao despertar, indicando despertar parcial ou incompleto; ou então atividade de frequência teta, alfa ou mista pode ser observada no EEG durante o episódio, com frequentes despertares mistos de EEG de frequência lenta/mista durante o sono de ondas lentas sendo mais comuns em indivíduos com transtornos de despertar do sono não REM do que em sujeitos no grupo-controle. Por oposição a uma convulsão epilética, os transtornos de despertar da parassonia do sono não REM não mostram características de evolução espaço-temporal dos ritmos no EEG durante o episódio.

A polissonografia, com o monitoramento audiovisual, pode ser utilizada para documentar episódios de sonambulismo. Não há nenhuma característica polissonográfica que possa servir de marcador para o sonambulismo na ausência da captura real de um evento durante o registro. A privação do sono pode aumentar a probabilidade de capturar um evento. Como um grupo, os indivíduos sonâmbulos demonstram instabilidade no sono não REM profundo, porém a sobreposição em achados com pessoas que não são sonâmbulas é suficientemente grande para impedir o uso desse indicador na obtenção do diagnóstico. Diferentemente de despertares do sono REM associados a pesadelos, nos quais ocorre elevação na frequência cardíaca e na respiração antes do despertar, os despertares do sono não REM com terrores noturnos começam abruptamente a partir do sono, sem mudanças autonômicas antecipatórias. Os despertares são associados com atividade autonômica acentuada, duplicando ou triplicando a frequência cardíaca. Embora não seja bem compreendida, aparentemente a fisiopatologia se caracteriza pela presença de instabilidade nos estágios mais profundos do sono não REM. À exceção da captura de algum evento durante os estudos formais do sono, não existem indicadores polissonográficos confiáveis da tendência de vivenciar terrores noturnos.

Consequências Funcionais dos Transtornos de Despertar do Sono Não REM

Para obtenção do diagnóstico de transtorno de despertar do sono não REM, o indivíduo ou os membros da família devem vivenciar sofrimento ou prejuízos significativos sob o ponto de vista clínico, embora os sintomas de parassonia possam ocorrer ocasionalmente em populações não clínicas e devem ser insuficientes para o diagnóstico. O constrangimento relacionado aos episódios pode prejudicar o relacionamento social. Pode resultar em isolamento social ou dificuldades profissionais. Em raras ocasiões, os transtornos de despertar do sono não REM podem resultar em prejuízos sérios para o indivíduo ou para quem estiver tentando consolá-lo. Os prejuízos a outros indivíduos limitam-se às pessoas mais próximas; indivíduos não são "procurados". No caso de indivíduos com comportamentos alimentares relacionados ao sono, o preparo ou a ingestão inconsciente de alimentos durante o sono poderá criar problemas como controle inadequado do diabetes, ganho de peso, lesões (cortes e queimaduras) ou consequências decorrentes da ingestão perigosa ou tóxica de produtos não comestíveis. Os transtornos de despertar do sono não REM podem resultar em comportamentos violentos ou ofensivos com implicações forenses.

Diagnóstico Diferencial

Transtorno do pesadelo. Em geral, diferentemente dos indivíduos com transtornos de despertar do sono não REM, aqueles com transtorno do pesadelo acordam fácil e completamente, relatam sonhos vívidos semelhantes a histórias que acompanham cada episódio e tendem a ter episódios tardiamente durante a noite. Os transtornos de despertar do sono não REM ocorrem durante o sono não REM, enquanto, em geral, os pesadelos ocorrem durante o sono REM. Os pais de crianças com transtornos de despertar do sono não REM poderão interpretar erroneamente como pesadelos os relatos de imagens fragmentadas.

Transtornos do sono relacionados à respiração. Os transtornos de respiração durante o sono podem produzir também despertares confusionais com amnésia subsequente. No entanto, os transtornos do sono relacionados à respiração caracterizam-se também por sintomas típicos de roncos, pausas respiratórias e sonolência diurna. Em alguns indivíduos, o transtorno do sono relacionado à respiração poderá precipitar episódios de sonambulismo.

Transtorno comportamental do sono REM. O transtorno comportamental do sono REM pode ser difícil de distinguir dos transtornos de despertar do sono não REM. O primeiro caracteriza-se por episódios de movimentos complexos proeminentes, muitas vezes envolvendo lesões a si próprio durante o sono. Diferentemente dos transtornos de despertar do sono não REM, o transtorno comportamental do sono REM ocorre durante a fase REM do sono. Os indivíduos com transtorno comportamental do sono REM acordam facilmente durante um episódio e apresentam relatos mais detalhados e vívidos do conteúdo onírico do que as pessoas com transtornos de despertar do sono não REM. Frequentemente, esses indivíduos e/ou seu parceiros de leito relatam que eles "representam os sonhos".

Síndrome da sobreposição de parassonias. A síndrome da sobreposição de parassonias consiste em características clínicas e polissonográficas tanto de sonambulismo como do transtorno comportamental do sono REM.

Convulsões relacionadas ao sono. Alguns tipos de convulsões podem produzir episódios de comportamentos bastante atípicos que ocorrem predominante ou exclusivamente durante o sono. As convulsões noturnas imitam quase à perfeição os transtornos de despertar do sono não REM, porém tendem a ser de natureza mais estereotípica, ocorrem várias vezes durante a noite e têm mais probabilidade de ocorrer a partir de cochilos diurnos. Além disso, convulsões podem se originar na vigília, o que não ocorre com os transtornos de despertar do sono não REM. A presença de convulsões relacionadas ao sono não exclui a presença de transtornos de despertar do sono não REM. Quando recorrentes, as convulsões relacionadas ao sono são consideradas como uma forma de epilepsia.

"Apagões" induzidos pelo álcool. "Apagões" induzidos pelo álcool podem estar associados a comportamentos extremamente complexos na ausência de outras sugestões de intoxicação. Eles não envolvem perda de consciência, mas, em vez disso, refletem uma perturbação isolada de memória para eventos que ocorreram durante o episódio de beber. Pela história, esses comportamentos não podem ser diferenciados daqueles observados nos transtornos de despertar do sono não REM.

Amnésia dissociativa com fuga dissociativa. A distinção entre fuga dissociativa e sonambulismo pode ser extremamente difícil. Diferentemente de todas as outras parassonias, a fuga dissociativa noturna tem origem em um período de vigília durante o sono, em vez de surgir abruptamente do sono sem a intervenção do estado de vigília. História de abuso físico ou sexual recorrente na infância costuma estar presente (embora seja difícil obter esse tipo de informação).

Simulação ou outro comportamento voluntário. Assim como na fuga dissociativa, simulação ou outro comportamento voluntário ocorre durante o estado de vigília.

Transtorno de pânico. Os ataques de pânico também podem causar despertares abruptos no sono não REM profundo acompanhados de pavor, embora esses episódios produzam despertares rápidos e completos, sem a confusão, amnésia ou atividade motora típicas dos transtornos de despertar do sono não REM.

Comportamentos complexos induzidos por medicamentos. Comportamentos semelhantes aos dos transtornos de despertar do sono não REM podem ser induzidos pelo uso ou pela abstinência de substâncias ou de medicamentos (p. ex., benzodiazepínicos, hipnóticos sedativos não benzodiazepínicos, opioides, cocaína, nicotina, antipsicóticos ou outros agentes bloqueadores dos receptores da dopamina, antidepressivos tricíclicos, hidrato de cloral). Tais comportamentos podem surgir do período de sono e podem ser extremamente complexos. A fisiopatologia subjacente parece ser uma amnésia relativamente isolada. Nesses casos, o diagnóstico poderá ser de transtorno do sono induzido por substância/medicamento, tipo parassonia (ver a seção "Transtorno do Sono Induzido por Substância/Medicamento" mais adiante neste capítulo).

Síndrome do comer noturno. Em contraste com a forma transtorno alimentar relacionada ao sono do sonambulismo, que é caracterizada por episódios recorrentes de alimentação durante despertares incompletos do sono, a síndrome do comer noturno é considerada uma anormalidade no ritmo circadiano do horário de ingestão de alimentos, com um ritmo circadiano normal na fase inicial do sono em que o indivíduo desperta no meio da noite e come em excesso.

Comorbidade

Geralmente, o sonambulismo em crianças e adultos não está associado a transtornos mentais significativos. Entretanto, em adultos, há associação entre sonambulismo e episódios depressivos maiores e transtorno obsessivo-compulsivo. Crianças ou adultos com terrores noturnos podem apresentar pontuações elevadas para depressão e ansiedade nos inventários de personalidade.

Relação com a Classificação Internacional dos Distúrbios do Sono

A terceira edição da *Classificação internacional dos distúrbios do sono* (CIDS-3) inclui "despertar confusional, terrores noturnos e sonambulismo" como transtornos de despertar do sono não REM.

Transtorno do Pesadelo

Critérios Diagnósticos   F51.5

A. Ocorrências repetidas de sonhos prolongados, extremamente disfóricos e bem lembrados que, em geral, envolvem esforços para evitar ameaças à sobrevivência, à segurança ou à integridade física e que tipicamente ocorrem na segunda metade do episódio principal do sono.
B. Ao despertar de sonhos disfóricos, o indivíduo torna-se rapidamente orientado e alerta.
C. A perturbação do sono causa sofrimento clinicamente significativo ou prejuízo no funcionamento social, profissional ou em outras áreas importantes da vida do indivíduo.
D. Os sintomas de pesadelo não são atribuíveis aos efeitos fisiológicos de alguma substância (p. ex., drogas de abuso, medicamentos).
E. A coexistência de transtornos médicos e mentais não explica adequadamente a queixa predominante de sonhos disfóricos.

Especificar se:
   Durante início do sono

Especificar se:
   Com transtorno mental, incluindo transtornos por uso de substâncias
   Com condição médica
   Com outro transtorno do sono

   Nota para codificação: O código F51.5 aplica-se a todos os três especificadores. Deve-se codificar também o transtorno mental associado relevante, a condição médica ou outro transtorno do sono imediatamente depois do código do transtorno do pesadelo, para indicar a associação.

Especificar se:
   Agudo: O tempo de duração dos pesadelos é igual ou inferior a um mês.
   Subagudo: O tempo de duração dos pesadelos é superior a um mês e inferior a seis meses.
   Persistente: O tempo de duração dos pesadelos é igual ou superior a seis meses.

Especificar a gravidade atual:
   A gravidade pode ser classificada pela frequência com que ocorrem os pesadelos.
   Leve: Menos de um episódio por semana em média.
   Moderada: Um ou mais episódios por semana, porém menos do que todas as noites.
   Grave: Episódios todas as noites.

Procedimentos para Registro

Os especificadores "com transtorno mental, incluindo transtornos por uso de substâncias", "com condição médica" e "com outro transtorno do sono" estão disponíveis para que o clínico registre comorbidades clinicamente relevantes. Nesses casos, registrar F51.5 transtorno do pesadelo com [nome da(s) condição(ões) ou transtorno(s) comórbido(s)] seguido pelo(s) código(s) diagnóstico(s) para as condições ou transtornos comórbidos (p. ex., F51.5 transtorno do pesadelo com transtorno por uso de álcool, moderado, e transtorno comportamental do sono REM; F10.20 transtorno por uso de álcool, moderado; F47.52 transtorno comportamental do sono REM).

Características Diagnósticas

Geralmente, os *pesadelos* são sequências oníricas longas, elaboradas e semelhantes a uma narrativa que parece real e que cria ansiedade, medo ou outras emoções disfóricas. O conteúdo do pesadelo costuma enfocar tentativas de evitar ou de enfrentar o perigo iminente, mas pode envolver temas que evocam outras emoções negativas. Os pesadelos que ocorrem após experiências traumáticas podem replicar situações de ameaças ("pesadelos replicativos"), embora a maioria não o faça. Ao despertar, os pesadelos são bem lembrados e podem ser descritos com detalhes. Eles ocorrem quase que exclusivamente no sono REM e podem, dessa forma, ocorrer ao longo do sono, mas são mais prováveis na segunda metade do episódio principal do sono, quando os sonhos são mais longos e mais intensos. Fatores que aumentam a intensidade REM logo no início da noite, tais como fragmentação ou privação do sono, *jet lag* e medicamentos que interferem no sono REM, podem facilitar a ocorrência de pesadelos no início da noite, incluindo no início do sono.

Em geral, os pesadelos terminam com o despertar e o retorno rápido ao estado pleno de alerta. No entanto, as emoções disfóricas persistem até a vigília e contribuem para a dificuldade de retornar ao sono e para o desconforto durante o dia. Alguns pesadelos, conhecidos como "sonhos ruins", talvez não induzam o despertar e são lembrados somente mais tarde. Quando os pesadelos ocorrem durante os períodos de início do sono REM (*hipnagógicos*), a emoção disfórica é frequentemente acompanhada por uma sensação de estar acordado e ao mesmo tempo ser incapaz de se movimentar voluntariamente (*paralisia do sono*), o que também pode ocorrer isoladamente sem um sonho ou pesadelo precedente.

Características Associadas

Estimulação autonômica leve, incluindo sudorese, taquicardia e taquipneia, pode caracterizar os pesadelos. Movimentos do corpo e vocalizações não são características por causa da perda de tônus dos músculos esqueléticos relacionada ao sono REM. Quando a fala ou manifestação de emoção ocorrem no transtorno do pesadelo, os comportamentos vocais ou motores são tipicamente eventos breves que encerram o pesadelo. Distinto dessa atividade motora ou vocal, o verdadeiro comportamento de representação do sonho pode ocorrer quando há uma perda da atonia normal do sono REM (transtorno comportamental do sono REM).

Prevalência

A prevalência dos pesadelos durante a infância é de aproximadamente 1 a 5%. Entre 1,3 e 3,9% dos pais relatam que seus filhos em idade pré-escolar têm pesadelos "com frequência" ou "sempre". A prevalência aumenta para 5,2% em crianças entre 5 e 15 anos. História familiar de pesadelos, sintomas de parassonia e consequências diurnas de explosões de temperamento/perturbações do humor e baixo desempenho acadêmico estão associados com pesadelos frequentes durante a infância e a adolescência, com insônia comórbida observada em aproximadamente 20% das crianças com pesadelos frequentes. Entre os adultos, a prevalência de pesadelos pelo menos mensalmente é de 6%. Entre os adultos em diversos países, a prevalência de pesadelos semanais é de 2 a 6%, enquanto a prevalência de pesadelos frequentes é de 1 a 5%. Com frequência, as estimativas combinam, de forma indiscriminada, pesadelos idiopáticos e pós-traumáticos.

Desenvolvimento e Curso

Com frequência, os pesadelos iniciam-se entre as idades de 3 e 6 anos e atingem prevalência e gravidade máximas no estágio final da adolescência ou na fase inicial da vida adulta. Muito provavelmente, os pesadelos surgem em crianças expostas a estressores psicossociais agudos ou crônicos e, portanto, talvez não desapareçam de forma espontânea. Em uma pequena minoria, os pesadelos frequentes persistem até a vida adulta e tornam-se praticamente uma perturbação para a vida toda. Embora o conteúdo específico dos pesadelos possa refletir a idade dos indivíduos, as características essenciais do transtorno permanecem as mesmas nos diferentes grupos etários.

Fatores de Risco e Prognóstico

Pesadelos frequentes em adultos de meia-idade na população geral em dois estudos, em Hong Kong e na Finlândia, foram associados a baixa renda, perturbações do humor, insônia ou transtornos respiratórios do sono e uso de antidepressivos ou uso pesado de álcool frequente.

Ambientais. Privação ou fragmentação do sono e horários irregulares do sono-vigília que alteram a intensidade, o tempo ou a quantidade de sono REM podem colocar o indivíduo em risco para pesadelos. Indivíduos que vivenciam pesadelos relatam eventos adversos passados de modo mais frequente, porém não necessariamente traumas, e costumam apresentar perturbações da personalidade ou diagnóstico psiquiátrico.

Genéticos e fisiológicos. Estudos realizados com gêmeos identificaram efeitos genéticos na predisposição para pesadelos e a ocorrência concomitante com outras parassonias (p. ex., conversar durante o sono).

Modificadores do curso. Comportamentos parentais adaptativos ao lado da cama, como tranquilizar a criança depois de pesadelos, podem protegê-la contra o desenvolvimento de pesadelos crônicos.

Questões Diagnósticas Relativas à Cultura

A importância atribuída aos pesadelos pode variar de acordo com a cultura, e a sensibilidade a essas crenças pode facilitar a comunicação. Em várias culturas, os pesadelos são vistos como indicadores importantes do *status* espiritual do indivíduo ou da condição daqueles que já morreram (p. ex., entre sobreviventes da guerra civil na Indonésia, índios americanos veteranos e refugiados cambojanos). Pesadelos frequentes entre refugiados cambojanos estão fortemente associados à presença de transtorno de estresse pós-traumático (TEPT); é necessária avaliação da sequência temporal e da gravidade dos pesadelos em relação a outros sintomas para determinar se um diagnóstico separado de transtorno do pesadelo é justificado. Entre imigrantes Hmong nos Estados Unidos, pesadelos frequentes são mais comuns do que entre brancos não latinos na mesma região e estão associados a experiências traumáticas e a outros transtornos do sono, como paralisia do sono e sono não reparador.

Questões Diagnósticas Relativas ao Sexo e ao Gênero

Mulheres adultas relatam pesadelos mais frequentemente do que homens adultos, mas essa diferença de gênero não foi encontrada em crianças e idosos. O conteúdo dos pesadelos difere de acordo com o gênero, sendo que as mulheres tendem a relatar temas como assédio sexual ou o desaparecimento ou morte de entes queridos, e os homens têm mais tendência a relatar temas de agressão física, guerra ou terror.

Marcadores Diagnósticos

Os estudos polissonográficos revelam despertares abruptos do sono REM, em geral durante a segunda metade da noite, antes de registrarem algum pesadelo. As frequências cardíaca/respiratória e dos movimentos oculares podem acelerar ou aumentar em variabilidade antes do despertar. Pesadelos depois de eventos traumáticos podem também surgir durante o sono não REM, particularmente no estágio 2 (agora chamado de sono N2). O sono típico de indivíduos com pesadelos caracteriza-se por leves alterações (p. ex., eficiência reduzida, sono com ondas menos lentas, mais despertares), com movimentos periódicos mais frequentes das pernas durante o sono e ativação relativa do sistema nervoso simpático depois de privação do sono REM.

Associação com Pensamentos ou Comportamentos Suicidas

Indivíduos com pesadelos frequentes estão sob risco substancialmente maior de ideação suicida e de tentativas de suicídio, mesmo quando o gênero e o transtorno mental são considerados.

Consequências Funcionais do Transtorno do Pesadelo

Os pesadelos causam mais sofrimento subjetivo significativo do que prejuízos sociais ou profissionais demonstráveis. Entretanto, se os despertares forem frequentes ou provocarem evitação do sono, os indivíduos podem sentir sonolência diurna excessiva, concentração ruim, depressão, ansiedade ou irritabilidade. Pesadelos frequentes na infância (p. ex., várias vezes por semana) podem causar sofrimento significativo aos pais e à criança.

Diagnóstico Diferencial

Transtorno do terror noturno. Tanto o transtorno do pesadelo como o transtorno do terror noturno incluem despertares ou despertares parciais com medo e ativação autonômica, mas os dois transtornos são diferenciáveis. Geralmente, os pesadelos ocorrem mais tarde durante o sono REM e produzem sonhos vívidos, semelhantes a uma história e que voltam claramente à memória; apresentam estimulação autonômica leve e despertares completos. Na maioria das vezes, os terrores noturnos surgem na primeira terça parte da noite, durante o sono não REM (especialmente o estágio 3, agora chamado de sono N3), e não geram lembranças de sonhos ou imagens sem uma qualidade narrativa elaborada. Os terrores noturnos são causados por despertares parciais intercalados com sono persistente, com manifestações clínicas que deixam o indivíduo confuso, desorientado e apenas parcialmente responsivo e frequentemente com estimulação autonômica substancial. Em geral, há amnésia do evento pela manhã.

Transtorno comportamental do sono REM. A presença de atividade vocal e motora complexa durante sonhos aterrorizantes deve ensejar avaliações adicionais para o transtorno comportamental do sono REM, que ocorre normalmente entre homens na fase final da meia-idade e em idosos, mas também pode afetar mulheres. Embora os pesadelos sejam tipicamente característicos do transtorno comportamental do sono REM, ao contrário do transtorno do pesadelo, está associado a representações do sonho que podem causar lesões noturnas. Se os pesadelos precedem o transtorno comportamental do sono REM e justificam atenção clínica independente, pode ser acrescentado um diagnóstico de transtorno do pesadelo.

Luto. Os sonhos disfóricos podem ocorrer durante períodos de luto, porém geralmente envolvem perda e tristeza e, ao acordar, são acompanhados por autorreflexão e *insights*, em vez de por sofrimento.

TEPT ou transtorno de estresse agudo. Pesadelos em que o conteúdo ou afeto dos sonhos está relacionado a um evento traumático podem ser um componente do TEPT ou do transtorno de estresse agudo. Um diagnóstico adicional de transtorno do pesadelo pode ser justificado se a gravidade ou a frequência dos pesadelos necessitar de atenção clínica independente.

Narcolepsia. Os pesadelos são queixas frequentes em casos de narcolepsia, embora a presença de sonolência excessiva, com ou sem cataplexia, diferencie essa condição do transtorno do pesadelo.

Convulsões relacionadas ao sono. Convulsões noturnas em geral envolvem atividade motora estereotipada. Caso venham à memória, os pesadelos associados normalmente têm natureza repetitiva ou refletem características epileptogênicas, como o conteúdo de auras diurnas, fosfenos (sensações visuais na ausência de estímulo luminoso) ou imagens ictais.

Transtornos do sono relacionados à respiração. Os transtornos do sono relacionados à respiração podem causar despertares com excitação autonômica, porém, em geral, não são acompanhados pela lembrança de pesadelos.

Transtorno de pânico. Os ataques que ocorrem durante o sono podem produzir despertares abruptos com excitação autonômica e medo, embora, geralmente, não ocorram relatos de pesadelos, e os sintomas são semelhantes aos de ataques de pânico que acontecem durante o estado de vigília.

Transtornos dissociativos relacionados ao sono. Em geral, nos despertares documentados pelo eletroencefalograma, os indivíduos podem se lembrar de traumas físicos ou emocionais reais como se fossem "sonhos".

Uso de substância/medicamento. Várias substâncias ou medicamentos podem precipitar pesadelos, incluindo agentes dopaminérgicos, antagonistas beta-adrenérgicos e outros agentes anti-hipertensivos; substâncias tipo anfetamina, cocaína e outros estimulantes; antidepressivos; auxiliares para parar de fumar; melatonina. A interrupção no uso de medicamentos supressores do sono REM (p. ex., antidepressivos) e do álcool pode produzir rebote de sono REM acompanhado de pesadelos. Nos casos em que os pesadelos forem suficientemente graves a ponto de necessitarem de atenção clínica independente, deve-se considerar o diagnóstico de transtorno do sono induzido por medicamento/substância.

Comorbidade

Os pesadelos podem ser comórbidos com várias condições médicas, incluindo doença cardíaca coronariana, câncer, parkinsonismo e dor, podendo, também, acompanhar tratamentos médicos como hemodiálise ou descontinuação no uso de medicamentos ou no abuso de substâncias. Com frequência, os pesadelos são comórbidos com outros transtornos mentais, incluindo TEPT, transtorno de estresse agudo, transtorno de insônia, transtorno comportamental do sono REM, transtornos psicóticos, do humor, de ansiedade, de adaptação e da personalidade, bem como pesar nos momentos de luto. Um diagnóstico de transtorno do pesadelo concomitante deve somente ser considerado quando é necessária a atenção clínica independente. Essas condições devem ser listadas no especificador da categoria comórbida apropriada (p. ex., "com transtorno comportamental do sono REM"); ver também "Procedimentos para Registro".

Relação com a Classificação Internacional dos Distúrbios do Sono

A terceira edição da *Classificação internacional dos distúrbios do sono* (CIDS-3) apresenta critérios diagnósticos semelhantes para transtorno do pesadelo.

Transtorno Comportamental do Sono REM

Critérios Diagnósticos   G47.52

A. Episódios repetidos de despertar durante o sono associados a vocalização e/ou a comportamentos complexos.
B. Esses comportamentos surgem durante o sono com movimentos rápidos dos olhos (REM), portanto, em geral, mais de 90 minutos depois do início do sono, são mais frequentes durante as porções finais do período de sono e ocorrem raramente durante os cochilos diurnos.
C. Ao acordar desses episódios, o indivíduo está completamente desperto, alerta e não permanece confuso nem desorientado.
D. Qualquer uma das seguintes situações:
   1. Sono REM sem atonia nos registros polissonográficos.
   2. História sugestiva de transtorno comportamental do sono REM e um diagnóstico estabelecido de sinucleinopatia (p. ex., doença de Parkinson, atrofias sistêmicas múltiplas).
E. Os comportamentos causam sofrimento clinicamente significativo ou prejuízo no funcionamento social, profissional ou em outras áreas importantes da vida do indivíduo (que poderão incluir lesão em si próprio[a] ou no[a] parceiro[a] no leito).
F. A perturbação não é atribuível aos efeitos fisiológicos de alguma substância (p. ex., drogas de abuso, medicamentos) ou a outra condição médica.
G. Coexistência de transtornos mentais e condições médicas que não explicam os episódios.

Características Diagnósticas

A característica essencial do transtorno comportamental do sono REM são episódios repetidos de despertar, com frequência associados a vocalizações e/ou a comportamentos motores complexos que surgem do sono REM (Critério A). Esses comportamentos frequentemente refletem respostas motoras ao conteúdo cheio de ação ou violento dos sonhos, de estar sendo atacado ou tentando escapar de uma situação ameaçadora, os quais podem ser chamados de *comportamento de representação dos sonhos*. Com frequência, as vocalizações são altas, carregadas de emoção e obscenas. Esses comportamentos podem aborrecer bastante o indivíduo e a pessoa com quem estiver dormindo, podendo resultar em lesões significativas (p. ex., cair, saltar ou cair da cama; correr, esmurrar, empurrar, atacar ou chutar). Entretanto, indivíduos com transtorno comportamental do sono REM também podem apresentar comportamentos vocais e motores relativamente sutis durante o sono REM, que tipicamente não são a queixa principal do sono, mas se manifestam durante a anamnese ou na polissonografia, em consultas neurológicas e psiquiátricas. Ao acordar, o indivíduo fica imediatamente desperto, alerta e orientado (Critério C) e, com frequência, consegue lembrar o sonho, que se correlaciona intimamente com o comportamento observado. Geralmente, os olhos permanecem fechados durante esses eventos. A presença de sono REM sem atonia durante uma polissonografia é tipicamente necessária para o diagnóstico de transtorno comportamental do sono REM. Caso contrário, se não tiver sido realizada uma polissonografia, pode ser feito um diagnóstico provisório de transtorno comportamental do sono REM provável se houver um diagnóstico estabelecido de sinucleinopatia (p. ex., doença de Parkinson, atrofia múltipla sistêmica) e a história sugerir transtorno comportamental do sono REM (Critério D). O diagnóstico do transtorno comportamental do sono REM requer sofrimento ou prejuízo clinicamente significativos (Critério E); essa determinação depende de inúmeros fatores, incluindo frequência dos eventos, potencial para violência ou comportamentos prejudiciais, constrangimento e sofrimento em outros membros da família. A determinação da gravidade é mais eficiente se for feita com base na natureza ou na consequência do comportamento, em vez de se fundamentar simplesmente na frequência. Embora os comportamentos sejam, em geral, proeminentes e violentos, existe a possibilidade de que ocorram comportamentos menos alterados.

Prevalência

A prevalência de transtorno comportamental do sono REM era de cerca de 1% em uma amostra da população de meia-idade e idosos na Suíça e de cerca de 2% em uma amostra na população geral de idosos na Coreia do Sul. Um estudo encontrou prevalência igual entre homens e mulheres com menos de 50 anos, enquanto outro estudo relatou prevalência de um pouco mais de 1% sem diferenças entre os gêneros em uma população com média de idade de 59 anos. A prevalência em pacientes com transtornos psiquiátricos pode ser maior, possivelmente relacionada aos medicamentos prescritos para o transtorno.

Desenvolvimento e Curso

O início do transtorno comportamental do sono REM pode ser gradual ou rápido. Em virtude da forte associação com o surgimento posterior de um transtorno neurodegenerativo subjacente, é imprescindível monitorar rigorosamente o estado neurológico de indivíduos com transtorno comportamental do sono REM. Em indivíduos com transtorno comportamental do sono REM idiopático, o risco de desenvolvimento de uma doença neurodegenerativa, mais frequentemente uma sinucleinopatia (i. e., doença de Parkinson, transtorno neurocognitivo maior ou leve com corpos de Lewy ou atrofia sistêmica múltipla), é de cerca de 75% no período de 10 a 15 anos após o diagnóstico, com um risco anualizado de cerca de 6 a 7% por ano.

Os sintomas em indivíduos jovens, particularmente mulheres jovens, devem aumentar a possibilidade de narcolepsia; transtorno do sono induzido por substância/medicamento, tipo parassonia; uma lesão no tronco cerebral; ou uma encefalopatia autoimune.

Questões Diagnósticas Relativas à Cultura

Indivíduos chineses diagnosticados com transtorno comportamental do sono REM por um serviço de neurologia em Taiwan apresentaram características clínicas e laboratoriais similares a indivíduos brancos não latinos nos Estados Unidos; entretanto, eles diferiram por ter uma taxa mais elevada de deambulação fora do quarto e uma taxa mais baixa de lesões relacionadas ao sono, possivelmente como resultado de detecção precoce pela família.

Questões Diagnósticas Relativas ao Sexo e ao Gênero

O transtorno comportamental do sono REM é mais comum em homens com mais de 50 anos, mas de forma crescente está sendo identificado em mulheres e em indivíduos mais jovens. As mulheres são mais jovens quanto à idade de início e de diagnóstico.

Marcadores Diagnósticos

Achados laboratoriais associados com base em estudos polissonográficos indicam aumento na atividade eletromiográfica tônica e/ou fásica durante o sono REM que está normalmente associada à atonia muscular. O aumento na variabilidade da atividade muscular afeta grupos distintos de músculos, exigindo um monitoramento eletromiográfico mais extensivo com eletromiografia dos braços (p. ex., bíceps braquial) porque essa medida é mais específica para um diagnóstico de transtorno comportamental do sono REM. Recomenda-se que o monitoramento eletromiográfico inclua os grupos de músculos submentoniano, flexor bilateral dos dedos e tibial anterior bilateral. O monitoramento contínuo por vídeo deve acompanhar a polissonografia. Outros achados polissonográficos podem incluir atividade eletromiográfica muito frequente, periódica e aperiódica das extremidades durante o sono não REM. Essa observação polissonográfica, denominada *sono REM sem atonia,* está presente em praticamente todos os casos de transtorno comportamental do sono REM, embora possa ser também um achado polissonográfico assintomático. Não se sabe exatamente se o sono REM isoladamente sem atonia é um precursor do transtorno comportamental do sono REM, embora um estudo-piloto sugira que ele também pode estar associado a marcadores neurodegenerativos (i. e., hiposmia, hipotensão ortostática, perda de visão de cores) e que 7 a 14% dos indivíduos com sono REM isoladamente sem atonia acabam desenvolvendo transtorno comportamental do sono REM. Também foram publicados os limites para os níveis normais de sono REM sem atonia que servem para distinguir casos limítrofes e aqueles cujo *status* neurológico deve ser monitorado mais de perto.

Consequências Funcionais do Transtorno Comportamental do Sono REM

As consequências mais graves do transtorno comportamental do sono REM são os riscos em curto prazo de lesão ao indivíduo ou ao parceiro no leito relacionados a ataques de representação do sono e o risco em longo prazo de desenvolver uma doença neurodegenerativa definida. Segundo pesquisas de indivíduos e seus parceiros de leito, cerca de 55% dos indivíduos com transtorno comportamental do sono REM podem sofrer lesões como consequência dos seus ataques, com 12% das lesões sendo graves (incluindo fraturas de ossos longos e das costelas ou hematomas subdurais), necessitando de atenção médica.

Diagnóstico Diferencial

Outras parassonias. Despertares confusionais, sonambulismo e terrores noturnos podem ser facilmente confundidos com transtorno comportamental do sono REM. Em geral, esses transtornos ocorrem em indivíduos com menos de 50 anos. Ao contrário do transtorno comportamental do sono REM, esses transtornos se originam no sono não REM e, portanto, tendem a ocorrer na porção inicial do período de sono. O acordar de um despertar confusional está associado a confusão, desorientação e lembrança incompleta da mentalização do sonho que acompanha o transtorno. O monitoramento polissonográfico nos transtornos de despertar revela atonia normal do sono REM, a menos que haja uma parassonia comórbida.

Transtorno do sono induzido por medicamento, tipo parassonia. Muitos medicamentos amplamente prescritos, incluindo antidepressivos tricíclicos, inibidores seletivos da recaptação da serotonina, inibidores da recaptação de serotonina/noradrenalina, podem resultar em evidências polissonográficas de sono REM sem atonia e em franco transtorno comportamental do sono REM, o qual é diagnosticado como um transtorno do sono induzido por medicamento, tipo parassonia. Não se sabe ao certo se os medicamentos propriamente ditos causam sono REM sem atonia e/ou transtorno comportamental do sono REM ou se revelam a presença de uma predisposição subjacente.

Sono REM sem atonia assintomático. Os comportamentos clínicos de representação dos sonhos com o achado polissonográfico de sono REM sem atonia são essenciais para o diagnóstico de transtorno comportamental do sono REM. Sono REM sem atonia e sem história clínica de comportamentos de representação dos sonhos é simplesmente uma observação polissonográfica assintomática com uma significância clínica ainda desconhecida.

Convulsões noturnas. As convulsões noturnas podem imitar perfeitamente o transtorno comportamental do sono REM, embora, em geral, os comportamentos característicos de convulsões noturnas sejam mais estereotipados. O monitoramento polissonográfico que utiliza montagens eletroencefalográficas completas de convulsões facilita a distinção entre as duas condições. O sono REM sem atonia não aparece no monitoramento polissonográfico em indivíduos com epilepsia.

Apneia obstrutiva do sono. A apneia obstrutiva do sono pode resultar em vocalizações e comportamentos motores que se parecem muito com o transtorno comportamental do sono REM, como falar, gritar, gesticular e esmurrar, acompanhados de sonhos desagradáveis. O monitoramento polissonográfico é imprescindível para fazer a distinção entre esses dois transtornos. No transtorno comportamental do sono REM, os sintomas de parassonia ocorrem durante períodos de sono REM sem atonia. Na apneia obstrutiva do sono, os sintomas de parassonia ocorrem apenas durante despertares no final de eventos de apneia obstrutiva do sono e se resolvem depois do tratamento efetivo da apneia obstrutiva do sono (pressão positiva contínua nas vias aéreas). Sono REM sem atonia não é tipicamente observado na apneia obstrutiva do sono.

Outro transtorno dissociativo especificado (transtorno dissociativo psicogênico relacionado ao sono). Diferentemente de quase todas as outras parassonias, que surgem abruptamente do sono não REM ou REM, os comportamentos dissociativos psicogênicos têm origem em um período de vigília bem definido durante o sono. Diferentemente do transtorno comportamental do sono REM, esta condição é mais prevalente em mulheres jovens.

Simulação. Muitos casos de simulação em que o indivíduo relata movimentos do sono problemáticos se assemelham às características clínicas do transtorno comportamental do sono REM, sendo imprescindível a documentação polissonográfica.

Comorbidade

O transtorno comportamental do sono REM apresenta-se concomitantemente em torno de 30% dos pacientes com narcolepsia. Nos casos em que ocorrer com a narcolepsia, os aspectos demográficos refletem a faixa etária mais jovem da narcolepsia, com igual frequência entre homens e mulheres. Com base em achados de indivíduos que se apresentam em clínicas do sono, a maior parte (> 70%) com transtorno comportamental do sono REM, inicialmente tipo "idiopático", acabará desenvolvendo, no fim, uma doença neurodegenerativa – notadamente, uma das sinucleinopatias (doença de Parkinson; atrofia sistêmica múltipla; ou transtorno neurocognitivo maior ou leve com corpos de Lewy). Com frequência, o transtorno comportamental do sono REM antecipa qualquer outro sinal desses transtornos em muitos anos (frequentemente mais de uma década).

Relação com a Classificação Internacional dos Distúrbios do Sono

O transtorno comportamental do sono REM é praticamente idêntico ao transtorno comportamental do sono REM na terceira edição da *Classificação internacional dos distúrbios do sono* (CIDS-3).

Síndrome das Pernas Inquietas

Critérios Diagnósticos   G25.81

A. Necessidade de movimentar as pernas, em geral acompanhada por, ou em resposta a, sensações desconfortáveis e desagradáveis nas pernas, que se caracteriza por todas as circunstâncias a seguir:
   1. A necessidade de movimentar as pernas inicia-se e agrava-se durante períodos de repouso ou de inatividade.
   2. A necessidade de movimentar as pernas é aliviada, completa ou parcialmente, pelo movimento.
   3. A necessidade de movimentar as pernas é maior no fim da tarde ou durante a noite do que durante o dia ou ocorre somente no fim da tarde ou à noite.

B. Os sintomas do Critério A ocorrem pelo menos três vezes por semana e persistiram durante no mínimo três meses.
C. Os sintomas do Critério A são acompanhados de sofrimento significativo ou prejuízo no funcionamento social, profissional, educacional, acadêmico, comportamental ou em outras áreas importantes da vida do indivíduo.
D. Os sintomas do Critério A não são atribuíveis a nenhum outro transtorno mental ou condição médica (p. ex., artrite, edema nas pernas, isquemia periférica, cãibras nas pernas) e não são mais bem explicados por uma condição comportamental (p. ex., desconforto postural, batida habitual dos pés).
E. Os sintomas não são atribuíveis aos efeitos fisiológicos do consumo de drogas ou do uso de medicamentos (p. ex., acatisia).

Características Diagnósticas

A síndrome das pernas inquietas (SPI) é um transtorno neurológico sensório-motor do sono que se caracteriza por uma necessidade de movimentar as pernas ou os braços; em geral está associada a sensações desconfortáveis, tipicamente descritas como de rastejar, engatinhar, formigamento, queimação ou pruriginosas (Critério A). Ocorrem movimentos frequentes das pernas em um esforço para aliviar as sensações desconfortáveis. Embora os sintomas possam ocorrer durante o dia, eles comumente se manifestam no fim da tarde e à noite e, em alguns indivíduos, ocorrem somente nesse período. Os sintomas geralmente são mais graves à noite, quando o indivíduo está em repouso, sentado ou deitado na cama. O agravamento vespertino ocorre independentemente de quaisquer alterações nas atividades. O diagnóstico de SPI baseia-se principalmente em autorrelatos e nas histórias dos pacientes. É importante diferenciar SPI de outras condições que causam desconforto nas pernas, como desconforto postural ou cãibras (Critério D).

Os sintomas de SPI podem retardar o início do sono e acordar o indivíduo e estão associados a fragmentação significativa do sono. O alívio obtido com a movimentação pode não ser muito aparente em casos graves. A SPI está associada a sonolência diurna e, com frequência, é acompanhada de sofrimento clínico e prejuízos funcionais significativos.

Características Associadas

Os movimentos periódicos das pernas no sono (MPPS) podem servir como evidência comprobatória de SPI, sendo que até 90% dos indivíduos são diagnosticados com SPI e demonstram MPPS quando os registros são feitos em várias noites. Os movimentos periódicos das pernas durante a vigília dão suporte ao diagnóstico de SPI. Relatos de dificuldade em iniciar e manter o sono e de sonolência diurna excessiva podem também estar associados ao diagnóstico de SPI. Características associadas adicionais incluem história familiar de SPI entre parentes de primeiro grau e atenuação dos sintomas, pelo menos inicialmente, com tratamento dopaminérgico.

Prevalência

As taxas de prevalência da SPI variam amplamente quando são usados critérios amplos. Quando a frequência dos sintomas é de pelo menos três vezes por semana, com sofrimento moderado ou grave, a taxa de prevalência nos Estados Unidos e na Europa é de 1,6%. SPI grave o suficiente para prejudicar significativamente o funcionamento ou que está associada a transtornos mentais, incluindo depressão e ansiedade, ocorre em cerca de 2 a 3% da população, conforme avaliado na Europa ocidental, nos Estados Unidos e na Coreia do Sul. A SPI é cerca de duas vezes mais comum em mulheres do que em homens e a prevalência aumenta com a idade. Os relatos de SPI variam entre as regiões geográficas, com prevalência mais baixa em diversas populações asiáticas (p. ex., Japão, Coreia do Sul).

Desenvolvimento e Curso

Geralmente, o início da SPI ocorre na segunda ou na terceira década de vida. Aproximadamente 40% dos indivíduos diagnosticados com SPI durante a fase adulta relatam que tiveram sintomas antes dos 20 anos, e 20% relatam que tiveram sintomas antes dos 10 anos de idade. As taxas de prevalência de SPI aumentam de forma constante com a idade até os 60 anos, sendo que os sintomas permanecem estáveis ou diminuem ligeiramente em grupos etários mais velhos. Em comparação com casos não familiares, a SPI familiar costuma ter idade de início mais baixa e um curso progressivo mais lento. O curso clínico da SPI difere de acordo com a idade de início. Com frequência, quando o início ocorre antes dos 45 anos, a progressão dos sintomas é lenta. Na SPI de início tardio, a progressão rápida é típica, sendo comum a presença de fatores agravantes. Aparentemente, o fenótipo da SPI é similar ao longo da vida.

O diagnóstico de SPI em crianças pode ser muito difícil em razão da centralidade do componente de autorrelato no estabelecimento do diagnóstico. Enquanto o Critério A para adultos assume que a descrição da "necessidade de movimentar" é dada pelo paciente, o diagnóstico pediátrico também requer uma descrição nos próprios termos da criança, em vez da descrição dos pais ou de cuidadores. Geralmente, crianças com idade igual ou superior a 6 anos têm condição de fornecer descrições detalhadas e adequadas de SPI. No entanto, em raras situações, utilizam ou entendem o significado da palavra "necessidade"; em vez desse termo, costumam dizer que suas pernas "têm de" ou "precisam" se movimentar. Além disso, potencialmente relacionada a períodos prolongados em que permanecem sentados durante as aulas, dois terços das crianças e dos adolescentes com SPI relatam a ocorrência de sensações nas pernas durante o dia. Assim, para o diagnóstico do Critério A3, é importante comparar períodos de igual duração em que os indivíduos permanecem sentados ou deitados durante o dia com os períodos em que permanecem sentados ou deitados no fim da tarde ou à noite. O agravamento noturno tende a persistir mesmo no contexto de SPI pediátrica. Da mesma forma que na SPI em adultos, há um impacto negativo significativo sobre o sono, o humor, a cognição e o funcionamento. A ocorrência de prejuízos em crianças e em adolescentes manifesta-se com mais frequência nos domínios comportamental e educacional.

Fatores de Risco e Prognóstico

Genéticos e fisiológicos. Os fatores predisponentes incluem sexo feminino, envelhecimento, variantes do risco genético e história familiar de SPI. Fatores precipitantes são frequentemente limitados pelo tempo, tais como deficiência de ferro, com a maior parte dos indivíduos retomando os padrões normais de sono após o evento desencadeador inicial ter desaparecido. As variantes de risco genético também desempenham um papel importante na SPI secundária a distúrbios como uremia, sugerindo que indivíduos com suscetibilidade genética desenvolvem SPI na presença de fatores de risco adicionais.

Estudos amplos de associação genômica descobriram que há associação significativa entre SPI e variantes genéticas comuns em regiões intrônicas ou intergênicas. A variante em *MEIS1* tem a associação mais forte com SPI desses genes, com aproximadamente o dobro de risco de SPI nos 7% da população com esse polimorfismo entre as amostras de ancestrais europeus estudada.

Os mecanismos fisiopatológicos na SPI também incluem perturbações nos sistemas dopaminérgico e opioidérgico centrais e no metabolismo do ferro. A eficácia do tratamento com drogas dopaminérgicas, opioides e ferro corrobora que esses sistemas desempenham um papel importante na fisiopatologia da SPI. A SPI predispõe à depressão, e seu tratamento efetivo pode reduzir significativamente os sintomas depressivos. No entanto, antidepressivos serotonérgicos podem induzir ou agravar a SPI em alguns indivíduos.

Questões Diagnósticas Relativas à Cultura

Entre as populações adultas latino-americanas descendentes de indígenas nos Estados Unidos, incluindo mexicanos-americanos com baixa aculturação na sociedade americana, a prevalência relatada de SPI parece ser inferior quando comparada com a de mexicanos-americanos com aculturação mais alta. Entre os participantes que relataram SPI em uma grande pesquisa baseada na população, os fatores de risco associados eram diferentes nos mexicanos-americanos (mais elevados nas mulheres e em tabagistas) quando comparados com brancos não latinos (idade mais avançada, definida como igual ou maior que 48 anos).

Questões Diagnósticas Relativas ao Sexo e ao Gênero

Embora a prevalência da SPI seja maior entre mulheres do que entre homens, não há diferenças diagnósticas de acordo com o gênero. No entanto, a prevalência da SPI durante a gestação é duas ou três vezes maior do que na população geral. A SPI associada à gravidez apresenta seu ponto máximo durante o terceiro trimestre e, na maioria das vezes, melhora ou desaparece imediatamente após o parto. A diferença de gênero na prevalência da SPI é explicada, pelo menos em parte, pela paridade, sendo que em mulheres nulíparas e em homens da mesma idade o risco de incidência da síndrome é o mesmo.

Marcadores Diagnósticos

A polissonografia demonstra a presença de anormalidades significativas na SPI, incluindo latência aumentada para conciliar o sono e índice de despertar mais elevado. Movimentos periódicos dos membros são o sinal motor da SPI e geralmente estão presentes na polissonografia noturna, bem como em testes de imobilização em vigília e em períodos de repouso tranquilo, sendo que ambas as situações podem provocar sintomas da SPI.

Consequências Funcionais da Síndrome das Pernas Inquietas

Embora o impacto de sintomas mais leves seja bem menos caracterizado, indivíduos com SPI queixam-se de alteração em pelo menos uma atividade durante o dia, sendo que até 50% relatam impacto negativo sobre o humor e falta de energia. Uma consequência comum da SPI é perturbação do sono, incluindo dificuldade para adormecer e fragmentação do sono, com redução no tempo total de sono. A SPI também está associada a prejuízos na qualidade de vida. A SPI poderá resultar em sonolência diurna ou fadiga e, com frequência, é acompanhada por sofrimento significativo ou prejuízo no funcionamento afetivo, social, profissional, educacional, acadêmico, comportamental ou cognitivo.

Diagnóstico Diferencial

As condições mais importantes no diagnóstico diferencial de SPI são cãibras nas pernas, desconforto postural, artralgias/artrite, mialgias, isquemia posicional (dormência), edema nas pernas, neuropatia periférica, radiculopatia e batida habitual dos pés. "Nós" musculares (cãibras), alívio com uma simples mudança postural, limitações articulares, sensibilidade na palpação (mialgias) e outras anormalidades observadas no exame físico não são características da SPI. Diferentemente da SPI, as cãibras noturnas das pernas não se apresentam tipicamente com a necessidade de movimentar os membros, nem ocorrem movimentos frequentes dos membros. Condições menos comuns para serem diferenciadas de SPI incluem acatisia neuroléptica induzida, mielopatia, insuficiência venosa sintomática, doença de artérias periféricas, eczema, outros problemas ortopédicos e inquietação induzida pela ansiedade. Agravamento à noite e movimentos periódicos dos membros são mais comuns na SPI do que na acatisia induzida por medicamentos ou na neuropatia periférica.

Embora seja importante que os sintomas de SPI não sejam atribuídos apenas a outra condição médica ou comportamental, deve ser levado em consideração que qualquer uma dessas condições semelhantes pode ocorrer em indivíduos com SPI. Portanto, é necessário focalizar separadamente cada uma das condições possíveis no processo diagnóstico e na avaliação de impacto. Para os casos em que não houver certeza sobre o diagnóstico de SPI, avaliações para as características associadas da síndrome, particularmente MPPS ou história familiar de SPI, podem ser úteis. Características clínicas, tais como a resposta a um agente dopaminérgico e história familiar positiva de SPI, podem ajudar no diagnóstico diferencial.

Comorbidade

A SPI está associada a taxas mais elevadas de depressão, transtorno de ansiedade generalizada, transtorno de pânico e transtorno de estresse pós-traumático. A principal condição médica comórbida com SPI é doença cardiovascular. Podem ocorrer associações com inúmeras outras condições médicas, incluindo hipertensão, enxaqueca, doença de Parkinson, esclerose múltipla, neuropatia periférica, diabetes melito, fibromialgia, osteoporose, obesidade, doença da tireoide e câncer, bem como outros transtornos do sono, incluindo narcolepsia e apneia obstrutiva do sono. SPI também é comum em indivíduos com deficiência de ferro, gestação e insuficiência renal crônica, podendo melhorar drasticamente depois que essas condições desaparecem.

Relação com a Classificação Internacional dos Distúrbios do Sono

A terceira edição da *Classificação internacional dos distúrbios do sono* (CIDS-3) apresenta critérios semelhantes para SPI, porém não contém um critério que especifique a frequência ou a duração dos sintomas.

Transtorno do Sono Induzido por Substância/Medicamento

Critérios Diagnósticos

A. Um transtorno do sono proeminente e grave.
B. Evidências da história, do exame físico ou de achados laboratoriais de (1) e (2):
   1. Os sintomas do Critério A se desenvolveram durante ou logo após a intoxicação ou a descontinuação de uma substância ou após a exposição ou a descontinuação de um medicamento.
   2. A substância ou medicamento envolvido é capaz de produzir os sintomas mencionados no Critério A.
C. A perturbação não é mais bem explicada por um transtorno do sono que não seja induzido por substância ou medicamento. Tais evidências de um transtorno independente do sono podem incluir o seguinte:

   Os sintomas precedem o início do uso da substância ou medicamento; os sintomas persistem por um período substancial de tempo (p. ex., cerca de um mês) após a cessação de abstinência aguda ou de intoxicação grave; ou existe outra evidência sugerindo a existência de um transtorno do sono independente não induzido por substância ou medicamento (p. ex., história de recorrência de episódios não relacionados ao uso de substância ou medicamento).

D. A perturbação não ocorre exclusivamente durante o curso de *delirium*.
E. A perturbação causa sofrimento clinicamente significativo ou prejuízo no funcionamento social, profissional ou em outras áreas importantes da vida do indivíduo.

Nota: O diagnóstico deve ser feito, em vez de um diagnóstico de abstinência ou de intoxicação por substância, somente quando houver predominância dos sintomas mencionados no Critério A no quadro clínico e quando forem suficientemente graves para justificar atenção clínica.

Nota para codificação: Os códigos da CID-10-MC para os transtornos do sono induzidos por [substância/medicamento específico] estão indicados na tabela a seguir. Observar que o código da CID-10-MC depende de haver ou não transtorno comórbido por uso de substância presente para a mesma classe de substância. De qualquer forma, um diagnóstico adicional separado de um transtorno por uso de substância não é dado. Se o transtorno por uso de uma substância, leve for comórbido com o transtorno do sono induzido por substância, o número da 4ª posição é "1", e o clínico deve registrar "transtorno por uso de [substância], leve" antes do transtorno do sono induzido por substância (p. ex., "transtorno por uso de cocaína, leve com transtorno do sono induzido por cocaína"). Se o transtorno por uso de uma substância, moderado ou grave, for comórbido com o transtorno do sono induzido por substância, o número da 4ª posição é "2", e o clínico deve registrar "transtorno por uso de [substância], moderado" ou "transtorno por uso de [substância], grave", dependendo da gravidade do transtorno por uso de substância comórbido. Se não existe transtorno por uso de substância comórbido (p. ex., depois de uma ocorrência de uso pesado da substância), então o número da 4ª posição é "9", e o clínico deve registrar apenas o transtorno do sono induzido por substância.

Há duas exceções a essa convenção para codificação quando se aplica a transtornos do sono induzidos por cafeína e tabaco. Como transtorno por uso de cafeína não é uma categoria oficial no DSM-5, há apenas um código na CID-10-MC para transtorno do sono induzido por cafeína: F15.982. Além disso, como a CID-10-MC assume que o transtorno do sono induzido por tabaco pode ocorrer somente no contexto de transtorno por uso de tabaco, moderado ou grave, o código da CID-10-CM para transtorno do sono induzido por tabaco é F17.208.

	CID-10-MC		
	Com transtorno por uso, leve	Com transtorno por uso, moderado ou grave	Sem transtorno por uso
Álcool	F10.182	F10.282	F10.982
Cafeína	NA	NA	F15.982
Cannabis	F12.188	F12.288	F12.988
Opioide	F11.182	F11.282	F11.982
Sedativos, hipnóticos ou ansiolíticos	F13.182	F13.282	F13.982
Substância tipo anfetamina (ou outro estimulante)	F15.182	F15.282	F15.982
Cocaína	F14.182	F14.282	F14.982
Tabaco	NA	F17.208	NA
Outra substância (ou substância desconhecida)	F19.182	F19.282	F19.982

Determinar o subtipo:
   Tipo insônia: Caracterizado pela dificuldade de conciliar ou manter o sono, por despertares noturnos frequentes ou por sono não reparador.
   Tipo sonolência diurna: Caracterizado pela queixa predominante de sonolência/fadiga excessiva durante as horas de vigília ou, menos comumente, um longo período de sono.
   Tipo parassonia: Caracterizado por eventos comportamentais anormais durante o sono.
   Tipo misto: Caracterizado por um problema de sono induzido por substância/medicamento que se apresenta com múltiplos tipos de sintomas do sono, mas sem predominância clara de nenhum sintoma.
Especificar (ver a Tabela 1 no capítulo "Transtornos Relacionados a Substâncias e Transtornos Aditivos", que indica se "com início durante a intoxicação" e/ou "com início durante a descontinuação/abstinência" se aplica a uma determinada classe de substância; ou especificar "com início após o uso de medicamento"):
   Com início durante a intoxicação: Se os critérios para intoxicação com a substância forem preenchidos e os sintomas se desenvolverem durante a intoxicação.
   Com início durante a descontinuação/abstinência: Se os critérios para abstinência da substância forem preenchidos e os sintomas se desenvolverem durante ou logo após a abstinência.
   Com início após o uso de medicamento: Se os sintomas se desenvolverem no início do uso do medicamento, com uma mudança no uso do medicamento ou durante a descontinuação do medicamento.

Procedimentos para Registro

O nome do transtorno do sono induzido por substância/medicamento inicia com a substância específica (p. ex., álcool) que presumivelmente esteja causando a perturbação do sono. O código da CID-10-MC que corresponde à classe de substância aplicável é selecionado na tabela incluída no grupo de critérios. No caso de substâncias que não se enquadram em nenhuma classe (p. ex., fluoxetina), deve-se utilizar o código da CID-10-MC para outras substâncias (ou substâncias desconhecidas) e o nome da substância específica registrado (p. ex., F19.982 transtorno do sono induzido por fluoxetina, tipo insônia). Nos casos em que uma substância é considerada um fator etiológico, mas sua classe específica é desconhecida, deve-se utilizar o código da CID-10-MC para outras substâncias (ou substâncias desconhecidas), devendo ser registrado que a substância é desconhecida (p. ex., F19.982 transtorno do sono induzido por substância desconhecida, tipo hipersonia).

Ao registrar o nome do transtorno, o transtorno comórbido por uso de substância (caso exista algum) deverá ser listado em primeiro lugar, seguido por "com transtorno do sono induzido por substância/medicamento" (incorporando o nome da substância/medicamento etiológico específico), seguido pela especificação do início (i. e., com início durante a intoxicação, com início durante a abstinência, com início após o uso de medicamento), seguida pela designação do subtipo (i. e., tipo insônia, tipo sonolência diurna, tipo parassonia, tipo misto). Por exemplo, no caso de insônia que ocorre durante a abstinência em um homem com transtorno grave por uso de lorazepam, o diagnóstico é F13.282 transtorno por uso de lorazepam, com transtorno do sono induzido por lorazepam, grave, com início durante a abstinência, tipo insônia. Não há um diagnóstico específico de transtorno comórbido por uso de lorazepam, grave. Se o transtorno do sono induzido por substância ocorrer sem um transtorno comórbido por uso de substância (p. ex., com uso de medicamento conforme prescrito), não se registra a coexistência de nenhum transtorno por uso de substância (p. ex., F19.982 transtorno do sono induzido por bupropiona, com início durante o uso do medicamento, tipo insônia). Quando mais de uma substância estiver desempenhando um papel importante no desenvolvimento da perturbação do sono, deve-se listar cada uma delas separadamente (p. ex., F10.282 transtorno grave por uso de álcool com transtorno do sono induzido por álcool, com início durante a intoxicação, tipo insônia; F14.282 transtorno grave por uso de cocaína com transtorno do sono induzido por cocaína, com início durante a intoxicação, tipo insônia).

Especificadores

Dependendo da substância envolvida, costuma-se relatar um entre quatro tipos de perturbações do sono. Tipo insônia e tipo sonolência diurna são os mais comuns, enquanto o tipo parassonia é observado com menos frequência. O tipo misto caracteriza-se pela presença de mais de um tipo de sintoma de perturbação do sono, sem predominância de nenhum deles.

Características Diagnósticas

A característica essencial do transtorno do sono induzido por substância/medicamento é a presença de uma perturbação proeminente do sono suficientemente grave para justificar atenção clínica independente (Critério A). A perturbação do sono pode ser caracterizada por insônia, sonolência diurna, parassonia ou uma combinação delas. Considera-se que está primariamente associada aos efeitos farmacológicos de uma substância (i. e., uma droga de abuso, um medicamento, exposição a uma toxina) (Critério B). A perturbação não é mais bem explicada por outro transtorno do sono que não seja induzido por substância/medicamento (Critério C). Um transtorno do sono induzido por substância/medicamento é diferente do transtorno de insônia ou de um transtorno associado com sonolência diurna excessiva levando-se em consideração o início e o curso. No caso de drogas de abuso, é imprescindível que haja evidências de intoxicação ou de abstinência a partir da história, do exame físico e dos achados laboratoriais. O transtorno do sono induzido por substância/medicamento surge apenas em associação com estados de intoxicação ou descontinuação/abstinência, ao passo que outros transtornos do sono podem anteceder o início do uso de substâncias ou ocorrer durante momentos de abstinência sustentada. Considerando que os estados de descontinuação/abstinência para algumas substâncias podem ser prolongados, o início da perturbação do sono pode ocorrer quatro semanas depois da cessação do uso da substância, e a perturbação poderá apresentar características atípicas de outros transtornos do sono (p. ex., início ou curso atípicos para a idade). Não é possível fazer o diagnóstico se a perturbação do sono ocorrer somente durante *delirium* (Critério D). Os sintomas devem causar sofrimento clinicamente significativo ou prejuízo no funcionamento social, profissional ou em outras áreas importantes da vida do indivíduo (Critério E). Esse diagnóstico deve ser feito, em vez do diagnóstico de intoxicação ou abstinência de substância, somente quando houver predominância dos sintomas do Critério A no quadro clínico e quando os sintomas justificarem atenção clínica independente.

Características Associadas

Com frequência, durante períodos de uso de substância/medicamento, intoxicação ou descontinuação/abstinência, os indivíduos se queixam de humor disfórico, incluindo depressão e ansiedade, irritabilidade, comprometimento cognitivo, incapacidade de concentrar-se e fadiga.

Possivelmente, ocorram perturbações proeminentes e graves do sono em associação à intoxicação pelas seguintes classes de substâncias: álcool; cafeína; *Cannabis*; opioides; sedativos, hipnóticos ou ansiolíticos; estimulantes (incluindo cocaína); e outras substâncias (ou substâncias desconhecidas). Perturbações proeminentes e graves do sono podem ocorrer em associação com abstinência das seguintes classes de substâncias: álcool; cafeína; *Cannabis*; opioides; sedativos, hipnóticos ou ansiolíticos; estimulantes (incluindo cocaína); tabaco; e outras substâncias (ou substâncias desconhecidas). Alguns medicamentos que causam perturbações do sono incluem agonistas e antagonistas adrenérgicos, agonistas e antagonistas da dopamina, agonistas e antagonistas colinérgicos, agonistas e antagonistas serotonérgicos, anti-histamínicos e corticosteroides.

Álcool. O transtorno do sono induzido por álcool que geralmente ocorre é o tipo insônia. Durante intoxicações agudas com doses superiores a 1 g/kg, o álcool produz efeito sedativo imediato dependendo da dose, acompanhado de redução na latência do sono, aumento nos estágios 2 e 3 (N2 e N3) do sono não REM e redução no sono REM. Logo após esses efeitos iniciais, pode ocorrer aumento na vigília, sono agitado e sonhos vívidos carregados de ansiedade no período de sono remanescente. Paralelamente, N2 e N3 são reduzidos, e ocorre aumento no estado de vigília e no sono REM durante a parte final da noite. Com o consumo habitual, o álcool continua a apresentar um efeito sedativo de curta duração na primeira metade da noite, seguido pela interrupção na continuidade do sono na segunda metade. Durante a abstinência de álcool, ocorre interrupção extrema na continuidade do sono e aumento na quantidade e intensidade do sono REM, frequentemente associadas a sonhos vívidos, que, em sua forma extrema, fazem parte do *delirium* causado pela abstinência de álcool. Depois de abstinência aguda, os usuários crônicos de álcool poderão continuar se queixando de sono leve e fragmentado por períodos que podem variar de meses a anos, em associação com uma prolongação persistente da latência do sono e um déficit no sono de ondas lentas. O álcool também agrava o transtorno do sono relacionado à respiração, incluindo apneia obstrutiva do sono e hipoventilação relacionada ao sono.

Cafeína. Cafeína consumida em doses baixas a moderadas durante a manhã geralmente não produz efeito significativo no sono noturno em pessoas com sono normal ou naquelas com insônia. A cafeína pode produzir insônia dependendo da dose e do horário, particularmente quando doses maiores são consumidas no fim do dia ou durante a noite. Já foram relatados prolongamento da latência do sono, redução no sono de ondas lentas, aumento nos despertares noturnos e redução na duração do sono. Alguns indivíduos, em particular grandes consumidores, podem se apresentar com sonolência diurna e prejuízos no desempenho relacionados à abstinência.

Cannabis. A administração aguda de *Cannabis* pode encurtar a latência do sono, embora possam ocorrer efeitos excitatórios com incrementos na latência do sono. A *Cannabis* intensifica o sono de ondas lentas e suprime o sono REM depois de administração aguda. Os usuários crônicos desenvolvem tolerância à indução do sono e efeitos intensificadores do sono de ondas lentas. Existem relatos de que a abstinência provoca dificuldades para dormir e sonhos desagradáveis que duram várias semanas. Durante essa fase, os estudos polissonográficos mostram redução no sono de ondas lentas e aumento no sono REM.

Opioides. Os opioides podem aumentar a sonolência e a profundidade subjetiva do sono e diminuir o sono REM e de ondas lentas durante uso agudo de curto prazo. Com administração continuada, os indivíduos desenvolvem tolerância aos efeitos sedativos dos opioides, sendo comum a queixa de insônia. Estudos polissonográficos demonstram redução na eficiência do sono e no tempo total do sono, com redução no sono de ondas lentas e possivelmente no sono REM. Os opioides exacerbam a apneia obstrutiva do sono, demonstrando consistência com os efeitos respiratórios depressivos. Também é observado o surgimento de apneia central do sono, especialmente com o uso crônico de opioides de ação prolongada.

Sedativos, hipnóticos e ansiolíticos. Os sedativos, hipnóticos e ansiolíticos (p. ex., barbitúricos, agonistas dos receptores benzodiazepínicos, meprobamato, glutetimida, metiprilon) apresentam efeitos semelhantes aos dos opioides durante o sono. Em intoxicações agudas, os medicamentos sedativos hipnóticos produzem o aumento esperado na sonolência e diminuem o estado de vigília. Pode ocorrer sonolência diurna, principalmente com agentes de ação prolongada. O uso crônico de benzodiazepínicos pode estar associado ao desenvolvimento de tolerância, insônia rebote e efeitos potencialmente graves da descontinuação. Os mais recentes agonistas dos receptores benzodiazepínicos, como zolpidem e zoplicona, demonstram manter a eficácia por períodos de 6 meses a 2 anos, sem evidência de aumento da dosagem ou efeitos de descontinuação importantes. Agentes hipnóticos mais recentes, como ramelteon, doxepina em baixa dose e suvorexant, não parecem ter potencial significativo para abuso, depressão respiratória ou síndromes de abstinência importantes. Os medicamentos sedativos, hipnóticos ou ansiolíticos com ação de curta duração provavelmente produzam mais queixas de insônia rebote. Alguns medicamentos sedativos hipnóticos podem aumentar a frequência e a gravidade de eventos de apneia obstrutiva do sono, embora nem os benzodiazepínicos nem os agonistas dos receptores benzodiazepínicos tenham demonstrado de forma definitiva agravar a apneia obstrutiva do sono. A hipoventilação pode se agravar em indivíduos suscetíveis. As parassonias (sonambulismo e alimentação relacionada ao sono) foram associadas ao uso de agonistas de receptores benzodiazepínicos, principalmente nos casos em que esses medicamentos são tomados em doses mais elevadas e quando combinados com outros medicamentos sedativos.

Substâncias tipo anfetamina, outros estimulantes e MDMA. Os transtornos do sono induzidos por substâncias tipo anfetamina e outros estimulantes caracterizam-se pela presença de insônia durante a intoxicação e sonolência excessiva durante a abstinência. Durante intoxicações agudas, os estimulantes reduzem a quantidade total de sono, aumentam a latência do sono e as perturbações na sua continuidade e diminuem o sono REM. Há tendência de reduzir o sono de ondas lentas. Durante a abstinência do uso crônico de estimulantes, ocorrem eventos como duração prolongada do sono noturno e sonolência diurna excessiva. O teste de latência múltipla do sono revela aumento na sonolência diurna na fase de abstinência. Outras substâncias como 3,4-metilenodioximetanfetamina (MDMA; "*ecstasy*") e substâncias relacionadas provocam sono agitado e perturbado dentro de 48 horas da ingestão; o uso frequente desses compostos está associado a sintomas persistentes de ansiedade, depressão e perturbações do sono, mesmo durante descontinuação de longo prazo. Há também evidências que sugerem um aumento na frequência de apneia obstrutiva do sono em jovens usuários de MDMA, mesmo depois de um período de abstenção da substância.

Tabaco. O consumo crônico de tabaco está associado principalmente a sintomas de insônia, sono de ondas lentas diminuído com redução da eficiência do sono e aumento na sonolência diurna. A abstinência de tabaco poderá produzir alterações no sono. Fumantes inveterados podem experimentar despertares noturnos regulares causados pelo desejo de fumar.

Outras substâncias/medicamentos ou substâncias desconhecidas. Outras substâncias/medicamentos podem produzir perturbações no sono, em particular medicamentos que afetam o sistema nervoso central ou o sistema nervoso autônomo (p. ex., agonistas e antagonistas adrenérgicos, agonistas e antagonistas da dopamina, agonistas e antagonistas colinérgicos, agonistas e antagonistas serotonérgicos, anti-histamínicos e corticosteroides).

Desenvolvimento e Curso

Em crianças, a insônia pode ser identificada pelos pais ou pela própria criança. Com frequência, as crianças apresentam perturbações claras no sono, associadas ao início do uso de um medicamento, mas podem não relatar os sintomas, embora os pais percebam a presença dessas perturbações. O uso de algumas substâncias ilícitas (p. ex., *Cannabis, ecstasy*) é prevalente na adolescência e na fase inicial da vida adulta. Insônia ou qualquer outra perturbação do sono observada nesse grupo etário deve levantar a suspeita de que a perturbação seja causada pelo consumo dessas substâncias. Nesses grupos etários, o comportamento de busca de ajuda para a perturbação do sono é limitado; consequentemente, torna-se necessário obter relatos confirmatórios dos pais, cuidadores ou professores. Idosos tomam mais medicamentos e correm mais risco de desenvolver algum transtorno do sono induzido por substância/medicamento. Eles podem interpretar a perturbação do sono como parte de um processo normal de envelhecimento e deixam de relatar os sintomas. Indivíduos com transtorno neurocognitivo maior (p. ex., demência) também correm o risco de transtornos do sono induzidos por substância/medicamento, mas podem deixar de relatar os sintomas, o que torna particularmente importante o relato corroborativo de cuidadores.

Fatores de Risco e Prognóstico

Os fatores de risco e prognóstico envolvidos no uso de substâncias ou medicamentos seguem um padrão para determinados grupos etários. Eles são relevantes, e provavelmente aplicáveis, para o tipo de perturbação do sono observado (o capítulo "Transtornos Relacionados a Substâncias e Transtornos Aditivos" apresenta descrições dos respectivos transtornos por uso de substâncias).

Temperamentais. De maneira geral, o uso de substâncias precipita ou acompanha a insônia em indivíduos vulneráveis. Portanto, a presença de insônia em resposta ao estresse ou a mudanças no ambiente ou no horário de sono pode representar risco para o desenvolvimento de algum transtorno do sono induzido por substância/medicamento. A presença de risco semelhante é provável em indivíduos com outros transtornos do sono (p. ex., indivíduos com hipersonia que usam estimulantes).

Questões Diagnósticas Relativas ao Sexo e ao Gênero

A mesma quantidade e duração de consumo de uma determinada substância pode levar a resultados substancialmente diferentes em relação ao sono em homens e mulheres com base, por exemplo, em diferenças específicas de gênero nas funções hepáticas.

Marcadores Diagnósticos

Cada um dos transtornos do sono induzidos por substância/medicamento produz padrões eletroencefalográficos de sono associados a outros transtornos, mas não podem ser considerados diagnósticos. O perfil eletroencefalográfico do sono para cada substância relaciona-se ao estágio de uso e se está no contexto de ingestão/intoxicação, uso crônico ou abstinência logo após a descontinuação do uso da substância. A polissonografia durante toda a noite pode ajudar na definição da gravidade das queixas de insônia, enquanto os testes de latência múltipla do sono fornecem informações sobre a gravidade da sonolência diurna. O monitoramento da respiração noturna e dos movimentos periódicos dos membros com auxílio da polissonografia permite verificar o impacto de uma substância sobre a respiração durante a noite e o comportamento motor. Os diários de sono por duas semanas e a actigrafia são considerados ferramentas úteis para confirmar a presença de algum transtorno do sono induzido por substância/medicamento, especialmente no caso de suspeita do tipo insônia. O rastreamento de drogas pode ser bastante útil nas situações em que o indivíduo não estiver consciente ou não estiver disposto a dar informações sobre a ingestão de substâncias.

Consequências Funcionais do Transtorno do Sono Induzido por Substância/Medicamento

Embora existam muitas consequências funcionais associadas aos transtornos do sono, a única consequência exclusiva do transtorno do sono induzido por substância/medicamento é o aumento no risco de recaída. Por exemplo, o grau de perturbação do sono durante a abstinência de álcool (p. ex., o sono REM rebote) é um preditor do risco de recaída do alcoolismo. O monitoramento da qualidade do sono e da sonolência diurna durante e depois da abstinência pode fornecer informações clinicamente significativas sobre a possibilidade de aumento no risco de recaídas.

Diagnóstico Diferencial

Intoxicação por substância e abstinência de substância. Em geral, as perturbações do sono são observadas no contexto de intoxicação por substância ou de abstinência de substância. Um diagnóstico de transtorno do sono induzido por substância/medicamento deve ser estabelecido, em vez de um diagnóstico de intoxicação por substância ou de descontinuação/abstinência do uso de substância, somente nos casos em que a perturbação do sono for predominante no quadro clínico e for suficientemente grave para justificar atenção clínica independente.

Delirium. Se a perturbação do sono induzida por substância/medicamento ocorrer exclusivamente durante o curso de *delirium*, ela não é diagnosticada separadamente.

Outros transtornos do sono. Um transtorno do sono induzido por substância/medicamento distingue-se de outro transtorno do sono se uma substância/medicamento estiver relacionada aos sintomas sob o ponto de vista etiológico. Um transtorno psicótico induzido por substância/medicamento devido a tratamento prescrito para um transtorno mental ou um distúrbio médico deve ter início enquanto o indivíduo estiver recebendo o medicamento ou durante a descontinuação, caso haja uma síndrome de descontinuação/abstinência associada ao medicamento. Uma vez que o tratamento é descontinuado, o transtorno do sono irá geralmente remitir dentro de um período que pode variar de dias a semanas. Se os sintomas persistirem além de quatro semanas, deve-se considerar a hipótese de outras causas para os sintomas relacionados à perturbação do sono. Não raramente, indivíduos com outro transtorno do sono automedicam seus sintomas com medicamentos ou drogas de abuso (p. ex., álcool para o manejo da insônia). Se a substância/medicamento tem um papel significativo na exacerbação da perturbação do sono, um diagnóstico adicional de transtorno do sono induzido por substância/medicamento pode ser necessário.

Transtorno do sono associado a condição médica. O transtorno do sono induzido por substância/medicamento e transtornos do sono associados a alguma condição médica (i. e., transtorno de insônia, transtorno de hipersonolência e transtorno do pesadelo) podem produzir sintomas semelhantes de insônia, sonolência diurna ou pesadelos, respectivamente. Muitos indivíduos com outras condições médicas que provocam perturbação do sono são tratados com medicamentos que também causam essas perturbações. A cronologia dos sintomas é o fator mais importante para fazer a distinção entre essas duas fontes de sintomas do sono. Dificuldades com o sono em um indivíduo como uma condição médica comórbida que claramente precedem o uso de qualquer medicamento para o tratamento dessa condição médica sugerem um diagnóstico de transtorno de insônia, transtorno de hipersonolência ou transtorno do pesadelo com o especificador "com [condição médica específica]" aplicável ao diagnóstico. Já os sintomas do sono que surgirem somente após o início do uso de uma determinada substância ou medicamento sugerem a presença de um transtorno do sono induzido por substância/medicamento. Se a perturbação do sono for comórbida com outra condição médica e for também exacerbada pelo uso de substâncias, ambos os diagnósticos são estabelecidos (i. e., transtorno do sono, transtorno de hipersonolência ou transtorno do pesadelo, "com [condição médica específica]" respectivamente; e [transtorno do sono induzido por [substância/medicamento específico]). Nas situações em que as evidências não forem suficientes para determinar se a perturbação do sono é atribuível a uma substância/medicamento ou a uma condição médica, ou se é independente (i. e., não é atribuível a uma substância/medicamento nem a uma condição médica), o diagnóstico indicado é de transtorno do sono-vigília não especificado.

Comorbidade

Ver as seções "Comorbidade" para outros transtornos do sono neste capítulo, incluindo insônia, hipersonolência, apneia central do sono, hipoventilação relacionada ao sono e transtornos do sono-vigília do ritmo circadiano, tipo trabalho em turnos.

Relação com a Classificação Internacional dos Distúrbios do Sono

A terceira edição da *Classificação internacional dos distúrbios do sono* (CIDS-3) apresenta uma lista de transtornos do sono "devido a um medicamento ou substância" de acordo com os respectivos fenótipos (p. ex., hipersonia, transtorno dos movimentos, parassonia). A CIDS-3 não identifica um diagnóstico separado para "insônia devido a um medicamento ou substância" com base em evidências da fraca confiabilidade da distinção de fatores etiológicos únicos para insônia crônica.

Outro Transtorno de Insônia Especificado

G47.09

Esta categoria aplica-se a apresentações em que sintomas característicos do transtorno de insônia que causam sofrimento clinicamente significativo ou prejuízo no funcionamento social, profissional ou em outras áreas importantes da vida do indivíduo predominam, mas não satisfazem todos os critérios para transtorno de insônia ou qualquer transtorno na classe diagnóstica dos transtornos do sono-vigília. A categoria outro transtorno de insônia especificado é usada nas situações em que o clínico opta por comunicar a razão específica pela qual a apresentação não satisfaz os critérios para o transtorno de insônia ou qualquer transtorno do sono-vigília específico. Isso é feito por meio do registro de "outro transtorno de insônia especificado", seguido pela razão específica (p. ex., "transtorno de insônia breve").

Exemplos de apresentações que podem ser especificadas usando a designação "outro transtorno de insônia especificado" incluem:

1. **Transtorno de insônia breve.** A duração é inferior a três meses.
2. **Restrito a sono não reparador:** A queixa predominante é de sono não reparador não acompanhado de outros sintomas do sono, como dificuldade para conciliar o sono ou permanecer adormecido.

Transtorno de Insônia Não Especificado

G47.00

Esta categoria aplica-se a apresentações em que sintomas característicos do transtorno de insônia que causam sofrimento clinicamente significativo ou prejuízo no funcionamento social, profissional ou em outras áreas importantes da vida do indivíduo predominam, mas não satisfazem todos os critérios para transtorno de insônia ou qualquer transtorno na classe diagnóstica dos transtornos do sono-vigília. A categoria transtorno de insônia não especificado é usada nas situações em que o clínico opta por *não* especificar a razão pela qual os critérios para o transtorno de insônia ou qualquer transtorno do sono-vigília específico não são satisfeitos e inclui apresentações para as quais não há informações suficientes para que seja feito um diagnóstico mais específico.

Outro Transtorno de Hipersonolência Especificado

G47.19

Esta categoria aplica-se a apresentações em que sintomas característicos do transtorno de hipersonolência que causam sofrimento clinicamente significativo ou prejuízo no funcionamento social, profissional ou em outras áreas importantes da vida do indivíduo predominam, mas não satisfazem todos os critérios para o transtorno de hipersonolência ou qualquer transtorno na classe diagnóstica dos transtornos do sono-vigília. A categoria outro transtorno de hipersonolência especificado é usada nas situações em que o clínico opta por comunicar a razão específica pela qual a apresentação não satisfaz os critérios para o transtorno de hipersonolência ou qualquer transtorno do sono-vigília específico. Isso é feito por meio do registro de "outro transtorno de hipersonolência especificado", seguido pela razão específica (p. ex., "hipersonolência de breve duração", como na síndrome de Kleine-Levin).

Transtorno de Hipersonolência Não Especificado

G47.10

Esta categoria aplica-se a apresentações em que sintomas característicos do transtorno de hipersonolência que causam sofrimento clinicamente significativo ou prejuízo no funcionamento social, profissional ou em outras áreas importantes da vida do indivíduo predominam, mas não satisfazem todos os critérios para o transtorno de hipersonolência ou qualquer transtorno na classe diagnóstica dos transtornos do sono-vigília. A categoria transtorno de hipersonolência não especificado é usada nas situações em que o clínico opta por *não* especificar a razão pela qual os critérios para o transtorno de hipersonolência ou qualquer transtorno do sono-vigília específico não são satisfeitos e inclui apresentações para as quais não há informações suficientes para que seja feito um diagnóstico mais específico.

Outro Transtorno do Sono-Vigília Especificado

G47.8

Esta categoria aplica-se a apresentações em que sintomas característicos do transtorno do sono-vigília que causam sofrimento clinicamente significativo ou prejuízo no funcionamento social, profissional ou em outras áreas importantes da vida do indivíduo predominam, mas não satisfazem todos os critérios para qualquer transtorno na classe diagnóstica dos transtornos do sono-vigília e não se qualificam para um diagnóstico de outro transtorno de insônia especificado ou outro transtorno de hipersonolência especificado. A categoria outro transtorno do sono-vigília especificado é usada nas situações em que o clínico opta por comunicar a razão específica pela qual a apresentação não satisfaz os critérios para qualquer transtorno do sono-vigília específico. Isso é feito por meio do registro de "outro transtorno do sono-vigília especificado", seguido da razão específica (p. ex., "despertares repetidos durante o sono com movimentos rápidos dos olhos sem polissonografia ou história de doença de Parkinson ou de outra sinucleinopatia").

Transtorno do Sono-Vigília Não Especificado

G47.9

Esta categoria aplica-se a apresentações em que sintomas característicos do transtorno do sono-vigília que causam sofrimento clinicamente significativo ou prejuízo no funcionamento social, profissional ou em outras áreas importantes da vida do indivíduo predominam, mas não satisfazem todos os critérios para qualquer transtorno na classe diagnóstica dos transtornos do sono-vigília e não se qualificam para um diagnóstico de outro transtorno de insônia não especificado ou transtorno de hipersonolência não especificado. A categoria transtorno do sono-vigília não especificado é usada nas situações em que o clínico opta por *não* especificar a razão pela qual os critérios para um transtorno do sono-vigília específico não são satisfeitos e inclui apresentações para as quais não há informações suficientes para que seja feito um diagnóstico mais específico.

Disfunções Sexuais

As disfunções sexuais incluem ejaculação retardada, transtorno erétil, transtorno do orgasmo feminino, transtorno do interesse/excitação sexual feminino, transtorno da dor gênito-pélvica/penetração, transtorno do desejo sexual masculino hipoativo, ejaculação prematura (precoce), disfunção sexual induzida por substância/medicamento, outra disfunção sexual especificada e disfunção sexual não especificada. As disfunções sexuais formam um grupo heterogêneo de transtornos que, em geral, se caracterizam por uma perturbação clinicamente significativa na capacidade de uma pessoa responder sexualmente ou de experimentar prazer sexual. Um mesmo indivíduo poderá ter várias disfunções sexuais ao mesmo tempo. Nesses casos, todas as disfunções deverão ser diagnosticadas.

O julgamento clínico deve ser utilizado para determinar se as dificuldades sexuais são resultado de estimulação sexual inadequada; mesmo nessas situações ainda pode haver necessidade de tratamento, embora o diagnóstico de disfunção sexual não seja aplicável. Esses casos incluem, mas não se limitam a, condições nas quais a falta de conhecimento sobre estimulação eficaz impede a experiência de excitação ou de orgasmo.

Os subtipos são usados para designar o início da dificuldade. Em muitos indivíduos com disfunções sexuais, o momento de início do quadro poderá indicar etiologias e intervenções diferentes. *Ao longo da vida* refere-se a um problema sexual que está presente desde as primeiras experiências sexuais, e *adquirido* aplica-se às disfunções sexuais que se desenvolvem após um período de função sexual relativamente normal. *Generalizado* refere-se a dificuldades sexuais que não se limitam a certos tipos de estimulação, situações ou parceiros(as), e *situacional* aplica-se a dificuldades sexuais que ocorrem somente com determinados tipos de estimulação, situações ou parceiros(as).

Além dos subtipos ao longo da vida/adquirido e generalizado/situacional, inúmeros fatores devem ser considerados durante a avaliação de uma disfunção sexual, tendo em vista que poderão ser relevantes para a etiologia e/ou tratamento e contribuir, em maior ou menor grau, para a disfunção nos indivíduos: 1) fatores relacionados ao parceiro(a) (p. ex., problemas sexuais ou de saúde); 2) fatores associados ao relacionamento (p. ex., falta de comunicação; discrepâncias no desejo para atividade sexual); 3) fatores relacionados a vulnerabilidade individual (p. ex., imagem corporal ruim; história de abuso sexual ou emocional), comorbidade psiquiátrica (p. ex., depressão, ansiedade) ou estressores (p. ex., perda de emprego, luto); 4) fatores culturais ou religiosos (inibições relacionadas a proibições de atividade sexual ou prazer; atitudes em relação à sexualidade); e 5) fatores médicos relevantes para prognóstico, curso ou tratamento.

O julgamento clínico sobre o diagnóstico de disfunção sexual deve levar em consideração fatores culturais que possam influenciar expectativas ou criar proibições sobre a experiência do prazer sexual. O envelhecimento pode estar associado a redução na resposta sexual normal para o período.

A resposta sexual tem uma base biológica essencial, embora, em geral, seja vivenciada em um contexto intrapessoal, interpessoal e cultural. Portanto, a função sexual envolve uma interação complexa entre fatores biológicos, socioculturais e psicológicos. Em muitos contextos clínicos, não se conhece com exatidão a etiologia de um determinado problema sexual. Não obstante, o diagnóstico de uma disfunção sexual requer a exclusão de problemas que são mais bem explicados por algum transtorno mental não sexual, pelos efeitos de uma substância (p. ex., droga ou medicamento), por uma condição médica (p. ex., devido a alguma lesão no nervo pélvico) ou por perturbação grave no relacionamento, violência do(a) parceiro(a) ou outros estressores.

A população de pessoas com diversidade de gênero, incluindo transgênero, não binário e agênero, pode não se identificar com ou parecer não se enquadrar nas categorias diagnósticas existentes baseadas no sexo e no gênero descritas neste capítulo. Apesar das denominações atribuídas ao transtorno do desejo sexual masculino hipoativo e do transtorno do interesse/excitação sexual feminino, os critérios diagnósticos descrevem sintomas e experiências que não são dependentes do sexo ou do gênero específico do indivíduo. Como tal, qualquer diagnóstico pode ser aplicado a indivíduos de gênero diverso com base no julgamento clínico. Para diagnósticos associados à anatomia reprodutiva (p. ex., disfunção erétil, ejaculação prematura [precoce], ejaculação retardada e transtorno de dor gênito-pélvica/penetração), os diagnósticos devem estar baseados na anatomia atual do indivíduo e não no sexo designado no nascimento. Mais pesquisas são necessárias para a compreensão das experiências de disfunção sexual entre pessoas de gênero diverso. Enquanto isso, como com todas as categorias no DSM, os clínicos devem usar seu melhor julgamento.

Se a disfunção sexual for fundamentalmente explicada por outro transtorno mental não sexual (p. ex., transtorno depressivo ou bipolar, transtorno de ansiedade, transtorno de estresse pós-traumático, transtorno psicótico), deve ser estabelecido apenas o diagnóstico do outro transtorno mental. Problemas que forem mais bem explicados pelo uso, abuso ou descontinuação de um medicamento ou substância devem ser diagnosticados como disfunção sexual induzida por substância/medicamento. Nos casos em que a disfunção for atribuível a outra condição médica (p. ex., neuropatia periférica), o indivíduo não deve receber um diagnóstico psiquiátrico. Se as dificuldades sexuais forem mais bem explicadas por perturbação grave do relacionamento, violência do(a) parceiro(a) ou outros estressores significativos, não se aplica o diagnóstico de uma disfunção sexual; mas deve-se registrar um código adequado Z para o problema do relacionamento ou para os estressores (p. ex., Z63.0 Sofrimento na relação com o cônjuge ou parceiro íntimo); ver o capítulo "Outras Condições Que Podem Ser Foco da Atenção Clínica". Em muitos casos, é impossível estabelecer uma relação etiológica precisa entre alguma outra condição (p. ex., condição médica) e uma disfunção sexual. É possível ter um diagnóstico de disfunção sexual e uma condição médica coexistente, um transtorno mental não sexual ou uso/abuso ou descontinuação de um medicamento ou substância; e é possível ter um ou mais diagnósticos de disfunção sexual.

Ejaculação Retardada

Critérios Diagnósticos F52.32

A. Qualquer um dos seguintes sintomas deve ser vivenciado em quase todas ou em todas as ocasiões (aproximadamente 75 a 100%) da atividade sexual com parceria (em contextos situacionais identificados ou, se generalizada, em todos os contextos), sem que o indivíduo deseje o retardo:

1. Retardo acentuado na ejaculação.
2. Baixa frequência marcante ou ausência de ejaculação.

B. Os sintomas do Critério A persistem por um período mínimo de aproximadamente seis meses.

C. Os sintomas do Critério A causam sofrimento clinicamente significativo para o indivíduo.

D. A disfunção sexual não é mais bem explicada por um transtorno mental não sexual ou como consequência de uma perturbação grave do relacionamento ou de outros estressores importantes e não é atribuível aos efeitos de alguma substância/medicamento ou a outra condição médica.

Determinar o subtipo:

Ao longo da vida: A perturbação esteve presente desde que o indivíduo se tornou sexualmente ativo.
Adquirido: A perturbação iniciou depois de um período de função sexual relativamente normal.

> *Determinar* o subtipo:
>   **Generalizado:** Não se limita a determinados tipos de estimulação, situações ou parceiras(os).
>   **Situacional:** Ocorre somente com determinados tipos de estimulação, situações ou parceiras(os).
>
> *Especificar* a gravidade atual:
>   **Leve:** Evidência de sofrimento leve em relação aos sintomas do Critério A.
>   **Moderada:** Evidência de sofrimento moderado em relação aos sintomas do Critério A.
>   **Grave:** Evidência de sofrimento grave ou extremo em relação aos sintomas do Critério A.

Características Diagnósticas

A característica essencial da ejaculação retardada é um retardo marcante ou incapacidade de atingir a ejaculação ou baixa frequência marcante de ejaculação em todas ou quase todas as ocasiões de atividade sexual com parceria, a despeito da presença de estimulação sexual adequada e do desejo de ejacular (Critério A). Para que seja estabelecido um diagnóstico de ejaculação retardada segundo o DSM-5, os sintomas devem ter persistido por no mínimo cerca de 6 meses (Critério B) e devem causar no indivíduo sofrimento clinicamente significativo (Critério C). A atividade sexual com parceria pode incluir estimulação manual, oral, coital ou anal. Na maior parte dos casos, faz-se o diagnóstico a partir do relato do próprio indivíduo, embora, para homens em relações com parceira heterossexual, com frequência o sofrimento da parceira é o que motiva a busca de tratamento. É comum que homens que apresentam ejaculação retardada consigam ejacular com autoestimulação, mas não durante atividade sexual com parceria.

A definição de "retardo" não apresenta limites precisos, tendo em vista que não há consenso sobre o que seria um tempo razoável para atingir o orgasmo ou o que é um tempo inaceitavelmente longo para a maioria dos homens e para suas(seus) parceiras(os) sexuais. Embora as definições de ejaculação retardada se apliquem igualmente bem às orientações heterossexual e homossexual, a grande maioria das pesquisas tem tido como referência o conceito de latência intravaginal e, portanto, o ato sexual entre homem e mulher. Os achados desses estudos documentam que o tempo de latência ejaculatória intravaginal (TLEI) na maioria dos homens varia de 4 a 10 minutos. Também não existem limites diagnósticos precisos entre ejaculação retardada como uma disfunção sexual e o retardo como uma consequência do envelhecimento normal. Portanto, o diagnóstico de ejaculação retardada baseia-se no julgamento clínico, levando em consideração a história psicossexual e médica do indivíduo, sua idade, o contexto do relacionamento e os padrões e comportamentos de estimulação sexual. O diagnóstico de ejaculação retardada não deve ser dado se o clínico julgar que a insatisfação do indivíduo é inteiramente atribuível a expectativas irrealistas.

Características Associadas

O homem e sua(seu) parceira(o) podem relatar tentativas prolongadas de atingir o orgasmo a ponto de causar exaustão ou desconforto genital, e algumas vezes até lesão a si mesmo e/ou a sua(seu) parceira(o) antes de finalmente cessar os esforços. Alguns homens podem dizer que evitam a atividade sexual em razão de um padrão repetitivo de dificuldade para ejacular.

A ejaculação retardada está associada a masturbação muito frequente, uso de técnicas de masturbação que não são facilmente reproduzidas por uma(um) parceira(o) e disparidades marcantes entre as fantasias sexuais durante a masturbação e a realidade do sexo com uma(um) parceira(o).

Os homens com ejaculação retardada costumam relatar menos atividade coital, níveis mais altos de sofrimento no relacionamento, insatisfação sexual, menor excitação subjetiva, ansiedade quanto ao seu desempenho sexual e problemas de saúde em geral do que homens sexualmente funcionais.

Além das considerações dos subtipos aplicáveis (i. e., se o retardo ejaculatório esteve presente desde que o indivíduo se tornou sexualmente ativo ou começou depois de um período de função sexual relativamente normal, e se o retardo ejaculatório é generalizado ou ocorre apenas com certos tipos de estimulação, situações ou parceiras[os]), é importante levar em consideração os seguintes fatores na avaliação de ejaculação retardada: 1) fatores relacionados à(ao) parceira(o) (p. ex., problemas sexuais ou de saúde);

2) fatores associados ao relacionamento (p. ex., comunicação inadequada, discrepâncias no desejo para atividade sexual); 3) fatores relacionados a vulnerabilidade individual (p. ex., desejo sexual hipoativo), comorbidade psiquiátrica (p. ex., depressão, ansiedade) ou estressores como perda de emprego ou estresse; 4) fatores culturais/religiosos (inibições relacionadas a proibições de atividade sexual; atitudes em relação à sexualidade); 5) fatores médicos, particularmente hipogonadismo ou distúrbios neurológicos (p. ex., esclerose múltipla neuropatia diabética); e 6) uso de substâncias ou medicamentos que podem inibir a ejaculação (p. ex., uso de medicamentos serotoninérgicos).

Prevalência

A prevalência estimada de ejaculação retardada nos Estados Unidos é de 1 a 5%, mas variou em até 11% em estudos internacionais. Entretanto, a variação nas definições da síndrome entre os estudos pode ter contribuído para essas diferenças na prevalência do transtorno no DSM-5.

Desenvolvimento e Curso

A ejaculação retardada do subtipo ao longo da vida inicia com as primeiras experiências sexuais e continua durante a vida toda. Por definição, a ejaculação retardada do subtipo adquirida inicia depois de um período de função sexual normal. Inúmeros fatores biomédicos, psicossociais e culturais podem contribuir para a predisposição ou a manutenção da ejaculação retardada durante toda a vida ou ejaculação retardada adquirida (ver a seção "Fatores de Risco e Prognóstico") e os dois subtipos podem ser de natureza generalizada ou situacional.

A prevalência de ejaculação retardada aumenta com a idade. À medida que os homens envelhecem, são maiores as chances de progressivamente apresentar mais das seguintes alterações na função ejaculatória, incluindo, mas não limitadas, a redução no volume, na força e na sensação ejaculatória, além de aumento no "tempo refratário". A latência refratária aumenta em indivíduos do sexo masculino de forma secundária a complicações cirúrgicas, médicas e farmacêuticas, bem como com o envelhecimento.

Fatores de Risco e Prognóstico

A latência ejaculatória é um desfecho determinado por uma variedade de fatores. Um grande número de fatores psicossociais aumenta a probabilidade de um indivíduo apresentar ejaculação retardada, com depressão e insatisfação no relacionamento tendo contribuição predominante.

Genéticos e fisiológicos. Inúmeras condições médicas podem levar à ejaculação retardada, incluindo procedimentos que rompem a inervação simpática ou somática na região genital, como prostatectomia para tratamento de câncer. Distúrbios neurológicos e endócrinos, incluindo lesão na medula espinal, acidente vascular cerebral, esclerose múltipla, cirurgia na região pélvica, diabetes grave, epilepsia, anormalidades hormonais e apneia do sono, além de abuso de álcool, disfunção intestinal, uso de *Cannabis* e fatores ambientais, podem estar associados a ejaculação retardada.

Além disso, medicamentos que inibem os agentes alfa-adrenérgicos do sistema ejaculatório (p. ex., tansulosina) estão associados a ejaculação retardada, bem como a agentes anti-hipertensivos, antidepressivos (p. ex., inibidores seletivos da recaptação da serotonina) e medicamentos antipsicóticos.

A perda de nervos sensoriais periféricos de condução rápida e a redução na secreção de esteroides sexuais, ambas relacionadas à idade, podem estar associadas ao aumento da ejaculação retardada em indivíduos do sexo masculino com mais de 50 anos. A redução nos níveis de androgênio com o envelhecimento também pode estar associada à ejaculação retardada.

Questões Diagnósticas Relativas ao Sexo e ao Gênero

Por definição, o diagnóstico de ejaculação retardada é dado somente para indivíduos do sexo masculino. Dificuldades com sofrimento em relação ao orgasmo em mulheres são consideradas na categoria de transtorno do orgasmo feminino.

Consequências Funcionais da Ejaculação Retardada

Com frequência, a ejaculação retardada está associada a sofrimento psicológico considerável em um ou em ambos os parceiros.

A dificuldade de ejaculação pode contribuir para dificuldades na concepção, podendo motivar avaliação significativa da fertilidade, já que a ausência de ejaculação geralmente não é discutida espontaneamente pelos indivíduos, a menos que haja investigação direta do seu médico.

Diagnóstico Diferencial

Outra condição médica ou lesão e/ou seu tratamento. O desafio diagnóstico mais importante é a diferenciação entre ejaculação retardada explicada totalmente por outra condição médica ou lesão (ou seu tratamento) e ejaculação retardada com uma etiologia atribuível a uma variedade de fatores biomédicos-psicossociais e culturais proporcionalmente diferentes que determinam o(s) sintoma(s). Inúmeras condições médicas ou lesões, juntamente com seus tratamentos, podem produzir retardo na ejaculação independentemente de questões psicossociais e culturais.

A ejaculação retardada deve ser diferenciada de inúmeras condições urológicas (em especial outros transtornos ejaculatórios), incluindo ejaculação retrógrada ou *anejaculação*, que é tipicamente o resultado de diversas etiologias, desde hormonais até neurológicas e/ou anormalidades anatômicas, incluindo obstrução dos ductos ejaculatórios e outros distúrbios urológicos.

Uso de substância/medicamento. Inúmeros agentes farmacológicos, como antidepressivos, antipsicóticos, medicamentos alfa-simpáticos e opioides, podem causar problemas ejaculatórios. Nesses casos, o diagnóstico é disfunção sexual induzida por substância/medicamento em vez de ejaculação retardada.

Disfunção com orgasmo. É importante verificar, na história, se a queixa diz respeito a ejaculação retardada, sensação de orgasmo ou a ambas. A ejaculação ocorre nos órgãos genitais, enquanto se acredita que a experiência de orgasmo seja principalmente subjetiva. Em geral, ejaculação e orgasmo ocorrem ao mesmo tempo, mas nem sempre. Por exemplo, um homem com padrão ejaculatório normal pode se queixar de prazer diminuído (i. e., ejaculação anedônica). Esse tipo de queixa não seria codificado como ejaculação retardada, porém poderia ser codificado como outra disfunção sexual especificada ou disfunção sexual não especificada.

Comorbidade

Existem algumas evidências indicando que a ejaculação retardada é mais comum em formas graves do transtorno depressivo maior.

Transtorno Erétil

Critérios Diagnósticos   F52.21

A. Pelo menos um dos três sintomas a seguir deve ser vivenciado em quase todas ou em todas as ocasiões (aproximadamente 75 a 100%) de atividade sexual (em contextos situacionais identificados ou, se generalizado, em todos os contextos):
   1. Dificuldade acentuada em obter ereção durante a atividade sexual.
   2. Dificuldade acentuada em manter uma ereção até o fim da atividade sexual.
   3. Diminuição acentuada na rigidez erétil.
B. Os sintomas do Critério A persistem por um período mínimo de aproximadamente seis meses.
C. Os sintomas do Critério A causam sofrimento clinicamente significativo para o indivíduo.

D. A disfunção sexual não é mais bem explicada por um transtorno mental não sexual ou como consequência de uma perturbação grave do relacionamento ou de outros estressores importantes e não é atribuível aos efeitos de alguma substância/medicamento ou a outra condição médica.

Determinar o subtipo:
  Ao longo da vida: A perturbação esteve presente desde que o indivíduo se tornou sexualmente ativo.
  Adquirido: A perturbação iniciou depois de um período de função sexual relativamente normal.

Determinar o subtipo:
  Generalizado: Não se limita a determinados tipos de estimulação, situações ou parceiras(os).
  Situacional: Ocorre somente com determinados tipos de estimulação, situações ou parceiras(os).

Especificar a gravidade atual:
  Leve: Evidência de sofrimento leve em relação aos sintomas do Critério A.
  Moderada: Evidência de sofrimento moderado em relação aos sintomas do Critério A.
  Grave: Evidência de sofrimento grave ou extremo em relação aos sintomas do Critério A.

Características Diagnósticas

A característica essencial do transtorno erétil é uma dificuldade acentuada em obter ou manter uma ereção ou diminuição acentuada na rigidez erétil em todas ou quase todas as ocasiões de atividade sexual (Critério A) que persiste por um período mínimo de 6 meses (Critério B) e que causa sofrimento clinicamente significativo para o indivíduo (Critério C). A obtenção cuidadosa de uma história sexual é imprescindível para verificar se o problema esteve presente por um período de tempo significativo (i. e., pelo menos aproximadamente seis meses) e ocorre na maioria das ocasiões sexuais (i. e., pelo menos 75% das vezes). Os sintomas podem ocorrer somente em situações específicas envolvendo determinados tipos de estimulação ou de parceiras(os) ou podem ocorrer de forma generalizada em todos os tipos de situações, estimulações ou parceiras(os).

Este capítulo usa os termos *transtorno erétil* e *disfunção erétil*, os quais não são sinônimos. *Disfunção erétil* é um termo descritivo amplamente utilizado (incluindo na CID-10) que se refere à dificuldade em obter e manter ereção. *Transtorno erétil* é a categoria diagnóstica mais específica no DSM-5 em que a disfunção erétil persiste por um período mínimo de 6 meses e causa sofrimento para o indivíduo.

Características Associadas

Muitos homens com transtorno erétil podem apresentar baixa autoestima, baixa autoconfiança e senso diminuído de masculinidade, além de afeto deprimido. A disfunção erétil também está fortemente associada a sentimento de culpa, autoacusação, sensação de fracasso, raiva e preocupação com a decepção da(o) parceira(o). Podem ocorrer situações de medo e/ ou evitação de futuros encontros sexuais. Satisfação sexual diminuída e desejo sexual reduzido na(o) parceira(o) do indivíduo são comuns.

Além das considerações dos subtipos aplicáveis (i. e., se a disfunção erétil esteve presente desde que o indivíduo se tornou sexualmente ativo ou começou depois de um período de função sexual relativamente normal e se a disfunção erétil é generalizada ou ocorre apenas com certos tipos de estimulação, situações ou parceiras[os]), é importante levar em consideração os seguintes fatores na avaliação de transtorno erétil: 1) fatores relacionados à(ao) parceira(o) (p. ex., problemas sexuais ou de saúde); 2) fatores associados ao relacionamento (p. ex., comunicação inadequada; discrepâncias no desejo para atividade sexual); 3) fatores relacionados a vulnerabilidade individual (p. ex., desejo sexual hipoativo), comorbidade psiquiátrica (p. ex., depressão, ansiedade) ou estressores como perda de emprego ou estresse; 4) fatores culturais ou religiosos (inibições relacionadas a proibições de atividade sexual; atitudes em relação à sexualidade); 5) fatores médicos, particularmente cirurgia (p. ex., ressecção transuretral da próstata), hipogonadismo ou condições neurológicas (p. ex., esclerose múltipla, neuropatia diabética); e 6) uso de substâncias ou medicamentos que podem inibir a ejaculação (p. ex., uso de medicamentos serotonérgicos).

Prevalência

Não se conhece a prevalência de transtorno erétil ao longo da vida *versus* adquirido. Há aumento expressivo relacionado à idade, tanto na prevalência como na incidência de problemas relacionados à ereção, em particular depois dos 50 anos de idade. Internacionalmente, a prevalência de transtorno erétil na população geral é de cerca de 13 a 21% entre indivíduos do sexo masculino na faixa etária de 40 a 80 anos. As taxas são inferiores a 10% em indivíduos do sexo masculino abaixo de 40 anos, aproximadamente 20 a 40% na faixa dos 60 anos e 50 a 75% acima de 70 anos. Em um estudo longitudinal na Austrália, 80% dos indivíduos do sexo masculino acima de 70 anos apresentavam transtorno erétil. Em uma revisão de estudos predominantemente de países ocidentais, cerca de 20% dos indivíduos do sexo masculino temiam problemas eréteis na primeira experiência sexual, ao passo que aproximadamente 8% apresentaram problemas de ereção que impediram a penetração durante a primeira experiência sexual. Entre os indivíduos norte-americanos que responderam a uma pesquisa *on-line*, não houve diferença estatisticamente significativa na prevalência de transtorno erétil segundo a origem étnico-racial. Dados norte-americanos nacionalmente representativos mostram que a prevalência de dificuldades de ereção é semelhante em indivíduos do sexo masculino idosos que têm relações sexuais com indivíduos do sexo masculino ou com ambos os sexos masculino e feminino.

Desenvolvimento e Curso

Descobriu-se que a falha em atingir a ereção na primeira tentativa sexual está associada a relação sexual com uma(um) parceira(o) desconhecida(o), uso concomitante de drogas ou álcool, falta de vontade de ter relação sexual e pressão dos pares. Existem evidências mínimas referentes à persistência desses problemas após a primeira tentativa. A remissão da maioria desses problemas é espontânea, sem intervenção profissional, embora alguns homens continuem enfrentando problemas episódicos. O transtorno erétil adquirido, por sua vez, está associado frequentemente a fatores biológicos como diabetes e doença cardiovascular. É provável que seja persistente na maioria dos homens.

A história natural do transtorno erétil ao longo da vida é desconhecida. A observação clínica respalda a associação entre transtorno erétil ao longo da vida e fatores psicológicos que são autolimitantes ou responsivos a intervenções psicológicas, ao passo que, como observado anteriormente, é mais provável que o transtorno erétil adquirido esteja relacionado a fatores biológicos e que seja persistente. A incidência do transtorno erétil aumenta com a idade. Uma minoria dos homens diagnosticados com falha erétil moderada pode apresentar remissão espontânea dos sintomas sem intervenção médica. O desconforto associado ao transtorno erétil é mais baixo em homens idosos em comparação com homens mais jovens.

Fatores de Risco e Prognóstico

Modificadores do curso. Os fatores de risco para transtorno erétil adquirido e, como consequência, transtorno erétil, incluem idade, tabagismo, sedentarismo, diabetes e desejo diminuído.

Questões Diagnósticas Relativas à Cultura

A prevalência de transtorno erétil varia entre os países. A extensão em que essas disparidades representam diferenças nas expectativas culturais, em comparação com diferenças genuínas na frequência das falhas de ereção, não está bem clara. O endosso diferencial pode estar relacionado a preocupações culturais sobre parecer fraco ou menos masculino ou a normas culturais diversas sobre alterações na função erétil durante o envelhecimento saudável. Expectativas culturais referentes a relações conjugais, desempenho sexual, fertilidade e papéis relacionados ao gênero podem favorecer ansiedades que podem contribuir para o transtorno erétil. Com base nas respostas a uma pesquisa *on-line*, o transtorno erétil pode ser associado a preocupação sobre o tamanho dos genitais nos Estados Unidos e no Oriente Médio, e a medo de infertilidade masculina no Oriente Médio.

Questões Diagnósticas Relativas ao Sexo e ao Gênero

Por definição, o diagnóstico de disfunção erétil é feito somente para indivíduos do sexo masculino. Dificuldades com sofrimento em relação à excitação sexual nas mulheres são consideradas na categoria de transtorno do interesse/excitação sexual feminino.

Marcadores Diagnósticos

Os testes de intumescência peniana noturna e a medição da turgidez erétil durante o sono podem ser empregados para fazer a distinção entre problemas eréteis orgânicos e psicogênicos, partindo-se do pressuposto de que ereções adequadas durante o sono REM indicam uma etiologia psicológica para o problema. Vários outros procedimentos diagnósticos podem ser utilizados dependendo da avaliação do clínico sobre sua relevância ante a idade do indivíduo, dos problemas médicos comórbidos e da apresentação clínica. Ultrassonografia Doppler e injeções intravasculares de medicamentos vasoativos, assim como procedimentos diagnósticos invasivos, como cavernosografia com infusão dinâmica, são recursos que podem ser utilizados para avaliar a integridade vascular. Estudos de condução do nervo pudendo, incluindo potenciais evocados somatossensoriais, podem ser utilizados nos casos em que há suspeita de neuropatia periférica. Testagem para baixos níveis séricos de testosterona biodisponível ou de testosterona livre é apropriada, especialmente quando há diabetes, para indivíduos do sexo masculino que também apresentam desejo hipoativo e para aqueles que não respondem a inibidores da fosfodiesterase tipo 5. Pode-se avaliar também a função da tireoide. A avaliação da glicemia de jejum é bastante útil para rastrear a presença de diabetes melito. A avaliação do nível sérico de lipídeos também é importante, tendo em vista que o transtorno erétil em homens com idade igual ou superior a 40 anos é preditivo de risco futuro de doença arterial coronariana.

Associação com Pensamentos ou Comportamentos Suicidas

Entre indivíduos do sexo masculino que recebem tratamento para transtorno erétil com depressão comórbida, foram observadas taxas elevadas de pensamentos ou comportamentos suicidas; embora os indivíduos do sexo masculino afetados tenham atribuído os sintomas suicidas ao seu transtorno erétil, a presença de depressão também era um fator contribuinte provável. As taxas elevadas de suicídio entre indivíduos do sexo masculino com câncer de próstata podem estar relacionadas em parte à disfunção erétil associada ao tratamento e aos consequentes sintomas depressivos.

Consequências Funcionais do Transtorno Erétil

O transtorno erétil pode interferir na fertilidade e produzir desconforto individual e interpessoal. Medo e/ou evitação de encontros sexuais podem interferir na capacidade de desenvolver relacionamentos íntimos. Pode ocorrer desconforto psicológico significativo entre homens que apresentam transtorno erétil.

Diagnóstico Diferencial

Transtornos mentais não sexuais. O transtorno depressivo maior e o transtorno erétil estão intimamente associados, sendo que existe a possibilidade de ocorrer transtorno erétil acompanhado de transtorno depressivo grave. Se as dificuldades de ereção são mais bem explicadas por outro transtorno mental, como depressão maior, então o diagnóstico de transtorno erétil não deve ser feito.

Função erétil normal. O diagnóstico diferencial deve incluir considerações sobre a função erétil normal em homens com expectativas excessivas.

Uso de substância/medicamento. Início do problema que coincide com o início do uso de alguma substância/medicamento e desaparecimento do problema com a descontinuação ou com reduções na dose da substância/medicamento sugerem a presença de uma disfunção sexual induzida por substância/medicamento em vez de transtorno erétil.

Outra condição médica. O aspecto mais difícil do diagnóstico diferencial de transtorno erétil é a exclusão de problemas de ereção que são plenamente explicáveis por fatores médicos. Esses casos não devem receber um diagnóstico de transtorno mental. Geralmente a distinção entre transtorno erétil como transtorno mental e disfunção erétil como resultado de outra condição médica não é clara, e muitos casos poderão apresentar etiologias complexas, com a interação de fatores biológicos e psicológicos. Se o indivíduo estiver acima da faixa de 40 a 50 anos de idade e/ou apresentar problemas médicos concomitantes, o diagnóstico diferencial deverá incluir etiologias médicas, em especial doenças vasculares. A presença de uma doença orgânica que sabidamente cause problemas de ereção não confirma uma relação causal. Por exemplo, um homem com diabetes melito poderá desenvolver transtorno erétil em resposta a estresse psicológico. De maneira geral, a disfunção erétil provocada por fatores orgânicos é generalizada e de início gradual. Uma das exceções seria a incidência de problemas de ereção depois de uma lesão traumática na inervação dos órgãos genitais (p. ex., lesão na medula espinal). Problemas eréteis situacionais e inconsistentes e que apresentam início agudo depois de um evento estressante são mais frequentemente causados por eventos psicológicos. Idade inferior a 40 anos também sugere uma etiologia psicológica para a dificuldade.

Comorbidade

O transtorno erétil pode ser comórbido com outros diagnósticos sexuais, como ejaculação prematura (precoce) e transtorno do desejo sexual masculino hipoativo, além de transtornos de ansiedade e transtornos depressivos. O risco de depressão é significativamente maior em indivíduos do sexo masculino com transtorno erétil, com um risco acentuadamente mais alto de depressão no primeiro ano após o início. Em indivíduos do sexo masculino diagnosticados com transtorno de estresse pós-traumático, problemas de ereção são comuns. O transtorno erétil é comum em indivíduos do sexo masculino com sintomas do trato urinário inferior relacionados a hipertrofia prostática. Pode ser comórbido com dislipidemia, doença cardiovascular, hipogonadismo, esclerose múltipla, diabetes melito e outras doenças que interferem nas funções vascular, neurológica e endócrina necessárias para uma função erétil normal.

Transtorno do Orgasmo Feminino

Critérios Diagnósticos   F52.31

A. Presença de qualquer um dos sintomas a seguir, vivenciados em quase todas ou em todas as ocasiões (aproximadamente 75 a 100%) de atividade sexual (em contextos situacionais identificados ou, se generalizado, em todos os contextos):
   1. Retardo acentuado, infrequência acentuada ou ausência de orgasmo.
   2. Intensidade muito reduzida de sensações orgásmicas.
B. Os sintomas do Critério A persistem por um período mínimo de aproximadamente seis meses.
C. Os sintomas do Critério A causam sofrimento clinicamente significativo para o indivíduo.
D. A disfunção sexual não é mais bem explicada por um transtorno mental não sexual ou como consequência de uma perturbação grave do relacionamento (p. ex., violência do[a] parceiro[a]) ou de outros estressores importantes e não é atribuível aos efeitos de alguma substância/medicamento ou a outra condição médica.

Determinar o subtipo:
   Ao longo da vida: A perturbação esteve presente desde que a pessoa se tornou sexualmente ativa.
   Adquirido: A perturbação iniciou depois de um período de função sexual relativamente normal.

Determinar o subtipo:
   Generalizado: Não se limita a determinados tipos de estimulação, situações ou parceiros(as).
   Situacional: Ocorre somente com determinados tipos de estimulação, situações ou parceiros(as).

> *Especificar* se:
> **Nunca experimentou um orgasmo em nenhuma situação.**
> *Especificar* a gravidade atual:
> **Leve:** Evidência de sofrimento leve em relação aos sintomas do Critério A.
> **Moderada:** Evidência de sofrimento moderado em relação aos sintomas do Critério A.
> **Grave:** Evidência de sofrimento grave ou extremo em relação aos sintomas do Critério A.

Características Diagnósticas

O transtorno do orgasmo feminino se caracteriza pela dificuldade de atingir o orgasmo e/ou pela intensidade muito reduzida das sensações orgásmicas (Critério A). As mulheres apresentam ampla variabilidade no tipo ou na intensidade da estimulação que produz o orgasmo. Da mesma forma, as descrições subjetivas de orgasmo são extremamente variadas, o que sugere que seja experimentado de maneiras muito diferentes entre as mulheres e em diferentes ocasiões pela mesma mulher. Para o diagnóstico de transtorno do orgasmo feminino, os sintomas devem ser experimentados em quase todas ou em todas as ocasiões (aproximadamente 75 a 100%) de atividade sexual (em contextos situacionais identificados ou, se generalizado, em todos os contextos) e devem ter duração mínima de aproximadamente seis meses. A aplicação dos critérios de gravidade e duração mínimas tem como objetivo distinguir as dificuldades transitórias de orgasmo da disfunção orgásmica mais persistente. A inclusão do termo "aproximadamente" no Critério B permite fazer julgamentos clínicos em casos nos quais o tempo de duração do sintoma não atende o limite recomendado de seis meses.

Para a atribuição do diagnóstico de transtorno do orgasmo feminino, sofrimento clinicamente significativo deve acompanhar os sintomas (Critério C). Em muitos casos de problemas de orgasmo, as causas são multifatoriais ou não podem ser determinadas. Se o transtorno do orgasmo feminino for mais bem explicado por outro transtorno mental, pelos efeitos de uma substância/medicamento ou por uma condição médica, então não se aplica o diagnóstico de transtorno do orgasmo feminino. Por fim, na presença de fatores interpessoais ou contextuais significativos, como sofrimento grave no relacionamento, violência do(a) parceiro(a) íntimo ou outros estressores significativos, não cabe fazer o diagnóstico de transtorno do orgasmo feminino.

Muitas mulheres precisam de estimulação clitoridiana para atingir o orgasmo, enquanto uma proporção relativamente pequena delas afirma que sempre tiveram orgasmo durante a relação peniana-vaginal. Consequentemente, uma mulher que atinge o orgasmo por meio de estimulação clitoridiana, mas não durante a relação sexual, não preenche os critérios para o diagnóstico clínico de transtorno do orgasmo feminino. É importante observar também se as dificuldades para atingir o orgasmo são resultado de estimulação sexual inadequada; nesses casos, ainda pode haver necessidade de tratamento, embora o diagnóstico de transtorno do orgasmo feminino não seja aplicável.

Características Associadas

Associações entre padrões específicos de traços de personalidade ou psicopatologia e disfunção orgásmica, em geral, não têm sido demonstradas. Em comparação com mulheres sem o transtorno, algumas com a disfunção podem ter maior dificuldade na comunicação sobre temas sexuais. A satisfação sexual global, contudo, não está fortemente correlacionada com a experiência orgásmica. Muitas mulheres relatam níveis elevados de satisfação sexual, mesmo que raramente ou nunca tenham tido um orgasmo. As dificuldades orgásmicas nas mulheres ocorrem frequentemente associadas com problemas relacionados ao interesse e à excitação sexual.

Além dos subtipos "ao longo da vida/adquirido" e "generalizado/situacional", os cinco fatores a seguir devem ser considerados durante a avaliação e o diagnóstico de transtorno do orgasmo feminino, tendo em vista que poderão ser relevantes para a etiologia e/ou tratamento: 1) fatores relacionados ao(à) parceiro(a) (p. ex., problemas sexuais ou de saúde); 2) fatores associados ao relacionamento (p. ex., comunicação inadequada; discrepâncias no desejo para atividade sexual); 3) fatores relacionados a vulnerabilidade individual (p. ex., imagem corporal ruim; história de abuso sexual ou emocional), comorbidade psiquiátrica (p. ex., depressão, ansiedade) ou estressores (p. ex., perda de emprego, luto); 4) fatores culturais ou religiosos (inibições relacionadas a proibições de atividade sexual ou prazer; atitudes em relação à sexualidade); e 5) fatores médicos relevantes para prognóstico, curso ou tratamento. Cada um desses fatores pode contribuir de maneiras distintas para os sintomas apresentados por diferentes mulheres com o transtorno.

Prevalência

As taxas de prevalência relatadas de problemas orgásmicos em mulheres na pré-menopausa variam amplamente, de 8 a 72%, dependendo de vários fatores (p. ex., idade, origem e contexto cultural, duração e gravidade dos sintomas); entretanto, essas estimativas não levam em conta a presença de sofrimento. Apenas parte das mulheres que experimentam dificuldades orgásmicas relata também sofrimento associado. A variação na forma como os sintomas são avaliados (p. ex., duração dos sintomas e período lembrado das dificuldades) também exerce influência nas taxas de prevalência. Em nível internacional, cerca de 10% das mulheres não têm orgasmo durante suas vidas.

Desenvolvimento e Curso

Por definição, o transtorno do orgasmo feminino ao longo da vida indica que as dificuldades orgásmicas sempre estiveram presentes, enquanto o subtipo adquirido indica casos em que as dificuldades para atingir o orgasmo desenvolveram-se depois de um período normal de funcionamento orgásmico.

A primeira experiência de orgasmo de uma mulher pode ocorrer em qualquer momento a partir do período pré-puberal até a vida adulta. As mulheres apresentam um padrão etário mais variável em termos de idade quando do primeiro orgasmo do que os homens, sendo que os relatos de experiência orgásmica por parte das mulheres aumentam com o avanço da idade. Muitas aprendem a ter orgasmo à medida que experimentam uma ampla variedade de estimulações e adquirem um conhecimento maior sobre seus próprios corpos. As taxas de consistência orgásmica das mulheres (definidas como "habitualmente ou sempre" tendo orgasmos) são mais elevadas durante a masturbação do que na atividade sexual com parceria.

Fatores de Risco e Prognóstico

Temperamentais. Uma ampla gama de fatores psicológicos, como ansiedade e preocupação com gravidez, pode interferir na capacidade de uma mulher para ter orgasmos.

Ambientais. Nas mulheres, há forte associação entre problemas de relacionamento, saúde física e saúde mental e dificuldades para atingir o orgasmo. Fatores socioculturais (p. ex., expectativas sobre o papel do gênero e normas religiosas) também são influências importantes na experiência de dificuldades orgásmicas.

Genéticos e fisiológicos. Muitos fatores fisiológicos podem influenciar a experiência de orgasmo de uma mulher, incluindo condições médicas e uso de medicamentos. Condições como esclerose múltipla, lesões no nervo pélvico por histerectomia radical e lesões na medula espinal exercem influência sobre o funcionamento do orgasmo feminino. Os inibidores seletivos da recaptação da serotonina sabidamente retardam ou inibem o orgasmo em mulheres. Mulheres com atrofia vulvovaginal (caracterizada por sintomas como secura vaginal, prurido e dor) são significativamente mais propensas a relatar dificuldades para atingir o orgasmo do que aquelas sem essa condição. O estado menopáusico não está associado de forma consistente com a probabilidade de dificuldades orgásmicas. Pode haver contribuição genética significativa na variação da função orgásmica em mulheres. Entretanto, fatores psicológicos, socioculturais e fisiológicos provavelmente interagem de formas complexas para influenciar a experiência orgásmica e as dificuldades para atingir o orgasmo nas mulheres.

Questões Diagnósticas Relativas à Cultura

O grau em que a ausência de orgasmo feminino é considerada um problema que precisa de tratamento pode variar de acordo com o contexto cultural. Visões culturais que subestimam a satisfação sexual das mulheres ou que percebem o sexo conjugal como um dever para as mulheres em vez de uma atividade prazerosa estão associadas a menor busca de ajuda. Além disso, as mulheres diferem quanto à importância do orgasmo em sua satisfação sexual. Podem existir grandes diferenças socioculturais e geracionais na capacidade orgásmica feminina. Por exemplo, os relatos da prevalência de incapacidade para atingir o orgasmo variam em nível mundial, podendo até duplicar dependendo da região.

Questões Diagnósticas Relativas ao Sexo e ao Gênero

Por definição, o diagnóstico de transtorno do orgasmo feminino aplica-se somente a indivíduos do sexo feminino. Dificuldades com sofrimento para atingir o orgasmo em homens são consideradas sob o título ejaculação retardada.

Marcadores Diagnósticos

Embora durante o orgasmo feminino ocorram modificações fisiológicas mensuráveis, incluindo alterações hormonais, na musculatura do assoalho pélvico e na ativação cerebral, há variabilidade significativa nesses indicadores do orgasmo entre as mulheres. Em situações clínicas, o diagnóstico de transtorno do orgasmo feminino baseia-se nos relatos das próprias mulheres.

Associação com Pensamentos ou Comportamentos Suicidas

Disfunções da excitação e da satisfação sexual foram associadas a pensamentos suicidas entre mulheres veteranas e membros do serviço militar mesmo depois de ajustes para provável transtorno de estresse pós-traumático, provável depressão, história de intervenção militar, estado civil, idade, serviço miliar e raça.

Consequências Funcionais do Transtorno do Orgasmo Feminino

As consequências funcionais do transtorno do orgasmo feminino não são claras. Embora nas mulheres haja forte associação entre problemas de relacionamento e dificuldades orgásmicas, não está claro se os fatores associados ao relacionamento são fatores de risco para as dificuldades em atingir o orgasmo ou são consequências dessas dificuldades.

Diagnóstico Diferencial

Transtornos mentais não sexuais. Se as dificuldades orgásmicas são mais bem explicadas por outro transtorno mental, como depressão maior, então o diagnóstico de transtorno do orgasmo feminino não deve ser feito.

Disfunção sexual induzida por substância/medicamento. O início do problema que coincide com o início do uso de alguma substância/medicamento e o desaparecimento do problema com a descontinuação ou com reduções na dose da substância/medicamento sugerem a presença de uma disfunção sexual induzida por substância/medicamento em vez de transtorno do orgasmo feminino.

Outra condição médica. Se o transtorno é causado por outra condição médica (p. ex., esclerose múltipla, lesão na medula espinal), então o diagnóstico de transtorno do orgasmo feminino não é aplicável.

Fatores interpessoais. Nas situações em que fatores interpessoais ou contextuais significativos, como perturbação grave do relacionamento, violência do(a) parceiro(a), ou outros estressores relevantes estão associados a dificuldades orgásmicas, o diagnóstico de transtorno do orgasmo feminino não é aplicável.

Outras disfunções sexuais. O transtorno do orgasmo feminino pode ocorrer em associação com outras disfunções sexuais (p. ex., transtorno do interesse/excitação sexual feminino). A presença de outra disfunção sexual não exclui o diagnóstico de transtorno do orgasmo feminino. Dificuldades orgásmicas ocasionais que são infrequentes ou de curto prazo e que não são acompanhadas de sofrimento ou dano clinicamente significativos não são diagnosticadas como transtorno do orgasmo feminino. Esse diagnóstico também não é apropriado se o problema resulta de estimulação sexual inadequada.

Comorbidade

Mulheres com transtorno do orgasmo feminino podem ter dificuldades de interesse/excitação sexual concomitantes. Aquelas com diagnóstico de outros transtornos mentais não sexuais, como transtorno depressivo maior, podem experimentar interesse/excitação sexual mais baixo, e esse fato poderá aumentar indiretamente a probabilidade de dificuldades para atingir o orgasmo.

Transtorno do Interesse/Excitação Sexual Feminino

Critérios Diagnósticos   F52.22

A. Ausência ou redução significativa do interesse ou da excitação sexual, manifestada por pelo menos três dos seguintes:
    1. Ausência ou redução do interesse pela atividade sexual.
    2. Ausência ou redução dos pensamentos ou fantasias sexuais/eróticas.
    3. Nenhuma iniciativa ou iniciativa reduzida de atividade sexual e, geralmente, ausência de receptividade às tentativas de iniciativa feitas pelo(a) parceiro(a).
    4. Ausência ou redução na excitação/prazer sexual durante a atividade sexual em quase todos ou em todos (aproximadamente 75 a 100%) os encontros sexuais (em contextos situacionais identificados ou, se generalizado, em todos os contextos).
    5. Ausência ou redução do interesse/excitação sexual em resposta a quaisquer indicações sexuais ou eróticas, internas ou externas (p. ex., escritas, verbais, visuais).
    6. Ausência ou redução de sensações genitais ou não genitais durante a atividade sexual em quase todos ou em todos (aproximadamente 75 a 100%) os encontros sexuais (em contextos situacionais identificados ou, se generalizado, em todos os contextos).
B. Os sintomas do Critério A persistem por um período mínimo de aproximadamente seis meses.
C. Os sintomas do Critério A causam sofrimento clinicamente significativo para a pessoa.
D. A disfunção sexual não é mais bem explicada por um transtorno mental não sexual ou como consequência de uma perturbação grave do relacionamento (p. ex., violência do[a] parceiro[a]) ou de outros estressores importantes e não é atribuível aos efeitos de alguma substância/medicamento ou a outra condição médica.

Determinar o subtipo:
   Ao longo da vida: A perturbação esteve presente desde que a pessoa se tornou sexualmente ativa.
   Adquirido: A perturbação iniciou depois de um período de função sexual relativamente normal.

Determinar o subtipo:
   Generalizado: Não se limita a determinados tipos de estimulação, situações ou parceiros(as).
   Situacional: Ocorre somente com determinados tipos de estimulação, situações ou parceiros(as).

Especificar a gravidade atual:
   Leve: Evidência de sofrimento leve em relação aos sintomas do Critério A.
   Moderada: Evidência de sofrimento moderado em relação aos sintomas do Critério A.
   Grave: Evidência de sofrimento grave ou extremo em relação aos sintomas do Critério A.

Características Diagnósticas

O contexto interpessoal deve ser levado em conta nas avaliações do transtorno do interesse/excitação sexual feminino. Uma "discrepância de desejo", em que a mulher sente menos desejo para a atividade sexual do que seu(sua) parceiro(a), não é suficiente para o diagnóstico de transtorno do interesse/excitação sexual feminino. Para que os critérios do transtorno sejam atendidos, deve haver ausência ou frequência ou intensidade reduzida de pelo menos três a seis indicadores (Critério A) por um período mínimo de aproximadamente seis meses (Critério B). Pode haver diferentes perfis de sintomas entre as mulheres, assim como variabilidade na forma de expressão do interesse e da excitação sexual. Por exemplo, em algumas mulheres, o transtorno do interesse/excitação sexual poderá ser expresso como falta de interesse pela atividade sexual, ausência de pensamentos eróticos ou sexuais e relutância em iniciar a atividade sexual e em responder aos convites sexuais do(a) parceiro(a). Em outras mulheres, as características principais podem ser a incapacidade para ficar sexualmente excitada e para responder aos estímulos sexuais com desejo e a ausência correspondente de sinais de excitação sexual física. Dificuldades no desejo e na excitação sexual também podem ocorrer simultaneamente, visto que mulheres com perda do desejo sexual têm nove vezes mais chances de também ter perdido o interesse ou a excitação sexual. Alterações de curto prazo no interesse ou na excitação sexual são comuns e podem ser respostas adaptativas a eventos na vida de uma mulher e não representam uma disfunção sexual. O diagnóstico de transtorno do interesse/excitação sexual feminino exige uma duração mínima dos sintomas de aproximadamente seis meses, refletindo o fato de que os sintomas devem ser um problema persistente. A estimativa de persistência pode ser determinada por meio de julgamento clínico nos casos em que não é possível avaliar com precisão a duração de seis meses.

Pode haver frequência ou intensidade ausente ou reduzida no interesse pela atividade sexual (Critério A1), o que previamente era o único critério para *transtorno do desejo sexual hipoativo*; essa condição agora é representada pelo transtorno do interesse/excitação sexual feminino. A frequência ou intensidade de pensamentos ou fantasias sexuais e eróticas pode estar ausente ou reduzida (Critério A2). A expressão das fantasias varia amplamente entre as mulheres e pode incluir lembranças de experiências sexuais passadas. Ao avaliar esse critério, deve-se levar em consideração o declínio normal dos pensamentos sexuais com o avanço da idade. A ausência ou redução da frequência de iniciar a atividade sexual e da receptividade aos convites sexuais do(a) parceiro(a) (Critério A3) é um critério com foco comportamental. As crenças e preferências de um casal em relação aos padrões de iniciação sexual são extremamente relevantes para a avaliação desse critério. Pode existir ausência ou redução na excitação ou no prazer durante a atividade sexual em quase todos ou em todos (aproximadamente 75 a 100%) os encontros sexuais (Critério A4). A falta de prazer é uma queixa clínica comum em mulheres com pouco desejo sexual. Entre aquelas que afirmam ter pouco desejo sexual, há menos estímulos sexuais ou eróticos que despertam o interesse pelo sexo ou a excitação (i. e., há falta de "desejo responsivo"). Evidências sugerem que pode haver pelo menos dois tipos de transtorno do interesse/excitação sexual feminino: um baseado na baixa sensibilidade a estímulos sexuais e um baseado na hiperativação da inibição sexual. A avaliação da adequação dos estímulos sexuais ajuda a determinar se há alguma dificuldade com o desejo sexual responsivo (Critério A5). A frequência ou a intensidade das sensações genitais ou não genitais durante a atividade sexual podem estar ausentes ou reduzidas (Critério A6). Isso pode incluir redução na lubrificação/vasocongestão vaginal, mas, considerando que as medidas fisiológicas de resposta sexual genital não diferenciam as mulheres que relatam preocupação com a excitação sexual daquelas que não relatam, a descrição por parte da própria mulher da ausência ou redução de sensações genitais ou não genitais é suficiente.

Para o estabelecimento de um diagnóstico de transtorno do interesse/excitação sexual feminino, os sintomas do Critério A devem ser acompanhados de sofrimento clínico significativo. O sofrimento pode ser resultado da falta de interesse/excitação sexual ou, ainda, de uma interferência importante na vida e no bem-estar da mulher. Nos casos em que a falta de desejo sexual ao longo da vida for mais bem explicada pela identificação por parte da própria mulher como "assexual", não se aplica o diagnóstico de transtorno do interesse/excitação sexual feminino.

Características Associadas

Com frequência, o transtorno do interesse/excitação sexual feminino está associado a problemas para experimentar o orgasmo, dor sentida durante a atividade sexual, atividade sexual pouco frequente e discrepâncias no desejo do casal. As dificuldades de relacionamento, estresse crônico e os transtornos do humor também são características frequentemente associadas ao transtorno. Expectativas não realistas e normas sobre o nível "adequado" de interesse ou de excitação sexual, juntamente com técnicas sexuais pobres e falta de informações sobre sexualidade, podem também ser evidentes em mulheres diagnosticadas com transtorno do interesse/excitação sexual feminino. A última condição, assim como crenças normativas sobre o papel dos sexos, são fatores importantes a serem considerados.

Além dos subtipos "ao longo da vida/adquirido" e "generalizado/situacional", os cinco fatores a seguir devem ser considerados durante a avaliação e o diagnóstico de transtorno do interesse/excitação sexual feminino, tendo em vista que poderão ser relevantes para a etiologia e/ou tratamento: 1) fatores relacionados ao(à) parceiro(a) (p. ex., problemas sexuais ou de saúde); 2) fatores associados ao relacionamento (p. ex., comunicação inadequada; discrepâncias no desejo para atividade sexual; duração do relacionamento); 3) fatores relacionados a vulnerabilidade individual (p. ex., imagem corporal ruim; história de abuso sexual ou emocional), comorbidade psiquiátrica (p. ex., depressão, ansiedade) ou estressores (p. ex., perda de emprego, luto); 4) fatores culturais ou religiosos (inibições relacionadas a proibições de atividade sexual ou prazer; atitudes em relação à sexualidade); e 5) fatores médicos relevantes para prognóstico, curso ou tratamento. Cada um desses fatores pode contribuir de maneiras distintas para os sintomas apresentados por diferentes mulheres com esse transtorno.

Prevalência

Aproximadamente 30% das mulheres vivenciam baixo desejo crônico, sendo que cerca da metade destas experimenta sofrimento relacionado ao(à) parceiro(a) e um quarto vivencia sofrimento pessoal. A prevalência de baixo desejo sexual e de problemas de excitação sexual (com e sem sofrimento associado) pode variar substancialmente em relação a idade, ambiente cultural, duração dos sintomas e presença de sofrimento. No que diz respeito à duração dos sintomas, há diferenças marcantes nas estimativas de prevalência entre problemas de curto prazo e persistentes relacionados à falta de interesse sexual. Nas situações em que o sofrimento envolvendo o funcionamento sexual é um requisito importante, as estimativas de prevalência são significativamente mais baixas. Embora exista uma forte relação entre baixo desejo e idade, a prevalência de sofrimento relacionado a sexo associado com baixo desejo diminui com o envelhecimento.

Desenvolvimento e Curso

Por definição, o transtorno do interesse/excitação sexual feminino ao longo da vida sugere que a falta de interesse ou de excitação sexual esteve presente durante toda a vida sexual da mulher. Com base nos Critérios A3, A4 e A6, que avaliam o funcionamento durante a atividade sexual, o subtipo ao longo da vida significa a presença de sintomas desde as primeiras experiências sexuais da mulher. O subtipo adquirido seria aplicável se as dificuldades com o interesse ou a excitação sexual se desenvolvessem depois de um período de funcionamento sexual sem problemas. Alterações adaptativas e normais no funcionamento sexual podem resultar de eventos relacionados ao(à) parceiro(a), interpessoais ou pessoais e podem ter natureza transitória. No entanto, sintomas persistentes por aproximadamente seis meses ou mais constituem uma disfunção sexual.

Ocorrem mudanças normais no interesse e na excitação sexual ao longo da vida. Além disso, mulheres com relacionamentos mais prolongados costumam relatar mais atividade sexual, a despeito de não haver sentimento óbvio de desejo no início de um encontro sexual, em comparação com mulheres com relacionamentos de duração mais curta. A secura vaginal em mulheres mais velhas está relacionada à idade e ao estado menopáusico.

Fatores de Risco e Prognóstico

Temperamentais. Fatores temperamentais incluem experiências e atitudes negativas acerca da sexualidade e história prévia de transtornos mentais. Diferenças na propensão para excitação e inibição sexual também podem ser preditoras da probabilidade de desenvolver problemas sexuais.

Ambientais. Fatores ambientais incluem dificuldades de relacionamento, funcionamento do(a) parceiro(a) sexual e história do desenvolvimento, como relacionamentos precoces com cuidadores e estressores da infância.

Genéticos e fisiológicos. Algumas condições médicas (p. ex., diabetes melito, disfunção da tireoide) podem ser fatores de risco para o transtorno do interesse/excitação sexual feminino. Aparentemente, as mulheres sofrem forte influência de fatores genéticos sobre a vulnerabilidade a problemas sexuais. Pesquisas psicofisiológicas usando fotopletismografia vaginal não encontraram diferenças entre mulheres com e sem excitação genital percebida.

Questões Diagnósticas Relativas à Cultura

Há variabilidade marcante nas taxas de prevalência de baixo desejo sexual entre as regiões no mundo, variando de 26 a 43%. Níveis baixos de desejo sexual foram relatados por alguns grupos étnico-raciais e de migrantes. Embora os níveis mais baixos de desejo e excitação sexual relatados possam refletir menos interesse pelo sexo, as diferenças entre os grupos podem ser um artefato das medidas usadas para quantificar o desejo e de fatores culturais que afetam a resposta, como a conveniência do relato sobre atividade sexual por mulheres não casadas, menopáusicas ou viúvas. Qualquer julgamento a respeito da possibilidade de o desejo sexual relatado por uma mulher de um determinado grupo étnico-cultural preencher os critérios para transtorno do interesse/excitação sexual feminino deve considerar o fato de que culturas diferentes poderão variar quanto às normas e às expectativas em relação ao comportamento sexual.

Questões Diagnósticas Relativas ao Sexo e ao Gênero

Por definição, o diagnóstico de transtorno do interesse/excitação sexual feminino aplica-se somente às mulheres. As dificuldades com o sofrimento causado pelo desejo sexual em indivíduos do sexo masculino devem ser consideradas sob o título transtorno do desejo sexual masculino hipoativo. Não há dados mostrando que as taxas ou expressões do transtorno do interesse/excitação sexual feminino se diferenciem entre mulheres heterossexuais e mulheres lésbicas.

Associação com Pensamentos ou Comportamentos Suicidas

As disfunções da excitação e satisfação sexual foram associadas com pensamentos suicidas entre mulheres veteranas e membros do serviço militar, mesmo depois de ajuste para provável TEPT, provável depressão, história de intervenção militar, estado civil, idade, serviço militar e raça.

Consequências Funcionais do Transtorno do Interesse/Excitação Sexual Feminino

Com frequência, as dificuldades com interesse ou excitação sexual estão associadas à redução na satisfação com o relacionamento.

Diagnóstico Diferencial

Transtornos mentais não sexuais. Os transtornos mentais não sexuais, assim como o transtorno depressivo maior, no qual há "redução acentuada no interesse ou no prazer em todas ou quase todas as atividades na maior parte do dia, quase todos os dias", podem explicar a falta de interesse/excitação sexual. O diagnóstico de transtorno do interesse/excitação sexual feminino não se aplica aos casos em que a falta de interesse ou excitação é atribuível inteiramente a outro transtorno mental.

Uso de substância/medicamento. Um início de dificuldades no desejo ou na excitação que coincide com o início de uso de substância/medicamento e que desaparece com a descontinuação da substância/medicamento ou redução na dose sugere uma disfunção sexual induzida por substância/medicamento, que deve ser diagnosticada em vez de transtorno do interesse/excitação feminino.

Outra condição médica. O diagnóstico de transtorno do interesse/excitação sexual feminino não se aplica aos casos em que os sintomas sexuais são considerados quase exclusivamente associados aos efeitos de outra condição médica (p. ex., diabetes melito, doença endotelial, disfunção da tireoide, doença do sistema nervoso central).

Fatores interpessoais. O diagnóstico de transtorno do interesse/excitação sexual feminino não se aplica aos casos em que fatores interpessoais ou contextuais significativos, como perturbação grave do relacionamento, violência do(a) parceiro(a) ou outros estressores significativos explicarem os sintomas de interesse/excitação sexual.

Outras disfunções sexuais. A presença de outra disfunção sexual não exclui o diagnóstico de transtorno do interesse/excitação sexual feminino. É comum as mulheres experimentarem mais de uma disfunção sexual. Por exemplo, a presença de dor genital crônica pode resultar na falta de desejo pela atividade sexual (dolorosa). A falta de interesse e de excitação durante a atividade sexual pode comprometer a capacidade orgásmica. Para algumas mulheres, todos os aspectos da resposta sexual podem ser insatisfatórios e dolorosos.

Estímulos sexuais inadequados ou ausentes. Quando diagnósticos diferenciais estão sendo considerados, é importante avaliar a adequação dos estímulos à luz da experiência sexual da mulher. Estímulos inadequados ou ausentes que contribuem para o quadro clínico podem representar evidências para tratamento clínico, porém não cabe o diagnóstico de uma disfunção sexual. Igualmente, alterações transitórias e adaptativas no funcionamento sexual que são secundárias a um evento importante na vida ou pessoal devem ser consideradas no diagnóstico diferencial.

Comorbidade

A comorbidade entre problemas de interesse/excitação sexual e outras dificuldades sexuais é extremamente comum. Perturbação sexual e insatisfação com a vida sexual também estão altamente associadas com baixo desejo sexual. O baixo desejo sexual perturbador está relacionado a condições como depressão, problemas da tireoide, ansiedade, incontinência urinária e outros fatores médicos. Artrite, doença inflamatória intestinal e síndrome do colo irritável também estão associadas a problemas de excitação sexual. O baixo desejo sexual parece ser comórbido com depressão, abuso sexual e físico na vida adulta e consumo de álcool.

Transtorno da Dor Gênito-pélvica/Penetração

Critérios Diagnósticos F52.6

A. Dificuldades persistentes ou recorrentes com um (ou mais) dos seguintes:
   1. Penetração vaginal durante a relação sexual.
   2. Dor vulvovaginal ou pélvica intensa durante a relação sexual vaginal ou nas tentativas de penetração.
   3. Medo ou ansiedade intensa de dor vulvovaginal ou pélvica em antecipação a, durante ou como resultado de penetração vaginal.
   4. Tensão ou contração acentuada dos músculos do assoalho pélvico durante tentativas de penetração vaginal.

B. Os sintomas do Critério A persistem por um período mínimo de aproximadamente seis meses.

C. Os sintomas do Critério A causam sofrimento clinicamente significativo para a pessoa.

D. A disfunção sexual não é mais bem explicada por um transtorno mental não sexual ou como consequência de uma perturbação grave do relacionamento (p. ex., violência do[a] parceiro[a]) ou de outros estressores importantes e não é atribuível aos efeitos de alguma substância ou medicamento ou a outra condição médica.

> *Determinar* o subtipo:
> **Ao longo da vida:** A perturbação esteve presente desde que a pessoa se tornou sexualmente ativa.
> **Adquirido:** A perturbação iniciou depois de um período de função sexual relativamente normal.
>
> *Especificar* a gravidade atual:
> **Leve:** Evidência de sofrimento leve em relação aos sintomas do Critério A.
> **Moderada:** Evidência de sofrimento moderado em relação aos sintomas do Critério A.
> **Grave:** Evidência de sofrimento grave ou extremo em relação aos sintomas do Critério A.

Características Diagnósticas

Transtorno da dor gênito-pélvica/penetração refere-se a quatro dimensões de sintomas comórbidos comuns: 1) dificuldade para ter relações sexuais; 2) dor gênito-pélvica; 3) medo de dor ou de penetração vaginal; e 4) tensão dos músculos do assoalho pélvico (Critério A). Considerando que uma dificuldade relevante em qualquer uma dessas dimensões de sintomas costuma ser suficiente para provocar sofrimento clinicamente significativo, é possível estabelecer um diagnóstico com base em uma dificuldade acentuada em apenas uma dimensão de sintomas. No entanto, todas as quatro dimensões devem ser avaliadas, mesmo que seja possível obter um diagnóstico com respaldo em apenas uma delas.

Dificuldade marcante para ter relações/penetrações vaginais (Critério A1) pode variar desde a incapacidade total para experimentar penetração vaginal em qualquer situação (p. ex., relação sexual, exames ginecológicos, inserção de absorvente interno) até a capacidade para experimentar facilmente a penetração em uma situação, porém não em outra. Embora a situação clínica mais comum seja aquela em que a mulher é incapaz de experimentar relação sexual ou penetração com um(a) parceiro(a), pode também estar presente a dificuldade para fazer exames ginecológicos necessários. *Dor vulvovaginal ou pélvica intensa durante a relação sexual ou nas tentativas de penetração sexual* (Critério A2) refere-se à dor que acomete locais diferentes na área gênito-pélvica. A localização da dor, bem como sua intensidade, deve ser avaliada. Geralmente a dor se caracteriza como superficial (vulvovaginal ou durante a penetração) ou profunda (pélvica, i.e., não é sentida até a penetração profunda). Com frequência, não há relação linear entre a intensidade da dor e o sofrimento ou interferência na relação ou em outras atividades sexuais. Algumas dores gênito-pélvicas ocorrem somente se provocadas (i. e., relação sexual ou estimulação mecânica); outras podem ser espontâneas ou provocadas. É também bastante útil caracterizar a dor gênito-pélvica sob o ponto de vista qualitativo (p. ex., "queimação", "cortes", "tiros", "pancadas"). A dor poderá persistir por algum tempo depois da relação sexual, podendo ocorrer também ao urinar. Em geral, a dor experimentada durante a relação sexual poderá ser reproduzida nos exames ginecológicos.

Medo ou ansiedade intensa de dor vulvovaginal ou pélvica em antecipação a, durante ou como resultado de penetração vaginal (Critério A3) é um relato comum de mulheres que sentem dor regularmente durante a penetração vaginal. Essa reação "normal" pode levar a mulher a evitar situações sexuais/íntimas. Em outros casos, esse medo perturbador não parece ter uma relação íntima com a experiência de dor, mas leva a uma atitude de evitação da relação e da penetração vaginal. Há descrições desse evento como semelhante a uma reação fóbica, a não ser o fato de que a situação fóbica pode ser a penetração vaginal ou o medo da dor.

A tensão ou contração acentuada dos músculos do assoalho pélvico durante tentativas de penetração vaginal (Critério A4) pode variar de espasmo semelhante a um reflexo do assoalho pélvico em resposta às tentativas de penetração vaginal a proteção muscular "normal/voluntária" em resposta à experiência de dor antecipada ou repetida, ao medo ou à ansiedade. No caso de reações "normais/ protetoras", a penetração pode ser possível em circunstâncias de relaxamento. A caracterização e a avaliação de disfunção no assoalho pélvico são geralmente feitas com mais eficiência por um ginecologista ou por um fisioterapeuta de assoalho pélvico.

Os sintomas do transtorno da dor gênito-pélvica/penetração podem ser caracterizados pelos termos anteriores, incluindo *dispareunia* (dor durante a relação sexual) e *vaginismo* (definido pela contração involuntária dos músculos, tornando a penetração dolorosa ou impossível). Distúrbios médicos específicos, como vulvodinia (dor vulvar idiopática crônica que persiste por um mínimo de 3 meses) e vestibulodinia provocada (vulvodinia induzida por contato, localizada no vestíbulo vulvar), podem ser a causa principal de dor gênito-pélvica/penetração, podendo ser foco em estudos sobre o transtorno. Mulheres diagnosticadas com essas outras condições relatam sofrimento significativo, e seus sintomas provavelmente atendem aos critérios para o transtorno da dor gênito-pélvica/penetração.

Características Associadas

Transtorno da dor gênito-pélvica/penetração está frequentemente associado a outras disfunções sexuais, particularmente desejo e interesse sexual reduzidos (transtorno do interesse/excitação sexual feminino). Às vezes, o desejo e o interesse são preservados em situações sexuais que não são dolorosas e não exigem penetração. Mesmo quando mulheres com o transtorno relatam interesse ou motivação sexual, com frequência há um comportamento evitativo de situações e de oportunidades sexuais. Evitar exames ginecológicos, a despeito de recomendações médicas, também é uma atitude frequente. O padrão de evitação é semelhante àquele observado em transtornos fóbicos. É comum mulheres que não foram bem-sucedidas na tentativa de penetração vaginal fazerem tratamento somente quando desejam engravidar. Muitas com o transtorno experimentarão problemas de relacionamento/conjugais associados; elas também relatam com frequência que os sintomas diminuem de forma significativa seus sentimentos de feminilidade.

Além dos subtipos "ao longo da vida/adquirido" e "generalizado/situacional", os cinco fatores a seguir devem ser considerados durante a avaliação e o diagnóstico de transtorno da dor gênito-pélvica/penetração, tendo em vista que poderão ser relevantes para etiologia e/ou tratamento: 1) fatores relacionados ao(à) parceiro(a) (p. ex., problemas sexuais ou estado de saúde; 2) fatores associados ao relacionamento (p. ex., respostas do[a] parceiro[a] à dor, incluindo respostas solícitas, negativas e facilitadoras; discrepâncias no desejo de atividade sexual); 3) fatores relacionados a vulnerabilidade individual (p. ex., imagem corporal ruim; história de abuso sexual ou emocional), comorbidade psiquiátrica (p. ex., depressão, ansiedade) ou estressores (p. ex., perda de emprego, luto); 4) fatores culturais ou religiosos (inibições relacionadas a proibições de atividade sexual ou prazer; atitudes em relação à sexualidade); e 5) fatores médicos relevantes para prognóstico, curso ou tratamento. Cada um desses fatores pode contribuir de maneiras distintas para os sintomas apresentados por diferentes mulheres com esse transtorno.

Prevalência

A prevalência do transtorno da dor gênito-pélvica/penetração é desconhecida. No entanto, aproximadamente 10 a 28% das mulheres norte-americanas em idade reprodutiva relatam a presença de dor recorrente durante a relação sexual. Dificuldades com a relação sexual parecem ser motivo frequente de encaminhamento para clínicas de disfunção sexual e médicos especialistas. Em nível internacional, a prevalência de dor gênito-pélvica na relação sexual varia de 8 a 28% entre as mulheres em idade reprodutiva e varia de acordo com cada país.

A prevalência de dor gênito-pélvica durante atividades sexuais envolvendo penetração vaginal entre mulheres lésbicas em comparação com mulheres heterossexuais permanece incerta, mas pode ser similar ou menor. As taxas de prevalência entre outras minorias sexuais, incluindo mulheres transgênero, são desconhecidas.

Desenvolvimento e Curso

O desenvolvimento e o curso do transtorno da dor gênito-pélvica/penetração não são claros. Como, em geral, as mulheres não procuram tratamento até que tenham algum problema no funcionamento sexual, pode ser difícil caracterizar o transtorno como ao longo da vida (primário) ou adquirido (secundário). Embora as mulheres geralmente busquem atendimento clínico depois do início da vida sexual, há, muitas vezes, alguns sinais precoces. Por exemplo, ter dificuldade com ou evitar o uso de absorventes internos é preditor importante de problemas futuros. As dificuldades com a penetração vaginal (incapacidade, medo ou dor) podem não ser óbvias até as tentativas de relação sexual. Mesmo após essas tentativas, sua frequência pode não ser significativa ou regular. Nos casos em que é difícil definir se os sintomas são ao longo da vida ou adquiridos, é útil determinar a presença de qualquer período de relações sexuais bem-sucedidas, sem dor, sem medo e sem estresse. Se é possível estabelecer esse período, o transtorno da dor gênito-pélvica/penetração pode ser classificado como adquirido. Depois que a sintomatologia está bem estabelecida por um período de aproximadamente seis meses, parece haver queda na probabilidade de remissão sintomática espontânea e significativa.

As queixas relacionadas à dor gênito-pélvica atingem o ponto máximo durante a fase inicial da vida adulta e no período peri e pós-menopáusico. Pode ocorrer também intensificação dos sintomas relacionados à dor gênito-pélvica no período pós-parto.

Fatores de Risco e Prognóstico

Temperamentais. Mulheres com transtornos do humor e de ansiedade prévios têm quatro vezes mais chances de desenvolver sintomas de transtorno da dor gênito-pélvica/penetração em comparação com aquelas sem esses transtornos prévios. Fatores psicossociais (p. ex., catastrofização da dor, autoeficácia para dor, evitação da dor, humor negativo) e fatores interpessoais (p. ex., apego inseguro, respostas negativas do[a] parceiro[a] à dor, motivos sexuais que focam em evitar resultados negativos no relacionamento) podem exacerbar e manter os sintomas.

Ambientais. Mulheres com transtorno da dor gênito-pélvica/penetração têm mais chances de relatar uma história de abuso sexual e/ou físico e medo de abuso do que aquelas sem esse transtorno, embora nem todas as mulheres com sintomas tenham essa história.

Genéticos e fisiológicos. As mulheres que experimentam dor superficial durante a penetração vaginal muitas vezes relatam o início da dor depois de uma história de infecções vaginais. A dor persiste mesmo após a resolução das infecções e na ausência de achados físicos residuais conhecidos. A dor durante a inserção de absorvente interno ou a incapacidade de inseri-los antes de tentativas de contato sexual são fatores de risco importantes para o transtorno da dor gênito-pélvica/penetração.

Fatores adicionais de risco biomédicos incluem puberdade precoce, inflamação, uso precoce de contraceptivos orais, proliferação dos receptores de dor vulvar (i. e., aumento no número de receptores) e sensibilização (i. e., o toque pode ser percebido como dor) e limiares mais baixos para toque e dor. Anormalidades nos músculos do assoalho pélvico em repouso, incluindo hipertonicidade, controle muscular fraco, hipersensibilidade e contratilidade alterada, podem fechar o hiato vaginal e afetar a penetração.

Questões Diagnósticas Relativas à Cultura

A cultura pode influenciar a experiência e o relato de dor gênito-pélvica associada à relação sexual. As mulheres afetadas vivenciam implicações negativas relacionadas a narrativas sociais da condição feminina, sexualidade e feminilidade, incluindo pressões para priorizar o desejo sexual dos homens e sexo com penetração e representações do sexo como fácil e natural. Visões culturais que desvalorizam a experiência sexual feminina podem influenciar a forma como as mulheres interpretam a experiência de dor durante o sexo, suas opções de busca de ajuda e como discutem seus sintomas com seus cuidadores. Por exemplo, algumas mulheres podem não relatar dor gênito-pélvica especificamente, mas referem estar infelizes em seus casamentos.

Nos Estados Unidos, as mulheres hispânicas endossam taxas significativamente mais altas de dor gênito-pélvica e têm muito mais probabilidade de relatar dor com a primeira relação sexual (i. e., transtorno da dor gênito-pélvica/penetração primário) em comparação com mulheres não hispânicas. Em uma pesquisa conduzida em Minneapolis, Minnesota, somente metade das mulheres com dor gênito-pélvica buscou tratamento, e as que procuraram frequentemente relatavam sentirem-se estigmatizadas. Tais experiências podem ser ainda mais intensas em minorias sexuais, grupos étnicos carentes e grupos racializados, sobretudo considerando-se as desigualdades no tratamento para dor em mulheres e afro-americanas.

Questões Diagnósticas Relativas ao Sexo e ao Gênero

As construções sociais de gênero relacionadas à condição feminina e à feminilidade estão implicadas na experiência do transtorno da dor gênito-pélvica/penetração, incluindo a priorização do sexo com penetração e dos desejos sexuais dos homens acima das necessidades e dos desejos das mulheres. O transtorno está associado a sentimentos de vergonha e inadequação como mulher, contribuindo para agravar o sofrimento psicológico.

Por definição, o diagnóstico de transtorno da dor gênito-pélvica/penetração somente se aplica às mulheres. Existem pesquisas relativamente recentes sobre a síndrome de dor pélvica urológica crônica em homens, sugerindo que indivíduos do sexo masculino podem experimentar problemas semelhantes. As estimativas mundiais de prevalência de dor gênito-pélvica em indivíduos do sexo masculino são de 2,2 a 9,7%. A pesquisa e a experiência clínica ainda não estão suficientemente desenvolvidas para justificar a aplicação desse tipo de diagnóstico em homens. Outra disfunção sexual especificada ou disfunção sexual não especificada podem ser diagnosticadas em homens que parecem se encaixar nesse padrão sintomático.

Marcadores Diagnósticos

As medidas fisiológicas validadas dos sintomas do Critério A2 (*Dor vulvovaginal ou pélvica intensa durante a relação sexual vaginal ou nas tentativas de penetração*) podem ser avaliadas em tempo real (p. ex., teste do cotonete, vulvagesiometro, teste do absorvente interno). Embora essas medidas sejam bem validadas para a intensidade da dor durante as tentativas de penetração, nenhuma delas se aproxima do contexto sexual em que a dor é vivenciada, o que só pode ser avaliado pelo relato do próprio indivíduo. Os sintomas do Critério A4 (*Tensão ou contração acentuada dos músculos do assoalho pélvico durante tentativas de penetração vaginal*) também podem ser medidos (p. ex., por meio da amplitude eletromiográfica, dinamômetro, ultrassom 4D por um fisioterapeuta qualificado). Não existem medidas fisiológicas validadas em relação aos sintomas que compõem para os Critérios A1 ou A3. Inventários com adequadas qualidades psicométricas podem ser utilizados para realizar avaliações formais dos componentes da dor e da ansiedade relacionadas ao transtorno.

Consequências Funcionais do Transtorno da Dor Gênito-pélvica/Penetração

As dificuldades funcionais do transtorno da dor gênito-pélvica/penetração estão frequentemente associadas a interferências em vários aspectos do relacionamento romântico – incluindo o início desses relacionamentos – e, às vezes, na capacidade de conceber por meio da relação sexual peniana/vaginal.

Diagnóstico Diferencial

Outra condição médica. Em muitas circunstâncias, mulheres com o transtorno da dor gênito-pélvica/penetração também serão diagnosticadas com outra condição médica (p. ex., líquen escleroso, endometriose, doença inflamatória pélvica, síndrome geniturinária da menopausa). Em alguns casos, o tratamento da condição médica pode aliviar o transtorno da dor gênito-pélvica/penetração. Na maioria das vezes, esse não é o caso. Não há instrumentos ou métodos diagnósticos confiáveis que permitam aos clínicos concluir se a condição médica ou o transtorno da dor gênito-pélvica/penetração é primário. Com frequência, o diagnóstico e o tratamento das condições médicas associadas são difíceis. Por exemplo, o aumento na incidência de dor durante a relação sexual pós-menopáusica pode, às vezes, ser atribuível à secura vaginal ou à atrofia vulvovaginal associadas ao declínio nos níveis de estrogênio. Entretanto, não se conhece muito bem a relação entre sintomas genitais, nível de estrogênio e dor.

Transtorno de sintomas somáticos e transtornos relacionados. Algumas mulheres com o transtorno da dor gênito-pélvica/penetração podem também ser diagnosticadas com transtorno de sintomas somáticos. Considerando que tanto o transtorno da dor gênito-pélvica/penetração como o transtorno de sintomas somáticos e transtornos relacionados são diagnósticos recentes no DSM-5, não está suficientemente claro se podem ser diferenciados de maneira confiável. Algumas mulheres diagnosticadas com o transtorno da dor gênito-pélvica/penetração podem também ser diagnosticadas com uma fobia específica.

Estímulos sexuais inadequados. É importante que o clínico, ao considerar diagnósticos diferenciais, avalie a adequação dos estímulos sexuais à luz da experiência sexual da mulher. Situações sexuais em que as preliminares ou a excitação não são adequadas podem criar dificuldades de penetração, dor ou evitação. A disfunção erétil ou ejaculação prematura (precoce) no parceiro masculino pode resultar em dificuldades de penetração. Essas condições devem ser avaliadas cuidadosamente. Em algumas situações, o diagnóstico de transtorno da dor gênito-pélvica/penetração pode não ser apropriado.

Comorbidade

Comorbidade entre transtorno da dor gênito-pélvica/penetração e outras dificuldades sexuais parece ser comum. Comorbidade com perturbação no relacionamento também é comum e geralmente está relacionada à falta de intimidade sexual em vez de (unicamente) à dor. Esse fato não chega a causar surpresa, visto que a incapacidade de consumar a relação sexual (sem dor) com um(a) parceiro(a) desejado(a) e a evitação de oportunidades sexuais podem ser tanto um fator contribuinte para outros problemas sexuais quanto o resultado de outros problemas sexuais ou de relacionamento. Como os sintomas do assoalho pélvico estão implicados no diagnóstico de transtorno da dor gênito-pélvica/penetração, é provável que ocorra uma prevalência maior de outros transtornos relacionados ao assoalho pélvico ou aos órgãos reprodutivos (p. ex., cistite intersticial, constipação, infecção vaginal, endometriose, síndrome do intestino irritável). As mulheres com o transtorno da dor gênito-pélvica/penetração experimentam com frequência condições com dor crônica comórbida (p. ex., fibromialgia, cefaleias crônicas), e a prevalência dessas comorbidades aumenta com a gravidade dos sintomas de dor vulvar.

Mulheres lésbicas também relatam dor gênito-pélvica e dificuldades na penetração durante as atividades sexuais; a frequência dos sintomas de dor gênito-pélvica/penetração entre mulheres não heterossexuais é menor ou a mesma que entre mulheres heterossexuais.

Transtorno do Desejo Sexual Masculino Hipoativo

Critérios Diagnósticos   F52.0

A. Pensamentos ou fantasias sexuais/eróticas e desejo para atividade sexual deficientes (ou ausentes) de forma persistente ou recorrente. O julgamento da deficiência é feito pelo clínico, levando em conta fatores que afetam o funcionamento sexual, tais como idade e contextos gerais e socioculturais da vida do indivíduo.

B. Os sintomas do Critério A persistem por um período mínimo de aproximadamente seis meses.

C. Os sintomas do Critério A causam sofrimento clinicamente significativo para o indivíduo.

D. A disfunção sexual não é mais bem explicada por um transtorno mental não sexual ou como consequência de uma perturbação grave do relacionamento ou de outros estressores importantes e não é atribuível aos efeitos de alguma substância ou medicamento ou a outra condição médica.

Determinar o subtipo:

Ao longo da vida: A perturbação esteve presente desde que o indivíduo se tornou sexualmente ativo.

Adquirido: A perturbação iniciou depois de um período de função sexual relativamente normal.

Determinar o subtipo:

Generalizado: Não se limita a determinados tipos de estimulação, situações ou parceiras(os).

> **Situacional:** Ocorre somente com determinados tipos de estimulação, situações ou parceiras(os).
>
> *Especificar* a gravidade atual:
> **Leve:** Evidência de sofrimento leve em relação aos sintomas do Critério A.
> **Moderada:** Evidência de sofrimento moderado em relação aos sintomas do Critério A.
> **Grave:** Evidência de sofrimento grave ou extremo em relação aos sintomas do Critério A.

Características Diagnósticas

A avaliação do transtorno do desejo sexual masculino hipoativo deve levar em consideração o contexto interpessoal. Uma "discrepância do desejo", na qual o desejo de atividade sexual de um homem é mais baixo do que o de sua(seu) parceira(o), não é suficiente para diagnosticar o transtorno. Tanto o desejo baixo/falta de desejo para o sexo como a deficiência/ausência de pensamentos ou fantasias sexuais (Critério A) são imprescindíveis para o diagnóstico. A forma de expressão do desejo sexual pode variar entre os homens.

A falta de desejo para o sexo e a deficiência/ausência de pensamentos ou de fantasias eróticas devem ser persistentes ou recorrentes e ter duração mínima de aproximadamente seis meses. A inclusão desse critério de duração visa a prevenir a realização de um diagnóstico nos casos em que o baixo desejo sexual de um homem pode representar uma resposta reativa, porém temporária, a condições adversas na sua vida. Por exemplo, o baixo desejo sexual de um homem pode estar relacionado a um estressor agudo ou à perda da autoestima (p.ex., ser demitido do emprego ou passar por dificuldades financeiras como fracasso empresarial). Caso esses estressores persistam por mais de 6 meses com baixo desejo sexual, o julgamento clínico determinará a adequação do diagnóstico de transtorno do desejo sexual masculino hipoativo.

Características Associadas

O transtorno do desejo sexual masculino hipoativo está, por vezes, associado a preocupações eréteis e/ou ejaculatórias. Por exemplo, dificuldades persistentes em conseguir uma ereção podem levar um homem a perder o interesse pela atividade sexual. Homens com o transtorno do desejo sexual masculino hipoativo relatam com frequência que não iniciam mais uma atividade sexual e que são minimamente receptivos às tentativas da(o) parceira(o) de iniciá-la. Atividades sexuais (p. ex., masturbação ou atividade sexual com parceria) podem, às vezes, ocorrer mesmo na presença de desejo sexual baixo. As preferências específicas de relacionamento que dizem respeito aos padrões de iniciação sexual devem ser levadas em consideração ao se fazer o diagnóstico do transtorno. Embora os homens sejam mais propensos a iniciar a atividade sexual, e, assim, o baixo desejo possa se caracterizar por um padrão de não iniciação, muitos homens preferem que a(o) parceira(o) tome a iniciativa. Em tais situações, a falta de receptividade do homem às iniciativas da(o) parceira(o) deve ser considerada nas avaliações de baixo desejo sexual.

Além dos subtipos "ao longo da vida/adquirido" e "generalizado/situacional", os cinco fatores a seguir devem ser considerados durante a avaliação e o diagnóstico de transtorno do desejo sexual masculino hipoativo, tendo em vista que poderão ser relevantes para a etiologia e/ou o tratamento: 1) fatores relacionados à(ao) parceira(o) (p. ex., problemas sexuais ou de saúde); 2) fatores associados ao relacionamento (p. ex., comunicação inadequada; discrepâncias no desejo para atividade sexual); 3) fatores relacionados a vulnerabilidade individual (p. ex., imagem corporal ruim; história de abuso sexual ou emocional), comorbidade psiquiátrica (p. ex., depressão, ansiedade) ou estressores (p. ex., perda de emprego, luto); 4) fatores culturais ou religiosos (inibições relacionadas a proibições de atividade sexual ou prazer; atitudes em relação à sexualidade); e 5) fatores médicos relevantes para prognóstico, curso ou tratamento. Cada um desses fatores pode contribuir de maneiras distintas para os sintomas apresentados por diferentes homens com esse transtorno.

Prevalência

A prevalência do transtorno do desejo sexual masculino hipoativo varia de acordo com o país de origem e com o método de avaliação. As estimativas de prevalência em amostras representativas variam de 3 a 17%.

Os problemas do desejo sexual são menos comuns em homens mais jovens (de 16 a 24 anos), com taxas de prevalência entre 3 e 14%, em comparação com homens idosos (60 a 74 anos), com taxas de prevalência entre 16 e 28%. Entretanto, uma falta persistente de interesse em sexo, durando 6 meses ou mais, afeta uma proporção menor de homens (6%). Além disso, menos de 2% dos homens relatam sofrimento clinicamente significativo associado a baixo desejo. Estudos relacionados ao comportamento de busca de ajuda indicam que apenas 10,5% dos homens com problemas sexuais buscaram ajuda no ano anterior.

Desenvolvimento e Curso

Por definição, o transtorno do desejo sexual masculino hipoativo ao longo da vida indica a presença constante de baixo desejo ou nenhum desejo sexual, ao passo que o subtipo adquirido seria aplicável nos casos em que o baixo desejo sexual do homem se desenvolve depois de um período de desejo sexual normal. Um dos requisitos é que o baixo desejo sexual persista por aproximadamente seis meses ou mais; assim, mudanças no desejo sexual de curto prazo não devem ser diagnosticadas como transtorno do desejo sexual masculino hipoativo.

Há um declínio normal no desejo sexual relacionado à idade. A prevalência de baixo desejo sexual nos homens aumenta com a idade, com prevalência de aproximadamente 5,2% aos 27 anos e 18,5% aos 50 anos. Como as mulheres, os homens identificam uma grande variedade de desencadeantes do desejo sexual e descrevem uma ampla gama de razões pelas quais decidiram se envolver em atividade sexual. Embora as indicações eróticas visuais possam ser evocadores mais potentes do desejo em homens mais jovens, a potência das indicações visuais pode diminuir com a idade e deve ser considerada nas avaliações para verificar a presença do transtorno do desejo sexual hipoativo.

Fatores de Risco e Prognóstico

Temperamentais. Sintomas de humor e de ansiedade parecem ser fortes preditores do baixo desejo sexual em homens. Até metade dos homens com história prévia de sintomas psiquiátricos pode apresentar perda de desejo sexual de moderada a grave, em comparação com apenas 15% daqueles sem antecedentes. Os sentimentos de um homem em relação a si mesmo, a percepção do desejo sexual de sua(seu) parceira(o) em relação a ele, a sensação de estar conectado emocionalmente e variáveis contextuais podem afetar negativamente (assim como positivamente) o desejo sexual.

Crenças sobre a sexualidade (particularmente atitudes sexuais restritivas e crenças conservadoras) afetam o desejo sexual. Além disso, a ausência de pensamentos eróticos e preocupações com a ereção durante a atividade sexual são preditores importantes de baixo desejo sexual, bem como de baixos níveis de confiança na função erétil.

Ambientais. O consumo de álcool pode aumentar a ocorrência de baixo desejo sexual. Outros determinantes ambientais de baixo desejo sexual incluem relações diádicas problemáticas, diminuição da atração pela(o) parceira(o), relacionamento de longa data, tédio sexual e estresse profissional. Em nível social mais amplo, estudos de coortes em alguns países de baixa renda indicam uma redução no desejo sexual nos homens nas últimas décadas.

Genéticos e fisiológicos. Distúrbios endócrinos como hiperprolactinemia e hipogonadismo afetam de forma significativa o desejo sexual nos homens. A idade é um fator de risco relevante para o baixo desejo sexual masculino. Não está claro se os homens com baixo desejo sexual têm ou não níveis anormalmente baixos de testosterona; entretanto, o baixo desejo sexual é comum entre homens com hipogonadismo. Pode haver também um limite crítico abaixo do qual a testosterona irá afetar o desejo sexual nos homens e acima do qual o efeito no desejo sexual é inexpressivo.

Questões Diagnósticas Relativas à Cultura

Há variabilidade significativa nas taxas de prevalência de baixo desejo sexual nas diversas culturas, variando de 12,5% em homens do Norte Europeu a 28% em homens do Sudeste Asiático com idades entre 40 e 80 anos O sofrimento relacionado à falta de desejo sexual foi associado de forma significativa aos contextos socioculturais (p. ex., estresse profissional) em uma pesquisa *on-line* envolvendo três países europeus (Portugal, Croácia e Noruega).

Questões Diagnósticas Relativas ao Sexo e ao Gênero

Diferentemente da classificação dos transtornos sexuais em mulheres, os transtornos de desejo e de excitação foram mantidos como construtos separados nos homens. A despeito de algumas semelhanças nas experiências relacionadas ao desejo sexual em homens e mulheres, e do fato de o desejo oscilar ao longo do tempo e depender de fatores contextuais, os homens relatam intensidade e frequência significativamente mais elevadas de desejo sexual em comparação às mulheres. No entanto, dados preliminares sugerem que a sobreposição entre desejo sexual e excitação sexual (função erétil) também é muito comum nos homens, particularmente quando buscam ajuda devido a problemas sexuais. Quanto à orientação sexual, dados sugerem que é mais comumente relatado baixo desejo sexual por homens gays (19%) do que por homens heterossexuais (9%).

Diagnóstico Diferencial

Transtornos mentais não sexuais. Transtornos mentais não sexuais, como o transtorno depressivo maior, que se caracteriza por "interesse ou prazer acentuadamente diminuídos em todas ou quase todas as atividades", podem explicar a falta de desejo sexual. O diagnóstico de transtorno do desejo sexual masculino hipoativo não deve ser feito nos casos em que a falta de desejo é mais bem explicada por outro transtorno mental.

Uso de substância/medicamento. Um início de transtorno do desejo sexual masculino hipoativo que coincide com o início de uso de substância/medicamento, desaparecendo com a descontinuação da substância/medicamento ou com redução na dose é sugestivo de uma disfunção sexual induzida por substância/medicamento, que deve ser diagnosticada em vez de transtorno do desejo sexual masculino hipoativo.

Outra condição médica. O diagnóstico de transtorno do desejo sexual masculino hipoativo não deve ser feito nos casos em que o desejo baixo/ausente e os pensamentos ou fantasias eróticas deficientes/ausentes são mais bem explicados pelos efeitos de outra condição médica (p. ex., hipogonadismo, diabetes melito, disfunção da tireoide, doença do sistema nervoso central).

Fatores interpessoais. O diagnóstico de transtorno do desejo sexual masculino hipoativo não deve ser feito nos casos em que fatores interpessoais ou contextuais significativos, como perturbação grave do relacionamento, ou outros estressores estão associados à perda de desejo sexual.

Outras disfunções sexuais. A presença de outra disfunção sexual não exclui o diagnóstico de transtorno do desejo sexual masculino hipoativo; há algumas evidências indicando que até metade dos homens com baixo desejo sexual também apresenta dificuldades eréteis, e um número ligeiramente menor pode apresentar também problemas de ejaculação precoce. Se o próprio homem identifica a si mesmo como assexual, o diagnóstico de transtorno do desejo sexual masculino hipoativo não é feito.

Comorbidade

Raramente o transtorno do desejo sexual masculino hipoativo é o único diagnóstico em homens. Com frequência, disfunção erétil, ejaculação retardada e ejaculação prematura (precoce) são os diagnósticos comórbidos. Depressão e outros transtornos mentais, assim como fatores endocrinológicos, são com frequência comórbidos ao transtorno do desejo sexual masculino hipoativo.

Ejaculação Prematura (Precoce)

Critérios Diagnósticos   F52.4

A. Padrão persistente ou recorrente de ejaculação que ocorre durante a atividade sexual com parceria dentro de aproximadamente um minuto após a penetração vaginal e antes do momento desejado pelo indivíduo.

> **Nota:** Embora o diagnóstico de ejaculação prematura (precoce) também possa ser aplicado a indivíduos envolvidos em atividades sexuais não vaginais, não foram estabelecidos critérios específicos para o tempo de duração dessas atividades.
>
> B. Os sintomas do Critério A devem estar presentes por pelo menos seis meses e devem ser experimentados em quase todas ou todas as ocasiões (aproximadamente 75 a 100%) de atividade sexual (em contextos situacionais identificados ou, caso generalizada, em todos os contextos).
> C. Os sintomas do Critério A causam sofrimento clinicamente significativo para o indivíduo.
> D. A disfunção sexual não é mais bem explicada por um transtorno mental não sexual ou como consequência de uma perturbação grave do relacionamento ou de outros estressores importantes e não é atribuível aos efeitos de alguma substância ou medicamento ou a outra condição médica.
>
> *Determinar* o subtipo:
> **Ao longo da vida:** A perturbação esteve presente desde que o indivíduo se tornou sexualmente ativo.
> **Adquirido:** A perturbação iniciou depois de um período de função sexual relativamente normal.
>
> *Determinar* o subtipo:
> **Generalizado:** Não se limita a determinados tipos de estimulação, situações ou parceiros.
> **Situacional:** Ocorre somente com determinados tipos de estimulação, situações ou parceiros.
>
> *Especificar* a gravidade atual:
> **Leve:** A ejaculação ocorre dentro de aproximadamente 30 segundos a 1 minuto após a penetração vaginal.
> **Moderada:** A ejaculação ocorre dentro de aproximadamente 15 a 30 segundos após a penetração vaginal.
> **Grave:** A ejaculação ocorre antes da atividade sexual, no início da atividade sexual ou dentro de aproximadamente 15 segundos após a penetração vaginal.

Características Diagnósticas

A ejaculação prematura (precoce) manifesta-se pela ejaculação que ocorre antes ou logo após a penetração vaginal, avaliada pela estimativa individual de latência ejaculatória (i. e., tempo decorrido antes da ejaculação) após a penetração vaginal. Embora os critérios diagnósticos especifiquem sexo peniano-vaginal, é razoável presumir que estimativas similares de latência ejaculatória se apliquem a homens que têm relações sexuais com homens, bem como a outros comportamentos sexuais. As latências ejaculatórias intravaginais estimadas e medidas estão altamente correlacionadas, levando-se em conta as latências ejaculatórias de curta duração; portanto, os autorrelatos das estimativas de latência ejaculatória são suficientes para fins diagnósticos. O tempo de latência ejaculatória intravaginal de 60 segundos é um ponto de corte adequado para o diagnóstico de ejaculação prematura (precoce) ao longo da vida em homens; no entanto, o consenso de especialistas atualmente considera esse tempo de latência breve demais e recomenda um limite de 120 segundos.

Características Associadas

Muitos homens com queixa de ejaculação prematura (precoce) queixam-se de uma sensação de falta de controle sobre a ejaculação e demonstram apreensão a respeito da incapacidade prevista para retardar a ejaculação em futuros encontros sexuais.

Os seguintes fatores podem ser relevantes na avaliação de qualquer disfunção sexual: 1) fatores relacionados à(ao) parceira(o) (p. ex., problemas sexuais ou de saúde); 2) fatores associados ao relacionamento (p. ex., comunicação inadequada; discrepâncias no desejo para atividade sexual); 3) fatores relacionados a vulnerabilidade individual (p. ex., imagem corporal ruim ou história de abuso sexual ou emocional), comorbidade psiquiátrica (p. ex., depressão, ansiedade) ou estressores (p. ex., perda de emprego, luto); 4) fatores culturais ou religiosos (p. ex., falta de privacidade, inibições relacionadas a proibições de atividade sexual; atitudes em relação à sexualidade); e 5) fatores médicos relevantes para prognóstico, curso ou tratamento.

Prevalência

As estimativas da prevalência de ejaculação prematura (precoce) variam amplamente de acordo com a definição utilizada. Em termos internacionais, foi relatada uma variação na prevalência de 8 a 30% em todas as idades, com taxas ainda mais baixas em outros estudos. A prevalência da disfunção pode aumentar com a idade. Por exemplo, a prevalência entre indivíduos do sexo masculino de 18 a 30 anos na Suíça e na Turquia é de aproximadamente 9 a 11%, ao passo que a prevalência relatada de preocupação quanto à rapidez da ejaculação entre homens de 50 a 59 anos nos Estados Unidos pode ser de até 55%. Quando à ejaculação prematura (precoce) é definida como a ejaculação que ocorre dentro de aproximadamente um minuto após a penetração vaginal, somente 1 a 3% dos homens seriam diagnosticados com esse transtorno.

Desenvolvimento e Curso

Por definição, a ejaculação prematura (precoce) ao longo da vida começa durante as primeiras experiências sexuais masculinas e persiste durante toda a vida do indivíduo. Alguns podem experimentar ejaculação prematura (precoce) durante os encontros sexuais iniciais, mas adquirir controle ejaculatório ao longo do tempo. É a persistência dos problemas ejaculatórios por mais de seis meses que determina o diagnóstico da disfunção. Alguns homens, por sua vez, desenvolvem o transtorno após um período de latência ejaculatória normal, conhecido como *ejaculação prematura (precoce) adquirida*. Sabe-se muito menos sobre a ejaculação prematura (precoce) adquirida do que sobre a ejaculação prematura (precoce) ao longo da vida. A forma adquirida provavelmente ocorre um pouco mais tarde, em geral aparecendo durante a quarta década de vida ou depois. A forma ao longo da vida permanece relativamente estável durante toda a vida.

Fatores de Risco e Prognóstico

Temperamentais. A ejaculação prematura (precoce) pode ser mais comum em homens com transtornos de ansiedade, especialmente transtorno de ansiedade social.

Genéticos e fisiológicos. Há contribuição genética moderada para a ejaculação prematura (precoce) ao longo da vida. A ejaculação prematura (precoce) pode estar associada a polimorfismo no gene do transportador de dopamina ou no gene transportador da serotonina. Condições como doença da tireoide, prostatite e abstinência de drogas estão associadas à ejaculação prematura (precoce) adquirida. Medidas de tomografias por emissão de pósitrons do fluxo sanguíneo cerebral regional durante a ejaculação mostraram ativação primária na zona de transição mesocefálica, incluindo a área tegmental ventral.

Questões Diagnósticas Relativas à Cultura

A percepção sobre o que constitui uma latência ejaculatória normal é diferente em muitas culturas e pode estar relacionada a variações no conhecimento da disfunção sexual, preocupação com fracasso sexual e percepções sobre a importância do sexo. As latências ejaculatórias medidas podem diferir em alguns países. Fatores culturais e religiosos podem contribuir para essas diferenças. Por exemplo, relatos de ejaculação prematura (precoce) foram mais comuns em casamentos arranjados devido a fatores como ansiedade em relação às pressões familiares e falta de experiência sexual pré-conjugal.

Questões Diagnósticas Relativas ao Sexo e ao Gênero

A ejaculação prematura (precoce) é uma disfunção sexual que acomete os homens. Homens e suas(seus) parceiras(os) sexuais podem diferir em relação à percepção do que constitui uma latência ejaculatória aceitável. Pode haver preocupações crescentes entre as mulheres sobre a ejaculação precoce em seus parceiros sexuais, o que pode ser um reflexo das mudanças nas atitudes sociais em relação à atividade sexual feminina.

Marcadores Diagnósticos

Em geral, a latência ejaculatória é monitorada em ambientes de pesquisa com a parceria usando instrumentos de medição de tempo (p. ex., um cronômetro), embora isso não seja o ideal em situações de vida sexual real. Em ambientes clínicos, a estimativa do tempo entre a penetração intravaginal e a ejaculação feita pelo homem deve ser aceita em lugar das medidas com cronômetro.

Associação com Pensamentos ou Comportamentos Suicidas

Entre homens que recebem tratamento para ejaculação prematura (precoce) com depressão comórbida, foram observadas taxas elevadas de pensamentos ou comportamentos suicidas; embora os homens afetados atribuíssem os sintomas suicidas à sua ejaculação prematura (precoce), a presença de depressão também era um provável fator contribuinte.

Consequências Funcionais da Ejaculação Prematura (Precoce)

Um padrão de ejaculação prematura (precoce) pode estar associado a autoestima e autoconfiança diminuídas, sensação de falta de controle e consequências adversas para o relacionamento com o(a) parceiro(a). Além disso, pode causar sofrimento pessoal e satisfação sexual diminuída no(a) parceiro(a) sexual. Os homens solteiros ficam mais incomodados com a ejaculação prematura (precoce) do que aqueles com parceiras(os) devido à interferência na busca e manutenção de novos relacionamentos. A ejaculação antes da penetração pode estar associada a dificuldades de concepção.

Diagnóstico Diferencial

Disfunção sexual induzida por substância/medicamento. Nos casos em que os problemas com ejaculação prematura (precoce) são atribuíveis exclusivamente ao uso, intoxicação ou abstinência de substância, o diagnóstico deve ser de disfunção sexual induzida por substância/medicamento.

Preocupações ejaculatórias que não preenchem os critérios diagnósticos. É necessário identificar homens com latências ejaculatórias normais que desejam latências ejaculatórias mais prolongadas e aqueles com ejaculação prematura (precoce) episódica (p. ex., durante o primeiro encontro sexual com um[a] novo[a] parceiro[a], quando uma latência ejaculatória curta pode ser comum ou normal). Nenhuma dessas situações levaria a um diagnóstico de ejaculação prematura (precoce), mesmo que sejam desconfortáveis para alguns homens.

Comorbidade

A ejaculação prematura (precoce) pode estar associada a problemas eréteis. Em muitos casos, pode ser difícil determinar qual dificuldade precede a outra. A ejaculação prematura (precoce) ao longo da vida pode estar associada a determinados transtornos de ansiedade. A ejaculação prematura (precoce) adquirida pode estar associada a prostatite, doença da tireoide ou abstinência de drogas (p. ex., durante a retirada de opioides).

Disfunção Sexual Induzida por Substância/Medicamento

Critérios Diagnósticos

A. Uma perturbação clinicamente significativa na função sexual é predominante no quadro clínico.
B. Há evidências a partir da história, do exame físico ou de achados laboratoriais de ambos (1) e (2):

Disfunção Sexual Induzida por Substância/Medicamento

1. Os sintomas no Critério A desenvolveram-se durante ou logo após a intoxicação ou abstinência de substância ou após exposição ou abstinência a um medicamento.
2. A substância ou medicamento envolvido é capaz de produzir os sintomas do Critério A.

C. A perturbação não é mais bem explicada por uma disfunção sexual que não é induzida por substância/medicamento. A evidência de uma disfunção sexual independente pode incluir o seguinte:

Os sintomas precedem o início do uso da substância ou medicamento; os sintomas persistem por um período substancial de tempo (p. ex., em torno de um mês) após a cessação de abstinência aguda ou de intoxicação grave; ou há outras evidências sugerindo a existência de uma disfunção sexual independente não induzida por substância/medicamento (p. ex., história de episódios recorrentes não relacionados ao uso de substância/medicamento).

D. A perturbação não ocorre exclusivamente durante o curso de *delirium*.
E. A perturbação causa sofrimento clinicamente significativo para o indivíduo.

Nota: Este diagnóstico deve ser feito em vez de um diagnóstico de intoxicação ou de abstinência de substância apenas quando os sintomas do Critério A predominarem no quadro clínico e forem suficientemente graves para justificar atenção clínica.

Nota para codificação: A tabela a seguir indica os códigos da CID-10-MC para as disfunções sexuais induzidas por [substância/medicamento específico]. Observar que o código da CID-10-MC depende de existir ou não transtorno comórbido por uso de substância presente para a mesma classe de substância. Em qualquer caso, não é dado um diagnóstico adicional separado de um transtorno por uso de substância. Se um transtorno leve por uso de substância for comórbido com a disfunção sexual induzida por substância, o número da 4ª posição é "1", e o clínico deverá registrar "transtorno por uso de [substância], leve" antes da disfunção sexual induzida por substância (p. ex., transtorno leve causado pelo uso de cocaína com disfunção sexual induzida por cocaína). Se o transtorno por uso de uma substância moderado ou grave for comórbido com disfunção sexual induzida por substância, o número da 4ª posição é "2", e o clínico deve registrar "transtorno por uso de [substância], moderado" ou "transtorno por uso de [substância], grave", dependendo da gravidade do transtorno por uso de substância comórbido. Se não houver nenhum transtorno comórbido por uso de substância (p. ex., depois do uso pesado isolado da substância), o número da 4ª posição é "9", e o clínico deverá registrar apenas a disfunção sexual induzida por substância.

	CID-10-MC		
	Com transtorno por uso, leve	Com transtorno por uso, moderado ou grave	Sem transtorno por uso
Álcool	F10.181	F10.281	F10.981
Opioide	F11.181	F11.281	F11.981
Sedativo, hipnótico ou ansiolítico	F13.181	F13.281	F13.981
Substância tipo anfetamina (ou outro estimulante)	F15.181	F15.281	F15.981
Cocaína	F14.181	F14.281	F14.981
Outra substância (ou substância desconhecida)	F19.181	F19.281	F19.981

Especificar (ver Tabela 1 no capítulo "Transtornos Relacionados a Substâncias e Transtornos Aditivos", que indica se "com início durante a intoxicação" e/ou "com início durante a abstinência" se aplica a uma determinada classe de substância; ou especificar "com início após o uso de medicamento"):
  Com início durante a intoxicação: Se são satisfeitos os critérios para intoxicação pela substância e os sintomas se desenvolvem durante a intoxicação.
  Com início durante a abstinência: Se os critérios para abstinência da substância são preenchidos, e os sintomas se desenvolvem durante ou imediatamente após a retirada.
  Com início após o uso de medicamento: Se os sintomas se desenvolvem no início do uso do medicamento, com a mudança no uso do medicamento ou durante a abstinência do medicamento.
Especificar a gravidade atual:
  Leve: Ocorre em 25 a 50% das ocasiões de atividade sexual.
  Moderada: Ocorre em 50 a 75% das ocasiões de atividade sexual.
  Grave: Ocorre em 75% ou mais das ocasiões de atividade sexual.

Procedimentos para Registro

O nome da disfunção sexual induzida por substância/medicamento inicia com a substância específica (p. ex., álcool) que presumivelmente esteja causando a disfunção sexual. O código da CID-10-MC que corresponde à classe do medicamento em questão deve ser selecionado na tabela inclusa no grupo de critérios. Para substâncias que não se enquadram em nenhuma das classes (p. ex., fluoxetina), deve-se utilizar o código da CID-10-MC para outra classe de substância (ou substância desconhecida) e o nome da substância específica é registrado (p. ex., F19.981 disfunção sexual induzida por fluoxetina). Nos casos em que a substância for considerada um fator etiológico, mas a substância for desconhecida, o código da CID-10-MC para a outra classe de substância (ou substância desconhecida) é utilizado e o fato de a substância ser desconhecida é registrado (p. ex., F19.981 disfunção sexual induzida por substância desconhecida).

Ao registrar o nome do transtorno, o transtorno comórbido por uso de substância (caso exista algum) deve ser listado em primeiro lugar, seguido pela palavra "com", pelo nome da disfunção sexual induzida por substância, pela especificação do início (i. e., início durante a intoxicação, início durante a abstinência, início após o uso de medicamento) e pelo especificador da gravidade (p. ex., leve, moderada, grave). Por exemplo, no caso de disfunção erétil ocorrendo durante a intoxicação em homem com transtorno grave por uso de álcool, o diagnóstico é F10.281 transtorno grave por uso de álcool, com disfunção sexual induzida por álcool, com início durante a intoxicação, moderado. Não é feito um diagnóstico separado de transtorno grave por uso de álcool. Se ocorre disfunção sexual induzida por substância sem um transtorno comórbido por uso de substância (p. ex., após um episódio de uso pesado da substância), não é anotado transtorno adicional por uso de substância (p. ex., F15.981 disfunção sexual induzida por anfetamina, com início durante a intoxicação). Quando mais de uma substância for considerada como desempenhando um papel significativo no desenvolvimento de disfunção sexual, cada uma deve ser listada separadamente (p. ex., F14.181 transtorno leve por uso de cocaína com disfunção sexual induzida por cocaína, com início durante a intoxicação, moderado; F19.981 disfunção sexual induzida por fluoxetina, com início após o uso do medicamento, moderada).

Características Diagnósticas

As características essenciais da disfunção sexual induzida por substância/medicamento são perturbações clinicamente significativas na função sexual que são predominantes no quadro clínico (Critério A) e que são consideradas devidas aos efeitos de uma substância (p. ex., droga de abuso, medicamento). A disfunção sexual deve ter se desenvolvido durante ou logo após a intoxicação ou abstinência da substância ou após a exposição ou abstinência de um medicamento, e as substâncias ou medicamentos devem ser capazes de produzir os sintomas (Critério B2). Uma disfunção sexual induzida por substância/medicamento devido a tratamento prescrito para um transtorno mental ou outra condição médica deve ter início enquanto o indivíduo está recebendo o medicamento (ou durante a abstinência, caso haja uma síndrome de abstinência associada ao medicamento). Depois que o tratamento é descontinuado, a disfunção sexual em geral irá melhorar ou ter remissão em um espaço de dias até várias semanas (dependendo da meia-vida da substância/medicamento e da presença de abstinência). O diagnóstico de disfunção sexual induzida por substância/medicamento não deve ser dado se o início dos sintomas precede a intoxicação ou a abstinência da substância/medicamento ou se os sintomas persistem por um período de tempo substancial (i. e., em geral por mais de um mês) desde o momento da intoxicação grave ou da abstinência.

Características Associadas

As disfunções sexuais podem ocorrer em associação com intoxicação causada pelas seguintes classes de substâncias: álcool; opioides; sedativos, hipnóticos ou ansiolíticos; estimulantes (incluindo cocaína); e outras substâncias (ou substâncias desconhecidas). As disfunções sexuais podem ocorrer em associação com abstinência das seguintes classes de substâncias: álcool; opioides; sedativos, hipnóticos ou ansiolíticos; estimulantes (incluindo cocaína); e outras substâncias (ou substâncias desconhecidas). Os medicamentos que podem induzir disfunções sexuais incluem antidepressivos, antipsicóticos e contraceptivos hormonais.

Os efeitos colaterais de medicamentos antidepressivos relatados com mais frequência são dificuldades para atingir o orgasmo ou a ejaculação, nos homens, e de excitação, nas mulheres. Problemas com desejo sexual e ereção são menos frequentes. Há evidências de que medicamentos antidepressivos têm efeitos na disfunção sexual, seja qual for o nível da depressão. Cerca de 30% das queixas sexuais são clinicamente significativas. Determinados agentes (i. e., bupropiona, mirtazapina, nefazodona e vilazodona) parecem ter taxas mais baixas de efeitos colaterais sexuais do que outros antidepressivos. Problemas sexuais associados a medicamentos antipsicóticos, incluindo problemas com desejo sexual, ereção, lubrificação, ejaculação ou orgasmo, ocorreram tanto com agentes típicos como com atípicos. No entanto, a ocorrência de problemas é menos comum com antipsicóticos que não alteram a prolactina ou aqueles que não bloqueiam os receptores da dopamina.

Embora os efeitos dos estabilizadores do humor sobre a função sexual não sejam muito claros, provavelmente o lítio e os anticonvulsivantes, com a possível exceção da lamotrigina, apresentam efeitos adversos sobre o desejo sexual. Problemas com orgasmo podem ocorrer com a gabapentina. Da mesma forma, pode haver prevalência mais alta de problemas eréteis e orgásmicos associados aos benzodiazepínicos. Não há relatos de problemas com a buspirona.

Muitos medicamentos não psiquiátricos, como os agentes cardiovasculares, citotóxicos, gastrintestinais e hormonais, estão associados a perturbações na função sexual. O uso de inibidores da 5-alfa-redutase (p. ex., dutasterida, finasterida) podem reduzir a função erétil, a função ejaculatória e a libido nos homens.

O uso de substâncias ilícitas está associado a redução no desejo sexual, disfunção erétil e dificuldades para atingir o orgasmo. Disfunções sexuais também são observadas em indivíduos que recebem metadona, embora raramente sejam relatadas por pacientes em uso de buprenorfina. O abuso crônico de nicotina ou álcool está associado a problemas eréteis. *Cannabis*, assim como o álcool, é um depressor do sistema nervoso central, e seu uso pode ser um fator de risco para disfunção sexual; entretanto, também foi sugerido que potencialmente melhora a satisfação no orgasmo.

Prevalência

A prevalência e a incidência de disfunção sexual induzida por substância/medicamento não são muito claras, provavelmente em razão da falta de informações sobre os efeitos colaterais sexuais dos tratamentos. Em geral, os dados sobre a disfunção sexual induzida por substância/medicamento referem-se aos efeitos de medicamentos antidepressivos. A prevalência de disfunção sexual induzida por antidepressivos varia em parte de acordo com o agente específico. Aproximadamente 25 a 80% dos indivíduos que tomam inibidores da monoaminoxidase, antidepressivos tricíclicos, antidepressivos serotonérgicos e antidepressivos com efeitos serotonérgicos-adrenérgicos combinados relatam efeitos colaterais sexuais. Há diferenças na incidência de efeitos colaterais sexuais entre alguns antidepressivos serotonérgicos e serotonérgicos-adrenérgicos combinados, com medicamentos como citalopram, fluoxetina, fluvoxamina, paroxetina, sertralina e venlafaxina tendo as taxas mais elevadas de disfunção sexual.

Cerca de 50% dos indivíduos que usam medicamentos antipsicóticos vão experimentar efeitos colaterais sexuais adversos, incluindo problemas com desejo sexual, ereção, lubrificação, ejaculação ou orgasmo. A incidência desses efeitos colaterais entre diferentes agentes antipsicóticos não é clara.

A prevalência e a incidência exata de disfunções sexuais entre usuários de medicamentos não psiquiátricos, como os agentes cardiovasculares, citotóxicos, gastrintestinais e hormonais, são desconhecidas. Há relatos de taxas elevadas de disfunção sexual com o uso de doses elevadas de opioides para dor. Há taxas elevadas de desejo sexual diminuído, disfunção erétil e dificuldade para atingir o orgasmo associadas ao uso de substâncias ilícitas. A prevalência de problemas sexuais parece estar relacionada ao abuso crônico de drogas e parece ser mais elevada em indivíduos que abusam de heroína (aproximadamente 60 a 70%) do que naqueles que abusam de substâncias como anfetamina ou 3,4-metilenodioximetanfetamina (i. e., MDMA, *ecstasy*). Taxas elevadas de disfunção sexual também são observadas em indivíduos que recebem metadona, porém raramente são relatadas por pacientes que recebem buprenorfina. O abuso crônico de álcool e o de nicotina estão relacionados a taxas mais elevadas de problemas eréteis.

Desenvolvimento e Curso

A disfunção sexual induzida por antidepressivos pode ocorrer logo no início do tratamento, isto é, até oito dias depois que o agente foi tomado pela primeira vez. Aproximadamente 30% dos indivíduos com retardo leve a moderado no orgasmo podem apresentar remissão espontânea da disfunção dentro de seis meses. Em alguns casos, a disfunção sexual induzida por inibidores da recaptação da serotonina pode persistir após a descontinuação do uso do agente. O tempo para início de alguma disfunção sexual após o começo do uso de antipsicóticos ou de drogas de abuso é desconhecido. É provável que os efeitos adversos da nicotina e do álcool somente surjam depois de vários anos de uso. A ejaculação prematura (precoce) pode, às vezes, ocorrer depois da interrupção do uso de opioides. Existem algumas evidências de que as perturbações na função sexual relacionadas ao uso de substância/medicamento aumentam com a idade.

Questões Diagnósticas Relativas à Cultura

Pode haver uma interação entre fatores culturais, influência de medicamentos no funcionamento sexual e resposta dos indivíduos a essas alterações.

Questões Diagnósticas Relativas ao Sexo e ao Gênero

Algumas diferenças nos efeitos colaterais sexuais decorrentes do uso de substâncias e medicamentos podem existir, sendo que os homens podem relatar com mais frequência dificuldades com o desejo e o orgasmo após o uso de antidepressivos, e as mulheres, dificuldades com a excitação sexual.

Consequências Funcionais da Disfunção Sexual Induzida por Substância/Medicamento

A disfunção sexual induzida por medicamento pode resultar na não adesão ao uso do medicamento, levando à interrupção ou ao uso irregular, o que pode contribuir para a falta de eficácia dos antidepressivos.

Diagnóstico Diferencial

Disfunções sexuais não induzidas por substância/medicamento. Muitas condições mentais, como os transtornos depressivo, bipolar, de ansiedade e psicótico, estão associadas a perturbações na função sexual. Assim, pode ser difícil diferenciar uma disfunção sexual induzida por substância/medicamento de uma manifestação do transtorno mental subjacente. Geralmente o diagnóstico é estabelecido nas situações em que se observa uma relação íntima com o início ou a descontinuação do uso da substância/medicamento. É possível estabelecer um diagnóstico claro se o problema ocorrer depois do início do uso da substância/medicamento, se desaparecer com a interrupção do uso da substância/medicamento e se recorrer com a introdução do mesmo agente. A maior parte dos efeitos colaterais induzidos por substância/medicamento ocorre imediatamente após o início ou a descontinuação do uso. Pode ser extremamente difícil diagnosticar com exatidão os efeitos colaterais sexuais que ocorrem somente após o uso crônico de uma substância/medicamento.

Outra Disfunção Sexual Especificada

F52.8

Esta categoria aplica-se a apresentações em que sintomas característicos de disfunção sexual que causam sofrimento clinicamente significativo ao indivíduo predominam, mas não satisfazem todos os critérios para qualquer transtorno na classe diagnóstica das disfunções sexuais. A categoria outra disfunção sexual especificada é usada nas situações em que o clínico opta por comunicar a razão específica pela qual a apresentação não satisfaz os critérios para uma disfunção sexual específica. Isso é feito por meio do registro de "outra disfunção sexual especificada", seguido da razão específica (p. ex., "aversão sexual").

Disfunção Sexual Não Especificada

F52.9

Esta categoria aplica-se a apresentações em que sintomas característicos de disfunção sexual que causam sofrimento clinicamente significativo ao indivíduo predominam, mas não satisfazem todos os critérios para qualquer transtorno na classe diagnóstica das disfunções sexuais. A categoria disfunção sexual não especificada é usada nas situações em que o clínico opta por *não* especificar a razão pela qual os critérios para uma disfunção sexual específica não são satisfeitos e inclui apresentações para as quais não há informações suficientes para que seja feito um diagnóstico mais específico.

Disforia de Gênero

Neste capítulo, é apresentado um diagnóstico global de disforia de gênero, com grupos de critérios separados de acordo com as fases do desenvolvimento para crianças, adolescentes e adultos. A área que envolve sexo e gênero é altamente controversa e resultou em uma proliferação de termos cujos significados variam ao longo do tempo entre as disciplinas e dentro delas. Uma fonte adicional de confusão é que, na língua inglesa, a palavra *sex* tem a conotação tanto de masculino/feminino como de sexualidade. Este capítulo emprega construtos e termos que são amplamente utilizados por clínicos de várias disciplinas com especialização nessa área. Aqui, os termos *sexo* e *sexual* referem-se aos indicadores biológicos de masculino e feminino (compreendidos no contexto de capacidade reprodutiva), como cromossomos sexuais, gônadas, hormônios sexuais e genitália interna e externa não ambígua. Os distúrbios do desenvolvimento sexual ou diferenças da diferenciação sexual (DDSs) incluíram os termos históricos *hermafroditismo* e *pseudo-hermafroditismo*. Os DDSs incluem condições intersexo somáticas, como o desenvolvimento congênito de genitália ambígua (p. ex., clitotomegalia, micropênis), disjunção congênita da anatomia sexual interna e externa (p. ex., síndrome da insensibilidade androgênica completa), desenvolvimento incompleto da anatomia sexual (p. ex., agenesia gonadal), anomalias nos cromossomos sexuais (p. ex., síndrome de Turner; síndrome de Klinefelter) ou distúrbios do desenvolvimento gonadal (p. ex., ovotestis).

Gênero é usado para denotar o papel público, sociocultural (e em geral reconhecido legalmente) vivido como menino ou menina, homem ou mulher, ou outro gênero. Os fatores biológicos são vistos como contribuintes na interação com os fatores sociais e psicológicos para o desenvolvimento do gênero. *Designação de gênero* refere-se à designação inicial como homem ou mulher. Isso ocorre geralmente no nascimento com base no sexo fenotípico e, desta forma, constitui o *gênero designado no nascimento*, historicamente referido como "sexo biológico" ou, mais recentemente, "gênero de nascimento". *Sexo designado no nascimento* é geralmente usado intercambiavelmente com gênero designado no nascimento. Os termos *sexo designado* e *gênero designado* abrangem sexo/gênero designado no nascimento, mas também incluem designações e redesignações de sexo/gênero feitas após o nascimento, mas durante a infância, usualmente no caso de condições intersexuais. *Gênero-atípico* refere-se a características somáticas ou comportamentais não típicas (sob a perspectiva estatística) de indivíduos com a mesma designação de gênero em determinada sociedade em determinado momento histórico; *variação de gênero*, *inconformidade de gênero* e *gênero diverso* são termos alternativos não diagnósticos. *Redesignação de gênero* denota uma alteração oficial (e geralmente legal) de gênero. *Tratamentos para afirmação de gênero* são procedimentos médicos (hormônios ou cirurgias, ou ambos) que visam a alinhar as características físicas de um indivíduo com seu *gênero experienciado*. *Identidade de gênero* é uma categoria de identidade social e refere-se à identificação de um indivíduo como homem, mulher, alguma categoria intermediária (i. e., *gênero fluido*) ou, ocasionalmente, outra categoria diferente de homem e mulher (i. e., *gênero neutro*). Tem ocorrido uma proliferação de identidades de gênero nos últimos anos. *Disforia de gênero,* como um termo descritivo geral, refere-se ao sofrimento que pode acompanhar a incongruência entre o gênero experienciado ou expressado e o gênero designado de uma pessoa. Entretanto, é mais especificamente definida quando utilizada como uma categoria diagnóstica. Não se refere ao sofrimento relacionado ao estigma, mas a uma fonte distinta de sofrimento, que possivelmente ocorre de forma concomitante. *Transgênero* refere-se ao amplo espectro de indivíduos cuja identidade de gênero é diferente do gênero designado no nascimento. *Cisgênero* descreve indivíduos cuja expressão do gênero é congruente com seu gênero designado no nascimento (também *não transgênero*). *Transexual,* um termo histórico, indica um indivíduo que busca, está passando ou passou por uma transição social de gênero, o que, em muitos casos, mas não em todos, envolve também uma transição somática por tratamento hormonal e cirurgia genital, de mama ou outra cirurgia para afirmação de gênero (historicamente referida como *cirurgia de redesignação sexual*).

Embora essa incongruência não cause desconforto em todos os indivíduos, muitos acabam sofrendo se as intervenções físicas desejadas por meio de hormônios e/ou de cirurgia não estão disponíveis. O termo atual é mais descritivo do que o termo anterior *transtorno de identidade de gênero*, do DSM-IV, e foca a disforia como um problema clínico, e não como identidade por si própria.

Disforia de Gênero

Critérios Diagnósticos

Disforia de Gênero em Crianças — F64.2

A. Incongruência acentuada entre o gênero experienciado/expressado e o gênero designado de uma pessoa, com duração de pelo menos seis meses, manifestada por no mínimo seis dos seguintes (um deles deve ser o Critério A1):
   1. Forte desejo de pertencer ao outro gênero ou insistência de que um gênero é outro (ou algum gênero alternativo diferente do designado).
   2. Em meninos (gênero designado), uma forte preferência por vestir roupas femininas típicas ou simular trajes femininos; em meninas (gênero designado), uma forte preferência por vestir somente roupas masculinas típicas e uma forte resistência a vestir roupas femininas típicas.
   3. Forte preferência por papéis transgêneros em brincadeiras de faz de conta ou de fantasias.
   4. Forte preferência por brinquedos, jogos ou atividades tipicamente usados ou preferidos pelo outro gênero.
   5. Forte preferência por brincar com pares do outro gênero.
   6. Em meninos (gênero designado), forte rejeição de brinquedos, jogos e atividades tipicamente masculinos e forte evitação de brincadeiras agressivas e competitivas; em meninas (gênero designado), forte rejeição de brinquedos, jogos e atividades tipicamente femininas.
   7. Forte desgosto com a própria anatomia sexual.
   8. Desejo intenso por características sexuais primárias e/ou secundárias compatíveis com o gênero experienciado.

B. A condição está associada a sofrimento clinicamente significativo ou a prejuízo no funcionamento social, acadêmico ou em outras áreas importantes da vida do indivíduo.

Especificar se:
   Com um distúrbio/diferença do desenvolvimento sexual (p. ex., distúrbio adrenogenital congênito, como E25.0 hiperplasia adrenal congênita ou E34.50 síndrome de insensibilidade androgênica).
   Nota para codificação: Codificar tanto o distúrbio/diferença do desenvolvimento sexual como a disforia de gênero.

Disforia de Gênero em Adolescentes e Adultos — F64.0

A. Incongruência acentuada entre o gênero experienciado/expressado e o gênero designado de uma pessoa, com duração de pelo menos seis meses, manifestada por no mínimo dois dos seguintes:
   1. Incongruência acentuada entre o gênero experienciado/expressado e as características sexuais primárias e/ou secundárias (ou, em adolescentes jovens, as características sexuais secundárias previstas).
   2. Forte desejo de livrar-se das próprias características sexuais primárias e/ou secundárias em razão de incongruência acentuada com o gênero experienciado/expressado (ou, em adolescentes jovens, desejo de impedir o desenvolvimento das características sexuais secundárias previstas).

3. Forte desejo pelas características sexuais primárias e/ou secundárias do outro gênero.
4. Forte desejo de pertencer ao outro gênero (ou a algum gênero alternativo diferente do designado).
5. Forte desejo de ser tratado como o outro gênero (ou como algum gênero alternativo diferente do designado).
6. Forte convicção de ter os sentimentos e reações típicos do outro gênero (ou de algum gênero alternativo diferente do designado).

B. A condição está associada a sofrimento clinicamente significativo ou prejuízo no funcionamento social, profissional ou em outras áreas importantes da vida do indivíduo.

Especificar se:
Com um distúrbio/diferença do desenvolvimento sexual (p. ex., distúrbio adrenogenital congênito, como E25.0 hiperplasia adrenal congênita ou E34.50 síndrome de insensibilidade androgênica).
Nota para codificação: Codificar tanto o distúrbio/diferença do desenvolvimento sexual como a disforia de gênero.

Especificar se:
Pós-transição: O indivíduo fez uma transição para uma vida em tempo integral no gênero experienciado (com ou sem legalização da mudança de gênero) e fez (ou está se preparando para fazer) pelo menos um procedimento médico ou um regime de tratamento – a saber, tratamento hormonal transexual regular de afirmação de gênero ou cirurgia de redesignação de gênero confirmando o gênero experienciado (p. ex., cirurgia de aumento de mama e/ou vulvovaginoplastia em um indivíduo designado do sexo masculino no nascimento; cirurgia torácica transmasculina e/ou faloplastia ou metoidioplastia em um indivíduo designado do sexo feminino no nascimento).

Especificadores

O especificador "com um distúrbio/diferença do desenvolvimento sexual" deve ser utilizado com indivíduos que têm um distúrbio/diferença do desenvolvimento sexual específico e codificável documentado em seus registros médicos.

O especificador "pós-transição" pode ser utilizado no contexto de procedimentos continuados de tratamento que têm como objetivo dar suporte à designação do novo gênero.

Características Diagnósticas

Indivíduos com disforia de gênero apresentam incongruências acentuadas entre o gênero que lhes foi designado (em geral no nascimento, conhecido como *gênero designado no nascimento*) e o gênero experienciado/expressado. Essa discrepância é o componente central do diagnóstico. Devem existir também evidências de sofrimento causado por essa incongruência. O gênero experienciado pode incluir identidades de gêneros alternativas além dos estereótipos binários. Em consequência, o sofrimento não se limita apenas à experiência de que o indivíduo é do gênero masculino ou feminino diferente do designado no nascimento, mas também uma experiência de que pertence a um gênero intermediário ou alternativo que difere do designado no nascimento.

A disforia de gênero manifesta-se de formas diferentes em grupos etários distintos. Os exemplos a seguir podem ser menos proeminentes em crianças criadas em contextos com menos estereótipos de gênero.

Indivíduos pré-púberes designados do sexo feminino no nascimento com disforia de gênero podem expressar sentimento ou convicção marcante e persistente de serem meninos, expressar aversão à ideia de ser uma menina ou afirmar que serão homens quando crescerem. Preferem usar roupas e cortes de cabelo de meninos, com frequência são percebidos como meninos por estranhos e podem pedir para serem chamados por um nome de menino. Geralmente apresentam reações negativas intensas às tentativas dos pais de fazê-los usar vestidos ou outros trajes femininos. Alguns podem se recusar a participar de eventos escolares ou sociais que exigem o uso de roupas femininas. Essas crianças podem demonstrar acentuada desconformidade de gênero em encenações, sonhos, fantasias, brincadeiras de gênero e preferências de brinquedos, estilos, maneirismos, fantasias e preferências por pares. Esportes de contato, brincadeiras agressivas e competitivas, jogos tradicionalmente masculinos e meninos nas brincadeiras são frequentemente preferidos. Elas demonstram pouco interesse por brinquedos (p. ex., bonecas) ou atividades (p. ex., usar vestidos ou desempenhar papéis femininos em brincadeiras) tipicamente femininos. Às vezes, recusam-se a urinar na posição sentada. Algumas crianças podem expressar o desejo de ter um pênis, afirmar ter um pênis ou que terão um pênis quando forem mais velhas. Também podem afirmar que não querem desenvolver seios ou menstruar.

Indivíduos pré-púberes designados do sexo masculino no nascimento com disforia de gênero podem expressar sentimento ou convicção marcantes e persistentes de serem meninas ou afirmar que serão mulheres quando crescerem. Também podem expressar aversão à ideia de ser um menino. Eles frequentemente preferem usar trajes de meninas ou de mulheres ou podem improvisar roupas com qualquer material disponível (p. ex., usar toalhas, aventais e xales como cabelos longos ou como saias). Essas crianças podem demonstrar acentuada desconformidade de gênero em brincadeiras e brinquedos de gênero, estilos, maneirismos e preferências por pares. Essas crianças podem encenar papéis femininos em brincadeiras (p. ex., brincar de "mãe") e com frequência se interessam intensamente por figuras de fantasia femininas. Atividades femininas tradicionais, jogos e passatempos estereotipados (p. ex., "brincar de casinha", desenhar figuras femininas, assistir a programas de televisão ou vídeos com personagens femininas favoritas) podem ser preferidos. Bonecas estereotipadas femininas (p. ex., Barbie) geralmente são os brinquedos favoritos, e as meninas são as companheiras de brincadeira preferidas. Eles evitam brincadeiras agressivas e esportes competitivos e demonstram pouco interesse por brinquedos masculinos estereotipados (p. ex., carrinhos, caminhões). Eles podem referir que sentem repulsa pelo seu pênis ou pelos testículos, que gostariam que eles fossem removidos ou que têm, ou gostariam de ter, uma vagina.

Cada vez mais, os pais estão buscando clínicas especializadas após seu filho com disforia de gênero já ter realizado a transição social.

Como o início da puberdade para indivíduos designados do sexo feminino no nascimento se localiza entre os 9 e 13 anos de idade, e entre os 11 e 14 anos para indivíduos designados do sexo masculino no nascimento, seus sintomas e preocupações podem surgir em uma fase do desenvolvimento em algum ponto entre a infância e a adolescência. Como as características sexuais secundárias de adolescentes mais jovens ainda não estão totalmente desenvolvidas, esses indivíduos podem não manifestar nenhum sentimento de repulsa em relação a elas, mas ficar marcadamente angustiados com as mudanças físicas iminentes.

Em adolescentes e adultos com disforia de gênero, a discrepância entre a experiência de gênero e as características físicas sexuais é frequentemente, mas nem sempre, acompanhada por um desejo de livrar-se das características sexuais primárias e/ou secundárias e/ou por um forte desejo de adquirir algumas características sexuais primárias e/ou secundárias do outro gênero. Em maior ou menor grau, adolescentes mais velhos e adultos com disforia de gênero podem adotar o comportamento, as vestimentas e os maneirismos do gênero experienciado. Sentem-se desconfortáveis com o fato de serem considerados pelos outros ou de funcionar na sociedade como membros do seu gênero designado. Alguns adultos podem sentir desejo intenso de pertencer a um gênero diferente e de ser tratados como tal e podem ter a convicção interior de sentirem e reagirem como o gênero experienciado sem procurar tratamento médico para alterar as características corporais. Eles podem encontrar outras maneiras de solucionar a incongruência entre o gênero experienciado/expressado e o gênero designado, vivendo parcialmente o papel desejado ou adotando um papel de gênero que não seja convencionalmente masculino nem convencionalmente feminino.

Características Associadas

No momento em que surgem sinais visíveis de puberdade, indivíduos designados do sexo masculino no nascimento podem raspar seus pelos faciais, corporais e das pernas aos primeiros sinais de crescimento. Eles às vezes prendem os órgãos genitais para que as ereções não fiquem visíveis. Os indivíduos designados do sexo feminino no nascimento podem prender os seios, andar curvados ou usar blusas folgadas para que os seios fiquem menos visíveis. Cada vez mais, os adolescentes solicitam ou podem obter sem prescrição e supervisão médica substâncias que suprimem a produção de esteroides gonadais (p. ex., agonistas do hormônio liberador de gonadotrofinas [GnRH]) ou que bloqueiam ações dos hormônios gonadais (p. ex., espironolactona). Adolescentes encaminhados para atendimento clínico frequentemente querem tratamento hormonal e podem também desejar fazer cirurgia de afirmação de gênero. Adolescentes que vivem em ambientes receptivos podem expressar abertamente o desejo de ser e de ser tratados como o gênero experienciado e vestir-se parcial ou totalmente de acordo com esse gênero, ter corte de cabelo típico do gênero experienciado, buscar, de preferência, fazer amizade com pares do outro gênero e/ou adotar um novo nome consistente com o gênero experienciado. Adolescentes mais velhos, quando sexualmente ativos, em geral não mostram ou permitem que seus parceiros toquem em seus órgãos sexuais. No caso de adultos com aversão por suas genitálias, a atividade sexual é restringida pela preferência de que seus órgãos sexuais não sejam vistos ou tocados por seus parceiros. Não raramente, alguns adultos podem procurar tratamento hormonal (às vezes sem prescrição e supervisão médica) e cirurgia de afirmação de gênero. Outros ficam satisfeitos apenas com o tratamento hormonal ou a cirurgia, ou sem qualquer tratamento médico para afirmação de gênero.

Em crianças, adolescentes e adultos com disforia de gênero, foi observada uma representação exagerada de traços do espectro autista. Além disso, indivíduos com transtorno do espectro autista têm mais probabilidade de exibir diversidade de gênero.

Antes do tratamento para reafirmação de gênero, adolescentes e adultos com disforia de gênero estão sob maior risco de problemas de saúde mental, incluindo ideação suicida, tentativa de suicídio e suicídio. Após a redesignação de gênero, a adaptação pode variar, e o risco de suicídio e problemas de saúde mental podem persistir.

Em crianças na fase pré-puberal, o avanço na idade está associado a uma quantidade maior de problemas comportamentais ou emocionais; esse fato está relacionado à crescente não aceitação do comportamento de inconformidade de gênero por outras pessoas. As crianças e adolescentes que se sentem apoiados e aceitos em sua inconformidade de gênero podem apresentar menos ou até mesmo nenhum problema psicológico.

Prevalência

Não existem estudos populacionais em larga escala sobre disforia de gênero. Com base em populações que buscam tratamento para afirmação de gênero, a prevalência para disforia de gênero nas populações foi avaliada como menos de 1/1.000 (i. e., inferior a 0,1%) tanto para indivíduos designados do sexo masculino quanto do feminino no nascimento. É provável que essas taxas estejam subestimadas, tendo em vista que nem todos os adultos com disforia de gênero procuram programas de tratamento em clínicas especializadas. As estimativas de prevalência com base em pesquisas de autorrelato em amostras populacionais dos Estados Unidos e da Europa sugerem números maiores, embora métodos variados de avaliação tornem difíceis as comparações entre os estudos. A autoidentificação como transgênero varia de 0,5 a 0,6%; sentir-se como tendo uma identidade de gênero incongruente varia de 0,6 a 1,1%; sentir que é uma pessoa de um sexo diferente varia de 2,1 a 2,6%; e o desejo de se submeter a tratamento médico varia de 0,2 a 0,6%.

Desenvolvimento e Curso

Visto que a expressão da disforia de gênero varia com a idade, há grupos de critérios separados para crianças *versus* adolescentes e adultos. Os critérios para crianças são definidos de maneira mais comportamental e concreta do que aqueles para adolescentes e adultos. Crianças jovens são menos propensas do que crianças mais velhas, adolescentes e adultos a expressar disforia anatômica extrema e persistente. Em adolescentes e adultos, a incongruência entre gênero experienciado e sexo designado é uma característica central do diagnóstico. Fatores relacionados ao sofrimento e aos prejuízos também variam com a idade. Crianças muito jovens podem demonstrar sinais de sofrimento (p. ex., choro intenso) somente quando os pais dizem que ela ou ele não é "realmente" membro do outro gênero, mas apenas "deseja" ser. O sofrimento pode não se manifestar em ambientes sociais que apoiam o desejo da criança de viver o papel do outro gênero e pode surgir somente se houver alguma interferência social/parental nesse desejo. Em adolescentes e adultos, o sofrimento pode se manifestar em virtude de forte incongruência entre o gênero experienciado e o gênero designado do nascimento. No entanto, esse sofrimento pode ser mitigado por ambientes que apoiam e por saber que existem tratamentos biomédicos para diminuir a incongruência. Prejuízos (p. ex., rejeição da escola, desenvolvimento de depressão, ansiedade, problemas com os pares e comportamentais, e abuso de substâncias) podem ser consequências da disforia de gênero.

Disforia de gênero sem um distúrbio do desenvolvimento sexual. Em estudos de crianças encaminhadas para atendimento clínico no Canadá e nos Países Baixos, o início de comportamentos transgêneros ocorre geralmente entre as idades de 2 e 4 anos. Isso corresponde ao período de tempo do desenvolvimento em que a maioria das crianças começa a expressar comportamentos e interesses relacionados ao gênero. Para algumas crianças na fase pré-escolar, tanto comportamentos atípicos de gênero marcados e persistentes quanto o desejo expresso de pertencer ao outro gênero podem estar presentes; ou a criança pode se rotular como membro do outro gênero. Em alguns casos, o desejo expresso de pertencer ao outro gênero surge mais tardiamente, em geral ao ingressar no ensino fundamental. As crianças podem, às vezes, expressar desconforto com sua anatomia sexual ou declarar o desejo de ter uma anatomia sexual correspondente ao gênero experienciado ("disforia anatômica"). As expressões de disforia anatômica tornam-se mais comuns à medida que as crianças com disforia de gênero se aproximam ou vislumbram a puberdade.

Não existem estudos na população geral de resultados em adolescentes ou adultos da variância de gênero na infância. Algumas crianças pré-púberes que expressam o desejo de pertencer ao outro gênero não procuram tratamentos somáticos para afirmação de gênero quando atingem a puberdade. Elas frequentemente relatam orientações não heterossexuais e comportamento frequentemente marcados de não conformidade com o gênero, embora não necessariamente uma identidade transgênero na adolescência/ vida adulta jovem. Algumas crianças com disforia de gênero na infância com remissão na adolescência podem apresentar recorrência na vida adulta.

Em indivíduos designados do sexo masculino no nascimento, estudos da América do Norte e dos Países Baixos encontraram persistência variando de 2 a 39%. Em indivíduos designados do sexo feminino no nascimento, a persistência variou de 12 a 50%. Há modesta correlação entre persistência da disforia de gênero e medidas dimensionais da gravidade apuradas no momento da avaliação inicial da criança. Transição social precoce também pode ser um fator na persistência da disforia de gênero na adolescência.

Estudos têm mostrado uma alta incidência de atração sexual por aqueles do seu gênero designado no nascimento, independentemente da trajetória da disforia de gênero da criança pré-púbere. Para indivíduos cuja disforia de gênero continua na adolescência e além, a maioria se autoidentifica como heterossexual. Entre aqueles que não mais apresentam disforia de gênero na época da adolescência, uma maioria se autoidentifica como *gay*, lésbica ou bissexual.

Foram descritas duas trajetórias amplas para o desenvolvimento de disforia de gênero em indivíduos que se identificam como homem ou como mulher.

Em comparação com as crianças em desconformidade com o gênero, os indivíduos com *disforia de gênero com início pré-puberal* têm sintomas que satisfazem os critérios para disforia de gênero na infância. A disforia pode continuar na adolescência e na vida adulta; alternativamente, alguns indivíduos passam por um período em que a disforia de gênero deixa de ser uma questão ou é negada. Nesses momentos, esses indivíduos podem se autoidentificar como *gays* ou lésbicas. Alguns podem se autoidentificar como heterossexuais e cisgênero. Entretanto, é possível que alguns desses indivíduos experimentem uma recorrência da disforia de gênero mais tarde na vida.

Independentemente da disforia de gênero persistir ou não em um momento posterior, o início da puberdade ou a constatação de que a puberdade começará com o desenvolvimento de características sexuais secundárias pode desencadear sentimentos angustiantes de incongruência de gênero que podem exacerbar a disforia de gênero do indivíduo.

O grupo com início precoce/pré-puberal geralmente se apresenta para tratamento clínico para afirmação de gênero durante a infância, durante a adolescência ou no início da vida adulta. Isso pode refletir uma disforia de gênero mais intensa em comparação com indivíduos com disforia de gênero com início tardio/pós-puberal, cujo sofrimento pode ser mais variado e menos intenso.

A *disforia de gênero de início tardio ou puberal/pós-puberal* ocorre ao redor da puberdade ou bem mais tarde na vida. Alguns desses indivíduos afirmam ter sentido desejo de pertencer ao outro gênero durante a infância sem tê-lo verbalizado para outras pessoas ou tiveram comportamento transgênero que não atendia plenamente aos critérios para disforia de gênero na infância. Outros não se recordam de quaisquer sinais de disforia de gênero na infância. Com frequência, os pais de indivíduos com disforia de gênero de início puberal/pós-puberal relatam surpresa, pois não haviam percebido sinais de disforia de gênero no período da infância.

Disforia de gênero em associação com um distúrbio do desenvolvimento sexual. Indivíduos com DDSs que requerem intervenções médicas precoces ou decisões quanto à designação de gênero procuram atendimento em idade muito precoce. Dependendo da condição, eles podem ter passado por gonadectomia (geralmente devido ao risco de malignidade no futuro) antes da puberdade, de modo que a administração de hormônios exógenos faz parte dos cuidados de rotina para induzir a puberdade. A infertilidade é comum devido à própria condição ou à gonadectomia, e a cirurgia genital pode ser feita ainda na infância com a intenção de afirmar o gênero designado tanto para o indivíduo afetado como para seus cuidadores.

Os indivíduos afetados podem exibir comportamento em desconformidade com o gênero desde o início da infância de maneira previsível, dependendo da síndrome do DDS específica e da designação de gênero, dos limites sociais e médicos para apoiar a transição de gênero em menores de idade, tradicionalmente têm sido muito menores para esses indivíduos quando comparados com aqueles sem DDSs. Considerando que os indivíduos com um distúrbio do desenvolvimento sexual têm consciência de sua história e de sua condição médica, muitos experimentam uma sensação de incerteza sobre seu gênero, em contraste com o desenvolvimento de uma firme convicção de que pertencem ao outro. A proporção que desenvolve disforia de gênero e progride para a transição de gênero varia consideravelmente de acordo com a síndrome particular e com o gênero designado.

Fatores de Risco e Prognóstico

Temperamentais. O comportamento variante de gênero entre indivíduos com disforia de gênero de início pré-puberal pode se desenvolver logo no início da idade pré-escolar. Estudos sugerem que uma maior intensidade de inconformidade com o gênero e idade tardia na apresentação tornam a persistência da disforia de gênero na adolescência e na vida adulta mais provável. Um fator predisponente em análise, especialmente em indivíduos com disforia de gênero com início tardio (adolescência, vida adulta), inclui história de transvestismo que pode se desenvolver para autoginefilia (i. e., excitação sexual associada ao pensamento ou imagem de si mesmo como uma mulher).

Ambientais. Indivíduos designados do sexo masculino no nascimento com disforia de gênero sem um distúrbio do desenvolvimento sexual (na infância e na adolescência) mais comumente têm irmãos mais velhos quando comparados com homens cisgênero.

Genéticos e fisiológicos. Para indivíduos com disforia de gênero sem DDS, alguma contribuição genética é sugerida por meio de evidências (fracas) de familiaridade de disforia de gênero entre irmãos não gêmeos, concordância aumentada em gêmeos monozigóticos em comparação com gêmeos dizigóticos do mesmo sexo, e algum grau de hereditariedade de disforia de gênero. Pesquisas sugerem que a disforia de gênero tem uma base poligênica envolvendo interações de vários genes e polimorfismos que podem afetar a diferenciação sexual do cérebro *in utero*, contribuindo para a disforia de gênero em indivíduos designados do sexo masculino no nascimento.

No que diz respeito aos achados endócrinos, não foram encontradas anormalidades endógenas sistêmicas nos níveis dos hormônios sexuais em indivíduos 46,XY, enquanto parecem ocorrer níveis aumentados de andrógenos (na faixa encontrada em mulheres hirsutas, porém muito abaixo dos níveis masculinos normais) em indivíduos 46,XX. De maneira geral, as evidências atuais são insuficientes para rotular disforia de gênero sem um distúrbio do desenvolvimento sexual como uma forma de intersexualidade limitada ao sistema nervoso central.

Na disforia de gênero associada a um DDS, a probabilidade de disforia de gênero tardia aumenta se a produção e a utilização (via sensibilidade dos receptores) pré-natal de andrógenos são grosseiramente atípicas em relação ao que se costuma observar em indivíduos com o mesmo gênero designado. Exemplos incluem indivíduos 46,XY sem alterações hormonais pré-natais, porém com defeitos genitais não hormonais inatos (como na extrofia cloacal ou na agenesia peniana), e que foram designados ao gênero feminino. A probabilidade de disforia de gênero é ainda mais acentuada pela exposição androgênica pós-natal com virilização somática adicional, prolongada e altamente atípica em relação ao gênero, como pode ocorrer em indivíduos 46,XY criados como mulheres e não castrados, com deficiência de 5-alfa-redutase tipo 2 ou de 17-beta-hidroxiesteroide desidrogenase tipo 3, ou em indivíduos 46,XX criados como mulheres com hiperplasia adrenal congênita clássica e períodos prolongados de não adesão à terapia de reposição de glicocorticoides. No entanto, o padrão androgênico pré-natal está mais intimamente relacionado ao comportamento de gênero do que à identidade de gênero. Muitos indivíduos com distúrbios de desenvolvimento sexual e comportamento de gênero acentuadamente atípico não desenvolvem disforia de gênero. Assim, o comportamento de inconformidade de gênero, isoladamente, não deve ser interpretado como um indicador de disforia de gênero atual ou futura. Parece haver uma taxa mais elevada de disforia de gênero e de mudança de gênero iniciada pelo paciente designado do sexo feminino no nascimento para homem do que de indivíduos designados do sexo masculino no nascimento para mulher em indivíduos expostos no pré-natal a um complemento de influências hormonais masculinizantes.

Questões Diagnósticas Relativas à Cultura

Existem relatos de indivíduos com disforia de gênero em muitos países e culturas no mundo inteiro. O equivalente à disforia de gênero foi também relatado em pessoas que vivem em culturas com outras categorias de gênero institucionalizadas além de homens/meninos ou mulheres/meninas que sancionam o desenvolvimento de gênero atípico. Essas culturas incluem Índia, Sri Lanka, Myanmar, Oman, Samoa, Tailândia e povos indígenas da América do Norte. Não está claro, no entanto, se no caso dessas culturas os critérios diagnósticos de disforia de gênero seriam preenchidos com esses indivíduos.

A prevalência de problemas de saúde mental coexistentes difere entre as culturas; essas diferenças podem também estar relacionadas a diferenças de atitude em relação à inconformidade de gênero em crianças, adolescentes e adultos. Entretanto, também em algumas culturas não ocidentais, descobriu-se que a ansiedade é relativamente comum em indivíduos com disforia de gênero, mesmo em culturas com atitudes de aceitação do comportamento variante de gênero.

Questões Diagnósticas Relativas ao Sexo e ao Gênero

As diferenças de sexo em relação às taxas de encaminhamento para clínicas especializadas variam de acordo com o grupo etário. Em crianças, a proporção entre indivíduos designados do sexo masculino no nascimento e aqueles designados do sexo feminino no nascimento varia de 1,25:1 a 4,3:1. Estudos mostram números crescentes de crianças e adolescentes que buscam clínicas especializadas, apresentação em idades mais precoces, transição social precoce mais frequente e uma mudança para um número maior de indivíduos designados do sexo feminino no nascimento em adolescentes e adultos jovens do que de indivíduos designados do sexo masculino no nascimento. Em adultos, as estimativas geralmente sugerem que mais indivíduos designados do sexo masculino no nascimento procuram tratamento para afirmação de gênero, com as proporções variando de 1:1 a 6,1:1 na maioria dos estudos nos Estados Unidos e na Europa.

Associação com Pensamentos ou Comportamentos Suicidas

As taxas de suicídio e tentativas de suicídio para indivíduos transgênero variam de 30 a 80%, com os fatores de risco incluindo maus-tratos, vitimização de gênero, depressão, abuso de substância e idade mais jovem. Adolescentes transgênero encaminhados para clínicas para afirmação de gênero apresentam taxas substancialmente mais elevadas de pensamentos e comportamentos suicidas quando comparados com adolescentes não encaminhados. Antes de receberem tratamento para afirmação de gênero e redesignação de gênero legal, os adolescentes e adultos com disforia de gênero estão em risco aumentado para pensamentos suicidas e tentativas de suicídio. Depois do tratamento para afirmação de gênero, a adaptação varia, e embora seja observada melhora nos sintomas coexistentes, alguns indivíduos continuam a experimentar ansiedade proeminente e sintomas afetivos e permanecem em risco aumentado para suicídio.

Um estudo de 572 crianças encaminhadas no Canadá por questões relacionadas à identidade de gênero e vários grupos de comparação (irmãos, outras crianças encaminhadas e crianças não encaminhadas) em grande parte de outros países de alta renda descobriu que as crianças encaminhadas por questões de gênero tinham 8,6 vezes mais chance de autolesão ou tentativa de suicídio do que as crianças dos grupos de comparação, mesmo depois de ajustar para problemas de comportamento em geral e na relação com os pares, e particularmente na segunda metade da infância. Entre os adolescentes, a taxa mais elevada de tentativa de suicídio se encontra entre homens jovens transgênero, seguidos por aqueles que se definem como nem homens nem mulheres.

Consequências Funcionais da Disforia de Gênero

A não conformidade com o gênero pode se desenvolver em todas as idades depois dos primeiros 2 a 3 anos de vida e frequentemente interfere nas atividades diárias. Em crianças mais velhas, a não conformidade com o gênero pode afetar as relações com os pares e resultar no isolamento dos grupos de pares e em sofrimento. Muitas crianças recebem provocações e assédio ou pressão para se vestir conforme o gênero designado no nascimento, especialmente quando crescem em um ambiente não apoiador e não receptivo. Além disso, em adolescentes e adultos, a preocupação com desejos transgêneros também interfere com frequência nas atividades diárias. As dificuldades de relacionamento, incluindo problemas de relacionamento sexual, são comuns, e o funcionamento na escola ou no trabalho pode ser prejudicado. A disforia de gênero está associada a níveis elevados de estigmatização, discriminação e vitimização, levando a autoconceito negativo, taxas elevadas de depressão, suicídio e comorbidade com outro transtorno mental, abandono escolar e marginalização econômica, incluindo desemprego, com todos os riscos correspondentes na área social e de saúde mental, principalmente no caso de indivíduos sem apoio familiar ou social. Além disso, o acesso dessas pessoas aos serviços de saúde e de saúde mental pode ser impedido por barreiras estruturais, como desconforto institucional sobre, inexperiência com ou hostilidade em relação ao trabalho com essa população de pacientes.

Diagnóstico Diferencial

Não conformidade com os papéis do gênero. A disforia de gênero deve ser diferenciada da não conformidade simples com o comportamento estereotípico do papel do gênero pelo desejo intenso de pertencer a gênero diferente do designado e pela extensão e onipresença de atividades e interesses variantes de gênero. O objetivo do diagnóstico não é simplesmente descrever a não conformidade em relação ao comportamento estereotípico do papel do gênero (p. ex., meninas com jeito de moleque, meninos com comportamentos considerados femininos, ocasional em homens adultos que se vestem com roupas femininas típicas). Considerando o nível elevado de abertura de expressões atípicas de gênero usadas pelos indivíduos em toda a faixa do espectro transgênero, é importante que o diagnóstico clínico se restrinja àqueles indivíduos cujo sofrimento e prejuízo preencham os critérios especificados.

Transtorno transvéstico. O transtorno transvéstico ocorre em homens (raramente em mulheres) adolescentes e adultos heterossexuais (ou bissexuais) para os quais o comportamento de vestir roupas femininas produz excitação sexual e causa sofrimento e/ou prejuízos sem colocar em discussão seu gênero designado. Ocasionalmente, esse transtorno é acompanhado de disforia de gênero. Um indivíduo com o transtorno transvéstico que também tem disforia de gênero clinicamente significativa pode receber os dois diagnósticos. Em alguns casos de disforia de gênero de início pós-puberal em indivíduos designados do sexo masculino no nascimento que são atraídos por mulheres, o comportamento de vestir roupas femininas típicas com excitação sexual é um precursor para o diagnóstico de disforia de gênero.

Transtorno dismórfico corporal. O foco principal de um indivíduo com transtorno dismórfico corporal é a alteração ou remoção de uma parte específica do corpo pelo fato de ela ser percebida como anormalmente formada, e não por representar um repúdio ao gênero designado. Nos casos em que a apresentação de um indivíduo atende aos critérios tanto para disforia de gênero quanto para transtorno dismórfico corporal, ambos os diagnósticos podem ser dados. Indivíduos com desejo de amputar um membro saudável (denominado por alguns de *transtorno de identidade da integridade corporal*) porque isso os faz sentir-se mais "completos" geralmente não desejam alterar seu gênero, mas viver como amputados ou inválidos.

Transtorno do espectro autista. Em indivíduos com transtorno do espectro autista, o diagnóstico de disforia de gênero pode ser desafiador. Pode ser difícil distinguir a potencial disforia de gênero comórbida de uma preocupação autista devido ao pensamento concreto e rígido em torno dos papéis de gênero e/ou ao fraco entendimento das relações sociais característico do transtorno do espectro autista.

Esquizofrenia e outros transtornos psicóticos. Na esquizofrenia, pode ocorrer raramente o delírio de pertencer ao outro gênero. Na ausência de sintomas psicóticos, a insistência de um indivíduo com disforia de gênero de que ele ou ela é do outro gênero não é considerada um delírio. Esquizofrenia (ou outros transtornos psicóticos) e disforia de gênero podem ocorrer concomitantemente. Delírios associados ao gênero podem ocorrer em até 20% dos indivíduos com esquizofrenia. Eles geralmente podem ser distinguidos de disforia de gênero por seu conteúdo bizarro e pela alternância entre remissões e exacerbações de episódios psicóticos.

Outras apresentações clínicas. Alguns indivíduos com desejo de emasculinização que desenvolvem uma identidade de gênero alternativa, nem homem nem mulher, têm realmente uma apresentação que preenche os critérios de disforia de gênero. No entanto, alguns homens procuram cirurgia genital por razões estéticas ou para remover os efeitos psicológicos de andrógenos sem alterar a identidade masculina; esses casos não preenchem os critérios de disforia de gênero.

Comorbidade

Crianças com disforia de gênero encaminhadas para atendimento clínico apresentam níveis elevados de ansiedade, transtornos disruptivos, do controle de impulsos e depressivos. O transtorno do espectro autista é mais prevalente em adolescentes e adultos com disforia de gênero encaminhados para atendimento clínico do que na população geral. Adolescentes e adultos com disforia de gênero encaminhados para atendimento clínico parecem ter altas taxas de transtornos mentais comórbidos, sendo que os transtornos depressivos e de ansiedade são os mais comuns. Indivíduos que vivenciaram assédio e violência podem também desenvolver transtorno de estresse pós-traumático.

Outra Disforia de Gênero Especificada

F64.8

Esta categoria aplica-se a apresentações em que sintomas característicos de disforia de gênero que causam sofrimento clinicamente significativo ou prejuízo no funcionamento social, profissional ou em outras áreas importantes da vida do indivíduo predominam, mas não satisfazem todos os critérios para disforia de gênero. A categoria outra disforia de gênero especificada é usada nas situações em que o clínico opta por comunicar a razão específica pela qual a apresentação não satisfaz os critérios para qualquer disforia de gênero. Isso é feito por meio do registro de "outra disforia de gênero especificada", seguido pela razão específica (p. ex., "disforia de gênero breve", em que os sintomas satisfazem todos os critérios para disforia de gênero, mas a duração é inferior aos 6 meses exigidos).

Disforia de Gênero Não Especificada

F64.9

Esta categoria aplica-se a apresentações em que sintomas característicos de disforia de gênero que causam sofrimento clinicamente significativo ou prejuízo no funcionamento social, profissional ou em outras áreas importantes da vida do indivíduo predominam, mas não satisfazem todos os critérios para disforia de gênero. A categoria disforia de gênero não especificada é usada nas situações em que o clínico opta por *não* especificar a razão pela qual os critérios para disforia de gênero não são satisfeitos e inclui apresentações para as quais não há informações suficientes para que seja feito um diagnóstico mais específico.

Transtornos Disruptivos, do Controle de Impulsos e da Conduta

Os transtornos disruptivos, do controle de impulsos e da conduta incluem condições que envolvem problemas de autocontrole de emoções e de comportamentos. Enquanto outros transtornos do DSM-5 também podem envolver problemas na regulação emocional e/ou comportamental, os transtornos inclusos neste capítulo são únicos no sentido de que esses problemas se manifestam em comportamentos que violam os direitos dos outros (p. ex., agressão, destruição de propriedade) e/ou colocam o indivíduo em conflito significativo com normas sociais ou figuras de autoridade. As causas subjacentes dos problemas de autocontrole das emoções e do comportamento podem variar amplamente entre os transtornos apresentados neste capítulo e entre indivíduos pertencentes a determinada categoria diagnóstica.

Este capítulo inclui o transtorno de oposição desafiante, o transtorno explosivo intermitente, o transtorno da conduta, o transtorno da personalidade antissocial (descrito no capítulo "Transtornos da Personalidade"), a piromania, a cleptomania, outro transtorno disruptivo, do controle de impulsos e da conduta especificado e transtorno disruptivo, do controle de impulsos e da conduta não especificado. Embora todos os transtornos inclusos neste capítulo envolvam problemas na regulação tanto emocional quanto comportamental, a fonte de variação entre os transtornos é a ênfase relativa que é dada a problemas nesses dois tipos de autocontrole. Por exemplo, os critérios para transtorno da conduta focam principalmente comportamentos pouco controlados que violam os direitos dos outros ou que violam normas sociais relevantes. Esses comportamentos podem ou não resultar de emoções insuficientemente controladas. Alguns dos sintomas do transtorno da conduta (p. ex., certas formas de agressão) podem ser atribuídos a respostas emocionais restritas. No outro extremo, os critérios para transtorno explosivo intermitente focam principalmente a emoção insuficientemente controlada, explosões de raiva que são desproporcionais à provocação interpessoal ou a outro tipo de provocação ou a outros estressores psicossociais.

Intermediário no impacto entre esses dois transtornos está o transtorno de oposição desafiante, no qual os critérios são distribuídos de maneira mais uniforme entre as emoções (raiva e irritação) e os comportamentos (questionamento e desafio). Piromania e cleptomania caracterizam-se por baixo controle de impulsos relacionado a comportamentos específicos (provocar incêndios ou furtar) que aliviam a tensão interna. Outro transtorno disruptivo, do controle de impulsos e da conduta especificado é uma categoria que envolve condições nas quais há sintomas de transtorno da conduta, transtorno de oposição desafiante ou de outros transtornos disruptivos, do controle de impulsos e da conduta, porém o número ou tipo de sintomas não atinge o limiar diagnóstico para nenhum dos transtornos mencionados neste capítulo, mesmo havendo evidência de prejuízo clinicamente significativo associado a tais sintomas.

Todos os transtornos disruptivos, do controle de impulsos e da conduta tendem a ser mais comuns em meninos e homens do que em meninas e mulheres, embora o grau relativo da predominância masculina possa ser diferente entre os transtornos e em um determinado transtorno em idades diferentes. Os transtornos deste capítulo tendem a se iniciar na infância ou na adolescência. Na realidade, em situações muito raras, o transtorno da conduta ou o de oposição desafiante surgem pela primeira vez na idade adulta. Há uma relação do ponto de vista do desenvolvimento entre o transtorno de oposição desafiante e o da conduta no sentido de que a maior parte dos casos de transtorno da conduta teria preenchido previamente critérios para transtorno de oposição desafiante, ao menos nos casos em que o transtorno da conduta surge antes da adolescência. No entanto, a maioria das crianças com transtorno de oposição desafiante não irá desenvolver transtorno da conduta. Além disso, crianças com transtorno de oposição desafiante estão em risco de desenvolver outros problemas além do transtorno da conduta, incluindo transtornos de ansiedade e depressivos.

Muitos dos sintomas que definem os transtornos disruptivos, do controle de impulsos e da conduta são comportamentos que ocorrem, em alguma medida, em indivíduos com desenvolvimento típico. Portanto, é extremamente importante que a frequência, a persistência, a pervasividade nas situações e o prejuízo associado aos comportamentos indicativos do diagnóstico sejam considerados em relação ao que é normativo para a idade, o gênero e a cultura da pessoa antes de se determinar se são sintomáticos de um transtorno.

Os transtornos disruptivos, do controle de impulsos e da conduta foram vinculados a um espectro externalizante comum associado a dimensões de personalidade denominadas *desinibição* e *emocionalidade negativa* (algumas facetas); e, inversamente, a *constrangimento* e *amabilidade*. Essas dimensões compartilhadas da personalidade poderiam explicar o alto nível de comorbidade entre esses transtornos e sua frequente comorbidade com transtornos por uso de substâncias e com transtorno da personalidade antissocial. No entanto, a natureza específica das diáteses compartilhadas que formam o espectro externalizante permanece desconhecida.

Transtorno de Oposição Desafiante

Critérios Diagnósticos   F91.3

A. Um padrão de humor raivoso/irritável, de comportamento questionador/desafiante ou índole vingativa com duração de pelo menos seis meses, como evidenciado por pelo menos quatro sintomas de qualquer das categorias seguintes e exibido na interação com pelo menos um indivíduo que não seja um irmão.

Humor Raivoso/Irritável
1. Com frequência perde a calma.
2. Com frequência é sensível ou facilmente incomodado.
3. Com frequência é raivoso e ressentido.

Comportamento Questionador/Desafiante
4. Frequentemente questiona figuras de autoridade ou, no caso de crianças e adolescentes, adultos.
5. Frequentemente desafia acintosamente ou se recusa a obedecer a regras ou pedidos de figuras de autoridade.
6. Frequentemente incomoda deliberadamente outras pessoas.
7. Frequentemente culpa outros por seus erros ou mau comportamento.

Índole Vingativa
8. Foi malvado ou vingativo pelo menos duas vezes nos últimos seis meses.

Nota: A persistência e a frequência desses comportamentos devem ser utilizadas para fazer a distinção entre um comportamento dentro dos limites normais e um comportamento sintomático. No caso de crianças com menos de 5 anos, o comportamento deve ocorrer na maioria dos dias durante um período mínimo de seis meses, exceto se explicitado de outro modo (Critério A8). No caso de crianças com 5 anos ou mais, o comportamento deve ocorrer pelo menos uma vez por semana durante no mínimo seis meses, exceto se explicitado de outro modo (Critério A8). Embora tais critérios de frequência sirvam de orientação quanto a um nível mínimo de frequência para definir os sintomas, outros fatores também devem ser considerados, tais como se a frequência e a intensidade dos comportamentos estão fora de uma faixa normativa para o nível de desenvolvimento, o gênero e a cultura do indivíduo.

B. A perturbação no comportamento está associada a sofrimento para o indivíduo ou para os outros em seu contexto social imediato (p. ex., família, grupo de pares, colegas de trabalho) ou causa impactos negativos no funcionamento social, educacional, profissional ou outras áreas importantes da vida do indivíduo.

C. Os comportamentos não ocorrem exclusivamente durante o curso de um transtorno psicótico, por uso de substância, depressivo ou bipolar. Além disso, os critérios para transtorno disruptivo da desregulação do humor não são preenchidos.

Especificar a gravidade atual:
   Leve: Os sintomas limitam-se a apenas um contexto (p. ex., em casa, na escola, no trabalho, com os colegas).
   Moderada: Alguns sintomas estão presentes em pelo menos dois contextos.
   Grave: Alguns sintomas estão presentes em três ou mais contextos.

Especificadores

Não é raro indivíduos com transtorno de oposição desafiante apresentarem sintomas somente em casa e apenas com membros da família. No entanto, a difusão dos sintomas é um indicador da gravidade do transtorno.

Características Diagnósticas

A característica essencial do transtorno de oposição desafiante é um padrão frequente e persistente de humor raivoso/irritável, de comportamento questionador/desafiante ou de índole vingativa (Critério A). Não é raro indivíduos com transtorno de oposição desafiante apresentarem características comportamentais do transtorno na ausência de problemas de humor negativo. Entretanto, as pessoas com o transtorno que apresentam sintomas de humor raivoso/irritável costumam também demonstrar as características comportamentais.

Os sintomas do transtorno de oposição desafiante podem se limitar a apenas um contexto, mais frequentemente em casa. Os indivíduos que apresentam sintomas suficientes para atingir o limiar diagnóstico, mesmo que isso ocorra somente em casa, podem ter prejuízos significativos em seu funcionamento social. Todavia, nos casos mais graves, os sintomas do transtorno estão presentes em múltiplos contextos. Levando-se em conta que a difusão dos sintomas é um indicador da gravidade do transtorno, é extremamente importante avaliar o comportamento do indivíduo em vários ambientes e relacionamentos. Como são comuns entre irmãos, esses comportamentos devem ser observados nas interações com outras pessoas. Além disso, considerando que, em geral, os sintomas do transtorno são mais evidentes nas interações com adultos ou pares que o indivíduo conhece bem, eles podem não ficar tão evidentes no exame clínico.

Os sintomas do transtorno de oposição desafiante podem ocorrer em alguma medida entre indivíduos sem esse transtorno. Há várias considerações importantes para determinar se os comportamentos são sintomáticos do transtorno de oposição desafiante. Em primeiro lugar, o limiar diagnóstico de quatro sintomas ou mais durante os seis meses precedentes deve ser atingido. Em segundo lugar, a persistência e a frequência dos sintomas deverão exceder os níveis considerados normais para a idade, o gênero e a cultura do indivíduo. Explosões de raiva para uma criança pré-escolar seriam consideradas sintomas do transtorno de oposição desafiante somente se tivessem ocorrido na maioria dos dias nos seis meses precedentes, se tivessem ocorrido com pelo menos três outros sintomas do transtorno e se as explosões de raiva tivessem contribuído para o prejuízo significativo associado ao transtorno (p. ex., levassem à destruição de propriedade durante as explosões, resultassem na expulsão da criança da pré-escola). Deve ser observado que a perda da calma nem sempre precisa envolver acesso de raiva e pode ser exibida por expressões faciais raivosas, expressões verbais de raiva e sentimentos subjetivos de raiva que geralmente não seriam considerados uma crise de raiva.

Com frequência, os sintomas do transtorno fazem parte de um padrão de interações problemáticas com outras pessoas. Além disso, geralmente indivíduos com esse transtorno não se consideram raivosos, opositores ou desafiadores. Em vez disso, costumam justificar seu comportamento como uma resposta a exigências ou circunstâncias despropositadas. Consequentemente, pode ser difícil estabelecer a contribuição relativa do indivíduo com o transtorno para as interações problemáticas que ele vivencia. Por exemplo, crianças com transtorno de oposição desafiante podem ter vivenciado uma história de cuidados parentais hostis, e, com frequência, é impossível determinar se seu comportamento fez os pais agirem de uma maneira mais hostil em relação a elas, se a hostilidade dos pais levou ao comportamento problemático da criança ou se houve uma combinação de ambas as situações. A possibilidade de o clínico separar as contribuições relativas dos potenciais fatores causais não deve influenciar o estabelecimento ou não do diagnóstico. Nas situações em que a criança estiver vivendo em condições particularmente precárias, em que poderão ocorrer negligência ou maus-tratos (p. ex., em instituições), a atenção clínica para diminuir a influência do ambiente pode ser útil.

Características Associadas

Duas das condições comórbidas mais comuns com o transtorno de oposição desafiante são o transtorno de déficit de atenção/hiperatividade (TDAH) e o transtorno da conduta (ver a seção "Comorbidade" para esse transtorno). O transtorno de oposição desafiante foi associado a um risco aumentado para tentativas de suicídio, mesmo depois que as comorbidades foram controladas.

Prevalência

A prevalência transnacional do transtorno de oposição desafiante varia de 1 a 11%, com uma prevalência média estimada de aproximadamente 3,3%. A taxa do transtorno pode variar de acordo com a idade e o gênero da criança. Aparentemente, é mais prevalente em meninos do que em meninas (1,59:1) antes da adolescência. Essa predominância masculina não é encontrada de forma consistente em amostras de adolescentes ou de adultos.

Desenvolvimento e Curso

Geralmente, os primeiros sintomas do transtorno de oposição desafiante surgem durante os anos de pré-escola e, raramente, mais tarde, após o início da adolescência. Com frequência, o transtorno de oposição desafiante precede o desenvolvimento do transtorno da conduta, sobretudo em indivíduos com transtorno da conduta com início na infância. No entanto, muitas crianças e adolescentes com transtorno de oposição desafiante não desenvolvem subsequentemente o transtorno da conduta. O transtorno de oposição desafiante também favorece o risco para o desenvolvimento de transtornos de ansiedade e transtorno depressivo maior, mesmo na ausência do transtorno da conduta. Os sintomas desafiantes, questionadores e vingativos respondem pela maior parte do risco para transtorno da conduta, enquanto os sintomas de humor raivoso/irritável respondem pela maior parte do risco para transtornos emocionais.

As manifestações do transtorno parecem ser consistentes ao longo do desenvolvimento. Crianças e adolescentes com transtorno de oposição desafiante estão sob risco aumentado para uma série de problemas de adaptação na idade adulta, incluindo prejuízos funcionais (p. ex., problemas nas relações com a família, com os pares e com parceiros românticos; menor nível educacional; maior estresse no ambiente de trabalho), a persistência do transtorno de oposição desafiante e outra psicopatologia, como comportamento antissocial, problemas de controle de impulsos, abuso de substâncias, ansiedade e depressão.

A frequência de muitos dos comportamentos associados ao transtorno de oposição desafiante aumenta no período pré-escolar e na adolescência. Portanto, durante esses períodos de desenvolvimento é especialmente importante que a frequência e a intensidade desses comportamentos sejam avaliadas em relação aos níveis considerados normativos antes de decidir que se tratam de sintomas do transtorno de oposição desafiante. Por exemplo, não é raro que crianças pré-escolares demonstrem crises de birra semanalmente, porém crises diárias ocorrem em apenas 10% das crianças nessa faixa etária.

Fatores de Risco e Prognóstico

Temperamentais. Fatores temperamentais relacionados a problemas de regulação emocional (p. ex., níveis elevados de reatividade emocional, baixa tolerância a frustrações) são preditivos do transtorno.

Ambientais. Crianças com transtorno de oposição desafiante influenciam seus ambientes, os quais, por sua vez, podem influenciá-las. Por exemplo, práticas agressivas, inconsistentes ou negligentes de criação dos filhos predizem aumentos nos sintomas, e sintomas de oposição predizem aumentos na parentalidade agressiva e inconsistente. Em crianças e adolescentes, o transtorno de oposição desafiante é mais prevalente nas famílias em que o cuidado à criança é interrompido por uma sucessão de diferentes cuidadores. As crianças com transtorno de oposição desafiante também têm maior risco de fazer *bullying* com seus pares, bem como ser vítima de *bullying* praticado por eles.

Genéticos e fisiológicos. Uma série de marcadores neurobiológicos (p. ex., menor frequência cardíaca e reatividade da condutância da pele; reatividade do cortisol basal reduzida; anormalidades no córtex pré-frontal e na amígdala) foi associada ao transtorno de oposição desafiante. Estudos demonstraram influências genéticas sobrepostas entre os sintomas de irritabilidade e raiva do transtorno de oposição desafiante e depressão e transtorno de ansiedade generalizada. Entretanto, a vasta maioria dos estudos não separou crianças com o transtorno de oposição desafiante daquelas com transtorno da conduta. São necessários mais estudos sobre os marcadores específicos para o transtorno de oposição desafiante.

Questões Diagnósticas Relativas à Cultura

A prevalência relatada do transtorno de oposição desafiante ou de outros transtornos disruptivos pode ser influenciada pelo diagnóstico incorreto ou pelo hiperdiagnóstico de indivíduos de algumas culturas. As normas sociais podem afetar a prevalência do transtorno e a sua predominância no gênero masculino em crianças e adolescentes. Uma metanálise das taxas de prevalência na meia infância evidenciou que o transtorno é mais comum nos meninos comparados com as meninas nas culturas ocidentais, mas que a prevalência é similar entre os gêneros em culturas não ocidentais. Além disso, apesar das experiências adversas, migrantes da primeira geração e refugiados podem ter risco reduzido de desenvolver sintomas do transtorno de oposição desafiante.

Questões Diagnósticas Relativas ao Sexo e ao Gênero

Alguns estudos encontram poucas diferenças de sexo ou gênero para esse transtorno comparado com, por exemplo, transtorno da conduta. Podem existir ligeiras diferenças nos fatores de risco, com a parentalidade severa mais fortemente associada ao transtorno de oposição desafiante em meninas, mas não em meninos.

Consequências Funcionais do Transtorno de Oposição Desafiante

Quando o transtorno de oposição desafiante é persistente ao longo do desenvolvimento, os indivíduos com o transtorno vivenciam conflitos frequentes com pais, professores, supervisores, pares e parceiros românticos. Com frequência, tais problemas resultam em prejuízos significativos no ajustamento emocional, social, acadêmico e profissional do indivíduo.

Diagnóstico Diferencial

Transtorno da conduta. Tanto o transtorno da conduta quanto o transtorno de oposição desafiante estão relacionados a problemas de conduta que colocam o indivíduo em conflito com adultos e outras figuras de autoridade (p. ex., professores, supervisores de trabalho). Geralmente, os comportamentos do transtorno de oposição desafiante são de natureza menos grave do que aqueles relacionados ao transtorno da conduta e não incluem agressão a pessoas ou animais, destruição de propriedade ou um padrão de roubo ou de falsidade. Entretanto, evidências sugerem que o transtorno de oposição desafiante está associado a níveis equivalentes ou mesmo mais altos de prejuízo do que o transtorno da conduta. Além disso, o transtorno de oposição desafiante inclui problemas de desregulação emocional (i. e., humor raivoso e irritável) que não estão inclusos na definição de transtorno da conduta.

Transtorno de adaptação. Estressores ambientais e familiares podem estar associados a manifestações externalizantes de desregulação emocional. Em crianças, eles podem se manifestar como crises de raiva e comportamento de oposição; e em adolescentes, como comportamentos agressivos (p. ex., rebelião e desafio). A associação temporal com um estressor e a duração dos sintomas de menos de 6 meses após a resolução do estressor podem ajudar a distinguir transtorno de adaptação de transtorno de oposição desafiante.

Transtorno de estresse pós-traumático. Em crianças com menos de 6 anos, o transtorno de estresse pós-traumático pode se manifestar inicialmente como comportamentos desregulados, oposição e crises de raiva. A associação com um evento traumático e com outros sintomas específicos (jogo traumático) são essenciais para estabelecer o diagnóstico. Em adolescentes, a reconstituição traumática e o assumir riscos podem ser mal interpretados como desafio e oposição ou como problemas da conduta.

Transtorno de déficit de atenção/hiperatividade. Com frequência, o TDAH é comórbido com o transtorno de oposição desafiante. Para fazer um diagnóstico adicional de transtorno de oposição desafiante, é importante determinar que a falha do indivíduo em obedecer às solicitações de outros não ocorre somente em situações que demandam esforço e atenção sustentados ou que exigem que o indivíduo permaneça quieto.

Transtornos depressivo e bipolar. Com frequência, os transtornos depressivo e bipolar envolvem irritabilidade e afeto negativo. Como resultado, um diagnóstico de transtorno de oposição desafiante não deverá ser feito se os sintomas ocorrerem exclusivamente durante o curso de um transtorno do humor.

Transtorno disruptivo da desregulação do humor. O transtorno de oposição desafiante compartilha com o transtorno disruptivo da desregulação do humor os sintomas de humor irritável crônico e explosões de raiva. Entretanto, se o humor irritável e outros sintomas preenchem os critérios de transtorno disruptivo da desregulação do humor, não é feito um diagnóstico de transtorno de oposição desafiante, mesmo que todos os critérios sejam satisfeitos.

Transtorno explosivo intermitente. O transtorno explosivo intermitente também envolve altas taxas de raiva. No entanto, indivíduos com esse transtorno apresentam agressão grave dirigida a outros, o que não faz parte da definição de transtorno de oposição desafiante.

Transtorno do desenvolvimento intelectual (deficiência intelectual). Em indivíduos com transtorno do desenvolvimento intelectual, um diagnóstico de transtorno de oposição desafiante é feito somente se o comportamento opositor for acentuadamente maior do que aquele que em geral se observa entre indivíduos com idade mental comparável e com gravidade comparável de transtorno do desenvolvimento intelectual.

Transtorno da linguagem. O transtorno de oposição desafiante deve também ser diferenciado da incapacidade para seguir orientações resultante de uma alteração na compreensão da linguagem (p. ex., perda auditiva).

Transtorno de ansiedade social. O transtorno de oposição desafiante também deve ser diferenciado do desafio decorrente do medo de uma avaliação negativa associada com o transtorno de ansiedade social.

Comorbidade

As taxas do transtorno de oposição desafiante são muito mais altas em amostras de crianças, adolescentes e adultos com TDAH, sendo que isso pode ser o resultado de fatores de risco temperamentais compartilhados. Além disso, o transtorno de oposição desafiante com frequência precede o transtorno da conduta, embora isso pareça ser mais comum em crianças com o subtipo com início na infância. Indivíduos com transtorno de oposição desafiante também têm risco aumentado de transtornos de ansiedade e transtorno depressivo maior, e isso parece ser, em grande parte, atribuível à presença de sintomas de humor raivoso/irritável. Taxas extremamente altas de comorbidade entre o transtorno disruptivo da desregulação do humor e os sintomas característicos de transtorno de oposição desafiante têm sido reportadas, com a maioria dos indivíduos com transtorno disruptivo da desregulação do humor apresentando sintomas que satisfazem os critérios de transtorno de oposição desafiante (tais como sintomas de questionamento/desafiadores); contudo, como o transtorno de oposição desafiante não pode ser diagnosticado se também forem atendidos os critérios de transtorno disruptivo da desregulação do humor, apenas será diagnosticado, nesses casos, o transtorno disruptivo da desregulação do humor. Adolescentes e adultos com o transtorno de oposição desafiante também apresentam taxas mais altas de transtornos por uso de substâncias, embora não esteja claro se essa associação é independente da comorbidade com transtorno da conduta.

Transtorno Explosivo Intermitente

Critérios Diagnósticos   F63.81

A. Explosões comportamentais recorrentes representando uma falha em controlar impulsos agressivos, conforme manifestado por um dos seguintes aspectos:
   1. Agressão verbal (p. ex., acessos de raiva, injúrias, discussões ou agressões verbais) ou agressão física dirigida a propriedade, animais ou outros indivíduos, ocorrendo em uma média de duas vezes por semana, durante um período de três meses. A agressão física não resulta em danos ou destruição de propriedade nem em lesões físicas em animais ou em outros indivíduos.
   2. Três explosões comportamentais envolvendo danos ou destruição de propriedade e/ou agressão física envolvendo lesões físicas contra animais ou outros indivíduos ocorrendo dentro de um período de 12 meses.
B. A magnitude da agressividade expressa durante as explosões recorrentes é grosseiramente desproporcional em relação à provocação ou a quaisquer estressores psicossociais precipitantes.
C. As explosões de agressividade recorrentes não são premeditadas (i. e., são impulsivas e/ou decorrentes de raiva) e não têm por finalidade atingir algum objetivo tangível (p. ex., dinheiro, poder, intimidação).
D. As explosões de agressividade recorrentes causam sofrimento acentuado ao indivíduo ou prejuízo no funcionamento profissional ou interpessoal ou estão associadas a consequências financeiras ou legais.
E. A idade cronológica é de pelo menos 6 anos (ou nível de desenvolvimento equivalente).
F. As explosões de agressividade recorrentes não são mais bem explicadas por outro transtorno mental (p. ex., transtorno depressivo maior, transtorno bipolar, transtorno disruptivo da desregulação do humor, um transtorno psicótico, transtorno da personalidade antissocial, transtorno da personalidade *borderline*) e não são atribuíveis a outra condição médica (p. ex., traumatismo craniano, doença de Alzheimer) ou aos efeitos fisiológicos de uma substância (p. ex., droga de abuso, medicamento). No caso de crianças e adolescentes com idade entre 6 e 18 anos, o comportamento agressivo que ocorre como parte do transtorno de adaptação não deve ser considerado para esse diagnóstico.

Nota: Este diagnóstico pode ser feito em adição ao diagnóstico de transtorno de déficit de atenção/hiperatividade, transtorno da conduta, transtorno de oposição desafiante ou transtorno do espectro autista nos casos em que as explosões de agressividade impulsiva recorrentes excederem aquelas normalmente observadas nesses transtornos e justificarem atenção clínica independente.

Características Diagnósticas

As explosões de agressividade impulsivas (ou decorrentes de raiva) no transtorno explosivo intermitente têm início rápido e, geralmente, pouco ou nenhum período prodrômico. Em geral, as explosões duram menos de 30 minutos e costumam ocorrer em resposta a uma provocação mínima por uma pessoa íntima ou próxima. Com frequência, indivíduos com transtorno explosivo intermitente apresentam episódios menos graves de violência verbal e/ou física que não causam danos, destruição ou lesões (Critério A1) em meio a episódios mais graves, destrutivos/violentos (Critério A2). O Critério A1 define explosões de agressividade frequentes (i. e., duas vezes por semana em média, por um período de três meses) que se caracterizam por acessos de raiva, injúrias, discussões verbais ou brigas ou violência sem causar danos a objetos ou lesões em animais ou em outros indivíduos. O Critério A2 define explosões de agressividade impulsivas infrequentes (i. e., três no período de um ano) que se caracterizam por causar danos materiais ou destruir um objeto, seja qual for seu valor tangível, ou por violência/ataque ou outra lesão física em um animal ou outro indivíduo. Independentemente da natureza da explosão de agressividade impulsiva, a característica básica do transtorno explosivo intermitente é a incapacidade de controlar comportamentos agressivos impulsivos em resposta a provocações vivenciadas subjetivamente (i. e., estressores psicossociais) que em geral não resultariam em explosões agressivas (Critério B). De maneira geral, as explosões de agressividade são impulsivas e/ou decorrentes de raiva, em vez de serem premeditadas ou instrumentais (Critério C) e causam sofrimento acentuado ou prejuízos no funcionamento profissional ou interpessoal ou estão associadas a consequências financeiras ou legais (Critério D). Um diagnóstico de transtorno explosivo intermitente não deve ser feito em indivíduos com idade inferior a 6 anos ou nível equivalente de desenvolvimento (Critério E) ou naqueles cujas explosões de agressividade forem mais bem explicadas por outro transtorno mental (Critério F). Um diagnóstico de transtorno explosivo intermitente não deve ser feito em indivíduos com transtorno disruptivo da desregulação do humor ou naqueles cujas explosões de agressividade impulsivas forem atribuíveis a outra condição médica ou a efeitos fisiológicos de uma substância (Critério F). Além disso, crianças e adolescentes com idades entre 6 e 18 anos não devem receber esse diagnóstico em situações nas quais as explosões de agressividade impulsivas ocorrerem no contexto de um transtorno de adaptação (Critério F).

Características Associadas

Os transtornos depressivos, de ansiedade e por uso de substâncias estão associados ao transtorno explosivo intermitente, embora, normalmente, o início desses transtornos ocorra mais tarde do que o transtorno explosivo intermitente.

As pesquisas fornecem suporte neurobiológico para a presença de anormalidades serotonérgicas, globalmente e no cérebro, especificamente em áreas do sistema límbico (cingulado anterior) e no córtex orbitofrontal em indivíduos com transtorno explosivo intermitente. Em exames de ressonância magnética funcional, as respostas da amígdala a estímulos de raiva são mais intensas em indivíduos com transtorno explosivo intermitente em comparação com indivíduos saudáveis. Além disso, o volume de substância cinzenta em várias regiões frontais límbicas é reduzido e correlaciona-se inversamente com as medidas de agressão em indivíduos com transtorno explosivo intermitente, embora nem sempre sejam observadas essas diferenças no cérebro.

Prevalência

A prevalência em um ano de transtorno explosivo intermitente nos Estados Unidos é de aproximadamente 2,6%, com uma prevalência de 4,0% ao longo da vida. Para períodos superiores a 1 ano, prevalências de 3,9 e 6,9% (definição estrita) estão presentes entre adolescentes afro-americanos e negros caribenhos, respectivamente, nos Estados Unidos, especialmente entre homens. Isso é consistente com taxas mais elevadas em 12 meses de transtorno psiquiátrico entre homens negros caribenhos e seus descendentes de segunda e terceira gerações, o que parece se associar à mobilidade social descendente e aos efeitos do racismo. No entanto, a prevalência relatada de transtorno da conduta ou outros transtornos disruptivos pode ser influenciada pelo diagnóstico incorreto ou pelo hiperdiagnóstico de indivíduos em algumas origens culturais. O transtorno explosivo intermitente é mais prevalente entre indivíduos mais jovens (p. ex., com menos de 35 a 40 anos), comparados com indivíduos acima dos 50 anos, e indivíduos com ensino médio ou inferior. Em alguns estudos, a prevalência de transtorno explosivo intermitente é maior em homens e meninos do que em mulheres e meninas; outros estudos não encontraram diferenças de sexo ou gênero.

Desenvolvimento e Curso

O início de comportamentos agressivos impulsivos problemáticos recorrentes é mais comum na fase final da infância ou na adolescência e raramente inicia depois dos 40 anos de idade. O curso do transtorno pode ser episódico, com períodos recorrentes de explosões de agressividade impulsivas. O transtorno explosivo intermitente aparentemente segue um curso crônico e persistente ao longo de muitos anos. Também parece ser relativamente comum independentemente da presença ou ausência de TDAH ou transtornos disruptivos, do controle de impulsos e da conduta (p. ex., transtorno da conduta, transtorno de oposição desafiante).

Fatores de Risco e Prognóstico

Ambientais. Indivíduos com história de trauma físico e emocional durante as primeiras duas décadas de vida estão em risco aumentado para transtorno explosivo intermitente. O afastamento de casa e a separação de membros da família por tempo prolongado são fatores de risco em alguns contextos de populações de refugiados.

Genéticos e fisiológicos. Parentes de primeiro grau de indivíduos com transtorno explosivo intermitente estão em risco aumentado para esse transtorno, sendo que estudos de gêmeos demonstraram uma influência genética substancial para agressão impulsiva.

Questões Diagnósticas Relativas à Cultura

A prevalência mais baixa do transtorno explosivo intermitente em algumas regiões (Ásia, Oriente Médio) ou países (Romênia, Nigéria), em comparação com os Estados Unidos, sugere que informações sobre comportamentos agressivos impulsivos, recorrentes e problemáticos ou não são obtidas quando questionadas ou têm menor probabilidade de estarem presentes devido a fatores culturais.

Associação com Pensamentos ou Comportamentos Suicidas

Um estudo com 1.460 voluntários de pesquisa evidenciou que o transtorno explosivo intermitente comórbido com transtorno de estresse pós-traumático estava associado a uma taxa acentuadamente elevada de tentativa de suicídio durante a vida (41%). Transtorno de estresse pós-traumático e transtorno explosivo intermitente foram os únicos transtornos associados a tentativa de suicídio entre soldados com ideação suicida, embora o papel do transtorno explosivo intermitente fosse menos claro em análises multivariadas.

Consequências Funcionais do Transtorno Explosivo Intermitente

Problemas sociais (p. ex., perda de amigos ou parentes, instabilidade conjugal), profissionais (p. ex., rebaixamento de função, perda de emprego), financeiros (p. ex., causados pelo valor de objetos destruídos) e legais (p. ex., ações civis resultantes de comportamentos agressivos contra pessoas ou propriedades; ações criminais por violência) frequentemente ocorrem como resultado do transtorno explosivo intermitente.

Diagnóstico Diferencial

Um diagnóstico de transtorno explosivo intermitente não deve ser feito nos casos em que os Critérios A1 e/ou A2 forem preenchidos somente durante um episódio de outro transtorno mental (p. ex., transtorno depressivo maior, transtorno bipolar, transtorno psicótico) ou quando as explosões de agressividade impulsivas forem atribuídas a outra condição médica ou aos efeitos fisiológicos de uma substância ou medicamento. Esse diagnóstico também não poderá ser feito, principalmente em crianças e adolescentes com 6 a 18 anos, quando as explosões de agressividade impulsivas ocorrerem no contexto de um transtorno de adaptação.

Transtorno disruptivo da desregulação do humor. Em contraste com o transtorno explosivo intermitente, o transtorno disruptivo da desregulação do humor caracteriza-se por um estado de humor persistentemente negativo (i. e., irritabilidade, raiva) na maior parte do dia, quase todos os dias, entre explosões de agressividade impulsivas. O diagnóstico de transtorno disruptivo da desregulação do humor somente poderá ser feito nas situações em que o início das explosões de agressividade impulsivas, recorrentes e problemáticas ocorrer antes dos 10 anos de idade. Por fim, o diagnóstico de transtorno disruptivo da desregulação do humor não deverá ser feito pela primeira vez após os 18 anos de idade. Além disso, esses diagnósticos são mutuamente exclusivos.

Transtorno da personalidade antissocial ou transtorno da personalidade *borderline*. Com frequência, indivíduos com transtorno da personalidade antissocial ou *borderline* apresentam ataques de agressividade impulsivos, recorrentes e problemáticos. Entretanto, os níveis de agressividade impulsiva nessas pessoas são inferiores aos daquelas com transtorno explosivo intermitente.

Delirium, **transtorno neurocognitivo maior e mudança de personalidade causada por outra condição médica, tipo agressiva.** O diagnóstico de transtorno explosivo intermitente não deve ser feito nas situações em que se julgar que as explosões de agressividade são resultado dos efeitos fisiológicos de alguma outra condição médica diagnosticável (p. ex., traumatismo encefálico associado a uma mudança na personalidade caracterizada por explosões de agressividade; epilepsia parcial complexa). Anormalidades inespecíficas encontradas no exame neurológico (p. ex., "sinais leves") e alterações eletrencefalográficas inespecíficas são compatíveis com o diagnóstico de transtorno explosivo intermitente, a menos que exista alguma condição médica diagnosticável que explique melhor as explosões de agressividade impulsivas.

Intoxicação por substâncias ou abstinência de substâncias. O diagnóstico de transtorno explosivo intermitente não deve ser feito nas situações em que as explosões de agressividade impulsivas estiverem quase sempre associadas a intoxicação ou abstinência de substâncias (p. ex., álcool, fenciclidina, cocaína e outros estimulantes, barbitúricos, inalantes). No entanto, quando um número suficiente de explosões de agressividade impulsivas também ocorrer na ausência de intoxicação ou abstinência de substâncias, e essas situações justificarem atenção clínica independente, um diagnóstico de transtorno explosivo intermitente pode ser feito.

Transtorno de déficit de atenção/hiperatividade, transtorno da conduta, transtorno de oposição desafiante ou transtorno do espectro autista. Indivíduos com qualquer um desses transtornos com início na infância podem ter explosões de agressividade impulsivas. Em geral, os indivíduos com TDAH são impulsivos e, como resultado, poderão ter também explosões de agressividade impulsivas. Embora pessoas com transtorno da conduta possam ter explosões de agressividade impulsivas, a forma de agressividade caracterizada pelos critérios diagnósticos é proativa e predatória. A agressividade no transtorno de oposição desafiante caracteriza-se principalmente por ataques de raiva e questionamentos verbais com figuras de autoridade, enquanto as explosões de agressividade impulsivas no transtorno explosivo intermitente são respostas a um amplo grupo de provocações e incluem violência física. O nível de agressividade impulsiva em indivíduos com história de um ou mais de um desses transtornos foi considerado inferior em comparação àqueles cujos sintomas também preenchem os Critérios A a E do transtorno explosivo intermitente. Da mesma forma, se os Critérios A a E também forem preenchidos, e as explosões de agressividade impulsivas justificarem atenção clínica independente, pode-se fazer um diagnóstico de transtorno explosivo intermitente.

Comorbidade

Transtornos depressivos, transtornos de ansiedade, transtorno de estresse pós-traumático, bulimia nervosa, transtorno de compulsão alimentar e transtornos por uso de substâncias são mais comumente comórbidos com o transtorno explosivo intermitente em amostras na comunidade. Além disso, indivíduos com transtorno da personalidade antissocial ou *borderline*, assim como aqueles com história de transtornos com comportamentos disruptivos (p. ex., TDAH, transtorno da conduta, transtorno de oposição desafiante), apresentam um risco aumentado para transtorno explosivo intermitente comórbido.

Transtorno da Conduta

Critérios Diagnósticos

A. Um padrão de comportamento repetitivo e persistente no qual são violados direitos básicos de outras pessoas ou normas ou regras sociais relevantes e apropriadas para a idade, tal como manifestado pela presença de ao menos três dos 15 critérios seguintes, nos últimos 12 meses, de qualquer uma das categorias a seguir, com ao menos um critério presente nos últimos seis meses:

Transtorno da Conduta

Agressão a Pessoas e Animais

1. Frequentemente provoca, ameaça ou intimida outros.
2. Frequentemente inicia brigas físicas.
3. Usou alguma arma que pode causar danos físicos graves a outros (p. ex., bastão, tijolo, garrafa quebrada, faca, arma de fogo).
4. Foi fisicamente cruel com pessoas.
5. Foi fisicamente cruel com animais.
6. Roubou durante o confronto com uma vítima (p. ex., assalto, roubo de bolsa, extorsão, roubo à mão armada).
7. Forçou alguém a atividade sexual.

Destruição de Propriedade

8. Envolveu-se deliberadamente na provocação de incêndios com a intenção de causar danos graves.
9. Destruiu deliberadamente propriedade de outras pessoas (excluindo provocação de incêndios).

Falsidade ou Furto

10. Invadiu a casa, o edifício ou o carro de outra pessoa.
11. Frequentemente mente para obter bens materiais ou favores ou para evitar obrigações (i. e., "trapaceia").
12. Furtou itens de valores consideráveis sem confrontar a vítima (p. ex., furto em lojas, mas sem invadir ou forçar a entrada; falsificação).

Violações Graves de Regras

13. Frequentemente fica fora de casa à noite, apesar da proibição dos pais, com início antes dos 13 anos de idade.
14. Fugiu de casa, passando a noite fora, pelo menos duas vezes enquanto morando com os pais ou em lar substituto, ou uma vez sem retornar por um longo período.
15. Com frequência falta às aulas, com início antes dos 13 anos de idade.

B. A perturbação comportamental causa prejuízos clinicamente significativos no funcionamento social, acadêmico ou profissional.

C. Se o indivíduo tem 18 anos ou mais, os critérios para transtorno da personalidade antissocial não são preenchidos.

Determinar o subtipo:

F91.1 Tipo com início na infância: Os indivíduos apresentam pelo menos um sintoma característico de transtorno da conduta antes dos 10 anos de idade.

F91.2 Tipo com início na adolescência: Os indivíduos não apresentam nenhum sintoma característico de transtorno da conduta antes dos 10 anos de idade.

F91.9 Início não especificado: Os critérios para o diagnóstico de transtorno da conduta são preenchidos, porém não há informações suficientes disponíveis para determinar se o início do primeiro sintoma ocorreu antes ou depois dos 10 anos.

Especificar se:

Com emoções pró-sociais limitadas: Para qualificar-se para este especificador, o indivíduo deve ter apresentado pelo menos duas das seguintes características de forma persistente durante, no mínimo, 12 meses e em múltiplos relacionamentos e ambientes. Essas características refletem o padrão típico de funcionamento interpessoal e emocional do indivíduo ao longo desse período, e não apenas ocorrências ocasionais em algumas situações. Consequentemente, para avaliar os critérios para o especificador, são necessárias várias fontes de informação. Além do autorrelato, é necessário considerar relatos de outras pessoas que conviveram com o indivíduo por longos períodos de tempo (p. ex., pais, professores, colegas de trabalho, membros da família estendida, pares).

Ausência de remorso ou culpa: O indivíduo não se sente mal ou culpado quando faz alguma coisa errada (excluindo o remorso expresso somente nas situações em que for pego e/ ou ao enfrentar alguma punição). O indivíduo demonstra falta geral de preocupação quanto às consequências negativas de suas ações. Por exemplo, não sente remorso depois de machucar alguém ou não se preocupa com as consequências de violar regras.

Insensível – falta de empatia: Ignora e não está preocupado com os sentimentos de outras pessoas. O indivíduo é descrito como frio e desinteressado. O indivíduo parece estar mais preocupado com os efeitos de suas ações sobre si mesmo do que sobre outras pessoas, mesmo que essas ações causem danos substanciais.

Despreocupado com o desempenho: Não demonstra preocupação com o desempenho fraco e problemático na escola, no trabalho ou em outras atividades importantes. Não se esforça o necessário para um bom desempenho, mesmo quando as expectativas são claras, e geralmente culpa os outros por seu mau desempenho.

Afeto superficial ou deficiente: Não expressa sentimentos nem demonstra emoções para os outros, a não ser de uma maneira que parece superficial, insincera ou rasa (p. ex., as ações contradizem a emoção demonstrada; pode "ligar" ou "desligar" emoções rapidamente) ou quando as expressões emocionais são usadas para obter algum ganho (p. ex., emoções com a finalidade de manipular ou intimidar outras pessoas).

Especificar a gravidade atual:

Leve: Poucos, se algum, problemas de conduta estão presentes além daqueles necessários para fazer o diagnóstico, e estes causam danos relativamente pequenos a outros (p. ex., mentir, faltar aula, permanecer fora à noite sem autorização, outras violações de regras).

Moderada: O número de problemas de conduta e o efeito sobre os outros estão entre aqueles especificados como "leves" e "graves" (p. ex., furtar sem confrontar a vítima, vandalismo).

Grave: Muitos problemas de conduta, além daqueles necessários para fazer o diagnóstico, estão presentes, ou os problemas de conduta causam danos consideráveis a outros (p. ex., sexo forçado, crueldade física, uso de armas, roubo com confronto à vítima, arrombamento e invasão).

Subtipos

Existem três subtipos de transtorno da conduta que se baseiam na idade de início do transtorno. Os subtipos com início na infância e com início na adolescência podem ocorrer nas formas leve, moderada ou grave. O subtipo com início não especificado é atribuído nas situações em que não há informações suficientes para determinar a idade de início.

Geralmente, no transtorno da conduta com início na infância, os indivíduos são homens, têm relacionamentos conturbados com pares, podem ter tido transtorno de oposição desafiante precocemente na infância e normalmente têm sintomas que preenchem critérios para transtorno da conduta antes da puberdade. Indivíduos com o tipo com início na infância podem ser mais propensos a apresentar agressão física contra outras pessoas do que aqueles com o tipo com início na adolescência. Muitas crianças com esse subtipo têm também TDAH ou outras dificuldades do neurodesenvolvimento concomitantes. Indivíduos com o subtipo com início na infância são mais propensos a ter o transtorno da conduta persistente na vida adulta do que aqueles com o subtipo com início na adolescência. Indivíduos com transtorno da conduta com início na adolescência tendem a ter relações mais normativas com os pares (embora com frequência apresentem problemas da conduta na companhia de outros).

Especificadores

A minoria dos indivíduos com transtorno da conduta apresenta características necessárias para o especificador "com emoções pró-sociais limitadas". Os indicadores desse especificador são aqueles que muitas vezes foram chamados de traços insensíveis e desprovidos de emoção em pesquisas. Outras características de personalidade, tais como busca de emoções fortes, audácia e insensibilidade a punições, também podem distinguir aqueles com as características descritas no especificador. Indivíduos com características descritas no especificador podem ser mais propensos do que outros com transtorno da conduta a se envolver em agressões planejadas para obter ganhos. Indivíduos com qualquer subtipo do transtorno da conduta ou em qualquer nível de gravidade podem apresentar características que os qualificam para o especificador "com emoções pró-sociais limitadas", embora os com o especificador sejam mais propensos a ter o tipo com início na infância e um especificador de gravidade classificado como grave.

Embora a validade do autorrelato para avaliar a presença do especificador tenha sido confirmada em alguns contextos de pesquisa, os indivíduos com transtorno da conduta com esse especificador talvez não admitam prontamente que tenham tais traços quando questionados em uma entrevista clínica. Consequentemente, são necessárias informações de várias fontes para avaliar os critérios para o especificador. Além do mais, considerando que os indicadores do especificador são características que refletem o padrão típico de funcionamento interpessoal e emocional dos indivíduos, é importante levar em consideração relatos feitos por outras pessoas que conheceram o indivíduo por longos períodos de tempo e em diferentes relacionamentos e ambientes (p. ex., pais, professores, colegas de trabalho, membros da família estendida, pares).

Características Diagnósticas

A característica essencial do transtorno da conduta é um padrão comportamental repetitivo e persistente no qual são violados direitos básicos de outras pessoas ou normas ou regras sociais relevantes e apropriadas para a idade (Critério A). Esses comportamentos se enquadram em quatro grupos principais: conduta agressiva que causa ou ameaça causar danos físicos a outras pessoas ou animais (Critérios A1 a A7); conduta não agressiva que causa perda ou danos a propriedade (Critérios A8 a A9); falsidade ou furto (Critérios A10 a A12); e violações graves de regras (Critérios A13 a A15). Três ou mais comportamentos típicos devem estar presentes nos últimos 12 meses, com pelo menos um comportamento presente nos últimos seis meses. A perturbação comportamental causa prejuízos clinicamente significativos no funcionamento social, acadêmico ou profissional (Critério B). Em geral, o padrão de comportamento está presente em vários ambientes, tais como casa, escola ou comunidade. Como os indivíduos com transtorno da conduta têm uma propensão a minimizar seus problemas comportamentais, o clínico frequentemente deverá se basear em informantes adicionais. Entretanto, o conhecimento dos informantes acerca dos problemas de conduta do indivíduo poderá ser limitado se a supervisão for inadequada ou se o indivíduo ocultou comportamentos sintomáticos.

Indivíduos com o transtorno em geral iniciam comportamentos agressivos e reagem agressivamente a outras pessoas. Podem fazer provocações, ameaças ou assumir comportamento intimidador (incluindo *bullying* via mensagens nas redes sociais por meio da internet) (Critério A1); com frequência iniciar brigas físicas (Critério A2); utilizar armas que podem causar danos físicos graves (p. ex., bastão, tijolo, garrafa quebrada, faca, arma de fogo) (Critério A3); ser fisicamente cruéis com pessoas (Critério A4) ou animais (Critério A5); roubar com confronto à vítima (p. ex., assalto, roubo de bolsa, extorsão, roubo à mão armada) (Critério A6); ou forçar alguém a atividade sexual (Critério A7). A violência física pode assumir a forma de estupro, violência ou, em casos raros, homicídio. A destruição deliberada de propriedade de outras pessoas inclui provocação deliberada de incêndios com a intenção de causar danos graves (Critério A8) ou destruição deliberada da propriedade de outras pessoas de outras maneiras (p. ex., quebrar vidros de carros, vandalizar propriedade escolar) (Critério A9). Atos de falsidade ou furtos podem incluir invadir casas, edifícios ou carros de outras pessoas (Critério A10); frequentemente mentir ou quebrar promessas para obter bens ou favores ou evitar dívidas ou obrigações (p. ex., "trapacear") (Critério A11); ou furtar itens de valor considerável sem confrontar a vítima (p. ex., furtos em lojas, falsificação, fraude) (Critério A12).

Indivíduos com transtorno da conduta também podem frequentemente cometer violações graves de normas (p. ex., na escola, em casa, no trabalho). Crianças com o transtorno costumam apresentar um padrão, iniciado antes dos 13 anos de idade, de ficar fora até tarde da noite, a despeito da proibição dos pais (Critério A13). As crianças podem apresentar também um padrão de fugir de casa, passando a noite fora (Critério A14). Para ser considerada um sintoma de transtorno da conduta, a fuga de casa deve ocorrer pelo menos duas vezes (ou apenas uma vez se o indivíduo não retornar por um longo período de tempo). Episódios de fugas de casa que ocorrem como consequência direta de abuso físico ou sexual geralmente não se qualificam para esse critério. Crianças com transtorno da conduta frequentemente faltam às aulas, comportamento que se inicia antes dos 13 anos (Critério A15).

Características Associadas

Sobretudo em situações ambíguas, indivíduos agressivos com transtorno da conduta costumam inadequadamente perceber as intenções dos outros como mais hostis e ameaçadoras do que realmente são e responder com uma agressividade que julgam ser razoável e justificada. Características de personalidade que incluem traços de afetividade negativa e baixo autocontrole, incluindo baixa tolerância a frustrações, irritabilidade, explosões de raiva, desconfiança, insensibilidade a punições, busca de emoções fortes e imprudência frequentemente ocorrem de forma concomitante com o transtorno da conduta. Uso problemático de substâncias com frequência é uma característica associada, sobretudo em adolescentes meninas.

Prevalência

As estimativas de prevalência na população em um ano nos Estados Unidos e em outros países predominantemente de alta renda variam de 2 a mais de 10%, com mediana de 4%. Nos Estados Unidos, a prevalência durante a vida é de 12% nos homens e 7,1% nas mulheres. A prevalência de transtorno da conduta em amostras ocidentais parece ser bastante consistente em vários países. As taxas de prevalência aumentam da infância para a adolescência. Mais frequentemente, a prevalência de transtorno da conduta com início na adolescência está associada a estressores psicossociais – por exemplo, ser um membro de um grupo étnico socialmente oprimido que enfrenta discriminação. Poucas crianças que apresentam um transtorno da conduta que causa prejuízo recebem tratamento.

Desenvolvimento e Curso

O início do transtorno da conduta pode ocorrer no começo dos anos pré-escolares, embora os primeiros sintomas significativos costumem aparecer durante o período que vai desde a fase intermediária da infância até a fase intermediária da adolescência. O transtorno de oposição desafiante é um precursor comum do transtorno da conduta do tipo com início na infância. Sintomas de agressão física são mais comuns do que sintomas não agressivos durante a infância, mas sintomas não agressivos se tornam mais comuns que sintomas agressivos durante a adolescência.

O transtorno da conduta pode ser diagnosticado em adultos, embora os sintomas geralmente surjam na infância ou na adolescência, sendo raro o início depois dos 16 anos. O curso do transtorno é variável. Na grande maioria das pessoas, há remissão na vida adulta. Muitas – em particular aquelas do tipo com início na adolescência e as com sintomas reduzidos e mais leves – conseguem atingir um ajuste social e profissional adequado quando adultas. No entanto, o tipo com início precoce é um preditor de pior prognóstico e de risco aumentado para comportamento criminal, transtorno da conduta e transtornos relacionados ao uso de substâncias na vida adulta. Indivíduos com o transtorno da conduta estão em risco de apresentar transtornos do humor, de ansiedade, de estresse pós-traumático, do controle de impulsos, psicóticos, transtorno de sintomas somáticos e transtornos relacionados ao uso de substâncias quando adultos.

Os sintomas do transtorno variam de acordo com a idade à medida que o indivíduo desenvolve força física, capacidades cognitivas e maturidade sexual. Os primeiros comportamentos sintomáticos tendem a ser menos graves (p. ex., mentiras, furtos em lojas), ao passo que os problemas de conduta que surgem posteriormente tendem a ser mais graves (p. ex., estupro, roubo confrontando a vítima). Entretanto, há diferenças acentuadas entre os indivíduos, com alguns se envolvendo em comportamentos mais danosos em idades mais precoces (o que prediz pior prognóstico). No momento em que as pessoas com o transtorno da conduta atingem a vida adulta, os sintomas de agressão, destruição de propriedades, falsidade e violação de regras, incluindo violência contra colegas de trabalho, parceiros e crianças, poderão surgir no local de trabalho e em casa, de forma que a presença de um transtorno da personalidade antissocial pode ser considerada.

Fatores de Risco e Prognóstico

Temperamentais. Os fatores de risco temperamentais incluem temperamento infantil de difícil controle e inteligência abaixo da média, principalmente no que diz respeito ao QI verbal.

Ambientais. Os fatores de risco familiares incluem rejeição e negligência parental, práticas inconsistentes para criar os filhos, disciplina agressiva, abuso físico ou sexual, falta de supervisão, institucionalização precoce, mudanças frequentes de cuidadores, família excessivamente grande, criminalidade parental e determinados tipos de psicopatologia familiar (p. ex., transtornos relacionados ao uso de substâncias). Os fatores de risco em nível comunitário incluem rejeição pelos pares, associação com grupos de pares delinquentes, desfavorecimento e exposição a violência no contexto da vizinhança. Ambos os tipos de fatores de risco tendem a ser mais comuns e graves em indivíduos com transtorno da conduta do subtipo com início na infância. Por sua vez, migração parental é um fator de risco para as crianças que são deixadas no país de origem, bem como para aquelas que migraram com seus pais, com os problemas de conduta sendo atribuíveis aos processos de aculturação. No entanto, geralmente a primeira geração de imigrantes e refugiados tem menos problemas de conduta do que seus pares.

Genéticos e fisiológicos. O transtorno da conduta sofre influências de fatores genéticos e ambientais. As associações genéticas podem ser mais fortes para sintomas agressivos. O risco é maior em crianças com pais biológicos ou adotivos ou irmãos com esse transtorno. Ele também parece ser mais comum em crianças com pais biológicos com transtorno por uso de álcool grave, transtornos depressivo e bipolar ou esquizofrenia ou com pais biológicos com história de TDAH ou transtorno da conduta. Uma história familiar caracteriza especialmente os indivíduos com transtorno da conduta do subtipo com início na infância. Frequências cardíacas mais lentas no repouso foram consistentemente observadas em indivíduos com o transtorno, na comparação com pessoas saudáveis, sendo que esse marcador não é característico de nenhum outro transtorno mental. Redução no condicionamento autonômico do medo, em particular baixa condutância da pele, também está bem documentada. No entanto, esses achados psicofisiológicos não são diagnósticos do transtorno. Diferenças estruturais e funcionais em regiões do cérebro associadas à regulação e ao processamento do afeto, em particular conexões frontotêmporo-límbicas envolvendo o córtex pré-frontal ventral e a amígdala, foram observadas de forma consistente em indivíduos com transtorno da conduta na comparação com pessoas sem o transtorno. Os achados de neuroimagem, entretanto, não são diagnósticos do transtorno.

Modificadores do curso. A persistência é mais provável em indivíduos com comportamentos que preenchem os critérios para o subtipo com início na infância e para o especificador "com emoções pró-sociais limitadas". O risco de persistência do transtorno da conduta também aumenta com a comorbidade com o TDAH e com o abuso de substâncias.

Questões Diagnósticas Relativas à Cultura

O diagnóstico de transtorno da conduta pode ser incorretamente aplicado a indivíduos que vivem em ambientes nos quais os padrões de comportamento disruptivo são considerados quase normativos (p. ex., em áreas de crime altamente ameaçadoras ou em zonas de guerra). Portanto, o contexto em que os comportamentos indesejáveis ocorreram deve ser levado em consideração. Em jovens de grupos étnicos e racializados carentes, reações ao racismo que envolvem raiva e enfrentamento baseado na resistência podem ser mal diagnosticadas como transtorno da conduta por profissionais desinformados, como sugerido pela associação entre experiências de discriminação e o transtorno da conduta com início na adolescência nesses grupos.

Questões Diagnósticas Relativas ao Sexo e ao Gênero

Meninos e homens com o diagnóstico de transtorno da conduta frequentemente apresentam brigas, roubo, vandalismo e problemas de disciplina escolar. Meninas e mulheres com o diagnóstico do transtorno são mais propensas a exibir comportamentos como mentir, faltar aulas, fugir de casa e se prostituir. Embora meninos e homens e meninas e mulheres exibam agressão relacional (comportamento que prejudica as relações sociais de outros), as meninas e as mulheres exibem consideravelmente menos agressão física do que os meninos e os homens.

Associação com Pensamentos ou Comportamentos Suicidas

Ideação suicida, tentativas de suicídio e ocorrência de suicídio cometidos ocorrem a uma taxa mais elevada do que o esperado em indivíduos com transtorno da conduta. Um grande estudo conduzido em Taiwan que acompanhou adolescentes com transtorno da conduta por 10 anos evidenciou que o transtorno está associado a uma taxa mais elevada de tentativas de suicídio mesmo depois de ajustes para transtornos comórbidos do humor, de ansiedade e por uso de substâncias.

Consequências Funcionais do Transtorno da Conduta

Os comportamentos do transtorno da conduta podem provocar suspensão ou expulsão da escola, problemas de adaptação no trabalho, problemas legais, infecções sexualmente transmissíveis, gestação não planejada e lesões físicas causadas por acidentes ou brigas. Esses problemas poderão impedir o indivíduo de frequentar escolas regulares ou viver na casa de pais biológicos ou adotivos. Com frequência, o transtorno da conduta está associado a início precoce do comportamento sexual, consumo de álcool, tabagismo, uso de substâncias ilícitas e atos imprudentes e arriscados. As taxas de acidentes parecem ser maiores entre indivíduos com o transtorno em comparação com pessoas saudáveis. Essas consequências funcionais do transtorno da conduta podem aumentar o risco de problemas de saúde quando o indivíduo atinge a meia-idade. Não é raro que as pessoas com o transtorno se defrontem com o sistema jurídico criminal em decorrência do envolvimento em comportamentos ilegais. O transtorno da conduta é um motivo comum para encaminhamento para tratamento e com frequência é diagnosticado em instituições de saúde mental para crianças, em especial na prática forense. Esse tipo de transtorno está associado a prejuízo mais grave e crônico do que aquele vivenciado por outras crianças encaminhadas para tratamento por outras vias.

Diagnóstico Diferencial

Transtorno de oposição desafiante. O transtorno da conduta e o transtorno de oposição desafiante estão relacionados a sintomas que colocam o indivíduo em conflito com adultos e outras figuras de autoridade (p. ex., pais, professores, supervisores de trabalho). Geralmente, os comportamentos do transtorno de oposição desafiante são de natureza menos grave do que aqueles de indivíduos com transtorno da conduta e não incluem agressão a pessoas ou animais, destruição de propriedade ou um padrão de furto ou falsidade. Além disso, o transtorno de oposição desafiante inclui problemas de desregulação emocional (i. e., humor raivoso e irritável) que não estão inclusos na definição de transtorno da conduta. Ambos os diagnósticos poderão ser feitos caso sejam preenchidos critérios tanto para transtorno de oposição desafiante quanto para transtorno da conduta.

Transtorno de déficit de atenção/hiperatividade. Embora as crianças com TDAH com frequência apresentem comportamento hiperativo e impulsivo que pode ser disruptivo, esse comportamento por si só não viola normas sociais ou os direitos de outras pessoas e, portanto, em geral não preenche critérios para transtorno da conduta. Ambos os diagnósticos poderão ser feitos nas situações em que forem preenchidos os critérios tanto para TDAH quanto para transtorno da conduta.

Transtornos depressivo e bipolar. Problemas de irritabilidade, agressividade e de conduta podem ocorrer em crianças ou adolescentes com transtorno depressivo maior, bipolar ou disruptivo da desregulação do humor. Em geral, os problemas comportamentais associados a esses transtornos do humor podem ser distinguidos, com base em seu curso, do padrão dos problemas de conduta observado no transtorno da conduta. Especificamente, pessoas com esse diagnóstico irão apresentar níveis substanciais de problemas de conduta agressivos ou não agressivos durante períodos em que não houver nenhuma perturbação do humor, seja previamente (i. e., história de problemas de conduta com início anterior à perturbação do humor), seja concomitantemente (i. e., apresentação de alguns problemas de conduta premeditados e que não ocorrem durante períodos de excitação emocional intensa). É possível atribuir ambos os diagnósticos nos casos em que forem preenchidos critérios para transtorno da conduta e para transtorno do humor.

Transtorno explosivo intermitente. Tanto o transtorno da conduta quanto o transtorno explosivo intermitente envolvem altas taxas de agressividade. No entanto, a agressividade em indivíduos com o transtorno explosivo intermitente limita-se à agressão impulsiva que não é premeditada e não busca atingir algum objetivo tangível (p. ex., dinheiro, poder, intimidação). Além disso, a definição de transtorno explosivo intermitente não inclui os sintomas não agressivos do transtorno da conduta. Se os critérios para ambos os transtornos forem preenchidos, um diagnóstico de transtorno explosivo intermitente somente deve ser feito se as explosões de agressividade impulsivas recorrentes justificarem atenção clínica independente.

Transtornos de adaptação. O diagnóstico de um transtorno de adaptação (com distúrbio da conduta ou com distúrbio misto de emoções e da conduta) deverá ser considerado se problemas de conduta clinicamente significativos que não preenchem critérios para outro transtorno específico se desenvolverem em clara associação com o início de um estressor psicossocial e não desaparecerem dentro de seis meses após o término do estressor (ou de suas consequências). O transtorno da conduta é diagnosticado apenas nas situações em que os problemas de conduta representam um padrão repetitivo e persistente que esteja associado a prejuízos no funcionamento social, acadêmico ou profissional.

Comorbidade

O TDAH e o transtorno de oposição desafiante são comuns em indivíduos com transtorno da conduta, sendo que essa apresentação comórbida é preditora de evoluções piores. Pessoas que apresentam características de personalidade associadas ao transtorno da personalidade antissocial frequentemente violam direitos básicos de outros ou normas sociais relevantes e apropriadas para a idade, e, como resultado, seu padrão de comportamento geralmente preenche critérios para transtorno da conduta. Esse transtorno pode ocorrer também com um ou mais dos seguintes transtornos mentais: transtorno específico da aprendizagem, transtornos de ansiedade, transtornos depressivo ou bipolar e transtornos relacionados ao uso de substâncias. O sucesso acadêmico, sobretudo no campo da leitura e de outras habilidades verbais, está frequentemente abaixo do nível esperado para a idade e a inteligência e pode justificar um diagnóstico adicional de transtorno específico da aprendizagem ou transtorno da comunicação.

Transtorno da Personalidade Antissocial

Os critérios e o texto para transtorno da personalidade antissocial podem ser encontrados no capítulo "Transtornos da Personalidade". Levando-se em conta que esse transtorno está intimamente ligado ao espectro dos transtornos da conduta "externalizantes" deste capítulo, assim como aos transtornos discutidos no capítulo subsequente, "Transtornos Relacionados a Substâncias e Transtornos Aditivos", ele foi duplamente codificado neste capítulo e no capítulo "Transtornos da Personalidade".

Piromania

Critérios Diagnósticos F63.1

A. Atear fogo de forma deliberada e proposital em mais de uma ocasião.
B. Tensão ou excitação afetiva antes do ato.
C. Fascinação, interesse, curiosidade ou atração pelo fogo e seu contexto situacional (p. ex., equipamentos, usos, consequências).
D. Prazer, gratificação ou alívio ao atear fogo ou quando testemunhando ou participando de suas consequências.
E. O incêndio não é feito com fins monetários, como expressão de uma ideologia sociopolítica, para ocultar atividades criminosas, para expressar raiva ou vingança, para melhorar as circunstâncias de vida de uma pessoa, em resposta a um delírio ou alucinação ou como resultado de julgamento alterado (p. ex., no transtorno neurocognitivo maior, no transtorno do desenvolvimento intelectual [deficiência intelectual], na intoxicação por substâncias).
F. O atear fogo não é mais bem explicado por transtorno da conduta, por um episódio maníaco ou por transtorno da personalidade antissocial.

Características Diagnósticas

A característica essencial da piromania é a presença de múltiplos episódios de atear fogo de forma deliberada e proposital (Critério A). Indivíduos com esse transtorno experimentam tensão ou excitação afetiva antes de atear fogo (Critério B). Há grande fascinação, interesse, curiosidade ou atração pelo fogo e seus contextos situacionais (p. ex., equipamentos, usos, consequências) (Critério C). Indivíduos com esse transtorno são frequentemente "expectadores" regulares de incêndios em suas vizinhanças, podem disparar falsos alarmes e obter prazer do convívio com instituições, equipamentos e pessoal associados a incêndio. Podem passar tempo no corpo de bombeiros local, provocar incêndios para se afiliar ao corpo de bombeiros ou mesmo se tornarem bombeiros. Sentem prazer, gratificação ou alívio ao atear fogo, ao testemunhar seus efeitos ou participar de suas consequências (Critério D). O atear fogo não é feito com fins monetários, como uma expressão de ideologia sociopolítica, para ocultar atividades criminais, para expressar raiva ou vingança, para melhorar as circunstâncias de vida de uma pessoa ou em resposta a um delírio ou alucinação (Critério E). O atear fogo não resulta de julgamento alterado (p. ex., no transtorno neurocognitivo maior, no transtorno do desenvolvimento intelectual [deficiência intelectual]). O diagnóstico não é feito se o atear fogo for mais bem explicado por transtorno da conduta, por episódio maníaco ou por transtorno da personalidade antissocial (Critério F).

Características Associadas

Indivíduos com piromania podem fazer uma preparação antecipada considerável antes de iniciar um incêndio. Eles podem permanecer indiferentes às consequências do incêndio para a vida ou propriedade ou sentir satisfação com a destruição patrimonial resultante. Os comportamentos poderão provocar danos materiais, consequências legais, lesões ou morte do incendiário ou de outras pessoas. Indivíduos que impulsivamente provocam incêndios (que podem ou não ter piromania) com frequência têm história atual ou passada de transtorno por uso de álcool.

Prevalência

A prevalência de piromania na população é desconhecida. A prevalência de atear fogo ao longo da vida, que é apenas um componente da piromania e por si só não é suficiente para o diagnóstico, foi relatada como sendo de 1,0 a 1,1% em uma amostra populacional. O atear fogo ocorre com mais frequência em homens do que em mulheres (prevalência ao longo da vida de 1,7 e 0,4%, respectivamente); entretanto, é desconhecido se isso também vale para piromania. As comorbidades mais comuns de atear fogo foram transtorno da personalidade antissocial, transtorno por uso de substâncias, transtorno bipolar e transtorno do jogo. Por sua vez, a piromania como diagnóstico primário parece ser muito rara. Em uma amostra de pessoas em um hospital finlandês que chegaram ao sistema criminal por causa de incêndios repetidos, apenas 3,3% tinham sintomas que preenchiam os critérios plenos para piromania. Em um estudo nos Estados Unidos, 3,4% de uma amostra de adultos hospitalizados por motivos psiquiátricos tinham sintomas que preenchiam plenamente os critérios para piromania atual.

Desenvolvimento e Curso

Embora os dados sejam limitados, algumas pesquisas sugerem que a parte final da adolescência pode ser a idade típica de início para a piromania. A relação entre atear fogo na infância e piromania na vida adulta não foi documentada. Em indivíduos com piromania, os incidentes de atear fogo são episódicos e podem aumentar e diminuir em frequência. O curso longitudinal é desconhecido. Embora o atear fogo seja um grande problema em crianças e adolescentes (aproximadamente 40% das pessoas presas nos Estados Unidos por ofensas incendiárias têm idade inferior a 18 anos), a piromania na infância parece ser rara. Geralmente, o atear fogo entre jovens está associado ao transtorno da conduta, ao TDAH ou a um transtorno de adaptação.

Questões Diagnósticas Relativas ao Sexo e ao Gênero

Embora o atear fogo esteja associado a comportamento antissocial em homens e mulheres, eles diferem em alguns dos comportamentos antissociais que acompanham a provocação de incêndios. É desconhecido se isso ocorre na piromania, que é um subgrupo daqueles com comportamento de atear fogo.

Associação com Pensamentos ou Comportamentos Suicidas

Um estudo de uma amostra consecutiva de homens ateadores de fogo submetidos à avaliação forense comparou cada caso com controles de mesma idade, sexo e local de nascimento e descobriu que esse comportamento estava associado, durante o acompanhamento, com taxas mais elevadas de suicídio e também de tentativas de suicídio. É desconhecido se essas diferenças se aplicam à piromania.

Diagnóstico Diferencial

Outras causas intencionais de incêndios. É importante excluir outras causas de atear fogo antes de fazer o diagnóstico de piromania. Os incêndios intencionais podem ocorrer por lucro, sabotagem ou vingança; para ocultar um crime; fazer uma declaração política (p. ex., atos de terrorismo ou de protesto); ou para atrair atenção ou obter reconhecimento (p. ex., provocar um incêndio intencionalmente para depois "descobri-lo" e salvar o dia). O atear fogo ocorre também como parte de experimentações do desenvolvimento na infância (p. ex., brincar com fósforos, isqueiros ou fogo).

Outros transtornos mentais. Não é feito um diagnóstico separado de piromania quando o incêndio ocorrer como parte do transtorno da conduta, de um episódio maníaco ou do transtorno da personalidade antissocial, se ocorrer em resposta a um delírio ou alucinação (p. ex., na esquizofrenia) ou se for atribuível aos efeitos fisiológicos de alguma outra condição médica (p. ex., epilepsia). O diagnóstico de piromania também não deve ser feito nas situações em que o incêndio resultar de julgamento prejudicado associado ao transtorno neurocognitivo maior, ao transtorno do desenvolvimento intelectual ou à intoxicação por substâncias.

Comorbidade

Aparentemente, há alta comorbidade de piromania com transtornos por uso de substâncias, transtorno do jogo, transtornos depressivo e bipolar e outros transtornos disruptivos, do controle de impulsos e da conduta.

Cleptomania

Critérios Diagnósticos   F63.2

A. Falha recorrente em resistir aos impulsos de roubar objetos que não são necessários para uso pessoal ou em razão de seu valor monetário.
B. Sensação crescente de tensão imediatamente antes de cometer o furto.
C. Prazer, gratificação ou alívio no momento de cometer o furto.
D. O ato de furtar não é cometido para expressar raiva ou vingança e não ocorre em resposta a um delírio ou a uma alucinação.
E. O ato de roubar não é mais bem explicado por transtorno da conduta, por um episódio maníaco ou por transtorno da personalidade antissocial.

Características Diagnósticas

A característica essencial da cleptomania é a falha recorrente em resistir aos impulsos de furtar itens, mesmo que eles não sejam necessários para uso pessoal ou em razão de seu valor monetário (Critério A). O indivíduo experimenta uma sensação subjetiva crescente de tensão antes do furto (Critério B) e sente prazer, gratificação ou alívio quando o comete (Critério C). O ato de roubar não é cometido para expressar raiva ou vingança, não é executado em resposta a um delírio ou a uma alucinação (Critério D) e não é mais bem explicado por transtorno da conduta, por um episódio maníaco ou por transtorno da personalidade antissocial (Critério E). Os objetos são roubados mesmo que, em geral, tenham pouco valor para o indivíduo, que teria condições de pagar por eles e que com frequência os oferece em doação ou os descarta. Às vezes o indivíduo poderá colecionar os objetos roubados ou devolvê-los disfarçadamente. Embora as pessoas com esse transtorno geralmente não pratiquem o ato de roubar quando existe a probabilidade de prisão imediata (p. ex., à vista de um policial), não costumam planejar com antecedência os furtos ou levar totalmente em conta as chances de serem pegas. O ato de roubar é executado sem assistência ou colaboração de outras pessoas.

Características Associadas

Indivíduos com cleptomania geralmente tentam resistir ao impulso de roubar e têm consciência de que estão fazendo algo errado e sem sentido. Frequentemente temem serem apanhados e sentem-se deprimidos ou culpados pelos furtos. Rotas neurotransmissoras associadas a adições comportamentais, incluindo aquelas associadas aos sistemas serotonérgico, dopaminérgico e opioide, também parecem desempenhar um papel na cleptomania.

Prevalência

Nos Estados Unidos e no Canadá, a cleptomania ocorre em aproximadamente 4 a 24% dos indivíduos presos por furtos em lojas. Sua prevalência na população norte-americana em geral é muito rara, ficando em torno de 0,3 a 0,6%. Mulheres superam homens em uma proporção de 3:1.

Desenvolvimento e Curso

A idade de início da cleptomania é variável, porém, com frequência, o transtorno inicia na adolescência. Entretanto, pode iniciar na infância, na adolescência ou na vida adulta e, em raros casos, na fase final da idade adulta. Existem poucas informações sistemáticas sobre o curso da cleptomania, embora três cursos típicos tenham sido descritos: esporádico com breves episódios e longos períodos de remissão; episódico com períodos prolongados de furto e períodos de remissão; e crônico com algum grau de flutuação. O transtorno pode continuar por vários anos, a despeito de múltiplas condenações por furtos em lojas.

Fatores de Risco e Prognóstico

Genéticos e fisiológicos. Também parece haver uma taxa mais alta de transtornos por uso de substâncias, incluindo transtorno por uso de álcool, em parentes de indivíduos com cleptomania na comparação com a população geral.

Associação com Pensamentos ou Comportamentos Suicidas

A cleptomania foi associada a um aumento no risco de tentativas de suicídio.

Consequências Funcionais da Cleptomania

Esse transtorno pode causar dificuldades legais, familiares, profissionais e pessoais.

Diagnóstico Diferencial

Furtos comuns. A cleptomania deve ser distinguida de atos comuns de furto ou furto em lojas. Os furtos comuns (planejados ou impulsivos) são deliberados e motivados pela utilidade do objeto e por seu valor monetário. Alguns indivíduos, em especial os adolescentes, podem roubar por ousadia, como um ato rebelde ou como um rito de passagem. O diagnóstico não deverá ser feito a menos que também estejam presentes outras características típicas de cleptomania. O transtorno é extremamente raro, ao passo que os furtos em lojas são relativamente comuns.

Simulação. Na simulação, os indivíduos poderão simular os sintomas de cleptomania para evitar condenação criminal.

Transtorno da personalidade antissocial e transtorno da conduta. O transtorno da personalidade antissocial e o transtorno da conduta distinguem-se da cleptomania por um padrão geral de comportamento antissocial.

Episódios maníacos, episódios psicóticos e transtorno neurocognitivo maior. A cleptomania deve ser distinguida de furtos não intencionais ou inadvertidos que possam ocorrer durante um episódio maníaco, em resposta a delírios ou alucinações (p. ex., esquizofrenia) ou como resultado de um transtorno neurocognitivo maior.

Comorbidade

A cleptomania pode estar associada a compras compulsivas e aos transtornos depressivo e bipolar (em especial o transtorno depressivo maior), de ansiedade, alimentares (particularmente bulimia nervosa), da personalidade, por uso de substâncias (em especial o transtorno por uso de álcool) e a outros transtornos disruptivos, do controle de impulsos e da conduta.

Outro Transtorno Disruptivo, do Controle de Impulsos e da Conduta Especificado

F91.8

Esta categoria aplica-se a apresentações em que sintomas característicos de um transtorno disruptivo, do controle de impulsos e da conduta que causam sofrimento clinicamente significativo ou prejuízo no funcionamento social, profissional ou em outras áreas importantes da vida do indivíduo predominam, mas não satisfazem todos os critérios para qualquer transtorno na classe diagnóstica dos transtornos disruptivos, do controle de impulsos e da conduta. A categoria outro transtorno disruptivo, do controle de impulsos e da conduta especificado é usada nas situações em que o clínico opta por comunicar a razão específica pela qual a apresentação não satisfaz os critérios para qualquer transtorno disruptivo, do controle de impulsos e da conduta. Isso é feito por meio do registro de "outro transtorno disruptivo, do controle de impulsos e da conduta especificado", seguido pela razão específica (p. ex., "explosões comportamentais recorrentes com frequência insuficiente").

Transtorno Disruptivo, do Controle de Impulsos e da Conduta Não Especificado

F91.9

Esta categoria aplica-se a apresentações em que sintomas característicos de um transtorno disruptivo, do controle de impulsos e da conduta que causam sofrimento clinicamente significativo ou prejuízo no funcionamento social, profissional ou em outras áreas importantes da vida do indivíduo predominam, mas não satisfazem todos os critérios para qualquer transtorno na classe diagnóstica dos transtornos disruptivos, do controle de impulsos e da conduta. A categoria transtorno disruptivo, do controle de impulsos e da conduta não especificado é usada nas situações em que o clínico opta por *não* especificar a razão pela qual os critérios para um transtorno disruptivo, do controle de impulsos e da conduta específico não são satisfeitos e inclui apresentações para as quais não há informações suficientes para que seja feito um diagnóstico mais específico (p. ex., em salas de emergência).

Transtornos Relacionados a Substâncias e Transtornos Aditivos

Os transtornos relacionados a substâncias abrangem 10 classes distintas de drogas: álcool; cafeína; *Cannabis*; alucinógenos (com categorias distintas para fenciclidina [ou arilciclo-hexilaminas de ação similar] e outros alucinógenos); inalantes; opioides; sedativos, hipnóticos ou ansiolíticos; estimulantes (substâncias tipo anfetamina, cocaína e outros estimulantes); tabaco; e outras substâncias (ou substâncias desconhecidas). Essas 10 classes não são totalmente distintas. Todas as drogas que são consumidas em excesso têm em comum a ativação direta do sistema de recompensa do cérebro, o qual está envolvido no reforço de comportamentos e na produção de memórias. Em vez de atingir a ativação do sistema de recompensa por meio de comportamentos adaptativos, essas substâncias produzem uma ativação tão intensa do sistema de recompensa que as atividades normais podem ser negligenciadas. Os mecanismos farmacológicos pelos quais cada classe de drogas produz recompensa são diferentes, mas elas geralmente ativam o sistema e produzem sensações de prazer, frequentemente denominadas de "barato" ou "viagem". Além disso, estudos sugerem que as raízes neurobiológicas dos transtornos por uso da substância para alguns indivíduos podem ser observadas em seus comportamentos muito antes do início do uso real da substância propriamente dita (p. ex., níveis mais baixos de autocontrole podem refletir deficiências nos mecanismos cerebrais de inibição); as pesquisas também sugerem o impacto negativo do próprio uso de substância nos mecanismos cerebrais de inibição.

Repare que a expressão "dependência de drogas" não é aplicada como termo diagnóstico nesta classificação, embora seja de uso comum em vários países para descrever problemas graves relacionados ao uso compulsivo e habitual de substâncias. O termo mais neutro *transtorno por uso de substância* é utilizado para descrever a ampla gama do transtorno, desde uma forma leve até um estado grave de recaídas crônicas de consumo compulsivo de drogas. Alguns clínicos podem preferir usar "dependência de drogas" para descrever apresentações mais extremas, mas ela é omitida da terminologia diagnóstica dos transtornos por uso de substâncias do DSM-5 em razão de sua definição vaga e de sua conotação potencialmente negativa.

Além dos transtornos relacionados a substâncias, este capítulo também inclui o transtorno do jogo, o que reflete as evidências de que os comportamentos de jogo ativam sistemas de recompensa semelhantes aos ativados por drogas de abuso e produzem alguns sintomas comportamentais que podem ser comparados aos produzidos pelos transtornos por uso de substância. Outros padrões comportamentais de excesso, como jogo pela internet (ver "Condições para Estudos Posteriores"), também foram descritos, mas as pesquisas sobre esta e outras síndromes comportamentais são menos claras. Portanto, grupos de comportamentos repetitivos, por vezes denominados *adições comportamentais* (com subcategorias como "adição sexual", "adição por exercício" ou "adição por compras"), não estão inclusos porque, até o momento, não há evidências suficientes revisadas por pares para estabelecer os critérios diagnósticos e as descrições de curso necessárias para identificar tais comportamentos como transtornos mentais.

Os transtornos relacionados a substâncias dividem-se em dois grupos: transtornos por uso de substância e transtornos induzidos por substância. As condições a seguir podem ser classificadas como induzidas por substância: intoxicação, abstinência e outros transtornos mentais induzidos por substância/medicamento (critérios diagnósticos e texto são fornecidos neste Manual para transtornos psicóticos, transtorno bipolar e transtornos relacionados, transtornos depressivos, transtornos de ansiedade, transtorno obsessivo-compulsivo e transtornos relacionados, transtornos do sono, disfunções sexuais, *delirium* e transtornos neurocognitivos induzidos por substância/medicamento em seus respectivos capítulos). O termo *transtorno mental induzido por substância/medicamento* refere-se a apresentações sintomáticas que são devidas aos efeitos fisiológicos de uma substância exógena no sistema nervoso central e inclui intoxicantes típicos (p. ex., álcool, inalantes, cocaína), outros medicamentos (p. ex., esteroides) e toxinas ambientais (p. ex., inseticidas organofosforados).

Esta seção começa com uma abordagem geral dos conjuntos de critérios para transtorno por uso de substância, intoxicação por substância e abstinência de substância e outros transtornos mentais induzidos por substância/medicamento, sendo que pelo menos alguns desses critérios se aplicam às classes de substâncias. O restante do capítulo reflete as particularidades das 10 classes de substâncias e está organizado por classe de substância, descrevendo os aspectos singulares de cada uma delas. A fim de facilitar o diagnóstico diferencial, o texto e os critérios diagnósticos dos transtornos mentais induzidos por substância/medicamento remanescentes localizam-se junto aos transtornos com os quais compartilham fenomenologia (p. ex., transtorno depressivo induzido por substância/medicamento consta no capítulo "Transtornos Depressivos"). Observe que somente certas classes de drogas são capazes de causar tipos particulares de transtornos induzidos por substância. As categorias diagnósticas mais abrangentes associadas a cada grupo específico de substâncias são apresentadas na Tabela 1.

Transtornos Relacionados a Substâncias

Transtornos por Uso de Substâncias

Características Diagnósticas

A característica essencial de um transtorno por uso de substâncias consiste na presença de um agrupamento de sintomas cognitivos, comportamentais e fisiológicos indicando o uso contínuo pelo indivíduo apesar de problemas significativos relacionados à substância. Como se observa na Tabela 1, o diagnóstico de um transtorno por uso de substância pode se aplicar a todas as 10 classes inclusas neste capítulo, com exceção da cafeína. Para determinadas classes, alguns sintomas são menos salientes e, em uns poucos casos, nem todos os sintomas se manifestam (p. ex., não se especificam sintomas de abstinência para transtorno por uso de fenciclidina, transtorno por uso de outros alucinógenos nem transtorno por uso de inalantes). Convém salientar que o consumo de substâncias, incluindo medicamentos prescritos, depende em parte da origem cultural, da disponibilidade da substância e dos regulamentos locais específicos quanto ao controle de drogas. Por isso, pode haver variações locais ou culturais significativas na exposição (p. ex., países com proibições culturais do uso de álcool ou outra substância podem ter uma prevalência mais baixa de transtornos relacionados a substâncias).

Uma característica importante dos transtornos por uso de substâncias é uma alteração básica nos circuitos cerebrais que pode persistir após a desintoxicação, especialmente em indivíduos com transtornos graves. Os efeitos comportamentais dessas alterações cerebrais podem ser exibidos nas recaídas constantes e na fissura intensa por drogas quando os indivíduos são expostos a estímulos relacionados a elas. Uma abordagem de longo prazo pode ser vantajosa para o tratamento desses efeitos persistentes da droga.

De modo geral, o diagnóstico de um transtorno por uso de substância baseia-se em um padrão patológico de comportamentos relacionados ao seu uso. Para auxiliar a organização, pode-se considerar que as condições sob "Critério A" se encaixam nos agrupamentos gerais de *baixo controle, deterioração social, uso arriscado* e *critérios farmacológicos*. O baixo controle sobre o uso da substância é o primeiro grupo de critérios (Critérios 1-4). O indivíduo pode consumir a substância em quantidades maiores ou ao longo de um

TABELA 1 Diagnósticos associados a classes de substâncias

	Transtornos psicóticos	Transtorno bipolar e transtornos relacionados	Transtornos depressivos	Transtornos de ansiedade	Transtorno obsessivo-compulsivo e transtornos relacionados	Transtornos do sono	Disfunções sexuais	Delirium	Transtornos neurocognitivos	Transtornos por uso de substância	Intoxicação com substância	Abstinência de substância
Álcool	I/A	I/A	I/A	I/A		I/A	I/A	I/A	X (leve; maior)	X	X	X
Cafeína	I			I		I/A					X	X
Cannabis	I			I		I/A		I		X	X	X
Alucinógenos												
Fenciclidina	I	I	I	I				I		X	X	
Outros alucinógenos	I*	I	I	I				I		X	X	
Inalantes	I		I	I				I	X (leve; maior)	X	X	
Opioides			I/A	A		I/A	I/A	I/A		X	X	X
Sedativos, hipnóticos ou ansiolíticos	I/A	I/A	I/A	I/A		I/A	I/A	I/A	X (leve; maior)	X	X	X
Estimulantes**	I	I/A	I/A	I/A	I/A	I/A	I	I	X (leve)	X	X	X
Tabaco						A				X		X
Outro (ou desconhecido)	I/A	I/A	I/A	I/A	I/A	I/A	I/A	I/A	X (leve; maior)	X	X	X

Nota: X = A categoria é reconhecida no DSM-5.
I = O especificador "com início durante a intoxicação" pode ser indicado para a categoria.
A = O especificador "com início durante a abstinência" pode ser indicado para a categoria.
I/A = Tanto "com início durante a intoxicação" como "com início durante a abstinência" podem ser indicados para a categoria.
Maior = transtorno neurocognitivo maior; leve = transtorno neurocognitivo leve.
*Também transtorno persistente da percepção induzido por alucinógenos (*flashbacks*).
** Inclui substâncias tipo anfetamina, cocaína e outros estimulantes ou estimulantes não especificados.

período maior de tempo do que pretendido originalmente (Critério 1). O indivíduo pode expressar um desejo persistente de reduzir ou regular o uso da substância e pode relatar vários esforços malsucedidos para diminuir ou descontinuar o uso (Critério 2). O indivíduo pode gastar muito tempo para obter a substância, usá-la ou recuperar-se de seus efeitos (Critério 3). Em alguns casos de transtornos mais graves por uso de substância, praticamente todas as atividades diárias do indivíduo giram em torno da substância. A fissura (Critério 4) se manifesta por meio de um desejo ou necessidade intensos de usar a droga que podem ocorrer a qualquer momento, mas com maior probabilidade quando em um ambiente onde a droga foi obtida ou usada anteriormente. Demonstrou-se também que a fissura envolve condicionamento clássico e está associada à ativação de estruturas específicas de recompensa no cérebro. Investiga-se a fissura ao perguntar se alguma vez o indivíduo teve uma forte necessidade de consumir a droga a ponto de não conseguir pensar em mais nada. A fissura atual costuma ser usada como medida de resultado do tratamento porque pode ser um sinal de recaída iminente.

O prejuízo social é o segundo grupo de critérios (Critérios 5-7). O uso recorrente de substâncias pode resultar no fracasso em cumprir as principais obrigações no trabalho, na escola ou no lar (Critério 5). O indivíduo pode continuar o uso da substância apesar de apresentar problemas sociais ou interpessoais persistentes ou recorrentes causados ou exacerbados por seus efeitos (Critério 6). Atividades importantes de natureza social, profissional ou recreativa podem ser abandonadas ou reduzidas devido ao uso da substância (Critério 7). O indivíduo pode afastar-se de atividades em família ou passatempos a fim de usar a substância.

O uso arriscado da substância é o terceiro grupo de critérios (Critérios 8 e 9). Pode assumir a forma de uso recorrente da substância em situações que envolvem risco à integridade física (Critério 8). O indivíduo pode continuar o uso apesar de estar ciente de apresentar um problema físico ou psicológico persistente ou recorrente que provavelmente foi causado ou exacerbado pela substância (Critério 9). A questão fundamental na avaliação desse critério não é a existência do problema, e sim o fracasso do indivíduo em abster-se do uso da substância apesar da dificuldade que ela está causando.

Os critérios farmacológicos são o grupo final (Critérios 10 e 11). A tolerância (Critério 10) é sinalizada quando uma dose acentuadamente maior da substância é necessária para obter o efeito desejado ou quando um efeito acentuadamente reduzido é obtido após o consumo da dose habitual. O grau em que a tolerância se desenvolve apresenta grande variação de um indivíduo para outro, assim como de uma substância para outra, e pode envolver uma variedade de efeitos sobre o sistema nervoso central. Por exemplo, tolerância a depressão respiratória e tolerância a sedação e coordenação motora podem se desenvolver em ritmos diferentes, dependendo da substância. A tolerância pode ser difícil de determinar apenas pela história, e testes de laboratório podem ser úteis (p. ex., níveis elevados da substância no sangue com poucas evidências de intoxicação sugerem boa chance de tolerância). A tolerância também deve ser diferenciada da variação individual na sensibilidade inicial aos efeitos de substâncias específicas. Por exemplo, algumas pessoas que consomem álcool pela primeira vez apresentam pouquíssimas evidências de intoxicação com três ou quatro doses, enquanto outras com o mesmo peso e história de consumo de álcool apresentam fala arrastada e incoordenação.

Abstinência (Critério 11) é uma síndrome que ocorre quando as concentrações de uma substância no sangue ou nos tecidos diminuem em um indivíduo que manteve uso intenso prolongado. Após desenvolver sintomas de abstinência, o indivíduo tende a consumir a substância para aliviá-los. Os sintomas de abstinência apresentam grande variação de uma classe de substâncias para outra, e conjuntos distintos de critérios para abstinência são fornecidos para as classes de drogas. Sinais fisiológicos marcados e, geralmente, de fácil aferição são comuns com álcool, opioides e com sedativos, hipnóticos e ansiolíticos. Os sinais e sintomas de abstinência de estimulantes (substâncias tipo anfetamina, cocaína, outros estimulantes ou estimulantes não especificados), bem como de tabaco e *Cannabis*, costumam estar presentes, mas são menos visíveis. *Não* foi documentada abstinência significativa em seres humanos após o uso repetido de fenciclidina, de outros alucinógenos e de inalantes; portanto, esse critério não foi incluído no caso dessas substâncias. Não são necessárias tolerância nem abstinência para um diagnóstico de transtorno por uso de substância. Contudo, na maioria das classes de substâncias, história prévia de abstinência está associada a um curso clínico mais grave (i. e., início mais precoce de transtorno por uso de substância, níveis mais elevados de consumo de substância e uma quantidade maior de problemas relacionados a substâncias).

Sintomas de tolerância e abstinência que ocorrem durante o tratamento médico adequado com medicamentos receitados (p. ex., analgésicos opioides, sedativos, estimulantes) são especificamente *desconsiderados* ao se diagnosticar um transtorno por uso de substância. Houve casos em que o surgimento de tolerância farmacológica normal e esperada e de abstinência durante o curso de tratamento médico conduziu ao diagnóstico equivocado de "adição" mesmo quando estes eram os únicos sintomas presentes. Indivíduos cujos *únicos* sintomas são os decorrentes de tratamento médico (i. e., tolerância e abstinência como parte de assistência médica quando os medicamentos são usados conforme prescritos) não devem ser diagnosticados unicamente com base nesses sintomas. Contudo, medicamentos prescritospodem ser usados de forma inadequada, e pode-se diagnosticar corretamente um transtorno por uso de substância quando houver outros sintomas de comportamento compulsivo de busca por drogas.

Gravidade e Especificadores

Os transtornos por uso de substâncias ocorrem em uma ampla gama de gravidade, desde leve até grave, a qual se baseia na quantidade de critérios de sintomas confirmados. Em uma estimativa geral de gravidade, um transtorno por uso de substância *leve* é sugerido pela presença de dois ou três sintomas; *moderado*, por quatro ou cinco sintomas; e *grave*, por seis ou mais sintomas. A mudança da gravidade ao longo do tempo também reflete a redução ou o aumento na dose e/ou na frequência do uso da substância, conforme avaliação do relato do próprio indivíduo, do relato de outras pessoas cientes do caso, de observações do clínico e exames biológicos. Os especificadores do curso e os especificadores de características descritivas a seguir também estão disponíveis para os transtornos por uso de substâncias: "em remissão inicial", "em remissão sustentada", "em terapia de manutenção" e "em ambiente protegido". Suas definições estão inseridas nos respectivos conjuntos de critérios.

Procedimentos para Registro

O clínico deve usar o código que se aplica à classe de substâncias, mas registrar o nome da *substância específica*. Por exemplo, o clínico deve registrar F13.20 transtorno por uso de alprazolam, moderado (em vez de transtorno por uso de sedativos, hipnóticos ou ansiolíticos, moderado), ou F15.10 transtorno por uso de metanfetamina, leve (em vez de transtorno por uso de substância tipo anfetamina, leve). No caso de substâncias que não se encaixam em nenhuma das classes (p. ex., esteroides anabolizantes), o código adequado da CID-10-MC para outro transtorno por uso de substância (ou substância desconhecida) deve ser usado, e a substância específica deve ser indicada (p. ex., F19.10 transtorno por uso de esteroides anabolizantes, leve). Se a substância consumida pelo indivíduo for desconhecida, o mesmo código da CID-10-MC (i. e., para "outro transtorno por uso de substância [ou substância desconhecida]") deve ser usado (p. ex., F19.20 transtorno por uso de substância desconhecida, grave). Se os critérios forem satisfeitos para mais de um transtorno por uso de substância, todos eles devem ser diagnosticados (p. ex., F11.20 transtorno por uso de heroína, grave; F14.20 transtorno por uso de cocaína, moderado).

O código adequado da CID-10-MC para transtorno por uso de substância depende da presença de um transtorno induzido por substância comórbido (incluindo intoxicação e abstinência). No exemplo anterior, o código diagnóstico para transtorno por uso de alprazolam, moderado, F13.20, reflete a ausência de transtorno mental induzido por alprazolam comórbido. Como os códigos da CID-10-MC para transtornos induzidos por substâncias indicam tanto a presença (ou ausência) quanto a gravidade do transtorno por uso de substância, os códigos da CID-10-MC para transtornos por uso de substâncias podem ser usados apenas na ausência de um transtorno induzido por substância. Consultar as seções próprias de substâncias específicas para mais informações sobre codificação.

Transtornos Induzidos por Substâncias

A categoria geral de transtornos induzidos por substâncias inclui intoxicação, abstinência e transtornos mentais induzidos por substância/medicamento (p. ex., transtorno psicótico induzido por substância, transtorno depressivo induzido por substância). Embora intoxicação por substância e abstinência de substância sejam reconhecidas como transtornos mentais, para fins de clareza da referência nas discussões neste capítulo, o termo *transtorno mental induzido por substância/medicamento* (p. ex., transtorno depressivo induzido por álcool, transtorno de ansiedade induzido por metanfetamina) é usado para distinguir esses transtornos da intoxicação e abstinência de substância.

Intoxicação e Abstinência de Substância

Os critérios para as síndromes de intoxicação por substância específica estão inclusos nas seções específicas para cada substância neste capítulo. Sua característica fundamental é o desenvolvimento de uma síndrome reversível específica de determinada substância que ocorreu devido a sua recente ingestão (Critério A). As mudanças comportamentais ou psicológicas clinicamente significativas associadas à intoxicação (p. ex., beligerância, labilidade do humor, julgamento prejudicado) são atribuíveis aos efeitos fisiológicos da substância sobre o sistema nervoso central e desenvolvem-se durante ou logo após o uso da substância (Critério B) e são acompanhados de sinais e sintomas específicos para a substância (Critério C). Os sintomas não são atribuíveis a outra condição médica nem são mais bem explicados por outro transtorno mental (Critério D). A intoxicação por substância é comum entre pessoas com transtorno por uso de substância, mas também ocorre com frequência em indivíduos que usam substâncias, mas sem esse transtorno. Essa categoria *não* se aplica ao tabaco.

As alterações mais comuns decorrentes da intoxicação envolvem perturbações de percepção, vigília, atenção, pensamento, julgamento, comportamento psicomotor e comportamento interpessoal. As intoxicações breves, ou "agudas", podem ter sinais e sintomas diferentes dos presentes nas intoxicações prolongadas, ou "crônicas". Por exemplo, doses moderadas de cocaína podem, inicialmente, produzir sociabilidade, mas isolamento social pode se desenvolver caso essas doses sejam repetidas com frequência por dias ou semanas.

Quando usado no sentido fisiológico, o termo *intoxicação* é mais amplo do que o diagnóstico de intoxicação por substância tal como é definido aqui. Muitas substâncias podem produzir alterações fisiológicas ou psicológicas que não são, necessariamente, problema. Por exemplo, um indivíduo com taquicardia decorrente do uso de substância sofre um efeito fisiológico, mas se esse for o único sintoma na ausência de comportamento problemático, o diagnóstico de intoxicação por uso de substância não se aplica. A intoxicação pode, às vezes, persistir além do tempo durante o qual a substância é detectável no corpo. Isso pode ser atribuído aos efeitos duradouros sobre o sistema nervoso central, cuja recuperação leva mais tempo do que a eliminação da substância. Esses efeitos mais prolongados da intoxicação devem ser diferenciados da *abstinência* (i. e., sintomas iniciados por um declínio nas concentrações de uma substância no sangue e nos tecidos).

Os critérios para abstinência de substância estão inclusos nas seções específicas para cada substância neste capítulo. A característica fundamental é o desenvolvimento de uma alteração comportamental problemática específica a determinada substância, com concomitantes fisiológicos e cognitivos, devido a interrupção ou redução do uso intenso e prolongado da substância (Critério A). A síndrome específica da substância (Critério B) causa sofrimento clinicamente significativo ou prejuízo no funcionamento social, profissional ou em outras áreas importantes da vida do indivíduo (Critério C). Os sintomas não se devem a outra condição médica nem são mais bem explicados por outro transtorno mental (Critério D). A abstinência geralmente, mas nem sempre, está associada a um transtorno por uso de substância. Além disso, é importante enfatizar que sintomas de tolerância e abstinência que ocorrem durante o tratamento médico adequado com medicamentos prescritos (p. ex., analgésicos opioides, sedativos, estimulantes) são especificamente *desconsiderados* ao se diagnosticar um transtorno por uso de substância. A maioria dos indivíduos com abstinência sente necessidade de readministrar a substância para reduzir os sintomas.

Via de Administração e Velocidade dos Efeitos da Substância

As vias de administração que produzem a absorção mais rápida e eficiente na corrente sanguínea (p. ex., intravenosa, fumada, "cheirada") tendem a resultar em uma intoxicação mais intensa e em uma probabilidade maior de um padrão progressivo de uso da substância, levando à abstinência. De modo semelhante, substâncias de ação rápida têm maior probabilidade de produzir intoxicação imediata do que aquelas de ação mais lenta.

Duração dos Efeitos

Em uma mesma categoria de drogas, as substâncias de ação relativamente curta tendem a ter um potencial mais alto para o desenvolvimento de abstinência do que aquelas de duração mais prolongada. Contudo, substâncias de ação mais prolongada tendem a apresentar sintomas abstinência de maior duração. A meia-vida da substância tem paralelos com os aspectos da abstinência: quanto mais prolongada a duração da ação, mais tempo entre a interrupção e o início dos sintomas de abstinência e maior a duração da abstinência. De modo geral, quanto maior o período agudo de abstinência, menos intensa tende a ser a síndrome.

Uso de Múltiplas Substâncias

A intoxicação e a abstinência de substâncias geralmente envolvem várias substâncias utilizadas simultânea ou sequencialmente. Nesses casos, cada diagnóstico deve ser registrado de forma separada.

Achados Laboratoriais Associados

Análises laboratoriais de amostras de sangue e urina podem ajudar a determinar o uso recente e o tipo específico de substâncias envolvidas. Contudo, um resultado laboratorial positivo não indica, por si só, a existência de um padrão de uso de substância que satisfaça os critérios para um transtorno induzido por substância ou um transtorno por uso de substância, e um resultado negativo, por si só, não descarta o diagnóstico.

Os testes laboratoriais podem ser úteis para identificar abstinência. Caso o indivíduo se apresente com abstinência de uma substância desconhecida, os testes laboratoriais podem ajudar a identificá-la e também podem ser úteis para diferenciar abstinência de outros transtornos mentais. Além disso, o funcionamento normal na presença de níveis sanguíneos elevados de uma substância sugere tolerância considerável.

Desenvolvimento e Curso

Indivíduos entre 18 e 24 anos apresentam taxas de prevalência relativamente altas para o uso de praticamente todas as substâncias. A intoxicação costuma ser o primeiro transtorno relacionado a substâncias e frequentemente se inicia na adolescência. A abstinência pode ocorrer em qualquer idade, contanto que a droga relevante tenha sido consumida em doses suficientes ao longo de um período de tempo prolongado.

Procedimentos para Registro para Intoxicação e Abstinência de Substância

O clínico deve usar o código que se aplica à classe de substâncias, mas registrar o nome da *substância específica*. Por exemplo, o clínico deve registrar F13.230 abstinência de secobarbital (em vez de abstinência de sedativos, hipnóticos ou ansiolíticos) ou F15.120 intoxicação por anfetamina (em vez de intoxicação por substância tipo anfetamina). Repare que os códigos adequados da CID-10-MC para intoxicação por substância e abstinência de substância dependem de haver um transtorno por uso de substância comórbido.

Nesse caso, o código F15.120 para intoxicação com metanfetamina indica a presença de um transtorno por uso de metanfetamina, leve comórbido. Caso não houvesse transtorno por uso de metanfetamina comórbido (e sem distúrbios perceptuais), o código diagnóstico teria sido F15.920. Ver a nota para codificação para intoxicação e para síndrome de abstinência de cada substância para as opções de codificação.

No caso de substâncias que não se encaixam em nenhuma das classes (p. ex., esteroides anabolizantes), o código da CID-10-MC para intoxicação por outra substância (ou substância desconhecida) ou abstinência de outra substância (ou substância desconhecida) deve ser usado, e a substância específica deve ser indicada (p. ex., F19.920 intoxicação por esteroide anabolizante). Caso a substância consumida pelo indivíduo seja desconhecida, o mesmo código (i. e., para a classe "outra substância [ou substância desconhecida]") deve ser usado (p. ex., F19.920 intoxicação por substância desconhecida). Se houver sintomas ou problemas associados a uma substância em particular, mas os critérios não forem satisfeitos para nenhum dos transtornos relacionados a substâncias específicas, pode-se usar a categoria não especificado (p. ex., F12.99 transtorno relacionado a *Cannabis* não especificado).

Conforme indicado, os códigos relacionados a substâncias na CID-10-MC combinam o aspecto de transtorno por uso de substância do quadro clínico e o aspecto induzido por substância em um único código. Portanto, caso estejam presentes tanto abstinência de heroína como transtorno por uso de heroína, moderado, o código único F11.23 para abstinência de heroína é fornecido para cobrir as duas apresentações. Consultar as seções próprias de substâncias específicas para mais informações sobre codificação.

Transtornos Mentais Induzidos por Substância/Medicamento

Os transtornos mentais induzidos por substância/medicamento são potencialmente graves, geralmente temporários, mas às vezes desenvolvem-se síndromes persistentes do sistema nervoso central no caso dos efeitos de substâncias de abuso, medicamentos ou de várias toxinas. Elas se distinguem dos transtornos por uso de substância, nos quais um grupo de sintomas cognitivos, comportamentais e fisiológicos contribui para o uso continuado de uma substância apesar dos problemas significativos relacionados a ela. Os transtornos mentais induzidos por substância/medicamento podem ser induzidos pelas 10 classes de substâncias que produzem transtornos por uso de substância ou por uma grande variedade de outros medicamentos usados no tratamento médico. Cada transtorno mental induzido por substância/medicamento é descrito no capítulo pertinente (p. ex., transtorno depressivo induzido por substância/medicamento está localizado em "Transtornos Depressivos") e, portanto, este capítulo apresenta apenas uma breve descrição. Todos os transtornos induzidos por substância/medicamento compartilham características comuns. Reconhecê-las é importante para auxiliar na detecção desses transtornos. Elas são:

A. O transtorno representa uma apresentação sintomática clinicamente significativa de sintomas característicos de um transtorno mental pertinente no quadro clínico.
B. Há evidências a partir da história, do exame físico ou dos achados laboratoriais de ambos:
   1. Os sintomas no Critério A desenvolveram-se durante ou logo após a intoxicação ou abstinência de substância ou após exposição ou abstinência de um medicamento; e
   2. A substância ou medicamento envolvido é capaz de produzir os sintomas mencionados no Critério A.
C. O transtorno não é mais bem explicado por um transtorno mental independente (i. e., que não seja induzido por substância ou medicamento). Tais evidências de um transtorno mental independente podem incluir as seguintes:
   1. O transtorno antecedeu o início de intoxicação ou de abstinência grave ou a exposição ao medicamento; ou
   2. O transtorno persistiu durante um período considerável de tempo (p. ex., ao menos um mês) após cessar a abstinência aguda ou a intoxicação grave ou a administração do medicamento. Este critério não se aplica a transtornos neurocognitivos induzidos por substância nem ao transtorno

persistente da percepção induzido por alucinógenos, que persistem além da cessação da intoxicação ou abstinência agudas.
D. A perturbação não ocorre exclusivamente durante o curso de *delirium*.
E. A perturbação causa sofrimento clinicamente significativo ou prejuízo no funcionamento social, profissional ou em outras áreas importantes da vida do indivíduo.

Características Diagnósticas e Associadas

Podem-se fazer algumas generalizações quanto às categorias de substâncias capazes de produzir transtornos mentais induzidos por substância clinicamente relevantes. De modo geral, as drogas mais sedativas (sedativos, hipnóticos ou ansiolíticos e álcool) podem produzir transtornos depressivos proeminentes e clinicamente significativos durante a intoxicação, enquanto há mais chances de se observar condições de ansiedade durante as síndromes de abstinência dessas substâncias. Também, durante a intoxicação, as substâncias mais estimulantes (p. ex., anfetamina e cocaína) provavelmente estarão associadas a transtornos psicóticos induzidos por substância e a transtornos de ansiedade induzidos por substância, sendo que episódios depressivos maiores induzidos por substância são observados durante a abstinência. Tanto as drogas mais sedativas quanto as mais estimulantes têm chances de produzir perturbações sexuais e de sono significativas, porém temporárias. Uma visão geral da relação entre classes específicas de substâncias e síndromes psiquiátricas específicas consta na Tabela 1.

As condições induzidas por medicamento incluem as que costumam ser reações idiossincrásicas do sistema nervoso central ou exemplos relativamente extremos de efeitos colaterais de uma ampla gama de medicamentos administrados para diversas finalidades médicas. Tais condições incluem complicações neurocognitivas de anestesias, anti-histamínicos, anti-hipertensivos e uma variedade de outros medicamentos e toxinas (p. ex., organofosforados, inseticidas, monóxido de carbono), conforme descrito no capítulo sobre transtornos neurocognitivos. Síndromes psicóticas podem ser experimentadas temporariamente no caso de fármacos anticolinérgicos, cardiovasculares e esteroides, bem como durante o uso de fármacos similares a estimulantes ou a tranquilizantes que necessitem ou não de receita médica. Podem-se observar perturbações do humor temporárias, porém graves, com uma ampla gama de medicamentos, incluindo esteroides, anti-hipertensivos, dissulfiram e todos os tranquilizantes que exijam ou não receita médica ou substâncias similares a estimulantes. Uma gama semelhante de medicamentos pode ser associada a síndromes temporárias de ansiedade, disfunções sexuais e condições de perturbação do sono.

De modo geral, para que o transtorno sob observação seja considerado um transtorno mental induzido por substância/medicamento, evidências devem indicar a baixa probabilidade de que ele seja mais bem explicado por uma condição mental independente. Esta provavelmente será observada se o transtorno mental estiver presente antes da intoxicação ou abstinência grave ou da administração do medicamento ou, com exceção de vários transtornos persistentes induzidos por substância listados na Tabela 1, prolongar-se durante mais de um mês após a interrupção de abstinência aguda, intoxicação grave ou uso de medicamentos. Quando os sintomas são observados apenas durante *delirium* induzido por substância (i. e., *delirium* por abstinência de álcool), somente o *delirium* deve ser diagnosticado e outros sintomas psiquiátricos que ocorrem durante o *delirium* também não devem ser diagnosticados separadamente, já que muitos desses sintomas (p. ex., perturbações no humor, ansiedade e teste de realidade) são habitualmente observados durante estados de agitação e confusão. As características associadas a cada transtorno mental maior relevante são semelhantes, tanto as observadas em transtornos mentais independentes como as observadas em transtornos mentais induzidos por substância/medicamento. Contudo, indivíduos com transtornos mentais induzidos por substância/medicamento provavelmente também demonstrem as características associadas observadas com a categoria específica de substância ou medicamento, conforme listado em outras subseções deste capítulo.

Desenvolvimento e Curso

Transtornos mentais induzidos por substância desenvolvem-se no caso de intoxicação ou abstinência a partir de substâncias de abuso, e transtornos mentais induzidos por medicamento são observados com medicamentos que exijam ou não receita médica administrados nas dosagens sugeridas. Ambas as condições costumam ser temporárias e tendem a desaparecer no prazo aproximado de um mês após cessada a abstinência aguda, a intoxicação grave ou o uso do medicamento. As exceções a essas generalizações ocorrem em determinados transtornos de longa duração induzidos por substâncias: transtornos neurocognitivos associados a substâncias relacionados a condições como transtorno neurocognitivo induzido por álcool, transtorno neurocognitivo induzido por inalantes e transtorno neurocognitivo induzido por sedativos, hipnóticos ou ansiolíticos; e transtorno persistente da percepção induzido por alucinógenos (*flashbacks*; ver a seção "Transtornos Relacionados a Alucinógenos" mais adiante neste capítulo). Contudo, é provável que a maioria dos outros transtornos mentais induzidos por substância/medicamento, independentemente da gravidade dos sintomas, melhore de forma relativamente rápida com a abstinência, sendo difícil permanecer clinicamente relevante durante mais de um mês após a interrupção total do uso.

Assim como muitas das consequências do uso intenso de substâncias, alguns indivíduos são mais suscetíveis a determinados transtornos induzidos por substâncias, e outros menos. Tipos semelhantes de predisposição podem fazer algumas pessoas serem mais propensas a desenvolver efeitos colaterais psiquiátricos de determinados tipos de medicamentos, mas não de outros. Contudo, não está claro se indivíduos com história familiar ou história pessoal prévia de síndromes psiquiátricas independentes são mais propensos a desenvolver a síndrome induzida, depois de ter sido considerado se a quantidade e a frequência da substância foram suficientes para levar ao desenvolvimento de uma síndrome induzida por substância.

Há indícios de que o consumo de substâncias de abuso ou de determinados medicamentos com efeitos colaterais psiquiátricos no caso de um transtorno mental preexistente provavelmente resulte em intensificação dos sintomas do transtorno mental preexistente. O risco de transtorno mental induzido por substância/medicamento provavelmente irá aumentar tanto com a quantidade quanto com a frequência do consumo da substância em questão.

Os perfis sintomáticos para os transtornos mentais induzidos por substância/medicamento assemelham-se aos transtornos mentais independentes. Enquanto os sintomas dos transtornos mentais induzidos por substância/medicamento podem ser idênticos aos sintomas dos transtornos mentais independentes (p. ex., delírios, alucinações, psicoses, episódios depressivos maiores, síndromes de ansiedade), e embora eles possam ter as mesmas consequências graves (p. ex., suicídio), a maioria dos transtornos mentais induzidos tem chances de melhorar em questão de dias ou semanas de abstinência.

Os transtornos mentais induzidos por substância/medicamento são uma parte importante dos diagnósticos diferenciais para as condições psiquiátricas independentes. A importância de se reconhecer um transtorno mental induzido é semelhante à relevância de se identificar o possível papel de determinadas condições médicas e reações a medicamentos antes de se diagnosticar um transtorno mental independente. Sintomas de transtornos mentais induzidos por substância/medicamento podem ser idênticos se comparados aos sintomas dos transtornos mentais independentes, mas têm tratamentos e prognósticos diferentes da condição independente.

Consequências Funcionais dos Transtornos Mentais Induzidos por Substância/Medicamento

As mesmas consequências relacionadas ao transtorno mental independente em questão (p. ex., tentativas de suicídio) provavelmente se aplicam aos transtornos mentais induzidos por substância/medicamento, mas têm chances de desaparecer no prazo de um mês após a abstinência. Do mesmo modo, as mesmas consequências funcionais associadas ao transtorno por uso da substância em questão tendem a ser observadas no caso de transtornos mentais induzidos por substância.

Procedimentos para Registro para Transtornos Mentais Induzidos por Substância/Medicamento

Critérios diagnósticos, notas para codificação e procedimentos para registro para transtornos mentais induzidos por substância/medicamento específicos são fornecidos nos capítulos do Manual correspondentes aos transtornos de fenomenologia compartilhada (ver os transtornos mentais induzidos por substância/medicamento nesses capítulos: "Espectro da Esquizofrenia e Outros Transtornos Psicóticos", "Transtorno Bipolar e Transtornos Relacionados", "Transtornos Depressivos", "Transtornos de Ansiedade", "Transtorno Obsessivo-compulsivo e Transtornos Relacionados", "Transtornos do Sono-Vigília", "Disfunções Sexuais" e "Transtornos Neurocognitivos"). Quando é registrado um transtorno mental induzido por substância/medicamento comórbido com um transtorno por uso de substância, é dado apenas um diagnóstico que reflita tanto o tipo de substância como o tipo de transtorno mental induzido pela substância, além da gravidade do transtorno por uso de substância comórbido (p. ex., transtorno psicótico induzido por cocaína com transtorno por uso de cocaína, grave). Para um transtorno mental induzido por substância que ocorra na ausência de transtorno por uso de substância comórbido (p. ex., quando o transtorno é induzido pela única vez em que a substância ou o medicamento foi usado), apenas o transtorno mental induzido por substância/medicamento é registrado (p. ex., transtorno depressivo induzido por corticosteroide). Mais informações necessárias para registrar o nome do diagnóstico do transtorno mental induzido por substância/medicamento são fornecidas na seção "Procedimentos para Registro" de cada transtorno mental induzido por substância/medicamento em seu respectivo capítulo.

Transtornos Relacionados ao Álcool

Transtorno por Uso de Álcool

Intoxicação por Álcool

Abstinência de Álcool

Transtornos Mentais Induzidos por Álcool

Transtorno Relacionado ao Álcool Não Especificado

Transtorno por Uso de Álcool

Critérios Diagnósticos

A. Um padrão problemático de uso de álcool, levando a comprometimento ou sofrimento clinicamente significativos, manifestado por pelo menos dois dos seguintes critérios, ocorrendo durante um período de 12 meses:
   1. Álcool é frequentemente consumido em maiores quantidades ou por um período mais longo do que o pretendido.
   2. Existe um desejo persistente ou esforços malsucedidos no sentido de reduzir ou controlar o uso de álcool.
   3. Muito tempo é gasto em atividades necessárias para a obtenção de álcool, na utilização de álcool ou na recuperação de seus efeitos.
   4. Fissura ou um forte desejo ou necessidade de usar álcool.
   5. Uso recorrente de álcool, resultando no fracasso em desempenhar papéis importantes no trabalho, na escola ou em casa.
   6. Uso continuado de álcool, apesar de problemas sociais ou interpessoais persistentes ou recorrentes causados ou exacerbados por seus efeitos.
   7. Importantes atividades sociais, profissionais ou recreacionais são abandonadas ou reduzidas em virtude do uso de álcool.

8. Uso recorrente de álcool em situações nas quais isso representa perigo para a integridade física.
9. O uso de álcool é mantido apesar da consciência de ter um problema físico ou psicológico persistente ou recorrente que tende a ser causado ou exacerbado pelo álcool.
10. Tolerância, definida por qualquer um dos seguintes aspectos:
    a. Necessidade de quantidades progressivamente maiores de álcool para atingir a intoxicação ou o efeito desejado.
    b. Efeito acentuadamente menor com o uso continuado da mesma quantidade de álcool.
11. Abstinência, conforme manifestada por um dos seguintes aspectos:
    a. Síndrome de abstinência característica de álcool (consultar os Critérios A e B do conjunto de critérios para abstinência de álcool).
    b. Álcool (ou uma substância estreitamente relacionada, como benzodiazepínicos) é consumido para aliviar ou evitar os sintomas de abstinência.

Especificar se:

Em remissão inicial: Após todos os critérios para transtorno por uso de álcool terem sido preenchidos anteriormente, nenhum dos critérios para transtorno por uso de álcool foi preenchido durante um período mínimo de três meses, porém inferior a 12 meses (com exceção de que o Critério A4, "Fissura ou um forte desejo ou necessidade de usar álcool", ainda pode ocorrer).

Em remissão sustentada: Após todos os critérios para transtorno por uso de álcool terem sido satisfeitos anteriormente, nenhum dos critérios para transtorno por uso de álcool foi satisfeito em qualquer momento durante um período igual ou superior a 12 meses (com exceção de que o Critério A4, "Fissura ou um forte desejo ou necessidade de usar álcool", ainda pode ocorrer).

Especificar se:

Em ambiente protegido: Este especificador adicional é usado se o indivíduo se encontra em um ambiente no qual o acesso a álcool é restrito.

Código baseado na gravidade atual/remissão: Se também houver intoxicação por álcool, abstinência de álcool ou outro transtorno mental induzido por álcool, não utilizar os códigos a seguir para transtorno por uso de álcool. No caso, o transtorno por uso de álcool comórbido é indicado pelo 4º caractere do código de transtorno induzido por álcool (ver a nota para codificação para intoxicação por álcool, abstinência de álcool ou um transtorno mental específico induzido por álcool). Por exemplo, se houver comorbidade de intoxicação por álcool e transtorno por uso de álcool, apenas o código para intoxicação por álcool é fornecido, sendo que o 4º caractere indica se o transtorno por uso de álcool comórbido é leve, moderado ou grave: F10.129 para transtorno por uso de álcool, leve com intoxicação por álcool, ou F10.229 para transtorno por uso de álcool, moderado ou grave com intoxicação por álcool.

Especificar a gravidade atual/remissão:

F10.10 Leve: Presença de 2 ou 3 sintomas.

F10.11 Leve, em remissão inicial

F10.11 Leve, em remissão sustentada

F10.20 Moderada: Presença de 4 ou 5 sintomas.

F10.21 Moderada, em remissão inicial

F10.21 Moderada, em remissão sustentada

F10.20 Grave: Presença de 6 ou mais sintomas.

F10.21 Grave, em remissão inicial

F10.21 Grave, em remissão sustentada

Especificadores

"Em ambiente protegido" aplica-se como um especificador a mais de remissão se o indivíduo estiver tanto em remissão como em um ambiente protegido (i. e., em remissão inicial em ambiente protegido ou em remissão sustentada em ambiente protegido). Exemplos desses ambientes incluem prisões rigorosamente vigiadas e livres de substâncias, comunidades terapêuticas ou unidades hospitalares fechadas.

A gravidade do transtorno baseia-se na quantidade de critérios diagnósticos preenchidos. Para cada indivíduo, as alterações na gravidade do transtorno por uso de álcool ao longo do tempo também são refletidas pelas reduções na frequência (p. ex., dias de uso por mês) ou dose (p. ex., número de doses padrão consumidas por dia) utilizada de álcool, conforme avaliação do autorrelato do indivíduo, relato de outras pessoas cientes do caso, observações clínicas e, quando possível, exames biológicos (p. ex., elevações em exames laboratoriais conforme descrito na seção "Marcadores Diagnósticos" para esse transtorno).

Características Diagnósticas

O transtorno por uso de álcool é definido por um agrupamento de sintomas comportamentais e físicos, os quais podem incluir abstinência, tolerância e fissura. A abstinência de álcool caracteriza-se por sintomas de abstinência que se desenvolvem aproximadamente 4 a 12 horas após a redução do consumo que se segue a uma ingestão prolongada e excessiva de álcool. Como a abstinência de álcool pode ser desagradável e intensa, os indivíduos podem continuar o consumo apesar de consequências adversas, frequentemente para evitar ou aliviar os sintomas de abstinência. Alguns desses sintomas (p. ex., problemas com o sono) podem persistir com intensidade menor durante meses e contribuir para a recaída. Assim que um padrão de uso repetitivo e intenso se desenvolve, indivíduos com transtorno por uso de álcool podem dedicar grandes períodos de tempo para obter e consumir bebidas alcoólicas.

A fissura por álcool é indicada por um desejo intenso de beber, o qual torna difícil pensar em outras coisas e frequentemente resulta no início do consumo. O desempenho escolar e profissional também pode sofrer tanto devido aos efeitos posteriores ao consumo como devido à intoxicação em si na escola ou no trabalho; pode haver negligência dos cuidados com os filhos ou dos afazeres domésticos; e ausências relacionadas ao álcool podem ocorrer na escola ou no trabalho. O indivíduo pode usar álcool em circunstâncias que representam perigo para a integridade física (p. ex., conduzir veículos, nadar, operar máquinas durante intoxicação). Por fim, indivíduos com transtorno por uso de álcool podem continuar a consumir a substância apesar do conhecimento de que o consumo contínuo representa problema significativo de ordem física (p. ex., "apagões", doença hepática), psicológica (p. ex., depressão), social ou interpessoal (p. ex., brigas violentas com o cônjuge durante intoxicação, abuso infantil).

Características Associadas

O transtorno por uso de álcool costuma estar relacionado a problemas semelhantes aos associados a outras substâncias (p. ex., *Cannabis*; cocaína; heroína; anfetaminas; sedativos, hipnóticos ou ansiolíticos). O álcool pode ser usado para aliviar os efeitos indesejados dessas outras substâncias ou para substituí-las quando não estão disponíveis. Problemas de conduta, depressão, ansiedade e insônia frequentemente acompanham o consumo intenso e às vezes o antecedem.

A ingestão repetida de doses elevadas de álcool pode afetar praticamente todos os sistemas de órgãos, em especial o trato gastrintestinal, o sistema cardiovascular e os sistemas nervoso central e periférico. Os efeitos gastrintestinais incluem gastrite, úlceras estomacais ou duodenais e, em aproximadamente 15% dos indivíduos que ingerem álcool em grandes quantidades, cirrose hepática e/ou pancreatite. Também há aumento nas taxas de câncer de esôfago, de estômago e de outras partes do trato gastrintestinal. Uma das condições associadas mais comuns é a hipertensão leve. Miocardiopatia e outras miopatias são menos comuns, mas ocorrem em maior proporção entre usuários pesados. Esses fatores, em conjunto com aumentos acentuados nos níveis de triglicerídeos e colesterol LDL, contribuem para um risco elevado de cardiopatia. A neuropatia periférica pode ser evidenciada por fraqueza muscular, parestesias e diminuição da sensibilidade periférica. Efeitos mais persistentes sobre o sistema nervoso central incluem déficits cognitivos, como grave comprometimento da memória e alterações degenerativas do cerebelo. Essas consequências estão relacionadas aos efeitos diretos do álcool, a traumatismos e a deficiências vitamínicas (particularmente vitamina B, inclusive tiamina). Um efeito devastador sobre o sistema nervoso central é o transtorno amnéstico persistente induzido por álcool, relativamente raro, ou síndrome de Wernicke-Korsakoff, na qual a capacidade de codificar novas memórias fica gravemente prejudicada. Essa condição passa a ser descrita no capítulo "Transtornos Neurocognitivos" sob a categoria *transtorno neurocognitivo induzido por substância/medicamento*.

O transtorno por uso de álcool é um fator que colabora para o risco de suicídio durante intoxicação grave e no caso de transtornos depressivo ou bipolar temporários induzidos por álcool. Há aumento na taxa de comportamento suicida e também de suicídio consumado entre indivíduos com o transtorno.

Prevalência

O transtorno por uso de álcool é comum. Nos Estados Unidos, as taxas estimadas de prevalência ao longo da vida do transtorno por uso de álcool do DSM-5 entre adultos foi de 29,1% em geral, com a gravidade assim especificada: 8,6% leve, 6,6% moderada e 13,9% grave. Em adultos australianos, a prevalência estimada ao longo da vida do transtorno por uso de álcool do DSM-5 foi de 31,0%.

As taxas do transtorno variam segundo o gênero e a idade. Nos Estados Unidos, as taxas foram mais altas em homens (prevalência de 36,0% durante a vida) do que em mulheres (22,7%). A prevalência de 12 meses de transtornos por uso de álcool do DSM-IV nos Estados Unidos foi de 4,6% nos indivíduos dos 12 aos 17 anos, 16,2% naqueles dos 18 aos 29 anos e 1,5% a partir dos 65 anos.

A prevalência de 12 meses de transtornos por uso de álcool apresenta variações nos grupos étnico-raciais da população norte-americana. Na faixa dos 12 aos 17 anos, a prevalência do DSM-IV foi maior entre índios norte-americanos (2,8%) e brancos não latinos (2,2%), em relação a asiáticos-americanos (1,6%), indivíduos que relatam duas ou mais origens raciais (1,6%), hispânicos (1,5%) e afro-americanos (0,8%). Entre adultos, dados de um grande estudo baseado na população norte-americana indicaram que a prevalência de 12 meses do transtorno por uso de álcool do DSM-5 foi de 14,4% em afro-americanos, 14,0% em brancos não hispânicos, 13,6% em hispânicos e 10,6% em asiáticos-americanos e nativos das ilhas do Pacífico. Dados de uma grande pesquisa baseada na comunidade de índios norte-americanos de nações tribais do sudoeste e planícies do norte mostraram que a prevalência de 12 meses de abuso e dependência de álcool do DSM-IV variava de 4,1 a 9,8%. Existe grande diversidade nas taxas e nos padrões de abuso e dependência de álcool nas mais de 570 comunidades de índios americanos e nativos do Alasca nos Estados Unidos, bem como altas taxas de abstinência do uso de álcool em algumas dessas comunidades. Experiências históricas de expropriação, subjugação e discriminação recorrente foram associadas ao risco aumentado de início dos sintomas. Considerando-se a diversidade das comunidades tribais, as estimativas de prevalência para transtorno por uso de álcool entre índios americanos devem ser interpretadas com cautela.

Desenvolvimento e Curso

O primeiro episódio de intoxicação por álcool tende a ocorrer no período intermediário da adolescência. Problemas relacionados ao álcool que não satisfazem todos os critérios para transtorno por uso, ou problemas isolados, podem ocorrer antes dos 20 anos, mas a idade no início de um transtorno por uso de álcool com dois ou mais critérios agrupados chega ao ápice no fim da adolescência ou entre os 20 e os 25 anos. A maioria dos indivíduos que desenvolvem transtornos relacionados ao álcool o faz até o fim da faixa dos 30 anos. As primeiras evidências de abstinência dificilmente aparecem antes que vários outros aspectos do transtorno por uso de álcool se desenvolvam. Observa-se início precoce de transtorno por uso de álcool em adolescentes com problemas preexistentes de conduta e em indivíduos com intoxicação de início precoce.

O transtorno por uso de álcool apresenta um curso variável, caracterizado por períodos de remissão e recaídas. Uma decisão de parar de beber, frequentemente em resposta a uma crise, tende a ser seguida por um período de semanas ou mais de abstinência, em geral seguido por períodos limitados de consumo controlado e não problemático. Contudo, assim que a ingestão de álcool é retomada, é muito provável que o consumo aumente rapidamente e que voltem a ocorrer problemas graves.

O transtorno por uso de álcool costuma ser erroneamente percebido como uma condição intratável, com base no fato de que os indivíduos que se apresentam para tratamento têm, geralmente, história de muitos anos de problemas graves relacionados ao álcool. Entretanto, esses casos mais graves representam apenas uma pequena parcela das pessoas com o transtorno, e o paciente típico tem um prognóstico muito mais promissor.

Entre adolescentes, transtorno da conduta e comportamento antissocial repetido costumam ocorrer concomitantemente a transtornos relacionados ao álcool e a outras substâncias. Embora a maioria dos indivíduos com transtorno por uso de álcool desenvolva a condição antes dos 40 anos, talvez 10% apresente início tardio, como sugerido por um estudo prospectivo na Califórnia. Mudanças físicas relacionadas à idade em idosos resultam em suscetibilidade mais elevada do cérebro aos efeitos depressores do álcool; taxas menores de metabolismo hepático de uma variedade de substâncias, incluindo o álcool; e redução do percentual de água no corpo. Essas alterações podem fazer pessoas idosas desenvolverem intoxicação mais grave e problemas subsequentes com níveis menores de consumo. Problemas relacionados ao álcool em pessoas idosas também apresentam grande probabilidade de associação a outras complicações médicas.

Fatores de Risco e Prognóstico

Ambientais. Fatores de risco e prognóstico ambientais podem incluir pobreza e discriminação (incluindo desigualdades estruturais como taxas diferenciadas de encarceramento e acesso diferenciado a medicamentos para tratamento da adição), desemprego e baixos níveis de instrução, atitudes culturais em relação ao consumo e à intoxicação, disponibilidade de álcool (incluindo o preço), experiências pessoais adquiridas com álcool e níveis de estresse. Outros mediadores potenciais de como os problemas com álcool se desenvolvem em indivíduos com predisposição incluem consumo intenso da substância pelos pares, expectativas positivas exageradas dos efeitos do álcool e formas inadequadas de enfrentamento de estresse.

Genéticos e fisiológicos. O transtorno por uso de álcool apresenta um padrão familiar, sendo que 40 a 60% da variação no risco é explicada por influências genéticas. A taxa dessa condição é 3 a 4 vezes maior em parentes próximos de pessoas com transtorno por uso de álcool, sendo que os valores são mais altos para indivíduos com uma quantidade maior de parentes afetados, com relacionamento genético mais próximo à pessoa afetada e em cujos parentes a gravidade dos problemas relacionados ao álcool é mais séria. Uma taxa significativamente mais alta de transtornos por uso de álcool existe em gêmeo monozigótico, quando comparado ao dizigótico, de um indivíduo com a condição. Observou-se aumento de 3 a 4 vezes no risco em filhos de indivíduos com transtorno por uso de álcool, mesmo quando essas crianças foram adotadas ao nascer e criadas por pais adotivos sem o transtorno.

Avanços recentes na compreensão dos genes que operam por meio de características intermediárias (ou fenótipos) para afetar o risco de transtorno por uso de álcool podem ajudar a identificar indivíduos que correm um risco particularmente baixo ou alto de desenvolvê-lo. Entre os fenótipos de baixo risco estão o rubor da pele relacionado ao consumo agudo de álcool (observado sobretudo em descendentes de asiáticos). Alta vulnerabilidade está associada a esquizofrenia ou transtorno bipolar preexistentes, bem como a impulsividade (que produz taxas elevadas de todos os transtornos por uso de substância e transtorno do jogo), e um risco elevado especificamente para transtorno por uso de álcool está associado ao baixo nível de resposta (baixa sensibilidade) ao álcool. Uma série de variações de genes pode ser responsável pela baixa resposta ao álcool ou por modular os sistemas de recompensa dopaminérgicos; deve-se observar, no entanto, que quaisquer variações genéticas provavelmente explicam apenas 1 a 2% do risco para esses transtornos. As interações gene-ambiente modulam o impacto das variações genéticas; por exemplo, os efeitos genéticos no uso de álcool são mais pronunciados quando as restrições sociais são minimizadas

(p. ex., pouca supervisão parental) ou quando o ambiente permite fácil acesso a álcool ou encoraja o seu uso (p. ex., grande desvio entre os pares).

Modificadores do curso. De modo geral, altos níveis de impulsividade estão associados a um início mais precoce e grave do transtorno por uso de álcool.

Questões Diagnósticas Relativas à Cultura

Na maioria das culturas, o álcool é a substância intoxicante usada com mais frequência e contribui consideravelmente para a morbidade e a mortalidade. Globalmente, 2,8 milhões de mortes foram atribuídas ao uso de álcool, o que corresponde a 2,2% do total de mortes padronizadas por idade nas mulheres e 6,8% nos homens. Globalmente, estima-se que 237 milhões de homens e 46 milhões de mulheres têm transtorno por uso de álcool, com a prevalência mais alta em homens e mulheres na região europeia (14,8 e 3,5%) e na região das Américas (11,5 e 5,1%); em geral, países de alta renda têm a prevalência mais elevada. A maior aculturação na sociedade norte-americana entre os imigrantes está associada à elevação na prevalência de transtorno por uso de álcool, especialmente em mulheres. A densidade étnica (maior proporção de pessoas da mesma origem) pode reduzir o risco para transtorno por uso de álcool, devido ao maior suporte social e proteção contra os efeitos da discriminação. Entretanto, segregação na vizinhança pode aumentar o risco de transtornos devido à associação com outros fatores de risco, como maior concentração de publicidade de álcool e de pontos de venda em áreas de baixa renda.

Polimorfismos de genes das enzimas metabolizadoras de álcool desidrogenase e aldeído-desidrogenase podem afetar a resposta ao álcool. Ao consumir a substância, indivíduos com determinados polimorfismos podem exibir rubor na face e sentir palpitações, reações que podem ser tão graves a ponto de limitar ou impedir novas ingestões de álcool e reduzir o risco para transtorno por uso de álcool. Por exemplo, essas variações de genes são observadas em até 40% dos japoneses, chineses e coreanos e estão associadas a menor risco de desenvolver o transtorno. No entanto, esse efeito protetivo pode ser modulado por fatores socioculturais, como mostra a crescente prevalência de transtorno por uso de álcool no Japão, na China e na Coreia do Sul nas últimas décadas associada à crescente ocidentalização e a mudanças nas atitudes culturais quanto ao consumo de álcool por mulheres.

Apesar de pequenas variações quanto a itens individuais de cada critério, os critérios diagnósticos ajustam-se igualmente bem à maioria dos grupos raciais/étnicos.

Questões Diagnósticas Relativas ao Sexo e ao Gênero

Homens apresentam taxas mais elevadas de consumo de álcool e de transtornos relacionados do que as mulheres, embora a diferença entre os gêneros esteja diminuindo à medida que as mulheres estão iniciando o uso de álcool em idade mais precoce. Contudo, como estas geralmente pesam menos que os homens, têm mais gordura e menos água no corpo e metabolizam menos álcool no esôfago e no estômago, estão mais propensas a desenvolver níveis mais elevados de álcool no sangue por ingestão. Mulheres cujo consumo é intenso também podem ser mais vulneráveis do que homens às consequências físicas associadas ao álcool, incluindo "apagões" relacionados ao álcool e doença hepática. Além disso, embora os mecanismos relativos à genética para risco de uso de álcool se sobreponham para os sexos masculino e feminino, os componentes ambientais específicos que se somam ao risco podem diferir entre os sexos, especialmente durante a adolescência. O consumo de álcool durante a gravidez, o qual tende a diminuir de modo geral, pode ser um sinal de transtorno por uso de álcool.

Marcadores Diagnósticos

Indivíduos cujo consumo mais intenso os faz correr maior risco de transtorno por uso de álcool podem ser identificados tanto por questionários padronizados como por elevações nos exames de sangue provavelmente observadas com consumo mais intenso da substância. Essas medidas não estabelecem o diagnóstico de um transtorno relacionado ao álcool, mas podem ser úteis para selecionar indivíduos sobre os quais se devem obter mais informações. O teste mais direto disponível para medir o consumo de álcool por observação transversal é a *concentração de álcool no sangue*, que também pode ser usado para estabelecer a tolerância ao álcool. Por exemplo, pode-se presumir que um indivíduo com concentração de 150 mg de etanol por decilitro (dL) de sangue que não demonstra sinais de intoxicação desenvolveu pelo menos um pouco de tolerância ao álcool. No patamar de 200 mg/dL, a maioria dos indivíduos sem tolerância demonstra intoxicação grave.

No que se refere a exames laboratoriais, um indicador sensível do consumo intenso é uma elevação modesta ou níveis acima do normal (superiores a 35 unidades) de gamaglutamiltransferase (GGT). Esse pode ser o único achado laboratorial. Pelo menos 70% dos indivíduos com nível elevado de GGT são consumidores persistentes de álcool em altas doses (i. e., ingerem regularmente oito ou mais doses diárias de bebidas alcoólicas). Um segundo exame com níveis comparáveis ou até maiores de sensibilidade e especificidade é o da transferrina deficiente em carboidrato (CDT), no qual níveis iguais ou superiores a 20 unidades ajudam a identificar pessoas que consomem regularmente oito doses ou mais por dia. Uma vez que os níveis de GGT e CDT retornam ao normal no período de alguns dias a semanas depois que o indivíduo para de beber, ambos os marcadores são úteis no controle da abstinência, especialmente quando o clínico observa aumentos em vez de quedas nesses valores ao longo do tempo – um achado que indica que a pessoa provavelmente retomou o consumo pesado. A combinação de CDT e GGT pode ter níveis ainda maiores de sensibilidade e especificidade do que cada um deles usado em separado. Outros exames úteis incluem o volume corpuscular médio (VCM), que pode estar elevado até valores acima dos normais em indivíduos que consomem álcool em demasia – uma alteração devida aos efeitos tóxicos diretos da substância sobre a eritropoiese. Embora o VCM possa ser usado para identificar os consumidores crônicos, trata-se de um método fraco de monitoração da abstinência em virtude da meia-vida longa dos eritrócitos. Os testes de função hepática (p. ex., alanina aminotransferase e fosfatase alcalina) podem revelar danos hepáticos resultantes da ingestão maciça de álcool. Outros marcadores potenciais de consumo pesado que não são específicos para álcool, mas que podem auxiliar o clínico a pensar sobre possíveis efeitos da substância, incluem elevações nos níveis de lipídeos no sangue (p. ex., triglicerídeos e colesterol HDL) ou de ácido úrico.

Outros marcadores diagnósticos relacionam-se aos sinais e sintomas que refletem as consequências habitualmente associadas ao consumo pesado persistente de álcool. Por exemplo, dispepsia, náusea e edema podem acompanhar gastrite, e hepatomegalia, varizes esofágicas e hemorroidas podem refletir alterações no fígado induzidas por álcool. Outros sinais físicos de consumo intenso incluem tremor, instabilidade na marcha, insônia e disfunção erétil. Indivíduos do sexo masculino com transtorno por uso de álcool crônico podem exibir redução no tamanho dos testículos e efeitos feminilizantes associados a níveis reduzidos de testosterona. O consumo repetido e intenso de álcool em indivíduos do sexo feminino está associado a irregularidades menstruais e, durante a gestação, aborto espontâneo e síndrome alcoólica fetal. Indivíduos com história prévia de epilepsia ou traumatismo craniano grave estão mais propensos a desenvolver convulsões relacionadas ao álcool. A abstinência de álcool pode estar associada a náusea, vômitos, gastrite, hematêmese, boca seca, com edema no rosto e de manchada, e edema periférico discreto.

Associação com Pensamentos ou Comportamentos Suicidas

A maioria dos estudos sobre suicidalidade e álcool aborda o consumo de álcool em vez do transtorno por uso de álcool. Entretanto, um estudo de autópsia psicológica na Austrália encontrou que agressão, comorbidade psiquiátrica e conflitos interpessoais recentes são fatores de risco para suicídio em indivíduos com transtorno por uso de álcool. Uma revisão de estudos de 1999 a 2014 conduzida em vários países, incluindo os Estados Unidos, relatou que intoxicação e consumo intenso crônico de álcool estão associados a suicídio, dados extensos na população associam álcool com suicídio e evidências sugerem que políticas restritivas relativas ao consumo de álcool podem ajudar a prevenir suicídio na população geral. Uma metanálise de estudos conduzidos nos Estados Unidos e em vários outros países de 1996 a 2015 descobriu que, em comparação com indivíduos que não consomem álcool, o uso agudo de álcool estava associado a um risco quase sete vezes maior de tentativa de suicídio. Além disso, nessa metanálise, bem como em estudos transversais de controle de caso nos Estados Unidos, o uso mais pesado de álcool dentro de 24 horas era um fator de risco muito mais potente para tentativa de suicídio do que uso menos intenso de álcool. Em uma coorte de pacientes no Mississipi, o uso concomitante de álcool e sedativos tinha associação ainda mais forte com tentativa de suicídio em comparação com uso de álcool isoladamente. Uma revisão sistemática e metanálise de estudos de 1975 a 2014 em diversos países, incluindo os Estados Unidos, descobriu que o uso de álcool está associado à posse de armas de fogo, que aqueles que consomem álcool têm probabilidade quatro a seis vezes maior de morrer por suicídio com uma arma de fogo do que os não consumidores, e que consumidores pesados têm maior probabilidade de escolher armas de fogo do que outros métodos de suicídio em comparação com os que não usam álcool.

Consequências Funcionais do Transtorno por Uso de Álcool

As características diagnósticas do transtorno por uso de álcool destacam as principais áreas de funcionamento da vida que podem ficar prejudicadas. Entre elas estão a condução de veículos e a operação de máquinas, a escola e o trabalho, os relacionamentos e a comunicação interpessoais e a saúde. Transtornos relacionados ao álcool colaboram para absenteísmo no emprego, acidentes relacionados ao trabalho e baixa produtividade. As taxas são elevadas entre os sem-teto, talvez refletindo a queda vertiginosa no funcionamento social e profissional, embora a maioria dos indivíduos com transtorno por uso de álcool continue a viver com suas famílias e a trabalhar.

O transtorno por uso de álcool está associado a aumento significativo no risco de acidentes, violência e suicídio. Estima-se que uma em cada cinco admissões em UTIs em determinados hospitais urbanos esteja relacionada ao álcool e que 40% das pessoas nos Estados Unidos sofram um acidente relacionado à substância em algum momento de suas vidas, com o álcool sendo responsável por até 55% dos acidentes de trânsito fatais. O transtorno grave por uso de álcool, especialmente em indivíduos com transtorno da personalidade antissocial, está associado a atos criminosos, incluindo homicídio. O uso problemático e grave da substância também contribui para desinibição e sentimentos de tristeza e irritabilidade, os quais colaboram para tentativas de suicídio e suicídios consumados.

A abstinência de álcool não prevista em indivíduos hospitalizados cujo diagnóstico de transtorno por uso da substância passou despercebido pode acrescentar riscos e custos de hospitalização e maior tempo de internação.

Diagnóstico Diferencial

Uso de álcool não patológico. O elemento principal do transtorno por uso de álcool é o uso de doses elevadas da substância que resultam em sofrimento significativo e repetido ou funcionamento prejudicado. Enquanto a maioria dos usuários às vezes consome álcool o suficiente para se sentir intoxicado, apenas uma minoria (menos de 20%) chega a desenvolver o transtorno. Portanto, a ingestão de bebidas alcoólicas, mesmo que diariamente, em pequenas doses, e intoxicação eventual não fecham, por si sós, esse diagnóstico.

Intoxicação por álcool, abstinência de álcool e transtornos mentais induzidos por álcool. Transtorno por uso de álcool é diferenciado de intoxicação por álcool, abstinência de álcool e transtornos mentais induzidos por álcool (p. ex., transtorno depressivo induzido por álcool), pois o transtorno por uso de álcool descreve um padrão de uso de álcool problemático que envolve prejuízo no controle sobre o uso de álcool, prejuízo social devido ao uso de álcool, uso de álcool em situações de risco (p. ex., dirigir intoxicado) e sintomas farmacológicos (desenvolvimento de tolerância ou abstinência), enquanto intoxicação por álcool, abstinência de álcool e transtornos mentais induzidos por álcool descrevem síndromes psiquiátricas que se desenvolvem no contexto de uso pesado. Com frequência, intoxicação por álcool, abstinência de álcool e transtornos mentais induzidos por álcool ocorrem em indivíduos com transtorno por uso de álcool. Nesses casos, deve ser feito um diagnóstico de intoxicação por álcool, abstinência de álcool ou transtorno mental induzido por álcool, além de um diagnóstico de transtorno por uso de álcool, cuja presença é indicada no código diagnóstico.

Transtorno por uso de sedativos, hipnóticos ou ansiolíticos. Os sinais e sintomas do transtorno por uso de álcool são semelhantes aos observados no transtorno por uso de sedativos, hipnóticos ou ansiolíticos. Os dois devem ser distinguidos, entretanto, porque seu curso pode ser diferente, especialmente com relação a problemas médicos.

Transtorno da conduta na infância e transtorno da personalidade antissocial. O transtorno por uso de álcool, em conjunto com outros transtornos por uso de substância, é observado na maioria dos indivíduos com personalidade antissocial e transtorno da conduta preexistente. Como esses diagnósticos estão associados a início precoce do transtorno por uso de álcool, bem como a pior prognóstico, é importante estabelecer ambas as condições.

Comorbidade

Transtornos bipolares, esquizofrenia e transtorno da personalidade antissocial estão associados a transtorno por uso de álcool, bem como a maioria dos transtornos depressivos e de ansiedade. Pelo menos uma parte da associação relatada entre depressão e transtorno por uso de álcool de moderado a grave pode ser atribuída a sintomas depressivos comórbidos induzidos por álcool de natureza temporária resultantes dos efeitos agudos de intoxicação ou abstinência, embora esse ponto seja discutido há muito tempo. Intoxicação alcoólica repetida e grave também pode suprimir os mecanismos imunológicos e predispor os indivíduos a infecções e aumentar o risco de câncer.

Intoxicação por Álcool

Critérios Diagnósticos

A. Ingestão recente de álcool.
B. Alterações comportamentais ou psicológicas clinicamente significativas e problemáticas (p. ex., comportamento sexual ou agressivo inadequado, humor instável, julgamento prejudicado) desenvolvidas durante ou logo após a ingestão de álcool.
C. Um (ou mais) dos seguintes sinais ou sintomas, desenvolvidos durante ou logo após o uso de álcool:
   1. Fala arrastada.
   2. Incoordenação.
   3. Marcha instável.
   4. Nistagmo.
   5. Comprometimento da atenção ou da memória.
   6. Estupor ou coma.
D. Os sinais ou sintomas não são atribuíveis a outra condição médica nem são mais bem explicados por outro transtorno mental, incluindo intoxicação por outra substância.

Nota para codificação: O código da CID-10-MC depende da existência de comorbidade com transtorno por uso de álcool. Se houver transtorno por uso de álcool, leve comórbido, o código da CID-10-MC é **F10.120**, e se houver transtorno por uso de álcool, moderado ou grave comórbido, o código da CID-10-MC é **F10.220**. Caso não haja comorbidade com transtorno por uso de álcool, então o código da CID-10-MC é **F10.920**.

Características Diagnósticas

A característica essencial da intoxicação por álcool consiste na presença de alterações comportamentais ou psicológicas clinicamente significativas e problemáticas (p. ex., comportamento sexual ou agressivo inadequado, humor instável, julgamento e tomada de decisão prejudicados e comprometimento no funcionamento social ou profissional) que se desenvolvem durante ou logo após a ingestão de álcool (Critério B). Essas alterações são acompanhadas por evidências de prejuízo no funcionamento e no julgamento e, caso a intoxicação seja intensa, podem resultar em coma potencialmente letal. Os sintomas não podem ser atribuíveis a outra condição médica (p. ex., cetoacidose diabética), não refletem condições como *delirium* e não estão relacionados à intoxicação por outras drogas ou fármacos depressores (p. ex., benzodiazepínicos) (Critério D). Os níveis de incoordenação podem interferir na capacidade de conduzir veículos e de realizar atividades habituais a ponto de causar acidentes ou outros eventos que resultem em lesão. Evidências do uso de álcool podem ser obtidas a partir do odor alcoólico no hálito do indivíduo, da história do indivíduo ou de outro observador e, quando necessário, de material respiratório, sanguíneo ou urinário para análise toxicológica.

Características Associadas

Os sinais e sintomas de intoxicação tendem a ser mais intensos quando o nível de álcool no sangue está em ascensão do que quando está em queda. A duração da intoxicação depende da quantidade e do intervalo de tempo da ingestão de álcool. Geralmente, o organismo é capaz de metabolizar cerca de uma dose por hora, de modo que o nível de álcool no sangue em geral diminui a uma razão de 15 a 20 mg/dL por hora.

Mesmo durante intoxicação leve por álcool, sintomas distintos são observados com frequência em diferentes momentos. Evidências de intoxicação leve por álcool podem ser observadas na maioria dos indivíduos após aproximadamente duas doses (a dose padrão contém aproximadamente 10 a 12 gramas de etanol e eleva a concentração de álcool no sangue em cerca de 20 mg/dL). No início do período do consumo de álcool, quando os níveis da substância no sangue começam a se elevar, os sintomas frequentemente refletem estimulação (p. ex., loquacidade, sensação de bem-estar e humor alegre e expansivo). Mais tarde, sobretudo quando os níveis de álcool no sangue entram em queda, o indivíduo tende a tornar-se progressivamente mais deprimido, retraído e com prejuízos cognitivos.

A intoxicação por álcool às vezes está associada a amnésia dos eventos que ocorreram durante o curso da intoxicação ("apagões"). Esse fenômeno pode estar relacionado à presença de nível relativamente elevado de álcool no sangue e, talvez, à velocidade com que esse nível é atingido. Intoxicação aguda por álcool pode causar alterações metabólicas (p. ex., hipoglicemia, distúrbios eletrolíticos) e ter efeitos cardiovasculares, respiratórios e/ou gastrintestinais graves. Com níveis de álcool no sangue muito elevados (p. ex., 200 a 300 mg/dL), uma pessoa que não desenvolveu tolerância tende a adormecer e entrar em um primeiro estágio anestésico. Níveis de álcool no sangue superiores (p. ex., excedendo 300 a 400 mg/dL) podem causar depressão respiratória e cardíaca e até mesmo a morte em indivíduos que não desenvolveram tolerância.

A intoxicação por álcool contribui consideravelmente para violência interpessoal e comportamento suicida. Entre indivíduos intoxicados por álcool, parece haver aumento na taxa de lesão acidental (incluindo morte devido a comportamentos associados a julgamento alterado, autolesão e violência), comportamentos suicidas e suicídio.

Prevalência

A maioria dos usuários de álcool provavelmente ficou intoxicada em determinado grau alguma vez na vida. Por exemplo, em 2018, 43% dos estudantes do último ano do ensino médio nos Estados Unidos relataram ter ficado embriagados pelo menos uma vez na sua vida, e 17,5% deles relataram ter ficado embriagados pelo menos uma vez nos últimos 30 dias. Usando como definição de intoxicação o consumo de quatro ou mais doses padrão em um determinado dia em mulheres e cinco ou mais doses padrão em um determinado dia para homens, a prevalência de 12 meses de consumo de alto risco em adultos nos

Estados Unidos é de 17,4% para índios americanos, 15,1% para afro-americanos, 13,5% para latinos, 12,3% para brancos não latinos e 7,2% para asiáticos e nativos de ilhas do Pacífico.

Desenvolvimento e Curso

A intoxicação costuma ocorrer como um episódio que normalmente se desenvolve ao longo de minutos a horas e tem duração típica de várias horas. Nos Estados Unidos, a média de idade na primeira intoxicação é aproximadamente 15 anos, sendo que a prevalência mais alta ocorre entre os 18 e os 25 anos. A frequência e a intensidade costumam diminuir com o avanço da idade. Quanto mais cedo o início de intoxicações regulares, maior a probabilidade de que o indivíduo desenvolva transtorno por uso de álcool.

Fatores de Risco e Prognóstico

Temperamentais. Episódios de intoxicação por álcool aumentam com as características da personalidade de busca de sensações e impulsividade.

Ambientais. Episódios de intoxicação por álcool aumentam em ambientes onde os pares apresentam consumo intenso de bebidas alcoólicas, com crenças de que se trata de um componente importante para a diversão e com o uso de álcool para lidar com o estresse.

Questões Diagnósticas Relativas à Cultura

As questões principais colocam em paralelo diferenças culturais referentes ao uso do álcool de modo geral. Por exemplo, algumas repúblicas de estudantes universitários encorajam a intoxicação por álcool. Essa condição também é frequente em determinadas datas de importância cultural (p. ex., Ano Novo) e, no caso de alguns subgrupos, durante eventos específicos (p. ex., velórios após funerais). Outros subgrupos estimulam o consumo da substância em comemorações religiosas (p. ex., feriados judaicos e católicos), enquanto outros desencorajam fortemente todo tipo de intoxicação e consumo de bebidas alcoólicas (p. ex., alguns grupos religiosos, como mórmons, cristãos fundamentalistas e muçulmanos).

Questões Diagnósticas Relativas ao Sexo e ao Gênero

Historicamente, em muitas sociedades ocidentais, o consumo de álcool e a embriaguez são mais tolerados em homens, mas diferenças de gênero como esta parecem ter-se tornado muito menos relevantes recentemente, sobretudo durante a adolescência e no início da idade adulta. Em geral, as mulheres são menos tolerantes à mesma quantidade de álcool que os homens.

Marcadores Diagnósticos

A intoxicação normalmente é estabelecida por meio da observação do comportamento do indivíduo e do odor de álcool em seu hálito. O grau de intoxicação aumenta com o nível de álcool no sangue ou no ar expirado e com a ingestão de outras substâncias, especialmente as que apresentam efeitos sedativos.

Associação com Pensamentos ou Comportamentos Suicidas

Um estudo internacional colaborativo em serviços de emergência em 17 países identificou que o uso agudo de álcool, independentemente de uso crônico, aumenta o risco de tentativa de suicídio, sendo que cada bebida aumenta o risco em 30%. Para mais informações, ver "Associação com Pensamentos ou Comportamentos Suicidas" na seção Transtorno por Uso de Álcool.

Consequências Funcionais da Intoxicação por Álcool

A intoxicação por álcool contribuiu para mais de 95 mil mortes e 2,8 milhões de anos de vida potencial perdidos por ano nos Estados Unidos de 2011 a 2015, encurtando em 30 anos, em média, as vidas daqueles que morreram. Além disso, a intoxicação por essa substância contribui para custos elevadíssimos associados à condução de veículos sob efeito de álcool, tempo perdido na escola ou no trabalho, bem como para discussões interpessoais e agressões físicas.

Diagnóstico Diferencial

Outras condições médicas. Várias condições médicas (p. ex., acidose diabética) e neurológicas (p. ex., ataxia cerebelar, esclerose múltipla) podem se assemelhar temporariamente à intoxicação por álcool.

Transtornos mentais induzidos por álcool. A intoxicação por álcool distingue-se dos transtornos mentais induzidos por álcool (p. ex., transtorno depressivo induzido por álcool, com início durante a intoxicação) porque os sintomas destes últimos excedem aqueles usualmente associados a intoxicação por álcool, predominam na apresentação clínica e são suficientemente graves para justificar atenção clínica.

Intoxicação por sedativos, hipnóticos ou ansiolíticos. A intoxicação por fármacos ou drogas sedativas, hipnóticas ou ansiolíticas ou por outras substâncias sedativas (p. ex., anti-histamínicos, anticolinérgicos) pode ser confundida com intoxicação por álcool. O diagnóstico diferencial requer a detecção de álcool no ar expirado, medição dos níveis de álcool no sangue e no ar expirado, solicitação de exames clínicos e obtenção de uma boa história. Os sinais e sintomas da intoxicação por sedativos e hipnóticos são muito semelhantes aos observados com álcool e incluem mudanças comportamentais ou psicológicas problemáticas semelhantes. Essas alterações são acompanhadas por evidências de prejuízo no funcionamento e no julgamento – que, conforme a intensidade, podem resultar em coma potencialmente letal – e níveis de incoordenação que podem interferir na capacidade de condução de veículos e desempenho de atividades habituais. Contudo, não há odor como no caso do álcool, mas provavelmente existem evidências de mau uso do fármaco depressor nas análises toxicológicas de sangue ou urina.

Comorbidade

A intoxicação por álcool pode ocorrer em comorbidade com intoxicação por outra substância, especialmente em indivíduos com transtorno da conduta ou transtorno da personalidade antissocial. Considerando a sobreposição típica de intoxicação por álcool com transtorno por uso de álcool, ver "Comorbidade" no capítulo "Transtorno por Uso de Álcool" para mais detalhes sobre as condições concomitantes provavelmente encontradas.

Abstinência de Álcool

Critérios Diagnósticos

A. Cessação (ou redução) do uso de álcool que tenha sido intenso e prolongado.

B. Dois (ou mais) dos seguintes sintomas, desenvolvidos no período de algumas horas a alguns dias após a cessação (ou redução) do uso de álcool descrita no Critério A:

1. Hiperatividade autonômica (p. ex., sudorese ou frequência cardíaca maior que 100 bpm).
2. Tremor aumentado nas mãos.
3. Insônia.
4. Náusea ou vômitos.
5. Alucinações ou ilusões visuais, táteis ou auditivas transitórias.
6. Agitação psicomotora.
7. Ansiedade.
8. Convulsões tônico-clônicas generalizadas.

C. Os sinais ou sintomas do Critério B causam sofrimento clinicamente significativo ou prejuízo no funcionamento social, profissional ou em outras áreas importantes da vida do indivíduo.

D. Os sinais ou sintomas não são atribuíveis a outra condição médica nem são mais bem explicados por outro transtorno mental, incluindo intoxicação por ou abstinência de outra substância.

Especificar se:

Com perturbações da percepção: Este especificador aplica-se aos raros casos em que alucinações (geralmente visuais ou táteis) ocorrem com teste de realidade intacto ou quando ilusões auditivas, visuais ou táteis ocorrem na ausência de *delirium*.

Nota para codificação: O código da CID-10-MC depende da existência de comorbidade com transtorno por uso de álcool e da ocorrência de perturbações da percepção.

Para abstinência de álcool, sem perturbações da percepção: Se houver transtorno por uso de álcool, leve comórbido, o código da CID-10-MC é **F10.130**, e se houver transtorno por uso de álcool, moderado ou grave comórbido, o código da CID-10-MC é **F10.230**. Caso não haja comorbidade com transtorno por uso de álcool, então o código da CID-10-MC é **F10.930**.

Para abstinência de álcool, com perturbações da percepção: Se houver transtorno por uso de álcool, leve comórbido, o código da CID-10-MC é **F10.132**, e se houver transtorno por uso de álcool, moderado ou grave comórbido, o código da CID-10-MC é **F10.232**. Caso não haja comorbidade com transtorno por uso de álcool, então o código da CID-10-MC é **F10.932**.

Especificadores

Quando ocorrem alucinações na ausência de *delirium* (i. e., em um sensório claro), deve-se considerar um diagnóstico de transtorno psicótico induzido por substância/medicamento.

Características Diagnósticas

A característica essencial da abstinência de álcool é a presença de uma síndrome de abstinência característica que se desenvolve no período de várias horas a alguns dias após a cessação (ou redução) do uso pesado e prolongado de álcool (Critérios A e B). A síndrome de abstinência inclui dois ou mais sintomas que refletem a hiperatividade autonômica e a ansiedade listadas no Critério B, em conjunto com sintomas gastrintestinais.

Os sintomas de abstinência causam sofrimento clinicamente significativo ou prejuízo no funcionamento social, profissional ou em outras áreas importantes da vida do indivíduo (Critério C). Os sintomas não devem ser atribuíveis a outra condição médica nem ser mais bem explicados por outro transtorno mental (p. ex., transtorno de ansiedade generalizada), incluindo intoxicação por ou abstinência de outra substância (p. ex., abstinência de sedativos, hipnóticos ou ansiolíticos) (Critério D). Os sintomas podem ser aliviados por meio da administração de álcool ou benzodiazepínicos (p. ex., diazepam).

Os sintomas de abstinência geralmente começam quando as concentrações sanguíneas de álcool declinam abruptamente (i. e., em 4 a 12 horas) depois que o uso de álcool foi interrompido ou reduzido. Refletindo o metabolismo relativamente rápido do álcool, a intensidade dos sintomas costuma atingir o auge durante o segundo dia de abstinência, e os sintomas tendem a melhorar acentuadamente no quarto ou quinto dia. Após abstinência aguda, entretanto, os sintomas de ansiedade, insônia e disfunção autonômica podem persistir durante um período de até 3 a 6 meses em níveis menores de intensidade.

Menos de 10% dos indivíduos que desenvolvem abstinência de álcool chegam a desenvolver sintomas drásticos (p. ex., hiperatividade autonômica grave, tremor, *delirium* por abstinência de álcool). Convulsões tônico-clônicas ocorrem em menos de 3% das pessoas.

Características Associadas

Embora confusão mental e alterações na consciência não sejam critérios essenciais para abstinência de álcool, *delirium* por abstinência de álcool (ver "*Delirium*" no capítulo "Transtornos Neurocognitivos") pode ocorrer no caso de abstinência. Assim como é válido para qualquer estado de confusão e agitação independentemente da causa, além de perturbação da consciência e da cognição, o *delirium* por abstinência pode envolver alucinações visuais, táteis ou (raramente) auditivas (*delirium tremens*). Quando se desenvolve *delirium* por abstinência, provavelmente há uma condição médica clinicamente relevante (p. ex., insuficiência hepática, pneumonia, sangramento gastrintestinal, sequelas de traumatismo craniano, hipoglicemia e desequilíbrio eletrolítico ou estado pós-operatório).

Prevalência

Estima-se que aproximadamente 50% dos indivíduos altamente funcionais da classe média com transtorno por uso de álcool nos Estados Unidos sofreram pelo menos uma vez uma síndrome de abstinência de álcool completa. Entre aqueles com transtorno por uso de álcool hospitalizados ou sem-teto, a taxa de abstinência de álcool pode ser superior a 80%. Menos de 10% das pessoas em abstinência demonstram *delirium* por abstinência de álcool ou convulsões. A prevalência de sintomas de abstinência de álcool não parece variar entre os grupos étnico-raciais nos Estados Unidos.

Desenvolvimento e Curso

A abstinência aguda de álcool ocorre na forma de episódio com duração de 4 a 5 dias e apenas após períodos prolongados de consumo pesado. A abstinência é relativamente rara em indivíduos com idade inferior a 30 anos, e o risco e a gravidade aumentam com a idade.

Fatores de Risco e Prognóstico

A ocorrência de abstinência é mais provável com a ingestão crônica de álcool e pode ser observada com mais frequência em indivíduos com transtorno da conduta e transtorno da personalidade antissocial. Os estados de abstinência são mais graves em indivíduos que também apresentam dependência de outras drogas/fármacos depressores (sedativo-hipnóticos) e naqueles que sofreram abstinência de álcool anteriormente. Os preditores de abstinência grave de álcool incluem *delirium* por abstinência de álcool, história prévia de síndromes de abstinência graves, níveis baixos de potássio no sangue, diminuição da contagem de plaquetas e hipertensão sistólica.

Ambientais. A probabilidade de desenvolver abstinência de álcool aumenta com a quantidade e com a frequência do consumo da substância. A maioria dos indivíduos com essa condição bebe diariamente e ingere grandes quantidades (aproximadamente mais de oito doses por dia) durante vários dias. Contudo, há grandes diferenças de uma pessoa para outra, sendo que há risco aumentado naquelas com condições médicas concomitantes, com história familiar de abstinência de álcool (i. e., um componente genético), nas que tiveram abstinência anteriormente e em pessoas que consomem sedativos, hipnóticos ou ansiolíticos.

Marcadores Diagnósticos

Hiperatividade autonômica no caso de níveis de álcool no sangue moderadamente elevados, porém em queda, e história de consumo intenso prolongado de álcool indicam probabilidade de abstinência de álcool.

Consequências Funcionais da Abstinência de Álcool

Sintomas de abstinência podem ajudar a perpetuar o comportamento de ingestão alcoólica e contribuir para recaída, resultando em prejuízo persistente no funcionamento social e profissional. Os sintomas que requerem desintoxicação com supervisão médica resultam em utilização hospitalar e perda de produtividade no trabalho. De modo geral, a presença de abstinência está associada a maior prejuízo funcional e prognóstico desfavorável entre indivíduos com transtorno por uso de álcool.

Diagnóstico Diferencial

Outras condições médicas. Os sintomas de abstinência de álcool também podem ser mimetizados por outras condições médicas (p. ex., hipoglicemia e cetoacidose diabética). Tremor essencial, um transtorno com padrão frequentemente familiar, pode sugerir equivocadamente os tremores associados à abstinência de álcool.

Transtornos mentais induzidos por álcool. Abstinência de álcool distingue-se de transtornos mentais induzidos por álcool (p. ex., transtorno de ansiedade induzido por álcool, com início durante a abstinência) porque os sintomas (p. ex., ansiedade) destes últimos excedem aqueles geralmente associados a abstinência de álcool, predominam na apresentação clínica e são suficientemente graves para justificar atenção clínica.

Abstinência de sedativos, hipnóticos ou ansiolíticos. Abstinência de sedativos, hipnóticos ou ansiolíticos produz uma síndrome muito semelhante à de abstinência de álcool.

Comorbidade

Considerando a típica sobreposição de abstinência de álcool com transtorno por uso de álcool, ver "Comorbidade" no capítulo "Transtorno por Uso de Álcool" para mais detalhes sobre as condições concomitantes provavelmente encontradas.

Transtornos Mentais Induzidos por Álcool

Os seguintes transtornos mentais induzidos por álcool são descritos em outros capítulos do Manual, juntamente aos transtornos com os quais compartilham fenomenologia (ver transtornos mentais induzidos por substância/medicamento nesses capítulos): transtorno psicótico induzido por álcool ("Espectro da Esquizofrenia e Outros Transtornos Psicóticos"); transtorno bipolar induzido por álcool e transtornos relacionados ("Transtorno Bipolar e Transtornos Relacionados"); transtorno depressivo induzido por álcool ("Transtornos Depressivos"); transtorno de ansiedade induzido por álcool ("Transtornos de Ansiedade"); transtorno do sono induzido por álcool ("Transtornos do Sono-Vigília"); disfunção sexual induzida por álcool ("Disfunções Sexuais"); e transtorno neurocognitivo maior ou leve induzido por álcool ("Transtornos Neurocognitivos"). Para *delirium* por intoxicação por álcool e *delirium* por abstinência de álcool, ver os critérios e a discussão de *delirium* no capítulo "Transtornos Neurocognitivos". Esses transtornos induzidos por álcool são diagnosticados em lugar de intoxicação por álcool ou abstinência de álcool apenas quando os sintomas são suficientemente graves para justificar atenção clínica independente.

Características Diagnósticas e Associadas

Os perfis de sintomas para uma condição induzida por álcool assemelham-se a transtornos mentais independentes conforme descrições em outras partes do DSM-5. Além disso, embora as condições induzidas por álcool possam apresentar as mesmas consequências graves que os transtornos mentais independentes (p. ex., tentativas de suicídio), elas tendem a melhorar sem tratamento formal em questão de dias a semanas após a interrupção da intoxicação grave e/ou da abstinência.

Cada um dos transtornos mentais induzidos por álcool está listado na seção diagnóstica relevante, e, portanto, é oferecida aqui apenas uma breve descrição. Esses transtornos mentais induzidos por álcool devem ter-se desenvolvido no caso de intoxicação grave e/ou abstinência de álcool.

Considerando que a apresentação de um transtorno mental induzido por álcool se assemelha, quanto aos sintomas, às apresentações de transtornos mentais independentes da mesma classe diagnóstica, eles devem ser diferenciados com base na relação temporal entre o uso de álcool e os sintomas psiquiátricos. Contudo, indivíduos com transtornos induzidos por álcool tendem a demonstrar também as características observadas com um transtorno por uso de álcool, conforme listado nas subseções deste capítulo.

Além disso, são necessárias evidências de que o transtorno sob observação tenha pouca probabilidade de ser mais bem explicado por um transtorno mental independente. Este último provavelmente irá ocorrer se o transtorno mental estava presente antes da intoxicação grave e/ou abstinência ou se tiver continuado mais de um mês após a cessação da intoxicação grave ou abstinência. Quando os sintomas forem observados apenas durante *delirium*, eles devem ser considerados parte do *delirium*, e não diagnosticados separadamente, já que diversos sintomas (incluindo perturbações no humor, ansiedade e teste de realidade) costumam ser observados durante estados de agitação e confusão. O transtorno mental induzido por álcool deve ser clinicamente relevante e causar níveis significativos de sofrimento ou prejuízo funcional considerável. Por fim, há indicações de que o consumo de substâncias de abuso no caso de um transtorno mental preexistente tende a resultar em intensificação da síndrome independente preexistente.

As taxas de transtornos mentais induzidos por álcool apresentam certa variação conforme a categoria diagnóstica. Por exemplo, o risco ao longo da vida de episódios depressivos maiores em indivíduos com transtorno por uso de álcool é de aproximadamente 40%, mas apenas cerca de um terço à metade destes representam síndromes depressivas maiores independentes observadas fora do contexto de intoxicação. Taxas semelhantes de transtornos do sono e de ansiedade induzidos por álcool são prováveis, mas é estimado que episódios psicóticos induzidos por álcool são observados em menos de 5% dos indivíduos com transtorno por uso de álcool.

Desenvolvimento e Curso

Uma vez presentes, os sintomas de um transtorno mental induzido por álcool provavelmente permanecerão clinicamente relevantes enquanto o indivíduo continuar a sofrer intoxicação grave ou abstinência. Embora os sintomas sejam idênticos aos de transtornos mentais independentes (p. ex., psicoses, transtorno depressivo maior), e também apresentem as mesmas consequências graves (p. ex., tentativas de suicídio), todos os transtornos mentais induzidos por álcool diferentes de transtorno neurocognitivo induzido por álcool, do tipo amnéstico confabulatório (transtorno amnéstico persistente induzido por álcool), independentemente da gravidade dos sintomas, tendem a melhorar de forma relativamente rápida e dificilmente se mantêm clinicamente relevantes por mais de um mês após a cessação de intoxicação grave e/ou abstinência.

Os transtornos induzidos por álcool são parte importante dos diagnósticos diferenciais para as condições mentais independentes. Esquizofrenia, transtorno depressivo maior, transtorno bipolar e transtornos de ansiedade independentes, como transtorno de pânico, tendem a estar associados a sintomas com duração muito maior e frequentemente exigem medicamentos de mais longo prazo para otimizar a probabilidade de melhora ou de recuperação. Os transtornos mentais induzidos por álcool, entretanto, habitualmente apresentam duração muito menor e costumam desaparecer no período de vários dias a um mês após a cessação de intoxicação grave e/ou abstinência, mesmo sem medicamentos psicotrópicos.

A importância de se reconhecer um transtorno mental induzido por álcool assemelha-se à relevância de se identificar a possível função de determinadas condições endócrinas e reações a medicamentos antes de diagnosticar um transtorno mental independente. Em vista da alta prevalência de transtornos por uso de álcool em todo o mundo, é importante que esses diagnósticos induzidos por álcool sejam levados em consideração antes de se diagnosticar transtornos mentais independentes.

Transtorno Relacionado ao Álcool Não Especificado

F10.99

Esta categoria aplica-se a apresentações em que sintomas característicos de um transtorno relacionado ao álcool que causam sofrimento clinicamente significativo ou prejuízo no funcionamento social, profissional ou em outras áreas importantes da vida do indivíduo predominam, mas não satisfazem todos os critérios para qualquer transtorno relacionado ao álcool específico nem para outro transtorno na classe diagnóstica de transtornos relacionados a substâncias e transtornos aditivos.

Transtornos Relacionados à Cafeína

Intoxicação por Cafeína
Abstinência de Cafeína
Transtornos Mentais Induzidos por Cafeína
Transtorno Relacionado à Cafeína Não Especificado

Intoxicação por Cafeína

Critérios Diagnósticos   F15.920

A. Consumo recente de cafeína (geralmente uma dose alta muito superior a 250 mg).
B. Cinco (ou mais) dos seguintes sinais ou sintomas, desenvolvidos durante ou logo após o uso de cafeína:
   1. Inquietação.
   2. Nervosismo.
   3. Excitação.
   4. Insônia.
   5. Rubor facial.
   6. Diurese.
   7. Perturbação gastrintestinal.
   8. Abalos musculares.
   9. Fluxo errático do pensamento e do discurso.
   10. Taquicardia ou arritmia cardíaca.
   11. Períodos de energia inesgotável.
   12. Agitação psicomotora.
C. Os sinais ou sintomas do Critério B causam sofrimento clinicamente significativo ou prejuízo no funcionamento social, profissional ou em outras áreas importantes da vida do indivíduo.
D. Os sinais ou sintomas não são atribuíveis a outra condição médica nem são mais bem explicados por outro transtorno mental, incluindo intoxicação por outra substância.

Características Diagnósticas

A cafeína pode ser consumida a partir de uma variedade de fontes diferentes, entre elas café, chá, refrigerantes com cafeína, bebidas "energéticas", analgésicos sem prescrição médica e remédios para resfriados, complementos para perda de peso e chocolate. A cafeína também está sendo cada vez mais usada como aditivo em vitaminas e produtos alimentícios. Mais de 85% das crianças e adultos nos Estados Unidos consomem cafeína regularmente. Alguns usuários de cafeína exibem sintomas compatíveis com uso problemático, incluindo tolerância e abstinência (ver "Abstinência de Cafeína" mais adiante neste capítulo); não há dados disponíveis no momento para determinar a relevância clínica de um transtorno por uso de cafeína e sua prevalência. Em contrapartida, há evidências de que a abstinência da substância e sua intoxicação são clinicamente significativas e suficientemente prevalentes.

A característica fundamental da intoxicação por cafeína consiste no consumo recente da substância e cinco ou mais sinais ou sintomas que se desenvolvem durante ou logo após seu uso (Critérios A e B). Os sintomas incluem inquietação, nervosismo, excitação, insônia, rubor facial, diurese e queixas gastrintestinais, que podem ocorrer com doses baixas (p. ex., 200 mg) em indivíduos sensíveis, como crianças e idosos, ou em indivíduos que nunca haviam sido expostos anteriormente à cafeína. Os sintomas que geralmente aparecem em níveis superiores a 1 g/dia incluem abalos musculares, pensamentos e discurso com fluxo errático, taquicardia ou arritmia cardíaca, energia aumentada e agitação psicomotora. A intoxicação por cafeína pode não ocorrer mesmo com a ingestão de altas doses da substância devido ao desenvolvimento de tolerância. Os sinais ou sintomas devem causar sofrimento clinicamente significativo ou prejuízo no funcionamento social, profissional ou em outras áreas importantes da vida do indivíduo (Critério C). Os sinais ou sintomas não podem ser atribuíveis a outra condição médica nem são mais bem explicados por outro transtorno mental (p. ex., transtorno de ansiedade) nem por intoxicação por outra substância (Critério D).

Características Associadas

Perturbações sensoriais leves (p. ex., zumbido nos ouvidos e *flashes* de luz) podem ocorrer com doses elevadas de cafeína. Embora altas doses da substância possam aumentar a frequência cardíaca, doses menores podem deixar o pulso mais lento. Não há confirmação de que o excesso de cafeína possa causar cefaleia. No exame físico, podem-se observar agitação, inquietação, sudorese, taquicardia, rubor facial e motilidade intestinal aumentada. Os níveis sanguíneos de cafeína podem fornecer informações importantes para o diagnóstico, especialmente quando o indivíduo não oferece uma história adequada, embora esses níveis não determinem, por si só, o diagnóstico, tendo em vista a variação individual de resposta à cafeína.

Prevalência

A prevalência de intoxicação por cafeína na população geral não está clara. Nos Estados Unidos, aproximadamente 7% dos indivíduos na população podem sofrer cinco ou mais sintomas em conjunto com prejuízo no funcionamento, compatíveis com um diagnóstico de intoxicação por cafeína.

O consumo de bebidas energéticas com cafeína, geralmente associado ao álcool, levando à intoxicação por cafeína, tem aumentado em adolescentes e adultos jovens em países de alta renda, dobrando o número de visitas ao serviço de emergência nos Estados Unidos relacionadas às bebidas energéticas com cafeína entre 2007 e 2011.

Desenvolvimento e Curso

De forma consistente com a meia-vida da cafeína, de aproximadamente 4 a 6 horas, geralmente há remissão dos sintomas de intoxicação durante o(s) primeiro(s) dia(s), e não há nenhuma consequência de longo prazo conhecida. Contudo, indivíduos que consomem doses muito elevadas (i. e., 5 a 10 g) podem precisar de atenção médica imediata, uma vez que tais doses podem ser letais.

Com o avançar da idade, as reações à cafeína podem ser cada vez mais intensas, sendo que as queixas mais frequentes são interferência sobre o sono ou excitabilidade aumentada. Observou-se intoxicação por cafeína entre jovens após o consumo de produtos com alto teor de cafeína, incluindo bebidas energéticas. Crianças e adolescentes podem correr risco maior de intoxicação por cafeína devido ao baixo peso corporal, à ausência de tolerância e ao desconhecimento sobre os efeitos farmacológicos da substância.

Fatores de Risco e Prognóstico

Ambientais. A intoxicação por cafeína costuma ser observada entre indivíduos que a usam com menos frequência ou entre pessoas que recentemente aumentaram sua ingestão de modo substancial. Além disso, contraceptivos orais reduzem significativamente a eliminação de cafeína e, consequentemente, podem aumentar o risco de intoxicação.

Genéticos e fisiológicos. Fatores genéticos podem afetar o risco de intoxicação por cafeína.

Consequências Funcionais da Intoxicação por Cafeína

Os prejuízos decorrentes da intoxicação por cafeína podem apresentar consequências graves, incluindo disfunção no trabalho ou na escola, indiscrições sociais ou fracasso em desempenhar papéis. Além disso, doses extremamente elevadas de cafeína podem ser fatais. Em alguns casos, a intoxicação pela substância pode precipitar um transtorno induzido por cafeína.

Diagnóstico Diferencial

Transtornos mentais independentes. A intoxicação por cafeína pode se caracterizar por sintomas (p. ex., ataques de pânico) que se assemelham a transtornos mentais primários. Para satisfazer os critérios de intoxicação por cafeína, os sintomas não podem estar associados a outra condição médica nem a outro transtorno mental, como transtorno de ansiedade, que poderiam explicá-los melhor. Episódios maníacos; transtorno de pânico; transtorno de ansiedade generalizada; intoxicação por anfetaminas; abstinência de sedativos, hipnóticos ou ansiolíticos ou abstinência de tabaco; transtornos do sono; e efeitos colaterais induzidos por medicamentos (p. ex., acatisia) podem causar um quadro clínico semelhante ao da intoxicação por cafeína.

Transtornos mentais induzidos por cafeína. A relação temporal entre os sintomas e a intensificação do uso de cafeína, ou de sua abstinência, ajuda a estabelecer o diagnóstico. A intoxicação por cafeína diferencia-se do transtorno de ansiedade induzido por cafeína com início durante a intoxicação (ver "Transtorno de Ansiedade Induzido por Substância/Medicamento" no capítulo "Transtornos de Ansiedade") e do transtorno do sono induzido por cafeína com início durante a intoxicação (ver "Transtorno do Sono Induzido por Substância/Medicamento" no capítulo "Transtornos do Sono-Vigília") pelo fato de que os sintomas (p. ex., ansiedade e insônia, respectivamente) desses dois últimos transtornos excedem os habitualmente associados à intoxicação por cafeína, predominam na apresentação clínica e são suficientemente graves para justificar atenção clínica independente.

Comorbidade

Doses de cafeína típicas da alimentação não estiveram consistentemente associadas a problemas médicos. Contudo, o uso pesado (p. ex., superior a 400 mg) pode causar ou exacerbar sintomas somáticos e de ansiedade e desconforto gastrintestinal. No caso de doses extremamente elevadas e agudas de cafeína, convulsões tônico-clônicas e insuficiência respiratória podem resultar em morte. O uso excessivo da substância está associado a transtornos depressivos, transtornos bipolares, transtornos alimentares, transtornos psicóticos, transtornos do sono e transtornos relacionados a substâncias, considerando que indivíduos com transtornos de ansiedade têm mais propensão a evitar a cafeína.

Abstinência de Cafeína

Critérios Diagnósticos   F15.93

A. Uso diário prolongado de cafeína.
B. Cessação ou redução abrupta do uso de cafeína, seguida, no período de 24 horas, de três (ou mais) dos seguintes sinais ou sintomas:
   1. Cefaleia.
   2. Fadiga ou sonolência acentuadas.
   3. Humor disfórico, humor deprimido ou irritabilidade.
   4. Dificuldade de concentração.
   5. Sintomas gripais (náusea, vômitos ou dor/rigidez muscular).

C. Os sinais ou sintomas do Critério B causam sofrimento clinicamente significativo ou prejuízo no funcionamento social, profissional ou em outras áreas importantes da vida do indivíduo.

D. Os sinais ou sintomas não estão associados aos efeitos fisiológicos de outra condição médica (p. ex., enxaqueca, doença viral) nem são mais bem explicados por outro transtorno mental, incluindo intoxicação por ou abstinência de outra substância.

Características Diagnósticas

A característica essencial da abstinência de cafeína é a presença de uma síndrome de abstinência típica que se desenvolve após a interrupção (ou redução substancial) abrupta da ingestão diária prolongada de cafeína (Critério B). Como podem não ter conhecimento da ampla gama de fontes de cafeína, além do café, bebidas energéticas e de cola (p. ex., analgésicos sem receita e remédios para resfriado, suplementos para perda de peso, chocolate), os indivíduos podem não relacionar a ingestão dessas substâncias aos sintomas de abstinência de cafeína. A síndrome de abstinência de cafeína é indicada por três ou mais dos seguintes (Critério B): cefaleia; fadiga ou sonolência acentuadas; humor disfórico, humor deprimido ou irritabilidade; dificuldade de concentração; e sintomas gripais (náusea, vômitos, dor/rigidez muscular). A síndrome de abstinência causa sofrimento clinicamente significativo ou prejuízo no funcionamento social, profissional ou em outras áreas importantes da vida do indivíduo (Critério C). Os sintomas não devem estar associados aos efeitos fisiológicos de outra condição médica nem são mais bem explicados por outro transtorno mental (Critério D).

A cefaleia é a característica típica da abstinência de cafeína e pode ser difusa, de desenvolvimento gradual, latejante e sensível ao movimento. Contudo, outros sintomas de abstinência de cafeína podem ocorrer na ausência de cefaleia. A cafeína é a substância comportamentalmente ativa mais amplamente usada no mundo e está presente em diversos tipos de bebidas (p. ex., café, chá, mate, refrigerantes, bebidas energéticas), alimentos, complementos energéticos, medicamentos e suplementos alimentares. Como sua ingestão costuma estar integrada a hábitos sociais e a rituais diários (p. ex., pausa para o cafezinho, chá da tarde), alguns consumidores podem não estar cientes de sua dependência física da substância. Por isso, os sintomas de abstinência de cafeína podem ser inesperados e erroneamente atribuídos a outras causas (p. ex., gripe, enxaqueca). Além disso, os sintomas de abstinência de cafeína podem ocorrer quando o indivíduo precisa abster-se de alimentos e bebidas antes de procedimentos médicos ou quando perde uma dose habitual da substância devido a uma mudança na rotina (p. ex., durante viagens, fins de semana).

A probabilidade e a gravidade da abstinência de cafeína geralmente aumentam como resultado da dose diária regular da substância. Contudo, há grande variação de uma pessoa para outra e em um mesmo indivíduo em diferentes episódios quanto a incidência, gravidade e duração dos sintomas de abstinência. Os sintomas de abstinência podem ocorrer após a interrupção abrupta de doses crônicas relativamente baixas da substância (i. e., 100 mg).

Características Associadas

Demonstrou-se que a abstinência de cafeína está associada a comprometimento do desempenho comportamental e cognitivo (p. ex., atenção sustentada), bem como ao aumento do tempo total de sono, eficiência do sono e sono de ondas lentas. Estudos eletroencefalográficos demonstraram que os sintomas de abstinência de cafeína estão significativamente associados a aumentos na atividade teta e diminuições na atividade beta-2. Redução na motivação para trabalhar e diminuição na sociabilidade também foram relatadas durante a abstinência de cafeína. Documentou-se, ainda, aumento do uso de analgésicos durante a abstinência da substância.

Prevalência

Mais de 85% dos adultos e crianças nos Estados Unidos consomem cafeína regularmente, sendo que usuários adultos ingerem, em média, cerca de 280 mg/dia. A incidência e a prevalência da síndrome de abstinência de cafeína na população geral não são claras. Nos Estados Unidos, pode ocorrer cefaleia em aproximadamente 50% dos casos de abstinência de cafeína. Na tentativa de interromper permanentemente o uso da substância, mais de 70% dos indivíduos em um condado metropolitano nos Estados Unidos relataram sofrer pelo menos um sintoma de abstinência de cafeína (47% tinham cefaleia), e 24% apresentavam cefaleia acrescida de um ou mais sintomas, bem como deficiência funcional decorrente da abstinência. Entre os indivíduos que se abstiveram de cafeína por pelo menos 24 horas, mas que não estavam tentando interromper seu uso permanentemente, 11% tiveram cefaleia acrescida de um ou mais sintomas, bem como deficiência funcional. Os consumidores de cafeína podem diminuir a incidência de abstinência da substância ao usá-la diariamente ou com menos frequência (p. ex., sem exceder dois dias consecutivos). A redução gradual da cafeína ao longo de um período de dias ou semanas pode diminuir a incidência e a gravidade da abstinência.

Desenvolvimento e Curso

Os sintomas normalmente se iniciam 12 a 24 horas após a última dose de cafeína e atingem um pico depois de 1 ou 2 dias de abstinência. Os sintomas de abstinência de cafeína duram 2 a 9 dias, sendo que a possibilidade de cefaleias de abstinência ocorre em até 21 dias. Os sintomas costumam desaparecer rapidamente (entre 30 e 60 minutos) após nova ingestão de cafeína. Doses de cafeína significativamente menores do que a dose diária habitual do indivíduo podem ser suficientes para prevenir ou atenuar os sintomas de abstinência de cafeína (p. ex., consumo de 25 mg por um indivíduo que geralmente consome 300 mg).

A característica única da cafeína consiste em ser uma substância comportamentalmente ativa consumida por indivíduos de praticamente todas as faixas etárias, sendo que as taxas de consumo e seu nível geral de consumo aumentam com a idade. Embora a abstinência de cafeína em crianças e adolescentes tenha sido documentada, sabe-se relativamente pouco sobre os fatores de risco de abstinência de cafeína nessa faixa etária. O uso de bebidas energéticas com altos teores da substância está em ascensão entre jovens, o que pode aumentar o risco de abstinência.

Fatores de Risco e Prognóstico

Temperamentais. Observou-se uso intenso de cafeína entre indivíduos com transtornos mentais, incluindo transtornos alimentares e transtornos por uso de álcool e de outras substâncias, além de fumantes e presidiários. Portanto, essas pessoas podem correr risco maior de abstinência de cafeína ao interromperem seu uso.

Ambientais. A falta de disponibilidade de cafeína é um fator de risco ambiental para sintomas incipientes de abstinência. Embora a cafeína seja legal e de ampla disponibilidade, há condições nas quais seu uso pode ser restringido, como durante procedimentos médicos, gestação, hospitalizações, determinação religiosa, guerra, viagem e participação em pesquisas. Essas circunstâncias ambientais externas podem precipitar síndrome de abstinência em indivíduos suscetíveis.

Genéticos e fisiológicos. Fatores genéticos parecem aumentar a suscetibilidade à abstinência de cafeína, mas não foram identificados genes específicos.

Questões Diagnósticas Relativas à Cultura

Consumidores habituais de cafeína que fazem jejum por motivos religiosos podem correr maior risco de abstinência de cafeína.

Questões Diagnósticas Relativas ao Sexo e ao Gênero

O metabolismo da cafeína é mais lento em mulheres que usam contraceptivos orais e na fase lútea do ciclo menstrual, e torna-se progressivamente mais lento no segundo e no terceiro trimestres de gravidez em comparação com o primeiro trimestre e o estado de não gravidez. Essas características reduzem a taxa de eliminação e podem diminuir a abstinência, embora também possam prolongar a duração dos sintomas adversos associados à cafeína. É pouco provável que doses inferiores a 300 mg/dia estejam associadas a resultados reprodutivos adversos na gravidez.

Consequências Funcionais da Abstinência de Cafeína

Os sintomas de abstinência de cafeína podem variar de leves a extremos e por vezes causam prejuízo funcional nas atividades diárias normais. As taxas de comprometimento funcional em estudos conduzidos em grande parte nos Estados Unidos variam de 10 a 55% (média de 13%), com valores que chegam a 73% entre indivíduos que também demonstram outras características problemáticas do uso de cafeína Exemplos de comprometimento funcional incluem estar incapaz de trabalhar, fazer exercícios ou cuidar de crianças; ficar na cama o dia inteiro; perder ritos religiosos; abreviar as férias; e cancelar um encontro social. As cefaleias da abstinência de cafeína podem ser descritas pelos indivíduos como "as piores dores de cabeça" já vividas. Observou-se também decréscimo no desempenho cognitivo e motor.

Diagnóstico Diferencial

Outras condições médicas e efeitos colaterais de medicamentos. A abstinência de cafeína pode mimetizar enxaqueca e outros transtornos da cefaleia, doenças virais, sinusites, tensão, estados de abstinência de outras drogas (p. ex., anfetaminas, cocaína) e efeitos colaterais de medicamentos. A determinação final de abstinência de cafeína deve se basear no estabelecimento do padrão e da quantidade de consumo, no intervalo de tempo entre a abstinência e o início dos sintomas e nas características clínicas específicas apresentadas pelo indivíduo. Uma prova terapêutica, utilizando uma dose de cafeína seguida por remissão dos sintomas pode ser usada para confirmar o diagnóstico.

Transtorno do sono induzido por cafeína. Abstinência de cafeína distingue-se de transtorno do sono induzido por cafeína (p. ex., transtorno do sono induzido por cafeína, tipo insônia, com início durante a abstinência) porque os sintomas do sono excedem aqueles geralmente associados à abstinência de cafeína, predominam na apresentação clínica e são suficientemente graves para justificar atenção clínica.

Comorbidade

A abstinência de cafeína pode estar associada a transtorno depressivo maior, transtorno de ansiedade generalizada, transtorno de pânico, transtorno da personalidade antissocial em adultos, transtorno por uso de álcool de moderado a grave e a uso de *Cannabis* e de cocaína.

Transtornos Mentais Induzidos por Cafeína

Os seguintes transtornos mentais induzidos por cafeína são descritos em outros capítulos do Manual, juntamente aos transtornos com os quais compartilham fenomenologia (ver transtornos mentais induzidos por substância/medicamento nesses capítulos): transtorno de ansiedade induzido por cafeína ("Transtornos de Ansiedade") e transtorno do sono induzido por cafeína ("Transtornos do Sono-Vigília"). Esses transtornos mentais induzidos por cafeína são diagnosticados em lugar de intoxicação por cafeína ou abstinência de cafeína apenas quando os sintomas são suficientemente graves para justificar atenção clínica independente.

Transtorno Relacionado à Cafeína Não Especificado

F15.99

Esta categoria aplica-se a apresentações em que sintomas característicos de um transtorno relacionado à cafeína que causam sofrimento clinicamente significativo ou prejuízo no funcionamento social, profissional ou em outras áreas importantes da vida do indivíduo predominam, mas não satisfazem todos os critérios para qualquer transtorno relacionado à cafeína específico nem para outro transtorno na classe de transtornos relacionados a substâncias e transtornos aditivos.

Transtornos Relacionados a *Cannabis*

Transtorno por Uso de *Cannabis*
Intoxicação por *Cannabis*
Abstinência de *Cannabis*
Transtornos Mentais Induzidos por *Cannabis*
Transtorno Relacionado a *Cannabis* Não Especificado

Transtorno por Uso de *Cannabis*

Critérios Diagnósticos

A. Um padrão problemático de uso de *Cannabis*, levando a comprometimento ou sofrimento clinicamente significativos, manifestado por pelo menos dois dos seguintes critérios, ocorrendo durante um período de 12 meses:
  1. *Cannabis* é frequentemente consumida em maiores quantidades ou por um período mais longo do que o pretendido.
  2. Existe um desejo persistente ou esforços malsucedidos no sentido de reduzir ou controlar o uso de *Cannabis*.
  3. Muito tempo é gasto em atividades necessárias para a obtenção de *Cannabis*, na utilização de *Cannabis* ou na recuperação de seus efeitos.
  4. Fissura ou um forte desejo ou necessidade de usar *Cannabis*.
  5. Uso recorrente de *Cannabis*, resultando em fracasso em desempenhar papéis importantes no trabalho, na escola ou em casa.
  6. Uso continuado de *Cannabis*, apesar de problemas sociais ou interpessoais persistentes ou recorrentes causados ou exacerbados pelos efeitos da substância.
  7. Importantes atividades sociais, profissionais ou recreacionais são abandonadas ou reduzidas em virtude do uso de *Cannabis*.
  8. Uso recorrente de *Cannabis* em situações nas quais isso representa perigo para a integridade física.
  9. O uso de *Cannabis* é mantido apesar da consciência de ter um problema físico ou psicológico persistente ou recorrente que tende a ser causado ou exacerbado pela substância.
  10. Tolerância, definida por qualquer um dos seguintes aspectos:
      a. Necessidade de quantidades progressivamente maiores de *Cannabis* para atingir a intoxicação ou o efeito desejado.
      b. Efeito acentuadamente menor com o uso continuado da mesma quantidade de *Cannabis*.
  11. Abstinência, conforme manifestada por um dos seguintes aspectos:
      a. Síndrome de abstinência característica de *Cannabis* (consultar os Critérios A e B do conjunto de critérios para abstinência de *Cannabis*).
      b. *Cannabis* (ou uma substância estreitamente relacionada) é consumida para aliviar ou evitar sintomas de abstinência.

Especificar se:
  Em remissão inicial: Após todos os critérios para transtorno por uso de *Cannabis* terem sido preenchidos anteriormente, nenhum dos critérios para transtorno por uso de *Cannabis* foi preenchido durante um

> período mínimo de três meses, porém inferior a 12 meses (com exceção de que o Critério A4, "Fissura ou um forte desejo ou necessidade de usar *Cannabis*", ainda pode ocorrer).
>
> **Em remissão sustentada:** Após todos os critérios para transtorno por uso de *Cannabis* terem sido preenchidos anteriormente, nenhum dos critérios para transtorno por uso de *Cannabis* foi preenchido em nenhum momento durante um período igual ou superior a 12 meses (com exceção de que o Critério A4, "Fissura ou um forte desejo ou necessidade de usar *Cannabis*", ainda pode ocorrer).
>
> *Especificar* se:
>
> **Em ambiente protegido:** Este especificador adicional é usado se o indivíduo se encontra em um ambiente no qual o acesso a *Cannabis* é restrito.
>
> **Código baseado na gravidade atual/remissão:** Se também houver intoxicação por *Cannabis*, abstinência de *Cannabis* ou outro transtorno mental induzido por *Cannabis*, não utilizar os códigos abaixo para transtorno por uso de *Cannabis*. No caso, o transtorno por uso de *Cannabis* comórbido é indicado pelo 4º caractere do código de transtorno induzido por *Cannabis* (ver a nota para codificação para intoxicação por *Cannabis*, abstinência de *Cannabis* ou um transtorno mental induzido por *Cannabis* específico). Por exemplo, se houver comorbidade de transtorno de ansiedade induzido por *Cannabis* e transtorno por uso de *Cannabis*, apenas o código para transtorno de ansiedade induzido por *Cannabis* é fornecido, sendo que o 4º caractere indica se o transtorno por uso de *Cannabis* comórbido é leve, moderado ou grave: F12.180 para transtorno por uso de *Cannabis*, leve com transtorno de ansiedade induzido por *Cannabis*, ou F12.280 para transtorno por uso de *Cannabis*, moderado ou grave com transtorno de ansiedade induzido por *Cannabis*.
>
> *Especificar* a gravidade atual/remissão:
>
> **F12.10 Leve:** Presença de 2 ou 3 sintomas.
> **F12.11 Leve, em remissão inicial**
> **F12.11 Leve, em remissão sustentada**
> **F12.20 Moderada:** Presença de 4 ou 5 sintomas.
> **F12.21 Moderada, em remissão inicial**
> **F12.21 Moderada, em remissão sustentada**
> **F12.20 Grave:** Presença de 6 ou mais sintomas.
> **F12.21 Grave, em remissão inicial**
> **F12.21 Grave, em remissão sustentada**

Especificadores

"Em ambiente protegido" aplica-se como um especificador a mais de remissão se o indivíduo estiver tanto em remissão como em um ambiente protegido (i. e., em remissão inicial em ambiente protegido ou em remissão sustentada em ambiente protegido). Exemplos desses ambientes incluem prisões rigorosamente vigiadas e livres de substâncias, comunidades terapêuticas ou unidades hospitalares fechadas.

As alterações na gravidade ao longo do tempo também podem se refletir em mudanças na frequência (p. ex., dias de uso por mês ou quantas vezes usada por dia) e/ou dose (p. ex., quantidade usada por episódio) de *Cannabis*, conforme avaliação do autorrelato do indivíduo, relato de outras pessoas cientes do caso, observações do clínico e exames biológicos.

Características Diagnósticas

O transtorno por uso de *Cannabis* inclui problemas associados ao uso de substâncias derivadas da planta *Cannabis* e compostos sintéticos de composição química semelhante. Nessas substâncias, o componente principal com efeitos psicoativos (e, portanto, com potencial para adição) é o canabinoide delta-9-tetraidrocanabinol (delta-9-THC ou THC). Os canabinoides têm diversos efeitos sobre o cérebro, sendo que entre os mais proeminentes estão as ações sobre os receptores de canabinoides CB1 e CB2, que são encontrados em todo o sistema nervoso.

A *Cannabis* é usada de várias formas. É mais comumente fumada na forma de cigarro (com frequência chamado de "baseado", "banza" ou "beque") e também em *pipes*, *waterpipes* (bongs ou narguilés) ou no papel de charutos esvaziados (*"blunts"*). Mais recentemente, desenvolveram-se métodos que incluem "vaporização", envolvendo o aquecimento sem combustão do material vegetal para liberar componentes psicoativos para inalação e *"dabbing"*, em que um produto concentrado (*butane hash oil* (BHO) ou óleo de butano, conhecido como *"dabs"*), criado a partir da extração do THC do material vegetal da *Cannabis* por dissolução em gás butano, é aquecido e inalado. Vaporização e *dabbing* estão ganhando popularidade, sobretudo entre os jovens. A *Cannabis* também pode ser ingerida por via oral em alimentos ou bebidas. Geralmente a inalação produz início mais rápido e intenso dos efeitos do que a administração oral. Haxixe ou óleo de haxixe, uma extração concentrada do material vegetal da *Cannabis*, também é usado. Entre os produtos, a potência da *Cannabis* (concentração de THC) varia amplamente, de 10 a 15% no material vegetal típico, 30 a 40% no haxixe e 50 a 55% em óleo de butano. Durante as duas últimas décadas, a potência da *Cannabis* ilegal apreendida tem aumentado constantemente, e produtos legais da *Cannabis* em alguns países podem ter potência de THC ainda mais elevada (p. ex., 20% para o material vegetal e 68% para extratos de *Cannabis*). Formulações orais sintéticas com THC (comprimidos/cápsulas/*sprays*) também se encontram disponíveis para vários usos médicos (p. ex., dor crônica; náusea e vômitos causados por quimioterapia ou anorexia; perda de peso em pacientes com aids). Outros compostos canabinoides sintéticos inteiramente ilícitos (p. ex., K2, Spice, JWH-018, JWH-073) encontram-se na forma de material vegetal pulverizado com uma formulação canabinoide. Embora tais canabinoides sintéticos sejam concebidos para imitar os efeitos da *Cannabis*, sua composição química, potência, efeitos e duração da ação são imprevisíveis, podendo causar efeitos adversos mais graves do que produtos da *Cannabis* vegetal, incluindo convulsões, problemas cardíacos, psicose e até morte.

Nos Estados Unidos, a *Cannabis* continua sendo uma substância ilegal segundo a legislação federal, embora seu *status* legal varie de estado para estado. Assim, a *Cannabis*, segundo leis estaduais, pode envolver um produto ilícito, um produto autorizado para fins medicinais ou um produto completamente legal. A finalidade médica mais comum para o uso de *Cannabis* é a dor crônica, e as condições aprovadas para seu uso medicinal variam de estado para estado. Quando *Cannabis* ou canabinoides são ingeridos conforme indicado para uma condição médica, pode ocorrer tolerância e abstinência (dependência fisiológica), mas não deve ser a base principal para o diagnóstico de transtorno por uso de *Cannabis*. A eficácia da *Cannabis* para diferentes condições médicas continua a ser discutida, e seu uso por recomendação médica deve ser levado em conta quando um diagnóstico de transtorno por uso de *Cannabis* estiver sendo considerado.

Os padrões de uso da *Cannabis* podem variar de leve e infrequente a pesado e frequente. Indivíduos com transtorno por uso de *Cannabis* do DSM-5 podem usá-la com frequência (em média, 4 ou mais dias por semana), e alguns podem usá-la o dia inteiro ao longo de um período de meses ou anos. Devido à crescente percepção comum de que o uso de *Cannabis* não causa danos, os indivíduos podem não reconhecer que os sintomas do transtorno por uso de *Cannabis* (p. ex., sintomas de abstinência) estão associados à substância. Além disso, entre indivíduos com múltiplos transtornos por uso de substância, a falta de clareza sobre se os sintomas são causados pela *Cannabis* ou por outras substâncias pode levar à subnotificação de sintomas do transtorno por uso de *Cannabis*.

O transtorno por uso de *Cannabis* é definido pelos mesmos 11 critérios que definem outros transtornos por uso de substância, apoiados por evidências clínicas consideráveis. Esses critérios, um conjunto de sintomas físicos e comportamentais, levam a prejuízo ou sofrimento clinicamente significativo e podem incluir abstinência, tolerância, fissura, dedicar muito tempo a atividades relacionadas à substância e uso perigoso (p. ex., conduzir veículo sob sua influência). Algumas pessoas que usam *Cannabis* muitas vezes por dia não têm a percepção de que passam um tempo excessivo sob a influência da substância ou recuperando-se dos seus efeitos, apesar de estarem intoxicadas com *Cannabis* ou em recuperação dos seus efeitos na maior parte do tempo, na maioria dos dias. Um marcador importante de um transtorno grave por uso de *Cannabis* é o uso continuado apesar dos efeitos negativos em outras atividades ou relacionamentos importantes (p. ex., escola, trabalho, esportes, relacionamentos com parceria ou com os pais).

Os usuários regulares de *Cannabis* se tornam tolerantes a muitos efeitos agudos da substância, e geralmente a interrupção do seu uso regular leva a uma síndrome de abstinência de *Cannabis*. Abstinência de *Cannabis* pode causar sofrimento significativo, levando ao uso continuado para aliviar os sintomas, dificuldade para interromper o uso e recaída.

Características Associadas

Indivíduos que usam *Cannabis* regularmente costumam relatar que a consomem para lidar com o humor, insônia, raiva, dor ou outros problemas fisiológicos e psicológicos, e as pessoas diagnosticadas com transtorno por uso de *Cannabis* frequentemente apresentam outros transtornos mentais concomitantes. Uma avaliação criteriosa normalmente revela relatos de uso de *Cannabis* que contribuem para a exacerbação desses mesmos sintomas, bem como outras razões para o uso frequente (p. ex., os motivos listados anteriormente, para sentir euforia, como uma atividade social prazerosa). O consumo crônico de *Cannabis* pode produzir uma falta de motivação que se assemelha ao transtorno depressivo persistente.

Devido ao fato de que alguns usuários de *Cannabis* estão motivados a minimizar a quantidade ou a frequência de uso, é importante estar ciente dos sinais e sintomas habituais de consumo e de sua intoxicação para melhor avaliar a extensão do uso. Alguns sinais do uso agudo e crônico incluem olhos vermelhos (conjuntivas hiperêmicas), odor de *Cannabis* nas roupas, pontas dos dedos amareladas (de fumar baseados), tosse crônica, uso de incenso (para mascarar o odor), fissura exagerada e desejo de determinados alimentos, às vezes em momentos incomuns do dia ou da noite.

Prevalência

Os canabinoides, especialmente a *Cannabis*, são as substâncias psicoativas ilícitas mais amplamente usadas nos Estados Unidos. Os dados de prevalência a seguir são extraídos de estudos nos Estados Unidos, salvo indicado em contrário. Em jovens (de 12 a 17 anos), a prevalência no último ano de transtorno por uso de Cannabis do DSM-IV é de 2,7 a 3,1%. Em adultos acima de 18 anos, a prevalência é de 1,5 a 2,9%. Em usuários de *Cannabis*, a a prevalência do transtorno conforme o DSM-IV é de 20,4% entre jovens e 30,6% entre adultos. A prevalência de 12 meses do transtorno por uso de *Cannabis* do DSM-5 é de aproximadamente 2,5% entre adultos (1,4, 0,6 e 0,6% nos níveis leve, moderado e grave, respectivamente). Na última década, a prevalência do transtorno aumentou entre adultos e adolescentes. No entanto, alguns estudos sugerem que entre adultos a prevalência do transtorno por uso de *Cannabis* permaneceu estável ou aumentou – por exemplo, entre adultos na população geral, em pacientes hospitalizados e em pacientes na U.S. Veterans Health Administration. Globalmente, a taxa padronizada por idade de transtornos por uso de *Cannabis* era de 289,7 por 100.000 pessoas em 2016, um aumento de 25,6% em relação a 1990. A prevalência varia amplamente em cada região geográfica, sendo mais baixa na África Ocidental Subsaariana e mais alta na América do Norte.

De acordo com a idade, a prevalência de transtorno por uso de *Cannabis* nos Estados Unidos é mais alta na faixa etária dos 18 aos 29 anos (6,9%) e mais baixa entre indivíduos a partir dos 45 anos (0,8%). As taxas do transtorno são maiores entre homens adultos do que entre mulheres adultas (3,5 vs. 1,7%) e entre meninos do que entre meninas dos 12 aos 17 anos (3,4 vs. 2,8%), embora as diferenças quanto ao gênero tenham diminuído em coortes de nascimento recentes em vários países. Quanto às diferenças étnico-raciais, para adolescentes na faixa etária dos 12 aos 17 anos, as taxas são mais elevadas entre hispânicos (3,8%), seguidos por brancos (3,1%), afro-americanos (2,9%) e outros grupos étnico-raciais (2,3%). Entre adultos, a prevalência do transtorno por uso de *Cannabis* é de 5,3% entre índios norte-americanos e nativos do Alasca, 4,5% em afro-americanos, 2,6% em hispânicos, 2,2% em brancos e 1,3% em asiáticos e nativos das ilhas do Pacífico.

Nos Estados Unidos e em outros países de alta renda, o número de indivíduos que buscam tratamento para problemas relacionados a *Cannabis* tem aumentado desde a década de 1990. Entretanto, entre adultos com transtorno por uso de *Cannabis*, apenas 7 a 8% receberam algum tipo de tratamento específico para *Cannabis* no último ano, indicando que esse transtorno é uma condição seriamente subtratada.

Desenvolvimento e Curso

O início do transtorno por uso de *Cannabis* pode ocorrer a qualquer momento durante ou após a adolescência, mas é mais comum durante a adolescência ou no começo da idade adulta. A crescente aceitação e a disponibilidade da *Cannabis* medicinal e recreativa podem afetar o desenvolvimento e o curso de transtorno por uso de *Cannabis*, com aumento na taxa de início do transtorno entre idosos.

Geralmente, o transtorno por uso de *Cannabis* desenvolve-se por um longo período de tempo, embora a progressão possa ser mais rápida em adolescentes, sobretudo entre os que apresentam problemas da conduta. A maioria das pessoas que desenvolvem um transtorno por uso de *Cannabis* em geral estabelece um padrão de consumo que aumenta gradualmente tanto em frequência quanto em quantidade. A partir de 2010, a *Cannabis* foi substituindo, de forma crescente, o álcool e o tabaco nos Estados Unidos como a primeira substância psicoativa usada durante a adolescência. Isso pode ser atribuído ao decréscimo na percepção do caráter nocivo do uso de *Cannabis* entre adolescentes e adultos e ao fato de que muitos agora percebem seu consumo como menos prejudicial do que o uso de álcool ou de tabaco.

O transtorno entre pré-adolescentes, adolescentes e adultos jovens está associado a preferências por busca de novidade e exposição a riscos, comportamentos de violação das normas ou outros comportamentos ilegais e problemas de conduta. Casos mais leves em jovens refletem sobretudo o uso contínuo apesar dos problemas evidentes relacionados à desaprovação do uso por pares, pela administração da escola ou pela família, o que coloca o jovem em risco de sofrer consequências físicas ou comportamentais. Nos casos mais graves, a progressão para o uso solitário ou ao longo do dia interfere no funcionamento diário e assume o lugar de atividades pró-sociais estabelecidas anteriormente.

O transtorno por uso de *Cannabis* entre adultos comumente envolve padrões bem estabelecidos de uso diário da substância que continuam apesar de problemas médicos ou psicossociais evidentes. Muitos adultos experienciaram o desejo de parar repetidamente ou não obtiveram sucesso após repetidas tentativas em cessar o uso. Casos mais leves na idade adulta podem assemelhar-se aos casos adolescentes mais comuns nos quais o uso de *Cannabis* não é tão frequente nem tão pesado, mas continua apesar de consequências potencialmente significativas do uso sustentado. A taxa de uso entre adultos de meia-idade e idosos nos Estados Unidos parece estar aumentando, provavelmente devido a um aumento na disponibilidade e na aceitação, juntamente com um possível efeito de coorte *"baby boomer"* resultante da alta prevalência de uso entre aqueles que eram adultos jovens no fim dos anos de 1960 e nos anos de 1970.

O início precoce do uso de *Cannabis* (p. ex., antes dos 15 anos) é um preditor robusto de desenvolvimento do transtorno por uso de *Cannabis* e outros tipos de transtornos por uso de substância e transtornos mentais durante o início da idade adulta. Um início tão precoce provavelmente está relacionado a outros problemas externalizantes concomitantes (p. ex., sintomas de transtorno da conduta). Contudo, o início precoce também é um indicador de problemas internalizantes e, como tal, provavelmente reflete um fator de risco geral para o desenvolvimento de transtornos mentais.

Fatores de Risco e Prognóstico

Temperamentais. História de transtorno da conduta na infância ou adolescência e de transtorno da personalidade antissocial é fator de risco para o desenvolvimento de vários transtornos relacionados ao uso de substâncias, incluindo transtorno por uso de *Cannabis*. Outros fatores de risco incluem transtornos externalizantes ou internalizantes durante a infância ou adolescência. Jovens com pontuação elevada de desinibição comportamental mostram transtornos por uso de substância com início precoce, incluindo transtorno por uso de *Cannabis*, envolvimento com múltiplas substâncias e problemas precoces de conduta.

Ambientais. Fatores de risco incluem situação familiar instável ou violenta, uso de *Cannabis* por familiares imediatos, história na infância de abuso físico ou emocional ou a morte violenta de um familiar ou amigo próximo, história familiar de transtornos por uso de substância e baixo nível socioeconômico. Como ocorre com todas as substâncias de abuso, a facilidade de acesso à substância consiste em fator de risco; *Cannabis* é relativamente fácil de se obter na maioria das culturas, o que aumenta o risco de desenvolver um transtorno relacionado a seu uso. As leis estaduais cada vez mais permissivas quanto à *Cannabis* medicinal e recreativa reduziram as barreiras para sua obtenção em aproximadamente dois terços dos estados integrantes dos Estados Unidos. Morar em um estado norte-americano que legalizou o uso recreativo de *Cannabis* aumenta o risco de transtorno por uso de *Cannabis* em adultos. O risco do transtorno entre usuários de *Cannabis* é mais elevado entre adultos e adolescentes negros, índios americanos, hispânicos e asiáticos americanos, quando comparados com brancos não hispânicos.

Genéticos e fisiológicos. Influências genéticas contribuem para o desenvolvimento de transtornos por uso de *Cannabis*. Fatores hereditários contribuem de 30 a 80% para a variância total no risco desse transtorno, embora os estudos ainda não tenham identificado definitivamente as variantes genéticas específicas envolvidas. Influências genéticas e ambientais compartilhadas entre transtorno por uso de *Cannabis* e outros tipos de transtornos por uso de substância sugerem uma base geral comum para os transtornos por uso de substância que inclui o transtorno por uso de *Cannabis*.

Questões Diagnósticas Relativas à Cultura

A aceitação da *Cannabis* com fins medicinais e recreativos tem variado muito ao longo do tempo e de uma cultura para outra. Atualmente, a *Cannabis* é uma das substâncias psicoativas de uso mais comum em todo o mundo. Em algumas culturas, seu uso é influenciado pela etnia, pela religião e por práticas socioculturais, como os movimentos políticos.

Questões Diagnósticas Relativas ao Sexo e ao Gênero

Em comparação com os homens, as mulheres relatam sintomas mais graves de abstinência de *Cannabis*, especialmente sintomas do humor, como irritabilidade, inquietação e raiva, e sintomas gastrintestinais, como dor epigástrica e náusea, o que pode contribuir para o potencial efeito telescópico (transição mais rápida do primário uso de *Cannabis* para transtorno por uso de *Cannabis*).

Foi relatado uso de *Cannabis* no último mês por 7,0% das gestantes em uma pesquisa nacionalmente representativa nos Estados Unidos em 2016 e 2017. A taxa de uso de *Cannabis* é mais baixa em gestantes comparadas com não gestantes, mas a retomada do uso após o parto ocorre na maioria das mulheres que atinge a abstinência durante a gravidez.

Marcadores Diagnósticos

Geralmente é usada a detecção de 11-nor-9-carbox-delta-9-tetraidrocanabinol (THC-COOH) na urina como um marcador biológico do uso de *Cannabis*. Em usuários frequentes, os testes de urina para THC--COOH geralmente permanecem positivos por semanas após o último uso, o que limita a utilização desses testes (p. ex., *status* de remissão), sendo necessária competência de especialista nos métodos de exame de urina para interpretar os resultados de maneira confiável. Entretanto, um resultado positivo pode ser útil no trabalho com indivíduos que negam o uso enquanto outras pessoas da família ou amigos manifestam preocupação. Estão em desenvolvimento exames com resultados mais detalhados para identificar a presença de canabinoides no sangue, e o desenvolvimento da detecção usando fluidos orais pode eventualmente oferecer a possibilidade de testes na estrada para uso em esforços de segurança rodoviária.

Associação com Pensamentos ou Comportamentos Suicidas

Em um estudo de veteranos da era Iraque/Afeganistão, depois do ajuste para múltiplos fatores sociodemográficos, comorbidades psiquiátricas, uso de outras substâncias e trauma prévio, incluindo combate, o transtorno por uso de *Cannabis* ainda estava associado a um risco aumentado de autolesão suicida e não suicida. Em um estudo de todos os veteranos norte-americanos na U.S. Veterans Health Administration em 2005, o transtorno por uso atual de qualquer substância estava associado a maior risco de suicídio em ambos os sexos, mas especialmente entre as mulheres. Em particular, os homens com transtorno por uso de *Cannabis* tinham uma taxa de suicídio de 79 por 100.000 pessoas-ano, e as mulheres com esse transtorno tinham uma taxa de suicídio de 47 por 100.000 pessoas-ano. Uma revisão e metanálise da literatura internacional entre 1990 e 2015 encontrou evidências de que o uso crônico de *Cannabis*, mas não seu uso agudo, está associado a pensamentos ou comportamento suicida.

Consequências Funcionais do Transtorno por Uso de *Cannabis*

As consequências funcionais do transtorno por uso de *Cannabis* fazem parte dos critérios diagnósticos. Muitas áreas relacionadas ao funcionamento psicossocial, cognitivo e à saúde podem ficar comprometidas como resultado do transtorno por uso da substância. Embora possa ser difícil distinguir prejuízos em curto prazo devido à intoxicação por *Cannabis* de consequências funcionais de mais longo prazo do transtorno por uso de *Cannabis*, a função cognitiva (especialmente a função executiva superior), mesmo quando não intoxicados, pode ficar comprometida nos usuários, e essa relação depende da dosagem cumulativa, o que pode contribuir para dificuldades na escola ou no trabalho. Acidentes decorrentes do envolvimento em comportamentos potencialmente perigosos durante a influência da droga (p. ex., condução de veículos, atividades esportivas ou laborais) são também preocupantes. Em particular, estudos controlados com placebo e estudos epidemiológicos em larga escala mostram que o uso de *Cannabis* prejudica o tempo de reação do motorista, a percepção espacial e a tomada de decisão. O uso de *Cannabis* foi relacionado à redução de atividades pró-sociais dirigidas a objetivos e redução na autoeficácia, denominada como *síndrome amotivacional*, que se manifesta por meio do baixo desempenho escolar ou problemas no trabalho. De forma semelhante, o relato de problemas com relacionamentos sociais associados a *Cannabis* é bastante comum naqueles que apresentam o transtorno. O uso de *Cannabis* está associado a uma menor satisfação com a vida e ao aumento do tratamento e hospitalização por problemas de saúde mental.

Diagnóstico Diferencial

Uso não problemático de *Cannabis*. Embora a maioria dos indivíduos que consomem *Cannabis* não tenha problemas relacionados ao seu uso, 20 a 30% dos usuários experimentam sintomas e consequências associadas compatíveis com um transtorno por uso de *Cannabis*. Estabelecer a distinção entre o uso não problemático de *Cannabis* e o transtorno por uso da substância pode ser complicado, porque pode ser difícil para o indivíduo atribuir problemas sociais, comportamentais ou psicológicos à substância, especialmente no caso de uso de outras substâncias. Ao mesmo tempo, a negação do uso pesado de *Cannabis* e do fato de que ela esteja relacionada aos problemas é comum entre indivíduos que foram encaminhados ao tratamento por outras pessoas (i. e., escola, família, empregador, sistema judiciário).

Intoxicação por *Cannabis*, abstinência de *Cannabis* e transtornos mentais induzidos por *Cannabis*. O transtorno por uso de *Cannabis* é diferenciado de intoxicação por *Cannabis*, abstinência de *Cannabis* e transtornos mentais induzidos por *Cannabis* (p. ex., transtorno de ansiedade induzido por *Cannabis*), pois descreve um padrão problemático de uso que envolve prejuízo no controle sobre o uso da substância, prejuízo social devido ao uso, comportamentos de risco devido ao uso (p. ex., dirigir intoxicado) e sintomas farmacológicos (desenvolvimento de tolerância ou abstinência), ao passo que intoxicação por *Cannabis*, abstinência de *Cannabis* e transtornos mentais induzidos por *Cannabis* descrevem síndromes psiquiátricas que se desenvolvem no contexto de uso pesado. Intoxicação por *Cannabis*, abstinência de *Cannabis* e transtornos mentais induzidos por *Cannabis* geralmente ocorrem em indivíduos com transtorno por uso de *Cannabis*. Nesses casos, deve ser feito um diagnóstico de intoxicação por *Cannabis*, abstinência de *Cannabis* ou transtorno mental induzido por *Cannabis*, além de um diagnóstico de transtorno por uso de *Cannabis*, cuja presença é indicada no código diagnóstico.

Comorbidade

O transtorno por uso de *Cannabis* é altamente comórbido com transtornos por uso de outras substâncias (p. ex., álcool, cocaína, opioides). Por exemplo, na comparação com adultos sem transtorno por uso de *Cannabis*, ter um transtorno por uso de *Cannabis* multiplica o risco para qualquer outro transtorno por uso de substância em aproximadamente nove vezes. A *Cannabis* sempre foi encarada como uma droga de "entrada" porque indivíduos que a consomem de modo frequente apresentam probabilidade muito maior de usar outras substâncias normalmente consideradas mais perigosas (p. ex., opioides ou cocaína) ao longo da vida do que não usuários. Entre as pessoas que buscam tratamento para transtorno por uso de *Cannabis*, muitas (63%) relatam uso problemático de uma segunda ou terceira substância, incluindo álcool, cocaína, metanfetamina/anfetamina e heroína ou outros opiáceos, sendo que o transtorno por uso de

Cannabis geralmente é um problema secundário ou terciário entre aqueles com um diagnóstico primário de transtornos por uso de outras substâncias. Entre adolescentes em tratamento, a *Cannabis* geralmente é a substância de abuso primária (76%).

Entre adultos com transtorno por uso de *Cannabis* do DSM-5, 64% tiveram transtorno por uso de tabaco no ano anterior, e as chances de um transtorno relacionado ao tabaco aumentavam acentuadamente à medida que aumentava a gravidade do transtorno por uso de *Cannabis*.

Transtornos mentais concomitantes também são comuns entre aqueles com transtorno por uso de *Cannabis* e incluem transtorno depressivo maior, transtornos bipolares tipos I e II, transtornos de ansiedade, transtorno de estresse pós-traumático e transtornos da personalidade. Em um estudo de gêmeos em Minnesota, aproximadamente metade dos adolescentes com transtorno por uso de *Cannabis* apresentou transtornos internalizantes (p. ex., ansiedade, depressão, transtorno de estresse pós-traumático), e 64% tinham transtornos externalizantes (p. ex., transtorno da conduta, transtorno de déficit de atenção/hiperatividade).

Em especial, manifestou-se preocupação sobre o uso de *Cannabis* como fator causal para esquizofrenia e outros transtornos psicóticos. O uso de *Cannabis* em períodos críticos está consistentemente associado a um aumento de três vezes no risco de psicose. Diferenças na frequência do uso diário de *Cannabis* e o uso de variedades de alta potência podem ter contribuído para a notável variação na incidência de transtorno psicótico em 11 locais na Europa. A fração atribuível à população que faz uso regular de *Cannabis* para explicar internações hospitalares por psicose foi estimada em 17,7% (IC 95%: 1,2%-45,5%) no Chile. Por sua vez, alguns dados sugerem que abuso na infância pode ser o fator determinante que aumenta o risco de abuso de *Cannabis* e psicose. De modo geral, o uso da substância pode contribuir para o início de um episódio psicótico agudo, exacerbar determinados sintomas e afetar de forma negativa o tratamento de uma doença psicótica maior.

Quanto a condições médicas, a síndrome de hiperêmese por canabinoides é uma síndrome de náusea e vômitos cíclicos associados ao uso regular de *Cannabis* que tem sido observada de forma crescente nos serviços de emergência à medida que aumenta a prevalência do uso de *Cannabis*. Além disso, distúrbios respiratórios (p. ex., asma, doença pulmonar obstrutiva crônica, pneumonia) estão associados ao uso regular de *Cannabis* (fumando, vaporizando ou com cigarros eletrônicos) independentemente do uso concomitante de tabaco, assim como alguns resultados cardiovasculares adversos.

Intoxicação por *Cannabis*

Critérios Diagnósticos

A. Uso recente de *Cannabis*.

B. Alterações comportamentais ou psicológicas clinicamente significativas e problemáticas (p. ex., prejuízo na coordenação motora, euforia, ansiedade, sensação de lentidão do tempo, julgamento prejudicado, retraimento social) desenvolvidas durante ou logo após o uso de *Cannabis*.

C. Dois (ou mais) dos seguintes sinais ou sintomas, desenvolvidos no período de 2 horas após o uso de *Cannabis*:

   1. Conjuntivas hiperemiadas.
   2. Apetite aumentado.
   3. Boca seca.
   4. Taquicardia.

D. Os sinais ou sintomas não são atribuíveis a outra condição médica nem são mais bem explicados por outro transtorno mental, incluindo intoxicação por outra substância.

Especificar se:

Com perturbações da percepção: Alucinações com teste de realidade intacto ou ilusões auditivas, visuais ou táteis ocorrem na ausência de *delirium*.

Nota para codificação: O código da CID-10-MC depende da existência de comorbidade com transtorno por uso de *Cannabis* e de haver ou não perturbações da percepção.

Intoxicação por Cannabis

> **Para intoxicação por Cannabis, sem perturbações da percepção:** Se houver transtorno por uso de Cannabis, leve comórbido, o código da CID-10-MC é **F12.120**, e se houver transtorno por uso de Cannabis, moderado ou grave comórbido, o código da CID-10-MC é **F12.220**. Caso não haja comorbidade com transtorno por uso de Cannabis, então o código da CID-10-MC é **F12.920**.
>
> **Para intoxicação por Cannabis, com perturbações da percepção:** Se houver transtorno por uso de Cannabis, leve comórbido, o código da CID-10-MC é **F12.122**, e se houver transtorno por uso de Cannabis, moderado ou grave comórbido, o código da CID-10-MC é **F12.222**. Caso não haja comorbidade com transtorno por uso de Cannabis, então o código da CID-10-MC é **F12.922**.

Especificadores

Quando alucinações ocorrem na ausência de teste de realidade intacto, deve-se considerar um diagnóstico de transtorno psicótico induzido por substância/medicamento.

Características Diagnósticas

A característica essencial da intoxicação por Cannabis é a presença de alterações comportamentais ou psicológicas problemáticas e clinicamente significativas que se desenvolvem durante ou logo após o uso da substância (Critério B). A intoxicação geralmente se inicia com um "barato", seguido de sintomas que incluem euforia, com risos inadequados ou ideias de grandeza, sedação, letargia, comprometimento da memória de curto prazo, dificuldade na execução de processos mentais complexos, julgamento prejudicado, percepções sensoriais distorcidas, prejuízo no desempenho motor e sensação de lentidão do tempo. Às vezes, ocorrem ansiedade (que pode ser grave), disforia ou retraimento social. Esses efeitos psicoativos são acompanhados por dois ou mais dos seguintes sinais, desenvolvidos no prazo de 2 horas após o uso de Cannabis: conjuntivas hiperemiadas, apetite aumentado, boca seca e taquicardia (Critério C).

A intoxicação desenvolve-se em minutos se a Cannabis for fumada, mas pode levar algumas horas se for ingerida por via oral. Os efeitos em geral duram de 3 a 4 horas, mas podem ser mais prolongados quando a substância é consumida por via oral. A magnitude das alterações comportamentais e fisiológicas depende da dose, do método de administração e das características do usuário, tais como taxa de absorção, tolerância e sensibilidade a seus efeitos. Uma vez que a maioria dos canabinoides, incluindo o delta-9-tetraidrocanabinol (delta-9-THC), é lipossolúvel, os efeitos da Cannabis ou do haxixe podem às vezes persistir ou apresentar recorrência por um período de 12 a 24 horas, devido a uma lenta liberação das substâncias psicoativas do tecido adiposo ou para a circulação êntero-hepática.

Canabinoides sintéticos (p. ex., Spice), cujo uso se tornou mais comum nos últimos anos, nos Estados Unidos, também produzem efeitos rápidos, incluindo euforia, loquacidade, sentimentos de alegria, risos e relaxamento. Em termos de efeitos psicoativos, baixas doses de canabinoides sintéticos e outros produtos da Cannabis são semelhantes. Com doses mais elevadas de canabinoides sintéticos, é mais provável a ocorrência de sintomas delirantes e alucinatórios.

Prevalência

A prevalência de episódios reais de intoxicação por Cannabis na população geral é desconhecida. Contudo, é provável que a maioria dos usuários da substância, em algum momento, satisfaça os critérios para intoxicação por Cannabis. Considerando isso, a prevalência de usuários de Cannabis e a prevalência de indivíduos que sofrem intoxicação pela substância provavelmente sejam semelhantes.

Consequências Funcionais da Intoxicação por Cannabis

Os prejuízos decorrentes da intoxicação por Cannabis podem apresentar consequências graves, incluindo disfunção no trabalho ou na escola, indiscrições sociais, incapacidade de cumprir obrigações, acidentes de trânsito e sexo sem proteção. Em casos raros, a intoxicação por Cannabis pode precipitar psicose com duração variável.

Diagnóstico Diferencial

Observe que, se a apresentação clínica incluir alucinações na ausência de teste de realidade intacto, deve-se considerar um diagnóstico de transtorno psicótico induzido por substância/medicamento.

Intoxicação por outra substância. A intoxicação por *Cannabis* pode se assemelhar à intoxicação por outros tipos de substâncias. Contudo, diferentemente da intoxicação por *Cannabis*, a intoxicação por álcool e por sedativos, hipnóticos ou ansiolíticos frequentemente reduz o apetite, aumenta o comportamento agressivo e produz nistagmo ou ataxia. Alucinógenos em baixas doses podem causar um quadro clínico que se assemelha à intoxicação por *Cannabis*. Fenciclidina, assim como *Cannabis*, pode ser fumada e também causa alterações na percepção, mas a intoxicação por ela causada tem muito mais probabilidade de levar a ataxia e comportamento agressivo.

Transtornos mentais induzidos por *Cannabis*. A intoxicação por *Cannabis* é distinta de outros transtornos mentais induzidos por *Cannabis* (p. ex., transtorno de ansiedade induzido por *Cannabis* com início durante a intoxicação) porque os sintomas destes últimos predominam na apresentação clínica e são suficientemente graves para justificar atenção clínica independente.

Comorbidade

Considerando a sobreposição típica de intoxicação por *Cannabis* com transtorno por uso de *Cannabis*, ver "Comorbidade" no capítulo "Transtorno por Uso de *Cannabis*" para mais detalhes sobre as condições concomitantes provavelmente encontradas.

Abstinência de *Cannabis*

Critérios Diagnósticos

A. Cessação do uso pesado e prolongado de *Cannabis* (i. e., normalmente uso diário ou quase diário durante um período mínimo de alguns meses).

B. Três (ou mais) dos seguintes sinais e sintomas, desenvolvidos no prazo de aproximadamente uma semana após o Critério A:

1. Irritabilidade, raiva ou agressividade.
2. Nervosismo ou ansiedade.
3. Dificuldade em dormir (insônia, sonhos perturbadores).
4. Apetite reduzido ou perda de peso.
5. Inquietação.
6. Humor deprimido.
7. Pelo menos um dos seguintes sintomas físicos causa desconforto significativo: dor abdominal, tremor, sudorese, febre, calafrios ou cefaleia.

C. Os sinais ou sintomas do Critério B causam sofrimento clinicamente significativo ou prejuízo no funcionamento social, profissional ou em outras áreas importantes da vida do indivíduo.

D. Os sinais ou sintomas não são atribuíveis a outra condição médica nem são mais bem explicados por outro transtorno mental, incluindo intoxicação por ou abstinência de outra substância.

Nota para codificação: O código da CID-10-MC depende da existência de comorbidade com transtorno por uso de *Cannabis*. Se houver transtorno por uso de *Cannabis*, leve comórbido, o código da CID-10-MC é **F12.13**, e se houver transtorno por uso de *Cannabis*, moderado ou grave comórbido, o código da CID-10-MC é **F12.23**. Para abstinência de *Cannabis* ocorrendo na ausência de transtorno por uso de *Cannabis* (p. ex., em um paciente que usa *Cannabis* somente sob supervisão médica adequada), o código da CID-10-MC é **F12.93**.

Características Diagnósticas

A característica essencial da abstinência de *Cannabis* é a presença de uma síndrome de abstinência típica que se desenvolve após a cessação do uso regular da substância. Os usuários regulares se tornam tolerantes a muitos efeitos agudos da *Cannabis*, e a cessação do uso regular pode levar a uma síndrome de abstinência de *Cannabis*. Sintomas comuns de abstinência incluem irritabilidade, humor deprimido, ansiedade, inquietação, dificuldade em dormir e redução do apetite ou perda de peso. A abstinência de *Cannabis* pode causar sofrimento significativo, levando à continuidade do uso para aliviar os sintomas, dificuldade para abandonar e recaída. Diferentemente da abstinência de outras substâncias (i. e., opioides, álcool, sedativos), sintomas comportamentais e emocionais (p. ex., nervosismo, irritabilidade, dificuldade em dormir) geralmente são mais comuns do que sintomas físicos (p. ex., tremor, sudorese).

Características Associadas

Abstinência de *Cannabis* pode ser acompanhada de fadiga, bocejos, dificuldade de concentração, períodos de rebote de aumento no apetite e hipersonia que se seguem a períodos iniciais de perda de apetite e insônia.

Prevalência

Em usuários adultos e adolescentes, as estimativas de prevalência de sintomas de abstinência de *Cannabis* variam amplamente, de 35 a 95%, com base em pesquisas nos Estados Unidos e em outros países. Parte da variação nas taxas provavelmente é atribuível aos métodos de avaliação, e em parte a diferenças entre as amostras. Entre adultos usuários regulares de *Cannabis* na população geral, 12% relataram sinais e sintomas que satisfazem os critérios para a síndrome completa de abstinência de *Cannabis* do DSM-5, com diferenças substanciais na prevalência entre brancos não latinos (10%), afro-americanos (15,3%) e americanos asiáticos, nativos havaianos e nativos das ilhas do Pacífico (31%). Entre adultos e adolescentes em tratamento ou usuários crônicos, 50 a 95% relatam abstinência de *Cannabis*. Esses achados indicam que a abstinência de *Cannabis* ocorre em um substancial subgrupo de usuários regulares de *Cannabis* que tentam abandonar o hábito.

Desenvolvimento e Curso

O início da abstinência geralmente ocorre no período de 24 a 48 horas após a interrupção do uso. Chega ao pico em 2 a 5 dias e termina dentro de 1 a 2 semanas, embora a perturbação do sono possa persistir por mais tempo. A quantidade, a duração e a frequência do consumo necessárias para produzir abstinência da substância são desconhecidas, porém o uso mais crônico e frequente de *Cannabis* está associado a maior quantidade e gravidade dos sintomas. Abstinência de *Cannabis* pode ocorrer em adultos e adolescentes. Mulheres podem experimentar sintomas de abstinência mais graves do que homens.

Fatores de Risco e Prognóstico

Entre os usuários, a propensão a vivenciar abstinência de *Cannabis* é moderadamente herdada, indicando influências genéticas. Há grande probabilidade de que a prevalência e a gravidade da abstinência de *Cannabis* sejam maiores entre usuários crônicos e especialmente entre os que buscam tratamento para transtornos por uso da substância. A gravidade da abstinência também pode estar relacionada à presença e à gravidade dos sintomas comórbidos de transtornos mentais.

Consequências Funcionais da Abstinência de *Cannabis*

Usuários de *Cannabis* relatam usar a substância para aliviar sintomas de abstinência, o que sugere que a abstinência possa contribuir para a expressão contínua do transtorno. Isso faz da abstinência de *Cannabis* um alvo atual para o desenvolvimento de medicamentos. Resultados piores podem estar associados com abstinência mais intensa. Dificuldade para dormir foi relatada como o sintoma de abstinência mais frequentemente associado à recaída. Usuários de *Cannabis* relatam recaída ou início do uso de outras drogas ou fármacos (p. ex., tranquilizantes) para proporcionar alívio dos sintomas de abstinência.

Diagnóstico Diferencial

Como muitos dos sintomas da abstinência de *Cannabis* também são sintomas de outras síndromes de abstinência ou de transtornos depressivos ou bipolares, uma avaliação criteriosa deve se concentrar em assegurar que os sintomas não sejam mais bem explicados pela interrupção do consumo de outra substância (p. ex., abstinência de tabaco ou álcool), por outro transtorno mental (transtorno de ansiedade generalizada, transtorno depressivo maior) ou por outra condição médica. Dada a crescente crença comum de que o uso de *Cannabis* não causa prejuízos, usuários regulares que experimentam abstinência da substância podem não relacionar seus sintomas de abstinência aos efeitos da falta da droga e continuam a usá-la como uma forma de automedicação.

Comorbidade

Em adultos usuários frequentes, a abstinência de *Cannabis* está associada a comorbidade com depressão, ansiedade e transtorno da personalidade antissocial. Considerando a sobreposição típica de abstinência de *Cannabis* com transtorno por uso de *Cannabis*, ver "Comorbidade" no capítulo "Transtorno por Uso de *Cannabis*" para mais detalhes sobre as condições concomitantes provavelmente encontradas.

Transtornos Mentais Induzidos por *Cannabis*

Os seguintes transtornos mentais induzidos por *Cannabis* são descritos em outros capítulos do Manual juntamente aos transtornos com os quais compartilham fenomenologia (ver transtornos mentais induzidos por substância/medicamento nesses capítulos): transtorno psicótico induzido por *Cannabis* ("Espectro da Esquizofrenia e Outros Transtornos Psicóticos"); transtorno de ansiedade induzido por *Cannabis* ("Transtornos de Ansiedade"); e transtorno do sono induzido por *Cannabis* ("Transtornos do Sono-Vigília"). Para *delirium* por intoxicação por *Cannabis* e *delirium* induzido por fármacos agonistas dos receptores canabinoides utilizados com prescrição médica, ver os critérios e discussão de *delirium* no capítulo "Transtornos Neurocognitivos". Esses transtornos mentais induzidos por *Cannabis* são diagnosticados em lugar de intoxicação por *Cannabis* ou abstinência de *Cannabis* quando os sintomas são suficientemente graves para justificar atenção clínica independente.

Transtorno Relacionado a *Cannabis* Não Especificado

F12.99

Esta categoria aplica-se a apresentações em que sintomas característicos de um transtorno relacionado a *Cannabis* que causam sofrimento clinicamente significativo ou prejuízo no funcionamento social, profissional ou em outras áreas importantes da vida do indivíduo predominam, mas não satisfazem todos os critérios para qualquer transtorno relacionado a *Cannabis* específico nem para outro transtorno na classe diagnóstica de transtornos relacionados a substâncias e transtornos aditivos.

Transtornos Relacionados a Alucinógenos

Transtorno por Uso de Fenciclidina
Transtorno por Uso de Outros Alucinógenos
Intoxicação por Fenciclidina
Intoxicação por Outros Alucinógenos
Transtorno Persistente da Percepção Induzido por Alucinógenos
Transtornos Mentais Induzidos por Fenciclidina
Transtornos Mentais Induzidos por Alucinógenos
Transtorno Relacionado à Fenciclidina Não Especificado
Transtorno Relacionado a Alucinógenos Não Especificado

Transtorno por Uso de Fenciclidina

Critérios Diagnósticos

A. Um padrão de uso de fenciclidina (ou substância farmacologicamente similar), levando a prejuízo ou sofrimento clinicamente significativo, manifestado por pelo menos dois dos seguintes critérios, ocorrendo durante um período de 12 meses:
   1. Fenciclidina é frequentemente consumida em maiores quantidades ou por um período mais longo do que o pretendido.
   2. Existe um desejo persistente ou esforços malsucedidos no sentido de reduzir ou controlar o uso de fenciclidina.
   3. Muito tempo é gasto em atividades necessárias para a obtenção de fenciclidina, na sua utilização ou na recuperação de seus efeitos.
   4. Fissura ou um forte desejo ou necessidade de usar fenciclidina.
   5. Uso recorrente de fenciclidina acarretando fracasso em cumprir obrigações importantes no trabalho, na escola ou em casa (p. ex., ausências repetidas ao trabalho ou baixo desempenho profissional relacionados ao uso de fenciclidina; ausências, suspensões ou expulsões da escola relacionadas à fenciclidina; negligência dos filhos ou dos afazeres domésticos).
   6. Uso continuado de fenciclidina apesar de problemas sociais ou interpessoais persistentes ou recorrentes causados ou exacerbados pelos seus efeitos (p. ex., discussões com o cônjuge sobre as consequências da intoxicação; agressões físicas).
   7. Importantes atividades sociais, profissionais ou recreacionais são abandonadas ou reduzidas em virtude do uso de fenciclidina.
   8. Uso recorrente de fenciclidina em situações nas quais isso representa perigo para a integridade física (p. ex., condução de veículos ou operação de máquinas durante comprometimento decorrente do uso de fenciclidina).
   9. O uso de fenciclidina é mantido apesar da consciência de ter um problema físico ou psicológico persistente ou recorrente que tende a ser causado ou exacerbado pela substância.
   10. Tolerância, conforme definida por qualquer um dos seguintes aspectos:
       a. Necessidade de quantidades progressivamente maiores de fenciclidina para atingir a intoxicação ou o efeito desejado.
       b. Efeito acentuadamente menor com o uso continuado da mesma quantidade de fenciclidina.

Nota: Sinais e sintomas de abstinência não foram estabelecidos para fenciclidinas, portanto esse critério não se aplica. (Relatou-se abstinência de fenciclidinas em animais, mas não foi documentada em usuários humanos.)

Especificar se:
   Em remissão inicial: Após todos os critérios para transtorno por uso de fenciclidina terem sido preenchidos anteriormente, nenhum dos critérios para transtorno por uso de fenciclidina foi satisfeito durante um período mínimo de três meses, porém inferior a 12 meses (com exceção de que o Critério A4, "Fissura ou um forte desejo ou necessidade de usar fenciclidina", ainda pode ocorrer).
   Em remissão sustentada: Após todos os critérios para transtorno por uso de fenciclidina terem sido satisfeitos anteriormente, nenhum dos critérios para transtorno por uso de fenciclidina foi satisfeito em nenhum momento durante um período igual ou superior a 12 meses (com exceção de que o Critério A4, "Fissura ou um forte desejo ou necessidade de usar fenciclidina", ainda pode ocorrer).

Especificar se:
   Em ambiente protegido: Este especificador adicional é usado se o indivíduo encontra-se em um ambiente no qual o acesso a fenciclidinas é restrito.

Código baseado na gravidade atual/remissão: Se também houver intoxicação por fenciclidina ou outro transtorno mental induzido por fenciclidina, não utilizar os códigos abaixo para transtorno por uso de fenciclidina. No caso, o transtorno por uso de fenciclidina comórbido é indicado pelo 4º caractere do código de transtorno induzido por fenciclidina (ver a nota para codificação para intoxicação por fenciclidina ou um transtorno mental induzido por fenciclidina específico). Por exemplo, se houver comorbidade com transtorno psicótico induzido por fenciclidina, apenas o código para transtorno psicótico induzido por fenciclidina é fornecido, sendo que o 4º caractere indica se o transtorno por uso de fenciclidina comórbido é leve, moderado ou grave: F16.159 para transtorno por uso de fenciclidina, leve com transtorno psicótico induzido por fenciclidina, ou F16.259 para transtorno por uso de fenciclidina, moderado ou grave com transtorno psicótico induzido por fenciclidina.

Especificar a gravidade atual/remissão:
   F16.10 Leve: Presença de 2 ou 3 sintomas.
   F16.11 Leve, em remissão inicial
   F16.11 Leve, em remissão sustentada
   F16.20 Moderada: Presença de 4 ou 5 sintomas.
   F16.21 Moderada, em remissão inicial
   F16.21 Moderada, em remissão sustentada
   F16.20 Grave: Presença de 6 ou mais sintomas.
   F16.21 Grave, em remissão inicial
   F16.21 Grave, em remissão sustentada

Especificadores

"Em ambiente protegido" aplica-se como um especificador a mais de remissão se o indivíduo estiver tanto em remissão como em um ambiente protegido (i. e., em remissão inicial em ambiente protegido ou em remissão sustentada em ambiente protegido). Exemplos desses ambientes incluem prisões rigorosamente vigiadas e livres de substâncias, comunidades terapêuticas ou unidades hospitalares fechadas.

Características Diagnósticas

As fenciclidinas (ou substâncias semelhantes) incluem a fenciclidina (p. ex., PCP, "pó de anjo") e compostos menos potentes, mas de ação semelhante, como ketamina, cicloexamina e dizocilpina. Essas substâncias foram desenvolvidas inicialmente como anestésicos dissociativos nos anos de 1950 e passaram a ser vendidas nas ruas na década de 1960. Elas produzem sensação de separação da mente e do corpo (por isso são "dissociativas") em pequenas doses e, em doses elevadas, podem resultar em estupor e coma. Normalmente são fumadas ou administradas via oral, mas também podem ser cheiradas ou injetadas. Embora os efeitos psicoativos primários da fenciclidina durem algumas horas, a taxa de eliminação total dessa droga do corpo geralmente dura oito dias ou mais. Os efeitos alucinógenos em indivíduos vulneráveis podem durar semanas e precipitar um episódio psicótico persistente que lembra esquizofrenia. Observou-se que a ketamina é útil no tratamento de transtorno depressivo maior. Os sintomas de abstinência não foram totalmente estabelecidos em seres humanos, e, portanto, o critério de abstinência não consta no diagnóstico de transtorno por uso de fenciclidina.

Características Associadas

A fenciclidina pode ser detectada na urina em até oito dias ou mesmo durante períodos mais longos em doses muito altas. Além dos exames laboratoriais para detectar sua presença, os sintomas característicos resultantes da intoxicação por fenciclidina ou substâncias relacionadas podem auxiliar em seu diagnóstico. A fenciclidina tende a produzir sintomas dissociativos, analgesia, nistagmo, risco de hipertensão/hipotensão e choque, euforia, alucinações visuais/auditivas, desrealização e conteúdo de pensamento incomum. Comportamento violento também é possível com seu uso, já que pessoas intoxicadas podem acreditar que estão sendo atacadas.

Prevalência

Dados sobre a prevalência do transtorno por uso de fenciclidina não estão disponíveis, mas as taxas aparentemente são baixas (com base na categoria geral de transtorno por uso de alucinógenos, que inclui fenciclidina, de aproximadamente 0,1% em indivíduos a partir dos 12 anos nos Estados Unidos). Além disso, entre as hospitalizações para tratamento por uso de substância nos Estados Unidos, apenas 0,3% dos indivíduos admitidos confirmaram fenciclidina como sua droga primária.

Fatores de Risco e Prognóstico

Em um estudo na população geral na Austrália, era mais provável que os usuários de ketamina fossem homens e tivessem consumido mais de 11 doses padrão por dia.

Questões Diagnósticas Relativas ao Sexo e ao Gênero

A proporção entre os sexos para o transtorno por uso de fenciclidina não é conhecida, mas entre as hospitalizações para tratamento por uso de substância nos Estados Unidos que confirmaram a fenciclidina como droga primária, 62% eram homens.

Marcadores Diagnósticos

Exames laboratoriais podem ser úteis, já que a fenciclidina fica presente na urina de indivíduos intoxicados durante um período de até oito dias após a ingestão. A história do indivíduo, em conjunto com determinados sinais físicos (p. ex., nistagmo, analgesia e hipertensão proeminente) pode auxiliar a distinguir o quadro clínico de fenciclidina do quadro clínico de outros alucinógenos.

Consequências Funcionais do Transtorno por Uso de Fenciclidina

Em indivíduos com transtorno por uso de fenciclidina, pode haver evidências físicas de lesões causadas por acidentes, brigas e quedas. O uso crônico da substância pode levar a prejuízos cognitivos agudos e persistentes; sintomas intestinais e no trato urinário; dor abdominal, dor torácica, palpitações e taquicardia; depressão respiratória; distúrbios do sono; e depressão.

Diagnóstico Diferencial

Transtornos por uso de outra substância. Distinguir os efeitos da fenciclidina dos efeitos de outras substâncias é importante, pois ela pode ser um aditivo comum a outras substâncias (p. ex., *Cannabis*, cocaína).

Intoxicação por fenciclidina e transtornos mentais induzidos por fenciclidina. Transtorno por uso de fenciclidina é diferenciado de intoxicação por fenciclidina e transtornos mentais induzidos por fenciclidina (p. ex., transtorno psicótico induzido por fenciclidina) porque descreve um padrão problemático de uso que envolve prejuízo no controle sobre o uso da substância, prejuízo social devido ao uso, comportamentos de risco devido ao uso (p. ex., dirigir intoxicado) e sintomas farmacológicos (desenvolvimento de tolerância), ao passo que a intoxicação por fenciclidina e transtornos mentais induzidos por fenciclidina descrevem síndromes psiquiátricas que ocorrem no contexto de uso pesado. Intoxicação por fenciclidina e transtornos mentais induzidos por fenciclidina ocorrem frequentemente em indivíduos com transtorno por uso de fenciclidina. Nesses casos, deve ser feito o diagnóstico de intoxicação por fenciclidina ou transtorno mental induzido por fenciclidina, além de um diagnóstico de transtorno por uso de fenciclidina, cuja presença é indicada no código diagnóstico.

Transtornos mentais independentes. Alguns dos efeitos do uso de fenciclidina podem se assemelhar aos sintomas de transtornos mentais independentes, como psicose (esquizofrenia), humor deprimido (transtorno depressivo maior) e comportamentos agressivos violentos (transtorno da conduta, transtorno da personalidade antissocial). Discernir se esses comportamentos ocorriam antes do consumo da droga é importante para a diferenciação entre efeitos agudos da droga e transtorno mental preexistente.

Comorbidade

Transtorno da conduta em adolescentes e transtorno da personalidade antissocial podem estar associados ao uso de fenciclidina. Transtornos por uso de outras substâncias, especialmente transtornos por uso de álcool, cocaína e anfetamina, são comuns entre aqueles com transtorno por uso de fenciclidina.

Transtorno por Uso de Outros Alucinógenos

Critérios Diagnósticos

A. Um padrão problemático de uso de alucinógenos (que não fenciclidina), levando a comprometimento ou sofrimento clinicamente significativos, manifestado por pelo menos dois dos seguintes critérios, ocorrendo durante um período de 12 meses:

1. O alucinógeno é frequentemente consumido em maiores quantidades ou por um período mais longo do que o pretendido.
2. Existe um desejo persistente ou esforços malsucedidos no sentido de reduzir ou controlar o uso do alucinógeno.
3. Muito tempo é gasto em atividades necessárias para a obtenção do alucinógeno, na sua utilização ou na recuperação de seus efeitos.
4. Fissura ou um forte desejo ou necessidade de usar o alucinógeno.
5. Uso recorrente de alucinógenos resultando em fracasso em cumprir obrigações importantes no trabalho, na escola ou em casa (p. ex., ausências repetidas ao trabalho ou baixo desempenho profissional relacionados ao uso de alucinógenos; ausências, suspensões ou expulsões da escola relacionadas a alucinógenos; negligência dos filhos ou dos afazeres domésticos).
6. Uso continuado de alucinógenos apesar de problemas sociais ou interpessoais persistentes ou recorrentes causados ou exacerbados pelos seus efeitos (p. ex., discussões com o cônjuge sobre as consequências da intoxicação; agressões físicas).

7. Importantes atividades sociais, profissionais ou recreacionais são abandonadas ou reduzidas em virtude do uso de alucinógenos.
8. Uso recorrente de alucinógenos em situações nas quais isso representa perigo para a integridade física (p. ex., condução de veículos ou operação de máquinas durante comprometimento decorrente do uso de alucinógeno).
9. O uso de alucinógenos é mantido apesar da consciência de ter um problema físico ou psicológico persistente ou recorrente que tende a ser causado ou exacerbado pelo alucinógeno.
10. Tolerância, conforme definida por qualquer um dos seguintes aspectos:
    a. Necessidade de quantidades progressivamente maiores do alucinógeno para atingir a intoxicação ou o efeito desejado.
    b. Efeito acentuadamente menor com o uso continuado da mesma quantidade do alucinógeno.

Nota: Sinais e sintomas de abstinência não foram estabelecidos para alucinógenos, portanto esse critério não se aplica.

Especificar **o alucinógeno em questão.**

Especificar se:

Em remissão inicial: Após todos os critérios para transtorno por uso de outros alucinógenos terem sido preenchidos anteriormente, nenhum dos critérios para transtorno por uso de outros alucinógenos foi preenchido durante um período mínimo de três meses, porém inferior a 12 meses (com exceção de que o Critério A4, "Fissura ou um forte desejo ou necessidade de usar o alucinógeno", ainda pode ocorrer).

Em remissão sustentada: Após todos os critérios para transtorno por uso de outros alucinógenos terem sido preenchidos anteriormente, nenhum dos critérios para transtorno por uso de outros alucinógenos foi preenchido em nenhum momento durante um período igual ou superior a 12 meses (com exceção de que o Critério A4, "Fissura ou um forte desejo ou necessidade de usar o alucinógeno", ainda pode ocorrer).

Especificar se:

Em ambiente protegido: Este especificador adicional é usado se o indivíduo encontra-se em um ambiente no qual o acesso a alucinógenos é restrito.

Código baseado na gravidade atual/remissão: Se também houver intoxicação por alucinógenos ou outro transtorno mental induzido por alucinógenos, não utilizar os códigos abaixo para transtorno por uso de alucinógenos. No caso, o transtorno por uso de alucinógenos comórbido é indicado pelo 4º caractere do código de transtorno induzido por alucinógenos (ver a nota para codificação para intoxicação por alucinógenos ou um transtorno mental induzido por alucinógenos específico). Por exemplo, se houver comorbidade de transtorno psicótico induzido por alucinógenos com transtorno por uso de alucinógenos, apenas o código para transtorno psicótico induzido por alucinógenos é fornecido, sendo que o 4º caractere indica se o transtorno por uso de alucinógenos comórbido é leve, moderado ou grave: F16.159 para transtorno por uso de alucinógenos, leve com transtorno psicótico induzido por alucinógenos, ou F16.259 para transtorno por uso de alucinógenos, moderado ou grave com transtorno psicótico induzido por alucinógenos.

Especificar a gravidade atual/remissão:

F16.10 Leve: Presença de 2 ou 3 sintomas.
F16.11 Leve, em remissão inicial
F16.11 Leve, em remissão sustentada

F16.20 Moderada: Presença de 4 ou 5 sintomas.
F16.21 Moderada, em remissão inicial
F16.21 Moderada, em remissão sustentada

F16.20 Grave: Presença de 6 ou mais sintomas.
F16.21 Grave, em remissão inicial
F16.21 Grave, em remissão sustentada

Especificadores

"Em ambiente protegido" aplica-se como um especificador a mais de remissão se o indivíduo estiver tanto em remissão como em um ambiente protegido (i. e., em remissão inicial em ambiente protegido ou em remissão sustentada em ambiente protegido). Exemplos desses ambientes incluem prisões rigorosamente vigiadas e livres de substâncias, comunidades terapêuticas ou unidades hospitalares fechadas.

Características Diagnósticas

A classe dos alucinógenos compreende um grupo de substâncias variadas que, apesar de apresentarem estruturas químicas diferentes, e de possivelmente envolverem diferentes mecanismos moleculares, produzem alterações semelhantes da percepção, do humor e da cognição em seus usuários. Os alucinógenos inclusos nesta categoria são as fenilalquilaminas (p. ex., mescalina, DOM [2,5-dimetóxi-4-metilanfetamina] e MDMA [3-metilenodioximetanfetamina; também chamada de "*ecstasy*"]); as indolaminas, incluindo psilocibina (e seu metabólito psilocina, o composto primariamente responsável pelos efeitos psicodélicos de cogumelos alucinógenos) e dimetiltriptamina (DMT); e as ergolinas, como LSD (dietilamida do ácido lisérgico) e sementes de ipomeia. Além destes, vários outros compostos etnobotânicos são classificados como alucinógenos, dos quais *Salvia divinorum* e Figueira-do-diabo (*Datura stramonium*) são dois exemplos. Excluídos desse grupo estão a *Cannabis* e seu composto ativo, delta-9-tetraidrocanabinol (THC) (ver a seção "Transtornos Relacionados a *Cannabis*"). Essas substâncias podem ter efeitos alucinógenos, mas são diagnosticadas separadamente devido a diferenças significativas em seus efeitos psicológicos e comportamentais.

Alucinógenos geralmente são consumidos por via oral, embora algumas variações sejam fumadas (p. ex., DMT, sálvia) ou (raramente) consumidos via intranasal ou intravenosa (p. ex., *ecstasy*). A duração dos efeitos varia de um tipo de alucinógeno para outro. Algumas dessas substâncias (i. e., LSD, MDMA) têm meia-vida longa e duração prolongada, de forma que os usuários podem gastar entre horas a dias usando-as ou se recuperando de seus efeitos. Contudo, outras drogas alucinógenas (p. ex., DMT, sálvia) têm ação breve. A tolerância a alucinógenos desenvolve-se com o uso repetido, e relataram-se efeitos tanto autonômicos quanto psicológicos.

O MDMA/*ecstasy* como alucinógeno pode apresentar efeitos distintos atribuíveis às suas propriedades tanto alucinógenas quanto estimulantes. Usuários de *ecstasy* têm um risco maior de desenvolver um transtorno por uso de alucinógenos do que aqueles que usam outros alucinógenos. Entre usuários de *ecstasy* adolescentes e adultos e usuários de outros alucinógenos, os critérios do transtorno por uso de alucinógenos mais frequentemente relatados são tolerância, uso prejudicial, uso apesar de problemas emocionais ou de saúde, desistir de atividades em favor do uso e gastar muito tempo obtendo, usando ou recuperando-se dos efeitos do uso. Assim como ocorre com outras substâncias, os critérios diagnósticos para transtorno por uso de outros alucinógenos estão dispostos em um espectro de gravidade.

Considerando que uma síndrome de abstinência clinicamente significativa não foi documentada de forma consistente em seres humanos, o diagnóstico de síndrome de abstinência de alucinógenos não foi incluído neste Manual e, portanto, não faz parte dos critérios diagnósticos do transtorno por uso de alucinógenos. Contudo, pode haver evidências de abstinência de MDMA, com a presença de dois ou mais sintomas de abstinência (p. ex., mal-estar, alteração do apetite, alterações do humor [ansioso, deprimido, irritável], falta de concentração, distúrbio do sono) ou evitação da abstinência observada em mais da metade dos indivíduos em diferentes amostras de usuários de *ecstasy* nos Estados Unidos e em outros países.

Características Associadas

As características típicas de sintomas de alguns alucinógenos podem auxiliar no diagnóstico caso os resultados dos exames toxicológicos de urina ou sangue não estejam disponíveis. Por exemplo, indivíduos que usam LSD tendem a ter alucinações visuais que podem ser assustadoras.

Prevalência

O transtorno por uso de outros alucinógenos é raro. Na população geral nos Estados Unidos, aproximadamente 0,1% dos indivíduos a partir dos 12 anos relataram os sintomas de transtorno por uso de alucinógenos

nos últimos 12 meses, em 2018. A taxa era de 0,2% entre 12 e 17 anos, 0,4% entre 18 e 25 anos e inferior a 0,1% entre aqueles com mais de 26 anos. A prevalência é mais alta nas amostras clínicas norte-americanas (p. ex., 19% em adolescentes em tratamento), e entre grupos selecionados de indivíduos que usam alucinógenos com frequência (p. ex., uso pesado recente de *ecstasy*) nos Estados Unidos e Austrália, 73,5% dos adultos e 77% dos adolescentes têm um padrão de uso problemático que pode satisfazer os critérios para transtorno por uso de outros alucinógenos.

Desenvolvimento e Curso

Pouco se sabe quanto à prevalência de transtorno por uso de outros alucinógenos por idade entre adolescentes. Nos Estados Unidos, em adultos a partir dos 18 anos, a maioria daqueles com transtorno por uso de outros alucinógenos tem entre 18 e 29 anos, sugerindo que o transtorno geralmente não é persistente e se concentra em adultos jovens.

Fatores de Risco e Prognóstico

Temperamentais. O uso de alucinógenos específicos (i. e., *ecstasy*, sálvia) foi associado a comportamento de busca de sensações extremas.

Ambientais. Com base em pesquisas nos Estados Unidos, os fatores de risco do transtorno por uso de outros alucinógenos incluem renda mais alta, grau de instrução mais baixo, nunca ter sido casado e residir em áreas urbanas. O início precoce do uso de alucinógenos também foi associado à transição para transtorno por uso de alucinógenos. O uso de outras drogas pelos pares também está altamente associado ao uso de *ecstasy* e sálvia.

Genéticos e fisiológicos. Entre gêmeos do sexo masculino, a variância total decorrente de fatores genéticos aditivos foi estimada em 26 a 79%, com evidências inconsistentes para influências ambientais compartilhadas.

Questões Diagnósticas Relativas à Cultura

Historicamente, os alucinógenos são usados como parte de práticas religiosas ou espirituais estabelecidas, como o uso de peiote na Native American Church (Igreja Nativa Americana) e no México. O uso ritual por populações indígenas de psilocibina obtida a partir de determinados tipos de fungos ocorre na América do Sul, no México e em algumas regiões dos Estados Unidos, ou de Ayahuasca nas seitas Santo Daime e União do Vegetal.

Questões Diagnósticas Relativas ao Sexo e ao Gênero

Entre adolescentes nos Estados Unidos, os meninos têm maiores taxas de prevalência de 12 meses de uso de outros alucinógenos do que as meninas, e essas diferenças quanto ao gênero se estendem a alucinógenos específicos, incluindo LSD, MDMA, psilocibina e *Salvia divinorum*. Entre adultos norte-americanos, 60% dos indivíduos com transtorno por uso de outros alucinógenos são homens. Pesquisas internacionais sugerem que mulheres que administraram MDMA têm mais efeitos subjetivos, tais como estado de consciência alterado, ansiedade e depressão. Não há informações disponíveis de estudos internacionais sobre diferenças quanto ao gênero para o transtorno por uso de outros alucinógenos.

Marcadores Diagnósticos

Exames laboratoriais podem ser úteis para distinguir entre os diferentes tipos de alucinógenos. Contudo, como alguns agentes (p. ex., LSD) são tão potentes a ponto de um mínimo de 75 microgramas poder produzir reações graves, o exame toxicológico típico nem sempre revela qual substância foi usada.

Consequências Funcionais do Transtorno por Uso de Outros Alucinógenos

Embora não haja informações suficientes para observar claramente as consequências funcionais de transtorno por uso de outros alucinógenos, as complicações do uso dessas substâncias foram identificadas.

Os efeitos adversos do uso de outros alucinógenos incluem aqueles relacionados à intoxicação, como hipertermia, taquiarritmias cardíacas, hipernatremia associada a pneumotórax, incoordenação motora, nistagmo, inquietação, alucinações/delírios, midríase, maior vigilância e hipertensão arterial. Outras reações mais graves relacionadas às consequências do uso repetido de outros alucinógenos incluem insuficiência renal, insuficiência hepática, convulsões, infarto cerebral, rabdomiólise, complicações cardíacas e hepatotoxicidade.

Há evidências dos efeitos neurotóxicos de longo prazo do uso de MDMA/*ecstasy*, incluindo comprometimento da memória, da função psicológica e da função neuroendócrina; disfunção do sistema serotonérgico; e perturbação do sono, bem como dos efeitos adversos sobre a microvasculatura encefálica, maturação da matéria branca e dano a axônios.

Diagnóstico Diferencial

Transtornos por uso de outra substância. Os efeitos de alucinógenos devem ser distinguidos dos efeitos de outras substâncias (p. ex., transtorno por uso de anfetaminas, abstinência de álcool ou de sedativos), especialmente porque a contaminação dos alucinógenos com outras drogas é relativamente comum.

Intoxicação por alucinógenos e transtornos mentais induzidos por alucinógenos. Transtorno por uso de alucinógenos diferencia-se de intoxicação por alucinógenos e transtornos mentais induzidos por alucinógenos (p. ex., transtorno psicótico induzido por alucinógeno) porque descreve um padrão problemático de uso que envolve prejuízo no controle sobre o uso da substância, prejuízo social devido ao uso, comportamentos de risco devido ao uso (p. ex., dirigir intoxicado) e sintomas farmacológicos (desenvolvimento de tolerância), ao passo que intoxicação por alucinógenos e transtornos mentais induzidos por alucinógenos descrevem síndromes psiquiátricas que ocorrem no contexto de uso pesado. Intoxicação por alucinógenos e transtornos mentais induzidos por alucinógenos ocorrem com frequência em indivíduos com transtorno por uso de alucinógenos. Nesses casos, deve ser feito um diagnóstico de intoxicação por alucinógenos ou transtorno mental induzido por alucinógenos além do diagnóstico de transtorno por uso de alucinógenos, cuja presença é indicada no código diagnóstico.

Transtornos mentais independentes. Alguns dos efeitos do uso de alucinógenos podem se assemelhar aos sintomas de transtornos mentais independentes, como esquizofrenia e transtornos depressivos e bipolares. Discernir se esses comportamentos ocorriam antes do consumo da droga é importante para a diferenciação entre efeitos agudos da substância e transtorno mental preexistente. Em particular, esquizofrenia não deve ser descartada, já que alguns indivíduos afetados (p. ex., pessoas com esquizofrenia que exibem paranoia) podem falsamente atribuir seus sintomas ao uso de alucinógenos.

Comorbidade

Transtorno por uso de outros alucinógenos é altamente associado a transtorno por uso de cocaína, transtorno por uso de estimulantes, transtorno por uso de outras substâncias, transtorno por uso de tabaco (nicotina), algum transtorno da personalidade, transtorno de estresse pós-traumático e ataques de pânico.

Intoxicação por Fenciclidina

Critérios Diagnósticos

A. Uso recente de fenciclidina (ou substância farmacologicamente semelhante).
B. Alterações comportamentais clinicamente significativas e problemáticas (p. ex., beligerância, agressividade, impulsividade, imprevisibilidade, agitação psicomotora, julgamento prejudicado) desenvolvidas durante ou logo após o uso de fenciclidina.

C. No prazo de 1 hora, dois (ou mais) dos seguintes sinais ou sintomas:

Nota: Quando a droga for fumada, cheirada ou usada na forma intravenosa, o início pode ser bem mais rápido.

1. Nistagmo vertical ou horizontal.
2. Hipertensão ou taquicardia.
3. Torpor ou resposta diminuída à dor.
4. Ataxia.
5. Disartria.
6. Rigidez muscular.
7. Convulsões ou coma.
8. Hiperacusia.

D. Os sinais ou sintomas não são atribuíveis a outra condição médica nem são mais bem explicados por outro transtorno mental, incluindo intoxicação por outra substância.

Nota para codificação: O código da CID-10-MC depende da existência de comorbidade com transtorno por uso de fenciclidina. Se houver transtorno por uso de fenciclidina, leve comórbido, o código da CID-10-MC é **F16.120**, e se houver transtorno por uso de fenciclidina, moderado ou grave comórbido, o código da CID-10-MC é **F16.220**. Caso não haja comorbidade com transtorno por uso de fenciclidina, então o código da CID-10-MC é **F16.920**.

Nota: Além da seção "Consequências Funcionais da Intoxicação por Fenciclidina", consultar a seção correspondente em "Transtorno por Uso de Fenciclidina".

Características Diagnósticas

A intoxicação por fenciclidina reflete as alterações comportamentais clinicamente significativas que ocorrem logo após a ingestão dessa substância (ou de uma substância farmacologicamente semelhante). As apresentações clínicas mais comuns de intoxicação por fenciclidina incluem desorientação, confusão sem alucinações, nistagmo, torpor ou resposta diminuída à dor, ataxia, disartria, rigidez muscular, hiperacusia e coma de gravidade variável. Outras mudanças comportamentais clinicamente significativas associadas à intoxicação por fenciclidina incluem comportamento violento, agitação extrema, delírios persecutórios, euforia, amnésia retrógrada e hipertensão.

Prevalência

O uso de fenciclidina ou de substâncias relacionadas (p. ex., ketamina) pode ser tomado como uma estimativa da prevalência de intoxicação. O uso de fenciclidina é raro, com menos de 0,1% da população acima de 12 anos nos Estados Unidos relatando uso nos últimos 12 meses em 2018. Em pesquisas nos Estados Unidos com estudantes e adultos jovens acompanhados desde o ensino médio, a prevalência de 12 meses de uso de ketamina, que é avaliada separadamente de outras substâncias, foi estimada em cerca de 1,2% entre estudantes do último ano do ensino médio e 0,5% entre adultos jovens entre 19 e 28 anos.

Marcadores Diagnósticos

Exames laboratoriais podem ser úteis, uma vez que a fenciclidina é detectada na urina até oito dias após o uso, embora os níveis estejam pouco associados à apresentação clínica do indivíduo e, portanto, possam não ser úteis para o manejo do caso. Os níveis de creatina fosfoquinase e aspartato aminotransferase podem estar elevados.

Consequências Funcionais de Intoxicação por Fenciclidina

Intoxicação por fenciclidina produz extensa toxicidade cardiovascular e neurológica (p. ex., convulsões, distonias, discinesias, catalepsia, hipotermia ou hipertermia).

Diagnóstico Diferencial

Em particular, na ausência de teste de realidade intacto (i. e., sem consciência de que as anormalidades da percepção são induzidas pela droga), deve ser considerado um diagnóstico adicional de transtorno psicótico induzido por fenciclidina.

Intoxicação por outra substância. A intoxicação por fenciclidina deve ser diferenciada da intoxicação decorrente de outras substâncias, incluindo outros alucinógenos; anfetamina, cocaína ou outros estimulantes; e anticolinérgicos, bem como da abstinência de benzodiazepínicos. Nistagmo e comportamento bizarro e violento podem distinguir intoxicação por fenciclidina da decorrente de outras substâncias. Testes toxicológicos podem ser úteis para fazer essa distinção. Contudo, há fraca correlação entre os níveis toxicológicos quantitativos de fenciclidina e a apresentação clínica, o que reduz a utilidade dos achados laboratoriais para o manejo do paciente.

Transtornos mentais induzidos por fenciclidina. Intoxicação por fenciclidina distingue-se de transtornos mentais induzidos por fenciclidina (p. ex., transtorno depressivo induzido por fenciclidina, com início durante a intoxicação) porque os sintomas (p. ex., humor deprimido) destes últimos excedem aqueles geralmente associados à intoxicação por fenciclidina, predominam na apresentação clínica e são suficientemente graves para justificar atenção clínica.

Outras condições médicas. Condições médicas que devem ser consideradas incluem determinados distúrbios metabólicos como hipoglicemia e hiponatremia, tumores do sistema nervoso central, transtornos convulsivos, sepse, síndrome neuroléptica maligna e eventos vasculares.

Comorbidade

Considerando a sobreposição típica de intoxicação por fenciclidina com transtorno por uso de fenciclidina, ver "Comorbidade" no capítulo "Transtorno por Uso de Fenciclidina" para mais detalhes sobre as condições concomitantes provavelmente encontradas.

Intoxicação por Outros Alucinógenos

Critérios Diagnósticos

A. Uso recente de alucinógeno (que não fenciclidina).
B. Alterações comportamentais ou psicológicas clinicamente significativas e problemáticas (p. ex., ansiedade ou depressão acentuadas, ideias de referência, medo de perder o juízo, ideação paranoide, julgamento prejudicado) desenvolvidas durante ou logo após o uso de alucinógenos.
C. Alterações da percepção ocorrendo em um estado de plena vigília e alerta (p. ex., intensificação subjetiva de percepções, despersonalização, desrealização, ilusões, alucinações, sinestesias) que se desenvolveram durante ou logo após o uso de alucinógenos.
D. Dois (ou mais) dos seguintes sinais desenvolvidos durante ou logo após o uso de alucinógenos:
   1. Dilatação pupilar.
   2. Taquicardia.
   3. Sudorese.
   4. Palpitações.
   5. Visão borrada.
   6. Tremores.
   7. Incoordenação.
E. Os sinais ou sintomas não são atribuíveis a outra condição médica nem são mais bem explicados por outro transtorno mental, incluindo intoxicação por outra substância.

> **Nota para codificação:** O código da CID-10-MC depende da existência de comorbidade com transtorno por uso de alucinógenos. Se houver transtorno por uso de alucinógenos, leve comórbido, o código da CID-10-MC é **F16.120**, e se houver transtorno por uso de alucinógenos, moderado ou grave comórbido, o código da CID--10-MC é **F16.220**. Caso não haja comorbidade com transtorno por uso de alucinógenos, então o código da CID-10-MC é **F16.920**.

Nota: Para informações sobre Características Associadas e Questões Diagnósticas Relativas à Cultura, consultar as seções correspondentes em "Transtorno por Uso de Outros Alucinógenos".

Características Diagnósticas

A intoxicação por outros alucinógenos reflete as alterações comportamentais ou psicológicas clinicamente relevantes que ocorrem logo após a ingestão de um alucinógeno. Dependendo da substância em questão, a intoxicação pode durar apenas minutos (p. ex., com sálvia), várias horas ou ainda mais tempo (p. ex., com LSD ou MDMA).

Prevalência

A prevalência de intoxicação por outros alucinógenos não é completamente conhecida, mas pode ser estimada pelo uso dessas substâncias. Em 2018, 1,5% dos indivíduos entre 12 e 17 anos nos Estados Unidos relataram o uso de alucinógenos no último ano; em indivíduos entre os 18 e 25 anos, a taxa foi de 6,9%, e entre aqueles a partir de 26 anos, a taxa foi de 1,3%. As taxas foram consistentemente mais elevadas para meninos e homens do que para meninas e mulheres em todos os grupos etários.

Associação com Pensamentos ou Comportamentos Suicidas

Intoxicação por outros alucinógenos pode levar a aumento de pensamentos ou comportamentos suicidas, embora o suicídio seja raro nos usuários de alucinógenos. Cabe salientar que um estudo de mais de 135.000 adultos norte-americanos aleatoriamente escolhidos, incluindo mais de 19.000 indivíduos que usam psicodélicos, não encontrou evidências, após ajuste para dados sociodemográficos, uso de outra droga e depressão infantil, de que o uso de psicodélicos durante a vida é um fator de risco independente para problemas de saúde mental, pensamentos suicidas ou tentativas de suicídio. Além disso, uma grande pesquisa na população norte-americana descobriu que história de uso de alucinógenos durante a vida estava associada a chances menores de sofrimento mental e pensamentos ou comportamentos suicidas, embora uma relação causal entre substâncias alucinógenas e menor sofrimento não possa ser inferida a partir desse estudo. Com base nesses achados, a relação entre o uso de outros alucinógenos e pensamentos e comportamentos suicidas é desconhecida.

Consequências Funcionais da Intoxicação por Outros Alucinógenos

Intoxicação por outros alucinógenos pode apresentar consequências graves. As perturbações da percepção e o julgamento prejudicado associados à intoxicação por outros alucinógenos podem resultar em lesões ou mortes decorrentes de acidentes automobilísticos, brigas de natureza física ou lesão autoinfligida involuntariamente (p. ex., cortes ou quedas devidos ao prejuízo na percepção de profundidade). Quando outros alucinógenos são consumidos em combinação com outras drogas (incluindo álcool), pode ocorrer coma, com duração e profundidade maiores do que quando outros alucinógenos são consumidos isoladamente. O uso contínuo de tais substâncias, especialmente de MDMA, também já foi associado a efeitos neurotóxicos. Os efeitos adversos de outros alucinógenos também incluem hipertermia, arritmias cardíacas, hipernatremia associada a pneumotórax, incoordenação motora, nistagmo, inquietação, alucinações/delírios, midríase, vigilância aumentada e hipertensão arterial. Reações mais graves incluem insuficiência renal, insuficiência hepática, convulsões, infarto cerebral, rabdomiólise, complicações cardíacas e hepatotoxicidade.

Diagnóstico Diferencial

Intoxicação por outra substância. A intoxicação por outros alucinógenos deve ser diferenciada da intoxicação por substâncias tipo anfetamina, cocaína ou outros estimulantes; anticolinérgicos, inalantes e fenciclidina. Exames toxicológicos ajudam a fazer essa distinção, e determinar a via de administração também pode ser útil.

Outras condições. Outros transtornos e condições a serem considerados incluem esquizofrenia, depressão, abstinência de outras drogas ou fármacos (p. ex., sedativos, álcool), determinados transtornos metabólicos (p. ex., hipoglicemia), transtornos convulsivos, tumores do sistema nervoso central e eventos vasculares.

Transtorno persistente da percepção induzido por alucinógenos. Intoxicação por outros alucinógenos diferencia-se do transtorno persistente da percepção induzido por alucinógenos porque os sintomas deste último continuam episódica ou continuamente durante semanas (ou por mais tempo) após a intoxicação mais recente.

Transtornos mentais induzidos por alucinógenos. A intoxicação por outros alucinógenos diferencia-se de outros transtornos mentais induzidos por alucinógenos (p. ex., transtorno de ansiedade induzido por alucinógeno com início durante a intoxicação) porque os sintomas destes últimos excedem aqueles associados à intoxicação por outros alucinógenos, predominam na apresentação clínica e são suficientemente graves para justificar atenção clínica independente.

Comorbidade

Considerando a sobreposição típica de intoxicação por outros alucinógenos com transtorno por uso de outros alucinógenos, consultar "Comorbidade" no capítulo "Transtorno por Uso de Outros Alucinógenos" para mais detalhes sobre as condições concomitantes provavelmente encontradas.

Transtorno Persistente da Percepção Induzido por Alucinógenos

Critérios Diagnósticos   F16.983

A. Após a cessação do uso de um alucinógeno, a revivência de no mínimo um dos sintomas perceptivos experimentados durante a intoxicação pelo alucinógeno (p. ex., alucinações geométricas, falsas percepções de movimento nos campos visuais periféricos, *flashes* coloridos, cores intensificadas, rastros de imagens de objetos em movimento, sensação de imagem vívida após o estímulo ter cessado [pós-imagem positiva], halos em torno dos objetos, macropsia e micropsia).

B. Os sintomas do Critério A causam sofrimento clinicamente significativo ou prejuízo no funcionamento social, profissional ou em outras áreas importantes da vida do indivíduo.

C. Os sintomas não são atribuíveis a outra condição médica (p. ex., lesões anatômicas e infecções cerebrais, epilepsias visuais) nem são mais bem explicados por outro transtorno mental (p. ex., *delirium*, transtorno neurocognitivo maior, esquizofrenia) ou por alucinações hipnopômpicas.

Características Diagnósticas

A particularidade do transtorno persistente da percepção induzido por alucinógenos é a revivência, quando o indivíduo está sóbrio, de perturbações da percepção experimentadas enquanto estava intoxicado pelo alucinógeno (Critério A). Os sintomas podem incluir qualquer tipo de perturbação da percepção, mas as visuais tendem a predominar. Entre as percepções visuais anormais, as mais típicas são alucinações geométricas, falsas percepções de movimento nos campos visuais periféricos, *flashes* de cor, cores intensificadas, rastros de imagens de objetos em movimento (i. e., imagens que ficam suspensas no trajeto de um objeto em movimento, como pode ser visto na fotografia estroboscópica), percepções de objetos inteiros, neve visual, pós-imagens positivas (i. e., uma "sombra" da mesma cor ou da cor complementar de um objeto, que permanece após a remoção desse objeto), halos em torno dos objetos ou percepção errônea de imagens como grandes demais (macropsia) ou pequenas demais (micropsia). A duração das perturbações visuais pode ser episódica ou quase contínua, as quais devem causar sofrimento clinicamente significativo ou prejuízo no funcionamento social, profissional ou em outras áreas importantes da vida do indivíduo (Critério B). As perturbações podem durar semanas, meses ou anos. Outras explicações para as perturbações (p. ex., lesões cerebrais, psicose preexistente, transtornos convulsivos, enxaqueca com aura sem cefaleia) devem ser descartadas (Critério C).

O transtorno persistente da percepção induzido por alucinógenos ocorre principalmente, mas não exclusivamente, após o uso de LSD. Não parece haver forte correlação entre o transtorno persistente da percepção induzido por alucinógenos e a quantidade de ocasiões do uso dessas substâncias, com alguns casos ocorrendo em indivíduos com exposição mínima a alucinógenos. Algumas ocorrências de transtorno persistente da percepção induzido por alucinógenos podem ser precipitadas pelo uso de outras substâncias (p. ex., *Cannabis* ou álcool), adaptação a ambientes escuros, exercício e exposição a ruídos e fotofobia.

Características Associadas

O teste de realidade permanece intacto em indivíduos com transtorno persistente da percepção induzido por alucinógenos (i. e., o indivíduo está ciente de que a perturbação está ligada ao efeito da droga). Caso contrário, outro transtorno pode explicar melhor as percepções anormais.

Prevalência

Desconhecem-se estimativas de prevalência do transtorno persistente da percepção induzido por alucinógenos. Estimativas iniciais de prevalência do transtorno entre indivíduos que usam alucinógenos são de 4,2%.

Desenvolvimento e Curso

Pouco se sabe sobre o desenvolvimento do transtorno persistente da percepção induzido por alucinógenos. Seu curso, como sugere a denominação, é persistente e dura semanas, meses ou até mesmo anos em alguns indivíduos.

Fatores de Risco e Prognóstico

Há poucas evidências quanto aos fatores de risco para transtorno persistente da percepção induzido por alucinógenos, embora se tenha sugerido que fatores genéticos possam ser uma explicação possível subjacente à suscetibilidade aos efeitos de LSD nessa condição.

Consequências Funcionais do Transtorno Persistente da Percepção Induzido por Alucinógenos

Embora o transtorno persistente da percepção induzido por alucinógenos continue sendo uma condição crônica em alguns casos, muitos indivíduos com o transtorno conseguem suprimir as perturbações e manter funcionamento normal.

Diagnóstico Diferencial

As condições que devem ser descartadas incluem esquizofrenia, efeitos de outras drogas ou fármacos, transtornos neurodegenerativos, AVC, tumores cerebrais, infecções e traumatismo craniano. Exames de neuroimagem em casos de transtorno persistente da percepção induzido por alucinógenos geralmente resultam negativos. Conforme indicado anteriormente, o teste de realidade permanece intacto (i. e., o indivíduo está ciente de que a perturbação está vinculada ao efeito da droga); caso contrário, outro transtorno (p. ex., transtorno psicótico, outra condição médica) pode oferecer uma explicação melhor para as percepções anormais.

Comorbidade

Transtornos mentais comórbidos que acompanham o transtorno persistente da percepção induzido por alucinógenos com mais frequência são transtorno de pânico, transtorno por uso de álcool, transtorno depressivo maior, transtorno bipolar tipo I e transtornos do espectro da esquizofrenia.

Transtornos Mentais Induzidos por Fenciclidina

Outros transtornos mentais induzidos por fenciclidina são descritos em outros capítulos do Manual, juntamente aos transtornos com os quais compartilham fenomenologia (consultar transtornos mentais induzidos por substância/medicamento nesses capítulos): transtorno psicótico induzido por fenciclidina ("Espectro da Esquizofrenia e Outros Transtornos Psicóticos"); transtorno bipolar induzido por fenciclidina e transtornos relacionados ("Transtorno Bipolar e Transtornos Relacionados"); transtorno depressivo induzido por fenciclidina ("Transtornos Depressivos"); e transtorno de ansiedade induzido por fenciclidina ("Transtornos de Ansiedade"). Para *delirium* induzido por intoxicação por fenciclidina e *delirium* induzido por ketamina consumida conforme prescrição, ver os critérios e a abordagem de *delirium* no capítulo "Transtornos Neurocognitivos". Esses transtornos mentais induzidos por fenciclidina são diagnosticados em lugar de intoxicação por fenciclidina apenas quando os sintomas são suficientemente graves para justificar atenção clínica independente.

Transtornos Mentais Induzidos por Alucinógenos

Os seguintes transtornos mentais induzidos por outros alucinógenos são descritos em outros capítulos do Manual, juntamente aos transtornos com os quais compartilham fenomenologia (consultar transtornos mentais induzidos por substância/medicamento nesses capítulos): transtorno psicótico induzido por outros alucinógenos ("Espectro da Esquizofrenia e Outros Transtornos Psicóticos"); transtorno bipolar induzido por outros alucinógenos e transtornos relacionados ("Transtorno Bipolar e Transtornos Relacionados"); transtorno depressivo induzido por outros alucinógenos ("Transtornos Depressivos"); e transtorno de ansiedade induzido por outros alucinógenos ("Transtornos de Ansiedade"). Para *delirium* induzido por intoxicação por outros alucinógenos e *delirium* induzido por outros alucinógenos, ver os critérios e a abordagem de *delirium* no capítulo "Transtornos Neurocognitivos". Esses transtornos mentais induzidos por outros alucinógenos são diagnosticados em lugar de intoxicação por outros alucinógenos apenas quando os sintomas são suficientemente graves para justificar atenção clínica independente.

Transtorno Relacionado a Fenciclidina Não Especificado

F16.99

Esta categoria aplica-se a apresentações em que sintomas característicos de um transtorno relacionado à fenciclidina que causam sofrimento clinicamente significativo ou prejuízo no funcionamento social, profissional ou em outras áreas importantes da vida do indivíduo predominam, mas não satisfazem todos os critérios para qualquer transtorno relacionado à fenciclidina específico nem para outro transtorno na classe diagnóstica de transtornos relacionados a substâncias e transtornos aditivos.

Transtorno Relacionado a Alucinógenos Não Especificado

F16.99

Esta categoria aplica-se a apresentações em que sintomas característicos de um transtorno relacionado a alucinógenos que causam sofrimento clinicamente significativo ou prejuízo no funcionamento social, profissional ou em outras áreas importantes da vida do indivíduo predominam, mas não satisfazem todos os critérios para qualquer transtorno relacionado a alucinógenos específico nem para outro transtorno na classe diagnóstica de transtornos relacionados a substâncias e transtornos aditivos.

Transtornos Relacionados a Inalantes

Transtorno por Uso de Inalantes
Intoxicação por Inalantes
Transtornos Mentais Induzidos por Inalantes
Transtorno Relacionado a Inalantes Não Especificado

Transtorno por Uso de Inalantes

Critérios Diagnósticos

A. Um padrão problemático de uso de substância inalante baseada em hidrocarbonetos levando a comprometimento ou sofrimento clinicamente significativo, manifestado por pelo menos dois dos seguintes critérios, ocorrendo durante um período de 12 meses:
   1. A substância inalante é frequentemente consumida em maiores quantidades ou por um período mais longo do que o pretendido.
   2. Existe um desejo persistente ou esforços malsucedidos no sentido de reduzir ou controlar o uso da substância inalante.
   3. Muito tempo é gasto em atividades necessárias para a obtenção da substância inalante, na sua utilização ou na recuperação de seus efeitos.
   4. Fissura ou um forte desejo ou necessidade de usar a substância inalante.
   5. Uso recorrente da substância inalante, resultando em fracasso em cumprir obrigações importantes no trabalho, na escola ou em casa.
   6. Uso continuado da substância inalante apesar de problemas sociais ou interpessoais persistentes ou recorrentes causados ou exacerbados pelos efeitos de seu uso.
   7. Importantes atividades sociais, profissionais ou recreacionais são abandonadas ou reduzidas em virtude do uso da substância inalante.
   8. Uso recorrente da substância inalante em situações nas quais isso representa perigo para a integridade física.
   9. O uso da substância inalante é mantido apesar da consciência de ter um problema físico ou psicológico persistente ou recorrente que tende a ser causado ou exacerbado por ela.
   10. Tolerância, definida por qualquer um dos seguintes aspectos:
       a. Necessidade de quantidades progressivamente maiores da substância inalante para atingir a intoxicação ou o efeito desejado.
       b. Efeito acentuadamente menor com o uso continuado da mesma quantidade da substância inalante.

Especificar **o inalante em questão:** Quando possível, a substância específica envolvida deve ser nomeada (p. ex., "transtorno por uso de solvente").

Especificar se:

Em remissão inicial: Após todos os critérios para transtorno por uso de inalantes terem sido satisfeitos anteriormente, nenhum dos critérios para transtorno por uso de inalantes foi satisfeito durante um período mínimo de três meses, porém inferior a 12 meses (com exceção de que o Critério A4, "Fissura ou um forte desejo ou necessidade de usar a substância inalante", ainda pode ocorrer).

Em remissão sustentada: Após todos os critérios para transtorno por uso de inalantes terem sido satisfeitos anteriormente, nenhum dos critérios para transtorno por uso de inalantes foi satisfeito em nenhum momento durante um período igual ou superior a 12 meses (com exceção de que o Critério A4, "Fissura ou um forte desejo ou necessidade de usar a substância inalante", ainda pode ocorrer).

Especificar se:

Em ambiente protegido: Este especificador adicional é usado se o indivíduo encontra-se em um ambiente no qual o acesso a substâncias inalantes é restrito.

Código baseado na gravidade atual/remissão: Se também houver intoxicação por inalantes ou outro transtorno mental induzido por inalantes, não utilizar os códigos abaixo para transtorno por uso de inalantes. No caso, o transtorno por uso de inalantes comórbido é indicado pelo 4º caractere do código de transtorno induzido por inalantes (ver a nota para codificação para intoxicação por inalantes ou um transtorno mental induzido por inalantes específico). Por exemplo, se houver comorbidade de transtorno depressivo induzido por inalantes e transtorno por uso de inalantes, apenas o código para transtorno depressivo induzido por inalantes é fornecido, sendo que o 4º caractere indica se o transtorno por uso de inalantes comórbido é leve, moderado ou grave: F18.14 para transtorno por uso de inalantes, leve com transtorno depressivo induzido por inalantes, ou F18.24 para transtorno por uso de inalantes, moderado ou grave com transtorno depressivo induzido por inalantes.

Especificar a gravidade atual/remissão:

F18.10 Leve: Presença de 2 ou 3 sintomas.
F18.11 Leve, em remissão inicial
F18.11 Leve, em remissão sustentada
F18.20 Moderada: Presença de 4 ou 5 sintomas.
F18.21 Moderada, em remissão inicial
F18.21 Moderada, em remissão sustentada
F18.20 Grave: Presença de 6 ou mais sintomas.
F18.21 Grave, em remissão inicial
F18.21 Grave, em remissão sustentada

Especificadores

"Em ambiente protegido" aplica-se como um especificador a mais de remissão se o indivíduo estiver tanto em remissão como em um ambiente protegido (i. e., em remissão inicial em ambiente protegido ou em remissão sustentada em ambiente protegido). Exemplos desses ambientes incluem prisões rigorosamente vigiadas e livres de substâncias, comunidades terapêuticas ou unidades hospitalares fechadas.

A gravidade do transtorno por uso de inalantes é avaliada pela quantidade de critérios diagnósticos confirmados. Para cada indivíduo, as alterações na gravidade do transtorno por uso de inalantes ao longo do tempo refletem-se pelas reduções na frequência (p. ex., dias de uso por mês) e/ou dose (p. ex., tubos de cola por dia) utilizada de inalantes, conforme avaliação do autorrelato do indivíduo, relato de outras pessoas, observações clínicas e exames biológicos (quando viável).

Características Diagnósticas

Exemplos de substâncias inalantes incluem hidrocarbonetos voláteis, que são gases tóxicos de colas, combustíveis, tintas e outros compostos voláteis. Quando possível, a substância específica envolvida deve ser nomeada (p. ex., "transtorno por uso de tolueno"). Contudo, a maioria dos compostos inalados é uma mistura de várias substâncias que podem produzir efeitos psicoativos, e costuma ser difícil determinar a substância exata responsável pelo transtorno. A menos que haja evidências claras de que uma única substância não misturada tenha sido usada, o termo geral *inalante* deve ser usado ao registrar o diagnóstico. Os transtornos que resultam da inalação de óxido nitroso ou de nitrito de amila, nitrito de butila ou nitrito de isobutila são considerados transtorno por uso de outra substância (ou substância desconhecida).

As características do transtorno por uso de inalantes incluem uso repetido de uma substância inalante apesar da consciência de que ela está causando problemas graves para o indivíduo (Critério A9). Esses problemas se refletem nos critérios diagnósticos.

Absenteísmo no trabalho ou na escola ou incapacidade de desempenhar responsabilidades típicas no trabalho ou na escola (Critério A5) e uso contínuo da substância inalante apesar das discussões com a família ou amigos, brigas e outros problemas sociais ou interpessoais (Critério A6) podem ser observados no transtorno por uso de inalantes. Restrição do contato com a família, das obrigações no trabalho ou na escola ou das atividades recreativas (p. ex., esportes, jogos, passatempos) também pode ocorrer (Critério A7). Observa-se, ainda, uso de inalantes durante a condução de veículos ou operação de equipamento perigoso (Critério A8).

Há relatos de tolerância (Critério A10) por cerca de 10% dos indivíduos que usam inalantes. Como uma síndrome de abstinência clinicamente significativa não foi estabelecida com uso de inalantes, este Manual não reconhece um diagnóstico de abstinência por inalantes e não inclui queixas de abstinência nos critérios diagnósticos para esse transtorno. Contudo, sintomas de abstinência podem ocorrer entre usuários de inalantes e em indivíduos com transtorno por uso de inalantes, moderado a grave, e aparentemente esses sintomas têm frequência semelhante aos sintomas de abstinência entre aqueles com transtorno por uso de cocaína, moderado a grave.

Características Associadas

Um diagnóstico de transtorno por uso de inalantes é apoiado por episódios recorrentes de intoxicação com resultados negativos em exames toxicológicos de rotina (os quais não detectam inalantes); porte, ou odores residuais, de substâncias inalantes; um "*rash* do cheirador de cola" em torno do nariz ou da boca; associação com outros indivíduos que sabidamente usam inalantes; fazer parte de grupos com uso prevalente de inalantes (p. ex., determinadas comunidades nativas ou aborígenes, crianças sem-teto integrantes de gangues de rua); facilidade de acesso a determinadas substâncias inalantes; porte de parafernália própria para uso; presença de complicações médicas características do transtorno (p. ex., patologia da substância branca cerebral, rabdomiólise); e presença de múltiplos transtornos por uso de substância. Indivíduos com transtorno por uso de inalantes podem apresentar sintomas de anemia perniciosa, degeneração combinada subaguda da medula espinal, atrofia cerebral, leucoencefalopatia e muitos outros transtornos do sistema nervoso.

Prevalência

Entre norte-americanos com 12 a 17 anos, cerca de 2,3% usaram inalantes nos 12 meses anteriores, com 0,1% tendo um padrão de uso que satisfaz os critérios para transtorno por uso de inalantes. Entre adultos norte-americanos a partir dos 18 anos, a prevalência nos últimos 12 meses de uso de inalantes é de aproximadamente 0,21%, sendo que 0,04% apresenta um padrão de uso que satisfaz os critérios para transtorno por uso de inalantes. Entre os jovens, a prevalência de uso de inalantes nos 12 meses anteriores é mais alta entre brancos não hispânicos e indivíduos que relatam mais de uma identidade racial e mais baixa entre índios americanos/nativos do Alasca. As taxas de prevalência de 12 meses de uso de inalantes e transtorno por uso de inalantes entre adultos são mais elevadas entre brancos não hispânicos e mais baixas entre negros não hispânicos e índios americanos/nativos do Alasca.

Desenvolvimento e Curso

O declínio da prevalência nos Estados Unidos do uso de inalantes e transtorno por uso de inalantes após a adolescência (de 2,3% durante a adolescência para 0,1% no início da vida adulta para uso de inalantes e de 0,1 para 0,04% para transtorno por uso de inalantes) indica que esse transtorno costuma entrar em remissão no início da idade adulta. O transtorno por uso de inalantes é raro em pré-adolescentes, mais comum entre adolescentes e jovens adultos e incomum em pessoas idosas. Chamadas para os centros de controle de envenenamento por "abuso intencional" de inalantes atingem um pico quando envolvem indivíduos de 14 anos. Aqueles com transtorno por uso de inalantes que se estende até a vida adulta demonstram início mais precoce de uso de inalantes, uso de múltiplos inalantes e uso mais frequente.

Fatores de Risco e Prognóstico

Temperamentais. Preditores de transtorno por uso de inalantes incluem busca de sensações e impulsividade.

Ambientais. Gases inalantes são ampla e legalmente disponíveis, o que aumenta o risco de uso. Maus-tratos ou traumas durante a infância também estão associados à progressão da ausência de uso para o transtorno por uso de inalantes em jovens.

Genéticos e fisiológicos. A *desinibição comportamental* é uma propensão geral fortemente hereditária de não restringir o comportamento de modo que este seja socialmente aceito, de romper normas e regras sociais e de assumir riscos perigosos, buscando recompensas de modo excessivo apesar do perigo de consequências adversas. Jovens com forte desinibição comportamental apresentam fatores de risco para transtorno por uso de inalantes: transtorno por uso de substância com início precoce, envolvimento com múltiplas substâncias e problemas de conduta desde cedo. Como a desinibição comportamental sofre forte influência genética, jovens de famílias em que há problemas antissociais e relacionados a uso de substâncias correm maior risco para desenvolver transtorno por uso de inalantes.

Questões Diagnósticas Relativas à Cultura

Em nível internacional, algumas comunidades indígenas isoladas têm experimentado alta prevalência de problemas com inalantes. Além disso, em alguns países de baixa e média rendas, grupos de crianças sem-teto que vivem nas ruas apresentam extensos problemas de uso de inalantes devido a efeitos da pobreza, disponibilidade e acessibilidade das substâncias, e como uma maneira de lidar com a privação de alojamento.

Questões Diagnósticas Relativas ao Sexo e ao Gênero

Embora a prevalência do transtorno por uso de inalantes nos últimos 12 meses nos Estados Unidos seja quase idêntica entre meninas e meninos adolescentes, o transtorno é muito raro em mulheres adultas.

Marcadores Diagnósticos

Exames de urina, do ar expirado e de saliva podem ser úteis para avaliar o uso concomitante de substâncias não inalantes por indivíduos com transtorno por uso de inalantes. Contudo, problemas técnicos e o custo considerável de análises tornam exames biológicos frequentes para inalantes pouco práticos.

Associação com Pensamentos ou Comportamentos Suicidas

Nos Estados Unidos, uso de inalantes e transtorno por uso de inalantes em adolescentes e adultos estão associados a pensamentos e comportamentos suicidas, especialmente entre indivíduos que relatam sintomas de ansiedade e depressão e história de trauma.

Consequências Funcionais do Transtorno por Uso de Inalantes

Devido a sua toxicidade inerente, o uso de inalantes pode ser fatal. Pode ocorrer morte decorrente de anoxia, disfunção cardíaca, reação alérgica extrema, lesão grave nos pulmões, vômitos, acidentes ou lesão, ou depressão do sistema nervoso central. Além disso, todos os hidrocarbonetos voláteis inalados podem resultar em "morte súbita por inalação" decorrente de arritmia cardíaca. O uso de inalantes compromete o funcionamento neurocomportamental e causa diversos problemas neurológicos, gastrintestinais, cardiovasculares e pulmonares.

Indivíduos que usam inalantes por muito tempo correm maior risco de tuberculose, HIV/aids, infecções sexualmente transmissíveis, depressão, ansiedade, bronquite, asma e sinusite.

Diagnóstico Diferencial

Exposição (não intencional) a inalantes decorrente de acidentes industriais e outros tipos de acidentes. O diagnóstico de transtorno por uso de inalantes só se aplica se a exposição ao inalante for intencional.

Intoxicação por inalante sem satisfazer os critérios para transtorno por uso de inalantes. A intoxicação por inalante ocorre frequentemente durante o transtorno por uso de inalantes, mas também pode ocorrer em indivíduos cujo uso não satisfaz os critérios para o transtorno.

Intoxicação por inalante que satisfaz os critérios para transtorno por uso de inalantes e transtornos mentais induzidos por inalantes. O transtorno por uso de inalantes diferencia-se de intoxicação por inalante e transtornos mentais induzidos por inalantes (p. ex., transtorno depressivo induzido por inalantes) porque descreve um padrão problemático de uso que envolve prejuízo no controle sobre o uso da substância, prejuízo social devido ao uso, comportamentos de risco devido ao uso (p. ex., uso de inalantes apesar das complicações médicas) e sintomas farmacológicos (desenvolvimento de tolerância), ao passo que intoxicação por inalantes e transtornos mentais induzidos por inalantes descrevem síndromes psiquiátricas que se desenvolvem no contexto de uso pesado. Intoxicação por inalantes e transtornos mentais induzidos por inalantes ocorrem frequentemente em indivíduos com transtorno por uso de inalantes. Nesses casos, deve ser feito diagnóstico de intoxicação por inalante ou transtorno mental induzido por inalantes, além do diagnóstico de transtorno por uso de inalantes, cuja presença é indicada no código diagnóstico.

Transtornos por uso de outras substâncias, especialmente os que envolvem substâncias sedativas (p. ex., álcool, benzodiazepínicos, barbitúricos). O transtorno por uso de inalantes costuma ocorrer em conjunto com outros transtornos por uso de substâncias, e os sintomas podem ser semelhantes e se sobrepor. Perguntar sobre sintomas que persistiram durante períodos quando algumas das substâncias não estavam sendo usadas ajuda a separar padrões de sintomas.

Comorbidade

Indivíduos com transtorno por uso de inalantes que recebem cuidados clínicos costumam apresentar vários outros transtornos por uso de substâncias, transtornos do humor, de ansiedade e da personalidade. O transtorno por uso de inalantes normalmente tem ocorrência concomitante com transtorno da conduta na adolescência e transtorno da personalidade antissocial. Indivíduos com transtorno por uso de inalantes podem apresentar sintomas comórbidos de danos hepáticos ou renais, rabdomiólise, metemoglobinemia ou sintomas de outras doenças gastrintestinais, cardiovasculares ou pulmonares.

Intoxicação por Inalantes

Critérios Diagnósticos

A. Exposição breve e recente, intencional ou não, a altas doses de substâncias inalantes, incluindo hidrocarbonetos voláteis como tolueno ou gasolina.

B. Alterações comportamentais ou psicológicas clinicamente significativas e problemáticas (p. ex., beligerância, agressividade, apatia, julgamento prejudicado) desenvolvidas durante ou logo após o uso ou a exposição a inalantes.

C. Dois (ou mais) dos seguintes sinais ou sintomas, desenvolvidos durante ou logo após o uso ou a exposição a inalantes:
   1. Tontura.
   2. Nistagmo.
   3. Incoordenação.

4. Fala arrastada.
5. Instabilidade de marcha.
6. Letargia.
7. Reflexos deprimidos.
8. Retardo psicomotor.
9. Tremor.
10. Fraqueza muscular generalizada.
11. Visão borrada ou diplopia.
12. Estupor ou coma.
13. Euforia.

D. Os sinais e sintomas não são atribuíveis a outra condição médica nem são mais bem explicados por outro transtorno mental, incluindo intoxicação por outra substância.

Nota para codificação: O código da CID-10-MC depende da existência de comorbidade com transtorno por uso de inalantes. Se houver transtorno por uso de inalantes, leve comórbido, o código da CID-10-MC é **F18.120**, e se houver transtorno por uso de inalantes, moderado ou grave comórbido, o código da CID-10-MC é **F18.220**. Caso não haja comorbidade com transtorno por uso de inalantes, então o código da CID-10-MC é **F18.920**.

Nota: Para informações sobre Desenvolvimento e Curso, Fatores de Risco e Prognóstico, Questões Diagnósticas Relativas à Cultura e Marcadores Diagnósticos, consultar as seções correspondentes em "Transtorno por Uso de Inalantes".

Características Diagnósticas

A característica essencial da intoxicação por inalantes é a presença de alterações comportamentais ou psicológicas problemáticas e clinicamente significativas que se desenvolvem durante, ou imediatamente após, a inalação intencional ou acidental de uma substância volátil baseada em hidrocarbonetos. Quando possível, a substância específica envolvida deve ser nomeada (p. ex., intoxicação por tolueno). A intoxicação desaparece no prazo de minutos a horas após o término da exposição. Portanto, a intoxicação por inalantes geralmente ocorre em episódios breves que podem ter recorrência com mais uso de inalantes.

Características Associadas

A intoxicação por inalantes pode ser indicada pelas evidências de porte ou de odores residuais de substâncias inalantes (p. ex., cola, solvente de tinta, gasolina, isqueiros de butano); outras características podem incluir euforia, relaxamento, cefaleia, batimento cardíaco rápido, confusão, loquacidade, visão borrada, amnésia, fala arrastada, irritabilidade, náusea, fadiga, ardência nos olhos ou garganta, ideias de grandeza, dor torácica, alucinações auditivas ou visuais e dissociação.

Prevalência

Desconhece-se a prevalência de episódios reais de intoxicação por inalantes na população geral, mas é provável que a maioria dos usuários de inalantes, em algum momento, exiba mudanças e sintomas comportamentais ou psicológicos que satisfaçam os critérios para transtorno por intoxicação por inalantes. Portanto, a prevalência de uso e a prevalência de intoxicação por inalantes provavelmente são semelhantes. Em 2017, o uso de inalantes no ano anterior foi relatado por 0,6% de todos os norte-americanos com idade superior a 12 anos; a prevalência foi mais alta em grupos mais jovens (2,3% dos indivíduos entre 12 e 17 anos, 1,6% daqueles entre 18 e 25 anos e 0,3% dos indivíduos a partir de 26 anos).

Questões Diagnósticas Relativas ao Sexo e ao Gênero

As diferenças quanto ao gênero na prevalência da intoxicação por inalantes na população geral são desconhecidas. Quanto às diferenças de gênero na prevalência de usuários de inalantes nos Estados Unidos,

0,8% dos indivíduos do gênero masculino com idade superior a 12 anos e 0,5% daqueles do gênero feminino com idade superior a 12 anos usaram inalantes no ano anterior, mas, nos grupos etários mais jovens, as diferenças são mínimas ou as meninas podem ter prevalência ligeiramente maior (p. ex., em adolescentes dos 12 aos 17 anos, 2,4% das meninas e 2,2% dos meninos usaram inalantes no último ano).

Consequências Funcionais da Intoxicação por Inalantes

O uso de substâncias inaladas em recipiente fechado, como uma sacola plástica ao redor da cabeça, pode levar a inconsciência, anoxia e morte. Em outros casos, "morte súbita por inalação", provavelmente decorrente de arritmia ou parada cardíaca, pode ocorrer com vários inalantes voláteis. A toxicidade acentuada de determinados inalantes voláteis, como butano ou propano, também causa mortes. Embora a intoxicação por inalantes em si seja breve, ela pode produzir problemas médicos e neurológicos persistentes, especialmente se as intoxicações forem frequentes. Correlatos de intoxicação por inalantes clinicamente significativos incluem comportamentos imprudentes (p. ex., correr riscos tolos, envolver-se em brigas, ter relações sexuais sem proteção), comportamentos antissociais (crueldade, dano a propriedade, prisões) e sofrer acidentes graves.

Diagnóstico Diferencial

Intoxicação por outras substâncias, especialmente por substâncias sedativas (p. ex., álcool, benzodiazepínicos, barbitúricos). Estes transtornos podem ter sinais e sintomas semelhantes, mas a intoxicação é atribuível a outros intoxicantes que podem ser identificados por meio de exames toxicológicos. Distinguir a fonte da intoxicação pode envolver evidências distintas da exposição a inalantes, conforme descritas no transtorno por uso de inalantes. Um diagnóstico de intoxicação por inalantes pode ser sugerido por porte ou odores residuais de substâncias inalantes (p. ex., cola, solvente de tinta, gasolina, isqueiros de butano); porte de parafernália (p. ex., trapos ou sacolas para concentrar os gases da cola), "*rash* do cheirador de cola" em torno do nariz ou da boca; relatos da família ou de amigos de que o indivíduo intoxicado porta ou usa inalantes; ou intoxicação aparente, apesar de resultados negativos de exames toxicológicos de rotina (os quais geralmente não identificam inalantes).

Transtornos mentais induzidos por inalantes. A intoxicação por inalantes é distinta de transtornos mentais induzidos por inalantes (p. ex., transtorno de ansiedade induzido por inalantes com início durante a intoxicação) porque os sintomas destes últimos (p. ex., ansiedade) excedem aqueles geralmente associados à intoxicação por inalantes, predominam na apresentação clínica e são suficientemente graves para justificar atenção clínica independente.

Outros transtornos tóxicos, metabólicos, traumáticos, neoplásicos ou infecciosos que comprometem o funcionamento cerebral e a cognição. Várias condições neurológicas e outras condições médicas podem produzir as alterações comportamentais e psicológicas clinicamente significativas (p. ex., beligerância, agressividade, apatia, julgamento prejudicado) que também caracterizam a intoxicação por inalantes.

Comorbidade

Considerando a sobreposição típica de intoxicação por inalantes com transtorno por uso de inalantes, ver "Comorbidade" no capítulo "Transtorno por Uso" de Inalantes para mais detalhes sobre as condições concomitantes provavelmente encontradas.

Transtornos Mentais Induzidos por Inalantes

Os seguintes transtornos induzidos por inalantes são descritos em outros capítulos do Manual, juntamente aos transtornos com os quais compartilham fenomenologia (consultar transtornos mentais induzidos por substância/medicamento nesses capítulos): transtorno psicótico induzido por inalantes ("Espectro da Esquizofrenia e Outros Transtornos Psicóticos"); transtorno depressivo induzido por inalantes ("Transtornos

Depressivos"); transtorno de ansiedade induzido por inalantes ("Transtornos de Ansiedade"); e transtorno neurocognitivo maior ou leve induzido por inalantes ("Transtornos Neurocognitivos"). Para *delirium* induzido por intoxicação por inalantes, ver os critérios e a abordagem de *delirium* no capítulo "Transtornos Neurocognitivos". Esses transtornos mentais induzidos por inalantes são diagnosticados em lugar de intoxicação por inalantes apenas quando os sintomas são suficientemente graves para justificar atenção clínica independente.

Transtorno Relacionado a Inalantes Não Especificado

F18.99

Esta categoria aplica-se a apresentações em que sintomas característicos de um transtorno relacionado a inalantes que causam sofrimento clinicamente significativo ou prejuízo no funcionamento social, profissional ou em outras áreas importantes da vida do indivíduo predominam, mas não satisfazem todos os critérios para qualquer transtorno relacionado a inalantes específico nem para outro transtorno na classe diagnóstica de transtornos relacionados a substâncias e transtornos aditivos.

Transtornos Relacionados a Opioides

Transtorno por Uso de Opioides
Intoxicação por Opioides
Abstinência de Opioides
Transtornos Mentais Induzidos por Opioides
Transtorno Relacionado a Opioides Não Especificado

Transtorno por Uso de Opioides

Critérios Diagnósticos

A. Um padrão problemático de uso de opioides, levando a comprometimento ou sofrimento clinicamente significativo, manifestado por pelo menos dois dos seguintes critérios, ocorrendo durante um período de 12 meses:

1. Os opioides são frequentemente consumidos em maiores quantidades ou por um período mais longo do que o pretendido.
2. Existe um desejo persistente ou esforços malsucedidos no sentido de reduzir ou controlar o uso de opioides.
3. Muito tempo é gasto em atividades necessárias para a obtenção do opioide, em sua utilização ou na recuperação de seus efeitos.
4. Fissura ou um forte desejo ou necessidade de usar opioides.
5. Uso recorrente de opioides resultando em fracasso em cumprir obrigações importantes no trabalho, na escola ou em casa.
6. Uso continuado de opioides apesar de problemas sociais ou interpessoais persistentes ou recorrentes causados ou exacerbados pelos seus efeitos.
7. Importantes atividades sociais, profissionais ou recreacionais são abandonadas ou reduzidas em virtude do uso de opioides.

8. Uso recorrente de opioides em situações nas quais isso representa perigo para a integridade física.
9. O uso de opioides é mantido apesar da consciência de ter um problema físico ou psicológico persistente ou recorrente que tende a ser causado ou exacerbado pela substância.
10. Tolerância, definida por qualquer um dos seguintes aspectos:
    a. Necessidade de quantidades progressivamente maiores de opioides para atingir a intoxicação ou o efeito desejado.
    b. Efeito acentuadamente menor com o uso continuado da mesma quantidade de opioide.

    Nota: Este critério é desconsiderado em indivíduos cujo uso de opioides se dá unicamente sob supervisão médica adequada.

11. Abstinência, conforme manifestada por qualquer um dos seguintes aspectos:
    a. Síndrome de abstinência característica de opioides (consultar os Critérios A e B do conjunto de critérios para abstinência de opioides).
    b. Opioides (ou uma substância estreitamente relacionada) são consumidos para aliviar ou evitar os sintomas de abstinência.

    Nota: Este critério é desconsiderado em indivíduos cujo uso de opioides se dá unicamente sob supervisão médica adequada.

Especificar se:

Em remissão inicial: Após todos os critérios para transtorno por uso de opioides terem sido preenchidos anteriormente, nenhum dos critérios para transtorno por uso de opioides foi preenchido durante um período mínimo de três meses, porém inferior a 12 meses (com exceção de que o Critério A4, "Fissura ou um forte desejo ou necessidade de usar opioides", ainda pode ocorrer).

Em remissão sustentada: Após todos os critérios para transtorno por uso de opioides terem sido preenchidos anteriormente, nenhum dos critérios para transtorno por uso de opioides foi preenchido em nenhum momento durante um período igual ou superior a 12 meses (com exceção de que o Critério A4, "Fissura ou um forte desejo ou necessidade de usar opioides", ainda pode ocorrer).

Especificar se:

Em terapia de manutenção: Este especificador adicional é usado se o indivíduo estiver usando medicamento agonista prescrito, como metadona ou buprenorfina, e nenhum dos critérios para transtorno por uso de opioides foi satisfeito para essa classe de medicamento (exceto tolerância ou abstinência do agonista). Esta categoria também se aplica aos indivíduos em manutenção com agonista parcial, agonista/antagonista ou antagonista total, como naltrexona oral ou de depósito.

Em ambiente protegido: Este especificador adicional é usado se o indivíduo encontra-se em um ambiente no qual o acesso a opioides é restrito.

Código baseado na gravidade atual/remissão: Se também houver intoxicação por opioides, abstinência de opioides ou outro transtorno mental induzido por opioides, não utilizar os códigos abaixo para transtorno por uso de opioides. No caso, o transtorno por uso de opioides comórbido é indicado pelo 4º caractere do código de transtorno induzido por opioides (ver a nota para codificação para intoxicação por opioides, abstinência de opioides ou transtorno mental induzido por opioides específico). Por exemplo, se houver comorbidade de transtorno depressivo induzido por opioides com transtorno por uso de opioides, apenas o código para transtorno depressivo induzido por opioides é fornecido, sendo que o 4º caractere indica se o transtorno por uso de opioides comórbido é leve, moderado ou grave: F11.14 para transtorno por uso de opioides, leve com transtorno depressivo induzido por opioides, ou F11.24 para transtorno por uso de opioides, moderado ou grave com transtorno depressivo induzido por opioides.

Especificar a gravidade atual/remissão:

F11.10 Leve: Presença de 2 ou 3 sintomas.

F11.11 Leve, em remissão inicial

F11.11 Leve, em remissão sustentada

> F11.20 **Moderada:** Presença de 4 ou 5 sintomas.
> F11.21 **Moderada, em remissão inicial**
> F11.21 **Moderada, em remissão sustentada**
> F11.20 **Grave:** Presença de 6 ou mais sintomas.
> F11.21 **Grave, em remissão inicial**
> F11.21 **Grave, em remissão sustentada**

Especificadores

"Em terapia de manutenção" aplica-se como um especificador a mais de remissão se o indivíduo estiver tanto em remissão como recebendo terapia de manutenção. "Em ambiente protegido" aplica-se como um especificador a mais de remissão se o indivíduo estiver tanto em remissão como em um ambiente protegido (i. e., em remissão inicial em ambiente protegido ou em remissão sustentada em ambiente protegido). Exemplos desses ambientes incluem prisões rigorosamente vigiadas e livres de substâncias, comunidades terapêuticas ou unidades hospitalares fechadas.

Para cada indivíduo, as alterações na gravidade ao longo do tempo também se refletem em reduções na frequência (p. ex., dias de uso por mês) e/ou dose (p. ex., injeções ou quantidade de comprimidos) de um opioide, conforme avaliação do autorrelato do indivíduo, relato de outras pessoas cientes do caso, observações do clínico e exames biológicos.

Características Diagnósticas

Os opioides incluem opioides naturais (p. ex., morfina, codeína), semissintéticos (p. ex., heroína, oxicodona, hidrocodona, hidromorfona, oximorfona) e sintéticos com ação semelhante à morfina (p. ex., metadona, meperidina, tramadol, fentanil, carfentanil). Medicamentos como pentazocina e buprenorfina, que têm ambos os efeitos agonistas e antagonistas opiáceos, também estão incluídos nesta classe porque, especialmente em doses menores, suas propriedades agonistas produzem efeitos fisiológicos e comportamentais semelhantes aos agonistas opioides clássicos. Medicamentos opioides são prescritos como analgésicos, anestésicos e agentes antidiarreicos ou supressores de tosse. A heroína é uma das drogas desta classe mais comumente usada de modo indevido e geralmente é aplicada por injeção, embora possa ser fumada ou "cheirada", especialmente quando está disponível de forma pura. Fentanil é tipicamente injetado, tanto medicinalmente como não medicinalmente, e é usado medicinalmente em formulações transdérmicas e transmucosais, ao passo que os supressores de tosse e agentes antidiarreicos são usados via oral. Os outros opioides são em geral administrados por injeção e por via oral.

O transtorno por uso de opioides pode resultar de medicamentos opioides sob prescrição médica ou opioides ilícitos (p. ex., heroína e, especialmente nos últimos anos, opioides sintéticos relacionados ao fentanil). O transtorno por uso de opioides consiste em sinais e sintomas que refletem a autoadministração compulsiva e prolongada de substâncias opioides usadas sem finalidade médica legítima ou para uso de uma forma "não médica" (i. e., usando doses muito acima da quantidade prescrita para uma condição médica). Por exemplo, um indivíduo com prescrição para opioides analgésicos para alívio da dor em dosagem adequada que faz uso significativamente maior do que indica a prescrição, e não apenas devido à dor persistente, está se engajando em uso não médico e pode ter um transtorno por uso de opioides. A maioria das pessoas com o transtorno apresenta tolerância e passa por abstinência quando há descontinuação abrupta ou redução na dose dessas substâncias. Semelhante aos processos que ocorrem com outras substâncias psicoativas, com frequência os indivíduos com transtorno por uso de opioides desenvolvem respostas condicionadas a estímulos relacionados a drogas (p. ex., fissura reativa ao ver imagens ou parafernália da droga). Essas respostas provavelmente contribuem para a recaída, são difíceis de eliminar e em geral persistem durante muito tempo depois que a desintoxicação foi completada.

Indivíduos com transtorno por uso de opioides são propensos a desenvolver padrões regulares de uso compulsivo de drogas a ponto de planejar as atividades diárias em torno da obtenção e administração de opioides. Os medicamentos opioides usados de forma não médica podem ser obtidos por intermédio de familiares ou amigos, de médicos por meio da falsificação ou exagero de problemas médicos gerais ou ao receber prescrições simultâneas de vários médicos, ou adquirindo no mercado ilegal. Profissionais da área da saúde com transtorno por uso de opioides frequentemente obtêm tais substâncias ao receitá-las para si mesmos ou ao desviar opioides que foram receitados para pacientes ou de suprimentos farmacêuticos.

Características Associadas

Uma tentativa de atingir intoxicação por opioides pode resultar em *overdose* não fatal ou até mesmo fatal. A *overdose* de opioides é caracterizada por inconsciência, depressão respiratória e pupilas puntiformes. Entretanto, *overdoses* de opioides também podem ocorrer na ausência do uso da droga na busca de intoxicação. As *overdoses* de opioides aumentaram exponencialmente nos Estados Unidos desde 1999. Até 2009, elas se deviam principalmente a medicamentos opioides, mas, desde 2010, *overdoses* devido à heroína começaram a apresentar um aumento acentuado e, além disso, desde 2015, *overdoses* fatais devido a opioides sintéticos que não metadona (em geral fentanil) superaram aquelas devido a medicamentos opioides.

O transtorno por uso de opioides pode estar associado a história de crimes relacionados a drogas (p. ex., porte ou tráfico de drogas, falsificação, arrombamento, roubo, furto, receptação de mercadorias roubadas). Entre os profissionais da saúde e indivíduos que têm fácil acesso a substâncias controladas existe, frequentemente, um padrão diferente de atividades ilícitas envolvendo problemas junto a conselhos profissionais, equipes de hospitais ou outras agências administrativas. Problemas conjugais (incluindo divórcio), desemprego e emprego irregular com frequência estão associados ao transtorno por uso de opioides em todos os níveis socioeconômicos.

Prevalência

A prevalência do uso de opioides disponíveis sem prescrição médica entre adultos norte-americanos a partir de 18 anos é de 4,1 a 4,7%, com taxas de uso mais elevadas entre 18 e 25 anos do que naqueles com mais de 26 anos (5,5 vs. 3,4%, respectivamente). A prevalência do uso de heroína nos Estados Unidos é de 0,3 a 0,4%, sendo mais alta em adultos entre 18 e 25 anos (0,5 a 0,7%) do que em outros grupos etários. Entre adolescentes norte-americanos de 12 a 17 anos, 2,8 a 3,9% usam opioides sem prescrição médica, com as taxas mais elevadas em adolescentes mais velhos do que nos mais jovens. O uso de heroína em adolescentes é baixo (< 0,05 a 0,1%).

A prevalência do transtorno por uso de medicamentos opioides sob prescrição médica entre adultos norte-americanos a partir de 18 anos (critérios do DSM-IV ou DSM-5) é de 0,6 a 0,9%, e a prevalência de transtorno por uso de heroína (critérios do DSM-IV ou DSM-5) é de 0,1 a 0,3%. Entre aqueles com 12 a 17 anos, a prevalência de transtorno por uso de medicamentos opioides sob prescrição médica é de 0,4%, e transtorno por uso de heroína é raro (essencialmente 0%). Nos Estados Unidos, as taxas de transtorno por uso de opioides (medicamentos opioides e heroína) são mais elevadas em homens do que em mulheres, entre adultos jovens do que em idosos e entre aqueles com renda ou nível de instrução mais baixos. Entre adultos norte-americanos em 2012-2013, a prevalência de transtorno por uso de opioides sem prescrição médica variou dependendo do grupo étnico-racial: 1,42% em índios americanos, 1,04% em afro-americanos, 0,96% em brancos não latinos, 0,70% em latinos e 0,16% em asiáticos americanos ou nativos das ilhas do Pacífico. As taxas baseadas em pesquisas domésticas podem subestimar a prevalência nacional por omitirem indivíduos em instituições e prisões, cujas taxas provavelmente são muito mais altas.

Globalmente, em 2016, havia 26,8 milhões de casos de dependência de opioides segundo os critérios do DSM-IV, com uma prevalência padronizada para a idade de 353,0 casos por 100.000 pessoas; a prevalência de dependência de opioides por região geográfica apresentava variação de 0,14 a 0,46%.

Desenvolvimento e Curso

O transtorno por uso de opioides pode começar em qualquer idade. Nos Estados Unidos, problemas associados ao uso de opioides são normalmente observados pela primeira vez no fim da adolescência ou no início da faixa dos 20 anos, com um intervalo maior entre o primeiro uso de opioides e o início do transtorno para medicamentos opioides do que para heroína. O uso precoce pode refletir um desejo de alívio dos estressores na vida ou de dor psicológica. Estudos de longa duração mostram que depois que se desenvolve um transtorno por uso de opioides que requer tratamento, ele pode continuar por muitos anos, com breves períodos de abstinência em alguns indivíduos, mas abstinência em longo prazo ocorre apenas em uma minoria. Uma exceção são os militares que ficaram dependentes de opioides enquanto serviam no Vietnã; mais de 90% dessa população teve abstinência de opioides prolongada após seu retorno aos Estados Unidos, mas posteriormente muitos deles experimentaram problemas com uso de álcool, anfetaminas ou pensamentos ou comportamentos suicidas.

Fatores de Risco e Prognóstico

Além de uma associação com o uso mais frequente de opioides sem prescrição médica, esse transtorno está associado com a maioria dos transtornos por uso de outras substâncias. O transtorno por uso de opioides está altamente associado a traços de externalização como busca por novidades, impulsividade e desinibição. O risco de transtorno por uso de opioides pode estar relacionado a fatores individuais, familiares, de pares, e ambientais e sociais. Estudos familiares e de gêmeos também indicam uma forte contribuição genética para o risco de transtornos por uso de opioides, embora a identificação das variantes genéticas específicas que contribuem para o risco genético tenha sido lenta. Fatores relativos a pares podem estar relacionados à predisposição genética em termos de como os indivíduos selecionam seu ambiente, incluindo seus pares.

Questões Diagnósticas Relativas à Cultura

Historicamente, indivíduos de populações étnicas socialmente oprimidas têm sido super-representados entre as pessoas com transtorno por uso de opioides. Contudo, com o passar do tempo, o transtorno passou a ser observado com maior frequência entre indivíduos brancos, o que sugere que diferenças quanto ao uso refletem a ampla disponibilidade de opioides e que outros fatores sociais (p. ex., mudanças nas taxas de pobreza e desemprego) têm um impacto sobre a prevalência. Consistente com esses fatores, apesar de pequenas variações entre grupos étnico-raciais no desempenho psicométrico nos itens dos critérios para transtorno por uso de opioides, os critérios para esse transtorno apresentam desempenho semelhante entre os grupos étnico-raciais.

Questões Diagnósticas Relativas ao Sexo e ao Gênero

As mulheres com transtorno por uso de opioides parecem mais propensas do que os homens a ter iniciado o uso em resposta a abuso e violência sexual, bem como a ter sido apresentadas à droga por um parceiro. Há evidências substanciais de efeito telescópico entre as mulheres, visto que progridem mais rapidamente do que os homens para um transtorno por uso após o primeiro uso; as mulheres também aparentam estar mais doentes quando ingressam em instituições de tratamento do que os homens, conforme observado em uma grande amostra de usuários de heroína na Itália.

Marcadores Diagnósticos

Os exames toxicológicos rotineiros de urina frequentemente são positivos para drogas opioides em indivíduos com o transtorno. Os exames de urina permanecem positivos para a maioria dos opioides (p. ex., heroína, morfina, codeína, oxicodona, propoxifeno) durante 12 a 36 horas após a administração. Alguns opioides, como fentanil e oxicodona, não são detectados por exames de urina de rotina (que testam para morfina), mas podem ser identificados por procedimentos mais especializados durante vários dias após o uso. Igualmente, metadona e buprenorfina (ou combinações de buprenorfina e naloxona) não causarão um resultado positivo em testes de rotina para opiáceos; elas requerem exames específicos que possam detectar essas substâncias em um prazo de vários dias até mais de uma semana.

Embora não sejam marcadores específicos de transtorno por uso de opioides, evidências laboratoriais da presença de outras substâncias (p. ex., cocaína, *Cannabis*, álcool, anfetaminas, benzodiazepínicos) são comuns em usuários de heroína. Além disso, exames de triagem para os vírus das hepatites A,

B e C resultam positivos em usuários de opioides por via intravenosa, tanto para o antígeno da hepatite (significando infecção ativa) quanto para anticorpos contra a hepatite (significando infecção prévia). É comum haver exames de função hepática com valores ligeiramente elevados, seja como resultado de uma hepatite resolvida, seja como consequência de danos tóxicos ao fígado devido a contaminantes que foram misturados aos opioides injetados. HIV também é prevalente em usuários de opioides por via intravenosa. Foram observadas alterações sutis nos padrões de secreção de cortisol e na regulação da temperatura corporal em períodos de até seis meses após a desintoxicação de opioides.

Associação com Pensamentos ou Comportamentos Suicidas

O transtorno por uso de opioides está associado a aumento do risco de tentativas de suicídio e suicídios consumados. Alguns dos fatores de risco de suicídio se sobrepõem aos fatores de risco de um transtorno por uso de opioides. Além disso, intoxicações ou abstinências de opioides repetidas podem estar associadas a depressões graves, que, embora sejam temporárias, podem ser suficientemente intensas para levar a tentativas de suicídio e suicídios consumados. *Overdose* acidental e não letal de opioides e tentativa de suicídio são fenômenos distintos que podem ser difíceis de diferenciar, mas não devem ser confundidos entre si.

Dados do Global Burden of Disease 2010 mostraram que, entre as drogas de abuso, suicídio é uma causa comum de morte entre usuários regulares de opioides. Evidências sugerem que os suicídios são subcontabilizados ou com frequência classificados erroneamente em dados sobre envenenamento por opioides. Em um estudo dos registros médicos nacionais da U.S. Veterans Health Administration, depois de ajustar para comorbidade psiquiátrica, o transtorno por uso de opioides aumentou o risco de mortalidade por suicídio, com maior elevação entre as mulheres do que entre os homens. Em outro estudo também usando prontuários nacionais da U.S. Veterans Health Administration, entre veteranos com prescrição de opioides para dor crônica, a mortalidade por suicídio aumentou com doses mais elevadas, mesmo depois que fatores demográficos e clínicos foram considerados. Um acompanhamento de uma coorte nacional de adultos norte-americanos com história de *overdose* por opioides encontrou que a taxa de mortalidade padronizada (TMP; a razão entre o número observado de mortes em uma população de estudo e o número de mortes que seria esperado) foi de 25,9 para suicídio, com uma TMP mais alta para as mulheres do que para os homens. Uma revisão postulou que as razões para o aumento no risco de suicídio entre usuários de opioides estavam relacionadas aos fatores de risco compartilhados – transtornos mentais comórbidos e dor.

Consequências Funcionais do Transtorno por Uso de Opioides

Fisiologicamente, o uso de opioides está associado à inibição de secreções das membranas mucosas, causando secura da boca e do nariz. A lentificação da atividade gastrintestinal e a redução da motilidade visceral podem produzir constipação grave. A administração aguda pode comprometer a acuidade visual como resultado da miose. Em indivíduos que usam opioides por via intravenosa, veias com esclerose ("trilhas") e marcas de picadas nos antebraços são comuns. Por vezes, a esclerose das veias torna-se grave a ponto de ocasionar edema periférico, e os indivíduos passam a injetar nas veias das pernas, do pescoço ou da virilha. Quando essas veias não podem mais ser aproveitadas, passam a injetar diretamente no tecido subcutâneo (*skin-popping*), resultando em celulite, abscessos e cicatrizes de aparência circular decorrentes de lesões cutâneas curadas. O tétano e as infecções por *Clostridium botulinum* são consequências graves da injeção de opioides, sobretudo com agulhas contaminadas. Infecções também podem ocorrer em outros órgãos e incluem endocardite bacteriana, hepatite e infecção por HIV. Infecções por hepatite C, por exemplo, podem ocorrer em até 90% das pessoas que injetam opioides. Além disso, a prevalência de infecção por HIV é alta entre indivíduos que injetam drogas, dos quais grande parte é composta por indivíduos com transtorno por uso de opioides. Por exemplo, as taxas de infecção por HIV podem chegar a 60% entre usuários de heroína em algumas regiões dos Estados Unidos ou da Federação Russa. Contudo, a incidência também pode ser muito inferior em áreas onde se facilita o acesso a material de injeção e parafernália limpos.

Tuberculose é um problema particularmente grave entre indivíduos que usam drogas por via intravenosa, sobretudo os dependentes de heroína; a infecção costuma ser assintomática e torna-se evidente apenas na presença de um exame cutâneo positivo para tuberculina (ensaio de liberação de interferon-gama).

Contudo, muitos casos de tuberculose ativa foram encontrados, especialmente entre pessoas infectadas por HIV. Com frequência esses indivíduos apresentam uma infecção recém-adquirida, mas também tendem a experimentar reativação de uma infecção anterior devido ao comprometimento da função imunológica.

Indivíduos que inalam ("cheiram") heroína ou outros opioides frequentemente desenvolvem irritação da mucosa nasal, às vezes acompanhada de perfuração do septo nasal. Dificuldades no funcionamento sexual são comuns. Os homens costumam sofrer disfunção erétil durante a intoxicação ou com uso crônico. As mulheres geralmente apresentam perturbações da função reprodutora e irregularidade menstrual.

Embora o uso agudo de opioides produza analgesia, o uso crônico pode produzir hiperalgesia (hiperalgesia induzida por opioides), uma condição caracterizada por aumento na sensibilidade à dor. A dependência fisiológica de opioides pode ocorrer em quase metade dos bebês nascidos de mulheres com transtorno por uso de opioides. Isso pode produzir uma grave síndrome de abstinência no recém-nascido que exige tratamento médico e tem aumentado acentuadamente em prevalência.

A taxa de mortalidade em indivíduos com transtorno por uso de opioides é 6 a 20 vezes maior que na população geral. As *overdoses* fatais devido a opioides com prescrição aumentaram drasticamente nos Estados Unidos desde 1999, com quase 400.000 dessas mortes ocorrendo desde então, sendo que a taxa das *overdoses* atualmente é cinco vezes mais alta do que em 1999. As *overdoses* fatais decorrentes do uso de heroína começaram a aumentar acentuadamente em 2010, e desde 2013, *overdoses* fatais devido ao uso de opioides sintéticos (p. ex., fentanil) aumentaram tão bruscamente que, em 2017, elas eram quase o dobro das taxas para *overdoses* de medicamentos opioides ou heroína. As *overdoses* de opioides não fatais, resultando em hospitalização e visitas a serviços de emergência, também aumentaram. Embora nem todos os fatores de risco para transtorno por uso de opioides e *overdose* de opioides sejam os mesmos, existe sobreposição substancial, tornando o risco de *overdose* uma das consequências potenciais mais graves do transtorno por uso de opioides. Indivíduos com transtorno por uso de opioides também têm maior risco de mortalidade decorrente de muitas condições médicas (p. ex., hepatite, infecção por HIV, tuberculose, doença cardiovascular). A morte pode resultar de acidentes, ferimentos ou outras complicações médicas em geral.

Diagnóstico Diferencial

Intoxicação por opioides, abstinência de opioides e transtornos mentais induzidos por opioides. Transtorno por uso de opioides é diferenciado de intoxicação por opioides, abstinência de opioides e transtornos mentais induzidos por opioides (p. ex., transtorno depressivo induzido por opioides) porque descreve um padrão problemático de uso que envolve prejuízo no controle sobre o uso da substância, prejuízo social devido ao uso, comportamentos de risco devido ao uso (p. ex., uso continuado apesar das complicações médicas) e sintomas farmacológicos (desenvolvimento de tolerância ou abstinência), ao passo que intoxicação por opioides, abstinência de opioides e transtornos mentais induzidos por opioides descrevem síndromes psiquiátricas que ocorrem no contexto do uso pesado. Intoxicação por opioides, abstinência de opioides e transtornos mentais induzidos por opioides ocorrem frequentemente em indivíduos com transtorno por uso de opioides. Nesses casos, deve ser feito um diagnóstico de intoxicação por opioides, abstinência de opioides ou transtorno mental induzido por opioides, além de um diagnóstico de transtorno por uso de opioides, cuja presença é indicada no código diagnóstico.

Intoxicação por outra substância. Intoxicação por álcool e intoxicação por sedativos, hipnóticos ou ansiolíticos podem causar um quadro clínico que se assemelha ao da intoxicação por opioides. Um diagnóstico de intoxicação por álcool ou sedativos, hipnóticos ou ansiolíticos geralmente pode ser realizado com base na ausência de miose ou na ausência de resposta a uma provocação com naloxona. Em alguns casos, a intoxicação pode ser devida tanto a opioides quanto a álcool ou outros sedativos. Nesses casos, a provocação com naloxona não irá reverter todos os efeitos sedativos.

Outros transtornos de abstinência. A ansiedade e a inquietação associadas à abstinência de opioides assemelham-se aos sintomas observados na abstinência de sedativo-hipnóticos. Contudo, a abstinência de opioides também é acompanhada por rinorreia, lacrimejamento e midríase, indícios que não são observados na abstinência de sedativos. Pupilas dilatadas também são observadas na intoxicação por alucinógenos e na intoxicação por estimulantes. Contudo, outros sinais ou sintomas de abstinência de opioides estão ausentes, como náusea, vômitos, diarreia, cólicas abdominais, rinorreia e lacrimejamento.

Transtornos mentais independentes. Alguns dos efeitos do uso de opioides podem se assemelhar aos sintomas (p. ex., humor deprimido) de um transtorno mental independente (p. ex., transtorno depressivo persistente). Opioides têm menores chances de provocar sintomas de perturbação mental do que a maioria das outras drogas de abuso.

Comorbidade

Além de *overdose*, as condições médicas mais comuns associadas com o transtorno por uso de opioides são infecções virais (p. ex., HIV, vírus da hepatite C) e bacterianas, particularmente entre usuários de heroína por via intravenosa. Essas infecções são menos comuns no transtorno por uso de medicamentos opioides sob prescrição médica.

Pesquisas com amostras nacionalmente representativas da população norte-americana descobriram que o transtorno por uso de opioides frequentemente está associado a transtornos por uso de outras substâncias, sobretudo aqueles envolvendo tabaco, álcool, *Cannabis*, estimulantes e benzodiazepínicos. Indivíduos com transtorno por uso de opioides estão em risco de desenvolvimento de transtorno depressivo persistente ou transtorno depressivo maior. Esses sintomas podem representar um transtorno depressivo induzido por opioides ou uma exacerbação de um transtorno depressivo primário preexistente. Períodos de depressão são particularmente comuns durante a intoxicação crônica ou em associação com estressores físicos ou psicossociais que estão relacionados ao transtorno por uso de opioides. Insônia é uma ocorrência comum, especialmente durante a abstinência. Transtorno por uso de opioides também está associado a transtorno bipolar tipo I, transtorno de estresse pós-traumático e transtornos da personalidade antissocial, *borderline* e esquizotípica. História de transtorno da conduta na infância ou adolescência foi identificada como fator de risco para transtornos relacionados a substâncias, especialmente transtorno por uso de opioides. Além disso, a descrição de transtorno por uso de opioides e transtorno por uso de heroína em geral está associada a *doença mental grave*, definida como um transtorno mental que não seja um transtorno por uso de substâncias e que resulta em prejuízo funcional grave, limitando substancialmente ou interferindo em atividades importantes na vida.

Intoxicação por Opioides

Critérios Diagnósticos

A. Uso recente de um opioide.
B. Alterações comportamentais ou psicológicas clinicamente significativas e problemáticas (p. ex., euforia inicial seguida por apatia, disforia, agitação ou retardo psicomotor, julgamento prejudicado) desenvolvidas durante ou logo após o uso de opioides.
C. Miose (ou midríase devido à anoxia decorrente de *overdose* grave) e um (ou mais) dos seguintes sinais ou sintomas, desenvolvidos durante ou logo após o uso de opioides.
   1. Torpor ou coma.
   2. Fala arrastada.
   3. Prejuízo na atenção ou na memória.
D. Os sinais ou sintomas não são atribuíveis a outra condição médica nem são mais bem explicados por outro transtorno mental, incluindo intoxicação por outra substância.

Especificar se:
   Com perturbações da percepção: Este especificador pode ser indicado nos raros casos quando alucinações ocorrem com teste de realidade intacto ou quando ilusões auditivas, visuais ou táteis ocorrem na ausência de *delirium*.

Nota para codificação: O código da CID-10-MC depende da existência de comorbidade com transtorno por uso de opioides e da ocorrência de perturbações da percepção.
   Para intoxicação por opioides, sem perturbações da percepção: Se houver transtorno por uso de opioides, leve comórbido, o código da CID-10-MC é **F11.120**, e se houver transtorno por uso de opioides, moderado ou grave comórbido, o código da CID-10-MC é **F11.220**. Caso não haja comorbidade com transtorno por uso de opioide, então o código da CID-10-MC é **F11.920**.
   Para intoxicação por opioides, com perturbações da percepção: Se houver transtorno por uso de opioides, leve comórbido, o código da CID-10-MC é **F11.122**, e se houver transtorno por uso de opioides, moderado ou grave comórbido, o código da CID-10-MC é **F11.222**. Caso não haja comorbidade com transtorno por uso de opioides, então o código da CID-10-MC é **F11.922**.

Características Diagnósticas

A característica essencial da intoxicação por opioides é a presença de alterações comportamentais ou psicológicas clinicamente significativas e problemáticas (p. ex., euforia inicial seguida por apatia, disforia, agitação ou retardo psicomotor, julgamento prejudicado) que se desenvolvem durante ou logo após o uso de opioides (Critérios A e B). A intoxicação é acompanhada por miose (a menos que tenha ocorrido uma *overdose* grave com consequente anoxia e midríase) e um ou mais dos seguintes sinais: torpor (descrito como "sem objeções"), fala arrastada e prejuízo na atenção ou na memória (Critério C); o torpor pode progredir para coma. Indivíduos com intoxicação por opioides podem demonstrar desatenção quanto ao ambiente a ponto de ignorarem eventos potencialmente perigosos. Os sinais ou sintomas não podem ser atribuíveis a outra condição médica nem serem mais bem explicados por outro transtorno mental (Critério D).

Até 2009, *overdoses* de opioides eram principalmente devidas a medicamentos opioides, mas a partir de 2010, *overdoses* devidas à heroína começaram a aumentar acentuadamente e, desde 2015, doses fatais devidas a opioides sintéticos que não metadona (geralmente fentanil) ultrapassaram em número as *overdoses* por medicamentos opioides.

Características Associadas

Intoxicação por opioides pode incluir reduções na frequência respiratória e na pressão arterial, bem como hipotermia leve. A duração da intoxicação por opioides pode variar em função da farmacocinética do opioide ingerido. Intoxicação por opioides pode resultar em *overdose* não fatal ou fatal. *Overdose* de opioides é caracterizada por inconsciência, depressão respiratória e pupilas mióticas. As *overdoses* por opioides fatais aumentaram exponencialmente nos Estados Unidos desde 1999.

Desenvolvimento e Curso

Intoxicação por opioides pode ocorrer em um indivíduo que não conhece opioides, em um indivíduo que usa opioides esporadicamente e em um indivíduo que é fisicamente dependente de opioides. A dose de opioide consumida relativa à probabilidade de vivenciar intoxicação por opioides irá variar como uma função do *status* e da história de exposição do indivíduo a opioides (i. e., tolerância). As pessoas frequentemente relatam que a experiência qualitativa prazerosa da intoxicação por opioides diminui após o uso repetido.

Diagnóstico Diferencial

Intoxicação por outra substância. Intoxicação por álcool e intoxicação por sedativo-hipnótico podem causar um quadro clínico que se assemelha ao da intoxicação por opioides. Um diagnóstico de intoxicação por álcool ou por sedativo-hipnótico geralmente pode ser realizado com base na ausência de miose ou na ausência de resposta a uma provocação com naloxona. Em alguns casos, a intoxicação pode ser devida tanto a opioides quanto a álcool ou outros sedativos. Nesses casos, a administração de naloxona não irá reverter todos os efeitos sedativos. Embora a resposta à administração de naloxona possa apoiar o diagnóstico de intoxicação por opioides, a não resposta pode ser devida à ingestão concomitante de um opioide com outra droga (p. ex., benzodiazepínico, álcool) ou à ingestão de uma dose mais elevada e/ou opioide de potência superior (p. ex., fentanil).

Transtornos mentais induzidos por opioides. A intoxicação por opioides distingue-se dos outros transtornos mentais induzidos por opioides (p. ex., transtorno depressivo induzido por opioides com início durante a intoxicação) porque os sintomas (p. ex., humor deprimido) destes últimos excedem aqueles geralmente associados à intoxicação por opioides, predominam na apresentação clínica e são suficientemente graves para justificar atenção clínica.

Comorbidade

Considerando a sobreposição típica de intoxicação por opioides com transtorno por uso de opioides, ver "Comorbidade" no capítulo "Transtorno por Uso de Opioides" para mais detalhes sobre as condições concomitantes provavelmente encontradas.

Abstinência de Opioides

Critérios Diagnósticos

A. Presença de qualquer um dos seguintes:
   1. Cessação (ou redução) do uso pesado e prolongado de opioides (i. e., algumas semanas ou mais).
   2. Administração de um antagonista de opioides após um período de uso de opioides.

B. Três (ou mais) dos seguintes sintomas, desenvolvidos no prazo de alguns minutos a alguns dias após o Critério A:
   1. Humor disfórico.
   2. Náusea ou vômito.
   3. Dores musculares.
   4. Lacrimejamento ou rinorreia.
   5. Midríase, piloereção ou sudorese.
   6. Diarreia.
   7. Bocejos.
   8. Febre.
   9. Insônia.

C. Os sinais ou sintomas do Critério B causam sofrimento clinicamente significativo ou prejuízo no funcionamento social, profissional ou em outras áreas importantes da vida do indivíduo.

D. Os sinais ou sintomas não são atribuíveis a outra condição médica nem são mais bem explicados por outro transtorno mental, incluindo intoxicação por ou abstinência de outra substância.

Nota para codificação: O código da CID-10-MC depende da existência de comorbidade com transtorno por uso de opioides. Se houver transtorno por uso de opioides, leve comórbido, o código da CID-10-MC é **F11.13**, e se houver transtorno por uso de opioides, moderado ou grave comórbido, o código da CID--10-MC é **F11.23**. Para abstinência de opioides ocorrendo na ausência de um transtorno por uso de opioides (p. ex., em um paciente que consome opioides unicamente sob supervisão médica adequada), o código da CID-10-MC é **F11.93**.

Características Diagnósticas

A característica essencial da abstinência de opioides é a presença de uma síndrome de abstinência típica que se desenvolve após a interrupção (ou redução) do uso prolongado de opioides (Critério A1).

Os opioides usados podem ser drogas ilícitas ou obtidas licitamente, prescritas para o tratamento de dor. Uma síndrome de abstinência também pode ser precipitada pela administração de um antagonista de opioides (p. ex., naloxona, naltrexona, nalmefeno) após um período de uso dessas substâncias (Critério A2); também pode ocorrer após a administração de um agonista parcial de opioides (p. ex., buprenorfina) a uma pessoa que, no momento, está usando um agonista total de opioides.

A abstinência de opioides tem um padrão de sinais e sintomas característicos. Os primeiros sintomas são subjetivos e consistem em queixas de ansiedade, inquietação e uma "sensação dolorida", frequentemente localizada nas costas e nas pernas, acompanhada por irritabilidade e maior sensibilidade à dor. Três ou mais dos seguintes sintomas devem estar presentes para um diagnóstico de abstinência de opioides: humor disfórico; náusea ou vômito; dores musculares; lacrimejamento ou rinorreia; midríase, piloereção ou sudorese; diarreia; bocejos; febre; e insônia (Critério B). A piloereção e a febre estão associadas à abstinência mais grave e não costumam ser observadas na prática clínica de rotina, porque os indivíduos com transtorno por uso de opioides geralmente obtêm a substância antes de a abstinência tornar-se tão avançada. Esses sintomas de abstinência de opioides devem causar sofrimento clinicamente significativo ou prejuízo no funcionamento social, profissional ou em outras áreas importantes da vida do indivíduo (Critério C). Os sintomas não podem ser atribuíveis a outra condição médica nem podem ser mais bem explicados por outro transtorno mental (Critério D). Apenas satisfazer os critérios diagnósticos para abstinência de opioides não é suficiente para um diagnóstico de transtorno por uso de opioides, mas sintomas concomitantes de fissura por opioides e comportamento de busca da droga sugerem comorbidade com o transtorno.

Características Associadas

A abstinência de opioides pode ocorrer em qualquer indivíduo após a interrupção do uso repetido de um opioide, seja no caso de manejo médico da dor, durante terapia com agonista de opioides para transtorno por uso de opioides, seja no caso de uso ilícito ou após tentativas de automedicação para tratar sintomas de transtornos mentais com opioides. A abstinência de opioides é uma condição distinta da adição a opioides ou do transtorno por uso de opioides e não requer necessariamente a presença dos comportamentos de busca da droga associados ao transtorno para que seja diagnosticada. Portanto, abstinência de opioides pode ocorrer em indivíduos sem transtorno por uso de opioides e não deve ser confundida com ele. Indivíduos do sexo masculino com abstinência de opioides podem sofrer piloereção, sudorese e ejaculação espontânea durante a vigília.

Prevalência

Entre indivíduos de diversos contextos clínicos nos Estados Unidos, a abstinência de opioides ocorreu em 60% das pessoas que haviam usado heroína pelo menos uma vez nos 12 meses anteriores. Indivíduos que usam opioides regularmente (p. ex., opioides prescritos para dor, opioides ilícitos) por um período de tempo estão em risco de desenvolver dependência física, incluindo abstinência, na cessação ou redução acentuada no uso.

Desenvolvimento e Curso

A rapidez e a gravidade da abstinência associada a opioides dependem da meia-vida do opioide utilizado. Na maioria dos indivíduos com dependência fisiológica de drogas de curta ação, tais como heroína, os sintomas de abstinência ocorrem no prazo de 6 a 12 horas após a última dose. Os sintomas podem levar de 2 a 4 dias para se manifestarem no caso de drogas de efeito mais prolongado, como metadona ou buprenorfina. Os sintomas agudos de abstinência de um opioide de ação curta, como a heroína, em geral atingem um pico no prazo de 1 a 3 dias e cedem gradualmente ao longo de 5 a 7 dias. Sintomas mais crônicos (p. ex., ansiedade, disforia, anedonia, fissura, insônia) podem durar de semanas a meses. A gravidade da abstinência de opioides também varia dependendo da duração do uso. Sintomas de abstinência entre indivíduos que recebem tratamento de longa duração com medicamentos opioides sob prescrição médica para dor podem ser minimizados pela redução gradual e lenta da droga.

No caso de pessoas com transtorno por uso de opioides estabelecido, abstinência e tentativas de aliviá-la são típicas. Ela pode integrar um padrão progressivo no qual o opioide é usado para reduzir os sintomas de abstinência, o qual, por sua vez, leva a maior abstinência mais tarde.

Diagnóstico Diferencial

Outros transtornos de abstinência. A ansiedade e a inquietação associadas à abstinência de opioides assemelham-se aos sintomas observados na abstinência de sedativo-hipnóticos. Contudo, a abstinência de opioides também é acompanhada por rinorreia, lacrimejamento e midríase, indícios que não são observados na abstinência de sedativos.

Intoxicação por outra substância. Observa-se midríase também na intoxicação por alucinógenos e na intoxicação por estimulantes. Contudo, outros sinais ou sintomas de abstinência de opioides, como náusea, vômito, diarreia, cólicas abdominais, rinorreia e lacrimejamento, não estão presentes.

Transtornos mentais induzidos por opioides. A abstinência de opioides distingue-se de outros transtornos mentais induzidos por opioides (p. ex., transtorno depressivo induzido por opioides com início durante a abstinência) porque os sintomas (p. ex., humor deprimido) destes últimos excedem aqueles geralmente associados à abstinência dessas substâncias, predominam na apresentação clínica e são suficientemente graves para justificar atenção clínica.

Comorbidade

Dada a sobreposição típica de abstinência de opioides com transtorno por uso de opioides, ver "Comorbidade" no capítulo "Transtorno por Uso de Opioides" para mais detalhes sobre as condições concomitantes provavelmente encontradas.

Transtornos Mentais Induzidos por Opioides

Os seguintes transtornos mentais induzidos por opioides são descritos em outros capítulos do Manual, juntamente aos transtornos com os quais compartilham fenomenologia (consultar transtornos mentais induzidos por substância/medicamento nesses capítulos): transtorno depressivo induzido por opioides ("Transtornos Depressivos"); transtorno de ansiedade induzido por opioides ("Transtornos de Ansiedade"); transtorno do sono induzido por opioides ("Transtornos do Sono-Vigília"); e disfunção sexual induzida por opioides ("Disfunções Sexuais"). Para *delirium* por intoxicação por opioides, *delirium* por abstinência de opioides e *delirium* induzido por opioides tomados conforme prescrito, ver os critérios e a abordagem de *delirium* no capítulo "Transtornos Neurocognitivos". Esses transtornos induzidos por opioides são diagnosticados em lugar de intoxicação por opioides ou abstinência de opioides apenas quando os sintomas são suficientemente graves para justificar atenção clínica independente.

Transtorno Relacionado a Opioides Não Especificado

F11.99

Esta categoria aplica-se a apresentações em que sintomas característicos de um transtorno relacionado a opioides que causam sofrimento clinicamente significativo ou prejuízo no funcionamento social, profissional ou em outras áreas importantes da vida do indivíduo predominam, mas não satisfazem todos os critérios para qualquer transtorno relacionado a opioides específico nem para outro transtorno na classe diagnóstica de transtornos relacionados a substâncias e transtornos aditivos.

Transtornos Relacionados a Sedativos, Hipnóticos ou Ansiolíticos

Transtorno por Uso de Sedativos, Hipnóticos ou Ansiolíticos
Intoxicação por Sedativos, Hipnóticos ou Ansiolíticos
Abstinência de Sedativos, Hipnóticos ou Ansiolíticos
Transtornos Mentais Induzidos por Sedativos, Hipnóticos ou Ansiolíticos
Transtorno Relacionado a Sedativos, Hipnóticos ou Ansiolíticos Não Especificado

Transtorno por Uso de Sedativos, Hipnóticos ou Ansiolíticos

Critérios Diagnósticos

A. Um padrão problemático de uso de sedativos, hipnóticos ou ansiolíticos, levando a comprometimento ou sofrimento clinicamente significativo, manifestado por pelo menos dois dos seguintes critérios, ocorrendo durante um período de 12 meses:
   1. Sedativos, hipnóticos ou ansiolíticos são frequentemente consumidos em maiores quantidades ou por um período mais longo do que o pretendido.
   2. Existe um desejo persistente ou esforços malsucedidos no sentido de reduzir ou controlar o uso de sedativos, hipnóticos ou ansiolíticos.
   3. Muito tempo é gasto em atividades necessárias para a obtenção do sedativo, hipnótico ou ansiolítico, na utilização dessas substâncias ou na recuperação de seus efeitos.
   4. Fissura ou um forte desejo ou necessidade de usar o sedativo, hipnótico ou ansiolítico.
   5. Uso recorrente de sedativos, hipnóticos ou ansiolíticos resultando em fracasso em cumprir obrigações importantes no trabalho, na escola ou em casa (p. ex., ausências constantes ao trabalho ou baixo rendimento do trabalho relacionado ao uso de sedativos, hipnóticos ou ansiolíticos; ausências, suspensões ou expulsões da escola relacionadas a sedativos, hipnóticos ou ansiolíticos; negligência dos filhos ou dos afazeres domésticos).
   6. Uso continuado de sedativos, hipnóticos ou ansiolíticos apesar de problemas sociais ou interpessoais persistentes ou recorrentes causados ou exacerbados pelos efeitos dessas substâncias (p. ex., discussões com o cônjuge sobre as consequências da intoxicação; agressões físicas).
   7. Importantes atividades sociais, profissionais ou recreacionais são abandonadas ou reduzidas em virtude do uso de sedativos, hipnóticos ou ansiolíticos.
   8. Uso recorrente de sedativos, hipnóticos ou ansiolíticos em situações nas quais isso representa perigo para a integridade física (p. ex., condução de veículos ou operação de máquinas durante comprometimento decorrente do uso de sedativos, hipnóticos ou ansiolíticos).
   9. O uso de sedativos, hipnóticos ou ansiolíticos é mantido apesar da consciência de ter um problema físico ou psicológico persistente ou recorrente provavelmente causado ou exacerbado por essas substâncias.
   10. Tolerância, definida por qualquer um dos seguintes aspectos:
       a. Necessidade de quantidades progressivamente maiores do sedativo, hipnótico ou ansiolítico para atingir a intoxicação ou o efeito desejado.
       b. Efeito acentuadamente menor com o uso continuado da mesma quantidade do sedativo, hipnótico ou ansiolítico.

Nota: Este critério é desconsiderado em indivíduos cujo uso de sedativo, hipnótico ou ansiolítico se dá sob supervisão médica.

11. Abstinência, conforme manifestada por qualquer um dos seguintes aspectos:
    a. Síndrome de abstinência característica de sedativos, hipnóticos ou ansiolíticos (consultar os Critérios A e B do conjunto de critérios para abstinência de sedativos, hipnóticos ou ansiolíticos).
    b. Sedativos, hipnóticos ou ansiolíticos (ou uma substância estreitamente relacionada, como álcool) são consumidos para aliviar ou evitar os sintomas de abstinência.

    Nota: Este critério é desconsiderado em indivíduos cujo uso de sedativo, hipnótico ou ansiolítico se dá sob supervisão médica.

Especificar se:

Em remissão inicial: Após todos os critérios para transtorno por uso de sedativos, hipnóticos ou ansiolíticos terem sido preenchidos anteriormente, nenhum dos critérios para transtorno por uso de sedativos, hipnóticos ou ansiolíticos foi preenchido durante um período mínimo de três meses, porém inferior a 12 meses (com exceção de que o Critério A4, "Fissura ou um forte desejo ou necessidade de usar o sedativo, hipnótico ou ansiolítico", ainda pode ocorrer).

Em remissão sustentada: Após todos os critérios para transtorno por uso de sedativos, hipnóticos ou ansiolíticos terem sido preenchidos anteriormente, nenhum dos critérios para transtorno por uso de sedativos, hipnóticos ou ansiolíticos foi preenchido em nenhum momento durante um período igual ou superior a 12 meses (com exceção de que o Critério A4, "Fissura ou um forte desejo ou necessidade de usar o sedativo, hipnótico ou ansiolítico", ainda pode ocorrer).

Especificar se:

Em ambiente protegido: Este especificador adicional é usado se o indivíduo encontra-se em um ambiente no qual o acesso a sedativos, hipnóticos ou ansiolíticos é restrito.

Código baseado na gravidade atual/remissão: Se também houver intoxicação por sedativos, hipnóticos ou ansiolíticos; abstinência de sedativos, hipnóticos ou ansiolíticos; ou outro transtorno mental induzido por sedativos, hipnóticos ou ansiolíticos, não utilizar os códigos abaixo para transtorno por uso de sedativos, hipnóticos ou ansiolíticos. No caso, o transtorno por uso de sedativos, hipnóticos ou ansiolíticos comórbido é indicado pelo 4º caractere do código de transtorno induzido por sedativos, hipnóticos ou ansiolíticos (ver a nota para codificação para intoxicação por sedativos, hipnóticos ou ansiolíticos; abstinência de sedativos, hipnóticos ou ansiolíticos; ou para um transtorno mental induzido por sedativos, hipnóticos ou ansiolíticos específico). Por exemplo, se houver comorbidade de transtorno depressivo induzido por sedativos, hipnóticos ou ansiolíticos com transtorno por uso de sedativos, hipnóticos ou ansiolíticos, apenas o código para transtorno depressivo induzido por sedativos, hipnóticos ou ansiolíticos é fornecido, sendo que o 4º caractere indica se o transtorno por uso de sedativos, hipnóticos ou ansiolíticos comórbido é leve, moderado ou grave: F13.14 para transtorno por uso de sedativos, hipnóticos ou ansiolíticos, leve com transtorno depressivo induzido por sedativos, hipnóticos ou ansiolíticos, ou F13.24 para transtorno por uso de sedativos, hipnóticos ou ansiolíticos, moderado ou grave com transtorno depressivo induzido por sedativos, hipnóticos ou ansiolíticos.

Especificar a gravidade atual/remissão:

F13.10 Leve: Presença de 2 ou 3 sintomas.
F13.11 Leve, em remissão inicial
F13.11 Leve, em remissão sustentada
F13.20 Moderada: Presença de 4 ou 5 sintomas.
F13.21 Moderada, em remissão inicial
F13.21 Moderada, em remissão sustentada
F13.20 Grave: Presença de 6 ou mais sintomas.
F13.21 Grave, em remissão inicial
F13.21 Grave, em remissão sustentada

Especificadores

"Em ambiente protegido" aplica-se como um especificador a mais de remissão se o indivíduo estiver tanto em remissão como em um ambiente protegido (i. e., em remissão inicial em ambiente protegido ou em remissão sustentada em ambiente protegido). Exemplos desses ambientes incluem prisões rigorosamente vigiadas e livres de substâncias, comunidades terapêuticas ou unidades hospitalares fechadas.

Características Diagnósticas

As substâncias sedativas, hipnóticas e ansiolíticas incluem benzodiazepínicos e fármacos semelhantes (p. ex., zolpidem e zaleplon), carbamatos (p. ex., glutetimida, meprobamato), barbitúricos (p. ex., secobarbital) e hipnóticos do tipo barbitúrico (p. ex., glutetimida, metaqualona, propofol). Essa classe de substâncias inclui a maioria dos medicamentos para dormir vendidos com prescrição médica e quase todos os medicamentos antiansiedade vendidos com prescrição médica. Os agentes antiansiedade não benzodiazepínicos (p. ex., buspirona, gepirona) não estão inclusos nessa classe porque não parecem estar associados a uso indevido significativo.

Como o álcool, esses agentes são depressores cerebrais e podem produzir transtornos induzidos por uso de substância/medicamento e transtornos por uso de substância similares. Os sedativos, hipnóticos ou ansiolíticos estão disponíveis tanto por prescrição quanto por fontes ilícitas. Alguns indivíduos que obtêm essas substâncias por meio de receita médica desenvolvem transtorno por uso de sedativos, hipnóticos ou ansiolíticos, enquanto outros, que fazem uso indevido dessas substâncias, ou as utilizam com finalidade de intoxicação, não desenvolvem o transtorno. Em particular, os sedativos, hipnóticos ou ansiolíticos com início rápido e/ou efeito breve ou intermediário podem ser especificamente selecionados para a finalidade de intoxicação, embora substâncias com ação mais prolongada nessa classe também possam ser consumidas com essa finalidade.

A fissura pelo consumo (Critério A4), seja durante o uso, seja durante um período de abstinência, é uma característica típica do transtorno por uso de sedativos, hipnóticos ou ansiolíticos. O uso indevido de substâncias dessa classe pode ocorrer isoladamente ou em conjunto com o uso de outras substâncias. Por exemplo, indivíduos podem usar doses de sedativos ou de benzodiazepínicos capazes de intoxicação para atenuar os efeitos de cocaína ou de anfetaminas ou, então, usar doses elevadas de benzodiazepínicos em combinação com metadona para potencializar seus efeitos.

Faltas recorrentes ou fraco desempenho no trabalho, faltas, suspensões ou expulsões da escola ou negligência dos filhos e afazeres domésticos (Critério A5) são indícios que podem estar relacionados ao transtorno por uso de sedativos, hipnóticos ou ansiolíticos, assim como o uso continuado das substâncias apesar de discussões com o cônjuge sobre as consequências da intoxicação ou apesar de agressões físicas (Critério A6). Observam-se também no transtorno por uso de sedativos, hipnóticos ou ansiolíticos o contato limitado com a família ou com os amigos, a esquiva do trabalho ou da escola, a interrupção de passatempos, da prática de esportes ou jogos (Critério A7) e uso recorrente de sedativos, hipnóticos ou ansiolíticos ao conduzir automóveis ou ao operar máquinas apesar de capacidade comprometida pelo uso (Critério A8).

Níveis bastante significativos de tolerância e abstinência podem se desenvolver para substâncias sedativas, hipnóticas ou ansiolíticas. Pode haver evidências de tolerância e abstinência na ausência de diagnóstico de um transtorno por uso de sedativos, hipnóticos ou ansiolíticos em um indivíduo que descontinuou abruptamente o uso de benzodiazepínicos administrados durante períodos prolongados de tempo em doses prescritas e terapêuticas. Nesses casos, um diagnóstico adicional de transtorno por uso de sedativos, hipnóticos ou ansiolíticos só pode ser efetuado caso outros critérios sejam preenchidos. Ou seja, medicamentos sedativos, hipnóticos ou ansiolíticos podem ser prescritos para finalidades médicas adequadas, e, dependendo da dosagem, esses fármacos podem produzir tolerância e abstinência. Se forem prescritos ou recomendados com finalidades médicas adequadas, e se forem usados conforme a prescrição, a tolerância ou abstinência resultante não satisfaz os critérios para diagnóstico de transtorno por uso de substância. Contudo, é necessário determinar se os fármacos foram receitados e administrados adequadamente (p. ex., falsificação de sintomas médicos para obter o medicamento; uso de mais medicação do que prescrito; obtenção do medicamento por meio de vários médicos sem que uns tenham conhecimento dos outros).

Considerando a natureza unidimensional dos sintomas de transtorno por uso de sedativos, hipnóticos ou ansiolíticos, a gravidade está baseada no número de critérios confirmados.

Características Associadas

Pesquisas com amostras nacionalmente representativas da população norte-americana identificaram que o transtorno por uso de sedativos, hipnóticos ou ansiolíticos frequentemente está associado a outros transtornos por uso de substância (p. ex., transtornos por uso de álcool, *Cannabis,* opioides, estimulantes). Sedativos costumam ser usados para aliviar os efeitos indesejados dessas outras substâncias. Com o uso repetido de sedativos, hipnóticos ou ansiolíticos desenvolve-se tolerância aos efeitos sedativos, e é usada uma dose progressivamente mais elevada. Contudo, a tolerância aos efeitos depressores do tronco cerebral desenvolve-se muito mais lentamente, e, quando o indivíduo consome maiores quantidades da substância para obter euforia e outros efeitos desejados, pode haver um início repentino de depressão respiratória e hipotensão, que podem levar à morte. Intoxicação intensa ou repetida por sedativos, hipnóticos ou ansiolíticos pode estar associada à depressão grave, que, embora temporária, pode levar a tentativa de suicídio e suicídio consumado.

Prevalência

Estima-se que as prevalências de 12 meses do transtorno por uso de sedativos, hipnóticos ou ansiolíticos do DSM-IV sejam de 0,3% na faixa etária dos 12 aos 17 anos e entre adultos a partir dos 18 anos, e essa prevalência permaneceu estável nacionalmente apesar do aumento nas taxas de prescrição desses medicamentos. As taxas do transtorno por uso de sedativos, hipnóticos ou ansiolíticos do DSM-IV nos Estados Unidos não demonstrou variar de forma consistente segundo o gênero, mas dados de outros países encontraram em geral taxas mais elevadas entre meninas e mulheres do que entre meninos e homens. A prevalência de 12 meses do transtorno por uso de sedativos, hipnóticos ou ansiolíticos do DSM-IV nos Estados Unidos decresce como uma função da idade e é maior entre indivíduos de 18 a 29 anos (0,5%) e mais baixa entre indivíduos a partir dos 65 anos (0,04%).

A prevalência de 12 meses de uso, uso indevido (p. ex., uso sem prescrição) ou transtorno por uso de sedativos, hipnóticos ou ansiolíticos varia entre os grupos étnico-raciais nos Estados Unidos. Por exemplo, as estimativas de prevalência de 12 meses para uso indevido de sedativos, hipnóticos ou ansiolíticos entre grupos étnico-raciais varia de 0,6 a 2,5% para adolescentes entre 12 e 17 anos e de 0,7 a 10,1% para adultos.

Desenvolvimento e Curso

O curso habitual do transtorno por uso de sedativos, hipnóticos ou ansiolíticos envolve adolescentes ou jovens adultos na faixa dos 20 anos, que intensificam seu uso eventual de agentes sedativos, hipnóticos ou ansiolíticos a ponto de desenvolver problemas que satisfazem os critérios para o diagnóstico. Esse padrão é particularmente provável entre indivíduos com outros transtornos por uso de substância (p. ex., álcool, opioides, estimulantes). Um padrão inicial de uso social intermitente (p. ex., em festas) pode levar ao uso diário e a níveis elevados de tolerância. Quando isso ocorre, pode-se esperar um nível crescente de dificuldades interpessoais, bem como episódios cada vez mais graves de disfunção cognitiva e de abstinência fisiológica.

O segundo curso clínico, observado com menor frequência, começa com um indivíduo que originalmente obteve o medicamento com receita médica, em geral para o tratamento de ansiedade, insônia ou devido a queixas somáticas. Quando se desenvolve tolerância ou a necessidade de doses maiores do medicamento, ocorre um aumento gradual na dose e na frequência da autoadministração. O indivíduo provavelmente irá continuar a justificar o uso com base em seus sintomas originais de ansiedade ou insônia, mas o comportamento de busca pela substância se torna mais proeminente, e ele passa a se consultar com diversos médicos para obter um estoque suficiente do medicamento. A tolerância pode atingir níveis elevados, e a abstinência (incluindo convulsões e *delirium* por abstinência) pode ocorrer.

Assim como ocorre com vários transtornos por uso de substâncias, o transtorno por uso de sedativos, hipnóticos ou ansiolíticos geralmente se inicia durante a adolescência ou no início da vida adulta. Embora o risco do uso indevido e de transtorno por uso diminua com a idade depois dos 30 anos aproximadamente, os efeitos colaterais associados a substâncias psicoativas podem aumentar com o envelhecimento. Em particular, o comprometimento cognitivo, como efeito colateral, aumenta com a idade, e o metabolismo de sedativos, hipnóticos ou ansiolíticos diminui com a idade em idosos. Os efeitos tóxicos dessas substâncias, tanto agudos quanto crônicos, especialmente os efeitos sobre cognição, memória e coordenação motora, tendem a aumentar com a idade como consequência das alterações farmacodinâmicas e farmacocinéticas relacionadas a ela. Indivíduos com transtorno neurocognitivo maior estão mais propensos a desenvolver intoxicação e prejuízo no funcionamento fisiológico com doses mais baixas. Como sedativos, hipnóticos e ansiolíticos são frequentemente usados em combinação com outras substâncias psicoativas, pode ser difícil determinar se as consequências funcionais são atribuíveis a uma única substância (p. ex., sedativo) ou ao uso de múltiplas substâncias.

A intoxicação deliberada para "ficar chapado" tem mais probabilidade de ser observada em adolescentes e adultos jovens na faixa dos 20 anos. Problemas associados a sedativos, hipnóticos ou ansiolíticos também são observados em indivíduos a partir da faixa dos 40 anos que aumentam a dose dos medicamentos receitados. Em pessoas idosas, a intoxicação pode se assemelhar à demência progressiva.

Fatores de Risco e Prognóstico

Temperamentais. Impulsividade e busca por novidades são temperamentos individuais que estão relacionados à propensão a desenvolver um transtorno por uso de substância, mas podem, por si sós, ser determinados geneticamente. Transtornos da personalidade também podem aumentar o risco de uso indevido ou transtorno por uso de sedativos, hipnóticos ou ansiolíticos.

Ambientais. Como sedativos, hipnóticos ou ansiolíticos são fármacos, um fator de risco fundamental está relacionado à disponibilidade dessas substâncias, tanto via prescrições para o próprio indivíduo como via receitas dispensadas a familiares e amigos. Nos Estados Unidos, o padrão histórico de uso indevido de sedativos, hipnóticos ou ansiolíticos está relacionado a amplos padrões de prescrição. Por exemplo, uma redução acentuada na prescrição de barbitúricos esteve associada a um aumento na prescrição de benzodiazepínicos. Fatores relativos a pares podem estar relacionados à predisposição genética em termos de como os indivíduos selecionam seu ambiente. Outros indivíduos com risco aumentado são aqueles com transtorno por uso de álcool que podem receber constantes prescrições em resposta a queixas de ansiedade ou insônia relacionadas ao álcool.

Genéticos e fisiológicos. Como ocorre com outros transtornos por uso de substâncias, o risco de desenvolver transtorno por uso de sedativos, hipnóticos ou ansiolíticos, com base em estudos de registros de gêmeos norte-americanos, pode estar relacionado a fatores de pares, sociais e ambientais. Dentro dessas áreas, os fatores genéticos desempenham um papel particularmente importante tanto de forma direta quanto indireta. De modo geral, ao longo do desenvolvimento, os fatores genéticos parecem contribuir mais para o início do transtorno por uso de sedativos, hipnóticos ou ansiolíticos à medida que os indivíduos passam pela puberdade e iniciam a vida adulta.

Modificadores do curso. Em estudos norte-americanos nacionalmente representativos, o início precoce do uso está associado a uma maior probabilidade de desenvolver transtorno por uso de sedativos, hipnóticos ou ansiolíticos.

Questões Diagnósticas Relativas à Cultura

Há variações acentuadas nos padrões de prescrição (e disponibilidade) dessa classe de substâncias em diferentes países e populações, o que pode levar a variações na prevalência dos transtornos por uso de sedativos, hipnóticos ou ansiolíticos. Nos Estados Unidos, o uso de benzodiazepínicos tem sido relatado com mais frequência por brancos não latinos do que por latinos ou afro-americanos. Contudo, o risco do transtorno pode variar nas populações expostas a essas substâncias. Por exemplo, a prevalência de 12 meses de transtorno por uso de benzodiazepínicos do DSM-IV entre norte-americanos que usaram a substância foi mais alta entre afro-americanos (3,0%) e "outros" não latinos (2,6%) do que entre brancos não latinos (1,3%).

Questões Diagnósticas Relativas ao Sexo e ao Gênero

Embora as estimativas a partir de estudos individuais variem, aparentemente não há diferenças quanto ao gênero na prevalência de transtorno por uso de sedativos, hipnóticos ou ansiolíticos.

Marcadores Diagnósticos

Quase todas as substâncias sedativas, hipnóticas ou ansiolíticas podem ser identificadas por meio de exames laboratoriais de urina ou sangue (este último pode quantificar esses agentes no corpo). Exames de urina podem permanecer positivos durante aproximadamente uma semana após o uso de substâncias de ação prolongada, como diazepam ou flurazepam.

Associação com Pensamentos ou Comportamentos Suicidas

Estudos epidemiológicos nos Estados Unidos mostram que hipnóticos estão associados a suicídio, mas não está claro se essa associação é atribuível a condições psiquiátricas subjacentes como depressão e insônia, as quais por si só já configuram fatores de risco para suicídio.

Consequências Funcionais do Transtorno por Uso de Sedativos, Hipnóticos ou Ansiolíticos

As consequências sociais e interpessoais do transtorno por uso de sedativos, hipnóticos ou ansiolíticos mimetizam as consequências do álcool em termos do potencial para comportamento desinibido. Acidentes, dificuldades interpessoais e interferência com o trabalho ou com o rendimento escolar são resultados comuns. Os efeitos desinibidores desses agentes, como o álcool, têm potencial para contribuir para um comportamento ostensivamente agressivo e discussões ou brigas, que acarretam problemas interpessoais e legais. O exame físico provavelmente revela evidências de uma leve diminuição na maioria dos aspectos do funcionamento do sistema nervoso autônomo, incluindo baixa frequência cardíaca, ligeira diminuição da frequência respiratória e ligeira queda na pressão arterial (com maior probabilidade de ocorrência com alterações posturais).

A intoxicação aguda pode resultar em ferimentos acidentais e acidentes de trânsito. Pode haver consequências de trauma (p. ex., hemorragia interna, hematoma subdural) em função de acidentes que ocorrem durante a intoxicação. No caso de idosos, mesmo o uso breve desses medicamentos sedativos nas doses prescritas pode estar associado a risco maior de problemas cognitivos e quedas. A associação de medicamentos sedativos, hipnóticos ou ansiolíticos com aumento no risco de transtorno neurocognitivo maior permanece incerta.

Em doses elevadas, as substâncias sedativas, hipnóticas ou ansiolíticas podem ser letais, especialmente quando misturadas com depressores do sistema nervoso central, como opioides e álcool, embora a dosagem letal varie consideravelmente entre substâncias específicas. O uso intravenoso dessas substâncias pode resultar em complicações médicas relacionadas à utilização de agulhas contaminadas (p. ex., hepatite e HIV).

Overdoses acidentais ou deliberadas, semelhantes às observadas com o transtorno por uso de álcool ou intoxicação repetida por álcool, podem ocorrer. *Overdoses* podem estar associadas à deterioração nos sinais vitais, indicando uma emergência médica iminente (p. ex., parada respiratória decorrente de barbitúricos). Em contraste com a ampla margem de segurança quando utilizados isoladamente, benzodiazepínicos administrados em combinação com opioides e álcool podem ser particularmente perigosos, e são comuns relatos de *overdose* acidental nos Estados Unidos. Casos de *overdose* acidental também ocorrem com indivíduos que fazem uso indevido deliberado de barbitúricos e outros sedativos não benzodiazepínicos (p. ex., metaqualona), mas, como tais agentes são muito menos disponíveis que os benzodiazepínicos, a frequência de *overdose* é baixa na maioria dos contextos.

Diagnóstico Diferencial

Intoxicação por sedativos, hipnóticos ou ansiolíticos; abstinência de sedativos, hipnóticos ou ansiolíticos; e transtornos mentais induzidos por sedativos, hipnóticos ou ansiolíticos. O transtorno por uso de sedativos, hipnóticos ou ansiolíticos deve ser diferenciado de intoxicação por sedativos, hipnóticos ou ansiolíticos; abstinência de sedativos, hipnóticos ou ansiolíticos; e transtornos mentais induzidos por sedativos, hipnóticos ou ansiolíticos (p. ex., transtorno depressivo induzido por sedativos, hipnóticos ou ansiolíticos) porque descreve um padrão problemático de uso dessas substâncias que envolve comprometimento do controle sobre o uso, prejuízo social devido ao uso, comportamentos de risco devido ao uso (p. ex., dirigir intoxicado) e sintomas farmacológicos (desenvolvimento de tolerância ou abstinência), ao passo que intoxicação por sedativos, hipnóticos ou ansiolíticos, abstinência de sedativos, hipnóticos ou ansiolíticos e transtornos mentais induzidos por sedativos, hipnóticos ou ansiolíticos descrevem síndromes psiquiátricas que ocorrem no contexto de uso pesado. Intoxicação por sedativos, hipnóticos ou ansiolíticos; abstinência de sedativos, hipnóticos ou ansiolíticos; e transtornos mentais induzidos por sedativos, hipnóticos ou ansiolíticos ocorrem frequentemente em indivíduos com transtorno por uso de sedativos, hipnóticos ou ansiolíticos. Nesses casos, deve ser feito diagnóstico de intoxicação por sedativos, hipnóticos ou ansiolíticos; abstinência de sedativos, hipnóticos ou ansiolíticos; ou um transtorno mental induzido por sedativos, hipnóticos ou ansiolíticos, além do diagnóstico de transtorno por uso de sedativos, hipnóticos ou ansiolíticos, cuja presença é indicada no código diagnóstico.

Outras condições médicas. A fala arrastada, incoordenação e outras características associadas típicas da intoxicação por sedativos, hipnóticos ou ansiolíticos podem ser o resultado de outra condição médica (p. ex., esclerose múltipla) ou de traumatismo craniano prévio (p. ex., hematoma subdural).

Transtorno por uso de álcool. O transtorno por uso de sedativos, hipnóticos ou ansiolíticos deve ser diferenciado do transtorno por uso de álcool. O diagnóstico diferencial é determinado principalmente pela história clínica, embora danos no fígado e outros sinais potenciais de toxicidade alcoólica crônica (p. ex., cardiomiopatia) também possam ser mais sugestivos de transtorno por uso de álcool do que de transtorno por uso de sedativos, hipnóticos ou ansiolíticos.

Uso clinicamente adequado de medicamentos sedativos, hipnóticos ou ansiolíticos. Indivíduos podem continuar a tomar medicamentos benzodiazepínicos conforme as instruções de um médico para uma indicação médica legítima por períodos prolongados de tempo. Mesmo se os sinais fisiológicos de tolerância ou de abstinência se manifestarem, muitos desses indivíduos não desenvolvem sintomas que satisfazem os critérios para transtorno por uso de sedativos, hipnóticos ou ansiolíticos porque não estão preocupados em obter a substância, e seu uso não interfere no desempenho de suas funções sociais ou profissionais rotineiras.

Comorbidade

O uso não medicinal de agentes sedativos, hipnóticos ou ansiolíticos está associado aos transtornos por uso de álcool, por uso de tabaco e, de modo geral, do uso de drogas ilícitas. Pode, também, existir sobreposição entre transtorno por uso de sedativos, hipnóticos ou ansiolíticos e transtorno da personalidade antissocial; transtornos depressivos, bipolar e de ansiedade; e outros transtornos por uso de substância, como transtorno por uso de álcool e transtornos por uso de drogas ilícitas. O comportamento antissocial e o transtorno da personalidade antissocial estão especialmente associados ao transtorno por uso de sedativos, hipnóticos ou ansiolíticos quando as substâncias são obtidas de forma ilegal. Comorbidade com transtornos por uso de outras substâncias e outros transtornos psiquiátricos aumenta o risco de transição de uso de sedativos, hipnóticos ou ansiolíticos para transtorno por uso e reduz a probabilidade de remissão.

Intoxicação por Sedativos, Hipnóticos ou Ansiolíticos

Critérios Diagnósticos

A. Uso recente de um sedativo, hipnótico ou ansiolítico.
B. Alterações comportamentais ou psicológicas clinicamente significativas e mal-adaptativas (p. ex., comportamento sexual ou agressivo inadequado, humor instável, julgamento prejudicado) desenvolvidas durante ou logo após o uso de sedativos, hipnóticos ou ansiolíticos.

C. Um (ou mais) dos seguintes sinais ou sintomas, desenvolvidos durante ou logo após o uso de sedativos, hipnóticos ou ansiolíticos:
  1. Fala arrastada.
  2. Incoordenação.
  3. Marcha instável.
  4. Nistagmo.
  5. Prejuízo na cognição (p. ex., atenção, memória).
  6. Estupor ou coma.
D. Os sinais e sintomas não são atribuíveis a outra condição médica nem são mais bem explicados por outro transtorno mental, incluindo intoxicação por outra substância.

Nota para codificação: O código da CID-10-MC depende da existência de comorbidade com transtorno por uso de sedativos, hipnóticos ou ansiolíticos. Se houver transtorno por uso de sedativos, hipnóticos ou ansiolíticos, leve comórbido, o código da CID-10-MC é **F13.120**, e se houver transtorno por uso de sedativos, hipnóticos ou ansiolíticos, moderado ou grave comórbido, o código da CID-10-MC é **F13.220**. Caso não haja comorbidade com transtorno por uso de sedativos, hipnóticos ou ansiolíticos, então o código da CID-10-MC é **F13.920**.

Nota: Para informações sobre Desenvolvimento e Curso; Fatores de Risco e Prognóstico; Questões Diagnósticas Relativas à Cultura; Marcadores Diagnósticos; Consequências Funcionais da Intoxicação por Sedativos, Hipnóticos ou Ansiolíticos; e Comorbidade, consultar as seções correspondentes em "Transtorno por Uso de Sedativos, Hipnóticos ou Ansiolíticos".

Características Diagnósticas

A característica essencial da intoxicação por sedativos, hipnóticos ou ansiolíticos é a presença de alterações comportamentais ou psicológicas mal-adaptativas e clinicamente significativas (p. ex., comportamento sexual ou agressivo inadequado, instabilidade do humor, julgamento prejudicado e prejuízo no funcionamento social ou profissional) que se desenvolvem durante ou logo após o uso de um sedativo, hipnótico ou ansiolítico (Critérios A e B). Como no caso de outros depressores cerebrais, esses comportamentos podem ser acompanhados de fala arrastada, incoordenação (em níveis que podem interferir na capacidade de condução de veículos e no desempenho de atividades habituais a ponto de causar quedas ou acidentes de trânsito), marcha instável, nistagmo, comprometimento da cognição (p. ex., problemas de atenção ou memória) e estupor ou coma (Critério C). O comprometimento da memória é um aspecto proeminente da intoxicação por sedativos, hipnóticos ou ansiolíticos, sendo mais frequentemente caracterizado por uma amnésia anterógrada que lembra os "apagões alcoólicos", a qual pode ser bastante perturbadora para o indivíduo. Os sintomas não podem ser atribuíveis a outra condição médica nem são mais bem explicados por outro transtorno mental (Critério D). A intoxicação pode ocorrer em indivíduos cujo uso se dá por meio de prescrição, que estão tomando medicamentos emprestados de amigos ou parentes ou que consomem a substância deliberadamente com a finalidade de intoxicação. Como sedativos, hipnóticos e ansiolíticos frequentemente são usados em combinação com outras substâncias psicoativas, pode ser difícil determinar se as consequências funcionais são atribuíveis a sedativo, hipnótico ou ansiolítico ou ao uso de múltiplas substâncias.

Características Associadas

As características associadas incluem a administração de medicamentos em doses superiores às prescritas, administração de múltiplos medicamentos diferentes ou mistura de agentes sedativos, hipnóticos ou ansiolíticos com álcool, o que pode aumentar acentuadamente os efeitos desses agentes.

Prevalência

A prevalência da intoxicação por sedativos, hipnóticos ou ansiolíticos na população geral não está clara. Contudo, é provável que a maioria dos usuários dessas substâncias sem fins medicinais em algum momento apresente sinais ou sintomas que satisfaçam os critérios para intoxicação por sedativos, hipnóticos ou ansiolíticos; nesse caso, então, a prevalência do uso de tais agentes sem fins medicinais na população geral pode ser semelhante à prevalência da intoxicação por sedativos, hipnóticos ou ansiolíticos. Por exemplo, em 2018, tranquilizantes ou sedativos eram usados sem fins medicinais nos Estados Unidos por 2,4% dos indivíduos com mais de 12 anos e por 4,9% daqueles entre 18 e 25 anos.

Diagnóstico Diferencial

Transtorno por uso de álcool. Como as apresentações clínicas podem ser idênticas, distinguir a intoxicação por sedativos, hipnóticos ou ansiolíticos de transtorno por uso de álcool requer evidências da ingestão recente de medicamentos sedativos, hipnóticos ou ansiolíticos por meio de autorrelato, relato de outras pessoas ou exames toxicológicos. Muitos indivíduos que fazem uso indevido de sedativos, hipnóticos ou ansiolíticos podem também fazer uso indevido de álcool e de outras substâncias, e, portanto, é possível o diagnóstico de intoxicação por múltiplas substâncias.

Intoxicação por álcool. A intoxicação por álcool pode ser distinguida da intoxicação por sedativos, hipnóticos ou ansiolíticos pelo odor de álcool no hálito. Caso contrário, as características dos dois transtornos podem ser semelhantes.

Transtornos mentais induzidos por sedativos, hipnóticos ou ansiolíticos. A intoxicação por sedativos, hipnóticos ou ansiolíticos distingue-se de outros transtornos mentais induzidos por tais agentes (p. ex., transtorno de ansiedade induzido por sedativos, hipnóticos ou ansiolíticos com início durante a abstinência) porque os sintomas destes últimos excedem aqueles geralmente associados à intoxicação por essas substâncias, predominam na apresentação clínica e são suficientemente graves para justificar atenção clínica.

Transtornos neurocognitivos. Em situações em que há comprometimento cognitivo, lesão cerebral traumática e *delirium* decorrentes de outras causas, sedativos, hipnóticos ou ansiolíticos podem causar intoxicação em doses bastante baixas. O diagnóstico diferencial nesses contextos complexos baseia-se na síndrome predominante. Um diagnóstico adicional de intoxicação por sedativos, hipnóticos ou ansiolíticos pode ser adequado mesmo se a substância tiver sido ingerida em baixa dosagem no caso dessas condições concomitantes (ou condições semelhantes).

Comorbidade

Dada a sobreposição típica de intoxicação por sedativos, hipnóticos ou ansiolíticos com transtorno por uso de sedativos, hipnóticos ou ansiolíticos, consultar "Comorbidade" no capítulo "Transtorno por Uso de Sedativos, Hipnóticos ou Ansiolíticos" para mais detalhes sobre as condições concomitantes provavelmente encontradas.

Abstinência de Sedativos, Hipnóticos ou Ansiolíticos

Critérios Diagnósticos

A. Cessação (ou redução) do uso prolongado de sedativos, hipnóticos ou ansiolíticos.
B. Dois (ou mais) dos seguintes sintomas, desenvolvidos no período de algumas horas a alguns dias após a cessação (ou redução) do uso de sedativos, hipnóticos ou ansiolíticos descrita no Critério A:
   1. Hiperatividade autonômica (p. ex., sudorese ou frequência cardíaca superior a 100 bpm).
   2. Tremor nas mãos.

3. Insônia.
4. Náusea ou vômito.
5. Alucinações ou ilusões visuais, táteis ou auditivas transitórias.
6. Agitação psicomotora.
7. Ansiedade.
8. Convulsões do tipo grande mal.

C. Os sinais ou sintomas do Critério B causam sofrimento clinicamente significativo ou prejuízo no funcionamento social, profissional ou em outras áreas importantes da vida do indivíduo.

D. Os sinais ou sintomas não são atribuíveis a outra condição médica nem são mais bem explicados por outro transtorno mental, incluindo intoxicação por ou abstinência de outra substância.

Especificar se:
Com perturbações da percepção: Este especificador pode ser indicado quando ocorrem alucinações com teste de realidade intacto ou ilusões auditivas, visuais ou táteis na ausência de *delirium*.

Nota para codificação: O código da CID-10-MC depende da existência de comorbidade com transtorno por uso de sedativos, hipnóticos ou ansiolíticos e da ocorrência de perturbações da percepção.

Para abstinência de sedativos, hipnóticos ou ansiolíticos, sem perturbações da percepção: Se houver transtorno por uso de sedativos, hipnóticos ou ansiolíticos, leve comórbido, o código da CID-10-MC é **F13.130**, e se houver transtorno por uso de sedativos, hipnóticos ou ansiolíticos, moderado ou grave comórbido, o código da CID-10-MC é **F13.230**. Se não houver transtorno por uso de sedativos, hipnóticos ou ansiolíticos comórbido (p. ex., em um paciente que usa sedativos, hipnóticos ou ansiolíticos unicamente sob supervisão médica adequada), então o código da CID-10-MC é **F13.930**.

Para abstinência de sedativos, hipnóticos ou ansiolíticos, com perturbações da percepção: Se houver transtorno por uso de sedativos, hipnóticos ou ansiolíticos, leve comórbido, o código da CID-10-MC é **F13.132**, e se houver transtorno por uso de sedativos, hipnóticos ou ansiolíticos, moderado ou grave comórbido, o código da CID-10-MC é **F13.232**. Se não houver transtorno por uso de sedativos, hipnóticos ou ansiolíticos comórbido (p. ex., em um paciente que usa sedativos, hipnóticos ou ansiolíticos unicamente sob supervisão médica adequada), então o código da CID-10-MC é **F13.932**.

Nota: Para informações sobre Desenvolvimento e Curso; Fatores de Risco e Prognóstico; Questões Diagnósticas Relativas à Cultura; Consequências Funcionais da Abstinência de Sedativos, Hipnóticos ou Ansiolíticos; e Comorbidade, consultar as seções correspondentes em "Transtorno por Uso de Sedativos, Hipnóticos ou Ansiolíticos".

Características Diagnósticas

A característica essencial da abstinência de sedativos, hipnóticos ou ansiolíticos é a presença de uma síndrome típica que se desenvolve em resposta a uma diminuição acentuada ou cessação do consumo após várias semanas ou mais de uso regular (Critérios A e B). Essa síndrome de abstinência é caracterizada por dois ou mais sintomas (similar à abstinência de álcool) que incluem hiperatividade autonômica (p. ex., aumentos na frequência cardíaca, frequência respiratória, pressão arterial ou temperatura corporal, juntamente com sudorese); tremor das mãos; insônia; náusea, acompanhada ocasionalmente por vômito; ansiedade; e agitação psicomotora. Uma convulsão do tipo grande mal pode ocorrer em até 20 a 30% dos indivíduos que passam por uma abstinência não tratada dessas substâncias. Na abstinência grave, alucinações ou ilusões visuais, táteis ou auditivas podem ocorrer, mas estão geralmente inseridas no contexto de *delirium*. Se o teste de realidade da pessoa estiver intacto (i. e., ela sabe que a substância está causando as alucinações), e as ilusões ocorrerem em um sensório claro, o especificador "com perturbações da percepção" pode ser incluído. Quando as alucinações ocorrem na ausência de teste de realidade intacto, deve-se considerar o diagnóstico de transtorno psicótico induzido por substância/medicamento. Os sintomas causam sofrimento clinicamente significativo ou prejuízo no funcionamento social, profissional ou em outras áreas importantes da vida do indivíduo (Critério C). Os sintomas não podem ser atribuíveis a outra condição médica nem ser mais bem explicados por outro transtorno mental (p. ex., abstinência de álcool ou transtorno de ansiedade generalizada) (Critério D). O alívio dos sintomas de abstinência com a administração de qualquer agente sedativo-hipnótico apoia um diagnóstico de abstinência de sedativos, hipnóticos ou ansiolíticos.

Características Associadas

O momento e a gravidade da síndrome de abstinência serão diferentes conforme a substância específica e sua farmacocinética e farmacodinâmica. Por exemplo, a abstinência de substâncias de ação mais curta que são rapidamente absorvidas e que não têm metabólitos ativos (p. ex., triazolam) pode se iniciar no prazo de horas após a interrupção de uso da substância; a abstinência de substâncias com metabólitos de ação prolongada (p. ex., diazepam) pode começar somente após 1 a 2 dias, ou seu início demorar ainda mais. A síndrome de abstinência produzida por substâncias nessa classe pode ser caracterizada pelo desenvolvimento de *delirium* que pode ser letal. Há evidências de tolerância e abstinência na ausência de um diagnóstico de transtorno por uso de substância quando da descontinuação abrupta de benzodiazepínicos administrados durante períodos prolongados em doses terapêuticas com prescrição médica.

O curso temporal da síndrome de abstinência em geral é previsto pela meia-vida da substância. Os medicamentos cujos efeitos geralmente duram cerca de 10 horas ou menos (p. ex., lorazepam, oxazepam, temazepam) produzem sintomas de abstinência no prazo de 6 a 8 horas após a diminuição dos níveis sanguíneos, atingindo um pico de intensidade no segundo dia e melhorando acentuadamente por volta do quarto ou quinto dia. No caso de substâncias com meia-vida mais longa (p. ex., diazepam), os sintomas podem não se desenvolver antes de haver decorrido uma semana, alcançando uma intensidade máxima durante a segunda semana, e diminuindo acentuadamente por volta da terceira ou quarta semana. Pode haver sintomas adicionais mais duradouros em um nível de intensidade muito menor, os quais persistem durante vários meses.

Quanto mais tempo a substância tiver sido consumida e quanto maiores as doses utilizadas, maior a probabilidade de haver abstinência grave. Contudo, há relatos de abstinência com apenas 15 mg de diazepam (ou seu equivalente em outros benzodiazepínicos) com uso diário por vários meses. Doses diárias de aproximadamente 40 mg de diazepam (ou seu equivalente) têm mais probabilidade de produzir sintomas de abstinência clinicamente significativos, e doses ainda maiores (p. ex., 100 mg de diazepam) apresentam maior propensão a serem seguidas por convulsões ou *delirium* por abstinência. O *delirium* por abstinência de sedativos, hipnóticos ou ansiolíticos caracteriza-se por perturbações na consciência e na cognição, com alucinações visuais, táteis ou auditivas. Quando presente, o *delirium* por abstinência de sedativos, hipnóticos ou ansiolíticos deve ser diagnosticado em vez de abstinência.

Prevalência

A prevalência da abstinência de sedativos, hipnóticos ou ansiolíticos não está clara.

Marcadores Diagnósticos

Convulsões e instabilidade autonômica no caso de história de exposição prolongada a medicamentos sedativos, hipnóticos ou ansiolíticos sugerem grande probabilidade de abstinência de sedativos, hipnóticos ou ansiolíticos.

Diagnóstico Diferencial

Outras condições médicas. Os sintomas de abstinência de sedativos, hipnóticos ou ansiolíticos podem ser mimetizados por outras condições médicas (p. ex., hipoglicemia, cetoacidose diabética). Se convulsões forem uma característica da abstinência de sedativos, hipnóticos ou ansiolíticos, o diagnóstico diferencial inclui as diversas causas de convulsões (p. ex., infecções, traumatismo craniano, envenenamentos).

Tremor essencial. Tremor essencial, uma condição neurológica geralmente familiar, pode sugerir equivocadamente o tremor associado à abstinência de sedativos, hipnóticos ou ansiolíticos.

Abstinência de álcool. A abstinência de álcool produz uma síndrome muito semelhante à da abstinência de sedativos, hipnóticos ou ansiolíticos. O diagnóstico diferencial é determinado sobretudo pela história clínica, embora danos hepáticos e outros sinais potenciais de toxicidade alcoólica crônica (p. ex., cardiomiopatia) também possam sugerir abstinência de álcool em vez de abstinência de sedativos, hipnóticos ou ansiolíticos.

Transtornos mentais induzidos por sedativos, hipnóticos ou ansiolíticos. A abstinência de sedativos, hipnóticos ou ansiolíticos distingue-se dos outros transtornos mentais induzidos por esses agentes (p. ex., transtorno de ansiedade induzido por sedativos, hipnóticos ou ansiolíticos com início durante a abstinência) porque os sintomas (p. ex., ansiedade) destes últimos excedem aqueles geralmente associados à abstinência de sedativos, hipnóticos ou ansiolíticos, predominam na apresentação clínica e são suficientemente graves para justificar atenção clínica.

Transtornos de ansiedade. A recorrência ou o agravamento de um transtorno de ansiedade subjacente produz uma síndrome semelhante à abstinência de sedativos, hipnóticos ou ansiolíticos, embora as manifestações mais extremas de abstinência, como *delirium tremens* ou convulsões verdadeiras, não sejam sintomas de um transtorno de ansiedade. Suspeita-se de abstinência com uma redução abrupta da dosagem de um medicamento sedativo, hipnótico ou ansiolítico. Quando a dose está sendo reduzida gradualmente, distinguir a síndrome de abstinência do transtorno de ansiedade subjacente pode ser difícil. Como ocorre com o álcool, sintomas residuais de abstinência (p. ex., ansiedade, flutuação do humor e dificuldades no sono) podem ser confundidos com ansiedade independente ou transtornos depressivos (p. ex., transtorno de ansiedade generalizada).

Comorbidade

Dada a sobreposição típica de abstinência de sedativos, hipnóticos ou ansiolíticos com transtorno por uso de sedativos, hipnóticos ou ansiolíticos, consultar "Comorbidade" no capítulo "Transtorno por Uso de Sedativos, Hipnóticos ou Ansiolíticos" para mais detalhes sobre as condições concomitantes provavelmente encontradas.

Transtornos Mentais Induzidos por Sedativos, Hipnóticos ou Ansiolíticos

Os seguintes transtornos mentais induzidos por sedativos, hipnóticos ou ansiolíticos são descritos em outros capítulos do Manual, juntamente aos transtornos com os quais compartilham fenomenologia (ver transtornos mentais induzidos por substância/medicamento nesses capítulos): transtorno psicótico induzido por sedativos, hipnóticos ou ansiolíticos ("Espectro da Esquizofrenia e Outros Transtornos Psicóticos"); transtorno bipolar induzido por sedativos, hipnóticos ou ansiolíticos e transtornos relacionados ("Transtorno Bipolar e Transtornos Relacionados"); transtorno depressivo induzido por sedativos, hipnóticos ou ansiolíticos ("Transtornos Depressivos"); transtorno de ansiedade induzido por sedativos, hipnóticos ou ansiolíticos ("Transtornos de Ansiedade"); transtorno do sono induzido por sedativos, hipnóticos ou ansiolíticos ("Transtornos do Sono-Vigília"); disfunção sexual induzida por sedativos, hipnóticos ou ansiolíticos ("Disfunções Sexuais"); e transtorno neurocognitivo maior ou leve induzido por sedativos, hipnóticos ou ansiolíticos ("Transtornos Neurocognitivos"). Para *delirium* por intoxicação por sedativos, hipnóticos ou ansiolíticos; *delirium* por abstinência de sedativos, hipnóticos ou ansiolíticos; e *delirium* induzido por sedativos, hipnóticos ou ansiolíticos tomados conforme prescrito, ver os critérios e a abordagem de *delirium* no capítulo "Transtornos Neurocognitivos". Esses transtornos mentais induzidos por sedativos, hipnóticos ou ansiolíticos são diagnosticados em lugar de intoxicação por sedativos, hipnóticos ou ansiolíticos ou abstinência de sedativos, hipnóticos ou ansiolíticos apenas quando os sintomas são suficientemente graves para justificar atenção clínica independente.

Transtorno Relacionado a Sedativos, Hipnóticos ou Ansiolíticos Não Especificado

F13.99

Esta categoria aplica-se a apresentações em que sintomas característicos de um transtorno relacionado a sedativos, hipnóticos ou ansiolíticos que causam sofrimento clinicamente significativo ou prejuízo no funcionamento social, profissional ou em outras áreas importantes da vida do indivíduo predominam, mas não satisfazem todos os critérios para qualquer transtorno relacionado a sedativos, hipnóticos ou ansiolíticos específico nem para outro transtorno na classe diagnóstica de transtornos relacionados a substâncias e transtornos aditivos.

Transtornos Relacionados a Estimulantes

Transtorno por Uso de Estimulantes
Intoxicação por Estimulantes
Abstinência de Estimulantes
Transtornos Mentais Induzidos por Estimulantes
Transtorno Relacionado a Estimulantes Não Especificado

Transtorno por Uso de Estimulantes

Critérios Diagnósticos

A. Um padrão de uso de substância tipo anfetamina, cocaína ou outro estimulante levando a comprometimento ou sofrimento clinicamente significativo, manifestado por pelo menos dois dos seguintes critérios, ocorrendo durante um período de 12 meses:

1. O estimulante é frequentemente consumido em maiores quantidades ou por um período mais longo do que o pretendido.
2. Existe um desejo persistente ou esforços malsucedidos no sentido de reduzir ou controlar o uso de estimulantes.
3. Muito tempo é gasto em atividades necessárias para a obtenção do estimulante, em utilização, ou na recuperação de seus efeitos.
4. Fissura ou um forte desejo ou necessidade de usar o estimulante.
5. Uso recorrente de estimulantes resultando em fracasso em cumprir obrigações importantes no trabalho, na escola ou em casa.
6. Uso continuado de estimulantes apesar de problemas sociais ou interpessoais persistentes ou recorrentes causados ou exacerbados pelos efeitos do estimulante.
7. Importantes atividades sociais, profissionais ou recreacionais são abandonadas ou reduzidas em virtude do uso de estimulantes.

8. Uso recorrente de estimulantes em situações nas quais isso representa perigo para a integridade física.
9. O uso de estimulantes é mantido apesar da consciência de ter um problema físico ou psicológico persistente ou recorrente que tende a ser causado ou exacerbado pelo estimulante.
10. Tolerância, definida por qualquer um dos seguintes aspectos:
    a. Necessidade de quantidades progressivamente maiores do estimulante para atingir a intoxicação ou o efeito desejado.
    b. Efeito acentuadamente menor com o uso continuado da mesma quantidade do estimulante.

    Nota: Este critério não é considerado em indivíduos cujo uso de medicamentos estimulantes se dá unicamente sob supervisão médica adequada, como no caso de medicação para transtorno de déficit de atenção/hiperatividade ou narcolepsia.

11. Abstinência, conforme manifestada por qualquer um dos seguintes aspectos:
    a. Síndrome de abstinência característica para o estimulante (consultar os Critérios A e B do conjunto de critérios para abstinência de estimulantes).
    b. O estimulante (ou uma substância estreitamente relacionada) é consumido para aliviar ou evitar os sintomas de abstinência.

    Nota: Este critério não é considerado em indivíduos cujo uso de medicamentos estimulantes se dá unicamente sob supervisão médica adequada, como no caso de medicação para transtorno de déficit de atenção/hiperatividade ou narcolepsia.

Especificar se:

Em remissão inicial: Após todos os critérios para transtorno por uso de estimulantes terem sido preenchidos anteriormente, nenhum dos critérios para transtorno por uso de estimulantes foi preenchido durante um período mínimo de três meses, porém inferior a 12 meses (com exceção de que o Critério A4, "Fissura ou um forte desejo ou necessidade de usar o estimulante", ainda pode ocorrer).

Em remissão sustentada: Após todos os critérios para transtorno por uso de estimulantes terem sido preenchidos anteriormente, nenhum dos critérios para transtorno por uso de estimulantes foi preenchido em nenhum momento durante um período igual ou superior a 12 meses (com exceção de que o Critério A4, "Fissura ou um forte desejo ou necessidade de usar o estimulante", ainda pode ocorrer).

Especificar se:

Em ambiente protegido: Este especificador adicional é usado se o indivíduo encontra-se em um ambiente no qual o acesso a estimulantes é restrito.

Código baseado na gravidade atual/remissão: Se também houver intoxicação por substância tipo anfetamina, abstinência de substância tipo anfetamina ou outro transtorno mental induzido por substância tipo anfetamina, não utilizar os códigos abaixo para transtorno por uso de anfetamina. No caso, o transtorno por uso de substância tipo anfetamina comórbido é indicado pelo 4º caractere do código de transtorno induzido por substância tipo anfetamina (ver a nota para codificação para intoxicação por substância tipo anfetamina, abstinência de substância tipo anfetamina ou um transtorno mental induzido por substância tipo anfetamina específico). Por exemplo, se houver comorbidade de transtorno depressivo induzido por anfetamina com transtorno por uso de anfetamina, apenas o código para transtorno depressivo induzido por anfetamina é fornecido, sendo que o 4º caractere indica se o transtorno por uso de anfetamina comórbido é leve, moderado ou grave: F15.14 para transtorno por uso de anfetamina, leve com transtorno depressivo induzido por anfetamina, ou F15.24 para transtorno por uso de anfetamina, moderado ou grave com transtorno depressivo induzido por anfetamina. (As instruções para substância tipo anfetamina também se aplicam à intoxicação por outro estimulante ou estimulante não especificado, abstinência de outro estimulante ou estimulante não especificado e transtorno mental induzido por outro estimulante ou estimulante não especificado.) De modo semelhante, se houver transtorno depressivo induzido por cocaína comórbido com transtorno por uso de cocaína, apenas o código para transtorno depressivo induzido por cocaína deve ser fornecido, sendo que o 4º caractere indica se o transtorno por uso de cocaína comórbido é leve, moderado ou grave: F14.14 para transtorno por uso de cocaína, leve com transtorno depressivo induzido por cocaína, ou F14.24 para transtorno por uso de cocaína, moderado ou grave com transtorno psicótico induzido por cocaína.

Especificar a gravidade atual/remissão:

Leve: Presença de 2 ou 3 sintomas.

> **F15.10** Substância tipo anfetamina
> **F14.10** Cocaína
> **F15.10** Outro estimulante ou estimulante não especificado

Leve, em remissão inicial

> **F15.11** Substância tipo anfetamina
> **F14.11** Cocaína
> **F15.11** Outro estimulante ou estimulante não especificado

Leve, em remissão sustentada

> **F15.11** Substância tipo anfetamina
> **F14.11** Cocaína
> **F15.11** Outro estimulante ou estimulante não especificado

Moderada: Presença de 4 ou 5 sintomas.

> **F15.20** Substância tipo anfetamina
> **F14.20** Cocaína
> **F15.20** Outro estimulante ou estimulante não especificado

Moderada, em remissão inicial

> **F15.21** Substância tipo anfetamina
> **F14.21** Cocaína
> **F15.21** Outro estimulante ou estimulante não especificado

Moderada, em remissão sustentada

> **F15.21** Substância tipo anfetamina
> **F14.21** Cocaína
> **F15.21** Outro estimulante ou estimulante não especificado

Grave: Presença de 6 ou mais sintomas.

> **F15.20** Substância tipo anfetamina
> **F14.20** Cocaína
> **F15.20** Outro estimulante ou estimulante não especificado

Grave, em remissão inicial

> **F15.21** Substância tipo anfetamina
> **F14.21** Cocaína
> **F15.21** Outro estimulante ou estimulante não especificado

Grave, em remissão sustentada

> **F15.21** Substância tipo anfetamina
> **F14.21** Cocaína
> **F15.21** Outro estimulante ou estimulante não especificado

Especificadores

"Em ambiente protegido" aplica-se como um especificador a mais de remissão se o indivíduo estiver tanto em remissão como em um ambiente protegido (i. e., em remissão inicial em ambiente protegido ou em remissão sustentada em ambiente protegido). Exemplos desses ambientes incluem prisões rigorosamente vigiadas e livres de substâncias, comunidades terapêuticas ou unidades hospitalares fechadas.

Características Diagnósticas

Estimulantes são um tipo de substância psicoativa que aumenta a atividade cerebral e pode temporariamente aumentar o estado de alerta, o humor e a consciência. Os estimulantes abrangidos neste capítulo incluem anfetamina e medicamentos estimulantes sob prescrição médica com efeitos similares (p. ex., metilfenidato) e cocaína. Transtornos relacionados a substâncias envolvendo outras substâncias com propriedades estimulantes são classificados em outras seções deste capítulo. Incluem cafeína (em transtornos relacionados à cafeína), nicotina (em transtornos relacionados ao tabaco) e MDMA (3,4-metilenodioximetanfetamina; em transtornos relacionados a outros alucinógenos), que tem efeitos tanto estimulantes como alucinógenos.

Dado que os efeitos de substâncias tipo anfetamina são similares aos da cocaína, os transtornos relacionados a anfetaminas e transtornos relacionados à cocaína são agrupados na única rubrica "transtornos relacionados a estimulantes". Substâncias tipo anfetamina (e outros estimulantes ou estimulantes não especificados) e cocaína têm códigos diferentes na CID-10-MC (p. ex., F15.10 transtorno por uso de substância tipo anfetamina, leve; F14.10 transtorno por uso de cocaína, leve). O estimulante específico usado pelo indivíduo é registrado no diagnóstico (p. ex., "abstinência de metanfetamina", "transtorno por uso de metilfenidato", "intoxicação por cocaína").

As substâncias tipo anfetamina incluem estimulantes com uma estrutura de feniletilamina substituída, tais como anfetamina, dextroanfetamina e metanfetamina. Também se incluem substâncias estruturalmente diferentes, mas que apresentam efeitos semelhantes, como metilfenidato, modafinil e armodafinil. Essas substâncias em geral são consumidas via oral ou intravenosa, embora a metanfetamina também seja consumida por via nasal. Além dos compostos sintéticos do tipo anfetamina, existem estimulantes naturais, extraídos de plantas, como o *khat*, bem como substâncias químicas sintéticas análogas ao *khat*, chamadas de *catinonas*.

Anfetaminas e outros estimulantes podem ser obtidos por meio de receita médica para o tratamento de obesidade, transtorno de déficit de atenção/hiperatividade e narcolepsia. Consequentemente, estimulantes com prescrição podem ser desviados para o mercado ilegal.

A cocaína, uma substância de ocorrência natural produzida pela planta da coca, pode ser consumida por meio de diversas preparações (p. ex., folhas de coca, pasta de coca, cloridrato de cocaína e alcaloides de cocaína, tais como cocaína *freebase* e *crack*) que diferem em potência devido a variados níveis de pureza e de rapidez de início dos efeitos. Contudo, em todas as formas da substância, a cocaína é o ingrediente ativo. O pó de cloridrato de cocaína geralmente é "cheirado" através das narinas ou dissolvido em água e injetado via intravenosa. *Crack* e outros alcaloides de cocaína são facilmente vaporizados e inalados, e por isso seus efeitos têm um início extremamente rápido.

Indivíduos expostos a estimulantes tipo anfetamina ou cocaína podem desenvolver transtorno por uso de estimulantes em apenas uma semana, embora o início nem sempre seja tão rápido. Independentemente da via de administração, ocorre tolerância com o uso repetido. Sintomas de abstinência, em particular hipersonia, aumento do apetite e disforia, podem ocorrer e intensificar a fissura pela droga. A maioria dos indivíduos com transtorno por uso de estimulantes experimentou tolerância ou abstinência.

Os padrões de uso e o curso são semelhantes entre transtornos envolvendo substâncias tipo anfetamina e cocaína, já que ambas as substâncias são potentes estimulantes do sistema nervoso central com efeitos psicoativos e simpatomiméticos semelhantes. Estimulantes tipo anfetamina têm ação mais prolongada que cocaína e, portanto, são usados menos vezes por dia. O uso pode ser crônico ou episódico, com momentos de consumo compulsivo intercalados por períodos breves sem uso. Comportamento agressivo ou violento é comum quando doses altas são fumadas, ingeridas ou administradas via intravenosa. Ansiedade temporária intensa que lembra transtorno de pânico ou transtorno de ansiedade generalizada, bem como ideação paranoide e episódios psicóticos que lembram esquizofrenia, são observados com o uso de dosagens elevadas.

Os estados de abstinência estão associados a sintomas depressivos temporários, porém intensos, que podem se assemelhar a episódio depressivo maior; os sintomas depressivos geralmente se resolvem em uma semana. A tolerância a estimulantes tipo anfetamina se desenvolve e leva a doses progressivamente maiores. No entanto, alguns usuários de estimulantes tipo anfetamina desenvolvem sensibilização, caracterizada por intensificação dos efeitos.

Características Associadas

Quando injetados ou fumados, os estimulantes geralmente produzem uma sensação imediata de bem-estar, autoconfiança e euforia. Alterações comportamentais drásticas podem se desenvolver rapidamente com o transtorno por uso de estimulantes. Comportamento caótico, isolamento social, comportamento agressivo e disfunção sexual podem resultar do transtorno por uso de estimulantes de longo prazo.

Indivíduos com intoxicação aguda podem apresentar fuga de ideias, cefaleia, ideias de referência transitórias e zumbido. Pode haver ideação paranoide, alucinações auditivas com sensório claro e alucinações táteis, as quais o indivíduo normalmente reconhece como os efeitos da droga. Ameaças e manifestação de comportamento agressivo podem ocorrer. Depressão, ideação suicida, irritabilidade, anedonia, instabilidade emocional ou perturbações na atenção e na concentração ocorrem com frequência durante a abstinência. Perturbações mentais associadas ao uso da cocaína geralmente se resolvem em um prazo de horas a dias após a interrupção do uso, mas podem persistir durante um mês. Alterações fisiológicas durante a abstinência de estimulantes são opostas às da fase de intoxicação e às vezes incluem bradicardia. Sintomas depressivos temporários podem satisfazer os critérios de sintomas e de duração para um episódio depressivo maior. História consistente com ataques de pânico repetidos, comportamento semelhante a transtorno de ansiedade social e síndromes semelhantes à ansiedade generalizada são comuns, bem como transtornos alimentares. Um exemplo extremo da toxicidade de estimulantes é o transtorno psicótico induzido por estimulantes, que se assemelha à esquizofrenia, com delírios e alucinações.

Indivíduos com transtorno por uso de estimulantes costumam desenvolver respostas condicionadas a estímulos relacionados a drogas (p. ex., fissura pela droga ao ver uma substância em forma de pó branco). Essas respostas contribuem para a recaída, são difíceis de eliminar e persistem após a desintoxicação.

Sintomas depressivos com ideação ou comportamento suicida podem ocorrer e geralmente constituem os problemas mais graves durante a abstinência de estimulantes.

Prevalência

Transtorno por uso de estimulantes: substâncias tipo anfetamina. Estima-se que a prevalência de 12 meses do transtorno por uso de estimulantes tipo anfetamina nos Estados Unidos seja de 0,4% entre indivíduos a partir dos 12 anos. A prevalência de 12 meses é de 0,1% em indivíduos dos 12 aos 17 anos, 0,5% entre 18 e 25 anos e 0,4% a partir dos 26 anos. As taxas são 0,5% para homens e 0,2% para mulheres. As taxas são de aproximadamente 0,4% entre hispânicos e brancos não hispânicos e 0,1% entre afro-americanos e asiáticos americanos. As estimativas para índios americanos/nativos do Alasca e nativos havaianos/populações das ilhas do Pacífico são difíceis de determinar, dado o pequeno tamanho das amostras, mas há algumas evidências de taxas mais elevadas em índios americanos/nativos do Alasca.

Entre adultos norte-americanos, 6,6% (média anual) usaram medicamentos estimulantes sob prescrição médica globalmente; 4,5% não fizeram uso indevido, 1,9% apresentaram uso indevido sem transtornos por uso e 0,2% tiveram transtorno por uso. Embora os brancos não hispânicos tenham mais probabilidade de usar medicamentos estimulantes sem usos medicinais, os hispânicos tendem a usá-los mais frequentemente e têm taxas mais altas de transtorno por uso de medicamentos estimulantes sob prescrição médica.

Transtorno por uso de estimulantes: cocaína. Estima-se que a prevalência de 12 meses do transtorno por uso de cocaína nos Estados Unidos seja de 0,4% entre indivíduos a partir dos 12 anos. As taxas são 0,1% em indivíduos dos 12 aos 17 anos, 0,7% entre 18 e 25 anos e 0,3% entre aqueles a partir dos 26 anos. As taxas são 0,5% para homens e 0,2% para mulheres, globalmente. As taxas são 0,4% entre afro-americanos e brancos não hispânicos, 0,3% em hispânicos e menos de 0,1% entre asiáticos americanos.

Desenvolvimento e Curso

Nos Estados Unidos, o transtorno por uso de estimulantes ocorre em todos os níveis da sociedade, e é mais comum entre indivíduos dos 18 aos 25 anos em comparação àqueles entre 12 e 17 anos ou a partir dos 26 anos. Em média, o primeiro uso regular entre indivíduos em tratamento ocorre aproximadamente aos 23 anos. No caso da primeira internação para tratamento do uso de metanfetamina, a média de idade é de 34 anos, e, para primeira internação para tratamento de cocaína, a média de idade é de 44 anos para cocaína fumada e 37 anos para outras vias de administração.

Alguns indivíduos começam a usar estimulantes para controlar o peso ou para melhorar o desempenho na escola, no trabalho ou nos esportes. O uso inicial pode incluir obter medicamentos como metilfenidato ou sais de anfetamina prescritos para outras pessoas para o tratamento do transtorno de déficit de atenção/hiperatividade. Entre as primeiras internações para tratamento de uso de substância tipo anfetamina nos Estados Unidos, 61% relataram fumar, 26% relataram injetar e 9% relataram inalar, sugerindo que transtorno por uso de estimulantes pode se desenvolver a partir de múltiplos modos de administração.

Os padrões de administração de estimulantes incluem uso episódico ou diário (ou quase diário). O uso episódico tende a ser intercalado com dois ou mais dias sem uso (p. ex., uso intenso durante um fim de semana ou em um ou mais dias da semana). "Compulsões" (*binges*) envolvem o uso contínuo de altas doses durante horas ou dias e frequentemente estão associadas à dependência física. As compulsões geralmente são interrompidas apenas quando acaba o estoque de estimulantes ou quando o indivíduo fica exausto. O uso diário crônico pode envolver doses altas ou baixas, frequentemente com aumento da dose ao longo do tempo.

O fumar estimulantes e seu uso intravenoso estão associados a uma rápida progressão para transtorno por uso de estimulantes, grave, geralmente com ocorrência ao longo de semanas a meses. O uso intranasal de cocaína e o uso oral de estimulantes tipo anfetamina resultam em uma progressão mais gradual, que leva meses a anos. Com o uso contínuo, há redução dos efeitos prazerosos, devido à tolerância, e aumento dos efeitos disfóricos.

Fatores de Risco e Prognóstico

Temperamentais. Comorbidade com transtorno bipolar, esquizofrenia, transtorno da personalidade antissocial e outros transtornos por uso de substância é fator de risco para o desenvolvimento de transtorno por uso de estimulantes e para recaída do uso de cocaína em amostras de indivíduos em tratamento. Maior reatividade ao estresse foi correlacionada com a frequência do uso de cocaína em algumas amostras de indivíduos em tratamento nos Estados Unidos. Transtorno da conduta na infância e transtorno da personalidade antissocial estão associados ao desenvolvimento posterior de transtornos relacionados a estimulantes. Nos Estados Unidos, o uso prévio de outra substância, ser do sexo masculino, ter um transtorno da personalidade do Grupo B, história familiar de transtorno por uso de substância e ser separado, divorciado ou viúvo resultam em aumento no risco de uso de cocaína. Homens que têm relações sexuais com homens também apresentam maior risco para uso de anfetamina.

Ambientais. Indicadores do uso de cocaína entre uma coorte de adolescentes norte-americanos incluem exposição pré-natal à cocaína, uso de cocaína pelos pais no período pós-natal e exposição à violência na comunidade durante a infância. Pesquisas em países industrializados sugerem que a exposição à violência por parte do parceiro íntimo ou maus-tratos na infância com frequência ocorre concomitantemente ao uso de estimulantes, sobretudo em mulheres. Em uma coorte de mulheres norte-americanas acompanhadas longitudinalmente, o *status* socioeconômico, incluindo insegurança alimentar, tinha efeito dose-dependente sobre o risco do uso de estimulante. No caso de jovens, especialmente meninas, os fatores de risco incluem viver em um ambiente doméstico instável, apresentar uma condição psiquiátrica e associar-se a usuários e fornecedores.

Questões Diagnósticas Relativas à Cultura

A prevalência do uso de cocaína nos Estados Unidos aumentou entre 2001-2002 e 2012-2013 entre brancos não latinos, afro-americanos e latinos, mas a prevalência de transtorno por uso de cocaína aumentou somente entre os brancos. Apesar de pequenas variações, os critérios diagnósticos do transtorno por uso de cocaína e outros estimulantes têm o mesmo desempenho em diferentes grupos étnico-raciais e entre gêneros. Em dados limitados sobre estimativas de prevalência, aparentemente as populações de índios americanos/nativos do Alasca apresentam risco maior de transtorno por uso de metanfetamina e, em menor grau, transtorno por uso de cocaína, do que brancos não hispânicos, enquanto nativos havaianos/nativos das ilhas do Pacífico parecem ter riscos similares aos brancos não hispânicos.

Aproximadamente 64% dos indivíduos com internação por abuso de substâncias em programas com financiamento público para transtornos primários relacionados a metanfetaminas/anfetaminas são brancos não hispânicos, seguidos por 20% de indivíduos de origem hispânica, 3% de asiáticos e nativos das ilhas do Pacífico e 6% de negros não hispânicos. Entre indivíduos internados para tratamento primário relacionado à cocaína fumada, 51% eram negros não hispânicos, 35% brancos não hispânicos, 8% hispânicos e 1% asiáticos e nativos das ilhas do Pacífico. Para internações relacionadas a outras vias de administração de cocaína, 47% eram brancos não hispânicos, 31% eram negros não hispânicos, 17% eram de origem hispânica e 1% eram asiáticos e das ilhas do Pacífico. As taxas de transtornos em amostras clínicas devem ser interpretadas com cautela porque podem ser afetadas pelas diferenças no acesso e no uso dos serviços, alternativas de cuidados, criminalização, estigma e viés racial no diagnóstico e no encaminhamento para tratamento.

Questões Diagnósticas Relativas ao Sexo e ao Gênero

Nos Estados Unidos, as mulheres com transtorno por uso de cocaína mais frequentemente têm transtornos psiquiátricos comórbidos, como depressão e transtorno de estresse pós-traumático, comparadas com os homens. Os hormônios gonadais afetam as respostas femininas à cocaína. Indivíduos do sexo feminino com transtorno por uso de cocaína e níveis mais altos de progesterona apresentam menos fissura por cocaína induzida por estresse e induzida por sinais/sugestão, além de menos alterações induzidas por sinais/sugestão na pressão sanguínea do que indivíduos do sexo feminino com transtorno por uso de cocaína e níveis mais baixos de progesterona. Isso pode explicar por que o uso de cocaína em gestantes é inferior ao observado em não gestantes.

Marcadores Diagnósticos

A benzoilecognina, um metabólito da cocaína, normalmente permanece na urina durante 1 a 3 dias depois de uma dose única e pode ficar presente durante 7 a 12 dias em indivíduos que usam altas doses repetidamente. Exames de função hepática levemente elevados podem estar presentes em usuários de cocaína injetável ou naqueles que fazem uso concomitante de álcool. Não há marcadores neurobiológicos de utilidade diagnóstica. A descontinuação do uso crônico de cocaína pode estar associada a alterações eletroencefalográficas, o que sugere anormalidades persistentes; alterações nos padrões de secreção de prolactina; e *downregulation* dos receptores dopaminérgicos.

Substâncias tipo anfetamina de meia-vida curta (p. ex., metanfetamina) podem ser detectadas durante 1 a 3 dias e possivelmente até 4 dias, dependendo da dosagem e do metabolismo. Amostras de cabelo podem ser usadas para detectar a presença de substâncias tipo anfetamina por até 90 dias. Outros achados laboratoriais, bem como achados físicos e outras condições médicas (p. ex., perda de peso, desnutrição, má higiene), são semelhantes tanto para transtorno por uso de cocaína como por uso de substância tipo anfetamina.

Associação com Pensamentos ou Comportamentos Suicidas

Há poucos dados disponíveis sobre a associação de transtornos por uso de estimulantes e suicídio porque a maioria dos estudos examinando pensamentos e comportamentos suicidas investiga o uso de estimulantes em lugar de transtornos por uso de estimulantes. Uma revisão sistemática encontrou que o uso regular ou problemático de anfetamina (avaliando, essencialmente, indivíduos que injetam anfetaminas e/ou indivíduos hospitalizados devido ao uso de anfetaminas) está associado a aumento na mortalidade por suicídio. Um estudo na população geral de adultos nos Estados Unidos encontrou uma associação entre transtorno por uso de medicamentos estimulantes sob prescrição médica e pensamentos suicidas. Em um estudo de indivíduos hospitalizados para tratamento por uso de substâncias, aqueles com transtorno por uso de cocaína tinham muito mais probabilidade de relatar pensamentos suicidas do que aqueles com transtorno por uso de outra substância. Em um estudo de homens e mulheres no sistema de saúde da U.S. Veterans Administration, transtornos por uso de cocaína e anfetamina estavam associados a aumento nas taxas de morte por suicídio.

Consequências Funcionais do Transtorno por Uso de Estimulantes

Diversas condições médicas podem ocorrer dependendo da via de administração. As pessoas que usam estimulantes por via intranasal frequentemente desenvolvem sinusite, irritação, sangramento da mucosa nasal e perfuração do septo nasal. Aquelas que fumam as substâncias apresentam maior risco de problemas respiratórios (p. ex., tosse, bronquite e pneumonite). As pessoas que injetam cocaína têm marcas e evidências de picadas em geral nos antebraços. O risco de infecção por HIV e hepatite C aumenta com injeções intravenosas frequentes e atividade sexual sem proteção. Observam-se também outras infecções sexualmente transmissíveis, hepatite B, tuberculose e outras infecções pulmonares. Perda de peso e desnutrição são comuns.

Dor torácica pode ser um sintoma comum durante a intoxicação por estimulantes. Infarto do miocárdio, palpitações e arritmias, morte súbita decorrente de parada respiratória ou cardíaca e acidentes vasculares cerebrais foram associados ao uso de estimulantes entre jovens e indivíduos que, a não ser pelo uso de drogas, eram saudáveis. Pneumotórax pode resultar de manobras do tipo Valsalva, realizadas para melhor absorver a fumaça inalada. O uso de cocaína está associado a irregularidades no fluxo sanguíneo placentário, descolamento de placenta, contrações e parto prematuro e maior prevalência de bebês com baixo peso ao nascer.

Indivíduos com transtorno por uso de estimulantes podem envolver-se em roubo, prostituição ou tráfico de drogas com a finalidade de adquirir drogas ou dinheiro para comprá-las. Traumatismos decorrentes de comportamento violento são comuns entre traficantes da droga.

Comprometimento neurocognitivo é comum entre usuários de metanfetamina e de cocaína, incluindo déficits relacionados a atenção, impulsividade, aprendizagem/memória verbal, memória de trabalho e funcionamento executivo. Também foram reportadas psicose transitória e convulsões com o uso crônico de cocaína ou metanfetamina, possivelmente relacionadas a padrões de uso ou à exacerbação de vulnerabilidades preexistentes. O uso de anfetamina pode causar efeitos tóxicos relacionados à temperatura corporal elevada, e há algumas evidências de que o uso crônico causa neuroinflamação e neurotoxicidade nos neurônios dopaminérgicos. Problemas de saúde bucal incluem *meth mouth* (boca de metanfetamina) com doença gengival, cáries e aftas relacionadas com os efeitos tóxicos de fumar a droga e com o bruxismo durante a intoxicação. Efeitos pulmonares adversos parecem ser menos comuns com substâncias tipo anfetamina porque são fumados menos vezes por dia, embora o uso de metanfetamina ainda esteja associado a um risco de hipertensão arterial pulmonar. Visitas à emergência são comuns em virtude de sintomas de transtornos mentais, ferimentos, infecções cutâneas e patologia dentária relacionados a estimulantes. Nos Estados Unidos, o diagnóstico de um transtorno por uso de estimulantes está associado a um aumento de 20% nas taxas de readmissão em 30 dias na avaliação de acompanhamento após a hospitalização por "qualquer causa" (uma medida padrão da qualidade do atendimento hospitalar global).

Diagnóstico Diferencial

Intoxicação por fenciclidina. A intoxicação por fenciclidina ("PCP", ou "pó de anjo") ou por drogas sintéticas como mefedrona (conhecida por nomes diferentes, incluindo "sais de banho") pode causar um quadro clínico semelhante e pode ser distinguida da intoxicação por estimulantes unicamente pela presença de metabólitos de cocaína ou de substância tipo anfetamina em uma amostra de urina ou plasma.

Intoxicação por estimulantes, abstinência de estimulantes e transtornos mentais induzidos por estimulantes. Transtorno por uso de estimulantes é diferenciado de intoxicação por estimulantes, abstinência de estimulantes e transtornos mentais induzidos por estimulantes (p. ex., transtorno depressivo induzido por estimulantes) porque envolve prejuízo no controle sobre o uso das substâncias, prejuízo social devido ao uso, comportamentos de risco devido ao uso (p. ex., uso contínuo de estimulantes apesar das complicações médicas) e sintomas farmacológicos (desenvolvimento de tolerância ou abstinência), ao passo que intoxicação por estimulantes, abstinência de estimulantes e transtornos mentais induzidos por estimulantes descrevem síndromes psiquiátricas que ocorrem no caso de uso pesado. Intoxicação por estimulantes, abstinência de estimulantes e transtornos mentais induzidos por estimulantes ocorrem com frequência em indivíduos com transtorno por uso de estimulantes. Nesses casos, deve ser atribuído um diagnóstico de intoxicação por estimulantes, abstinência de estimulantes ou um transtorno mental induzido por estimulantes, além de um diagnóstico de transtorno por uso de estimulantes, cuja presença é indicada no código diagnóstico.

Transtornos mentais independentes. Alguns dos efeitos do uso de estimulantes podem se assemelhar a sintomas de transtornos mentais independentes, como psicose (esquizofrenia) e humor deprimido (transtorno depressivo maior). Discernir se esses comportamentos ocorriam antes do consumo da droga é importante para a diferenciação entre efeitos agudos da droga e transtorno mental preexistente.

Comorbidade

Transtornos relacionados a estimulantes costumam ocorrer concomitantemente a outros transtornos por uso de substâncias, em especial os que envolvem substâncias com propriedades sedativas, as quais são consumidas para reduzir a insônia, o nervosismo e outros efeitos colaterais desagradáveis. Indivíduos hospitalizados para tratamento por uso de cocaína provavelmente também fazem uso de heroína, fenciclidina ou álcool, e aqueles hospitalizados devido a transtorno por uso de substância tipo anfetamina provavelmente fazem uso de *Cannabis*, heroína ou álcool. O transtorno por uso de estimulantes pode estar associado a transtorno de estresse pós-traumático, transtorno da personalidade antissocial, transtorno de déficit de atenção/hiperatividade e transtorno do jogo. Problemas cardiopulmonares costumam estar presentes em indivíduos que buscam tratamento para problemas relacionados à cocaína, sendo dor torácica o mais comum. Problemas médicos ocorrem em resposta a adulterantes usados como agentes de "mistura". Usuários de cocaína que a ingerem misturada com levamisol, um medicamento antimicrobiano de uso veterinário, podem sofrer agranulocitose e neutropenia febril.

Intoxicação por Estimulantes

Critérios Diagnósticos

A. Uso recente de uma substância tipo anfetamina, cocaína ou outro estimulante.

B. Alterações comportamentais ou psicológicas clinicamente significativas e problemáticas (p. ex., euforia ou embotamento afetivo; alterações na sociabilidade; hipervigilância; sensibilidade interpessoal; ansiedade, tensão ou raiva; comportamentos estereotipados; julgamento prejudicado) desenvolvidas durante ou logo após o uso de um estimulante.

C. Dois (ou mais) dos seguintes sinais ou sintomas, desenvolvidos durante ou logo após o uso de estimulantes:

1. Taquicardia ou bradicardia.
2. Dilatação pupilar.
3. Pressão arterial elevada ou diminuída.
4. Transpiração ou calafrios.
5. Náusea ou vômito.
6. Evidências de perda de peso.
7. Agitação ou retardo psicomotor.
8. Fraqueza muscular, depressão respiratória, dor torácica ou arritmias cardíacas.
9. Confusão, convulsões, discinesias, distonias ou coma.

D. Os sinais ou sintomas não são atribuíveis a outra condição médica nem são mais bem explicados por outro transtorno mental, incluindo intoxicação por outra substância.

Especificar **o intoxicante em questão** (i. e., substância tipo anfetamina, cocaína ou outro estimulante).

Especificar se:

Com perturbações da percepção: Este especificador pode ser indicado quando alucinações ocorrem com teste de realidade intacto ou quando ilusões auditivas, visuais ou táteis ocorrem na ausência de *delirium*.

Nota para codificação: O código da CID-10-MC depende de o estimulante ser uma substância tipo anfetamina, cocaína ou outro estimulante; de haver comorbidade com transtorno por uso de substância tipo anfetamina, cocaína ou outro estimulante; e da ocorrência de perturbações da percepção.

Para intoxicação por substância tipo anfetamina, cocaína ou outro estimulante, sem perturbações da percepção: Se houver transtorno por uso de substância tipo anfetamina, leve comórbido, o código da CID-10-MC é **F15.120**, e se houver transtorno por uso de substância tipo anfetamina, moderado ou grave comórbido, o código da CID-10-MC é **F15.220**. Caso não haja comorbidade com transtorno por uso de substância tipo anfetamina, então o código da CID-10-MC é **F15.920**. Igualmente, se houver transtorno por uso de cocaína, leve comórbido, o código da CID-10-MC é **F14.120**, e se houver transtorno por uso de cocaína, moderado ou grave comórbido, o código da CID-10-MC é **F14.220**. Caso não haja comorbidade com transtorno por uso de cocaína, então o código da CID-10-MC é **F14.920**.

Para intoxicação por substância tipo anfetamina, cocaína ou outro estimulante, com perturbações da percepção: Se houver transtorno por uso de substância tipo anfetamina, leve comórbido, o código da CID-10-MC é **F15.122**, e se houver transtorno por uso de substância tipo anfetamina, moderado ou grave comórbido, o código da CID-10-MC é **F15.222**. Caso não haja comorbidade com transtorno por uso de substância tipo anfetamina, então o código da CID-10-MC é **F15.922**. Igualmente, se houver transtorno por uso de cocaína, leve comórbido, o código da CID-10-MC é **F14.122**, e se houver transtorno por uso de cocaína, moderado ou grave comórbido, o código da CID-10-MC é **F14.222**. Caso não haja comorbidade com transtorno por uso de cocaína, então o código da CID-10-MC é **F14.922**.

Características Diagnósticas

A característica essencial da intoxicação por estimulantes relacionada a substâncias tipo anfetamina e cocaína é a presença de alterações comportamentais ou psicológicas clinicamente significativas que se desenvolvem durante ou logo após o uso de estimulantes (Critérios A e B). Alucinações auditivas podem ser proeminentes, assim como ideação paranoide, e esses sintomas devem ser distinguidos de um transtorno psicótico independente, como esquizofrenia. A intoxicação por estimulantes geralmente começa com uma sensação de "barato" e inclui um ou mais dos seguintes sintomas: euforia com aumento do vigor, sociabilidade, hiperatividade, inquietação, hipervigilância, sensibilidade interpessoal, loquacidade, ansiedade, tensão, alerta, grandiosidade, comportamento estereotipado e repetitivo, raiva, julgamento prejudicado e, no caso de intoxicação crônica, embotamento afetivo com fadiga ou tristeza e retraimento social. Essas alterações comportamentais e psicológicas são acompanhadas por dois ou mais dos seguintes sinais e sintomas, que se desenvolvem durante ou logo após o uso de estimulantes: taquicardia ou bradicardia; dilatação pupilar; pressão arterial elevada ou diminuída; transpiração ou calafrios; náusea ou vômito; evidências de perda de peso; agitação ou retardo psicomotor; fraqueza muscular; depressão respiratória; dor torácica ou arritmias cardíacas; e confusão, convulsões, discinesias, distonias ou coma (Critério C). A intoxicação, aguda ou crônica, frequentemente está associada com comprometimento no funcionamento social ou profissional. A intoxicação grave pode levar a convulsões, arritmias cardíacas, hiperpirexia e morte. Para fazer um diagnóstico de intoxicação por estimulantes, os sintomas não podem ser atribuíveis a outra condição médica nem ser mais bem explicados por outro transtorno mental (Critério D). Embora a intoxicação por estimulantes ocorra em indivíduos com transtorno por uso de estimulantes, ela não é um critério para o transtorno por uso de estimulantes, o qual é confirmado pela presença de dois dos 11 critérios diagnósticos para transtorno por uso.

Características Associadas

A magnitude e a direção das alterações comportamentais e fisiológicas dependem de muitas variáveis, incluindo a dose usada e as características do indivíduo que faz uso da substância ou o contexto (p. ex., tolerância, taxa de absorção, cronicidade de uso, contexto no qual a droga é consumida). Efeitos estimulantes como euforia, aumento da pressão arterial e da frequência cardíaca e atividade psicomotora são os observados com maior frequência. Efeitos depressores, como tristeza, bradicardia, pressão arterial diminuída e redução da atividade psicomotora, são menos comuns e geralmente surgem apenas com o uso crônico de doses elevadas.

Prevalência

Embora a prevalência de intoxicação por estimulantes seja desconhecida, a prevalência de uso de estimulantes pode ser usada como uma aproximação. Muitos indivíduos que usam estimulantes podem não ter sintomas que satisfaçam completamente os critérios para intoxicação por estimulantes, a qual requer "alterações comportamentais ou psicológicas clinicamente significativas e problemáticas". Assim, as taxas de uso de estimulantes podem ser consideradas o limite superior da provável prevalência de intoxicação por estimulantes.

As estimativas da prevalência de 12 meses para uso de cocaína nos Estados Unidos são de 2,2% para indivíduos a partir dos 12 anos (0,5% entre indivíduos dos 12 aos 17 anos, 6,2% dos 18 aos 25 anos e 1,7% a partir dos 26 anos); 3% dos homens/meninos e 1,4% das mulheres/meninas usaram cocaína nos últimos 12 meses. A prevalência de 12 meses de uso de cocaína é de 2,3% entre brancos, 2,2% entre hispânicos, 1,7% entre afro-americanos e 1% entre asiáticos americanos.

A prevalência estimada de 12 meses de uso de metanfetamina nos Estados Unidos é de 0,6% para indivíduos a partir dos 12 anos (0,2% entre indivíduos dos 12 aos 17 anos, 1,1% dos 18 aos 25 anos e 0,6% a partir dos 26 anos). A prevalência de 12 meses de uso de metanfetamina é de 0,8% entre homens/meninos e 0,4% entre mulheres/meninas. A prevalência de 12 meses de uso de metanfetamina é de 0,7% entre brancos, 0,6% entre hispânicos, 0,2% entre afro-americanos e 0,1% entre asiáticos americanos. Amostras de pequeno tamanho dificultam as estimativas das taxas entre os índios americanos/nativos do Alasca.

Diagnóstico Diferencial

Transtornos mentais induzidos por estimulantes. A intoxicação por estimulantes distingue-se dos transtornos mentais induzidos por estimulantes (p. ex., transtorno de ansiedade induzido por estimulantes com início durante a intoxicação) porque os sintomas (p. ex., ansiedade) destes últimos excedem aqueles geralmente observados em intoxicação por estimulantes, predominam na apresentação clínica e satisfazem todos os critérios para o transtorno em questão.

Transtornos mentais independentes. Perturbações mentais salientes associadas a intoxicação por estimulantes devem ser diferenciadas dos sintomas de esquizofrenia, transtornos bipolar e depressivo, transtorno de ansiedade generalizada e transtorno de pânico, como descritos neste Manual.

Comorbidade

Dada a sobreposição típica de intoxicação por estimulantes com transtorno por uso de estimulantes, consultar "Comorbidade" no capítulo "Transtorno por Uso de Estimulantes" para mais detalhes sobre as condições concomitantes provavelmente encontradas.

Abstinência de Estimulantes

Critérios Diagnósticos

A. Cessação (ou redução) do uso prolongado de substância tipo anfetamina, cocaína ou outro estimulante.
B. Humor disfórico e duas (ou mais) das seguintes alterações fisiológicas, desenvolvidos no prazo de algumas horas a alguns dias após o Critério A:

1. Fadiga.
2. Sonhos vívidos e desagradáveis.
3. Insônia ou hipersonia.
4. Aumento do apetite.
5. Retardo ou agitação psicomotora.

C. Os sinais ou sintomas do Critério B causam sofrimento clinicamente significativo ou prejuízo no funcionamento social, profissional ou em outras áreas importantes da vida do indivíduo.
D. Os sinais ou sintomas não são atribuíveis a outra condição médica nem são mais bem explicados por outro transtorno mental, incluindo intoxicação por ou abstinência de outra substância.

Especificar **a substância específica que causa a síndrome de abstinência** (i. e., substância tipo anfetamina, cocaína ou outro estimulante).

Nota para codificação: O código da CID-10-MC depende de o estimulante ser uma substância tipo anfetamina, cocaína ou outro estimulante ou se existe ou não um transtorno por uso de substância tipo anfetamina, cocaína ou outro estimulante comórbido. Se houver transtorno por uso de substância tipo anfetamina ou outro estimulante, leve comórbido, o código da CID-10-MC é **F15.13**. Se houver transtorno por uso de substância tipo anfetamina ou outro estimulante, moderado ou grave, o código da CID-10-MC é **F15.23**. Para abstinência de substância tipo anfetamina ou outro estimulante ocorrendo na ausência de transtorno por uso de substância tipo anfetamina ou outro estimulante (p. ex., em um paciente que usa anfetamina unicamente sob supervisão médica adequada), o código da CID-10-MC é **F19.93**. Se houver transtorno por uso de cocaína, leve comórbido, o código da CID-10-MC é **F14.13**. Se houver transtorno por uso de cocaína, moderado ou grave comórbido, o código da CID-10-MC é **F14.23**. Para abstinência de cocaína ocorrendo na ausência de um transtorno por uso de cocaína, o código da CID-10-MC é **F14.93**.

Características Diagnósticas

A característica essencial da abstinência de estimulantes é a presença de uma síndrome de abstinência típica que se desenvolve no prazo de algumas horas a alguns dias após a interrupção (ou redução acentuada) do uso de estimulantes (geralmente de altas doses) prolongado (Critério A). A síndrome de abstinência caracteriza-se pelo desenvolvimento de humor disfórico acompanhado por duas ou mais das seguintes alterações fisiológicas: fadiga, sonhos vívidos e desagradáveis, insônia ou hipersonia, aumento do apetite e retardo ou agitação psicomotora (Critério B). Bradicardia costuma estar presente e é uma medida confiável de abstinência de estimulantes.

Anedonia e fissura pela droga também podem estar presentes, mas não fazem parte dos critérios diagnósticos. Esses sintomas causam sofrimento clinicamente significativo ou prejuízo no funcionamento social, profissional ou em outras áreas importantes da vida do indivíduo (Critério C). Os sintomas não podem ser atribuíveis a outra condição médica nem são mais bem explicados por outro transtorno mental (Critério D).

Características Associadas

Sintomas agudos de abstinência (rebote) geralmente são observados após períodos de uso repetido de doses altas (compulsões). Esses sintomas caracterizam-se por sensações intensas e desagradáveis de lassidão e depressão e aumento do apetite, geralmente exigindo vários dias de repouso e recuperação. Podem ocorrer sintomas depressivos com ideação ou comportamento suicida, que costumam ser os problemas mais graves observados durante o rebote ou outras formas de abstinência de estimulantes. Muitos indivíduos com transtorno por uso de estimulantes podem vivenciar uma síndrome de abstinência em algum momento.

Diagnóstico Diferencial

Transtornos mentais induzidos por estimulantes.   Abstinência de estimulantes distingue-se de transtornos mentais induzidos por estimulantes (p. ex., transtorno depressivo induzido por estimulante com início durante a abstinência) porque os sintomas (p. ex., humor deprimido) destes últimos excedem aqueles geralmente associados à abstinência de estimulantes, predominam na apresentação clínica e são suficientemente graves para justificar atenção clínica.

Comorbidade

Dada a sobreposição típica de abstinência de estimulantes com transtorno por uso de estimulantes, ver "Comorbidade" no capítulo "Transtorno por Uso de Estimulantes" para mais detalhes sobre as condições concomitantes provavelmente encontradas.

Transtornos Mentais Induzidos por Estimulantes

Os seguintes transtornos mentais induzidos por estimulantes (que incluem transtornos induzidos por substâncias tipo anfetamina, cocaína e outros estimulantes) são descritos em outros capítulos do Manual, juntamente aos transtornos com os quais compartilham fenomenologia (consultar transtornos mentais induzidos por substância/medicamento nesses capítulos): transtorno psicótico induzido por estimulantes ("Espectro da Esquizofrenia e Outros Transtornos Psicóticos"); transtorno bipolar induzido por estimulantes e transtorno relacionado ("Transtorno Bipolar e Transtornos Relacionados"); transtorno depressivo induzido por estimulantes ("Transtornos Depressivos"); transtorno de ansiedade induzido por estimulantes ("Transtornos de Ansiedade"); transtorno obsessivo-compulsivo induzido por estimulantes (Transtorno Obsessivo-compulsivo e Transtornos Relacionados"); transtorno do sono induzido por estimulantes ("Transtornos do Sono-Vigília"); e disfunção sexual induzida por estimulantes ("Disfunções Sexuais"). Para *delirium* por intoxicação por opioides e *delirium* por abstinência de opioides consumidos conforme prescrição, ver os critérios e a abordagem de *delirium* no capítulo "Transtornos Neurocognitivos". Esses transtornos induzidos por estimulantes são diagnosticados em lugar de intoxicação por estimulantes ou abstinência de estimulantes apenas quando os sintomas são suficientemente graves para justificar atenção clínica independente.

Transtorno Relacionado a Estimulantes Não Especificado

Esta categoria aplica-se a apresentações em que sintomas característicos de um transtorno relacionado a estimulantes que causam sofrimento clinicamente significativo ou prejuízo no funcionamento social, profissional ou em outras áreas importantes da vida do indivíduo predominam, mas não satisfazem todos os critérios para qualquer transtorno relacionado a estimulantes específico nem para outro transtorno na classe diagnóstica de transtornos relacionados a substâncias e transtornos aditivos.

Nota para codificação: O código da CID-10-MC depende de o estimulante ser uma substância tipo anfetamina, cocaína ou outro estimulante. O código da CID-10-MC para uma substância tipo anfetamina não especificado ou outro transtorno relacionado a estimulantes é **F15.99**. O código da CID-10-MC para um transtorno relacionado à cocaína não especificado é **F14.99**.

Transtornos Relacionados ao Tabaco

Transtorno por Uso de Tabaco
Abstinência de Tabaco
Transtornos Mentais Induzidos por Tabaco
Transtorno Relacionado ao Tabaco Não Especificado

Transtorno por Uso de Tabaco

Critérios Diagnósticos

A. Um padrão problemático de uso de tabaco, levando a comprometimento ou sofrimento clinicamente significativo, manifestado por pelo menos dois dos seguintes critérios, ocorrendo durante um período de 12 meses:

1. Tabaco é frequentemente consumido em maiores quantidades ou por um período mais longo do que o pretendido.
2. Existe um desejo persistente ou esforços malsucedidos no sentido de reduzir ou controlar o uso de tabaco.
3. Muito tempo é gasto em atividades necessárias para a obtenção ou uso de tabaco.
4. Fissura ou um forte desejo ou necessidade de usar tabaco.
5. Uso recorrente de tabaco resultando em fracasso em cumprir obrigações importantes no trabalho, na escola ou em casa (p. ex., interferência no trabalho).
6. Uso continuado de tabaco apesar de problemas sociais ou interpessoais persistentes ou recorrentes causados ou exacerbados pelos seus efeitos (p. ex., discussões com os outros sobre o uso de tabaco).
7. Importantes atividades sociais, profissional ou recreacionais são abandonadas ou reduzidas em virtude do uso de tabaco.
8. Uso recorrente de tabaco em situações nas quais isso representa perigo para a integridade física (p. ex., fumar na cama).
9. O uso de tabaco é mantido apesar da consciência de ter um problema físico ou psicológico persistente ou recorrente que tende a ser causado ou exacerbado por ele.
10. Tolerância, definida por qualquer um dos seguintes aspectos:
    a. Necessidade de quantidades progressivamente maiores de tabaco para atingir o efeito desejado.
    b. Efeito acentuadamente menor com o uso continuado da mesma quantidade de tabaco.
11. Abstinência, conforme manifestada por qualquer um dos seguintes aspectos:
    a. Síndrome de abstinência característica de tabaco (consultar os Critérios A e B do conjunto de critérios para abstinência de tabaco).
    b. Tabaco (ou uma substância estreitamente relacionada, como nicotina) é consumido para aliviar ou evitar os sintomas de abstinência.

Especificar se:

Em remissão inicial: Após todos os critérios para transtorno por uso de tabaco terem sido preenchidos anteriormente, nenhum dos critérios para transtorno por uso de tabaco foi preenchido durante um período mínimo de três meses, porém inferior a 12 meses (com exceção de que o Critério A4, "Fissura ou um forte desejo ou necessidade de usar tabaco", ainda pode ocorrer).

Em remissão sustentada: Após todos os critérios para transtorno por uso de tabaco terem sido preenchidos anteriormente, nenhum dos critérios para transtorno por uso de tabaco foi preenchido em nenhum momento durante um período igual ou superior a 12 meses (com exceção de que o Critério A4, "Fissura ou um forte desejo ou necessidade de usar tabaco", ainda pode ocorrer).

Especificar se:

Em terapia de manutenção: O indivíduo vem em uso de medicamentos de manutenção de longo prazo, como medicamentos de reposição de nicotina, e nenhum dos critérios para transtorno por uso de tabaco foi satisfeito para essa classe de medicamento (exceto tolerância ou abstinência do medicamento de reposição de nicotina).

Em ambiente protegido: Este especificador adicional é usado se o indivíduo encontra-se em um ambiente no qual o acesso ao tabaco é restrito.

Código baseado na gravidade atual/remissão: Se também houver abstinência de tabaco ou outro transtorno do sono induzido por tabaco, não utilizar os códigos abaixo para transtorno por uso de tabaco. No caso, o transtorno por uso de tabaco comórbido é indicado pelo 4º caractere do código de transtorno induzido por tabaco (ver a nota para codificação para abstinência de tabaco ou um transtorno do sono induzido por tabaco). Por exemplo, se houver comorbidade de transtorno do sono induzido por tabaco e transtorno por uso de tabaco, apenas o código para transtorno do sono induzido por tabaco é fornecido, sendo que o 4º caractere indica se o transtorno por uso de tabaco comórbido é moderado ou grave: F17.208 para transtorno por uso de tabaco, moderado ou grave com transtorno do sono induzido por tabaco. Não é permitido codificar um transtorno por uso de tabaco, leve comórbido com transtorno do sono induzido por tabaco.

Especificar a gravidade atual/remissão:

Z72.0 Leve: Presença de 2 ou 3 sintomas.

F17.200 Moderada: Presença de 4 ou 5 sintomas.

F17.201 Moderada, em remissão inicial

F17.201 Moderada, em remissão sustentada

F17.200 Grave: Presença de 6 ou mais sintomas.

F17.201 Grave, em remissão inicial

F17.201 Grave, em remissão sustentada

Especificadores

"Em terapia de manutenção" aplica-se como um especificador a mais de remissão se o indivíduo estiver tanto em remissão como em terapia de manutenção. "Em ambiente protegido" aplica-se como um especificador a mais de remissão se o indivíduo estiver tanto em remissão como em um ambiente protegido (i. e., em remissão inicial em ambiente protegido ou em remissão sustentada em ambiente protegido). Exemplos desses ambientes incluem prisões rigorosamente vigiadas e livres de substâncias, comunidades terapêuticas ou unidades hospitalares fechadas.

Características Diagnósticas

O transtorno por uso de tabaco pode se desenvolver com o uso de todas as formas de tabaco (p. ex., cigarros, fumo de mascar, rapé, cachimbos, charutos, aparelhos eletrônicos com nicotina, como cigarros eletrônicos), e com medicamentos com prescrição médica contendo nicotina (chiclete e adesivo de nicotina). A relativa capacidade desses produtos de produzir transtorno por uso de tabaco ou de induzir abstinência está associada à rapidez da via de administração (fumada > oral > transdérmica) e a quantidade de nicotina no produto. O nome da categoria desta substância foi mudado de "nicotina" em edições anteriores do DSM para "tabaco" no DSM-5 com base nos danos resultantes da adição que estão associados principalmente ao tabaco e muito menos à nicotina.

O transtorno por uso de tabaco é comum entre indivíduos que fazem uso de cigarros e outras formas de tabaco diariamente e incomum entre os que não fazem uso diário ou que usam medicamentos com nicotina. A tolerância ao tabaco é exemplificada pelo desaparecimento da náusea e da tontura após o consumo e por um efeito mais intenso na primeira utilização do dia. A interrupção do uso de tabaco pode produzir uma síndrome de abstinência bem definida. Muitos indivíduos com transtorno por uso de tabaco utilizam-no para aliviar ou para evitar os sintomas de abstinência (p. ex., ao saírem de uma situação na qual o uso é restrito). Muitos indivíduos com transtorno por uso de tabaco apresentam doenças ou sintomas físicos relacionados à substância e continuam a fumá-la. A maioria relata fissura pela substância quando deixam de fumar por várias horas. Gastar uma grande quantidade de tempo usando tabaco pode ser exemplificado por fumar um cigarro atrás do outro, sem intervalos. Como as fontes de tabaco são de fácil acesso e lícitas, e como a intoxicação por tabaco é muito rara, gastar muito tempo na tentativa de obter tabaco ou de recuperar-se de seus efeitos é incomum. A desistência de atividades sociais, profissionais ou recreacionais importantes pode ocorrer quando o indivíduo evita uma atividade porque esta ocorre em áreas onde o uso de tabaco é restrito. O uso de tabaco raramente resulta em fracasso em cumprir obrigações importantes (p. ex., interferência no trabalho ou nos afazeres domésticos), porém problemas sociais e interpessoais persistentes (p. ex., discutir com os outros sobre o uso de tabaco, evitar situações sociais devido à desaprovação do uso de tabaco pelos outros) ou uso que representa perigo à integridade física (p. ex., fumar na cama, fumar próximo a substâncias químicas inflamáveis) ocorrem em prevalência intermediária. Embora esses critérios sejam preenchidos com menor frequência por usuários de tabaco, se comprovados, podem indicar um transtorno mais grave.

Características Associadas

Fumar nos primeiros 30 minutos após o despertar, fumar diariamente, fumar mais cigarros por dia e acordar à noite para fumar são características que estão associadas ao transtorno por uso de tabaco. Ocorrências ambientais podem despertar fissura e abstinência. Condições médicas graves, como câncer de pulmão e outros tipos de câncer, doenças cardíacas e pulmonares, problemas perinatais, tosse, falta de ar e envelhecimento acelerado da pele, ocorrem com frequência.

Prevalência

Embora cigarros sejam o produto de tabaco mais comumente utilizado, o uso de outros produtos (sobretudo cigarros eletrônicos) se tornou mais comum. Nos Estados Unidos, 19% dos adultos usaram um produto de tabaco no último ano, 19% usaram mais de um produto, 14% usaram cigarros, 4% usaram charutos, 3% usaram cigarros eletrônicos e 2% usaram tabaco sem fumaça. Aproximadamente um quarto (24%) dos fumantes norte-americanos atuais não fazem uso diário de tabaco.

A prevalência de 12 meses do transtorno por uso de tabaco do DSM-5 nos Estados Unidos em 2012-2013 era de 20% entre adultos a partir dos 18 anos e 29,6% entre índios americanos, 22,3% entre brancos não latinos, 20,1% entre afro-americanos, 12,2% entre latinos e 11,2% entre asiáticos americanos e nativos das ilhas do Pacífico. A prevalência era mais alta entre os homens; entre jovens, não casados, com menor nível educacional, baixa renda ou residindo no sul dos Estados Unidos; e aqueles com algum transtorno psiquiátrico. A prevalência entre fumantes de uso diário de tabaco na atualidade é de aproximadamente 50%.

Comparações globais mostram que em todas as regiões geográficas do mundo, a prevalência padronizada para a idade de uso diário de tabaco é mais alta em homens do que em mulheres, mas a relação entre os gêneros varia muito, de 16,9:1 no Leste da Ásia para 1,2:1 na Australásia.

Desenvolvimento e Curso

Aproximadamente 20% dos estudantes norte-americanos no ensino médio relatam já ter fumado cigarros, e cerca de 5% usaram nos últimos 30 dias. Entre adolescentes que fumam cigarros pelo menos mensalmente, a maioria se tornará usuária de tabaco no futuro. A iniciação em fumar após os 21 anos é rara. Alguns sintomas dos critérios para transtorno por uso de tabaco (p. ex., fissura) ocorrem logo após o início do hábito, sugerindo que o processo de adição começa com o uso inicial; entretanto, o preenchimento dos critérios do DSM em geral ocorre ao longo de vários anos. O tabagismo não diário se tornou mais prevalente no fim da década de 1990 nos Estados Unidos, especialmente entre indivíduos dos 18 aos 34 anos, negros, hispânicos e com pelo menos uma formação universitária.

Fatores de Risco e Prognóstico

Temperamentais. Indivíduos com traços de personalidade externalizantes estão mais propensos a iniciar o uso de tabaco. Crianças com transtorno de déficit de atenção/hiperatividade ou transtorno da conduta e adultos com transtornos depressivo, bipolar, de ansiedade, da personalidade, psicótico ou por uso de outras substâncias correm maior risco de iniciar e continuar o uso de tabaco e de desenvolver transtorno por uso da substância.

Ambientais. Indivíduos de baixa renda e baixo nível educacional estão mais propensos a iniciar o uso de tabaco e têm menos probabilidade de interrompê-lo.

Genéticos e fisiológicos. Fatores genéticos contribuem para o início do uso de tabaco, para a continuidade do uso e para o desenvolvimento do transtorno por uso de tabaco, com um grau de herdabilidade equivalente ao observado em outros transtornos por uso de substância (i. e., cerca de 50%). Parte desse risco é específico para tabaco e parte é comum com a vulnerabilidade para desenvolver qualquer transtorno por uso de substância.

Questões Diagnósticas Relativas à Cultura

A aceitação do uso de tabaco varia em diferentes culturas. A prevalência padronizada para a idade do uso diário de tabaco muda muito segundo a região geográfica, variando de 4,7% na África Subsaariana Ocidental para 24,2% na Europa Oriental. Ainda não é claro o grau em que essas diferenças geográficas se devem à renda, à educação e a programas de controle do tabagismo em determinados países. A prevalência do uso de tabaco nos Estados Unidos varia por idade, gênero e origem étnico-racial, com taxas mais baixas de início do tabagismo e progressão para o uso diário entre jovens negros, especialmente mulheres jovens. Polimorfismos das enzimas hepáticas que divergem entre os grupos étnico-raciais podem afetar o metabolismo da nicotina, contribuindo para a variação no comportamento de tabagismo. A prevalência maior de transtorno por uso de tabaco também está associada à exposição ao racismo e à discriminação étnica. A prevalência da dependência de nicotina do DSM-IV é mais elevada entre indivíduos adultos, lésbicas, *gays* e bissexuais do que entre heterossexuais, possivelmente também devido a uma associação com a exposição à discriminação relacionada à orientação sexual. Em indivíduos com dependência de nicotina do DSM-IV, renda e grau de instrução mais baixos estão associados à persistência do transtorno.

Questões Diagnósticas Relativas ao Sexo e ao Gênero

A proporção de homens e mulheres entre os fumantes norte-americanos é de aproximadamente 1,4:1 e se mostrou estável entre 2004 e 2014. Essa proporção, de modo geral, é consistente em vários níveis de renda e educacionais. A proporção diminui em grupos etários mais velhos, já que menos homens estão fumando com o avanço da idade. A literatura sobre diversos contextos norte-americanos sugere que o reforço negativo (i. e., que fumar alivia o afeto negativo) é um motivador maior em mulheres do que em homens. Os efeitos do ciclo menstrual no tabagismo se mostraram inconsistentes, mas aparentemente a abstinência de tabaco é pior na fase lútea do que na fase folicular do ciclo. Gestantes fumam a uma taxa inferior do que não gestantes, mas rapidamente retomam o uso depois do parto.

Marcadores Diagnósticos

Monóxido de carbono no ar expirado, nicotina e seu metabólito cotinina no sangue, na saliva ou na urina, são biomarcadores que podem ser usados para medir a extensão do uso atual de tabaco ou nicotina; entretanto, estão apenas fracamente relacionados ao transtorno por uso de tabaco.

Associação com Pensamentos ou Comportamentos Suicidas

Dados de uma pesquisa nacional nos Estados Unidos mostram que o uso de cigarros no último ano está associado a um risco duas ou três vezes maior de pensamentos e comportamentos suicidas, sendo que a idade mais precoce do primeiro uso de tabaco aumenta esse risco. Evidências da U.S. Veterans Health Administration mostram que, mesmo após o ajuste para covariáveis, o transtorno por uso de tabaco está associado a aumento no risco de suicídio. Um grande estudo de gêmeos na Finlândia encontrou que a relação entre uso de tabaco e risco de suicídio aumenta em resposta à dosagem e que, para gêmeos idênticos discordantes para uso de tabaco, o uso de tabaco estava associado a um risco seis vezes maior de suicídio.

Consequências Funcionais do Transtorno por Uso de Tabaco

As consequências médicas do uso de tabaco frequentemente se iniciam quando os usuários chegam à faixa dos 40 anos e costumam tornar-se progressivamente mais debilitantes ao longo do tempo. Metade dos fumantes que não interrompem o uso de tabaco morre de forma precoce devido a doenças relacionadas à substância, e morbidade relacionada ao tabagismo ocorre em mais da metade dos usuários de tabaco. A maioria das condições médicas resulta da exposição ao monóxido de carbono, ao alcatrão e a outros componentes não nicotínicos do tabaco. O principal indicador de reversibilidade é a duração do hábito. Fumantes passivos correm risco 30% maior de doença cardíaca e câncer. O uso prolongado de medicamentos com nicotina não parece causar nenhum dano médico.

Comorbidade

As condições médicas mais comuns decorrentes do tabagismo são doenças cardiovasculares, doença pulmonar obstrutiva crônica e câncer. O tabagismo também intensifica problemas perinatais, como baixo peso ao nascer e aborto espontâneo. A prevalência de tabagismo é quase duas vezes mais alta em indivíduos com transtorno depressivo maior; embora essa prevalência nos Estados Unidos seja mais elevada entre indivíduos com baixo *status* socioeconômico, a maior prevalência de tabagismo entre aqueles com depressão independe do *status* socioeconômico. As comorbidades psiquiátricas mais comuns associadas ao tabagismo são transtornos por uso de álcool/substância, depressivo, bipolar, de ansiedade, da personalidade e de déficit de atenção/hiperatividade. Nos Estados Unidos, indivíduos com um transtorno psiquiátrico têm probabilidade três vezes maior do que os outros de ter transtorno por uso de tabaco. Adultos com transtorno por uso de tabaco do DSM-5 têm probabilidade significativamente maior do que outros adultos de ter transtornos psiquiátricos comórbidos, incluindo outros transtornos por uso de substâncias do DSM-5, transtorno depressivo maior, transtorno bipolar tipo I, transtorno de pânico, transtorno de ansiedade generalizada, transtorno de estresse pós-traumático e transtornos da personalidade *borderline* e antissocial.

Abstinência de Tabaco

Critérios Diagnósticos   F17.203

A. Uso diário de tabaco durante um período mínimo de várias semanas.
B. Cessação abrupta do uso de tabaco, ou redução da quantidade de tabaco utilizada, seguida, no prazo de 24 horas, por quatro (ou mais) dos seguintes sinais ou sintomas:
   1. Irritabilidade, frustração ou raiva.
   2. Ansiedade.
   3. Dificuldade de concentração.
   4. Aumento do apetite.
   5. Inquietação.
   6. Humor deprimido.
   7. Insônia.

C. Os sinais ou sintomas do Critério B causam sofrimento clinicamente significativo ou prejuízo no funcionamento social, profissional ou em outras áreas importantes da vida do indivíduo.
D. Os sinais ou sintomas não são atribuíveis a outra condição médica nem são mais bem explicados por outro transtorno mental, incluindo intoxicação por ou abstinência de outra substância.

Nota para codificação: O código da CID-10-MC para abstinência de tabaco é **F17.203**. Observe que esse código indica a presença comórbida de um transtorno por uso de tabaco, moderado ou grave, refletindo o fato de que a abstinência de tabaco pode ocorrer apenas na presença de um transtorno por uso de tabaco, moderado ou grave.

Características Diagnósticas

Os sintomas de abstinência prejudicam a capacidade de interromper o uso de tabaco. Os sintomas após a abstinência de tabaco devem-se, em grande parte, à privação de nicotina. A abstinência de tabaco é comum entre usuários diários da substância que interrompem ou reduzem o hábito. Os sintomas são mais intensos entre aqueles que fumam cigarros e também formas não fumáveis de tabaco ou cigarros eletrônicos. A diferença na intensidade dos sintomas provavelmente se deve ao início mais rápido e aos níveis mais altos de nicotina com o fumo de cigarros. Abstinência significativa entre aqueles que são não usuários diários de cigarros ou apenas usam medicamentos com nicotina é incomum.

Em geral, a frequência cardíaca se reduz em 5 a 12 batimentos por minuto nos primeiros dias após a interrupção do tabagismo, e o peso aumenta em média 2 a 3 quilos ao longo do primeiro ano após a interrupção do tabagismo. A abstinência de tabaco pode produzir alterações no humor e prejuízo do funcionamento clinicamente significativos. Devido aos efeitos condicionantes, a abstinência pode ser desencadeada por sinais ambientais, tais como ver outras pessoas fumando. A redução gradual do tabaco reduz a gravidade da abstinência.

Características Associadas

A fissura por tabaco ou nicotina é muito comum durante a abstinência e tem um grande efeito na capacidade de se manter abstinente. A abstinência pode aumentar a impulsividade e anedonia e pode diminuir o afeto positivo. A fissura por consumir alimentos doces ou açucarados e o comprometimento do desempenho em tarefas que exigem alerta estão associados à abstinência de tabaco. O tabagismo aumenta o metabolismo de vários medicamentos usados para tratar transtornos mentais; portanto, sua interrupção pode aumentar os níveis sanguíneos desses medicamentos, o que pode produzir resultados clinicamente significativos. Esse efeito parece ser devido não à nicotina, e sim a outros compostos presentes no tabaco.

Prevalência

Aproximadamente 50% dos usuários de tabaco que abandonaram o hábito durante dois dias ou mais apresentam quatro ou mais sintomas que satisfazem os critérios para abstinência de tabaco. Os sinais e sintomas referidos com mais frequência são ansiedade, irritabilidade e dificuldade de concentração. Os sintomas menos referidos são depressão e insônia.

Desenvolvimento e Curso

A abstinência de tabaco normalmente se inicia no prazo de 24 horas após a interrupção ou redução do uso, chega a um pico 2 a 3 dias após a abstinência e dura 2 a 3 semanas. Os sintomas da abstinência podem ocorrer entre usuários adolescentes de tabaco, mesmo antes do uso diário. Sintomas que duram mais de um mês podem ocorrer, mas são raros.

Fatores de Risco e Prognóstico

Temperamentais. Fumantes com transtornos depressivos, transtornos bipolares, transtornos de ansiedade, transtorno de déficit de atenção/hiperatividade e outros transtornos por uso de substância apresentam abstinência mais grave.

Genéticos e fisiológicos. O genótipo pode influenciar a probabilidade de abstinência a partir da cessação.

Marcadores Diagnósticos

Monóxido de carbono no ar expirado, nicotina e seu metabólito cotinina no sangue, na saliva ou na urina são biomarcadores que podem ser usados para medir a extensão do uso atual de tabaco ou nicotina; entretanto, estão apenas fracamente relacionados à abstinência de tabaco.

Consequências Funcionais da Abstinência de Tabaco

A abstinência de tabaco pode causar sofrimento clinicamente significativo e dificuldades no funcionamento, mas apenas em uma minoria dos fumantes. Os sintomas de abstinência prejudicam a capacidade de interromper ou controlar o uso de tabaco. A possibilidade de que a abstinência de tabaco precipite um novo transtorno mental ou recorrência de um transtorno mental é discutível, mas, caso isso ocorra, apenas uma pequena minoria de usuários de tabaco seria atingida.

Diagnóstico Diferencial

Os sintomas de abstinência de tabaco sobrepõem-se aos sintomas da síndrome de abstinência de outras substâncias (p. ex., abstinência de álcool; abstinência de sedativos, hipnóticos ou ansiolíticos; abstinência de estimulantes; abstinência de cafeína; abstinência de opioides), intoxicação por cafeína, transtornos de ansiedade, depressivo, bipolar e do sono, e acatisia induzida por medicamento. Internação em unidades não fumantes ou interrupção voluntária do hábito de fumar podem induzir sintomas de abstinência que se assemelham, intensificam ou mascaram outros transtornos ou efeitos adversos de medicamentos usados para tratar transtornos mentais (p. ex., irritabilidade atribuída à abstinência de álcool pode ser decorrente de abstinência de tabaco). Redução dos sintomas com o uso de nicotina confirma o diagnóstico.

Comorbidade

Dada a sobreposição típica de abstinência de tabaco com transtorno por uso de tabaco, consultar "Comorbidade" no capítulo "Transtorno por Uso de Tabaco" para mais detalhes sobre as condições concomitantes provavelmente encontradas.

Transtornos Mentais Induzidos por Tabaco

O transtorno do sono induzido por tabaco é abordado no capítulo "Transtornos do Sono-Vigília" (consultar "Transtorno do Sono Induzido por Substância/Medicamento").

Transtorno Relacionado ao Tabaco Não Especificado

F17.209

Esta categoria aplica-se a apresentações em que sintomas característicos de um transtorno relacionado ao tabaco que causam sofrimento clinicamente significativo ou prejuízo no funcionamento social, profissional ou em outras áreas importantes da vida do indivíduo predominam, mas não satisfazem todos os critérios para qualquer transtorno relacionado ao tabaco específico nem para outro transtorno na classe diagnóstica de transtornos relacionados a substâncias e transtornos aditivos.

Transtornos Relacionados a Outras Substâncias (ou Substâncias Desconhecidas)

Transtorno por Uso de Outra Substância (ou Substância Desconhecida)
Intoxicação por Outra Substância (ou Substância Desconhecida)
Abstinência de Outra Substância (ou Substância Desconhecida)
Transtornos Mentais Induzidos por Outra Substância (ou Substância Desconhecida)
Transtorno Relacionado a Outra Substância (ou Substância Desconhecida) Não Especificado

Transtorno por Uso de Outra Substância (ou Substância Desconhecida)

Critérios Diagnósticos

A. Um padrão problemático de uso de uma substância intoxicante, a qual não pode ser classificada dentro das categorias de álcool; cafeína; *Cannabis*; alucinógenos (fenciclidina e outros); inalantes; opioides; sedativos, hipnóticos ou ansiolíticos; estimulantes; ou tabaco, levando a comprometimento ou sofrimento clinicamente significativo, manifestado por pelo menos dois dos seguintes critérios, ocorrendo durante um período de 12 meses:

1. A substância é frequentemente consumida em maiores quantidades ou por um período mais longo do que o pretendido.
2. Existe um desejo persistente ou esforços malsucedidos no sentido de reduzir ou controlar o uso da substância.
3. Muito tempo é gasto em atividades necessárias para a obtenção da substância, em sua utilização ou na recuperação de seus efeitos.
4. Fissura ou um forte desejo ou necessidade de usar a substância.
5. Uso recorrente da substância resultando em fracasso em cumprir obrigações importantes no trabalho, na escola ou em casa.
6. Uso continuado da substância apesar de problemas sociais ou interpessoais persistentes ou recorrentes causados ou exacerbados pelos efeitos de seu uso.
7. Importantes atividades sociais, profissionais ou recreacionais são abandonadas ou reduzidas em virtude do uso da substância.
8. Uso recorrente da substância em situações nas quais isso representa perigo para a integridade física.
9. O uso da substância é mantido apesar da consciência de ter um problema físico ou psicológico persistente ou recorrente que tende a ser causado ou exacerbado por ela.
10. Tolerância, definida por qualquer um dos seguintes aspectos:
    a. Necessidade de quantidades progressivamente maiores da substância para atingir a intoxicação ou o efeito desejado.
    b. Efeito acentuadamente menor com o uso continuado da mesma quantidade da substância.
11. Abstinência, conforme manifestada por qualquer um dos seguintes aspectos:
    a. Síndrome de abstinência característica de outra substância (ou substância desconhecida) (consultar os Critérios A e B do conjunto de critérios para abstinência de outra substância [ou substância desconhecida]).

b. A substância (ou uma substância estreitamente relacionada) é consumida para aliviar ou evitar os sintomas de abstinência.

Especificar se:

Em remissão inicial: Após todos os critérios para transtorno por uso de outra substância (ou substância desconhecida) terem sido preenchidos anteriormente, nenhum dos critérios para transtorno por uso de outra substância (ou substância desconhecida) foi preenchido durante um período mínimo de três meses, porém inferior a 12 meses (com exceção de que o Critério A4, "Fissura ou um forte desejo ou necessidade de usar a substância", ainda pode ocorrer).

Em remissão sustentada: Após todos os critérios para transtorno por uso de outra substância (ou substância desconhecida) terem sido preenchidos anteriormente, nenhum dos critérios para transtorno por uso de outra substância (ou substância desconhecida) foi preenchido em nenhum momento durante um período igual ou superior a 12 meses (com exceção de que o Critério A4, "Fissura ou um forte desejo ou necessidade de usar a substância", ainda pode ocorrer).

Especificar se:

Em ambiente protegido: Este especificador adicional é usado se o indivíduo encontra-se em um ambiente no qual o acesso à substância é restrito.

Código baseado na gravidade atual/remissão: Se também houver intoxicação por outra substância (ou substância desconhecida), abstinência de outra substância (ou substância desconhecida) ou outro transtorno mental induzido por outra substância (ou substância desconhecida), não utilizar os códigos abaixo para transtorno por uso de outra substância (ou substância desconhecida). No caso, o transtorno por uso de outra substância (ou substância desconhecida) comórbido é indicado pelo 4º caractere do código de transtorno induzido por outra substância (ou substância desconhecida) (ver a nota para codificação para intoxicação por outra substância [ou substância desconhecida], abstinência de outra substância [ou substância desconhecida] ou um transtorno mental induzido por outra substância [ou substância desconhecida] específica). Por exemplo, se houver comorbidade de transtorno depressivo induzido por outra substância (ou substância desconhecida) e transtorno por uso de outra substância (ou substância desconhecida), apenas o código para transtorno depressivo induzido por outra substância (ou substância desconhecida) é fornecido, sendo que o 4º caractere indica se o transtorno por uso de outra substância (ou substância desconhecida) comórbido é leve, moderado ou grave: F19.14 para transtorno por uso de outra substância (ou substância desconhecida), leve com transtorno depressivo induzido por outra substância (ou substância desconhecida), ou F19.24 para transtorno por uso de outra substância (ou substância desconhecida), moderado ou grave com transtorno depressivo induzido por outra substância (ou substância desconhecida).

Especificar a gravidade atual/remissão:

F19.10 Leve: Presença de 2 ou 3 sintomas.
F19.11 Leve, em remissão inicial
F19.11 Leve, em remissão sustentada
F19.20 Moderada: Presença de 4 ou 5 sintomas.
F19.21 Moderada, em remissão inicial
F19.21 Moderada, em remissão sustentada
F19.20 Grave: Presença de 6 ou mais sintomas.
F19.21 Grave, em remissão inicial
F19.21 Grave, em remissão sustentada

Especificadores

"Em ambiente protegido" aplica-se como um especificador a mais de remissão se o indivíduo estiver tanto em remissão como em um ambiente protegido (i. e., em remissão inicial em ambiente protegido ou em remissão sustentada em ambiente protegido). Exemplos desses ambientes incluem prisões rigorosamente vigiadas e livres de substâncias, comunidades terapêuticas ou unidades hospitalares fechadas.

Características Diagnósticas

A categoria diagnóstica de transtornos relacionados a outra substância (ou substância desconhecida) aplica-se a substâncias que não estão incluídas em nenhuma das nove classes de substâncias apresentadas anteriormente neste capítulo (i. e., álcool; cafeína; *Cannabis*; alucinógenos [fenciclidina e outros]; inalantes; opioides; sedativos, hipnóticos ou ansiolíticos; estimulantes; ou tabaco). Essas substâncias incluem esteroides anabolizantes, fármacos anti-inflamatórios não esteroides; corticosteroides; medicamentos antiparkinsonianos; anti-histamínicos; óxido nitroso; nitritos de amila, butila ou isobutila; noz-de-areca, que é mascada em muitas culturas para produzir euforia leve e sensação de flutuar; e *kava* (extraída de uma pimenteira no Pacífico Sul), que produz euforia leve, sedação, incoordenação e perda de peso, bem como efeitos na saúde (p. ex., formas leves de hepatite e anormalidades pulmonares). Note que substâncias gasosas são incluídas na categoria dos inalantes apenas se forem agentes hidrocarbonetos; outras substâncias gasosas (incluindo o óxido nitroso mencionado anteriormente) são incluídas em outra categoria de substância (ou substância desconhecida). Transtornos relacionados a substâncias desconhecidas estão associados a substâncias não identificadas, como intoxicações nas quais o indivíduo não consegue identificar a droga ingerida, ou transtornos por uso de substância envolvendo drogas novas, ou do mercado ilegal, ainda não identificadas, ou drogas e fármacos identificados ou familiares vendidos ilegalmente com nomes falsos.

Note que as substâncias incluídas em uma das classes de substâncias devem ser codificadas dentro dessa respectiva classe e são inadequadas para incluir na categoria "outra substância". Por exemplo, as seguintes substâncias estão explicitamente incluídas em classes de substâncias específicas e não devem ser incluídas na categoria "outra substância": canabinoides sintéticos estão incluídos na categoria *Cannabis*; propofol está incluído na categoria dos sedativos, hipnóticos ou ansiolíticos; e catinonas (incluindo agentes da planta *khat* e derivados químicos sintéticos) estão incluídas na categoria estimulantes.

O transtorno por uso de outra substância (ou substância desconhecida) é um transtorno mental no qual o uso repetido de outra substância (ou substância desconhecida) geralmente é mantido, apesar da consciência do indivíduo de que o agente lhe causa problemas graves. Esses problemas encontram-se nos critérios diagnósticos. Quando a substância é conhecida, mas não se encaixa em nenhuma das outras nove classes de substância, ela deve ser indicada no nome do transtorno no momento da codificação (p. ex., "transtorno por uso de óxido nitroso", usando o código aplicável para transtorno por uso de outra substância [ou substância desconhecida]).

Características Associadas

Um diagnóstico de transtorno por uso de outra substância (ou substância desconhecida) é apoiado pela declaração do indivíduo de que a substância em questão não se encontra nas nove categorias listadas neste capítulo; por episódios recorrentes de intoxicação com resultados negativos em exames toxicológicos de rotina, os quais podem não detectar substâncias novas ou raramente usadas; e pela presença de sintomas característicos de uma substância não identificada que surgiu recentemente na comunidade do indivíduo.

Devido ao aumento do acesso ao óxido nitroso ("gás hilariante"), o fato de pertencer a uma determinada população pode estar associado ao uso frequente da substância e ao diagnóstico do transtorno por uso de óxido nitroso. A função desse gás como agente anestésico leva a seu uso indevido entre alguns profissionais das áreas médica e odontológica, e sua utilização como propelente em produtos comerciais (p. ex., latas de creme chantili) contribui para seu uso indevido por trabalhadores da área de alimentação. O uso indevido de óxido nitroso por adolescentes e adultos jovens é significativo, e alguns indivíduos com uso muito frequente podem apresentar complicações médicas e condições mentais graves, incluindo neuropatia, degeneração combinada subaguda da coluna espinal, neuropatia periférica e psicose.

O uso de gases de nitrito de amila, butila e isobutila (e similares) vem sendo observado em homens homossexuais e alguns adolescentes, especialmente entre pessoas com transtorno da conduta.

Transtornos por uso de substância geralmente estão associados a risco mais elevado de suicídio, mas não há evidências de fatores de risco de suicídio exclusivos do transtorno por uso de outra substância (ou substância desconhecida).

Prevalência

Com base em dados extremamente limitados, a prevalência da maioria dos transtornos por uso de outra substância (ou substância desconhecida) é provavelmente mais baixa do que a de transtornos por uso envolvendo as nove categorias de substâncias deste capítulo. Para determinadas substâncias gasosas, a prevalência de uso não é rara (estima-se que a prevalência ao longo da vida na população norte-americana para indivíduos a partir dos 12 anos é de 4,6% para óxido nitroso e de 2,5% para nitritos), mas não é conhecida a frequência com que os padrões de uso configuram um transtorno por uso.

Desenvolvimento e Curso

Não há um padrão único de desenvolvimento ou curso que caracterize os transtornos por uso de outra substância (ou substância desconhecida) farmacologicamente variados. Com frequência, os transtornos por uso de substância desconhecida são reclassificados quando o agente finalmente é identificado.

Fatores de Risco e Prognóstico

Acredita-se que os fatores de risco e prognóstico dos transtornos por uso de outra substância (ou substância desconhecida) sejam semelhantes aos da maioria dos transtornos por uso de substância e que incluam a presença de quaisquer outros transtornos por uso de substância, transtorno da conduta ou transtorno da personalidade antissocial no indivíduo ou em sua família; início precoce de problemas com substâncias; fácil disponibilidade da substância no ambiente do indivíduo; maus-tratos na infância ou trauma; e evidências de autocontrole inicial limitado e desinibição comportamental.

Questões Diagnósticas Relativas à Cultura

Determinadas culturas podem estar associadas a transtornos por uso de outra substância (ou substância desconhecida) envolvendo substâncias nativas específicas inseridas na área cultural, como a noz-de-areca.

Marcadores Diagnósticos

Exames de urina, do ar expirado ou saliva podem identificar corretamente uma substância de uso comum vendida de forma enganosa como um produto novo. Contudo, exames clínicos de rotina normalmente não conseguem identificar substâncias realmente incomuns ou novas, o que pode exigir exames em laboratórios especializados.

Diagnóstico Diferencial

Uso de outras substâncias ou substâncias desconhecidas sem satisfazer os critérios para transtorno por uso de outra substância (ou substância desconhecida). O uso de substâncias desconhecidas não é raro entre adolescentes, mas, na maioria dos casos, o consumo não satisfaz o padrão de dois ou mais critérios para transtorno por uso de outra substância (ou substância desconhecida) no ano anterior.

Transtornos por uso de substâncias. O transtorno por uso de outra substância (ou substância desconhecida) pode ocorrer concomitantemente a vários outros transtornos por uso de substância que envolvem uma das nove classes de substâncias apresentadas neste capítulo, e os sintomas dos transtornos podem ser semelhantes ou se sobrepor. Para esclarecer padrões de sintomas, é útil indagar sobre quais deles persistiram durante períodos em que algumas das substâncias não estavam sendo usadas.

Intoxicação por outra substância (ou substância desconhecida), abstinência de outra substância (ou substância desconhecida) e outros transtornos mentais induzidos por outra substância (ou substância desconhecida). Transtorno por uso de outra substância (ou substância desconhecida) diferencia-se de intoxicação por outra substância (ou substância desconhecida), abstinência de outra substância (ou substância desconhecida) e transtornos mentais induzidos por outra substância (ou substância desconhecida) (p. ex., transtorno bipolar induzido por corticosteroide e transtorno relacionado) porque descreve um padrão problemático de uso da outra substância (ou substância desconhecida) que envolve prejuízo no controle sobre o uso da substância, prejuízo social devido ao uso, comportamentos de risco devido ao uso (p. ex., continuidade do uso apesar das complicações médicas) e sintomas farmacológicos (desenvolvimento de tolerância ou abstinência), ao passo que intoxicação por outra substância (ou substância desconhecida), abstinência de outra substância (ou substância desconhecida) e transtornos mentais induzidos por outra substância (ou substância desconhecida) descrevem síndromes psiquiátricas que ocorrem no contexto de uso pesado. Intoxicação por outra substância (ou substância desconhecida), abstinência de outra substância (ou substância desconhecida) e transtornos mentais induzidos por outra substância (ou substância desconhecida) podem ocorrer em indivíduos com transtorno por uso de outra substância (ou substância desconhecida). Nesses casos, deve ser feito um diagnóstico de intoxicação por outra substância (ou substância desconhecida), abstinência de outra substância (ou substância desconhecida) ou transtorno mental induzido por outra substância (ou substância desconhecida), além de um diagnóstico de transtorno por uso de outra substância (ou substância desconhecida), cuja presença é indicada no código diagnóstico.

Comorbidade

Transtornos por uso de substância, incluindo transtorno por uso de outra substância (ou substância desconhecida), habitualmente são comórbidos uns com os outros, com transtorno da conduta na adolescência e com transtorno da personalidade antissocial.

Intoxicação por Outra Substância (ou Substância Desconhecida)

Critérios Diagnósticos

A. Desenvolvimento de uma síndrome reversível específica atribuível à ingestão (ou exposição) recente de uma substância não listada em outra parte do Manual ou desconhecida.
B. Alterações comportamentais ou psicológicas clinicamente significativas e problemáticas que são atribuíveis ao efeito da substância sobre o sistema nervoso central (p. ex., comprometimento da coordenação motora, agitação ou retardo psicomotor, euforia, ansiedade, beligerância, instabilidade do humor, comprometimento cognitivo, julgamento prejudicado, retraimento social) desenvolvidas durante ou logo após o uso da substância.
C. Os sinais ou sintomas não são atribuíveis a outra condição médica nem são mais bem explicados por outro transtorno mental, incluindo intoxicação por outra substância.

Especificar se:
   Com perturbações da percepção: Este especificador pode ser indicado quando ocorrem alucinações com teste de realidade intacto ou ilusões auditivas, visuais ou táteis na ausência de *delirium*.
Nota para codificação: O código da CID-10-MC depende da existência de comorbidade com transtorno por uso de outra substância (ou substância desconhecida) envolvendo a mesma substância e se há perturbações da percepção.
   Para intoxicação por outra substância (ou substância desconhecida), sem perturbações da percepção: Se houver transtorno por uso de outra substância (ou substância desconhecida), leve comórbido, o código da CID-10-MC é **F19.120**, e se houver transtorno por uso de outra substância (ou substância desconhecida), moderado ou grave comórbido, o código da CID-10-MC é **F19.220**. Caso não haja comorbidade com transtorno por uso de outra substância (ou substância desconhecida), então o código da CID-10-MC é **F19.920**.
   Para intoxicação por outra substância (ou substância desconhecida), com perturbações da percepção: Se houver transtorno por uso de outra substância (ou substância desconhecida), leve comórbido, o código da CID-10-MC é **F19.122**, e se houver transtorno por uso de outra substância (ou substância desconhecida), moderado ou grave comórbido, o código da CID-10-MC é **F19.222**. Caso não haja comorbidade com transtorno por uso de outra substância (ou substância desconhecida), então o código da CID-10-MC é **F19.922**.

Nota: Para informações sobre Fatores de Risco e Prognóstico, Questões Diagnósticas Relativas à Cultura e Marcadores Diagnósticos, consultar as seções correspondentes em "Transtorno por Uso de Outra Substância (ou Substância Desconhecida)".

Características Diagnósticas

A característica essencial de intoxicação por outra substância (ou substância desconhecida) é a presença de alterações comportamentais ou psicológicas clinicamente significativas que se desenvolvem durante, ou imediatamente após, o uso de um dos seguintes: a) uma substância não abordada em outra parte deste capítulo (i. e., álcool; cafeína; *Cannabis*; fenciclidina e outros alucinógenos; inalantes; opioides; sedativos, hipnóticos ou ansiolíticos; estimulantes; ou tabaco) ou b) uma substância desconhecida. Caso a substância seja conhecida, sua indicação deve constar no nome do transtorno no momento da codificação (p. ex., "intoxicação por *kava*").

A aplicação dos critérios diagnósticos de intoxicação por outra substância (ou substância desconhecida) é muito difícil. O critério A requer o desenvolvimento de uma "síndrome específica da substância" reversível, mas se a substância for desconhecida, a síndrome normalmente será desconhecida. Para solucionar esse conflito, os clínicos podem pedir informações ao indivíduo ou obter história adicional para saber se ele sofreu um episódio semelhante após usar substâncias com o mesmo "nome de rua" ou com origem na mesma fonte. De modo semelhante, departamentos de emergência em hospitais por vezes distinguem, ao longo de alguns dias, várias apresentações de uma síndrome de intoxicação desconhecida e grave de uma substância recentemente disponível antes desconhecida. Devido à grande variedade de agentes intoxicantes, o Critério B pode fornecer apenas exemplos gerais de sinais e sintomas de algumas intoxicações, sem limite para a quantidade de sintomas necessários para um diagnóstico; o discernimento clínico norteia essas decisões. O Critério C requer que outras condições médicas, transtornos mentais ou intoxicações sejam excluídos.

Prevalência

Desconhece-se a prevalência de intoxicação por outra substância (ou substância desconhecida).

Desenvolvimento e Curso

Intoxicações habitualmente surgem e então atingem seu pico em períodos que variam de minutos a horas após o uso da substância, mas o início e o curso variam conforme o agente e a via de administração. De modo geral, substâncias usadas por meio de inalação pulmonar e injeção intravenosa apresentam o início de ação mais rápido, enquanto as ingeridas por via oral e que requerem metabolização em um produto ativo são muito mais lentas (p. ex., após a ingestão de determinados tipos de cogumelos, os primeiros sinais de uma intoxicação letal podem surgir apenas após alguns dias). Em geral, os efeitos da intoxicação se resolvem no período de horas até alguns poucos dias. Contudo, o corpo pode eliminar um gás anestésico como óxido nitroso minutos depois do fim da utilização. No outro extremo, algumas substâncias intoxicantes de efeito imediato envenenam sistemas, deixando deficiências permanentes. Por exemplo, MPTP (1-metil-4-fenil-1,2,3,6-tetra-hidropiridina), um subproduto contaminante da síntese de um determinado opioide, mata as células dopaminérgicas e induz parkinsonismo permanente em usuários que buscaram intoxicação por opioides.

Consequências Funcionais da Intoxicação por Outra Substância (ou Substância Desconhecida)

Prejuízos decorrentes da intoxicação por qualquer tipo de substância têm consequências graves, incluindo disfunção no trabalho, indiscrições sociais, problemas nos relacionamentos interpessoais, fracasso em cumprir obrigações, acidentes de trânsito, brigas, comportamentos de alto risco (i. e., sexo sem proteção) e *overdose* de substância ou medicamento. O padrão de consequências varia conforme a substância em questão.

Diagnóstico Diferencial

Uso de outra substância (ou substância desconhecida) sem satisfazer os critérios para intoxicação por outra substância (ou substância desconhecida).   O indivíduo usou outra(s) substância(s) ou substância(s) desconhecida(s), mas a dose foi insuficiente para produzir os sintomas que satisfazem os critérios diagnósticos exigidos para intoxicação.

Intoxicação por substância ou outros transtornos mentais induzidos por substância/medicamento. Substâncias conhecidas podem ser vendidas no mercado ilegal como produtos novos, e indivíduos podem sofrer intoxicação por usá-las. História, *screening* toxicológico ou exames químicos da própria substância podem ajudar a identificá-la. Intoxicação por outra substância é diferenciada de transtornos mentais induzidos por outra substância/medicamento (p. ex., transtorno de ansiedade induzido por corticosteroide) porque os sintomas (p. ex., ansiedade) destes últimos excedem aqueles geralmente associados (caso sejam conhecidos) à intoxicação por substância específica, predominam na apresentação clínica e são suficientemente graves para justificar atenção clínica.

Outros distúrbios tóxicos, metabólicos, traumáticos, neoplásicos, vasculares ou infecciosos que comprometem o funcionamento cerebral e a cognição. Diversas condições neurológicas e outras condições médicas podem produzir o início rápido de sinais e sintomas que se assemelham aos sintomas de intoxicações, incluindo os exemplos do Critério B. Paradoxalmente, abstinência de drogas também deve ser descartada; por exemplo, letargia pode indicar abstinência de uma droga ou intoxicação por outra substância.

Comorbidade

Como ocorre com todos os transtornos relacionados a substâncias, transtorno da conduta na adolescência, transtorno da personalidade antissocial e outros transtornos por uso de substância tendem a ocorrer simultaneamente com intoxicação por outra substância (ou substância desconhecida).

Abstinência de Outra Substância (ou Substância Desconhecida)

Critérios Diagnósticos

A. Cessação (ou redução) do uso intenso e prolongado de uma substância.
B. Desenvolvimento de uma síndrome específica da substância logo após a cessação (ou redução) do uso da substância.
C. A síndrome específica da substância causa sofrimento clinicamente significativo ou prejuízo no funcionamento social, profissional ou em outras áreas importantes da vida do indivíduo.
D. Os sintomas não são atribuíveis a outra condição médica nem são mais bem explicados por outro transtorno mental, incluindo abstinência de outra substância.
E. A substância envolvida não pode ser classificada em nenhuma das outras classes de substâncias (álcool; cafeína; *Cannabis*; opioides; sedativos, hipnóticos ou ansiolíticos; estimulantes; ou tabaco) ou é desconhecida.

Especificar se:
   Com perturbações da percepção: Este especificador pode ser indicado quando ocorrem alucinações com teste de realidade intacto ou ilusões auditivas, visuais ou táteis na ausência de *delirium*.

Nota para codificação: O código da CID-10-MC depende da existência de comorbidade com transtorno por uso de outra substância (ou substância desconhecida) e da ocorrência de perturbações da percepção.

   Para abstinência de outra substância (ou substância desconhecida), sem perturbações da percepção: Se houver transtorno por uso de outra substância (ou substância desconhecida), leve comórbido, o código da CID-10-MC é **F19.130**, e se houver transtorno por uso de outra substância (ou substância desconhecida), moderado ou grave comórbido, o código da CID-10-MC é **F19.230**. Se não houver transtorno por uso de outra substância (ou substância desconhecida) comórbido (p. ex., em um paciente que faz uso de outra substância [ou substância desconhecida] unicamente sob supervisão médica adequada), então o código da CID-10-MC é **F19.930**.

   Para abstinência de outra substância (ou substância desconhecida), com perturbações da percepção: Se houver um transtorno por uso de outra substância (ou substância desconhecida), leve comórbido, o código da CID-10-MC é **F19.132**, e se houver um transtorno por uso de outra substância (ou substância desconhecida), moderado a grave comórbido, o código da CID-10-MC é **F19.232**. Se não houver transtorno por uso de outra substância (ou substância desconhecida) comórbido (p. ex., em um paciente que faz uso de outra substância [ou substância desconhecida] unicamente sob supervisão médica adequada), então o código da CID-10-MC é **F19.932**.

Nota: Para informações sobre Fatores de Risco e Prognóstico e Marcadores Diagnósticos, consultar as seções correspondentes em "Transtorno por Uso de Outra Substância (ou Substância Desconhecida)".

Características Diagnósticas

A abstinência de outra substância (ou substância desconhecida) é uma síndrome clinicamente significativa que se desenvolve durante ou no prazo de poucas horas ou dias após a redução da dosagem ou a interrupção do uso de uma substância (Critérios A e B). Embora a redução de dose ou a interrupção do uso recente normalmente seja evidente na história, outros procedimentos diagnósticos são muito difíceis caso a droga seja desconhecida. O Critério B requer o desenvolvimento de uma "síndrome específica da substância" (i. e., os sinais e sintomas do indivíduo devem corresponder à síndrome de abstinência conhecida para a droga cujo uso foi interrompido recentemente) – uma exigência que raramente pode ser satisfeita com uma substância desconhecida. Consequentemente, o discernimento clínico deve nortear essas decisões quando as informações são limitadas. O Critério D exige descartar outras condições médicas, transtornos mentais ou abstinência de substâncias conhecidas. Quando a substância é conhecida, ela deve ser indicada no nome do transtorno no momento da codificação (p. ex., abstinência de noz-de-areca).

Prevalência

Desconhece-se a prevalência de abstinência de outra substância (ou substância desconhecida).

Desenvolvimento e Curso

Sinais de abstinência habitualmente surgem algumas horas depois que o uso da substância é interrompido, mas o início e o curso variam muito, dependendo da dose comumente usada pela pessoa e da taxa de eliminação da substância específica do corpo. No pico da gravidade, sintomas de abstinência de algumas substâncias envolvem níveis de desconforto apenas moderados, enquanto a abstinência de outras substâncias pode ser fatal. Disforia associada à abstinência frequentemente motiva recaída ao uso da substância. Sintomas de abstinência diminuem lentamente ao longo de dias, semanas ou meses, dependendo da droga em questão e da dosagem à qual o indivíduo desenvolveu tolerância.

Consequências Funcionais da Abstinência de Outra Substância (ou Substância Desconhecida)

A abstinência de qualquer tipo de substância pode ter consequências graves, incluindo sinais e sintomas físicos (p. ex., mal-estar, alterações nos sinais vitais, desconforto abdominal, cefaleia), fissura intensa por drogas, ansiedade, depressão, agitação, sintomas psicóticos ou comprometimento cognitivo. Essas consequências podem levar a problemas como disfunção no trabalho, problemas nos relacionamentos interpessoais, fracasso em cumprir obrigações, acidentes de trânsito, brigas, comportamento de alto risco (p. ex., sexo sem proteção), tentativas de suicídio e *overdose* de substância ou medicamento. O padrão de consequências varia conforme a substância em questão.

Diagnóstico Diferencial

Redução da dose após uso prolongado sem satisfazer os critérios para abstinência de outra substância (ou substância desconhecida). O indivíduo usou outras substâncias (ou substâncias desconhecidas), mas a dose foi insuficiente para produzir os sintomas que satisfazem os critérios diagnósticos exigidos para abstinência.

Abstinência de substância ou outros transtornos mentais induzidos por substância/medicamento. Substâncias conhecidas podem ser vendidas no mercado ilegal como produtos novos, e indivíduos podem sofrer abstinência ao descontinuá-las. História, *screening* toxicológico ou exames químicos da própria substância podem ajudar a identificá-la. Abstinência de outra substância é diferenciada de transtornos mentais induzidos por outra substância/medicamento (p. ex., transtorno de ansiedade induzido por venlafaxina com início durante a abstinência) porque os sintomas (p. ex., ansiedade) destes últimos excedem os sintomas (caso sejam conhecidos) geralmente associados à abstinência da substância em questão, predominam na apresentação clínica e são suficientemente graves para justificar atenção clínica.

Outros distúrbios tóxicos, metabólicos, traumáticos, neoplásicos, vasculares ou infecciosos que comprometem o funcionamento cerebral e a cognição. Diversas condições neurológicas e outras condições médicas podem produzir o início rápido de sinais e sintomas que mimetizam os sintomas de abstinências. Paradoxalmente, intoxicações por drogas também devem ser excluídas; por exemplo, letargia pode indicar abstinência de uma droga ou intoxicação por outra substância.

Comorbidade

Como ocorre com todos os transtornos relacionados a substâncias, transtorno da conduta na adolescência, transtorno da personalidade antissocial e outros transtornos por uso de substância tendem a ocorrer simultaneamente com a abstinência de outra substância (ou substância desconhecida).

Transtornos Mentais Induzidos por Outra Substância (ou Substância Desconhecida)

Como a categoria de outras substâncias ou substâncias desconhecidas é inerentemente mal definida, a extensão desses transtornos mentais induzidos por substância é desconhecida. No entanto, transtornos mentais induzidos por outra substância (ou substância desconhecida) são possíveis e estão descritos em outros capítulos do Manual com transtornos com os quais compartilham fenomenologia (consultar transtornos mentais induzidos por substância/medicamento nesses capítulos): transtorno psicótico induzido por outra substância (ou substância desconhecida) ("Espectro da Esquizofrenia e Outros Transtornos Psicóticos"); transtorno bipolar induzido por outra substância (ou substância desconhecida) e transtorno relacionado ("Transtorno Bipolar e Transtornos Relacionados"); transtorno depressivo induzido por outra substância (ou substância desconhecida) ("Transtornos Depressivos"); transtorno de ansiedade induzido por outra substância (ou substância desconhecida) ("Transtornos de Ansiedade"); transtorno obsessivo-compulsivo induzido por outra substância (ou substância desconhecida) ("Transtorno Obsessivo-compulsivo e Transtornos Relacionados"); transtorno do sono induzido por outra substância (ou substância desconhecida) ("Transtornos do Sono-Vigília"); disfunção sexual induzida por outra substância (ou substância desconhecida) ("Disfunções Sexuais"); e transtorno neurocognitivo maior ou leve induzido por outra substância/medicamento ("Transtornos Neurocognitivos"). Para *delirium* por intoxicação induzida por outra substância (ou substância desconhecida), *delirium* por abstinência induzida por outra substância (ou substância desconhecida) e *delirium* induzido por outra substância (ou substância desconhecida) usada conforme prescrito, ver os critérios e a abordagem de *delirium* no capítulo "Transtornos Neurocognitivos". Esses transtornos mentais induzidos por outra substância (ou substância desconhecida) são diagnosticados em lugar de intoxicação por outra substância (ou substância desconhecida) ou de abstinência de outra substância (ou substância desconhecida) apenas quando os sintomas são suficientemente graves para justificar atenção clínica independente.

Transtorno Relacionado a Outra Substância (ou Substância Desconhecida) Não Especificado

F19.99

Esta categoria aplica-se a apresentações em que sintomas característicos de um transtorno relacionado a outra substância (ou substância desconhecida) que causam sofrimento clinicamente significativo ou prejuízo no funcionamento social, profissional ou em outras áreas importantes da vida do indivíduo predominam, mas não satisfazem todos os critérios para qualquer transtorno relacionado a outra substância (ou substância desconhecida) específico nem para outro transtorno na classe diagnóstica de transtornos relacionados a substâncias.

Transtornos Não Relacionados a Substância

Transtorno do Jogo

Critérios Diagnósticos — F63.0

A. Comportamento de jogo problemático persistente e recorrente levando a sofrimento ou comprometimento clinicamente significativo, conforme indicado pela apresentação de quatro (ou mais) dos seguintes aspectos em um período de 12 meses:
1. Necessidade de apostar quantias de dinheiro cada vez maiores a fim de atingir a excitação desejada.
2. Inquietude ou irritabilidade quando tenta reduzir ou interromper o hábito de jogar.
3. Fez esforços repetidos e malsucedidos no sentido de controlar, reduzir ou interromper o hábito de jogar.
4. Preocupação frequente com o jogo (p. ex., apresenta pensamentos persistentes sobre experiências de jogo passadas, avalia possibilidades ou planeja a próxima quantia a ser apostada, pensa em modos de obter dinheiro para jogar).
5. Frequentemente joga quando se sente angustiado (p. ex., sentimentos de impotência, culpa, ansiedade, depressão).
6. Após perder dinheiro no jogo, frequentemente volta outro dia para ficar quite ("recuperar o prejuízo").
7. Mente para esconder a extensão de seu envolvimento com o jogo.
8. Prejudicou ou perdeu um relacionamento significativo, o emprego ou uma oportunidade educacional ou profissional em razão do jogo.
9. Depende de outras pessoas para obter dinheiro a fim de saldar situações financeiras desesperadoras causadas pelo jogo.

B. O comportamento de jogo não é mais bem explicado por um episódio maníaco.

Especificar se:
Episódico: Satisfaz os critérios diagnósticos mais de uma única vez, sendo que os sintomas cedem entre períodos de transtorno do jogo durante um período mínimo de vários meses.
Persistente: Experiencia sintomas contínuos, satisfazendo os critérios diagnósticos por vários anos.

Especificar se:
Em remissão inicial: Após todos os critérios para transtorno do jogo terem sido preenchidos anteriormente, nenhum dos critérios para transtorno do jogo foi preenchido durante um período mínimo de três meses, porém inferior a 12 meses.
Em remissão sustentada: Após todos os critérios para transtorno do jogo terem sido preenchidos anteriormente, nenhum dos critérios para transtorno do jogo foi preenchido em nenhum momento durante um período igual ou superior a 12 meses.

Especificar a gravidade atual:
Leve: Preenche 4 ou 5 critérios.
Moderada: Preenche 6 ou 7 critérios.
Grave: Preenche 8 ou 9 critérios.

Nota: Embora algumas condições comportamentais que não envolvem a ingestão de substâncias apresentem semelhanças com transtornos relacionados a substâncias, apenas um transtorno – transtorno do jogo – conta com dados suficientes para ser incluído nesta seção.

Especificadores

A gravidade baseia-se na quantidade de critérios preenchidos. Indivíduos com transtorno do jogo, leve, podem exibir apenas 4 ou 5 critérios, sendo que os critérios preenchidos com maior frequência normalmente estão relacionados à preocupação com o jogo e a "recuperar" as perdas. Indivíduos com transtorno do jogo moderadamente grave exibem mais critérios (i. e., 6 ou 7). Aqueles com a forma mais grave irão exibir todos ou a maioria dos nove critérios (i. e., 8 ou 9). Colocar em risco relacionamentos ou oportunidades profissionais devido ao jogo e depender de outras pessoas para obter fundos a fim de cobrir as perdas no jogo costumam ser os critérios menos frequentes e ocorrem mais entre pessoas com a forma mais grave do transtorno. Além disso, indivíduos que se apresentam para tratamento do transtorno do jogo geralmente mostram formas de moderadas a graves.

Características Diagnósticas

Jogar envolve arriscar algo valioso na esperança de obter algo ainda mais valioso. Em diversas culturas, indivíduos apostam em jogos e eventos, e a maioria o faz sem experimentar problemas. Contudo, algumas pessoas desenvolvem um comprometimento considerável com relação ao seu comportamento de jogo. A característica essencial do transtorno do jogo é o comportamento de jogo mal-adaptativo persistente e recorrente que perturba os objetivos pessoais, familiares e/ou profissionais (Critério A). O transtorno do jogo é definido como um grupo de quatro ou mais sintomas listados no Critério A, com ocorrência no mesmo período de 12 meses.

Um padrão de "recuperar as perdas" pode se desenvolver, acompanhado de uma necessidade urgente de continuar jogando (frequentemente com apostas ou riscos maiores) a fim de desfazer uma perda ou uma série de perdas. O indivíduo pode abandonar sua estratégia de jogo e tentar recuperar todas as perdas ao mesmo tempo. Embora muitos jogadores possam apresentar essa característica durante períodos breves, essa atitude frequente e em geral prolongada é típica do transtorno do jogo (Critério A6). As pessoas podem mentir para familiares, terapeutas ou outras pessoas para esconder a extensão de seu envolvimento com o jogo e ocultar, entre outros, comportamentos ilícitos como falsificação, fraude, roubo ou estelionato para a obtenção de dinheiro para o jogo (Critério A7). Também podem apelar para comportamento de "resgate financeiro", voltando-se para a família ou outras pessoas ao solicitar ajuda com uma situação financeira desesperadora causada pelo jogo (Critério A9).

Em alguns casos, os sintomas que satisfazem os critérios diagnósticos para transtorno do jogo podem ocorrer como uma consequência fisiológica direta do uso de medicamentos dopaminérgicos, como os usados para o tratamento da doença de Parkinson. Quando esses sintomas são induzidos por um medicamento, esses casos seriam diagnosticados como transtorno do jogo.

Características Associadas

Distorções do pensamento (p. ex., negação, superstições, sentimentos de poder e controle sobre o resultado de eventos regulados pelo acaso, excesso de confiança) podem estar presentes em indivíduos com transtorno do jogo. Muitos com o transtorno acreditam que o dinheiro é tanto a causa quanto a solução para seus problemas. Algumas pessoas com esse transtorno são impulsivas, competitivas, cheias de energia, inquietas e entediam-se facilmente; podem mostrar-se demasiadamente preocupadas com a aprovação dos outros e ser generosas a ponto da extravagância quando ganham. Outros indivíduos com o transtorno são deprimidos e solitários e podem jogar quando se sentem impotentes, culpados ou deprimidos.

Prevalência

A taxa de prevalência no ano anterior de transtorno do jogo é de 0,2 a 0,3% na população norte-americana em geral, com uma variação de 0,1 a 0,7% observada em estudos internacionais. Na população geral nos

Estados Unidos, a taxa de prevalência ao longo da vida é de aproximadamente 0,4 a 1,0%. Para as mulheres, a taxa de prevalência ao longo da vida de transtorno do jogo é de aproximadamente 0,2%, e, para os homens, é de 0,6%. A prevalência de 12 meses do transtorno do jogo do DSM-5 varia entre os grupos étnico-raciais nos Estados Unidos: 0,52% entre afro-americanos, 0,25% entre latinos e 0,23% entre brancos não latinos.

Desenvolvimento e Curso

O início do transtorno do jogo pode ocorrer durante a adolescência ou no início da idade adulta, mas, em outros indivíduos, manifesta-se na meia-idade ou até mesmo na idade adulta avançada. De modo geral, o transtorno do jogo desenvolve-se ao longo de anos, mas a progressão parece ser mais rápida em mulheres do que em homens. Dados nacionais dos Estados Unidos e do Canadá mostram que a maioria dos indivíduos que desenvolvem um transtorno do jogo demonstra um padrão de jogo com aumento gradual tanto da frequência quanto do valor das apostas. Certamente, formas mais leves podem progredir para casos mais graves. A maioria dos indivíduos com transtorno do jogo relata que um ou dois tipos de jogos são os mais problemáticos para eles, embora alguns participem de várias formas de jogo. Os indivíduos tendem a se envolver com tipos determinados de jogos (p. ex., comprar raspadinhas diariamente) com mais frequência do que com outros (p. ex., máquinas caça-níquel ou jogar *blackjack* em cassinos todas as semanas). A frequência do jogo pode estar relacionada mais ao tipo de jogo do que à gravidade do transtorno do jogo geral. Por exemplo, adquirir uma única raspadinha por dia pode não ser problemático, enquanto apostas menos frequentes em cassinos, esportes ou jogos de cartas podem fazer parte de um transtorno do jogo. De modo semelhante, as quantias gastas em apostas não são em si indicativas de transtorno do jogo. Algumas pessoas podem apostar milhares de dólares por mês sem apresentar um problema com o jogo, enquanto outras podem apostar quantias muito menores, mas sofrer dificuldades consideráveis relacionadas ao jogo.

Os padrões de jogo podem ser regulares ou episódicos, e o transtorno pode ser persistente ou estar em remissão. O hábito de jogar pode ficar mais intenso durante períodos de estresse ou depressão e durante períodos de uso ou abstinência de substâncias. Pode haver períodos de jogo pesado e problemas graves, épocas de abstinência total e períodos de jogo não problemático. O transtorno do jogo às vezes está associado a remissões espontâneas e duradouras. Ainda assim, alguns indivíduos subestimam sua vulnerabilidade para o desenvolvimento do transtorno do jogo ou para sofrer recaída após a remissão. Durante um período de remissão, as pessoas podem presumir erroneamente que não terão problemas em regular o jogo e que podem jogar outros tipos de jogos de forma não problemática, mas acabam voltando a apresentar o transtorno.

A manifestação precoce do transtorno do jogo é mais comum em homens (dos 18 aos 21 anos) do que em mulheres. Indivíduos que começam a jogar na juventude costumam fazê-lo com familiares ou amigos. O desenvolvimento precoce do transtorno do jogo parece estar associado à impulsividade e ao abuso de substâncias. O jogo pela internet foi associado a comportamento de jogo arriscado e problemático entre os jovens e pode ser conduzido de uma forma mais isolada (i. e., sem os pares). Algumas características dos *videogames* (p. ex., *loot boxes* ou *loot crates* – "caixas de recompensas" que contêm prêmios determinados ao acaso que podem ser de maior ou menor valor) se sobrepõem ao comportamento do jogo e podem influenciar o seu curso. Muitos estudantes do ensino médio e universitários que desenvolvem o transtorno amadurecem e deixam de apresentá-lo com o tempo, embora ele permaneça sendo um problema para toda a vida em alguns deles. O início do transtorno na meia-idade ou em idade mais avançada é mais comum em mulheres do que em homens.

Há variações de idade e gênero no tipo das atividades de jogo e nas taxas de prevalência do transtorno. Nos Estados Unidos, o transtorno do jogo é mais comum entre pessoas mais jovens e na meia-idade do que entre idosos. Entre jovens adultos norte-americanos (dos 18 aos 21 anos), o transtorno é mais prevalente em homens do que em mulheres. Indivíduos mais jovens preferem tipos diferentes de jogo (p. ex., apostas em esportes), enquanto idosos desenvolvem problemas com caça-níqueis e bingos com maior frequência. Embora a proporção de indivíduos que buscam tratamento para o transtorno do jogo seja baixa em todas as faixas etárias nos Estados Unidos, pessoas mais jovens, em particular, são menos propensas a se apresentar para tratamento.

Fatores de Risco e Prognóstico

Temperamentais. O início do hábito de jogar na infância ou no início da adolescência está associado a taxas mais elevadas de transtorno do jogo. Aparentemente, ele também se agrega ao transtorno da personalidade antissocial, aos transtornos depressivo e bipolar e a outros transtornos por uso de substâncias, especialmente aos relacionados ao álcool.

Genéticos e fisiológicos. O transtorno do jogo pode ter um padrão de ocorrência familiar, e esse efeito parece estar relacionado a fatores tanto ambientais quanto genéticos. Problemas com jogo são mais frequentes em gêmeos monozigóticos do que em gêmeos dizigóticos. O transtorno do jogo também é mais prevalente em parentes de primeiro grau de indivíduos com transtorno por uso de álcool de moderado a grave do que na população geral.

Modificadores do curso. Muitos indivíduos, incluindo adolescentes e adultos jovens, provavelmente melhoram de seus problemas relacionados ao transtorno do jogo com o passar do tempo, embora um forte preditor de futuros problemas com jogo sejam problemas anteriores com ele. Foi identificado que psicopatologia, incluindo transtorno de déficit de atenção/hiperatividade e transtornos de ansiedade, está associada a aumento no risco de transtorno do jogo entre aqueles que jogam e com a persistência de sintomas de transtorno do jogo ao longo do tempo.

Questões Diagnósticas Relativas à Cultura

Indivíduos de culturas e raças/etnias específicas são mais propensos a participar de determinadas atividades de jogo do que de outras (p. ex., *pai gow* [dominós chineses], rinhas de galo, *blackjack*, corridas de cavalo). Algumas populações indígenas no Canadá, Nova Zelândia e Estados Unidos apresentam altas taxas de prevalência de problemas com jogo, possivelmente relacionadas a oportunidades econômicas limitadas, à expectativa de que o jogo pode ajudar a avançarem nos objetivos sociais e à localização dos cassinos em alguns territórios indígenas nos Estados Unidos. Indivíduos nascidos nos Estados Unidos têm taxas mais elevadas de problemas com jogo do que a primeira geração de imigrantes nesse país. A confirmação dos critérios específicos para o transtorno pode variar entre os grupos étnico-raciais. Por exemplo, entre indivíduos com problemas com jogo, os asiáticos americanos são menos propensos do que outros grupos a reconhecer que têm preocupação com o jogo (Critério A4), enquanto os afro-americanos e latinos são mais propensos a admitir repetidos esforços malsucedidos no sentido de controlá-lo (Critério A3).

Questões Diagnósticas Relativas ao Sexo e ao Gênero

Homens desenvolvem transtorno do jogo em taxas mais elevadas do que mulheres, mas essa disparidade pode estar ficando menor. Dados sobre as populações que buscam tratamento sugerem que as mulheres podem desenvolver problemas com o jogo mais rapidamente depois que começam a jogar (o chamado efeito telescópico), embora dados da população geral sugiram que os homens progridem mais rapidamente para transtorno do jogo do que as mulheres. Embora as mulheres busquem tratamento mais rapidamente do que os homens, as taxas de busca de tratamento em pesquisas nacionais nos Estados Unidos são baixas (inferiores a 10%) entre indivíduos com transtorno do jogo independentemente do gênero.

As mulheres podem jogar como uma abordagem mal-adaptativa ao afeto negativo, enquanto os homens podem jogar mais frequentemente pela emoção. Em comparação com os homens, as mulheres também sentem mais vergonha em relação ao comportamento do jogo. Os homens tendem a apostar em formas diferentes de jogo, sendo que aqueles envolvendo cartas, esportes e corrida de cavalos são mais prevalentes em homens, e jogos como caça-níqueis e bingo são mais comuns em mulheres. Em comparação com os homens que apresentam o transtorno, as mulheres têm maior chance de apresentar transtornos depressivo, bipolar e de ansiedade.

Associação com Pensamentos ou Comportamentos Suicidas

Em um estudo nos Estados Unidos, até metade dos indivíduos sob tratamento para transtorno do jogo em Connecticut relataram ideação suicida, e cerca de 17% tentaram suicídio. Um estudo de registros nacional na Suécia mostrou que, em comparação com indivíduos sem transtorno do jogo, aqueles entre os 20 e 74 anos com o transtorno têm uma taxa 15 vezes maior de mortalidade por suicídio.

Consequências Funcionais do Transtorno do Jogo

Áreas do funcionamento psicossocial, da saúde e da saúde mental podem ser afetadas de forma adversa pelo transtorno do jogo. Especificamente, indivíduos com o transtorno podem, devido a seu envolvimento com jogo, colocar em risco ou perder relacionamentos importantes com familiares ou amigos. Tais problemas podem ocorrer em decorrência de mentiras constantes aos outros para encobrir a extensão do jogo ou devido a empréstimos usados para jogar ou para saldar dívidas de jogo. O emprego ou atividades educacionais podem sofrer um impacto adverso da mesma forma pelo transtorno do jogo; absenteísmo ou baixo desempenho no trabalho ou na escola podem ocorrer, já que os indivíduos podem jogar durante o expediente ou durante o turno escolar ou estar preocupados com o jogo ou com suas consequências adversas quando deveriam estar trabalhando ou estudando. Indivíduos com transtorno do jogo em uma amostra nacional nos Estados Unidos apresentaram saúde geral debilitada e utilizam serviços médicos em taxas elevadas.

Diagnóstico Diferencial

Jogo sem transtorno. O transtorno do jogo deve ser distinguido do jogo profissional e do jogo social. No jogo profissional, os riscos são limitados, e a disciplina é fundamental. O jogo social ocorre geralmente com amigos ou colegas e dura um período limitado de tempo, com perdas aceitáveis. Alguns indivíduos podem apresentar problemas associados ao jogo (p. ex., comportamento breve de recuperação do prejuízo e perda de controle) que não satisfazem todos os critérios para transtorno do jogo.

Episódio maníaco. A perda de julgamento e o jogo em excesso podem ocorrer durante um episódio maníaco. Um diagnóstico adicional de transtorno do jogo deve ser dado apenas se o comportamento de jogo não é mais bem explicado por episódios maníacos (p. ex., história de comportamento de jogo mal-adaptativo em momentos fora do período do episódio maníaco). Em contrapartida, um indivíduo com o transtorno pode, durante um período de jogo, exibir comportamento que se assemelha a um episódio maníaco, mas, assim que ele se distancia do jogo, essas características maníacas desaparecem.

Transtornos da personalidade. Problemas com jogo podem ocorrer em indivíduos com transtorno da personalidade antissocial e com outros transtornos da personalidade. Caso os critérios sejam satisfeitos para os dois transtornos, ambos podem ser diagnosticados.

Sintomas relacionados ao jogo devido a medicamentos dopaminérgicos. Alguns pacientes em uso de medicamento dopaminérgico (p. ex., para doença de Parkinson) podem sentir ânsia por jogar que pode ser suficientemente angustiante ou prejudicial para satisfazer os critérios para transtorno do jogo. Nesses casos, um diagnóstico de transtorno do jogo seria justificado.

Comorbidade

O transtorno do jogo está associado a um quadro de saúde geral debilitada. Além disso, alguns diagnósticos médicos específicos, como taquicardia e angina, são mais comuns entre indivíduos com esse transtorno do que na população geral, mesmo quando há controle de outros transtornos por uso de substância, incluindo transtorno por uso de tabaco. Em pesquisas nacionais nos Estados Unidos, indivíduos com transtorno do jogo têm taxas elevadas de comorbidade com outros transtornos mentais, como por uso de substâncias, depressivos, de ansiedade e da personalidade. Em alguns indivíduos, outros transtornos mentais podem preceder o transtorno do jogo e estar ou ausentes ou presentes durante sua manifestação. O transtorno do jogo também pode ocorrer antes do início de outros transtornos mentais, especialmente no caso de transtorno bipolar e transtornos relacionados, transtornos de ansiedade e transtornos por uso de substâncias. Em uma pesquisa nacional nos Estados Unidos, em aproximadamente três quartos dos casos de indivíduos com transtorno do jogo e outro transtorno mental, outra psicopatologia precedeu o transtorno do jogo.

Transtornos Neurocognitivos

Os transtornos neurocognitivos (TNCs) iniciam-se com *delirium*, seguido por síndromes de TNC maior, TNC leve e seus subtipos etiológicos. Os subtipos maior ou leve de TNC incluem TNC devido à doença de Alzheimer; TNC vascular; TNC com corpos de Lewy; TNC devido à doença de Parkinson; TNC frontotemporal; TNC devido a lesão cerebral traumática; TNC devido à infecção por HIV; TNC induzido por substância/medicamento; TNC devido à doença de Huntington; TNC devido à doença do príon; TNC devido a outra condição médica; TNC devido a múltiplas etiologias; e TNC devido a etiologia desconhecida. A categoria TNC abrange o grupo de transtornos em que o déficit clínico primário está na função cognitiva, sendo transtornos adquiridos em vez de transtornos do desenvolvimento. Apesar de os déficits cognitivos estarem presentes em muitos transtornos mentais, se não em todos (p. ex., esquizofrenia, transtornos bipolares), apenas aqueles transtornos cujas características centrais são cognitivas é que fazem parte da categoria TNC. Os TNCs são aqueles em que a cognição prejudicada não estava presente ao nascimento ou muito no início da vida, representando, assim, um declínio a partir de um nível de funcionamento alcançado anteriormente.

Os TNCs são únicos entre as categorias do DSM-5, na medida em que são síndromes para as quais a patologia subjacente, e com frequência também a etiologia, pode potencialmente ser determinada. As várias entidades da doença subjacente foram alvos de extensa pesquisa, experiência clínica e consenso de especialistas sobre os critérios diagnósticos. Os critérios do DSM-5 para esses transtornos foram desenvolvidos por meio de consulta rigorosa a grupos de especialistas para cada uma das doenças, sendo alinhados o máximo possível com os critérios de consensos atuais para cada uma delas. A utilidade potencial dos biomarcadores também é discutida em relação ao diagnóstico. A demência está incorporada à entidade recém-nomeada *transtorno neurocognitivo maior*, embora não esteja excluído o uso do termo *demência* em subtipos etiológicos nos quais é um termo-padrão. Além disso, o DSM-5 reconhece um nível menos grave de prejuízo cognitivo, o *transtorno neurocognitivo leve*, que pode também ser foco de cuidado. Há critérios diagnósticos para ambas as entidades sindrômicas, seguidos de critérios diagnósticos para os diferentes subtipos etiológicos. Vários TNCs costumam coexistir, e suas relações podem ser ainda mais bem caracterizadas sob diferentes subtítulos deste capítulo, incluindo "Diagnóstico Diferencial" (p. ex., TNC devido à doença de Alzheimer *versus* TNC vascular), "Fatores de Risco e Prognóstico" (p. ex., patologia vascular que aumenta a expressão clínica da doença de Alzheimer) e/ou "Comorbidade" (p. ex., patologia mista de doença de Alzheimer-vascular).

O termo *demência* é mantido no DSM-5 para continuidade, podendo ser usado em contextos em que médicos e pacientes estejam acostumados a ele. Embora demência seja o termo habitual para transtornos como as demências degenerativas, que costumam afetar adultos com mais idade, o termo *transtorno neurocognitivo* é amplamente empregado, sendo, em geral, o termo preferido para condições que afetam pessoas mais jovens, como o prejuízo secundário a lesão cerebral traumática ou infecção por HIV. A definição de TNC maior, além disso, é mais ampla que o termo *demência*, no sentido de que um diagnóstico de TNC maior pode ser dado se houver um declínio cognitivo substancial em um só domínio cognitivo, enquanto um diagnóstico de demência na CID-10 e na CID-11 (e anteriormente no DSM-IV) exige vários déficits cognitivos. Portanto, casos que se qualificariam na CID-10 e na CID-11 (e anteriormente no DSM-IV) para um diagnóstico de transtorno amnésico (deficiência de memória na ausência de outros déficits cognitivos) são diagnosticados como TNC maior no DSM-5.

Para TNCs maiores e leves, os critérios diagnósticos para vários subtipos etiológicos permitem a designação do grau de certeza quanto à possível presença de condições médicas, bem como a força do nexo causal entre a condição médica e o TNC. Para TNC devido à doença de Alzheimer, TNC frontotemporal e TNC com corpos de Lewy, estabelecer se essas condições médicas estão presentes no indivíduo pode ser extremamente desafiador, e às vezes a etiologia só pode ser firmemente estabelecida *post-mortem*; para esses subtipos, a designação provável/possível precede o nome da condição médica (p. ex., TNC leve devido a possível doença de Alzheimer, TNC maior devido a provável degeneração frontotemporal). Como os critérios diagnósticos para TNC vascular e TNC devido à doença de Parkinson requerem evidência clara da presença de doença vascular ou doença de Parkinson, respectivamente, para esses subtipos a incerteza relaciona-se à conexão causal entre a condição médica e o TNC. Para esses subtipos, são aplicadas as designações "provavelmente devido à" e "possivelmente devido à".

Domínios Neurocognitivos

Os critérios para os vários TNCs baseiam-se em domínios cognitivos definidos. A Tabela 1 traz uma definição de trabalho para cada um dos domínios principais, exemplos de sintomas ou observações relativas aos prejuízos em atividades cotidianas e exemplos de avaliações. Os domínios assim definidos, junto a diretrizes para limiares clínicos, compõem a base sobre a qual os TNCs, seus níveis e seus subtipos podem ser diagnosticados.

Transtornos Neurocognitivos

TABELA 1 Domínios neurocognitivos

Domínio cognitivo	Exemplos de sintomas ou observações	Exemplos de avaliações
Atenção complexa (atenção sustentada, atenção dividida, atenção seletiva, velocidade de processamento)	*Maior*: Passou a ter uma dificuldade maior em ambientes com múltiplos estímulos (TV, rádio, conversas); é distraído com facilidade por eventos concomitantes no meio ambiente. Não consegue participar a menos que a quantidade de estímulos seja limitada e simplificada. Tem dificuldade de manter novas informações, como relembrar números de telefone ou endereços recém-fornecidos, ou relatar o que acabou de ser dito. Não consegue fazer cálculos mentais. Todo pensamento leva mais tempo do que o normal, e os componentes a serem processados têm de ser simplificados para um ou poucos. *Leve*: Tarefas normais levam mais tempo do que anteriormente. Passa a cometer erros em tarefas rotineiras; acha que o trabalho necessita ser conferido de novo mais vezes do que anteriormente. Pensar é mais fácil quando não é concomitante com outras coisas (rádio, TV, outras conversas, telefone celular, dirigir).	*Atenção sustentada*: Manutenção da atenção ao longo do tempo (p. ex., pressionar um botão sempre que escuta um tom e durante certo tempo). *Atenção seletiva*: Manutenção da atenção apesar de estímulos concorrentes e/ou distratores: escutar a leitura de letras e números e repetir apenas as letras. *Atenção dividida*: Participar de duas tarefas no mesmo período de tempo: bater rapidamente enquanto aprende uma história que está sendo lida. A velocidade de processamento pode ser quantificada em qualquer tarefa cronometrando-a (p. ex., tempo para unir blocos em determinada forma; tempo para combinar símbolos com números; velocidade para responder, como a velocidade de contagem ou a velocidade de séries de 3).
Função executiva (planejamento, tomada de decisão, memória de trabalho, resposta a *feedback*/correção de erros, substituição de hábitos/inibição, flexibilidade mental)	*Maior*: Abandono de projetos complexos. Necessidade de concentrar-se em uma tarefa de cada vez. Necessidade de confiar em outros para planejar atividades importantes da vida diária ou tomar decisões. *Leve*: Esforço maior é necessário para concluir projetos que tenham várias etapas. Maior dificuldade em multitarefas ou dificuldade de retomar uma tarefa interrompida por visita ou telefonema. Pode queixar-se de aumento da fadiga decorrente de esforço extra, necessário para organizar, planejar e tomar decisões. Pode relatar que grandes reuniões sociais são mais exaustivas e menos agradáveis devido ao aumento do esforço necessário para acompanhamento de conversas triviais.	*Planejamento*: Habilidade para encontrar a saída em um labirinto; interpreta uma combinação de figuras ou objetos em sequência. *Tomada de decisão*: Desempenho de tarefas que avaliam o processo de decisão diante de alternativas (p. ex., simulação de aposta). *Memória de trabalho*: Capacidade de manter informações por período curto e de manipulá-las (p. ex., aumento de uma lista de números ou repetição de uma série de números ou palavras, de trás para a frente). *Resposta a feedback/utilização de erros*: Capacidade de beneficiar-se de *feedback* ou crítica para inferir as regras para resolver um problema. *Substituição de hábitos/inibição*: Capacidade de escolher uma solução mais complexa e exigente para ser correto (p. ex., olhar além do rumo indicado por uma flecha; dar nome à cor da fonte de uma palavra e não nomear a palavra). *Flexibilidade mental/cognitiva*: Capacidade de mudar entre dois conceitos, tarefas ou regras de resposta (p. ex., de número para letra, de resposta verbal para pressionamento de tecla, de soma de números para ordenamento de números, de ordenamento de objetos por tamanho para ordenamento por cor).

(Continua)

TABELA 1 Domínios neurocognitivos *(continuação)*

Domínio cognitivo	Exemplos de sintomas ou observações	Exemplos de avaliações
Aprendizagem e memória (memória imediata, memória recente [incluindo recordação livre, recordação por pistas e memória de reconhecimento], memória de muito longo prazo [semântica, autobiográfica], aprendizagem implícita)	*Maior:* Repete-se na conversação, frequentemente em uma mesma conversa. Não consegue se ater a uma lista curta de itens ao fazer compras ou lista de planos para o dia. Precisa de lembretes frequentes para orientar uma tarefa à mão. *Leve:* Tem dificuldades de recordar eventos recentes e cada vez conta mais com elaboração de listas ou calendário. Precisa de lembretes ocasionais ou de releitura para acompanhar os personagens em um filme ou romance. Ocasionalmente, pode repetir-se por várias semanas para uma mesma pessoa. Não sabe dizer se contas já foram pagas. **Nota:** A não ser em formas graves de transtorno neurocognitivo maior, as memórias semântica, autobiográfica e implícita ficam relativamente preservadas na comparação com a memória recente.	*Alcance da memória imediata:* Capacidade de repetir uma lista de palavras ou algarismos. **Nota:** A memória imediata às vezes é considerada "memória de trabalho" (ver "Função Executiva"). *Memória recente:* Avalia o processo de codificar novas informações (p. ex., listas de palavras, contos ou diagramas). Os aspectos da memória recente que podem ser testados incluem 1) evocação livre (pede-se à pessoa que relembre o máximo de palavras, diagramas ou elementos de uma história); 2) evocação com pistas (o examinador ajuda a recordar, dando pistas semânticas, como "Listar todos os itens alimentares em uma lista" ou "Citar todas as crianças da história"); e 3) memória de reconhecimento (o examinador solicita itens específicos — p. ex., "'Maçã' estava na lista?" ou "Você viu este diagrama ou figura?"). Outros aspectos da memória que podem ser avaliados incluem memória semântica (memória de fatos), memória autobiográfica (memória de eventos pessoais ou pessoas) e aprendizagem (aprendizagem inconsciente de habilidades) implícita (de procedimentos).
Linguagem (linguagem expressiva [inclui nomeação, encontrar palavras, fluência, gramática e sintaxe] e linguagem receptiva)	*Maior:* Tem dificuldades significativas com a linguagem expressiva ou receptiva. Costuma usar expressões de uso comum, como "aquela coisa" e "você sabe o que quero dizer", e prefere pronomes genéricos a nomes. Com prejuízo grave, pode até não lembrar nomes de amigos mais próximos e familiares. Ocorrem uso de palavras idiossincráticas, erros gramaticais e espontaneidade produtiva, bem como economia de comentários. Ocorrem estereótipos no discurso; ecolalia e discurso automático costumam anteceder o mutismo. *Leve:* Apresenta dificuldade visível para encontrar as palavras. Pode substituir termos genéricos por específicos. Pode evitar uso de nomes específicos de pessoas conhecidas. Os erros gramaticais envolvem omissão sutil ou uso incorreto de artigos, preposições, verbos auxiliares etc.	*Linguagem expressiva:* Citação confrontativa (identificação de objetos ou figuras); fluência (p. ex., nomear tantos itens quanto possível em uma categoria semântica [p. ex., animais] ou fonêmica [p. ex., palavras que começam com "f"] em um minuto). *Gramática e sintaxe* (p. ex., omissão ou uso incorreto de artigos, preposições, verbos auxiliares): Erros observados durante testes de nomeação e fluência são comparados aos padrões normais para avaliar a frequência de erros e comparados com pequenos erros normais da língua. *Linguagem receptiva:* Compreensão (tarefas de definição de palavras e identificação de objetos envolvendo estímulos animados e inanimados): realização de ações/atividades conforme comando verbal.

(Continua)

TABELA 1 Domínios neurocognitivos *(continuação)*

Domínio cognitivo	Exemplos de sintomas ou observações	Exemplos de avaliações
Perceptomotor (inclui habilidades abrangidas por termos como *percepção visual, visuoconstrutiva, perceptomotora, práxis e gnosia*)	*Maior:* Apresenta grandes dificuldades com atividades antes familiares (uso de ferramentas, direção de veículo automotivo), navegação em ambientes conhecidos; costuma ficar confuso ao anoitecer, quando sombras e níveis reduzidos de luz mudam as percepções. *Leve:* Pode depender mais de mapas ou de outras pessoas para orientar-se. Usa anotações e acompanha os demais para chegar a outro local. Pode se achar perdido ou dando voltas quando não concentrado na tarefa. É menos preciso ao estacionar. Precisa de muito esforço para tarefas espaciais, como carpintaria, montagem, costura ou tricô.	*Percepção visual:* Tarefas lineares com duas seções podem ser usadas para a detecção de defeito visual básico ou deficiência da atenção. Tarefas perceptivas sem uso da motricidade (incluindo reconhecimento facial) necessitam de identificação e/ou combinação de figuras — melhor quando as tarefas não podem ser mediadas verbalmente (p. ex., figuras não são objetos); algumas exigem a decisão de se uma figura pode ser "real" ou não baseada na dimensionalidade. *Visuoconstrutiva:* Reunir itens com necessidade de coordenação dos olhos-mãos, como desenhar, copiar e montar blocos. *Perceptomotora:* Integrar a percepção com movimentos que têm um propósito (p. ex., inserção de blocos em uma placa sem pistas visuais; inserir, rapidamente, pinos em estrutura com orifícios). *Práxis:* Integridade de movimentos aprendidos, como habilidade de imitar gestos (abanar ao dar adeus), ou uso de pantomima para comandar objetos ("Mostre-me como você usaria um martelo"). *Gnosia:* Integridade perceptiva da conscientização e do reconhecimento, como o reconhecimento de faces e cores.
Cognição social (reconhecimento de emoções, teoria da mente)	*Maior:* Comportamento claramente fora das variações sociais aceitáveis; mostra insensibilidade a padrões sociais quanto ao pudor no vestir-se ou em tópicos políticos, religiosos ou sexuais nas conversas. Concentra-se excessivamente em um tópico apesar do desinteresse ou retorno direto do grupo. Objetivo comportamental sem considerar família ou amigos. Toma decisões sem considerar a segurança (p. ex., roupas inadequadas ao clima ou ao contexto social). Comumente, tem pouco entendimento dessas mudanças. *Leve:* Apresenta mudanças sutis no comportamento ou nas atitudes, comumente descritas como uma mudança de personalidade, tais como menos capacidade de reconhecer sinais sociais ou ler expressões faciais, menor empatia, aumento da extroversão ou da introversão, menos inibição, ou apatia ou inquietação episódica ou sutil.	*Reconhecimento de emoções:* Identificação de emoções em imagens de rostos que representam uma variedade de emoções positivas e negativas. *Teoria da mente:* Capacidade de considerar o estado mental de outra pessoa (pensamentos, desejos, intenções) ou sua experiência — cartões que contam uma história, com perguntas para provocar informações sobre o estado mental dos indivíduos retratados, tal como "Onde a garota procurará a bolsa perdida?" ou "Por que o garoto está triste?".

Delirium

Critérios Diagnósticos

A. Perturbação da atenção (i. e., capacidade reduzida para direcionar, focalizar, manter e mudar a atenção) acompanhada por uma consciência reduzida do ambiente.
B. A perturbação se desenvolve em um período breve de tempo (normalmente de horas a poucos dias), representa uma mudança da atenção e da consciência basais e tende a oscilar quanto à gravidade ao longo de um dia.
C. Perturbação adicional na cognição (p. ex., déficit de memória, desorientação, linguagem, capacidade visuoespacial ou percepção).
D. As perturbações dos Critérios A e C não são mais bem explicadas por outro transtorno neurocognitivo preexistente, estabelecido ou em desenvolvimento e não ocorrem no contexto de um nível gravemente diminuído de estimulação, como no coma.
E. Há evidências a partir da história, do exame físico ou de achados laboratoriais de que a perturbação é uma consequência fisiológica direta de outra condição médica, intoxicação ou abstinência de substância (i. e., devido a uma droga de abuso ou a um medicamento), de exposição a uma toxina ou de que ela se deva a múltiplas etiologias.

Especificar se:
   Agudo: Duração de poucas horas a dias.
   Persistente: Duração de semanas ou meses.

Especificar se:
   Hiperativo: O indivíduo tem um nível hiperativo de atividade psicomotora que pode ser acompanhado de oscilação de humor, agitação e/ou recusa a cooperar com os cuidados médicos.
   Hipoativo: O indivíduo tem um nível hipoativo de atividade psicomotora que pode estar acompanhado de lentidão e letargia que se aproxima do estupor.
   Nível misto de atividade: O indivíduo tem um nível normal de atividade psicomotora mesmo com perturbação da atenção e da percepção. Inclui ainda pessoas cujo nível de atividade oscila rapidamente.

Determinar o subtipo:
   ***Delirium* por intoxicação por substância:** Este diagnóstico deve ser feito em vez do diagnóstico de intoxicação por substância quando predominarem os sintomas dos Critérios A e C no quadro clínico e quando forem suficientemente graves para justificar atenção clínica.

   Nota para codificação: Os códigos CID-10-MC para *delirium* por intoxicação por [substância específica] são indicados na tabela a seguir. Observar que o código da CID-10-MC depende de existir ou não transtorno comórbido por uso de substância presente para a mesma classe de substância. Se um transtorno leve por uso de substância é comórbido com o *delirium* por intoxicação por substância, o número da 4ª posição é "1", e o clínico deve registrar "transtorno por uso de [substância], leve" antes de *delirium* por intoxicação por substância (p. ex., "transtorno por uso de cocaína, leve com *delirium* por intoxicação por cocaína"). Se um transtorno moderado a grave por uso de substância for comórbido com *delirium* por intoxicação por uso de substância, o número da 4ª posição é "2", e o clínico deve registrar "transtorno por uso de [substância], moderado" ou "transtorno por uso de [substância], grave", dependendo da gravidade do transtorno comórbido por uso de substância. Não existindo transtorno comórbido por uso de substância (p. ex., após uso único e exagerado da substância), o número da 4ª posição é "9", e o clínico deve registrar somente o *delirium* por intoxicação por substância.

	CID-10-MC		
Delirium por intoxicação por substância	Com transtorno por uso, leve	Com transtorno por uso, moderado ou grave	Sem transtorno por uso
Álcool	F10.121	F10.221	F10.921
Cannabis	F12.121	F12.221	F12.921
Fenciclidina	F16.121	F16.221	F16.921
Outro alucinógeno	F16.121	F16.221	F16.921
Inalante	F18.121	F18.221	F18.921
Opioide	F11.121	F11.221	F11.921
Sedativo, hipnótico ou ansiolítico	F13.121	F13.221	F13.921
Substância tipo anfetamina (ou outro estimulante)	F15.121	F15.221	F15.921
Cocaína	F14.121	F14.221	F14.921
Outra substância (ou substância desconhecida)	F19.121	F19.221	F19.921

Delirium por abstinência de substância: Este diagnóstico deve ser feito em vez de abstinência de substância quando os sintomas dos Critérios A e C predominarem no quadro clínico e quando forem suficientemente graves para justificar atenção clínica.

Nota para codificação: Os códigos CID-10-MC para o delírio por abstinência de [substância específica] são indicados na tabela a seguir. Observar que o código da CID-10-MC depende de haver ou não transtorno comórbido por uso de substância presente para a mesma classe de substância. Se um transtorno leve por uso de substância é comórbido com o *delirium* por abstinência de substância, o número da 4ª posição é "1", e o clínico deve registrar "transtorno por uso de [substância], leve" antes do *delirium* por abstinência de substância (p. ex., "transtorno por uso de álcool, leve com *delirium* por abstinência alcoólica"). Se um transtorno moderado a grave por uso de substância for comórbido com *delirium* por intoxicação por uso de substância, o número da 4ª posição é "2", e o clínico deve registrar "transtorno por uso de [substância], moderado", ou "transtorno por uso de [substância], grave", dependendo da gravidade do transtorno comórbido por uso de substância. Se não houver transtorno comórbido por uso de substância (p. ex., após o uso regular de uma substância ansiolítica tomada conforme prescrição), então o número da 4ª posição é "9", e o clínico deve registrar apenas o *delirium* por abstinência de substância.

	CID-10-MC		
Delirium por abstinência de substância	Com transtorno por uso, leve	Com transtorno por uso, moderado ou grave	Sem transtorno por uso
Álcool	F10.131	F10.231	F10.931
Opioide	F11.188	F11.288	F11.988
Sedativo, hipnótico ou ansiolítico	F13.131	F13.231	F13.931
Outra substância (ou substância desconhecida)	F19.131	F19.231	F19.931

> ***Delirium* induzido por medicamento:** Este diagnóstico é aplicável quando os sintomas dos Critérios A e C aparecem como efeito colateral de um medicamento tomado conforme prescrição.
>
> **Código para *delirium* induzido por [medicamento específico]: F11.921** opioide tomado conforme prescrição (ou **F11.988** se durante a abstinência do opioide tomado conforme prescrito); **F12.921** agonista do receptor de *Cannabis* farmacêutico tomado conforme prescrição; **F13.921** sedativo, hipnótico ou ansiolítico tomado conforme prescrição (ou **F13.931** se durante a abstinência de sedativos, hipnóticos ou ansiolíticos tomados conforme prescrito); **F15.921** substância do tipo anfetamina ou outro estimulante tomado conforme prescrição; **F16.921** cetamina ou outro alucinógeno tomado conforme prescrição ou por razões médicas; **F19.921** para medicamentos que não se enquadram em nenhuma das classes (p. ex., dexametasona) e nos casos em que uma substância é considerada um fator etiológico, mas a classe específica da substância é desconhecida (ou **F19.931** se durante a abstinência de medicamentos que não se enquadram em nenhuma das classes, tomados conforme prescrição).
>
> **F05 *Delirium* devido a outra condição médica:** Há evidências a partir da história, do exame físico ou de achados laboratoriais de que a perturbação é atribuível às consequências fisiológicas de outra condição médica.
>
> **Nota para codificação:** Incluir o nome da outra condição médica no nome do *delirium* (p. ex., **F05** *delirium* devido a encefalopatia hepática). A outra condição médica também deve ser codificada e listada em separado, imediatamente antes do *delirium* devido a outra condição médica (p. ex., **K76.82** encefalopatia hepática; **F05** *delirium* devido a encefalopatia hepática).
>
> **F05 *Delirium* devido a múltiplas etiologias:** Há evidências da história, do exame físico ou de achados laboratoriais de que o *delirium* tem mais de uma etiologia (p. ex., mais de uma condição médica etiológica; outra condição médica mais intoxicação por substância ou efeito colateral de medicamento).
>
> **Nota para codificação:** Usar múltiplos códigos separados que reflitam etiologias específicas de *delirium* (p. ex., **K76.82** encefalopatia hepática; **F05** *delirium* devido a falha hepática; **F10.231** transtorno por uso de álcool grave, com *delirium* devido a abstinência de álcool). Observar que a condição médica etiológica aparece como um código separado que antecede o código do *delirium* e é substituído por *delirium* devido a condição médica de outra rubrica.

Procedimentos para Registro

***Delirium* por intoxicação por substância.** O nome do *delirium* por intoxicação por substância/medicamento termina com a substância específica (p. ex., cocaína) supostamente causadora do *delirium*. O código diagnóstico é escolhido na tabela incluída no conjunto de critérios, com base na classe da substância e na presença ou ausência de um transtorno comórbido por uso de substância. No caso de substâncias que não se enquadram em nenhuma classe (p. ex., dexametasona), o código para "outra substância" deve ser usado; e, nos casos em que se acredita que uma substância seja o fator etiológico, embora sua classe específica seja desconhecida, deve ser usada a categoria "substância desconhecida".

Ao registrar o nome do transtorno, o transtorno comórbido por uso de substância (se houver) é listado primeiro, seguido da palavra "com", seguida do nome do *delirium* por intoxicação por substância, seguido do curso (i. e., agudo, persistente), seguido do especificador indicando o nível de atividade psicomotora (i. e., nível de atividade hiperativo, hipoativo, misto). Por exemplo, no caso de *delirium* por intoxicação hiperativa aguda que ocorre em um homem com um transtorno por uso de cocaína, grave, o diagnóstico é F14.221 transtorno por uso de cocaína, grave com *delirium* por intoxicação por cocaína, agudo e hiperativo. Não é feito um diagnóstico separado de transtorno comórbido e grave por intoxicação por cocaína. Se o *delirium* por intoxicação ocorre sem transtorno por uso de substância comórbido (p. ex., após uso pesado e único da substância), não é registrado transtorno comórbido por uso de substância (p. ex., F16.921 *delirium* por intoxicação por fenciclidina, agudo e hipoativo).

***Delirium* por abstinência de substância.** O nome do *delirium* devido a abstinência de substância termina com a substância específica (p. ex., álcool) supostamente causadora do *delirium* devido a abstinência. O código diagnóstico é escolhido entre os códigos específicos para substâncias, incluídos na nota para codificação, que é parte do conjunto de critérios. Ao registrar o nome do transtorno, é listado primeiro o transtorno comórbido moderado ou grave devido a uso de substância (se houver), seguido da palavra "com", seguida de *delirium* devido a abstinência de substância, seguido do curso (i. e., agudo, persistente), seguido do especificador indicativo do nível de atividade psicomotora (i. e., hiperativo, hipoativo, misto). Por exemplo, no caso de *delirium* devido a abstinência agudo e hiperativo que ocorre em um homem com um transtorno grave devido a uso de álcool, o diagnóstico é F10.231 transtorno grave devido a uso de álcool, com *delirium* devido a abstinência de álcool, agudo e hiperativo. Não é feito um diagnóstico separado de transtorno comórbido e grave devido a uso de álcool.

***Delirium* induzido por medicamento.** O nome do *delirium* induzido por medicamento termina com a substância específica (p. ex., dexametasona) supostamente causadora do *delirium*. O nome do transtorno é seguido do curso (i. e., agudo, persistente), seguido do especificador indicativo do nível de atividade psicomotora (i. e., hiperativo, hipoativo, misto). Por exemplo, no caso de *delirium* induzido por medicamento agudo e hiperativo que ocorre em um homem que usa dexametasona conforme prescrição, o diagnóstico é F19.921 *delirium* induzido por dexametasona, agudo e hiperativo.

Especificadores

Em relação ao curso, em contexto hospitalar, o *delirium* costuma durar cerca de uma semana, embora alguns sintomas normalmente persistam mesmo depois que os indivíduos recebem alta.

Indivíduos com *delirium* podem rapidamente mudar entre os estados hiperativo e hipoativo. O estado hiperativo pode ser mais comum ou mais frequentemente reconhecido, em geral associado a efeitos colaterais de medicamentos e a abstinência de substância. O estado hipoativo pode ser mais frequente em pessoas idosas e quase sempre não é reconhecido entre elas em departamentos de emergência e hospitais.

Características Diagnósticas

A característica essencial do *delirium* é um comprometimento agudo da consciência caracterizado por uma perturbação da atenção acompanhada de uma percepção reduzida do ambiente, ambas características centrais da consciência normal. Como esses déficits refletem um estado alterado de consciência que afeta muitas funções corticais cerebrais superiores do córtex cerebral, eles são acompanhados por uma mudança na cognição basal em outras funções cognitivas, que não pode ser mais bem explicada por algum transtorno neurocognitivo (TNC) preexistente ou em desenvolvimento. A perturbação da atenção (Critério A) é manifestada por capacidade reduzida de direcionar, focalizar, manter e mudar a atenção. Perguntas têm de ser repetidas, uma vez que a atenção do indivíduo é vaga, ou a pessoa pode perseverar em uma resposta a uma pergunta anterior e não mudar a atenção de forma adequada. O indivíduo é facilmente distraído por estímulos irrelevantes. A perturbação na consciência afeta tanto o pensamento interno e o *insight* quanto a dificuldade em compreender o que está acontecendo no ambiente externo.

A perturbação aparece durante curto período de tempo, em geral de horas a alguns dias, com tendência a oscilar ao longo do dia, com piora ao entardecer e à noite, quando diminuem os estímulos externos de orientação (Critério B). Há evidências a partir da história, do exame físico ou de achados laboratoriais de que a perturbação é uma consequência fisiológica de alguma condição médica subjacente, intoxicação ou abstinência de substância, uso de medicamento ou exposição a toxina ou de que é uma combinação desses fatores (Critério E). A etiologia deve ser codificada conforme o subtipo etiologicamente apropriado (i. e., intoxicação devido a substância ou medicamento, abstinência de substância, outra condição médica ou múltiplas etiologias). Costuma ocorrer *delirium* no contexto de um TNC subjacente. A função cerebral prejudicada de pessoas com TNC leve e maior torna-as mais vulneráveis a desenvolver um *delirium*.

Há uma mudança adicional em, no mínimo, outra área que pode incluir memória e aprendizagem (em especial memória recente), desorientação (em especial para tempo e lugar), alteração na linguagem (particularmente a compreensão semântica), ou distorção da percepção ou uma perturbação perceptomotora (Critério C). As perturbações perceptivas que acompanham o *delirium* incluem interpretações errôneas, ilusões ou alucinações; estas perturbações são comumente visuais, embora possam também ocorrer em outras modalidades, variando de simples e uniformes a altamente complexas.

Atenção/excitação normais, *delirium* e coma situam-se em um *continuum*, com o coma definido como um estado de inconsciência com uma ausência de cognição ou ciclo sono-vigília, em conjunto com a ausência de qualquer resposta significativa a estímulos verbais ou físicos. *Delirium* é um estado de consciência prejudicado no cenário de um córtex excitado. A capacidade de avaliar a cognição para o diagnóstico de *delirium* depende de existir um nível de excitação suficiente para a resposta à estimulação verbal; assim, o *delirium* não deve ser diagnosticado no contexto de coma (Critério D). Pacientes letárgicos têm nível de excitação diminuído, mas não ao ponto da inconsciência completa do coma. O coma e o estupor podem ser decorrentes de condições neurológicas ou induzidos por drogas, como na sedação profunda iatrogênica em unidades de terapia intensiva (UTI) ou anestesia geral. Aqueles indivíduos que mostram apenas respostas mínimas à estimulação verbal ou física são incapazes de se envolver em tentativas de testes padronizados ou mesmo em entrevistas. Essa incapacidade de se envolver deve ser classificada como um distúrbio de excitação, como coma ou estupor, e não como *delirium*. No entanto, o *delirium* pode ser um estágio que segue a saída do coma ou estupor, especialmente quando o coma é resultado de uma condição neurológica. Além disso, o transtorno do ciclo sono-vigília característico do transtorno do ritmo circadiano no *delirium* pode interferir na avaliação completa do indivíduo se estiver em uma fase de sono, o que deve ser diferenciado de um distúrbio de excitação cerebral.

Características Associadas

O *delirium* costuma estar associado a perturbação no ciclo sono-vigília. Essa perturbação pode incluir sonolência diurna, agitação noturna, dificuldade para adormecer, sono excessivo durante o dia ou vigília durante a noite. Em alguns casos, pode ocorrer inversão total do ciclo sono-vigília, noite-dia. Perturbações no ciclo sono-vigília são muito comuns no *delirium*, tendo sido propostas como um critério central para o diagnóstico.

O indivíduo com *delirium* pode mostrar perturbações emocionais, como ansiedade, medo, depressão, irritabilidade, raiva, euforia e apatia. Pode haver mudanças rápidas e imprevisíveis de um estado emocional a outro. O estado emocional perturbado pode, ainda, ficar evidente ao chamar, gritar, amaldiçoar, murmurar, queixar-se ou produzir outros sons. Esses comportamentos são especialmente prevalentes à noite e sob condições em que faltam estímulos ambientais.

Prevalência

A prevalência de *delirium* é muito alta entre pessoas idosas hospitalizadas, variando conforme as características individuais, o local de atendimento e a sensibilidade do método de detecção. Dados dos Estados Unidos e da Finlândia indicam que a prevalência do *delirium* na comunidade como um todo é baixa (1 a 2%). A prevalência é de 8 a 17% em pessoas idosas que buscam auxílio nos departamentos de emergência norte-americanos, em que o *delirium* frequentemente indica uma doença médica.

Com base em dados de vários países, a prevalência de *delirium* quando os indivíduos são admitidos em hospital varia de 18 a 35%, e as estimativas de ocorrência de *delirium* durante a internação variam de 29 a 64% em pacientes de hospitais gerais. Internacionalmente, o *delirium* ocorre em 11 a 51% dos idosos no pós-operatório e em até 81% daqueles em terapia intensiva. A prevalência de *delirium* varia de 20 a 22% em indivíduos em Instituições de Longa Permanência para Idosos (ILPIs) ou em ambientes de cuidados pós-agudos e ocorre em até 88% dos indivíduos com doença terminal ao final da vida. Apesar de apresentarem fatores de risco mais elevados para *delirium*, como doença cardiovascular, sepse e insuficiência respiratória, os afro-americanos mais jovens costumam ter menores taxas de ocorrência de *delirium* em comparação com indivíduos brancos de idade semelhante em inúmeros casos de pacientes de UTI nos Estados Unidos.

Desenvolvimento e Curso

A maioria dos indivíduos com *delirium* tem recuperação completa com ou sem tratamento, especialmente aqueles que não são idosos. A condição de *delirium* pode progredir até estupor, coma, convulsões ou morte, em especial se não for detectada e a(s) causa(s) subjacente(s) continuar(em) sem tratamento.

Há evidências crescentes de que o *delirium* pode estar associado ao seguimento de longo prazo com declínio cognitivo ou TNC maior em pessoas idosas, particularmente naquelas com comprometimento cognitivo subjacente preexistente. A mortalidade entre pessoas hospitalizadas com *delirium* é alta: até 38 a 41% dos indivíduos com *delirium* morrem dentro de 1 ano após o diagnóstico; o risco de morte é grande sobretudo entre aqueles com malignidades e outras doenças médicas subjacentes e significativas.

Fatores de Risco e Prognóstico

O *delirium* pode estar aumentado em contexto de prejuízo funcional, prejuízo cognitivo preexistente, prejuízo sensorial (p. ex., visão/audição), aumento da idade, gravidade da doença ou comorbidade, infecção, depressão, história de acidente vascular cerebral e história de uso de álcool. Transtornos neurocognitivos maiores e leves podem aumentar o risco de *delirium* e complicar o curso. As quedas podem ser um resultado do *delirium*, mas não são consideradas um fator de risco. Em uma metanálise de estudos de 1990 a 2016, o uso de anticolinérgicos não foi um preditor válido de *delirium*.

Pessoas idosas são particularmente suscetíveis a essa condição na comparação com pessoas mais jovens. Entre as crianças, a suscetibilidade ao *delirium* na primeira infância e durante a fase intermediária pode estar associada a morbidade e mortalidade infantil significativas, enquanto indivíduos no início da idade adulta à metade da idade adulta podem ter menos suscetibilidade ao *delirium* e menor risco de mortalidade.

Questões Diagnósticas Relativas ao Sexo e ao Gênero

Os sintomas associados ao *delirium* podem variar em homens e mulheres. Os homens manifestam mais comumente agitação motora e labilidade afetiva, enquanto as mulheres manifestam mais comumente o *delirium* hipoativo. O sexo masculino é um fator de risco para *delirium*, e fatores relacionados ao sexo ou ao gênero podem interagir com outros fatores de risco.

Marcadores Diagnósticos

Além de achados laboratoriais característicos de condições médicas subjacentes (ou estados de intoxicação ou abstinência), há muitas vezes lentidão teta irregular generalizada no eletroencefalograma, sendo ocasionalmente encontrada atividade rápida (p. ex., em alguns casos de *delirium* devido a abstinência de álcool). No entanto, a eletroencefalografia é incapaz de detectar a lentidão associada ao *delirium* sem comparação com os ritmos alfa pré-mórbidos, a menos que a lentidão esteja na faixa de frequência teta ou delta anormal.

Consequências Funcionais do *Delirium*

O *delirium* por si só está associado a declínio funcional aumentado e a risco de institucionalização. Indivíduos com 65 anos de idade ou mais hospitalizados com *delirium* correm mais risco de desfechos ruins após a alta, incluindo mortalidade, institucionalização e demência.

Diagnóstico Diferencial

Transtornos psicóticos e transtornos bipolar e depressivo com características psicóticas. O *delirium* caracterizado por alucinações vívidas, delírios, perturbações da linguagem e agitação precisa ser diferenciado de transtorno psicótico breve, esquizofrenia, transtorno esquizofreniforme e outros transtornos psicóticos, bem como de episódios maníacos ou depressivos maiores, com características psicóticas.

Transtorno de estresse agudo. O *delirium* associado a medo, ansiedade e sintomas dissociativos, como despersonalização, deve ser distinguido de transtorno de estresse agudo, precipitado por exposição a evento gravemente traumático.

Transtorno factício e simulação. O *delirium* pode ser distinguido desses transtornos com base na apresentação comumente atípica no transtorno factício e na simulação e na ausência de outra condição médica ou substância que tenha relação etiológica com a perturbação cognitiva aparente.

Outros transtornos neurocognitivos. A questão diagnóstica diferencial mais comum diante da avaliação de confusão em idosos relaciona-se à distinção entre sintomas de *delirium* e TNC maior. Cabe ao clínico determinar se um indivíduo tem *delirium*; delírio adicional a um TNC preexistente, como o que ocorre na doença de Alzheimer; ou um TNC sem *delirium*. A distinção tradicional entre *delirium* e TNC maior em razão do surgimento agudo e do curso temporal é especialmente difícil nos idosos com um TNC prévio que pode não ter sido reconhecido ou naqueles que desenvolveram prejuízo cognitivo persistente após um episódio de *delirium*. Quando o *delirium* e o TNC maior são comórbidos, o controle do *delirium* geralmente deve ser priorizado.

Outro *Delirium* Especificado

F05

Esta categoria aplica-se a apresentações em que sintomas característicos de *delirium* que causam sofrimento clinicamente significativo ou prejuízo no funcionamento social, profissional ou em outras áreas importantes da vida do indivíduo predominam, mas não satisfazem a todos os critérios para *delirium* ou qualquer transtorno na classe diagnóstica de transtornos neurocognitivos. A categoria "outro *delirium* especificado" é usada nas situações em que o clínico opta por comunicar a razão específica pela qual a apresentação não satisfaz os critérios de *delirium* ou qualquer outro transtorno neurocognitivo específico. Isso é feito por meio do registro de "outro *delirium* especificado", seguido pela razão específica (p. ex., "síndrome de *delirium* atenuado").

Um exemplo de apresentação que pode ser especificada usando a designação "outro especificado" é o seguinte:

Síndrome de *delirium* atenuado: Uma apresentação do tipo *delirium* envolvendo perturbações na atenção, no pensamento de alto nível e no ritmo circadiano, em que a gravidade do comprometimento cognitivo fica aquém do necessário para o diagnóstico de *delirium*.

Delirium Não Especificado

F05

Esta categoria aplica-se a apresentações em que sintomas característicos de *delirium* que causam sofrimento clinicamente significativo ou prejuízo no funcionamento social, profissional ou em outras áreas importantes da vida do indivíduo predominam, mas não satisfazem todos os critérios para *delirium* ou qualquer transtorno na classe diagnóstica de transtornos neurocognitivos. A categoria *delirium* não especificado é usada nas situações em que o clínico opta por *não* especificar a razão pela qual os critérios para *delirium* não são satisfeitos e inclui apresentações para as quais não há informações suficientes para que seja feito um diagnóstico mais específico (p. ex., em salas de emergência).

Transtornos Neurocognitivos Maiores e Leves

Transtorno Neurocognitivo Maior

Critérios Diagnósticos

A. Evidências de declínio cognitivo importante a partir de nível anterior de desempenho em um ou mais domínios cognitivos (atenção complexa, função executiva, aprendizagem e memória, linguagem, perceptomotor ou cognição social), com base em:
   1. Preocupação do indivíduo, de um informante com conhecimento ou do clínico de que há declínio significativo na função cognitiva; e
   2. Prejuízo substancial no desempenho cognitivo, de preferência documentado por teste neuropsicológico padronizado ou, em sua falta, por outra investigação clínica quantificada.
B. Os déficits cognitivos interferem na independência em atividades da vida diária (i. e., no mínimo, necessita de assistência em atividades instrumentais complexas da vida diária, tais como pagamento de contas ou controle medicamentoso).
C. Os déficits cognitivos não ocorrem exclusivamente no contexto de *delirium*.
D. Os déficits cognitivos não são mais bem explicados por outro transtorno mental (p. ex., transtorno depressivo maior, esquizofrenia).

Determinar o subtipo devido a:

Nota: Cada subtipo listado possui critérios diagnósticos específicos e texto correspondente, que seguem a discussão geral dos transtornos neurocognitivos maiores e leves.

   Doença de Alzheimer
   Degeneração frontotemporal
   Doença com corpos de Lewy
   Doença vascular
   Lesão cerebral traumática
   Uso de substância/medicamento
   Infecção por HIV
   Doença do príon
   Doença de Parkinson
   Doença de Huntington
   Outra condição médica
   Múltiplas etiologias
   Etiologia desconhecida

Nota de codificação: Código baseado na etiologia médica ou da substância. Um código adicional indicando a condição médica etiológica, se conhecida, deve preceder imediatamente o código diagnóstico para TNC maior na maioria dos casos, como orientado na tabela de codificação nas páginas 682-683. Um código adicional não é usado para etiologias médicas que são avaliadas como "possíveis" (i. e., TNC maior devido a possível doença de Alzheimer, devido a possível degeneração frontotemporal, devido a possível doença com corpos de Lewy, possivelmente devido a doença vascular ou possivelmente devido a doença de Parkinson).

Especificar o grau de gravidade atual:
   Leve: Dificuldades com as atividades instrumentais da vida diária (p. ex., trabalho doméstico, controle do dinheiro).
   Moderado: Dificuldades com as atividades básicas da vida diária (p. ex., alimentar-se, vestir-se).
   Grave: Totalmente dependente.

Especificar (ver tabela de codificação para detalhes):
> **Com agitação:** Se a perturbação cognitiva é acompanhada de agitação clinicamente significativa.
> **Com ansiedade:** Se a perturbação cognitiva é acompanhada de ansiedade clinicamente significativa.
> **Com sintomas de humor:** Se a perturbação cognitiva é acompanhada de sintomas de humor clinicamente significativos (p. ex., disforia, irritabilidade, euforia).
> **Com perturbação psicótica:** Se a perturbação cognitiva é acompanhada de delírios ou alucinações.
> **Com outra perturbação comportamental ou psicológica:** Se a perturbação cognitiva é acompanhada de outra perturbação comportamental ou psicológica clinicamente significativa (p. ex., apatia, agressividade, desinibição, comportamentos ou vocalizações disruptivas, perturbação do sono ou do apetite/alimentação).
> **Sem perturbação comportamental ou psicológica concomitante:** Se a perturbação cognitiva não é acompanhada de qualquer perturbação comportamental ou psicológica clinicamente significativa.

Procedimentos para Codificação e Registro

A seguir, estão exemplos de codificação e registro de diferentes tipos de TNCs maiores. Em casos em que há mais de um tipo de perturbação comportamental ou psicológica, cada uma é codificada separadamente. (*Para mais informações, ver tabela de codificação nas páginas 682-683 e notas de codificação nos critérios diagnósticos específicos para cada subtipo de TNC maior e leve*):

> **Transtorno neurocognitivo maior devido à provável doença de Alzheimer, leve, com ansiedade: G30.9** doença de Alzheimer, **F02.A4** transtorno neurocognitivo maior devido à provável doença de Alzheimer, leve, com ansiedade.
> **Transtorno neurocognitivo maior devido à possível doença de Alzheimer, moderado, com sintomas de humor: F03.B3** transtorno neurocognitivo maior devido à possível doença de Alzheimer, moderado, com sintomas de humor.
> **Transtorno neurocognitivo maior devido a lesão cerebral traumática, moderado, com perturbação psicótica e agitação: S06.2XAS** lesão cerebral traumática difusa com perda de consciência de duração não especificada, sequela; **F02.B2** transtorno neurocognitivo maior devido a lesão cerebral traumática, moderado, com perturbação psicótica; **F02.B11** transtorno neurocognitivo maior devido a lesão cerebral traumática, moderado, com agitação.
> **Transtorno neurocognitivo maior devido a etiologia desconhecida, grave, com sintomas de humor: F03.C3** transtorno neurocognitivo maior devido a etiologia desconhecida, grave, com sintomas de humor.

Transtorno Neurocognitivo Leve

Critérios Diagnósticos

A. Evidências de declínio cognitivo pequeno a partir de nível anterior de desempenho em um ou mais domínios cognitivos (atenção complexa, função executiva, aprendizagem e memória, linguagem, perceptomotor ou cognição social) com base em:
   1. Preocupação do indivíduo, de um informante com conhecimento ou do clínico de que ocorreu declínio na função cognitiva; e
   2. Prejuízo pequeno no desempenho cognitivo, de preferência documentado por teste neuropsicológico padronizado ou, em sua falta, outra avaliação clínica quantificada.
B. Os déficits cognitivos não interferem na capacidade de ser independente nas atividades cotidianas (i. e., estão preservadas atividades instrumentais complexas da vida diária, como pagar contas ou controlar medicamentos, mas pode haver necessidade de mais esforço, estratégias compensatórias ou acomodação).
C. Os déficits cognitivos não ocorrem exclusivamente no contexto de *delirium*.
D. Os déficits cognitivos não são mais bem explicados por outro transtorno mental (p. ex., transtorno depressivo maior, esquizofrenia).

Transtornos Neurocognitivos Maiores e Leves

Determinar o subtipo devido a:

Nota: Cada subtipo listado possui critérios diagnósticos específicos e texto correspondente, que seguem a discussão geral dos transtornos neurocognitivos maiores e leves.

    Doença de Alzheimer
    Degeneração frontotemporal
    Doença com corpos de Lewy
    Doença vascular
    Lesão cerebral traumática
    Uso de substância/medicamento
    Infecção por HIV
    Doença do príon
    Doença de Parkinson
    Doença de Huntington
    Outra condição médica
    Múltiplas etiologias
    Etiologia desconhecida

Nota de codificação: Código baseado na etiologia médica ou da substância. Um código adicional indicando a condição médica etiológica deve preceder imediatamente o código diagnóstico **F06.7z** para TNC leve devido a uma etiologia médica. Um código adicional não é usado para etiologias médicas que são avaliadas como "possíveis" (i. e., TNC leve devido à possível doença de Alzheimer, devido a possível degeneração frontotemporal, devido à possível doença com corpos de Lewy, possivelmente devido a doença vascular, possivelmente devido à doença de Parkinson). Ver tabela de codificação nas páginas 682-683. Para TNC leve induzido por substância/medicamento, o código se baseia no tipo de substância; ver "Transtorno Neurocognitivo Induzido por Substância/Medicamento". *Nota:* **G31.84** é usado para TNC leve devido a etiologia desconhecida e para TNC leve devido a possível etiologia médica (p. ex., possível doença de Alzheimer); nenhum código adicional para etiologia médica ou de substância é utilizado.

Especificar (ver tabela de codificação para detalhes):

    Sem perturbação comportamental: Se a perturbação cognitiva não está acompanhada por alguma perturbação comportamental clinicamente significativa.

    Com perturbação comportamental *(especificar a perturbação):* Se a perturbação cognitiva está acompanhada por alguma perturbação comportamental clinicamente significativa (p. ex., apatia, agitação, ansiedade, sintomas de humor, perturbação psicótica ou outros sintomas comportamentais).

    Nota para codificação: Use código(s) adicional(is) para indicar sintomas psiquiátricos clinicamente significativos devido à mesma condição médica que causa o transtorno neurocognitivo leve (p. ex., **F06.2** transtorno psicótico devido a lesão cerebral traumática, com delírios; **F06.32** transtorno depressivo devido à infecção por HIV, com episódio tipo depressivo maior). **Nota:** Os transtornos mentais devidos a outra condição médica estão incluídos nos transtornos com os quais compartilham a fenomenologia (p. ex., para transtornos depressivos devidos a outra condição médica, consulte o capítulo "Transtornos Depressivos").

Procedimentos para Codificação e Registro

A seguir estão exemplos de codificação e registro para diferentes transtornos neurocognitivos leves. *(Para obter mais informações, consulte a tabela de codificação nas páginas 682-683 e as notas de codificação nos critérios diagnósticos específicos para cada subtipo de transtorno neurocognitivo maior e leve):*

    Transtorno neurocognitivo leve devido à provável doença de Alzheimer, sem perturbação comportamental: G30.9 doença de Alzheimer, **F06.70** transtorno neurocognitivo leve devido à provável doença de Alzheimer, sem perturbação comportamental.

    Transtorno neurocognitivo leve devido à possível doença de Alzheimer, sem perturbação comportamental: G31.84 transtorno neurocognitivo leve devido à possível doença de Alzheimer, sem perturbação comportamental.

Transtorno neurocognitivo leve devido a lesão cerebral traumática, com perturbação comportamental: S06.2XAS lesão cerebral traumática difusa com perda de consciência de duração não especificada, sequela; **F06.71** transtorno neurocognitivo leve devido a lesão cerebral traumática, com perturbação comportamental *[com a perturbação sendo depressão]*; **F06.31** transtorno depressivo devido a lesão cerebral traumática, com características depressivas.

Subtipo etiológico	Código médico etiológico associado para transtorno neurocognitivo maior ou leve (TNC)	Código para TNC maior	Código para TNC leve
Doença de Alzheimer, provável	G30.9[a]	F02.xy[b,c]	F06.7z[d]
Doença de Alzheimer, possível	Nenhum código médico adicional	F03.xy[b,c]	G31.84
Degeneração frontotemporal, provável	G31.09[a]	F02.xy[b,c]	F06.7z[d]
Degeneração frontotemporal, possível	Nenhum código médico adicional	F03.xy[b,c]	G31.84
Doença com corpos de Lewy, provável	G31.83[a]	F02.xy[b,c]	F06.7z[d]
Doença com corpos de Lewy, possível	Nenhum código médico adicional	F03.xy[b,c]	G31.84
Doença vascular, provável	I67.9 (aplicado apenas para TNC vascular leve)	F01.xy[b,c] Não usar código médico adicional.	F06.7z[d]
Doença vascular, possível	Nenhum código médico adicional	F03.xy[b,c]	G31.84
Lesão cerebral traumática	S06.2XAS[a]	F02.xy[b,c]	F06.7z[d]
Induzido por substância/medicamento	Nenhum código médico adicional	Código baseado no tipo de substância causadora do TNC maior.[e,f,g]	Código baseado no tipo de substância causadora do TNC leve.[e,g]
Infecção por HIV	B20[a]	F02.xy[b,c]	F06.7z[d]
Doença do príon	A81.9[a]	F02.xy[b,c]	F06.7z[d]
Doença de Parkinson, provável	G20[a]	F02.xy[b,c]	F06.7z[d]
Doença de Parkinson, possível	Nenhum código médico adicional	F03.xy[b,c]	G31.84
Doença de Huntington	G10[a]	F02.xy[b,c]	F06.7z[d]
Devido a outra condição médica	Codificar primeiramente a outra condição médica (p. ex., G35 esclerose múltipla).	F02.xy[b,c]	F06.7z[d]

Subtipo etiológico	Código médico etiológico associado para transtorno neurocognitivo maior ou leve (TNC)	Código para TNC maior	Código para TNC leve
Devido a múltiplas etiologias	Codificar todas as condições médicas etiológicas primeiro. Se a doença vascular estiver contribuindo para o TNC leve, use o código I67.9 (doença cerebrovascular) juntamente com as outras condições médicas etiológicas; I67.9 não é usado para TNC vascular maior.	F02.xy[b,c] (use o código para TNC maior devido a todas as etiologias aplicáveis). Também use o código F01.xy[b,c] para TNC maior provavelmente devido a doença vascular se presente. Também codifique os TNCs maiores induzidos por substância/medicamento relevantes se as substâncias ou medicamentos tiverem um papel na etiologia.	F06.7z[d] (use o código uma vez para TNC leve devido a todas as etiologias aplicáveis, incluindo TNC leve provavelmente devido a doença vascular se presente). Também codifique os TNCs leves induzidos por substância/medicamento relevantes se substâncias ou medicamentos tiverem um papel na etiologia.
Devido a etiologia desconhecida	Nenhum código médico adicional	F03.xy[b,c]	G31.84

Nota: As notas de rodapé a–d não se aplicam a TNC induzido por substância/medicamento.

[a] Codificar em primeiro lugar a condição médica etiológica (i. e., antes do código para TNC maior ou leve).

[b] TNC maior: A seguir, codificar o grau de gravidade (quarto caractere, o "x" na tabela) da seguinte maneira: .Ay leve, .By moderado, .Cy grave. *(O lugar do "y" é utilizado para perturbações comportamentais ou psicológicas comórbidas, descritas na nota de rodapé c, a seguir.)*

[c] TNC maior: Em seguida, codificar qualquer perturbação comportamental ou psicológica (quinto e sexto caracteres, o "y" na tabela): .x11 com agitação; .x4 com ansiedade; .x3 com sintomas de humor; .x2 com perturbação psicótica; .x18 com outra perturbação comportamental ou psicológica (p. ex., apatia); .x0 sem perturbação comportamental ou psicológica comórbida.

[d] TNC leve: Codificação baseada na perturbação comportamental comórbida, se presente (quinto caractere, o "z" na tabela), ou F06.70 sem perturbação comportamental ou F06.71 com perturbação comportamental (p. ex., apatia, agitação, ansiedade, sintomas de humor, perturbação psicótica ou outros sintomas comportamentais).

[e] Ver tabela de codificação em "Transtorno Neurocognitivo Maior ou Leve Induzido por Substância/Medicamento" para códigos da CID-10-MC.

[f] Os especificadores de gravidade "leve", "moderado" e "grave" não devem ser codificados, mas ainda devem ser registrados para TNC maior induzido por substância/medicamento.

[g] Os especificadores de sintomas acompanhantes "Com agitação", "Com ansiedade", "Com sintomas de humor", "Com perturbação comportamental", "Com outra perturbação comportamental ou psicológica" e "Sem perturbação comportamental ou psicológica comórbida" não devem ser codificados, mas ainda devem ser registrados.

Subtipos

Transtornos neurocognitivos (TNCs) maiores e leves são organizados em subtipos basicamente conforme a entidade ou as entidades etiológicas/patológicas conhecidas ou supostas subjacentes ao declínio cognitivo. Esses subtipos são diferenciados com base em uma combinação de curso temporal, domínios característicos afetados e sintomas associados. Para alguns subtipos etiológicos, o diagnóstico depende muito da presença de uma entidade potencialmente causadora, como a doença de Parkinson ou de Huntington, ou uma lesão cerebral traumática ou um acidente vascular cerebral no período de tempo apropriado. Para outros subtipos etiológicos (em geral, as doenças degenerativas, como a de Alzheimer, a degeneração frontotemporal e a com corpos de Lewy), o diagnóstico baseia-se principalmente nos sintomas cognitivos, comportamentais e funcionais. Em geral, diferenciar essas síndromes que carecem de uma entidade etiológica reconhecida de forma independente é mais fácil no contexto de um TNC maior do que em um TNC leve; algumas vezes, porém, sintomas característicos e aspectos associados estão presentes também no nível leve.

Os TNCs costumam ser manejados por clínicos de diversas áreas. No caso de vários subtipos, grupos multidisciplinares internacionais de especialistas têm desenvolvido critérios consensuais especializados, com base na correlação clinicopatológica com a patologia cerebral subjacente. Os critérios de subtipos aqui relatados foram harmonizados com os critérios desses especialistas.

Especificadores

Evidências de características comportamentais distintas nos TNCs foram reconhecidas especialmente nas áreas de sintomas psicóticos e depressão. As características psicóticas são comuns em muitos TNCs, em especial no estágio de leve a moderado de TNCs maiores devidos à doença de Alzheimer, à doença com corpos de Lewy e à degeneração frontotemporal. Se os sintomas psicóticos forem considerados devidos a doença de Alzheimer, doença com corpos de Lewy ou degeneração frontotemporal, pode ser dado um diagnóstico adicional de transtorno psicótico devido à doença de Alzheimer, devido à doença com corpos de Lewy ou devido à degeneração frontotemporal. Paranoia e outros delírios são características comuns, e com frequência um tema persecutório pode ser um aspecto proeminente da ideação delirante. Diferentemente dos transtornos psicóticos com início mais precoce na vida (p. ex., esquizofrenia), fala e comportamento desorganizados não são características de psicose nos TNCs. Podem ocorrer alucinações de qualquer tipo, embora as visuais sejam mais comuns nos TNCs do que nos transtornos depressivo, bipolar ou psicótico.

Perturbações do humor, incluindo depressão, ansiedade e euforia, podem ocorrer. A depressão é mais comum no início do curso do TNC (incluindo o TNC leve) devido à doença de Alzheimer e à de Parkinson, ao passo que a euforia pode ser mais comum na degeneração frontotemporal. Se a perturbação do humor for considerada devido à doença de Alzheimer, doença de Parkinson ou degeneração frontotemporal, pode ser dado um diagnóstico adicional de transtorno depressivo devido à doença de Alzheimer, transtorno depressivo devido à doença de Parkinson ou transtorno bipolar e relacionado devido à degeneração frontotemporal. Sintomas de humor são cada vez mais reconhecidos como uma característica significativa nos estágios iniciais de TNCs leves, de maneira que o reconhecimento clínico e a intervenção podem ser importantes.

Agitação é comum em uma ampla gama de TNCs, em especial no TNC maior com intensidade moderada a grave, frequentemente ocorrendo no contexto de confusão ou frustração. Pode surgir como comportamentos agressivos, sobretudo no contexto de resistência aos deveres do cuidador, como o banho e o vestir. A agitação é caracterizada como atividade motora e vocal disruptiva, com tendência a ocorrer em estágios avançados de prejuízo cognitivo em todos os TNCs.

Indivíduos com TNC podem se apresentar com uma variedade de sintomas comportamentais que constituem o foco do tratamento. Sono perturbado é um sintoma comum capaz de criar necessidade de atenção clínica, podendo incluir sintomas de insônia, hipersonia e perturbações no ritmo circadiano.

Apatia é comum em TNC leve e maior. É encontrada especialmente no TNC devido à doença de Alzheimer, podendo ser uma característica proeminente do transtorno devido à degeneração frontotemporal. A apatia costuma ser caracterizada por motivação diminuída e comportamento voltado a metas reduzido, acompanhado de responsividade emocional menor. Os sintomas de apatia podem se manifestar cedo no curso dos TNCs, quando pode ser observada perda de motivação para a realização das atividades cotidianas ou de passatempos.

Outros sintomas comportamentais importantes incluem perambulação, desinibição, hiperfagia e acumulação. Alguns são característicos de transtornos específicos, conforme discutido nas respectivas seções. Quando observada mais de uma perturbação comportamental, cada tipo deve ser registrado por escrito, com o especificador "com sintomas comportamentais".

Características Diagnósticas

TNCs maiores e leves existem em um espectro de prejuízo cognitivo e funcional. TNC maior corresponde aproximadamente à condição referida na CID-10 e na CID-11 (assim como no DSM-IV) como *demência*. A característica principal dos TNCs é um declínio cognitivo adquirido em um ou mais domínios (Critério A), com base em 1) preocupação com a cognição por parte do indivíduo, um informante conhecedor ou o clínico e 2) desempenho em alguma avaliação objetiva que fica aquém do nível esperado ou com declínio observado ao longo do tempo. Tanto a preocupação quanto uma evidência objetiva são necessárias, pois elas são complementares. Quando há foco exclusivo em testes objetivos, pode não ser diagnosticado um transtorno em pessoas com bom funcionamento, cujo desempenho atualmente "normal" na verdade representa um declínio substancial em suas capacidades, ou pode ser diagnosticada uma doença de forma incorreta em indivíduos cujo desempenho atualmente "baixo" não representa uma mudança na comparação com seus dados iniciais ou resulta de fatores externos, como condições do teste ou doença passageira. Alternativamente, foco excessivo em sintomas subjetivos pode prejudicar o diagnóstico de doença em pessoas com *insight* pobre ou cujos informantes negam ou não conseguem perceber os sintomas ou, ainda, ser excessivamente sensível nas que se dizem preocupadas.

Uma preocupação cognitiva difere de uma queixa no sentido de poder ou não ser expressa de forma espontânea. Pode, diferentemente, ter de ser provocada por meio de questionamento criterioso sobre sintomas específicos, que costumam ocorrer em indivíduos com déficits cognitivos (ver Tabela 1, no início deste capítulo). Por exemplo, preocupações com a memória incluem dificuldade de recordar pequenas listas de compras ou de acompanhar o desenrolar de um programa na TV; preocupações executivas incluem dificuldade de retomar uma tarefa quando interrompida, organizar registros de impostos ou planejar uma refeição em um feriado. No contexto de TNCs leves, é possível que a pessoa descreva essas tarefas como mais difíceis ou demandando mais tempo, esforço ou estratégias compensatórias. No contexto de TNCs maiores, esse tipo de tarefa pode ser concluída somente com assistência ou então ser completamente abandonada. No contexto de TNCs leves, os indivíduos e suas famílias podem não notar esses sintomas ou percebê-los como normais, em especial em idosos; assim, assume enorme importância o conhecimento da história. As dificuldades devem representar mudanças mais do que padrões de toda uma vida: o indivíduo ou o informante pode esclarecer essa questão, ou o clínico pode inferir mudanças em relação a experiências prévias com o paciente ou a partir de pistas ocupacionais ou de outros tipos. É também fundamental determinar que as dificuldades tenham relação mais com perda cognitiva do que com limitações motoras ou sensoriais.

Testes neuropsicológicos, com o desempenho comparado com padrões normativos apropriados a idade, sexo, nível educacional e antecedentes culturais do paciente, são parte da avaliação-padrão de TNCs, sendo essenciais na avaliação de TNC leve. É preferível o uso de instrumentos de avaliação culturalmente validados, que estão disponíveis para muitas populações raciais/étnicas e linguísticas. No caso de TNC maior, o desempenho costuma evidenciar 2 ou mais desvios-padrão aquém dos padrões normativos adequados (terceiro percentil ou abaixo). Em TNC leve, o desempenho costuma ficar em uma variação de 1 a 2 desvios-padrão (entre o percentil 3 e o 16). Não há disponibilidade, entretanto, de testes neuropsicológicos em todos os contextos, e os limiares neuropsicológicos são sensíveis ao(s) teste(s) específico(s) e aos padrões normativos empregados, bem como às condições do teste, às limitações sensoriais e à doença intercorrente. Existe uma variedade de avaliações a serem feitas em consultório ou "à beira do leito", conforme descrito na Tabela 1, capazes de fornecer dados objetivos em contextos nos quais esses testes não estão disponíveis ou não podem ser feitos. Seja qual for a situação, da mesma forma recomendada para as preocupações cognitivas, o desempenho objetivo deve ser interpretado à luz do desempenho anterior do indivíduo. O ideal seria que essa informação estivesse disponível a partir de uma administração anterior do mesmo teste, mas frequentemente isso deve ser inferido com base em normas apropriadas, em conjunto com a história educacional, profissional e outros fatores individuais. A interpretação das normas é mais desafiadora diante de indivíduos com níveis educacionais muito elevados ou muito rebaixados e em indivíduos avaliados fora do contexto do próprio idioma ou cultura.

O Critério B tem a ver com o nível de independência individual no funcionamento diário. Pessoas com TNC maior terão prejuízo com gravidade suficiente para interferir na independência, a ponto de outros terem de assumir tarefas que antes elas conseguiam realizar por conta própria. Indivíduos com TNC leve terão a independência preservada, embora possa haver interferência sutil no funcionamento ou relato de que as tarefas exigem mais esforço ou mais tempo do que antes.

A distinção entre TNC maior ou leve é inerentemente arbitrária, e os transtornos existem ao longo de um *continuum*. Assim, é difícil determinar limiares precisos. Há necessidade de muito cuidado na obtenção da história, na observação e na integração com outros achados, tendo de ser levadas em consideração implicações diagnósticas quando as manifestações clínicas individuais situam-se em zona limítrofe.

Características Associadas

Normalmente, as características associadas que dão apoio a um diagnóstico de TNC maior ou leve serão específicas do subtipo etiológico (p. ex., sensibilidade neuroléptica e alucinações visuais em TNC devido à doença com corpos de Lewy). Tais características diagnósticas de cada subtipo são encontradas nas seções específicas.

Prevalência

A prevalência de TNC varia conforme a idade e o subtipo etiológico. As estimativas gerais de prevalência costumam estar disponíveis apenas para populações com mais idade. Entre indivíduos com mais de 60 anos, a prevalência aumenta gradativamente com a idade; as estimativas, assim, são mais exatas para faixas etárias mais estreitas do que para categorias amplas, como "com mais de 65 anos" (situação em que a média de idade pode variar muito de acordo com a expectativa de vida da população). Para os subtipos etiológicos que ocorrem ao longo do ciclo de vida, estimativas de prevalência para TNC podem estar disponíveis, se for o caso, apenas como uma fração dos indivíduos que desenvolvem TNC entre aqueles com a condição relevante (p. ex., lesão cerebral traumática, infecção por HIV).

O sexo feminino está associado a maior prevalência de demência em geral, em especial a doença de Alzheimer; essa diferença, no entanto, é amplamente atribuível, se não totalmente, à maior longevidade das mulheres.

As estimativas gerais de prevalência para demência (amplamente congruentes com TNC maior) são de cerca de 1 a 2% aos 65 anos de idade, chegando até 30% aos 85 anos. A prevalência de TNC leve é bastante sensível à definição do transtorno, em especial nas comunidades, onde as avaliações são menos detalhadas. Além disso, diferentemente do contexto clínico, onde a preocupação cognitiva provavelmente é alta na busca de atendimento, pode haver um declínio menos claro na comparação com o funcionamento inicial. As estimativas de prevalência de comprometimento cognitivo leve (substancialmente congruente com TNC leve) entre pessoas idosas são bastante variáveis, indo de 2 a 10% aos 65 anos de idade e de 5 a 25% aos 85 anos.

A prevalência e a incidência de demência variam entre os países e entre as populações étnicas e raciais nos Estados Unidos, embora as diferenças metodológicas compliquem as comparações de taxas. Alguns estudos nos Estados Unidos evidenciaram que a incidência é mais alta em afro-americanos, seguidos, em ordem decrescente, por índios americanos/nativos do Alasca, latinos, moradores de ilhas do Pacífico, brancos não latinos e asiáticos americanos. Entre quatro populações asiáticas americanas, os filipino americanos tiveram a maior incidência, seguidos pelos nipo-americanos, chineses americanos e asiático-indígenas americanos. Descobriu-se que as subpopulações latinas nos Estados Unidos variam bastante em prevalência e incidência de demência; os hispânicos caribenhos têm taxas muito mais elevadas do que os mexicanos americanos em alguns estudos dos Estados Unidos.

Desenvolvimento e Curso

O curso do TNC varia ao longo de subtipos etiológicos, e essa variação pode ser útil no diagnóstico diferencial. Alguns subtipos (p. ex., os relacionados a lesão cerebral traumática ou acidente vascular cerebral) costumam ter início em um momento específico e (pelo menos após o desaparecimento dos primeiros sintomas relativos a inflamação ou edema) permanecem estáticos. Outros podem oscilar com o tempo (ainda que, ocorrendo isso, deva ser levada em consideração a possibilidade de *delirium* sobreposto ao TNC). Os TNCs devidos a doenças neurodegenerativas, como a de Alzheimer ou a degeneração frontotemporal, costumam ser marcados por aparecimento insidioso e progressão gradativa, e o padrão de surgimento de déficits cognitivos e características associadas ajuda a diferenciá-los.

TNCs com surgimento na infância e adolescência podem ter repercussões amplas no desenvolvimento social e intelectual; nesse contexto, a incapacidade intelectual (transtorno do desenvolvimento intelectual) e/ou outros transtornos do neurodesenvolvimento podem ser também diagnosticados para que se tenha todo o quadro diagnóstico e se assegure o oferecimento de uma ampla gama de serviços. Nos idosos, os transtornos neurocognitivos costumam ocorrer em situações de doenças médicas, fragilidade e perda sensorial, que complicam o quadro clínico quanto ao diagnóstico e tratamento.

Quando a perda cognitiva ocorre entre a juventude e a vida adulta intermediária, é possível que os indivíduos e suas famílias busquem atendimento. Os TNCs costumam ser de fácil identificação na juventude, embora, em alguns contextos, simulação e transtornos factícios possam preocupar. Em fases mais avançadas, os sintomas cognitivos podem não preocupar ou não ser percebidos. É ainda nesse período que o TNC leve deve também ser diferenciado dos déficits mais simples associados ao "envelhecimento normal", ainda que uma parte substancial do que é atribuído ao envelhecimento normal possa representar fases prodrômicas de vários TNCs. Além disso, fica cada vez mais difícil o reconhecimento de um TNC leve com o envelhecimento devido à crescente prevalência de doenças médicas e deficiências sensoriais. Há dificuldade também na distinção entre os subtipos com o envelhecimento, uma vez que há múltiplas fontes potenciais de declínio neurocognitivo.

Fatores de Risco e Prognóstico

Os fatores de risco variam não apenas por subtipo etiológico como também pela idade de início entre os subtipos. Alguns subtipos se distribuem durante o ciclo de vida; outros ocorrem, exclusiva e basicamente, no período de vida mais tardio. Mesmo nos TNCs do envelhecimento, a prevalência relativa varia com a idade; a doença de Alzheimer não é comum antes dos 60 anos, e sua prevalência aumenta gradativamente daí em diante, ao passo que a degeneração frontotemporal, em geral menos comum, surge mais cedo e representa uma fração cada vez menor de TNCs com o envelhecimento. O fator de risco mais forte para TNCs maiores e leves é a idade, basicamente porque com o envelhecimento aumenta o risco de doença neurodegenerativa e cerebrovascular.

O risco de TNCs varia de acordo com a origem étnica e racial e está associado à variação no risco de doenças subjacentes (p. ex., hipertensão, diabetes), condições predisponentes (p. ex., traumatismo craniano), ambiente (p. ex., acesso a alimentos nutritivos, espaços seguros para exercícios) e outros fatores. Por exemplo, nos Estados Unidos, os afro-americanos e latinos costumam ter maior risco de demência vascular do que os brancos. Menor escolaridade e alfabetização são fatores de risco para TNCs que também podem variar de acordo com o grupo étnico-racial, devido à exposição diferencial a determinantes sociais adversos da saúde.

Questões Diagnósticas Relativas à Cultura

O nível de percepção e preocupação de indivíduos e famílias quanto a sintomas neurocognitivos pode variar de acordo com grupos étnicos, raciais e profissionais. Diferenças culturais em relação à diminuição da capacidade cognitiva ser vista como uma parte normal do envelhecimento ("normalização") e relativas ao estigma relacionado à demência podem atrasar o reconhecimento de um problema pelas famílias e diminuir a procura de ajuda por indivíduos nos estágios iniciais de perda cognitiva. Por exemplo, o estigma social parece estar associado à subutilização de serviços para prejuízo cognitivo entre alguns grupos étnicos e raciais carentes (p. ex., chineses americanos, coreanos americanos).

Os sintomas neurocognitivos podem ser mais percebidos, especialmente no nível leve, em indivíduos envolvidos em atividades profissionais, domésticas ou recreativas complexas. Além disso, as normas de testes neuropsicológicos costumam estar disponíveis apenas para a ampla população, podendo tornar-se de difícil aplicação em indivíduos com formação aquém do ensino médio ou naqueles que são avaliados fora de sua cultura ou em outro idioma que não o seu primário. Os desafios diagnósticos culturalmente relacionados incluem contabilizar a variação intraétnica na interpretação das avaliações; avaliar o efeito sobre os testes neuropsicológicos de a) a ameaça do estereótipo do participante do teste (ou seja, ansiedade devido a preocupações de que ele ou ela confirmará o estereótipo negativo do grupo étnico ou racial por baixo desempenho) e/ou b) o viés implícito (inconsciente) do clínico na interpretação do teste; e selecionar o idioma apropriado ao avaliar indivíduos bilíngues.

Indivíduos bilíngues com demência podem perder a facilidade com línguas não nativas adquiridas, o que pode afetar sua capacidade de se comunicar com os cuidadores. O ambiente de cuidado pode ser influenciado por normas culturais de responsabilidade familiar de cuidado com o idoso, por exemplo, afetando a decisão de cuidar do idoso com TNC em casa ou em uma instituição de saúde. Em algumas culturas, espera-se que os filhos adultos cuidem de seus pais idosos (p. ex., piedade filial) para que uma limitação funcional não seja tão óbvia para o idoso dependente ou para a família.

Questões Diagnósticas Relativas ao Sexo e ao Gênero

Alguns estudos mostram que homens e mulheres experimentam TNC maior e leve de forma diferente. Fatores relacionados ao sexo e ao gênero podem influenciar a incidência e a prevalência, a etiologia (fatores de risco e de proteção) e as manifestações clínicas do TNC maior e leve. As mulheres, mais do que os homens, experimentam TNCs maiores devido à sua vida útil mais longa. Assim, uma mulher de uma determinada idade tem um aumento no risco cumulativo de desenvolver TNC maior antes da morte do que um homem da mesma idade. A diferença nas taxas de incidência é menos clara e pode variar entre as populações e ao longo do tempo devido a fatores relacionados ao gênero (p. ex., educação, ocupação, papel familiar, estresse). Por exemplo, a incidência de demência em vários países de renda mais alta diminuiu nos últimos 30 anos, e o declínio foi diferente em homens e mulheres entre os países. As mulheres costumam expressar uma gama mais ampla de sintomas. Em particular, as mulheres costumam manifestar mais sintomas psiquiátricos, como depressão, ansiedade e delírios. Os homens tendem a manifestar mais agressividade, apatia e sintomas vegetativos.

Assim como a idade, a cultura e a profissão, as questões relacionadas ao sexo e ao gênero podem influenciar o nível de preocupação e percepção de sintomas cognitivos. Além disso, no caso dos transtornos neurocognitivos em período de vida mais tardio, as mulheres são provavelmente mais velhas, têm mais comorbidade médica e moram sozinhas, o que pode complicar a avaliação e o tratamento. Ademais, há diferenças de sexo e gênero na frequência de alguns subtipos etiológicos.

Marcadores Diagnósticos

Além da obtenção de uma história médica criteriosa, as avaliações neuropsicológicas são as principais medidas de diagnóstico de TNCs, particularmente no nível leve, no qual as mudanças funcionais são mínimas, e os sintomas, mais sutis. Idealmente, os indivíduos devem ser encaminhados para testagem neuropsicológica formal, a qual irá proporcionar uma avaliação quantitativa de todos os domínios relevantes, e auxiliar, então, no diagnóstico; favorecer orientações à família em relação a áreas em que o indivíduo necessitará de mais apoio, além de servir como referência para avaliação de declínio posterior ou resposta às terapias. Quando esse tipo de testagem não está disponível ou não é factível, as avaliações breves da Tabela 1 podem oferecer conhecimento de cada domínio. Avaliações breves do estado mental mais globais podem ser úteis, embora possam ser insensíveis, especialmente em relação a mudanças menores em um único domínio ou em relação a indivíduos com elevadas capacidades pré-mórbidas; por outro lado, podem ter elevada sensibilidade em indivíduos com baixas capacidades pré-mórbidas.

Ao distinguir entre subtipos etiológicos, outros marcadores diagnósticos podem ser considerados, particularmente estudos de neuroimagem, como ressonância magnética e tomografia por emissão de pósitrons. Além disso, a avaliação de subtipos específicos pode envolver marcadores específicos, podendo se tornar mais relevante à medida que se acumulam evidências de novas pesquisas adicionais com o tempo, conforme discutido nas seções relevantes.

Associação com Pensamentos ou Comportamentos Suicidas

Estudos em larga escala indicam taxas elevadas de comportamentos suicidas em indivíduos com TNC devido a diversas etiologias em comparação com pessoas sem TNC. Um estudo nacional em Taiwan relatou que a tentativa de suicídio no final da vida está associada à demência subsequente.

Consequências Funcionais dos Transtornos Neurocognitivos Maior e Leve

Por definição, os TNCs maior e leve influenciam o funcionamento, considerando-se o papel central da cognição na vida das pessoas. Assim, os critérios para os transtornos e o limiar de distinção entre TNC maior e leve baseiam-se, em parte, em avaliações funcionais. No TNC maior, há ampla variação de prejuízos funcionais, conforme descrito nos especificadores de gravidade. Além disso, as funções específicas comprometidas podem ajudar a identificar os domínios cognitivos afetados, em especial quando não há testes neuropsicológicos disponíveis ou quando sua interpretação é difícil.

Diagnóstico Diferencial

Cognição normal. O diagnóstico diferencial entre cognição normal e TNC leve, da mesma forma que entre TNC leve e maior, é um desafio, porque as fronteiras são inerentemente arbitrárias. São fundamentais a essas distinções a obtenção da história e a avaliação objetiva. Pode ser essencial à detecção de TNC leve uma avaliação longitudinal que utilize investigações quantificadas.

Delirium. TNCs leve e maior podem ser difíceis de diferenciar de *delirium* persistente, capaz de ocorrer ao mesmo tempo. Uma investigação criteriosa da atenção e de excitação pode ajudar nessa diferenciação.

Transtorno depressivo maior. A distinção entre TNC leve e transtorno depressivo maior, que pode ser concomitante a TNC, também pode ser um desafio. Podem ser úteis padrões específicos de cognição. Por exemplo, déficits consistentes de memória e função executiva são típicos da doença de Alzheimer, ao passo que comprometimento não específico ou mais variável do desempenho é encontrado na depressão maior. Alternativamente, o tratamento do transtorno depressivo, com observação repetida ao longo do tempo, pode ser necessário para que seja feito o diagnóstico.

Transtorno específico da aprendizagem e outros transtornos do neurodesenvolvimento. É útil, para fazer a distinção entre transtorno neurocognitivo e transtorno específico da aprendizagem ou outros transtornos do neurodesenvolvimento, um esclarecimento criterioso da condição basal do indivíduo. Outras questões podem participar da diferença quanto a subtipos etiológicos específicos, conforme descrito nas seções específicas.

Comorbidade

Os TNCs são comuns em idosos; assim, são concomitantes a uma grande variedade de doenças relacionadas ao envelhecimento, o que pode complicar o diagnóstico e o tratamento. Entre elas, destaca-se o *delirium*, para o qual o TNC aumenta o risco. Em pessoas idosas, a ocorrência de *delirium* durante a hospitalização é, em muitos casos, a primeira vez que um TNC é notado, ainda que a história atenta revele, com frequência, evidências de declínio anterior. Transtornos neurocognitivos mistos também são comuns em idosos, uma vez que a prevalência de muitas entidades etiológicas aumenta com o envelhecimento. Em pessoas mais jovens, TNC costuma ocorrer com transtornos do neurodesenvolvimento; por exemplo, lesão cerebral em criança na pré-escola pode também levar a problemas de desenvolvimento e de aprendizagem significativos. Comorbidade adicional de TNCs é frequentemente relacionada ao subtipo etiológico, conforme discutido nas seções específicas.

Transtorno Neurocognitivo Maior ou Leve Devido à Doença de Alzheimer

Critérios Diagnósticos

A. São atendidos os critérios diagnósticos para transtorno neurocognitivo maior ou leve.
B. Há surgimento insidioso e progressão gradual de prejuízo em um ou mais domínios cognitivos (no caso de transtorno neurocognitivo maior, pelo menos dois domínios devem estar prejudicados).
C. Os critérios são atendidos para doença de Alzheimer provável ou possível, do seguinte modo:

Para transtorno neurocognitivo maior:

Provável doença de Alzheimer é diagnosticada se qualquer um dos seguintes está presente; caso contrário, deve ser diagnosticada **possível doença de Alzheimer.**

1. Evidência de uma mutação genética causadora de doença de Alzheimer a partir de história familiar ou teste genético.
2. Todos os três a seguir estão presentes:
    a. Evidências claras de declínio na memória e na aprendizagem e em pelo menos outro domínio cognitivo (com base em história detalhada ou testes neuropsicológicos em série).
    b. Declínio constantemente progressivo e gradual na cognição, sem platôs prolongados.
    c. Ausência de evidências de etiologia mista (i. e., ausência de outra doença neurodegenerativa ou cerebrovascular ou de outra doença ou condição neurológica, mental ou sistêmica provavelmente contribuindo para o declínio cognitivo).

Para transtorno neurocognitivo leve:

Provável doença de Alzheimer é diagnosticada se há evidência de alguma mutação genética causadora de doença de Alzheimer, constatada em teste genético ou história familiar.

Possível doença de Alzheimer é diagnosticada se não há evidência de mutação genética causadora de doença de Alzheimer, de acordo com teste genético ou história familiar, com presença de todos os três a seguir:

1. Evidências claras de declínio na memória e na aprendizagem.
2. Declínio constantemente progressivo e gradual na cognição, sem platôs prolongados.
3. Ausência de evidências de etiologia mista (i. e., ausência de outra doença neurodegenerativa ou cerebrovascular ou de outra doença ou condição neurológica ou sistêmica provavelmente contribuindo para o declínio cognitivo).

D. A perturbação não é mais bem explicada por doença cerebrovascular, outra doença neurodegenerativa, efeitos de uma substância ou outro transtorno mental, neurológico ou sistêmico.

Nota para codificação (ver tabela de codificação nas páginas 682-683):
Para transtorno neurocognitivo (TNC) maior devido a provável doença de Alzheimer: 1) codificar primeiro **G30.9** doença de Alzheimer, 2) seguido por **F02**. 3) Depois, codificar o grau de gravidade atual da perturbação cognitiva (leve, moderado, grave) e 4) se há ou não uma perturbação comportamental ou psicológica con-

comitante. Por exemplo, para TNC maior devido a provável doença de Alzheimer, moderado, com perturbação psicótica, o código da CID-10-MC é **F02.B2**.

Para TNC maior devido a possível doença de Alzheimer: 1) codificar primeiro **F03** (não há código médico adicional). 2) Depois, codificar o grau de gravidade atual da perturbação cognitiva (leve, moderado, grave) e 3) se há ou não uma perturbação comportamental ou psicológica concomitante. Por exemplo, para TNC maior devido a possível doença de Alzheimer, leve, com sintomas de humor, o código da CID-10-MC é **F03.A3**.

Para TNC leve devido a provável doença de Alzheimer: 1) codificar primeiro **G30.9** doença de Alzheimer, 2) seguido de **F06.70** para TNC leve devido à doença de Alzheimer sem perturbação comportamental ou **F06.71** para TNC leve devido à doença de Alzheimer com perturbação comportamental. Use códigos adicionais para indicar sintomas psiquiátricos clinicamente significativos também devidos à doença de Alzheimer (p. ex., **F06.2** transtorno psicótico devido à doença de Alzheimer, com delírios; **F06.32** transtorno depressivo devido à doença de Alzheimer, com episódio tipo depressivo maior).

Para TNC leve devido a possível doença de Alzheimer, use o código **G31.84**. (**Nota:** Não há código médico adicional. "Com perturbação comportamental" e "sem perturbação comportamental" não devem ser codificados, mas ainda devem ser registrados.)

Características Diagnósticas

Além da síndrome de transtorno neurocognitivo (Critério A), as características centrais de TNC maior ou leve devido à doença de Alzheimer incluem início insidioso e progressão gradual dos sintomas cognitivos e comportamentais (Critério B). A apresentação característica é amnéstica (i. e., com prejuízo da memória e da aprendizagem). Também existem apresentações não amnésticas incomuns, em especial variantes visuoespaciais e afásicas logopênicas. Um significativo número de indivíduos, provavelmente mais da metade, apresenta sintomas comportamentais antes do início dos sintomas cognitivos; a presença de perturbação comportamental deve ser registrada usando os códigos especificadores apropriados. Na fase leve do TNC, a doença de Alzheimer costuma se manifestar com prejuízo na memória e na aprendizagem, por vezes acompanhado de deficiências na função executiva. Na fase maior do TNC, estão também prejudicadas a capacidade visuoconstrutiva/perceptomotora e a linguagem (p. ex., busca de palavras), particularmente quando o TNC é moderado a grave. A cognição social tende a ficar preservada até mais tarde no curso da doença, com exceção de indivíduos que apresentam as variantes menos comuns com perturbações disexecutivas e comportamentais.

Precisa ser especificado um nível de certeza diagnóstica que denote doença de Alzheimer como etiologia "provável" ou "possível" (Critério C). É diagnosticada *doença de Alzheimer provável* em TNC maior e leve diante de evidência de um gene causador da doença de Alzheimer, seja por meio de teste genético, seja por história familiar dominante autossômica, junto de confirmação por necropsia ou teste genético em membro da família afetado. Atualmente, a designação "provável" representa o mais alto nível de certeza diagnóstica dentro da estrutura atual de critérios. No entanto, os desenvolvimentos atuais em biomarcadores continuam a aumentar a certeza diagnóstica (p. ex., quando a tomografia por emissão de pósitrons [PET] do cérebro pode indicar a presença de patologia de Alzheimer, como evidência de amiloide e/ou deposição de tau por imagem ou análise do líquido cerebrospinal [LCS]). Para TNC maior, um quadro clínico típico, sem platôs prolongados ou evidências de etiologia mista, pode também ser diagnosticado devido a uma provável doença de Alzheimer. Todavia, em alguns indivíduos pode haver períodos prolongados de progresso lento ou mínimo. Para TNC leve, considerando-se o grau menor de certeza de que as deficiências irão evoluir, essas características são apenas suficientes para uma etiologia de Alzheimer *possível*. Conforme mencionado, no entanto, novos métodos de biomarcadores podem afetar o uso de "provável" e "possível" para o TNC leve. Se a etiologia parecer mista, TNC leve devido a múltiplas etiologias deve ser diagnosticado. Independentemente do caso, seja para TNC leve ou maior devido à doença de Alzheimer, as características clínicas não devem sugerir outra etiologia primária para o TNC (Critério D). Como os dados de biomarcadores continuam a informar a natureza das patologias subjacentes, é provável que a existência de múltiplas etiologias seja mapeada de forma mais sistemática no futuro, a fim de identificar melhor as variações diagnósticas no TNC devido a múltiplas etiologias.

Características Associadas

Para indivíduos com TNC devido à doença de Alzheimer, os sintomas se estendem além dos déficits cognitivos, para incluir sintomas neuropsiquiátricos, como agitação, apatia, depressão, delírios e transtornos do sono. Os sintomas neuropsiquiátricos também podem ser descritos como sintomas comportamentais e psicológicos de demência e têm sido observados em transtornos neurocognitivos de todas as etiologias. Na doença de Alzheimer, esses sintomas são quase universais, conforme confirmado em duas amostras populacionais dos Estados Unidos; em uma delas, após 5 anos de acompanhamento, evidenciou-se que 98% dos indivíduos com TNC devido à doença de Alzheimer desenvolvem sintomas neuropsiquiátricos. Esses sintomas levam à incapacidade, piora da qualidade de vida, maior prejuízo nas atividades da vida diária, declínio cognitivo e funcional mais rápido, maior sobrecarga do cuidador, institucionalização precoce e mortalidade acelerada. Os sintomas neuropsiquiátricos costumam ser mais angustiantes do que as manifestações cognitivas e frequentemente são a razão pela qual a assistência médica é procurada. Esses sintomas também costumam estar presentes no estágio leve do TNC, com evidências sugerindo que mais da metade dos indivíduos que desenvolvem demência começam com sintomas neuropsiquiátricos. No estágio leve do transtorno neurocognitivo, ou no nível mais leve de transtorno neurocognitivo maior, costumam ser observadas depressão, irritabilidade e/ou apatia. Com TNC maior moderadamente grave, características psicóticas, irritabilidade, agitação, agressividade e perambulação são comuns. Em uma fase tardia da doença, distúrbios na marcha, disfagia, incontinência, mioclonia e convulsões são observados.

Prevalência

A prevalência de TNC geral devido à doença de Alzheimer aumenta rapidamente com o envelhecimento. Em países de alta renda, varia de 5 a 10% em indivíduos com idades entre 60 e 69 anos, até pelo menos 25% daí em diante. Estima-se que 5,4 milhões de norte-americanos de todas as idades tiveram demência devido à doença de Alzheimer em 2016, incluindo cerca de 200 mil indivíduos com o princípio da doença antes dos 65 anos de idade. A demência devido à doença de Alzheimer é encontrada em 11% dos indivíduos com 65 anos ou mais e em 32% daqueles com 85 anos ou mais. Estimativas que aplicam as taxas de incidência de demência devido à doença de Alzheimer aos dados do censo dos Estados Unidos indicam que 81% dos indivíduos com a doença têm 75 anos de idade ou mais. O percentual de demências atribuível à doença de Alzheimer varia de cerca de 60% a mais de 90%, dependendo do contexto e dos critérios diagnósticos. TNC leve devido à doença de Alzheimer possivelmente representa também uma fração substancial de comprometimento cognitivo leve (CCL).

Estudos mostram que a prevalência de demência devido à doença de Alzheimer costuma variar de acordo com a origem étnico-racial; por exemplo, nos Estados Unidos, a prevalência em indivíduos com 65 anos de idade ou mais varia de 3,5 a 14,4%, dependendo do grupo étnico-racial, da idade e da metodologia de avaliação. Prevalência maior foi evidenciada entre afro-americanos e latinos de origem caribenha, após ajuste para gênero e comorbidades clínicas.

Desenvolvimento e Curso

O transtorno neurocognitivo maior ou leve devido à doença de Alzheimer progride gradualmente, por vezes com platôs, indo da demência grave à morte. A duração média da sobrevida após o diagnóstico situa-se por volta de 10 anos, refletindo mais a idade avançada da maioria dos indivíduos do que o curso da doença; há pessoas que conseguem viver com ela por até 20 anos. Indivíduos no estágio avançado acabam mudos e confinados ao leito. A morte costuma ser consequência de aspiração nos que sobrevivem ao longo do curso completo. No TNC leve devido à doença de Alzheimer, os prejuízos aumentam com o tempo, com o estado funcional declinando aos poucos, até que os sintomas cheguem ao limiar para o diagnóstico de TNC maior.

O surgimento de sintomas costuma ocorrer nas idades de 70 a 89 anos; formas de início precoce encontradas em indivíduos com 40 a 59 anos frequentemente, mas nem sempre, têm relação com mutações causadoras conhecidas. Os sintomas e a patologia não diferem muito em função de idades distintas de aparecimento. Pessoas mais jovens, porém, têm maior probabilidade de sobreviver ao curso completo da doença, ao passo que pessoas com mais idade têm maior probabilidade de apresentar várias comorbidades médicas, que afetam o curso e o controle da doença. A complexidade diagnóstica é mais alta nos idosos devido à maior possibilidade de doença médica comórbida e patologia mista. A idade no início dos sintomas, a taxa de declínio cognitivo e as taxas de sobrevivência parecem variar de acordo com a origem étnico--racial. Por exemplo, em comparação com brancos não latinos, os latinos podem desenvolver sintomas da doença de Alzheimer até 4 anos antes, os afro-americanos costumam apresentar declínio cognitivo mais lento e ambos os grupos menos favorecidos podem ter períodos de sobrevivência mais longos.

Fatores de Risco e Prognóstico

Foram identificados diversos fatores de risco, incluindo menor nível educacional, hipertensão na meia--idade, obesidade e perda auditiva, bem como tabagismo tardio, depressão, sedentarismo, isolamento social e diabetes. A ocorrência conjunta de múltiplos fatores de risco vascular também aumenta o risco para a doença de Alzheimer e pode atuar aumentando a patologia cerebrovascular ou também por meio de efeitos diretos na patologia de Alzheimer. A lesão cerebral traumática, especialmente em homens, pode aumentar o risco de TNC maior ou leve devido à doença de Alzheimer, embora essa relação continue sendo controversa.

Genéticos e fisiológicos. Conforme demonstram as estimativas de prevalência, a idade é definitivamente o fator de risco mais importante para a doença de Alzheimer. Foi demonstrada uma forte predisposição genética (60 a 80% do risco atribuível). Mutações raras nos cromossomos 1, 14 e 21 seguem a herança mendeliana, levando a formas autossômicas dominantes. Indivíduos com síndrome de Down (trissomia 21) podem desenvolver a doença de Alzheimer se sobreviverem até a meia-idade. Os fatores de risco mais comuns são poligênicos, com mais de 45 genes/*loci* de risco identificados, geralmente com pequenos efeitos sobre o risco. O polimorfismo de suscetibilidade genética mais forte, apolipoproteína E4 (*APOE*E4*), aumenta o risco e diminui a idade de início, particularmente em indivíduos homozigóticos, embora alguns desses indivíduos sobrevivam até idades avançadas sem desenvolver sintomas.

A origem étnico-racial e nacional está relacionada ao perfil de suscetibilidade genética para a doença de Alzheimer. Embora a *APOE*E4* esteja associada ao risco de doença de Alzheimer, essa associação não foi consistentemente encontrada em todos os grupos étnicos e raciais. Por exemplo, alguns estudos identificaram uma mutação única no gene *Gly206Ala* presenilina 1 entre indivíduos de ascendência porto-riquenha com doença de Alzheimer, que também está relacionada ao início precoce. Além disso, alguns estudos encontraram uma associação mais forte com *ABCA7*, um gene transportador de proteína, entre indivíduos que se identificam como afro-americanos do que entre brancos americanos.

Questões Diagnósticas Relativas à Cultura

A detecção de um TNC pode ser mais difícil em contextos culturais e socioeconômicos em que a perda da memória é considerada normal com o envelhecimento, onde os idosos veem-se diante de menos demandas cognitivas na vida diária ou em que níveis educacionais muito baixos acarretam desafios maiores a avaliações cognitivas objetivas.

Questões Diagnósticas Relativas ao Sexo e ao Gênero

As mulheres apresentaram maior incidência de doença de Alzheimer do que os homens em diversos estudos na Europa, mas a incidência foi semelhante em homens e mulheres na maioria dos estudos norte--americanos. Alguns estudos sugeriram que os sintomas da demência progridem mais rapidamente nas mulheres do que nos homens. Entretanto, como as mulheres têm um desempenho melhor do que os homens da mesma idade em alguns testes verbais de memória, também é possível que as diferenças de gênero reflitam as pontuações de corte dos testes utilizados para apoiar um diagnóstico. Diferentes pontuações de corte podem ser úteis em homens e mulheres ao avaliar o comprometimento cognitivo leve.

Marcadores Diagnósticos

Placas neuríticas com predomínio amiloide, emaranhados neurofibrilares com predominância de proteínas tau e perda neuronal observada microscopicamente ou manifesta em atrofia cortical regional (p. ex., hipocampo, parietal, frontal) são marcos do diagnóstico patológico da doença de Alzheimer, podendo ser confirmados via exame histopatológico após a morte. Em casos com início precoce, com aparente herança autossômica dominante, uma mutação em um dos genes conhecidos causadores da doença de Alzheimer – proteína precursora do amiloide (*APP*), presenilina 1 (*PSEN1*) ou presenilina 2 (*PSEN2*) – pode estar envolvida, e testes genéticos para tais mutações estão disponíveis comercialmente, em geral sem utilidade clínica. Embora *APOE E*4* não possa servir como um marcador diagnóstico, por ser um fator de risco (i. e., não é necessário nem suficiente para a ocorrência da doença), em casos raros, testes genéticos neste *locus* podem ter utilidade em ambientes clínicos.

Uma vez que os depósitos de beta-amiloide 42 no cérebro ocorrem cedo na cascata fisiopatológica, testes diagnósticos com base amiloide, como imagens amiloides na tomografia cerebral por emissão de pósitrons (PET) e níveis reduzidos de beta-amiloide 42 no líquido cerebrospinal (LCS), podem ter valor diagnóstico. Da mesma forma, imagens de tau PET ou análises do LCS para níveis elevados de tau total ou da tau fosfato estão disponíveis para uso clínico. Sinais de lesão neuronal, como atrofia cortical no hipocampo, e temporoparietal, em imagens por ressonância magnética, e hipometabolismo temporoparietal em PET *scan* com fluorodesoxiglicose, oferecem evidências de dano neuronal, embora sejam menos específicos para a doença de Alzheimer. A maior parte desses biomarcadores está validada e disponível em locais de atendimento terciário. Biomarcadores derivados do sangue para a doença de Alzheimer estão sendo desenvolvidos e provavelmente estarão disponíveis clinicamente como indicadores diagnósticos, prognósticos e teranósticos.

Associação com Pensamentos ou Comportamentos Suicidas

A doença de Alzheimer está associada a um risco moderado de suicídio, mesmo muitos anos após o diagnóstico; assim, é apropriado que haja avaliação contínua do humor e da tendência ao suicídio. Um grande estudo com a população da Dinamarca evidenciou que o risco de suicídio em indivíduos com diagnóstico de demência determinado por dados hospitalares era de 3 a 8 vezes maior em comparação com pessoas sem demência. Por sua vez, vários outros estudos encontraram resultados mistos em relação ao risco de suicídio em indivíduos com doença de Alzheimer. Um estudo da neurobiologia do suicídio em idosos encontrou evidências preliminares de uma associação entre déficits cognitivos e comportamentos suicidas em idosos, sobretudo no que diz respeito à tomada de decisão prejudicada e inibição cognitiva reduzida.

Consequências Funcionais do Transtorno Neurocognitivo Maior ou Leve Devido à Doença de Alzheimer

Devido ao efeito na cognição, no comportamento e no funcionamento, o TNC devido à doença de Alzheimer tem um impacto sério e substancial nos indivíduos, seus cuidadores e famílias. No início do curso da doença, perda de memória, desorientação e sintomas de humor afetam negativamente a independência e criam preocupações de segurança (p. ex., ao dirigir). Para indivíduos com início em idades mais jovens, o TNC devido à doença de Alzheimer pode levar à aposentadoria precoce. À medida que a doença avança, os indivíduos tornam-se cada vez mais incapacitados nas atividades instrumentais e básicas da vida diária, tornando-se aos poucos totalmente dependentes de outros. Os cuidadores de indivíduos com TNC devido à doença de Alzheimer muitas vezes veem sua rede social se deteriorar e desenvolvem uma série de problemas de saúde física e mental que podem afetar negativamente os resultados tanto para o cuidador quanto para o indivíduo com TNC.

Diagnóstico Diferencial

Outros transtornos neurocognitivos. Transtornos neurocognitivos maior e leve devido a outros processos neurodegenerativos (p. ex., doença com corpos de Lewy, degeneração lobar frontotemporal) partilham o surgimento insidioso e o declínio gradativo causados pela doença de Alzheimer, embora tenham características próprias (que nem sempre estão presentes). Por exemplo, TNC com corpos de Lewy normalmente é caracterizado por flutuações frequentes na cognição no surgimento da doença, características parkinsonianas, desequilíbrios na marcha e alucinações visuais. Os indivíduos com TNC frontotemporal podem apresentar distintas variantes comportamentais ou de linguagem. A variante comportamental geralmente se manifesta em primeiro lugar com mudanças proeminentes no comportamento social, como desinibição, apatia ou comportamento perseverante, que não raramente podem levar a um diagnóstico psiquiátrico primário. Por sua vez, a variante de linguagem do TNC frontotemporal pode se manifestar com deficiências na linguagem expressiva ou na compreensão de palavras.

No TNC vascular maior ou leve, normalmente há uma história de acidente vascular cerebral temporalmente relacionada ao surgimento do comprometimento cognitivo, e infartos ou depósitos de hemossiderina observados em imagens cerebrais podem ser considerados suficientes para explicar o quadro clínico. No entanto, o TNC vascular maior ou leve compartilha muitas características clínicas com a doença de Alzheimer; quase sempre, a patologia de Alzheimer está presente sozinha ou em combinação com patologias vasculares. Deve-se notar que a alteração da substância branca por si só não constitui evidência suficiente de doença cerebrovascular para propor uma etiologia mista se as outras considerações diagnósticas apoiarem o diagnóstico de TNC devido à doença de Alzheimer. A presença de alterações isquêmicas subcorticais na neuroimagem deve ser interpretada com cuidado, tendo em vista a presença de patologia de Alzheimer concomitante.

Outra doença neurológica ou sistêmica ativa e comórbida. Outras doenças neurológicas ou sistêmicas devem ser consideradas quando há relação temporal apropriada e gravidade que respondam pelo quadro clínico. No nível leve do TNC, pode ser difícil diferenciar a etiologia da doença de Alzheimer daquela de outra condição médica (p. ex., distúrbios da tireoide, deficiência de vitamina B_{12}).

Transtorno depressivo maior. Particularmente no nível leve de um TNC, o diagnóstico diferencial inclui ainda depressão maior. A presença de depressão pode estar associada a funcionamento diário reduzido e concentração insatisfatória capazes de assemelhar-se a um TNC, mas a melhora com tratamento da depressão pode ser útil para fazer a distinção. Se os sintomas que atendem aos critérios para um episódio depressivo maior são considerados devidos aos efeitos fisiológicos da doença de Alzheimer, um diagnóstico de transtorno depressivo devido à doença de Alzheimer, com episódio tipo depressivo maior, deve ser dado em vez do diagnóstico de transtorno depressivo maior.

Comorbidade

A maioria dos indivíduos com a doença de Alzheimer é idosa, com múltiplas condições médicas capazes de complicar o diagnóstico e influenciar o curso clínico. O TNC maior ou leve devido à doença de Alzheimer costuma ocorrer com doença cerebrovascular, contribuindo para o quadro clínico. Quando uma condição comórbida contribui para o TNC em um indivíduo com doença de Alzheimer, então o TNC devido a múltiplas etiologias deve ser diagnosticado.

Transtorno Neurocognitivo Frontotemporal Maior ou Leve

Critérios Diagnósticos

A. São atendidos os critérios diagnósticos para transtorno neurocognitivo maior ou leve.
B. A perturbação tem surgimento insidioso e progressão gradual.

C. Qualquer um entre (1) e (2):
   1. Variante comportamental:
      a. Três ou mais dos sintomas comportamentais a seguir:
         i. Desinibição comportamental.
         ii. Apatia ou inércia.
         iii. Perda de simpatia ou empatia.
         iv. Comportamento perseverante, estereotipado ou compulsivo/ritualístico.
         v. Hiperoralidade e mudanças na dieta.
      b. Declínio proeminente na cognição social e/ou nas capacidades executivas.
   2. Variante linguística:
      a. Declínio proeminente na capacidade linguística, na forma de produção da fala, no encontro de palavras, na nomeação de objetos, na gramática ou na compreensão de palavras.
D. Preservação relativa da aprendizagem e da memória e da função perceptomotora.
E. A perturbação não é mais bem explicada por doença cerebrovascular, outra doença neurodegenerativa, efeitos de uma substância ou outro transtorno mental, neurológico ou sistêmico.

Provável transtorno neurocognitivo frontotemporal é diagnosticado se algum dos seguintes está presente; caso contrário, deve ser diagnosticado **possível transtorno neurocognitivo frontotemporal**:

1. Evidências de uma mutação genética causadora de transtorno neurocognitivo frontotemporal, a partir da história familiar ou de testes genéticos.
2. Evidências de envolvimento desproporcional do lobo frontal e/ou lobo temporal, com base em neuroimagem.

Possível transtorno neurocognitivo frontotemporal é diagnosticado se não houver evidências de uma mutação genética e o exame de neuroimagem não tiver sido realizado.

Nota de codificação (ver tabela de codificação nas páginas 682-683):

Para transtorno neurocognitivo (TNC) maior devido à provável degeneração frontotemporal: 1) Codificar primeiro **G31.09** degeneração frontotemporal, 2) seguido por **F02**. 3) Depois, codificar o grau de gravidade atual da perturbação cognitiva (leve, moderado, grave) e 4) se há ou não uma perturbação comportamental ou psicológica concomitante. Por exemplo, para TNC maior devido a provável degeneração frontotemporal, moderado, com perturbação psicótica, o código da CID-10-MC é **F02.B2**.

Para TNC maior devido a possível degeneração frontotemporal: 1) Codificar primeiro **F03** (não há código médico adicional). 2) Depois, codificar o grau de gravidade atual da perturbação cognitiva (leve, moderado, grave) e 3) se há ou não uma perturbação comportamental ou psicológica concomitante. Por exemplo, para TNC maior com possível degeneração frontotemporal, leve, com sintomas de humor, o código da CID-10-MC é **F03.A3**.

Para TNC leve devido a provável degeneração frontotemporal: 1) Codificar primeiro **G31.09** degeneração frontotemporal, 2) seguido por **F06.70** para TNC leve devido a degeneração frontotemporal sem perturbação comportamental ou por **F06.71** para TNC leve devido a degeneração frontotemporal com perturbação comportamental. Use códigos adicionais para indicar sintomas psiquiátricos clinicamente significativos também devidos a degeneração frontotemporal (p. ex., **F06.33** transtorno bipolar e transtorno relacionado devido a degeneração frontotemporal, com características maníacas; **F07.0** mudança de personalidade devido a degeneração frontotemporal, tipo desinibido).

Para TNC leve devido a possível degeneração frontotemporal, use o código **G31.84**. (**Nota:** Não há código médico adicional. "Com perturbação comportamental" e "sem perturbação comportamental" não devem ser codificados, mas ainda devem ser registrados.)

Características Diagnósticas

O transtorno neurocognitivo (TNC) frontotemporal maior ou leve compreende uma série de variantes sindrômicas, caracterizadas pelo desenvolvimento progressivo de mudança comportamental e de personalidade e/ou prejuízo na linguagem. A variante comportamental e duas variantes linguísticas (semântica e agramatical/não fluente) mostram padrões distintos de atrofia cerebral e alguma neuropatologia distintiva. Devem ser atendidos os critérios para a variante comportamental ou linguística para que seja feito o diagnóstico, mas muitas pessoas apresentam características de ambas.

Indivíduos com a variante comportamental do TNC frontotemporal maior ou leve apresentam graus variados de apatia ou desinibição. Podem perder interesse na socialização, no autocuidado e nas responsabilidades pessoais ou evidenciar comportamentos socialmente inadequados. O *insight* está, em geral, prejudicado, o que costuma retardar a consulta médica. O primeiro encaminhamento costuma ser a um psiquiatra. Os indivíduos podem desenvolver mudanças no estilo social e nas crenças religiosas e políticas, com movimentos repetitivos, acumulação, mudanças no comportamento alimentar e hiperoralidade. Nos estágios posteriores, pode ocorrer perda de controle dos esfincteres. Declínio cognitivo é menos destacado, e testes formais podem mostrar relativamente poucas deficiências nos estágios iniciais. Os sintomas neurocognitivos comuns incluem falta de planejamento e organização, distratibilidade e julgamento insatisfatório. Deficiências na função executiva, como desempenho ruim em testes de flexibilidade mental, raciocínio abstrato e inibição de resposta estão presentes, embora aprendizagem e memória estejam relativamente poupadas, com as capacidades perceptomotoras quase sempre preservadas nos estágios iniciais.

Indivíduos com a variante linguística do TNC frontotemporal maior ou leve apresentam afasia progressiva primária, com surgimento gradual, com dois subtipos comumente descritos: variante semântica e variante agramatical/não fluente. Uma terceira forma de declínio linguístico progressivo, chamada afasia progressiva logopênica, está associada à disfunção temporoparietal esquerda e é frequentemente causada pela patologia da doença de Alzheimer.

"Provável" é diferenciado de "possível" TNC frontotemporal pela presença de fatores genéticos etiológicos (p. ex., mutações na codificação genética para a proteína tau associada aos microtúbulos) ou pela presença de atrofia distintiva ou atividade reduzida nas regiões frontotemporais, em imagens estruturais ou funcionais.

Características Associadas

Características extrapiramidais podem ser proeminentes em alguns casos, com uma sobreposição com síndromes, como a paralisia supranuclear progressiva e a degeneração corticobasal. Características de doença neuronal motora podem estar presentes em alguns casos (p. ex., atrofia muscular, fraqueza). Um subconjunto de indivíduos desenvolve alucinações visuais.

Prevalência

O transtorno neurocognitivo frontotemporal maior ou leve é causa comum de TNC de surgimento precoce em pessoas com menos de 65 anos de idade. Em estudos internacionais, as estimativas de prevalência populacional variam de 2 a 31 para cada 100.000, com as taxas gerais normalmente observadas como sendo iguais em homens e mulheres, embora haja variação entre os estudos. Por volta de 20 a 25% dos casos de TNC frontotemporal ocorrem em indivíduos com mais de 65 anos. O TNC frontotemporal responde por cerca de 5% de todos os casos de demência em séries não selecionadas de autópsias. A variante comportamental é a apresentação mais comum de TNC devido a degeneração frontotemporal, ocorrendo em cerca de 60% dos casos.

Desenvolvimento e Curso

Indivíduos com TNC frontotemporal maior ou leve geralmente se apresentam na faixa dos 50 anos, ainda que a idade do surgimento varie entre as décadas de 20 a 80 anos. A doença progride lentamente, com sobrevida média de 6 a 11 anos após o aparecimento dos sintomas e de 3 a 4 anos após o diagnóstico. A sobrevida é mais curta e o declínio é mais rápido no TNC frontotemporal do que na doença de Alzheimer típica.

Fatores de Risco e Prognóstico

Genéticos e fisiológicos. Cerca de 40% dos indivíduos com TNC maior ou leve têm história familiar de TNC com surgimento precoce, e cerca de 10% mostram um padrão autossômico dominante herdado. Foram identificados vários fatores genéticos, como mutações no gene codificador da proteína tau associada aos microtúbulos (*microtubule associated protein tau – MAPT*), o gene granulina (*granulin gene – GRN*) e o gene C9ORF72. Uma variedade de famílias com mutações causadoras foi identificada (ver a seção "Marcadores Diagnósticos" a seguir), mas muitos indivíduos com transmissão familiar conhecida não têm a mutação conhecida. A presença de doença neuronal motora está associada a deterioração mais rápida.

Marcadores Diagnósticos

Imagem por tomografia computadorizada (TC) ou por ressonância magnética estrutural (RMe) pode mostrar padrões distintos de atrofia. Na variante comportamental do TNC frontotemporal maior ou leve, os dois lobos (em especial os médio-frontais) e os lobos temporais anteriores estão atróficos. Na variante linguística semântica do TNC frontotemporal maior ou leve, o lobo intermediário, o inferior e o anterior estão bilateralmente atróficos, embora de forma assimétrica, com o lado esquerdo normalmente mais afetado. A variante linguística não fluente do TNC frontotemporal maior ou leve está associada a atrofia predominantemente insular-frontal posterior esquerda. Imagens funcionais demonstram hipoperfusão e/ou hipometabolismo cortical nas regiões cerebrais correspondentes, que podem estar presentes nos primeiros estágios na ausência de anormalidade estrutural. Biomarcadores de surgimento mais recente para a doença de Alzheimer (p. ex., níveis de tau e beta-amiloide do LCS e imagem amiloide) podem ajudar no diagnóstico diferencial, mas a distinção da doença de Alzheimer pode continuar difícil.

Em casos familiares de TNC frontotemporal, a identificação de mutações genéticas pode ajudar a confirmar o diagnóstico. Mutações associadas ao TNC frontotemporal incluem os genes codificadores da proteína tau associada aos microtúbulos (MAPT) e à granulina (GRN), o gene C9ORF72, a proteína de resposta transativa de ligação ao DNA de 43 kDa (TDP-43 ou TARDBP), a proteína que contém valosina (*valosin-containing protein* – VCP), a proteína 2B modificadora da cromatina (CHMP2B) e a proteína fusionada no sarcoma (FUS).

Consequências Funcionais do Transtorno Neurocognitivo Frontotemporal Maior ou Leve

Devido à idade relativamente precoce do início do transtorno, este costuma afetar o local de trabalho e a vida familiar. Considerando-se o envolvimento da linguagem e/ou do comportamento, o funcionamento costuma ficar prejudicado de forma mais grave relativamente no início do curso. Para indivíduos com a variante comportamental, antes do esclarecimento diagnóstico, pode ter ocorrido ruptura familiar significativa, envolvimento legal e problemas no local de trabalho devido a comportamentos socialmente inadequados. O prejuízo funcional devido à mudança comportamental e à disfunção linguística, que pode incluir hiperoralidade, perambulação impulsiva e outros comportamentos desinibidos, pode ir muito além do resultante da perturbação cognitiva, ocasionando, por vezes, internação em casa de repouso ou institucionalização. Esses comportamentos podem ser gravemente disruptivos, mesmo em locais com estrutura de atendimento, sobretudo quando os indivíduos são de outro modo saudáveis, não fragilizados e estão livres de outras comorbidades médicas.

Diagnóstico Diferencial

Outros transtornos neurocognitivos. Outras doenças neurodegenerativas podem ser diferenciadas de TNC frontotemporal maior ou leve pelos aspectos característicos. No TNC maior ou leve devido à doença de Alzheimer, o declínio na aprendizagem e na memória é um aspecto precoce. Todavia, 10 a 30% dos pacientes que se apresentam com uma síndrome sugestiva de TNC frontotemporal maior ou leve mostram, via autópsia, ser portadores de patologia da doença de Alzheimer. Isso ocorre com mais frequência em indivíduos que apresentam síndromes com alterações progressivas nas funções executivas na ausência de mudanças comportamentais ou de transtorno do movimento ou nos que apresentam a variante logopênica.

No TNC maior ou leve com corpos de Lewy, aspectos centrais e sugestivos dos corpos de Lewy podem estar presentes. No TNC maior ou leve devido à doença de Parkinson, surge parkinsonismo espontâneo bem antes do declínio cognitivo. No TNC vascular maior ou leve, dependendo das regiões cerebrais afetadas, pode também existir perda da capacidade executiva e mudanças comportamentais, como apatia, e esse transtorno deve ser levado em consideração no diagnóstico diferencial. Uma história de evento cerebrovascular, no entanto, está temporalmente relacionada ao aparecimento de prejuízo cognitivo no TNC vascular maior ou leve, e a neuroimagem revela infartos ou lesões na substância branca, em quantidade suficiente para responder pelo quadro clínico.

Outras condições neurológicas. TNC frontotemporal maior ou leve se sobrepõe clínica e patologicamente a paralisia supranuclear progressiva, degeneração corticobasal e doença neuronal motora. A paralisia supranuclear progressiva caracteriza-se por paralisias supranucleares de olhar fixo e parkinsonismo predominantemente axial. Sinais pseudobulbares podem estar presentes, e retropropulsão (perder o equilíbrio em uma direção para trás) costuma ser proeminente. Uma avaliação neurocognitiva mostra lentidão psicomotora, memória de trabalho empobrecida e disfunção executiva. A degeneração corticobasal apresenta-se com rigidez assimétrica, apraxia dos membros, instabilidade postural, mioclonia, fenômeno do membro alienígena e perda sensorial cortical. Muitos indivíduos com a variante comportamental do TNC frontotemporal maior ou leve apresentam características de doença do neurônio motor, que tende a ser doença mista do neurônio superior e predominantemente do neurônio motor inferior.

Outros transtornos mentais e condições médicas. A variante comportamental do TNC frontotemporal pode ser confundida com transtorno mental primário, como depressão maior, transtornos bipolares ou esquizofrenia, e indivíduos com essa variante costumam apresentar-se, inicialmente, ao psiquiatra. Com o tempo, o desenvolvimento de dificuldades neurocognitivas progressivas ajudará a fazer a distinção. É útil uma avaliação médica criteriosa para que sejam excluídas causas tratáveis de TNCs, como distúrbios metabólicos, deficiências nutricionais e infecções. Se os sintomas característicos de um transtorno mental primário (p. ex., delírios) são considerados devidos aos efeitos fisiológicos da degeneração frontotemporal, um diagnóstico do transtorno mental apropriado devido a degeneração frontotemporal deve ser dado em vez do diagnóstico do transtorno psicótico primário (p. ex., transtorno psicótico devido a degeneração frontotemporal, com delírios).

Transtorno Neurocognitivo Maior ou Leve com Corpos de Lewy

Critérios Diagnósticos

A. São atendidos os critérios diagnósticos para transtorno neurocognitivo maior ou leve.
B. O transtorno tem surgimento insidioso e progressão gradual.
C. O transtorno atende a uma combinação de características diagnósticas centrais e sugestivas para provável ou possível transtorno neurocognitivo com corpos de Lewy.
   Para transtorno neurocognitivo maior ou leve com provável corpos de Lewy, o indivíduo tem duas características centrais ou uma sugestiva com um ou mais aspectos principais.

Para transtorno neurocognitivo maior ou leve com possível corpos de Lewy, o indivíduo tem apenas uma característica central ou um ou mais aspectos sugestivos.

1. Características diagnósticas centrais:
   a. Cognição oscilante, com variações acentuadas na atenção e no estado de alerta.
   b. Alucinações visuais recorrentes, bem formadas e detalhadas.
   c. Características espontâneas de parkinsonismo, com aparecimento subsequente ao desenvolvimento do declínio cognitivo.
2. Características diagnósticas sugestivas:
   a. Atende a critérios de transtorno comportamental do sono do movimento rápido dos olhos (ou sono REM – *rapid eye movement*).
   b. Sensibilidade neuroléptica grave.
D. A perturbação não é mais bem explicada por doença vascular cerebral, outra doença neurodegenerativa, efeitos de uma substância ou outro transtorno mental, neurológico ou sistêmico.

Nota para codificação (ver tabela de codificação nas páginas 682-683):

Para transtorno neurocognitivo (TNC) maior com provável corpos de Lewy: 1) Codificar primeiro **G31.83** doença com corpos de Lewy, 2) seguido por **F02**. 3) Depois, codificar o grau de gravidade atual da perturbação cognitiva (leve, moderado, grave) e 4) se há ou não uma perturbação comportamental ou psicológica concomitante. Por exemplo, para TNC maior com provável corpos de Lewy, moderado, com perturbação psicótica, o código da CID-10-MC é **F02.B2**.

Para TNC maior com possível corpos de Lewy: 1) Codificar primeiro **F03** (não há código médico adicional): 2) depois, codificar o grau de gravidade atual da perturbação cognitiva (leve, moderado, grave) e 3) se há ou não uma perturbação comportamental ou psicológica concomitante. Por exemplo, para TNC maior com possível corpos de Lewy, leve, com sintomas de humor, o código da CID-10-MC é **F03.A3**.

Para TNC leve com provável corpos de Lewy: 1) Codificar primeiro **G31.83** doença com corpos de Lewy, 2) seguido por **F06.70** para TNC leve com doença com corpos de Lewy sem perturbação comportamental ou por **F06.71** para TNC leve com doença de corpos de Lewy com perturbação comportamental. Use códigos adicionais para indicar sintomas psiquiátricos clinicamente significativos também devidos à doença com corpos de Lewy (p. ex., **F06.0** transtorno psicótico devido à doença com corpos de Lewy, com alucinações; **F06.31** transtorno depressivo devido a doença com corpos de Lewy, com características depressivas).

Para TNC leve com possível corpos de Lewy, use o código **G31.84**. (**Nota:** Não há código médico adicional. "Com perturbação comportamental" e "sem perturbação comportamental" não devem ser codificados, mas ainda devem ser registrados).

Características Diagnósticas

Transtorno neurocognitivo maior com corpos de Lewy corresponde à condição conhecida como demência com corpos de Lewy (DCL). O transtorno neurocognitivo maior ou leve geral com corpos de Lewy (TNCCL) inclui não somente prejuízo cognitivo progressivo (com as primeiras mudanças ocorrendo mais na atenção complexa, na função executiva e na capacidade visuoperceptual, do que na aprendizagem e na memória) como também alucinações visuais complexas recorrentes e sintomas concorrentes de transtorno comportamental do sono do movimento rápido dos olhos (REM) (que pode ser uma manifestação muito precoce), além de alucinações de outras modalidades sensoriais, apatia, ansiedade, depressão e delírios. Os sintomas cognitivos oscilam em um padrão que pode se assemelhar a *delirium*, embora não possa ser encontrada uma causa subjacente. A apresentação variável dos sintomas de TNCCL reduz a probabilidade de todos os sintomas serem observados em uma consulta clínica breve, havendo necessidade de uma investigação completa das observações do cuidador. O uso de escalas de avaliação especificamente desenvolvidas para avaliar oscilações pode ajudar no diagnóstico. Outro aspecto central é o parkinsonismo espontâneo; isso pode ser relativamente leve, e o grau de resposta à terapia com levodopa é variável. Até 25% dos indivíduos com TNCCL provável podem nunca desenvolver sinais extrapiramidais, e eles não são essenciais para o diagnóstico. O parkinsonismo também deve ser diferenciado de sinais extrapiramidais induzidos por neurolépticos. É fundamental o diagnóstico preciso para um planejamento seguro do tratamento, uma vez que até 50% dos indivíduos com TNCCL têm sensibilidade grave a fármacos neurolépticos, e esses medicamentos devem ser usados com extrema cautela em indivíduos com suspeita de diagnóstico de TNCCL.

O diagnóstico de TNCCL leve é apropriado para indivíduos que apresentam aspectos clínicos centrais em um estágio em que prejuízos cognitivos ou funcionais não têm gravidade suficiente para atenderem aos critérios de TNC maior, particularmente se déficits cognitivos não amnésticos são proeminentes. Contudo, para todos os TNCs leves, com frequência haverá evidências insuficientes que justifiquem qualquer etiologia isolada, sendo mais apropriado o uso de TNC leve devido a etiologia desconhecida.

Características Associadas

Indivíduos com TNCCL têm quedas repetidas e síncope, além de episódios passageiros de perda de consciência. Pode ser observada disfunção autonômica, como hipotensão ortostática, constipação e incontinência urinária; hipersonia e hiposmia também podem ser observadas.

Prevalência

Dados limitados de vários países de alta e baixa-média renda mostram que as estimativas de prevalência de base populacional para TNCCL variam de 0 a 1,2% da população idosa geral e de 0 a 9,7% de todos os casos de demência. A prevalência média de TNCCL maior foi de 4,2% de todas as demências na comunidade e, em estudos clínicos, aumentou para 7,5% de todos os casos de demência. A prevalência clínica de TNCCL maior entre indivíduos com demência não parece ser significativamente afetada por idade ou sexo. Em estudos dos Estados Unidos e do Reino Unido, as lesões patológicas conhecidas como corpos de Lewy estão presentes em 20 a 35% dos casos de demência. Em um estudo de base populacional em Minnesota que se baseou em registros médicos, a incidência de TNCCL foi aproximadamente três vezes maior em homens do que em mulheres com 65 anos de idade ou mais.

Desenvolvimento e Curso

O TNCCL é um doença gradualmente progressiva, com surgimento insidioso. Há, porém, com frequência, uma história prodrômica de episódios de confusão (*delirium*) de surgimento agudo, comumente precipitados por doença ou cirurgia. A distinção entre TNCCL, em que os corpos de Lewy são basicamente de localização límbica (com ou sem envolvimento neocortical), e TNC maior ou leve devido à doença de Parkinson, que começa no tronco cerebral, é a ordem em que aparecem os sintomas cognitivos e motores. No TNCCL, o declínio é manifestado no início do curso da doença (ver a seção "Diagnóstico Diferencial" para este transtorno).

O aparecimento de sintomas costuma ser observado em indivíduos com idades entre 50 e 89 anos, com a maior parte dos casos tendo o surgimento na faixa próxima aos 75 anos de idade. O curso da doença pode ser caracterizado por platôs ocasionais, mas eventualmente há progressão, que vai da demência grave à morte. A duração média da sobrevida é de 5,5 a 7,7 anos a partir do início do declínio cognitivo.

Fatores de Risco e Prognóstico

Genéticos e fisiológicos. Pode ocorrer agregação familiar, tendo sido identificados vários genes de risco, embora na maior parte dos casos de TNCCL não haja história familiar. Os estudos sugerem que fatores de risco genéticos são tão importantes no TNCCL quanto nas doenças de Alzheimer ou de Parkinson.

Marcadores Diagnósticos

Biomarcadores indicativos de TNCCL podem ser considerados como tendo peso diagnóstico equivalente às características clínicas principais; incluem baixa captação estriada do transportador de dopamina na tomografia computadorizada por emissão de fóton único (SPECT) ou tomografia por emissão de pósitrons (PET), cintilografia miocárdica anormal (baixa captação) (MIBG) sugerindo denervação simpática cardíaca e confirmação polissonográfica de sono REM sem atonia. A condição associada de transtorno comportamental do sono REM pode ser diagnosticada por meio de um estudo formal do sono ou identificada por perguntas ao paciente ou a um informante sobre sintomas relevantes. A doença neurodegenerativa subjacente está principalmente associada ao dobramento incorreto e agregação de alfa-sinucleína, que pode ser confirmada por meio de exame histopatológico *post mortem*. Testes neuropsicológicos, além do uso de um breve instrumento de triagem, podem ser necessários para definir claramente os déficits cognitivos. Escalas avaliativas, criadas para medir oscilações, podem ser úteis.

Os biomarcadores que apoiam o TNCCL, mas com evidências mais limitadas de valor diagnóstico, incluem: preservação do volume temporal medial em relação à doença de Alzheimer na ressonância magnética (RM), baixa captação generalizada na varredura de perfusão SPECT/PET com atividade occipital reduzida com ou sem o sinal da ilha cingulada (poupado o córtex cingulado posterior em relação ao pré-cúneo mais cúneo na imagem PET com fluorodesoxiglicose) e atividade de ondas lentas proeminente no eletroencefalograma com flutuações periódicas na faixa pré-alfa/teta.

Consequências Funcionais do Transtorno Neurocognitivo Maior ou Leve com Corpos de Lewy

Pessoas com TNCCL estão mais prejudicadas funcionalmente do que o esperado para seus déficits cognitivos quando comparadas a indivíduos com outras doenças degenerativas, como a doença de Alzheimer. Em grande parte, isso é consequência de prejuízos autonômicos e motores, causadores de problemas de higiene íntima, movimentação e ato alimentar. Distúrbios do sono e sintomas psiquiátricos proeminentes podem também ser parte das dificuldades funcionais. Assim, a qualidade de vida de indivíduos com TNCCL costuma ser significativamente pior do que a daqueles com doença de Alzheimer.

Diagnóstico Diferencial

Transtorno neurocognitivo maior ou leve devido à doença de Parkinson. A distinção entre TNCCL e TNC devido à doença de Parkinson é baseada no tempo e na sequência dos sintomas motores e cognitivos. Os critérios de consenso para DCL separam o TNCCL do TNC devido à doença de Parkinson, especificando que, para a demência ser atribuída à doença de Parkinson, o diagnóstico da doença de Parkinson está presente por pelo menos 1 ano antes que o declínio cognitivo atinja o nível de TNC maior, enquanto para o TNCCL, os sintomas cognitivos podem começar antes, com o parkinsonismo ou na ausência dele. Por sua vez, os critérios de consenso de especialistas para a doença de Parkinson propõem que, se o declínio cognitivo ocorrer antes de um diagnóstico motor, ainda pode ser feito o diagnóstico da doença de Parkinson; portanto, um clínico pode atribuir o declínio cognitivo à doença de Parkinson e diagnosticar TNC devido à doença de Parkinson. Consequentemente, o clínico pode optar por diagnosticar TNC devido à doença de Parkinson ou TNCCL para indivíduos com TNC maior que se inicia antes ou dentro de 12 meses da doença de Parkinson. Em tais circunstâncias, o clínico decide qual diagnóstico é mais apropriado. Se a doença de Parkinson foi diagnosticada pelo menos 1 ano antes do início dos sintomas cognitivos, ambos os critérios de especialistas concordam que o TNC devido à doença de Parkinson normalmente seria o diagnóstico apropriado. O tempo e a sequência do parkinsonismo e do TNC leve podem ser particularmente difíceis de determinar, e o TNC devido a etiologia desconhecida pode ter de ser diagnosticado até que a ordem de progressão clínica se torne evidente.

Comorbidade

A patologia com corpos de Lewy costuma coexistir com a doença de Alzheimer, patologia relacionada à proteína de ligação ao DNA de resposta transativa 43 (TDP-43) e com a patologia da doença cerebrovascular, em especial em idosos. TDP-43 é uma proteína que foi identificada como fonte das proteinopatias por uma faixa de transtornos neurodegenerativos, incluindo esclerose lateral amiotrófica e degeneração frontotemporal. A presença de várias lesões patológicas tem implicações para o prognóstico da doença e pode estar associada a um declínio cognitivo mais rápido e tempo de sobrevida mais curto.

Transtorno Neurocognitivo Vascular Maior ou Leve

Critérios Diagnósticos

A. São atendidos os critérios diagnósticos para transtorno neurocognitivo maior ou leve.
B. Os aspectos clínicos são consistentes com uma etiologia vascular, conforme sugerido por um dos seguintes:
   1. O surgimento de déficits cognitivos está temporariamente relacionado com um ou mais de um evento cerebrovascular.
   2. Evidências de declínio são destacadas na atenção complexa (incluindo velocidade de processamento) e na função executiva frontal.
C. Há evidências da presença de doença cerebrovascular a partir da história, do exame físico e/ou de neuroimagem consideradas suficientes para responder pelos déficits cognitivos.
D. Os sintomas não são mais bem explicados por outra doença cerebral ou transtorno sistêmico.

Transtorno neurocognitivo maior provavelmente devido a lesão vascular é diagnosticado quando um dos seguintes está presente; caso contrário, deve ser diagnosticado **Transtorno neurocognitivo maior possivelmente devido a lesão vascular**:
1. Os critérios clínicos têm apoio de evidências de neuroimagem de lesão parenquimal significativa, atribuída a doença cerebrovascular (com apoio de neuroimagem).
2. A síndrome neurocognitiva é temporalmente relacionada com um ou mais eventos cerebrovasculares documentados.
3. Evidências clínicas e genéticas (p. ex., arteriopatia cerebral autossômica dominante, com infartos subcorticais e leucoencefalopatia) de doença cerebrovascular estão presentes.

Transtorno neurocognitivo maior possivelmente devido a lesão vascular é diagnosticado quando os critérios clínicos são atendidos, mas não está disponível neuroimagem, e a relação temporal da síndrome neurocognitiva com um ou mais de um evento cerebrovascular não está estabelecida.

Nota para codificação (ver tabela de codificação nas páginas 682-683):

Para transtorno neurocognitivo (TNC) maior provavelmente devido a doença vascular: 1) Codificar primeiro **F01** (não há código médico adicional). 2) Em seguida, codificar o grau de gravidade atual da perturbação cognitiva (leve, moderado, grave) e 3) verificar se há ou não uma perturbação comportamental ou psicológica concomitante. Por exemplo, para TNC maior provavelmente devido a doença vascular, moderado, com perturbação psicótica, o código CID-10-MC é **F01.B2**.

Para TNC maior possivelmente devido a doença vascular: 1) Codificar primeiro **F03** (não há código médico adicional). 2) Depois, codificar o grau de gravidade atual da perturbação cognitiva (leve, moderado, grave) e 3) verificar se há ou não uma perturbação comportamental ou psicológica concomitante. Por exemplo, para TNC maior possivelmente devido a doença vascular, leve, com sintomas de humor, o código da CID-10-MC é **F03.A3**.

Para TNC leve provavelmente devido a doença vascular: 1) Codificar primeiro **I67.9** doença cerebrovascular, 2) seguido por **F06.70** para TNC vascular leve sem perturbação comportamental ou por **F06.71** para TNC vascular leve com perturbação comportamental. Use códigos adicionais para indicar sintomas psiquiátricos clinicamente significativos também devidos a doença cerebrovascular (p. ex., **F06.2** transtorno psicótico devido a doença cerebrovascular, com delírios; **F06.32** transtorno depressivo devido a doença cerebrovascular, com episódio tipo depressivo maior).

Para TNC leve possivelmente devido a doença vascular, use o código **G31.84**. (**Nota:** Não há código médico adicional. "Com perturbação comportamental" e "sem perturbação comportamental" não devem ser codificados, mas ainda devem ser registrados.)

Características Diagnósticas

O diagnóstico de transtorno neurocognitivo vascular maior ou leve exige o estabelecimento de um TNC (Critério A) e a determinação de que a doença cerebrovascular é a patologia dominante, quando não exclusiva, que responde pelos déficits cognitivos (Critérios B e C). A etiologia vascular pode variar de acidente vascular cerebral em grande vaso a doença microvascular; a apresentação é, assim, bastante heterogênea, derivada dos tipos de lesões vasculares e de sua extensão e localização. As lesões podem ser focais, multifocais ou difusas e podem ocorrer em várias combinações. Os mecanismos patogênicos responsáveis pela lesão do parênquima cerebral incluem hipoperfusão e hipoxia, estresse oxidativo e inflamação levando a disfunção endotelial, comprometimento da autorregulação e interrupção do acoplamento neurovascular.

Muitos indivíduos com TNC vascular maior ou leve apresentam infartos múltiplos, com um declínio agudo gradual ou flutuante na cognição, bem como períodos intervenientes de estabilidade e até mesmo alguma melhora. Outros podem ter surgimento gradual, com progressão lenta, rápido desenvolvimento de déficits, seguido de relativa estabilidade, ou outra apresentação complexa. TNC vascular maior ou leve, com surgimento gradativo e progressão lenta, costuma ser decorrente de alguma doença dos pequenos vasos ou de lesões na substância branca, nos gânglios da base e/ou no tálamo. A progressão gradativa, nesses casos, costuma ser pontuada por eventos agudos, que deixam déficits neurológicos sutis. Os déficits cognitivos podem ser atribuídos a uma ruptura dos circuitos córtico-subcorticais, com possível influência na atenção complexa, em especial na velocidade do processamento de informações e na capacidade executiva. Subtipos clínicos de TNC vascular foram descritos e incluem 1) TNC pós-AVC, manifestando-se imediatamente após um AVC; 2) TNC vascular isquêmico subcortical; 3) TNC multi-infarto (cortical); e 4) TNC vascular cortical-subcortical.

Investigar de forma suficiente a presença de uma doença cerebrovascular depende da história, do exame físico e de neuroimagem (Critério C). Certeza etiológica exige a demonstração de anormalidades na neuroimagem. A falta dessas neuroimagens pode resultar em imprecisão diagnóstica significativa pela omissão de infarto cerebral "silencioso" e lesões na substância branca. Se, entretanto, o prejuízo cognitivo está temporariamente associado a um ou mais acidentes vasculares cerebrais bem documentados, pode ser feito um diagnóstico provável na falta de neuroimagem. Evidências clínicas de doença cerebrovascular incluem a história documentada de acidente vascular cerebral, com declínio cognitivo temporariamente associado ao evento, ou sinais físicos consistentes com um acidente vascular cerebral (p. ex., hemiparesia, síndrome pseudobulbar, falha no campo visual). Evidências de neuroimagem (evidências de doença cerebrovascular em ressonância magnética ou tomografia computadorizada) englobam um ou mais dos seguintes: um ou mais grandes vasos infartados ou hemorrágicos, um único infarto ou hemorragia estrategicamente situada (p. ex., no giro angular, no tálamo, na porção anterior e basal do cérebro), dois ou mais infartos lacunares fora do tronco cerebral ou lesões extensas e confluentes da substância branca. Esta última, com frequência, é chamada de *doença do vaso menor*, ou *mudanças isquêmicas subcorticais*, em avaliações clínicas com neuroimagem. A ressonância magnética (RM) é o modo preferido de neuroimagem, e tem havido interesse em usar técnicas especializadas de RM para detectar micro-hemorragias cerebrais, microinfartos corticais, espaços perivasculares dilatados e análises baseadas em difusão de tratos de substância branca e conectividade da rede neural.

No TNC vascular leve, costuma ser suficiente a história de um só acidente vascular cerebral ou de doença extensa da substância branca. No TNC vascular maior, costumam ser necessários dois ou mais acidentes vasculares cerebrais, um acidente vascular cerebral estrategicamente situado ou uma combinação de doença da substância branca e uma ou mais lacunas. No entanto, a relação entre patologia vascular identificável no cérebro em neuroimagem e os sintomas cognitivos é imperfeita, e geralmente é necessário julgamento clínico para relacionar as lesões vasculares à síndrome cognitiva.

Os sintomas neurocognitivos não devem ser mais bem explicados por outra condição médica ou transtorno mental. Por exemplo, déficit de memória proeminente no início do curso pode sugerir TNC devido à doença de Alzheimer, características parkinsonianas precoces e proeminentes sugeririam TNC devido à doença de Parkinson e uma associação próxima entre o início de sintomas cognitivos e depressivos sugeriria comprometimento cognitivo como resultado de depressão.

Vários grupos internacionais de especialistas definiram e categorizaram de maneira semelhante os TNCs vasculares, com os quais os critérios do DSM-5 geralmente apresentam boa correspondência.

Características Associadas

A avaliação neurológica costuma revelar história de acidente vascular cerebral e/ou episódios isquêmicos transitórios, além de sinais indicativos de infartos cerebrais. Encontram-se também normalmente associadas mudanças de personalidade e humor, abulia, depressão e oscilação emocional. Desenvolvimento de sintomas depressivos de aparecimento tardio, acompanhados de desaceleração psicomotora e disfunção executiva, é uma apresentação comum entre idosos com doença isquêmica progressiva em pequenos vasos (a chamada "depressão vascular").

Prevalência

A doença vascular é a segunda causa mais comum de TNC depois da doença de Alzheimer. Nos Estados Unidos, estatísticas de prevalência populacional referentes a demência vascular variam de 0,98% para indivíduos com idades entre 71 e 79 anos, 4,09% em indivíduos com idades entre 80 e 89 anos e 6,19% para indivíduos com 90 anos ou mais. Nos três meses após um acidente vascular cerebral, 20 a 30% dos pacientes são diagnosticados com demência. Em séries de autópsias europeias de falecidos com idades entre 60 e 103 anos, a prevalência de demência vascular pura foi de 12,3%. Entre aqueles com 60 a 69 anos, a prevalência foi maior (15,0%) em comparação com aqueles com mais de 90 anos (8,7%). A demência mista (Alzheimer mais patologia vascular) esteve presente em 5,5% da coorte geral, com maior prevalência naqueles com mais de 90 anos (10,6%) em comparação com as idades de 60 a 69 anos (5,2%). A prevalência mais elevada de demência vascular tem sido relatada nos afro-americanos, mexicanos americanos e sul-asiáticos americanos, comparados a brancos não latinos, possivelmente devido a taxas mais altas de fatores de risco como diabetes e doenças cardiovasculares. No Japão e em vários outros países asiáticos, a prevalência de demência devido à doença de Alzheimer aumentou ao longo do tempo em relação à demência vascular. Atualmente, a prevalência de demência por doença de Alzheimer entre nipo-americanos é 2,6 vezes maior do que a demência vascular.

O AVC é mais comum em homens até os 65 anos de idade, porém mais comum em mulheres após os 65 anos. No geral, a taxa de TNC vascular foi maior em homens em alguns estudos.

Desenvolvimento e Curso

Pode ocorrer TNC vascular maior ou leve em qualquer idade, ainda que a prevalência aumente exponencialmente após os 65 anos de idade. Em pessoas idosas, patologias adicionais podem, em parte, ser as responsáveis pelos déficits neurocognitivos. O curso pode variar de início agudo com melhora parcial para declínio gradual a progressivo, com oscilações e platôs de duração variável. O TNC vascular subcortical puro maior ou leve pode ter um curso progressivo lento, que simula TNC maior ou leve devido à doença de Alzheimer. O risco de um acidente vascular cerebral isquêmico progredindo para TNC vascular dentro de 5 anos foi quase duas vezes maior entre afro-americanos do que entre brancos não latinos nos Estados Unidos e ocorreu em idades mais jovens. Isso possivelmente resulta do impacto de taxas mais altas de hipertensão, diabetes e determinantes sociais adversos de saúde mental conhecidos por piorar o risco de demência, como educação formal limitada e baixo nível socioeconômico.

Fatores de Risco e Prognóstico

Ambientais. As consequências neurocognitivas de uma lesão encefálica vascular são influenciadas por fatores de neuroplasticidade, como educação, exercício físico e atividade mental.

Genéticos e fisiológicos. Os principais fatores de risco de TNC vascular maior ou leve são os mesmos que os da doença cerebrovascular, incluindo hipertensão, diabetes, tabagismo, obesidade, níveis elevados de colesterol, níveis elevados de homocisteína, outros fatores de risco de aterosclerose e arteriosclerose, fibrilação atrial e outras condições que aumentam o risco de embolia cerebral. Angiopatia amiloide cerebral, levando a hemorragia cerebral, é um fator de risco importante, em que ocorrem depósitos amiloides em vasos arteriais. Um fator de risco genético é a condição hereditária de arteriopatia cerebral autossômica dominante com infartos subcorticais e leucoencefalopatia, ou CADASIL (*cerebral autosomal dominant arteriopathy with subcortical infarcts and leukoencephalopathy*). Existem outras formas mais raras de transtornos genéticos vinculados a TNC vascular, mas em geral a contribuição da genética é pequena.

Marcadores Diagnósticos

Neuroimagens estruturais, usando ressonância magnética ou TC, têm papel importante no processo diagnóstico. Não existem outros biomarcadores estabelecidos de TNC vascular maior ou leve.

Consequências Funcionais do Transtorno Neurocognitivo Vascular Maior ou Leve

O transtorno neurocognitivo vascular maior ou leve costuma estar associado a déficits físicos, causadores de mais incapacidade.

Diagnóstico Diferencial

Outros transtornos neurocognitivos. Como os infartos cerebrais incidentais e as lesões da substância branca são comuns em idosos, é importante considerar outras possíveis etiologias quando um TNC está presente em um indivíduo com lesões na substância branca. História de déficit de memória no começo do curso, com piora progressiva da memória, da linguagem, da função executiva e das capacidades perceptomotoras, na ausência de lesões focais correspondentes em imagens do cérebro, sugere a doença de Alzheimer como diagnóstico primário. Os potenciais biomarcadores que estão sendo atualmente validados para a doença de Alzheimer, como níveis de beta-amiloide e de tau fosforilada no LCS, bem como imagem amiloide e tau, podem ser úteis no diagnóstico diferencial. O TNC com corpos de Lewy difere do TNC vascular maior ou leve em suas características principais de cognição oscilante, alucinações visuais e parkinsonismo espontâneo. No TNC vascular maior ou leve, ocorrem déficits na função executiva e na linguagem, ao passo que o surgimento insidioso e a progressão gradual de prejuízos dos aspectos comportamentais ou da linguagem são características de TNC frontotemporal, não sendo típicos da etiologia vascular.

Outras condições médicas. Não é feito um diagnóstico de TNC vascular maior ou leve se outras doenças (p. ex., tumor cerebral, esclerose múltipla, encefalite, distúrbios tóxicos ou metabólicos) estão presentes e tenham gravidade suficiente para responder pelo prejuízo cognitivo.

Outros transtornos mentais. É inadequado um diagnóstico de TNC vascular maior ou leve quando os sintomas podem ser completamente atribuídos a *delirium*, embora este possa, por vezes, estar sobreposto a um TNC vascular maior ou leve preexistente, situação em que podem ser feitos os dois diagnósticos. Se atendidos os critérios para transtorno depressivo maior, e o prejuízo cognitivo está temporariamente relacionado ao possível surgimento da depressão, não deve ser diagnosticado TNC vascular maior ou leve. Quando, porém, o TNC antecedeu o desenvolvimento da depressão, ou a gravidade do prejuízo cognitivo está fora de proporção em relação à gravidade da depressão, o transtorno depressivo devido a doença cerebrovascular deve ser diagnosticado em vez de transtorno depressivo maior.

Comorbidade

Transtorno neurocognitivo maior ou leve devido à doença de Alzheimer costuma ocorrer concomitantemente com TNC vascular maior ou leve, caso em que os dois diagnósticos devem ser feitos. Há concomitância frequente de TNC vascular maior ou leve e depressão.

Transtorno Neurocognitivo Maior ou Leve Devido a Lesão Cerebral Traumática

Critérios Diagnósticos

A. São atendidos os critérios diagnósticos para transtorno neurocognitivo maior ou leve.
B. Há evidências de uma lesão cerebral traumática – isto é, um impacto na cabeça ou outros mecanismos de movimento rápido ou deslocamento do cérebro dentro do crânio, com um ou mais dos seguintes:
  1. Perda de consciência.
  2. Amnésia pós-traumática.
  3. Desorientação e confusão.
  4. Sinais neurológicos (p. ex., neuroimagem que mostra lesão; cortes no campo visual; anosmia; hemiparesia; perda hemissensorial; cegueira cortical; afasia; apraxia; fraqueza; perda de equilíbrio; outra perda sensorial que não pode ser explicada por causas periféricas ou outras).
C. O transtorno neurocognitivo apresenta-se imediatamente após a ocorrência da lesão cerebral traumática ou imediatamente após a recuperação da consciência, persistindo após o período agudo pós-lesão.

Nota para codificação (ver tabela de codificação nas páginas 682-683):

Para transtorno neurocognitivo (TNC) maior devido a lesão cerebral traumática: 1) Codificar primeiro **S06.2XAS** lesão cerebral traumática difusa com perda de consciência de duração não especificada, com sequela; 2) seguido de **F02**. 3) Depois, codificar o grau de gravidade atual da perturbação cognitiva (leve, moderado, grave) e 4) se há ou não perturbação comportamental ou psicológica concomitante. Por exemplo, para TNC maior devido a lesão cerebral traumática, moderado, com perturbação psicótica, o código da CID-10-MC é **F02.B2**.

Para TNC maior com perturbações comportamentais e psicológicas múltiplas clinicamente significativas, são necessários múltiplos códigos da CID-10-MC. Por exemplo, para TNC maior devido a lesão cerebral traumática, grave, acompanhado por agitação, delírios e depressão, são necessários quatro códigos. **S06.2XAS** lesão cerebral traumática difusa com perda de consciência de duração não especificada, com sequela; **F02.C11** (com agitação); **F02.C2** (com perturbação psicótica); e **F02.C3** (com sintomas de humor).

Para TNC leve devido a lesão cerebral traumática: 1) Codificar primeiro **S06.2XAS** lesão cerebral traumática difusa com perda de consciência de duração não especificada, com sequela; 2) seguido por **F06.70** para TNC leve devido a lesão cerebral traumática sem perturbação comportamental ou **F06.71** para TNC leve devido a lesão cerebral traumática com perturbação comportamental. Use códigos adicionais para indicar sintomas psiquiátricos clinicamente significativos também devidos a lesão cerebral traumática (p. ex., **F06.0** transtorno psicótico devido a lesão cerebral traumática, com alucinações; **F06.31** transtorno depressivo devido a lesão cerebral traumática, com características depressivas).

Especificadores

Classificar a gravidade do transtorno neurocognitivo (TNC), e não a lesão cerebral traumática subjacente (ver a seção "Desenvolvimento e Curso" para este transtorno).

Características Diagnósticas

TNC maior ou leve devido a lesão cerebral traumática (LCT) indica um transtorno de cognição adquirido ou persistente resultante de uma lesão cerebral traumática. Uma *lesão cerebral traumática* é definida como a ruptura da estrutura e/ou função cerebral resultante da aplicação de forças biomecânicas (incluindo forças de aceleração/desaceleração e forças relacionadas a explosão), manifestada imediatamente por um ou mais dos seguintes sinais clínicos: perda de consciência, perda de memória para eventos imediatamente antes ou após a lesão (amnésia pós-traumática), alteração no estado mental (p. ex., confusão, desorientação, pensamento lento) ou sinais neurológicos focais (p. ex., hemiparesia, perda hemissensorial, cegueira cortical, afasia, apraxia, fraqueza, perda de equilíbrio, outra perda sensorial que não pode ser explicada por causas periféricas ou outras) (Critério B). Essas manifestações de LCT não devem ser causadas por álcool ou outras drogas ou medicamentos, outras lesões ou tratamento(s) para outras lesões (p. ex., lesões faciais, intubação ou lesões corporais/sistêmicas) ou trauma psicológico, obstáculos de linguagem ou coexistência condições médicas.

A gravidade de uma LCT é classificada como leve, leve complicada, moderada ou grave, de acordo com os limites indicados na Tabela 2. Um indivíduo cuja lesão fenomenologicamente atende aos critérios para LCT leve, mas cuja tomografia computadorizada ou ressonância magnética no período agudo após LCT revela anormalidades intracranianas traumáticas (i. e., hematoma epidural ou subdural traumático, hemorragia subaracnóidea ou intracerebral, contusões ou laceração cerebral) é classificado como LCT leve complicada. Os resultados de indivíduos com LCT leve complicada são mais parecidos com os daqueles com LCT moderada do que com os daqueles com LCT leve não complicada.

TABELA 2 Classificação da gravidade da lesão cerebral traumática (LCT)

Gravidade da LCT	LCT leve	LCT leve complicada	LCT moderada	LCT grave
Duração da perda de consciência	≤ 30 minutos	≤ 30 minutos	> 30 minutos a < 24 horas	≥ 24 horas
Duração da amnésia pós-traumática (nova aprendizagem densamente prejudicada)	≤ 1 dia	≤ 1 dia	> 1 dia a < 7 dias	≥ 7 dias
Duração da alteração de consciência (p. ex., confusão, desorientação, pensamento lento)	≤ 1 dia	≤ 1 dia	> 1 dia a < 7 dias	≥ 7 dias
Classificação na Escala de Coma de Glasgow (30 minutos após o evento)	13-15	13-15	9-12	3-8
Tomografia computadorizada ou ressonância magnética do cérebro	Normal	Anormal	Normal ou anormal	Normal ou anormal

Para ser passível de atribuição a uma LCT, o transtorno neurocognitivo deve apresentar-se imediatamente após a ocorrência da lesão cerebral ou imediatamente após a pessoa recuperar a consciência pós-lesão, persistindo além do período agudo pós-lesão (Critério C).

Embora os comprometimentos cognitivos específicos associados ao TNC maior ou leve devido a LCT sejam variáveis, os prejuízos na atenção complexa, na velocidade de processamento, na aprendizagem e na memória e na função executiva são comuns, assim como as perturbações na cognição social. Em casos mais graves de LCT, nos quais há contusão cerebral, hemorragia intracraniana ou lesão penetrante, podem existir déficits neurocognitivos adicionais associados à região afetada do cérebro e ao volume de tecido cerebral perdido (p. ex., afasia, apraxia, perturbações na função perceptomotora).

Características Associadas

O diagnóstico também pode ser apoiado por sinais neurológicos sutis (p. ex., múltiplos reflexos primitivos, como sinal glabelar, resposta nasal, reflexo palmomentoniano) ou déficits em sacadas e movimentos oculares de busca suave que ocorrem concomitantemente com déficits cognitivos mediados frontalmente, como problemas complexos de atenção, velocidade de processamento lenta, recuperação de memória prejudicada ou disfunção executiva. Em alguns casos particulares de LCT penetrante, o diagnóstico de TNC devido a LCT pode ser apoiado por epilepsia pós-traumática com início focal em um local que corresponde à anatomia de um domínio cognitivo no qual um indivíduo demonstra comprometimento (p. ex., convulsões no início do lobo temporal medial e comprometimento da memória episódica; convulsões do lobo frontal e disfunção executiva ou comprometimento cognitivo social).

Prevalência

A prevalência de TNC maior e leve devido a LCT varia com a gravidade da lesão e o tempo de lesão, com as maiores frequências entre os indivíduos com lesão mais grave e durante o período pós-lesão agudo/subagudo. Nos Estados Unidos, mais de 2,87 milhões de LCTs ocorrem anualmente, incluindo mais de 837.000 LCTs em crianças. Essas LCTs são responsáveis por 2,5 milhões de atendimentos em departamentos de emergência, 288.000 hospitalizações e mais de 56.000 mortes anualmente. Entre os indivíduos que se apresentam a um serviço de emergência com LCT, as taxas para homens são 547,6 por 100.000 e para mulheres são 385,9 por 100.000. A taxa de LCT é maior para homens do que para mulheres em todas as faixas etárias até os 75 anos, após essa idade, as taxas entre homens e mulheres aproximam-se da paridade. As principais causas de LCT nos Estados Unidos são quedas (178,4 por 100.000), colisão com um objeto em movimento ou estacionário (denominados eventos "atingido por/contra") (92,7 por 100.000), colisões de veículos motorizados (74,7 por 100.000) e agressões (50,6 por 100.000 pessoas). O choque nos esportes é cada vez mais reconhecido como causa de LCT leve.

Os homens são cerca de 40% mais propensos a experimentar um LCT em comparação com as mulheres nas populações jovens e adultas; no entanto, as mulheres podem ter maior risco de LCT após os 65 anos de idade. Tem-se sugerido que homens com LCT moderado ou grave podem ter pior prognóstico do que mulheres com o mesmo nível de gravidade; no entanto, os resultados têm sido mistos. A causa da LCT também difere por sexo e gênero. Os homens são mais propensos a sofrer lesões no trabalho, em acidentes automobilísticos e durante as atividades militares, enquanto as mulheres são mais propensas a sofrer lesões por agressão e violência doméstica.

Desenvolvimento e Curso

O curso de recuperação da LCT varia, dependendo não apenas das especificidades da lesão, mas também dos fatores pré e pós-lesão. Esses fatores podem favorecer ou impedir a recuperação e incluem idade; história prévia de LCT; comorbidades e complicações neurológicas, psiquiátricas e de uso de substâncias; genética; oportunidade e eficácia das intervenções médicas e de reabilitação; apoio psicossocial, entre outros.

As deficiências neurocognitivas são mais graves no período agudo após a LCT e podem ser acompanhadas por perturbações emocionais e comportamentais. Em todo o espectro de gravidade da LCT, espera-se uma melhora substancial nos sintomas e sinais neurocognitivos e psiquiátricos e neurológicos associados. A extensão da recuperação e a variabilidade nos resultados neurocognitivos costumam refletir a gravidade da LCT, sendo a recuperação completa típica após a LCT leve e a recuperação mais variável e muitas vezes incompleta após a LCT mais grave.

As deficiências neurocognitivas associadas a LCT leve geralmente se resolvem dentro de dias a semanas após a lesão, com resolução completa de 3 a 12 meses após a lesão. Outros sintomas (p. ex., depressão, irritabilidade, fadiga, dor de cabeça, fotossensibilidade, distúrbios do sono) que podem ocorrer concomitantemente com os sintomas neurocognitivos também costumam ser resolvidos nas semanas seguintes à LTC leve. Sintomas persistentes após LCT leve ou deterioração neurocognitiva subsequente devem levar à consideração de outras causas potenciais de sintomas neurocognitivos e limitações funcionais, incluindo transtorno depressivo maior, transtorno de estresse pós-traumático (TEPT), transtornos de ansiedade, transtornos por uso de substâncias, transtornos do sono, percepções negativas de lesões e fracas expectativas de recuperação. Quando os sintomas neurocognitivos e as limitações funcionais persistem após LCT leve (incluindo LCT leve repetitiva), apesar do tratamento de suas outras causas potenciais, o diagnóstico de TNC devido a LCT pode ser apropriado.

As deficiências neurocognitivas e as limitações funcionais associadas produzidas por LCT moderada e grave geralmente melhoram ao longo de semanas a meses após a lesão, embora a recuperação neurocognitiva de longo prazo seja muitas vezes incompleta entre indivíduos com lesões mais graves. No entanto, a melhora neurocognitiva e funcional pode continuar por anos após a LCT moderada ou grave, com a maior parte dos indivíduos melhorando cognitivamente durante os primeiros 5 anos pós-lesão. Com LCT moderada e grave, além da persistência de déficits neurocognitivos, podem existir complicações neurológicas, médicas, emocionais e comportamentais associadas. Entre elas, incluem-se convulsões (particularmente no primeiro ano), sensibilidade à luz, hiperacusia, irritabilidade, agressividade, depressão, perturbação do sono, fadiga, apatia, incapacidade para retomar a função profissional e social no nível pré-lesão e deterioração nas relações interpessoais. LCT moderada a grave é associada a risco maior de depressão, agressividade e possíveis doenças neurodegenerativas, como a doença de Alzheimer, doença com corpos de Lewy e degeneração frontotemporal.

As características de transtorno neurocognitivo maior ou leve devido a uma LCT irão variar de acordo com idade, especificidades da lesão e cofatores. Prejuízo persistente relacionado à LCT, em bebê ou criança, pode se refletir em atrasos no alcance dos marcos do desenvolvimento (p. ex., aquisição da linguagem), piora do desempenho acadêmico e possível prejuízo do desenvolvimento social. Entre adolescentes com mais idade e adultos, os sintomas persistentes podem incluir vários déficits neurocognitivos, irritabilidade, hipersensibilidade a luz e som, fadiga fácil e mudanças do humor, incluindo depressão, ansiedade, hostilidade ou apatia. Em pessoas com mais idade, a LCT leve pode produzir resultados neurocognitivos como aqueles associados a LCT moderada ou grave em adultos mais jovens.

Fatores de Risco e Prognóstico

Os fatores de risco para resultados cognitivos adversos após LCT incluem idade superior a 40 anos, habilidades cognitivas pré-lesão menores (especialmente conforme indexado pela educação ou competência acadêmica), sintomas depressivos pré-lesão, possivelmente desemprego pré-lesão e gravidade da lesão. Outros fatores de risco para desfechos cognitivos adversos incluem uma duração mais longa de amnésia pós-traumática, evidência de anormalidades intracranianas traumáticas em exames precoces de tomografia computadorizada ou ressonância magnética (i. e., hematoma epidural ou subdural traumático, hemorragia subaracnóidea ou intracerebral, contusões ou laceração cerebral, lesão axonal difusa) e perfil neurogenético (p. ex., *status* de portador do alelo *APOE*E4*, genótipo da catecol-O-metiltransferase, *status* do alelo *ANKK1* Taq1A). Os transtornos por uso de álcool ou substâncias pré-lesão aumentam o risco de sustentar uma LCT, bem como o risco de resultados cognitivos adversos, incluindo comprometimento da memória e disfunção executiva.

Marcadores Diagnósticos

O diagnóstico de TNC maior ou leve devido a LCT pode ser apoiado por achados contemporâneos de tomografia computadorizada ou RM (p. ex., atrofia focal, encefalomalacia, gliose, anomalias da substância branca) em áreas ou redes cerebrais que são úteis a domínios cognitivos específicos, nos quais um indivíduo demonstra comprometimento. O diagnóstico também pode ser apoiado por sinais neurológicos sutis (p. ex., múltiplos reflexos primitivos, como sinal glabelar, resposta nasal, reflexo palmomentoniano) ou déficits em sacadas e movimentos oculares de busca suave que ocorrem concomitantemente com déficits cognitivos mediados frontalmente, como problemas complexos de atenção, velocidade de processamento lenta, recuperação de memória prejudicada ou disfunção executiva. Particularmente, em alguns casos de LCT penetrante, o diagnóstico de TNC devido a LCT pode ser apoiado por epilepsia pós-traumática com início focal em um local que corresponde à anatomia de um domínio cognitivo no qual um indivíduo demonstra comprometimento (p. ex., convulsões no início do lobo temporal medial e comprometimento da memória episódica; convulsões do lobo frontal e disfunção executiva ou comprometimento cognitivo social).

O desempenho em medidas gerais de rastreio cognitivo comumente usadas, sobretudo quando interpretadas usando dados normativos de larga escala e baseados na população, pode identificar de forma útil os indivíduos que precisam de uma avaliação neurodiagnóstica adicional. No entanto, o diagnóstico de TNC maior ou leve devido a LCT baseia-se no desempenho na avaliação cognitiva específica do domínio interpretada à luz do desempenho anterior do indivíduo (p. ex., estimativas neuropsicológicas da capacidade cognitiva pré-lesão ou normas apropriadas) e avaliação do estado funcional.

Embora a neuroimagem e outras avaliações clínicas (p. ex., sinais neurológicos sutis) possam fornecer informações de suporte, elas não podem diagnosticar independentemente o TNC devido a LCT. Atualmente, não há outros biomarcadores estabelecidos de TNC maior ou leve devido a LCT.

Associação com Pensamentos ou Comportamentos Suicidas

Indivíduos com LCT, incluindo LCT moderada ou grave, apresentam maior risco de suicídio em longo prazo. Embora a depressão seja um contribuinte substancial para esse risco, ela não é totalmente responsável por ele. As taxas de ideação suicida chegam a 10%, e as taxas de tentativa de suicídio são de 0,8 a 1,7% nos primeiros 20 anos após a LCT. O desenvolvimento de depressão e/ou comportamento suicida em 1 ano pós-lesão está associado a taxas consistentemente elevadas de depressão e comportamento suicida 5 anos após a LCT. Embora a relação entre prejuízos cognitivos e risco de suicídio após LCT seja complexa, a avaliação do risco de suicídio é um elemento importante na avaliação de indivíduos com TNC maior ou leve devido a LCT.

Jovens que tiveram concussões podem estar em maior risco de comportamento suicida. Há um risco aumentado de suicídio entre coortes de veteranos e civis com LCT, e indivíduos que procuram atendimento de saúde mental podem ter história de LCT. Indivíduos que procuram serviços de reabilitação para LCT também correm maior risco de pensamentos e comportamentos suicidas.

Consequências Funcionais do Transtorno Neurocognitivo Maior ou Leve Devido a Lesão Cerebral Traumática

Cerca de 3,17 milhões de indivíduos nos Estados Unidos (aproximadamente 1,1% da população) vivem com uma deficiência relacionada a LCT, incluindo déficits neurocognitivos que comprometem a capacidade de trabalhar ou realizar atividades diárias e que estão associados à necessidade de cuidados médicos contínuos, reabilitação, suporte e serviços. Os déficits cognitivos interferem na independência funcional, no emprego produtivo e na participação na comunidade e podem reduzir a satisfação com a vida. A influência dos prejuízos cognitivos no estado funcional varia com o tipo e a gravidade dessas deficiências; com a presença e gravidade de condições psiquiátricas, de uso de substâncias, condições neurológicas e médicas; e com a família, outros apoios psicossociais e médicos.

Com TNC leve devido a LCT, os indivíduos podem relatar menor eficiência cognitiva, dificuldade de concentração e capacidade reduzida de realizar as atividades comuns. Com TNC maior devido a LCT, o indivíduo pode ter dificuldades para viver com independência e com autocuidado. Características neuromotoras destacadas, como falta grave de coordenação, ataxia e lentificação motora, podem estar presentes no TNC maior devido a LCT, podendo aumentar as dificuldades funcionais.

Os indivíduos com histórias de LCT reportam mais sintomas depressivos e ansiedade, e estes podem amplificar as queixas cognitivas e piorar as consequências funcionais. Além disso, a perda de controle emocional, inclusive afeto agressivo ou inadequado e apatia, pode estar presente após uma LCT mais grave, com prejuízo neurocognitivo maior. Essas características podem aumentar as dificuldades para a independência funcional e para o autocuidado.

Diagnóstico Diferencial

Outros transtornos mentais e condições médicas. Transtornos mentais (p. ex., transtorno depressivo maior, transtornos de ansiedade, TEPT, transtornos por uso de álcool e outras substâncias, transtornos do sono), medicamentos prescritos (p. ex., antipsicóticos típicos, benzodiazepínicos, drogas com propriedades anticolinérgicas, drogas anticonvulsivantes) e outras condições médicas podem contribuir para ou explicar déficits cognitivos entre indivíduos com LCT e precisam ser considerados no diagnóstico diferencial de TNC maior ou leve devido a LCT.

Transtorno factício e simulação. Explicações alternativas para sintomas neurocognitivos devem ser consideradas quando a gravidade dos sintomas neurocognitivos e limitações funcionais são inconsistentes com os resultados cognitivos esperados após a LCT – particularmente a LCT leve – e quando a avaliação neuropsicológica revela pouco esforço ou não é válida para interpretação. Nessas circunstâncias, deve-se considerar a possibilidade de transtorno factício ou simulação (sobretudo em situações em que possa haver incentivos externos, como a obtenção de compensação financeira).

Comorbidade

O TNC maior ou leve devido a LCT pode ser acompanhado por outros transtornos depressivos ou de ansiedade especificados ou não especificados, caracterizados por perturbações na função emocional (p. ex., irritabilidade, frustração fácil, tensão e ansiedade, labilidade afetiva). Outros transtornos da personalidade especificados ou não especificados também podem ocorrer como resultado de sintomas como desinibição, apatia, desconfiança ou agressão. As comorbidades médicas podem ocorrer com distúrbios neurológicos e físicos caracterizados por cefaleia, fadiga, distúrbios do sono, vertigem ou tontura, zumbido ou hiperacusia, fotossensibilidade, anosmia, tolerância reduzida a medicamentos psicotrópicos e, particularmente em LCTs mais graves, sintomas e sinais neurológicos (p. ex., convulsões, hemiparesia, distúrbios visuais, déficits de nervos cranianos) e evidências de lesões ortopédicas. As comorbidades médicas e psiquiátricas mais comuns associadas a LCT moderada a grave são (em ordem de frequência) dor nas costas, depressão, hipertensão, ansiedade, fraturas, colesterol alto, distúrbios do sono, ataques de pânico, osteoartrite e diabetes.

Entre indivíduos com transtornos por uso de substância, os efeitos neurocognitivos da substância aumentam ou contribuem para transtornos cognitivos associados a LCT, particularmente entre indivíduos com duas ou mais LCTs.

TEPT pode ocorrer concomitantemente com LCT em populações civis, militares e veteranas. LCT e TEPT produzem sintomas neurocognitivos semelhantes (p. ex., distúrbios de atenção complexa, velocidade de processamento, aprendizagem e memória e função executiva), e uma ou ambas as condições, bem como depressão e distúrbios do sono concomitantes, podem explicar sintomas neurocognitivos em indivíduos com tais comorbidades.

Transtorno Neurocognitivo Maior ou Leve Induzido por Substância/Medicamento

Critérios Diagnósticos

A. São atendidos os critérios diagnósticos para transtorno neurocognitivo maior ou leve.
B. Os prejuízos neurocognitivos não ocorrem exclusivamente durante o curso de *delirium* e persistem além da duração habitual da intoxicação e da abstinência aguda.
C. A substância ou medicamento envolvido, bem como a duração e o alcance do uso, é capaz de produzir o prejuízo neurocognitivo.
D. O curso temporal dos déficits neurocognitivos é consistente com o período em que ocorreu o uso e a abstinência de uma substância ou medicamento (p. ex., os déficits continuam estáveis ou diminuem após um período de abstinência).
E. O transtorno neurocognitivo não é passível de atribuição a outra condição médica ou não é mais bem explicado por outro transtorno mental.

Nota para codificação (ver tabela de codificação nas páginas 682-683): Os códigos da CID-10-MC para os transtornos neurocognitivos induzidos por [substância/medicamento específico] estão indicados na tabela a seguir. Observar que o código da CID-10-MC depende de haver ou não transtorno comórbido por uso de substância presente para a mesma classe de substância. De qualquer forma, um diagnóstico separado adicional de um transtorno por uso de substância não é fornecido.

Transtorno neurocognitivo maior induzido por substância: Quando um transtorno leve por uso de substância é comórbido com o transtorno neurocognitivo induzido por substância, o número da 4ª posição é "1", e o clínico deve registrar "transtorno por uso de [substância], leve" antes de transtorno neurocognitivo induzido por substância (p. ex., "transtorno por uso de inalante, leve com transtorno neurocognitivo maior induzido por inalante"). Para álcool e substâncias sedativas, hipnóticas ou ansiolíticas, um transtorno leve por uso de substância é insuficiente para causar um transtorno neurocognitivo maior induzido por substância; assim, não há códigos da CID-10-MC disponíveis para essa combinação. Quando um transtorno moderado a grave por uso de substância é comórbido com o transtorno neurocognitivo induzido por substância, o número da 4ª posição é "2", e o clínico deve registrar "transtorno por uso de [substância], moderado", ou "transtorno por uso de [substância], grave", dependendo da gravidade do transtorno comórbido por uso de substância. Não existindo transtorno comórbido por uso de substância, o número da 4ª posição é "9", e o clínico deve registrar somente o transtorno neurocognitivo induzido por substância. **Nota:** *Os especificadores de gravidade "leve", "moderado" e "grave" não devem ser codificados para a gravidade do TNC, mas ainda devem ser registrados.*

Transtorno neurocognitivo leve induzido por substância: Se um transtorno leve por uso de substância for comórbido com o transtorno neurocognitivo leve induzido por substância, o número da 4ª posição é "1" e o médico deve registrar "transtorno por uso de [substância], leve" antes do transtorno neurocognitivo leve induzido por substância (p. ex., "transtorno por uso de cocaína, leve com transtorno neurocognitivo leve induzido por cocaína"). Quando um transtorno moderado a grave por uso de substância é comórbido com o transtorno neurocognitivo induzido por substância, o número da 4ª posição é "2", e o clínico deve registrar "transtorno por uso de [substância], moderado" ou "transtorno por uso de [substância], grave", dependendo da gravidade do transtorno comórbido por uso de substância. Não existindo transtorno comórbido por uso de substância, o número da 4ª posição é "9", e o clínico deve registrar somente o transtorno neurocognitivo induzido por substância.

Transtorno neurocognitivo maior ou leve induzido por substância: Os especificadores de sintomas acompanhantes "Com agitação", "Com ansiedade", "Com sintomas de humor", "Com perturbação psicótica", "Com outras perturbações comportamentais ou psicológicas" e "Sem perturbação comportamental ou psicológica concomitante" não devem ser codificados, mas ainda devem ser registrados.

	CID-10-MC		
	Com transtorno por uso, leve	Com transtorno por uso, moderado ou grave	Sem transtorno por uso
Transtorno neurocognitivo (TNC) maior induzido por substância			
Álcool (TNC maior), tipo não amnéstico confabulatório	NA	F10.27	F10.97
Álcool (TNC maior), tipo amnéstico confabulatório	NA	F10.26	F10.96
Inalante (TNC maior)	F18.17	F18.27	F18.97
Sedativo, hipnótico ou ansiolítico (TNC maior)	NA	F13.27	F13.97
Outra substância (ou desconhecida) (TNC maior)	F19.17	F19.27	F19.97
Transtorno neurocognitivo (TNC) leve induzido por substância			
Álcool (TNC leve)	F10.188	F10.288	F10.988
Inalante (TNC leve)	F18.188	F18.288	F18.988
Sedativo, hipnótico ou ansiolítico (TNC leve)	F13.188	F13.288	F13.988
Substância do tipo anfetamina (ou outro estimulante) (TNC leve)	F15.188	F15.288	F15.988
Cocaína (TNC leve)	F14.188	F14.288	F14.988
Outra substância (ou desconhecida) (TNC leve)	F19.188	F19.288	F19.988

Especificar se:
Persistente: O prejuízo neurocognitivo continua a ser significativo após longo período de abstinência.

Procedimentos para Registro

O nome do transtorno neurocognitivo induzido por substância/medicamento termina com a substância específica (p. ex., álcool) supostamente causadora dos sintomas neurocognitivos. O código CID-10-MC que corresponde à classe de medicamento é escolhido na tabela incluída no conjunto de critérios. No caso de substâncias que não se enquadram em nenhuma classe, o código da CID-10-MC para "outra substância" (ou substância desconhecida) deve ser usado, e o nome da substância específica, indicado (p. ex., F19.988 transtorno neurocognitivo leve induzido por metotrexato intratecal). Para os casos em que uma substância é considerada um fator etiológico, mas a substância específica é desconhecida, é usado o código CID-10-MC para outra classe de substância (ou desconhecida), e o fato de que a substância é desconhecida é indicado (p. ex., F19.97 transtorno neurocognitivo maior induzido por substância desconhecida).

Ao registrar o nome do transtorno, primeiro é listado o transtorno comórbido por uso de substância (se houver), seguido da palavra "com", seguida do nome do transtorno (i. e., transtorno neurocognitivo maior (ou leve) induzido por [substância específica], seguido do tipo, no caso do álcool (i. e., tipo não amnéstico confabulatório, tipo amnéstico/confabulatório), seguido da especificação da duração (i. e., persistente). Por exemplo, no caso de sintomas amnésticos/confabulatórios persistentes em homem com transtorno grave por uso de álcool, o diagnóstico é F10.26 transtorno por uso de álcool, grave com transtorno neurocognitivo maior induzido por álcool, tipo amnéstico/confabulatório, persistente. Não é feito um diagnóstico separado de transtorno por uso de álcool, grave. Se ocorre o transtorno neurocognitivo induzido por substância sem um transtorno comórbido por uso de substância (p. ex., após uso esporádico e pesado de inalantes), não é registrado transtorno adicional por uso de substância (p. ex., F18.988 transtorno neurocognitivo leve induzido por [inalante específico]).

Características Diagnósticas

O transtorno neurocognitivo maior ou leve induzido por substância/medicamento é caracterizado por prejuízos neurocognitivos que persistem além da duração habitual de uma intoxicação e de abstinência aguda (Critério B). Inicialmente, essas manifestações podem refletir uma recuperação lenta das funções cerebrais de um período de uso prolongado de substância, podendo ser observadas melhoras nos indicadores neurocognitivos e de imagens cerebrais durante vários meses. Se o transtorno continuar por período prolongado, deve ser especificado "persistente". A substância em questão e seu uso devem ser sabidamente capazes de causar os prejuízos observados (Critério C). Enquanto pode ocorrer decréscimo não específico em uma gama de habilidades cognitivas com quase todas as substâncias de abuso e uma variedade de medicamentos, em determinadas classes de substâncias ocorrem alguns padrões com maior frequência. Por exemplo, TNC devido a medicamentos sedativos, hipnóticos ou ansiolíticos (p. ex., benzodiazepínicos, barbitúricos) pode apresentar mais perturbações na memória do que em outras funções cognitivas. TNC induzido por álcool costuma se manifestar com uma combinação de prejuízos na função executiva e nos domínios da memória e da aprendizagem. O curso temporal do TNC induzido por substância deve ser consistente com o de uso da referida substância (Critério D). O TNC amnéstico confabulatório, induzido por álcool (de Korsakoff), é caracterizado por um prejuízo na memória recente fora de proporção com os sintomas adicionais do TNC. As características incluem amnésia proeminente (dificuldade grave de aprendizagem de novas informações, com esquecimento rápido) e tendência a confabulação, embora a confabulação possa ser vista com alguma diminuição grave da memória recente. Essas manifestações podem ser concomitantes com sinais de encefalopatia por tiamina (encefalopatia de Wernicke) com características associadas, tais como nistagmo e ataxia. A oftalmoplegia da encefalopatia de Wernicke costuma caracterizar-se por paralisia lateral do olhar. Os déficits neurocognitivos associados ao uso indevido de inalantes incluem funcionamento executivo diminuído, velocidade cognitiva mais lenta e desempenho prejudicado adicional em aspectos dos testes Wisconsin de Classificação de Cartas e Stroop. Os sintomas neurocognitivos associados ao uso de estimulantes incluem dificuldades relacionadas a aprendizagem, memória e função executiva. O uso de metanfetamina também pode estar associado a evidência de lesão vascular (p. ex., fraqueza focal, incoordenação unilateral, reflexos assimétricos). O perfil neurocognitivo mais comum aproxima-se do encontrado no TNC vascular. As substâncias que causam TNC incluídas na categoria de outra substância (ou desconhecida) incluem metotrexato intratecal e inseticidas organofosforados, bem como compostos que são mal utilizados e conhecidos por induzir efeitos cognitivos adversos, mas são menos bem caracterizados (p. ex., kratom/*Mitragyna speciosa*).

Quando a relação entre as condições do TNC e qualquer grupo de fármacos está sendo determinada, é importante considerar se o déficit estava presente antes do uso da substância e, consequentemente, não seria atribuível a ela – e pode até ter contribuído para um julgamento inadequado que resultou no uso da substância. Por exemplo, evidências de diminuição do controle de impulsos e comprometimento relacionado das funções executivas foram relatados como associados ao início do uso de estimulantes e outras drogas. Em estudos nos quais a função neurocognitiva é cuidadosamente avaliada antes do uso da substância e, em seguida, os indivíduos são acompanhados por vários meses ou mais, a capacidade de outras drogas, além do álcool, outros depressores e inalantes, de causar TNCs persistentes clinicamente significativos não é clara.

Características Associadas

Os TNCs induzidos por inalantes podem estar associados ao cheiro do inalante na respiração ou a uma erupção cutânea ao redor do nariz ou da boca do indivíduo por "inspirar" a droga de um recipiente. Isso é mais frequentemente observado em indivíduos com acesso limitado a outras drogas e com história de uso de inalantes, bem como com o início precoce do uso de múltiplas substâncias, especialmente se seus sintomas preencherem critérios para transtornos da conduta ou da personalidade antissocial. Um alto risco também é visto em trabalhadores expostos a solventes no local de trabalho. O TNC de duração intermediária induzido por substância com efeitos depressivos do sistema nervoso central pode se manifestar com mais sintomas de aumento da irritabilidade, ansiedade, perturbação do sono e disforia. O TNC induzido por fármacos estimulantes pode se manifestar com depressão de rebote, hipersonia e apatia. Nas formas graves de TNC maior induzido por substância/medicamento (p. ex., associado a uso prolongado de álcool), podem existir características neuromotoras destacadas, como falta de coordenação, ataxia relacionada a dano cerebelar e desaceleração motora, bem como complicações médicas, como hipocalemia e arritmias cardíacas. Pode, ainda, ocorrer perda de controle emocional, inclusive afeto agressivo ou inapropriado, ou apatia.

Prevalência

A prevalência dessas condições não é bem conhecida. Os números de prevalência estão mais disponíveis para o uso dessas substâncias e para transtornos associados ao uso de substâncias do que para as condições neurocognitivas. TNCs maiores ou leves induzidos por substância/medicamento são mais prováveis em idosos, com mais tempo de uso e outros fatores de risco, como déficits nutricionais.

Para o transtorno por uso de álcool, a taxa de TNC leve é de cerca de 30 a 40% nos dois primeiros meses de abstinência. O TNC leve pode persistir, em especial naqueles indivíduos que não atingem abstinência estável depois dos 50 anos de idade. O TNC maior é raro e pode ser consequência de déficits nutricionais concomitantes, como no TNC amnéstico confabulatório, induzido por álcool. O TNC maior induzido pelo álcool pode ser mais comum em homens.

Poucos estudos estão disponíveis sobre a prevalência do TNC de outras drogas depressoras do cérebro (ou seja, sedativos, hipnóticos ou ansiolíticos), provavelmente refletindo a relativa raridade de estudos de transtornos por uso de substâncias sobre essas drogas e o nível relativamente baixo de uso "recreativo" pesado e persistente de fármacos sedativos, hipnóticos ou ansiolíticos em comparação com álcool, *Cannabis* e muitas outras drogas.

Uma maior quantidade de dados está disponível sobre a prevalência do uso de inalantes. Essa exposição tem sido associada a TNC maior e leve de duração variada em populações de alta e baixa renda. No entanto, o uso persistente a ponto de desenvolver um TNC é estimado em menos de 1% da população dos Estados Unidos.

No caso dos estimulantes (metanfetaminas e cocaína), também pode ocorrer doença cerebrovascular, resultando em lesão cerebral difusa ou focal que pode ter níveis neurocognitivos leves ou maiores.

Desenvolvimento e Curso

Os transtornos por uso de substância tendem a começar durante a adolescência, com pico entre os 20 e os 30 anos. Embora uma história mais longa de transtorno grave por uso de substância esteja associada a maior probabilidade de TNC, as relações não são diretas, com recuperação substancial e até completa das funções neurocognitivas sendo comum entre pessoas que conseguem uma abstinência estável antes dos 50 anos de idade. O TNC maior ou leve induzido por substância/medicamento tem maior probabilidade de ser persistente em indivíduos que continuam a abusar de substâncias após os 50 anos, possivelmente devido a uma combinação de plasticidade neuronal diminuída e início de outras mudanças cerebrais relativas ao envelhecimento.

As condições do TNC podem envolver um início bastante rápido de comprometimento neurocognitivo em indivíduos cuja história inclui o uso de vários tipos de drogas de abuso, sobretudo com início precoce do uso de substâncias. Um início precoce de abuso, especialmente de álcool, pode levar a falhas no desenvolvimento neuronal posterior (p. ex., estágios posteriores de maturação dos circuitos frontais), que podem causar efeitos na cognição social e em outras capacidades neurocognitivas. No TNC induzido por álcool, pode ocorrer um efeito aditivo do envelhecimento e lesão cerebral induzida por álcool.

Fatores de Risco e Prognóstico

Os fatores de risco de TNCs induzidos por substância/medicamento incluem idade, uso prolongado e uso persistente além dos 50 anos.

Além disso, no caso do transtorno induzido por álcool, deficiências nutricionais prolongadas, doença hepática, fatores de risco vascular e doença cardiovascular e cerebrovascular podem contribuir para o risco. Um risco aumentado de TNC do tipo amnéstico confabulatório induzido pelo álcool ocorre no contexto de uma deficiência genética de transcetolase, bem como no contexto de má nutrição.

Os TNCs induzidos por sedativos, hipnóticos ou ansiolíticos não foram bem estudados, mas esses problemas podem ser aumentados em indivíduos com transtornos de ansiedade de longo prazo ou transtornos do sono que estão tomando benzodiazepínicos ou outros medicamentos hipnóticos em quantidades crescentes por meses ou anos.

Marcadores Diagnósticos

Imagem por ressonância magnética (IRM) de indivíduos com abuso crônico do álcool costuma revelar afinamento cortical, perda de substância branca e aumento de sulcos e ventrículos. Ao mesmo tempo que anormalidades em imagens neurológicas são mais comuns naqueles com TNCs, é possível observar esses transtornos sem essas anormalidades, e vice-versa. Técnicas especializadas (p. ex., imagem com tensor de difusão) podem revelar dano a tratos específicos de substância branca. A espectroscopia por ressonância magnética pode revelar redução no N-acetilaspartato e aumento nos marcadores de inflamação (p. ex., mioinositol) ou lesão na substância branca (p. ex., colina). Muitas dessas mudanças nas imagens do cérebro e manifestações neurocognitivas têm reversão após abstinência exitosa. Em indivíduos com transtorno por uso de metanfetamina, a ressonância magnética pode também revelar hiperintensidades sugestivas de micro-hemorragias ou áreas maiores infartadas.

Consequências Funcionais do Transtorno Neurocognitivo Maior ou Leve Induzido por Substância/Medicamento

As consequências funcionais de TNC leve induzido por substância/medicamento ficam, por vezes, aumentadas devido à eficiência cognitiva reduzida e à dificuldade de concentrar-se além daquela que se dá em muitos outros TNCs. Além disso, nos níveis maior e leve, esses transtornos induzidos por substância/medicamento podem estar associados a síndromes motoras, que aumentam o nível de prejuízo funcional.

Diagnóstico Diferencial

Indivíduos com transtornos por uso de substância, intoxicação por substância e abstinência de substância correm risco maior de outras condições que podem, independentemente ou por efeito cumulativo, resultar em perturbação neurocognitiva. Estas incluem história de lesão cerebral traumática e infecções capazes de acompanhar transtorno por uso de substância (p. ex., HIV, hepatite C, sífilis). Assim, a presença de TNC maior ou leve induzido por substância/medicamento deve ser diferenciada dos TNCs que surgem no contexto de uso de substância, intoxicação e abstinência, bem como das condições que os acompanham (p. ex., lesão cerebral traumática).

Comorbidade

Transtornos por uso de substância, intoxicação por substância e abstinência de substância são altamente comórbidos com outros transtornos mentais. Em geral, quanto maior a exposição a drogas de abuso, maior o risco de um TNC induzido por substância ou medicamento. Transtorno comórbido de estresse pós-traumático, transtornos psicóticos, transtornos depressivo e bipolar e transtornos do neurodesenvolvimento podem contribuir para prejuízo neurocognitivo em usuários de substância. Lesão cerebral traumática ocorre com mais frequência com uso de substância, complicando as tentativas de determinar a etiologia de um TNC nesses casos. O transtorno por uso de álcool grave e prolongado pode estar associado a doenças do sistema de órgãos principais, incluindo doença cerebrovascular e cirrose; o transtorno por uso de inalantes está associado a taxas mais altas de danos nos rins e no fígado; e o TNC induzido por anfetamina e cocaína pode estar acompanhado de TNC vascular maior ou leve, também secundário ao uso de estimulantes.

Transtorno Neurocognitivo Maior ou Leve Devido à Infecção por HIV

Critérios Diagnósticos

A. São atendidos os critérios diagnósticos para transtorno neurocognitivo maior ou leve.
B. Há infecção documentada pelo vírus da imunodeficiência humana (HIV).
C. O transtorno neurocognitivo não é mais bem explicado por condições não HIV, incluindo doenças cerebrais secundárias, como leucoencefalopatia multifocal progressiva ou meningite criptocócica.
D. O transtorno neurocognitivo não é passível de atribuição a outra condição médica e não é mais bem explicado por um transtorno mental.

Nota para codificação (ver tabela de codificação nas páginas 682-683):

Para transtorno neurocognitivo (TNC) maior devido à infecção por HIV: 1) Codificar primeiro **B20** infecção por HIV, 2) seguido de **F02**. 3) Depois, codificar o grau de gravidade atual da perturbação cognitiva (leve, moderado, grave) e 4) verificar se há ou não uma perturbação comportamental ou psicológica concomitante. Por exemplo, para TNC maior devido à infecção por HIV, moderado, com perturbação psicótica, o código da CID-10-MC é **F02.B2**.

Para TNC maior com perturbações comportamentais e psicológicas múltiplas clinicamente significativas, são necessários múltiplos códigos da CID-10-MC. Por exemplo, para TNC maior devido à infecção por HIV, grave, acompanhado de agitação, delírios e depressão, são necessários quatro códigos. **B20** infecção por HIV; **F02.C11** (com agitação); **F02.C2** (com perturbação psicótica); e **F02.C3** (com sintomas de humor).

Para TNC leve devido à infecção por HIV: 1) Codificar primeiro **B20** infecção por HIV, 2) seguido por **F06.70** TNC leve devido à infecção por HIV sem perturbação comportamental ou por **F06.71** para TNC leve devido à infecção por HIV com perturbação comportamental. Use códigos adicionais para indicar sintomas psiquiátricos significativos também devidos à infecção por HIV (p. ex., **F06.34** transtorno bipolar e transtorno relacionado devido à infecção por HIV, com características mistas; **F07.0** mudança de personalidade devido à infecção por HIV, tipo apático).

Características Diagnósticas

A doença do HIV é causada por infecção pelo vírus da imunodeficiência humana tipo 1 (HIV-1), adquirido por meio de exposição a fluidos corporais de uma pessoa infectada, por meio de uso de droga injetada, contato sexual sem proteção ou exposição acidental ou iatrogênica (p. ex., lesão por punção com agulha em profissionais médicos). O HIV infecta vários tipos de células, mais especificamente, linfócitos e monócitos de *T-helper* (CD4). Com o passar do tempo, a infecção pode causar graves diminuições na contagem de CD4, resultando em imunossupressão grave, frequentemente levando a infecções oportunistas e neoplasias. Monócitos infectados podem entrar no sistema nervoso central, levando a infecção de macrófagos e micróglia. Uma pequena porcentagem de astrócitos pode abrigar infecção produtiva pelo HIV. A forma avançada de infecção por HIV é denominada *síndrome da imunodeficiência adquirida* (aids). O diagnóstico de HIV é confirmado por métodos laboratoriais estabelecidos, como o ensaio de reação em cadeia da polimerase com transcrição reversa (RT-PCR) para RNA do HIV e o teste de combinação anticorpo/antígeno. É importante notar que o autoteste para HIV está disponível.

Alguns indivíduos com infecção pelo HIV desenvolvem um TNC que costuma evidenciar um "padrão subcortical" com função executiva destacadamente prejudicada, desaceleração da velocidade de processamento, tarefas de atenção mais exigentes e dificuldade de aprender novas informações, mas com menos problemas para recordar informações aprendidas. No TNC maior, a desaceleração pode ser proeminente. Dificuldades linguísticas, como a afasia, são incomuns, embora possam ser observadas reduções na fluência. Processos patogênicos do HIV podem afetar qualquer parte do cérebro; assim, outros padrões são possíveis.

Características Associadas

O TNC maior ou leve devido à infecção por HIV é mais prevalente em indivíduos com idade crescente, menor escolaridade ou sexo feminino, e entre aqueles com transtorno depressivo maior, transtornos por uso de álcool ou outras substâncias e comorbidades médicas (particularmente diabetes e hipertensão). O risco de TNC devido à infecção por HIV também aumenta com qualquer um dos seguintes: episódios anteriores de imunossupressão, altas cargas virais no LCS e níveis aumentados de fator de necrose tumoral alfa (FNT-α), interleucina-6 (IL-6), proteína C reativa, D-dímero, sCD14, sCD163 e cadeia leve de neurofilamento no sangue periférico ou indicadores laboratoriais clínicos de doença avançada por HIV, como um nadir baixo de células CD4, anemia e hipoalbuminemia. Indivíduos com TNC maior podem apresentar características neuromotoras mais proeminentes, como grave falta de coordenação, ataxia e lentificação motora. Essas características podem se tornar mais proeminentes com a progressão da doença do TNC.

Prevalência

Dependendo do estágio da doença por HIV, por volta de um terço a mais da metade dos indivíduos por ele afetados apresentam, pelo menos, alguma evidência de uma perturbação neurocognitiva, embora a maioria dessas perturbações possam não atender à totalidade de critérios para um TNC leve e, em vez disso, representariam indivíduos com prejuízo neurocognitivo assintomático (PNA), que podem ter desempenho abaixo do padrão em um ou mais testes de habilidades neurocognitivas, mas não apresentam qualquer prejuízo no estado funcional. Em grande parte, as taxas na América do Norte e na Europa Ocidental mostraram que o PNA é responsável pela maioria dos distúrbios neurocognitivos, enquanto o TNC leve devido à infecção por HIV é responsável por aproximadamente um quarto dos indivíduos, e os critérios principais do TNC normalmente são atendidos por menos de 5% dos indivíduos com perturbações neurocognitivas relacionadas ao HIV. Na Alemanha, a prevalência geral de TNCs associados ao HIV entre os participantes clínicos com HIV foi de 43%, 90% dos quais estavam em tratamento: 20% tinham PNA, 17% tinham TNC leve e 6% tinham demência associada ao HIV. Em países de baixa e média renda, a prevalência de TNCs associados ao HIV é maior entre indivíduos com HIV não tratados. Em outras partes do mundo, e em coortes compostas sobretudo por indivíduos infectados pelo HIV em tratamento antirretroviral eficaz, testados com baterias de testes cognitivos abrangentes, foram encontradas taxas gerais de comprometimento cognitivo em torno de 25 a 35%.

Nos Estados Unidos, a incidência de infecção pelo HIV é maior em homens do que em mulheres de todos os grupos étnicos. No entanto, as evidências apontam uma diferença de sexo no TNC devido à infecção pelo HIV, com comprometimento neurocognitivo mais frequente em mulheres, inclusive quando o sexo é mantido como fator de risco em uma análise multivariada. A maior taxa de deficiência em mulheres pode estar associada a diferenças na qualidade educacional.

Desenvolvimento e Curso

No desenvolvimento e curso do TNC devido à infecção por HIV, os indivíduos podem apresentar comprometimento neurocognitivo quando a infecção por HIV é assintomática; os Centros de Controle e Prevenção de Doenças classificam a infecção subjacente por HIV em três estágios: assintomática, sintomática precoce e sintomática tardia/aids. O curso do TNC devido à infecção por HIV pode se resolver, melhorar, permanecer estável, piorar lentamente, piorar rapidamente ou ser flutuante. A progressão rápida do comprometimento neurocognitivo é incomum no contexto do tratamento antirretroviral combinado atualmente disponível, embora ainda possa ocorrer no contexto de um subgrupo associado a idade avançada, bem como em associação com comorbidades específicas, que promovem o comprometimento cognitivo. Contudo, para a proporção predominante de indivíduos com HIV, uma mudança brusca no estado mental justifica a avaliação de outras fontes médicas para a alteração cognitiva, incluindo infecções secundárias. Uma vez que o HIV acomete principalmente as regiões subcorticais ao longo do curso da doença, incluindo a substância branca profunda, a progressão do transtorno segue um padrão "subcortical". O padrão subcortical de comprometimento cognitivo é caracterizado por lentificação mental associada a disfunção motora, déficits de aprendizagem processual e déficits de memória livre, com relativa escassez de memória de reconhecimento, abstração verbal e nomeação.

Como a infecção por HIV pode afetar uma variedade de regiões cerebrais e a doença pode assumir muitas trajetórias diferentes, dependendo das comorbidades associadas e das consequências da infecção por HIV, o curso geral de um TNC devido à infecção por HIV tem heterogeneidade considerável. Um perfil neurocognitivo subcortical pode interagir com a idade ao longo da vida, de modo que ocorre uma interação entre idade e estágio clínico da doença por HIV nos domínios da memória episódica e comprometimento motor (p. ex., andar lento). Essa interação aumenta a prevalência geral de comprometimento neurocognitivo e a probabilidade de que seja mais pronunciada na vida adulta.

A aquisição da infecção pelo HIV costuma ocorrer em adultos nos países de alta renda, por meio de comportamentos de alto risco (p. ex., sexo desprotegido; uso de substância injetável), começando no final da adolescência e atingindo o pico durante a idade adulta jovem e intermediária, com uma contribuição significativa persistindo na velhice. Em regiões de baixa renda, onde o teste de HIV e os tratamentos antirretrovirais para mulheres grávidas não estão disponíveis com facilidade, a transmissão perinatal é comum. O TNC nesses bebês e crianças pode se apresentar, essencialmente, como um atraso no neurodesenvolvimento. Quando os indivíduos tratados para o HIV sobrevivem até a idade avançada, há possibilidade de efeitos neurocognitivos aditivos e interativos do HIV e do envelhecimento, incluindo outros TNCs (p. ex., devido à doença de Alzheimer, à doença de Parkinson). Mais de 50% dos indivíduos com HIV nos Estados Unidos têm mais de 50 anos. A terapia antirretroviral de longa duração é indicada para o controle contínuo da infecção por HIV. No entanto, algumas terapias antirretrovirais podem estar associadas a inflamação, efeitos neurotóxicos e alterações metabólicas que podem levar ao comprometimento vascular e, indiretamente, aumentar o comprometimento neurocognitivo em conjunto com o envelhecimento e comorbidades médicas que podem piorar a cognição.

Fatores de Risco e Prognóstico

Paradoxalmente, TNC devido à infecção por HIV não apresentou declínio significativo com a chegada da terapia antirretroviral combinada, embora as formas mais graves (consistentes com o diagnóstico de TNC maior) tenham diminuído bastante. Os fatores contribuintes podem incluir controle inadequado do HIV no sistema nervoso central (SNC), evolução de cepas virais resistentes a fármacos, efeitos de inflamação sistêmica e cerebral crônica de longo prazo e efeitos de fatores comórbidos, tais como envelhecimento, abuso de drogas, hipertensão, diabetes, história anterior de trauma ao SNC e infecções concomitantes, como a do vírus da hepatite C. Exposição crônica a fármacos antirretrovirais também tem sido associada à possibilidade de neurotoxicidade.

Marcadores Diagnósticos

Pode-se fazer um diagnóstico de HIV a partir de um teste realizado no sangue, fluidos orais ou urina. Além disso, a caracterização do HIV do LCS pode ser útil se revelar uma carga viral desproporcionalmente alta no LCS *versus* no plasma ou se houver indicadores de um alto nível de neuroinflamação. A neuroimagem (p. ex., ressonância magnética, RM) pode revelar redução no volume cerebral total, afinamento cortical, redução no volume da substância branca e áreas irregulares de substância branca anormal (hiperintensidades). A RM do cérebro ou a punção lombar podem ser úteis para excluir uma condição médica específica (p. ex., meningite criptocócica, meningoencefalite, encefalite tipo 1 ou tipo 2 pelo vírus herpes simplex, leucoencefalopatia multifocal progressiva) que pode contribuir para alterações do SNC no contexto da aids. Técnicas especializadas, como imagem com tensor de difusão, podem revelar danos a tratos de substância branca específica. A marcação por rotação arterial (ASL) desenvolvida como um novo tipo de RM (ASL-RM) pode revelar alterações regionais na perfusão cerebral em 3 a 5 minutos sem infusão de marcadores extrínsecos, e a tomografia por emissão de pósitrons da proteína translocadora 18-kDa (TSPO) pode revelar neuroinflamação.

Consequências Funcionais do Transtorno Neurocognitivo Maior ou Leve Devido à Infecção por HIV

As consequências funcionais de TNC maior ou leve devido à infecção por HIV variam entre os indivíduos. Assim, capacidades executivas prejudicadas e processamento de informações desacelerado podem interferir de forma substancial nas decisões complexas sobre o controle da doença, necessárias à adesão ao regime terapêutico antirretroviral combinado, embora esses regimes tenham sido bastante simplificados desde o seu surgimento. Portanto, o estado funcional deve ser avaliado e mapeado diretamente ao comprometimento neurocognitivo para determinar a gravidade do TNC. O estado funcional relacionado ao comprometimento neurocognitivo devido ao HIV deve ser separado da disfunção atribuível a outros distúrbios concomitantes que podem afetar a função neurocognitiva.

Diagnóstico Diferencial

Na presença de comorbidades, como outras infecções (p. ex., vírus da hepatite C, sífilis), abuso de drogas (p. ex., abuso de metanfetamina), lesão anterior na cabeça ou condições neurodesenvolvimentais, pode ser diagnosticado TNC maior ou leve devido à infecção por HIV, desde que existam evidências de que a infecção tenha piorado quaisquer TNCs devidos a essas condições preexistentes ou comórbidas. Entre idosos, o aparecimento de declínio neurocognitivo relacionado a doença cerebrovascular ou neurodegeneração (p. ex., TNC maior ou leve devido à doença de Alzheimer) pode ter de ser diferenciado; essas condições podem ser sugeridas por um curso de declínio relativamente mais progressivo do que é visto no TNC devido à infecção por HIV. Foi demonstrado que a própria infecção por HIV aumenta o risco de doença cerebrovascular. Uma vez que a imunodeficiência mais grave pode resultar em infecções oportunistas do cérebro (p. ex., toxoplasmose, criptococose) e neoplasia (p. ex., linfoma do SNC), o surgimento repentino de um TNC ou sua piora repentina exige uma investigação ativa de etiologias não HIV. É importante considerar o *delirium*, que ocorre com frequência ao longo do curso da doença de indivíduos com HIV e pode ser devido a múltiplas etiologias (incluindo a coinfecção por SARSCoV-2).

Comorbidade

A doença por HIV é acompanhada por inflamação sistêmica crônica e inflamação no SNC, bem como por doenças que podem estar associadas a um TNC. Essas complicações podem ser parte da patogênese de TNC maior ou leve devido à infecção por HIV. O HIV frequentemente é comórbido com condições como abuso de substâncias e outras infecções sexualmente transmissíveis. Foram identificadas comorbidades médicas e psiquiátricas que aumentam a probabilidade de diagnóstico de TNC devido à infecção por HIV. Mulheres e membros de grupos étnicos e raciais carentes podem apresentar variação nas taxas de comorbidades associadas a TNC devido à infecção por HIV.

Transtorno Neurocognitivo Maior ou Leve Devido à Doença do Príon

Critérios Diagnósticos

A. São atendidos os critérios diagnósticos para transtorno neurocognitivo maior ou leve.
B. Há surgimento insidioso, sendo comum a progressão rápida de prejuízos.
C. Há aspectos motores de doença do príon, como mioclonia ou ataxia, ou evidência de biomarcadores.
D. O transtorno neurocognitivo não é atribuível a outra condição médica, não sendo mais bem explicado por outro transtorno mental.

Nota para codificação (ver tabela de codificação nas páginas 682-683):

Para transtorno neurocognitivo (TNC) maior devido à doença do príon: 1) Codificar primeiro **A81.9** doença do príon, 2) seguido por **F02**. 3) Depois, codificar o grau de gravidade atual da perturbação cognitiva (leve, moderado, grave) e 4) se há ou não uma perturbação comportamental ou psicológica concomitante. Por exemplo, para TNC maior devido à doença do príon, moderado, com perturbação psicótica, o código da CID-10-MC é **F02.B2**.

Para TNC maior devido a perturbações comportamentais e psicológicas múltiplas clinicamente significativos, são necessários múltiplos códigos da CID-10-MC. Por exemplo, para TNC maior devido à doença do príon, grave, acompanhado por agitação, delírios e depressão, são necessários quatro códigos: **A81.9** doença do príon; **F02.C11** (com agitação); **F02.C2** (com perturbação psicótica); e **F02.C3** (com sintomas de humor).

Para TNC leve devido à doença do príon: 1) Codificar primeiro **A81.9** doença do príon; 2) seguido por **F06.70** para TNC leve devido à doença do príon sem perturbação comportamental ou por **F06.71** para TNC leve devido à doença do príon com perturbação comportamental. Use códigos adicionais para indicar sintomas psiquiátricos clinicamente significativos também devidos à doença do príon (p. ex., **F06.34** transtorno bipolar e transtorno relacionado devido à doença do príon, com características mistas; **F07.0** mudança de personalidade devido à doença do príon, tipo apático).

Características Diagnósticas

A classificação de transtorno neurocognitivo (TNC) maior ou leve devido à doença do príon inclui TNCs devidos a um grupo de encefalopatias espongiformes subagudas (incluindo doença de Creutzfeldt-Jakob esporádica, doença de Creutzfeldt-Jakob genética, doença de Creutzfeldt-Jakob iatrogênica, a variante da doença de Creutzfeldt-Jakob, prionopatia variavelmente sensível à protease, *kuru* [encontrado entre o povo Fore em Papua Nova Guiné], síndrome de Gerstmann-Sträussler-Scheinker e insônia fatal), causadas por agentes transmissíveis conhecidos como *príons*. Dado que o tipo mais comum é a doença de Creutzfeldt-Jakob esporádica, ela é normalmente chamada simplesmente de doença de Creutzfeldt-Jakob (DCJ). A variante da DCJ é muito mais rara, associada à transmissão da encefalopatia espongiforme bovina, também conhecida como "doença da vaca louca". A história costuma revelar progressão rápida para TNC maior em apenas seis meses e, portanto, o transtorno é normalmente encontrado apenas no nível maior. Por exemplo, os indivíduos com a variante DCJ podem apresentar maior preponderância de sintomas psiquiátricos do que aqueles com outros tipos de doença do príon, caracterizados por humor baixo, retraimento e ansiedade. Embora a evidência do biomarcador não seja necessariamente exigida para o diagnóstico se as características motoras da doença do príon (p. ex., mioclonia, ataxia) estiverem presentes, a confiança de que o TNC se deve à doença do príon aumenta bastante se os biomarcadores característicos estiverem presentes.

Prevalência

A prevalência é desconhecida, mas muito reduzida, considerada a curta sobrevida. Com base em dados de nove países de alta renda, a incidência anual de DCJ esporádica é de aproximadamente um ou dois casos por milhão de pessoas. A incidência varia de acordo com a idade e é maior em pessoas com 65 anos ou mais (4,8/1.000.000 indivíduos) e é maior em brancos em comparação com negros. A incidência entre a etnia chinesa em Taiwan é menor do que as taxas da população geral nos Estados Unidos e em outros países participantes da pesquisa.

Desenvolvimento e Curso

A doença do príon pode se desenvolver em qualquer idade nos adultos – a idade pico para DCJ esporádica fica por volta de 67 anos – embora tenha ocorrência relatada em adolescentes ou em pessoas no período final de vida. Os brancos não latinos apresentaram uma idade média de início mais avançada em comparação com outras populações étnicas e racializadas nos Estados Unidos. Sintomas prodrômicos da doença do príon podem incluir fadiga, ansiedade, problemas com apetite ou sono ou dificuldades de concentração. Após várias semanas, esses sintomas podem ser seguidos de falta de coordenação, visão ou marcha alterada ou outros movimentos anormais, que podem ser mioclônicos, coreoatetoides ou balísticos, além de demência de rápida progressão. A doença normalmente progride com muita rapidez até o nível maior de prejuízo, ao longo de vários meses. Mais raramente, pode evoluir durante dois anos e parecer similar, no curso, a outros TNCs.

Fatores de Risco e Prognóstico

Ambientais. Foi demonstrada transmissão cruzada entre espécies de infecções pelo príon, com agentes intimamente relacionados à forma humana (p. ex., o surto de encefalopatia espongiforme bovina induzindo a variante da DCJ no Reino Unido durante a metade da década de 1990). A transmissão por transplante de córnea, enxertos de dura-máter de cadáveres, instrumentos neurocirúrgicos contaminados, injeções de hormônio de crescimento humano derivado de cadáver e gonadotrofina hipofisária e transfusão de sangue (somente no caso de variante da DCJ) está documentada. Estudos não demonstraram um risco aumentado de DCJ esporádica em profissionais da saúde.

Genéticos e fisiológicos. Em até 15% dos casos de doença do príon, existem mutações genéticas autossômicas dominantes no gene da proteína priônica (*PRNP*), que codifica uma proteína normal ligada à membrana neuronal. O polimorfismo do códon 129 da *PRNP* interpõe-se ao risco de doenças do príon esporádicas e adquiridas, bem como modifica a manifestação clínica, a idade de início da doença e a duração da doença.

Marcadores Diagnósticos

A doença do príon pode ser definitivamente confirmada somente por biópsia cerebral ou na autópsia. Existem várias proteínas do líquido cerebrospinal (LCS) que são marcadoras de lesão neuronal e frequentemente estão elevados na doença do príon; as mais comumente usadas para fins diagnósticos são a proteína 14-3-3 e a proteína tau, que apresentam alta sensibilidade, mas especificidade variável. A conversão induzida por tremor em tempo real (RT-QuIC) é outro teste de diagnóstico do LCS que é capaz de amplificar quantidades mínimas de proteínas priônicas causadoras de doenças e tem especificidade extremamente alta. A ressonância magnética cerebral é atualmente considerada o teste diagnóstico mais sensível quando se realiza imagem ponderada em difusão (DWI – *diffusion-weighted imaging*), sendo o achado mais comum as hiperintensidades de substância cinzenta multifocal em regiões subcorticais e/ou corticais. Em certos indivíduos, o eletroencefalograma revela descargas rápidas periódicas, normalmente trifásicas e sincrônicas, a uma velocidade de 0,5 a 2 Hz, em algum momento durante o curso da doença. É importante notar que os marcadores de diagnóstico mencionados variam de acordo com o tipo de doença do príon (p. ex., DCJ esporádica, DCJ genética, DCJ variante).

Diagnóstico Diferencial

Outros transtornos neurocognitivos maiores. TNC maior devido à doença do príon pode parecer similar, no curso, a outros tipos de TNC, mas as doenças do príon costumam ser diferenciadas pela progressão rápida e por sintomas cerebelares e motores destacados.

Transtorno Neurocognitivo Maior ou Leve Devido à Doença de Parkinson

Critérios Diagnósticos

A. São atendidos os critérios diagnósticos para transtorno neurocognitivo maior ou leve.
B. A perturbação ocorre no cenário da doença de Parkinson estabelecida.
C. Há surgimento insidioso e progressão gradual do prejuízo.
D. O transtorno neurocognitivo não é atribuível a outra condição médica, não sendo mais bem explicado por outro transtorno mental.

Transtorno neurocognitivo maior ou leve provavelmente devido à doença de Parkinson deve ser diagnosticado se tanto 1 quanto 2 forem atendidos. **Transtorno neurocognitivo maior ou leve possivelmente devido à doença de Parkinson** deve ser diagnosticado se 1 ou 2 é encontrado:

1. Não há evidências de etiologia mista (i. e., ausência de outra doença neurodegenerativa ou cerebrovascular ou de outra doença ou condição neurológica, mental ou sistêmica possivelmente contribuindo para o declínio cognitivo).
2. A doença de Parkinson claramente antecede o aparecimento do transtorno neurocognitivo.

Nota para codificação (ver tabela de codificação nas páginas 682-683):

Para transtorno neurocognitivo (TNC) maior provavelmente devido à doença de Parkinson: 1) Codificar primeiro **G20** doença de Parkinson, 2) seguido por **F02**. 3) Depois, codificar o grau de gravidade atual da perturbação cognitiva (leve, moderado, grave) e 4) verificar se há ou não uma perturbação comportamental ou psicológica concomitante. Por exemplo, para TNC maior provavelmente devido à doença de Parkinson, moderado, com perturbação psicótica, o código da CID-10-MC é **F02.B2**.

Para TNC maior possivelmente devido à doença de Parkinson: 1) Codificar primeiro **F03** (não há código médico adicional). 2) Depois, codificar o grau de gravidade atual da perturbação cognitiva (leve, moderado, grave) e 3) verificar se há ou não uma perturbação comportamental ou psicológica concomitante. Por exemplo, para TNC maior possivelmente devido à doença de Parkinson, leve, com sintomas de humor, o código da CID-10-MC é **F03.A3**.

Para TNC leve provavelmente devido à doença de Parkinson: 1) Codificar primeiro **G20** doença de Parkinson, 2) seguido por **F06.70** para TNC leve devido à doença de Parkinson sem perturbação comportamental ou por **F06.71** para TNC leve devido à doença de Parkinson com perturbação comportamental. Use códigos adicionais para indicar sintomas psiquiátricos clinicamente significativos também devidos à doença de Parkinson (p. ex., **F06.0** transtorno psicótico devido à doença de Parkinson, com alucinações; **F06.31** transtorno depressivo devido à doença de Parkinson, com características depressivas; **F07.0** mudança de personalidade devido à doença de Parkinson, tipo apático).

Para TNC possivelmente devido à doença de Parkinson, use o código **G31.84**. (**Nota:** Não há código médico adicional. "Com perturbação comportamental" e "sem perturbação comportamental" não devem ser codificados, mas ainda devem ser registrados.)

Características Diagnósticas

A característica essencial do transtorno neurocognitivo (TNC) maior ou leve devido à doença de Parkinson é um declínio cognitivo que ocorre no início ou após a doença de Parkinson idiopática. A perturbação deve ocorrer no contexto da doença de Parkinson estabelecida (Critério B), com os déficits tendo desenvolvimento gradual (Critério C). A taxa de progressão dos déficits cognitivos pode variar; para alguns indivíduos com déficits leves, pode haver uma mudança mínima ao longo do tempo.

O TNC é entendido como *provavelmente* devido à doença de Parkinson quando não há evidências de outro transtorno que possa ser responsável pelo declínio cognitivo *e* quando a doença de Parkinson precede o aparecimento do TNC. O TNC é considerado *possivelmente* devido à doença de Parkinson se uma dessas condições for atendida, mas não ambas as condições. Um diagnóstico de doença de Parkinson antes do surgimento da alteração cognitiva aumenta a confiança no diagnóstico de que o TNC é atribuído à doença de Parkinson, conforme indicado pela designação *provável*.

Características Associadas

Características frequentemente presentes incluem apatia, humor deprimido, humor ansioso, alucinações, delírios, mudanças da personalidade, transtorno comportamental do sono com movimento rápido dos olhos, sonolência excessiva durante o dia, andar congelado, quedas, envolvimento bilateral precoce na doença, instabilidade postural e distúrbio da marcha (IPDM) e hiposmia. A combinação de instabilidade postural e distúrbio da marcha pode ocorrer no início da doença e pode ser descrita pelo termo *subtipo IPDM* para distinguir da doença de Parkinson em que predomina o tremor.

Prevalência

A prevalência da doença de Parkinson nos Estados Unidos aumenta consistentemente com o envelhecimento, de cerca de 0,4% entre 60 e 69 anos até 1,4% entre 85 e 89 anos. A doença de Parkinson é mais comum em homens do que em mulheres. Da mesma forma, a prevalência de TNC devido à doença de Parkinson é maior em homens do que em mulheres. No entanto, não está claro se a incidência de TNC devido à doença de Parkinson é maior em homens do que em mulheres. Entre os indivíduos com doença de Parkinson, até 80% desenvolverão um TNC maior. Entre aqueles sem um TNC maior, a prevalência de TNC leve na doença de Parkinson foi estimada em 25 a 27%. Para indivíduos com doença de Parkinson não tratada, uma faixa de 9 a 19% tem TNC leve, enquanto outros estudos relataram TNC maior ocorrendo em 24% dos recém-diagnosticados com doença de Parkinson não tratada. Entre os afro-americanos, o risco de doença de Parkinson costuma ser menor do que entre brancos não latinos, mas o risco de demência entre aqueles com a doença costuma ser maior.

Desenvolvimento e Curso

O aparecimento da doença de Parkinson costuma ocorrer entre as idades de 50 e 89 anos, com expressão maior no começo da década dos 60 anos. O TNC leve costuma desenvolver-se relativamente cedo no curso da doença de Parkinson, ao passo que prejuízos maiores normalmente não ocorrem até que os indivíduos tenham uma idade mais avançada.

Fatores de Risco e Prognóstico

Ambientais. Os fatores de risco para a doença de Parkinson incluem exposição a pesticidas, solventes e possivelmente lesão cerebral traumática.

Genéticos e fisiológicos. Fatores de risco potenciais para TNC entre pessoas com a doença de Parkinson incluem idade avançada no surgimento da doença, aumento da gravidade da doença, sintomas proeminentes na marcha, distúrbio autonômico grave (particularmente hipotensão ortostática), transtorno comportamental do sono REM e possivelmente ser homem e ter menos anos de educação formal. Indivíduos com doença de Parkinson com mutações genéticas da glicocerebrosidase (*GBA*) e genótipo *APOE*E4* demonstraram ter pior cognição em pesquisas transversais e longitudinais.

Questões Diagnósticas Relativas à Cultura

A *demência de Guam* é um TNC de início tardio observado em 8,8% dos Chamorros (a população indígena de Guam) com idades a partir dos 65 anos. Caracterizada por emaranhados neurofibrilares, mas sem as placas amiloides encontradas na doença de Alzheimer, acredita-se que esteja possivelmente relacionada a um complexo único de parkinsonismo-demência e esclerose lateral amiotrófica. Foi encontrada uma associação com o processamento e ingestão de fadangos feitos com sementes de cicadáceas.

Marcadores Diagnósticos

Testes neuropsicológicos, com foco naqueles que não dependem da função motora (i. e., não cronometrados ou exigindo o uso de mãos) são fundamentais na detecção dos déficits cognitivos centrais, em especial na fase leve do TNC. As principais características observadas em testes neuropsicológicos no início do transtorno podem incluir atenção reduzida, disfunção executiva, processamento de informações lento e déficits na memória e função visuoespacial, enquanto muitas habilidades de linguagem podem permanecer intactas.

As varreduras do transportador de dopamina, como as varreduras DaT, podem diferenciar as demências relacionadas aos corpos de Lewy (ou seja, TNC devido à doença de Parkinson, TNC com corpos de Lewy) de demências não relacionadas aos corpos de Lewy (p. ex., TNC devido à doença de Alzheimer).

Diagnóstico Diferencial

Transtorno neurocognitivo maior ou leve com corpos de Lewy (TNCCL). A distinção entre TNCCL e TNC devido à doença de Parkinson baseia-se muito no tempo e na sequência dos sintomas cognitivos e motores. Os critérios de consenso para demência com corpos de Lewy separam o TNCCL do TNC devido à doença de Parkinson, especificando que, para que a demência seja atribuída à doença de Parkinson, o diagnóstico da doença de Parkinson deve estar presente por pelo menos 1 ano antes do declínio cognitivo atingir o nível de TNC maior, enquanto para TNCCL, os sintomas cognitivos podem começar antes, com ou na ausência de parkinsonismo. Por sua vez, os critérios de consenso de especialistas em doença de Parkinson propõem que, se o declínio cognitivo ocorrer antes de um diagnóstico motor, o diagnóstico da doença de Parkinson ainda pode ser feito; portanto, um clínico pode atribuir o declínio cognitivo à doença de Parkinson e diagnosticar TNC devido à doença de Parkinson. Consequentemente, pode optar por diagnosticar TNC devido à doença de Parkinson ou TNCCL para indivíduos com TNC maior que começa antes ou dentro de 12 meses da doença de Parkinson. Nessas circunstâncias, o clínico decide qual diagnóstico é mais apropriado. Se a doença de Parkinson foi diagnosticada pelo menos 1 ano antes do início dos sintomas cognitivos, ambos os critérios de especialistas concordam que o TNC devido à doença de Parkinson normalmente seria o diagnóstico apropriado. O momento e a sequência do parkinsonismo e do TNC leve podem ser particularmente difíceis de determinar, e o TNC devido a etiologia desconhecida pode ter de ser diagnosticado até que a ordem de progressão clínica se torne evidente.

Transtorno neurocognitivo maior ou leve devido à doença de Alzheimer. As características motoras são essenciais para a distinção entre TNC maior ou leve devido à doença de Parkinson e TNC maior ou leve devido à doença de Alzheimer. Contudo, os dois transtornos podem ser concomitantes, e indivíduos com a doença de Alzheimer bem estabelecida podem desenvolver parkinsonismo leve.

Transtorno neurocognitivo vascular maior ou leve. O TNC vascular maior ou leve pode se apresentar com aspectos parkinsonianos, que podem ocorrer como consequência de doença em pequeno vaso cortical ou subcortical. As características parkinsonianas, no entanto, não costumam ser suficientes para um diagnóstico de doença de Parkinson, e o curso do TNC normalmente tem clara associação com mudanças cerebrovasculares.

Transtorno neurocognitivo devido a outra condição médica (p. ex., distúrbios neurodegenerativos). Quando considerado um diagnóstico de transtorno neurocognitivo maior ou leve devido à doença de Parkinson, deve também ser feita uma distinção de outros distúrbios cerebrais, como paralisia supranuclear progressiva, degeneração corticobasal, atrofia sistêmica múltipla, tumores e hidrocefalia.

Parkinsonismo induzido por antipsicótico (ou outro fármaco bloqueador do receptor de dopamina). O parkinsonismo induzido por antipsicótico (ou outro fármaco bloqueador do receptor de dopamina) pode ocorrer em indivíduos com outros TNCs, particularmente quando medicamentos antipsicóticos são prescritos para as manifestações comportamentais de tais transtornos.

Comorbidade

A doença de Parkinson pode coexistir com doença de Alzheimer e doença cerebrovascular, especialmente em pessoas idosas. Indivíduos com TNC devido à doença de Parkinson podem apresentar características clínicas ou biomarcadores que sugerem a presença tanto da doença de Parkinson quanto de outras patologias. Evidências de etiologia mista não excluem a contribuição da doença de Parkinson para um TNC. O conjunto de características patológicas múltiplas pode diminuir as capacidades funcionais de pessoas com Parkinson. Sintomas motores e ocorrência concomitante e frequente de depressão, psicose, transtornos do sono com REM ou apatia podem piorar o prejuízo funcional.

Transtorno Neurocognitivo Maior ou Leve Devido à Doença de Huntington

Critérios Diagnósticos

A. São atendidos os critérios diagnósticos para transtorno neurocognitivo maior ou leve.
B. Há surgimento insidioso e progressão gradual.
C. Há a doença de Huntington clinicamente estabelecida ou o risco dessa doença com base na história familiar ou em teste genético.
D. O transtorno neurocognitivo não pode ser atribuído a outra condição médica e não é mais bem explicado por outro transtorno mental.

Nota para codificação (ver tabela de codificação nas páginas 682-683):

Para transtorno neurocognitivo maior (TNC) devido à doença de Huntington: 1) Codificar primeiro **G10** doença de Huntington, 2) seguido por **F02**. 3) Depois, codificar o grau de gravidade atual da perturbação cognitiva (leve, moderado, grave) e 4) verificar se há ou não uma perturbação comportamental ou psicológica concomitante. Por exemplo, para TNC devido à doença de Huntington, moderado, com perturbação psicótica, o código da CID-10-MC é **F02.B2**.

Para TNC maior com perturbações comportamentais e psicológicas múltiplas clinicamente significativas, são necessários múltiplos códigos da CID-10-MC. Por exemplo, para TNC maior com doença de Huntington, grave, acompanhado por agitação, delírios e depressão, são necessários quatro códigos: **G10** doença de Huntington; **F02.C11** (com agitação); **F02.C2** (com perturbação psicótica); e **F02.C3** (com sintomas de humor).

Para TNC leve devido à doença de Huntington: 1) Codificar primeiro **G10** doença de Huntington, 2) seguido por **F06.70** para TNC leve devido à doença de Huntington sem perturbação comportamental ou por **F06.71** para TNC leve devido à doença de Huntington com perturbação comportamental. Use códigos adicionais para indicar sintomas psiquiátricos clinicamente significativos também devidos à doença de Huntington (p. ex., **F06.31** transtorno depressivo devido à doença de Huntington, com características depressivas; **F06.4** transtorno de ansiedade devido à doença de Huntington).

Características Diagnósticas

Prejuízo cognitivo progressivo é uma característica central da doença de Huntington, com mudanças precoces na função executiva (i. e., velocidade de processamento, organização e planejamento) normalmente sendo mais proeminentes do que o declínio na aprendizagem e na memória. Mudanças cognitivas e comportamentais associadas costumam anteceder o aparecimento das anormalidades motoras típicas de bradicinesia (i. e., lentificação dos movimentos voluntários) e coreia (i. e., movimentos involuntários desorganizados). Um diagnóstico definitivo de doença de Huntington é feito na presença de anormalidades motoras extrapiramidais inequívocas em um indivíduo com história familiar de doença de Huntington ou testagem molecular que demonstre expansão de repetição do trinucleotídeo CAG, no gene HTT, localizado no cromossoma 4.

Características Associadas

Irritabilidade, apatia, ansiedade, sintomas obsessivo-compulsivos, depressão e, mais raramente, psicose podem estar todos associados à doença de Huntington e costumam anteceder o aparecimento dos sintomas motores.

Prevalência

Déficits neurocognitivos são uma consequência eventual da doença de Huntington; a prevalência mundial é calculada em 2,7 a cada 100.000. Na América do Norte, na Europa e na Austrália, é de 5,7 a cada 100.000, com uma prevalência muito menor, de 0,40 a cada 100.000, na Ásia.

Desenvolvimento e Curso

A idade em que a doença de Huntington é diagnosticada varia bastante, mas os sintomas são observados com mais frequência entre os 35 e os 45 anos. A idade no aparecimento tem correlação inversa com o comprimento de expansão CAG. Doença de Huntington juvenil (início antes dos 20 anos) pode se apresentar mais comumente com bradicinesia, distonia e rigidez do que com movimentos coreicos, característicos do transtorno de surgimento na vida adulta. A doença é gradativamente progressiva, com sobrevida média de cerca de 10 a 20 anos após o diagnóstico clínico, embora os indivíduos afetados possam demonstrar variabilidade significativa na progressão da doença.

A expressão fenotípica da doença de Huntington varia devido à presença de sintomas motores, cognitivos e psiquiátricos. Anormalidades psiquiátricas e cognitivas podem anteceder a anormalidade motora por uma década ou mais. Os primeiros sintomas que demandam cuidados costumam incluir irritabilidade, ansiedade ou humor deprimido. Outras perturbações comportamentais podem incluir apatia pronunciada, desinibição, impulsividade e percepção prejudicada, com a apatia comumente progredindo com o tempo. Sintomas precoces de movimento podem envolver o aparecimento de inquietação das extremidades, além de *apraxia* leve (i. e., dificuldade com movimentos com um propósito), especialmente com tarefas de motricidade fina. Com a progressão do transtorno, outros problemas motores incluem marcha prejudicada (*ataxia*) e instabilidade postural. O prejuízo motor acaba por afetar a produção da fala (*disartria*), a tal ponto que ela fica de difícil compreensão, o que pode resultar em sofrimento significativo, em consequência da barreira na comunicação no contexto de uma cognição comparativamente intacta. A doença motora avançada afeta muito a marcha, com ataxia progressiva. Por fim, os indivíduos não conseguem deambular. A doença motora no estágio terminal prejudica o controle motor para comer e deglutir, em geral um elemento que pode colaborar de forma importante para a morte do indivíduo, decorrente de pneumonia por aspiração.

Fatores de Risco e Prognóstico

Genéticos e fisiológicos. A base genética da doença de Huntington é uma expansão autossômica dominante com penetrância completa do trinucleotídeo CAG, comumente chamada de repetições CAG no gene da huntingtina. Uma repetição de 40 ou mais CAGs está, invariavelmente, associada à idade precoce no aparecimento. Uma repetição de 36 a 39 é considerada parcialmente penetrante, o que significa que essa extensão poderia ou não levar à doença de Huntington. Se a doença de Huntington ocorre com extensões de repetição nessa faixa, ela é mais frequentemente associada com o início mais tardio na vida (diagnóstico após os 70 anos de idade).

Marcadores Diagnósticos

A testagem genética é o exame laboratorial primário para a determinação da doença de Huntington, que é um transtorno autossômico dominante com penetrância completa. É observado que o trinucleotídeo CAG tem uma expansão da repetição no gene que codifica a proteína huntingtina no cromossoma 4. Não é feito um diagnóstico da doença de Huntington na presença apenas da expansão do gene; o diagnóstico é feito somente após a manifestação dos sintomas motores. Alguns indivíduos com história familiar positiva necessitam de testes genéticos em um estágio pré-sintomático. As características associadas podem, ainda, incluir mudanças em neuroimagens; perda volumétrica nos gânglios basais, especialmente no núcleo caudal e no putame, é de ocorrência bastante conhecida, com progressão durante o curso da doença. Outras mudanças estruturais e funcionais foram observadas em imagens do cérebro, embora permaneçam medidas de pesquisas.

Associação com Pensamentos ou Comportamentos Suicidas

Na doença de Huntington, um risco elevado de suicídio em comparação com a população geral foi bem documentado. Uma revisão da literatura e relatório de dados de um grande estudo observacional evidenciaram que o suicídio está entre as principais causas de morte na doença de Huntington. O risco elevado de pensamentos suicidas advindos da doença de Huntington foi demonstrado em indivíduos diagnosticados antes e após a manifestação dos sintomas motores da doença. Os fatores de risco para pensamentos suicidas incluem sintomas depressivos, ansiedade, irritabilidade, psicose e apatia – enfatizando a importância de tratar sintomas depressivos e avaliar pensamentos suicidas durante o monitoramento clínico. Um grande estudo de coorte europeu da doença de Huntington também evidenciou que as causas mais frequentes de morte foram pneumonia (19,5%), outras infecções (6,9%) e suicídio (6,6%).

Consequências Funcionais do Transtorno Neurocognitivo Maior ou Leve Devido à Doença de Huntington

Na fase prodrômica da doença, e logo após o diagnóstico, o declínio profissional é mais comum, com a maior parte dos indivíduos relatando certa perda da capacidade de envolvimento no trabalho. Os aspectos emocional, comportamental e cognitivo da doença de Huntington, como desinibição e mudanças de personalidade, estão altamente associados ao declínio funcional. Déficits cognitivos, que contribuem eminentemente para o declínio funcional, podem incluir velocidade de processamento, iniciação e atenção em vez de prejuízo da memória. Considerando que o surgimento da doença de Huntington ocorre nos anos produtivos da vida, pode haver um efeito bastante disruptivo no desempenho profissional, bem como na vida social e familiar e em importantes aspectos do cotidiano, como dirigir um automóvel. A progressão da doença, a incapacidade em decorrência de problemas como marcha prejudicada, a disartria e os comportamentos impulsivos ou irritáveis podem aumentar substancialmente o nível do prejuízo e das necessidades diárias de cuidado para além das demandas atribuíveis ao declínio cognitivo. Movimentos coreicos graves podem interferir sobremaneira no autocuidado, como tomar banho, vestir-se e ir ao banheiro.

Diagnóstico Diferencial

Outros transtornos mentais. Os primeiros sintomas da doença de Huntington podem incluir humor instável, irritabilidade ou comportamentos compulsivos, que podem sugerir outro transtorno mental. Exames genéticos ou o aparecimento de sintomas motores, no entanto, diferenciarão a presença da doença de Huntington. Nesses casos, se os sintomas de humor forem foco da atenção clínica, eles podem ser indicados por um diagnóstico adicional de transtorno depressivo devido à doença de Huntington, com características depressivas.

Outros transtornos neurocognitivos. Os sintomas iniciais da doença de Huntington, especialmente sintomas de disfunção executiva e velocidade psicomotora prejudicada, podem assemelhar-se a outros transtornos neurocognitivos, como TNC vascular maior ou leve.

Outros transtornos do movimento. A doença de Huntington deve, ainda, ser diferenciada de outros transtornos ou condições associadas a coreia, como a doença de Wilson, a discinesia tardia induzida por substância, a coreia de Sydenham, o lúpus eritematoso sistêmico ou a coreia senil. Raramente, os indivíduos podem apresentar um curso similar ao da doença de Huntington, mas sem testes genéticos positivos; isso é considerado uma fenocópia da doença de Huntington que resulta de uma variedade de fatores genéticos potenciais.

Transtorno Neurocognitivo Maior ou Leve Devido a Outra Condição Médica

Critérios Diagnósticos

A. São atendidos os critérios diagnósticos para transtorno neurocognitivo maior ou leve.
B. Há evidências a partir da história, do exame físico ou de achados laboratoriais de que o transtorno neurocognitivo é a consequência fisiopatológica de outra condição médica (p. ex., esclerose múltipla).
C. Os déficits cognitivos não são mais bem explicados por outro transtorno mental ou outro transtorno neurocognitivo específico (p. ex., transtorno depressivo maior) ou outro transtorno neurocognitivo específico (p. ex., transtorno neurocognitivo maior devido à doença de Alzheimer).

Nota para codificação (ver tabela de codificação nas páginas 682-683):

Para transtorno neurocognitivo (TNC) maior devido a outra condição médica: 1) Codificar primeiro a condição médica (p. ex., **G35** esclerose múltipla), 2) seguida por **F02**. 3) Depois, codificar o grau de gravidade atual da perturbação cognitiva (leve, moderado, grave) e 4) verificar se há ou não uma perturbação comportamental ou psicológica concomitante. Por exemplo, para TNC maior devido à esclerose múltipla, moderado, com perturbação psicótica, o código da CID-10-MC é **F02.B2**.

Para TNC maior com perturbações comportamentais e psicológicas múltiplas clinicamente significativas, são necessários múltiplos códigos da CID-10-MC. Por exemplo, para TNC maior devido à esclerose múltipla, grave, acompanhada por agitação, delírios e depressão, são necessários quatro códigos: **G35** esclerose múltipla; **F02.C11** (com agitação); **F02.C2** (com perturbação psicótica); e **F02.C3** (com sintomas de humor).

Para TNC leve devido a outra condição médica: 1) codificar primeiramente a condição médica (p. ex., **G35** esclerose múltipla), 2) seguida por **F06.70** para TNC leve devido à esclerose múltipla sem perturbação comportamental ou por **F06.71** para TNC leve devido à esclerose múltipla com perturbação comportamental. Use códigos adicionais para indicar sintomas psiquiátricos clinicamente significativos devido a mesma condição causadora do TNC leve (p. ex., **F06.31** transtorno depressivo devido à esclerose múltipla, com características depressivas; **F06.4** transtorno de ansiedade devido à esclerose múltipla).

Características Diagnósticas

Muitas outras condições médicas podem causar transtornos neurocognitivos (TNCs), além das etiologias específicas (p. ex., doença de Alzheimer) já incluídas nos conjuntos de critérios anteriores para TNC descritos neste capítulo. Incluem-se lesões estruturais (p. ex., tumores cerebrais primários ou secundários, hematoma subdural, hidrocefalia de pressão lentamente progressiva ou normal), hipoxia relacionada a hipoperfusão decorrente de insuficiência cardíaca, condições endócrinas (p. ex., hipotireoidismo, hipercalcemia, hipoglicemia), condições nutricionais (p. ex., deficiências de tiamina ou niacina), outras condições infecciosas (p. ex., neurossífilis, criptococose), distúrbios imunológicos (p. ex., arterite temporal, lúpus eritematoso sistêmico), insuficiência renal ou hepática, condições metabólicas (p. ex., doença de Kufs, adrenoleucodistrofia, leucodistrofia metacromática, outras doenças de armazenamento da vida adulta e infantil) e outras condições neurológicas (p. ex., epilepsia, esclerose múltipla). Causas incomuns de lesão no sistema nervoso central, como choque elétrico ou radiação intracraniana, costumam ficar evidentes a partir da história. A associação temporal entre o aparecimento ou a exacerbação da condição médica e o desenvolvimento do déficit cognitivo constitui a maior evidência no sentido de que o TNC é uma consequência fisiopatológica da condição médica. A certeza diagnóstica quanto a essa relação pode aumentar se os déficits neurocognitivos apresentarem melhora parcial ou estabilização no contexto do tratamento da condição médica.

Desenvolvimento e Curso

Em geral, o curso de um TNC evolui de maneira compatível à progressão da doença médica subjacente. Nas circunstâncias em que o problema médico é tratável (p. ex., hipotireoidismo), o déficit neurocognitivo pode melhorar ou, no mínimo, não evoluir. Quando a condição médica tem um curso deteriorante (p. ex., esclerose múltipla progressiva secundária), os déficits neurocognitivos evoluirão em conjunto com o curso temporal da doença.

Marcadores Diagnósticos

Exame físico associado, achados laboratoriais e outras características clínicas dependem da natureza e da gravidade da condição médica.

Diagnóstico Diferencial

Outro transtorno neurocognitivo maior ou leve. A presença de uma condição médica à qual podem ser imputados os sintomas não exclui completamente a possibilidade de outro TNC maior ou leve. Se os déficits cognitivos persistirem após tratamento exitoso de uma condição médica associada, outra etiologia pode, então, ser responsável pelo declínio cognitivo.

Transtorno Neurocognitivo Maior ou Leve Devido a Múltiplas Etiologias

Critérios Diagnósticos

A. São atendidos os critérios diagnósticos para transtorno neurocognitivo maior ou leve.
B. Há evidências a partir da história, do exame físico ou de achados laboratoriais de que o transtorno neurocognitivo é a consequência fisiopatológica de mais de um processo etiológico, excluindo-se substâncias (p. ex., transtorno neurocognitivo devido à doença de Alzheimer, com desenvolvimento subsequente de transtorno neurocognitivo vascular). **Nota:** Consultar os critérios diagnósticos para os vários transtornos

neurocognitivos devidos a condições médicas específicas em busca de orientação quanto ao estabelecimento dessas etiologias.
C. Os déficits cognitivos não são mais bem explicados por outro transtorno mental e não ocorrem exclusivamente durante o curso de *delirium*.

Nota para codificação (ver tabela de codificação nas páginas 682-683):

Para transtorno neurocognitivo (TNC) maior devido a múltiplas etiologias, incluindo etiologias prováveis: 1) codificar primeiro todas as condições médicas etiológicas (com exceção de doença cerebrovascular, que não é codificada), 2) seguidas por **F02**. 3) Depois, codificar o grau de gravidade atual da perturbação cognitiva (leve, moderado, grave) e 4) verificar se há ou não uma perturbação comportamental ou psicológica concomitante. 5) Se provável doença cerebrovascular estiver entre as múltiplas condições médicas etiológicas, use o código **F01** (não há um código médico adicional), seguido por códigos do grau de gravidade atual da perturbação cognitiva (leve, moderado, grave) e se há ou não uma perturbação comportamental ou psicológica concomitante. Por exemplo, para uma apresentação de TNC maior, moderado, com perturbação psicótica que é avaliado como sendo devido à doença de Alzheimer, doença cerebrovascular e infecção por HIV, e em que uso pesado crônico de álcool é avaliado como sendo um fator contribuinte, codifique da seguinte maneira: **G30.9** doença de Alzheimer; **B20** infecção por HIV; **F02.B2** TNC maior devido à doença de Alzheimer e infecção por HIV, moderado, com perturbação psicótica; **F01.B2** TNC maior provavelmente devido a doença vascular, moderado, com perturbação psicótica; e **F10.27** TNC maior induzido por álcool, tipo não amnéstico confabulatório, com transtorno moderado por uso de álcool.

Para TNC leve devido a múltiplas etiologias, incluindo etiologias prováveis: 1) codifique primeiro todas as etiologias médicas (incluindo **I67.9** doença cerebrovascular, se presente), 2) seguidas por **F06.70** para TNC leve devido a múltiplas etiologias sem perturbação comportamental ou por **F06.71** para TNC leve devido a múltiplas etiologias com perturbação comportamental. Por exemplo, para uma apresentação de TNC leve sem perturbação comportamental devido tanto à doença de Alzheimer quanto a doença vascular, codifique da seguinte maneira: **G30.9** doença de Alzheimer, **I67.9** doença cerebrovascular; **F06.70** TNC leve devido à provável doença de Alzheimer e doença cerebrovascular, sem perturbação comportamental. Use códigos adicionais para indicar sintomas psiquiátricos clinicamente significativos devido às várias etiologias médicas (p. ex., **F06.31** transtorno depressivo devido a doença cerebrovascular, com características depressivas; **F06.4** transtorno de ansiedade devido a doença de Alzheimer).

Esta categoria está inclusa na apresentação clínica de um transtorno neurocognitivo (TNC) para a qual há evidências de provável participação de múltiplas condições médicas no desenvolvimento do TNC. Além de evidências indicativas da presença de múltiplas condições médicas reconhecidamente causadoras de TNC (i. e., achados a partir da história, do exame físico e laboratoriais), pode ajudar uma consulta aos critérios diagnósticos e a textos para as várias etiologias médicas (p. ex., TNC devido à doença de Parkinson), em busca de mais informações para o estabelecimento de uma conexão etiológica para aquela condição médica em especial.

Transtorno Neurocognitivo Maior ou Leve Devido a Etiologia Desconhecida

Critérios Diagnósticos

A. Os critérios são atendidos para transtorno neurocognitivo maior ou leve.
B. Há evidências da história, do exame físico ou de achados laboratoriais que sugerem que o transtorno neurocognitivo é consequência fisiopatológica de uma condição médica presumida, uma combinação de condições médicas ou uma combinação de condições médicas e substâncias ou medicamentos, mas não há informações suficientes para estabelecer uma causa específica.

C. Os déficits cognitivos não são mais bem explicados por outro transtorno mental ou transtorno neurocognitivo induzido por substância/medicamento e não ocorrem exclusivamente durante o curso de *delirium*.

Nota para codificação (ver tabela de codificação nas páginas 682-683):

Para transtorno neurocognitivo maior devido a etiologia desconhecida: 1) codificar primeiro **F03** (não há código médico adicional); 2) em seguida, codificar o grau de gravidade atual do transtorno cognitivo (leve, moderado, grave) e 3) se há ou não perturbação comportamental ou psicológica concomitante. Por exemplo, para TNC maior de etiologia desconhecida, moderado, com transtorno psicótico, o código CID-10-CM é **F03.B2**.

Para TNC maior com várias perturbações comportamentais e psicológicas clinicamente significativas, são necessários vários códigos CID-10-CM. Por exemplo, para TNC maior de etiologia desconhecida, grave, acompanhado de agitação, delírios e depressão, são necessários três códigos: **F03.C11** (com agitação); **F03.C2** (com transtorno psicótico); e **F03.C3** (com sintomas do humor).

Para TNC leve de etiologia desconhecida, código **G31.84**. (**Nota:** "Com perturbação comportamental" e "Sem perturbação comportamental" não podem ser codificados, mas ainda devem ser registrados.)

Esta categoria está incluída para cobrir a apresentação clínica de um transtorno neurocognitivo maior ou leve para o qual há evidências da história, do exame físico ou de achados laboratoriais sugestivos de uma etiologia médica ou uma etiologia médica em combinação com o uso de uma substância ou medicamento, mas não há informações suficientes para estabelecer uma causa específica.

Transtorno Neurocognitivo Não Especificado

R41.9

Esta categoria aplica-se a apresentações em que sintomas característicos de um transtorno neurocognitivo que causam sofrimento clinicamente significativo ou prejuízo no funcionamento social, profissional ou em outras áreas importantes da vida do indivíduo predominam, mas não satisfazem todos os critérios para qualquer transtorno na classe diagnóstica de transtornos neurocognitivos.

Transtornos da Personalidade

Este capítulo inicia-se com uma definição geral de transtorno da personalidade que se aplica a cada um dos 10 transtornos da personalidade específicos. Um *transtorno da personalidade* é um padrão persistente de experiência interna e comportamento que se desvia acentuadamente das expectativas da cultura do indivíduo, é difuso e inflexível, começa na adolescência ou no início da fase adulta, é estável ao longo do tempo e leva a sofrimento ou prejuízo.

Em qualquer processo de revisão em curso, especialmente em um processo de tal complexidade, surgem diferentes pontos de vista, e fez-se um esforço para combinar todos. Assim, transtornos da personalidade são inclusos tanto na Seção II quanto na Seção III. O material na Seção II representa uma atualização do texto associado aos mesmos critérios encontrados no DSM-5 (que vieram do DSM--IV-TR), ao passo que a Seção III inclui o modelo de pesquisa proposto para o diagnóstico e a conceitualização de transtorno da personalidade desenvolvido pelo Grupo de Trabalho da Personalidade e Transtornos da Personalidade do DSM-5. Visto que se trata de um campo que evolui, espera-se que as duas versões sirvam à prática clínica e às iniciativas de pesquisa, respectivamente.

Os seguintes transtornos da personalidade estão inclusos neste capítulo:

- **Transtorno da personalidade paranoide** é um padrão de desconfiança e de suspeita tamanhas que as motivações dos outros são interpretadas como malévolas.
- **Transtorno da personalidade esquizoide** é um padrão de distanciamento das relações sociais e uma faixa restrita de expressão emocional.
- **Transtorno da personalidade esquizotípica** é um padrão de desconforto agudo nas relações íntimas, distorções cognitivas ou perceptivas e excentricidades do comportamento.
- **Transtorno da personalidade antissocial** é um padrão de desrespeito e violação dos direitos dos outros, criminalidade, impulsividade e falha em aprender pela experiência.
- **Transtorno da personalidade *borderline*** é um padrão de instabilidade nas relações interpessoais, na autoimagem e nos afetos, com impulsividade acentuada.
- **Transtorno da personalidade histriônica** é um padrão de emocionalidade e busca de atenção em excesso.
- **Transtorno da personalidade narcisista** é um padrão de grandiosidade, necessidade de admiração e falta de empatia.
- **Transtorno da personalidade evitativa** é um padrão de inibição social, sentimentos de inadequação e hipersensibilidade a avaliação negativa.
- **Transtorno da personalidade dependente** é um padrão de comportamento submisso e apegado relacionado a uma necessidade excessiva de ser cuidado.
- **Transtorno da personalidade obsessivo-compulsiva** é um padrão de preocupação com ordem, perfeccionismo e controle.
- **Mudança de personalidade devido a outra condição médica** é uma perturbação persistente da personalidade entendida como decorrente diretamente dos efeitos fisiopatológicos de outra condição médica (p. ex., lesão no lobo frontal).
- **Outro transtorno da personalidade especificado** é uma categoria utilizada para duas situações: 1) o padrão da personalidade do indivíduo atende aos critérios gerais para um transtorno da personalidade e traços de vários transtornos da personalidade diferentes estão presentes, mas os critérios para qualquer um desses transtornos da personalidade específicos não são preenchidos; ou 2) o padrão

da personalidade do indivíduo atende aos critérios gerais para um transtorno da personalidade, mas considera-se que ele tenha um transtorno da personalidade que não está incluído na classificação do DSM-5 (p. ex., transtorno da personalidade passivo-agressiva). **Transtorno da personalidade não especificado** é para apresentações em que os sintomas característicos de um transtorno da personalidade estão presentes, mas não há informações suficientes para fazer um diagnóstico mais específico.

Os transtornos da personalidade estão reunidos em três grupos, com base em semelhanças descritivas. O Grupo A inclui os transtornos da personalidade paranoide, esquizoide e esquizotípica. Indivíduos com esses transtornos frequentemente parecem esquisitos ou excêntricos. O Grupo B inclui os transtornos da personalidade antissocial, *borderline*, histriônica e narcisista. Indivíduos com esses transtornos costumam parecer dramáticos, emotivos ou erráticos. O Grupo C inclui os transtornos da personalidade evitativa, dependente e obsessivo-compulsiva. Indivíduos com esses transtornos com frequência parecem ansiosos ou medrosos. Deve-se observar que esse sistema de agrupamento, embora útil em algumas pesquisas e situações educacionais, apresenta sérias limitações e não foi consistentemente validado. Por exemplo, dois ou mais transtornos de grupos diferentes, ou traços de vários deles, muitas vezes, podem ocorrer concomitantemente e variar em intensidade e abrangência.

Uma revisão de estudos epidemiológicos de vários países encontrou prevalência mediana de 3,6% para transtornos do Grupo A, 4,5% para os do Grupo B, 2,8% para os do Grupo C e 10,5% para qualquer transtorno da personalidade. A prevalência parece variar entre os países e por etnia, levantando questões sobre a verdadeira variação intercultural e sobre o impacto de diversas definições e instrumentos de diagnóstico nas avaliações de prevalência.

Modelos Dimensionais para os Transtornos da Personalidade

A abordagem diagnóstica empregada neste Manual representa a perspectiva categórica de que os transtornos da personalidade são síndromes clínicas qualitativamente distintas. Uma alternativa a essa abordagem categórica é a perspectiva dimensional de que os transtornos da personalidade representam variantes mal-adaptativas de traços de personalidade que se fundem imperceptivelmente com a normalidade e entre si. Ver a Seção III para uma descrição completa de um modelo dimensional para transtornos da personalidade. Os grupos de transtornos da personalidade do DSM-5 (i. e., esquisito-excêntrico, dramático-emotivo e ansioso-medroso) podem também ser entendidos como dimensões que representam um espectro de disfunção da personalidade dentro de um *continuum* com outros transtornos mentais. Os modelos dimensionais alternativos têm muito em comum e, juntos, parecem cobrir as áreas importantes de disfunção da personalidade. Sua integração, sua utilidade clínica e sua relação com as categorias diagnósticas de transtornos da personalidade e com vários aspectos de disfunção da personalidade estão sob investigação ativa. Isso inclui pesquisas sobre se o modelo dimensional pode esclarecer as variações de prevalência transcultural observadas com o modelo categórico.

Transtorno da Personalidade Geral

Critérios

A. Um padrão persistente de experiência interna e comportamento que se desvia acentuadamente das expectativas da cultura do indivíduo. Esse padrão manifesta-se em duas (ou mais) das seguintes áreas:
   1. Cognição (i. e., formas de perceber e interpretar a si mesmo, outras pessoas e eventos).
   2. Afetividade (i. e., variação, intensidade, labilidade e adequação da resposta emocional).
   3. Funcionamento interpessoal.
   4. Controle de impulsos.

B. O padrão persistente é inflexível e abrange uma faixa ampla de situações pessoais e sociais.
C. O padrão persistente provoca sofrimento clinicamente significativo e prejuízo no funcionamento social, profissional ou em outras áreas importantes da vida do indivíduo.
D. O padrão é estável e de longa duração, e seu surgimento ocorre pelo menos a partir da adolescência ou do início da fase adulta.
E. O padrão persistente não é mais bem explicado como uma manifestação ou consequência de outro transtorno mental.
F. O padrão persistente não é atribuível aos efeitos fisiológicos de uma substância (p. ex., droga de abuso, medicamento) ou a outra condição médica (p. ex., traumatismo cranioencefálico).

Características Diagnósticas

Traços de personalidade são padrões persistentes de percepção, de relacionamento com e de pensamento sobre o ambiente e si mesmo que são exibidos em uma ampla gama de contextos sociais e pessoais. Os traços de personalidade constituem transtornos da personalidade somente quando são inflexíveis e mal-adaptativos e causam prejuízo funcional ou sofrimento subjetivo significativos. O aspecto essencial de um transtorno da personalidade é um padrão persistente de experiência interna e comportamento que se desvia acentuadamente das expectativas da cultura do indivíduo e que se manifesta em pelo menos duas das seguintes áreas: cognição, afetividade, funcionamento interpessoal ou controle de impulsos (Critério A). Esse padrão persistente é inflexível e abrange uma ampla faixa de situações pessoais e sociais (Critério B), provocando sofrimento clinicamente significativo e prejuízo no funcionamento social, profissional ou em outras áreas importantes da vida do indivíduo (Critério C). O padrão é estável e de longa duração, e seu surgimento ocorre pelo menos a partir da adolescência ou do início da fase adulta (Critério D). O padrão não é mais bem explicado como uma manifestação ou consequência de outro transtorno mental (Critério E) e não é atribuível aos efeitos fisiológicos de uma substância (p. ex., droga de abuso, medicamento, exposição a uma toxina) ou a outra condição médica (p. ex., traumatismo cranioencefálico) (Critério F). São descritos também critérios diagnósticos específicos para cada um dos transtornos da personalidade inclusos neste capítulo.

O diagnóstico de transtornos da personalidade exige avaliação dos padrões de funcionamento de longo prazo do indivíduo, e as características particulares da personalidade devem estar evidentes no começo da fase adulta. Os traços de personalidade que definem esses transtornos devem também ser diferenciados das características que surgem em resposta a estressores situacionais específicos ou estados mentais mais transitórios (p. ex., transtornos bipolar, depressivo ou de ansiedade; intoxicação por substância). O clínico deve avaliar a estabilidade dos traços de personalidade ao longo do tempo e em diversas situações. Embora uma única entrevista com o indivíduo seja algumas vezes suficiente para fazer o diagnóstico, é frequentemente necessário realizar mais de uma entrevista e espaçá-las ao longo do tempo. A avaliação pode ainda ser complicada pelo fato de que as características que definem um transtorno da personalidade podem não ser consideradas problemáticas pelo indivíduo (i. e., os traços são com frequência egossintônicos). Para ajudar a superar essa dificuldade, informações suplementares oferecidas por outros informantes podem ser úteis.

Desenvolvimento e Curso

As características de um transtorno da personalidade costumam se tornar reconhecíveis durante a adolescência ou no começo da vida adulta. Por definição, um transtorno da personalidade é um padrão persistente de pensamento, sentimento e comportamento que é relativamente estável ao longo do tempo. Alguns tipos de transtorno da personalidade (notadamente os transtornos da personalidade antissocial e *borderline*) costumam ficar menos evidentes ou desaparecer com o envelhecimento, o que parece não valer para alguns outros tipos (p. ex., transtornos da personalidade obsessivo-compulsiva e esquizotípica).

As categorias dos transtornos da personalidade podem ser aplicadas em crianças ou adolescentes naqueles casos relativamente raros em que os traços mal-adaptativos e particulares da personalidade do indivíduo parecem ser difusos, persistentes e pouco prováveis de serem limitados a um determinado estágio do desenvolvimento ou a outro transtorno mental específico. Deve-se reconhecer que os traços de um transtorno da personalidade que aparecem na infância com frequência não persistem sem mudanças na vida adulta. Para que um transtorno da personalidade seja diagnosticado em um indivíduo com menos de 18 anos de idade, as características precisam ter estado presentes por pelo menos um ano. A única exceção é o transtorno da personalidade antissocial, que não pode ser diagnosticado em indivíduos com menos de 18 anos. Embora, por definição, um transtorno da personalidade exija um surgimento até o começo da vida adulta, as pessoas podem não buscar atendimento clínico até um período relativamente tardio na vida. Um transtorno da personalidade pode ser exacerbado após a perda de pessoas significativas (p. ex., cônjuge) ou de situações sociais previamente estabilizantes (p. ex., um emprego). Entretanto, o desenvolvimento de uma mudança na personalidade no meio da vida adulta ou mais tarde requer uma avaliação completa para determinar a possível presença de uma mudança de personalidade devido a outra condição médica ou a um transtorno por uso de substância não reconhecido.

Questões Diagnósticas Relativas à Cultura

Aspectos centrais da personalidade, como regulação emocional e funcionamento interpessoal, são influenciados pela cultura, que também fornece meios de proteção e assimilação e normas para aceitação e denúncia de comportamentos e traços de personalidade específicos. Julgamentos acerca do funcionamento da personalidade devem levar em consideração os antecedentes étnicos, culturais e sociais do indivíduo. Os transtornos da personalidade não devem ser confundidos com problemas associados à aculturação após imigração ou à expressão de hábitos, costumes ou valores religiosos e políticos baseados na formação ou contexto cultural do indivíduo. Padrões comportamentais que parecem ser aspectos rígidos e disfuncionais do transtorno da personalidade podem refletir, em vez disso, respostas adaptativas a restrições culturais. Por exemplo, a dependência de um relacionamento abusivo em uma pequena comunidade onde o divórcio é proibido pode não refletir dependência patológica; o protesto político consciente que coloca amigos e familiares em risco com as autoridades ou em conflito com as normas legais não reflete necessariamente insensibilidade patológica. Existem variações marcantes no reconhecimento e diagnóstico de transtornos da personalidade entre grupos culturais, étnicos e raciais. A precisão do diagnóstico pode ser aprimorada pela atenção a concepções culturalmente padronizadas de *self* e apego, vieses de avaliação resultantes da origem cultural dos próprios médicos ou uso de instrumentos de diagnóstico que não são normatizados para a população que está sendo avaliada, bem como o impacto de determinantes sociais, como pobreza, estresse aculturativo, racismo e discriminação sobre sentimentos, cognições e comportamentos. É útil para o clínico, especialmente ao avaliar alguém com origem diferente da sua, obter mais informações com pessoas que conheçam os antecedentes culturais do indivíduo.

Questões Diagnósticas Relativas ao Sexo e ao Gênero

Alguns transtornos da personalidade (p. ex., transtorno da personalidade antissocial) são diagnosticados com maior frequência nos homens. Outros (p. ex., transtornos da personalidade *borderline*, histriônica e dependente) são diagnosticados mais frequentemente em mulheres; contudo, no caso do transtorno da personalidade *borderline*, isso pode ser devido à maior busca de ajuda entre as mulheres. Apesar disso, os clínicos devem ter cautela para não hiperdiagnosticar ou subdiagnosticar alguns transtornos da personalidade em mulheres ou homens devido a estereótipos sociais acerca de papéis e comportamentos típicos de gênero. Atualmente, não há evidências suficientes sobre as diferenças entre indivíduos cis e transgêneros em relação a epidemiologia ou apresentações clínicas dos transtornos da personalidade para que se possa tirar conclusões significativas.

Diagnóstico Diferencial

Outros transtornos mentais e traços de personalidade. Muitos dos critérios específicos para transtornos da personalidade descrevem aspectos (p. ex., desconfiança, dependência, insensibilidade) que também caracterizam episódios de outros transtornos mentais. Um transtorno da personalidade deve ser diagnosticado apenas quando as características definidoras tenham surgido antes do começo da vida adulta, sejam típicas do funcionamento de longo prazo do indivíduo e não ocorram exclusivamente durante um episódio de outro transtorno mental. Pode ser particularmente difícil (e não particularmente útil) distinguir transtornos da personalidade de transtornos mentais persistentes, como um transtorno depressivo persistente com início precoce e curso duradouro e relativamente estável. Alguns transtornos da personalidade podem ter uma relação de "espectro" com outros transtornos mentais (p. ex., transtorno da personalidade esquizotípica com esquizofrenia; transtorno da personalidade evitativa com transtorno de ansiedade social [fobia social]) com base em semelhanças fenomenológicas ou biológicas ou agregação familiar.

Transtornos da personalidade devem ser distinguidos de traços de personalidade que não atingem o limiar para um transtorno da personalidade. Traços de personalidade são diagnosticados como um transtorno da personalidade apenas quando são inflexíveis, mal-adaptativos e persistentes e causam prejuízo funcional ou sofrimento subjetivo significativos.

Transtornos psicóticos. Para os três transtornos da personalidade que podem ter relação com os transtornos psicóticos (i. e., paranoide, esquizoide e esquizotípica), existe um critério de exclusão que refere que o padrão comportamental não deve ter ocorrido exclusivamente durante o curso de esquizofrenia, transtorno bipolar ou depressivo com sintomas psicóticos ou outro transtorno psicótico. Quando um indivíduo tem um transtorno mental persistente (p. ex., esquizofrenia) que foi precedido por um transtorno da personalidade preexistente, o transtorno da personalidade deve ser também registrado, seguido de "pré-mórbido" entre parênteses.

Transtornos de ansiedade e depressivo. O clínico deve ter cautela ao diagnosticar transtornos da personalidade durante um episódio de transtorno depressivo ou de ansiedade, visto que essas condições podem apresentar sintomas cruzados que imitam traços de personalidade e podem dificultar a avaliação retrospectiva dos padrões de funcionamento de longo prazo do indivíduo.

Transtorno de estresse pós-traumático. Quando mudanças de personalidade emergem e persistem após um indivíduo ser exposto a estresse extremo, um diagnóstico de transtorno de estresse pós-traumático deve ser considerado.

Transtornos por uso de substância. Quando um indivíduo tem um transtorno por uso de substância, é importante não realizar um diagnóstico de transtorno da personalidade unicamente com base em comportamentos que sejam consequências de intoxicação ou abstinência da substância ou que estejam associados a atividades a serviço do uso continuado da substância (p. ex., comportamento antissocial).

Mudança de personalidade devido a outra condição médica. Quando surgem mudanças persistentes de personalidade em consequência dos efeitos fisiológicos de outra condição médica (p. ex., tumor cerebral), um diagnóstico de mudança de personalidade em razão de outra condição médica deve ser considerado.

Transtornos da Personalidade do Grupo A

Transtorno da Personalidade Paranoide

Critérios Diagnósticos   F60.0

A. Um padrão de desconfiança e suspeita difusa dos outros, de modo que suas motivações são interpretadas como malévolas, que surge no início da vida adulta e está presente em vários contextos, conforme indicado por quatro (ou mais) dos seguintes:

1. Suspeita, sem embasamento suficiente, de estar sendo explorado, maltratado ou enganado por outros.
2. Preocupa-se com dúvidas injustificadas acerca da lealdade ou da confiabilidade de amigos ou sócios.
3. Reluta em confiar nos outros devido a medo infundado de que as informações serão usadas maldosamente contra si.
4. Percebe significados ocultos humilhantes ou ameaçadores em comentários ou eventos benignos.
5. Guarda rancores de forma persistente (i. e., não perdoa insultos, injúrias ou desprezo).
6. Percebe ataques a seu caráter ou reputação que não são percebidos pelos outros e reage com raiva ou contra-ataca rapidamente.
7. Tem suspeitas recorrentes e injustificadas acerca da fidelidade do cônjuge ou parceiro sexual.

B. Não ocorre exclusivamente durante o curso de esquizofrenia, transtorno bipolar ou depressivo com sintomas psicóticos ou outro transtorno psicótico e não é atribuível aos efeitos fisiológicos de outra condição médica.

Nota: Se os critérios são atendidos antes do surgimento de esquizofrenia, acrescentar "pré-mórbido", isto é, "transtorno da personalidade paranoide (pré-mórbido)".

Características Diagnósticas

A característica essencial do transtorno da personalidade paranoide é um padrão de desconfiança e suspeita difusa dos outros a ponto de suas motivações serem interpretadas como malévolas. Esse padrão começa no início da vida adulta e está presente em contextos variados.

Indivíduos com esse transtorno creem que outras pessoas irão explorá-los, causar-lhes dano ou enganá-los, mesmo sem evidências que apoiem essa expectativa (Critério A1). Suspeitam, com base em pouca ou nenhuma evidência, de que outros estão tramando contra eles e podem atacá-los de repente, a qualquer momento e sem razão. Costumam achar que foram profunda e irreversivelmente maltratados por outra pessoa ou pessoas, mesmo na ausência de evidências objetivas para tal. São preocupados com dúvidas injustificadas acerca da lealdade ou confiança de seus amigos e sócios, cujas ações são examinadas minuciosamente em busca de evidências de intenções hostis (Critério A2). Qualquer desvio percebido da confiança ou lealdade serve de apoio a seus pressupostos subjacentes. Ficam tão surpresos quando um amigo ou sócio demonstra lealdade que não conseguem confiar ou crer nisso. Quando envolvidos em problemas, esperam que amigos e sócios os ataquem ou ignorem.

Indivíduos com transtorno da personalidade paranoide relutam em confiar ou tornar-se íntimos de outros, pois temem que as informações que compartilham venham a ser usadas contra eles (Critério A3). Podem recusar responder a perguntas pessoais dizendo que tais informações "não são da conta de ninguém". Percebem significados ocultos desabonadores e ameaçadores em comentários ou eventos benignos (Critério A4). Por exemplo, um indivíduo com esse transtorno pode interpretar mal um erro honesto de um funcionário de uma loja como uma tentativa deliberada de dar troco a menos ou entender um comentário bem-humorado casual de um colega de trabalho como um ataque sério ao seu caráter. Elogios costumam ser mal interpretados (p. ex., um elogio por uma nova aquisição é mal interpretado como uma crítica de egoísmo; um elogio relativo a um feito é mal interpretado como uma tentativa de coerção a desempenho melhor). Podem entender uma oferta de ajuda como uma crítica por não estarem tendo desempenho suficiente por conta própria.

Indivíduos com esse transtorno guardam rancores persistentemente e não se dispõem a perdoar insultos, injúrias ou menosprezo dos quais pensam ter sido alvo (Critério A5). Um leve desrespeito desperta grande hostilidade, sendo que os sentimentos hostis persistem por um bom tempo. Como são constantemente hipervigilantes em relação às intenções prejudiciais de outros, sentem, com frequência, que seu caráter ou reputação foram atacados e que foram de alguma forma desrespeitados. São rápidos no contra-ataque e reagem com raiva aos insultos percebidos (Critério A6). Indivíduos com esse transtorno podem ser patologicamente ciumentos, muitas vezes suspeitando de que o cônjuge ou parceiro sexual é infiel sem qualquer justificativa adequada (Critério A7). Podem reunir "evidências" triviais e circunstanciais que apoiem suas crenças de ciúme. Desejam manter controle total das relações íntimas para evitar serem traídos e podem constantemente questionar e desafiar o paradeiro, as ações, as intenções e a fidelidade do cônjuge ou parceiro.

O transtorno da personalidade paranoide não deve ser diagnosticado se o padrão de comportamento ocorre exclusivamente durante o curso de esquizofrenia, transtorno bipolar ou depressivo com sintomas psicóticos ou outro transtorno psicótico ou se é atribuível aos efeitos fisiológicos de uma condição neurológica (p. ex., epilepsia do lobo temporal) ou a outra condição médica (Critério B).

Características Associadas

Indivíduos com transtorno da personalidade paranoide são geralmente de difícil convivência e apresentam frequentes problemas nos relacionamentos íntimos. Sua desconfiança e hostilidade excessivas podem se expressar sob a forma de argumentações ostensivas, queixas recorrentes ou, ainda, indiferença hostil. Eles demonstram labilidade afetiva, com predomínio de expressões hostis, teimosas e sarcásticas. Sua natureza combativa e desconfiada pode provocar uma resposta hostil em outras pessoas, a qual serve, então, para confirmar suas expectativas originais.

Visto que indivíduos com o transtorno da personalidade paranoide carecem de confiança nos outros, eles precisam ter um elevado grau de controle sobre as pessoas ao seu redor. Frequentemente são rígidos, críticos em relação aos outros e incapazes de trabalhar em conjunto, embora eles mesmos tenham grande dificuldade de aceitar críticas. Podem culpar os outros por suas próprias deficiências. Devido à rapidez no contra-ataque em resposta às ameaças que percebem ao seu redor, podem ser contestadores e frequentemente se envolverem em disputas judiciais. Indivíduos com esse transtorno buscam confirmar suas ideias negativas preconcebidas em relação às pessoas e às situações com as quais se deparam, atribuindo motivações malévolas aos outros, as quais são projeções dos seus próprios temores. Podem apresentar fantasias irreais e pouco disfarçadas de grandeza, estão frequentemente ligados a questões de poder e posição e tendem a desenvolver estereótipos negativos dos outros, em especial aqueles de grupos populacionais diferentes do seu. Atraídos por formulações simplistas do mundo, costumam se precaver de situações ambíguas. Podem ser vistos como "fanáticos" e formar "cultos" ou grupos muito unidos com outros indivíduos que compartilham seus sistemas paranoides de crença.

Prevalência

Uma estimativa de prevalência para personalidade paranoide baseada em uma subamostra de probabilidade da Parte II da *National Comorbidity Survey Replication* sugere prevalência de 2,3%. A prevalência do transtorno da personalidade paranoide na *National Epidemiologic Survey on Alcohol and Related Conditions* foi de 4,4%. Uma análise de seis estudos epidemiológicos (quatro nos Estados Unidos) encontrou prevalência mediana de 3,2%. Em ambientes forenses, a prevalência estimada pode chegar a 23%.

Desenvolvimento e Curso

O transtorno da personalidade paranoide pode dar sinais na infância e adolescência por meio de solidão, relacionamento ruim com os colegas, ansiedade social, baixo rendimento escolar e hipersensibilidade interpessoal. O início do transtorno da personalidade paranoide na adolescência está associado a uma história prévia de maus-tratos na infância, sintomas externalizantes, *bullying* de colegas e aparecimento de agressão interpessoal em adultos.

Fatores de Risco e Prognóstico

Ambientais. A exposição a estressores sociais, como desigualdade socioeconômica, marginalização e racismo, está associada à diminuição da confiança, que em alguns casos é adaptativa.

A combinação de estresse social e maus-tratos na infância é responsável pelo aumento da prevalência de sintomas paranoides em grupos sociais que enfrentam discriminação racial. Tanto os estudos longitudinais quanto os transversais confirmam que o trauma na infância é um fator de risco para o transtorno da personalidade paranoide.

Genéticos e fisiológicos. Existem algumas evidências de prevalência aumentada de transtorno da personalidade paranoide em parentes de probandos com esquizofrenia, além de evidências de uma relação familiar mais específica com transtorno delirante do tipo persecutório.

Questões Diagnósticas Relativas à Cultura

Alguns comportamentos que são influenciados por contextos socioculturais ou por circunstâncias específicas de vida podem ser erroneamente rotulados como paranoides e podem até ser intensificados pelo processo de avaliação clínica. Migrantes, membros de populações étnicas e racializadas socialmente oprimidas e outros grupos que enfrentam adversidade social, racismo e discriminação podem apresentar comportamentos cautelosos ou defensivos devido à falta de familiaridade (p. ex., barreiras linguísticas ou falta de conhecimento de regras e regulamentos) ou em resposta a negligência, hostilidade ou indiferença da sociedade majoritária. Alguns grupos culturais desenvolvem baixa confiança generalizada, especialmente em membros de fora do grupo, o que pode levar a comportamentos que podem ser mal interpretados como paranoides. Estes incluem cautela, emocionalidade externa limitada, rigidez cognitiva, distanciamento social e hostilidade ou defensividade em situações experimentadas como injustas ou discriminatórias. Esses comportamentos podem, por sua vez, gerar raiva e frustração em outras pessoas, incluindo médicos, configurando assim um círculo vicioso de desconfiança mútua, que não deve ser confundido com traços paranoides ou transtorno da personalidade paranoide.

Questões Diagnósticas Relativas ao Sexo e ao Gênero

Embora o transtorno da personalidade paranoide tenha se mostrado mais comum em homens do que em mulheres em uma metanálise baseada em amostras clínicas e comunitárias, a *National Epidemiologic Survey on Alcohol and Related Conditions* evidenciou que ele é mais comum em mulheres.

Diagnóstico Diferencial

Outros transtornos mentais com sintomas psicóticos. O transtorno da personalidade paranoide pode ser distinguido do transtorno delirante do tipo persecutório, da esquizofrenia e do transtorno bipolar ou depressivo com sintomas psicóticos pelo fato de serem todos caracterizados por um período de sintomas psicóticos persistentes (p. ex., delírios e alucinações). Para que seja feito um diagnóstico adicional de transtorno da personalidade paranoide, o transtorno da personalidade deve ter estado presente antes do aparecimento dos sintomas psicóticos e deve também persistir após a remissão dos sintomas psicóticos. Quando um indivíduo tem outro transtorno mental persistente (p. ex., esquizofrenia) que foi precedido por um transtorno da personalidade paranoide, o transtorno da personalidade deve ser também registrado, seguido de "pré-mórbido" entre parênteses.

Mudança de personalidade devido a outra condição médica. O transtorno da personalidade paranoide deve ser distinguido de mudança de personalidade devido a outra condição médica, na qual os traços que aparecem são uma consequência fisiológica direta de outra condição médica.

Transtornos por uso de substância. O transtorno da personalidade paranoide deve ser distinguido de sintomas que podem se desenvolver em associação com o uso persistente de substância.

Traços paranoides associados a deficiências físicas. O transtorno deve também ser distinguido de traços paranoides associados ao desenvolvimento de deficiências físicas (p. ex., deficiência auditiva).

Outros transtornos da personalidade e traços de personalidade. Outros transtornos da personalidade podem ser confundidos com transtorno da personalidade paranoide, visto que têm algumas características comuns. Assim, é importante distinguir esses transtornos tendo como base suas diferenças quanto aos aspectos característicos. Entretanto, se um indivíduo tem aspectos de personalidade que atendem aos critérios para um ou mais de um transtorno da personalidade além do transtorno da personalidade paranoide, todos os demais transtornos podem ser diagnosticados. O transtorno da personalidade paranoide e o transtorno da personalidade esquizotípica compartilham os traços de desconfiança, distanciamento interpessoal e ideação paranoide, mas o transtorno da personalidade esquizotípica também inclui sintomas como pensamento mágico, experiências perceptivas incomuns e pensamento e discurso estranhos. Indivíduos com comportamentos que atendem aos critérios para transtorno da personalidade esquizoide costumam ser vistos como estranhos, excêntricos, frios e distantes, mas em geral não apresentam ideação paranoide acentuada. A tendência de indivíduos com transtorno da personalidade paranoide de reagir aos menores estímulos com raiva é também encontrada nos transtornos da personalidade *borderline* e histriônica. Esses transtornos, todavia, não estão necessariamente associados com desconfiança difusa, e o transtorno da personalidade *borderline* apresenta níveis mais elevados de impulsividade e comportamento autodestrutivo. Indivíduos com transtorno da personalidade evitativa podem também relutar em confiar nos outros, mas isso ocorre mais por medo de sentir vergonha ou inadequação do que por medo de intenções maldosas. Embora o comportamento antissocial possa estar presente em alguns indivíduos com transtorno da personalidade paranoide, isso não costuma ser motivado por um desejo de ganho pessoal ou de explorar os outros como no transtorno da personalidade antissocial, sendo a motivação mais frequente um desejo de vingança. Indivíduos com transtorno da personalidade narcisista podem ocasionalmente apresentar desconfiança, retraimento social ou alienação que se originam primariamente de medos de ter suas imperfeições ou falhas reveladas.

Traços paranoides podem ser adaptativos, particularmente em ambientes ameaçadores. O transtorno da personalidade paranoide deve ser diagnosticado apenas quando tais traços são inflexíveis, mal-adaptativos e persistentes, além de causarem prejuízo funcional ou sofrimento subjetivo significativos.

Comorbidade

Particularmente em resposta a estresse, indivíduos com esse transtorno podem experimentar vários episódios psicóticos muito breves (com duração de minutos a horas). Em certos casos, o transtorno da personalidade paranoide pode surgir como o antecedente pré-mórbido de transtorno delirante ou esquizofrenia. Indivíduos com transtorno da personalidade paranoide podem desenvolver transtorno depressivo maior e podem estar sob risco aumentado de agorafobia e transtorno obsessivo-compulsivo. Transtornos por uso de álcool e outras substâncias ocorrem com frequência. Os transtornos da personalidade concomitantes mais comuns parecem ser: esquizotípica, esquizoide, narcisista, evitativa e *borderline*.

Transtorno da Personalidade Esquizoide

Critérios Diagnósticos   F60.1

A. Um padrão difuso de distanciamento das relações sociais e uma faixa restrita de expressão de emoções em contextos interpessoais que surgem no início da vida adulta e estão presentes em vários contextos, conforme indicado por quatro (ou mais) dos seguintes:
   1. Não deseja nem desfruta de relações íntimas, inclusive ser parte de uma família.
   2. Quase sempre opta por atividades solitárias.
   3. Manifesta pouco ou nenhum interesse em ter experiências sexuais com outra pessoa.
   4. Tem prazer em poucas atividades, por vezes em nenhuma.
   5. Não tem amigos próximos ou confidentes que não sejam os familiares de primeiro grau.

6. Mostra-se indiferente ao elogio ou à crítica de outros.
7. Demonstra frieza emocional, distanciamento ou embotamento afetivo.

B. Não ocorre exclusivamente durante o curso de esquizofrenia, transtorno bipolar ou depressivo com sintomas psicóticos, outro transtorno psicótico ou transtorno do espectro autista e não é atribuível aos efeitos psicológicos de outra condição médica.

Nota: Se os critérios são atendidos antes do surgimento de esquizofrenia, acrescentar "pré-mórbido", isto é, "transtorno da personalidade esquizoide (pré-mórbido)".

Características Diagnósticas

A característica essencial do transtorno da personalidade esquizoide é um padrão difuso de distanciamento das relações sociais e uma faixa restrita de expressão de emoções em contextos interpessoais. Esse padrão surge no começo da vida adulta e está presente em vários contextos.

Indivíduos com transtorno da personalidade esquizoide demonstram não ter desejo de intimidade, parecem indiferentes a oportunidades de desenvolver relações próximas e não parecem encontrar muita satisfação em fazer parte de uma família ou de outro grupo social (Critério A1). Preferem ficar sozinhos em vez de com outras pessoas. Com frequência parecem ser socialmente isolados ou "solitários" e quase sempre optam por atividades ou passatempos solitários que não incluem interação com outros (Critério A2). Preferem tarefas mecânicas ou abstratas, como jogos matemáticos ou de computador. Podem ter muito pouco interesse em ter experiências sexuais com outra pessoa (Critério A3) e têm prazer em poucas atividades, quando não em nenhuma (Critério A4). Há geralmente uma sensação reduzida de prazer decorrente de experiências sensoriais, corporais ou interpessoais, como caminhar na praia ao fim do dia ou fazer sexo. Esses indivíduos não têm amigos próximos ou confidentes, exceto um possível parente de primeiro grau (Critério A5).

Indivíduos com transtorno da personalidade esquizoide costumam ser indiferentes à aprovação ou à crítica dos outros e não parecem se incomodar com o que os demais podem pensar deles (Critério A6). Podem estar alheios às sutilezas normais das interações sociais e frequentemente não reagem de forma adequada a gentilezas sociais, de modo que parecem socialmente inaptos ou superficiais e absorvidos em si mesmos. Habitualmente, mostram um exterior "insípido", sem reatividade emocional visível, e apenas raramente respondem de forma recíproca a gestos ou expressões faciais, como sorrisos ou acenos (Critério A7). Alegam que raramente vivenciam emoções fortes, como raiva e alegria. Costumam mostrar um afeto constrito e parecem frios e distantes. No entanto, em circunstâncias particularmente incomuns em que esses indivíduos ficam, pelo menos temporariamente, confortáveis em se revelar, podem admitir ter sentimentos de dor, sobretudo relacionados às interações sociais.

O transtorno da personalidade esquizoide não deve ser diagnosticado se o padrão de comportamento ocorre exclusivamente durante o curso de esquizofrenia, transtorno bipolar ou depressivo com sintomas psicóticos, outro transtorno psicótico ou transtorno do espectro autista ou se é atribuível aos efeitos fisiológicos de uma condição médica neurológica (p. ex., epilepsia do lobo temporal) ou a outra condição médica (Critério B).

Características Associadas

Indivíduos com transtorno da personalidade esquizoide podem ter uma dificuldade particular para expressar raiva, mesmo em resposta a provocação direta, o que contribui para a impressão de que carecem de emoção. Suas vidas parecem por vezes sem rumo, e eles podem aparentar estar "à deriva" em relação a seus objetivos. Tais indivíduos frequentemente reagem de forma passiva a circunstâncias adversas e apresentam dificuldade em reagir adequadamente a acontecimentos importantes da vida. Devido à falta de habilidades sociais e à ausência de desejo de experiências sexuais, indivíduos com esse transtorno têm poucos amigos, raramente namoram e costumam não se casar. O funcionamento profissional pode estar prejudicado, em especial quando há necessidade de envolvimento interpessoal; podem, entretanto, ser bem-sucedidos quando trabalham em condições de isolamento social.

Prevalência

O transtorno da personalidade esquizoide é incomum em contextos clínicos. A prevalência estimada de transtorno da personalidade esquizoide com base em uma subamostra de probabilidade da Parte II da *National Comorbidity Survey Replication* foi de 4,9%. A prevalência de transtorno da personalidade esquizoide na *National Epidemiologic Survey on Alcohol and Related Conditions* foi de 3,1%. Uma revisão de seis estudos epidemiológicos (quatro nos Estados Unidos) encontrou prevalência mediana de 1,3%.

Desenvolvimento e Curso

O transtorno da personalidade esquizoide pode ficar aparente pela primeira vez na infância e adolescência por meio de solidão, relacionamento ruim com os colegas e baixo rendimento escolar, o que marca essas crianças ou adolescentes como diferentes e os torna sujeitos a provocações.

Fatores de Risco e Prognóstico

Genéticos e fisiológicos. O transtorno da personalidade esquizoide pode ter prevalência aumentada entre familiares de indivíduos com esquizofrenia ou transtorno da personalidade esquizotípica.

Questões Diagnósticas Relativas à Cultura

Indivíduos de várias origens culturais podem por vezes mostrar comportamentos e estilos interpessoais defensivos que podem ser erroneamente rotulados como "esquizoides". Por exemplo, pessoas que saem de zonas rurais e vão para centros urbanos podem reagir com uma espécie de "paralisia emocional" que pode durar vários meses e que se manifesta por meio de atividades solitárias, afeto constrito e outros déficits de comunicação. Imigrantes de outros países são, às vezes, incorretamente vistos como frios, hostis ou indiferentes, o que pode ser uma resposta ao ostracismo social da sociedade hospedeira.

Questões Diagnósticas Relativas ao Sexo e ao Gênero

Embora algumas pesquisas sugiram que o transtorno da personalidade esquizoide pode ser mais comum em homens, outras pesquisas sugerem que não há diferença de gênero prevalecente.

Diagnóstico Diferencial

Outros transtornos mentais com sintomas psicóticos. O transtorno da personalidade esquizoide pode ser distinguido de transtorno delirante, esquizofrenia e transtorno bipolar ou depressivo com sintomas psicóticos pelo fato desses transtornos serem todos caracterizados por um período de sintomas psicóticos persistentes (p. ex., delírios e alucinações). Para que seja feito um diagnóstico adicional de transtorno da personalidade esquizoide, o transtorno deve ter estado presente antes do aparecimento dos sintomas psicóticos e deve persistir quando tais sintomas estão em remissão. Quando um indivíduo tem um transtorno psicótico persistente (p. ex., esquizofrenia), que foi precedido por transtorno da personalidade esquizoide, o transtorno da personalidade deve ser também registrado, seguido de "pré-mórbido" entre parênteses.

Transtorno do espectro autista. Pode haver grande dificuldade em distinguir indivíduos com transtorno da personalidade esquizoide daqueles com transtorno do espectro autista, principalmente com as formas mais leves de ambos os transtornos, pois ambos incluem uma aparente indiferença ao companheirismo com outros. No entanto, o transtorno do espectro autista pode ser diferenciado por apresentar comportamentos e interesses estereotipados.

Mudança de personalidade devido a outra condição médica. O transtorno da personalidade esquizoide deve ser diferenciado de mudança de personalidade devido a outra condição médica, na qual os traços que surgem são uma consequência fisiológica direta de outra condição médica.

Transtornos por uso de substância. O transtorno da personalidade esquizoide deve também ser distinguido de sintomas que podem se desenvolver em associação com o uso persistente de substância.

Outros transtornos da personalidade e traços de personalidade. Outros transtornos da personalidade podem ser confundidos com o transtorno da personalidade esquizoide, visto que apresentam algumas características em comum. Assim, é importante distinguir tais transtornos com base em diferenças em seus aspectos característicos. Entretanto, se um indivíduo apresenta aspectos de personalidade que atendem a critérios para um ou mais de um transtorno da personalidade além de transtorno da personalidade esquizoide, todos podem ser diagnosticados. Ainda que características de isolamento social e afetividade restrita sejam comuns a transtornos da personalidade esquizoide, esquizotípica e paranoide, o transtorno da personalidade esquizoide pode ser distinguido do da esquizotípica pela ausência de distorções cognitivas e perceptivas e do transtorno da personalidade paranoide pela ausência de desconfiança e ideação paranoide. O isolamento social do transtorno da personalidade esquizoide pode ser distinguido daquele da personalidade evitativa, o qual é atribuível ao medo de sentir-se envergonhado ou inadequado e à excessiva antecipação de rejeição. Pessoas com transtorno da personalidade esquizoide, por sua vez, apresentam distanciamento mais difuso e desejo limitado de intimidade social. Indivíduos com transtorno da personalidade obsessivo-compulsiva também podem demonstrar um aparente distanciamento social que se origina da devoção ao trabalho e um desconforto com as emoções, mas eles de fato têm uma capacidade subjacente de intimidade.

Indivíduos que são "solitários" ou bastante introvertidos podem apresentar traços de personalidade capazes de serem considerados esquizoides, consistente com a conceituação mais ampla de transtorno da personalidade esquizoide como um transtorno definido por introversão/distanciamento patológico. Esses traços somente constituem o transtorno da personalidade esquizoide quando são inflexíveis e mal-adaptativos e causam prejuízo funcional ou sofrimento subjetivo significativos.

Comorbidade

Particularmente em resposta ao estresse, indivíduos com esse transtorno podem ter vários episódios psicóticos muito breves (com duração de minutos a horas). Em alguns casos, o transtorno da personalidade esquizoide pode surgir como o antecedente pré-mórbido de transtorno delirante ou esquizofrenia. Indivíduos com esse transtorno podem, às vezes, desenvolver transtorno depressivo maior. O transtorno da personalidade esquizoide com frequência ocorre concomitantemente com os transtornos da personalidade esquizotípica, paranoide e evitativa.

Transtorno da Personalidade Esquizotípica

Critérios Diagnósticos   F21

A. Um padrão difuso de déficits sociais e interpessoais marcado por desconforto agudo e capacidade reduzida para relacionamentos íntimos, além de distorções cognitivas ou perceptivas e comportamento excêntrico, que surge no início da vida adulta e está presente em vários contextos, conforme indicado por cinco (ou mais) dos seguintes:

1. Ideias de referência (excluindo delírios de referência).
2. Crenças estranhas ou pensamento mágico que influenciam o comportamento e são inconsistentes com as normas subculturais (p. ex., superstições, crença em clarividência, telepatia ou "sexto sentido"; em crianças e adolescentes, fantasias ou preocupações bizarras).
3. Experiências perceptivas incomuns, incluindo ilusões corporais.
4. Pensamento e discurso estranhos (p. ex., vago, circunstancial, metafórico, excessivamente elaborado ou estereotipado).
5. Desconfiança ou ideação paranoide.
6. Afeto inadequado ou constrito.
7. Comportamento ou aparência estranha, excêntrica ou peculiar.

8. Ausência de amigos próximos ou confidentes que não sejam parentes de primeiro grau.
9. Ansiedade social excessiva que não diminui com o convívio e que tende a estar associada mais a temores paranoides do que a julgamentos negativos sobre si mesmo.

B. Não ocorre exclusivamente durante o curso de esquizofrenia, transtorno bipolar ou depressivo com sintomas psicóticos, outro transtorno psicótico ou transtorno do espectro autista.

Nota: Se os critérios são atendidos antes do surgimento de esquizofrenia, acrescentar "pré-mórbido", por exemplo, "transtorno da personalidade esquizotípica (pré-morbido)".

Características Diagnósticas

A característica essencial do transtorno da personalidade esquizotípica é um padrão difuso de déficits sociais e interpessoais marcado por desconforto agudo e capacidade reduzida para relacionamentos íntimos, bem como por distorções cognitivas ou perceptivas e comportamento excêntrico. Esse padrão surge no começo da vida adulta e está presente em vários contextos.

Indivíduos com transtorno da personalidade esquizotípica com frequência apresentam ideias de referência (i. e., interpretações incorretas de incidentes casuais e eventos externos como tendo um sentido particular e incomum especificamente para a pessoa) (Critério A1). Estas devem ser distinguidas de delírios de referência, nos quais as crenças são mantidas com convicção delirante. Esses indivíduos podem ser supersticiosos ou preocupados com fenômenos paranormais que fogem das normas de sua subcultura (Critério A2). Podem achar que têm poderes especiais para sentir os eventos antes que ocorram ou para ler os pensamentos alheios. Podem acreditar que exercem controle mágico sobre os outros, o qual pode ser implementado diretamente (p. ex., a crença de que o fato de o cônjuge estar levando o cachorro para passear é consequência direta de, uma hora antes, ter pensado que isso devia ser feito) ou indiretamente, por meio de obediência a rituais mágicos (p. ex., passar três vezes por determinado objeto para evitar uma consequência danosa). Alterações perceptivas podem estar presentes (p. ex., sentir que outra pessoa está presente ou ouvir uma voz murmurando seu nome) (Critério A3). Seu discurso pode incluir fraseados e construções incomuns ou idiossincrásicas e costuma ser desconexo, digressivo ou vago, embora sem apresentar um real descarrilhamento ou incoerência (Critério A4). Respostas podem ser excessivamente concretas ou abstratas, e palavras e conceitos são, por vezes, aplicados de maneiras pouco habituais (p. ex., o indivíduo pode afirmar que não estava "conversável" no trabalho).

Indivíduos com esse transtorno são frequentemente desconfiados e podem apresentar ideias paranoides (p. ex., crer que os colegas de trabalho estão planejando minar sua reputação com o chefe) (Critério A5). Em geral, são incapazes de lidar com os afetos e as minúcias interpessoais que são necessários para relacionamentos bem-sucedidos; assim, com frequência parecem interagir com os outros de forma inadequada, formal ou constrita (Critério A6). Esses indivíduos são geralmente considerados esquisitos ou excêntricos em virtude de maneirismos incomuns, isto é, sua forma desleixada de vestir-se que não "combina" bem e sua falta de atenção às convenções sociais habituais (p. ex., o indivíduo pode evitar contato visual, usar roupas manchadas ou que não servem bem e ser incapaz de participar das provocações e brincadeiras que ocorrem entre colegas de trabalho) (Critério A7).

Indivíduos com transtorno da personalidade esquizotípica vivenciam os relacionamentos interpessoais como problemáticos e sentem desconforto em se relacionar com outras pessoas. Embora possam manifestar infelicidade acerca da falta de relacionamentos, seu comportamento sugere um desejo reduzido de contatos íntimos. Assim, costumam ter poucos ou nenhum amigo próximo ou confidente que não seja parente de primeiro grau (Critério A8). São ansiosos em situações sociais, especialmente aquelas que envolvem pessoas desconhecidas (Critério A9). Irão interagir com outras pessoas quando tiverem de fazer isso, mas preferem não estabelecer interações, pois sentem que são diferentes e que não se enturmam. Sua ansiedade social não diminui facilmente, mesmo quando passam mais tempo no local ou conhecem melhor as outras pessoas, visto que a ansiedade costuma estar associada à desconfiança quanto às motivações dos outros. Por exemplo, em um jantar, a pessoa com o transtorno da personalidade esquizotípica não ficará mais relaxada com o passar das horas; pelo contrário, ficará mais tensa e desconfiada.

O transtorno da personalidade esquizotípica não deve ser diagnosticado se o padrão de comportamento ocorre exclusivamente durante o curso de esquizofrenia, transtorno bipolar ou depressivo com sintomas psicóticos, outro transtorno psicótico ou transtorno do espectro autista (Critério B).

Características Associadas

Indivíduos com transtorno da personalidade esquizotípica costumam buscar tratamento mais para os sintomas associados de ansiedade ou depressão do que para as características do transtorno da personalidade em si.

Prevalência

A prevalência estimada de transtorno da personalidade esquizotípica com base em uma subamostra de probabilidade da Parte II da *National Comorbidity Survey Replication* foi de 3,3%. A prevalência de transtorno da personalidade esquizotípica na *National Epidemiologic Survey on Alcohol and Related Conditions* foi de 3,9%. Uma revisão de cinco estudos epidemiológicos (três nos Estados Unidos) encontrou prevalência mediana de 0,6%.

Desenvolvimento e Curso

O transtorno da personalidade esquizotípica apresenta curso relativamente estável, com apenas uma pequena parte dos indivíduos vindo a desenvolver esquizofrenia ou outro transtorno psicótico. O transtorno pode se manifestar primeiramente na infância e adolescência por meio de solidão, relacionamento ruim com os colegas, ansiedade social, baixo rendimento escolar, hipersensibilidade, pensamentos e linguagem peculiares e fantasias bizarras. Essas crianças podem parecer "estranhas" ou "excêntricas" e atrair provocação.

Fatores de Risco e Prognóstico

Genéticos e fisiológicos. O transtorno da personalidade esquizotípica parece ser familiarmente agregado, sendo mais prevalente entre familiares biológicos de primeiro grau de indivíduos com esquizofrenia em comparação com a população geral. Pode haver também um aumento pequeno de esquizofrenia e de outros transtornos psicóticos em familiares de probandos com transtorno da personalidade esquizotípica. Estudos com gêmeos indicam fatores genéticos altamente estáveis e fatores ambientais bastante transitórios para um risco aumentado para a síndrome esquizotípica, e variantes de risco genético para esquizofrenia podem estar ligadas ao transtorno da personalidade esquizotípica. Estudos de neuroimagem detectam diferenças em nível de grupo no tamanho e função de regiões específicas do cérebro em indivíduos com esse tipo de transtorno em comparação com indivíduos saudáveis, indivíduos com esquizofrenia e indivíduos com outros transtornos da personalidade.

Questões Diagnósticas Relativas à Cultura

Distorções cognitivas e perceptivas devem ser avaliadas no contexto do meio cultural do indivíduo. Características culturalmente determinadas disseminadas, sobretudo aquelas relativas a crenças e rituais religiosos, podem parecer esquizotípicas ao clínico desinformado (p. ex., vodu, glossolalia, vida após a morte, xamanismo, leitura da mente, sexto sentido, crenças mágicas relativas a saúde e doença). Assim, as variações transnacionais e étnicas observadas na prevalência e expressão de traços esquizotípicos podem ser um verdadeiro achado epidemiológico ou pode estar relacionada a diferenças na aceitação cultural dessas experiências.

Questões Diagnósticas Relativas ao Sexo e ao Gênero

O transtorno da personalidade esquizotípica parece ser um pouco mais comum em homens do que em mulheres.

Transtorno da Personalidade Esquizotípica

Diagnóstico Diferencial

Outros transtornos mentais com sintomas psicóticos. O transtorno da personalidade esquizotípica pode ser distinguido de transtorno delirante, esquizofrenia e transtorno bipolar ou depressivo com sintomas psicóticos pelo fato de todos esses transtornos serem caracterizados por um período de sintomas psicóticos persistentes (p. ex., delírios e alucinações). Para que seja feito um diagnóstico adicional de transtorno da personalidade esquizotípica, o transtorno deve ter estado presente antes do aparecimento dos sintomas psicóticos e deve persistir quando tais sintomas estão em remissão. Quando um indivíduo tem um transtorno psicótico persistente (p. ex., esquizofrenia), antecedido de transtorno da personalidade esquizotípica, o transtorno da personalidade deve ser também registrado, seguido de "pré-mórbido" entre parênteses.

Transtornos do neurodesenvolvimento. Pode ser bastante difícil diferenciar crianças com transtorno da personalidade esquizotípica do grupo heterogêneo de crianças solitárias e estranhas cujo comportamento é caracterizado por isolamento social pronunciado, excentricidade ou peculiaridades linguísticas e cujos diagnósticos provavelmente incluam formas mais leves de transtorno do espectro autista ou transtornos da comunicação e linguagem. Os transtornos da comunicação podem ser diferenciados pela primazia e gravidade do transtorno na linguagem e pelos aspectos característicos de linguagem prejudicada evidenciados em uma avaliação especializada desta. Formas mais leves do transtorno do espectro autista são diferenciadas por sua falta de percepção social ainda maior e de reciprocidade emocional e por seus comportamentos e interesses estereotipados.

Mudança de personalidade devido a outra condição médica. O transtorno da personalidade esquizotípica deve ser distinguido de mudança de personalidade devido a outra condição médica, na qual os traços que emergem são uma consequência fisiológica direta de outra condição médica.

Transtornos por uso de substância. O transtorno da personalidade esquizotípica deve ser também distinguido de sintomas que podem se desenvolver em associação com o uso persistente de substância.

Outros transtornos da personalidade e traços de personalidade. Outros transtornos da personalidade podem ser confundidos com transtorno da personalidade esquizotípica por terem alguns aspectos em comum. Assim, é importante distinguir entre esses transtornos com base em diferenças nos seus aspectos característicos. Entretanto, quando um indivíduo apresenta características de personalidade que atendem a critérios para um ou mais de um transtorno da personalidade além do transtorno da personalidade esquizotípica, todos podem ser diagnosticados. Ainda que os transtornos da personalidade paranoide e esquizoide possam também ser caracterizados por distanciamento social e afeto restrito, o transtorno da personalidade esquizotípica pode ser distinguido desses dois diagnósticos pela presença de distorções cognitivas ou perceptivas e excentricidade ou esquisitice acentuada. Relacionamentos próximos são limitados tanto no transtorno da personalidade esquizotípica como no transtorno da personalidade evitativa; neste último, porém, um desejo ativo de relacionamentos é inibido por medo de rejeição, ao passo que no transtorno da personalidade esquizotípica há falta de desejo de relacionamentos e distanciamento persistente. Indivíduos com transtorno da personalidade narcisista podem também demonstrar desconfiança, retraimento social ou alienação; no transtorno da personalidade narcisista, porém, essas características derivam basicamente de medos de ter reveladas imperfeições ou falhas. Indivíduos com transtorno da personalidade *borderline* podem também apresentar sintomas transitórios que parecem psicóticos, mas eles costumam estar mais intimamente ligados a mudanças afetivas em resposta a estresse (p. ex., raiva intensa, ansiedade, desapontamento) e são geralmente mais dissociativos (p. ex., desrealização, despersonalização). Indivíduos com transtorno da personalidade esquizotípica, por sua vez, têm maior tendência a apresentar sintomas duradouros que parecem psicóticos, os quais podem piorar sob estresse, e têm menor probabilidade de apresentarem durante todo o tempo sintomas afetivos intensos. Embora possa ocorrer isolamento social no transtorno da personalidade *borderline*, ele costuma ser mais comumente secundário a fracassos interpessoais repetidos devido a ataques de raiva e mudanças frequentes de humor do que resultado de falta persistente de contatos sociais e de desejo de intimidade. Além disso, pessoas com transtorno da personalidade esquizotípica geralmente não demonstram os comportamentos impulsivos ou manipuladores do indivíduo com transtorno da personalidade *borderline*. Há, todavia, alta taxa de ocorrência concomitante dos dois transtornos, de modo que fazer tais distinções nem sempre é viável. Características esquizotípicas durante a adolescência costumam ser mais reflexo de turbulência emocional passageira do que um transtorno persistente da personalidade.

Comorbidade

Particularmente em resposta ao estresse, indivíduos com o transtorno podem apresentar episódios psicóticos transitórios (com duração de minutos a horas), embora eles geralmente tenham duração insuficiente para indicar um diagnóstico adicional, como transtorno psicótico breve ou transtorno esquizofreniforme. Em alguns casos, podem surgir sintomas psicóticos clinicamente significativos que atendam aos critérios de transtorno psicótico breve, transtorno esquizofreniforme, transtorno delirante ou esquizofrenia. Existe considerável concomitância de transtornos da personalidade esquizoide, paranoide, evitativa e *borderline*.

Transtornos da Personalidade do Grupo B

Transtorno da Personalidade Antissocial

Critérios Diagnósticos — F60.2

A. Um padrão difuso de desconsideração e violação dos direitos das outras pessoas que ocorre desde os 15 anos de idade, conforme indicado por três (ou mais) dos seguintes:
  1. Fracasso em ajustar-se às normas sociais relativas a comportamentos legais, conforme indicado pela repetição de atos que constituem motivos de detenção.
  2. Tendência à falsidade, conforme indicado por mentiras repetidas, uso de nomes falsos ou de trapaça para ganho ou prazer pessoal.
  3. Impulsividade ou fracasso em fazer planos para o futuro.
  4. Irritabilidade e agressividade, conforme indicado por repetidas lutas corporais ou agressões físicas.
  5. Desrespeito imprudente pela segurança própria ou de outros.
  6. Irresponsabilidade reiterada, conforme indicado por falha repetida em manter uma conduta consistente no trabalho ou honrar obrigações financeiras.
  7. Ausência de remorso, conforme indicado pela indiferença ou racionalização em relação a ter ferido, maltratado ou roubado outras pessoas.
B. O indivíduo tem no mínimo 18 anos de idade.
C. Há evidências de transtorno da conduta com surgimento anterior aos 15 anos de idade.
D. A ocorrência de comportamento antissocial não se dá exclusivamente durante o curso de esquizofrenia ou transtorno bipolar.

Características Diagnósticas

A característica essencial do transtorno da personalidade antissocial é um padrão difuso de indiferença e violação dos direitos dos outros, o qual surge na infância ou no início da adolescência e continua na vida adulta. Esse padrão também já foi referido como *psicopatia, sociopatia* ou *transtorno da personalidade dissocial*. Visto que falsidade e manipulação são aspectos centrais do transtorno da personalidade antissocial, pode ser especialmente útil integrar informações adquiridas por meio de avaliações clínicas sistemáticas e informações coletadas de outras fontes colaterais.

Para que esse diagnóstico seja firmado, o indivíduo deve ter no mínimo 18 anos de idade (Critério B) e deve ter apresentado alguns sintomas de transtorno da conduta antes dos 15 anos (Critério C). O transtorno da conduta envolve um padrão repetitivo e persistente de comportamento no qual os direitos básicos dos outros ou as principais normas ou regras sociais apropriadas à idade são violados. Os comportamentos específicos característicos do transtorno da conduta encaixam-se em uma de quatro categorias: agressão a pessoas e animais, destruição de propriedade, fraude ou roubo ou grave violação a regras.

O padrão de comportamento antissocial continua até a vida adulta. Indivíduos com transtorno da personalidade antissocial não têm êxito em ajustar-se às normas sociais referentes a comportamento legal (Critério A1). Podem repetidas vezes realizar atos que são motivos de detenção (estando presos ou não), como destruir propriedade alheia, assediar outras pessoas, roubar ou ter ocupações ilegais. Indivíduos com esse transtorno desrespeitam os desejos, direitos ou sentimentos dos outros. Com frequência, enganam e manipulam para obter ganho ou prazer pessoal (p. ex., conseguir dinheiro, sexo ou poder) (Critério A2). Podem mentir reiteradamente, usar nomes falsos, trapacear ou fazer maldades. Um padrão de impulsividade pode ser manifestado por fracasso em fazer planos para o futuro (Critério A3). As decisões são tomadas no calor do momento, sem análise e sem consideração em relação às consequências a si ou aos outros; isso pode levar a mudanças repentinas de emprego, moradia ou relacionamentos. Indivíduos com o transtorno tendem a ser irritáveis e agressivos e podem envolver-se repetidamente em lutas corporais ou cometer atos de agressão física (inclusive espancamento de cônjuge ou filho) (Critério A4). (Atos agressivos necessários para defesa própria ou de outra pessoa não são considerados evidência para esse item). Essas pessoas ainda demonstram desrespeito imprudente pela segurança própria e dos outros (Critério A5). Isso pode ser visto no comportamento de dirigir (i. e., velocidade excessiva recorrente, direção sob intoxicação, múltiplos acidentes). Podem se envolver em comportamento sexual ou uso de substância com alto risco de consequências nocivas. Podem negligenciar ou falhar em cuidar de uma criança a ponto de colocá-la em perigo.

Indivíduos com o transtorno da personalidade antissocial também tendem a ser reiterada e extremamente irresponsáveis (Critério A6). Comportamento laboral irresponsável pode ser indicado por períodos significativos de desemprego, a despeito de haver oportunidades de trabalho disponíveis, ou por abandono de vários empregos sem um plano realista de obtenção de outro. Pode também existir um padrão de repetidas ausências ao trabalho que não são explicadas por doença própria ou de familiar. Irresponsabilidade financeira é indicada por atos como inadimplência, fracasso em sustentar regularmente os filhos ou outros dependentes. Indivíduos com o transtorno demonstram pouco remorso pelas consequências de seus atos (Critério A7). Podem ser indiferentes a ter ferido, maltratado ou roubado alguém, racionalizando de modo superficial essas situações (p. ex., "a vida é injusta", "perdedores merecem perder"). Esses indivíduos podem culpar as vítimas por serem tolas, desamparadas ou merecedoras de seu destino (p. ex., "ele já esperava por isso de qualquer forma"); podem minimizar as consequências danosas de seus atos ou ainda simplesmente demonstrar total indiferença. Em geral, fracassam em compensar ou fazer reparações em razão do seu comportamento. Podem achar que todo mundo deve "ajudar o número um" e que se deve fazer qualquer coisa para evitar ser incomodado.

O comportamento antissocial não deve ocorrer exclusivamente durante o curso de esquizofrenia ou transtorno bipolar (Critério D).

Características Associadas

Indivíduos com transtorno da personalidade antissocial frequentemente carecem de empatia e tendem a ser insensíveis, cínicos e desdenhosos em relação aos sentimentos, direitos e sofrimentos dos outros. Podem ter autoconceito inflado e arrogante (p. ex., sentem que o trabalho comum cotidiano está abaixo deles ou carecem de uma preocupação real a respeito dos seus problemas atuais ou a respeito de seu futuro) e podem ser excessivamente opiniáticos, autoconfiantes ou convencidos. Alguns indivíduos antissociais podem exibir um charme desinibido e superficial e podem ser muito volúveis e verbalmente fluentes (p. ex., usar termos técnicos ou jargão que podem impressionar uma pessoa que desconhece o assunto). Falta de empatia, autoapreciação inflada e charme superficial são aspectos que têm sido comumente incluídos em concepções tradicionais da psicopatia e que podem ser particularmente característicos do transtorno e mais preditivos de recidiva em ambientes prisionais ou forenses, onde atos criminosos, delinquentes ou agressivos tendem a ser inespecíficos. Esses indivíduos podem, ainda, ser irresponsáveis e exploradores nos seus relacionamentos sexuais. Podem ter história de vários parceiros sexuais e jamais ter mantido um relacionamento monogâmico. Como pais, podem ser irresponsáveis, conforme evidenciado por desnutrição de um filho, doença de um filho resultante de falta de higiene mínima, dependência de vizinhos ou outros familiares para abrigo ou alimento de um filho, fracasso em encontrar um cuidador para um filho pequeno quando está fora de casa ou, ainda, desperdício recorrente do dinheiro necessário para a manutenção doméstica. Esses indivíduos podem ser dispensados do exército de forma desonrosa, fracassar em prover o próprio sustento, empobrecer ou até ficar sem teto ou, ainda, passar muitos anos em institutos penais. Indivíduos com personalidade antissocial são mais propensos a morrer prematuramente de causas naturais e suicídio do que a população geral.

Prevalência

A prevalência estimada de transtorno da personalidade antissocial com base em uma subamostra de probabilidade da Parte II da *National Comorbidity Survey Replication* foi de 0,6%. A prevalência de transtorno da personalidade antissocial na *National Epidemiologic Survey on Alcohol and Related Conditions* foi de 3,6%. Uma revisão de sete estudos epidemiológicos (seis nos Estados Unidos) encontrou prevalência mediana de 3,6%. A maior prevalência de transtorno da personalidade antissocial (superior a 70%) está entre amostras de homens com os transtornos por uso de álcool mais graves e de clínicas por abuso de substâncias, prisões ou outros ambientes forenses. A prevalência ao longo da vida parece ser semelhante em indivíduos brancos e negros não latinos e menor em latinos e asiáticos americanos. A prevalência pode ser maior em amostras afetadas por fatores socioeconômicos (i. e., pobreza) ou socioculturais (i. e., migração) adversos.

Desenvolvimento e Curso

O transtorno da personalidade antissocial tem um curso crônico, mas pode se tornar menos evidente ou apresentar remissão conforme o indivíduo envelhece, em particular por volta dos 40 anos de idade. Embora essa remissão tenda a ser especialmente evidente quanto a envolvimento em comportamento criminoso, é possível que haja diminuição no espectro total de comportamentos antissociais e uso de substância. Por definição, a personalidade antissocial não pode ser diagnosticada antes dos 18 anos de idade.

Fatores de Risco e Prognóstico

Ambientais. Abuso ou negligência infantil, paternidade/maternidade instável ou errática ou disciplina parental inconsistente podem aumentar a probabilidade de o transtorno da conduta evoluir para transtorno da personalidade antissocial.

Genéticos e fisiológicos. Transtorno da personalidade antissocial é mais comum entre familiares biológicos de primeiro grau daqueles que têm o transtorno em comparação com a população geral. Parentes biológicos de indivíduos com esse transtorno têm ainda risco aumentado de transtorno de somatização (um diagnóstico que foi substituído no DSM-5 por transtorno de sintomas somáticos) e por uso de substância. Em uma família que tem um membro com transtorno da personalidade antissocial, os homens têm mais frequentemente transtorno da personalidade antissocial e por uso de substância, ao passo que as mulheres apresentam com mais frequência transtorno de sintomas somáticos.

Questões Diagnósticas Relativas à Cultura

O transtorno da personalidade antissocial parece ter ligação com condição socioeconômica baixa e contextos urbanos. Surgiram preocupações de que o diagnóstico possa, algumas vezes, ser mal aplicado a indivíduos em contextos em que comportamentos aparentemente antissociais possam ser parte de uma estratégia protetora de sobrevivência (p. ex., formação de gangues juvenis em áreas urbanas com altos índices de violência e discriminação). Contextos socioculturais com altas taxas de maus-tratos infantis ou exposição à violência também costumam ter prevalência elevada de comportamentos antissociais, sugerindo um potencial fator de risco para o desenvolvimento de transtorno da personalidade antissocial ou um ambiente adverso que evoca comportamentos antissociais reativos e contextuais que não representam traços penetrantes e duradouros consistentes com um transtorno da personalidade. Na avaliação de traços antissociais, é útil para o clínico considerar o contexto social e econômico em que ocorrem os comportamentos. Na *National Epidemiologic Survey on Alcohol and Related Conditions*, parece que a prevalência varia entre os grupos étnicos e raciais dos Estados Unidos, possivelmente devido a uma combinação de diferenças de prevalência verdadeiras, artefatos de medida e impacto de ambientes adversos que geram comportamentos que se assemelham aos do transtorno da personalidade antissocial, mas são reativos e contextuais. Indivíduos de alguns grupos socialmente oprimidos podem estar em maior risco de diagnóstico incorreto ou hiperdiagnóstico de transtorno da personalidade antissocial, porque são mais propensos a serem diagnosticados erroneamente com transtorno da conduta na adolescência, que é um requisito para o diagnóstico de transtorno da personalidade antissocial.

Questões Diagnósticas Relativas ao Sexo e ao Gênero

O transtorno da personalidade antissocial é três vezes mais comum em homens do que em mulheres. As mulheres com transtorno da personalidade antissocial são mais propensas a terem vivenciado experiências adversas na infância e na vida adulta, como abuso sexual, em comparação aos homens. A apresentação clínica pode variar, com os homens apresentando mais frequentemente irritabilidade/agressão e desrespeito imprudente pela segurança dos outros em comparação com as mulheres. Transtornos por uso de substâncias comórbidos são mais comuns em homens, enquanto transtornos do humor e de ansiedade comórbidos são mais comuns em mulheres. Existem algumas preocupações acerca da possibilidade desse transtorno ser subdiagnosticado em mulheres, especialmente pela ênfase em itens de agressividade na definição do transtorno da conduta.

Diagnóstico Diferencial

O diagnóstico de transtorno da personalidade antissocial não é dado a indivíduos com idade inferior a 18 anos e somente é atribuído quando há história de alguns sintomas de transtorno da conduta antes dos 15 anos de idade. Para indivíduos com mais de 18 anos, um diagnóstico de transtorno da conduta somente é dado quando não são atendidos os critérios para transtorno da personalidade antissocial.

Transtornos por uso de substância. Quando o comportamento antissocial em um adulto está associado a um transtorno por uso de substância, o diagnóstico de transtorno da personalidade antissocial não é feito a não ser que os sinais desse transtorno também tenham estado presentes na infância e continuado até a vida adulta. Quando tanto o uso de substância quanto o comportamento antissocial começaram na infância e se mantiveram na vida adulta, ambos devem ser diagnosticados caso sejam satisfeitos os critérios para os dois, mesmo que alguns atos antissociais possam ser consequência do transtorno por uso de substância (p. ex., venda ilegal de drogas, roubos para obter dinheiro para drogas).

Esquizofrenia e transtorno bipolar. Comportamento antissocial que ocorre exclusivamente durante o curso de esquizofrenia ou transtorno bipolar não deve ser diagnosticado como transtorno da personalidade antissocial.

Outros transtornos da personalidade. Outros transtornos da personalidade podem ser confundidos com transtorno da personalidade antissocial pelo fato de apresentarem alguns aspectos em comum. Assim, é importante, então, distinguir esses transtornos com base nas diferenças em seus aspectos característicos. Entretanto, se um indivíduo apresenta características de personalidade que atendem a critérios para um ou mais transtornos da personalidade além do transtorno da personalidade antissocial, todos podem ser diagnosticados. Indivíduos com transtorno da personalidade antissocial e transtorno da personalidade narcisista compartilham uma tendência a determinação exagerada, desembaraço, superficialidade, exploração e falta de empatia. O transtorno da personalidade narcisista, porém, não inclui características de impulsividade, agressão e falsidade. Além disso, indivíduos com transtorno da personalidade antissocial podem não necessitar de admiração e inveja dos outros, e indivíduos com o transtorno da personalidade narcisista costumam não ter história de transtorno da conduta na infância ou comportamento criminoso na vida adulta. Indivíduos com transtorno da personalidade antissocial e transtorno da personalidade histriônica compartilham uma tendência a serem impulsivos, superficiais, incansáveis, sedutores e manipuladores, mas aqueles com transtorno da personalidade histriônica tendem a ser mais exagerados nas emoções e não costumam se envolver em comportamentos antissociais. Indivíduos com transtorno da personalidade histriônica e *borderline* manipulam para obter cuidados, ao passo que aqueles com transtorno da personalidade antissocial manipulam para obter lucro, poder ou alguma outra gratificação material. Indivíduos com transtorno da personalidade antissocial tendem a ser menos instáveis emocionalmente e mais agressivos do que aqueles com transtorno da personalidade *borderline*. Embora comportamento antissocial possa estar presente em alguns indivíduos com transtorno da personalidade paranoide, ele não costuma ser motivado por desejo de ganho pessoal ou exploração dos outros como no transtorno da personalidade antissocial; o que os move é mais frequentemente um desejo de vingança.

Comportamento criminoso não associado a um transtorno da personalidade. O transtorno da personalidade antissocial deve ser distinguido do comportamento antissocial não devido a um transtorno mental, por exemplo, comportamento criminoso realizado para obter algum ganho e que não é acompanhado pelas características de personalidade que são parte desse transtorno. Nesses casos, a condição de comportamento antissocial do adulto pode ser codificada (ver "Outras Condições que Podem ser Foco da Atenção Clínica").

Comorbidade

Indivíduos com transtorno da personalidade antissocial podem também apresentar disforia, incluindo queixas de tensão, incapacidade de tolerar a monotonia e humor deprimido. Eles podem ter transtornos de ansiedade, transtornos do humor, transtornos por uso de substâncias, transtorno de sintomas somáticos e transtorno de jogo associados. Também apresentam com frequência aspectos de personalidade que atendem a critérios de outros transtornos da personalidade, em particular *borderline*, histriônica e narcisista. A probabilidade de desenvolvimento de transtorno da personalidade antissocial na idade adulta aumenta se o transtorno da conduta do indivíduo teve início na infância (antes dos 10 anos) e déficit de atenção/hiperatividade associado.

Transtorno da Personalidade *Borderline*

Critérios Diagnósticos   F60.3

Um padrão difuso de instabilidade das relações interpessoais, autoimagem e afetos e de impulsividade acentuada que surge no início da vida adulta e está presente em vários contextos, conforme indicado por cinco (ou mais) dos seguintes:

1. Esforços desesperados para evitar abandono real ou imaginado. (**Nota:** Não incluir comportamento suicida ou de automutilação, coberto pelo Critério 5.)
2. Um padrão de relacionamentos interpessoais instáveis e intensos caracterizado pela alternância entre extremos de idealização e desvalorização.
3. Perturbação da identidade: instabilidade acentuada e persistente da autoimagem ou da percepção de si mesmo.
4. Impulsividade em pelo menos duas áreas potencialmente autodestrutivas (p. ex., gastos, sexo, abuso de substância, direção imprudente, compulsão alimentar). (**Nota:** Não incluir comportamento suicida ou de automutilação, coberto pelo Critério 5.)
5. Recorrência de comportamento, gestos ou ameaças suicidas ou de comportamento automutilante.

6. Instabilidade afetiva devida a uma acentuada reatividade de humor (p. ex., disforia episódica, irritabilidade ou ansiedade intensa com duração geralmente de poucas horas e apenas raramente de mais de alguns dias).
7. Sentimentos crônicos de vazio.
8. Raiva intensa e inapropriada ou dificuldade em controlá-la (p. ex., mostras frequentes de irritação, raiva constante, brigas físicas recorrentes).
9. Ideação paranoide transitória associada a estresse ou sintomas dissociativos intensos.

Características Diagnósticas

A característica essencial do transtorno da personalidade *borderline* é um padrão difuso de instabilidade das relações interpessoais, autoimagem e afetos e de impulsividade acentuada que surge no começo da vida adulta e está presente em vários contextos.

Indivíduos com o transtorno da personalidade *borderline* tentam de tudo para evitar abandono real ou imaginado (Critério 1). A percepção de uma separação ou rejeição iminente ou a perda de estrutura externa podem levar a mudanças profundas na autoimagem, no afeto, na cognição e no comportamento. Esses indivíduos são muito sensíveis às circunstâncias ambientais. Vivenciam medos intensos de abandono e experimentam raiva inadequada mesmo diante de uma separação de curto prazo realística ou quando ocorrem mudanças inevitáveis de planos (p. ex., desespero repentino em reação ao aviso do médico de que a consulta acabou; pânico ou fúria quando alguém importante para eles se atrasa alguns minutos ou precisa cancelar um compromisso). Esses indivíduos podem acreditar que esse "abandono" implica que eles são "maus". Tais medos de abandono têm relação com intolerância a ficar só e necessidade de ter outras pessoas ao redor. Os esforços desesperados para evitar o abandono podem incluir ações impulsivas como automutilação ou comportamentos suicidas, os quais são descritos separadamente no Critério 5 (ver também "Associação com Pensamentos ou Comportamentos Suicidas").

Os indivíduos com transtorno da personalidade *borderline* apresentam um padrão de relacionamentos instável e intenso (Critério 2). Podem idealizar cuidadores ou companheiros potenciais em um primeiro ou segundo encontro, exigir que passem muito tempo juntos e partilhar os detalhes pessoais mais íntimos logo no início de um relacionamento. Entretanto, podem mudar rapidamente da idealização à desvalorização, sentindo que a outra pessoa não se importa o suficiente, não dá o suficiente e não está "presente" o suficiente. Esses indivíduos podem empatizar e cuidar de outros, mas somente com a expectativa de que o outro estará presente quando chamado, em uma espécie de troca para atender às suas próprias necessidades. Estão propensos a mudanças dramáticas e repentinas na sua forma de enxergar os outros, que podem ser vistos alternadamente como apoiadores benevolentes ou como punidores cruéis. Tais mudanças, em geral, refletem desilusão com um cuidador cujas qualidades de dedicação haviam sido idealizadas ou cuja rejeição ou abandono era esperado.

Pode ocorrer uma perturbação da identidade, caracterizada por instabilidade acentuada e persistente da imagem ou da percepção de si mesmo (Critério 3). Há mudanças súbitas e dramáticas na autoimagem, caracterizadas por metas, valores e aspirações vocacionais inconstantes. Podem ocorrer mudanças súbitas na autoimagem (p. ex., mudando repentinamente do papel de um suplicante necessitado de ajuda para o de um justo vingador de maus-tratos passados). Embora costumem ter uma autoimagem baseada em serem maus, indivíduos com esse transtorno podem por vezes apresentar sentimentos de que eles mesmos não existem. Isso pode ser tanto doloroso quanto assustador para aqueles com esse transtorno. Tais experiências ocorrem geralmente em situações nas quais o indivíduo sente falta de relações significativas, de cuidado e de apoio. Podem demonstrar um desempenho pior em situações não estruturadas de trabalho ou estudo. Essa falta de uma identidade plena e duradoura torna difícil para o indivíduo com transtorno da personalidade *borderline* identificar padrões mal-adaptativos de comportamento e pode levar a padrões repetitivos de relacionamentos conturbados.

Indivíduos com transtorno da personalidade *borderline* mostram impulsividade em pelo menos duas áreas potencialmente autodestrutivas (Critério 4). Podem apostar, gastar dinheiro de forma irresponsável, comer compulsivamente, abusar de substâncias, envolver-se em sexo desprotegido ou dirigir de forma imprudente. Apresentam recorrência de comportamento, gestos ou ameaças suicidas ou de comportamento de automutilação (Critério 5). Pensamentos ou comportamentos suicidas recorrentes normalmente são o motivo para que essas pessoas busquem ajuda. Esses atos autodestrutivos são geralmente precipitados por ameaças de separação ou rejeição ou por expectativas de que o indivíduo assuma maiores responsabilidades. Atos de automutilação (p. ex., cortar-se ou queimar-se) podem ocorrer durante períodos em que o indivíduo está experimentando sintomas dissociativos. Esses atos normalmente trazem alívio por reafirmar a capacidade do indivíduo de sentir ou por expiar a sensação de ser uma má pessoa.

Indivíduos com o transtorno da personalidade *borderline* podem demonstrar instabilidade afetiva devido a acentuada reatividade do humor (p. ex., disforia episódica, irritabilidade ou ansiedade intensa com duração geralmente de poucas horas e apenas raramente com duração de mais do que alguns dias) (Critério 6). O humor disfórico basal dos que têm esse transtorno é amiúde interrompido por períodos de raiva, pânico ou desespero e é raramente aliviado por períodos de bem-estar ou satisfação. Esses episódios podem refletir a extrema reatividade do indivíduo a estresses interpessoais.

Indivíduos com o transtorno da personalidade *borderline* podem ser perturbados por sentimentos crônicos de vazio, que podem ocorrer concomitantemente com sentimentos dolorosos de solidão (Critério 7). Facilmente entediados, podem estar constantemente buscando algo excitante para evitar seus sentimentos de vazio.

Os indivíduos com esse transtorno, com frequência, expressam raiva inadequada e intensa ou têm dificuldades em controlá-la (Critério 8). Podem demonstrar sarcasmo extremo, amargura persistente ou ter explosões verbais. A raiva é geralmente provocada quando um cuidador ou companheiro é visto como negligente, contido, despreocupado ou como alguém que abandona. Tais expressões de raiva costumam ser seguidas de vergonha e culpa, contribuindo para o sentimento de ter sido mau.

Durante períodos de estresse extremo, podem ocorrer ideação paranoide ou sintomas dissociativos transitórios (p. ex., despersonalização) (Critério 9), embora sejam, em geral, de gravidade ou duração insuficiente para levar a um diagnóstico adicional. Esses episódios ocorrem mais frequentemente em resposta a um abandono real ou imaginado. Os sintomas tendem a ser passageiros, durando de minutos a horas. O retorno real ou percebido da dedicação do cuidador pode resultar em remissão dos sintomas.

Características Associadas

Indivíduos com transtorno da personalidade *borderline* podem ter um padrão de sabotagem pessoal no momento em que uma meta está para ser atingida (p. ex., abandono da escola logo antes da formatura; regressão grave após conversa sobre os bons rumos da terapia; destruição de um relacionamento bom exatamente quando está claro que ele pode durar). Alguns indivíduos desenvolvem sintomas semelhantes à psicose (p. ex., alucinações, distorções da imagem corporal, ideias de referência, fenômenos hipnagógicos) em momentos de estresse. Indivíduos com esse transtorno podem se sentir mais protegidos junto a objetos transicionais (i. e., animal de estimação ou objeto inanimado) do que em relacionamentos interpessoais. Pode ocorrer morte prematura por suicídio em indivíduos com o transtorno, especialmente naqueles em que há ocorrência simultânea de transtornos depressivos ou transtornos por uso de substância. No entanto, as mortes por outras causas, como acidentes ou doenças, são duas vezes mais comuns do que as mortes por suicídio em indivíduos com transtorno da personalidade *borderline*. Deficiências físicas podem resultar de comportamentos de abuso autoinfligidos ou de tentativas fracassadas de suicídio. Perdas de emprego recorrentes, interrupção dos estudos e separação ou divórcio são comuns. Abuso físico e sexual, negligência, conflito hostil e perda parental prematura são mais comuns em histórias de infância daqueles com o transtorno da personalidade *borderline*.

Prevalência

A prevalência estimada de transtorno da personalidade *borderline* com base em uma subamostra de probabilidade da Parte II da *National Comorbidity Survey Replication* foi de 1,4%. A prevalência de transtorno da personalidade *borderline* na *National Epidemiologic Survey on Alcohol and Related Conditions* foi de 5,9%. Uma revisão de sete estudos epidemiológicos (seis nos Estados Unidos) encontrou prevalência mediana de 2,7%.

Essa prevalência é de aproximadamente 6% em contextos de atenção primária, de cerca de 10% entre pacientes de ambulatórios de saúde mental e de aproximadamente 20% entre pacientes psiquiátricos internados.

Desenvolvimento e Curso

O transtorno da personalidade *borderline* tem sido tipicamente pensado como um transtorno de início na fase adulta. No entanto, descobriu-se em contextos de tratamento que os sintomas em adolescentes de 12 ou 13 anos de idade podem atender a todos os critérios para o transtorno. Ainda não se sabe qual porcentagem dos adultos que iniciam o tratamento realmente tem um início tão precoce do transtorno da personalidade *borderline*.

O transtorno da personalidade *borderline* tem sido considerado há muito tempo como um transtorno com um curso sintomático ruim, que tende a diminuir em gravidade à medida que os indivíduos entram na faixa dos 30 a 40 anos de idade. No entanto, estudos prospectivos de acompanhamento descobriram que remissões estáveis de 1 a 8 anos são muito comuns. Os sintomas impulsivos do transtorno da personalidade *borderline* remitem mais rapidamente, enquanto os afetivos remitem a uma taxa substancialmente mais lenta. Em contraste, a recuperação do transtorno da personalidade *borderline* (ou seja, remissão sintomática concomitante e bom funcionamento psicossocial) é mais difícil de alcançar e menos estável ao longo do tempo. A falta de recuperação está associada a sustentar-se com benefícios por incapacidade e sofrer de problemas de saúde física.

Fatores de Risco e Prognóstico

Ambientais. O transtorno da personalidade *borderline* também foi associado a altas taxas relatadas de várias formas de abuso infantil e negligência emocional. No entanto, as taxas relatadas de abuso sexual são mais altas em pacientes internados do que em pacientes ambulatoriais com esse transtorno, sugerindo que história de abuso sexual é um fator de risco tanto para a gravidade da psicopatologia *borderline* quanto para o próprio transtorno. Além disso, há um consenso de base empírica que sugere que uma história infantil de abuso sexual relatado não é necessária nem suficiente para o desenvolvimento do transtorno da personalidade *borderline*.

Genéticos e fisiológicos. O transtorno da personalidade *borderline* é cerca de cinco vezes mais comum em parentes biológicos de primeiro grau de pessoas com o transtorno do que na população geral. Também há aumento do risco familiar para transtornos por uso de substância, transtorno da personalidade antissocial e transtornos depressivos ou bipolares.

Questões Diagnósticas Relativas à Cultura

O padrão de comportamento encontrado no transtorno da personalidade *borderline* tem sido identificado em muitos contextos mundo afora. Contextos socioculturais caracterizados por demandas sociais que evocam tentativas de autoafirmação e aceitação por outros, relações ambíguas ou conflitantes com figuras de autoridade ou incertezas marcantes na adaptação podem promover impulsividade, instabilidade emocional, comportamentos explosivos ou agressivos e experiências dissociativas que estão associadas a transtorno da personalidade *borderline* ou a reações transitórias e contextuais a esses ambientes que podem ser confundidas com transtorno da personalidade *borderline*. Dado que os aspectos psicodinâmicos, cognitivos, comportamentais e de atenção plena dos modelos da mente e do *self* variam culturalmente, os sintomas ou traços que sugerem a presença de transtorno da personalidade *borderline* (p. ex., número de parceiros sexuais, mudança entre relacionamentos, uso de substâncias) devem ser avaliados à luz das normas culturais para fazer um diagnóstico válido.

Questões Diagnósticas Relativas ao Sexo e ao Gênero

Embora o transtorno da personalidade *borderline* seja mais comum entre mulheres do que entre homens em amostras clínicas, amostras da comunidade não demonstram diferença na prevalência entre homens e mulheres. Essa discrepância pode refletir um maior grau de busca de ajuda entre as mulheres, levando-as a ambientes clínicos. As características clínicas de homens e mulheres com transtorno da personalidade *borderline* parecem ser semelhantes, com potencialmente um maior grau de comportamentos externalizantes em meninos e homens e comportamentos internalizantes em meninas e mulheres.

Associação com Pensamentos ou Comportamentos Suicidas

Em um estudo longitudinal, comportamentos impulsivos e antissociais de indivíduos com transtorno da personalidade *borderline* foram associados ao aumento do risco de suicídio. Em uma amostra de pacientes hospitalizados com esse transtorno acompanhados prospectivamente por 24 anos, cerca de 6% morreram por suicídio, em comparação com 1,4% em uma amostra de comparação de indivíduos com outros transtornos da personalidade. Um estudo de indivíduos com transtorno da personalidade *borderline* acompanhados por 10 anos evidenciou que o comportamento suicida recorrente era uma característica definidora desse tipo de transtorno, associado a taxas decrescentes de tentativas de suicídio de 79 para 13% ao longo do tempo.

Diagnóstico Diferencial

Transtornos depressivos e bipolares. O transtorno da personalidade *borderline* frequentemente ocorre de forma concomitante com transtornos depressivos ou bipolares, e, quando atendidos critérios para ambos, os dois podem ser diagnosticados. Visto que a apresentação momentânea do transtorno da personalidade *borderline* pode ser mimetizada por um episódio de transtorno depressivo ou bipolar, o clínico deve evitar firmar um diagnóstico adicional de transtorno da personalidade *borderline* com base apenas na apresentação momentânea, sem ter documentado que o padrão teve começo precoce e curso prolongado.

Transtorno de ansiedade de separação em adultos. O transtorno de ansiedade de separação e o transtorno da personalidade *borderline* são caracterizados pelo medo do abandono por entes queridos, mas problemas de identidade, autodireção, funcionamento interpessoal e impulsividade também são centrais para o transtorno da personalidade *borderline*.

Outros transtornos da personalidade. Outros transtornos da personalidade podem ser confundidos com o transtorno da personalidade *borderline* pelo fato de apresentarem alguns aspectos em comum. Assim, é importante fazer a distinção entre esses transtornos com base nas diferenças em seus aspectos característicos. Entretanto, se um indivíduo apresenta características de personalidade que atendem aos critérios para um ou mais de um transtorno da personalidade além do transtorno da personalidade *borderline*, todos podem ser diagnosticados. Ainda que o transtorno da personalidade histriônica possa ser também caracterizado por busca de atenção, comportamento manipulativo e mudanças rápidas nas emoções, o transtorno da personalidade *borderline* distingue-se por autodestrutividade, ataques de raiva nos relacionamentos íntimos e sentimentos crônicos de vazio profundo e solidão. Ideias ou ilusões paranoides podem estar presentes nos transtornos da personalidade *borderline* e esquizotípica, mas esses sintomas, no transtorno da personalidade *borderline*, são mais transitórios, reativos a problemas interpessoais e responsivos à estruturação externa. Embora os transtornos da personalidade paranoide e narcisista possam ser também caracterizados por reação de raiva a estímulos mínimos, a relativa estabilidade da autoimagem, assim como a relativa falta de autodestrutividade física, impulsividade e preocupações acerca de abandono, distinguem esses transtornos do transtorno da personalidade *borderline*. Mesmo que os transtornos da personalidade antissocial e *borderline* sejam caracterizados por comportamento manipulativo, indivíduos com o primeiro manipulam para obter lucro, poder ou alguma outra gratificação material, ao passo que o alvo, no transtorno da personalidade *borderline*, é a obtenção de atenção dos cuidadores. Tanto o transtorno da personalidade dependente quanto o da personalidade *borderline* caracterizam-se pelo medo do abandono; contudo, o indivíduo com transtorno da personalidade *borderline* reage ao abandono com sentimentos de vazio emocional, fúria e exigências, ao passo que aquele com transtorno da personalidade dependente reage com calma e submissão crescentes e busca urgentemente um relacionamento substituto que dê atenção e apoio. O transtorno da personalidade *borderline* pode ser também distinguido do transtorno da personalidade dependente por seu padrão típico de relações instáveis e intensas.

Mudança de personalidade devido a outra condição médica.   O transtorno da personalidade *borderline* deve ser distinguido de mudança de personalidade devido a outra condição médica, na qual os traços que emergem são uma consequência fisiológica direta de outra condição médica.

Transtornos por uso de substância.   O transtorno da personalidade *borderline* deve também ser distinguido de sintomas que podem se desenvolver em associação com o uso persistente de substância.

Problemas de identidade.   O transtorno da personalidade *borderline* deve ser diferenciado de um problema de identidade, que é reservado para preocupações de identidade relacionadas a uma fase de desenvolvimento (p. ex., a adolescência) e não se qualifica como um transtorno mental. Adolescentes e adultos jovens com problemas de identidade (sobretudo quando acompanhados de uso de substância) podem apresentar a forma de comportamento transitório que enganosamente dá a impressão de ser um transtorno da personalidade *borderline*. Essas situações são caracterizadas por instabilidade emocional, dilemas existenciais, incerteza, escolhas causadoras de ansiedade, conflitos sobre orientação sexual e pressões pessoais para decisão sobre a carreira profissional.

Comorbidade

Transtornos concomitantes comuns incluem transtornos depressivos e bipolares, transtornos por uso de substância, transtornos de ansiedade (particularmente a síndrome de pânico e o transtorno de ansiedade social), transtornos alimentares (principalmente bulimia nervosa e transtorno de compulsão alimentar periódica), transtorno de estresse pós-traumático e transtorno de déficit de atenção/hiperatividade. O transtorno da personalidade *borderline* também ocorre frequentemente com outros transtornos da personalidade.

Transtorno da Personalidade Histriônica

Critérios Diagnósticos   F60.4

Um padrão difuso de emocionalidade e busca de atenção em excesso que surge no início da vida adulta e está presente em vários contextos, conforme indicado por cinco (ou mais) dos seguintes:

1. Desconforto em situações em que a pessoa não é o centro das atenções.
2. A interação com os outros é frequentemente caracterizada por comportamento sexualmente sedutor inadequado ou provocativo.
3. Exibe mudanças rápidas e expressão superficial das emoções.
4. Usa reiteradamente a aparência física para atrair a atenção para si.
5. Tem um estilo de discurso que é excessivamente impressionista e carente de detalhes.
6. Mostra autodramatização, teatralidade e expressão exagerada das emoções.
7. É sugestionável (i. e., facilmente influenciado pelos outros ou pelas circunstâncias).
8. Considera as relações pessoais mais íntimas do que na realidade são.

Características Diagnósticas

A característica essencial do transtorno da personalidade histriônica é a emocionalidade excessiva e difusa e o comportamento de busca de atenção. Esse padrão surge no início da vida adulta e está presente em vários contextos.

Indivíduos com o transtorno da personalidade histriônica sentem-se desconfortáveis ou não valorizados quando não estão no centro das atenções (Critério 1). Normalmente cheios de vida e dramáticos, tendem a atrair atenção para si mesmos e podem inicialmente fazer novas amizades por seu entusiasmo, abertura aparente ou sedução. Essas qualidades se extinguem, todavia, à medida que esses indivíduos demandam continuadamente ser o centro das atenções. Eles assumem o papel de "alma da festa". Caso não sejam o centro das atenções, podem fazer algo dramático (p. ex., inventar histórias, criar uma cena) para atrair o foco da atenção para si. Tal necessidade é com frequência aparente em seu comportamento com um clínico (p. ex., elogiar, levar presentes, dar descrições dramáticas de sintomas físicos e psicológicos que são substituídos por novos sintomas a cada consulta).

A aparência e o comportamento de indivíduos com esse transtorno são, em geral, sexualmente provocativos ou sedutores de forma inadequada (Critério 2). Esse comportamento é voltado não somente às pessoas por quem o indivíduo tem interesse romântico ou sexual, mas ocorre também em uma grande variedade de relacionamentos sociais, ocupacionais e profissionais, além do que seria apropriado ao contexto social. A expressão emocional pode ser superficial e rapidamente cambiante (Critério 3). Os indivíduos com o transtorno usam reiteradamente a aparência física para atrair as atenções para si (Critério 4). São excessivamente preocupados em impressionar os outros por meio de sua aparência e dedicam muito tempo, energia e dinheiro a roupas e embelezamento. Podem buscar elogios acerca da aparência e também ficar chateados de forma fácil e excessiva em virtude de algum comentário crítico sobre como estão ou por uma fotografia que porventura considerem desfavorável.

Esses indivíduos têm um estilo de discurso excessivamente impressionista e carente de detalhes (Critério 5). Opiniões fortes são expressas de forma dramática, mas as razões subjacentes costumam ser vagas e difusas, sem fatos e detalhes de apoio. Por exemplo, um indivíduo com transtorno da personalidade histriônica pode comentar que determinada pessoa é um ser humano maravilhoso, ainda que não consiga oferecer qualquer exemplo específico de boas qualidades que apoiem sua opinião. Indivíduos com esse transtorno são caracterizados pela autodramatização, pela teatralidade e pela expressão exagerada das emoções (Critério 6). Podem envergonhar amigos e conhecidos pela exibição pública excessiva de emoções (p. ex., abraçar conhecidos casuais com entusiasmo demasiado, chorar de forma inconsolável em ocasiões sentimentais de importância menor, ter ataques de raiva repentinos). Suas emoções, no entanto, frequentemente parecem ser ligadas ou desligadas com muita rapidez para serem sentidas em profundidade, o que pode levar os outros a acusá-los de dissimular esses sentimentos.

Indivíduos com transtorno da personalidade histriônica são altamente sugestionáveis (Critério 7). Suas opiniões e sentimentos são facilmente influenciados pelos outros ou por modismos presentes. Podem confiar em demasia, em especial em figuras fortes de autoridade que veem como capazes de solucionar de forma mágica seus problemas. Têm tendência a dar palpites e a adotar convicções rapidamente. Costumam considerar as relações pessoais como mais íntimas do que realmente são, descrevendo quase todos os conhecidos como "meu queridíssimo amigo" ou fazendo referência a médicos que encontraram uma ou duas vezes em circunstâncias profissionais por seus primeiros nomes (Critério 8).

Características Associadas

O prejuízo em geral tende a ser menor no transtorno da personalidade histriônica do que em muitos outros transtornos da personalidade. No entanto, o prejuízo mais associado ao transtorno da personalidade histriônica parece ser de natureza interpessoal. Indivíduos com transtorno da personalidade histriônica têm um estilo interpessoal caracterizado por domínio social, que pode abranger um espectro de comportamentos que incluem um "domínio mais acalorado", que pode ser intrusivo por natureza (p. ex., precisa ser o centro das atenções; exibicionista), a um "domínio mais frio", que pode incluir comportamentos arrogantes, controladores e agressivos. Relacionamentos românticos parecem ser particularmente prejudicados, com evidências sugerindo que indivíduos com sintomas de transtorno da personalidade histriônica são mais propensos a se divorciar ou nunca se casar. Indivíduos com transtorno da personalidade histriônica podem ter dificuldades em alcançar intimidade emocional em relacionamentos românticos ou sexuais. Indivíduos com esse transtorno geralmente têm relacionamentos difíceis com amigos do mesmo sexo, pois seu estilo interpessoal sexualmente provocativo pode parecer uma ameaça aos relacionamentos afetivos destes. Esses indivíduos podem também afastar os amigos com exigências de atenção constante. Com frequência ficam deprimidos e aborrecidos quando não são o centro das atenções. Podem buscar obstinadamente novidades, estímulos e excitação e ter tendência a entediar-se com a rotina. Não costumam tolerar ou se sentem frustrados por situações envolvendo atraso de gratificação, sendo suas ações costumeiramente voltadas à obtenção de satisfação imediata. Embora com frequência comecem um trabalho ou projeto com muito entusiasmo, seu interesse pode se dissipar rapidamente. Relacionamentos de longa data podem ser negligenciados para dar espaço à excitação de novos relacionamentos.

Prevalência

A prevalência estimada de transtorno da personalidade histriônica com base em uma subamostra de probabilidade da Parte II da *National Comorbidity Survey Replication* foi de 0,0%. A prevalência de transtorno da personalidade histriônica na *National Epidemiologic Survey on Alcohol and Related Conditions* foi de 1,8%. Uma revisão de cinco estudos epidemiológicos (quatro nos Estados Unidos) encontrou prevalência mediana de 0,9%.

Questões Diagnósticas Relativas à Cultura

Normas de comportamento interpessoal, aparência pessoal e expressão emocional variam amplamente entre culturas, gêneros e faixas etárias. Antes de considerar os vários traços (p. ex., emocionalidade, sedução, estilo interpessoal dramático, busca por novidades, sociabilidade, charme, impressionabilidade, tendência à somatização) como evidência de transtorno da personalidade histriônica, é importante avaliar se causam prejuízo ou sofrimento clinicamente significativos. A presença de transtorno da personalidade histriônica deve ser distinguida da expressão reativa e contextual desses traços, surgindo em resposta a pressões de socialização em grupos de pares competitivos, incluindo a "necessidade de ser apreciado", que não representam traços abrangentes e duradouros consistentes com um transtorno da personalidade.

Questões Diagnósticas Relativas ao Sexo e ao Gênero

Em contextos clínicos, esse transtorno foi diagnosticado com mais frequência em mulheres; contudo, a proporção entre os gêneros não é significativamente diferente da proporção de gênero das mulheres no respectivo contexto clínico. Em contraste, alguns estudos usando avaliações estruturadas apontam taxas de prevalência similares entre homens e mulheres.

Associação com Pensamentos ou Comportamentos Suicidas

O risco real de suicídio não é conhecido, mas a experiência clínica sugere que os indivíduos com esse transtorno podem ter um risco maior de gestos ou ameaças suicidas.

Diagnóstico Diferencial

Outros transtornos da personalidade e traços de personalidade. Outros transtornos da personalidade podem ser confundidos com o transtorno da personalidade histriônica pelo fato de apresentarem alguns aspectos em comum. Assim, é importante distinguir entre esses transtornos com base nas diferenças em seus aspectos característicos. Entretanto, se um indivíduo apresenta características de personalidade que atendem aos critérios para um ou mais de um transtorno da personalidade além do transtorno da personalidade histriônica, todos podem ser diagnosticados. Embora o transtorno da personalidade *borderline* possa também ser caracterizado por busca de atenção, comportamento manipulativo e mudanças rápidas de emoções, ele é distinguido pela autodestrutividade, pelos rompantes de raiva nos relacionamentos íntimos e pelos sentimentos crônicos de vazio profundo e perturbação da identidade. Indivíduos com os transtornos da personalidade antissocial e histriônica compartilham uma tendência a impulsividade, superficialidade, busca de excitação, descuido, sedução e manipulação, mas indivíduos com o transtorno da personalidade histriônica tendem a ser mais exagerados nas suas emoções e não costumam envolver-se em comportamentos antissociais. Indivíduos com transtorno da personalidade histriônica manipulam para obter cuidados, ao passo que aqueles com transtorno da personalidade antissocial manipulam para obter lucro, poder ou alguma outra gratificação material. Embora indivíduos com transtorno da personalidade narcisista também busquem obstinadamente a atenção dos outros, eles geralmente querem elogios por sua "superioridade", enquanto pessoas com transtorno da personalidade histriônica desejam ser vistas como frágeis ou dependentes caso isso sirva para a obtenção de atenção. Indivíduos com transtorno da personalidade narcisista podem exagerar a intimidade dos seus relacionamentos com outras pessoas, mas estão mais aptos a reforçar a condição "VIP" ou a riqueza dos amigos. No transtorno da personalidade dependente, o indivíduo é excessivamente dependente dos outros quanto a elogios e orientação, mas não apresenta as características exibicionistas, exageradas e emocionais daqueles com o transtorno da personalidade histriônica.

Muitos indivíduos podem exibir traços da personalidade histriônica. Esses traços somente constituem o transtorno da personalidade histriônica quando são inflexíveis, mal-adaptativos e persistentes e causam prejuízo funcional ou sofrimento subjetivo significativos.

Mudança de personalidade devido a outra condição médica. O transtorno da personalidade histriônica deve ser distinguido da mudança de personalidade devido a outra condição médica, na qual os traços que emergem são uma consequência fisiológica direta de outra condição médica.

Transtornos por uso de substância. O transtorno deve também ser diferenciado de sintomas que podem se desenvolver em associação com o uso persistente de substância.

Comorbidade

O transtorno da personalidade histriônica tem sido associado a taxas mais altas de transtornos da personalidade *borderline*, narcisista, paranoide, dependente e antissocial; uso e abuso indevido de álcool e outras substâncias; assim como a agressão e violência. Transtorno da personalidade histriônica também está relacionado ao transtorno de sintomas somáticos, transtorno de sintomas neurológicos funcionais (transtorno conversivo) e transtorno depressivo maior.

Transtorno da Personalidade Narcisista

Critérios Diagnósticos F60.81

Um padrão difuso de grandiosidade (em fantasia ou comportamento), necessidade de admiração e falta de empatia que surge no início da vida adulta e está presente em vários contextos, conforme indicado por cinco (ou mais) dos seguintes:

1. Tem uma sensação grandiosa da própria importância (p. ex., exagera conquistas e talentos, espera ser reconhecido como superior sem que tenha as conquistas correspondentes).
2. É preocupado com fantasias de sucesso ilimitado, poder, brilho, beleza ou amor ideal.
3. Acredita ser "especial" e único e que pode ser somente compreendido por, ou associado a, outras pessoas (ou instituições) especiais ou com condição elevada.
4. Demanda admiração excessiva.
5. Apresenta um sentimento de possuir direitos (i. e., expectativas irracionais de tratamento especialmente favorável ou que estejam automaticamente de acordo com as próprias expectativas).
6. É explorador em relações interpessoais (i. e., tira vantagem de outros para atingir os próprios fins).
7. Carece de empatia: reluta em reconhecer ou identificar-se com os sentimentos e as necessidades dos outros.
8. É frequentemente invejoso em relação aos outros ou acredita que os outros o invejam.
9. Demonstra comportamentos ou atitudes arrogantes e insolentes.

Características Diagnósticas

A característica essencial do transtorno da personalidade narcisista é um padrão difuso de grandiosidade, necessidade de admiração e falta de empatia que surge no início da vida adulta e está presente em vários contextos.

Indivíduos com o transtorno têm um sentimento grandioso da própria importância, que pode se manifestar como um senso de superioridade, valor ou capacidade exagerado ou irrealista (Critério 1). Superestimam de forma rotineira suas capacidades e exageram suas conquistas, com frequência parecendo pretensiosos e arrogantes. Podem tranquilamente partir do pressuposto de que os outros atribuem o mesmo valor aos seus esforços e podem surpreender-se quando o elogio que esperam e o sentimento que sentem merecer não ocorrem. Comumente implícita nos juízos inflados das próprias conquistas está uma subestimação (desvalorização) das contribuições dos outros. Indivíduos com transtorno da personalidade narcisista estão frequentemente preocupados com fantasias de sucesso ilimitado, poder, brilho, beleza ou amor ideal (Critério 2). Podem ruminar acerca de admiração e privilégios "há muito devidos" e comparar-se favoravelmente a pessoas famosas ou privilegiadas.

As pessoas com esse transtorno creem ser superiores, especiais ou únicas e esperam que os outros as reconheçam como tal (Critério 3). Podem se sentir surpresas ou até mesmo desoladas quando o reconhecimento que esperam e sentem que merecem dos outros não ocorre. Podem sentir que são somente compreendidas por outras pessoas especiais ou de condição elevada, e apenas com elas devem se associar, podendo atribuir qualidades como "únicas", "perfeitas" e "dotadas" àquelas com quem se associam. Indivíduos com esse transtorno acreditam que suas necessidades são especiais e estão além do conhecimento das pessoas comuns. Sua própria autoestima é realçada (i. e., "espelhada") pelo valor idealizado que conferem àqueles com quem se associam. Tendem a insistir em ser atendidos apenas por pessoas "top" (médico, advogado, cabeleireiro, instrutor) ou em ser afiliados às "melhores" instituições, embora possam desvalorizar as credenciais daqueles que os desapontam.

Indivíduos com esse transtorno geralmente exigem admiração excessiva (Critério 4). Sua autoestima é quase invariavelmente muito frágil, e sua luta com graves dúvidas internas, autocrítica e vazio resulta em sua necessidade de buscar ativamente a admiração dos outros. Podem estar preocupados com o quão bem estão se saindo e o quão favoravelmente os outros os consideram. Podem esperar que sua chegada seja saudada com grandes comemorações e ficam atônitos quando os outros não cobiçam seus pertences. Podem constantemente buscar elogios, em geral com muita sedução.

Fica evidente nesses indivíduos uma sensação de possuir direitos, que está enraizada em seu sentido distorcido de autovalorização, por meio das expectativas irracionais de tratamento especialmente favorável que apresentam (Critério 5). Esperam ser servidos e ficam atônitos ou furiosos quando isso não acontece. Por exemplo, podem supor que não precisam aguardar em filas e que suas prioridades são tão importantes que os outros farão uma deferência a eles, irritando-se depois quando estes não os auxiliam "em seu trabalho tão importante". Esperam receber qualquer coisa que desejarem ou sintam necessitar, independentemente do que isso possa significar para os outros. Por exemplo, esses indivíduos podem esperar uma grande dedicação dos outros e podem explorá-los abusivamente sem dar importância ao impacto que esse fato pode ter em suas vidas. Essa sensação de possuir direitos, combinada com falta de sensibilidade aos desejos e necessidades dos outros, pode resultar na exploração consciente ou involuntária de outras pessoas (Critério 6). Tendem a formar relações de amizade ou romance somente se a outra pessoa parece possibilitar o avanço de seus propósitos ou, então, incrementar sua autoestima. Costumam usurpar privilégios especiais e recursos extraordinários que creem merecer. Alguns indivíduos com transtorno da personalidade narcisista tiram vantagem dos outros de modo intencional e proposital, emocional, social, intelectual ou financeiramente para seus próprios propósitos e ganhos.

Indivíduos com transtorno da personalidade narcisista geralmente apresentam falta de empatia e dificuldade de reconhecer ou identificar os desejos, as experiências subjetivas e os sentimentos das outras pessoas (Critério 7). Eles costumam ter algum grau de empatia cognitiva (compreensão do ponto de vista de outra pessoa em um nível intelectual), mas não têm empatia emocional (sentindo diretamente as emoções que outra pessoa está sentindo). Podem não enxergar o quanto ferem os demais com seus comentários

(p. ex., dizer exageradamente a um ex-companheiro "Agora estou em um relacionamento para toda a vida!"; alardear a saúde diante de alguém doente). Quando reconhecidos, as necessidades, os desejos ou os sentimentos das outras pessoas são provavelmente encarados de forma depreciativa como sinais de fraqueza ou vulnerabilidade. Aqueles que se relacionam com indivíduos com transtorno da personalidade narcisista costumam encontrar frieza emocional e falta de interesse recíproco.

Esses indivíduos costumam invejar os outros ou acreditar que estes os invejam (Critério 8). Podem ver com má vontade o sucesso ou os pertences das outras pessoas, sentindo que eles é que são os reais merecedores de tais conquistas, admiração ou privilégios. Podem desvalorizar grosseiramente as contribuições dos outros, sobretudo quando essas pessoas receberam reconhecimento ou elogio pelo que realizaram. Comportamentos arrogantes e insolentes caracterizam esses indivíduos; com frequência exibem esnobismo, desdém ou atitudes condescendentes (Critério 9).

Características Associadas

A vulnerabilidade na autoestima torna os indivíduos com transtorno da personalidade narcisista muito sensíveis a crítica ou derrota. Embora possam não evidenciar isso de forma direta, tais experiências podem deixá-los envergonhados, humilhados, degradados, ocos e vazios. Podem reagir com desdém, fúria ou contra-ataque desafiador. No entanto, tais experiências também podem levar ao retraimento social ou a uma aparência de humildade que pode mascarar e proteger a grandiosidade. As relações interpessoais são tipicamente prejudicadas por problemas relacionados à autopreocupação, direito, necessidade de admiração e desrespeito relativo às sensibilidades dos outros.

Alguns indivíduos com transtorno da personalidade narcisista podem ser competentes e de alto desempenho, com sucesso profissional e social, enquanto outros podem ter vários níveis de comprometimento funcional. A capacidade profissional combinada com autocontrole, estoicismo e distanciamento interpessoal com o mínimo de autorrevelação pode apoiar compromissos duradouros na vida e até permitir o casamento e as afiliações sociais. Às vezes, a ambição e a confiança temporária levam a grandes realizações, mas o desempenho pode ser interrompido devido à autoconfiança flutuante e à intolerância à crítica ou à derrota. Alguns indivíduos com transtorno da personalidade narcisista têm funcionamento vocacional muito baixo, refletindo uma relutância em correr riscos em situações competitivas ou outras em que o fracasso ou a derrota são possíveis.

Baixa autoestima com inferioridade, vulnerabilidade e sentimentos sustentados de vergonha, inveja e humilhação acompanhados de autocrítica e insegurança podem tornar os indivíduos com transtorno da personalidade narcisista suscetíveis a retraimento social, vazio e humor deprimido. Altos padrões perfeccionistas são frequentemente associados a um medo significativo de exposição a imperfeição, fracasso e emoções esmagadoras.

Prevalência

A prevalência estimada de transtorno da personalidade narcisista com base em uma subamostra de probabilidade da Parte II da *National Comorbidity Survey Replication* foi de 0,0%. A prevalência de transtorno da personalidade narcisista na *National Epidemiologic Survey on Alcohol and Related Conditions* foi de 6,2%. Uma revisão de cinco estudos epidemiológicos (quatro nos Estados Unidos) encontrou prevalência mediana de 1,6%.

Desenvolvimento e Curso

Traços narcisistas podem ser particularmente comuns em adolescentes e não necessariamente indicam que o indivíduo vai desenvolver o transtorno da personalidade narcisista na vida adulta. Traços narcisistas predominantes ou manifestações do transtorno completo podem primeiro chamar atenção clínica ou ser exacerbados no contexto de experiências de vida ou crises inesperadas ou extremamente desafiadoras, como falências, rebaixamentos ou perda de trabalho ou divórcios. Além disso, indivíduos com transtorno da personalidade narcisista podem apresentar dificuldades específicas de adaptação ao surgimento de limitações físicas e ocupacionais inerentes ao processo de envelhecimento. No entanto, experiências de vida como novos relacionamentos duradouros, sucessos reais e decepções e contratempos toleráveis podem ser corretivas e contribuir para mudanças e melhorias em indivíduos com esse transtorno.

Questões Diagnósticas Relativas à Cultura

Traços narcisistas podem ser elevados em contextos socioculturais que enfatizam o individualismo e a autonomia pessoal sobre os objetivos coletivos. Em comparação com contextos coletivistas, em contextos individualistas, os traços narcisistas podem justificar menos atenção clínica ou levar menos frequentemente a prejuízo social.

Questões Diagnósticas Relativas ao Sexo e ao Gênero

Entre adultos com idade de 18 anos ou mais, diagnosticados com o transtorno da personalidade narcisista, 50 a 75% são homens. As diferenças de gênero em adultos com esse transtorno incluem maior reatividade em resposta a estresse e processamento empático comprometido nos homens, ao contrário do autofoco e afastamento nas mulheres. Padrões de gênero e expectativas baseadas em cultura também podem contribuir para as diferenças de gênero nos traços e padrões de transtorno da personalidade narcisista.

Associação com Pensamentos ou Comportamentos Suicidas

No contexto do estresse agudo, e dado o perfeccionismo normalmente associado ao transtorno da personalidade narcisista, exposição a imperfeição, falha e emoções esmagadoras podem evocar ideação suicida. Tentativas de suicídio em indivíduos com transtorno da personalidade narcisista costumam ser menos impulsivas e são caracterizadas por maior letalidade em comparação com tentativas de suicídio por indivíduos com outros transtornos da personalidade.

Diagnóstico Diferencial

Outros transtornos da personalidade e traços de personalidade. Outros transtornos da personalidade podem ser confundidos com o da personalidade narcisista pelo fato de apresentarem alguns aspectos em comum. Assim, é importante distinguir entre esses transtornos com base nas diferenças em seus aspectos característicos. Entretanto, se um indivíduo apresenta características de personalidade que atendem aos critérios para um ou mais de um transtorno da personalidade além do transtorno da personalidade narcisista, todos podem ser diagnosticados. A característica mais útil à discriminação do transtorno da personalidade narcisista dos transtornos da personalidade histriônica, antissocial e *borderline*, nos quais os estilos de interação são respectivamente a sedução, a insensibilidade e a carência, é a grandiosidade característica do transtorno da personalidade narcisista. A relativa estabilidade da autoimagem, assim como a ausência relativa de autodestrutividade, impulsividade e preocupações com abandono, também ajuda a distinguir o transtorno da personalidade narcisista do transtorno da personalidade *borderline*.

Orgulho excessivo com as conquistas, falta relativa de demonstração das emoções e desdém pelas sensibilidades dos outros ajudam a distinguir o transtorno da personalidade narcisista do transtorno da personalidade histriônica. Ainda que indivíduos com transtornos da personalidade *borderline*, histriônica e narcisista possam exigir muita atenção, aqueles com transtorno da personalidade narcisista precisam especificamente dessa atenção para serem admirados. Indivíduos com transtorno da personalidade antissocial e personalidade narcisista compartilham uma tendência a ser determinados, desembaraçados, superficiais, exploradores e carentes de empatia. No entanto, o transtorno da personalidade narcisista não inclui necessariamente características de agressividade impulsiva e falsidade. Além disso, indivíduos com transtorno da personalidade antissocial podem ser mais indiferentes e menos sensíveis às reações ou críticas dos outros, e indivíduos com transtorno da personalidade narcisista geralmente não têm história de transtorno da conduta na infância ou comportamento criminoso na idade adulta.

Tanto no transtorno da personalidade narcisista quanto no transtorno da personalidade obsessivo-compulsiva, o indivíduo pode professar um compromisso com o perfeccionismo e acreditar que os outros não são capazes de fazer as coisas tão bem. No entanto, enquanto aqueles com transtorno da personalidade obsessivo-compulsiva tendem a estar mais imersos no perfeccionismo relacionado a ordem e rigidez, os indivíduos com transtorno da personalidade narcisista tendem a estabelecer altos padrões perfeccionistas, especialmente para aparência e desempenho, e ficam criticamente preocupados se não estiverem à altura.

Desconfiança e retraimento social normalmente diferenciam aqueles com transtorno da personalidade esquizotípica ou paranoide daqueles com transtorno da personalidade narcisista. Quando essas características estão presentes em indivíduos com transtorno da personalidade narcisista, elas se originam primariamente de medos de ter imperfeições ou falhas reveladas.

Muitos indivíduos altamente bem-sucedidos exibem traços de personalidade que podem ser considerados narcisistas. Esses traços somente constituem o transtorno da personalidade narcisista quando são inflexíveis, mal-adaptativos e persistentes e causam prejuízo funcional ou sofrimento subjetivo significativos.

Mania ou hipomania. Grandiosidade pode emergir como parte de episódios maníacos ou hipomaníacos, mas a associação com mudanças de humor ou prejuízos funcionais ajuda a distinguir esses episódios do transtorno da personalidade narcisista.

Transtornos por uso de substância. O transtorno da personalidade narcisista deve também ser distinguido de sintomas que podem se desenvolver em associação com o uso persistente de substância.

Transtorno depressivo persistente. Experiências que ameaçam a autoestima podem evocar um profundo sentimento de inferioridade e sentimentos sustentados de vergonha, inveja, autocrítica e insegurança em indivíduos com transtorno da personalidade narcisista, que, por sua vez, podem resultar em sentimentos negativos persistentes semelhantes aos observados no transtorno depressivo persistente. Se também forem atendidos os critérios para transtorno depressivo persistente, ambas as condições podem ser diagnosticadas.

Comorbidade

O transtorno da personalidade narcisista está associado a transtornos depressivos (persistente e maior), anorexia nervosa e transtornos por uso de substâncias (sobretudo relacionados a cocaína). Transtornos da personalidade histriônica, *borderline*, antissocial e paranoide podem estar associados ao transtorno da personalidade narcisista.

Transtornos da Personalidade do Grupo C

Transtorno da Personalidade Evitativa

Critérios Diagnósticos   F60.6

Um padrão difuso de inibição social, sentimentos de inadequação e hipersensibilidade a avaliação negativa que surge no início da vida adulta e está presente em vários contextos, conforme indicado por quatro (ou mais) dos seguintes:

1. Evita atividades profissionais que envolvam contato interpessoal significativo por medo de crítica, desaprovação ou rejeição.
2. Não se dispõe a envolver-se com pessoas, a menos que tenha certeza de que será recebido de forma positiva.

3. Mostra-se reservado em relacionamentos íntimos devido a medo de passar vergonha ou de ser ridicularizado.
4. Preocupa-se com críticas ou rejeição em situações sociais.
5. Inibe-se em situações interpessoais novas em razão de sentimentos de inadequação.
6. Vê a si mesmo como socialmente incapaz, sem atrativos pessoais ou inferior aos outros.
7. Reluta de forma incomum em assumir riscos pessoais ou se envolver em quaisquer novas atividades, pois estas podem ser constrangedoras.

Características Diagnósticas

A característica essencial do transtorno da personalidade evitativa é um padrão difuso de inibição social, sentimentos de inadequação e hipersensibilidade a avaliação negativa que surge no início da vida adulta e está presente em vários contextos.

Indivíduos com transtorno da personalidade evitativa esquivam-se de atividades no trabalho que envolvam contato interpessoal significativo devido a medo de crítica, desaprovação ou rejeição (Critério 1). Ofertas de promoções na vida profissional podem não ser aceitas pelo fato de novas responsabilidades poderem resultar em críticas de colegas. Esses indivíduos evitam fazer novos amigos, a menos que tenham certeza de que serão recebidos de forma positiva e aceitos sem críticas (Critério 2). Até que passem em testes rígidos que provem o contrário, às outras pessoas é atribuída uma natureza crítica e desaprovadora. Indivíduos com esse transtorno evitam participar de atividades em grupo. A intimidade interpessoal costuma ser difícil para eles, embora consigam estabelecer relacionamentos íntimos quando há certeza de aceitação sem críticas. Podem agir de forma reservada, ter dificuldades de conversar sobre si mesmos e conter os sentimentos íntimos por medo de exposição, do ridículo ou de sentirem vergonha (Critério 3).

Visto que indivíduos com esse transtorno estão preocupados em serem criticados ou rejeitados em situações sociais, podem apresentar um limiar bastante baixo para a detecção de tais reações (Critério 4). Ao menor sinal de desaprovação ou crítica, podem se sentir extremamente magoados. Tendem a ser tímidos, quietos, inibidos e "invisíveis" pelo medo de que toda a atenção seja degradante ou rejeitadora. Acreditam que, independentemente do que digam, os outros entenderão como algo "errado"; assim, podem não dizer absolutamente nada. Reagem enfaticamente a sinais sutis que sejam sugestivos de zombaria ou deboche e podem interpretar incorretamente gestos ou declarações neutras como sinais de crítica ou rejeição. Apesar de seu forte desejo de participação na vida social, receiam colocar seu bem-estar psicológico nas mãos de outros. Indivíduos com o transtorno da personalidade evitativa ficam inibidos em situações interpessoais novas, pois se sentem inadequados e têm baixa autoestima (Critério 5). Esses indivíduos veem-se como socialmente incapazes, sem qualquer atrativo pessoal ou inferiores aos outros (Critério 6). Dúvidas sobre competência social e apelo pessoal podem ser mais intensas para alguns indivíduos em ambientes que envolvem interações com estranhos. Mas muitos outros relatam mais dificuldades com a interação repetida, quando o compartilhamento de informações pessoais ocorreria normalmente, aumentando assim, na percepção do indivíduo, as chances de que sua inferioridade fosse revelada e que ele fosse rejeitado. Ao iniciar um novo compromisso social ou ocupacional que exige interação interpessoal repetida, os indivíduos podem, ao longo de semanas ou meses, desenvolver uma convicção crescente de que outros ou colegas os veem como inferiores ou sem valor, resultando em sofrimento ou ansiedade intoleráveis, levando à resignação. Assim, uma história de repetidas mudanças de emprego pode estar presente. Indivíduos com esse transtorno são extraordinariamente relutantes em assumir riscos pessoais ou se envolver em novas atividades porque podem ser embaraçosas (Critério 7). Tendem a exagerar os perigos potenciais de situações comuns, e um estilo de vida restrito pode resultar de sua necessidade de certeza e segurança.

Características Associadas

Indivíduos com transtorno da personalidade evitativa costumam avaliar vigilantemente os movimentos e as expressões daqueles com quem têm contato. Eles tendem a interpretar erroneamente as respostas sociais como críticas, o que, por sua vez, confirma suas dúvidas. São descritos pelas outras pessoas como "envergonhados", "tímidos", "solitários" e "isolados". Os maiores problemas associados a esse transtorno ocorrem no funcionamento social e profissional. A baixa autoestima e a hipersensibilidade à rejeição estão associadas a contatos interpessoais restritos. Esses indivíduos podem se tornar relativamente isolados e geralmente não têm uma grande rede de suporte social que possa ajudá-los a resistir a crises. Desejam afeição e aceitação e podem fantasiar relacionamentos idealizados com os outros. Os comportamentos de evitação podem também afetar adversamente o funcionamento profissional, pois esses indivíduos tentam evitar os tipos de situações sociais que podem ser importantes para o atendimento das demandas básicas do trabalho ou para avanços na profissão.

Indivíduos com transtorno da personalidade evitativa foram descritos como tendo estilos de apego inseguro caracterizados por um desejo de apego emocional (que pode incluir uma preocupação com relacionamentos anteriores e atuais), mas seus medos de que os outros não os valorizem ou possam machucá-los podem levá-los a responder com passividade, raiva ou medo. Esses padrões de apego têm sido chamados de "preocupados" ou "com medo", dependendo do modelo empregado pelos pesquisadores.

Prevalência

A prevalência estimada de transtorno da personalidade evitativa com base em uma subamostra de probabilidade da Parte II da *National Comorbidity Survey Replication* foi de 5,2%. A prevalência de transtorno da personalidade evitativa na *National Epidemiologic Survey on Alcohol and Related Conditions* foi de 2,4%. Uma revisão de seis estudos epidemiológicos (quatro nos Estados Unidos) encontrou prevalência mediana de 2,1%.

Desenvolvimento e Curso

O comportamento evitativo geralmente se inicia na infância, com timidez, isolamento e medo de estranhos e de novas situações. Embora a timidez na infância seja um precursor comum do transtorno da personalidade evitativa, na maior parte dos indivíduos ela tende a se dissipar gradualmente com o passar dos anos. Em contraste, indivíduos que desenvolvem o transtorno da personalidade evitativa podem ficar cada vez mais tímidos e evitativos na adolescência e no início da vida adulta, quando os relacionamentos sociais com novas pessoas se tornam especialmente importantes. Existem algumas evidências de que, nos adultos, o transtorno tende a ficar menos evidente ou a sofrer remissão com o envelhecimento; a prevalência em adultos com mais de 65 anos de idade foi estimada em 0,8%. Esse diagnóstico deve ser considerado com muita cautela em crianças e adolescentes, para os quais timidez e evitação podem ser adequadas do ponto de vista do desenvolvimento.

Questões Diagnósticas Relativas à Cultura

Pode existir variação no grau com que grupos culturais e étnicos diferentes encaram o retraimento e a evitação como apropriados. Além disso, comportamento de evitação pode ser consequência de problemas na aculturação após a imigração. Em alguns contextos socioculturais, a evitação acentuada pode ocorrer após constrangimento social (perda de respeito) ou falha em atingir os principais objetivos de vida, em vez de timidez temperamental. Nesses ambientes, o objetivo da evitação inclui a minimização deliberada das interações sociais para preservar a harmonia social ou evitar ofensas públicas.

Questões Diagnósticas Relativas ao Sexo e ao Gênero

Em pesquisa com a população geral, o transtorno da personalidade evitativa parece ser mais comum em mulheres do que em homens. Essa diferença de gênero na prevalência é pequena, mas consistentemente encontrada em grandes amostras populacionais.

Diagnóstico Diferencial

Transtorno de ansiedade social. Parece existir uma grande sobreposição entre o transtorno da personalidade evitativa e o transtorno de ansiedade social. Tem sido sugerido que eles podem representar diferentes manifestações de problemas subjacentes semelhantes, ou o transtorno da personalidade evitativa pode ser uma forma mais grave de transtorno de ansiedade social. No entanto, diferenças também foram descritas, sobretudo em relação ao autoconceito (como autoestima e sentimento de inferioridade no transtorno da personalidade evitativa); a última é uma evidência indireta, pois mostra que o autoconceito negativo no transtorno de ansiedade social pode ser instável e, portanto, menos difundido e arraigado do que no transtorno da personalidade evitativa. Além disso, estudos mostraram que o transtorno da personalidade evitativa, com frequência, ocorre na ausência de transtorno da ansiedade social, e alguns fatores de risco distintos foram identificados, fornecendo suporte para a manutenção de duas categorias diagnósticas separadas.

Agorafobia. A evitação também caracteriza tanto o transtorno da personalidade evitativa quanto a agorafobia, sendo que eles são frequentemente concomitantes. Eles podem ser distinguidos pela motivação para a evitação (p. ex., medo de pânico ou dano físico na agorafobia).

Outros transtornos da personalidade e traços de personalidade. Outros transtornos da personalidade podem ser confundidos com transtorno da personalidade evitativa pelo fato de apresentarem alguns aspectos em comum. Assim, é importante distinguir entre esses transtornos com base nas diferenças em seus aspectos característicos. Entretanto, se um indivíduo apresenta características de personalidade que atendem aos critérios para um ou mais de um transtorno da personalidade além do transtorno da personalidade evitativa, todos podem ser diagnosticados. O transtorno da personalidade evitativa e o transtorno da personalidade dependente são caracterizados por sentimentos de inadequação, hipersensibilidade à crítica e necessidade de garantias. Comportamentos (p. ex., falta de assertividade) e características (p. ex., baixa autoestima e baixa autoconfiança) semelhantes podem ser observados no transtorno da personalidade dependente e no transtorno da personalidade evitativa, embora outros comportamentos sejam nitidamente divergentes, como evitação de proximidade social no transtorno da personalidade evitativa, mas busca de proximidade no transtorno da personalidade dependente. As motivações por trás de comportamentos semelhantes podem ser bem diferentes. Por exemplo, a falta de assertividade no transtorno da personalidade evitativa é descrita como mais intimamente relacionada ao medo de ser rejeitado ou humilhado, enquanto no transtorno da personalidade dependente é motivada pelo desejo de evitar ser deixado à própria sorte. No entanto, ambos os transtornos podem ser particularmente suscetíveis a ocorrerem simultaneamente. Tal como o transtorno da personalidade evitativa, os transtornos da personalidade esquizoide e esquizotípica caracterizam-se por isolamento social. Contudo, os indivíduos com transtorno da personalidade evitativa desejam ter relacionamentos com outras pessoas e sentem sua solidão de forma profunda, ao passo que aqueles com os transtornos da personalidade esquizoide ou esquizotípica podem ficar satisfeitos e até preferir o isolamento social. Os transtornos da personalidade paranoide e evitativa são caracterizados pela relutância em confiar nos outros. No entanto, no transtorno da personalidade evitativa, essa relutância é atribuível mais ao medo de sentir vergonha ou de ser considerado inadequado do que ao medo de intenções maldosas de outras pessoas.

Muitos indivíduos demonstram traços da personalidade evitativa. Esses traços somente constituem o transtorno da personalidade evitativa quando são inflexíveis, mal-adaptativos e persistentes e causam prejuízo funcional ou sofrimento subjetivo significativos.

Mudança de personalidade devido a outra condição médica. O transtorno da personalidade evitativa deve ser distinguido da mudança de personalidade devido a outra condição médica, na qual os traços que emergem são uma consequência fisiológica direta de outra condição médica.

Transtornos por uso de substância. O transtorno da personalidade evitativa também deve ser distinguido de sintomas que podem se desenvolver em associação com o uso persistente de substância.

Comorbidade

Outros transtornos que normalmente são diagnosticados em conjunto com transtorno da personalidade evitativa incluem transtornos depressivos e de ansiedade, especialmente o transtorno de ansiedade social. O transtorno da personalidade evitativa também costuma ser diagnosticado com transtorno da personalidade esquizoide. O transtorno da personalidade evitativa está associado a maiores taxas de transtornos por uso de substância e a uma taxa semelhante à forma generalizada do transtorno de ansiedade social.

Transtorno da Personalidade Dependente

Critérios Diagnósticos   F60.7

Uma necessidade difusa e excessiva de ser cuidado que leva a comportamento de submissão e apego que surge no início da vida adulta e está presente em vários contextos, conforme indicado por cinco (ou mais) dos seguintes:

1. Tem dificuldades em tomar decisões cotidianas sem uma quantidade excessiva de conselhos e reasseguramento de outros.
2. Precisa que outros assumam responsabilidade pela maior parte das principais áreas de sua vida.
3. Tem dificuldades em manifestar desacordo com outros devido a medo de perder apoio ou aprovação. (**Nota:** Não incluir os medos reais de retaliação.)
4. Apresenta dificuldade em iniciar projetos ou fazer coisas por conta própria (devido mais a falta de autoconfiança em seu julgamento ou em suas capacidades do que a falta de motivação ou energia).
5. Vai a extremos para obter carinho e apoio de outros, a ponto de voluntariar-se para fazer coisas desagradáveis.
6. Sente-se desconfortável ou desamparado quando sozinho devido a temores exagerados de ser incapaz de cuidar de si mesmo.
7. Busca com urgência outro relacionamento como fonte de cuidado e amparo logo após o término de um relacionamento íntimo.
8. Tem preocupações irreais com medos de ser abandonado à própria sorte.

Características Diagnósticas

A característica essencial do transtorno da personalidade dependente é uma necessidade difusa e excessiva de ser cuidado que leva a comportamento de submissão e apego e a temores de separação. Esse padrão surge no início da vida adulta e está presente em vários contextos. Os comportamentos de dependência e submissão formam-se com o intuito de conseguir cuidado e derivam de uma autopercepção de não ser capaz de funcionar adequadamente sem a ajuda de outros.

Indivíduos com o transtorno da personalidade dependente apresentam grande dificuldade em tomar decisões cotidianas (p. ex., a cor de camisa a vestir, ou levar ou não o guarda-chuva) sem uma quantidade excessiva de conselhos e reasseguramentos oferecidos por outros (Critério 1). Esses indivíduos tendem a ser passivos e a permitir que outros (frequentemente apenas uma pessoa) tomem a iniciativa e assumam a responsabilidade pela maior parte das principais áreas de suas vidas (Critério 2). Adultos com o transtorno costumam depender de pai ou mãe ou cônjuge para decidir onde morar, o tipo de trabalho a realizar e os vizinhos com quem fazer amizade. Adolescentes com o transtorno podem permitir que seus pais decidam o que devem vestir, com quem fazer amizade, como usar o tempo livre e a escola ou universidade para onde ir. Essa necessidade de que outras pessoas assumam a responsabilidade vai além das solicitações de auxílio adequadas à idade ou à situação (p. ex., as necessidades específicas de crianças, idosos e pessoas deficientes). O transtorno da personalidade dependente pode ser diagnosticado em um indivíduo que tenha uma condição ou incapacidade médica grave, mas nesses casos a dificuldade em assumir responsabilidade precisa ir além daquilo que estaria normalmente associado a essa condição ou incapacidade.

Como existe o receio de perder apoio ou aprovação, indivíduos com o transtorno da personalidade dependente frequentemente apresentam dificuldade em expressar discordância de outras pessoas, em especial daquelas de quem são dependentes (Critério 3). Eles se sentem tão incapazes de funcionar sozinhos que podem vir a concordar com coisas que consideram erradas apenas para não arriscar perder a ajuda daqueles que procuram para orientação. Eles não expressam raiva em relação aos outros de cujo apoio e cuidados necessitam, por medo de se indisporem. Se as preocupações do indivíduo em relação às consequências de expressar discordância forem realistas (p. ex., medos reais de punição de um cônjuge abusivo), o comportamento não deve ser considerado evidência de transtorno da personalidade dependente.

Indivíduos com esse transtorno apresentam dificuldades para iniciar projetos ou fazer coisas de forma independente (Critério 4). Carecem de autoconfiança e acham que precisam de ajuda para iniciar e finalizar tarefas. Podem vir a aguardar os outros para começar algo, pois pensam que, em regra, os outros podem fazer esse algo melhor. Esses indivíduos têm convicção de serem incapazes de funcionar independentemente e apresentam-se como incapazes e como se necessitassem de assistência constante. Entretanto, é provável que funcionem adequadamente caso tenham certeza de que outra pessoa estará supervisionando e aprovando seu trabalho. Pode haver receio de se tornar ou parecer mais competente, pois podem acreditar que isso levará ao abandono. Visto que contam com os outros para lidar com seus problemas, com frequência não aprendem as habilidades para uma vida independente, perpetuando, assim, a dependência.

Indivíduos com transtorno da personalidade dependente podem ir a extremos para conseguir cuidado e apoio de outros, a ponto até de voluntariar-se para tarefas desagradáveis caso esse comportamento possa proporcionar a atenção de que precisam (Critério 5). Estão dispostos a se submeter ao que os outros desejam, mesmo que as demandas não sejam razoáveis. Sua necessidade de manter um vínculo importante resultará frequentemente em relacionamentos desequilibrados ou distorcidos. Essas pessoas podem fazer sacrifícios extraordinários ou tolerar abuso verbal, físico ou sexual. (Deve-se observar que esse comportamento deve ser considerado evidência de transtorno da personalidade dependente apenas quando puder ser claramente estabelecido que existem outras opções para o indivíduo.) Indivíduos com esse transtorno sentem-se desconfortáveis ou desamparados quando estão sozinhos devido aos temores exagerados de não serem capazes de cuidar de si mesmos (Critério 6).

Ao término de um relacionamento íntimo (p. ex., rompimento com companheiro afetivo, morte de cuidador), indivíduos com transtorno da personalidade dependente podem buscar urgentemente outro relacionamento para obter os cuidados e o apoio de que necessitam (Critério 7). Sua crença de que são incapazes de funcionar na ausência de um relacionamento íntimo motiva-os a tornarem-se rápida e indiscriminadamente apegados a outra pessoa. Com frequência preocupam-se com medos de serem abandonados à própria sorte (Critério 8). Veem-se como tão completamente dependentes dos conselhos e da ajuda de uma outra pessoa significativa que se preocupam com a possibilidade de serem abandonados por essa pessoa mesmo quando não há justificativa para esses temores. Para que sejam considerados evidência desse critério, os medos devem ser excessivos e irreais. Por exemplo, um idoso com câncer que se muda para a casa do filho para ser cuidado está demonstrando comportamento dependente adequado, consideradas suas circunstâncias de vida.

Características Associadas

Indivíduos com transtorno da personalidade dependente com frequência são caracterizados por pessimismo e autoquestionamentos, tendem a subestimar suas capacidades e seus aspectos positivos. Encaram críticas e desaprovação como prova de sua desvalia e perdem a fé em si mesmos. Podem buscar superproteção e dominação por parte dos outros. O funcionamento ocupacional pode ser prejudicado diante da necessidade de iniciativas independentes. Podem evitar cargos de responsabilidade e ficar ansiosos diante de decisões.

Prevalência

A prevalência estimada de transtorno da personalidade dependente com base em uma subamostra de probabilidade da Parte II da *National Comorbidity Survey Replication* foi de 0,6%. A prevalência do transtorno da personalidade dependente na *National Epidemiologic Survey on Alcohol and Related Conditions* foi de 0,5%. Uma revisão de seis estudos epidemiológicos (quatro nos Estados Unidos) encontrou prevalência mediana de 0,4%.

Desenvolvimento e Curso

Esse diagnóstico deve ser realizado com muita cautela, ou até não ser realizado, em crianças e adolescentes, para os quais um comportamento dependente pode ser apropriado do ponto de vista do desenvolvimento.

Questões Diagnósticas Relativas à Cultura

O grau até o qual comportamentos dependentes são considerados apropriados varia substancialmente entre diferentes faixas etárias e grupos socioculturais. Idade e fatores culturais devem ser considerados na avaliação do limiar diagnóstico de cada critério. O comportamento dependente deve ser considerado característico do transtorno somente quando for claramente excessivo em relação às normas da cultura do indivíduo ou refletir preocupações não realistas. Ênfase na passividade, na educação e na deferência é característica de algumas sociedades e pode ser mal interpretada como traço do transtorno da personalidade dependente. De forma semelhante, as sociedades podem, de maneiras diferenciadas, fomentar e desencorajar comportamento dependente em homens e mulheres. Indivíduos com transtorno da personalidade dependente exibem incapacidade generalizada de tomar decisões, sentimentos contínuos de subjugação, falta de iniciativa, silêncio e distanciamento social que excedem em muito as normas culturais usuais de polidez e passividade intencional.

Questões Diagnósticas Relativas ao Sexo e ao Gênero

Em contextos clínicos e comunitários, o transtorno da personalidade dependente tem sido diagnosticado mais frequentemente nas mulheres, em comparação com os homens.

Diagnóstico Diferencial

Transtorno de ansiedade de separação em adultos. Adultos com transtorno de ansiedade de separação geralmente se preocupam demais com seus filhos, cônjuges, pais e animais de estimação e experimentam um desconforto acentuado quando separados deles. Em contraste, indivíduos com transtorno da personalidade dependente sentem-se desconfortáveis ou desamparados quando estão sozinhos por causa de medos exagerados de serem incapazes de cuidar de si mesmos.

Outros transtornos mentais e condições médicas. O transtorno da personalidade dependente deve ser distinguido da dependência decorrente de outros transtornos mentais (p. ex., transtornos depressivos, transtorno de pânico, agorafobia) e daquela associada a outras condições médicas.

Outros transtornos da personalidade e traços de personalidade. Outros transtornos da personalidade podem ser confundidos com o transtorno da personalidade dependente pelo fato de apresentarem alguns aspectos em comum. Assim, é importante distinguir entre esses transtornos com base nas diferenças em seus aspectos característicos. Entretanto, se um indivíduo apresenta características de personalidade que atendem a critérios para um ou mais de um transtorno da personalidade além do transtorno da personalidade dependente, todos podem ser diagnosticados. Embora muitos transtornos da personalidade sejam caracterizados por aspectos dependentes, o transtorno da personalidade dependente pode ser distinguido por seu comportamento predominantemente submisso e apegado e pela autopercepção da pessoa de não ser capaz de funcionar adequadamente sem a ajuda e apoio de outros. Tanto o transtorno da personalidade dependente quanto o da personalidade *borderline* caracterizam-se pelo medo do abandono; contudo, o indivíduo com transtorno da personalidade *borderline* reage ao abandono com sentimentos de vazio emocional, fúria e exigências, ao passo que aquele com transtorno da personalidade dependente reage com calma e submissão crescentes e busca urgentemente um relacionamento substituto que dê atenção e apoio. O transtorno da personalidade *borderline* pode ser ainda diferenciado do transtorno da personalidade dependente por um padrão típico de relacionamentos instáveis e intensos. Indivíduos com transtorno da personalidade histriônica, assim como aqueles com transtorno da personalidade dependente, apresentam grande necessidade de reasseguramento e aprovação e podem parecer infantis e apegados. No entanto, diferentemente do transtorno da personalidade dependente, que se caracteriza pelo retraimento e pelo comportamento dócil, o transtorno da personalidade histriônica se caracteriza pelo exibicionismo social com exigências ativas de atenção. Além disso, indivíduos com transtorno da personalidade histriônica normalmente têm menos percepção sobre suas necessidades de dependência subjacentes do que pessoas com transtorno da personalidade dependente. Tanto o transtorno da personalidade dependente quanto o da personalidade evitativa caracterizam-se por sentimentos de inadequação, hipersensibilidade à crítica e necessidade de reasseguramento; indivíduos com transtorno da personalidade evitativa, todavia, sentem tanto medo de humilhação e rejeição que se retraem até ter certeza da aceitação. Indivíduos com o transtorno da personalidade dependente, pelo contrário, apresentam um padrão de busca e manutenção dos laços com pessoas significativas, e não de evitação e de retirada dos relacionamentos.

Muitos indivíduos exibem traços da personalidade dependente. Esses traços somente constituem o transtorno da personalidade dependente quando são inflexíveis, mal-adaptativos e persistentes e causam prejuízo funcional ou sofrimento subjetivo significativos.

Mudança de personalidade devido a outra condição médica. O transtorno da personalidade dependente deve ser diferenciado da mudança de personalidade devido a outra condição médica, na qual os traços que emergem são uma consequência fisiológica direta de outra condição médica.

Transtornos por uso de substância. O transtorno da personalidade dependente deve também ser distinguido de sintomas que podem se desenvolver em associação com o uso persistente de substância.

Comorbidade

Pode existir risco aumentado de transtornos depressivos, de ansiedade e de adaptação. O transtorno da personalidade dependente costuma coocorrer com outros transtornos da personalidade, especialmente *borderline*, evitativa e histriônica. Doença física crônica ou transtorno de ansiedade de separação na infância ou adolescência podem predispor o indivíduo ao desenvolvimento desse transtorno.

Transtorno da Personalidade Obsessivo-compulsiva

Critérios Diagnósticos   F60.5

Um padrão difuso de preocupação com ordem, perfeccionismo e controle mental e interpessoal à custa de flexibilidade, abertura e eficiência que surge no início da vida adulta e está presente em vários contextos, conforme indicado por quatro (ou mais) dos seguintes:

1. É tão preocupado com detalhes, regras, listas, ordem, organização ou horários a ponto de o objetivo principal da atividade ser perdido.
2. Demonstra perfeccionismo que interfere na conclusão de tarefas (p. ex., não consegue completar um projeto porque seus padrões próprios demasiadamente rígidos não são atingidos).
3. É excessivamente dedicado ao trabalho e à produtividade em detrimento de atividades de lazer e amizades (não explicado por uma óbvia necessidade financeira).
4. É excessivamente consciencioso, escrupuloso e inflexível quanto a assuntos de moralidade, ética ou valores (não explicado por identificação cultural ou religiosa).

5. É incapaz de descartar objetos usados ou sem valor mesmo quando não têm valor sentimental.
6. Reluta em delegar tarefas ou trabalhar com outras pessoas a menos que elas se submetam à sua forma exata de fazer as coisas.
7. Adota um estilo miserável de gastos em relação a si e a outros; o dinheiro é visto como algo a ser acumulado para futuras catástrofes.
8. Exibe rigidez e teimosia.

Características Diagnósticas

A característica essencial do transtorno da personalidade obsessivo-compulsiva é uma preocupação com ordem, perfeccionismo e controle mental e interpessoal à custa de flexibilidade, abertura e eficiência. Esse padrão surge no início da vida adulta e está presente em vários contextos.

Indivíduos com transtorno da personalidade obsessivo-compulsiva tentam manter uma sensação de controle por meio de atenção cuidadosa a regras, pequenos detalhes, procedimentos, listas, cronogramas ou forma a ponto de o objetivo principal da atividade ser perdido (Critério 1). São excessivamente cuidadosos e propensos à repetição, prestando extraordinária atenção aos detalhes e conferindo repetidas vezes na busca por possíveis erros, perdendo o controle do tempo nesse processo. Por exemplo, quando esses indivíduos esquecem onde colocaram uma lista de coisas a fazer, gastam tempo demais procurando a lista em vez de gastar alguns instantes refazendo-a de memória e passando à execução das tarefas. Eles ignoram o fato de que outras pessoas podem se incomodar muito com os atrasos e as inconveniências que resultam desse comportamento, pois preferem responder à sua ansiedade sobre cometer um engano ou sua insistência em como as coisas deveriam ser feitas. O tempo é mal alocado, e as tarefas mais importantes são deixadas por último. O perfeccionismo e os padrões elevados de desempenho autoimpostos causam disfunção e sofrimento significativo a esses indivíduos. Podem ficar de tal forma envolvidos em tornar cada detalhe de um projeto absolutamente perfeito que este jamais é concluído (Critério 2). Por exemplo, a conclusão de um relatório escrito é retardada por várias reescritas que tomam tempo, de modo que tudo fica aquém da "perfeição". Os prazos geralmente não são atendidos ou o indivíduo tem um padrão de exercer esforço extraordinário (p. ex., trabalhando durante a noite, deixando de se alimentar) para cumprir o prazo na última hora, e aspectos da vida do indivíduo que não são o foco atual da atividade podem desorganizar-se.

Indivíduos com esse transtorno demonstram dedicação excessiva ao trabalho e à produtividade, a ponto de excluir atividades de lazer e amizades (Critério 3). Esse comportamento não é explicado por necessidade financeira. Com frequência sentem que não têm tempo para tirar uma tarde ou um fim de semana de folga para viajar ou apenas relaxar. Podem ficar postergando atividades agradáveis, como as férias, de modo que elas podem jamais ocorrer. Quando realmente dedicam algum tempo para lazer ou férias, sentem-se bastante desconfortáveis, a não ser que tenham consigo algum tipo de trabalho de modo a não "desperdiçarem tempo". Pode haver muita concentração em tarefas domésticas (p. ex., limpeza excessiva e repetida a ponto de "poder comer direto do chão"). Quando ficam algum tempo com os amigos, é provável que seja em algum tipo de atividade formalmente organizada (p. ex., esportes). Passatempos e atividades de recreação são levados como tarefas sérias que exigem organização criteriosa e trabalho duro para serem dominadas. A ênfase recai sobre o desempenho perfeito. Esses indivíduos transformam o jogo e brincadeiras em tarefas estruturadas (p. ex., corrigindo um bebê que não põe os círculos em um cilindro de madeira na ordem correta; dizendo a uma criança para andar de triciclo em linha reta; transformando um jogo de futebol em uma dura "lição").

Indivíduos com transtorno da personalidade obsessivo-compulsiva podem ser excessivamente conscienciosos, escrupulosos e inflexíveis acerca de assuntos de moralidade, ética ou valores (Critério 4). Podem obrigar-se e obrigar os outros a seguir princípios morais rígidos e padrões muito austeros de desempenho. Podem, ainda, ser críticos impiedosos em relação aos próprios erros ou julgar severamente os erros morais ou éticos dos outros. Indivíduos com esse transtorno respeitam autoridade e regras com extrema consideração e insistem em obedecer às regras de forma bastante literal e inflexível. Por exemplo, o indivíduo não irá emprestar uma moeda a um amigo que precisa dela para um telefonema porque ele mesmo não é "do tipo que pede emprestado ou empresta" ou porque seria ruim para o caráter da pessoa. Essas características não devem ser explicadas por identificação cultural ou religiosa do indivíduo.

Indivíduos com esse transtorno podem ser incapazes de descartar objetos usados ou sem valor, mesmo na ausência de valor sentimental (Critério 5). Frequentemente admitem ser acumuladores. Consideram o descarte de objetos um desperdício, pois "nunca se sabe quando poderá precisar de alguma coisa". A bagunça também pode resultar de um acúmulo de material de leitura parcialmente lido ou projetos inacabados que o indivíduo pretende realizar algum dia, mas que foram deixados de lado devido à procrastinação e/ou a um estilo de trabalho meticuloso, mas lento. Esses indivíduos ficarão chateados se alguém tentar se livrar das coisas que eles guardaram. Seus cônjuges ou parceiros podem se queixar da quantidade de espaço ocupado por coisas velhas, pilhas de material de leitura, aparelhos quebrados, e assim por diante.

Essas pessoas relutam em delegar tarefas ou em trabalhar em conjunto (Critério 6). De maneira teimosa e injustificada, insistem que tudo precisa ser feito a seu modo e que as pessoas têm de se conformar com sua maneira de fazer as coisas. Com frequência dão instruções bastante detalhadas sobre como tudo deve ser feito (p. ex., só há uma forma de cortar a grama, lavar os pratos, colocar as roupas na lavadora, construir uma casa para o cachorro), até ao ponto de microgerenciar os outros, e ficam surpresos e irritados quando outros sugerem alternativas criativas. Em outras ocasiões, podem rejeitar ofertas de ajuda mesmo quando atrasados no cronograma, pois consideram que ninguém pode fazer as coisas tão bem quanto eles mesmos.

Indivíduos com esse transtorno podem ser miseráveis e mesquinhos (tendo dificuldade para gastar dinheiro consigo mesmos e com outros) e manter um padrão de vida bastante inferior ao que podem sustentar, acreditando que os gastos devem ser rigidamente controlados para garantir sustento em catástrofes futuras (Critério 7). O transtorno da personalidade obsessivo-compulsiva caracteriza-se por rigidez e teimosia (Critério 8). Indivíduos com o transtorno estão tão preocupados em realizar as tarefas da única maneira "certa" que enfrentam dificuldades para concordar com as ideias de qualquer outra pessoa. Esses indivíduos planejam o futuro nos mínimos detalhes e não se dispõem a avaliar possíveis mudanças nos planos ou em suas rotinas normais. Completamente envolvidos pela própria perspectiva, têm dificuldade de reconhecer os pontos de vista dos outros. Amigos e colegas podem se frustrar por essa rigidez constante. Mesmo quando reconhecem que ceder pode ser interessante para eles mesmos, podem de forma teimosa recusar-se a isso alegando ser este "o princípio da coisa".

Características Associadas

Quando regras e procedimentos estabelecidos não ditam a resposta correta, tomar uma decisão pode se tornar um processo demorado e desgastante (p. ex., procurar todas as opções antes de fazer uma compra). Indivíduos com transtorno da personalidade obsessivo-compulsiva podem ter tanta dificuldade para decidir as tarefas às quais dar prioridade ou qual a melhor maneira de fazer alguma tarefa específica que podem jamais começar o que quer que seja. Têm propensão ao aborrecimento ou à raiva em situações nas quais não conseguem manter controle do seu ambiente físico ou interpessoal, embora a raiva não costume ser manifestada de forma direta. Por exemplo, o indivíduo pode ficar irritado diante de um serviço insatisfatório em um restaurante, mas, em vez de queixar-se ao gerente, fica ruminando sobre quanto dar de gorjeta. Em outras ocasiões, a raiva pode ser expressa por meio de indignação em relação a um assunto aparentemente insignificante. Indivíduos com esse transtorno podem dar atenção especial a seu estado relativo nas relações de domínio-submissão e podem exibir deferência excessiva a uma autoridade que respeitam e resistência excessiva a uma que não respeitam.

Indivíduos com esse transtorno têm dificuldade para se relacionar e compartilhar emoções. Por exemplo, eles podem manifestar afeto de forma altamente controlada ou artificial e podem sentir grande desconforto na presença de outros que se expressam com emoção. As relações cotidianas são sérias e formais, e eles podem parecer sisudos em situações em que outros sorririam e ficariam alegres (p. ex., saudar um namorado no aeroporto). Eles se contêm cuidadosamente até estarem certos de que o que dirão será perfeito. Podem se preocupar com a lógica e com o intelecto e ser intolerantes ao comportamento afetivo dos outros. Com frequência apresentam dificuldades de expressar sentimentos amorosos e raramente fazem elogios. Indivíduos com esse transtorno podem ter dificuldades e sofrimento no trabalho, sobretudo quando confrontados com novas situações que exijam flexibilidade e transigência.

Prevalência

A prevalência estimada de transtorno da personalidade obsessivo-compulsiva com base em uma subamostra de probabilidade da Parte II da *National Comorbidity Survey Replication* foi de 2,4%. A prevalência de transtorno da personalidade obsessivo-compulsiva na *National Epidemiologic Survey on Alcohol and Related Conditions* foi de 7,9%. Uma revisão de cinco estudos epidemiológicos (três nos Estados Unidos) encontrou prevalência mediana de 4,7%.

Questões Diagnósticas Relativas à Cultura

Ao avaliar um indivíduo em relação a transtorno da personalidade obsessivo-compulsiva, o clínico não deve incluir aqueles comportamentos que refletem hábitos, costumes ou estilos interpessoais que são culturalmente aceitos pelo grupo de referência do indivíduo. Algumas comunidades culturais dão muita ênfase ao trabalho e à produtividade, e alguns membros de grupos socioculturais (p. ex., certos grupos religiosos, profissões, migrantes) às vezes podem adotar rigidamente códigos de conduta; demandas de trabalho; ambientes sociais restritivos; regras de comportamento; ou padrões que enfatizam excesso de consciência, escrupulosidade moral e busca pelo perfeccionismo, que podem ser reforçados por normas do grupo cultural. Tais comportamentos não devem, por si só, ser considerados indícios de transtorno da personalidade obsessivo-compulsiva.

Questões Diagnósticas Relativas ao Sexo e ao Gênero

Em estudos populacionais, o transtorno da personalidade obsessivo-compulsiva parece ser diagnosticado igualmente em homens e mulheres.

Diagnóstico Diferencial

Transtorno obsessivo-compulsivo (TOC). Apesar dos nomes semelhantes, o TOC costuma ser distinguido do transtorno da personalidade obsessivo-compulsiva pela presença, no primeiro, de obsessões e compulsões verdadeiras. Quando atendidos os critérios para transtorno da personalidade obsessivo-compulsiva e TOC, ambos os diagnósticos devem ser registrados.

Transtorno de acumulação. Um diagnóstico de transtorno de acumulação deve ser especialmente cogitado quando a acumulação é extrema (p. ex., pilhas de objetos sem valor acumulados representam perigo de incêndio e dificultam que outras pessoas transitem pela casa). Quando atendidos os critérios para transtorno da personalidade obsessivo-compulsiva e transtorno de acumulação, ambos os diagnósticos devem ser registrados.

Outros transtornos da personalidade e traços de personalidade. Outros transtornos da personalidade podem ser confundidos com o transtorno da personalidade obsessivo-compulsiva pelo fato de apresentarem aspectos em comum. Assim, é importante fazer a distinção entre esses transtornos com base nas diferenças em seus aspectos característicos. Entretanto, se um indivíduo apresenta características de personalidade que satisfazem critérios para um ou mais de um transtorno da personalidade além do transtorno da personalidade obsessivo-compulsiva, todos podem ser diagnosticados. Indivíduos com transtorno da personalidade narcisista podem também professar compromisso com o perfeccionismo e acreditar que os outros não fazem bem as coisas, mas estão mais propensos a achar que atingiram a perfeição, ao passo que aqueles com o transtorno da personalidade obsessivo-compulsiva costumam ser autocríticos. Indivíduos com o transtorno da personalidade narcisista ou antissocial carecem de generosidade, mas pouparão a si mesmos desse padrão, enquanto aqueles com transtorno da personalidade obsessivo-compulsiva adotam um estilo miserável de gastos para si e para os outros. Tanto o transtorno da personalidade esquizoide quanto o da personalidade obsessivo-compulsiva podem ser caracterizados por formalidade e distanciamento social aparentes. Neste último, isso se origina do desconforto com as emoções e da dedicação excessiva ao trabalho; já no transtorno da personalidade esquizoide, existe ausência fundamental de capacidade para a intimidade.

Quando moderados, traços da personalidade obsessivo-compulsiva podem ser especialmente adaptativos, sobretudo em situações que recompensam alto desempenho. Esses traços somente constituem o transtorno da personalidade obsessivo-compulsiva quando são inflexíveis, mal-adaptativos e persistentes e causam prejuízo funcional e sofrimento subjetivo significativos.

Mudança de personalidade devido a outra condição médica. O transtorno da personalidade obsessivo-compulsiva deve ser distinguido da mudança de personalidade devido a outra condição médica, na qual os traços que emergem são uma consequência fisiológica direta de outra condição médica

Transtornos por uso de substância. O transtorno da personalidade obsessivo-compulsiva deve ser também distinguido de sintomas que podem se desenvolver em associação com o uso persistente de substância.

Comorbidade

Indivíduos com transtornos de ansiedade (p. ex., transtorno de ansiedade generalizada, transtorno de ansiedade de separação, transtorno de ansiedade social, fobias específicas) e TOC têm maior probabilidade de ter um transtorno da personalidade que atenda aos critérios para transtorno da personalidade obsessivo-compulsiva. Mesmo assim, parece que a maioria das pessoas com TOC não apresenta um padrão de comportamento que atenda aos critérios para esse transtorno da personalidade. Muitas das características do transtorno da personalidade obsessivo-compulsiva sobrepõem-se às características de personalidade "tipo A" (p. ex., preocupação com o trabalho, competitividade, urgência temporal), e essas podem estar presentes em indivíduos com risco de infarto do miocárdio. Pode haver associação entre transtorno da personalidade obsessivo-compulsiva e transtornos bipolar e depressivo e transtornos alimentares.

Outros Transtornos da Personalidade

Mudança de Personalidade Devido a Outra Condição Médica

Critérios Diagnósticos — F07.0

A. Uma perturbação persistente da personalidade que representa uma mudança do padrão característico prévio da personalidade do indivíduo.
   Nota: Em crianças, a perturbação envolve um desvio acentuado do desenvolvimento normal ou uma mudança significativa nos padrões habituais de comportamento da criança, com duração de pelo menos um ano.

B. Há evidência, a partir da história, do exame físico ou de achados laboratoriais, de que a perturbação é a consequência fisiopatológica direta de outra condição médica.
C. A perturbação não é mais bem explicada por outro transtorno mental (incluindo outro transtorno mental devido a outra condição médica).
D. A perturbação não ocorre exclusivamente durante o curso de *delirium*.
E. A perturbação causa sofrimento clinicamente significativo ou prejuízo no funcionamento social, profissional ou em outras áreas importantes da vida do indivíduo.

Determinar o subtipo:
  Tipo lábil: Quando o aspecto predominante é labilidade afetiva.
  Tipo desinibido: Quando o aspecto predominante é controle deficiente dos impulsos conforme evidenciado por indiscrições sexuais, etc.
  Tipo agressivo: Quando o aspecto predominante é comportamento agressivo.
  Tipo apático: Quando o aspecto predominante é apatia e indiferença marcantes.
  Tipo paranoide: Quando o aspecto predominante é desconfiança ou ideação paranoide.
  Outro tipo: Quando a apresentação não se caracteriza por nenhum dos subtipos anteriores.
  Tipo combinado: Quando mais de um aspecto predomina no quadro clínico.
  Tipo não especificado

Nota para codificação: Incluir o nome da outra condição médica (p. ex., F07.0 mudança de personalidade devido a epilepsia do lobo temporal). A outra condição médica deve ser codificada e listada em separado imediatamente antes do transtorno da personalidade devido a outra condição médica (p. ex., G40.209 epilepsia do lobo temporal; F07.0 mudança de personalidade devido a epilepsia do lobo temporal).

Subtipos

A mudança de personalidade em questão pode ser especificada por meio da indicação da apresentação sintomática que predomina na apresentação clínica.

Características Diagnósticas

A característica essencial de mudança de personalidade devido a outra condição médica é uma perturbação persistente da personalidade que é considerada consequência fisiológica de outra condição médica. Essa perturbação da personalidade representa uma mudança em relação ao padrão de personalidade característico prévio do indivíduo. Em crianças, essa condição pode se manifestar mais como um desvio acentuado do desenvolvimento normal do que como uma mudança no padrão estável de personalidade (Critério A). Pode haver evidência, a partir da história, do exame físico e dos achados laboratoriais, de que a mudança de personalidade é a consequência fisiológica direta de outra condição médica (Critério B). O diagnóstico não é realizado quando a perturbação é mais bem explicada por outro transtorno mental (Critério C). Não é realizado também o diagnóstico se a perturbação ocorre exclusivamente durante o curso de *delirium* (Critério D). A perturbação deve, ainda, causar sofrimento clinicamente significativo ou prejuízo no funcionamento social, profissional ou em outras áreas importantes da vida do indivíduo (Critério E).

Manifestações comuns da mudança de personalidade incluem instabilidade afetiva, controle deficiente de impulsos, explosões de agressão ou fúria grosseiramente desproporcionais em relação a qualquer estressor psicossocial desencadeante, apatia acentuada, desconfiança ou ideias paranoides. A fenomenologia da mudança é indicada usando-se os subtipos listados no conjunto de critérios. Um indivíduo com o transtorno costuma ser caracterizado pelos outros como "não sendo ele (ou ela)". Ainda que partilhe o termo "personalidade" com os demais transtornos da personalidade, esse diagnóstico é distinto em razão de sua etiologia específica, fenomenologia diferente e surgimento e curso mais variáveis.

A apresentação clínica em determinado indivíduo pode depender da natureza e da localização do processo patológico. Por exemplo, lesão de lobos frontais pode desencadear sintomas como falta de

Mudança de Personalidade Devido a Outra Condição Médica

julgamento ou previsão, jocosidade, desinibição e euforia. Neste exemplo, o diagnóstico de mudança de personalidade devido a lesão do lobo frontal seria feito se um transtorno da personalidade persistente fosse um desvio do padrão de personalidade característico anterior do indivíduo antes da lesão (Critério A). Acidentes vasculares cerebrais no hemisfério direito já demonstraram evocar mudanças de personalidade associadas a negligência espacial unilateral, anosognosia (i. e., incapacidade do indivíduo de reconhecer um déficit corporal ou funcional, como a existência de hemiparesia), impersistência motora e outros déficits neurológicos.

Características Associadas

Várias condições neurológicas e outras condições médicas podem causar mudanças de personalidade, inclusive neoplasias do sistema nervoso central, traumatismo cranioencefálico, doença cerebrovascular, doença de Huntington, epilepsia, doenças infecciosas com envolvimento do sistema nervoso central (p. ex., HIV), doenças endócrinas (p. ex., hipotireoidismo, hipo e hiperadrenocorticismo) e doenças autoimunes com envolvimento do sistema nervoso central (p. ex., lúpus eritematoso sistêmico). Os achados associados do exame físico, dos exames laboratoriais e os padrões de prevalência e início refletem aqueles da condição neurológica ou da outra condição médica envolvida.

Diagnóstico Diferencial

Condições médicas crônicas associadas a dor e incapacidade. Condições médicas crônicas associadas a dor e incapacidade podem estar também associadas a mudanças na personalidade. O diagnóstico de mudança de personalidade devido a outra condição médica é feito apenas quando pode ser estabelecido um mecanismo fisiopatológico direto. O diagnóstico não é feito quando a mudança é decorrente de uma adaptação comportamental ou psicológica ou de uma resposta a outra condição médica (p. ex., comportamentos dependentes que resultam da necessidade da assistência de outros após traumatismo cranioencefálico grave, doença cardiovascular ou demência).

***Delirium* ou transtorno neurocognitivo maior.** Mudança de personalidade é uma característica frequentemente associada a *delirium* ou transtorno neurocognitivo maior. Um diagnóstico separado de mudança de personalidade devido a outra condição médica não é feito quando a mudança ocorre exclusivamente durante o curso de *delirium*. No entanto, o diagnóstico de alteração de personalidade devido a outra condição médica pode ser dado em acréscimo ao diagnóstico de transtorno neurocognitivo maior quando a mudança de personalidade é uma consequência fisiológica do processo patológico que causa o transtorno neurocognitivo e se a mudança de personalidade for uma parte destacada da apresentação clínica.

Outro transtorno mental em razão de outra condição médica. O diagnóstico de mudança de personalidade devido a outra condição médica não é realizado quando a perturbação é mais bem explicada por outro transtorno mental devido a outra condição médica (p. ex., transtorno depressivo devido a tumor cerebral).

Transtornos por uso de substância. Mudanças de personalidade também podem ocorrer no contexto de transtornos por uso de substância, em especial quando de longa duração. O clínico deve questionar cuidadosamente a natureza e a duração do uso de substância. Se o clínico desejar indicar uma relação etiológica entre a mudança de personalidade e o uso da substância, ele poderá usar a outra categoria especificada para a substância específica (p. ex., outro transtorno específico relacionado a estimulantes com mudança de personalidade).

Outros transtornos mentais. Mudanças acentuadas de personalidade também podem ser uma característica associada de outros transtornos mentais (p. ex., esquizofrenia, transtorno delirante, transtornos depressivo e bipolar, outro comportamento disruptivo especificado ou não especificado, transtorno do controle de impulsos e da conduta, transtorno de pânico). Nesses transtornos, porém, nenhum fator fisiológico específico é considerado como tendo relação etiológica com a mudança de personalidade.

Outros transtornos da personalidade. Mudança de personalidade devido a outra condição médica pode ser distinguida de um transtorno da personalidade pela exigência de uma mudança clinicamente significativa a partir do funcionamento de base da personalidade e da presença de uma condição médica etiológica específica.

Outro Transtorno da Personalidade Especificado

F60.89

Esta categoria aplica-se a apresentações em que sintomas característicos de um transtorno da personalidade que causam sofrimento clinicamente significativo ou prejuízo no funcionamento social, profissional ou em outras áreas importantes da vida do indivíduo predominam, mas não satisfazem todos os critérios para qualquer transtorno na classe diagnóstica dos transtornos da personalidade. A categoria outro transtorno da personalidade especificado é usada nas situações em que o clínico opta por comunicar a razão específica pela qual a apresentação não satisfaz os critérios para qualquer transtorno da personalidade específico. Isso é feito por meio do registro de "outro transtorno da personalidade especificado", seguido pela razão específica (p. ex., "características mistas de personalidade").

Transtorno da Personalidade Não Especificado

F60.9

Esta categoria aplica-se a apresentações em que sintomas característicos de um transtorno da personalidade que causam sofrimento clinicamente significativo ou prejuízo no funcionamento social, profissional ou em outras áreas importantes da vida do indivíduo predominam, mas não satisfazem todos os critérios para qualquer transtorno na classe diagnóstica dos transtornos da personalidade. A categoria transtorno da personalidade não especificado é usada nas situações em que o clínico opta por não especificar a razão pela qual os critérios para um transtorno da personalidade específico não são satisfeitos e inclui apresentações para as quais não há informações suficientes para que seja feito um diagnóstico mais específico.

Transtornos Parafílicos

Os transtornos parafílicos inclusos neste Manual são: transtorno voyeurista (espiar outras pessoas em atividades privadas), transtorno exibicionista (expor os genitais), transtorno frotteurista (tocar ou esfregar-se em indivíduo que não consentiu), transtorno do masoquismo sexual (passar por humilhação, submissão ou sofrimento), transtorno do sadismo sexual (infligir humilhação, submissão ou sofrimento), transtorno pedofílico (foco sexual em crianças), transtorno fetichista (usar objetos inanimados ou ter um foco altamente específico em partes não genitais do corpo) e transtorno transvéstico (vestir roupas do gênero oposto visando à excitação sexual). Esses transtornos têm sido tradicionalmente selecionados para serem listados e terem seus critérios diagnósticos explícitos apontados no DSM por duas razões principais: são relativamente comuns em comparação com outros transtornos parafílicos e alguns deles implicam ações para sua satisfação que, devido à característica nociva e ao dano potencial a outros, são classificadas como delitos criminais. Os oito transtornos listados não esgotam a lista de possíveis transtornos parafílicos. Dezenas de parafilias distintas foram identificadas e nomeadas, e quase todas poderiam, em virtude de suas consequências negativas para o indivíduo e para outras pessoas, chegar ao nível de um transtorno parafílico.

Neste capítulo, a ordem de apresentação dos transtornos parafílicos listados corresponde, em geral, a esquemas comuns de classificação para essas condições. O primeiro grupo de transtornos baseia-se em *preferências por atividades anormais*. Esses transtornos são subdivididos em *transtornos do namoro,* os quais se assemelham a componentes distorcidos do comportamento de namoro (transtornos voyeurista, exibicionista e frotteurista), e *transtornos da algolagnia,* os quais envolvem dor e sofrimento (transtornos do masoquismo sexual e do sadismo sexual). O segundo grupo de transtornos baseia-se em *preferências por alvo anômalo.* Esses transtornos incluem um que tem como alvo outros seres humanos (transtorno pedofílico) e dois que têm outros alvos (transtornos fetichista e transvéstico).

O termo *parafilia* representa qualquer interesse sexual intenso e persistente que não aquele voltado para a estimulação genital ou para carícias preliminares com parceiros humanos que consentem e apresentam fenótipo normal e maturidade física. Em certas circunstâncias, o critério "intenso e persistente" pode ser de difícil aplicação, como na avaliação de pessoas muito idosas ou clinicamente doentes e que podem não ter interesses sexuais "intensos" de qualquer espécie. Nesses casos, o termo *parafilia* pode ser definido como qualquer interesse sexual maior ou igual a interesses sexuais normofílicos. Existem, ainda, parafilias específicas que são geralmente mais bem descritas como interesses sexuais *preferenciais* do que como interesses sexuais intensos.

Algumas parafilias envolvem principalmente as atividades eróticas do indivíduo; outras têm a ver sobretudo com seus alvos eróticos. Exemplos das primeiras incluem interesses intensos e persistentes em espancar, chicotear, cortar, amarrar ou estrangular outra pessoa, ou um interesse por essas atividades que seja igual ou maior do que o interesse do indivíduo em copular ou em interagir de forma equivalente com outra pessoa. Exemplos das demais incluem interesse sexual intenso ou preferencial por crianças, cadáveres ou amputados (como classe), bem como interesse intenso ou preferencial por animais, como cavalos ou cães, ou por objetos inanimados, como sapatos ou artigos de borracha. O padrão de interesses parafílicos de um indivíduo geralmente se reflete em sua escolha de pornografia.

Um *transtorno parafílico* é uma parafilia que atualmente está causando sofrimento ou comprometimento ao indivíduo ou uma parafilia cuja satisfação implicou dano pessoal, ou risco de dano, a outras pessoas. Uma parafilia é condição necessária, mas não suficiente, para que se tenha um transtorno parafílico, e uma parafilia por si só não necessariamente justifica ou requer intervenção clínica.

No conjunto de critérios diagnósticos para cada transtorno parafílico listado, o Critério A especifica a natureza qualitativa da parafilia (p. ex., foco erótico em crianças ou em expor a genitália a estranhos), e o Critério B especifica suas consequências negativas (i. e., sofrimento, prejuízo ou dano a outros). Para manter a distinção entre parafilias e transtornos parafílicos, o termo *diagnóstico* deve ser reservado a indivíduos que atendam aos Critérios A e B (i. e., indivíduos que têm um transtorno parafílico). Se um indivíduo atende ao Critério A mas não ao Critério B para determinada parafilia – circunstância esta que pode surgir quando uma parafilia benigna é descoberta durante a investigação clínica de alguma outra condição –, pode-se dizer, então, que ele tem aquela parafilia, mas não um transtorno parafílico.

Não é raro um indivíduo manifestar duas ou mais parafilias. Em alguns casos, os focos parafílicos têm relação próxima, e a conexão entre eles é intuitivamente compreensível (p. ex., fetichismo com os pés e com sapatos). Em outros casos, a conexão entre as parafilias não é óbvia, e a presença de múltiplas parafilias pode ser coincidência ou ter relação com alguma vulnerabilidade generalizada a anomalias do desenvolvimento psicossexual. Seja qual for a condição, diagnósticos comórbidos de transtornos parafílicos distintos podem ser feitos quando mais de uma parafilia causa sofrimento ao indivíduo ou dano a outros.

Em decorrência da natureza bipartida do diagnóstico de transtornos parafílicos, escalas aplicadas pelo clínico ou autoaplicadas e avaliações da gravidade podem abordar tanto a intensidade da parafilia em si quanto a gravidade de suas consequências. Embora o sofrimento e o prejuízo estipulados no Critério B sejam específicos por representar a consequência imediata ou final da parafilia, e não a consequência de algum outro fator, os fenômenos de depressão reativa, ansiedade, culpa, história profissional insatisfatória, relações sociais perturbadas e assim por diante podem ter outras origens e ser quantificados com medidas polivalentes de funcionamento psicossocial ou qualidade de vida.

Transtorno Voyeurista

Critérios Diagnósticos   F65.3

A. Por um período de pelo menos seis meses, excitação sexual recorrente e intensa ao observar uma pessoa que ignora estar sendo observada e que está nua, despindo-se ou em meio a atividade sexual, conforme manifestado por fantasias, impulsos ou comportamentos.

B. O indivíduo colocou em prática esses impulsos sexuais com pessoa que não consentiu, ou os impulsos ou as fantasias sexuais causam sofrimento clinicamente significativo ou prejuízo no funcionamento social, profissional ou em outras áreas importantes da vida do indivíduo.

C. O indivíduo que se excita e/ou coloca em prática os impulsos tem, no mínimo, 18 anos de idade.

Especificar se:

Em ambiente protegido: Esse especificador é aplicável principalmente a indivíduos institucionalizados ou moradores de outros locais onde as oportunidades de envolvimento em comportamento voyeurístico são limitadas.

Em remissão completa: O indivíduo não colocou em prática os impulsos com pessoa que não consentiu, e não houve sofrimento ou prejuízo no funcionamento social, profissional ou em outras áreas da vida do indivíduo por pelo menos cinco anos enquanto em um ambiente não protegido.

Especificadores

O especificador "em remissão completa" não trata da presença ou ausência continuada do voyeurismo por si só, o qual pode ainda estar presente após a remissão dos comportamentos e do sofrimento.

Características Diagnósticas

Os critérios diagnósticos para o transtorno voyeurista podem ser aplicados tanto a indivíduos que revelam de forma mais ou menos aberta esse interesse parafílico quanto àqueles que categoricamente negam qualquer excitação sexual decorrente da observação de pessoa que ignora estar sendo observada e que está nua, despindo-se ou em meio a atividade sexual, apesar de evidências objetivas substanciais do contrário. Se indivíduos que revelam o interesse também relatam sofrimento ou problemas psicossociais devido a suas preferências sexuais voyeuristas, eles podem ser diagnosticados com transtorno voyeurista. No entanto, se eles não relatam sofrimento, o que fica provado pela ausência de ansiedade, obsessões, culpa ou vergonha acerca desses impulsos parafílicos, e não apresentam prejuízo em outras áreas importantes do funcionamento devido a esse interesse sexual, e suas histórias psiquiátricas ou legais indicam que não colocam tal interesse em prática, pode-se considerar que esses indivíduos têm interesse sexual voyeurista, mas *não* se deve diagnosticá-los com o transtorno.

Indivíduos não confessos incluem, por exemplo, aqueles que sabidamente espionam repetidas vezes pessoas que ignoram estar sendo observadas e que estão nuas ou envolvidas em atividade sexual, mas que negam quaisquer impulsos ou fantasias referentes a tal comportamento sexual e que podem relatar que esses episódios conhecidos de observação de pessoas nuas ou em atividade sexual foram todos acidentais e não sexuais. Outros podem revelar episódios passados de observação de pessoas nuas ou em atividade sexual que ignoram estar sendo observadas, mas contestar qualquer interesse sexual significativo ou contínuo nesse comportamento. Visto que esses indivíduos negam ter fantasias ou impulsos de observar outras pessoas nuas ou em atividade sexual, eles também rejeitam sentir sofrimento subjetivo ou prejuízo social por tais impulsos. Apesar de sua atitude de não revelação, tais indivíduos podem ser diagnosticados com transtorno voyeurista. Comportamento voyeurista recorrente constitui respaldo suficiente para voyeurismo (por atender ao Critério A) e, simultaneamente, demonstra que esse comportamento de motivação parafílica está causando dano a outros indivíduos (por atender ao Critério B).

Espionar de forma "recorrente" pessoas que ignoram estar sendo observadas e que estão nuas ou envolvidas em atividade sexual pode, via de regra, ser interpretado como a presença de várias vítimas, cada uma em uma ocasião distinta; esse requisito de múltiplas vítimas em ocasiões distintas é relevante porque aumenta a confiança na dedução clínica de que indivíduo é motivado pelo transtorno voyeurista. A existência de menos vítimas pode ser interpretada como atendendo a esse critério caso tenha havido múltiplas ocasiões de observação da mesma vítima ou caso existam evidências que corroborem um interesse distinto ou preferencial na observação secreta de pessoas nuas ou em atividade sexual que ignoram estar sendo observadas. Deve-se ressaltar que vítimas múltiplas, conforme sugerido, representam condição suficiente, embora não necessária, para o diagnóstico; os critérios podem ser também atendidos se o indivíduo admite interesse sexual voyeurista intenso.

A adolescência e a puberdade costumam aumentar a curiosidade e a atividade sexuais. Para reduzir o risco de patologização do interesse e comportamento sexuais normais durante a adolescência puberal, a idade mínima para o diagnóstico do transtorno voyeurista é 18 anos (Critério C).

Prevalência

A prevalência populacional de indivíduos cujas apresentações atendem a todos os critérios para transtorno voyeurista é desconhecida. Atos voyeuristas, no entanto, são os mais comuns entre comportamentos sexuais com potencial de desrespeito às leis. Por exemplo, em uma amostra de pesquisa por telefone e internet em Quebec, a prevalência de comportamentos voyeuristas ao longo da vida chegou a 34,5% (50,3% em homens, 21,2% em mulheres). Dado que esse mesmo estudo evidenciou que um "desejo intenso" e um "comportamento persistente" ocorrem com muito menos frequência (9,6 e 2,1%, respectivamente), a prevalência de transtorno voyeurista provavelmente é muito menor. A proporção de comportamento voyeurista em homens e mulheres foi de aproximadamente 2:1 na amostra de Quebec e 3:1 em uma amostra populacional sueca. Em um estudo conduzido na Áustria que determinou quais transtornos específicos eram prevalentes em uma amostra de 1.346 indivíduos encarcerados por crimes sexuais, evidenciou-se uma prevalência de transtorno voyeurista de 3,7%.

Desenvolvimento e Curso

Homens adultos com transtorno voyeurista costumam se dar conta, pela primeira vez, de seu interesse sexual por observar secretamente pessoas que ignoram estar sendo observadas durante a adolescência. A idade mínima, entretanto, para um diagnóstico de transtorno voyeurista é 18 anos, pois existe grande dificuldade em diferenciar esse transtorno da curiosidade e de atividade sexuais relacionadas à puberdade e adequadas à idade. A persistência do voyeurismo com o passar do tempo não está clara.

Com ou sem tratamento do transtorno voyeurista, o sofrimento subjetivo (p. ex., culpa, vergonha, frustração sexual intensa, solidão) ou prejuízo advindo do transtorno podem mudar com o tempo, pois diversos fatores podem afetar o curso do transtorno, como doença psiquiátrica, hipersexualidade e impulsividade sexual. Assim, a gravidade e o curso podem variar com o tempo. Da mesma forma que ocorre com outras preferências sexuais, o avanço da idade pode estar associado à redução das preferências e do comportamento sexual voyeuristas.

Fatores de Risco e Prognóstico

Temperamentais. Como o voyeurismo é precondição necessária para o transtorno voyeurista, os fatores de risco para voyeurismo devem também aumentar a taxa do transtorno voyeurista.

Ambientais. Abuso sexual na infância, abuso de substâncias e preocupação sexual/hipersexualidade foram sugeridos como fatores de risco, embora a relação causal para o comportamento voyeurista seja incerta, e a especificidade, indefinida.

Questões Diagnósticas Relativas ao Sexo e ao Gênero

O transtorno voyeurista é bastante raro em mulheres em contextos clínicos, ao passo que a proporção entre homens e mulheres para atos isolados de voyeurismo sexualmente excitantes é menos extrema e pode ser de 2:1 a 3:1.

Diagnóstico Diferencial

Voyeurismo. Indivíduos com voyeurismo experimentam excitação sexual recorrente e intensa pelo ato de observar uma pessoa desavisada que está nua, no processo de se despir ou em atividade sexual. A menos que o indivíduo atue de acordo com esses impulsos com uma pessoa desavisada (p. ex., espiando sorrateiramente pela janela de um vizinho) ou que não exista sofrimento clinicamente significativo ou prejuízo no funcionamento social, ocupacional ou de outras áreas de atuação importantes, um diagnóstico de transtorno voyeurista não é garantido.

Episódio maníaco, transtorno neurocognitivo maior, transtorno do desenvolvimento intelectual, mudança de personalidade devido a outra condição médica, intoxicação por substância e esquizofrenia. Indivíduos com transtorno neurocognitivo maior, transtorno do desenvolvimento intelectual, mudança de personalidade devido a outra condição médica ou esquizofrenia, ou que estão em episódio maníaco ou sob efeito de intoxicação por substância podem se tornar sexualmente desinibidos ou ter julgamento ou controle de impulsos prejudicados, vindo a se envolver em comportamento voyeurista. Caso esse comportamento ocorra no contexto de um desses transtornos, o diagnóstico de transtorno voyeurista não deve ser feito.

Transtorno da conduta e transtorno da personalidade antissocial. O transtorno da conduta em adolescentes e o transtorno da personalidade antissocial são caracterizados por comportamentos adicionais antissociais e contra as normas, e o interesse sexual específico de observar secretamente pessoas que ignoram estar sendo observadas e que estão nuas ou envolvidas em atividade sexual deve estar ausente.

Comorbidade

Comorbidades conhecidas no transtorno voyeurista baseiam-se amplamente em pesquisas com homens suspeitos de ou condenados por atos envolvendo a observação secreta de pessoas nuas ou em atividade sexual que ignoram estar sendo observadas. Assim, essas comorbidades podem não se aplicar a todos os indivíduos com o transtorno. As condições comórbidas ao transtorno incluem hipersexualidade e outros transtornos parafílicos, particularmente o transtorno exibicionista. Os transtornos depressivo, bipolar, de ansiedade, por uso de substância, de déficit de atenção/hiperatividade, da conduta e da personalidade antissocial são também condições comórbidas frequentes.

Transtorno Exibicionista

Critérios Diagnósticos   F65.2

A. Por um período de pelo menos seis meses, excitação sexual recorrente e intensa decorrente da exposição dos próprios genitais a uma pessoa que não espera o fato, conforme manifestado por fantasias, impulsos ou comportamentos.

B. O indivíduo colocou em prática esses impulsos sexuais com uma pessoa que não consentiu, ou os impulsos ou as fantasias sexuais causam sofrimento clinicamente significativo ou prejuízo no funcionamento social, profissional ou em outras áreas importantes da vida do indivíduo.

Determinar o subtipo:

    Excitado sexualmente pela exposição dos genitais a crianças pré-púberes
    Excitado sexualmente pela exposição dos genitais a indivíduos fisicamente maduros
    Excitado sexualmente pela exposição dos genitais a crianças pré-púberes e a indivíduos fisicamente maduros

Especificar se:

    Em ambiente protegido: Esse especificador é aplicável principalmente a indivíduos institucionalizados ou moradores de outros locais onde as oportunidades de exposição da própria genitália são limitadas.
    Em remissão completa: O indivíduo não colocou em prática os impulsos com pessoa que não consentiu, e não houve sofrimento ou prejuízo no funcionamento social, profissional ou em outras áreas da vida do indivíduo por pelo menos cinco anos enquanto em um ambiente não protegido.

Subtipos

Os subtipos do transtorno exibicionista baseiam-se na idade e na maturidade física das pessoas que não consentiram a exposição da genitália por parte do indivíduo. Os que não consentem podem ser crianças pré-púberes, adultos ou ambos. Esse especificador deve ajudar a focar atenção adequada em características de vítimas de indivíduos com o transtorno exibicionista para evitar que um transtorno pedofílico concomitante passe despercebido. No entanto, indicações de que o indivíduo com transtorno exibicionista excita-se sexualmente ao expor sua genitália a crianças não devem excluir um diagnóstico de transtorno pedofílico.

Especificadores

O especificador "em remissão completa" não se refere à presença ou à ausência continuada de exibicionismo por si só, o qual pode ainda estar presente após a remissão de comportamentos e sofrimento.

Características Diagnósticas

Os critérios diagnósticos para transtorno exibicionista podem ser aplicados tanto a indivíduos que mais ou menos abertamente revelam essa parafilia quanto àqueles que negam categoricamente qualquer atrativo sexual em expor os genitais a pessoas que não esperam o fato, apesar de evidências objetivas substanciais do contrário. Se indivíduos que revelam seus interesses também relatam dificuldades psicossociais em razão de suas atrações ou preferências sexuais por expor, eles podem ser diagnosticados com transtorno exibicionista. Diferentemente, se declaram ausência de sofrimento (exemplificada por ausência de ansiedade, obsessões e culpa ou vergonha acerca desses impulsos parafílicos), não apresentam prejuízos em outras áreas importantes do funcionamento, e se o autorrelato e as histórias psiquiátricas ou legais indicam que não colocam em prática esses interesses sexuais, tais indivíduos podem ser caracterizados como tendo interesse sexual exibicionista, mas não podem ser diagnosticados com o transtorno exibicionista.

Exemplos de indivíduos que não relevam seus interesses incluem aqueles que se expõem repetidas vezes a pessoas que não esperam o fato em ocasiões distintas, mas que negam impulsos ou fantasias sobre tal comportamento sexual e informam que os episódios conhecidos de exposição foram todos acidentais e não sexuais. Outros podem revelar episódios passados de comportamento sexual envolvendo exposição genital, mas refutar qualquer interesse sexual significativo ou contínuo em comportamentos desse tipo. Como esses indivíduos negam ter impulsos ou fantasias que envolvem a exposição da genitália, acabam também negando sentimentos de sofrimento subjetivo ou prejuízo social em decorrência de tais impulsos. Esses indivíduos podem ser diagnosticados com o transtorno exibicionista apesar do autorrelato negativo. Comportamento exibicionista recorrente constitui respaldo suficiente para exibicionismo (Critério A) e simultaneamente demonstra que esse comportamento com motivação parafílica está causando dano a outros (Critério B).

Exposição genital "recorrente" a outros que não esperam o fato pode ser interpretada como exigindo várias vítimas, cada uma em uma ocasião separada; esse requisito de múltiplas vítimas em ocasiões separadas é relevante porque aumenta a confiança na dedução clínica de que o indivíduo é motivado por transtorno exibicionista. Menos vítimas é um dado que pode ser interpretado como atendendo a esse critério caso tenha havido múltiplas ocasiões de exposição à mesma vítima ou caso haja evidências corroborativas de um interesse forte ou preferencial em expor os genitais a pessoas que não percebem o fato. Deve-se ressaltar que vítimas múltiplas, conforme sugerido anteriormente, constituem condição suficiente, mas não necessária, para o diagnóstico, já que os critérios podem ser atendidos pelo reconhecimento do indivíduo de um interesse sexual exibicionista intenso com sofrimento e/ou prejuízo.

Prevalência

A prevalência populacional de indivíduos cujas apresentações atendem a todos os critérios para transtorno exibicionista é desconhecida, embora o transtorno seja bastante raro em mulheres. Atos exibicionistas, no entanto, não são incomuns, e atos exibicionistas sexualmente excitantes ocorrem em até metade da frequência entre as mulheres em comparação com os homens. Em uma amostra de pesquisa via internet e telefone em Quebec, a prevalência de comportamentos exibicionistas ao longo da vida foi relatada em 30,9% (32,6% em homens, 29,4% em mulheres). Dado que esse mesmo estudo evidenciou que um "desejo intenso" e um "comportamento persistente" ocorrem com muito menos frequência (4,8 e 0,8%, respectivamente), a prevalência de transtorno exibicionista provavelmente deve ser muito menor. Um estudo sueco, por exemplo, sugeriu que a prevalência ao longo da vida do transtorno exibicionista na população geral foi de 4,1% em homens e 2,1% em mulheres.

Desenvolvimento e Curso

Homens adultos com o transtorno exibicionista frequentemente relatam que se tornaram conscientes pela primeira vez do interesse sexual em expor a genitália a pessoas que não esperam o fato durante a adolescência ou mais tarde em comparação com o período típico do desenvolvimento do interesse sexual normal em mulheres ou homens. Embora não exista idade mínima exigida para o diagnóstico de transtorno exibicionista, pode ser difícil diferenciar comportamentos exibicionistas de curiosidade sexual adequada à idade em adolescentes. Impulsos exibicionistas parecem surgir na adolescência ou no início da vida adulta, mas se sabe muito pouco sobre sua persistência ao longo do tempo. Com ou sem tratamento de transtorno exibicionista, o sofrimento subjetivo (p. ex., culpa, vergonha, frustração sexual intensa, solidão) ou o prejuízo devido ao transtorno podem mudar com o tempo, assim como diversos fatores que podem potencialmente afetar o curso do transtorno, como morbidade psiquiátrica, hipersexualidade e impulsividade sexual. Portanto, a gravidade e o curso podem variar com o tempo. Assim como ocorre com outras preferências sexuais, o avanço da idade pode estar associado à redução das preferências e do comportamento sexual exibicionista.

Fatores de Risco e Prognóstico

Temperamentais. Visto que o exibicionismo é uma precondição necessária para o transtorno exibicionista, os fatores de risco para exibicionismo devem também aumentar o risco de transtorno exibicionista. História antissocial, transtorno da personalidade antissocial, abuso de álcool e preferência sexual pedofílica podem aumentar o risco de recidiva sexual nos indivíduos exibicionistas. Assim, transtorno da personalidade antissocial, transtorno por uso de álcool e interesse pedofílico podem ser considerados fatores de risco para transtorno exibicionista em homens com preferências sexuais exibicionistas.

Ambientais. Abuso sexual e emocional e preocupação sexual e hipersexualidade na infância foram sugeridos como fatores de risco para o exibicionismo, embora a relação causal entre eles seja incerta, e a especificidade, ainda não esclarecida.

Diagnóstico Diferencial

Exibicionismo. Indivíduos com exibicionismo experimentam excitação sexual recorrente e intensa pelo ato de expor seus genitais a uma pessoa que não espera o fato. A menos que o indivíduo atue de acordo com esses impulsos com uma pessoa desavisada (p. ex., expondo seus genitais a passageiros em um trem) ou que não exista sofrimento clinicamente significativo ou prejuízo no funcionamento social, ocupacional ou em outras áreas importantes da vida do indivíduo, um diagnóstico de transtorno exibicionista não é garantido.

Episódio maníaco, transtorno neurocognitivo maior, transtorno do desenvolvimento intelectual, mudança de personalidade devido a outra condição médica, intoxicação por substância e esquizofrenia. Indivíduos com transtorno neurocognitivo maior, transtorno do desenvolvimento intelectual, mudança de personalidade devido a outra condição médica ou esquizofrenia, ou que estão em episódio maníaco ou sob efeito de intoxicação por substância podem se tornar sexualmente desinibidos ou ter julgamento ou controle de impulsos prejudicados, vindo a se envolver em comportamento exibicionista. Caso esse comportamento ocorra no contexto de um desses transtornos, o diagnóstico de transtorno exibicionista não deve ser feito.

Transtorno da conduta e transtorno da personalidade antissocial. Transtorno da conduta em adolescentes e transtorno da personalidade antissocial são caracterizados por comportamentos adicionais de descumprimento de normas e comportamentos antissociais, e o interesse sexual específico na exposição dos genitais normalmente não estará presente.

Comorbidade

Comorbidades conhecidas do transtorno exibicionista baseiam-se em grande parte nas pesquisas com indivíduos (quase todos homens) condenados por atos criminosos envolvendo exposição da genitália a indivíduos que não consentiram com isso. Assim, essas comorbidades podem não se aplicar a todos os indivíduos que atendem aos critérios para um diagnóstico de transtorno exibicionista. As condições que ocorrem em comorbidade com o transtorno em taxas elevadas incluem transtornos depressivo, bipolar, de ansiedade e por uso de substância; hipersexualidade; transtorno de déficit de atenção/hiperatividade; outros transtornos parafílicos; e transtorno da personalidade antissocial.

Transtorno Frotteurista

Critérios Diagnósticos   F65.81

A. Por um período de pelo menos seis meses, excitação sexual recorrente e intensa resultante de tocar ou esfregar-se em pessoa que não consentiu, conforme manifestado por fantasias, impulsos ou comportamentos.

B. O indivíduo colocou em prática esses impulsos sexuais com pessoa que não consentiu, ou os impulsos ou as fantasias sexuais causam sofrimento clinicamente significativo ou prejuízo no funcionamento social, profissional ou em outras áreas importantes da vida do indivíduo.

> *Especificar* se:
> **Em ambiente protegido:** Esse especificador é aplicável principalmente a indivíduos institucionalizados ou moradores de outros locais onde as oportunidades de tocar outra pessoa ou esfregar-se nela são limitadas.
> **Em remissão completa:** O indivíduo colocou em prática seus impulsos com pessoa que não consentiu, e não houve sofrimento ou prejuízo no funcionamento social, profissional ou em outras áreas da vida do indivíduo durante pelo menos cinco anos enquanto em um ambiente não protegido.

Especificadores

O especificador "em remissão" não trata da presença ou da ausência continuada de frotteurismo por si só, que pode ainda estar presente após a remissão dos comportamentos e do sofrimento.

Características Diagnósticas

Os critérios diagnósticos para transtorno frotteurista podem se aplicar tanto a indivíduos que, de forma relativa, revelam livremente essa parafilia quanto àqueles que negam de forma categórica qualquer atrativo sexual em tocar ou esfregar-se em indivíduo que não consente, independentemente de evidências objetivas consideráveis do contrário. Se indivíduos que revelam a condição também relatam prejuízo psicossocial devido a suas preferências sexuais por tocar e esfregar-se em pessoa que não consente, eles podem ser diagnosticados com o transtorno frotteurista. Diferentemente, se declaram ausência de sofrimento (demonstrada por ausência de ansiedade, obsessão, culpa ou vergonha) acerca desses impulsos parafílicos e não apresentam prejuízo em outras áreas importantes do funcionamento devido a seu interesse sexual, e se suas histórias psiquiátricas ou legais indicam que não colocam em prática esse interesse, podem ser caracterizados como tendo interesse sexual frotteurista, mas *não* devem receber o diagnóstico de transtorno frotteurista.

Indivíduos que não revelam seu interesse incluem, por exemplo, aqueles que sabidamente apresentaram comportamento de tocar ou esfregar-se em pessoa que não consentiu em ocasiões distintas, mas que contestam quaisquer impulsos ou fantasias relativas a esse comportamento. Tais indivíduos podem relatar que os episódios identificados de tocar e esfregar-se em pessoa que não consente foram todos sem intenção e não sexuais. Outros podem revelar episódios passados de tocar e esfregar-se em indivíduos que não consentem, mas contestar qualquer interesse sexual maior ou persistente nisso. Uma vez que essas pessoas negam ter fantasias ou impulsos de tocar e esfregar-se em outras, consequentemente rejeitam sentir-se em sofrimento ou psicologicamente prejudicadas por esses impulsos. Apesar da posição não reveladora, esses indivíduos podem ser diagnosticados com transtorno frotteurista. Comportamento frotteurista recorrente constitui respaldo satisfatório para frotteurismo (por atender ao Critério A) e demonstra também que esse comportamento motivado por parafilia está causando dano a outros (por atender ao Critério B).

O tocar e esfregar-se de forma "recorrente" em pessoa que não consente pode ser interpretado como exigindo várias vítimas, cada uma em uma ocasião separada; esse requisito de múltiplas vítimas em ocasiões separadas é relevante porque aumenta a confiança na dedução clínica de que o indivíduo é motivado por transtorno frotteurista. Menos vítimas é um dado que pode ser interpretado como atendendo a esse critério caso tenha havido múltiplas ocasiões de tocar e esfregar-se no mesmo indivíduo que não consente ou caso haja evidências que corroboram um interesse forte ou preferencial por tocar ou esfregar-se em indivíduos que não consentem. Deve-se ressaltar que vítimas múltiplas constituem condição suficiente, mas não necessária, para o diagnóstico, já que os critérios podem ser atendidos pelo reconhecimento do indivíduo de um interesse sexual frotteurista intenso, com sofrimento e/ou prejuízo clinicamente significativos.

Prevalência

A prevalência populacional de indivíduos cujas apresentações atendem a todos os critérios para transtorno frotteurista é desconhecida, mas atos frotteuristas, incluindo o toque sexual sem consentimento ou esfregar-se contra outro indivíduo, podem ocorrer em até 30% dos homens adultos na população geral dos Estados Unidos e do Canadá. A prevalência de transtorno frotteurista é certamente muito menor, considerando a constatação de que "desejo intenso" e "comportamento persistente" foram relatados com pouca frequência (3,8 e 0,7%, respectivamente). Em contextos de tratamento ambulatorial para homens com transtornos parafílicos e hipersexualidade, cerca de 10 a 14% têm uma apresentação que atende aos critérios diagnósticos para transtorno frotteurista. A prevalência entre as mulheres é provavelmente menor.

Desenvolvimento e Curso

Homens adultos com transtorno frotteurista frequentemente relatam que tiveram consciência, pela primeira vez, de seu interesse sexual em tocar furtivamente pessoas que não consentiam durante a fase final da adolescência ou início da vida adulta. Crianças e adolescentes, no entanto, podem também tocar ou esfregar-se em outras pessoas que não o desejam na ausência de um diagnóstico de transtorno frotteurista. Ainda que não exista idade mínima para o diagnóstico, o transtorno pode ser de difícil diferenciação do comportamento do transtorno da conduta sem motivação sexual em indivíduos mais jovens. A persistência do frotteurismo com o passar do tempo não está clara. Com ou sem tratamento de transtorno frotteurista, o sofrimento subjetivo (p. ex., culpa, vergonha, frustração sexual intensa, solidão) ou o prejuízo devido ao transtorno podem mudar com o tempo, assim como diversos fatores que podem potencialmente afetar o curso do transtorno, como morbidade psiquiátrica, hipersexualidade e impulsividade sexual. Portanto, a gravidade e o curso podem variar com o tempo. Assim como ocorre com outras preferências sexuais, o avanço da idade pode estar associado à redução de preferências e comportamentos sexuais frotteuristas.

Fatores de Risco e Prognóstico

Temperamentais. Comportamento antissocial não sexual e preocupação sexual/hipersexualidade podem ser fatores de risco não específicos, embora a relação causal com frotteurismo seja incerta, e a especificidade, não esclarecida. Entretanto, como o frotteurismo é precondição necessária para transtorno frotteurista, os fatores de risco para frotteurismo devem também aumentar o risco de transtorno frotteurista.

Diagnóstico Diferencial

Frotteurismo. Indivíduos com frotteurismo experimentam excitação sexual recorrente e intensa pelo ato de tocar ou esfregar-se em outras pessoas que não o desejam. A menos que o indivíduo atue de acordo com esses impulsos com uma pessoa desavisada (p. ex., esfregando seus genitais contra um passageiro em um metrô lotado) ou que não exista sofrimento clinicamente significativo ou prejuízo no funcionamento social, profissional ou outras áreas importantes da vida do indivíduo, um diagnóstico de transtorno frotteurista não é garantido.

Episódio maníaco, transtorno neurocognitivo maior, transtorno do desenvolvimento intelectual, mudança de personalidade devido a outra condição médica, intoxicação por substância e esquizofrenia. Indivíduos com transtorno neurocognitivo maior, transtorno do desenvolvimento intelectual, mudança de personalidade devido a outra condição médica ou esquizofrenia, ou que estão em um episódio maníaco ou sob efeito de intoxicação por substância podem se tornar sexualmente desinibidos ou ter julgamento ou controle de impulsos prejudicados, vindo a se envolver em comportamento frotteurista. Caso esse comportamento ocorra no contexto de um desses transtornos, o diagnóstico de transtorno exibicionista não deve ser feito.

Transtorno da conduta e transtorno da personalidade antissocial. Transtorno da conduta em adolescentes e transtorno da personalidade antissocial são caracterizados por comportamentos adicionais de desrespeito às normas e antissociais, e o interesse sexual específico em tocar ou esfregar-se em indivíduo que não consente normalmente estará ausente.

Comorbidade

Comorbidades conhecidas no transtorno frotteurista baseiam-se amplamente em pesquisas com homens suspeitos de ou condenados por atos criminais envolvendo o tocar ou esfregar-se com motivações sexuais em indivíduo que não consentiu. Assim, essas comorbidades podem não se aplicar a outros indivíduos com diagnóstico de transtorno frotteurista baseado em sofrimento subjetivo relativo a seu interesse sexual. Condições que ocorrem de forma comórbida com o transtorno frotteurista incluem hipersexualidade e outros transtornos parafílicos, especialmente transtorno exibicionista e transtorno voyeurista. Transtorno da conduta, transtorno da personalidade antissocial, transtornos depressivos, transtornos bipolares, transtornos de ansiedade e transtornos por uso de substância também ocorrem de forma concomitante.

Transtorno do Masoquismo Sexual

Critérios Diagnósticos   F65.51

A. Por um período de pelo menos seis meses, excitação sexual recorrente e intensa resultante do ato de ser humilhado, espancado, amarrado ou vítima de qualquer outro tipo de sofrimento, conforme manifestado por fantasias, impulsos ou comportamentos.

B. As fantasias, os impulsos sexuais ou os comportamentos causam sofrimento clinicamente significativo ou prejuízo no funcionamento social, profissional ou em outras áreas importantes da vida do indivíduo.

Especificar se:
   Com asfixiofilia: Quando o indivíduo se envolve na prática de conseguir excitação sexual por meio da restrição da respiração.

Especificar se:
   Em ambiente protegido: Esse especificador é aplicável principalmente a indivíduos institucionalizados ou moradores de outros locais onde as oportunidades de envolvimento em comportamentos sexuais masoquistas são limitadas.
   Em remissão completa: Não houve sofrimento ou prejuízo no funcionamento social, profissional ou em outras áreas da vida do indivíduo por pelo menos cinco anos enquanto em um ambiente não protegido.

Características Diagnósticas

Os critérios diagnósticos para transtorno do masoquismo sexual existem com o intuito de serem aplicados a indivíduos que admitem livremente ter tais interesses parafílicos. Esses indivíduos admitem abertamente excitação sexual intensa resultante do ato de serem humilhados, espancados, amarrados ou vítimas de qualquer outro tipo de sofrimento, conforme manifestado por fantasias, impulsos ou comportamentos. Se também relatam dificuldades psicossociais devido a suas atrações ou preferências sexuais de serem humilhados, espancados, amarrados ou vítimas de qualquer outro tipo de sofrimento, podem ser diagnosticados com transtorno do masoquismo sexual. Diferentemente, se declaram ausência de sofrimento, como, por exemplo, ansiedade, obsessões, culpa ou vergonha em relação a esses impulsos parafílicos, e não são impedidos por eles de buscar outras metas pessoais, podem ser caracterizados como tendo interesse sexual masoquista, mas não devem ser diagnosticados com transtorno do masoquismo sexual.

O termo BDSM (*bondage-domination-sadism-masochism*) é muito utilizado para se referir a uma grande gama de comportamentos nos quais indivíduos com masoquismo sexual e/ou sadismo sexual (assim como outros indivíduos com interesses sexuais semelhantes) se envolvem, como restrições, disciplina, surra, tapa, privação sensorial (p. ex., usar vendas) e dramatização de submissão de domínio envolvendo temas como mestre/escravo, dono/animal de estimação ou sequestrador/vítima.

Características Associadas

O uso intenso de pornografia envolvendo o ato de ser humilhado, espancado, amarrado ou vítima de qualquer outro tipo de sofrimento é por vezes uma característica associada ao transtorno do masoquismo sexual. Aqueles que se envolvem em comportamento sexual sadomasoquista podem experimentar uma hipossensibilidade à dor, embora não se saiba se esse achado se aplica àqueles com transtorno de masoquismo sexual. Além disso, embora muitas vezes se suponha que indivíduos com interesse sexual masoquista tenham história de experiências de abuso sexual na infância, não há evidências suficientes para apoiar essa associação.

Prevalência

A prevalência populacional de indivíduos cujas apresentações atendem a todos os critérios para o transtorno do masoquismo sexual é desconhecida. Na Austrália, foi estimado que 2,2% dos homens e 1,3% das mulheres estiveram envolvidos em comportamento BDSM nos últimos 12 meses.

Desenvolvimento e Curso

Indivíduos com parafilias que vivem na comunidade relataram idade média do surgimento do masoquismo de 19,3 anos, embora antes, inclusive na puberdade e na infância, existam também relatos de aparecimento de fantasias sadomasoquistas. Muito pouco é conhecido sobre a persistência ao longo do tempo. Com ou sem tratamento de transtorno do masoquismo sexual, o sofrimento subjetivo (p. ex., culpa, vergonha, frustração sexual intensa, solidão) ou o prejuízo devido ao transtorno podem mudar com o tempo, assim como diversos fatores que podem potencialmente afetar o curso do transtorno, como morbidade psiquiátrica, hipersexualidade e impulsividade sexual. Portanto, a gravidade e o curso podem variar com o tempo. Assim como ocorre com outras preferências sexuais, o avanço da idade pode estar associado à redução de preferências e comportamentos sexuais masoquistas.

Questões Diagnósticas Relativas à Cultura

É importante distinguir comportamentos de automutilação, que ocorrem durante práticas religiosas e espirituais coletivamente aceitas, dos comportamentos sadomasoquistas conduzidos para excitação sexual. Por exemplo, rituais coletivos em várias religiões e sociedades incluem suspensão em ganchos, autoflagelação, automortificação e outras provações dolorosas. O papel da excitação sexual ou do prazer nessas práticas permanece desconhecido.

Associação com Pensamentos ou Comportamentos Suicidas

A associação do transtorno do masoquismo sexual com pensamentos ou comportamentos suicidas é desconhecida. No entanto, um estudo com 321 adultos que endossaram o envolvimento com o sadomasoquismo evidenciou uma associação de vergonha e culpa relacionadas ao estigma com ideação suicida.

Consequências Funcionais do Transtorno do Masoquismo Sexual

As consequências funcionais do transtorno do masoquismo sexual são desconhecidas. Indivíduos que relatam interesse sexual por asfixia parecem experimentar mais sofrimento sexual e desajuste psicológico do que a população em geral. Indivíduos que se envolvem em comportamento masoquista correm risco de morte acidental enquanto praticam asfixia ou outros procedimentos autoeróticos. No entanto, não se conhece a proporção dos falecidos cujos interesses e comportamentos sexuais atendem aos critérios diagnósticos para masoquismo sexual.

Diagnóstico Diferencial

Masoquismo sexual. Indivíduos com masoquismo sexual experimentam excitação sexual recorrente e intensa pelo ato de serem humilhados, espancados, amarrados ou sofrer de alguma outra maneira. Caso os impulsos sexuais, as fantasias ou os comportamentos envolvendo ser humilhado ou sofrer não sejam acompanhados por sofrimento clinicamente significativo ou prejuízo no funcionamento social, profissional ou em outras áreas importantes da vida do indivíduo, um diagnóstico de transtorno do masoquismo sexual não é garantido.

Comorbidade

As comorbidades conhecidas com transtorno do masoquismo sexual baseiam-se amplamente em indivíduos em tratamento. Transtornos que ocorrem de forma comórbida com transtorno do masoquismo sexual tipicamente incluem outros transtornos parafílicos, como o fetichismo transvéstico. Há alguma indicação de associação de transtorno de masoquismo sexual com transtorno da personalidade *borderline* (com base em dados de uma pequena amostra clínica de mulheres com e sem transtorno da personalidade *borderline*).

Transtorno do Sadismo Sexual

Critérios Diagnósticos   F65.52

A. Por um período de pelo menos seis meses, excitação sexual recorrente e intensa resultante de sofrimento físico ou psicológico de outra pessoa, conforme manifestado por fantasias, impulsos ou comportamentos.

B. O indivíduo coloca em prática esses impulsos com pessoa que não consentiu, ou os impulsos ou as fantasias sexuais causam sofrimento clinicamente significativo ou prejuízo no funcionamento social, profissional ou em outras áreas importantes da vida do indivíduo.

Especificar se:

Em ambiente protegido: Esse especificador é aplicável principalmente a indivíduos institucionalizados ou moradores de outros locais onde as oportunidades de envolvimento em comportamentos sexuais sádicos são limitadas.

Em remissão completa: O indivíduo não colocou em prática seus impulsos com pessoa que não consentiu, e não houve sofrimento ou prejuízo no funcionamento social, profissional ou em outras áreas da vida do indivíduo por pelo menos cinco anos enquanto em um ambiente não protegido.

Características Diagnósticas

Os critérios diagnósticos para transtorno do sadismo sexual existem com o intuito de serem aplicados tanto aos indivíduos que admitem livremente ter tais interesses parafílicos quanto àqueles que negam qualquer interesse sexual no sofrimento físico ou psicológico de outra pessoa, apesar de evidências objetivas substanciais do contrário. Indivíduos que abertamente admitem interesse sexual intenso no sofrimento físico ou psicológico de outras pessoas são chamados de "indivíduos confessos". Se relatam também dificuldades psicossociais devido a atração ou preferências sexuais no sofrimento físico ou psicológico de outro indivíduo, podem ser diagnosticados com o transtorno do sadismo sexual. Diferentemente, se declaram ausência de sofrimento, exemplificado por ansiedade, obsessões, culpa ou vergonha em relação a esses impulsos parafílicos, não são impedidos por eles de buscar outras metas e se suas histórias psiquiátricas ou legais indicam que não os colocam em prática, podem ser caracterizados como tendo interesse sexual sádico, mas *não* atendem aos critérios para transtorno do sadismo sexual.

Exemplos de indivíduos que negam qualquer interesse no sofrimento físico ou psicológico de outra pessoa incluem aqueles que sabidamente infligiram dor ou sofrimento a múltiplas vítimas em ocasiões distintas, mas negam impulsos ou fantasias acerca de tal comportamento sexual e podem alegar que os episódios conhecidos de agressão sexual tenham sido sem intenção ou não sexuais. Outros podem admitir episódios passados de comportamento sexual que tenham envolvido infligir dor ou sofrimento em um indivíduo que não consentiu, mas sem relatar qualquer interesse sexual significativo ou continuado no sofrimento físico ou psicológico de outra pessoa. Visto que esses indivíduos negam ter impulsos ou fantasias envolvendo excitação sexual por meio da dor e do sofrimento, é esperado que eles também neguem sentimentos de sofrimento subjetivo ou prejuízo social causados por tais impulsos. Essas pessoas podem ser diagnosticadas com o transtorno do sadismo sexual apesar de seu autorrelato negativo. Seu comportamento recorrente constitui respaldo clínico para a presença da parafilia do sadismo sexual (por atender ao Critério A) e, ao mesmo tempo, demonstra que seu comportamento de motivação parafílica está causando sofrimento clinicamente significativo, dano ou risco a outras pessoas (por atender ao Critério B).

Sadismo sexual "recorrente" envolvendo outros que não consentem pode ser interpretado como a presença de múltiplas vítimas, cada uma em uma ocasião distinta; esse requisito de múltiplas vítimas em ocasiões distintas é relevante porque aumenta a confiança na inferência clínica de que o indivíduo é motivado por transtorno do sadismo sexual. Menos vítimas é um dado que pode ser interpretado como atendendo a esse critério caso haja múltiplas ocasiões em que tenham sido infligidos dor e sofrimento à mesma vítima ou caso haja evidências que corroborem interesse forte ou preferencial na dor e no sofrimento envolvendo múltiplas vítimas. Deve-se observar que múltiplas vítimas, conforme sugerido anteriormente, representam condição suficiente, mas não necessária, para o diagnóstico, já que os critérios podem ser atendidos se o indivíduo admite interesse sexual sádico intenso.

O termo *sadomasoquismo com sujeição e dominação* (BDSM – *bondage-domination-sadism-masochism*) é muito utilizado para se referir a uma grande gama de comportamentos nos quais indivíduos com masoquismo sexual e/ou sadismo sexual (assim como outros indivíduos com interesses sexuais semelhantes) se envolvem, como restrições, disciplina, surra, tapa, privação sensorial (p. ex., usar vendas) e dramatização de submissão de domínio envolvendo temas como mestre/escravo, dono/animal de estimação ou sequestrador/vítima.

Características Associadas

O uso intenso de pornografia envolvendo o ato de infligir dor e sofrimento é, por vezes, uma característica associada ao transtorno do sadismo sexual.

Prevalência

A prevalência populacional de indivíduos cujas apresentações atendem aos critérios completos para transtorno do sadismo sexual é desconhecida e amplamente baseada em indivíduos em contextos forenses. Entre condenados por atos sexuais nos Estados Unidos, menos de 10% apresentam transtorno do sadismo sexual. Entre os indivíduos que cometeram homicídios por motivação sexual, a proporção de comportamento sexualmente sádico é de cerca de um terço.

Indivíduos com transtorno do sadismo sexual em amostras forenses são quase exclusivamente homens, embora uma amostra representativa da população australiana tenha informado que 2,2% dos homens e 1,3% das mulheres referiram ter se envolvido em atividades sadomasoquistas no ano anterior. Em uma amostra da população da Finlândia, a prevalência de comportamento sexualmente sádico ao longo da vida foi de 2,7% entre homens e 2,3% entre mulheres.

Desenvolvimento e Curso

As informações sobre o desenvolvimento e o curso do transtorno do sadismo sexual são muito limitadas. Enquanto o sadismo sexual por si só é provavelmente uma característica para toda a vida, o transtorno do sadismo sexual pode oscilar de acordo com o sofrimento subjetivo do indivíduo ou a sua propensão de causar dano a outras pessoas que não o consentem. Assim como ocorre com outras preferências sexuais, o avanço da idade pode estar associado a redução das preferências e comportamento sexualmente sádico. Com relação à preferência sexualmente sádica, muitos indivíduos que se envolvem no comportamento sadomasoquista tomaram consciência de seu interesse correspondente na adolescência.

Questões Diagnósticas Relativas à Cultura

O *status* legal do comportamento sexualmente sádico varia entre países e sociedades, sugerindo o potencial de variação no sofrimento (devido à variação na aceitação cultural) e no prejuízo funcional (devido ao *status* legal).

Associação com Pensamentos ou Comportamentos Suicidas

A associação do transtorno do sadismo sexual com pensamentos ou comportamentos suicidas é desconhecida. No entanto, um estudo com 321 adultos que endossaram o envolvimento com o sadomasoquismo evidenciou uma associação de vergonha e culpa relacionadas ao estigma com ideação suicida.

Diagnóstico Diferencial

Sadismo sexual. Indivíduos com sadismo sexual experimentam excitação sexual recorrente e intensa com o sofrimento físico ou psicológico de outra pessoa. A menos que os impulsos sexuais para fazer outra pessoa sofrer física ou psicologicamente sejam executados com uma pessoa que não consente, ou que não exista sofrimento clinicamente significativo ou prejuízo no funcionamento social, profissional ou outras áreas importantes da vida do indivíduo, um diagnóstico de transtorno de sadismo sexual não é garantido. A maior parte dos indivíduos ativos em redes comunitárias que praticam comportamentos sádicos e masoquistas não expressa qualquer insatisfação com seus interesses sexuais, e seu comportamento não atenderia aos critérios do DSM-5 para transtorno do sadismo sexual.

Imposição de sofrimento físico ou psicológico durante a prática de um crime sexual. Indivíduos que cometem estupro ou outras agressões sexuais podem infligir dor em suas vítimas como resultado do ato de estupro ou no processo de subjugá-las ou restringi-las ao cometer a agressão sexual. Essa imposição instrumental de dor não deve ser considerada indicativa de transtorno do sadismo sexual, a menos que haja evidência de que o indivíduo está obtendo prazer com a imposição de dor e o sofrimento resultante da vítima (p. ex., admitindo estar especificamente excitado pela dor, evidência de preferência por pornografia envolvendo temas de sadismo sexual, uso excessivo de violência indutora de dor que vai além do que pode ser necessário no curso da agressão sexual).

Transtorno da conduta e transtorno da personalidade antissocial. Indivíduos com transtorno da conduta e transtorno da personalidade antissocial podem ser fisicamente cruéis com as pessoas e forçar outros a se envolverem em atividades sexuais. Comportamentos sexuais coercitivos ou sádicos que ocorrem no contexto do transtorno da conduta ou do transtorno da personalidade antissocial, mas que não refletem um padrão subjacente de excitação sexual decorrente do sofrimento físico ou psicológico de outra pessoa, não devem ser considerados como base para o diagnóstico de transtorno do sadismo sexual. Nos casos em que os critérios diagnósticos são atendidos tanto para transtorno do sadismo sexual quanto para transtorno da conduta/transtorno da personalidade antissocial, ambos os transtornos podem ser diagnosticados.

Comorbidade

Comorbidades conhecidas com transtorno do sadismo sexual baseiam-se amplamente em indivíduos (quase todos homens) condenados por atos criminosos envolvendo atos de sadismo contra vítimas que não os consentiram. Assim, essas comorbidades podem não se aplicar a todos aqueles indivíduos que jamais se envolveram em atividade sádica com vítima que não consentiu mas que atendem aos critérios para um diagnóstico de transtorno do sadismo sexual com base em sofrimento subjetivo relativo a seu interesse sexual. Transtornos que são comumente comórbidos com o transtorno do sadismo sexual incluem outros transtornos parafílicos. De acordo com um estudo de base populacional na Finlândia, indivíduos que se envolveram em comportamento sexualmente sádico também se envolveram em outros tipos de comportamento parafílico, a saber (em ordem decrescente de ocorrência concomitante), masoquismo (68,8%), voyeurismo (33,3%), fetichismo transvéstico (9,2%) e exibicionismo (6,4%).

Transtorno Pedofílico

Critérios Diagnósticos   F65.4

A. Por um período de pelo menos seis meses, fantasias sexualmente excitantes, impulsos sexuais ou comportamentos intensos e recorrentes envolvendo atividade sexual com criança ou crianças pré-púberes (em geral, 13 anos ou menos).
B. O indivíduo coloca em prática esses impulsos sexuais, ou os impulsos ou as fantasias sexuais causam sofrimento intenso ou dificuldades interpessoais.

C. O indivíduo tem, no mínimo, 16 anos de idade e é pelo menos cinco anos mais velho que a criança ou as crianças do Critério A.
Nota: Não incluir um indivíduo no fim da adolescência envolvido em relacionamento sexual contínuo com pessoa de 12 ou 13 anos de idade.

Determinar o subtipo:
Tipo exclusivo (com atração apenas por crianças)
Tipo não exclusivo

Especificar se:
Sexualmente atraído por indivíduos do sexo masculino
Sexualmente atraído por indivíduos do sexo feminino
Sexualmente atraído por ambos

Especificar se:
Limitado a incesto

Características Diagnósticas

Os critérios diagnósticos para transtorno pedofílico existem com o intuito de serem aplicados tanto a indivíduos que revelam abertamente essa parafilia quanto àqueles que negam qualquer atração sexual por crianças pré-púberes (em geral, 13 anos ou menos), apesar de evidências objetivas substanciais do contrário. A diretriz de idade de 13 anos ou menos é apenas aproximada, porque o início da puberdade varia de pessoa para pessoa, e há evidências de que a idade média de início da puberdade vem diminuindo ao longo do tempo e difere entre as diversas etnias e culturas. Exemplos de revelação dessa parafilia incluem reconhecer abertamente interesse sexual intenso por crianças e a indicação de que o interesse sexual por crianças é maior ou igual ao interesse sexual por indivíduos fisicamente maduros. Se essas pessoas também se queixam de que suas atrações ou preferências sexuais por crianças lhes estão causando sofrimento ou dificuldades psicossociais, podem ser diagnosticadas com transtorno pedofílico. No entanto, se relatam ausência de sentimentos de culpa, vergonha ou ansiedade em relação a esses impulsos, não apresentam limitação funcional por seus impulsos parafílicos (conforme autorrelato, avaliação objetiva ou ambos), e seu autorrelato e sua história legal registrada indicam que jamais colocaram em prática esses impulsos, essas pessoas, então, apresentam orientação sexual pedofílica, mas não transtorno pedofílico. Ao tentar diferenciar agressores de crianças com transtorno pedofílico de agressores de crianças sem transtorno pedofílico, os fatores que sugerem um diagnóstico de transtorno pedofílico no agressor incluem autorrelato de interesse em crianças, uso de pornografia infantil, história de múltiplas vítimas infantis, vítimas de meninos, e crianças vítimas não relacionadas.

Exemplos de indivíduos que negam atração por crianças incluem aqueles que sabidamente abordaram sexualmente diversas crianças em ocasiões distintas, mas negam quaisquer impulsos ou fantasias sobre comportamento sexual envolvendo crianças, podendo alegar, ainda, que os episódios conhecidos de contato físico foram todos sem intenção e não sexuais. Outros podem admitir episódios anteriores de comportamento sexual envolvendo crianças, embora neguem qualquer interesse sexual significativo ou continuado por elas. Visto que essas pessoas podem negar experiências, impulsos e fantasias envolvendo crianças, também podem negar sentir sofrimento subjetivo. Tais indivíduos podem, ainda, ser diagnosticados com transtorno pedofílico apesar da ausência de sofrimento autorrelatado, desde que haja evidências de comportamentos recorrentes persistindo por seis meses (Critério A) e de que colocaram em prática os impulsos sexuais ou tiveram dificuldades interpessoais em consequência do transtorno (Critério B). Os comportamentos incluem interações sexuais com crianças, havendo ou não contato físico (p. ex., alguns indivíduos pedófilos se expõem a crianças). Embora o uso de conteúdo sexualmente explícito retratando crianças pré-púberes seja típico de indivíduos com interesses sexuais pedofílicos e, portanto, possa contribuir com informações importantes relevantes para a avaliação do Critério A, tal comportamento na ausência de interações sexuais do indivíduo com crianças (ou seja, agir sobre esses desejos sexuais pessoalmente) é insuficiente para concluir que o Critério B foi atendido.

A presença de múltiplas vítimas, conforme discutido anteriormente, é suficiente, mas não necessária, para o diagnóstico; isto é, o indivíduo pode ainda atender ao Critério A apenas por admitir interesse sexual intenso ou preferencial por crianças.

Características Associadas

Indivíduos com transtorno pedofílico podem experimentar uma afinidade emocional e cognitiva com crianças, às vezes denominada *congruência emocional* com crianças. A congruência emocional com crianças pode se manifestar de diferentes maneiras, incluindo preferir interações sociais com crianças do que com adultos, sentir que se tem mais em comum com crianças do que com adultos e escolher ocupações ou papéis voluntários para estar perto de crianças com mais frequência. Estudos mostram que a congruência emocional com as crianças está relacionada tanto ao interesse sexual pedofílico quanto à probabilidade de reincidência sexual entre indivíduos que molestaram sexualmente.

Prevalência

A prevalência populacional de indivíduos cujas apresentações atendem aos critérios completos para o transtorno pedofílico é desconhecida, mas provavelmente é menor que 3% entre os homens, segundo estudos internacionais. Nas mulheres, a prevalência é ainda mais incerta, embora possivelmente seja uma pequena fração daquela observada nos homens.

Desenvolvimento e Curso

Homens adultos com transtorno pedofílico podem relatar que perceberam o interesse sexual forte ou preferencial por crianças por volta do período da puberdade – o mesmo período de tempo em que aqueles que mais tarde preferem parceiros fisicamente maduros percebem o interesse sexual por mulheres ou homens. Tentar diagnosticar transtorno pedofílico na idade em que ocorre a primeira manifestação é problemático, devido à dificuldade, durante o desenvolvimento da adolescência, de diferenciá-lo do interesse sexual adequado à idade por colegas ou da curiosidade sexual. Assim, o Critério C exige, para o diagnóstico, idade mínima de 16 anos e pelo menos cinco anos mais que a criança ou crianças do Critério A.

A pedofilia em si parece ser uma condição para toda a vida. O transtorno pedofílico, porém, inclui necessariamente outros elementos que podem mudar com o tempo, com ou sem tratamento: sofrimento subjetivo (p. ex., culpa, vergonha, frustração sexual intensa ou sentimentos de isolamento) ou prejuízo psicossocial ou a propensão a agir sexualmente com crianças, ou ambos. O curso do transtorno pedofílico, portanto, pode oscilar, aumentar ou diminuir com a idade.

Adultos com o transtorno pedofílico podem relatar percepção do interesse sexual por crianças que antecedeu o início do comportamento sexual envolvendo crianças ou a autoidentificação como pedófilo. A idade avançada possivelmente diminui a frequência de comportamento sexual envolvendo crianças, da mesma forma que diminui aquele com motivação parafílica ou normofílica.

Fatores de Risco e Prognóstico

Temperamentais. Parece existir interação entre pedofilia e traços de personalidade antissocial, como insensibilidade, impulsividade e disposição para correr riscos sem a devida consideração pelas consequências. Homens com interesse pedofílico e traços de personalidade antissocial apresentam maior propensão a agir sexualmente com crianças e, portanto, se qualificam para um diagnóstico de transtorno pedofílico. Assim, o transtorno da personalidade antissocial pode ser considerado um fator de risco para transtorno pedofílico em homens com pedofilia.

Ambientais. Homens adultos com pedofilia às vezes relatam terem sido sexualmente abusados quando crianças. Ainda não está claro, porém, se essa correlação reflete uma influência causal do abuso sexual na infância sobre a pedofilia na vida adulta.

Genéticos e fisiológicos. Visto que a pedofilia é condição necessária para transtorno pedofílico, todo fator que aumenta a probabilidade de pedofilia também aumenta o risco de transtorno pedofílico. Há algumas evidências de que perturbação do neurodesenvolvimento na vida intrauterina aumenta a probabilidade de desenvolvimento de orientação pedofílica.

Questões Diagnósticas Relativas ao Sexo e ao Gênero

Medidas laboratoriais do interesse sexual, em termos de respostas psicofisiológicas a estímulos sexuais retratando crianças, que algumas vezes são úteis para o diagnóstico do transtorno pedofílico em homens, não são necessariamente úteis para o diagnóstico do transtorno em mulheres, pois houve muito pouca pesquisa avaliando o interesse sexual pedofílico em mulheres.

Marcadores Diagnósticos

Medidas psicofisiológicas do interesse sexual podem, algumas vezes, ser úteis quando a história do indivíduo sugere a possível presença de transtorno pedofílico, mas ele nega atração forte ou preferencial por crianças. Entre essas medidas, a mais pesquisada e usada há mais tempo é a *pletismografia peniana*, embora a especificidade e a sensibilidade do diagnóstico possam variar de um local para outro, dado que geralmente são utilizados diferentes estímulos, procedimentos e pontuações. O *tempo de visualização*, com uso de fotografias de pessoas nuas ou minimamente vestidas como estímulo visual, é também empregado para o diagnóstico do transtorno pedofílico, especialmente em combinação com medidas de autorrelato. Clínicos dos Estados Unidos, no entanto, devem estar conscientes de que a posse de tais estímulos sexuais visuais, mesmo para fins diagnósticos, pode violar a legislação do país no que se refere à posse de pornografia infantil, deixando esse profissional suscetível a processo criminal. Existe a opção de usar estímulos de áudio descrevendo interações sexuais na pletismografia peniana. Em todos os métodos psicofisiológicos, o marcador diagnóstico é a resposta sexual relativa a estímulos representando crianças em comparação com estímulos representando adultos, em vez de resposta absoluta a estímulos infantis.

Diagnóstico Diferencial

Pedofilia. Indivíduos com pedofilia experimentam fantasias ou impulsos sexuais recorrentes, intensos e sexualmente excitantes, envolvendo atividade sexual com uma criança ou crianças pré-púberes. A menos que o indivíduo tenha agido de acordo com esses impulsos sexuais com uma criança pré-púbere ou a menos que os impulsos ou fantasias sexuais causem sofrimento acentuado ou dificuldade interpessoal, o diagnóstico de transtorno pedofílico não é garantido.

Outros transtornos parafílicos. Às vezes, os indivíduos apresentam um transtorno parafílico diferente, mas são encaminhados para uma avaliação quanto a um possível transtorno pedofílico (p. ex., quando um indivíduo com diagnóstico de transtorno exibicionista se expõe tanto a crianças quanto a adultos). Em alguns casos, ambos os diagnósticos podem se aplicar, enquanto, em outros, pode ser que um diagnóstico de transtorno parafílico seja suficiente. Por exemplo, um indivíduo que se expõe exclusivamente a crianças pré-púberes pode ter tanto transtorno exibicionista quanto transtorno pedofílico, enquanto um indivíduo que se expõe a vítimas independentemente da idade delas pode ser considerado como tendo apenas transtorno exibicionista.

Transtorno da personalidade antissocial. Alguns indivíduos com transtorno da personalidade antissocial abusam sexualmente de crianças, refletindo o fato de que a presença de transtorno da personalidade antissocial aumenta a probabilidade de um indivíduo que é atraído principalmente por pessoas maduras se aproximar sexualmente de uma criança com base no acesso relativo a ela. Um diagnóstico adicional de transtorno pedofílico só deve ser considerado se houver evidência de que, durante um período de pelo menos 6 meses, o indivíduo também teve fantasias, impulsos sexuais ou comportamentos recorrentes, intensos e sexualmente excitantes envolvendo atividade sexual com uma criança pré-púbere.

Intoxicação com substância. Os efeitos desinibidores da intoxicação por substância podem também aumentar a probabilidade de que uma pessoa principalmente atraída pelo corpo humano maduro se aproxime sexualmente de uma criança.

Transtorno obsessivo-compulsivo. Há alguns indivíduos que se queixam de pensamentos e preocupações egodistônicas acerca de possível atração por crianças. A entrevista clínica, em geral, revela ausência de pensamentos sexuais sobre crianças durante estados elevados de excitação sexual (p. ex., masturbação com esses pensamentos) e, por vezes, outras ideias sexuais intrusivas egodistônicas (p. ex., preocupações com homossexualidade).

Comorbidade

Comorbidades psiquiátricas do transtorno pedofílico incluem transtornos por uso de substância, transtornos depressivo e bipolar, transtorno de ansiedade, transtorno da personalidade antissocial e outros transtornos parafílicos. Os dados relativos a transtornos comórbidos, no entanto, são oriundos principalmente de indivíduos condenados por crimes sexuais envolvendo crianças (quase todos homens), podendo não ser passíveis de generalização a outros indivíduos com transtorno pedofílico (p. ex., indivíduos que jamais se aproximaram sexualmente de uma criança, mas que atendem aos critérios para o diagnóstico de transtorno pedofílico com base em sofrimento subjetivo).

Transtorno Fetichista

Critérios Diagnósticos   F65.0

A. Por um período de pelo menos seis meses, excitação sexual recorrente e intensa resultante do uso de objetos inanimados ou de um foco altamente específico em uma ou mais de uma parte não genital do corpo, conforme manifestado por fantasias, impulsos ou comportamentos.

B. As fantasias, os impulsos sexuais ou os comportamentos causam sofrimento clinicamente significativo ou prejuízo no funcionamento social, profissional ou em outras áreas importantes da vida do indivíduo.

C. Os objetos de fetiche não se limitam a artigos do vestuário usados em *cross-dressing* (como no transtorno transvéstico) ou a dispositivos especificamente criados para estimulação genital tátil (p. ex., vibrador).

Especificar:
   Parte(s) do corpo
   Objeto(s) inanimado(s)
   Outros

Especificar se:
   Em ambiente protegido: Esse especificador é aplicável principalmente a indivíduos institucionalizados ou moradores de outros locais onde as oportunidades de envolvimento em comportamentos fetichistas são limitadas.
   Em remissão completa: Não houve sofrimento ou prejuízo no funcionamento social, profissional ou em outras áreas da vida do indivíduo durante pelo menos cinco anos enquanto em um ambiente não protegido.

Especificadores

Embora indivíduos com transtorno fetichista possam relatar excitação sexual intensa e recorrente provocada por objetos inanimados ou por uma parte específica do corpo, não é incomum a ocorrência de combinações não mutuamente exclusivas de interesses sexuais fetichistas. Assim, um indivíduo pode ter transtorno fetichista associado a um objeto inanimado (p. ex., roupas íntimas femininas) ou a um foco exclusivo em uma parte do corpo intensamente erotizada (p. ex., pés, cabelos), ou seu interesse fetichista pode atender a critérios para várias combinações desses especificadores (p. ex., sapatos, meias e pés).

Características Diagnósticas

O foco parafílico do transtorno fetichista envolve o uso persistente e repetido ou a dependência de objetos inanimados ou um foco altamente específico em uma parte do corpo (geralmente não genital) como elemento principal associado à excitação sexual (Critério A). Um diagnóstico de transtorno fetichista deve incluir sofrimento pessoal clinicamente significativo ou prejuízo na função social, profissional ou outras áreas importantes da vida do indivíduo (Critério B). Objetos de fetiche comuns incluem roupa íntima feminina, calçados masculinos ou femininos, artigos de borracha, roupas de couro, fraldas ou outras peças de vestuário. Partes do corpo altamente erotizadas associadas ao transtorno fetichista incluem os pés, os dedos dos pés e os cabelos. Não é incomum que os fetiches sexualizados incluam tanto objetos inanimados quanto partes do corpo (p. ex., meias e pés sujos), e em virtude disso, a definição de transtorno fetichista agora reincorpora o *parcialismo* (i. e., foco exclusivo em uma parte do corpo) em seus limites. O parcialismo, antes considerado no DSM-IV-TR um transtorno parafílico sem outra especificação, havia sido historicamente incorporado ao fetichismo antes do DSM-III.

Muitos indivíduos que se autoidentificam como praticantes do fetichismo não necessariamente relatam prejuízo clínico associado a seus comportamentos fetichistas. Essas pessoas podem ser caracterizadas como tendo um interesse sexual fetichista (i.e., uma excitação sexual recorrente e intensa a partir do uso de objetos inanimados ou um foco altamente específico em uma parte não genital do corpo, conforme manifestado por fantasias, impulsos ou comportamentos), mas não um transtorno fetichista. Um diagnóstico de transtorno fetichista exige atendimento simultâneo tanto ao comportamento do Critério A quanto ao sofrimento clinicamente significativo ou prejuízo no funcionamento do indivíduo que constam no Critério B.

Características Associadas

O transtorno fetichista pode ser uma experiência multissensorial, incluindo segurar, sentir o gosto, esfregar, inserir ou cheirar o objeto de fetiche durante a masturbação, ou ainda preferir que o parceiro sexual vista ou utilize o objeto de fetiche durante os encontros sexuais. Deve-se notar que muitos indivíduos com interesses sexuais fetichistas também desfrutam de experiências sexuais com seu(s) parceiro(s) sem usar seu objeto fetichista. Contudo, deve-se notar também que os indivíduos com um interesse sexual fetichista muitas vezes acham que as experiências sexuais que envolvem seu objeto fetichista são sexualmente mais satisfatórias do que as experiências sexuais sem ele. E para uma minoria de pessoas com um interesse sexual fetichista, o objeto fetichista é obrigatório para que se tornem sexualmente excitadas e/ou satisfeitas. Há, ainda, alguns indivíduos que podem adquirir grandes coleções de objetos fetichistas altamente desejados.

Desenvolvimento e Curso

As parafilias geralmente começam na puberdade, mas os interesses sexuais fetichistas podem se desenvolver antes da adolescência. Uma vez estabelecido, o transtorno fetichista costuma apresentar um curso continuado que oscila em intensidade e em frequência dos impulsos ou do comportamento.

Questões Diagnósticas Relativas à Cultura

O conhecimento e a avaliação adequada dos aspectos normais do comportamento sexual são fatores importantes a serem investigados para o estabelecimento de um diagnóstico clínico de transtorno fetichista e para distinguir um diagnóstico clínico de um comportamento sexual socialmente aceitável.

Questões Diagnósticas Relativas ao Sexo e ao Gênero

Comportamentos fetichistas têm sido mais relatados em homens, mas também ocorrem em mulheres. Essa diferença de gênero é menor para a fantasia fetichista do que para o comportamento fetichista real. Em amostras clínicas, o transtorno fetichista é relatado quase exclusivamente em homens.

Consequências Funcionais do Transtorno Fetichista

Prejuízos típicos associados ao transtorno fetichista incluem disfunção sexual durante relacionamentos amorosos recíprocos, quando o objeto de fetiche ou a parte do corpo preferida não está disponível durante as preliminares ou o coito. Alguns indivíduos com o transtorno podem preferir atividade sexual solitária associada à(s) sua(s) preferência(s) fetichista(s) mesmo durante envolvimento em relacionamento amoroso e recíproco significativo.

Diagnóstico Diferencial

Transtorno transvéstico. O diagnóstico mais próximo do transtorno fetichista é o transtorno transvéstico. Conforme observado nos critérios diagnósticos, o transtorno fetichista não é diagnosticado caso os objetos de fetiche se limitem a artigos de vestuário usados exclusivamente durante o ato de vestir-se como o gênero oposto (como no transtorno transvéstico) ou caso o objeto de estimulação genital tenha sido feito para esse fim (p. ex., um vibrador).

Transtorno do masoquismo sexual ou outros transtornos parafílicos. O transtorno fetichista pode ocorrer concomitantemente com outros transtornos parafílicos, sobretudo o comportamento sadomasoquista e o transtorno transvéstico. Quando um indivíduo tem fantasias sobre "ser obrigado a vestir-se como o gênero oposto" e atinge excitação sexual principalmente por meio da dominação ou da humilhação associadas a tal fantasia ou atividade repetida, e experimenta sofrimento ou prejuízo funcional, o diagnóstico de transtorno do masoquismo sexual deve ser feito.

Fetichismo. O uso de um objeto de fetiche para excitação sexual (fetichismo) na ausência de qualquer sofrimento ou prejuízo da função psicossocial ou de outra consequência adversa associada não atende aos critérios para transtorno fetichista, visto que o limite exigido pelo Critério B não é atendido. Por exemplo, um indivíduo cujo parceiro sexual compartilha ou é bem-sucedido em incorporar seu interesse em acariciar, cheirar ou lamber pés ou dedos dos pés como elemento importante de preliminares não é diagnosticado com transtorno fetichista; da mesma forma, não seria diagnosticado um indivíduo que prefere, não tendo sofrimento ou prejuízo, comportamento sexual solitário associado a uso de roupas de borracha ou botas de couro.

Comorbidade

O transtorno fetichista pode ocorrer simultaneamente com outros transtornos parafílicos, bem como com hipersexualidade. Raramente, o transtorno fetichista pode estar associado a condições neurológicas.

Transtorno Transvéstico

Critérios Diagnósticos — F65.1

A. Por um período de pelo menos seis meses, excitação sexual recorrente e intensa resultante de vestir-se como o gênero oposto (*cross-dressing*), conforme manifestado por fantasias, impulsos ou comportamentos.

B. As fantasias, os impulsos sexuais ou os comportamentos causam sofrimento clinicamente significativo ou prejuízo no funcionamento social, profissional ou em outras áreas importantes da vida do indivíduo.

Especificar se:

Com fetichismo: Se excitado sexualmente por tecidos, materiais ou peças de vestuário.

Com autoginefilia: Se excitado sexualmente por pensamentos ou imagens de si mesmo como mulher.

Especificar se:

Em ambiente protegido: Esse especificador é aplicável principalmente a indivíduos institucionalizados ou moradores de outros locais onde as oportunidades de vestir-se como o gênero oposto são limitadas.

Em remissão completa: Não houve sofrimento ou prejuízo no funcionamento social, profissional ou em outras áreas da vida do indivíduo por pelo menos cinco anos enquanto em um ambiente não protegido.

Transtorno Transvéstico

Especificadores

A presença de fetichismo reduz a possibilidade de disforia de gênero em homens com o transtorno transvéstico, e a de autoginefilia aumenta a probabilidade de disforia de gênero em homens com o transtorno transvéstico.

Características Diagnósticas

O diagnóstico de transtorno transvéstico não se aplica a todos os indivíduos que se vestem como o gênero oposto, mesmo àqueles que o fazem de forma habitual. Ele se aplica a indivíduos cuja troca no modo de vestir-se ou cujos pensamentos sobre o uso de roupas do gênero oposto estão sempre ou frequentemente acompanhados de excitação sexual (Critério A) e que estão emocionalmente perturbados por esse padrão ou sentem que ele prejudica o funcionamento social ou interpessoal (Critério B). O vestir-se como o gênero oposto (*cross-dressing*) pode envolver apenas um ou dois artigos do vestuário (p. ex., para homens, pode incluir somente o uso de roupas íntimas femininas) ou se vestir completamente com roupas íntimas e externas do gênero oposto e (em homens) pode incluir o uso de peruca e maquiagem feminina. A excitação sexual, em sua apresentação mais óbvia de ereção peniana, pode ocorrer simultaneamente com o uso de roupas do gênero oposto de várias formas. Em homens mais jovens, vestir-se como o gênero oposto frequentemente leva à masturbação, após a qual toda peça de roupa feminina é retirada. Homens mais velhos com frequência aprendem a evitar a masturbação ou fazer qualquer coisa que estimule o pênis, de modo que evitar a ejaculação possibilita-lhes prolongar a sessão de uso de roupas do gênero oposto. Homens e mulheres, por vezes, completam a sessão de uso de roupas do gênero oposto tendo relação sexual com seus parceiros, sendo que alguns apresentam dificuldade de manter uma ereção suficiente para a relação sexual sem o uso das roupas do gênero oposto (ou sem fantasias particulares de uso dessas roupas).

A avaliação clínica de sofrimento ou prejuízo, tal como a avaliação clínica da excitação sexual transvéstica, costuma depender do autorrelato do indivíduo. O padrão de comportamento "purgar e adquirir" frequentemente representa a presença de sofrimento em indivíduos com o transtorno transvéstico. Durante esse padrão comportamental, um indivíduo (normalmente um homem) que gastou muito dinheiro em roupas femininas e outros itens (p. ex., sapatos, perucas) descarta-os (i. e., purga-os) na tentativa de vencer os ímpetos de vestir-se como o gênero oposto, para depois começar a adquirir peças do vestuário feminino novamente.

Características Associadas

O transtorno transvéstico em homens com frequência é acompanhado de *autoginefilia* (i. e., tendência parafílica no homem a excitar-se sexualmente pela ideia ou imagem de si mesmo como mulher). Fantasias e comportamentos de autoginefilia podem ter como ponto central a ideia de exibir funções fisiológicas femininas (p. ex., lactação, menstruação), envolver-se em comportamento estereotipicamente feminino (p. ex., tricotar) ou ter a anatomia da mulher (p. ex., seios).

Prevalência

A prevalência do transtorno transvéstico é desconhecida; contudo, a prevalência parece ser maior nos homens do que nas mulheres. Menos de 3% dos homens suecos relatam alguma vez ter tido excitação sexual vestindo-se como mulher. O percentual de indivíduos que usaram roupas do gênero oposto com excitação sexual mais de uma vez ou poucas vezes em suas vidas seria ainda menor.

Desenvolvimento e Curso

Nos homens, os primeiros sinais de transtorno transvéstico podem surgir na infância sob a forma de grande fascinação por um item particular do vestuário feminino. Antes da puberdade, vestir-se como o gênero oposto produz sensações generalizadas de excitação prazerosa. Com a chegada da puberdade, usar roupas femininas começa a provocar ereção peniana e, em certos casos, leva diretamente à primeira ejaculação. Em muitos casos, vestir-se como o gênero oposto provoca cada vez menos excitação sexual conforme o indivíduo vai envelhecendo; finalmente, pode deixar de produzir qualquer resposta peniana discernível.

O desejo de vestir-se como o gênero oposto, ao mesmo tempo, permanece igual ou ainda mais forte. Indivíduos que relatam tal diminuição da resposta sexual costumam mencionar que a excitação sexual resultante de uso de roupas do gênero oposto foi substituída por sensações de conforto ou bem-estar.

Em alguns casos, o curso do transtorno transvéstico é contínuo; em outros, episódico. Não é raro que homens com o transtorno percam o interesse por vestir-se com roupas femininas quando se apaixonam pela primeira vez por uma mulher e começam um relacionamento; essa redução, no entanto, geralmente se mostra temporária. Quando retorna o desejo de vestir-se como mulher, também retorna o sofrimento associado.

Alguns casos de transtorno transvéstico evoluem para disforia de gênero. Os indivíduos, que podem não se diferenciar de outros com o transtorno transvéstico na adolescência ou no início da infância, desenvolvem gradualmente desejos de manter o papel feminino por períodos mais longos e feminilizar sua anatomia. O desenvolvimento de disforia de gênero costuma ser acompanhado por redução ou eliminação (autorrelatada) da excitação sexual associada ao uso de roupas do gênero oposto.

A manifestação do travestismo na ereção e na estimulação peniana, assim como a manifestação de outros interesses sexuais parafílicos e normofílicos, é mais intensa na adolescência e no início da vida adulta. A gravidade do transtorno transvéstico é mais alta na vida adulta, quando os impulsos transvésticos têm mais possibilidade de entrar em conflito com o desempenho na relação sexual heterossexual e com desejos de casar-se e constituir uma família. Homens na meia-idade e idosos com história de travestismo têm menor probabilidade de apresentar-se com transtorno transvéstico do que com disforia de gênero.

Consequências Funcionais do Transtorno Transvéstico

O envolvimento em comportamentos transvésticos pode interferir nas relações heterossexuais ou levar à evitação dessas relações. Isso pode ocasionar sofrimento em homens que desejam manter casamentos convencionais ou envolvimentos amorosos com mulheres.

Diagnóstico Diferencial

Travestismo. Indivíduos com travestismo experimentam excitação sexual recorrente e intensa por causa do ato de vestir-se como o gênero oposto. Caso as fantasias, os impulsos sexuais ou os comportamentos envolvendo vestir-se como o gênero oposto não sejam acompanhados por sofrimento clinicamente significativo ou prejuízo no funcionamento social, profissional ou em outras áreas importantes da vida do indivíduo, um diagnóstico de transtorno transvéstico não é garantido.

Transtorno fetichista. Este transtorno pode assemelhar-se ao transtorno transvéstico, particularmente nos homens com fetichismo que vestem roupas íntimas femininas enquanto se masturbam com elas. Distinguir o transtorno transvéstico depende dos pensamentos específicos do indivíduo durante tal atividade (p. ex., há ideias de ser mulher, agir como mulher ou vestir-se como mulher?) e da presença de outros fetiches (p. ex., tecidos macios e de seda, seja usados como peças do vestuário, seja de outra forma).

Disforia de gênero. Indivíduos com o transtorno transvéstico não relatam incongruência entre seu gênero sentido e seu gênero designado nem desejo de ser do outro gênero; em geral, eles não têm história de comportamentos infantis transgêneros, os quais estão presentes naqueles com disforia de gênero. Indivíduos com uma apresentação que atende a todos os critérios para transtorno transvéstico, assim como para disforia de gênero, devem receber os dois diagnósticos.

Comorbidade

O transtorno transvéstico é com frequência encontrado associado a outras parafilias. As que ocorrem simultaneamente com maior frequência são interesses ou comportamentos sexuais fetichistas e interesses ou comportamentos sexuais masoquistas. Uma forma particularmente perigosa de interesse ou comportamento sexual masoquista, a *asfixia autoerótica*, está associada aos interesses ou comportamentos sexuais transvésticos em uma proporção substancial de casos fatais.

Outro Transtorno Parafílico Especificado

F65.89

Esta categoria aplica-se a apresentações em que sintomas característicos de um transtorno parafílico que causam sofrimento clinicamente significativo ou prejuízo no funcionamento social, profissional ou em outras áreas importantes da vida do indivíduo predominam, mas não satisfazem todos os critérios para qualquer transtorno na classe diagnóstica de transtornos parafílicos. A categoria outro transtorno parafílico especificado é usada nas situações em que o clínico opta por comunicar a razão específica pela qual a apresentação não satisfaz os critérios para qualquer transtorno parafílico específico. Isso é feito por meio do registro de "outro transtorno parafílico especificado", seguido pela razão específica (p. ex., "zoofilia").

Exemplos de apresentações que podem ser especificadas mediante uso do termo "outro transtorno parafílico especificado" incluem, embora não se limitem a, excitação sexual recorrente e intensa envolvendo *escatologia telefônica* (telefonemas obscenos), *necrofilia* (cadáveres), *zoofilia* (animais) *coprofilia* (fezes), *clismafilia* (enemas) ou *urofilia* (urina) que tenham estado presentes durante pelo menos seis meses causando sofrimento intenso ou prejuízo no funcionamento social, profissional ou em outras áreas importantes da vida do indivíduo. Outro transtorno parafílico especificado pode ser especificado como em remissão e/ou ocorrendo em um ambiente protegido.

Transtorno Parafílico Não Especificado

F65.9

Esta categoria aplica-se a apresentações em que sintomas característicos de um transtorno parafílico que causam sofrimento clinicamente significativo ou prejuízo no funcionamento social, profissional ou em outras áreas importantes da vida do indivíduo predominam, mas não satisfazem todos os critérios para qualquer transtorno na classe diagnóstica dos transtornos parafílicos. A categoria transtorno parafílico não especificado é usada nas situações em que o clínico opta por não especificar a razão pela qual os critérios para um transtorno parafílico específico não são satisfeitos e inclui apresentações para as quais não há informações suficientes para que seja feito um diagnóstico mais específico.

Outros Transtornos Mentais e Códigos Adicionais

Este capítulo fornece os códigos diagnósticos para apresentações psiquiátricas que são transtornos mentais (ou seja, sintomas que causam sofrimento clinicamente significativo ou prejuízo no funcionamento social, profissional ou em outras áreas importantes do funcionamento), mas que não atendem aos requisitos diagnósticos para qualquer um dos transtornos mentais nos capítulos da Seção II. Esses códigos permitem a documentação e a codificação desses transtornos mentais não classificados de outra forma. Este capítulo também inclui um código adicional, "Sem diagnóstico ou condição", para situações em que o indivíduo foi avaliado e determinou-se que nenhum transtorno ou condição mental está presente.

As categorias 1) outro transtorno mental especificado devido a outra condição médica e 2) transtorno mental não especificado devido a outra condição médica são para apresentações para as quais foi determinado que os sintomas psiquiátricos (p. ex., sintomas dissociativos) são uma consequência fisiológica direta de outra condição médica, mas não atendem aos critérios diagnósticos para qualquer um dos transtornos mentais da Seção II devido a outra condição médica. Para o diagnóstico de outro transtorno mental especificado ou não especificado devido a outra condição médica, é necessário codificar e listar a condição médica primeiro (p. ex., B20 doença por HIV), seguida pelo código aplicável para outro transtorno mental especificado ou não especificado devido a outra condição médica.

As categorias 1) outro transtorno mental especificado e 2) transtorno mental não especificado são categorias residuais usadas quando todas as seguintes considerações são atendidas: a apresentação psiquiátrica é um transtorno mental (i. e., os sintomas causam sofrimento clinicamente significativo ou prejuízo nas áreas social, ocupacional, ou outras áreas importantes da vida do indivíduo); a apresentação não atende aos critérios diagnósticos para nenhum dos transtornos mentais específicos da Seção II; a apresentação também não atende aos requisitos de definição de qualquer uma das outras categorias de transtorno mental especificadas e não especificadas apresentadas na Seção II; e nenhum outro diagnóstico de transtorno mental se aplica.

Como acontece com outras categorias especificadas e não especificadas ao longo do DSM-5, a outra categoria especificada é usada quando o clínico opta por citar o motivo específico pelo qual a apresentação não atende aos critérios para qualquer uma das categorias existentes (p. ex., outro transtorno mental especificado devido a crises parciais complexas, com sintomas dissociativos), e a categoria não especificada é usada quando o clínico opta por não especificar o motivo.

Outro Transtorno Mental Especificado Devido a Outra Condição Médica

F06.8

Esta categoria aplica-se a apresentações em que sintomas característicos de um transtorno mental devido a outra condição médica que causam sofrimento clinicamente significativo ou prejuízo no funcionamento social, profissional ou em outras áreas importantes da vida do indivíduo predominam, mas não satisfazem todos os critérios para qualquer transtorno mental devido a outra condição médica específico. A categoria outro transtorno mental especificado devido a outra condição médica é utilizada nas situações em que o clínico opta por comunicar a razão específica pela qual a apresentação não satisfaz os critérios para qualquer transtorno mental devido a outra condição médica específico. Isso é feito por meio do registro do nome do transtorno, com a condição médica etiológica específica inserida no lugar de "outra condição médica", seguida da manifestação sintomática específica que não satisfaz os critérios para qualquer outro transtorno mental devido a outra condição médica específico. Além disso, o código diagnóstico para a condição médica específica deve ser listado imediatamente antes do código para outro transtorno mental especificado devido a outra condição médica. Por exemplo, sintomas dissociativos devidos a convulsões parciais complexas seriam codificados e registrados como G40.209 convulsões parciais complexas, F06.8 outro transtorno mental especificado devido a convulsões parciais complexas, sintomas dissociativos.

Um exemplo de uma apresentação que pode ser especificada usando a designação "outro transtorno mental especificado" é o seguinte:

Sintomas dissociativos: Inclui sintomas que ocorrem, por exemplo, no contexto das convulsões parciais complexas.

Transtorno Mental Não Especificado Devido a Outra Condição Médica

F09

Esta categoria aplica-se a apresentações em que sintomas característicos de um transtorno mental devido a outra condição médica que causam sofrimento clinicamente significativo ou prejuízo no funcionamento social, profissional ou em outras áreas importantes da vida do indivíduo predominam, mas não satisfazem a todos os critérios para qualquer transtorno mental devido a outra condição médica específico. A categoria transtorno mental não especificado devido a outra condição médica é utilizada nas situações em que o clínico opta por *não* especificar a razão pela qual os critérios para um transtorno mental devido a outra condição médica específico não são satisfeitos, e inclui apresentações para as quais não há informações suficientes para que seja feito um diagnóstico mais específico (p. ex., em salas de emergência). Isso é feito por meio do registro do nome do transtorno, com a condição médica etiológica específica inserida no lugar de "outra condição médica". Além disso, o código diagnóstico para a condição médica específica deve ser listado imediatamente antes daquele para o transtorno mental não especificado devido a outra condição médica. Por exemplo, sintomas dissociativos devidos a convulsões parciais complexas seriam codificados e registrados como G40.209 convulsões parciais complexas, F09 transtorno mental não especificado devido a convulsões parciais complexas.

Outro Transtorno Mental Especificado

F99

Esta categoria aplica-se a apresentações em que sintomas característicos de um transtorno mental que causam sofrimento clinicamente significativo ou prejuízo no funcionamento social, profissional ou em outras áreas importantes da vida do indivíduo predominam, mas não satisfazem todos os critérios para qualquer transtorno mental específico. A categoria outro transtorno mental especificado é utilizada nas situações em que o clínico opta por comunicar a razão específica pela qual a apresentação não satisfaz os critérios para qualquer transtorno mental específico. Isso é feito por meio do registro de "outro transtorno mental especificado", seguido da razão específica.

Transtorno Mental Não Especificado

F99

Esta categoria aplica-se a apresentações em que sintomas característicos de um transtorno mental que causam sofrimento clinicamente significativo ou prejuízo no funcionamento social, profissional ou em outras áreas importantes da vida do indivíduo predominam, mas não satisfazem todos os critérios para qualquer transtorno mental. A categoria transtorno mental não especificado é utilizada nas situações em que o clínico opta por *não* especificar a razão pela qual os critérios para um transtorno mental específico não são satisfeitos e inclui apresentações para as quais não há informações suficientes para que seja feito um diagnóstico mais específico (p. ex., em salas de emergência).

Códigos Adicionais

Z03.89 Sem Diagnóstico ou Condição

Este código se aplica a situações em que a pessoa foi avaliada e é determinado que nenhum transtorno ou condição mental está presente.

Transtornos do Movimento Induzidos por Medicamentos e Outros Efeitos Adversos de Medicamentos

Transtornos do movimento induzidos por medicamentos estão na Seção II devido à importância frequente 1) no manejo com medicamentos dos transtornos mentais ou outras condições médicas e 2) no diagnóstico diferencial dos transtornos mentais (p. ex., transtorno de ansiedade *versus* acatisia induzida por neurolépticos; catatonia maligna [uma forma particularmente grave e potencialmente fatal de catatonia] *versus* síndrome neuroléptica maligna; discinesia tardia *versus* coreia). Embora esses transtornos do movimento sejam rotulados de "induzidos por medicamentos", costuma ser difícil estabelecer a relação causal entre a exposição ao medicamento e o desenvolvimento do transtorno do movimento, em especial porque alguns desses transtornos do movimento também ocorrem na ausência de exposição a medicamentos. As condições e os problemas listados neste capítulo não são transtornos mentais.

O termo *neuroléptico* está ficando desatualizado, uma vez que dá destaque à propensão de medicamentos antipsicóticos de causar movimentos anormais, e em muitos contextos está sendo substituído pelo termo *medicamentos antipsicóticos e outros agentes bloqueadores do receptor de dopamina*. Embora novos medicamentos neurolépticos possam ter menos probabilidade de causar transtornos do movimento induzidos por medicamentos, tais transtornos ainda ocorrem. Os medicamentos antipsicóticos e outros agentes bloqueadores do receptor de dopamina incluem os chamados agentes convencionais, "típicos", ou de primeira geração (p. ex., clorpromazina, haloperidol, flufenazina); "atípicos", ou de segunda geração (p. ex., clozapina, risperidona, olanzapina, quetiapina); alguns fármacos bloqueadores do receptor de dopamina, usados no tratamento de sintomas como náusea e gastroparesia (p. ex., proclorperazina, prometazina, trimetobenzamida, tietilperazina, metoclopramida); e amoxapina, que é indicado para o tratamento da depressão.

Parkinsonismo Induzido por Medicamento

G21.11   Parkinsonismo Induzido por Medicamento Antipsicótico e Outro Agente Bloqueador do Receptor de Dopamina

G21.19   Parkinsonismo Induzido por Outro Medicamento

O parkinsonismo induzido por medicamento (PIM), segunda causa mais comum de parkinsonismo depois da doença de Parkinson, está associado a morbidade significativa, incapacidade e não adesão ao tratamento, particularmente em indivíduos com transtornos psiquiátricos. Como o reconhecimento precoce é importante, para qualquer novo caso de parkinsonismo, deve-se solicitar uma história medicamentosa completa, essencial para o diagnóstico de PIM. Uma relação temporal entre o início do uso do medicamento e o início do parkinsonismo deve ser evidente. Diversos agentes que podem ser prescritos em indivíduos com transtornos psiquiátricos também podem induzir parkinsonismo, mas o PIM é mais frequentemente observado após a exposição a medicamentos antipsicóticos que bloqueiam os receptores D_2 de dopamina. O PIM ocorre em taxas mais altas com antipsicóticos que têm maior potência para o receptor D_2 de dopamina, como haloperidol, flufenazina e risperidona, mas não há diferenças nas características clínicas do parkinsonismo entre antipsicóticos de primeira e segunda geração.

Outros medicamentos que podem causar PIM incluem antagonistas dos canais de cálcio (p. ex., flunarizina, cinarizina), depletores de dopamina (p. ex., reserpina, tetrabenazina), anticonvulsivantes (p. ex., fenitoína, valproato, levetiracetam), antidepressivos (p. ex., inibidores seletivos da recaptação de serotonina, inibidores da monoaminoxidase), lítio, drogas quimioterápicas (p. ex., citosina-arabinosídeo, ciclofosfamida, vincristina, doxorrubicina, paclitaxel, etoposido) e imunossupressores (p. ex., ciclosporina, tacrolimus). Toxinas (p. ex., 1-metil-4-fenil1,2,3,6-tetra-hidropiridina [MPTP], pesticidas organofosforados, manganês, metanol, cianeto, monóxido de carbono e dissulfeto de carbono) também podem causar PIM.

O curso de tempo para o desenvolvimento do PIM varia. Geralmente, o PIM se desenvolve em algumas semanas após o início ou aumento da dose de um medicamento conhecido por causar parkinsonismo ou após a redução de um medicamento antiparkinsoniano (p. ex., um agente anticolinérgico) que está sendo usado para tratar ou prevenir distonia induzida por medicamentos ou sintomas parkinsonianos. No entanto, o PIM também pode se desenvolver rapidamente após o início ou aumento da dose de um medicamento ou ter um início insidioso após muitos meses de exposição. Com medicamentos antipsicóticos ou outros agentes bloqueadores do receptor de dopamina, o PIM em geral se desenvolve 2 a 4 semanas após o início do medicamento e geralmente antes de 3 meses. Principalmente com bloqueadores dos canais de cálcio, um segundo pico de início dos sintomas é relatado após cerca de 1 ano.

As taxas relatadas de PIM são afetadas pela ausência de critérios diagnósticos padrão, diagnóstico incorreto ou atribuição errônea de sinais de PIM à doença com corpos de Lewy (p. ex., doença de Parkinson) ou a uma condição psiquiátrica e falta geral de reconhecimento, sobretudo em casos mais leves. Estima-se que pelo menos 50% dos pacientes ambulatoriais que recebem tratamento antipsicótico de longo prazo com agentes típicos desenvolvam sinais ou sintomas parkinsonianos em algum momento do tratamento.

Não há características clínicas que diferenciem o PIM de forma confiável da doença de Parkinson. Como os sinais e sintomas motores na doença de Parkinson começam unilateralmente e seguem de forma assimétrica, o início subagudo do parkinsonismo bilateral dentro de algumas semanas após o início de um antipsicótico ou outro agente causador de PIM é altamente sugestivo de PIM. Os sinais parkinsonianos geralmente são simétricos no PIM, mas os padrões assimétricos não são raros e não devem excluir o diagnóstico de PIM. Além disso, o curso e a apresentação do parkinsonismo não devem ser mais bem explicados por fenômenos psiquiátricos, como catatonia, sintomas negativos de esquizofrenia ou retardo psicomotor em um episódio depressivo maior; outros transtornos do movimento induzidos por medicamentos não parkinsonianos; outra condição neurológica ou médica (p. ex., doença de Parkinson, doença de Wilson); ou doença de Parkinson exacerbada por antipsicóticos.

No PIM, a rigidez e a bradicinesia estão presentes com maior frequência, enquanto o tremor é um pouco menos comum e pode não estar presente. O tremor parkinsoniano, também conhecido como "tremor de rolar pílula", é um movimento oscilatório constante e rítmico (3 a 6 ciclos por segundo), aparente em repouso e normalmente mais lento que outros tremores. Pode ser intermitente, unilateral ou bilateral, ou dependente da posição do membro (i. e., tremor posicional). O tremor pode envolver os membros, a cabeça, a mandíbula, a boca, os lábios ("*rabbit syndrome*") ou a língua. Por estar presente em repouso, o tremor pode ser suprimido, principalmente quando o indivíduo tenta realizar uma tarefa com o membro trêmulo. Os indivíduos podem descrever o tremor como "tremedeira" e relatar que pode piorar com ansiedade, estresse ou fadiga.

A rigidez parkinsoniana é experimentada como rigidez involuntária e inflexibilidade dos músculos dos membros, ombros, pescoço ou tronco. A rigidez é observada avaliando o tônus muscular ou a quantidade de resistência presente quando o examinador move um membro (e alonga os músculos) passivamente ao redor de uma articulação. Na rigidez do "cano de chumbo", o tônus aumentado é constante em toda a amplitude de movimento (em contraste com a espasticidade da rigidez do canivete). Acredita-se que a rigidez da roda dentada represente um tremor sobreposto à rigidez. Mais comum nos pulsos e cotovelos, é experimentada como uma resistência rítmica, semelhante a uma catraca (roda dentada) quando os músculos são movidos passivamente em torno de uma articulação. Indivíduos com rigidez parkinsoniana podem se queixar de sensibilidade ou rigidez muscular generalizada, rigidez nos membros, dores musculares ou articulares, dores no corpo ou falta de coordenação.

A bradicinesia e a acinesia são estados observáveis de atividade motora espontânea diminuída ou ausente, respectivamente. Há lentidão global, bem como lentidão na iniciação e execução dos movimentos. Rotinas diárias (p. ex., higiene) podem ser difíceis de serem realizadas normalmente e podem ser reduzidas. Os indivíduos podem queixar-se de apatia, falta de espontaneidade e motivação, ou fadiga. A rigidez parkinsoniana e a bradicinesia manifestam-se como anormalidades da marcha, incluindo diminuição do comprimento da passada, balanço do braço ou espontaneidade geral da marcha. Outros sinais incluem uma postura arqueada com o pescoço e ombros curvados, uma expressão facial fixa e pequenos passos arrastados. A salivação pode surgir como resultado da redução da atividade motora faríngea e da deglutição, mas devido às propriedades anticolinérgicas desses medicamentos, pode ser menos comum no parkinsonismo induzido por antipsicóticos em comparação com outros medicamentos que causam PIM.

O PIM está associado a aumento da disfunção da marcha, quedas e institucionalização. Como tal, o PIM é um transtorno do movimento iatrogênico grave em pessoas idosas, o que garante reconhecimento e diagnóstico precoces. Os sintomas comportamentais associados podem incluir depressão e piora dos sinais negativos da esquizofrenia. Outros sinais e sintomas parkinsonianos incluem caligrafia pequena (micrografia), destreza motora reduzida, hipofonia, reflexo de vômito diminuído, disfagia, instabilidade postural, expressão facial e piscada reduzidas e seborreia. Quando o parkinsonismo está associado a uma diminuição grave da atividade motora, suas complicações médicas incluem contraturas, feridas, embolia pulmonar, incontinência urinária, pneumonia aspirativa, perda de peso e fraturas de quadril.

Fatores de risco consistentes são gênero feminino, idade avançada, comprometimento cognitivo, outras condições neurológicas concomitantes, infecção pelo HIV, história familiar de doença de Parkinson e doença psiquiátrica grave. O PIM secundário ao uso de antipsicóticos também é relatado em crianças. O risco de PIM é reduzido se os indivíduos estiverem tomando medicamentos anticolinérgicos.

Diagnóstico Diferencial

A doença de Parkinson e as demais condições relacionadas ao Parkinson, como atrofia multissistêmica, paralisia supranuclear progressiva e doença de Wilson, são diferenciadas do PIM por seus outros sinais e sintomas que acompanham o parkinsonismo. Por exemplo, a doença de Parkinson é sugerida pela evidência de três ou mais características cardinais da doença de Parkinson (p. ex., tremor de repouso, rigidez, bradicinesia, instabilidade postural), hiposmia, transtornos do sono, como transtorno comportamental do sono REM, distúrbios urinários e outros sintomas autonômicos comuns à doença de Parkinson. Essas características são menos prováveis de estarem presentes no PIM. Indivíduos com causas neurológicas primárias de parkinsonismo também são suscetíveis ao agravamento dos sintomas se tratados com medicamentos que causam PIM.

Os tremores não parkinsonianos costumam ser menores (p. ex., amplitude menor) e mais rápidos (10 ciclos por segundo) e pioram na intenção (p. ex., ao estender a mão para pegar um objeto). Com a abstinência da substância, geralmente há hiper-reflexia associada e aumento dos sinais autonômicos. Na doença cerebelar, o tremor piora intencionalmente e pode estar associado a nistagmo, ataxia ou fala arrastada. Os movimentos coreiformes associados a discinesia tardia carecem da ritmicidade constante de um tremor parkinsoniano. Acidentes vasculares cerebrais e outras lesões do sistema nervoso central podem causar sinais neurológicos focais ou imobilidade por paralisia flácida ou espástica, que é caracterizada por diminuição da força muscular e aumento do tônus no movimento passivo que cede com mais pressão (ou seja, rigidez em canivete). Isso contrasta com a rigidez do "cano de chumbo" e a força muscular normal no PIM.

Alternativas diagnósticas ao PIM também são sugeridas por história familiar de condição neurológica hereditária, parkinsonismo rapidamente progressivo não explicado por alterações psicofarmacológicas recentes ou presença de sinais neurológicos focais (p. ex., sinais de liberação frontal, anormalidades de nervos cranianos, sinal de Babinski positivo). A síndrome neuroléptica maligna envolve acinesia e rigidez graves, mas também descobertas físicas e laboratoriais características (p. ex., febre, aumento de creatina fosfoquinase — CPK).

A lentidão psicomotora, a inatividade e a apatia observadas no transtorno depressivo maior podem ser indistinguíveis da lentidão motora ou acinesia do PIM, mas o transtorno depressivo maior é mais provável de incluir sinais vegetativos (p. ex., o despertar matinal), desesperança e desespero. Sintomas negativos de esquizofrenia, catatonia associada à esquizofrenia ou transtornos do humor com catatonia também podem ser difíceis de distinguir da acinesia induzida por medicamento. A rigidez também pode se manifestar em transtornos psicóticos, *delirium*, transtorno neurocognitivo maior, transtornos de ansiedade e transtorno de sintomas neurológicos funcionais (transtorno conversivo). Na rigidez parkinsoniana, a resistência ao movimento passivo é constante em toda a amplitude de movimento, enquanto é inconsistente em transtornos psiquiátricos ou outras condições neurológicas que apresentam rigidez. Em geral, o conjunto de sinais físicos associados ao exame físico e sintomas associados a tremor, rigidez e bradicinesia do parkinsonismo ajuda a distinguir a rigidez e a bradicinesia relacionadas ao PIM de outras causas psiquiátricas primárias de rigidez e diminuição do movimento.

Síndrome Neuroléptica Maligna

G21.0 Síndrome Neuroléptica Maligna

Os indivíduos com síndrome neuroléptica maligna, em geral, foram expostos a um antagonista da dopamina 72 horas antes do desenvolvimento dos sintomas. Hipertermia (> 38°C em, pelo menos, duas ocasiões, com medição oral) associada a diaforese profusa é uma característica distintiva da síndrome neuroléptica maligna, diferenciando-a de outros efeitos secundários neurológicos de medicamentos antipsicóticos e outros agentes bloqueadores do receptor de dopamina. Elevações extremas de temperatura, reflexos de um colapso na termorregulação central, têm mais possibilidade de apoiar o diagnóstico de síndrome neuroléptica maligna. Rigidez generalizada, descrita como "cano de chumbo" em sua forma mais grave e comumente sem resposta a agentes antiparkinsonianos, é uma característica central do transtorno, podendo ser associada a outros sintomas neurológicos (p. ex., tremor, sialorreia, acinesia, distonia, trismo, mioclono, disartria, disfagia, rabdomiólise). Elevação da creatina quinase de pelo menos quatro vezes o limite superior do normal costuma ser um dado. Mudanças no estado mental, caracterizadas por *delirium* ou alteração de consciência, variando do estupor ao coma, normalmente são um primeiro sinal da síndrome neuroléptica maligna. Os indivíduos afetados podem parecer em estado de alerta, embora atordoados e não reagentes, situação consistente com estupor catatônico. Ativação e instabilidade autonômica – manifestadas por taquicardia (taxa > 25% acima dos níveis basais), diaforese, elevação da pressão arterial (sistólica ou diastólica ≥ 25% acima dos níveis basais) ou flutuação (mudança da pressão diastólica ≥ 20 mmHg ou mudança da pressão sistólica ≥ 25 mmHg em 24 horas), incontinência urinária e palidez – podem ser constatadas a qualquer momento, embora ofereçam um indicador precoce para o diagnóstico. Taquipneia (taxa > 50% acima dos níveis basais) é comum, e sofrimento respiratório – consequência de acidose metabólica, hipermetabolismo, restrição da parede do tórax, pneumonia aspirativa ou embolia pulmonar — pode ocorrer e levar a parada respiratória repentina.

Embora várias anormalidades laboratoriais estejam associadas à síndrome neuroléptica maligna, nenhuma é específica para o diagnóstico. Indivíduos com a síndrome podem ter leucocitose, acidose metabólica, hipoxia, concentrações séricas de ferro reduzidas e elevações nas enzimas musculares séricas e catecolaminas. Os achados da análise do líquido cerebrospinal e estudos de neuroimagem costumam ser normais, ao passo que o eletroencefalograma mostra desaceleração generalizada. Achados de autópsia, em casos fatais, não têm sido específicos, além de mostrar variação, dependendo das complicações.

Evidências de estudos de bancos de dados sugerem taxas de incidência para síndrome neuroléptica maligna de 0,01 a 0,02% entre pessoas tratadas com antipsicóticos. Um estudo com base na população realizado em Hong Kong encontrou um risco de incidência de 0,11% em indivíduos tratados com medicamentos antipsicóticos.

A progressão temporal dos sinais e sintomas oferece indicadores importantes para o diagnóstico e o prognóstico da síndrome. Alteração no estado mental e outros sinais neurológicos costumam anteceder os sinais sistêmicos. O surgimento dos sintomas varia de horas a dias após o início do fármaco. Alguns casos se desenvolvem em 24 horas após o início do fármaco, a maior parte, em uma semana, e praticamente todos os casos em 30 dias. Uma vez que a síndrome é diagnosticada e os medicamentos antipsicóticos orais e outros agentes bloqueadores do receptor de dopamina são descontinuados, a síndrome neuroléptica maligna é autolimitada na maioria dos casos. O tempo médio de recuperação após a interrupção do fármaco é de 7 a 10 dias, com a maioria das pessoas recuperando-se em uma semana, e quase todas em 30 dias. A duração pode ser prolongada quando medicamentos antipsicóticos de ação prolongada estão envolvidos. Há relatos de indivíduos em que houve persistência de sinais neurológicos residuais durante semanas após a resolução dos sintomas hipermetabólicos agudos. O desaparecimento total dos sintomas pode ser obtido na maioria dos casos de síndrome neuroléptica maligna; foram relatadas, entretanto, taxas de fatalidade de 10 a 20% quando o transtorno não é reconhecido. Embora muitos indivíduos não apresentem uma recorrência da síndrome neuroléptica maligna quando o medicamento antipsicótico é reintroduzido, alguns o fazem, especialmente quando o medicamento é reinstituído logo após um episódio.

A síndrome neuroléptica maligna é um risco potencial em qualquer indivíduo após a administração de um medicamento antipsicótico ou outro agente bloqueador do receptor de dopamina. Não é específica de nenhum diagnóstico neuropsiquiátrico, podendo ocorrer em indivíduos sem um transtorno mental diagnosticável que receberam antagonistas dopaminérgicos. Fatores clínicos, sistêmicos e metabólicos associados a risco aumentado de síndrome neuroléptica maligna incluem agitação, exaustão, desidratação e deficiência de ferro. Um episódio anterior associado a antipsicóticos é descrito em 15 a 20% dos casos, sugerindo vulnerabilidade subjacente em alguns indivíduos; porém, achados genéticos baseados em polimorfismos dos receptores de neurotransmissores não foram replicados de forma consistente.

Quase todos os medicamentos antipsicóticos e outros agentes de bloqueio do receptor de dopamina estão associados a síndrome neuroléptica maligna, embora os antipsicóticos de alta potência apresentem um risco maior comparados aos agentes de baixa potência e aos antipsicóticos atípicos. Formas parciais ou mais leves podem ser associadas a antipsicóticos mais recentes, embora a síndrome varie quanto à gravidade, mesmo com os fármacos mais antigos. Agentes de bloqueio do receptor de dopamina usados em contextos médicos (p. ex., metoclopramida, proclorperazina) também têm sido implicados. Vias parenterais de administração, taxas de titulação rápidas e dosagens totais mais altas dos fármacos estão associadas a aumento do risco; a síndrome neuroléptica maligna, no entanto, costuma ocorrer em uma variação terapêutica da dose de antipsicóticos e outros agentes de bloqueio do receptor de dopamina.

Diagnóstico Diferencial

A síndrome neuroléptica maligna deve ser diferenciada de outras condições neurológicas ou médicas graves, inclusive de infecções do sistema nervoso central, condições inflamatórias ou autoimunes, estado de mal epiléptico, lesões estruturais subcorticais e condições sistêmicas (p. ex., feocromocitoma, tireotoxicose, tétano, insolação).

A síndrome neuroléptica maligna deve ser diferenciada, ainda, de síndromes similares, resultantes do uso de outras substâncias ou medicamentos, como a síndrome serotonérgica; da síndrome da hipertermia parkinsoniana após interrupção repentina de agonistas dopaminérgicos; da abstinência de álcool ou sedativos; da hipertermia maligna que ocorre durante anestesia; da hipertermia associada a abuso de estimulantes e alucinógenos; da intoxicação atropínica resultante de anticolinérgicos.

Em raras ocasiões, indivíduos com esquizofrenia ou algum transtorno do humor podem apresentar catatonia maligna, que pode ser indistinguível da síndrome neuroléptica maligna. Alguns pesquisadores consideram a síndrome neuroléptica maligna uma forma de catatonia maligna induzida por fármacos.

Distonia Aguda Induzida por Medicamento

G24.02 Distonia Aguda Induzida por Medicamento

A característica essencial da distonia aguda induzida por medicamento são as contrações musculares anormais sustentadas (aumento do tônus muscular) e posturas que se desenvolvem em associação com o uso de um medicamento conhecido por causar distonia aguda. Qualquer medicamento que bloqueie os receptores dopaminérgicos tipo D_2 pode induzir uma reação distônica aguda (RDA). Mais comumente, RDAs ocorrem após exposição a antipsicóticos e agentes antieméticos e promotilidade. Diversas outras classes de medicamentos também são relatadas como tendo induzido RDAs, incluindo inibidores seletivos da recaptação de serotonina, inibidores da colinesterase, opioides e metilfenidato.

As reações distônicas variam muito em gravidade e localização e podem ser focais, segmentadas ou generalizadas. Acometem mais frequentemente os músculos da cabeça e do pescoço, mas podem se estender aos membros superiores e inferiores ou ao tronco. Uma apresentação comum é a distonia oromandibular aguda (mandíbula) envolvendo a língua e a boca com protrusão da língua, ou posturas boquiaberta ou caretas que podem prejudicar a fala (disartria) e a deglutição (disfagia) e podem evoluir para trismo franco (trava). O envolvimento dos músculos oculares (crise oculorígica) se manifesta como desvios conjugados involuntários forçados e sustentados dos olhos para cima, para baixo ou para os lados que pode durar de minutos a horas. Também pode haver blefaroespasmo. A distonia cervical (pescoço) apresenta-se como posições anormais para a frente, para trás, laterais ou de torção da cabeça e do pescoço em relação ao corpo (p. ex., antecolo, retrocolo, laterocolo e torcicolo). Distonia de membro focal, geralmente mais distal do que proximal, síndrome de Pisa (flexão lateral do tronco com tendência a se inclinar para um lado) e arqueamento das costas, que pode evoluir para que também ocorra opistótono (arqueamento para trás da cabeça, do pescoço e da coluna). A distonia laríngea aguda é fatal, causando obstrução das vias aéreas e se manifesta como "aperto na garganta", estridor, disfonia, disfagia, dispneia e desconforto respiratório pelos efeitos da medicação nas cordas vocais e nos músculos laríngeos.

Pelo menos 50% dos indivíduos desenvolvem sinais ou sintomas de RDA dentro de 24 a 48 horas após o início ou aumento rápido da dose do medicamento antipsicótico ou outro agente bloqueador do receptor de dopamina ou da redução de um medicamento usado para tratar ou prevenir sintomas extrapiramidais agudos (p. ex., agentes anticolinérgicos). Aproximadamente 90% dos indivíduos afetados têm início de RDA em 5 dias. Os sintomas não devem ser mais bem explicados por um transtorno mental (p. ex., catatonia) e não devem ser devidos a uma condição neurológica primária ou outra condição médica, ou a um transtorno de movimento tardio induzido por medicamento.

O medo e a ansiedade muitas vezes acompanham as RDAs devido a sua natureza intensa, incapacidade do indivíduo de controlar ou interromper os movimentos e, quando presentes, dificuldade em respirar, falar ou engolir. Alguns indivíduos experimentam dor ou cãibras nos músculos afetados. Aqueles que desconhecem a possibilidade de desenvolver uma distonia induzida por medicamento podem ficar especialmente angustiados, aumentando a probabilidade de subsequente não adesão à medicação. Transtorno do pensamento, delírios ou maneirismos em um indivíduo com psicose podem fazer com que o indivíduo afetado ou outros considerem erroneamente seus sintomas distônicos como uma característica da condição psiquiátrica, o que pode levar ao aumento das doses do medicamento causador. O risco de desenvolver RDAs é maior em crianças e em adultos com menos de 40 anos com psicose, sendo mais incidente no sexo masculino tanto em crianças quanto em adultos. Outros fatores de risco para o desenvolvimento de RDAs incluem reações distônicas anteriores a medicamentos antipsicóticos ou outros agentes bloqueadores de receptores de dopamina e uso de medicamentos antipsicóticos típicos de alta potência.

Diagnóstico Diferencial

É importante distinguir RDAs induzidas por medicamentos de outras causas de distonia, especialmente em indivíduos tratados com antipsicóticos ou outros medicamentos bloqueadores de receptores de dopamina. Uma condição neurológica primária ou outra condição médica é evidente com base no decorrer do tempo e na evolução dos fenômenos distônicos (p. ex., a distonia precede a exposição ao medicamento antipsicótico ou progride na ausência de mudança na medicação) e, possivelmente, outras evidências de sinais neurológicos focais. As distonias focais ou segmentares idiopáticas em geral persistem por vários dias ou semanas, independentemente da medicação. Também pode haver uma história familiar de distonia. A distonia tardia secundária à exposição a medicamentos, incluindo antipsicóticos ou outros agentes bloqueadores de receptores de dopamina, não tem início agudo e pode se tornar evidente quando a dose de um medicamento antipsicótico é reduzida. Outras condições neurológicas (p. ex., crises epilépticas, infecções virais e bacterianas, trauma, lesões que ocupam espaço no sistema nervoso periférico ou central) e endocrinopatias (p. ex., hipoparatireoidismo) também podem produzir sintomas (como tetania) que se assemelham a uma distonia aguda induzida por medicamento. Outros diagnósticos que imitam uma distonia aguda induzida por medicamento incluem anafilaxia, distonia laríngea tardia e discinesia respiratória. A síndrome neuroléptica maligna pode produzir distonia, mas também é acompanhada por febre e rigidez generalizada.

A catatonia associada a um transtorno do humor ou esquizofrenia pode ser distinguida pela relação temporal entre os sintomas e a exposição ao tratamento antipsicótico (p. ex., distonia precedendo a exposição ao medicamento antipsicótico) e a resposta à intervenção farmacológica (p. ex., nenhuma melhora após a redução da dose do medicamento antipsicótico ou em resposta à administração anticolinérgica). Além disso, indivíduos com distonia aguda induzida por medicamento geralmente ficam angustiados com a reação distônica e procuram intervenção. Por sua vez, os indivíduos com catatonia retardada são tipicamente mudos e retraídos e não expressam angústia subjetiva sobre sua condição.

Acatisia Aguda Induzida por Medicamento

G25.71   Acatisia Aguda Induzida por Medicamento

As características essenciais da acatisia aguda induzida por medicamento são queixas subjetivas de inquietação e pelo menos um dos seguintes movimentos observados: movimentos inquietos ou balançar as pernas enquanto sentado, balançar de um pé para outro ou "andar no local" enquanto em pé, andar de um lado para o outro para aliviar a inquietação ou a incapacidade de sentar ou ficar parado por pelo menos alguns minutos. Indivíduos que experimentam a forma mais grave de acatisia aguda induzida por medicamento podem ser incapazes de manter qualquer posição por mais de alguns segundos. As queixas subjetivas incluem uma sensação de inquietação interior, mais frequentemente nas pernas; uma compulsão para mover as pernas; angústia se alguém for solicitado a não mover as pernas; e disforia e ansiedade. Os sintomas em geral ocorrem dentro de 4 semanas após o início ou aumento da dose de um medicamento que pode causar acatisia, incluindo medicamentos antipsicóticos e outros agentes bloqueadores de receptores de dopamina, antidepressivos tricíclicos, inibidores seletivos da recaptação de serotonina, agonistas de dopamina e bloqueadores dos canais de cálcio, e, ocasionalmente, podem seguir a redução do medicamento usado para tratar ou prevenir sintomas extrapiramidais agudos (p. ex., agentes anticolinérgicos). Os sintomas não são mais bem explicados por um transtorno mental (p. ex., esquizofrenia, abstinência de substância, agitação de um episódio depressivo maior ou maníaco, hiperatividade no transtorno de déficit de atenção/hiperatividade) e não são devidos a uma condição neurológica ou outra condição médica (p. ex., doença de Parkinson, anemia ferropriva).

O sofrimento subjetivo resultante da acatisia é significativo e pode levar à não adesão ao tratamento antipsicótico ou antidepressivo. A acatisia pode estar associada a disforia, irritabilidade, agressividade ou tentativas de suicídio. O agravamento dos sintomas psicóticos ou o descontrole comportamental podem levar a um aumento da dose do medicamento, podendo agravar o problema. A acatisia pode se desenvolver muito rapidamente após início ou aumento do medicamento causador. O desenvolvimento de acatisia parece ser dependente da dose e mais frequentemente associado a medicamentos antipsicóticos de alta potência ou a drogas com maior afinidade pelos receptores centrais de dopamina. A acatisia aguda tende a persistir enquanto o medicamento causador for mantido, embora a intensidade possa flutuar ao longo do tempo. A prevalência relatada de acatisia entre indivíduos que utilizam medicamento antipsicótico ou outros agentes bloqueadores de receptores de dopamina tem variado muito (20 a 75%). As variações na prevalência relatada podem ser atribuídas à falta de consistência na definição, nas práticas de prescrição de antipsicóticos, no desenho do estudo e na demografia da população estudada.

Diagnóstico Diferencial

A acatisia aguda induzida por medicamentos pode ser clinicamente indistinguível de síndromes de inquietação devido a certas condições neurológicas ou outras condições médicas e à agitação que se apresenta como parte de um transtorno mental (p. ex., um episódio maníaco). A acatisia da doença de Parkinson e da anemia ferropriva é fenomenologicamente semelhante à acatisia aguda induzida por medicamentos. O aparecimento geralmente brusco de inquietação logo após o início ou aumento do medicamento costuma distinguir a acatisia aguda induzida por medicamento.

Medicamentos antidepressivos inibidores da recaptação específica de serotonina podem produzir acatisia que parece ser idêntica em fenomenologia e resposta ao tratamento à acatisia induzida por medicamento antipsicótico ou outros agentes bloqueadores de receptores de dopamina. A discinesia tardia também costuma ter um componente de inquietação generalizada que pode coexistir com acatisia em um indivíduo que recebe medicamentos antipsicóticos ou outros agentes bloqueadores de dopamina. Acatisia aguda induzida por medicamento antipsicótico ou por outro agente bloqueador de dopamina é diferenciada de outra discinesia tardia induzida por medicamento antipsicótico ou por agente bloqueador de dopamina pela natureza dos movimentos e sua relação com o início de uso do medicamento. O curso do tempo da apresentação sintomática em relação a mudanças na dose do medicamento pode ajudar nessa distinção. Um aumento no medicamento antipsicótico muitas vezes exacerba a acatisia, enquanto alivia temporariamente os sintomas da discinesia tardia.

A acatisia aguda induzida por medicamento deve ser diferenciada dos sintomas que são mais bem explicados por um transtorno mental. Indivíduos com episódios depressivos, episódios maníacos, transtorno de ansiedade generalizada, espectro da esquizofrenia e outros transtornos psicóticos, transtorno de déficit de atenção/hiperatividade, transtorno neurocognitivo maior, *delirium*, intoxicação por substância (p. ex., com cocaína) ou abstinência de substância (p. ex., de um opioide) também podem apresentar agitação difícil de distinguir da acatisia. Alguns desses indivíduos são capazes de diferenciar a acatisia da ansiedade, inquietação e agitação características de um transtorno mental por sua experiência de acatisia como sendo diferente de sentimentos previamente experimentados. Outras evidências de que inquietação ou agitação podem ser mais bem explicadas por um transtorno mental incluem o início da agitação antes da exposição ao medicamento causador, ausência de agitação crescente com doses cada vez maiores do medicamento causador e ausência de alívio com intervenções farmacológicas (p. ex., nenhuma melhora após a diminuição da dose do medicamento causador ou tratamento com outro medicamento destinado a tratar a acatisia).

Discinesia Tardia

G24.01   Discinesia Tardia

As características essenciais da discinesia tardia são movimentos anormais e involuntários da língua, da mandíbula, do tronco ou extremidades, que se desenvolvem em associação com o uso de medicamentos que bloqueiam os receptores de dopamina pós-sinápticos, como medicamentos antipsicóticos de primeira e segunda geração e outros medicamentos, como metoclopramida para distúrbios gastrintestinais. Os movimentos estão presentes por um período de pelo menos 4 semanas e podem ser coreiformes (rápidos, espasmódicos, não repetitivos), atetoides (lentos, sinuosos, contínuos) ou semirrítmicos (p. ex., estereotipias) por natureza; entretanto, são distintamente diferentes dos tremores rítmicos (3-6 Hz) comumente observados no parkinsonismo induzido por medicamento. Sinais ou sintomas de discinesia tardia se desenvolvem durante a exposição ao medicamento antipsicótico ou outro agente bloqueador de dopamina, ou dentro de 4 semanas após a retirada de um agente oral (ou dentro de 8 semanas após a retirada de um agente injetável de ação prolongada). Deve haver história de uso do agente agressor por pelo menos 3 meses (ou 1 mês em indivíduos com 60 anos ou mais). Embora um grande número de estudos epidemiológicos tenha estabelecido a relação etiológica entre o uso de drogas bloqueadoras de dopamina e discinesia tardia, qualquer discinesia em um indivíduo que está recebendo medicamento antipsicótico não é necessariamente discinesia tardia.

Os movimentos orofaciais anormais são as manifestações mais óbvias da discinesia tardia e têm sido observados na maioria dos indivíduos com essa condição; no entanto, cerca de metade pode ter envolvimento dos membros e até um quarto pode ter discinesia axial do pescoço, dos ombros ou do tronco. O envolvimento de outros grupos musculares (p. ex., faríngeo, diafragma, abdominal) pode ocorrer, mas é incomum, especialmente na ausência de discinesia da região orofacial, membros ou tronco. A discinesia de membros ou tronco sem envolvimento orofacial pode ser mais comum em indivíduos mais jovens, enquanto as discinesias orofaciais são típicas de indivíduos com mais idade.

Os sintomas da discinesia tardia tendem a ser agravados por estimulantes, retirada de medicamentos antipsicóticos e medicamentos anticolinérgicos (como a benzotropina, comumente usada para controlar o parkinsonismo induzido por medicamento) e podem piorar transitoriamente por excitação emocional, estresse e distração durante movimentos voluntários em partes não afetadas do corpo. Os movimentos anormais da discinesia são reduzidos transitoriamente pelo relaxamento e pelos movimentos voluntários nas partes afetadas do corpo. Eles em geral estão ausentes durante o sono. A discinesia pode ser suprimida, pelo menos temporariamente, por doses aumentadas de medicamento antipsicótico.

A prevalência geral de discinesia tardia em indivíduos que receberam tratamento de longo prazo com medicamento antipsicótico varia de 20 a 30%. A incidência geral entre indivíduos mais jovens varia de 3 a 5% ao ano. Indivíduos de meia-idade e idosos parecem desenvolver discinesia tardia com mais frequência, com valores de prevalência relatados de até 50% e uma incidência de 25 a 30% após uma exposição cumulativa média de 1 ano ao medicamento antipsicótico. A prevalência também varia dependendo da configuração, com discinesia tardia tendendo a ser mais comum entre indivíduos cronicamente institucionalizados. As variações na prevalência relatada podem ser atribuídas à falta de consistência na definição de discinesia tardia, práticas de prescrição de antipsicóticos, desenho do estudo e dados demográficos da população estudada.

Não há diferença óbvia de gênero na suscetibilidade à discinesia tardia, embora o risco possa ser um pouco maior em mulheres na pós-menopausa. Maiores quantidades cumulativas de medicamentos antipsicóticos e desenvolvimento precoce de efeitos colaterais extrapiramidais agudos (como parkinsonismo induzido por medicamento) são dois dos fatores de risco mais consistentes para discinesia tardia. Transtornos do humor (especialmente transtorno depressivo maior), condições neurológicas e transtorno por uso de álcool também foram considerados fatores de risco em alguns grupos de indivíduos. Os antipsicóticos de segunda geração estão associados a uma incidência um pouco menor de discinesia tardia em comparação com os de primeira geração, mas a diferença não é tão grande quanto se pensava, especialmente quando a dose do antipsicótico de primeira geração é levada em consideração; os fatores de risco mais importantes são idade e exposição cumulativa.

O início da discinesia tardia pode ocorrer em qualquer idade e é quase sempre insidioso. Os sinais são tipicamente mínimos a leves no início e passam despercebidos, exceto por um observador atento. Em muitos casos, a discinesia tardia é objetivamente leve, mas, embora tenha sido considerada um problema cosmético, pode estar associada a sofrimento significativo e evitação social. Em casos graves, pode estar associada a complicações médicas (p. ex., úlceras orais; perda de dentes; macroglossia; dificuldade em andar, engolir ou respirar; fala abafada; perda de peso; depressão; ideação suicida). Em pessoas idosas, há maior probabilidade de que a discinesia tardia possa se tornar mais grave ou mais generalizada com o uso contínuo de medicamentos antipsicóticos. Quando os medicamentos antipsicóticos são descontinuados, alguns indivíduos apresentam melhora dos sintomas ao longo do tempo; no entanto, para outros, a discinesia tardia pode ser duradoura.

Diagnóstico Diferencial

É imperativo distinguir o parkinsonismo induzido por medicamento da discinesia tardia porque os tratamentos comumente usados para controlar o parkinsonismo induzido por medicamento (ou seja, medicamentos anticolinérgicos) podem piorar os movimentos motores anormais associados à discinesia tardia. Além disso, os tratamentos para controlar a discinesia tardia (ou seja, inibidores de VMAT2) podem piorar os sintomas do parkinsonismo induzido por medicamento.

A discinesia que surge durante a retirada de um medicamento antipsicótico ou outro agente bloqueador do receptor de dopamina pode regredir com a retirada contínua do medicamento. Se persistir por pelo menos 4 semanas, um diagnóstico de discinesia tardia pode ser justificado. A discinesia tardia deve ser diferenciada de outras causas de discinesia orofacial e corporal. Essas condições incluem doença de Huntington, doença de Wilson, coreia de Sydenham (reumática), lúpus eritematoso sistêmico, tireotoxicose, envenenamento por metais pesados, próteses mal ajustadas, discinesia devido a outros medicamentos, como L-dopa ou bromocriptina, e discinesias espontâneas. Fatores que podem ser úteis para fazer a distinção são evidências de que os sintomas precederam a exposição ao medicamento antipsicótico ou outro agente bloqueador do receptor de dopamina ou que outros sinais neurológicos focais estejam presentes. Deve-se notar que outros transtornos do movimento podem coexistir com discinesia tardia. Como a discinesia espontânea pode ocorrer em mais de 5% dos indivíduos e também é mais comum em idosos, pode ser difícil provar que os medicamentos antipsicóticos produziram discinesia tardia em um determinado indivíduo. A discinesia tardia deve ser distinguida dos sintomas que são devidos a um transtorno do movimento agudo induzido por medicamento (p. ex., parkinsonismo induzido por medicamento, distonia aguda, acatisia aguda). A distonia aguda e a acatisia aguda podem se desenvolver rapidamente, dentro de horas a dias, e o parkinsonismo induzido por medicamento se desenvolve dentro de semanas após o início ou o aumento da dose de um medicamento antipsicótico ou outro agente bloqueador do receptor de dopamina (ou redução da dose de um medicamento usado para tratar dos sintomas extrapiramidais). A discinesia tardia, por sua vez, geralmente se desenvolve após exposição mais prolongada a medicamento antipsicótico (meses a anos) e pode aparecer após a retirada de medicamento antipsicótico; a história de exposição mínima necessária para o diagnóstico de discinesia tardia é o uso de medicamento antipsicótico por pelo menos 3 meses (ou 1 mês em indivíduos de meia-idade e idosos).

Distonia Tardia

Acatisia Tardia

G24.09 Distonia Tardia

G25.71 Acatisia Tardia

Esta categoria é para síndromes tardias envolvendo outros tipos de problemas de movimento, como distonia ou acatisia, que se distinguem por seu surgimento tardio no curso do tratamento e sua potencial persistência por meses a anos, mesmo diante da descontinuação de um medicamento antipsicótico ou outro agente bloqueador do receptor de dopamina ou redução de dosagem.

Tremor Postural Induzido por Medicamento

G25.1 Tremor Postural Induzido por Medicamento

A característica essencial dessa condição é um leve tremor que ocorre durante as tentativas de manter uma postura, que se desenvolve em associação com o uso de medicamentos. Os medicamentos com os quais esse tremor pode estar associado incluem lítio, medicamentos β-adrenérgicos (p. ex., isoproterenol), estimulantes (p. ex., anfetamina), dopaminérgicos, anticonvulsivantes (p. ex., ácido valproico), antidepressivos e metilxantinas (p. ex., cafeína, teofilina). O tremor é uma oscilação regular e rítmica dos membros (mais comumente mãos e dedos), cabeça, boca ou língua, em geral com uma frequência entre 8 e 12 ciclos por segundo. É mais facilmente observado quando a parte do corpo afetada é mantida em uma postura sustentada (p. ex., mãos estendidas, boca aberta). O tremor pode piorar em gravidade quando a parte do corpo afetada é movida intencionalmente (tremor cinético ou de ação). Quando um indivíduo descreve um tremor consistente com o tremor postural, mas o clínico não o observa diretamente, pode ser útil tentar recriar a situação em que o tremor ocorreu (p. ex., beber de uma xícara e pires).

A maior parte das informações disponíveis diz respeito ao tremor induzido pelo lítio. Trata-se de um efeito colateral comum, geralmente benigno e bem tolerado das doses terapêuticas. No entanto, pode causar constrangimento social, dificuldades profissionais e recusa em alguns indivíduos. À medida que os níveis séricos de lítio se aproximam dos níveis tóxicos, o tremor pode se tornar mais forte e ser acompanhado por espasmos musculares, fasciculações ou ataxia. O tremor pelo lítio em nível não tóxico pode melhorar espontaneamente ao longo do tempo. Diversos fatores podem aumentar o risco de tremor pelo lítio (p. ex., idade avançada, níveis séricos elevados de lítio, medicamento antidepressivo ou antipsicótico concomitante ou outro agente bloqueador do receptor de dopamina, ingestão excessiva de cafeína, história pessoal ou familiar de tremor, presença de transtorno por uso de álcool e ansiedade associada). A frequência de queixas de tremor parece diminuir com a duração do tratamento com lítio. Os fatores que podem exacerbar o tremor incluem ansiedade, estresse, fadiga, hipoglicemia, tireotoxicose, feocromocitoma, hipotermia e abstinência de álcool. O tremor também pode ser uma característica precoce da síndrome serotoninérgica.

Diagnóstico Diferencial

O tremor postural induzido por medicamento deve ser diferenciado de um tremor preexistente que não é causado pelos efeitos de um medicamento. Fatores que ajudam a estabelecer que o tremor era preexistente incluem sua relação temporal com o início do uso do medicamento, falta de correlação com os níveis séricos do medicamento e persistência após sua suspensão. Se estiver presente um tremor preexistente não induzido farmacologicamente (p. ex., tremor essencial) que piora com o medicamento, ele não seria considerado tremor postural induzido por medicamento. Os fatores descritos, que podem contribuir para a gravidade de um tremor postural induzido por medicamento (p. ex., ansiedade, estresse, fadiga, hipoglicemia, tireotoxicose, feocromocitoma, hipotermia, abstinência de álcool), também podem ser uma causa de tremor, independentemente do medicamento.

O tremor postural induzido por medicamento não é diagnosticado se o tremor for mais bem explicado pelo parkinsonismo induzido por medicamento. Um tremor postural induzido por medicamento geralmente está ausente em repouso e se intensifica quando a parte afetada é posta em ação ou mantida em uma posição sustentada. Por sua vez, o tremor relacionado ao parkinsonismo induzido por medicamento é geralmente menor em frequência (3-6 Hz), pior em repouso e suprimido durante o movimento intencional, bem como ocorre em associação com outros sintomas de parkinsonismo induzido por medicamento (p. ex., acinesia, rigidez).

Outro Transtorno do Movimento Induzido por Medicamento

G25.79   Outro Transtorno do Movimento Induzido por Medicamento

Esta categoria é para transtornos do movimento induzidos por medicamentos não abrangidos por nenhum dos transtornos específicos listados anteriormente. Alguns dos exemplos são 1) apresentações que se assemelham à síndrome neuroléptica maligna associadas a outros medicamentos que não os antipsicóticos e outros agentes bloqueadores do receptor de dopamina, 2) outras condições tardias induzidas por medicamentos.

Síndrome da Descontinuação de Antidepressivos

T43.205A   Consulta inicial

T43.205D   Consulta de seguimento

T43.205S   Sequelas

Os sintomas da descontinuação podem ocorrer após o tratamento com todos os tipos de antidepressivos. A incidência dessa síndrome depende da dosagem e da meia-vida dos medicamentos que estão sendo tomados, bem como da velocidade da descontinuação. Medicamentos de curta ação que são interrompidos abruptamente (ou quando sua dosagem é reduzida significativamente) em vez de reduzidos de forma lenta podem acarretar risco maior. Os antidepressivos de ação curta paroxetina e venlafaxina são os agentes mais comumente associados aos sintomas de descontinuação. A síndrome de descontinuação de antidepressivos pode ocorrer no contexto de não adesão intermitente ao tratamento e, portanto, pode estar irregularmente presente em alguns indivíduos que não pararam de tomar o medicamento. Isso é especialmente verdadeiro para medicamentos de meia-vida muito curta (p. ex., venlafaxina). Por sua vez, medicamentos de meia-vida longa, como a fluoxetina, raramente produzem efeitos significativos de descontinuação.

Diferentemente das síndromes de retirada associadas a opioides, álcool e outras substâncias de abuso, a síndrome da descontinuação de antidepressivos não tem sintomas patognomônicos. Os sintomas, em vez disso, tendem a ser vagos e variáveis, normalmente iniciando 2 a 4 dias após a última dose do antidepressivo. Para os inibidores seletivos da recaptação de serotonina, são descritos sintomas como tontura, zumbido, sensações do tipo "choque elétrico", insônia e ansiedade aguda. O uso de antidepressivo antes da descontinuação não deve ter sido acompanhado de hipomania ou euforia (i. e., deve haver certeza de que a síndrome de descontinuação não resulta de oscilações na estabilidade do humor associadas a tratamento anterior). Para os antidepressivos tricíclicos, a descontinuação repentina tem sido associada a sintomas gastrintestinais (cólicas – refletindo hiperatividade colinérgica após a interrupção de um antidepressivo tricíclico anticolinérgico), bem como hipomania de rebote.

A síndrome da descontinuação do antidepressivo baseia-se, unicamente, em fatores farmacológicos, não sendo relacionada com os efeitos de reforço de um antidepressivo. Ao contrário da descontinuação de substâncias com efeitos de reforço, como opioides, não ocorre o desejo por drogas. Além disso, quando é usado um estimulante para potencializar um antidepressivo, a cessação repentina pode resultar em sintomas de abstinência de estimulantes (ver "Abstinência de Estimulantes" no capítulo "Transtornos Relacionados a Substâncias e Transtornos Aditivos"), em vez da síndrome da descontinuação de antidepressivos aqui descrita.

A prevalência da síndrome da descontinuação de antidepressivos é desconhecida, mas considera-se que ela varia de acordo com qualquer um dos seguintes fatores: a dosagem antes da descontinuação, a meia-vida (ou seja, ocorre mais comumente com medicamentos de meia-vida curta) e a afinidade de ligação ao receptor do medicamento (p. ex., é mais provável de ocorrer com inibidores da recaptação de serotonina) e possivelmente a taxa de metabolismo geneticamente influenciada do indivíduo para esse medicamento. Portanto, as reações de descontinuação ocorrem mais frequentemente com medicamentos de meia-vida curta, mas também podem ser influenciadas pelo *status* de metabolização rápida ou ultrarrápida das enzimas do citocromo que metabolizam o antidepressivo.

Como faltam estudos longitudinais, pouco se sabe sobre o curso clínico da síndrome da descontinuação de antidepressivos. Os sintomas parecem diminuir com o tempo, com reduções bastante gradativas da dosagem. Os sintomas geralmente são de curta duração, durando não mais de 2 semanas, e raramente estão presentes mais de 3 semanas após a descontinuação.

Diagnóstico Diferencial

O diagnóstico diferencial da síndrome da descontinuação de antidepressivos inclui uma recaída do transtorno para o qual o medicamento foi prescrito (p. ex., depressão ou transtorno de pânico), transtorno de sintomas somáticos, transtorno bipolar I ou II com características mistas, transtornos por uso de substância, enxaqueca ou acidente vascular cerebral. Os sintomas de descontinuação costumam assemelhar-se aos de um transtorno persistente de ansiedade ou a um retorno dos sintomas somáticos de depressão para os quais o medicamento foi dado no início. É importante não confundir a síndrome de descontinuação com uma recaída do transtorno depressivo ou de ansiedade original para o qual o medicamento estava sendo prescrito. A síndrome da descontinuação de antidepressivos difere da abstinência de substâncias pelo fato de os antidepressivos por si só não terem efeitos de reforço ou euforia. A dose do medicamento não costuma ser aumentada sem permissão do médico, e o indivíduo, em geral, não se envolve em comportamento de busca da droga para obter medicamento adicional. Os critérios para transtorno por uso de substância não são atendidos.

Outros Efeitos Adversos dos Medicamentos

T50.905A   Consulta inicial

T50.905D   Consulta de seguimento

T50.905S   Sequelas

Esta categoria está disponível para uso opcional pelos clínicos para codificar os efeitos colaterais dos medicamentos (diferentes de sintomas do movimento) quando esses efeitos adversos se tornam o foco principal da atenção clínica. Os exemplos incluem hipotensão grave, arritmias cardíacas e priapismo.

Outras Condições que Podem ser Foco da Atenção Clínica

Este capítulo inclui condições e problemas psicossociais e ambientais que podem ser foco da atenção clínica ou afetar, de outra forma, o diagnóstico, o curso, o prognóstico ou o tratamento do transtorno mental de um indivíduo. Essas condições são apresentadas com os códigos correspondentes da CID-10-MC (normalmente, códigos Z). Uma condição ou problema neste capítulo pode ser codificada se 1) for o motivo para a consulta atual; 2) auxiliar na justificativa de um exame, procedimento ou tratamento; 3) desempenhar um papel no início ou na exacerbação de um transtorno mental; ou 4) constituir um problema que deveria ser considerado no plano geral de conduta.

As condições e os problemas listados neste capítulo não são transtornos mentais. Sua inclusão no DSM-5-TR pretende atrair atenção para a abrangência das questões adicionais que podem ser encontradas na prática clínica de rotina, além de constituir uma lista sistemática que pode ser útil aos clínicos na documentação dessas questões.

Para ter uma referência rápida a todos os códigos nesta seção, consulte a Classificação do DSM-5-TR. As condições e os problemas que podem ser foco da atenção clínica estão listados no texto a seguir, da seguinte forma:

1. **Comportamento suicida** (comportamento potencialmente autolesivo com pelo menos alguma intenção de morrer) **e autolesão não suicida** (dano autoinfligido intencional ao corpo na ausência de intenção suicida).
2. **Abuso e negligência** (p. ex., problemas de maus-tratos e negligência de crianças e adultos, incluindo abuso físico, abuso sexual, negligência e abuso psicológico).
3. **Problemas de relacionamento** (p. ex., problema de relacionamento entre pais e filhos, entre irmãos, sofrimento no relacionamento com o cônjuge ou parceiro(a) íntimo(a), ruptura por separação ou divórcio).
4. **Problemas educacionais** (p. ex., analfabetismo ou baixa escolaridade, escolaridade indisponível ou inatingível, reprovação em exames escolares, baixo rendimento escolar).
5. **Problemas profissionais** (p. ex., desemprego, mudança de função, ameaça de perda de emprego, horário de trabalho estressante, divergência com chefe e colegas).
6. **Problemas de moradia** (p. ex., falta de moradia; moradia inadequada; desavença com vizinho, locatário e locador).
7. **Problemas econômicos** (p. ex., falta de alimentos adequados ou água potável, pobreza extrema, baixa renda).
8. **Problemas relacionados ao ambiente social** (p. ex., problema relacionado a morar sozinho, dificuldade de adaptação à cultura, exclusão social ou rejeição).
9. **Problemas relacionados à interação com o sistema jurídico** (p. ex., condenação em processo criminal, prisão ou outro encarceramento, problemas relacionados à liberdade prisional, problemas relacionados a outras circunstâncias legais).
10. **Problemas relacionados a outras circunstâncias psicossociais, pessoais e ambientais** (p. ex., problemas relacionados a gravidez indesejada, vítima de crime, vítima de terrorismo).
11. **Problemas relacionados ao acesso a cuidados médicos e outros cuidados de saúde** (p. ex., indisponibilidade ou falta de acesso a unidades de saúde).
12. **Circunstâncias de história pessoal** (p. ex., história pessoal de trauma psicológico, preparação militar).

13. **Outras procuras por serviço de saúde para aconselhamento e cuidados médicos** (p. ex., aconselhamento sexual, outro aconselhamento ou consulta).
14. **Condições ou problemas adicionais que podem ser foco da atenção clínica** (p. ex., perambulação associada a um transtorno mental, luto não complicado, problema associado à fase da vida).

Comportamento Suicida e Autolesão Não Suicida

Nota de Codificação para Comportamento Suicida CID-10-MC
Apenas para os códigos T, o sétimo caractere deve ser codificado como segue:

A (consulta inicial) – Utilizar enquanto o paciente estiver recebendo tratamento ativo para a condição (p. ex., consulta em serviços de emergência, avaliação e tratamento por um novo clínico); ou

D (consulta de seguimento) – Utilizar em consultas que ocorrem após o indivíduo ter recebido tratamento ativo para a condição e quando ele estiver recebendo atendimento de rotina para a condição durante a cura ou fase de recuperação (p. ex., ajuste medicamentoso, outros cuidados posteriores e consultas de acompanhamento).

Comportamento Suicida

Esta categoria pode ser utilizada para indivíduos que se envolveram em comportamento potencialmente autolesivo com pelo menos alguma intenção de morrer como resultado do ato. A evidência da intenção de acabar com a vida pode ser explícita ou deduzida a partir do comportamento ou das circunstâncias. Uma tentativa de suicídio pode ou não resultar em automutilação. Se o indivíduo for dissuadido por outra pessoa ou mudar de ideia antes de iniciar o comportamento, esta categoria não se aplica.

Comportamento Suicida Atual

T14.91XA Consulta inicial: Se o comportamento suicida faz parte da consulta inicial com a apresentação clínica

T14.91XD Consulta de seguimento: Se o comportamento suicida faz parte de consultas de seguimento com a apresentação clínica

Z91.51 **História de Comportamento Suicida**
Se houve comportamento suicida durante a vida do indivíduo

Autolesão Não Suicida

Esta categoria pode ser utilizada para indivíduos que se envolveram em danos autoinfligidos intencionais ao seu corpo, os quais podem induzir sangramento, hematomas ou dor (p. ex., corte, queimadura, soco, arranhão excessivo) na ausência de intenção suicida.

R45.88 **Autolesão Não Suicida Atual**
Se o comportamento autolesivo não suicida fizer parte da apresentação clínica

Z91.52 **História de Autolesão Não Suicida**
Se o comportamento autolesivo não suicida ocorreu durante a vida do indivíduo

Abuso e Negligência

Maus-tratos por membro da família (p. ex., cuidador, parceiro[a] adulto[a] íntimo[a]), ou por pessoa que não pertence à família, podem ser a área do foco clínico atual, ou esses maus-tratos podem ser um fator importante na investigação e no tratamento de pacientes com transtorno mental ou outra condição médica. Devido às implicações legais de abuso e negligência, deve-se ter cautela ao avaliar essas condições e designar esses códigos. Uma história anterior de abuso ou negligência pode influenciar o diagnóstico e a resposta ao tratamento em muitos transtornos mentais, podendo ainda ser registrada com o diagnóstico.

Para as categorias a seguir, além de listas dos eventos confirmados ou suspeitas de abuso ou negligência, outros códigos são oferecidos para uso quando a consulta clínica atual buscar o oferecimento de serviços de saúde mental à vítima ou ao perpetrador do abuso ou negligência. Há, ainda, um código separado para a designação da história anterior de abuso ou negligência.

Nota de codificação para Condições de Abuso e Negligência CID-10-MC
Apenas para os códigos T, o sétimo caractere deve ser codificado conforme a seguir:

A (consulta inicial) – Utilizar enquanto o paciente estiver recebendo tratamento ativo para a condição (p. ex., consulta em serviços de emergência, avaliação e tratamento por um novo clínico); ou

D (consulta de seguimento) – Utilizar em consultas que ocorrem após o indivíduo ter recebido tratamento ativo para a condição e quando ele estiver recebendo atendimento de rotina para a condição durante a cura ou fase de recuperação (p. ex., ajuste medicamentoso, outros cuidados posteriores e consultas de acompanhamento).

Problemas de Maus-tratos e Negligência Infantil

Abuso Físico Infantil

Esta categoria pode ser utilizada quando o abuso físico de uma criança for o foco da atenção clínica. Abuso físico infantil é uma lesão física não acidental a uma criança – com variações desde contusões de menor importância a fraturas graves ou morte – ocorrendo como consequência de beliscões, espancamento, chutes, mordidas, sacudidas, arremesso de objeto, facada, sufocação, batidas (com a mão, uma vara, um cinto ou outro objeto), queimadura ou outro método infligido por um dos pais, cuidador ou outro indivíduo responsável pela criança. Esse tipo de lesão é considerado abuso, independentemente de o cuidador ter tido ou não intenção de machucar a criança. Disciplina física, como usar palmada ou palmatória, não é considerada abuso, desde que dentro do razoável, sem causar lesão no corpo da criança.

Abuso Físico Infantil Confirmado

T74.12XA	Consulta inicial
T74.12XD	Consulta de seguimento

Abuso Físico Infantil Suspeitado

T76.12XA	Consulta inicial
T76.12XD	Consulta de seguimento

Outras Circunstâncias Relacionadas a Abuso Físico Infantil

Z69.010	Consulta em serviços de saúde mental de vítima de abuso físico infantil por um dos pais
Z69.020	Consulta em serviços de saúde mental de vítima de abuso físico infantil não parental
Z62.810	História pessoal (história anterior) de abuso físico na infância
Z69.011	Consulta em serviços de saúde mental de perpetrador de abuso físico infantil parental
Z69.021	Consulta em serviços de saúde mental de perpetrador de abuso físico infantil não parental

Abuso Sexual Infantil

Esta categoria pode ser utilizada quando o abuso sexual de uma criança for o foco da atenção clínica. O abuso sexual infantil abrange qualquer ato sexual envolvendo uma criança, com intenção de propiciar gratificação sexual a um dos pais, cuidador ou outro indivíduo responsável pela criança. Inclui atividades como carícias nos genitais da criança, penetração, incesto, estupro, sodomia e exposição indecente. O abuso sexual inclui, ainda, exploração sem contato de uma criança, por um dos pais ou cuidador – por exemplo, obrigar, enganar, seduzir, ameaçar ou pressionar uma criança a participar de atos para a gratificação sexual de outros, sem contato físico direto entre a criança e o abusador.

Abuso Sexual Infantil Confirmado
T74.22XA   Consulta inicial
T74.22XD   Consulta de seguimento

Abuso Sexual Infantil Suspeitado
T76.22XA   Consulta inicial
T76.22XD   Consulta de seguimento

Outras Circunstâncias Relacionadas a Abuso Sexual Infantil
Z69.010   Consulta em serviços de saúde mental de vítima de abuso sexual infantil por um dos pais
Z69.020   Consulta em serviços de saúde mental de vítima de abuso sexual infantil não parental
Z62.810   História pessoal (história anterior) de abuso sexual na infância
Z69.011   Consulta em serviços de saúde mental de perpetrador de abuso sexual infantil parental
Z69.021   Consulta em serviços de saúde mental de perpetrador de abuso sexual infantil não parental

Negligência Infantil

Esta categoria pode ser utilizada quando a negligência infantil for o foco da atenção clínica. A negligência infantil é definida como qualquer ato ou omissão notáveis, confirmados ou suspeitados por um dos pais ou outro cuidador da criança, que a privam das necessidades básicas adequadas à idade e, assim, resultam, ou têm razoável potencial de resultar, em dano físico ou psicológico à criança. A negligência infantil abrange abandono, falta de supervisão apropriada, fracasso em satisfazer às necessidades emocionais ou psicológicas e fracasso em dar educação, atendimento médico, alimentação, moradia e/ou vestimentas necessárias.

Negligência Infantil Confirmada
T74.02XA   Consulta inicial
T74.02XD   Consulta de seguimento

Negligência Infantil Suspeitada
T76.02XA   Consulta inicial
T76.02XD   Consulta de seguimento

Outras Circunstâncias Relacionadas a Negligência Infantil
Z69.010   Consulta em serviços de saúde mental de vítima de negligência infantil por um dos pais
Z69.020   Consulta em serviços de saúde mental de vítima de negligência infantil não parental
Z62.812   História pessoal (história anterior) de negligência na infância
Z69.011   Consulta em serviços de saúde mental de perpetrador de negligência infantil parental
Z69.021   Consulta em serviços de saúde mental de perpetrador de negligência infantil não parental

Abuso Psicológico Infantil

Esta categoria pode ser utilizada quando o abuso psicológico de uma criança for o foco da atenção clínica. Abuso psicológico infantil inclui atos verbais ou simbólicos não acidentais cometidos por um dos pais ou cuidador da criança que resultam, ou têm potencial razoável para resultar, em dano psicológico significativo à criança. (Atos abusivos físicos e sexuais não fazem parte desta categoria.) Exemplos de abuso psicológico de uma criança incluem repreender, depreciar ou humilhar a criança; ameaçar a criança; prejudicar/abandonar – ou indicar que o suposto ofensor irá prejudicar/abandonar – pessoas ou coisas de que a criança gosta; confinar a criança (atos de amarrar braços ou pernas ou prender em peça do mobiliário ou outro objeto, ou confinar em área fechada pequena [p. ex., armário]); culpar vulgarmente a criança; coagir a criança a causar dor em si mesma; disciplinar excessivamente a criança (i.e., com frequência ou duração extremamente altas, mesmo que não configure abuso físico) por meio de recursos físicos ou não físicos.

Abuso Psicológico Infantil Confirmado
T74.32XA Consulta inicial
T74.32XD Consulta de seguimento

Abuso Psicológico Infantil Suspeitado
T76.32XA Consulta inicial
T76.32XD Consulta de seguimento

Outras Circunstâncias Relacionadas a Abuso Psicológico Infantil
Z69.010 Consulta em serviços de saúde mental de vítima de abuso psicológico infantil por um dos pais
Z69.020 Consulta em serviços de saúde mental de vítima de abuso psicológico infantil não parental
Z62.811 História pessoal (história anterior) de abuso psicológico na infância
Z69.011 Consulta em serviços de saúde mental de perpetrador de abuso psicológico infantil parental
Z69.021 Consulta em serviços de saúde mental de perpetrador de abuso psicológico infantil não parental

Problemas de Maus-tratos e Negligência de Adultos

Violência Física de Cônjuge ou Parceiro(a)

Esta categoria pode ser utilizada quando a violência física de cônjuge ou parceiro(a) for o foco da atenção clínica. Violência física do cônjuge ou parceiro(a) são atos não acidentais de força física que resultam, ou têm potencial razoável para resultar, em dano físico a parceiro(a) íntimo(a) ou que evocam medo significativo no(a) parceiro(a). Atos não acidentais de força física incluem empurrar, esbofetear, puxar os cabelos, beliscar, imobilizar, sacudir, jogar, morder, chutar, atingir com punho ou objeto, queimar, envenenar, aplicar força à garganta, sufocar, segurar a cabeça sob a água e usar uma arma. Atos para proteger-se fisicamente ou proteger o(a) próprio(a) parceiro(a) ficam excluídos.

Violência Física de Cônjuge ou Parceiro(a) Confirmada
T74.11XA Consulta inicial
T74.11XD Consulta de seguimento

Violência Física de Cônjuge ou Parceiro(a) Suspeitada
T76.11XA   Consulta inicial
T76.11XD   Consulta de seguimento

Outras Circunstâncias Relacionadas a Violência Física de Cônjuge ou Parceiro(a)
Z69.11   Consulta em serviços de saúde mental de vítima de violência física de cônjuge ou parceiro(a)
Z91.410   História pessoal (história anterior) de violência física de cônjuge ou parceiro(a)
Z69.12   Consulta em serviços de saúde mental de perpetrador de violência física de cônjuge ou parceiro(a)

Violência Sexual de Cônjuge ou Parceiro(a)

Esta categoria pode ser utilizada quando a violência sexual de cônjuge ou parceiro(a) for o foco da atenção clínica. A violência sexual de cônjuge ou parceiro(a) envolve o uso de força física ou coerção psicológica para obrigar o(a) parceiro(a) a se envolver em ato sexual contra a sua vontade, quer o ato seja concluído ou não. Também fazem parte dessa categoria atos sexuais com parceria íntima que é/está incapaz de consentir.

Violência Sexual de Cônjuge ou Parceiro(a) Confirmada
T74.21XA   Consulta inicial
T74.21XD   Consulta de seguimento

Violência Sexual de Cônjuge ou Parceiro(a) Suspeitada
T76.21XA   Consulta inicial
T76.21XD   Consulta de seguimento

Outras Circunstâncias Relacionadas a Violência Sexual de Cônjuge ou Parceiro(a)
Z69.81   Consulta em serviços de saúde mental de vítima de violência sexual de cônjuge ou parceiro(a)
Z91.410   História pessoal (história anterior) de violência sexual de cônjuge ou parceiro(a)
Z69.12   Consulta em serviços de saúde mental de perpetrador de violência sexual de cônjuge ou parceiro(a)

Negligência de Cônjuge ou Parceiro(a)

Esta categoria pode ser utilizada quando a negligência de cônjuge ou parceiro(a) for o foco da atenção clínica. A negligência de cônjuge ou parceiro(a) é todo ato ou omissão notórios cometidos por um parceiro(a) que priva o(a) parceiro(a) dependente das necessidades básicas, resultando, ou com potencial razoável de resultar, em dano físico ou psicológico para o(a) parceiro(a) dependente.

    Esta categoria é utilizada no contexto dos relacionamentos em que um dos parceiros é extremamente dependente do outro para cuidados e assistência na realização das atividades cotidianas – por exemplo, parceiro(a) incapacitado(a) para o autocuidado devido a limitações físicas, psicológicas/intelectuais ou culturais substanciais (p. ex., incapacidade de comunicar-se com os outros e de controlar as atividades cotidianas em razão de morar em país de cultura estrangeira).

Negligência de Cônjuge ou Parceiro(a) Confirmada
T74.01XA   Consulta inicial
T74.01XD   Consulta de seguimento

Negligência de Cônjuge ou Parceiro(a) Suspeitada
T76.01XA Consulta inicial
T76.01XD Consulta de seguimento

Outras Circunstâncias Relacionadas a Negligência de Cônjuge ou Parceiro(a)
Z69.11 Consulta em serviços de saúde mental de vítima de negligência de cônjuge ou parceiro(a)
Z91.412 História pessoal (história anterior) de negligência de cônjuge ou parceiro(a)
Z69.12 Consulta em serviços de saúde mental de perpetrador de negligência de cônjuge ou parceiro(a)

Abuso Psicológico de Cônjuge ou Parceiro(a)

Esta categoria pode ser utilizada quando o abuso psicológico de cônjuge ou parceiro(a) for o foco da atenção clínica. O abuso psicológico de cônjuge ou parceiro engloba atos verbais ou simbólicos não acidentais cometidos por um dos parceiros que resultam, ou têm razoável potencial para resultar, em dano significativo ao outro. Atos de abuso psicológico incluem repreender ou humilhar a vítima; interrogar a vítima; limitar a capacidade da vítima de ir e vir livremente; obstruir o acesso da vítima a assistência (p. ex., obrigação legal, recursos legais, de proteção, médicos); ameaçar a vítima com dano físico ou agressão sexual; causar dano ou ameaçar causar dano a pessoas ou coisas importantes para a vítima; restringir injustificadamente o acesso ou o uso de recursos econômicos pela vítima; isolar a vítima da família, de amigos ou de recursos de apoio social; perseguir a vítima; tentar fazê-la questionar sua sanidade ("manipulação").

Abuso Psicológico de Cônjuge ou Parceiro(a) Confirmado
T74.31XA Consulta inicial
T74.31XD Consulta de seguimento

Abuso Psicológico de Cônjuge ou Parceiro(a) Suspeitado
T76.31XA Consulta inicial
T76.31XD Consulta de seguimento

Outras Circunstâncias Relacionadas a Abuso Psicológico de Cônjuge ou Parceiro(a)
Z69.11 Consulta em serviços de saúde mental de vítima de abuso psicológico de cônjuge ou parceiro(a)
Z91.411 História pessoal (história anterior) de abuso psicológico de cônjuge ou parceiro(a)
Z69.12 Consulta em serviços de saúde mental de perpetrador de abuso psicológico de cônjuge ou parceiro(a)

Abuso de Adulto por Não Cônjuge ou Não Parceiro(a)

Esta categoria pode ser utilizada quando o abuso de adulto por outro adulto que não é um parceiro(a) íntimo(a) for o foco da atenção clínica. Esse tipo de maus-tratos pode envolver atos de abuso físico, sexual ou emocional. Exemplos de abuso de adulto incluem atos não acidentais de força física (p. ex., empurrar, arranhar, estapear, atirar algo capaz de ferir, beliscar, morder) que resultam – ou têm razoável potencial de resultar – em dano físico ou causam muito medo, atos sexuais forçados ou coagidos e atos verbais ou simbólicos, com potencial de causar dano psicológico (p. ex., repreender ou humilhar a pessoa; interrogar a pessoa; limitar a capacidade da pessoa de ir e vir em liberdade; obstruir o acesso da pessoa a assistência;

ameaçar a pessoa; ferir ou ameaçar a pessoa de causar dano a outras pessoas ou coisas importantes para ela; restringir o acesso ou o uso dos recursos econômicos pela pessoa; isolar a pessoa da família, de amigos ou de recursos de apoio social; perseguir a pessoa; tentar fazê-la acreditar que está louca). Os atos que buscam proteção a si mesmo ou a outra pessoa estão excluídos.

Abuso Físico de Adulto por Não Cônjuge ou Não Parceiro(a) Confirmado
T74.11XA Consulta inicial
T74.11XD Consulta de seguimento

Abuso Físico de Adulto por Não Cônjuge ou Não Parceiro(a) Suspeitado
T76.11XA Consulta inicial
T76.11XD Consulta de seguimento

Abuso Sexual de Adulto por Não Cônjuge ou Não Parceiro(a) Confirmado
T74.21XA Consulta inicial
T74.21XD Consulta de seguimento

Abuso Sexual de Adulto por Não Cônjuge ou Não Parceiro(a) Suspeitado
T76.21XA Consulta inicial
T76.21XD Consulta de seguimento

Abuso Psicológico de Adulto por Não Cônjuge ou Não Parceiro(a) Confirmado
T74.31XA Consulta inicial
T74.31XD Consulta de seguimento

Abuso Psicológico de Adulto por Não Cônjuge ou Não Parceiro(a) Suspeitado
T76.31XA Consulta inicial
T76.31XD Consulta de seguimento

Outras Circunstâncias Relacionadas a Abuso de Adulto por Não Cônjuge ou Não Parceiro(a)
Z69.81 Consulta em serviços de saúde mental de vítima de abuso de adulto por não cônjuge ou não parceiro(a)
Z69.82 Consulta em serviços de saúde mental de perpetrador de abuso de adulto por não cônjuge ou não parceiro(a)

Problemas de Relacionamento

Relacionamentos essenciais, em especial os com parceiros adultos íntimos e pais/cuidadores, têm forte impacto na saúde dos indivíduos envolvidos. Em relação à saúde, esses relacionamentos podem ser promotores e protetores, neutros ou prejudiciais. Em um extremo, podem ser associados a maus-tratos ou negligência, com consequências médicas e psicológicas significativas para a pessoa afetada. Um problema de relacionamento pode ser objeto da atenção clínica tanto pela razão pela qual o indivíduo procura o atendimento quanto pelo fato de afetar o curso, o prognóstico ou o tratamento do transtorno mental ou de outra condição médica do indivíduo.

Problema de Relacionamento Entre Pais e Filhos

Z62.820	Entre Pais e Filho Biológico
Z62.821	Entre Pais e Filho Adotado
Z62.822	Entre Pais e Filho Acolhido
Z62.898	Entre Outro Cuidador e Filho

Para esta categoria, o termo *pais* é utilizado em referência a um dos principais cuidadores da criança, que pode ser pai/mãe biológico(a), adotivo(a) ou institucional, ou, ainda, ser outro familiar (como um dos avós) que desempenha um papel de pai/mãe para a criança. Esta categoria pode ser usada quando o foco principal da atenção clínica é tratar a qualidade da relação entre pais e filhos ou quando a qualidade dessa relação está afetando o curso, o prognóstico ou o tratamento de um transtorno mental ou outra condição médica. Comumente, o problema de relacionamento entre pais e filhos está associado a prejuízo no funcionamento nos domínios comportamental, cognitivo ou afetivo. Exemplos de problemas comportamentais incluem controle parental inadequado, supervisão e envolvimento com a criança; excesso de proteção parental; excesso de pressão parental; discussões que se tornam ameaças de violência física; esquiva sem solução dos problemas. Os problemas cognitivos podem incluir atribuições negativas das intenções dos outros, hostilidade contra ou culpabilização do outro e sentimentos injustificados de estranhamento. Os problemas afetivos podem incluir sentimentos de tristeza, apatia ou raiva relativa ao outro indivíduo na relação. Os clínicos devem levar em conta as necessidades desenvolvimentais infantis, bem como o contexto cultural.

Z62.891 Problema de Relacionamento com Irmão

Esta categoria pode ser utilizada quando o foco da atenção clínica for padrão de interação entre irmãos associado a prejuízo significativo no funcionamento individual ou familiar, a desenvolvimento de sintomas em um ou mais dos irmãos, ou quando um problema de relacionamento com irmãos está afetando o curso, o prognóstico ou o tratamento de um transtorno mental ou outra condição médica de um irmão. Esta categoria pode ser utilizada para crianças ou adultos quando o foco estiver na relação com um irmão. Nesse contexto, inclui-se irmão, meio-irmão, irmão adotado ou acolhido.

Z63.0 Sofrimento na Relação com o Cônjuge ou Parceiro(a) Íntimo(a)

Esta categoria pode ser utilizada quando o foco principal do contato clínico volta-se para a qualidade da relação de intimidade (cônjuge ou parceiro), ou quando a qualidade desse relacionamento está afetando o curso, o prognóstico ou o tratamento de um transtorno mental ou outra condição médica. Os parceiros podem ser do mesmo gênero ou de gêneros diferentes. Comumente, o sofrimento no relacionamento está associado a funcionamento prejudicado nos domínios comportamental, cognitivo ou afetivo. Exemplos de problemas comportamentais incluem dificuldade para solução de conflito, abstinência e envolvimento excessivo. Problemas cognitivos podem se manifestar como atribuições negativas crônicas das intenções ou indeferimentos de comportamentos positivos do(a) parceiro(a). Problemas afetivos incluem tristeza crônica, apatia e/ou raiva do parceiro(a).

Problemas Relacionados ao Ambiente Familiar

Z62.29 Educação Longe dos Pais

Esta categoria pode ser utilizada quando o foco central da atenção clínica pertence a questões relativas ao fato de a criança ser educada longe dos pais, ou quando essa criação separada afeta o curso, o prognóstico ou o tratamento de um transtorno mental ou outra condição médica. A criança pode estar sob custódia do Estado, acolhida por parentes ou instituição especial. A criança também pode morar na casa de um familiar que não o pai ou a mãe, ou com amigos, cuja colocação afastada da casa dos pais, no entanto, não é obrigatória ou sancionada pelo judiciário. Os problemas relativos a uma criança que mora em uma casa coletiva ou em um orfanato também estão inclusos. Esta categoria exclui questões relacionadas a Z59.3 Problema Relacionado a Moradia em Instituição Residencial.

Z62.898   Criança Afetada por Sofrimento na Relação dos Pais
Esta categoria pode ser utilizada quando o foco da atenção clínica incluir os efeitos negativos de discórdia na relação dos pais (p. ex., altos níveis de conflito, sofrimento ou menosprezo) em um filho da família, inclusive os efeitos no transtorno mental ou em outra condição médica da criança.

Z63.5   Ruptura da Família por Separação ou Divórcio
Esta categoria pode ser utilizada quando parceiros que compõem um casal adulto em relação íntima estão separados devido a problemas de relacionamento ou quando estão em processo de divórcio.

Z63.8   Nível de Expressão Emocional Alto na Família
Expressão emocional é um construto utilizado como uma medida qualitativa da "quantidade" de emoção – em especial hostilidade, excesso de envolvimento emocional e crítica voltados a um membro da família que é o paciente identificado – apresentado no ambiente familiar. Esta categoria pode ser utilizada quando o alto nível de expressão emocional da família é o foco da atenção clínica ou está afetando o curso, o prognóstico ou o tratamento do transtorno mental ou condição médica de um membro da família.

Problemas Educacionais

Esta categoria pode ser utilizada quando um problema acadêmico ou educacional é o foco da atenção clínica ou causa impacto no diagnóstico, no tratamento ou no prognóstico do indivíduo. Os problemas a serem considerados incluem analfabetismo ou baixo nível de escolaridade; falta de acesso à escola em razão de indisponibilidade ou impossibilidade; problemas com o desempenho acadêmico (p. ex., fracasso nos exames escolares, recebimento de sinais ou graus de fracasso) ou baixo rendimento (abaixo do esperado, considerando a capacidade intelectual do indivíduo); desentendimento com professores, funcionários da escola ou outros estudantes; problemas relacionados a ensino inadequado; e quaisquer problemas relacionados a educação e/ou instrução.

Z55.0   Analfabetismo e Baixo Nível de Escolaridade
Z55.1   Escolaridade Indisponível ou Inatingível
Z55.2   Reprovação em Exames Escolares
Z55.3   Insucesso na Escola
Z55.4   Desajuste Educacional e Desentendimento com Professores e Colegas
Z55.8   Problemas Relacionados a Ensino Inadequado
Z55.9   Outros Problemas Relacionados à Educação e Alfabetização

Problemas Profissionais

Esta categoria pode ser utilizada quando um problema profissional for o foco da atenção clínica ou causar impacto no tratamento ou prognóstico do indivíduo. As áreas a serem consideradas incluem problemas com o emprego ou no ambiente de trabalho, incluindo problemas relacionados à condição atual de preparação militar; desemprego; mudança recente de trabalho; ameaça de perda de emprego; horário de trabalho estressante; incerteza quanto às escolhas profissionais; assédio sexual no local de trabalho; outras discordâncias com o patrão, supervisor, colegas ou outros no ambiente de trabalho; ambientes de trabalho hostis ou desagradáveis; outros estressores físicos ou mentais relacionados ao trabalho e quaisquer outros problemas relacionados ao emprego e/ou profissão.

Z56.82   Problema Relacionado a Condição Atual de Preparação Militar
Esta categoria pode ser utilizada quando um problema profissional diretamente relacionado à condição de preparação militar de um indivíduo for o foco da atenção clínica ou causar impacto no diagnóstico, no tratamento ou no prognóstico do indivíduo. As reações psicológicas à preparação não estão nesta categoria; elas são mais bem entendidas como um transtorno de adaptação ou outro transtorno mental.

Z56.0	Desemprego
Z56.1	Mudança de Emprego
Z56.2	Ameaça de Perda de Emprego
Z56.3	Rotina de Trabalho Estressante
Z56.4	Desentendimento com Chefia e Colegas de Trabalho
Z56.5	Ambiente de Trabalho Hostil
Z56.6	Outra Tensão Física ou Mental Relacionada ao Trabalho
Z56.81	Assédio Sexual no Trabalho
Z56.9	Outro Problema Relacionado a Emprego

Problemas de Moradia

Z59.01 Sem-teto Abrigado
Esta categoria pode ser utilizada quando a condição de sem-teto abrigado causar impacto importante no tratamento ou prognóstico do indivíduo. Considera-se que uma pessoa é um sem-teto abrigado quando sua residência primária à noite é um abrigo para pessoas sem-teto, um abrigo para dias frios, um abrigo contra violência doméstica, um hotel/pousada, ou uma situação de moradia temporária ou transitória.

Z59.02 Sem-teto
Esta categoria pode ser utilizada quando a condição de sem-teto causar impacto importante no tratamento ou prognóstico do indivíduo. Considera-se que uma pessoa é sem-teto se estiver residindo em um local impróprio para habitação humana, como um espaço público (p. ex., túnel, estação rodoviária ou de trem, um centro de compras), um prédio de uso não residencial (p. ex., estrutura abandonada, fábrica sem uso), um carro, uma caverna, uma caixa de papelão ou quando está em alguma outra situação habitacional ocasional.

Z59.1 Moradia Inadequada
Esta categoria pode ser utilizada quando a falta de moradia adequada causa impacto no tratamento ou prognóstico do indivíduo. Exemplos de moradia inadequada incluem falta de aquecimento (nas baixas temperaturas) ou eletricidade, infestação de insetos ou roedores, encanamento e instalações sanitárias inadequadas, superpopulação, falta de espaço adequado para dormir e ruído excessivo. É importante considerar normas culturais antes de designar esta categoria.

Z59.2 Desentendimento com Vizinho, Locatário ou Locador
Esta categoria pode ser utilizada quando desentendimento com vizinhos, locatário ou locador for um dos focos da atenção clínica ou causar impacto no tratamento ou prognóstico do indivíduo.

Z59.3 Problema Relacionado a Moradia em Instituição Residencial
Esta categoria pode ser utilizada quando um problema (ou problemas) relacionado à moradia em instituição especial for o foco da atenção clínica ou causar impacto no tratamento ou prognóstico do indivíduo. Reações psicológicas a uma mudança na situação de vida não são parte desta categoria; essas reações são mais bem entendidas como um transtorno de adaptação.

Z59.9 Outro Problema de Moradia
Esta categoria pode ser utilizada quando há um problema relacionado a circunstâncias de moradia que não foram especificadas anteriormente.

Problemas Econômicos

Estas categorias podem ser utilizadas quando um problema econômico for o foco da atenção clínica ou tiver impacto no tratamento ou prognóstico do indivíduo. As áreas a serem consideradas incluem falta de alimentação adequada (insegurança alimentar) ou água potável, pobreza extrema, baixa renda, seguro social ou previdência insuficientes, ou quaisquer outros problemas econômicos.

Z59.41	Insegurança Alimentar
Z58.6	Falta de Água Potável Segura
Z59.5	Pobreza extrema
Z59.6	Baixa Renda
Z59.7	Seguro Social ou de Saúde ou Previdência Social Insuficientes

Esta categoria pode ser utilizada para indivíduos que atendem a critérios de elegibilidade para apoio social ou previdenciário que não o estão recebendo, ou que o recebem, mas este é insuficiente para atender às suas necessidades, ou para aqueles que não têm acesso a programas de seguridade ou de apoio necessário. Os exemplos incluem incapacidade de qualificar-se para auxílio governamental por falta de documentação adequada ou comprovante de residência, incapacidade de conseguir plano de saúde adequado em razão da idade ou de uma condição preexistente e negação de apoio devido a rendimentos excessivamente reduzidos ou a outras exigências.

Z59.9   Outro Problema Econômico

Esta categoria pode ser utilizada quando existe um problema relacionado a circunstâncias econômicas diferentes daquelas especificadas anteriormente.

Problemas Relacionados ao Ambiente Social

Z60.2   Problema Relacionado a Morar Sozinho

Esta categoria pode ser utilizada quando um problema associado a morar sozinho for o foco da atenção clínica ou causar impacto no tratamento ou no prognóstico do indivíduo. Exemplos desse tipo de problema incluem sentimentos crônicos de solidão, isolamento e falta de estrutura para a realização das atividades da vida diária (p. ex., horários irregulares para as refeições e o sono, desempenho inconsistente das tarefas de manutenção da casa).

Z60.3   Dificuldade de Aculturação

Esta categoria pode ser utilizada quando uma dificuldade de adaptação a uma nova cultura (p. ex., após migração) for o foco da atenção clínica ou causar impacto no tratamento ou no prognóstico do indivíduo.

Z60.4   Exclusão ou Rejeição Social

Esta categoria pode ser utilizada quando há um desequilíbrio no poder social de tal ordem que há exclusão ou rejeição social recorrente por parte dos outros. Exemplos de rejeição social incluem *bullying*, intimidação e provocações por outros; ser alvo de abuso verbal e humilhação por outros; e ser excluído, de propósito, das atividades com os colegas de aula, companheiros de trabalho ou outros no ambiente social.

Z60.5   Alvo de Discriminação ou Perseguição Adversa (Percebida)

Esta categoria pode ser utilizada quando há discriminação ou perseguição percebida ou experimentada contra o indivíduo em razão de ele ser um dos membros (ou percebido como tal) de uma categoria específica. Comumente, tais categorias incluem gênero ou identidade de gênero, raça, etnia, religião, orientação sexual, país de origem, crenças políticas, invalidez, grupo social, condição social, peso e aparência física.

Z60.9   Outro Problema Relacionado ao Ambiente Social

Esta categoria pode ser utilizada quando há algum problema relacionado ao ambiente social do indivíduo diferente dos anteriormente especificados.

Problemas Relacionados a Interação com o Sistema Legal

Estas categorias podem ser utilizadas quando um problema relacionado a interação com o sistema legal for o foco da atenção clínica ou tiver impacto no tratamento ou prognóstico do indivíduo. As áreas a serem consideradas incluem condenação em processos criminais, prisão ou outro tipo de encarceramento, problemas relacionados à liberdade prisional e a outras circunstâncias legais (p. ex., litígios civis, custódia de filhos ou processos de apoio).

Outras Condições que Podem ser Foco da Atenção Clínica

Z65.0 Condenação em Processos Criminais Sem Prisão
Z65.1 Prisão ou Outro Encarceramento
Z65.2 Problemas Relacionados à Liberdade Prisional
Z65.3 Problemas Relacionados a Outras Circunstâncias Legais (p. ex., litígios civis, custódia de filhos ou processos de apoio)

Problemas Relacionados a Outras Circunstâncias Psicossociais, Pessoais e Ambientais

Z72.9 Problema Relacionado ao Estilo de Vida

Esta categoria pode ser utilizada quando um problema no estilo de vida for o foco específico do tratamento ou afetar diretamente o curso, o prognóstico ou o tratamento de algum transtorno mental ou outra condição médica. Os exemplos de problemas no estilo de vida incluem falta de exercício físico, dieta inadequada, comportamento sexual de alto risco e higiene do sono insatisfatória. Um problema passível de atribuição a um sintoma de um transtorno mental só deve ser codificado se esse problema for um foco específico de tratamento ou afetar diretamente o curso, o prognóstico ou o tratamento do indivíduo. Nesses casos, tanto o transtorno mental quanto o problema de estilo de vida devem ser codificados.

Z64.0 Problemas Relacionados a Gravidez Indesejada
Z64.1 Problemas Relacionados a Múltiplas Gestações
Z64.4 Desentendimento com Prestador de Serviço Social, Incluindo Oficial da Condicional, Conselheiro Tutelar ou Assistente Social
Z65.4 Vítima de Crime
Z65.4 Vítima de Terrorismo ou Tortura
Z65.5 Exposição a Desastre, Guerra ou Outras Hostilidades

Problemas Relacionados ao Acesso a Cuidados Médicos e Outros Cuidados de Saúde

Estas categorias podem ser utilizadas quando um problema relacionado com o acesso a cuidados médicos ou outros cuidados de saúde forem o foco da atenção clínica ou tiverem impacto no tratamento ou prognóstico do indivíduo.

Z75.3 Indisponibilidade ou Inacessibilidade a Unidades de Saúde
Z75.4 Indisponibilidade ou Inacessibilidade a Outras Agências de Ajuda

Circunstâncias da História Pessoal

Z91.49 História Pessoal de Trauma Psicológico
Z91.82 História Pessoal de Preparação Militar

Outras Consultas de Serviços de Saúde para Aconselhamento e Opinião Médica

Z31.5 Aconselhamento Genético

Esta categoria pode ser utilizada para indivíduos que procuram aconselhamento genético para compreender os riscos de desenvolver um transtorno mental devido a um componente genético significativo (p. ex., transtorno bipolar) para si e para outros membros da família, incluindo seus filhos existentes, bem como os riscos para seus futuros filhos.

Z70.9 Aconselhamento Sexual

Esta categoria pode ser utilizada quando o indivíduo procura aconselhamento relativo a educação sexual, comportamento sexual, orientação sexual, atitudes sexuais (vergonha, timidez), outro comportamento ou orientação sexual (p. ex., cônjuge, parceiro, filho), prazer sexual ou outra questão relacionada ao sexo.

Z71.3 Aconselhamento Nutricional

Esta categoria pode ser usada quando o indivíduo busca aconselhamento relacionado a questões nutricionais, como o controle de peso.

Z71.9 Outro Aconselhamento ou Consulta

Esta categoria pode ser utilizada quando aconselhamento é oferecido ou quando conselho/consulta é procurado para algum problema não especificado anteriormente ou em outro local neste capítulo (p. ex., aconselhamento referente à prevenção de abuso de droga em um adolescente).

Outras Condições ou Problemas que Podem ser Foco da Atenção Clínica

Z91.83 Perambulação Associada a Algum Transtorno Mental

Esta categoria pode ser utilizada para indivíduos com algum transtorno mental cujo desejo de vaguear leva a preocupações de controle clínico ou de segurança significativas. Por exemplo, pessoas com transtornos neurocognitivos maiores ou transtornos do neurodesenvolvimento podem ter uma tendência de perambular sem rumo que as coloca em risco de quedas, e de abandonar locais supervisionados sem o acompanhamento necessário. Esta categoria exclui indivíduos cuja intenção é fugir de alguma situação de abrigo indesejada (p. ex., crianças que fogem de casa, pacientes que não desejam mais permanecer no hospital) ou aqueles que caminham ou andam de um lado a outro em consequência de acatisia induzida por medicamento.

> **Nota para codificação:** Codificar primeiro o transtorno mental associado (p. ex., transtorno neurocognitivo maior, transtorno do espectro autista) para, então, codificar Z91.83 perambulação associada a [transtorno mental específico].

Z63.4 Luto não Complicado

Esta categoria pode ser utilizada quando o foco da atenção clínica for uma reação normal à morte de um ente querido. Como parte da reação a essa perda, alguns indivíduos em sofrimento se apresentam com sintomas característicos de um episódio depressivo maior – por exemplo, sentimentos de tristeza e sintomas associados, como insônia, apetite reduzido e perda de peso. A pessoa enlutada costuma considerar o humor depressivo como "normal", embora possa procurar ajuda profissional para alívio dos sintomas associados, como insônia ou anorexia. A duração e a expressão do luto "normal" variam muito entre diferentes grupos culturais. Mais orientações para que se diferencie luto de um episódio depressivo maior e de transtorno do luto prolongado podem ser encontradas em seus respectivos textos.

Z60.0 Problema Relacionado à Fase da Vida

Esta categoria deve ser utilizada quando um problema de adaptação a uma transição no ciclo de vida (determinada fase do desenvolvimento) for o foco da atenção clínica ou causar impacto no tratamento ou prognóstico da pessoa. Exemplos dessas transições incluem ingresso ou formatura escolar, término do controle parental, casamento, início de nova carreira, paternidade/maternidade, adaptação a um "ninho vazio" após a saída dos filhos de casa ou aposentadoria.

Z65.8 Problema Religioso ou Espiritual

Esta categoria pode ser utilizada quando o foco da atenção clínica for um problema religioso ou espiritual. Os exemplos incluem experiências de sofrimento que envolvam perda ou questionamento da fé, problemas associados à conversão a uma nova fé religiosa ou questionamento de valores espirituais que pode, não necessariamente, ter relação com alguma igreja ou instituição religiosa organizada.

Z72.811 Comportamento Antissocial Adulto

Esta categoria pode ser utilizada quando o foco da atenção clínica for um comportamento antissocial adulto que não é devido a algum transtorno mental (p. ex., transtorno da conduta, transtorno da personalidade antissocial). Os exemplos incluem o comportamento de alguns ladrões profissionais, falsificadores ou traficantes de substâncias ilegais.

Z72.810 Comportamento Antissocial de Criança ou Adolescente

Esta categoria pode ser utilizada quando o foco da atenção clínica for um comportamento antissocial, em criança ou adolescente, que não é devido a algum transtorno mental (p. ex., transtorno explosivo intermitente, transtorno da conduta). Os exemplos incluem atos antissociais isolados praticados por crianças ou adolescentes (não é um padrão de comportamento antissocial).

Z91.199 Não Adesão a Tratamento Médico

Esta categoria pode ser utilizada quando o foco da atenção clínica for a não adesão a um aspecto importante do tratamento para um transtorno mental ou outra condição médica. As razões para essa não adesão podem incluir desconforto resultante do tratamento (p. ex., efeitos colaterais do medicamento), despesas do tratamento, julgamentos pessoais de valor, crenças culturais ou religiosas pessoais acerca do tratamento proposto, debilidade associada à idade e presença de algum transtorno mental (p. ex., esquizofrenia, transtorno da personalidade). Esta categoria deve ser usada somente quando o problema for suficientemente grave a ponto de indicar atenção clínica independente e quando não atender aos critérios diagnósticos para fatores psicológicos que afetam outras condições médicas.

E66.9 Sobrepeso ou Obesidade

Esta categoria pode ser utilizada quando o foco da atenção clínica for sobrepeso ou obesidade.

Z76.5 Simulação

A característica essencial da simulação é a produção intencional de sintomas físicos ou psicológicos falsos ou grosseiramente exagerados motivada por incentivos externos, como evitar o serviço militar, evitar o trabalho, obter compensação financeira, fugir de processo criminal ou conseguir drogas. Sob determinadas circunstâncias, a simulação pode representar comportamento de adaptação – por exemplo, fingir doença enquanto em cativeiro inimigo em tempos de guerra. A simulação deve ser fortemente suspeitada quando notada qualquer combinação dos elementos a seguir:

1. Contexto médico-legal de apresentação (p. ex., o indivíduo é encaminhado ao clínico por um advogado para exame ou o indivíduo se autoencaminha enquanto estão pendentes litígio ou acusações).
2. Discrepância acentuada entre o alegado estresse ou incapacidade do indivíduo e os achados e as observações objetivas.
3. Falta de cooperação durante avaliação diagnóstica e de obediência ao regime de tratamento prescrito.
4. Presença de transtorno da personalidade antissocial.

A simulação difere do transtorno factício no sentido de que a motivação para a produção de sintomas, na simulação, é um incentivo externo, ao passo que no transtorno factício esse incentivo está ausente. A simulação difere do transtorno por sintomas neurológicos funcionais (transtorno conversivo) e de outros transtornos mentais relacionados a sintomas somáticos no que se refere à produção intencional de sintomas e aos incentivos externos óbvios associados. As evidências definitivas de fingimento (como evidências claras de que a perda de função está presente durante o exame, mas não em casa) sugerem um diagnóstico de transtorno factício, se a meta aparente da pessoa é assumir o papel de doente, ou simulação, se a intenção for conseguir um incentivo, como dinheiro.

R41.81 Declínio Cognitivo Relacionado à Idade

Esta categoria pode ser utilizada quando o foco da atenção clínica for um declínio objetivamente identificado no funcionamento cognitivo decorrente do processo de envelhecimento que está dentro dos limites normais para a idade do indivíduo. Indivíduos com essa condição podem relatar problemas para lembrar nomes ou compromissos ou podem ter dificuldade em resolver problemas complexos. Esta categoria deve ser considerada somente após ter sido determinado que o comprometimento cognitivo não é mais bem explicado por um transtorno mental específico ou atribuível a uma condição neurológica.

R41.83 Funcionamento Intelectual *Borderline*

Esta categoria pode ser utilizada quando o funcionamento intelectual *borderline* de um indivíduo for o foco da atenção clínica ou causar impacto no tratamento ou no prognóstico do indivíduo. Diferenciar funcionamento intelectual *borderline* de transtorno do desenvolvimento intelectual (deficiência intelectual) leve exige avaliação criteriosa da função intelectual e adaptativa e suas discrepâncias, em especial na presença de transtornos mentais concomitantes capazes de afetar a obediência do paciente a procedimentos padronizados dos testes (p. ex., esquizofrenia ou transtorno de déficit de atenção/hiperatividade, com impulsividade grave).

R45.89 Explosões Emocionais Prejudiciais

Esta categoria pode ser usada quando o foco da atenção clínica são demonstrações de raiva ou angústia manifestadas verbalmente (p. ex., raiva verbal, choro descontrolado) e/ou comportamental (p. ex., agressão física a pessoas, propriedades ou a si mesmo) que levam a uma alteração funcional significativa. Além de ocorrer no contexto de vários transtornos mentais diferentes (p. ex., transtorno de déficit de atenção/hiperatividade, transtorno do espectro autista, transtorno de oposição desafiante, transtorno de ansiedade generalizada, transtorno de estresse pós-traumático, transtorno do humor e transtornos psicóticos), também podem ocorrer independentemente de outras condições, como em geral é o caso em crianças pequenas.

SEÇÃO III
Instrumentos de Avaliação e Modelos Emergentes

Instrumentos de Avaliação 843
   Escalas Transversais de Sintomas.. 845
      Escala Transversal de Sintomas de Nível 1 Autoaplicável do DSM-5 – Adulto 849
      Escala Transversal de Sintomas de Nível 1 do DSM-5 –
      Crianças de 6-17 Anos Pontuada pelos Pais ou Responsável................................ 851
   Gravidade das Dimensões de Sintomas de Psicose Avaliada pelo Clínico 853
   Escala de Avaliação de Incapacidade da Organização Mundial da Saúde 2.0
   (WHODAS 2.0) 856

Cultura e Diagnóstico Psiquiátrico 861
   Principais Termos 861
   Formulação Cultural 862
      Entrevista de Formulação Cultural (EFC) 866
      Entrevista de Formulação Cultural (EFC) – Versão do Informante........................ 870
   Conceitos Culturais do Sofrimento 873

Modelo Alternativo do DSM-5 para os Transtornos da Personalidade 883

Condições para Estudos Posteriores... 905
   Síndrome de Psicose Atenuada.. 905
   Episódios Depressivos com Hipomania de Curta Duração 909
   Transtorno por Uso de Cafeína.. 912
   Transtorno do Jogo pela Internet.. 915
   Transtorno Neurocomportamental Associado a Exposição Pré-natal ao Álcool 918
   Transtorno da Autolesão Não Suicida 922

Esta seção contém ferramentas e técnicas para aprimorar a prática clínica, compreender o contexto cultural dos transtornos mentais e facilitar o estudo posterior dos diagnósticos emergentes propostos. A inclusão deste material representa um DSM-5 dinâmico que se desenvolverá com os avanços no campo.

Entre as ferramentas da Seção III, Instrumentos de Avaliação oferece uma escala transversal de Nível 1 autoaplicável ou aplicada pelo informante que serve como uma revisão dos sistemas entre os transtornos mentais. É apresentada uma escala de gravidade classificada pelo clínico para esquizofrenia e outros transtornos psicóticos, bem como a Escala de Avaliação de Incapacidade da Organização Mundial da Saúde, Versão 2 (WHODAS 2.0). As escalas de gravidade para os sintomas identificados pela escala transversal de Nível 1 autoaplicável ou aplicada pelo informante estão disponíveis *on-line* (www.psychiatry.org/dsm5) e podem ser usadas para explorar respostas significativas ao rastreamento de Nível 1.

São apresentadas uma revisão abrangente do contexto cultural dos transtornos mentais e a Entrevista para Formulação Cultural (EFC) para uso clínico no capítulo "Cultura e Diagnóstico Psiquiátrico". As versões da EFC para médicos e informantes estão disponíveis *on-line* (www.psychiatry.org/dsm5). O capítulo também inclui um glossário de exemplos de conceitos culturais do sofrimento.

O Modelo Alternativo do DSM-5 para os Transtornos da Personalidade oferece uma alternativa à classificação dos transtornos da personalidade apresentados na Seção II. Esse modelo híbrido dimensional-categórico define o transtorno da personalidade em termos de prejuízos no funcionamento da personalidade e traços patológicos da personalidade.

Condições para Estudos Posteriores inclui conjuntos de critérios propostos e texto descritivo para novas condições que são o foco de pesquisa ativa, como a síndrome de psicose atenuada e o transtorno por uso de cafeína.

Instrumentos de Avaliação

Um corpo cada vez maior de evidências científicas favorece conceitos dimensionais no diagnóstico dos transtornos mentais. As limitações de uma abordagem categórica do diagnóstico incluem falha em encontrar zonas de distinção entre diagnósticos (i. e., delimitação dos transtornos mentais por fronteiras naturais), necessidade de categorias intermediárias, como o transtorno esquizoafetivo, altas taxas de comorbidade, diagnósticos frequentes "sem outra especificação", relativa falta de utilidade em aprofundar a identificação de antecedentes que sejam realmente válidos e específicos para a maioria dos transtornos mentais e falta de especificidade no tratamento para as várias categorias diagnósticas.

A partir das perspectivas clínica e de pesquisa, existe a necessidade de uma abordagem mais dimensional que possa ser combinada com o conjunto de diagnósticos em categorias do DSM para capturar melhor a heterogeneidade na apresentação de diversos transtornos mentais e por uso de substância. Tal abordagem permite que os clínicos e outros comuniquem melhor variações particulares das características que se aplicam a apresentações que atendem a critérios para um transtorno. Essas características incluem gravidade diferencial de sintomas individuais (incluindo sintomas que fazem parte das características diagnósticas, bem como aqueles que estão associados ao transtorno), medidos pela intensidade, pela duração e pelo impacto no funcionamento. Essa abordagem combinada também permite que os médicos ou outros identifiquem condições que não atendem aos critérios para um transtorno, mas são graves e incapacitantes e precisam de tratamento.

Espera-se que, à medida que aumente a nossa compreensão dos mecanismos básicos dos transtornos mentais e por uso de substância com base na fisiopatologia, nos neurocircuitos, nas interações gene--ambiente, sejam incorporadas medidas de psicopatologia mais objetivas aos conjuntos de critérios diagnósticos a fim de aumentar a precisão do processo. Até que isso aconteça, uma abordagem dimensional, dependendo principalmente do relato subjetivo de um indivíduo com relação à experiência dos sintomas em conjunto com a interpretação do clínico, é realçada pelas diretrizes atuais da avaliação psiquiátrica como um passo importante para aprimorar a prática diagnóstica.

Medidas transversais de sintomas, construídas com base no modelo de revisão de sistemas da medicina geral, podem servir como uma abordagem para examinar domínios psicopatológicos que são de importância decisiva em todas as faixas etárias e diagnósticos. A revisão de sistemas da medicina geral – uma lista de perguntas organizadas por sistemas orgânicos – é crucial para detectar sinais e sintomas de disfunção e doença, que o indivíduo pode ou não apresentar, que podem facilitar o diagnóstico e o tratamento. Um exame similar de várias funções (ou domínios) mentais, que é o objetivo das escalas transversais de sintomas, pode auxiliar em uma avaliação mais abrangente do estado mental dos indivíduos na avaliação inicial. A revisão dos sistemas mentais pode sistematicamente chamar a atenção para sinais e sintomas de outros domínios da saúde mental e funcionamento que podem ser importantes para o atendimento do indivíduo. As escalas transversais apresentam dois níveis de investigação: o Nível 1 é composto por 1 a 3 questões para cada um dos 13 domínios de sintomas para pacientes adultos (autoavaliação) e 12 domínios para crianças (de 6 a 17 anos, avaliação dos pais) e adolescentes (avaliação da criança/adolescente, de 11 a 17 anos) para identificar sinais e sintomas emergentes. As questões do Nível 2 proporcionam uma avaliação em maior profundidade de determinados domínios (p. ex., depressão, ansiedade, mania, raiva, irritabilidade, sintomas somáticos). Os instrumentos foram desenvolvidos para serem administrados tanto na entrevista inicial quanto nas consultas de seguimento. Assim, o uso desses instrumentos pode formar aspectos-chave do cuidado baseado em medidas, o processo pelo qual os instrumentos de avaliação padronizados são administrados e os resultados usados para rastrear o progresso dos indivíduos ao longo do tempo, orientando, assim, um plano de tratamento mais preciso. O uso dessas escalas visa, em última análise, a informar os cuidados baseados em medidas, identificando áreas de sintomas e preocupações emergentes, além de apoiar o monitoramento contínuo dos sintomas, o ajuste do tratamento e os resultados críticos para a prestação de cuidados de qualidade para indivíduos com transtornos mentais e por uso de substâncias. Como resultado, essas escalas transversais para avaliação de sintomas foram identificadas como componentes importantes da avaliação diagnóstica psiquiátrica nas diretrizes da prática clínica.

As *escalas de gravidade* são específicas para cada transtorno, correspondendo aos critérios que constituem a definição de um transtorno. Elas podem ser administradas aos indivíduos que receberam um diagnóstico ou que têm uma síndrome clinicamente significativa que não chega a preencher todos os critérios para um diagnóstico (p. ex., uso da Escala Dimensões da Gravidade dos Sintomas de Psicose Avaliada pelo Clínico em indivíduos cujos sintomas atendem aos critérios para esquizofrenia). Alguns dos instrumentos são preenchidos pelo indivíduo, enquanto outros requerem que um clínico os preencha com base na observação do indivíduo. Assim como ocorre com as escalas transversais, essas medidas foram desenvolvidas para ser administradas na entrevista inicial e ao longo do tempo para acompanhar a gravidade do transtorno do indivíduo e a resposta ao tratamento. Essas avaliações ajudam a operacionalizar a frequência, a intensidade ou a duração dos sintomas; a gravidade geral dos sintomas; ou o tipo de sintoma (p. ex., depressão, ansiedade, distúrbio do sono) para muitos, embora não todos, diagnósticos do DSM-5 (p. ex., transtorno de ansiedade generalizada, transtorno de ansiedade social, transtornos psicóticos, transtorno de estresse pós-traumático, transtorno do espectro autista e transtorno da comunicação social [pragmática]). Os dados obtidos com o uso dessas medidas específicas ao transtorno podem ajudar no diagnóstico e fornecer informações para o monitoramento dos sintomas e o planejamento do tratamento.

A Escala de Avaliação de Incapacidade da Organização Mundial da Saúde, Versão 2.0 (WHODAS 2.0), foi desenvolvida para avaliar a capacidade de um paciente de realizar atividades em seis áreas: compreensão e comunicação; locomoção; autocuidado; relação com as pessoas; atividades da vida diária (p. ex., tarefas domésticas, trabalho/escola); e participação na sociedade. Esta versão da escala é autoaplicável e foi desenvolvida para ser usada em pacientes com qualquer condição médica, não apenas transtornos mentais. Ela corresponde a conceitos contidos na Classificação Internacional de Funcionamento, Deficiência e Saúde da OMS. Essa avaliação também pode ser utilizada ao longo do tempo para acompanhar as alterações nas deficiências de um paciente. A avaliação do funcionamento é um aspecto fundamental da avaliação diagnóstica psiquiátrica, uma vez que a maioria dos conjuntos de critérios do DSM-5 inclui a exigência de que a perturbação cause sofrimento clinicamente significativo ou prejuízo no funcionamento. Indivíduos com transtornos mentais são mais propensos a ter prejuízo grave no funcionamento (ou seja, comunicar ou entender; conviver com os outros; realizar atividades diárias no trabalho, em casa ou na escola; participar de atividades sociais) em comparação com aqueles com condições médicas crônicas. Além disso, muitos indivíduos procuram ajuda para transtornos mentais devido ao impacto direto destes no comprometimento funcional em vários domínios e ambientes. O comprometimento funcional pode afetar o prognóstico em todos os diagnósticos e, se o comprometimento funcional residual permanecer após o desaparecimento dos sintomas, pode levar a recorrência ou recaída de condições como transtorno depressivo maior e transtornos de ansiedade.

Este capítulo foca na Escala Transversal de Sintomas de Nível 1 do DSM-5 (versão autoaplicável para adultos e versão pais/responsável); na Escala Dimensões da Gravidade dos Sintomas de Psicose Avaliada pelo Clínico; e na WHODAS 2.0. Para cada uma, são apresentadas as instruções para o clínico, informações sobre a pontuação e diretrizes para interpretação. A descrição da versão para crianças não está incluída no formato impresso devido à semelhança geral nos itens, na pontuação e nas instruções e diretrizes do clínico com a versão para pais/responsável. Essas medidas, incluindo a versão para crianças, além de avaliações dimensionais adicionais, como as de gravidade diagnóstica, podem ser encontradas *on-line*, em inglês, em www.psychiatry.org/dsm5.

Escalas Transversais de Sintomas

Escala Transversal de Sintomas de Nível 1

A Escala Transversal de Sintomas de Nível 1 do DSM-5 é um instrumento pontuado pelo paciente ou informante que avalia domínios que são importantes entre os diagnósticos psiquiátricos. Sua intenção é ajudar os clínicos a identificar áreas adicionais de investigação que podem ter um impacto significativo no tratamento e prognóstico do indivíduo. Além disso, o instrumento pode ser usado para acompanhar as mudanças na apresentação dos sintomas ao longo do tempo.

A versão para adultos da escala consiste em 23 questões que avaliam 13 domínios psiquiátricos, incluindo depressão, raiva, mania, ansiedade, sintomas somáticos, ideação suicida, psicose, distúrbios do sono, memória, pensamentos e comportamentos repetitivos, dissociação, funcionamento da personalidade e uso de substância (Tabela 1). Cada domínio consiste de 1 a 3 questões. Cada item investiga o quanto (ou com que frequência) o indivíduo tem sido perturbado pelo sintoma específico durante as duas últimas semanas. Se o indivíduo tem capacidade limitada ou é incapaz de preencher o formulário (p. ex., uma pessoa com transtorno neurocognitivo maior), um informante adulto com conhecimento pode preencher a escala.

A escala revelou-se clinicamente útil e com boa confiabilidade nos ensaios de campo do DSM-5 que foram conduzidos em amostras clínicas adultas nos Estados Unidos e no Canadá. Nos ensaios de campo do DSM-5, nos quais as classificações dos sintomas do indivíduo foram compartilhadas com o clínico antes da reunião, os indivíduos relataram que os resultados da escala ajudaram a facilitar a comunicação durante o encontro clínico. Tanto os profissionais das principais instituições de pesquisa médico--acadêmica como aqueles de ambientes de prática clínica rotineira acharam as medidas clinicamente úteis e viáveis para integração no atendimento clínico diário e em ambientes clínicos especializados. Além dos resultados dos ensaios de campo do DSM-5, vários estudos avaliaram as propriedades psicométricas da versão adulta autoaplicável da escala transversal de sintomas em diversas populações. Por exemplo, os resultados de um grande estudo com estudantes universitários que não procuram tratamento nos Estados Unidos demonstraram consistência interna e validade interna aceitáveis.

A versão pontuada pelos pais/responsável (para crianças de 6-17 anos) consiste de 25 questões que avaliam 12 domínios psiquiátricos, incluindo depressão, raiva, irritabilidade, mania, ansiedade, sintomas somáticos, desatenção, ideação suicida/tentativa de suicídio, psicose, distúrbio do sono, pensamentos e comportamentos repetitivos e uso de substância (Tabela 2). Cada item requer que os pais ou responsável classifiquem o quanto (ou com que frequência) seu filho tem sido incomodado pelo sintoma psiquiátrico específico durante as duas últimas semanas. A escala também se revelou clinicamente útil e tem boa confiabilidade nos ensaios de campo do DSM-5 que foram conduzidos em amostras clínicas pediátricas nos Estados Unidos. Para crianças de 11 a 17 anos, em conjunto com a pontuação dos sintomas pelos pais ou responsável, o clínico pode considerar o preenchimento pela própria criança da versão autoaplicável. A versão da escala pontuada pela própria criança pode ser encontrada *on-line*, em inglês, em www.psychiatry.org/dsm5.

Pontuação e interpretação. Na versão do instrumento autoaplicável para adultos, cada item é classificado em uma escala de 5 pontos (0 = nada ou de modo algum; 1 = muito leve ou raramente; 2 = leve ou vários dias; 3 = moderado ou mais da metade dos dias; e 4 = grave ou quase todos os dias). A pontuação em cada item dentro de um domínio deve ser revisada pelo clínico, especialmente se não for indicada uma avaliação transversal de sintomas de Nível 2, para compreender qual sintoma específico dentro de um domínio é o mais problemático (p. ex., alucinações auditivas ou transmissão de pensamento para o domínio da psicose) a fim de ajudar a orientar uma investigação adicional. Entretanto, uma pontuação leve (i. e., 2) ou maior em algum item dentro de um domínio, exceto para uso de substância, ideação suicida e psicose, sugere fortemente a necessidade de investigação adicional e acompanhamento para determinar se é necessária uma avaliação mais detalhada, o que pode incluir a avaliação transversal de sintomas de Nível 2 para o domínio (ver a Tabela 1). Para uso de substância, ideação suicida e psicose, uma pontuação muito

TABELA 1 Escala Transversal de Sintomas de Nível 1 Autoaplicável do DSM-5 Adulto: 13 domínios, limiares para investigação mais aprofundada e escalas associadas de Nível 2 do DSM-5

Domínio	Nome do domínio	Limiar para orientar uma investigação mais aprofundada	Escala transversal de Sintomas de Nível 2 do DSM-5[a]
I.	Depressão	Leve ou maior	Nível 2 – Depressão – Adulto (PROMIS – Sofrimento Emocional – Forma Breve)
II.	Raiva	Leve ou maior	Nível 2 – Raiva – Adulto (PROMIS – Sofrimento Emocional – Raiva – Forma Breve)
III.	Mania	Leve ou maior	Nível 2 – Mania – Adulto (Escala Autoaplicável de Mania de Altman [ASRM])
IV.	Ansiedade	Leve ou maior	Nível 2 – Ansiedade – Adulto (PROMIS – Sofrimento Emocional – Ansiedade – Forma Breve)
V.	Sintomas somáticos	Leve ou maior	Nível 2 – Sintoma Somático – Adulto (Questionário sobre a Saúde do Paciente – 15 [PHQ-15] Escala de Gravidade do Sintoma Somático)
VI.	Ideação suicida	Muito leve ou maior	Nenhuma
VII.	Psicose	Muito leve ou maior	Nenhuma
VIII.	Distúrbio do sono	Leve ou maior	Nível 2 – Distúrbio do Sono – Adulto (PROMIS – Distúrbio do Sono – Forma Breve)
IX.	Memória	Leve ou maior	Nenhuma
X.	Pensamentos e comportamentos repetitivos	Leve ou maior	Nível 2 – Pensamentos e Comportamentos Repetitivos – Adulto (Inventário Obsessivo-compulsivo da Flórida [FOCI] Escala de Gravidade)
XI.	Dissociação	Leve ou maior	Nenhuma
XII.	Funcionamento da personalidade	Leve ou maior	Nenhuma
XIII.	Uso de substância	Muito leve ou maior	Nível 2 – Uso de Substância – Adulto (adaptado de NIDA – ASSIST Modificado)

Nota: NIDA = National Institute on Drug Abuse.
[a] Disponível, em inglês, em www.psychiatry.org/dsm5.

TABELA 2 Escala Transversal de Sintomas de Nível 1 do DSM-5 versão pais/responsável para crianças de 6-17 anos; 12 domínios, limiares para investigação mais aprofundada e escalas associadas de Nível 2

Domínio	Nome do domínio	Limiar para orientar uma investigação mais aprofundada	Escala transversal de Sintomas de Nível 2 do DSM-5[a]
I.	Sintomas somáticos	Leve ou maior	Nível 2 – Sintomas Somáticos – Pais/Responsável pela Criança 6-17 Anos (Questionário sobre a Saúde do Paciente 15 [PHQ-15] – Escala de Gravidade do Sintoma Somático)
II.	Distúrbio do sono	Leve ou maior	Nível 2 – Distúrbio do Sono – Pais/Responsável pela Criança 6-17 Anos (PROMIS – Distúrbio do Sono – Forma Breve)
III.	Desatenção	Muito leve ou maior	Nível 2 – Desatenção – Pais/Responsável pela Criança 6-17 Anos (Swanson, Nolan e Pelham, Versão IV [SNAP-IV])
IV.	Depressão	Leve ou maior	Nível 2 – Depressão – Pais/Responsável pela Criança 6-17 Anos (PROMIS – Sofrimento Emocional – Depressão – Banco de Itens dos Pais)
V.	Raiva	Leve ou maior	Nível 2 – Raiva – Pais/Responsável pela Criança (PROMIS – Escala Calibrada de Raiva – Pais)
VI.	Irritabilidade	Leve ou maior	Nível 2 – Irritabilidade – Pais/Responsável pela Criança (Índice de Reatividade Afetiva [ARI])
VII.	Mania	Leve ou maior	Nível 2 – Mania – Pais/Responsável pela Criança 6-17 Anos (Escala Autoaplicável de Mania de Altman [ASRM])
VIII.	Ansiedade	Leve ou maior	Nível 2 – Ansiedade – Pais/Responsável pela Criança 6-17 Anos (PROMIS – Sofrimento Emocional – Ansiedade – Banco de Itens dos Pais)
IX.	Psicose	Muito leve ou maior	Nenhuma
X.	Pensamentos e comportamentos repetitivos	Leve ou maior	Nenhuma
XI.	Uso de substância	Sim	Nível 2 – Uso de Substância – Pais/Responsável pela Criança de 6-17 Anos (adaptado de NIDA – ASSIST Modificado)
		Não Sei	NIDA – ASSIST Modificado (adaptado) – Classificado pela Criança (11-17 anos)
XII.	Ideação suicida/ tentativas de suicídio	Sim	Nenhuma
		Não Sei	Nenhuma

Nota: NIDA = National Institute on Drug Abuse.
[a] Disponível, em inglês, em www.psychiatry.org/psychiatrists/practice/dsm/educational-resources/assessment-measures.

leve (i. e., 1) ou maior em algum item dentro do domínio pode servir como um guia para investigação adicional e acompanhamento para determinar se é necessária uma avaliação mais detalhada. Para tal, o avaliador deverá indicar a maior pontuação dentro de um domínio na coluna "Maior pontuação no domínio". A Tabela 1 descreve os limiares das pontuações que podem orientar uma investigação mais aprofundada dos demais domínios.

Na versão do instrumento para pais ou responsável (para crianças de 6-17 anos), 19 dos 25 itens são classificados em uma escala de 5 pontos (0 = nada ou de modo algum; 1 = muito leve ou raramente, menos de um ou dois dias; 2 = leve ou vários dias; 3 = moderado ou mais da metade dos dias; e 4 = grave ou quase todos os dias). Os itens de ideação suicida, tentativa de suicídio e uso de substância são classificados em uma escala de "Sim, Não ou Não sei". A classificação em cada item dentro de um domínio deve ser examinada pelo clínico para entender qual sintoma específico dentro de um domínio é o mais problemático (p. ex., alucinação visual ou auditiva no domínio da psicose) para ajudar a orientar a investigação adicional. No entanto, com exceção de desatenção e psicose, uma classificação como leve (i. e., 2) ou maior em qualquer item dentro de um domínio que é classificado na escala de 5 pontos pode servir como guia para investigação adicional e acompanhamento para determinar se é necessária uma avaliação mais detalhada, o que pode incluir a avaliação transversal de sintomas de Nível 2 para o domínio (ver a Tabela 2). Para desatenção ou psicose, uma classificação como muito leve ou maior (i. e., 1 ou mais) pode ser usada como um indicador para investigação adicional. Uma classificação feita pelos pais ou responsável como "Não sei" em ideação suicida, tentativa de suicídio e algum dos itens sobre uso de substância, especialmente para crianças de 11 a 17 anos, pode resultar em uma sondagem adicional das questões com a criança, incluindo o uso da Escala Transversal de Sintomas de Nível 2 classificada pela criança/adolescente para o domínio relevante. Como a investigação adicional é feita com base na maior pontuação em algum item dentro de um domínio, os clínicos devem indicar essa pontuação na coluna "Maior pontuação no domínio". A Tabela 2 descreve os limiares das pontuações que podem orientar uma investigação mais aprofundada dos domínios restantes.

As instruções e diretrizes do clínico para a versão para crianças são semelhantes às da versão para pais/responsável descritas anteriormente, com exceção das categorias de resposta "Não sei", que não estão presentes na versão pontuada pelas crianças (ver www.psychiatry.org/psychiatrists/practice/dsm/educational-resources/assessment-measures, em inglês).

Escalas Transversais de Sintomas de Nível 2

Todos os limiares de pontuação na Escala Transversal de Sintomas de Nível 1 (conforme observado nas Tabelas 1 e 2 e descrito em "Pontuação e Interpretação") indicam uma possível necessidade de investigação clínica mais detalhada. As Escalas Transversais de Sintomas de Nível 2 fornecem um método de obtenção de informações em maior profundidade sobre sintomas potencialmente significativos para informar o diagnóstico, o plano de tratamento e o acompanhamento. Elas estão disponíveis *on-line*, em inglês, em www.psychiatry.org/dsm5. As Tabelas 1 e 2 esboçam cada domínio de Nível 1 e identificam os domínios para os quais as Escalas Transversais de Sintomas de Nível 2 do DSM-5 estão disponíveis para avaliações mais detalhadas. As versões adulto e infantil (pai e criança) estão disponíveis *on-line* (em inglês) para a maioria dos domínios de sintomas de Nível 1.

Frequência de Uso das Escalas Transversais de Sintomas

Para acompanhar a mudança na apresentação de sintomas do indivíduo ao longo do tempo, as escalas transversais de sintomas de Nível 1 e Nível 2 relevantes podem ser preenchidas em intervalos regulares quando indicado clinicamente, dependendo da estabilidade dos sintomas e do *status* do tratamento. Para indivíduos com capacidade comprometida e para crianças de 6 a 17 anos, é preferível que as escalas sejam preenchidas nas consultas de acompanhamento pelo mesmo informante e pelo mesmo pai ou responsável. Pontuações consistentemente altas em um domínio particular podem indicar sintomas significativos e problemáticos para o indivíduo que podem justificar avaliação, tratamento e acompanhamento mais aprofundados. O julgamento clínico deve guiar a tomada de decisão.

Escala Transversal de Sintomas de Nível 1 do DSM-5 Autoaplicável – Adulto*

Nome: _____ **Idade:** _____ **Data:** _____

Se a escala está sendo preenchida por um informante, qual é a sua relação com a pessoa? _____

Em uma semana típica, aproximadamente quanto tempo você passa com a pessoa? _____ horas/semana

Instruções: As questões abaixo investigam coisas que podem ter incomodado você. Para cada questão, circule o número que melhor descreve o quanto (ou com que frequência) você foi incomodado(a) por cada problema durante as **últimas DUAS (2) SEMANAS**.

		Durante as últimas **DUAS (2) SEMANAS**, quanto (ou com que frequência) você foi incomodado(a) pelos seguintes problemas?	Nada De modo algum	Muito leve Raramente, menos de um ou dois dias	Leve Alguns dias	Moderado Mais da metade dos dias	Grave Quase todos os dias	Maior Pontuação no Domínio (clínico)
I.	1.	Pouco interesse ou prazer em fazer as coisas?	0	1	2	3	4	
	2.	Sentir-se para baixo, deprimido(a) ou sem esperança?	0	1	2	3	4	
II.	3.	Sentir-se mais irritado(a), mal-humorado(a) ou zangado(a) do que o habitual?	0	1	2	3	4	
III.	4.	Dormir menos do que o habitual, mas continuar com muita energia?	0	1	2	3	4	
	5.	Iniciar uma quantidade maior de projetos além do habitual ou fazer coisas mais arriscadas do que o habitual?	0	1	2	3	4	
IV.	6.	Sentir-se nervoso(a), ansioso(a), assustado(a), preocupado(a) ou no limite?	0	1	2	3	4	
	7.	Sentir pânico ou medo?	0	1	2	3	4	
	8.	Evitar situações que o deixam ansioso?	0	1	2	3	4	

*N. de R.T. Este instrumento foi traduzido e adaptado para o português do Brasil por Flávia de Lima Osório, João Paulo Machado de Sousa, José Alexandre de Souza Crippa e José Diogo S. Souza. Como metodologia, foram utilizadas traduções independentes, versão de consenso e *backtranslation*.

(Continua)

			0	1	2	3	4
V.	9.	Incômodos ou dores sem explicação (p. ex., cabeça, costas, articulações, abdome, pernas)?	0	1	2	3	4
	10.	Sentir que suas doenças não estão sendo levadas suficientemente a sério?	0	1	2	3	4
VI.	11.	Pensamentos de se ferir de fato?	0	1	2	3	4
VII.	12.	Ouvir coisas que outras pessoas não ouvem, como vozes, mesmo quando não havia ninguém por perto?	0	1	2	3	4
	13.	Sentir que alguém podia ouvir seus pensamentos ou que você podia ouvir o que outra pessoa estava pensando?	0	1	2	3	4
VIII.	14.	Problemas com o sono que afetaram a qualidade do seu sono em geral?	0	1	2	3	4
IX.	15.	Problemas com a memória (p. ex., aprender informações novas) ou com localização (p. ex., encontrar o caminho para casa)?	0	1	2	3	4
X.	16.	Pensamentos, impulsos ou imagens desagradáveis que repetidamente invadem sua mente?	0	1	2	3	4
	17.	Sentir-se levado(a) a realizar certos comportamentos ou atos mentais repetidamente?	0	1	2	3	4
XI.	18.	Sentir-se desligado (a) ou distante de si mesmo(a), do seu corpo, do ambiente físico ao seu redor ou de suas lembranças?	0	1	2	3	4
XII.	19.	Não saber quem você realmente é ou o que você quer da vida?	0	1	2	3	4
	20.	Não se sentir próximo de outras pessoas ou não desfrutar de seus relacionamentos com elas?	0	1	2	3	4
XIII.	21.	Beber pelo menos 4 doses de qualquer tipo de bebida alcoólica em um único dia?	0	1	2	3	4
	22.	Fumar cigarros, charuto ou cachimbo ou usar rapé ou fumo de mascar?	0	1	2	3	4
	23.	Usar qualquer um dos seguintes medicamentos POR CONTA PRÓPRIA, isto é, sem prescrição médica, ou em quantidades maiores ou por mais tempo do que o prescrito (p. ex., analgésicos [como codeína], estimulantes [como metilfenidato ou anfetaminas], sedativos ou tranquilizantes [como comprimidos para dormir ou diazepam] ou drogas como maconha, cocaína ou *crack*, drogas sintéticas [como *ecstasy*], alucinógenos [como LSD], heroína, inalantes ou solventes [como cola] ou metanfetamina [como cristal])?	0	1	2	3	4

(*Continuação*)

Escala Transversal de Sintomas de Nível 1 do DSM-5 Preenchida pelos Pais ou Responsável – Crianças e adolescentes entre 6 e 17 Anos*

Nome da criança ou do adolescente: _____ Idade: _____ Data: _____

Relação com a criança ou o adolescente: _____

Instruções *(aos pais ou responsável pela criança)*: As questões abaixo investigam sobre coisas que podem ter incomodado a criança ou o adolescente pelo qual você é responsável. Para cada questão, circule o número que melhor descreve o quanto (ou com que frequência) a pessoa foi incomodada por cada problema durante as **últimas DUAS (2) SEMANAS**.

		Durante as últimas **DUAS (2) SEMANAS**, o quanto (ou com que frequência) a criança ou o adolescente...	**Nada** De modo algum	**Muito leve** Raramente, menos de um ou dois dias	**Leve** Alguns dias	**Moderado** Mais da metade dos dias	**Grave** Quase todos os dias	**Maior Pontuação no Domínio** (clínico)
I.	1.	Queixou-se de dores de estômago, dores de cabeça ou outras dores?	0	1	2	3	4	
	2.	Disse que estava preocupado(a) com a saúde ou com a possibilidade de adoecer?	0	1	2	3	4	
II.	3.	Teve problemas para dormir — isto é, dificuldade para adormecer, manter o sono ou acordar cedo demais?	0	1	2	3	4	
III.	4.	Teve problemas para prestar atenção quando estava em aula ou fazendo a lição de casa, lendo um livro ou jogando um jogo?	0	1	2	3	4	
IV.	5.	Se divertiu menos fazendo as coisas de costume?	0	1	2	3	4	
	6.	Pareceu triste ou deprimido(a) por várias horas?	0	1	2	3	4	
V. e VI.	7.	Pareceu mais irritado(a) ou facilmente aborrecido(a) do que o habitual?	0	1	2	3	4	
	8.	Pareceu zangado(a) ou perdeu a paciência?	0	1	2	3	4	
VII.	9.	Iniciou uma quantidade maior de projetos além do habitual ou fez coisas mais arriscadas do que o habitual?	0	1	2	3	4	
	10.	Dormiu menos do que o habitual e mesmo assim continuou com muita energia?	0	1	2	3	4	

* N. de R.T. Este instrumento foi traduzido e adaptado para o português do Brasil por Flávia de Lima Osório, João Paulo Machado de Sousa, José Alexandre de Souza Crippa e José Diogo S. Souza. Como metodologia, foram utilizadas traduções independentes, versão de consenso e *backtranslation*.

(Continuação)

VIII.	11.	Disse que se sentia nervoso(a), ansioso(a) ou assustado(a)?	0	1	2	3	4
	12.	Não conseguiu parar de se preocupar?	0	1	2	3	4
	13.	Disse que não conseguia fazer as coisas que queria ou deveria ter feito porque elas o(a) faziam se sentir nervoso(a)?		1	2	3	4
IX.	14.	Disse que ouvia vozes — quando não havia ninguém por perto — falando sobre ele/ela ou lhe dizendo o que fazer ou lhe dizendo coisas ruins?	0	1	2	3	4
	15.	Disse que teve uma visão quando estava completamente acordado(a) — isto é, viu alguma coisa ou alguém que ninguém mais conseguia ver?	0	1	2	3	4
X.	16.	Disse que tinha pensamentos que lhe vinham à mente de que ele/ela faria algo de ruim ou que algo de ruim aconteceria com ele/ela ou com outra pessoa?	0	1	2	3	4
	17.	Disse que sentia necessidade de verificar certas coisas repetidamente, como se a porta estava trancada ou o fogão estava desligado?	0	1	2	3	4
	18.	Pareceu se preocupar muito sobre as coisas que ele/ela tocava estarem sujas ou terem germes ou estarem envenenadas?	0	1	2	3	4
	19.	Disse que tinha que fazer as coisas de uma determinada maneira, como contar ou dizer coisas especiais em voz alta, para evitar que algo ruim acontecesse?	0	1	2	3	4
	Nas últimas **DUAS (2) SEMANAS**, seu filho...						
XI.	20.	Bebeu alguma bebida alcoólica (cerveja, vinho, destilado, etc.)?	☐ Sim	☐ Não		☐ Não sei	
	21.	Fumou cigarro, charuto ou cachimbo ou usou rapé ou fumo de mascar?	☐ Sim	☐ Não		☐ Não sei	
	22.	Usou drogas como maconha, cocaína ou *crack*, drogas sintéticas (como *ecstasy*), alucinógenos (como LSD), heroína, inalantes ou solventes (como cola) ou metanfetamina (como cristal)?	☐ Sim	☐ Não		☐ Não sei	
	23.	Usou algum medicamento sem prescrição médica (p. ex., analgésicos [como codeína], estimulantes [como metilfenidato ou anfetaminas], sedativos ou tranquilizantes [como comprimidos para dormir ou diazepam] ou esteroides)?	☐ Sim	☐ Não		☐ Não sei	
XII.	24.	Nas últimas **DUAS (2) SEMANAS**, ele/ela falou sobre querer se matar ou sobre por fim na vida?	☐ Sim	☐ Não		☐ Não sei	
	25.	**ALGUMA VEZ** ele/ela tentou se matar?	☐ Sim	☐ Não		☐ Não sei	

Gravidade das Dimensões de Sintomas de Psicose Avaliada pelo Clínico

Conforme descrito no capítulo "Espectro da Esquizofrenia e Outros Transtornos Psicóticos", os transtornos psicóticos são heterogêneos, e a gravidade dos sintomas pode predizer aspectos importantes da doença, como os graus dos déficits cognitivos e/ou neurobiológicos. As avaliações dimensionais capturam variações significativas na gravidade dos sintomas, o que pode auxiliar no plano de tratamento, na tomada de decisão quanto ao prognóstico e na pesquisa dos mecanismos fisiopatológicos. O instrumento de medida Gravidade das Dimensões de Sintomas de Psicose Avaliada pelo Clínico é constituída por escalas para a avaliação dimensional dos sintomas primários de psicose, incluindo alucinações, delírios, discurso desorganizado, comportamento psicomotor anormal e sintomas negativos. Também está inclusa uma escala para a avaliação dimensional do prejuízo cognitivo. Muitos indivíduos com transtorno psicótico têm prejuízos em uma variedade de domínios cognitivos, os quais predizem habilidades funcionais e prognósticos. Além disso, são fornecidas escalas para avaliação dimensional de depressão e mania, o que pode alertar os clínicos para patologia do humor. A gravidade dos sintomas de humor na psicose tem valor prognóstico e orienta o tratamento.

A Gravidade das Dimensões de Sintomas de Psicose Avaliada pelo Clínico é uma escala com oito itens que pode ser preenchida pelo clínico no momento da avaliação clínica. Para cada item, o clínico deve classificar a gravidade de cada sintoma conforme vivenciada pelo indivíduo durante os últimos sete dias.

Pontuação e Interpretação

Cada item é pontuado em uma escala de 5 pontos (0 = não presente; 1 = incerto; 2 = presente, mas leve; 3 = presente e moderado; e 4 = presente e grave) com uma definição específica de cada nível de pontuação. O clínico pode examinar todas as informações disponíveis sobre o indivíduo e, com base no julgamento clínico, selecionar (circulando) o nível que descreve com mais precisão a gravidade do domínio do sintoma. O clínico, então, indica a pontuação para cada item na coluna "Pontuação".

Frequência de Uso

Para acompanhar as mudanças na gravidade dos sintomas do indivíduo ao longo do tempo, a escala pode ser preenchida em intervalos regulares conforme indicado clinicamente, dependendo da estabilidade dos sintomas e do *status* do tratamento. Pontuações consistentemente altas em um domínio particular podem indicar áreas significativas e problemáticas para o indivíduo que justificam avaliação, tratamento e acompanhamento mais aprofundados. O julgamento clínico sempre deve orientar a tomada de decisão.

Dimensões de gravidade dos sintomas de psicose classificadas pelo clínico*

Nome: _____ Idade: _____ Data: _____

Relação com a criança ou o adolescente: _____

Instruções: Com base em todas as informações que você tem sobre o indivíduo e utilizando o seu julgamento clínico, classifique (com um sinal) a presença e a gravidade dos sintomas a seguir conforme experimentados pelo indivíduo, considerando quando cada sintoma esteve em seu ponto mais grave nos últimos sete (7) dias.

Domínio	0	1	2	3	4	Pontuação
I. Alucinações	☐ Ausentes	☐ Incertas (gravidade ou duração insuficientes para que se considere psicose)	☐ Presentes, mas leves (pouca pressão para agir segundo as vozes, ou outros tipos de alucinações, pouco incomodado(a) pelas alucinações)	☐ Presentes e moderadas (alguma pressão para responder às vozes ou outros tipos de alucinações ou um pouco incomodado(a) pelas alucinações)	☐ Presentes e graves (pressão intensa para responder às vozes ou outros tipos de alucinações ou muito incomodado(a) pelas alucinações)	
II. Delírios	☐ Ausentes	☐ Incertos (gravidade ou duração insuficientes para que se considere psicose)	☐ Presentes, mas leves (pouca pressão para agir de acordo com as crenças delirantes, pouco incomodado(a) pelas crenças)	☐ Presentes e moderadas (alguma pressão para agir segundo as crenças delirantes ou pouco incomodado(a) pelas crenças)	☐ Presentes e graves (pressão intensa para agir segundo as crenças delirantes ou é muito incomodado(a) pelas crenças)	
III. Discurso desorganizado	☐ Ausente	☐ Incerto (gravidade ou duração insuficiente para ser considerado desorganização)	☐ Presente, mas leve (alguma dificuldade em acompanhar o discurso)	☐ Presente e moderado (discurso frequentemente difícil de acompanhar)	☐ Presente e grave (discurso quase impossível de acompanhar)	
IV. Comportamento psicomotor anormal	☐ Ausente	☐ Incerto (gravidade ou duração insuficiente para ser considerado comportamento psicomotor anormal)	☐ Presente, mas leve (comportamento motor anormal ou bizarro ou catatonia ocasionais)	☐ Presente e moderado (comportamento motor anormal ou bizarro ou catatonia frequentes)	☐ Presente e grave (comportamento motor anormal ou bizarro ou catatonia quase constantes)	

* N. de R.T. Este instrumento foi traduzido e adaptado para o português do Brasil por Flávia de Lima Osório, João Paulo Machado de Sousa, José Alexandre de Souza Crippa e José Diogo S. Souza. Como metodologia, foram utilizadas traduções independentes, versão de consenso e *backtranslation*.

(Continua)

(Continuação)

Domínio	0	1	2	3	4	Pontuação
V. Sintomas negativos (expressão emocional restrita ou avolição)	☐ Ausentes	☐ Diminuição incerta na expressividade facial, na prosódia, nos gestos ou no comportamento que envolva iniciativa própria	☐ Presentes, mas leve diminuição na expressividade facial, na prosódia, nos gestos ou no comportamento que envolva iniciativa própria	☐ Presentes e moderada diminuição na expressividade facial, na prosódia, nos gestos ou no comportamento que envolva iniciativa própria	☐ Presentes e grave diminuição na expressividade facial, na prosódia, nos gestos ou no comportamento que envolva iniciativa própria	
VI. Cognição prejudicada	☐ Ausente	☐ Incerto (função cognitiva não claramente fora da variação esperada para a idade ou o NSE; i. e., dentro de 0,5 DP da média)	☐ Presente, mas leve (alguma redução na função cognitiva; abaixo do esperado para a idade e o NSE, 0,5-1 DP da média)	☐ Presente e moderada (clara redução na função cognitiva; abaixo do esperado para a idade e o NSE, 1-2 DP da média)	☐ Presente e grave (grave redução na função cognitiva; abaixo do esperado para a idade e o NSE, >2 DP da média)	
VII. Depressão	☐ Ausente	☐ Incerto (ocasionalmente sente-se triste, desanimado[a], deprimido[a] ou sem esperança; apreensivo[a] quanto a ter falhado com alguém ou alguma coisa, mas não preocupado[a])	☐ Presente, mas leve (períodos frequentes sentindo-se muito triste, desanimado[a], moderadamente deprimido[a] ou sem esperança; apreensivo[a] quanto a ter falhado com alguém ou em alguma coisa, com alguma preocupação)	☐ Presente e moderada (períodos frequentes de profunda depressão ou desesperança; preocupação com culpa por ter feito algo errado)	☐ Presente e grave (profundamente deprimido[a] ou desesperança diariamente; culpa delirante ou autocensura irracional desproporcional às circunstâncias)	
VIII. Mania	☐ Ausente	☐ Incerto (humor elevado ocasionalmente, expansivo ou irritável ou alguma inquietude)	☐ Presente, mas leve (períodos frequentes de humor um pouco elevado, expansivo ou irritável ou inquietude)	☐ Presente e moderada (períodos frequentes de humor consideravelmente elevado, expansivo ou irritável ou inquietude)	☐ Presente e grave (diariamente com humor consideravelmente elevado, expansivo ou irritável ou inquietude)	

Nota: DP = desvio padrão; NSE = nível socioeconômico.

Escala de Avaliação de Incapacidade da Organização Mundial da Saúde 2.0

A versão autoaplicável para adultos da Escala de Avaliação de Incapacidade da Organização Mundial da Saúde 2.0 (WHODAS 2.0) é uma escala de 36 itens que avalia incapacidades em adultos a partir de 18 anos. Foi validada em várias culturas em todo o mundo e demonstrou sensibilidade à mudança. Ela avalia incapacidade em seis domínios, incluindo compreensão e comunicação, mobilidade, cuidado pessoal, relação com as pessoas, atividades da vida diária (i. e., tarefas domésticas, trabalho e/ou atividades escolares) e participação na sociedade. Se o indivíduo adulto tem capacidade prejudicada e não é capaz de preencher o formulário (p. ex., um paciente com demência), um informante com conhecimento pode preencher a versão da escala administrada por procuração, que está disponível, em inglês, em www.psychiatry.org/dsm5. Cada item da versão autoaplicável da WHODAS 2.0 solicita que o indivíduo classifique quanta dificuldade ele teve em áreas específicas de funcionamento durante os últimos 30 dias.

Instruções para Pontuação da WHODAS 2.0 Fornecidas pela OMS

Pontuação resumida da WHODAS 2.0. Existem duas opções básicas para computar as pontuações resumidas da versão completa de 36 itens da WHODAS.

    Simples: Os pontos atribuídos a cada um dos itens – "nenhuma" (1), "leve" (2), "moderada" (3), "grave" (4) e "extrema" (5) – são somados, chegando a uma pontuação bruta máxima de 180. Este método é referido como pontuação simples porque os pontos de cada um dos itens são simplesmente somados sem recodificação ou separação das categorias de resposta; assim, não existe atribuição de um peso para os itens individuais. Esta abordagem é prática de se usar como abordagem de pontuação manual e pode ser o método de escolha em contextos clínicos com alta demanda ou em situações de entrevista no formato lápis e papel. Como os resultados, a simples soma dos pontos dos itens de todos os domínios constitui uma estatística suficiente para descrever o grau das limitações funcionais.

    Complexo: O método mais complexo de pontuação é denominado pontuação baseada na "teoria de resposta ao item" (TRI). Ele leva em conta múltiplos níveis de dificuldade para cada item da WHODAS 2.0. Toma separadamente a codificação da resposta a cada item como "nenhuma", "leve", "moderada", "grave" e "extrema" e então, por meio de um programa computacional, determina a pontuação estimada, ponderando diferencialmente os itens e os níveis de gravidade. O programa computacional está disponível no *website* da OMS. A pontuação se dá em três etapas:

- Etapa 1 – Soma das pontuações dos itens recodificados dentro de cada domínio (i. e., para cada item, as opções de resposta 1–5 são convertidas para uma taxa de 0–4, levando a uma pontuação bruta total de 144).
- Etapa 2 – Soma das pontuações de todos os seis domínios.
- Etapa 3 – Conversão da pontuação resumida em uma métrica que varia de 0 a 100 (em que 0 = sem incapacidade; 100 = incapacidade total).

Pontuação dos domínios da WHODAS 2.0. A WHODAS 2.0 produz pontuação de domínios específicos para seis diferentes domínios de funcionamento: cognição, mobilidade, cuidado pessoal, relacionamento, atividades da vida diária (tarefas domésticas e trabalho/escola) e participação.

Normas populacionais da WHODAS 2.0. Para acessar as normas populacionais referentes à pontuação baseada na TRI da WHODAS 2.0 e a distribuição populacional dos valores de pontuação baseada na TRI para a WHODAS 2.0 consulte a Tabela 6.1 e a Figura 6.1 (p. 43) no manual PDF *on-line* gratuito (em inglês) publicado pela Organização Mundial da Saúde: "Measuring Health and Disability: Manual for WHO Disability Assessment Schedule (WHODAS 2.0)", de junho de 2012.

Pontuação Adicional e Orientação para Interpretação para Usuários do DSM-5

O clínico deve examinar a resposta do indivíduo em cada item da escala durante a entrevista clínica e indicar a pontuação relativa à autoaplicação, para cada item, na seção reservada para "Uso Exclusivo do Clínico". No entanto, se o clínico determina que a pontuação em um item deve ser diferente desta, com base na entrevista clínica e em outras informações disponíveis, ele pode indicar uma pontuação corrigida no espaço para a pontuação do item bruto. Com base nos achados dos ensaios de campo do DSM-5 em amostras de pacientes adultos em seis locais nos Estados Unidos e um no Canadá, *o DSM-5-TR recomenda o cálculo e uso de pontuações médias para cada domínio e para incapacidade geral*. As pontuações médias são comparáveis à escala de 5 pontos da WHODAS, que permite que o clínico pense na incapacidade do indivíduo em termos de nenhuma (1), leve (2), moderada (3), grave (4) ou extrema (5). As pontuações médias de domínio e incapacidade geral revelaram-se confiáveis, fáceis de usar e clinicamente úteis para os clínicos nos ensaios de campo do DSM-5. A *pontuação média do domínio* é calculada dividindo-se a pontuação bruta do domínio pelo seu número de itens (p. ex., se todos os itens dentro do domínio "compreensão e comunicação" são classificados como moderados, então a pontuação média do domínio seria 18/6 = 3, indicando incapacidade moderada). A *pontuação média de incapacidade geral* é calculada dividindo-se a pontuação geral bruta pelo número de itens na escala (i. e., 36). O indivíduo deve ser estimulado a preencher todos os itens da WHODAS 2.0. Se não é dada resposta em 10 ou mais itens da escala (i. e., mais de 25% do total de 36 itens), o cálculo da pontuação simples e da média da incapacidade geral poderá não ser útil. Se estiverem faltando 10 ou mais do total dos itens da escala, mas os itens para algum dos domínios estiverem de 75 a 100% preenchidos, a pontuação simples ou média do domínio pode ser usada para aquele domínio.

Frequência de Uso

Para acompanhar as mudanças no nível de incapacidade do indivíduo ao longo do tempo, a escala pode ser preenchida em intervalos regulares conforme clinicamente indicado, dependendo da estabilidade dos sintomas e do *status* do tratamento. Pontuações consistentemente altas em um domínio particular podem indicar áreas significativas e problemáticas para o indivíduo que podem justificar avaliação e intervenção mais aprofundadas.

WHODAS 2.0
Escala de Avaliação de Incapacidade da Organização Mundial da Saúde 2.0
Versão de 36 itens, autoaplicável*

Nome do Paciente: _____ **Idade:** _____ **Data:** _____

Este questionário investiga dificuldades relacionadas às condições de saúde/saúde mental. As condições de saúde incluem **enfermidades ou doenças, outros problemas de saúde que podem ser de curta ou longa duração, lesões, condições mentais, problemas emocionais e problemas com álcool e drogas**. Pense nos **últimos 30 dias** e responda às questões pensando no grau de dificuldade que você teve para realizar as atividades a seguir. Para cada questão, circule apenas **uma** resposta.

							Uso Exclusivo do Clínico		
Escores numéricos atribuídos a cada um dos itens:	1	2	3	4	5	Escore Bruto do Item	Escore Bruto do Domínio	Escore Médio do Domínio
Nos últimos 30 dias, quanta dificuldade você teve em:								
Compreensão e comunicação								
D1.1 Concentrar-se em fazer algo por dez minutos?	Nada	Leve	Moderada	Grave	Extrema ou não consegui fazer			
D1.2 Lembrar-se de fazer coisas importantes?	Nada	Leve	Moderada	Grave	Extrema ou não consegui fazer			
D1.3 Analisar e encontrar soluções para problemas da vida diária?	Nada	Leve	Moderada	Grave	Extrema ou não consegui fazer			
D1.4 Aprender uma tarefa nova, por exemplo, aprender como chegar a um novo lugar?	Nada	Leve	Moderada	Grave	Extrema ou não consegui fazer		30	5
D1.5 Entender o que as pessoas dizem de modo geral?	Nada	Leve	Moderada	Grave	Extrema ou não consegui fazer			
D1.6 Iniciar e manter uma conversa?	Nada	Leve	Moderada	Grave	Extrema ou não consegui fazer			
Mobilidade								
D2.1 Ficar de pé por longos períodos, como 30 minutos?	Nada	Leve	Moderada	Grave	Extrema ou não consegui fazer			
D2.2 Levantar-se depois de sentado?	Nada	Leve	Moderada	Grave	Extrema ou não consegui fazer			
D2.3 Movimentar-se dentro da sua casa?	Nada	Leve	Moderada	Grave	Extrema ou não consegui fazer		25	5
D2.4 Sair da sua casa?	Nada	Leve	Moderada	Grave	Extrema ou não consegui fazer			
D2.5 Caminhar uma longa distância, como 1 quilômetro (ou equivalente)?	Nada	Leve	Moderada	Grave	Extrema ou não consegui fazer			
Cuidados pessoais								
D3.1 Lavar todo o seu corpo?	Nada	Leve	Moderada	Grave	Extrema ou não consegui fazer			
D3.2 Vestir-se?	Nada	Leve	Moderada	Grave	Extrema ou não consegui fazer			
D3.3 Alimentar-se?	Nada	Leve	Moderada	Grave	Extrema ou não consegui fazer		20	5
D3.4 Ficar sozinho(a) por alguns dias?	Nada	Leve	Moderada	Grave	Extrema ou não consegui fazer			
Convívio com as pessoas								
D4.1 Lidar com pessoas que você não conhece?	Nada	Leve	Moderada	Grave	Extrema ou não consegui fazer			
D4.2 Manter uma amizade?	Nada	Leve	Moderada	Grave	Extrema ou não consegui fazer			
D4.3 Ter bom relacionamento com as pessoas próximas a você?	Nada	Leve	Moderada	Grave	Extrema ou não consegui fazer		25	5
D4.4 Fazer novos amigos?	Nada	Leve	Moderada	Grave	Extrema ou não consegui fazer			
D4.5 Atividades sexuais?	Nada	Leve	Moderada	Grave	Extrema ou não consegui fazer			

* N. de R.T. Este instrumento foi traduzido e adaptado para o português do Brasil por Flávia de Lima Osório, João Paulo Machado de Sousa, José Alexandre de Souza Crippa e José Diogo S. Souza. Como metodologia, foram utilizadas traduções independentes, versão de consenso e *backtranslation*.

(Continua)

Instrumentos de Avaliação

(Continuação)

	Escores numéricos atribuídos a cada um dos itens:	1	2	3	4	5	Uso Exclusivo do Clínico		
							Escore Bruto do Item	Escore Bruto do Domínio	Escore Médio do Domínio
	Nos últimos 30 dias, quanta dificuldade você teve em:
	**Atividades da vida diária — Tarefas domésticas**
D5.1	Cuidar das suas responsabilidades domésticas?	Nada	Leve	Moderada	Grave	Extrema ou não consegui fazer			
D5.2	Fazer bem as tarefas domésticas mais importantes?	Nada	Leve	Moderada	Grave	Extrema ou não consegui fazer			
D5.3	Realizar todas as tarefas domésticas que você precisava fazer?	Nada	Leve	Moderada	Grave	Extrema ou não consegui fazer		20	5
D5.4	Realizar suas tarefas domésticas com a rapidez necessária?	Nada	Leve	Moderada	Grave	Extrema ou não consegui fazer			
	**Atividades da vida diária — Escola/trabalho**
	Se você trabalha (remunerado, não remunerado, por conta própria) ou vai à escola, preencha as questões D5.5-D5.8 abaixo. Caso contrário, pule para D6.1.
	Devido à sua condição de saúde, nos últimos 30 dias, quanta dificuldade você teve em:
D5.5	Em seu trabalho/escola no dia a dia?	Nada	Leve	Moderada	Grave	Extrema ou não consegui fazer			
D5.6	Fazer bem suas tarefas mais importantes do trabalho/escola?	Nada	Leve	Moderada	Grave	Extrema ou não consegui fazer			
D5.7	Realizar todo o trabalho que você precisava fazer?	Nada	Leve	Moderada	Grave	Extrema ou não consegui fazer		20	5
D5.8	Realizar seu trabalho com a rapidez necessária?	Nada	Leve	Moderada	Grave	Extrema ou não consegui fazer			
	**Participação na sociedade**
	Nos últimos 30 dias:
D6.1	O quanto foi um problema para você participar de atividades na comunidade (p. ex., festividades, atividades religiosas ou outras atividades) da mesma forma que qualquer outra pessoa seria capaz?	Nada	Leve	Moderada	Grave	Extrema ou não consegui fazer			
D6.2	Quanta dificuldade você teve devido a barreiras ou obstáculos ao seu redor?	Nada	Leve	Moderada	Grave	Extrema ou não consegui fazer			
D6.3	Quanta dificuldade você teve em viver com dignidade devido às atitudes ou ações de outras pessoas?	Nada	Leve	Moderada	Grave	Extrema ou não consegui fazer			
D6.4	Quanto tempo você gastou com a sua condição de saúde ou suas consequências?	Nada	Leve	Moderada	Grave	Extrema ou não consegui fazer		40	5
D6.5	O quanto você esteve emocionalmente afetado(a) pela sua condição de saúde?	Nada	Leve	Moderada	Grave	Extrema ou não consegui fazer			
D6.6	O quanto sua saúde consumiu seus recursos financeiros ou os da sua família?	Nada	Leve	Moderada	Grave	Extrema ou não consegui fazer			
D6.7	Quanto problema sua família teve devido aos seus problemas de saúde?	Nada	Leve	Moderada	Grave	Extrema ou não consegui fazer			
D6.8	Quanta dificuldade você teve em fazer coisas sozinho(a) para relaxamento ou prazer?	Nada	Leve	Moderada	Grave	Extrema ou não consegui fazer			
colspan="7"	Pontuação de Incapacidade Geral (Total)		180	5

© Organização Mundial da Saúde, 2012. Todos os direitos reservados. Medindo a saúde e a incapacidade: manual para a Escala de Avaliação de Incapacidade da OMS (WHODAS 2.0), Organização Mundial da Saúde, Genebra.

A Organização Mundial da Saúde concedeu ao Editor a permissão para reprodução deste instrumento. Este material pode ser reproduzido sem permissão pelos clínicos para uso com seus pacientes. Qualquer outro uso, incluindo o uso eletrônico, requer permissão por escrito da OMS.

Cultura e Diagnóstico Psiquiátrico

Este capítulo contém informações básicas sobre como integrar cultura e contexto social em diagnósticos clínicos, com seções sobre termos-chave, formulação cultural e conceitos culturais de sofrimento.

- A primeira seção define termos que são essenciais para o restante do capítulo: *cultura*, *raça* e *etnia*.
- A seção Formulação Cultural apresenta um esboço para uma avaliação cultural sistemática centrada na pessoa que é planejada para ser usada por qualquer clínico que preste serviços a qualquer indivíduo em qualquer contexto de atendimento. Essa seção também inclui um protocolo de entrevista, a Entrevista de Formulação Cultural (EFC), que operacionaliza esses componentes. Apresentações de sintomas, interpretações da doença ou situação que precipita o cuidado e as expectativas de busca de ajuda são sempre influenciadas pelas origens culturais e contextos socioculturais dos indivíduos. Uma avaliação cultural centrada na pessoa pode ajudar a melhorar o cuidado de cada indivíduo, independentemente de sua origem. A formulação cultural pode ser útil especialmente para indivíduos afetados por disparidades de saúde impulsionadas por desvantagens sistêmicas e discriminação.
- A seção Conceitos Culturais do Sofrimento descreve as maneiras como os indivíduos expressam, relatam e interpretam experiências de doença e sofrimento. Os conceitos culturais de sofrimento incluem expressões idiomáticas, explicações ou causas percebidas e síndromes. Os sintomas são expressos e comunicados utilizando *expressões culturais de sofrimento* – comportamentos ou termos linguísticos, metáforas, frases ou maneiras de falar sobre sintomas, problemas ou dor que são comumente usados por indivíduos com origens culturais semelhantes para transmitir uma grande variedade de preocupações. Tais expressões idiomáticas podem ser usadas para um amplo espectro de sofrimento e podem não indicar um transtorno psiquiátrico. Expressões idiomáticas contemporâneas comuns nos Estados Unidos incluem "*burnout*", "sentir-se estressado", "colapso nervoso" e "sentir-se deprimido", no sentido de experimentar insatisfação ou desânimo que não atende aos critérios para qualquer transtorno psiquiátrico. Explicações e síndromes culturalmente específicas também são comuns e amplamente distribuídas entre as populações. Essa seção também fornece alguns exemplos ilustrativos de expressões idiomáticas, explicações e síndromes de diversas regiões geográficas. Os exemplos foram escolhidos porque foram bem estudados e, pela falta de familiaridade de muitos clínicos norte-americanos, destacam suas expressões verbais e comportamentais específicas e funções comunicativas.

Principais Termos

A compreensão do contexto cultural da vivência da doença é essencial para a avaliação diagnóstica e o manejo clínico efetivo.

Cultura refere-se a sistemas de conhecimento, conceitos, valores, normas e práticas que são aprendidos e transmitidos de geração a geração. Cultura inclui linguagem, religião e espiritualidade, estruturas familiares, estágios do ciclo da vida, rituais cerimoniais, costumes e maneiras de compreender saúde e enfermidade, bem como os sistemas morais, políticos, econômicos e legais. Culturas são sistemas abertos e dinâmicos que passam por mudanças contínuas ao longo do tempo; no mundo contemporâneo, a maioria dos indivíduos e grupos está exposta a múltiplas culturas, as quais são utilizadas por eles para moldar suas próprias identidades e dar um sentido àquilo que é vivido. Esse processo de construção de significados deriva de experiências sociais cotidianas e de desenvolvimento em contextos específicos, incluindo cuidados de saúde, que podem variar para cada indivíduo. Grande parte da cultura envolve conhecimentos prévios, valores e suposições que permanecem implícitos ou presumidos e, portanto, podem ser difíceis de serem descritos pelos indivíduos. Essas características da cultura tornam essencial não generalizar de forma demasiada a informação cultural ou estereótipos de grupos em termos de traços culturais fixos. Em relação ao diagnóstico, é essencial reconhecer que todas as formas de sofrimento e angústia, incluindo os transtornos do DSM, são moldadas por contextos culturais. A cultura influencia a forma como os indivíduos moldam suas identidades, bem como interpretam e respondem aos sintomas e às doenças.

Raça é uma categoria social, não biológica, que divide a humanidade em grupos com base em diversos traços físicos superficiais, como cor de pele, que eram falsamente vistos como indicando atributos e capacidades supostamente inerentes ao grupo. As categorias e os construtos raciais variaram amplamente ao longo da história e entre as sociedades e têm sido utilizados para justificar sistemas de opressão, escravidão e genocídio. O construto é importante para a psiquiatria porque dá respaldo às ideologias raciais, ao racismo, à discriminação e à opressão e exclusão sociais, os quais podem ter fortes efeitos negativos sobre a saúde mental. Existem evidências de que o racismo pode exacerbar muitos transtornos psiquiátricos, contribuindo para maus resultados, e que o preconceito racial pode afetar a avaliação diagnóstica.

Etnia é uma identidade de grupo culturalmente construída usada para definir pessoas e comunidades. Pode estar enraizada em uma história, uma geografia, uma linguagem ou uma religião em comum ou, ainda, em outras características compartilhadas por um grupo que o distingue dos demais. A etnia pode ser autoatribuída ou atribuída por pessoas externas. A crescente mobilidade, miscigenação e mistura de grupos culturais definiu novas identidades étnicas mistas, múltiplas ou híbridas. Esses processos também podem levar à diluição da identificação étnica.

Cultura, raça e etnia estão relacionadas a desigualdades estruturais políticas, econômicas e sociais, associadas a racismo e discriminação, que resultam em disparidades de saúde. Identidades cultural, étnica e racial podem ser fontes de força e apoio grupal que melhoram a resiliência, mas também podem levar a conflitos psicológicos, interpessoais e intergeracionais ou a dificuldades na adaptação que requerem diagnóstico social e culturalmente informado e avaliação clínica. Outros termos-chave relacionados a racialização e racismo são definidos na Seção I (Introdução) do DSM-5-TR, sob "Questões Estruturais Culturais e Sociais", na subseção "Impacto do Racismo e da Discriminação no Diagnóstico Psiquiátrico".

Formulação Cultural

Esboço de Formulação Cultural

O Esboço de Formulação Cultural apresentado no DSM-IV forneceu um quadro de referência para avaliar as informações sobre as características culturais de um problema de saúde mental de um indivíduo e como elas se relacionam com um contexto e uma história social e cultural. Essa avaliação possui informações

Cultura e Diagnóstico Psiquiátrico

úteis sobre o contexto social e a experiência da doença, relevantes para a avaliação de cada indivíduo, não apenas daqueles cuja formação cultural pode não ser familiar ao clínico. Atualizado a partir do DSM-5, o DSM-5-TR inclui uma versão atualizada do esboço como também apresenta uma abordagem para avaliação, usando a EFC, a qual foi submetida a testes de campo entre clínicos, pacientes e parentes acompanhantes, tornando-se uma ferramenta de avaliação cultural viável, aceitável e útil.

O Esboço de Formulação Cultural requer a avaliação sistemática das seguintes categorias:

- **Identidade cultural do indivíduo:** Descreve os grupos de referência racial, étnica ou cultural do indivíduo que podem influenciar suas relações com os outros, seu acesso a recursos e seus desafios, conflitos ou situações ao longo do desenvolvimento e atuais. Para imigrantes e minorias raciais ou étnicas, deve-se observar em separado o grau e os tipos de envolvimento tanto com a cultura de origem quanto com a cultura na qual o indivíduo está inserido ou a cultura da maioria. Habilidades, preferências e padrões de uso da linguagem são relevantes para identificar dificuldades no acesso a atendimento, integração social e a necessidade de um intérprete. Outros aspectos clinicamente relevantes da identidade podem incluir afiliação religiosa, origem socioeconômica, local de nascimento e crescimento do indivíduo e da família, *status* de migrante e orientação sexual.
- **Conceitos culturais de sofrimento:** Descreve os construtos culturais que influenciam como o indivíduo vivencia, compreende e comunica seus sintomas ou problemas aos outros. Esses construtos incluem expressões culturais de sofrimento, explicações culturais ou causas percebidas e síndromes culturais. O nível de gravidade e o significado das experiências de sofrimento devem ser avaliados em relação às normas dos grupos de referência cultural do indivíduo. Os sintomas prioritários, a gravidade percebida da doença, o nível de estigma associado e os resultados previstos são todos relevantes, bem como o conhecimento das expectativas e dos planos de busca de ajuda pelo indivíduo, família ou amigos, e dos padrões de autoenfrentamento e de suas conexões com os conceitos culturais de sofrimento do indivíduo, incluindo experiências passadas de busca de ajuda. A avaliação dos padrões de enfrentamento e de busca de ajuda deve considerar o uso de fontes profissionais, bem como fontes tradicionais, alternativas ou complementares de atendimento.
- **Estressores psicossociais e características culturais de vulnerabilidade e resiliência:** Identifica os principais estressores, desafios e apoios no contexto social do indivíduo (os quais podem incluir tanto acontecimentos locais quanto distantes). Inclui determinantes sociais da saúde mental do indivíduo, como acesso a recursos (p. ex., moradia, transporte) e a oportunidades (p. ex., educação, emprego), exposição a racismo, discriminação e estigmatização institucional sistêmica e marginalização ou exclusão social (violência estrutural). Também avalia o papel da religião, da família e de outras redes sociais (p. ex., amigos, vizinhos, colegas de trabalho, fóruns ou grupos *on-line*) em causar estresse ou na oferta de apoio emocional, instrumental e informacional. Os estressores sociais e os apoios sociais variam de acordo com o contexto social, a estrutura familiar, as tarefas desenvolvimentais e o significado cultural dos eventos. Os níveis de funcionamento, a incapacidade e a resiliência devem ser avaliados à luz dos grupos de referência cultural do indivíduo.
- **Aspectos culturais do relacionamento entre o indivíduo, o clínico, a equipe de tratamento e a instituição:** Identifica diferenças na situação cultural, de linguagem, educação e *status* social entre outros aspectos da identidade entre o indivíduo e o clínico (ou a equipe de tratamento e a instituição) que podem causar dificuldades na comunicação e influenciar o diagnóstico e o tratamento. O processo de avaliação pode ser influenciado considerando-se as formas como indivíduos e clínicos são posicionados socialmente e percebem uns aos outros em termos de categorias sociais. Vivências de racismo e discriminação na sociedade podem impedir o estabelecimento de confiança e segurança no encontro diagnóstico clínico. Os efeitos podem incluir problemas no levantamento dos sintomas, entendimento errado do significado cultural e clínico de sintomas e comportamentos e dificuldade no estabelecimento ou na manutenção do vínculo necessário para uma avaliação precisa e uma aliança clínica efetiva.

- **Avaliação cultural geral:** Resume as implicações dos componentes da formulação cultural identificados em seções anteriores do esboço para o diagnóstico diferencial dos transtornos mentais e outros problemas clinicamente relevantes, bem como para o manejo apropriado e para a intervenção terapêutica.

Entrevista de Formulação Cultural (EFC)

A EFC é um conjunto de protocolos que os clínicos podem utilizar para obter informações durante uma avaliação de saúde mental sobre o impacto da cultura nos principais aspectos da apresentação clínica e dos cuidados de um indivíduo. A EFC consiste em três componentes: a EFC principal, um conjunto de 16 questões que podem utilizar para obter uma avaliação inicial de qualquer indivíduo; uma versão do informante da EFC original, para obter informações adicionais; e um conjunto de módulos suplementares, para expandir a avaliação conforme necessário. Na EFC, o termo *cultura* inclui:

- O processo pelo qual os indivíduos atribuem significado à experiência, a partir de valores, orientações, conhecimentos e práticas dos diversos grupos sociais (p. ex., grupos étnicos, grupos de religião, grupos profissionais, grupos de veteranos de guerra) e comunidades que participam.
- Aspectos do histórico do indivíduo, experiências do desenvolvimento e contextos e posições sociais atuais que afetam sua perspectiva, tais como idade, gênero, classe social, origem geográfica, migração, língua, religião, orientação sexual, deficiência ou raça/etnia.
- Influência da família, amigos e outros membros da comunidade (particularmente, a *rede social* do indivíduo) na experiência de doença do indivíduo.
- A formação cultural dos prestadores de cuidados de saúde e os valores e pressupostos incorporados na organização e nas práticas dos sistemas e instituições de saúde que podem afetar a interação clínica.

Os processos culturais envolvem interações do indivíduo com contextos sociais locais e mais amplos. Portanto, uma avaliação cultural avalia processos tanto do indivíduo quanto do mundo social, avaliando tanto o contexto quanto a pessoa.

A EFC é uma entrevista semiestruturada breve para avaliação sistemática dos fatores culturais relevantes ao cuidado de qualquer indivíduo. Ela foca a vivência do indivíduo, os contextos sociais do problema clínico, sintomas ou preocupações. A EFC segue uma abordagem de avaliação centrada na pessoa para a avaliação cultural, obtendo informações do indivíduo acerca de seus pontos de vista e daqueles de sua rede social. Essa abordagem é concebida para evitar os estereótipos, na medida em que o conhecimento cultural de cada indivíduo afeta como ele interpreta a experiência da doença e orienta como deve buscar ajuda. Como a EFC diz respeito ao ponto de vista pessoal do indivíduo, não existem respostas certas ou erradas às questões. A EFC principal (e a versão do informante) está incluída mais adiante neste capítulo e está disponível *on-line* (em inglês) em www.psychiatry.org/dsm5; os módulos suplementares também estão disponíveis *on-line*.

A EFC principal (e a versão do informante) é formatada como duas colunas de texto. A coluna da esquerda contém as instruções para sua aplicação e descreve os objetivos de cada domínio da entrevista. As questões na coluna da direita ilustram como explorar esses domínios, mas elas não têm a intenção de ser totalmente exaustivas. Outras questões podem ser necessárias para esclarecer as respostas com o indivíduo. As questões podem ser reformuladas quando necessário. A EFC pretende ser um guia para a avaliação cultural e deve ser usada com flexibilidade para manter um fluxo natural na entrevista e no relacionamento com o indivíduo.

A EFC é mais bem utilizada em conjunto com informações demográficas obtidas antes da entrevista, para adequar suas questões à abordagem do histórico e situação atual do indivíduo. Os domínios demográficos específicos a serem explorados com a EFC irão variar entre os indivíduos e contextos. Uma avaliação abrangente pode incluir local de nascimento, idade, gênero, origem racial/étnica, estado civil, composição familiar, educação, fluência linguística, orientação sexual, afiliação religiosa ou espiritual, profissão, emprego, renda e história de migração.

A EFC pode ser usada na avaliação inicial de indivíduos em qualquer idade, em todos os contextos clínicos, independentemente da origem cultural do indivíduo ou do clínico. Indivíduos e clínicos que aparentemente compartilham a mesma origem cultural podem, no entanto, diferir em aspectos que são relevantes para os cuidados. A EFC pode ser utilizada em sua totalidade, ou, ainda, alguns componentes podem ser incorporados à avaliação clínica quando necessário. A EFC pode ser especialmente útil na prática clínica quando existe qualquer um dos seguintes:

- Dificuldade na avaliação diagnóstica devido a diferenças significativas na origem cultural, religiosa ou socioeconômica do clínico e do indivíduo.
- Incerteza quanto à adequação entre sintomas culturalmente distintos e critérios diagnósticos.
- Dificuldade em julgar a gravidade ou o prejuízo da doença.
- Visões divergentes dos sintomas ou expectativas de cuidados com base em experiências anteriores com outros sistemas culturais de cura e cuidados de saúde.
- Discordância entre o indivíduo e o clínico quanto ao curso do atendimento.
- Potencial desconfiança dos serviços e instituições convencionais por indivíduos com histórias coletivas de trauma e opressão.
- Adesão e envolvimento limitados do indivíduo ao tratamento.

A EFC principal enfatiza quatro domínios de avaliação: Definição Cultural do Problema (questões 1-3); Percepções Culturais de Causa, Contexto e Suporte (questões 4-10); Fatores Culturais que Afetam o Autoenfrentamento e a Busca de Ajuda no Passado (questões 11-13); e Fatores Culturais que Afetam a Busca de Ajuda Atual (questões 14-16). Tanto o processo de condução da EFC centrado na pessoa quanto as informações que são obtidas têm o objetivo de melhorar a validade cultural da avaliação diagnóstica, facilitar o planejamento do tratamento e promover a adesão e a satisfação do indivíduo. Para atingir esses objetivos, o clínico deve integrar as informações obtidas com a EFC a todos os demais materiais clínicos disponíveis em uma avaliação clínica abrangente e contextual. Uma versão do informante da EFC pode ser utilizada para coletar informações adicionais sobre os domínios da entrevista com membros da família ou cuidadores.

Foram desenvolvidos módulos suplementares que expandem cada domínio da EFC principal e orientam os clínicos que desejam explorar esses domínios com mais profundidade. Módulos suplementares também foram desenvolvidos para populações específicas, como crianças e adolescentes, idosos, imigrantes e refugiados. Esses módulos suplementares são mencionados na EFC principal abaixo dos subtítulos pertinentes e estão disponíveis *on-line* (em inglês) em www.psychiatry.org/psychiatrists/practice/dsm/educational-resources/assessment-measures.

Entrevista de Formulação Cultural (EFC) Principal

Os módulos suplementares usados para expandir cada subtópico da EFC estão entre parênteses.

ORIENTAÇÃO PARA O ENTREVISTADOR	AS INSTRUÇÕES PARA O ENTREVISTADOR ESTÃO EM *ITÁLICO*
As questões seguintes objetivam esclarecer aspectos centrais do problema clínico apresentado segundo o ponto de vista do indivíduo e de outros membros de sua rede social (i. e., família, amigos ou outras pessoas envolvidas no problema atual). Isso inclui o significado do problema, fontes potenciais de ajuda e expectativas de serviços.	*INTRODUÇÃO PARA O INDIVÍDUO:* Eu gostaria de compreender os problemas que trouxeram você aqui para que eu possa ajudá-lo mais efetivamente. Quero saber sobre suas vivências e ideias. Vou fazer algumas perguntas sobre o que está acontecendo e como você está lidando com isso. Por favor, lembre-se de que não há respostas certas ou erradas.

DEFINIÇÃO CULTURAL DO PROBLEMA
Definição cultural do problema

(Modelo Explicativo, Nível de Funcionamento)

Obtenha a visão do indivíduo sobre os problemas centrais e as preocupações principais. *Foque na maneira própria do indivíduo de entender o problema.* *Use o termo, a expressão ou uma breve descrição obtida na questão 1 para identificar o problema nas questões posteriores (p. ex., "seu conflito com seu filho").*	1. O que traz você aqui hoje? *SE O INDIVÍDUO DÁ POUCOS DETALHES OU APENAS MENCIONA OS SINTOMAS OU UM DIAGNÓSTICO MÉDICO, INVESTIGUE:* As pessoas frequentemente entendem seus problemas da sua própria maneira, que pode ser semelhante ou diferente de como os médicos os descrevem. Como *você* descreveria o seu problema?
Pergunte como o indivíduo expõe o problema para membros da rede social.	2. Às vezes, as pessoas têm formas diferentes de descrever seu problema para sua família, amigos ou outras pessoas na sua comunidade. Como você descreveria o seu problema para eles?
Foque nos aspectos do problema que mais importam para o indivíduo.	3. O que mais o incomoda em relação ao seu problema?

PERCEPÇÕES CULTURAIS DE CAUSA, CONTEXTO E SUPORTE
Causas

(Modelo Explicativo, Rede Social, Adultos Mais Velhos)

Esta questão indica o significado da condição para o indivíduo, que pode ser relevante para o atendimento clínico.	4. Por que você acha que isso está acontecendo com você? O que você acha que são as causas do seu [PROBLEMA]?
Observe que os indivíduos podem identificar múltiplas causas, dependendo do aspecto do problema que eles estão considerando.	*INVESTIGUE MAIS, SE NECESSÁRIO:* Algumas pessoas podem explicar os seus problemas como resultado de coisas ruins que acontecem na sua vida, problemas com os outros, uma doença física, uma razão espiritual ou muitas outras causas.
Foque nos pontos de vista dos membros da rede social do indivíduo. Elas podem ser diferentes e variar em relação à visão do indivíduo.	5. O que outras pessoas na sua família, seus amigos ou outras pessoas na sua comunidade acham que está causando o seu [PROBLEMA]?

(Continua)

Entrevista de Formulação Cultural (EFC) Principal *(Continuação)*

Os módulos suplementares usados para expandir cada subtópico da EFC estão entre parênteses.

ORIENTAÇÃO PARA O ENTREVISTADOR	AS INSTRUÇÕES PARA O ENTREVISTADOR ESTÃO EM ***ITÁLICO***

Estressores e Suporte

(Rede Social, Cuidadores, Estressores Psicossociais, Religião e Espiritualidade, Imigrantes e Refugiados, Identidade Cultural, Adultos Idosos, Estratégias de Enfrentamento [*Coping*] – e Busca de Ajuda)

Obtenha informações sobre o contexto de vida do indivíduo, focando nos recursos, suportes sociais e resiliência. Também podem ser investigados outros apoios (p. ex., de colegas de trabalho, do grupo religioso ou espiritual).

6. Existe algum tipo de suporte que melhora o seu [PROBLEMA], como o suporte da família, amigos ou outros?

Foque nos aspectos estressantes do ambiente do indivíduo. Também podem ser investigados, por exemplo, problemas de relacionamento, dificuldades no trabalho ou na escola ou discriminação.

7. Existe algum tipo de estresse que piora o seu [PROBLEMA], como dificuldades financeiras ou problemas familiares?

Papel Da Identidade Cultural

(Identidade Cultural, Estressores Psicossociais, Religião e Espiritualidade, Imigrantes e Refugiados, Adultos Idosos, Crianças e Adolescentes)

Às vezes, aspectos da história ou da identidade das pessoas podem melhorar ou piorar seu [PROBLEMA]. Por **história** ou **identidade**, eu quero dizer, por exemplo, as comunidades às quais você pertence, as línguas que você fala, de onde você ou sua família são, sua origem de raça ou etnia, seu gênero ou orientação sexual ou sua fé ou religião.

Peça ao indivíduo que reflita sobre os elementos mais marcantes de sua identidade cultural. Use essas informações para adequar as questões 9-10, quando necessário.

8. Para você, quais são os aspectos mais importantes da sua história ou identidade?

Investigue aspectos da identidade que melhoram ou pioram o problema.

Investigue quando necessário (p. ex., piora clínica em consequência de discriminação devido à condição de migração, raça/etnia ou orientação sexual).

9. Existem aspectos da sua história ou identidade que fazem diferença para o seu [PROBLEMA]?

Investigue quando necessário (p. ex., problemas relacionados a migração; conflito entre gerações ou devido a papéis de gênero).

10. Existem aspectos da sua história ou identidade que estão causando outras preocupações ou dificuldades para você?

FATORES CULTURAIS QUE AFETAM A CAPACIDADE DE ENFRENTAMENTO (*SELF-COPING*) E A BUSCA DE AJUDA NO PASSADO

Capacidade De Enfrentamento (*Self-Coping*)

(Capacidade de Enfrentamento e Busca de Ajuda, Religião e Espiritualidade, Adultos Idosos, Cuidadores, Estressores Psicossociais)

Esclareça a capacidade de enfrentamento (self-coping) do problema.

11. Às vezes, as pessoas têm formas variadas de lidar com problemas como [PROBLEMA]. O que você fez por sua conta para enfrentar o seu [PROBLEMA]?

(Continua)

Entrevista de Formulação Cultural (EFC) Principal *(Continuação)*

Os módulos suplementares usados para expandir cada subtópico da EFC estão entre parênteses.

ORIENTAÇÃO PARA O ENTREVISTADOR	AS INSTRUÇÕES PARA O ENTREVISTADOR ESTÃO EM *ITÁLICO*

Busca De Ajuda No Passado

(Capacidade de Enfrentamento e Busca de Ajuda, Religião e Espiritualidade, Adultos Idosos, Cuidadores, Estressores Psicossociais, Imigrantes e Refugiados, Rede Social, Relacionamento Clínico-Paciente)

Investigue fontes variadas de ajuda (p. ex., atendimento médico, tratamento de saúde mental, grupos de apoio, aconselhamento no trabalho, curandeirismo, aconselhamento religioso ou espiritual, outras formas de cura tradicional ou alternativa). *Investigue quando necessário (p. ex., "Que outras fontes de ajuda você usou?").* *Esclareça a vivência e apreciação do indivíduo em relação à ajuda anterior.*	12. Frequentemente, as pessoas procuram ajuda em muitas fontes distintas, incluindo diferentes tipos de médicos, pessoas que ajudam ou curandeiros. No passado, que tipos de tratamento, ajuda, aconselhamento ou meio de cura você procurou para o seu [PROBLEMA]? *INVESTIGUE CASO ELE NÃO DESCREVA A UTILIDADE DA AJUDA RECEBIDA:* Que tipos de ajuda ou tratamento foram mais úteis? E inúteis?

Barreiras

(Capacidade de Enfrentamento e Busca de Ajuda, Religião e Espiritualidade, Adultos Idosos, Estressores Psicossociais, Imigrantes e Refugiados, Rede Social, Relacionamento Clínico-Paciente)

Esclareça o papel das barreiras sociais à busca de ajuda e ao acesso a atendimento e problemas de adesão em tratamento anterior. *Investigue detalhes quando necessário (p. ex., "O que atrapalhou?").*	13. Alguma coisa o impediu de obter a ajuda de que você precisava? *INVESTIGUE QUANDO NECESSÁRIO:* Por exemplo, dinheiro, compromissos profissionais ou familiares, estigma ou discriminação ou ausência de serviços que entendam sua língua ou origem?

FATORES CULTURAIS QUE AFETAM A BUSCA DE AJUDA ATUAL

Preferências

(Rede Social, Cuidadores, Religião e Espiritualidade, Adultos Idosos, Capacidade de Enfrentamento e Busca de Ajuda)

Esclareça as necessidades detectadas e as expectativas atuais de ajuda, amplamente definidas. *Investigue se o indivíduo lista apenas uma fonte de ajuda (p. ex., "Que outros tipos de ajuda seriam úteis para você neste momento?")* *Foque nos pontos de vista da rede social em relação à busca de ajuda.*	Agora, vamos falar mais um pouco sobre a ajuda de que você precisa. 14. Que tipos de ajuda você acha que seriam mais úteis para você neste momento para o seu [PROBLEMA]? 15. Existem outros tipos de ajuda que sua família, amigos ou outras pessoas sugeriram que seriam úteis para você agora?

(Continua)

Entrevista de Formulação Cultural (EFC) Principal (*Continuação*)

Os módulos suplementares usados para expandir cada subtópico da EFC estão entre parênteses.

ORIENTAÇÃO PARA O ENTREVISTADOR	AS INSTRUÇÕES PARA O ENTREVISTADOR ESTÃO EM *ITÁLICO*

RELACIONAMENTO CLÍNICO-PACIENTE

(Relacionamento Clínico-Paciente, Adultos Idosos)

Investigue possíveis preocupações a respeito do clínico ou do relacionamento clínico-paciente, incluindo a percepção de racismo, barreiras de linguagem ou diferenças culturais que possam enfraquecer a boa vontade, a comunicação ou a prestação do cuidado.

Investigue detalhes quando necessário (p. ex., "De que maneira?").

Aborde as possíveis barreiras ao atendimento ou as preocupações sobre o clínico e o relacionamento clínico-paciente levantadas anteriormente.

Às vezes, médicos e pacientes entendem-se mal porque têm origens ou expectativas diferentes.

16. Você se preocupou com isso e existe alguma coisa que possamos fazer para lhe oferecer o cuidado de que você precisa?

Entrevista de Formulação Cultural (EFC) – Versão do Informante

A Versão do Informante da EFC coleta informações adicionais de um informante com conhecimento dos problemas clínicos e das circunstâncias de vida do indivíduo identificado.

Esta versão pode ser utilizada para completar informações obtidas na EFC principal ou pode ser utilizada em vez da EFC principal quando o indivíduo é incapaz de fornecer informações (p. ex., com crianças ou adolescentes, indivíduos completamente psicóticos ou pessoas com prejuízo cognitivo).

Entrevista de Formulação Cultural (EFC) – Versão do Informante

ORIENTAÇÃO PARA O ENTREVISTADOR	AS INSTRUÇÕES PARA O ENTREVISTADOR ESTÃO EM *ITÁLICO*
As questões seguintes objetivam esclarecer aspectos centrais do problema clínico apresentado segundo o ponto de vista do informante. Isso inclui o significado do problema, fontes potenciais de ajuda e expectativas de serviços.	*INTRODUÇÃO PARA O INFORMANTE:* Eu gostaria de compreender os problemas que trouxeram seu familiar/amigo aqui para que eu possa ajudá-lo mais efetivamente. Quero saber sobre as suas vivências e ideias. Vou lhe fazer algumas perguntas sobre o que está acontecendo e sobre como você e seu familiar/amigo estão lidando com isso. Não há respostas certas ou erradas.
RELACIONAMENTO COM O PACIENTE	
Esclareça o relacionamento do informante com o indivíduo e/ou família do indivíduo.	Como você descreveria seu relacionamento com [INDIVÍDUO OU COM A FAMÍLIA]? *INVESTIGUE SE NÃO ESTIVER CLARO:* Com que frequência você vê [INDIVÍDUO]?
DEFINIÇÃO CULTURAL DO PROBLEMA	
Obtenha a visão do informante sobre os problemas centrais e as preocupações principais. Foque na maneira do informante de entender o problema do indivíduo. Use o termo, a expressão ou uma breve descrição obtida na questão 1 para identificar o problema nas questões posteriores (p. ex., "o conflito dele com seu filho").	2. O que traz seu familiar/amigo aqui hoje? *SE O INFORMANTE DÁ POUCOS DETALHES OU APENAS MENCIONA OS SINTOMAS OU UM DIAGNÓSTICO MÉDICO, INVESTIGUE:* As pessoas frequentemente entendem os problemas da sua própria maneira, que pode ser semelhante ou diferente de como os médicos os descrevem. Como *você* descreveria o problema [DO INDIVÍDUO]?
Pergunte como o informante expõe o problema para membros da rede social.	3. Às vezes, as pessoas têm formas diferentes de descrever o problema para a família, amigos ou outras pessoas na sua comunidade. Como *você* descreveria o problema [DO INDIVÍDUO] para eles?
Foque nos aspectos do problema que mais importam para o informante.	4. O que mais o incomoda em relação ao problema [DO INDIVÍDUO]?

(Continua)

Entrevista de Formulação Cultural (EFC) – Versão do Informante *(Continuação)*	
ORIENTAÇÃO PARA O ENTREVISTADOR	AS INSTRUÇÕES PARA O ENTREVISTADOR ESTÃO EM *ITÁLICO*

PERCEPÇÕES CULTURAIS DE CAUSA, CONTEXTO E SUPORTE

CAUSAS

Esta questão indica o significado da condição para o informante, a qual pode ser relevante para o atendimento clínico.

Observe que os informantes podem identificar múltiplas causas, dependendo do aspecto do problema que eles estão considerando.

5. Por que você acha que isso está acontecendo com [O INDIVÍDUO]? O que você acha que são as causas do seu [PROBLEMA]?

   INVESTIGUE MAIS, SE NECESSÁRIO:

   Algumas pessoas podem explicar o problema como resultado de coisas ruins que acontecem na sua vida, problemas com os outros, uma doença física, uma razão espiritual ou muitas outras causas.

Foque nos pontos de vista dos membros da rede social do indivíduo. Eles podem ser diferentes e variar em relação à visão do informante.

6. O que outros familiares [DO INDIVÍDUO], seus amigos ou outras pessoas na comunidade acham que está causando o [PROBLEMA] [DO INDIVÍDUO]?

ESTRESSORES E SUPORTE

Obtenha informações sobre o contexto de vida do indivíduo, focando nos recursos, suportes sociais e resiliência. Também podem ser investigados outros suportes (p. ex., de colegas de trabalho, de grupos religiosos ou espirituais).

7. Existe algum tipo de suporte que melhora o [PROBLEMA] dele/dela, como o apoio da família, amigos ou outros?

Foque nos aspectos estressantes do ambiente do indivíduo. Também podem ser investigados, por exemplo, problemas de relacionamento, dificuldades no trabalho ou escola ou discriminação.

8. Existe algum tipo de estresse que piora o [PROBLEMA] dele/dela, como dificuldades com dinheiro ou problemas familiares?

PAPEL DA IDENTIDADE CULTURAL

Às vezes, aspectos da história ou identidade da pessoa podem melhorar ou piorar o [PROBLEMA]. Por **origem** ou **identidade**, quero dizer, por exemplo, as comunidades às quais você pertence, as línguas que você fala, de onde você ou sua família são, seu gênero ou orientação sexual e sua fé ou religião.

Peça ao informante que reflita sobre os elementos mais proeminentes da identidade cultural do indivíduo. Utilize essas informações para adequar as questões 10-11, quando necessário.

9. Para você, quais são os aspectos mais importantes da origem ou identidade [DO INDIVÍDUO]?

Investigue aspectos da identidade que melhoram ou pioram o problema.

Investigue quando necessário (p. ex., piora clínica em consequência de discriminação devido à condição de migração, raça/etnia ou orientação sexual).

10. Existem aspectos da história ou identidade [DO INDIVÍDUO] que fazem diferença para o [PROBLEMA] dele/dela?

Investigue quando necessário (p. ex., problemas relacionados a migração; conflito entre gerações ou relacionado a papéis de gênero).

11. Existem aspectos da história ou identidade [DO INDIVÍDUO] que estão causando outras preocupações ou dificuldades para ele/ela?

(Continua)

Entrevista de Formulação Cultural (EFC) – Versão do Informante *(Continuação)*

ORIENTAÇÃO PARA O ENTREVISTADOR	AS INSTRUÇÕES PARA O ENTREVISTADOR ESTÃO EM *ITÁLICO*

FATORES CULTURAIS QUE AFETAM A CAPACIDADE DE ENFRENTAMENTO (*SELF-COPING*) E A BUSCA DE AJUDA NO PASSADO

Capacidade Enfrentamento (*Self-Coping*)

Esclareça a capacidade de enfrentamento (self-coping) do indivíduo para o problema.

12. Às vezes, as pessoas têm formas variadas de lidar com problemas como [PROBLEMA]. O que [O INDIVÍDUO] fez por sua conta para enfrentar seu [PROBLEMA]?

Busca De Ajuda No Passado

Investigue várias fontes de ajuda (p. ex., atendimento médico, tratamento de saúde mental, grupos de apoio, aconselhamento no trabalho, curandeirismo, aconselhamento religioso ou espiritual, outras formas de cura alternativas).

Investigue quando necessário (p. ex., "Que outras fontes de ajuda ele/ela usou?").

Esclareça a vivência e a apreciação do indivíduo em relação à ajuda anterior.

13. Frequentemente, as pessoas procuram ajuda em muitas fontes distintas, incluindo diferentes tipos de médicos, pessoas que ajudam ou curandeiros. No passado, que tipos de tratamento, ajuda, aconselhamento ou cura [O INDIVÍDUO] procurou para seu [PROBLEMA]?
INVESTIGUE CASO ELE/ELA NÃO DESCREVA A UTILIDADE DA AJUDA RECEBIDA:
Que tipos de ajuda ou tratamento foram mais úteis? E inúteis?

Barreiras

Esclareça o papel das barreiras sociais à busca de ajuda e ao acesso a atendimento e problemas de adesão em tratamento anterior.

Investigue detalhes quando necessário (p. ex., "O que atrapalhou?").

14. Alguma coisa impediu [O INDIVÍDUO] de obter a ajuda de que precisava?
Por exemplo, dinheiro, compromissos profissionais ou familiares, estigma ou discriminação ou ausência de serviços que entendam a língua ou história dele/dela?

FATORES CULTURAIS QUE AFETAM A BUSCA DE AJUDA ATUAL

Preferências

Esclareça as necessidades detectadas e as expectativas atuais de ajuda do indivíduo segundo o ponto de vista do informante.

Investigue caso o informante liste apenas uma fonte de ajuda (p. ex., "Que outros tipos de ajuda seriam úteis para [O INDIVÍDUO] neste momento?").

Foque nos pontos de vista da rede social em relação à busca de ajuda.

Agora, vamos falar sobre a ajuda de que [O INDIVÍDUO] precisa.

15. Que tipos de ajuda você acha que seriam mais úteis para ele neste momento para o [PROBLEMA] dele/dela?

16. Existem outros tipos de ajuda que a família, amigos ou outras pessoas sugeriram que seriam úteis para ele/ela agora?

(Continua)

Entrevista de Formulação Cultural (EFC) – Versão do Informante *(Continuação)*	
ORIENTAÇÃO PARA O ENTREVISTADOR	AS INSTRUÇÕES PARA O ENTREVISTADOR ESTÃO EM *ITÁLICO*

RELACIONAMENTO CLÍNICO-PACIENTE

Investigue possíveis preocupações a respeito do clínico ou do relacionamento clínico-paciente, incluindo a percepção de racismo, barreiras de linguagem ou diferenças culturais que possam enfraquecer a boa vontade, a comunicação ou a prestação do cuidado. *Investigue detalhes quando necessário (p. ex., "De que maneira?").* *Aborde as possíveis barreiras ao cuidado ou preocupações sobre o clínico e o relacionamento clínico-paciente levantadas anteriormente.*	Às vezes, médicos e pacientes entendem-se mal porque têm origens ou expectativas diferentes. 17. Você se preocupou com isso e existe alguma coisa que possamos fazer para prestar [AO INDIVÍDUO] o cuidado de que ele precisa?

Conceitos Culturais de Sofrimento

Relevância para Avaliação Diagnóstica

O termo *conceitos culturais de sofrimento* refere-se às formas como os indivíduos vivenciam, entendem e comunicam sofrimento, problemas comportamentais ou emoções e pensamentos perturbadores. Três tipos principais de conceitos culturais de sofrimento podem ser distinguidos. O *idioma cultural de sofrimento* refere-se às formas de expressar sofrimento que podem não envolver síndromes ou sintomas específicos, mas que proporcionam formas coletivas e compartilhadas de experimentar e falar sobre preocupações pessoais ou sociais. Por exemplo, a conversa rotineira sobre "nervos" ou "depressão" pode se referir a formas amplamente variadas de sofrimento sem se enquadrar em um conjunto distinto de sintomas, síndrome ou transtorno. *Explicações culturais* ou causas percebidas são rótulos, atribuições ou características de um modelo explicativo que indicam um significado ou etiologia culturalmente reconhecida para sintomas, doença ou sofrimento. *Síndromes culturais* são grupos de sintomas e atribuições que tendem a ocorrer de forma concomitante entre indivíduos em grupos, comunidades ou contextos culturais específicos e que são reconhecidos localmente como padrões coerentes de experiência.

Esses três conceitos culturais de sofrimento – idiomas culturais de sofrimento, explicações culturais e síndromes culturais – são mais relevantes para a prática clínica do que a antiga formulação da *síndrome ligada à cultura*. De forma específica, o termo *síndrome ligada à cultura* ignora o fato de que diferenças culturais clinicamente importantes, com frequência, envolvem explicações ou experiência de sofrimento, em vez de configurações de sintomas culturalmente distintas. Além disso, o termo *ligada à cultura* enfatiza de maneira excessiva a extensão à qual os conceitos culturais de sofrimento são caracterizados por experiências altamente idiossincráticas, restritas a regiões geográficas específicas. A formulação atual reconhece que todas as formas de sofrimento são moldadas localmente, incluindo os transtornos do DSM. De acordo com essa perspectiva, muitos diagnósticos do DSM podem ser entendidos como protótipos operacionalizados que começaram como síndromes culturais e se tornaram amplamente aceitos como consequência de sua utilidade para a clínica e para a pesquisa. Entre os grupos, permanecem existindo diferenças modeladas culturalmente nos sintomas, nas maneiras de falar sobre sofrimento e nas causas percebidas localmente, as quais estão, por sua vez, associadas a estratégias de enfrentamento (*coping*) e a padrões de busca de ajuda.

Conceitos culturais para sofrimento mental e emocional surgem de sistemas diagnósticos locais profissionais ou populares e podem também refletir a influência de conceitos biomédicos. Conceitos culturais de sofrimento apresentam quatro características centrais em relação à nosologia do DSM-5:

- Raramente existe uma correspondência exata "um para um" de algum conceito cultural com uma entidade diagnóstica do DSM; a correspondência é mais provavelmente de "um para muitos" em cada uma das direções. Sintomas ou comportamentos que podem ser inclusos pelo DSM-5 em vários transtornos podem ser incorporados em um único conceito de sofrimento, e apresentações diversas que podem ser classificadas pelo DSM-5 como variantes de um único transtorno, podem ser organizadas em vários conceitos distintos por um sistema diagnóstico nativo.
- Conceitos culturais de sofrimento podem ser aplicados a uma ampla faixa de gravidade sintomática e funcional, incluindo apresentações que não satisfazem os critérios do DSM para um transtorno mental. Por exemplo, um indivíduo com luto agudo ou uma situação social difícil pode usar a mesma expressão idiomática de sofrimento ou exibir a mesma síndrome cultural que outra pessoa com psicopatologia mais grave.
- No uso comum, o mesmo termo cultural frequentemente denota mais de um tipo de conceito cultural de sofrimento. Um exemplo familiar pode ser o conceito de "depressão", que pode ser usado para descrever uma síndrome (p. ex., transtorno depressivo maior), uma expressão idiomática de sofrimento (p. ex., como na expressão comum "Eu me sinto deprimido") ou uma explicação ou causa percebida (p. ex., "o bebê nasceu com problemas emocionais porque sua mãe sofreu de depressão durante a gravidez").
- Assim como a cultura e o próprio DSM, os conceitos culturais de sofrimento podem mudar ao longo do tempo em resposta a influências tanto locais quanto globais.

Conceitos culturais de sofrimento são importantes para o diagnóstico psiquiátrico por várias razões:

- **Para melhorar a identificação das preocupações dos indivíduos e a detecção de psicopatologias:** Referir-se a conceitos culturais de sofrimento em instrumentos de triagem ou em revisões de sistemas pode facilitar a identificação de preocupações dos indivíduos e melhorar a detecção de psicopatologias, pois eles podem estar mais familiarizados com esses conceitos culturais de sofrimento do que com a terminologia profissional.
- **Para evitar erros diagnósticos:** A variação cultural nos sintomas e nos modelos explicativos associada a esses conceitos culturais de sofrimento pode levar os clínicos a julgar mal a gravidade de um problema ou atribuir o diagnóstico errado (p. ex., a suspeita socialmente justificada pode ser mal interpretada como paranoia; apresentações de sintomas desconhecidos podem ser entendidas erroneamente como psicose).
- **Para obter informações clínicas úteis:** As variações culturais nos sintomas e nas atribuições podem estar associadas a características particulares de risco, resiliência e resultado. A exploração clínica de conceitos culturais de sofrimento pode trazer informações sobre o papel que contextos específicos desempenham no desenvolvimento e curso dos sintomas e em sua resposta às estratégias de enfrentamento.
- **Para melhorar o vínculo clínico e a adesão:** "Falar a linguagem do paciente", tanto linguisticamente quanto em termos dos seus conceitos culturais de sofrimento e metáforas dominantes, pode resultar em melhor comunicação e satisfação, facilitar a negociação do tratamento e levar a maior permanência e adesão.
- **Para melhorar a eficácia terapêutica:** A cultura influencia os mecanismos psicológicos do transtorno, os quais precisam ser compreendidos e abordados para melhorar a eficácia clínica. Por exemplo, cognições catastróficas culturalmente específicas podem contribuir para o aumento dos sintomas em ataques de pânico.
- **Para orientar a pesquisa clínica:** Conexões localmente detectadas entre conceitos culturais de sofrimento podem ajudar a identificar padrões de comorbidade e substratos biológicos subjacentes. Conceitos culturais de sofrimento, particularmente síndromes culturais, também podem apontar para transtornos previamente não reconhecidos ou variantes que poderiam ser incluídas em revisões

Cultura e Diagnóstico Psiquiátrico

nosológicas no futuro (p. ex., em uma mudança do DSM-IV, o conceito de possessão foi acrescentado aos critérios do DSM-5 para o transtorno da identidade dissociativa).
- **Para esclarecer a epidemiologia cultural:** Os conceitos culturais de sofrimento não são endossados uniformemente por todos em um determinado contexto cultural. A distinção das expressões idiomáticas de sofrimento, explicações culturais e síndromes culturais proporciona uma abordagem para o estudo da distribuição das características culturais da doença entre os contextos e regiões e ao longo do tempo. Também sugere questões sobre os determinantes culturais do risco, curso e resultado em contextos clínicos e comunitários para melhorar a base de evidências da pesquisa cultural.

O DSM-5 inclui informações sobre conceitos culturais visando a melhorar a precisão do diagnóstico e a abrangência da avaliação clínica. A avaliação clínica dos indivíduos que se apresentam com esses conceitos culturais deve determinar se eles atendem aos critérios do DSM-5 para um transtorno especificado ou para um diagnóstico de *outro transtorno especificado*. Depois de o transtorno ser diagnosticado, os termos e explicações culturais devem ser inclusos nas formulações do caso; eles podem ajudar a esclarecer sintomas e atribuições etiológicas que de outra forma poderiam ser confusos. Indivíduos cujos sintomas não atendem aos critérios do DSM para um transtorno mental específico ainda podem esperar e requerer tratamento; isso deve ser avaliado de acordo com cada caso. Além da EFC e de seus módulos complementares e da versão do informante, o DSM-5-TR contém as seguintes informações e ferramentas que podem ser úteis para integrar as informações culturais à prática clínica:

- **Dados atualizados no texto do DSM-5-TR para transtornos específicos:** O texto inclui informações sobre variações culturais na expressão dos sintomas; atribuições para causas de transtorno ou precipitantes; fatores associados à prevalência diferencial entre grupos demográficos; normas culturais que podem afetar o limiar para patologia e a gravidade percebida da condição; risco de erro de diagnóstico ao avaliar indivíduos de grupos étnico-raciais ou marginalizados socialmente oprimidos; conceitos culturais de sofrimento associados; e outros materiais relevantes para o diagnóstico culturalmente informado. É importante enfatizar que não existe uma correspondência exata de "um para um" no nível de categorias entre os transtornos do DSM e os conceitos culturais. O diagnóstico diferencial para os indivíduos deve, portanto, incorporar informações sobre a variação cultural com informações obtidas pela EFC.
- **Outras Condições que Podem Ser Foco da Atenção Clínica:** Algumas das preocupações clínicas identificadas pela EFC podem corresponder a uma das condições ou problemas listados no capítulo "Outras Condições que Podem Ser Foco da Atenção Clínica" da Seção II (p. ex., problemas de aculturação, problemas na relação pai-filho, problemas religiosos ou espirituais), juntamente com o código CID-10-MC associado.

Exemplos de Conceitos Culturais de Sofrimento

Os clínicos precisam se familiarizar com os conceitos culturais de sofrimento dos indivíduos para entender suas preocupações e facilitar uma avaliação diagnóstica precisa; o uso da EFC pode ajudar nesse sentido. Os dez exemplos a seguir foram selecionados para ilustrar algumas das maneiras pelas quais os conceitos culturais de sofrimento podem afetar o processo de diagnóstico. Os princípios ilustrados com esses exemplos podem ser aplicados a inúmeros outros conceitos culturais de sofrimento evidenciados em contextos culturais específicos.

O mesmo termo pode ser usado para vários tipos de conceitos culturais de sofrimento e apresentações clínicas, dependendo do contexto. Potencialmente, os conceitos culturais de sofrimento podem ocorrer sozinhos ou coexistir com qualquer transtorno psiquiátrico e influenciar a apresentação clínica, o curso e o resultado. Por exemplo, nas comunidades latinas dos Estados Unidos, o *ataque de nervios* pode ser comórbido com quase todos os transtornos psiquiátricos.

Cada um dos exemplos a seguir inclui uma descrição de "Condições relacionadas no DSM-5-TR" para destacar 1) os transtornos do DSM-5 que se sobrepõem fenomenologicamente ao conceito cultural de sofrimento (p. ex., transtorno de pânico e *ataque de nervios*, devido a sua natureza paroxística e semelhança de sintomas) e 2) os transtornos do DSM-5 que são frequentemente atribuídos à explicação causal ou ao idioma (p. ex., TEPT e *kufungisisa*).

Ataque de nervios

Ataque de nervios ("ataque de nervos") é uma síndrome que ocorre entre indivíduos de origem latina caracterizada por sintomas de perturbação emocional intensa, incluindo ansiedade aguda, raiva ou sofrimento; gritos e berros descontrolados; ataques de choro; tremores; calor no tórax irradiando-se para a cabeça; agressividade física e verbal. Experiências dissociativas (p. ex., despersonalização, desrealização, amnésia), episódios de desmaio ou semelhantes a convulsões, além de comportamentos suicidas, são proeminentes em alguns *ataques*, porém ausentes em outros. Um dos aspectos centrais do *ataque de nervios* é uma sensação de descontrole. Os ataques ocorrem frequentemente como resultado direto de um evento estressante relacionado à família, como a notícia da morte de um parente próximo, conflitos conjugais ou parentais, ou em função de presenciar um acidente envolvendo um familiar. Para uma minoria dos indivíduos, nenhum evento social em particular desencadeia seus *ataques*; em vez disso, sua vulnerabilidade à perda de controle advém da experiência acumulada de sofrimento.

Não foi observada uma relação direta entre o *ataque de nervios* e qualquer transtorno psiquiátrico específico, embora diversos transtornos, incluindo transtorno de pânico, outro transtorno dissociativo especificado ou não especificado e transtorno de sintomas neurológicos funcionais (transtorno conversivo), tenham sobreposição sintomática com o *ataque*.

Em amostras comunitárias, o *ataque de nervios* é relatado, entre os latinos nos Estados Unidos, por 7 a 15% dos adultos e 4 a 9% dos jovens, dependendo da região e do subgrupo latino. Ele está associado a ideação suicida, deficiência e utilização de serviços psiquiátricos ambulatoriais, depois de ajustes, considerando-se diagnósticos psiquiátricos, exposição traumática e outras covariáveis. Entretanto, alguns *ataques* representam expressões normais de sofrimento agudo (p. ex., em um funeral) sem sequelas clínicas. O termo *ataque de nervios* pode se referir também a um idioma de sofrimento que inclui algum paroxismo similar a um acesso de emoção (p. ex., riso histérico) e pode ser usado para indicar um episódio de perda de controle em resposta a um estressor intenso.

Condições relacionadas em outros contextos culturais. Indisposição no Haiti, "apagão" em diversos países das Índias Ocidentais e do Caribe, e desmaios no Sul dos Estados Unidos. Esse uso dos termos "apagão" ou desmaio não deve ser confundido com apagões e amnésias induzidos por álcool ou outras substâncias.

Condições relacionadas no DSM-5-TR. Ataque de pânico, transtorno de pânico, outro transtorno dissociativo especificado ou transtorno dissociativo não especificado, transtorno de sintomas neurológicos funcionais (transtorno conversivo), transtorno explosivo intermitente, outro transtorno de ansiedade especificado ou não especificado, outro transtorno relacionado a trauma e a estressores especificado ou não especificado.

Síndrome de *dhat*

Síndrome de dhat é um termo criado no sul da Ásia mais de meio século atrás para designar apresentações clínicas comuns de pacientes jovens do sexo masculino que atribuíam seus sintomas diversos à perda de sêmen. A despeito do nome, não se trata de uma síndrome bem definida, e sim de uma explicação cultural de sofrimento para pacientes com queixas de sintomas diversos, tais como ansiedade, fadiga, fraqueza, perda de peso, disfunção erétil, outras múltiplas queixas somáticas e humor depressivo. O aspecto central é ansiedade e sofrimento relacionados à perda de *dhat* na ausência de qualquer disfunção fisiológica identificável. O *dhat* foi identificado por pacientes como uma secreção esbranquiçada observada na defecação ou na micção. As ideias a respeito dessa substância estão relacionadas ao conceito de *dhatu* (sêmen), descrito no sistema de medicina hindu, Ayurveda, como um dos sete fluidos corporais essenciais cujo equilíbrio é necessário para manter a saúde.

Embora a *síndrome de dhat* tenha sido formulada como uma categoria clínica para ajudar a informar a prática clínica local, foram observadas ideias correlatas acerca dos efeitos nocivos da perda de sêmen na população em geral, sugerindo uma disposição cultural para explicar problemas de saúde e sintomas por meio da referência a ela. Pesquisas em contextos de assistência médica geraram estimativas diversas da prevalência da *síndrome de dhat* (p. ex., 64% dos homens atendidos em clínicas psiquiátricas na Índia com queixas sexuais; 30% dos homens atendidos em clínicas de medicina geral no Paquistão). Apesar de a *síndrome de dhat* ser mais comumente associada a homens jovens de origens socioeconômicas mais baixas, homens de meia-idade também podem ser afetados. Preocupações semelhantes acerca de secreções vaginais esbranquiçadas (leucorreia) também foram associadas a uma variante do conceito em mulheres. O termo *dhat* também pode ser usado como uma expressão idiomática e explicação causal para infecções sexualmente transmitidas (p. ex., gonorreia, clamídia), na ausência de sofrimento psicológico.

Condições relacionadas em outros contextos culturais. *Koro* no Sudoeste Asiático, particularmente em Cingapura, e *shen-k'uei* ("deficiência renal") na China.

Condições relacionadas no DSM-5-TR. Transtorno depressivo maior, transtorno depressivo persistente, transtorno de ansiedade generalizada, transtorno de sintomas somáticos, transtorno de ansiedade de doença, transtorno erétil, ejaculação prematura (precoce), outra disfunção sexual especificada ou não especificada, problema acadêmico.

Hikikomori

Hikikomori (um termo japonês composto de *hiku* [recuar] e *moru* [isolar-se]) é uma síndrome de retraimento social prolongado e grave observado no Japão que pode resultar na cessação completa das interações pessoais com os outros. A imagem típica em *hikikomori* é um adolescente ou jovem adulto que não sai de seu quarto na casa de seus pais e não tem interações sociais com outras pessoas. Esse comportamento pode inicialmente ser egossintônico, mas geralmente leva ao sofrimento com o passar do tempo; com frequência é associado a alta intensidade de uso da internet e trocas sociais virtuais. Outras características incluem nenhum interesse ou vontade de frequentar a escola ou o trabalho. A diretriz de 2010 do Ministério da Saúde, Trabalho e Bem-estar do Japão exige 6 meses de afastamento social para um diagnóstico de *hikikomori*. O retraimento social extremo visto em *hikikomori* pode ocorrer no contexto de um transtorno estabelecido do DSM-5 ("secundário") ou se manifestar independentemente ("primário").

Condições relacionadas em outros contextos culturais. Em muitos contextos, relata-se retraimento social prolongado entre adolescentes e adultos jovens, incluindo Austrália, Bangladesh, Brasil, China, França, Índia, Irã, Itália, Omã, Coreia do Sul, Espanha, Taiwan, Tailândia e Estados Unidos. Indivíduos com comportamentos do tipo *hikikomori* no Japão, Índia, Coreia do Sul e Estados Unidos tendem a apresentar altos níveis de solidão, redes sociais limitadas e comprometimento funcional moderado.

Condições relacionadas no DSM-5-TR. Transtorno de ansiedade social, transtorno depressivo maior, transtorno de ansiedade generalizada, transtorno de estresse pós-traumático, transtorno do espectro autista, transtorno da personalidade esquizoide, transtorno da personalidade evitativa, esquizofrenia ou outro transtorno psicótico. A condição também pode estar associada ao transtorno do jogo na internet e, em adolescentes, à recusa em frequentar a escola.

Khyâl cap

"Ataques de *khyâl*" (*khyâl cap*), ou "ataques de vento", é uma síndrome encontrada entre cambojanos nos Estados Unidos e no Camboja. Sintomas comuns incluem os de ataques de pânico, como tontura, palpitações, falta de ar e extremidades frias, bem como outros sintomas de ansiedade e excitação autonômica (p. ex., zumbido e dor no pescoço). Ataques de *khyâl* incluem cognições catastróficas centradas na preocupação de que *khyâl* (uma substância semelhante ao vento) possa surgir no corpo – em conjunto com o sangue – e desencadear uma série de efeitos graves (p. ex., comprimir os pulmões, causando falta de ar e asfixia; penetrar no crânio, causando zumbido, tontura, visão borrada e uma síncope fatal).

Ataques de *khyâl* podem ocorrer subitamente, mas com frequência são desencadeados por preocupações, pelo ato de levantar-se (i. e., hipotensão ortostática), por odores específicos com associações negativas e por situações agorafóbicas, como entrar em lugares cheios de gente ou andar de carro. Ataques de *khyâl* normalmente satisfazem os critérios de ataques de pânico e podem assemelhar-se à experiência de outros transtornos de ansiedade e relacionados a trauma e a estressores. Ataques de *khyâl* podem estar associados a incapacidade considerável.

Condições relacionadas em outros contextos culturais. *Pen lom* no Laos, *srog rlung gi nad* no Tibete, *vata* no Sri Lanka e *hwa byung* na Coreia.

Condições relacionadas no DSM-5-TR. Ataque de pânico, transtorno de pânico, transtorno de ansiedade generalizada, agorafobia, transtorno de estresse pós-traumático, transtorno de ansiedade de doença.

Kufungisisa

Kufungisisa ("pensar demais" em Shona) é uma expressão idiomática de sofrimento e uma explicação cultural entre os Shona do Zimbábue. Como explicação cultural, é considerado causador de ansiedade, depressão e problemas somáticos (p. ex., "meu coração está doendo porque penso demais"). Como expressão de sofrimento psicossocial, é indicativo de dificuldades interpessoais e sociais (p. ex., problemas conjugais, não ter dinheiro para cuidar dos filhos). *Kufungisisa* envolve ruminação de pensamentos angustiantes, particularmente preocupações, incluindo aquelas com doença física crônica, como os transtornos relacionados ao HIV.

O *kufungisisa* está associado a uma série de psicopatologias, incluindo sintomas de ansiedade, preocupação excessiva, ataques de pânico, sintomas depressivos, irritabilidade e transtorno de estresse pós-traumático. Em um estudo de uma amostra comunitária aleatória, dois terços dos casos identificados por uma medida de psicopatologia geral tinham essa queixa.

Condições relacionadas em outros contextos culturais. "Pensar demais" é uma expressão idiomática comum de sofrimento e uma explicação cultural comum em muitos países e grupos étnicos; apesar de algumas semelhanças entre regiões do planeta, "pensar demais" mostra heterogeneidade inter e intra contextos culturais. Foi descrito na África, na Ásia, no Caribe e na América Latina, no Oriente Médio e entre grupos indígenas. "Pensar demais" também pode ser um componente-chave de síndromes culturais, como "fadiga mental", na Nigéria. No caso da fadiga mental, "pensar demais" é atribuído principalmente ao estudo excessivo, considerado prejudicial particularmente ao cérebro, com sintomas que incluem sensações de calor ou formigamento na cabeça.

Entre as culturas, "pensar demais" normalmente faz referência a pensamentos ruminantes, intrusivos e/ou ansiosos – às vezes focados em uma preocupação isolada ou trauma passado e outras vezes com base em inúmeras preocupações atuais. Em alguns contextos, acredita-se que leve a psicose mais grave, pensamentos suicidas ou até mesmo à morte.

Condições relacionadas no DSM-5-TR. Transtorno depressivo maior, transtorno depressivo persistente, transtorno de ansiedade generalizada, transtorno de estresse pós-traumático, transtorno obsessivo-compulsivo, transtorno do luto prolongado.

Maladi dyab

Maladi dyab ou *maladi satan* (literalmente "doença do diabo/Satanás", também conhecida como "doença enviada") é uma explicação cultural em comunidades haitianas para diversas condições médicas e psiquiátricas ou outras experiências negativas e problemas na vivência de um indivíduo. Nesse modelo explanatório, inveja e maldade interpessoais fazem as pessoas atingirem seus inimigos enviando doenças como psicose, depressão, insucesso acadêmico ou social e incapacidade de cumprir as atividades da vida diária. Essas enfermidades têm diversos nomes (p. ex., *ekspedisyon*, *mòvè zespri*, *kout poud*), com base em como elas são "enviadas". O modelo etiológico considera que a doença pode ser causada por inveja e ódio alheios, provocados pelo sucesso econômico da vítima em virtude de um emprego novo ou uma aquisição cara. Presume-se que o ganho de uma pessoa cause perda para outra, de maneira que o sucesso ostensivo torna uma pessoa vulnerável ao ataque. Atribuir o rótulo de "doença enviada" depende mais do modo de início do quadro, do *status* social e da forma de tratamento que se mostrar mais bem-sucedida do que dos sintomas apresentados. Diversos transtornos psiquiátricos podem ser atribuídos a essa explicação cultural. O início agudo de novos sintomas ou uma mudança comportamental abrupta levantam suspeitas de um ataque espiritual. Uma pessoa atraente, inteligente ou rica é percebida como especialmente vulnerável, e até mesmo crianças pequenas e saudáveis encontram-se em risco.

Condições relacionadas em outros contextos culturais. Preocupações a respeito de doenças (em geral doenças físicas) causadas por inveja ou conflitos sociais são comuns entre culturas e com frequência expressas na forma de "mau-olhado" (p. ex., em espanhol, *mal de ojo*, em italiano, *mal'occhiu*).

Condições relacionadas no DSM-5-TR. Aflição subsindrômica (p. ex., problemas relacionados ao contexto social, problemas acadêmicos), além de uma grande variedade de transtornos psiquiátricos; a explicação cultural de forças sobrenaturais pode levar a um diagnóstico errôneo de transtorno delirante, tipo persecutório; ou esquizofrenia.

Nervios

Nervios ("nervos") é uma expressão idiomática comum de sofrimento e explicação causal em contextos culturais latinos nos Estados Unidos e na América Latina. *Nervios* refere-se a um estado geral de vulnerabilidade a experiências de vida estressantes e a circunstâncias de vida difíceis. O termo *nervios* inclui uma grande variedade de sintomas de sofrimento emocional, perturbação somática e incapacidade funcional. Os sintomas mais comumente atribuídos a *nervios* incluem cefaleias e "dores no cérebro" (tensão cervical occipital), irritabilidade, perturbações gastrintestinais, dificuldades de sono, nervosismo, choro fácil, incapacidade de concentrar-se, tremores, sensações de formigamento e *mareos* (marejamento, tontura com exacerbações ocasionais do tipo vertigem). *Nervios* é uma expressão de sofrimento amplo que abrange uma faixa de gravidade desde casos sem nenhum transtorno mental até apresentações que se assemelham a transtornos de adaptação, de ansiedade, depressivos, dissociativos, de sintomas somáticos ou psicóticos. O termo também pode se referir a uma explicação cultural para múltiplas formas de sofrimento psicológico, especialmente aquelas que envolvem fraqueza, enervação e ansiedade. *Nervios* podem indicar uma série de condições, que apresentam variação regional, relacionadas ao sistema nervoso (literalmente, os nervos anatômicos). Nas comunidades em Porto Rico, por exemplo, *nervios* inclui condições como "ser nervoso desde a infância", que parece ser mais um traço e pode preceder o transtorno de ansiedade social, enquanto "estar doente dos nervos" está mais relacionado do que outras formas de *nervios* a problemas psiquiátricos, especialmente dissociação e depressão.

Condições relacionadas em outros contextos culturais. *Nevra* entre gregos na América do Norte, *nierbi* entre sicilianos na América do Norte e *nerves* entre brancos nos Apalaches norte-americanos e Newfoundland (Terra Nova, uma grande ilha canadense). "Tensão" é uma expressão e explicação causal relacionada entre as populações do Sul da Ásia.

Condições relacionadas no DSM-5-TR. Transtorno depressivo maior, transtorno depressivo persistente, transtorno de ansiedade generalizada, transtorno de ansiedade social, outro transtorno dissociativo especificado ou não especificado, transtorno de sintomas somáticos, esquizofrenia.

Shenjing shuairuo

Shenjing shuairuo ("fraqueza do sistema nervoso" em mandarim chinês) é uma síndrome cultural que integra categorias conceituais da medicina tradicional chinesa com o construto ocidental de neurastenia. Na segunda edição revisada do *Chinese classification of mental disorders* (CCMD-2-R), *shenjing shuairuo* é definida como uma síndrome composta por três dentre cinco grupos de sintomas não hierárquicos: fraqueza (p. ex., fadiga mental), emoções (p. ex., sentir-se contrariado), excitação (p. ex., aumento de recordações), neuralgia (p. ex., cefaleia) e sono (p. ex., insônia). *Fan nao* (sentir-se contrariado) é uma forma de irritabilidade misturada a aflição e sofrimento acerca de pensamentos conflitantes e desejos não satisfeitos. A terceira edição do CCMD mantém *shenjing shuairuo* como um diagnóstico somatoforme de exclusão. No entanto, a China adotou a CID-10 como seu sistema oficial de classificação em 2011, substituindo o CCMD; embora a CID-10 inclua a neurastenia como categoria diagnóstica, a CID-11 não a inclui. O uso de *shenjing shuairuo* diminuiu substancialmente nos últimos anos e parece ter sido substituído por expressões idiomáticas de depressão e ansiedade, pelo menos nas áreas urbanas; entre os clínicos de saúde mental, *shenjing shuairuo* pode ser amplamente utilizada em interações com pacientes tradicionais para facilitar a comunicação e limitar o estigma associado a diagnósticos psiquiátricos.

Os principais desencadeantes de *shenjing shuairuo* incluem estressores relacionados ao trabalho ou à família, perda de prestígio (*mianzi, lianzi*) e uma sensação aguda de fracasso (p. ex., no desempenho acadêmico). *Shenjing shuairuo* está associada a conceitos tradicionais de fraqueza (*xu*) e a desequilíbrios de saúde relacionados a deficiências de uma essência vital (p. ex., o esgotamento de *qi* [energia vital] subsequente à sobrecarga ou à estagnação de *qi* em virtude de preocupações excessivas). Na interpretação tradicional, *shenjing shuairuo* resulta quando os canais corporais (*jing*) que conduzem as forças vitais (*shen*) tornam-se desregulados em virtude de diversos estressores sociais e interpessoais, tais como a incapacidade de mudar uma situação crônica de frustração ou angústia. Vários transtornos psiquiátricos estão associados a *shenjing shuairuo*, principalmente transtornos do humor, de ansiedade e de sintomas somáticos. Entretanto, em clínicas médicas na China, até 45% dos pacientes com *shenjing shuairuo* não têm sintomas que satisfazem os critérios de nenhum transtorno do DSM-IV.

Condições relacionadas em outros contextos culturais. Expressões idiomáticas e síndromes do espectro da neurastenia estão presentes na Índia (*ashaktapanna*), na Mongólia (*yadargaa*) e no Japão (*shinkei--suijaku*), entre outros cenários. Outras condições, como síndrome da fadiga mental, síndrome de *burnout* e síndrome da fadiga crônica, também estão fortemente relacionadas.

Condições relacionadas no DSM-5-TR. Transtorno depressivo maior, transtorno depressivo persistente, transtorno de ansiedade generalizada, transtorno de sintomas somáticos, transtorno de ansiedade social, fobia específica, transtorno de estresse pós-traumático.

Susto

Susto ("susto") é uma explicação cultural para sofrimento e azar prevalente em alguns contextos culturais latinos na América do Norte, Central e do Sul. Não é reconhecido como uma categoria de doença entre latinos no Caribe. *Susto* é um mal atribuído a um evento assustador que faz a alma deixar o corpo e resulta em infelicidade e doença, bem como em dificuldades de funcionamento em papéis sociais importantes. Os sintomas podem surgir a qualquer momento, desde dias até anos depois da experiência de susto. Em casos extremos, *susto* pode resultar em morte. Não existem sintomas definidores específicos para *susto*; entretanto, sintomas relatados com frequência por pessoas com *susto* incluem perturbações do apetite, sono inadequado ou excessivo, sono ou sonhos agitados, sentimentos de tristeza, desvalia ou sujeira, sensibilidade interpessoal e falta de motivação para fazer as coisas. Sintomas somáticos que acompanham *susto* podem incluir mialgias e dores, frio nas extremidades, palidez, cefaleia, dor de estômago e diarreia. Os eventos desencadeantes são diversos e incluem fenômenos naturais, animais, situações interpessoais e agentes sobrenaturais, entre outros.

Três tipos sindrômicos de *susto* (conhecido como *cibih* na linguagem local dos zapotecas, um antigo povo mexicano) foram identificados, cada qual com relações diferentes com diagnósticos psiquiátricos. Um *susto* interpessoal caracterizado por sentimentos de perda, abandono e de não ser amado pela família, com sintomas concomitantes de tristeza, autoimagem negativa e ideação suicida, parecia estar fortemente relacionado ao transtorno depressivo maior. Quando o *susto* resultava de um evento traumático com um papel determinante nos sintomas e no processamento emocional da experiência, o diagnóstico de transtorno de estresse pós-traumático parecia mais apropriado. O *susto* caracterizado por diversos sintomas somáticos recorrentes – para os quais a pessoa procura assistência de saúde de diversos profissionais – é, então, considerado mais associado a um transtorno de sintomas somáticos.

Condições relacionadas em outros contextos culturais. Conceitos etiológicos e configurações sintomáticas similares são encontrados em todo o mundo. Na região andina, *susto* é conhecido como *espanto*. As condições de perda de alma no Sul da Ásia e no Sudeste da Ásia também compartilham as características do *susto*. Na perda de alma, acredita-se que os indivíduos que experimentam um susto perdem temporariamente sua alma, um pedaço de sua alma ou uma das muitas almas. Isso torna o indivíduo vulnerável a outras formas de sofrimento físico e psicológico.

Condições relacionadas no DSM-5-TR. Transtorno depressivo maior, transtorno de estresse pós-traumático, outro transtorno relacionado a trauma e a estressores especificados ou não especificados, transtorno de sintomas somáticos.

Taijin kyofusho

Taijin kyofusho ("transtorno do medo interpessoal" em japonês) é uma síndrome cultural caracterizada por ansiedade e evitação de situações interpessoais em razão de pensamento, sentimento ou convicção de que a aparência pessoal e as próprias atitudes nas interações sociais são inadequadas ou ofensivas aos outros. *Taijin kyofusho* inclui duas formas relacionadas à cultura: um "tipo sensitivo", com sensibilidade social extrema e ansiedade sobre as interações interpessoais, e um "tipo ofensivo", em que a principal preocupação é ofender os outros. Variantes incluem preocupações importantes acerca do rubor facial (*sekimen-kyofu*, eritrofobia), ter um odor corporal ofensivo (*jiko-shu-kyofu*, síndrome de referência olfativa), fixar os olhos nas outras pessoas de forma inapropriada (*jiko-shisen-kyofu*, demasiado ou muito pouco contato visual), expressão facial ou movimentos corporais rígidos ou estranhos (p. ex., rigidez, tremores) ou deformidade corporal (*shubo-kyofu*).

Taijin kyofusho é um conceito mais amplo do que o transtorno de ansiedade social no DSM-5. *Taijin kyofusho* também inclui síndromes de transtorno dismórfico corporal, síndrome de referência olfativa e transtorno delirante; o transtorno delirante deve ser considerado quando os problemas têm um caráter delirante, sendo refratárias a medidas simples de tranquilização e contraexemplos.

Condições relacionadas em outros contextos culturais. Os sintomas típicos de *taijin kyofusho* ocorrem em contextos culturais específicos e, até certo ponto, com ansiedade social mais grave transculturalmente. Síndromes semelhantes são encontradas na Coreia (*taein kong po*) e em outras sociedades que enfatizam fortemente a manutenção autoconsciente de um comportamento social apropriado em relações interpessoais hierárquicas. Uma autointerpretação interdependente, que enfatiza a relação do *self* com um coletivo e a identificação do *self* em termos de papéis e relacionamentos sociais, pode ser um fator de risco para sintomas de *taijin kyofusho* em diversas culturas. A preocupação em ofender os outros por meio de comportamento social inadequado, característico do *taijin kyofusho* do tipo ofensivo, também foi descrita em diversas sociedades, incluindo Estados Unidos, Austrália, Indonésia e Nova Zelândia.

Condições relacionadas no DSM-5-TR. Transtorno de ansiedade social, transtorno dismórfico corporal, transtorno delirante, transtorno obsessivo-compulsivo, síndrome de referência olfativa (um tipo de outro transtorno obsessivo-compulsivo e transtorno relacionado especificado). A síndrome de referência olfativa está relacionada especificamente à variante *jikoshu-kyofu* do *taijin kyofusho*; essa apresentação é vista em diversas culturas fora do Japão.

Modelo Alternativo do DSM-5 para os Transtornos da Personalidade

Oferecido como uma alternativa à classificação de transtornos da personalidade existente na Seção II, este modelo híbrido dimensional-categórico na Seção III define o transtorno da personalidade em termos de prejuízos no funcionamento da personalidade e traços patológicos de personalidade. A inclusão de ambos os modelos de diagnóstico de transtorno da personalidade no DSM-5 reflete a decisão do Conselho de Diretores da APA de preservar a continuidade com a prática clínica atual e ao mesmo tempo apresentar uma abordagem alternativa que visa a atender inúmeros pontos fracos da abordagem apresentada na Seção II para os transtornos da personalidade. Por exemplo, na abordagem da Seção II, os sintomas que atendem os critérios para um transtorno da personalidade específico com frequência também atendem critérios para outros transtornos da personalidade. Igualmente, outro transtorno da personalidade especificado ou não especificado é com frequência o diagnóstico correto (porém pouco informativo), no sentido de que os indivíduos não tendem a apresentar padrões de sintomas que correspondem a somente um transtorno da personalidade.

No modelo alternativo do DSM-5, os transtornos da personalidade são caracterizados por prejuízos no *funcionamento* da personalidade e por *traços* de personalidade patológicos. Os diagnósticos específicos de transtorno da personalidade que podem ser derivados desse modelo incluem os transtornos da personalidade antissocial, evitativa, *borderline*, narcisista, obsessivo-compulsiva e esquizotípica. Essa abordagem também inclui um diagnóstico de transtorno da personalidade – especificado pelo traço (TP-ET), que pode ser feito quando um transtorno da personalidade é considerado presente, mas os critérios para um transtorno específico não são satisfeitos.

Critérios Gerais para Transtorno da Personalidade

Critérios Gerais para Transtorno da Personalidade

As características essenciais de um transtorno da personalidade são:

A. Prejuízo moderado ou grave no funcionamento da personalidade (*self*/interpessoal).
B. Um ou mais traços de personalidade patológicos.
C. Os prejuízos no funcionamento da personalidade e a expressão dos traços de personalidade do indivíduo são relativamente inflexíveis e difusos ao longo de uma ampla faixa de situações pessoais e sociais.
D. Os prejuízos no funcionamento da personalidade e a expressão dos traços de personalidade do indivíduo são relativamente estáveis ao longo do tempo, podendo seu início remontar no mínimo à adolescência ou ao começo da idade adulta.
E. Os prejuízos no funcionamento da personalidade e a expressão dos traços de personalidade do indivíduo não são mais bem explicados por outro transtorno mental.
F. Os prejuízos no funcionamento da personalidade e a expressão dos traços de personalidade do indivíduo não são unicamente atribuíveis aos efeitos fisiológicos de uma substância ou a outra condição médica (p. ex., traumatismo craniano grave).
G. Os prejuízos no funcionamento da personalidade e a expressão dos traços de personalidade do indivíduo não são mais bem entendidos como normais para o estágio do desenvolvimento de um indivíduo ou para seu ambiente sociocultural.

Um diagnóstico de transtorno da personalidade requer duas determinações: 1) uma avaliação do nível de prejuízo no funcionamento da personalidade, que é necessária para o Critério A; e 2) uma avaliação dos traços de personalidade patológicos, que é necessária para o Critério B. Os prejuízos no funcionamento da personalidade e a expressão dos traços de personalidade são relativamente inflexíveis e difusos dentro de uma ampla faixa de situações pessoais e sociais (Critério C); são relativamente estáveis ao longo do tempo, podendo seu início remontar no mínimo à adolescência ou ao começo da idade adulta (Critério D); não são mais bem explicados por outro transtorno mental (Critério E); não são atribuíveis aos efeitos fisiológicos de uma substância ou a outra condição médica (Critério F); e não são mais bem entendidos como normais para o estágio do desenvolvimento de um indivíduo ou para seu ambiente sociocultural (Critério G). Todos os transtornos da personalidade da Seção III descritos pelo conjunto de critérios, assim como os TP-ET, por definição, satisfazem esses critérios gerais.

Critério A: Nível de Funcionamento da Personalidade

Perturbações no funcionamento **individual** e **interpessoal** constituem o núcleo da psicopatologia da personalidade e, nesse modelo diagnóstico alternativo, são avaliadas em um *continuum*. O funcionamento individual envolve identidade e autodirecionamento; o funcionamento interpessoal envolve empatia e intimidade (ver a Tabela 1). A Escala do Nível de Funcionamento da Personalidade (ENFP; ver a Tabela 2, p. 895-898) utiliza cada um desses elementos para diferenciar cinco níveis de prejuízo, variando de pouco ou nenhum prejuízo (i. e., saudável, funcionamento adaptativo – Nível 0) até algum prejuízo (Nível 1), prejuízo moderado (Nível 2), prejuízo grave (Nível 3) e prejuízo extremo (Nível 4).

Prejuízo no funcionamento da personalidade prediz a presença de um transtorno da personalidade, e a gravidade do prejuízo prediz se um indivíduo apresenta mais de um transtorno da personalidade ou um dos transtornos da personalidade mais tipicamente graves. É necessário que exista um nível moderado de prejuízo no funcionamento da personalidade para que seja atribuído o diagnóstico de um transtorno da personalidade; esse limiar está baseado em evidências empíricas de que o nível moderado de prejuízo maximiza a capacidade dos clínicos de identificar com precisão e eficiência uma patologia de transtorno da personalidade.

Critério B: Traços de Personalidade Patológicos

Traços de personalidade patológicos estão organizados em cinco domínios maiores: Afetividade Negativa, Distanciamento, Antagonismo, Desinibição e Psicoticismo. Dentro dos cinco **domínios de traços** maiores encontram-se 25 **facetas de traços** específicas que foram desenvolvidas inicialmente a partir de uma revisão dos modelos de traços existentes e posteriormente por meio de pesquisas sucessivas com amostras de pessoas que procuraram serviços de saúde mental. A taxonomia completa dos traços é apresentada na Tabela 3 (ver p. 899-901). Os Critérios B para os transtornos da personalidade específicos compreendem os subgrupos das 25 facetas de traços, baseados em revisões metanalíticas e dados empíricos sobre as relações dos traços com os diagnósticos de transtorno da personalidade do DSM-IV.

Critérios C e D: Difusão e Estabilidade

Prejuízos no funcionamento da personalidade e traços de personalidade patológicos são *relativamente* difusos dentro de uma ampla faixa de contextos pessoais e sociais, visto que personalidade é definida como um padrão de percepção, relação e pensamento sobre o ambiente e si mesmo. O termo *relativamente* reflete o fato de que todas as personalidades, exceto as mais extremamente patológicas, mostram algum grau de adaptabilidade. O padrão nos transtornos da personalidade é mal-adaptativo e relativamente inflexível, o que leva a deficiências no funcionamento social, profissional ou em outras atividades importantes, pois os indivíduos são incapazes de modificar seu pensamento ou comportamento, mesmo diante de evidências de que sua abordagem não está funcionando. Os prejuízos no funcionamento e os traços de personalidade também são *relativamente* estáveis. Os traços de personalidade – as disposições a se comportar ou sentir de determinadas maneiras – são mais estáveis do que as expressões sintomáticas dessas disposições, mas também podem mudar. Os prejuízos no funcionamento da personalidade são mais estáveis do que os sintomas.

Modelo Alternativo do DSM-5 para os Transtornos da Personalidade

TABELA 1 Elementos do funcionamento da personalidade

Self:

1. *Identidade:* Vivência de si como único, com limites claros entre si mesmo e os outros; estabilidade da autoestima e precisão da autoavaliação; capacidade para, e habilidade de regular, várias experiências emocionais.
2. *Autodirecionamento:* Busca de objetivos de curto prazo e de vida coerentes e significativos; utilização de padrões internos de comportamento construtivos e pró-sociais; capacidade de autorreflexão produtiva.

Interpessoal:

1. *Empatia:* Compreensão e apreciação das experiências e motivações das outras pessoas; tolerância em relação a perspectivas divergentes; compreensão dos efeitos do próprio comportamento sobre os outros.
2. *Intimidade:* Profundidade e duração do vínculo com outras pessoas; desejo e capacidade de proximidade; respeito mútuo refletido no comportamento interpessoal.

Critérios E, F e G: Explicações Alternativas para a Patologia da Personalidade (Diagnóstico Diferencial)

Em algumas ocasiões, o que parece ser um transtorno da personalidade pode ser mais bem explicado por outro transtorno mental, pelos efeitos de uma substância, por outra condição médica, por um estágio normal do desenvolvimento (p. ex., adolescência, velhice) ou pelo ambiente sociocultural do indivíduo. Quando outro transtorno mental está presente, o diagnóstico de um transtorno da personalidade não é feito se as manifestações do transtorno da personalidade são claramente uma expressão de outro transtorno mental (p. ex., se características de transtorno da personalidade esquizotípica estão presentes somente no contexto da esquizofrenia). Por sua vez, os transtornos da personalidade podem ser diagnosticados com precisão na presença de outro transtorno mental, como o transtorno depressivo maior, e pacientes com outros transtornos mentais devem ser avaliados para transtornos da personalidade comórbidos porque estes, com frequência, impactam o curso de outros transtornos mentais. Portanto, sempre é apropriado avaliar o funcionamento da personalidade e os traços de personalidade patológicos que oferecem um contexto para outra psicopatologia.

Transtornos da Personalidade Específicos

A Seção III inclui critérios diagnósticos para transtornos da personalidade antissocial, evitativa, *borderline*, narcisista, obsessivo-compulsiva e esquizotípica. Cada transtorno da personalidade é definido por prejuízos típicos no funcionamento da personalidade (Critério A) e traços de personalidade patológicos característicos (Critério B):

- As características típicas do **transtorno da personalidade antissocial** são a falta em se adequar a um comportamento lícito e ético e preocupação insensível e egocêntrica com os outros, acompanhada de desonestidade, irresponsabilidade, manipulação e/ou exposição a riscos.
- As características típicas do **transtorno da personalidade evitativa** são evitação de situações sociais e inibição nas relações interpessoais relacionadas a sentimentos de incapacidade e inadequação, preocupação ansiosa com avaliação negativa e rejeição e medo do ridículo ou constrangimento.
- As características típicas do **transtorno da personalidade *borderline*** são instabilidade da autoimagem, dos objetivos pessoais, das relações interpessoais e dos afetos, acompanhada de impulsividade, exposição a riscos e/ou hostilidade.
- As características típicas do **transtorno da personalidade narcisista** são autoestima variável e vulnerável, com tentativas de regulação por meio da busca de atenção e aprovação, e grandiosidade declarada ou encoberta.

- As características típicas do **transtorno da personalidade obsessivo-compulsiva** são dificuldades no estabelecimento e manutenção de relacionamentos íntimos associadas a perfeccionismo rígido, inflexibilidade e expressão emocional restrita.
- As características típicas do **transtorno da personalidade esquizotípica** são prejuízos na capacidade para estabelecer relações sociais e relacionamentos íntimos e excentricidades na cognição, na percepção e no comportamento que estão associadas a autoimagem distorcida e objetivos pessoais incoerentes e acompanhados por desconfiança e expressão emocional restrita.

Os critérios A e B para os seis transtornos da personalidade específicos e para transtorno da personalidade – especificado pelo traço (TP-ET) são apresentados a seguir. Todos os transtornos da personalidade também satisfazem os critérios C ao G dos Critérios Gerais para Transtorno da Personalidade.

Transtorno da Personalidade Antissocial

As características típicas do transtorno da personalidade antissocial são falha em se adequar a um comportamento lícito e ético e preocupação egocêntrica e insensível com os outros, acompanhada de desonestidade, irresponsabilidade, manipulação e/ou exposição a riscos. As dificuldades características são aparentes na identidade, no autodirecionamento, na empatia e/ou na intimidade, conforme descrito a seguir, em conjunto com traços mal-adaptativos específicos nos domínios do Antagonismo e da Desinibição.

Critérios Diagnósticos Propostos

A. Prejuízo moderado ou grave no funcionamento da personalidade, manifestado por dificuldades características em duas ou mais das seguintes quatro áreas:
   1. *Identidade:* Egocentrismo; autoestima derivada de ganho pessoal, poder ou prazer.
   2. *Autodirecionamento:* Definição de objetivos baseada na gratificação pessoal; ausência de padrões pró-sociais internos, associada a falha em se adequar ao comportamento lícito ou ao comportamento ético em relação às normas da cultura.
   3. *Empatia:* Ausência de preocupação pelos sentimentos, necessidade ou sofrimento das outras pessoas; ausência de remorso após magoar ou tratar mal alguém.
   4. *Intimidade:* Incapacidade de estabelecer relações mutuamente íntimas, pois a exploração é um meio primário de se relacionar com os outros, incluindo engano e coerção; uso de dominação ou intimidação para controlar outras pessoas.

B. Seis ou mais dos sete traços de personalidade patológicos a seguir:
   1. *Manipulação* (um aspecto do **Antagonismo**): Uso frequente de subterfúgios para influenciar ou controlar outras pessoas; uso de sedução, charme, loquacidade ou insinuação para atingir seus fins.
   2. *Insensibilidade* (um aspecto do **Antagonismo**): Falta de preocupação pelos sentimentos ou problemas dos outros; ausência de culpa ou remorso quanto aos efeitos negativos ou prejudiciais das próprias ações sobre os outros; agressão; sadismo.
   3. *Desonestidade* (um aspecto do **Antagonismo**): Desonestidade e fraudulência; representação deturpada de si mesmo; embelezamento ou invenção no relato de fatos.
   4. *Hostilidade* (um aspecto do **Antagonismo**): Sentimentos persistentes ou frequentes de raiva; raiva ou irritabilidade em resposta a desprezo e insultos mínimos; comportamento maldoso, grosseiro ou vingativo.
   5. *Exposição a riscos* (um aspecto da **Desinibição**): Envolvimento em atividades perigosas, arriscadas e potencialmente autodestrutivas de forma desnecessária e sem dar importância às consequências; propensão ao tédio e realização de atividades impensadas para contrapor ao tédio; falta de preocupação com as próprias limitações e negação da realidade do perigo pessoal.
   6. *Impulsividade* (um aspecto da **Desinibição**): Ação sob o impulso do momento em resposta a estímulos imediatos; ação de caráter momentâneo sem um plano ou consideração dos resultados; dificuldade em estabelecer e seguir planos.

7. ***Irresponsabilidade*** (um aspecto da **Desinibição**): Desconsideração por – e falha em honrar – obrigações financeiras e outras obrigações e compromissos; falta de respeito por – e falta de continuidade nas – combinações e promessas.

Nota: O indivíduo tem no mínimo 18 anos de idade.

Especificar se:
   Com características psicopáticas.

Especificadores. Uma variante distinta frequentemente denominada *psicopatia* (ou psicopatia "primária") é marcada por falta de ansiedade ou medo e por um estilo interpessoal audacioso que pode mascarar comportamentos mal-adaptativos (p. ex., fraudulência). Essa variante psicopática é caracterizada por baixos níveis de ansiedade (domínio da Afetividade Negativa) e retraimento (domínio do Distanciamento) e altos níveis de busca de atenção (domínio do Antagonismo). A intensa busca de atenção e o baixo retraimento capturam o componente de potência social (assertivo/dominante) da psicopatia, enquanto a baixa ansiedade captura o componente da imunidade ao estresse (estabilidade emocional/resiliência).

Além das características psicopáticas, os especificadores dos traços e do funcionamento da personalidade podem ser usados para registrar outras características da personalidade que podem estar presentes no transtorno da personalidade antissocial, mas que não são necessárias para o diagnóstico. Por exemplo, traços de Afetividade Negativa (p. ex., ansiedade) não são critérios diagnósticos para transtorno da personalidade antissocial (ver o Critério B), mas podem ser especificados quando apropriado. Além do mais, embora seja necessário um prejuízo moderado ou grave no funcionamento da personalidade para o diagnóstico de transtorno da personalidade antissocial (Critério A), o nível de funcionamento da personalidade também pode ser especificado.

Transtorno da Personalidade Evitativa

As características típicas do transtorno da personalidade evitativa são evitação de situações sociais e inibição nas relações interpessoais relacionadas a sentimentos de incapacidade e inadequação, preocupação ansiosa com avaliação negativa e rejeição e medo do ridículo ou constrangimento. As dificuldades características são aparentes na identidade, no autodirecionamento, na empatia e/ou na intimidade, conforme descrito a seguir, em conjunto com traços mal-adaptativos específicos nos domínios da Afetividade Negativa e do Distanciamento.

Critérios Diagnósticos Propostos

A. Prejuízo moderado ou grave no funcionamento da personalidade, manifestado por dificuldades características em duas ou mais das seguintes quatro áreas:
   1. ***Identidade:*** Baixa autoestima associada à autoavaliação como socialmente incapaz, sem atrativos pessoais ou inferior; sentimentos excessivos de vergonha.
   2. ***Autodirecionamento:*** Padrões irreais de comportamento associados a relutância em buscar objetivos, assumir riscos pessoais ou participar de novas atividades que envolvam contato interpessoal.
   3. ***Empatia:*** Preocupação e sensibilidade a crítica ou rejeição, associadas a inferência distorcida das perspectivas dos outros como negativas.
   4. ***Intimidade:*** Relutância em envolver-se com pessoas a menos que esteja certo de ser benquisto; reciprocidade diminuída nos relacionamentos íntimos devido ao medo de passar vergonha ou ser ridicularizado.

B. Três ou mais dos quatro traços de personalidade patológicos a seguir, um dos quais deve ser (1) Ansiedade:
   1. ***Ansiedade*** (um aspecto da **Afetividade Negativa**): Sentimento intenso de nervosismo, tensão ou pânico, frequentemente em reação a situações sociais; preocupação com os efeitos negativos de experiências passadas desagradáveis e possibilidades futuras negativas; sentir-se temeroso, apreensivo ou ameaçado pela incerteza; medo de passar constrangimento.

2. **Retraimento** (um aspecto do **Distanciamento**): Reserva nas situações sociais; evitação de contatos e atividades sociais; ausência de início de contato social.
3. **Anedonia** (um aspecto do **Distanciamento**): Falta de prazer, envolvimento ou energia em relação às experiências de vida; déficits na capacidade de sentir prazer ou se interessar pelas coisas.
4. **Evitação da intimidade** (um aspecto do **Distanciamento**): Evitação de relações próximas ou amorosas, de vínculos interpessoais e de relações sexuais íntimas.

Especificadores. É encontrada considerável heterogeneidade na forma de traços de personalidade adicionais entre indivíduos diagnosticados com transtorno da personalidade evitativa. Os especificadores dos traços e do nível de funcionamento da personalidade podem ser usados para registrar características adicionais da personalidade que podem estar presentes no transtorno da personalidade evitativa. Por exemplo, outros traços de Afetividade Negativa (p. ex., tendência à depressão, insegurança de separação, submissão, desconfiança, hostilidade) não são critérios diagnósticos para o transtorno da personalidade evitativa (ver o Critério B), mas podem ser especificados quando apropriado. Além do mais, embora seja necessário um prejuízo moderado ou grave no funcionamento da personalidade para o diagnóstico de transtorno da personalidade evitativa (Critério A), o nível de funcionamento da personalidade também pode ser especificado.

Transtorno da Personalidade *Borderline*

As características típicas do transtorno da personalidade *borderline* são instabilidade da autoimagem, dos objetivos pessoais, das relações interpessoais e dos afetos, acompanhada por impulsividade, exposição a riscos e/ou hostilidade. As dificuldades características são aparentes na identidade, no autodirecionamento, na empatia e/ou na intimidade, conforme descrito a seguir, em conjunto com traços mal-adaptativos específicos no domínio da Afetividade Negativa e também do Antagonismo e/ou da Desinibição.

Critérios Diagnósticos Propostos

A. Prejuízo moderado ou grave no funcionamento da personalidade, manifestado por dificuldades características em duas ou mais das seguintes quatro áreas:
  1. **Identidade:** Autoimagem acentuadamente empobrecida, pouco desenvolvida ou instável, frequentemente associada a autocrítica excessiva; sentimentos crônicos de vazio; estados dissociativos sob estresse.
  2. **Autodirecionamento:** Instabilidade nos objetivos, aspirações, valores ou planos de carreira.
  3. **Empatia:** Capacidade comprometida de reconhecer os sentimentos e as necessidades das outras pessoas associada a hipersensibilidade interpessoal (i. e., propensão a se sentir menosprezado ou insultado); percepções seletivamente parciais dos outros em relação a atributos negativos ou vulnerabilidades.
  4. **Intimidade:** Relações íntimas intensas, instáveis e conflitantes, marcadas por desconfiança, carência e preocupação ansiosa com abandono real ou imaginado; relações íntimas frequentemente encaradas em extremos de idealização e desvalorização e alternando entre envolvimento excessivo e retraimento.

B. Quatro ou mais dos sete traços de personalidade patológicos a seguir, no mínimo um dos quais deve ser (5) Impulsividade, (6) Exposição a Riscos ou (7) Hostilidade:
  1. **Labilidade emocional** (um aspecto da **Afetividade Negativa**): Experiências emocionais instáveis e frequentes alterações do humor; as emoções são facilmente despertadas, intensas e/ou desproporcionais aos fatos e circunstâncias.
  2. **Ansiedade** (um aspecto da **Afetividade Negativa**): Sentimentos intensos de nervosismo, tensão ou pânico, frequentemente em reação a estresses interpessoais; preocupação com os efeitos negativos de experiências desagradáveis passadas e possibilidades negativas futuras; sentir-se temeroso, apreensivo ou ameaçado pela incerteza; medo de desmoronar ou perder o controle.

3. *Insegurança de separação* (um aspecto da **Afetividade Negativa**): Medo de rejeição por – e/ou separação de – outras pessoas significativas, associado a temor de dependência excessiva e completa perda da autonomia.
4. *Tendência à depressão* (um aspecto da **Afetividade Negativa**): Sentimentos frequentes de estar desanimado, infeliz e/ou sem esperança; dificuldade de recuperação de tais humores; pessimismo quanto ao futuro; vergonha difusa; sentimentos de desvalia; pensamentos de suicídio e comportamento suicida.
5. *Impulsividade* (um aspecto da **Desinibição**): Ação sob o impulso do momento em resposta a estímulos imediatos; ação momentânea sem um plano ou consideração dos resultados; dificuldade para estabelecer ou seguir planos; senso de urgência e comportamento de autoagressão sob estresse emocional.
6. *Exposição a riscos* (um aspecto da **Desinibição**): Envolvimento em atividades perigosas, arriscadas e potencialmente autodestrutivas de forma desnecessária e sem consideração das consequências; falta de preocupação com as próprias limitações e negação da realidade do perigo pessoal.
7. *Hostilidade* (um aspecto do **Antagonismo**): Sentimentos persistentes ou frequentes de raiva; raiva ou irritabilidade em resposta a ofensas e insultos mínimos.

Especificadores. Os especificadores dos traços e do nível de funcionamento da personalidade podem ser usados para registrar características de personalidade adicionais que podem estar presentes no transtorno da personalidade *borderline*, mas que não são necessárias para o diagnóstico. Por exemplo, traços de Psicoticismo (p. ex., desregulação cognitiva e perceptiva) não são critérios diagnósticos para transtorno da personalidade *borderline* (ver o Critério B), mas podem ser especificados quando apropriado. Além do mais, embora seja necessário um prejuízo moderado ou grave no funcionamento da personalidade para o diagnóstico de transtorno da personalidade *borderline* (Critério A), o nível de funcionamento da personalidade também pode ser especificado.

Transtorno da Personalidade Narcisista

As características típicas do transtorno da personalidade narcisista são autoestima variável e vulnerável, com tentativas de regulação por meio da busca de atenção e aprovação, e grandiosidade declarada ou encoberta. As dificuldades características são aparentes na identidade, no autodirecionamento, na empatia e/ou na intimidade, conforme descrito a seguir, em conjunto com traços mal-adaptativos específicos no domínio do Antagonismo.

Critérios Diagnósticos Propostos

A. Prejuízo moderado ou grave no funcionamento da personalidade, manifestado por dificuldades características em duas ou mais das seguintes quatro áreas:
1. *Identidade:* Referência excessiva aos outros para regulação da autodefinição e da autoestima; autoapreciação exagerada inflada ou esvaziada ou oscilando entre os extremos; a regulação emocional espelha flutuações na autoestima.
2. *Autodirecionamento:* Definição dos objetivos baseada na obtenção de aprovação dos outros; padrões pessoais irracionalmente altos, visando ver-se como excepcional, ou muito baixos, com base em um senso de direito; com frequência sem consciência das próprias motivações.
3. *Empatia:* Prejuízo na capacidade de reconhecer ou de se identificar com os sentimentos e as necessidades das outras pessoas; excessivamente atento às reações dos outros, mas somente se percebidas como relevantes para si; superestimação ou subestimação do próprio efeito nos outros.
4. *Intimidade:* Relacionamentos em grande parte superficiais e que existem para servir à regulação da autoestima; reciprocidade restringida pelo pouco interesse nas experiências dos outros e pela predominância de uma necessidade de ganho pessoal.

B. Ambos os traços de personalidade patológicos a seguir:
1. *Grandiosidade* (um aspecto do **Antagonismo**): Sentimentos de direito, declarados ou encobertos; egocentrismo; firmemente apegado à crença de ser melhor do que os outros; condescendente com os outros.

> **2. Busca de atenção** (um aspecto do **Antagonismo**): Tentativas excessivas de atrair e ser o foco da atenção dos outros; busca de admiração.

Especificadores. Os especificadores dos traços e do funcionamento da personalidade podem ser usados para registrar características de personalidade adicionais que podem estar presentes no transtorno da personalidade narcisista, mas que não são necessárias para o diagnóstico. Por exemplo, outros traços de Antagonismo (p. ex., manipulação, desonestidade, insensibilidade) não são critérios diagnósticos para o transtorno da personalidade narcisista (ver o Critério B), mas podem ser especificados quando estiverem presentes características antagonistas mais difusas (p. ex., "narcisismo maligno"). Outros traços de Afetividade Negativa (p. ex., tendência à depressão, ansiedade) podem ser especificados para registrar apresentações mais "vulneráveis". Além do mais, embora seja necessário um prejuízo moderado ou maior no funcionamento da personalidade para o diagnóstico de transtorno da personalidade narcisista (Critério A), o nível de funcionamento da personalidade também pode ser especificado.

Transtorno da Personalidade Obsessivo-compulsiva

As características típicas do transtorno da personalidade obsessivo-compulsiva são dificuldades no estabelecimento e manutenção de relacionamentos íntimos associadas a perfeccionismo rígido, inflexibilidade e expressão emocional restrita. As dificuldades características são aparentes na identidade, no autodirecionamento, na empatia e/ou na intimidade, conforme descrito a seguir, em conjunto com traços mal-adaptativos específicos nos domínios da Afetividade Negativa e/ou do Distanciamento.

Critérios Diagnósticos Propostos

A. Prejuízo moderado ou grave no funcionamento da personalidade, manifestado por dificuldades características em duas ou mais das seguintes quatro áreas:
  1. **Identidade:** Percepção de si mesmo derivada predominantemente do trabalho ou da produtividade; experiência e expressão restritas de emoções fortes.
  2. **Autodirecionamento:** Dificuldade na conclusão de tarefas e realização dos objetivos, associada a padrões internos de comportamento rígidos e exageradamente elevados e inflexíveis; atitudes excessivamente meticulosas e moralistas.
  3. **Empatia:** Dificuldade em compreender e levar em consideração as ideias, os sentimentos ou os comportamentos das outras pessoas.
  4. **Intimidade:** Relacionamentos vistos como secundários ao trabalho e à produtividade; rigidez e teimosia afetam negativamente as relações com as outras pessoas.

B. Três ou mais dos quatro traços de personalidade patológicos a seguir, um dos quais deve ser (1) Perfeccionismo rígido:
  1. **Perfeccionismo rígido** (um aspecto de extrema Conscienciosidade [o polo oposto da Desinibição]): Insistência rígida para que tudo seja impecável, perfeito e sem erros ou faltas, incluindo o próprio desempenho e o dos outros; sacrifício de oportunidades para assegurar a correção em todos os detalhes; crença de que existe apenas uma forma certa de fazer as coisas; dificuldade para mudar de ideia e/ou ponto de vista; preocupação com detalhes, organização e ordem.
  2. **Perseveração** (um aspecto da **Afetividade Negativa**): Persistência nas tarefas muito tempo depois que o comportamento deixou de ser funcional ou efetivo; continuação do mesmo comportamento apesar de fracassos repetidos.
  3. **Evitação da intimidade** (um aspecto do **Distanciamento**): Evitação de relacionamentos íntimos ou românticos, vínculos interpessoais e relações sexuais íntimas.
  4. **Afetividade restrita** (um aspecto do **Distanciamento**): Pouca reação a situações emocionalmente estimulantes; experiência e expressão emocional restritas; indiferença ou frieza.

Especificadores. Os especificadores dos traços e do funcionamento da personalidade podem ser usados para registrar características adicionais da personalidade que podem estar presentes no transtorno da personalidade obsessivo-compulsiva, mas que não são necessárias para o diagnóstico. Por exemplo, outros traços de Afetividade Negativa (p. ex., ansiedade) não são critérios diagnósticos para o transtorno da personalidade obsessivo-compulsiva (ver o Critério B), mas podem ser especificados quando apropriado. Além do mais, embora seja necessário um prejuízo moderado ou maior no funcionamento da personalidade para o diagnóstico de transtorno da personalidade obsessivo-compulsiva (Critério A), o nível de funcionamento da personalidade também pode ser especificado.

Transtorno da Personalidade Esquizotípica

As características típicas do transtorno da personalidade esquizotípica são prejuízos na capacidade de estabelecer relacionamentos sociais e íntimos e excentricidades na cognição, na percepção e no comportamento que estão associados a autoimagem distorcida e objetivos pessoais incoerentes e acompanhados de desconfiança e expressão emocional restrita. As dificuldades características são aparentes na identidade, no autodirecionamento, na empatia e/ou na intimidade, em conjunto com traços mal-adaptativos específicos nos domínios do Psicoticismo e do Distanciamento.

Critérios Diagnósticos Propostos

A. Prejuízo moderado ou grave no funcionamento da personalidade, manifestado por dificuldades características em duas ou mais das seguintes quatro áreas:
   1. *Identidade:* Fronteiras confusas entre si mesmo e os outros; autoconceito distorcido; expressão emocional frequentemente não congruente com o contexto ou com a experiência interna.
   2. *Autodirecionamento:* Objetivos irrealistas ou incoerentes; sem um conjunto claro de padrões internos.
   3. *Empatia:* Dificuldade acentuada em compreender o impacto dos próprios comportamentos nos outros; frequentes interpretações errôneas das motivações e dos comportamentos das outras pessoas.
   4. *Intimidade:* Prejuízos marcantes no desenvolvimento de relacionamentos íntimos, associados a desconfiança e ansiedade.
B. Quatro ou mais dos seis traços de personalidade patológicos a seguir:
   1. *Desregulação cognitiva e perceptiva* (um aspecto do **Psicoticismo**): Processos de pensamento estranhos ou incomuns; pensamento ou discurso vago, circunstancial, metafórico, superelaborado ou estereotipado; sensações estranhas em várias modalidades sensoriais.
   2. *Crenças e experiências incomuns* (um aspecto do **Psicoticismo**): Conteúdo do pensamento e visões da realidade que são encarados pelos outros como bizarros ou idiossincrásticos; experiências incomuns de realidade.
   3. *Excentricidade* (um aspecto do **Psicoticismo**): Comportamento ou aparência estranhos, incomuns ou bizarros; dizer coisas incomuns ou inapropriadas.
   4. *Afetividade restrita* (um aspecto do **Distanciamento**): Pouca reação a situações emocionalmente estimulantes; experiência e expressão emocionais restritas; indiferença e frieza.
   5. *Retraimento* (um aspecto do **Distanciamento**): Preferência por estar sozinho a estar com outras pessoas; reticência em situações sociais; evitação de contatos e atividades sociais; falta de iniciativa de contato social.
   6. *Desconfiança* (um aspecto do **Distanciamento**): Expectativas de – e sensibilidade aumentada a – sinais de más intenções ou dano interpessoal; dúvidas quanto à lealdade e à fidelidade das outras pessoas; sentimentos de perseguição.

Especificadores. Os especificadores de traços e o funcionamento da personalidade podem ser usados para registrar características de personalidade adicionais que podem estar presentes no transtorno da personalidade esquizotípica, mas que não são necessárias para o diagnóstico. Por exemplo, os traços de Afetividade Negativa (p. ex., tendência à depressão, ansiedade) não são critérios diagnósticos para o transtorno da personalidade esquizotípica (ver o Critério B), mas podem ser especificados quando apropriado. Além do mais, embora seja necessário um prejuízo moderado ou grave no funcionamento da personalidade para o diagnóstico de transtorno da personalidade esquizotípica (Critério A), o nível de funcionamento da personalidade também pode ser especificado.

Transtorno da Personalidade – Especificado pelo Traço

Critérios Diagnósticos Propostos

A. Prejuízo moderado ou grave no funcionamento da personalidade, manifestado por dificuldades em duas ou mais das seguintes quatro áreas:
   1. *Identidade*
   2. *Autodirecionamento*
   3. *Empatia*
   4. *Intimidade*
B. Um ou mais domínios de traços de personalidade patológicos OU facetas específicas de traços dentro dos domínios, considerando TODOS os domínios a seguir:
   1. **Afetividade Negativa** (vs. Estabilidade Emocional): Experiências frequentes e intensas de altos níveis de uma ampla faixa de emoções negativas (p. ex., ansiedade, depressão, culpa/ vergonha, preocupação, raiva) e suas manifestações comportamentais (p. ex., autoagressão) e interpessoais (p. ex., dependência).
   2. **Distanciamento** (vs. Extroversão): Evitação de experiência socioemocional, incluindo tanto afastamento das interações interpessoais, que vão desde interações cotidianas e casuais até amizades e relacionamentos íntimos, quanto experiência e expressão afetivas restritas, particularmente apresentando capacidade limitada de obtenção de prazer.
   3. **Antagonismo** (vs. Amabilidade): Comportamentos que colocam o indivíduo em discordância com outras pessoas, incluindo senso exagerado de autoimportância e expectativa concomitante de tratamento especial, bem como antipatia insensível em relação aos outros, abrangendo tanto a falta de consciência das necessidades e sentimentos dos outros quanto disposição a usá-los a serviço do autoaprimoramento.
   4. **Desinibição** (vs. Conscienciosidade): Orientação para a gratificação imediata, levando a comportamento impulsivo guiado por pensamentos, sentimentos e estímulos externos atuais, sem levar em consideração o aprendizado passado ou consequências futuras.
   5. **Psicoticismo** (vs. Lucidez): Exibição de uma ampla variedade de comportamentos e cognições estranhos, excêntricos ou incomuns culturalmente incongruentes, incluindo tanto processo (p. ex., percepção, dissociação) quanto conteúdo (p. ex., crenças).

Subtipos. Como as características da personalidade variam continuamente ao longo de múltiplas dimensões dos traços, um conjunto abrangente de expressões potenciais de TP-ET pode ser representado pelo modelo dimensional do DSM-5 das variantes dos traços de personalidade mal-adaptativos (ver a Tabela 3, p. 899-901). Assim, os subtipos são desnecessários para TP-ET, e, em vez disso, são fornecidos os elementos descritivos que constituem a personalidade, organizados em um modelo embasado empiricamente. Essa organização permite que os clínicos adaptem a descrição do perfil do transtorno da personalidade de cada indivíduo, considerando todos os cinco domínios maiores de variação dos traços de personalidade e recorrendo às características descritivas desses domínios quando necessário para caracterizar o indivíduo.

Especificadores. As características de personalidade específicas dos indivíduos são sempre registradas levando-se em consideração a avaliação do Critério B; assim, a combinação das características de personalidade de um indivíduo constitui diretamente os especificadores em cada caso. Por exemplo, dois indivíduos que são caracterizados por labilidade emocional, hostilidade e tendência à depressão podem diferir a tal ponto que o primeiro seja caracterizado adicionalmente por insensibilidade, enquanto o segundo não.

Algoritmos para Classificação do Transtorno da Personalidade

A exigência do preenchimento de dois dos quatros Critérios A para cada um dos seis transtornos da personalidade foi baseada na maximização da relação desses critérios com seu transtorno da personalidade correspondente. Os limiares diagnósticos para os Critérios B também foram definidos empiricamente para minimizar a mudança na prevalência dos transtornos do DSM-IV e a sobreposição com outros transtornos da personalidade, além de maximizar as relações com o prejuízo funcional. Os conjuntos de critérios diagnósticos resultantes representam transtornos da personalidade clinicamente úteis com alta fidedignidade, em termos dos principais prejuízos no funcionamento da personalidade de graus variados de gravidade e agrupamentos de traços de personalidade patológicos.

Diagnóstico de Transtorno da Personalidade

Os indivíduos que apresentam um padrão de prejuízo no funcionamento da personalidade e traços mal-adaptativos que correspondem a um dos seis transtornos da personalidade definidos devem ser diagnosticados com aquele transtorno da personalidade. Se um indivíduo também apresenta um ou até mesmo vários traços proeminentes que podem ter relevância clínica além daqueles requeridos para o diagnóstico (p. ex., ver o transtorno da personalidade narcisista), existe a opção de que estes sejam anotados como especificadores. Indivíduos cujo funcionamento da personalidade ou cujo padrão de traços é substancialmente diferente do de qualquer um dos seis transtornos da personalidade específicos devem ser diagnosticados com TP-ET. O indivíduo pode não satisfazer o número requerido de Critérios A e B e, assim, ter uma apresentação de subliminar de um transtorno da personalidade; pode ter uma mistura de características de tipos de transtorno da personalidade ou alguns aspectos que são menos característicos de um tipo e mais precisamente considerados uma apresentação mista ou atípica. O nível específico de prejuízo no funcionamento da personalidade e os traços de personalidade patológicos que caracterizam a personalidade do indivíduo podem ser especificados por TP-ET, utilizando-se a Escala do Nível de Funcionamento da Personalidade (Tabela 2) e a taxonomia do traço patológico (Tabela 3). Os diagnósticos atuais de transtornos da personalidade paranoide, esquizoide, histriônica e dependente também são representados pelo diagnóstico de TP-ET; estes são definidos pelo prejuízo moderado ou grave no funcionamento da personalidade e podem ser especificados pelas combinações de traços de personalidade patológicos relevantes.

Nível de Funcionamento da Personalidade

Assim como a maioria das tendências humanas, o funcionamento da personalidade está distribuído em um *continuum*. Essenciais para o funcionamento e a adaptação são as maneiras características dos indivíduos de pensar sobre e compreender a si mesmos e suas interações com os outros. Um indivíduo com funcionamento ideal tem um mundo psicológico complexo, plenamente elaborado e bem integrado que inclui um autoconceito predominantemente positivo, volitivo e adaptativo; uma vida emocional rica, ampla e apropriadamente regulada; e a capacidade de se comportar como um membro produtivo da sociedade com relações interpessoais recíprocas e satisfatórias. No extremo oposto do *continuum*, um indivíduo com patologia da personalidade grave tem um mundo psicológico empobrecido, desorganizado e/ou conflitante que inclui um autoconceito fraco, obscuro e mal-adaptativo; propensão a emoções negativas e desreguladas; e capacidade deficiente para o funcionamento interpessoal e comportamento social adaptativo.

Definição Dimensional do Funcionamento Individual (*Self*) e Interpessoal

A gravidade generalizada pode ser o preditor isolado mais importante da disfunção atual e prospectiva na avaliação da psicopatologia da personalidade. Os transtornos da personalidade são idealmente caracterizados por um *continuum* de gravidade generalizada da personalidade com especificação adicional de elementos de estilo, derivados dos agrupamentos de sintomas do transtorno da personalidade e dos traços de personalidade. Ao mesmo tempo, a essência da psicopatologia da personalidade é o prejuízo nas ideias e nos sentimentos referentes ao próprio indivíduo e às relações interpessoais; essa noção é consistente com múltiplas teorias de transtorno da personalidade e suas bases de pesquisa. Os componentes da Escala do Nível de Funcionamento da Personalidade – identidade, autodirecionamento, empatia e intimidade (ver a Tabela 1) – são particularmente centrais na descrição de um *continuum* de funcionamento da personalidade.

As representações mentais de si mesmo e das relações interpessoais são influenciadas reciprocamente e são inextricavelmente ligadas, afetam a natureza da interação com os profissionais de saúde mental e podem ter um impacto significativo na eficácia e nos resultados do tratamento, demonstrando a importância da avaliação do autoconceito característico de um indivíduo, bem como as visões de outras pessoas e relações. Embora o grau de perturbação no funcionamento individual e interpessoal esteja distribuído em um *continuum*, é útil levar em consideração o nível de prejuízo para a caracterização clínica e para o planejamento do tratamento e prognóstico.

Classificação do Nível de Funcionamento da Personalidade

Para usar a Escala do Nível de Funcionamento da Personalidade (ENFP), o clínico escolhe o nível que melhor captura o grau de prejuízo *geral atual* do indivíduo no funcionamento da personalidade. A classificação é necessária para o diagnóstico de um transtorno da personalidade (prejuízo moderado ou grave) e pode ser usada para especificar a gravidade do prejuízo presente para um indivíduo com algum transtorno da personalidade em um determinado momento. A ENFP também pode ser utilizada como um indicador global de funcionamento da personalidade sem especificação de um diagnóstico de transtorno da personalidade ou em uma situação em que o prejuízo na personalidade seja subliminar para o diagnóstico de um transtorno.

Traços de Personalidade

Definição e Descrição

O Critério B no modelo alternativo envolve avaliações de traços de personalidade que estão agrupados em cinco domínios. Um *traço de personalidade* é uma tendência de sentir, perceber, comportar-se e pensar de formas relativamente consistentes ao longo do tempo e nas situações em que o traço pode se manifestar. Por exemplo, indivíduos com um alto nível do traço de personalidade de *ansiedade* teriam tendência a *sentirem-se* ansiosos facilmente, inclusive nas circunstâncias em que a maioria das pessoas estaria calma e relaxada. Indivíduos com altos traços de ansiedade também *perceberiam* as situações como provocadoras de ansiedade mais frequentemente do que aqueles com níveis mais baixos do traço, e aqueles com o traço alto tenderiam a se *comportar* de modo a evitar situações que *pensam* que os deixariam ansiosos. Eles tenderiam, portanto, a *pensar* o mundo como mais provocador de ansiedade do que as outras pessoas.

É importante ressaltar que indivíduos com nível alto no traço de ansiedade não seriam necessariamente ansiosos todo o tempo e em todas as situações. Os níveis de traços das pessoas também podem mudar e realmente mudam durante a vida. Algumas mudanças são muito gerais e refletem a maturação (p. ex., adolescentes geralmente têm traço mais alto de impulsividade do que adultos mais velhos), enquanto outras refletem as experiências de vida dos indivíduos.

Dimensionalidade dos traços de personalidade. Todos os indivíduos podem ser localizados no espectro das dimensões dos traços; ou seja, os traços de personalidade aplicam-se a todos em diferentes graus em vez de estarem presentes ou ausentes. Além disso, os traços de personalidade, incluindo aqueles identificados especificamente no modelo da Seção III, existem em um espectro com dois polos opostos. Por exemplo, o oposto do traço de *insensibilidade* é a tendência a ser empático e bondoso, mesmo em circunstâncias em que a maioria das pessoas não se sentiria assim. Desse modo, embora na Seção III esse traço seja rotulado como *insensibilidade*, pois esse polo da dimensão é o foco primário, ele poderia ser descrito de forma integral como *insensibilidade versus bondade*. Além do mais, seu polo oposto pode ser reconhecido e pode não ser adaptativo em todas as circunstâncias (p. ex., indivíduos que, devido à bondade extrema, repetidamente permitem que pessoas inescrupulosas se aproveitem deles).

Estrutura hierárquica da personalidade. Alguns termos relativos aos traços são bem específicos (p. ex., "loquaz") e descrevem uma variedade limitada de comportamentos, enquanto outros são bastante amplos (p. ex., Distanciamento) e caracterizam uma ampla faixa de tendências de comportamento. As dimensões amplas de traços são chamadas de *domínios*, e as dimensões específicas de traços são chamadas de *facetas*. Os *domínios* dos traços de personalidade abrangem um espectro de *facetas* de personalidade mais específicas que tendem a ocorrer em conjunto. Por exemplo, retraimento e anedonia são *facetas* de traços específicas no *domínio* do traço de Distanciamento. Apesar de alguma variação transcultural nas facetas dos traços de personalidade, os domínios maiores que eles compreendem de forma coletiva são relativamente consistentes entre as culturas.

O Modelo de Traço de Personalidade

O sistema de traços de personalidade da Seção III inclui cinco domínios maiores de variação dos traços de personalidade – Afetividade Negativa (vs. Estabilidade Emocional), Distanciamento (vs. Extroversão), Antagonismo (vs. Amabilidade), Desinibição (vs. Conscienciosidade) e Psicoticismo (vs. Lucidez) – compreendendo 25 facetas de traços de personalidade específicas. A Tabela 3 oferece definições de todos os domínios e facetas da personalidade. Esses cinco domínios maiores são variantes mal-adaptativas dos cinco domínios do modelo de personalidade amplamente validado e replicado conhecido como "Big Five", ou Modelo de Cinco Fatores da personalidade (MCF), e também são semelhantes aos domínios da Psicopatologia da Personalidade Cinco (*Personality Psychopatology Five* PSY-5). As 25 facetas específicas representam uma lista de facetas da personalidade escolhidas por sua relevância clínica.

Embora o Modelo de Traço foque nos traços de personalidade associados à psicopatologia, existem traços de personalidade saudáveis, adaptativos e resilientes identificados como polos opostos desses traços, conforme observado nos parênteses anteriores (i. e., Estabilidade Emocional, Extroversão, Amabilidade, Conscienciosidade e Lucidez). Sua presença pode mitigar grandemente os efeitos dos transtornos mentais e facilitar o enfrentamento e a recuperação de lesões traumáticas e outras doenças médicas.

Distinguindo Traços, Sintomas e Comportamentos Específicos

Embora os traços não sejam imutáveis e se alterem durante a vida, eles apresentam relativa consistência em comparação com sintomas e comportamentos específicos. Por exemplo, uma pessoa pode comportar-se impulsivamente em um momento específico por uma razão específica (p. ex., uma pessoa que raramente é impulsiva decide de forma repentina gastar uma grande quantidade de dinheiro em um item particular devido a uma oportunidade incomum de comprar algo de valor único), mas somente quando os comportamentos se agregam com o tempo e com as circunstâncias, de forma tal que um padrão de comportamento distingue-se entre os indivíduos, é que eles refletem traços. No entanto, é importante reconhecer, por exemplo, que mesmo pessoas que são impulsivas não estão agindo impulsivamente o tempo todo. Um traço é uma tendência ou disposição em relação a comportamentos específicos; um comportamento específico é um exemplo ou manifestação de um traço.

De forma semelhante, os traços são distinguidos da maioria dos sintomas porque os sintomas tendem a surgir e desaparecer, enquanto os traços são relativamente mais estáveis. Por exemplo, os indivíduos com níveis elevados de *tendência à depressão* têm probabilidade maior de experimentar episódios distintos de um transtorno depressivo e de apresentar sintomas desses transtornos, como dificuldade de concentração. No entanto, mesmo os pacientes que têm propensão de traço para *tendência à depressão* apresentam episódios distinguíveis de perturbação do humor, nos quais os sintomas específicos, como a dificuldade de concentração, tendem a aumentar e diminuir em conjunto com os episódios específicos; de modo que não fazem parte da definição do traço. É importante observar, contudo, que tanto sintomas quanto traços são acessíveis à intervenção, e muitas intervenções voltadas para os sintomas podem afetar os padrões do funcionamento da personalidade que são capturados pelos traços de personalidade de mais longo prazo.

Avaliação do Modelo de Traço de Personalidade da Seção III do DSM-5

A utilidade clínica do modelo multidimensional de traço de personalidade da Seção III reside em sua capacidade de focar a atenção em múltiplas áreas relevantes de variação da personalidade em cada paciente. Em vez de focar a atenção na identificação de somente um rótulo diagnóstico ideal, a aplicação clínica do modelo de traço de personalidade da Seção III envolve a revisão de todos os cinco domínios maiores da personalidade retratados na Tabela 3. A abordagem clínica da personalidade é semelhante à bem conhecida revisão de sistemas na medicina clínica. Por exemplo, a queixa apresentada por um indivíduo pode focar em um sintoma neurológico específico, mas, durante uma avaliação inicial, os clínicos ainda revisam sistematicamente o funcionamento de todos os sistemas relevantes (p. ex., cardiovascular, respiratório, gastrintestinal), para que não seja perdida uma área importante que não esteja funcionando adequadamente e também para que não se perca a correspondente oportunidade para intervenção efetiva.

O uso clínico do modelo de traço de personalidade da Seção III ocorre da mesma forma. Uma investigação inicial examina todos os cinco domínios maiores da personalidade. Essa revisão sistemática é facilitada pelo uso de instrumentos psicométricos formais concebidos para medir facetas e domínios específicos da personalidade. Por exemplo, o modelo de traço de personalidade é operacionalizado no Inventário de Personalidade para o DSM-5 (PID-5), o qual pode ser preenchido na sua forma de autorrelato pelos pacientes e na sua forma de relato do informante por aqueles que conhecem bem o paciente (p. ex., o cônjuge). Uma avaliação clínica detalhada envolveria a coleta de dados dos relatos do paciente e do informante em todas as 25 facetas do modelo de traço de personalidade. Entretanto, se isso não for possível, devido ao tempo ou a outras restrições, a avaliação focada no nível dos cinco domínios é uma opção clínica aceitável quando é necessário apenas um retrato geral (vs. detalhado) da personalidade de um paciente (ver o Critério B do TP-ET). No entanto, se os problemas baseados na personalidade são o foco do tratamento, então será importante avaliar as facetas dos traços dos indivíduos, bem como os domínios.

Como os traços de personalidade estão distribuídos em um *continuum* na população, uma abordagem para fazer o julgamento de que um traço específico está elevado (e, portanto, está presente para fins diagnósticos) pode envolver a comparação dos níveis dos traços de personalidade dos indivíduos com os padrões da população e/ou julgamento clínico. Se um traço está elevado – isto é, os dados formais do teste psicométrico e/ou entrevista apoiam o julgamento clínico da elevação –, ele é considerado como contribuindo para satisfazer o Critério B dos transtornos da personalidade da Seção III.

Utilidade Clínica do Modelo Multidimensional do Funcionamento e Traços de Personalidade

Os construtos de transtorno e de traço agregam valor um ao outro na predição de importantes variáveis antecedentes (p. ex., história familiar, história de abuso infantil), concomitantes (p. ex., prejuízo funcional, uso de medicação) e preditivas (p. ex., hospitalização, tentativas de suicídio). Os prejuízos no funcionamento da personalidade e os traços de personalidade patológicos no DSM-5 contribuem de maneira independente para as decisões clínicas quanto ao grau de incapacidade; aos riscos de autoagressão, violência e criminalidade; ao tipo e à intensidade do tratamento recomendado; e ao prognóstico – todos aspectos importantes da utilidade dos diagnósticos psiquiátricos. Particularmente, saber o nível de funcionamento da personalidade de um indivíduo e seu perfil de traços patológicos também fornece ao clínico uma base rica de informações e agrega valor ao planejamento do tratamento e à predição do curso e da evolução de muitos transtornos mentais além dos transtornos da personalidade. Assim, a avaliação do funcionamento da personalidade e dos traços de personalidade patológicos pode ser relevante, tenha o indivíduo um transtorno da personalidade ou não.

Modelo Alternativo do DSM-5 para os Transtornos da Personalidade

TABELA 2 Escala do Nível de Funcionamento da Personalidade

Nível de prejuízo	SELF			INTERPESSOAL	
	Identidade	Autodirecionamento	Empatia		Intimidade
0 – Pouco ou nenhum prejuízo	Tem consciência contínua de um *self* único; mantém limites apropriados de si mesmo. Tem autoestima positiva consistente e autorregulada, com autoapreciação precisa. É capaz de experimentar, tolerar e regular toda uma gama de emoções.	Define e aspira a objetivos razoáveis baseados em uma avaliação realista das capacidades pessoais. Utiliza padrões de comportamento apropriados, alcançando satisfação em múltiplas esferas. Consegue refletir sobre e dar um significado construtivo à experiência interna.	É capaz de entender corretamente as experiências e motivações das outras pessoas na maioria das situações. Compreende e considera as perspectivas das outras pessoas, mesmo que discorde. Está ciente do efeito das próprias ações sobre os outros.		Mantém múltiplos relacionamentos satisfatórios e duradouros na vida pessoal e comunitária. Deseja e envolve-se em inúmeros relacionamentos afetivos, íntimos e recíprocos. Esforça-se pela cooperação e benefícios mútuos e responde com flexibilidade a uma variedade de ideias, emoções e comportamentos das outras pessoas.
1 – Algum prejuízo	Tem um senso de *self* relativamente intacto, com algum decréscimo na clareza dos limites quando são experimentadas fortes emoções e sofrimento mental. Autoestima diminuída ocasionalmente, com autoapreciação excessivamente crítica ou um tanto distorcida. Emoções fortes podem ser angustiantes, associadas a restrição na variação da experiência emocional.	É excessivamente direcionado para os objetivos, um pouco inibido quanto aos objetivos ou conflituante quanto aos objetivos. Pode ter um conjunto de padrões pessoais irrealistas ou socialmente inapropriados, limitando alguns aspectos da satisfação. É capaz de refletir sobre experiências internas, mas pode enfatizar excessivamente um único tipo de autoconhecimento (p. ex., intelectual, emocional).	Apresenta certo comprometimento da capacidade de considerar e compreender as experiências das outras pessoas; pode tender a ver os outros como tendo expectativas irracionais ou um desejo de controle. Embora capaz de considerar e compreender diferentes perspectivas, resiste em fazer isso. Tem consciência inconsistente do efeito do próprio comportamento nos outros.		É capaz de estabelecer relacionamentos duradouros na vida pessoal e comunitária, com algumas limitações no grau de profundidade e satisfação. É capaz de formar e deseja formar relacionamentos íntimos e recíprocos, mas pode ser inibido na expressão significativa e por vezes restrito se surgem emoções intensas ou conflitos. A cooperação pode ser inibida por padrões irrealistas; um pouco limitado na capacidade de respeitar ou responder às ideias, às emoções e aos comportamentos das outras pessoas.

(Continua)

TABELA 2 Escala do Nível de Funcionamento da Personalidade (*continuação*)

Nível de prejuízo	SELF		INTERPESSOAL	
	Identidade	Autodirecionamento	Empatia	Intimidade
2 – Prejuízo moderado	Depende exclusivamente dos outros para definição da identidade, com delimitação de limites comprometidos. Tem autoestima vulnerável controlada por preocupação exagerada com a avaliação externa, com um desejo de aprovação. Tem um senso de incompletude ou inferioridade, com autoapreciação compensatória inflada ou esvaziada. Regulação emocional depende da avaliação externa positiva. Ameaças à autoestima podem gerar emoções fortes como raiva ou vergonha.	Os objetivos são mais frequentemente um meio de obter aprovação externa do que autogerados e, assim, podem carecer de coerência e/ou estabilidade. Os padrões pessoais podem ser irracionalmente altos (p. ex., necessidade de ser especial ou agradar aos outros) ou baixos (p. ex. não consoante com os valores sociais predominantes). A satisfação está comprometida por um sentimento de falta de autenticidade. Apresenta capacidade prejudicada de refletir sobre a experiência interna.	É hiperatento à experiência dos outros, mas somente no que diz respeito à relevância percebida para si mesmo. É excessivamente autorreferente; significativamente comprometido na capacidade de levar em consideração e compreender as experiências das outras pessoas e de considerar perspectivas alternativas. Em geral, não tem consciência ou não está preocupado com o efeito do próprio comportamento nos outros ou faz uma avaliação irrealista do próprio efeito.	É capaz de formar e deseja formar relacionamentos na vida pessoal e comunitária, mas os vínculos podem ser em boa parte superficiais. Os relacionamentos íntimos estão predominantemente baseados na satisfação das necessidades autorregulatórias e da autoestima, com uma expectativa irrealista de ser perfeitamente compreendido pelos outros. Tende a não encarar as relações em termos recíprocos e coopera predominantemente para ganho pessoal.

(*Continua*)

TABELA 2 Escala do Nível de Funcionamento da Personalidade *(continuação)*

	SELF		INTERPESSOAL	
Nível de prejuízo	Identidade	Autodirecionamento	Empatia	Intimidade
3 – Prejuízo grave	Apresenta um senso fraco de autonomia/domínio das próprias ações; experiência de falta de identidade ou vazio. A definição dos limites é pobre ou rígida: pode apresentar superidentificação com os outros, ênfase excessiva na independência dos outros ou oscilação entre estes. A autoestima frágil é facilmente influenciada pelos acontecimentos, e a autoimagem carece de coerência. A autoapreciação não apresenta nuanças: autoaversão, autoengrandecimento ou uma combinação ilógica e irrealista. As emoções podem ser rapidamente alteradas ou representadas por um sentimento crônico e inabalável de desespero.	Tem dificuldade em estabelecer e/ou atingir objetivos pessoais. Padrões internos para comportamento são obscuros ou contraditórios. A vida é experimentada como sem sentido ou perigosa. Tem capacidade significativamente comprometida de refletir sobre e compreender os próprios processos mentais.	A capacidade de considerar e compreender os pensamentos, sentimentos e comportamentos das outras pessoas é significativamente limitada; pode discernir aspectos muito específicos da experiência dos outros, particularmente vulnerabilidades e sofrimento. É, em geral, incapaz de considerar perspectivas alternativas; altamente ameaçado por diferenças de opiniões ou pontos de vista alternativos. É confuso sobre ou não tem consciência do impacto das próprias ações sobre os outros; frequentemente desconcertado pelos pensamentos e ações dos outros, com motivações destrutivas com frequência atribuídas erroneamente a outras pessoas.	Tem algum desejo de formar relacionamentos na comunidade e na vida pessoal, mas a capacidade para vínculos positivos e duradouros está significativamente prejudicada. As relações estão baseadas em uma forte crença da necessidade absoluta de intimidade com outro(s) e/ou expectativas de abandono ou abuso. Sentimentos quanto ao envolvimento íntimo com outros alternam entre medo/rejeição e o desejo desesperado de conexão. Pouca reciprocidade: os outros são vistos primariamente em termos de como eles afetam o indivíduo (negativa ou positivamente); os esforços cooperativos são frequentemente perturbados devido à percepção de desprezo por parte dos outros.

(Continua)

TABELA 2 Escala do Nível de Funcionamento da Personalidade *(continuação)*

Nível de prejuízo	SELF		INTERPESSOAL	
	Identidade	Autodirecionamento	Empatia	Intimidade
4 – Prejuízo extremo	Experiência de um *self* único e senso de autonomia/domínio das próprias ações estão praticamente ausentes ou organizados em torno da percepção de perseguição externa. Os limites com os outros são confusos ou ausentes. Apresenta autoimagem fraca ou distorcida facilmente ameaçada pelas interações com os outros; distorções significativas e confusão em torno da autoapreciação. Emoções não congruentes com o contexto ou a experiência interna. Ódio e agressão podem ser os afetos dominantes, embora possam ser rejeitados e atribuídos aos outros.	Apresenta diferenciação pobre entre pensamentos e ações, de modo que a capacidade de estabelecer objetivos fica gravemente comprometida, com objetivos irrealistas e incoerentes. Os padrões internos para o comportamento estão praticamente ausentes. A satisfação genuína é praticamente inconcebível. É profundamente incapaz de refletir construtivamente sobre a própria experiência. As motivações pessoais podem não ser reconhecidas e/ou são experimentadas como externas a si mesmo.	Tem incapacidade acentuada de considerar e compreender a experiência e a motivação dos outros. A atenção às perspectivas dos outros está praticamente ausente (a atenção é hipervigilante, focada na satisfação da necessidade e na evitação do dano). As interações sociais podem ser confusas e desorientadas.	O desejo de afiliação está limitado devido ao profundo desinteresse ou à expectativa de ser prejudicado. O envolvimento com os outros é distante, desorganizado ou consistentemente negativo. As relações são vistas quase exclusivamente em termos da sua capacidade de proporcionar conforto ou infligir dor e sofrimento. O comportamento social/interpessoal não é recíproco; em vez disso, busca a satisfação das necessidades básicas ou fuga da dor.

TABELA 3 Definições dos domínios e facetas dos traços do transtorno da personalidade do DSM-5

DOMÍNIOS (Polos Opostos) e Facetas	Definições
AFETIVIDADE NEGATIVA (vs. Estabilidade Emocional)	Experiências frequentes e intensas de altos níveis de uma ampla variedade de emoções negativas (p. ex., ansiedade, depressão, culpa/vergonha, preocupação, raiva) e suas manifestações comportamentais (p. ex., autoagressão) e interpessoais (p. ex., dependência).
Labilidade emocional	Instabilidade das experiências emocionais e do humor; as emoções são despertadas facilmente, são intensas e/ou desproporcionais em relação aos fatos e às circunstâncias.
Ansiedade	Sentimentos de nervosismo, tensão ou pânico em reação a diversas situações; preocupação frequente sobre os efeitos negativos de experiências passadas desagradáveis e possibilidades negativas futuras; sente-se temeroso e apreensivo quanto a incertezas; expectativa de que o pior aconteça.
Insegurança de separação	Medo de ficar sozinho devido a rejeição por – e/ou separação de – outras pessoas significativas, com base em uma falta de confiança na própria capacidade de cuidar de si mesmo, tanto física quanto emocionalmente.
Submissão	Adaptação do próprio comportamento aos interesses reais ou percebidos e desejos dos outros, mesmo quando fazer isso contraria os próprios interesses, necessidades ou desejos.
Hostilidade	Sentimentos persistentes ou frequentes de raiva; raiva ou irritabilidade em resposta a desprezo e insultos mínimos; comportamento maldoso, grosseiro ou vingativo. *Ver também* Antagonismo.
Perseveração	Persistência nas tarefas ou em uma forma particular de fazer as coisas muito depois que o comportamento cessou de ser funcional ou efetivo; continuação do mesmo comportamento apesar de repetidos fracassos ou de claras razões para interrompê-lo.
Tendência à depressão	*Ver* Distanciamento.
Desconfiança	*Ver* Distanciamento.
Afetividade restrita (ausência de)	A *ausência* dessa faceta caracteriza *baixos níveis* de Afetividade Negativa. *Ver* Distanciamento para definição dessa faceta.
DISTANCIAMENTO (vs. Extroversão)	Evitação da experiência socioemocional, incluindo retraimento nas interações interpessoais (que vão desde interações casuais cotidianas até amizades e relacionamentos íntimos) e experiência e expressão afetiva restritas, capacidade de obtenção de prazer particularmente limitada.
Retraimento	Preferência por estar sozinho a estar com outras pessoas; reticência nas situações sociais; evitação de contatos e atividades sociais; ausência de iniciativa no contato social.
Evitação da intimidade	Evitação de relacionamentos íntimos ou amorosos, vínculos interpessoais e relacionamentos sexuais íntimos.
Anedonia	Falta de prazer, envolvimento ou energia para as experiências de vida; déficits na capacidade de sentir prazer e ter interesse nas coisas.
Tendência à depressão	Sentimentos de estar desanimado, infeliz e/ou sem esperança; dificuldade de se recuperar desses humores; pessimismo quanto ao futuro; vergonha e/ou culpa difusas; sentimentos de desvalia; pensamentos de suicídio e comportamento suicida.
Afetividade restrita	Pouca reação a situações emocionalmente estimulantes; experiência e expressão emocionais restritas; indiferença e distanciamento em situações normalmente atraentes.
Desconfiança	Expectativas de – e sensibilidade a – más intenções ou dano interpessoal; dúvidas quanto à lealdade e à fidelidade dos outros; sentimentos de ser maltratado, usado e/ou perseguido pelos outros.

(Continua)

TABELA 3 Definições dos domínios e facetas dos traços do transtorno da personalidade do DSM-5 (*continuação*)

DOMÍNIOS (Polos Opostos) e Facetas	Definições
ANTAGONISMO (vs. Amabilidade)	Comportamentos que colocam o indivíduo em divergência com outras pessoas, incluindo um sentimento exagerado da própria importância e concomitante expectativa de tratamento especial, bem como antipatia insensível em relação aos outros, incluindo falta de consciência das necessidades e sentimentos das outras pessoas e disposição para usá-las a serviço do autocrescimento.
Manipulação	Uso de subterfúgios para influenciar ou controlar os outros; uso de sedução, charme, loquacidade ou comportamento insinuante para atingir seus fins.
Desonestidade	Desonestidade e fraudulência; representação deturpada de si mesmo; embelezamento ou invenção no relato de acontecimentos.
Grandiosidade	Acreditar que é superior aos outros e merece tratamento especial; egocentrismo; sentimentos de ter direitos; condescendência em relação aos outros.
Busca de atenção	Envolvimento em comportamento destinado a atrair a atenção e tornar-se o foco da atenção e admiração dos outros.
Insensibilidade	Ausência de preocupação pelos sentimentos ou problemas dos outros; ausência de culpa ou remorso quanto aos efeitos negativos ou prejudiciais das próprias ações sobre os outros.
Hostilidade	*Ver* Afetividade Negativa.
DESINIBIÇÃO (vs. Conscienciosidade)	Orientação para a gratificação imediata, levando a comportamento impulsivo motivado por pensamentos, sentimentos e estímulos externos atuais, sem levar em consideração o aprendizado passado ou as consequências futuras.
Irresponsabilidade	Negligência com – ou falha em honrar – obrigações financeiras e outras obrigações ou compromissos; falta de respeito por – e falta de cumprimento de – combinações e promessas; negligência com a propriedade dos outros.
Impulsividade	Ação sob o impulso do momento em resposta a estímulos imediatos; agir momentaneamente sem um plano ou consideração dos resultados; dificuldade no estabelecimento e seguimento de planos; senso de urgência e comportamento de autoagressão sob estresse emocional.
Distratibilidade	Dificuldade de concentração e de foco nas tarefas; a atenção é facilmente desviada por estímulos externos; dificuldade na manutenção de comportamento focado nos objetivos, incluindo o planejamento e a conclusão das tarefas.
Exposição a riscos	Envolvimento em atividades perigosas, arriscadas e potencialmente autodestrutivas, desnecessariamente e sem consideração quanto às consequências; falta de preocupação com as próprias limitações e negação da realidade de perigo pessoal; busca irresponsável dos objetivos, independentemente do nível de risco envolvido.
Perfeccionismo rígido (ausência de)	Insistência rígida em que tudo seja impecável, perfeito e sem erros ou faltas, incluindo o próprio desempenho e o dos outros; sacrifício de oportunidades para assegurar a correção em todos os detalhes; crença de que existe apenas uma maneira certa de fazer as coisas; dificuldade de mudar de ideia e/ou ponto de vista; preocupação com detalhes, organização e ordem. A ausência dessa faceta caracteriza baixos níveis de Desinibição.

(Continua)

TABELA 3 Definições dos domínios e facetas dos traços do transtorno da personalidade do DSM-5 (*continuação*)

DOMÍNIOS (Polos Opostos) e Facetas	Definições
PSICOTICISMO (vs. Lucidez)	Exibe uma ampla variedade de comportamentos e cognições estranhos, excêntricos ou culturalmente incongruentes, incluindo processo (p. ex., percepção, dissociação) e conteúdo (p. ex., crenças).
Crenças e experiências incomuns	Crença de ter habilidades incomuns, tais como leitura da mente, telecinesia, fusão de pensamento-ação; experiências incomuns de realidade, incluindo experiências semelhantes a alucinação.
Excentricidade	Comportamento, aparência e/ou discurso estranho, incomum ou bizarro; ter pensamentos estranhos e imprevisíveis; dizer coisas incomuns ou inapropriadas.
Desregulação cognitiva e perceptiva	Processos de pensamento e experiências estranhos ou incomuns, incluindo despersonalização, desrealização e experiências dissociativas; experiências em um estado misto de sono-vigília; experiências de controle do pensamento.

Condições para Estudos Posteriores

Neste capítulo são apresentados conjuntos de critérios propostos para condições para as quais são encorajadas pesquisas futuras. Espera-se que essas pesquisas permitam que os profissionais da área compreendam melhor essas condições e instrumentem as decisões quanto à possível inclusão nas próximas edições do DSM. Particularmente, o transtorno do luto complexo persistente, originalmente localizado nesta seção, foi movido para o capítulo "Transtornos Relacionados a Trauma e a Estressores" como um diagnóstico oficial na Seção II. Com base em análises completas que encontraram evidências suficientes de validade, confiabilidade e utilidade clínica para justificar sua nova colocação, agora é chamado de "transtorno do luto prolongado" e os critérios foram reformulados adequadamente.

Os itens específicos, os limiares e as durações contidos nesses conjuntos de critérios de pesquisa foram definidos por consenso de especialistas – informados por revisão da literatura, reanálise de dados e resultados dos ensaios de campo (*field trials*), quando disponíveis – e se propõem a oferecer uma linguagem comum para pesquisadores e clínicos interessados em estudar tais transtornos. A Força-tarefa e os Grupos de Trabalho do DSM-5 submeteram cada um desses critérios propostos a uma cuidadosa revisão empírica e incentivaram amplos comentários dos que atuam na área, bem como do público geral. A Força-tarefa, por fim, determinou que havia evidências insuficientes para garantir a inclusão dessas propostas como diagnósticos oficiais de transtornos mentais na Seção II do DSM-5. *Esses conjuntos de critérios propostos não se destinam ao uso clínico; somente os conjuntos de critérios e transtornos na Seção II do DSM-5 são reconhecidos oficialmente e podem ser utilizados para fins clínicos.*

Síndrome de Psicose Atenuada

Critérios Propostos

A. Ao menos um dos seguintes sintomas está presente na forma atenuada, com teste de realidade relativamente intacto, e é de gravidade ou frequência suficiente para indicar atenção clínica:
   1. Delírios atenuados.
   2. Alucinações atenuadas.
   3. Discurso desorganizado atenuado.
B. O(s) sintoma(s) deve(m) ter estado presente(s) ao menos uma vez por semana durante o último mês.
C. O(s) sintoma(s) deve(m) ter iniciado ou piorado no último ano.
D. O(s) sintoma(s) provoca(m) sofrimento e comprometimento suficientes a ponto de indicar atenção clínica ao indivíduo.
E. O(s) sintoma(s) não é(são) mais bem explicado(s) por outro transtorno mental, incluindo um transtorno depressivo ou bipolar com características psicóticas e não é(são) atribuído(s) aos efeitos psicológicos de uma substância ou a outra condição médica.
F. Os critérios para um transtorno psicótico nunca foram satisfeitos.

Características Diagnósticas

Os sintomas psicóticos atenuados, conforme definido no Critério A, são do tipo psicose, mas abaixo do limiar para serem considerados um sintoma psicótico que contaria para o diagnóstico de um transtorno psicótico. Comparados com os transtornos psicóticos, os sintomas são menos graves e mais transitórios. Além disso, o indivíduo mantém um *insight* razoável das experiências psicóticas e geralmente nota que as percepções estão alteradas, e a ideação mágica não é convincente. A psicose atenuada não tem a natureza fixa necessária para o diagnóstico de um transtorno psicótico completo. Na psicose atenuada, a dúvida sobre as crenças pode ser suscitada, o ceticismo sobre as percepções pode ser induzido e o *insight* pode ser testado usando perguntas abertas, como "Vejo que é assim que você experimenta o mundo – poderia haver uma explicação diferente?". Um diagnóstico de síndrome de psicose atenuada requer estado psicopatológico associado a comprometimento funcional em vez de traço psicopatológico de longa duração. A psicopatologia não progrediu até a gravidade psicótica completa. As alterações nas experiências e no comportamento são observadas pelo indivíduo e/ou outros, sugerindo uma alteração no estado mental (i.e., os sintomas são de gravidade ou frequência suficiente para indicar atenção clínica) (Critério A).

Os delírios atenuados (Critério A1) podem ter conteúdo de desconfiança/persecutório, incluindo ideias persecutórias de referência. O indivíduo pode ter uma atitude reservada, desconfiada. Quando este tipo de delírio atenuado é de gravidade moderada, o indivíduo vê os outros como não confiáveis e pode ser hipervigilante ou sentir má vontade nos outros. Quando os delírios atenuados são graves, mas abaixo do limiar para serem considerados psicóticos, o indivíduo nutre crenças vagamente organizadas sobre perigo ou intenção hostil. O comportamento cauteloso na entrevista pode interferir na capacidade de coletar informações, e a propensão a ver o mundo como hostil e perigoso é forte. Por sua vez, delírios atenuados podem ter conteúdo grandioso apresentando-se como uma sensação irreal de capacidade superior. Quando esse tipo de delírio atenuado é de gravidade moderada, o indivíduo abriga noções de ser talentoso, influente ou especial. Quando graves, tem crenças de superioridade que com frequência afastam os amigos e preocupam os parentes. Pensamentos de ser especial podem levar a planos e investimentos irrealistas.

Alucinações atenuadas (Critério A2) incluem alterações nas percepções sensoriais, em geral auditivas e/ou visuais. Quando as alucinações são moderadas, os sons e as imagens são frequentemente disformes (p. ex., sombras, rastros, halos, murmúrios, estrondos) e experimentados como incomuns ou intrigantes. Quando as alucinações são graves, essas experiências se tornam mais vívidas e frequentes (i.e., ilusões ou alucinações recorrentes que prendem a atenção e afetam o pensamento e a concentração). Essas anormalidades perceptuais podem perturbar o comportamento, mas o ceticismo quanto à sua realidade ainda pode ser induzido.

O discurso desorganizado atenuado (Critério A3) pode se manifestar como um discurso estranho (vago, metafórico, excessivamente elaborado, estereotipado), discurso sem foco (confuso, atrapalhado, muito rápido ou muito lento, palavras erradas, contexto irrelevante, fora do contexto) ou discurso tortuoso (circunstancial, tangencial). Quando a desorganização é moderadamente grave, o indivíduo costuma entrar em tópicos irrelevantes, mas responde facilmente a perguntas de esclarecimento. O discurso pode ser estranho e circunstancial, mas compreensível. Quando a desorganização é grave, o indivíduo não consegue chegar ao ponto sem orientação externa (tangencial). Em um nível mais grave, pode ocorrer bloqueio do pensamento ou associações frouxas infrequentemente, em especial quando o indivíduo está sob pressão, mas perguntas organizadoras trazem de volta, de forma rápida, a estrutura e a organização da conversa.

O indivíduo deve experimentar sofrimento e/ou desempenho comprometido no funcionamento social ou no desempenho de papéis (Critério D) e ele mesmo ou outras pessoas responsáveis devem notar as alterações e expressar preocupação, a ponto de ser buscado atendimento clínico (Critério A).

Existem medidas disponíveis para determinar se os Critérios A-E são atendidos ou identificar de modo geral um estado clínico de alto risco para psicose.

Características Associadas

O indivíduo pode experimentar pensamento mágico, dificuldade de concentração, alguma desorganização no pensamento ou no comportamento, desconfiança excessiva, ansiedade, retraimento social e perturbação do sono-vigília. Frequentemente, são observados prejuízo na função cognitiva e sintomas negativos.

Variáveis de neuroimagem distinguem coortes de pacientes com síndrome de psicose atenuada de coortes com controles normais, com padrões similares, porém menos graves aos observados na esquizofrenia. Entretanto, os dados de neuroimagem não são diagnósticos no nível individual.

Prevalência

Existe muito pouca informação sobre a prevalência. No entanto, na Suíça, onde foi realizado um dos poucos estudos relevantes, a prevalência de síndrome de psicose atenuada em indivíduos que não procuram ajuda, com idades entre 16 e 40 anos, foi de apenas 0,3%. Outros 2,3% apresentaram os sintomas atenuados que atendem ao Critério A, mas esses sintomas começaram antes do ano anterior ou não pioraram no ano anterior, conforme exigido pelo Critério C. Em uma ampla gama de países, até 7% da população geral dos indivíduos reconhecem ter delírios ou alucinações atenuados. Embora a prevalência de sintomas do Critério A possa ser maior ou menor entre países ou grupos étnico-nacionais, a prevalência de sintomas de psicose atenuada costuma ser maior entre os grupos de migrantes do que entre as populações nativas, possivelmente devido a maior exposição a trauma e discriminação.

Desenvolvimento e Curso

O início da síndrome de psicose atenuada é geralmente da metade para o fim da adolescência ou início da idade adulta. Ela pode ser precedida por um desenvolvimento normal ou por evidências de cognição comprometida, sintomas negativos e/ou desenvolvimento social comprometido. Em coortes de busca de ajuda, aqueles cujas apresentações preencheram os critérios para síndrome de psicose atenuada tiveram uma probabilidade maior de desenvolver psicose em comparação com aqueles cujas apresentações não preencheram os critérios. No grupo cujas apresentações preencheram os critérios, o risco cumulativo de 3 anos de psicose foi de até 22%, e no grupo cujas apresentações não atenderam aos critérios, o risco cumulativo de 3 anos foi de 1,54%. Os fatores que predizem a progressão para um transtorno psicótico completo (mais frequentemente transtorno do espectro da esquizofrenia) incluem sexo masculino, estresse/trauma ao longo da vida, desemprego, morar sozinho, gravidade dos sintomas psicóticos positivos atenuados, gravidade dos sintomas negativos, sintomas desorganizados e cognitivos e baixo funcionamento. Onze por cento dos casos de síndrome de psicose atenuada que progridem para psicose completa desenvolvem psicose afetiva (transtorno depressivo ou bipolar com características psicóticas), enquanto 73% dos casos de síndrome de psicose atenuada que evoluem para psicose completa desenvolvem um transtorno do espectro da esquizofrenia. A maioria das evidências validou critérios de sintomas psicóticos atenuados em indivíduos com idades entre 12 e 35 anos, mas há evidências limitadas apenas nos mais jovens. Embora o maior risco de transição para psicose seja nos primeiros 2 anos, os indivíduos continuam em risco por até 10 anos após o encaminhamento inicial, com um risco geral de transição de 34,9% em um período de 10 anos. Indivíduos que apresentam síndrome de psicose atenuada podem apresentar outros desfechos clínicos ruins além do desenvolvimento de psicose, como sintomas psicóticos atenuados persistentes, transtornos mentais comórbidos persistentes ou recorrentes, deficiência e baixo funcionamento. A remissão clínica está presente em apenas um terço dos indivíduos com síndrome de psicose atenuada. No geral, cerca de um terço desses indivíduos desenvolveria psicose, um terço teria remissão e um terço apresentaria incapacidade persistente.

Fatores de Risco e Prognóstico

Temperamentais. Os fatores que predizem o prognóstico da síndrome de psicose atenuada não foram caracterizados de forma definitiva.

Genéticos e fisiológicos. Em indivíduos cujos sintomas atendem aos critérios para síndrome de psicose atenuada, não há evidências de que uma história de psicose na família aumente o risco de psicose em comparação com os indivíduos-controle acima de um período de 4 anos. Dados de imagem estruturais, funcionais, eletrofisiológicos e neuroquímicos estão associados ao risco aumentado de progressão para psicose. No entanto, esses preditores ainda não foram validados para uso clínico.

Questões Diagnósticas Relativas à Cultura

Pode ser difícil avaliar a presença de sintomas atenuados sem considerar o impacto do contexto sociocultural. Algumas experiências perceptivas (p. ex., ouvir ruídos, ver sombras) e crenças religiosas ou sobrenaturais (p. ex., mau-olhado, causar doenças por meio de maldições, influência de espíritos) podem ser consideradas estranhas em alguns contextos culturais e aceitas em outros. Além disso, populações que vivenciam trauma ou perseguição (p. ex., tortura, violência política, racismo, discriminação) podem relatar sintomas e medos que podem ser mal interpretados como delírios paranoides atenuados ou francos, devido ao impacto do trauma no humor e na comunicação do indivíduo (p. ex., alguns medos podem ser apropriados para evitar ameaças e podem se misturar com medos de recorrência de trauma ou sintomas pós-traumáticos). Os grupos com maior risco de erro de diagnóstico incluem migrantes, populações étnicas e raciais socialmente oprimidas e outros grupos que enfrentam adversidade social e discriminação. O critério de sofrimento e prejuízo ajuda a distinguir experiências socioculturalmente normativas de sintomas de síndrome de psicose atenuada (p. ex., cautela adaptativa em relação a figuras de autoridade por grupos discriminados, o que pode ser confundido com paranoia).

Consequências Funcionais da Síndrome de Psicose Atenuada

Muitos indivíduos podem experimentar prejuízos funcionais. O comprometimento modesto a moderado no funcionamento social e no desempenho de papéis pode persistir mesmo com a redução dos sintomas.

Diagnóstico Diferencial

Transtorno psicótico breve. Quando os sintomas da síndrome de psicose atenuada se manifestam inicialmente, podem lembrar os sintomas do transtorno psicótico breve. No entanto, na síndrome de psicose atenuada, os sintomas atenuados (ilusões, alucinações ou discurso desorganizado) não cruzam o limiar da psicose.

Transtorno da personalidade esquizotípica. As características sintomáticas do transtorno da personalidade esquizotípica, particularmente durante os primeiros estágios de apresentação, são semelhantes às da síndrome de psicose atenuada. No entanto, o transtorno da personalidade esquizotípica é um transtorno com traços relativamente estáveis que não satisfazem os aspectos estado-dependentes (Critério C) da síndrome de psicose atenuada. Além disso, é preciso uma gama mais ampla de sintomas para haver um diagnóstico de transtorno da personalidade esquizotípica.

Distorções da realidade ocorrendo em outros transtornos mentais. Distorções da realidade que podem se assemelhar a delírios atenuados podem ocorrer no contexto de outros transtornos mentais (p. ex., sentimentos de baixa autoestima ou atribuições de baixa consideração dos outros no contexto de transtorno depressivo maior, sensação de ser o foco de atenção indesejada no contexto de transtorno de ansiedade social, autoestima inflada no contexto de discurso com pressão por fala e necessidade reduzida de sono no transtorno bipolar I ou II, uma sensação de ser incapaz de experimentar sentimentos no contexto de um medo intenso de abandono real ou imaginário e autolesão recorrente no transtorno da personalidade *borderline*). Se essas distorções da realidade ocorrerem apenas durante o curso de outro transtorno mental, um diagnóstico adicional de síndrome de psicose atenuada não seria feito.

Reação de adaptação da adolescência. Os sintomas transitórios leves típicos do desenvolvimento normal e consistentes com o grau de estresse experimentado não se qualificam para síndrome de psicose atenuada.

Ponto extremo de aberração perceptual e pensamento mágico na população não doente. Esta possibilidade diagnóstica deve ser fortemente considerada quando as distorções da realidade não estão associadas a sofrimento e comprometimento funcional e à necessidade de atendimento.

Transtorno psicótico induzido por substância/medicamento. Delírios e alucinações atenuadas podem ocorrer no contexto de intoxicação com *Cannabis*, alucinógenos, fenciclidina, inalantes e estimulantes, ou durante a abstinência de álcool e sedativos, hipnóticos ou ansiolíticos. A síndrome de psicose atenuada não deve ser diagnosticada se os sintomas psicóticos atenuados ocorrem apenas no caso de uso da substância, em que um diagnóstico de transtorno psicótico induzido por substância/medicamento pode ser preferido.

Transtorno de déficit de atenção/hiperatividade. História de comprometimento da atenção não exclui um diagnóstico atual de síndrome de psicose atenuada. O prejuízo prévio da atenção pode ser uma condição prodrômica ou um transtorno de déficit de atenção/hiperatividade comórbido.

Comorbidade

A maioria dos indivíduos com síndrome de psicose atenuada apresenta algum transtorno mental comórbido, principalmente depressão (41%) e/ou ansiedade (15%). Pouco mais da metade deles apresenta pelo menos uma comorbidade no acompanhamento, a maioria das quais estava presente quando o indivíduo foi avaliado pela primeira vez; a persistência de comorbidades no acompanhamento está associada a desfechos clínicos e funcionais ruins. Embora alguns indivíduos com diagnóstico de síndrome de psicose atenuada evoluam para o desenvolvimento de um novo diagnóstico, incluindo transtornos de ansiedade, depressivos, bipolares e da personalidade, esses indivíduos não apresentam risco aumentado de desenvolver novos transtornos não psicóticos em comparação com indivíduos-controle que procuram ajuda.

Episódios Depressivos com Hipomania de Curta Duração

Critérios Propostos

Experiência ao longo da vida de ao menos um episódio depressivo maior que preenche os seguintes critérios:

A. Cinco (ou mais) dos seguintes sintomas estiveram presentes durante o mesmo período de duas semanas e representam uma mudança no funcionamento anterior; no mínimo um dos sintomas é (1) humor deprimido ou (2) perda de interesse ou prazer. (**Nota:** Não incluir sintomas que sejam claramente atribuíveis a outra condição médica.)

 1. Humor deprimido na maior parte do dia, quase todos os dias, conforme indicado por relato subjetivo (p. ex., sente-se triste, vazio ou sem esperança) ou por observação feita por outras pessoas (p. ex., parece choroso). (**Nota:** Em crianças e adolescentes, pode ser humor irritável.)
 2. Acentuada diminuição de interesse ou prazer em todas, ou quase todas, as atividades na maior parte do dia, quase todos os dias (conforme indicado por relato subjetivo ou por observação feita por outras pessoas).
 3. Perda ou ganho significativo de peso sem estar fazendo dieta (p. ex., uma mudança de mais de 5% do peso corporal em um mês) ou redução ou aumento no apetite quase todos os dias. (**Nota:** Em crianças, considerar insucesso em obter o ganho de peso esperado.)

4. Insônia ou hipersonia quase diária.
5. Agitação ou retardo psicomotor quase todos os dias (observável por outras pessoas; não meramente sensações subjetivas de inquietação ou de estar mais lento).
6. Fadiga ou perda de energia quase todos os dias.
7. Sentimentos de inutilidade ou culpa excessiva ou inapropriada (que podem ser delirantes) quase todos os dias (não meramente autorrecriminação ou culpa por estar doente).
8. Capacidade diminuída para pensar ou se concentrar, ou indecisão, quase todos os dias (por relato subjetivo ou observação feita por outras pessoas).
9. Pensamentos recorrentes de morte (não somente medo de morrer), ideação suicida recorrente, sem um plano específico, um plano específico de suicídio ou tentativa de suicídio.

B. Os sintomas causam sofrimento clinicamente significativo ou prejuízo no funcionamento social, profissional ou em outras áreas importantes da vida do indivíduo.
C. O episódio não é atribuível aos efeitos fisiológicos de uma substância ou a outra condição médica.
D. A perturbação não é mais bem explicada por transtorno esquizoafetivo e não está sobreposta a esquizofrenia, transtorno esquizofreniforme, transtorno delirante, outro transtorno do espectro da esquizofrenia e outro transtorno psicótico especificado ou transtorno do espectro da esquizofrenia e outro transtorno psicótico não especificado.

Ao menos dois episódios ao longo da vida de períodos hipomaníacos que envolvem os critérios de sintomas requeridos adiante, mas que são de duração insuficiente (ao menos dois dias, porém menos do que quatro dias consecutivos) para satisfazer os critérios para um episódio hipomaníaco. Os critérios de sintomas são os seguintes:

A. Um período distinto de humor anormal e persistentemente elevado, expansivo ou irritável e atividade ou energia persistentemente aumentada.
B. Durante o período de perturbação do humor e de energia e atividade aumentadas, três (ou mais) dos seguintes sintomas persistiram (quatro se o humor for apenas irritável), representam uma alteração perceptível do comportamento habitual e estiveram presentes em um grau significativo:
   1. Autoestima inflada ou grandiosidade.
   2. Redução da necessidade de sono (p. ex., sente-se descansado após apenas três horas de sono).
   3. Mais loquaz que o habitual ou pressão para continuar falando.
   4. Fuga de ideias ou experiência subjetiva de que os pensamentos estão acelerados.
   5. Distratibilidade (i. e., atenção é desviada muito facilmente por estímulos externos insignificantes ou irrelevantes), conforme relatado ou observado.
   6. Aumento da atividade dirigida a objetivos (seja sociais, no trabalho ou na escola, seja sexuais) ou agitação psicomotora.
   7. Envolvimento excessivo em atividades com elevado potencial para consequências dolorosas (p. ex., envolvimento em surtos desenfreados de compras, indiscrições sexuais ou investimentos financeiros insensatos).
C. O episódio está associado a uma mudança inequívoca no funcionamento que não é característico do indivíduo quando assintomático.
D. A alteração no humor e a mudança no funcionamento são observáveis por outras pessoas.
E. O episódio não é suficientemente grave a ponto de causar prejuízo acentuado no funcionamento social ou profissional ou para necessitar de hospitalização. Existindo características psicóticas, por definição, o episódio é maníaco.
F. O episódio não é atribuível aos efeitos fisiológicos de uma substância (p. ex., droga de abuso, medicamento ou outro tratamento).

Características Diagnósticas

Os indivíduos com hipomania de curta duração experimentaram ao menos um transtorno depressivo maior, assim como ao menos dois episódios com duração de 2 a 3 dias em que foram preenchidos os critérios para um episódio de hipomania (exceto pela duração de sintomas). Esses episódios são de intensidade suficiente para serem classificados como um episódio hipomaníaco, mas não preenchem a duração exigida de quatro dias de duração. Sintomas estão presentes em um grau significativo, de forma que representam uma alteração perceptível em relação ao comportamento normal do indivíduo.

Um indivíduo com história de um episódio hipomaníaco sindrômico e um episódio depressivo maior, por definição, tem um transtorno bipolar tipo II, independentemente da duração atual dos sintomas hipomaníacos.

Características Associadas

Indivíduos que experimentaram tanto hipomania de curta duração quanto um episódio depressivo maior, com sua comorbidade psiquiátrica aumentada, história familiar maior de transtorno bipolar, início precoce, episódios depressivos maiores mais recorrentes e maior taxa de tentativas de suicídio, assemelham-se mais àqueles com transtorno bipolar do que àqueles com transtorno depressivo maior.

Prevalência

A prevalência de episódios depressivos com hipomania de curta duração não é clara, pois ainda não foram publicados estudos epidemiológicos usando a definição do DSM-5. Usando critérios um pouco diferentes (hipomania subliminar definida por um dos seguintes: duração inferior a 4 dias ou menos de três sintomas do Critério B), o transtorno depressivo maior com hipomania subliminar ocorre em até 6,7% da população dos Estados Unidos, tornando-o mais comum do que o transtorno bipolar I ou II. Em contextos clínicos estudados em diversos países, no entanto, episódios depressivos com hipomania de curta duração são cerca de um quarto tão comuns quanto episódios depressivos com hipomania de duração completa. Episódios depressivos com hipomania de curta duração podem ser mais comuns em mulheres, que podem apresentar mais características de depressão atípica.

Fatores de Risco e Prognóstico

Genéticos e fisiológicos. Uma história de transtorno bipolar na família é três a quatro vezes mais comum entre indivíduos com episódios depressivos com hipomania de curta duração do que entre aqueles com transtorno depressivo maior, enquanto a história de transtorno bipolar na família é semelhante entre indivíduos com episódios depressivos e hipomania de curta duração *versus* duração completa.

Associação com Pensamentos e Comportamentos Suicidas

Indivíduos com episódios depressivos com hipomania de curta duração têm maiores taxas de tentativas de suicídio do que indivíduos com transtorno depressivo maior e taxas semelhantes de tentativas de suicídio em comparação com indivíduos com episódios depressivos e hipomania de duração completa (transtorno bipolar II).

Consequências Funcionais da Hipomania de Curta Duração

Os prejuízos funcionais associados especificamente a episódios depressivos com hipomania de curta duração ainda não foram determinados de forma completa. Entretanto, pesquisas sugerem que indivíduos com esse transtorno têm avaliação global semelhante de pontuações de funcionamento em comparação com aqueles com episódios depressivos com hipomania de duração completa.

Diagnóstico Diferencial

Transtorno bipolar tipo II. O transtorno bipolar tipo II é caracterizado por episódios depressivos maiores e episódios hipomaníacos, enquanto os episódios depressivos com hipomania de curta duração são caracterizados por períodos de 2 a 3 dias de sintomas hipomaníacos. Depois que um indivíduo experimentou um episódio hipomaníaco completo (quatro dias ou mais), o diagnóstico passa a ser e permanece sendo o de transtorno bipolar tipo II independentemente da duração dos períodos subsequentes de sintomas hipomaníacos.

Transtorno depressivo maior. O transtorno depressivo maior também é caracterizado por pelo menos um episódio depressivo maior ao longo da vida. No entanto, a presença adicional de pelo menos dois períodos de 2 a 3 dias de sintomas hipomaníacos ao longo da vida leva a um diagnóstico de episódios depressivos com hipomania de curta duração em vez de transtorno depressivo maior.

Transtorno depressivo maior com características mistas. Tanto o transtorno depressivo maior com características mistas quanto a hipomania de curta duração são caracterizados pela presença de alguns sintomas hipomaníacos e um episódio depressivo maior. Entretanto, o transtorno depressivo maior com características mistas tem características hipomaníacas presentes *concomitantemente* com um episódio depressivo maior, enquanto indivíduos com episódios depressivos com hipomania de curta duração experimentam hipomania subsindrômica e depressão maior sindrômica completa em momentos diferentes.

Transtorno bipolar tipo I. O transtorno bipolar tipo I é diferenciado dos episódios depressivos com hipomania de curta duração por ao menos um episódio maníaco ao longo da vida, que é mais longo (ao menos uma semana) e mais grave (causa maior prejuízo no funcionamento social ou profissional, ou necessita de hospitalização para impedir danos a si mesmo e aos outros) do que um episódio hipomaníaco. Um episódio (de qualquer duração) que envolva sintomas psicóticos ou necessite de hospitalização é, por definição, um episódio maníaco em vez de hipomaníaco.

Transtorno ciclotímico. Enquanto o transtorno ciclotímico é caracterizado por períodos de sintomas depressivos e por períodos de sintomas hipomaníacos, a presença de um episódio depressivo maior ao longo da vida impede o diagnóstico de transtorno ciclotímico.

Transtorno por Uso de Cafeína

Critérios Propostos

Um padrão problemático de uso de cafeína levando a prejuízo ou sofrimento clinicamente significativos, manifestado pela ocorrência de ao menos os primeiros três dos seguintes critérios no período de 12 meses:

1. Desejo persistente ou esforços fracassados em cortar ou controlar o uso de cafeína.
2. Uso continuado de cafeína apesar do conhecimento de ter um problema físico ou psicológico persistente ou recorrente que provavelmente foi causado ou exacerbado pela substância.
3. Abstinência, conforme manifestada por um dos seguintes:
   a. A síndrome de abstinência característica para cafeína.
   b. Cafeína (ou uma substância estreitamente relacionada) é ingerida para aliviar ou evitar sintomas de abstinência.
4. Cafeína é frequentemente ingerida em quantidades maiores ou por um período mais longo de tempo do que era pretendido.
5. Uso recorrente de cafeína, resultando em fracasso em cumprir as principais obrigações no trabalho, na escola ou em casa (p. ex., atrasos repetidos ou ausências ao trabalho ou à escola relacionados ao uso ou à abstinência da cafeína).
6. Uso continuado de cafeína apesar de problemas sociais ou interpessoais persistentes ou recorrentes causados ou exacerbados pelos efeitos da cafeína (p. ex., discussões com o cônjuge sobre as consequências do uso, problemas médicos, custos).

7. Tolerância, conforme definida por um dos seguintes:
   a. Necessidade de quantidades acentuadamente aumentadas de cafeína para alcançar o efeito desejado.
   b. Efeito acentuadamente diminuído com o uso continuado da mesma quantidade de cafeína.
8. Uma grande quantidade de tempo é gasta em atividades necessárias para obter cafeína, usar cafeína ou se recuperar dos seus efeitos.
9. Fissura ou forte desejo ou necessidade de usar cafeína.

Vários estudos de pesquisa têm oferecido documentação e caracterização de indivíduos com uso problemático de cafeína, e diversas revisões apresentam uma análise atual dessa literatura. O algoritmo diagnóstico em elaboração proposto para o estudo do transtorno por uso de cafeína difere do dos outros transtornos por uso de substâncias, refletindo a necessidade de identificar apenas os casos que têm suficiente importância clínica para justificar a classificação como um transtorno mental. Um objetivo importante de incluir o transtorno por uso de cafeína nesta seção do DSM-5 é estimular pesquisas que irão determinar a confiabilidade, a validade e a prevalência do transtorno com base no esquema diagnóstico proposto, com particular atenção à associação do diagnóstico a prejuízos funcionais como parte do teste de validade.

Os critérios propostos para o transtorno por uso de cafeína refletem a necessidade de um limiar diagnóstico mais alto do que aquele utilizado para os demais transtornos por uso de substâncias. Tal limiar tem o objetivo de evitar o diagnóstico em excesso do transtorno por uso de cafeína devido à alta taxa de uso diário habitual e não problemático da substância na população em geral.

Características Diagnósticas

O transtorno por uso de cafeína é caracterizado pelo uso continuado da substância e pela falha em controlá-lo apesar das consequências físicas e/ou psicológicas negativas. Em duas pesquisas populacionais dos Estados Unidos, 14 a 17% dos usuários de cafeína endossaram o uso de cafeína apesar de problemas físicos ou psicológicos, 34 a 45% relataram desejo persistente ou esforços malsucedidos para controlar o uso de cafeína e 18 a 27% relataram abstinência ou uso de cafeína para aliviar ou evitar a abstinência. Nessas pesquisas, alguns usuários relataram usar mais cafeína do que o pretendido, gastar muito tempo usando ou obtendo cafeína (p. ex., tomando café o dia todo e até a noite), tolerância, um forte desejo ou fissura por cafeína, não cumprimento de suas principais obrigações devido à cafeína (p. ex., passar o tempo de férias com a família procurando bebidas com cafeína, resultando em problemas de relacionamento; atrasar-se repetidamente para o trabalho devido à necessidade de tomar café) e, em muito menor grau, uso de cafeína apesar de problemas sociais ou interpessoais. Os problemas médicos e psicológicos atribuídos à cafeína incluíam problemas cardíacos, estomacais e urinários, além de queixas de ansiedade, depressão, insônia, irritabilidade e dificuldade para pensar.

Em um estudo com 2.259 consumidores de cafeína húngaros, a análise fatorial dos nove critérios de transtorno por uso de cafeína resultou em uma solução de um fator, sugerindo que o transtorno por uso de cafeína é um construto unitário. Em dois estudos de tratamento do transtorno por uso de cafeína na área de Baltimore, os critérios mais comumente endossados foram abstinência (97%), desejo persistente ou esforços malsucedidos para controlar o uso (91 a 94%) e uso apesar do conhecimento de problemas físicos ou psicológicos causados pela cafeína (75 a 91%).

Entre aqueles que procuraram tratamento para abandonar o uso problemático de cafeína, 88% relataram ter feito sérias tentativas prévias para modificar o uso da substância, e 43 a 47% relataram terem sido aconselhados por um profissional médico a reduzir ou a eliminar a substância. As razões mais comuns para querer modificar o uso de cafeína foram as relacionadas à saúde (59%) e um desejo de não ser dependente da substância (35%).

A discussão do DSM-5 da abstinência de cafeína no capítulo "Transtornos Relacionados a Substâncias e Transtornos Aditivos" da Seção II fornece informações sobre as características do critério de abstinência. Está bem documentado que usuários habituais de cafeína podem experimentar uma síndrome de abstinência bem definida com abstinência aguda de cafeína, e muitos indivíduos dependentes da substância relatam seu uso continuado para evitar experimentar sintomas de abstinência.

Prevalência

A prevalência do transtorno por uso de cafeína na população em geral não está clara. Um estudo populacional de Vermont relatou que 9% dos indivíduos endossaram os três critérios propostos de transtorno por uso de cafeína do DSM-5 mais tolerância. Em uma amostra de 1.006 adultos consumidores de cafeína recrutados usando cotas demográficas para refletir a população dos Estados Unidos, 8% endossaram todos os três critérios necessários para um diagnóstico de transtorno por uso de cafeína.

Em uma amostra de adolescentes consumidores de cafeína que se apresentaram para atendimento médico de rotina em um hospital de Boston, 3,9% endossaram todos os três critérios necessários para o diagnóstico de transtorno por uso de cafeína. Entre uma amostra de conveniência de consumidores de cafeína na Hungria, 13,9% endossaram todos os três critérios, com 4,3% deles relatando que os sintomas causavam sofrimento significativo em sua vida cotidiana.

Desenvolvimento e Curso

Indivíduos cujo padrão de uso preenche os critérios para um transtorno por uso de cafeína apresentaram ampla variação na ingestão diária da substância e eram consumidores de vários tipos de produtos com cafeína (p. ex., café, refrigerantes, chá) e de medicamentos. Um diagnóstico de transtorno por uso de cafeína demonstrou predizer prospectivamente maior incidência de reforço de cafeína e abstinência mais grave.

Não foram realizadas pesquisas longitudinais ou transversais sobre o transtorno por uso de cafeína ao longo da vida. Ele foi identificado em adolescentes e adultos. As taxas de consumo de cafeína e o nível geral de consumo da substância nos Estados Unidos tendem a aumentar com a idade. Os fatores relacionados à idade para o transtorno por uso de cafeína são desconhecidos, embora seja crescente a preocupação relativa ao consumo excessivo da substância entre adolescentes e adultos jovens por meio do uso de bebidas energéticas cafeinadas.

Fatores de Risco e Prognóstico

Genéticos e fisiológicos. As herdabilidades do uso pesado de cafeína, da tolerância e da abstinência da substância variam de 35 a 77%. Para uso de cafeína, uso de álcool e tabagismo, há um fator genético comum (uso de polissubstâncias) subjacente ao uso dessas três substâncias, sendo 28 a 41% dos efeitos herdáveis do uso (ou uso pesado) de cafeína compartilhados com álcool e fumo. Os transtornos por uso de cafeína e tabaco estão associados a – e são substancialmente influenciados por – fatores genéticos únicos a essas drogas lícitas. A magnitude da herdabilidade para os marcadores do transtorno por uso de cafeína parece ser similar à dos marcadores dos transtornos por uso de álcool e tabaco.

Questões Diagnósticas Relativas à Cultura

O consumo de cafeína é afetado pela origem geográfica, contexto cultural, estilo de vida, comportamento social e *status* econômico. O tipo de bebida cafeinada preferida (p. ex., chá; café; refrigerantes carbonatados contendo cafeína; mate) e o modo de preparação variam mundialmente, levando a diferenças marcantes nas quantidades e tipos de compostos em uma "xícara" de café, chá ou mate. Essas diferenças devem ser consideradas ao avaliar a quantidade de cafeína ingerida.

Associação com Pensamentos ou Comportamentos Suicidas

Nenhuma pesquisa aborda especificamente a relação entre o transtorno por uso de cafeína e pensamentos ou comportamentos suicidas. Há evidências contraditórias quanto ao consumo de cafeína; ou seja, que altos níveis de consumo de cafeína podem estar associados ao aumento do risco de pensamentos ou comportamentos suicidas ou podem ser protetores para pensamentos ou comportamento suicida.

Consequências Funcionais do Transtorno por Uso de Cafeína

Uma pesquisa populacional dos Estados Unidos descobriu que aqueles que preenchiam os critérios para transtorno por uso de cafeína eram mais propensos a relatar maior angústia relacionada à cafeína, sentir-se mal ou culpado pelo uso de cafeína, problemas de sono, ansiedade, depressão e estresse. Um maior número de sintomas totais endossados também previu esses resultados negativos. O transtorno por uso de cafeína pode predizer maior consumo da substância durante a gestação.

Diagnóstico Diferencial

Uso não problemático de cafeína. A distinção entre o uso não problemático de cafeína e o transtorno por uso de cafeína pode ser difícil de se estabelecer porque os problemas sociais, comportamentais ou psicológicos podem ser difíceis de serem atribuídos à substância, em especial no contexto de uso de outras substâncias. O uso pesado regular de cafeína que pode resultar em tolerância e abstinência é relativamente comum, o que por si só não deve ser suficiente para fazer um diagnóstico.

Transtorno por uso de outro estimulante. Problemas relacionados ao uso de outros medicamentos ou substâncias estimulantes podem se assemelhar às características do transtorno por uso de cafeína.

Transtornos de ansiedade. O uso pesado crônico de cafeína pode simular o transtorno de ansiedade generalizada, e o consumo agudo da substância pode produzir e simular ataques de pânico.

Comorbidade

As comorbidades associadas ao transtorno por uso de cafeína incluem tabagismo diário, transtorno por uso de *Cannabis* e história familiar ou pessoal de transtorno por uso de álcool. Em comparação com indivíduos da população geral, as taxas de transtorno por uso de cafeína são maiores entre aqueles que procuram tratamento para uso problemático de cafeína; indivíduos que usam tabaco; estudantes do ensino médio e universitários; e aqueles com história de uso indevido de álcool ou drogas ilícitas. As características do transtorno por uso de cafeína podem estar positivamente associadas a diversos diagnósticos: depressão maior, transtorno de ansiedade generalizada, transtorno de pânico, transtorno da personalidade antissocial e transtornos por uso de álcool, *Cannabis* e cocaína.

Transtorno do Jogo pela Internet

Critérios Propostos

Uso persistente e recorrente da internet para envolver-se em jogos, frequentemente com outros jogadores, levando a prejuízo clinicamente significativo ou sofrimento conforme indicado por cinco (ou mais) dos seguintes sintomas em um período de 12 meses:

1. Preocupação com jogos pela internet. (O indivíduo pensa na partida anterior do jogo ou antecipa a próxima partida; o jogo pela internet torna-se a atividade dominante na vida diária.)
   Nota: Este transtorno é distinto dos jogos de azar pela internet, que estão inclusos no transtorno de jogo.
2. Sintomas de abstinência quando os jogos pela internet são retirados. (Esses sintomas são tipicamente descritos como irritabilidade, ansiedade ou tristeza, mas não há sinais físicos de abstinência farmacológica.)
3. Tolerância – a necessidade de passar quantidades crescentes de tempo envolvido nos jogos pela internet.
4. Tentativas fracassadas de controlar a participação nos jogos pela internet.
5. Perda de interesse por passatempos e divertimentos anteriores em consequência dos, e com a exceção dos, jogos pela internet.

6. Uso excessivo continuado de jogos pela internet apesar do conhecimento dos problemas psicossociais.
7. Enganou membros da família, terapeutas ou outros em relação à quantidade de jogo pela internet.
8. Uso de jogos pela internet para evitar ou aliviar um humor negativo (p. ex., sentimentos de desamparo, culpa, ansiedade).
9. Colocou em risco ou perdeu um relacionamento, emprego ou oportunidade educacional ou de carreira significativa devido à participação em jogos pela internet.

Nota: Somente os jogos pela internet que não são de azar estão inclusos neste transtorno. O uso da internet para atividades requeridas em um negócio ou profissão não está incluso; nem é pretendido que o transtorno inclua outro uso recreacional ou social da internet. Igualmente, os *sites* de sexo na internet estão excluídos.

Especificar a gravidade atual:
O transtorno do jogo pela internet pode ser leve, moderado ou grave, dependendo do grau de perturbação das atividades normais. Os indivíduos com transtorno do jogo pela internet menos grave podem exibir menos sintomas e menor perturbação em suas vidas. Aqueles com a forma grave do transtorno terão mais horas passadas no computador e perda mais grave de relacionamentos ou oportunidades na carreira ou escola.

O transtorno do jogo é atualmente o único transtorno não relacionado a substâncias incluído no capítulo "Transtornos Relacionados a Substâncias e Transtornos Aditivos" da Seção II do DSM-5. Entretanto, existem outros transtornos comportamentais que apresentam algumas semelhanças com os transtornos por uso de substâncias e transtorno do jogo para os quais a palavra *vício* é comumente usada em contextos não médicos, e a única condição com uma literatura considerável é o jogo compulsivo pela internet. Os jogos na internet foram definidos como um "vício" pelo governo chinês e são considerados uma ameaça à saúde pública na Coreia do Sul, onde foram criados sistemas de tratamento e prevenção. Relatos de tratamento dessa condição apareceram em revistas médicas, principalmente de países asiáticos, mas também nos Estados Unidos e em outros países de alta renda.

O grupo de trabalho do DSM-5 examinou mais de 240 artigos e encontrou algumas semelhanças comportamentais do jogo pela internet com o transtorno do jogo e os transtornos por uso de substâncias. A literatura, porém, carece de uma definição-padrão a partir da qual sejam obtidos os dados de prevalência. Também falta uma compreensão das histórias naturais de casos, com ou sem tratamento. A literatura descreve muitas semelhanças subjacentes às adições a substâncias, incluindo aspectos de tolerância, abstinência, repetidas tentativas fracassadas de reduzir ou abandonar o uso e prejuízo no funcionamento normal. Além disso, as altas taxas de prevalência aparentes, tanto em países asiáticos quanto no Ocidente, justificaram a inclusão desse transtorno na Seção III do DSM-5 e no capítulo "Transtornos Mentais, Comportamentais e do Neurodesenvolvimento" na CID-11. Observe que, desde a publicação do DSM-5, o número de relatórios clínicos continuou a se acumular, mas muitas dessas questões seguem sem solução.

O transtorno do jogo pela internet tem importância significativa para a saúde pública, e pesquisas adicionais podem eventualmente levar a evidências de que o transtorno (também em geral referido como *transtorno por uso da internet, adição à internet ou adição a jogos*) tem mérito como um transtorno independente. Assim como ocorre com o transtorno do jogo, é preciso que haja estudos epidemiológicos para determinar prevalência, curso clínico, possível influência genética e fatores biológicos potenciais baseados em, por exemplo, dados de neuroimagem.

Características Diagnósticas

A característica essencial do transtorno do jogo pela internet é um padrão de participação persistente e recorrente em jogos pela internet, que resulta em um grupo de sintomas cognitivos e comportamentais, incluindo a perda progressiva de controle sobre sintomas de jogo, tolerância e abstinência, semelhante aos sintomas de transtornos por uso de substância. Tais jogos baseados na internet geralmente envolvem competição entre os grupos de jogadores com frequência em diferentes regiões do globo, de modo que a duração estendida das partidas é estimulada pela independência dos fusos horários. Embora o transtorno do jogo pela internet envolva mais frequentemente jogos específicos da internet, com competições entre vários jogadores, ele também pode incluir jogos de computador *off-line*, não pela internet, embora estes tenham sido menos pesquisados. Os jogos na internet geralmente incluem um aspecto significativo das interações sociais durante o jogo, e os aspectos da equipe do jogo parecem ser uma motivação fundamental. Tentativas de direcionar o indivíduo para o trabalho escolar ou atividades interpessoais encontram forte resistência.

Indivíduos com transtorno do jogo pela internet continuam a se sentar diante de um computador e a se envolver em atividades de jogo apesar da negligência a outras atividades. Eles geralmente dedicam 8 a 10 horas ou mais por dia a essa atividade e ao menos 30 horas por semana. Caso sejam impedidos de usar um computador e retornar ao jogo, eles se tornam agitados e revoltados. Frequentemente permanecem longos períodos sem se alimentar ou dormir. Obrigações normais, como escola ou trabalho, ou obrigações familiares são negligenciadas.

Até que os critérios ideais e o limiar para o diagnóstico sejam determinados empiricamente, devem ser usadas definições conservadoras, de modo que os diagnósticos sejam confirmados pelo preenchimento de cinco ou mais dos nove critérios.

Características Associadas

Embora nenhum tipo de personalidade consistente associado ao transtorno do jogo pela internet tenha sido identificado, afetividade negativa, distanciamento, antagonismo, desinibição e psicoticismo foram associados ao transtorno. Indivíduos com jogo compulsivo pela internet demonstraram ativação cerebral em regiões específicas desencadeada pela exposição ao jogo pela internet, mas não limitada a estruturas do sistema de recompensa.

Prevalência

A prevalência média de 12 meses de transtorno do jogo pela internet é estimada em 4,7% em vários países, com um intervalo de 0,7 a 15,6% entre os estudos. Pesquisas usando os critérios propostos pelo DSM-5 sugerem que a prevalência é semelhante em países asiáticos e ocidentais. Nos Estados Unidos, com base em grandes pesquisas baseadas na internet, a prevalência do transtorno do jogo pela internet do DSM-5 é de 1% ou menos. Uma metanálise internacional de 16 estudos encontrou uma prevalência combinada de transtorno do jogo pela internet entre adolescentes de 4,6%, com meninos adolescentes/homens geralmente relatando uma taxa de prevalência mais alta (6,8%) do que meninas adolescentes/mulheres (1,3%).

Fatores de Risco e Prognóstico

Ambientais. A disponibilidade de computador com conexão à internet permite o acesso aos tipos de jogos com os quais o transtorno do jogo pela internet está mais frequentemente associado.

Genéticos e fisiológicos. Adolescentes do sexo masculino parecem ter maior risco de desenvolvimento do transtorno do jogo pela internet.

Questões Diagnósticas Relativas ao Sexo e ao Gênero

O transtorno do jogo pela internet parece ser mais comum em homens adolescentes e adultos jovens do que em mulheres adolescentes e adultas jovens. Meninos adolescentes com idades entre 12 e 15 anos também podem ter maior risco de efeitos adversos (p. ex., notas escolares mais baixas, solidão). Também pode haver diferenças de gênero nos tipos de jogos utilizados, em que meninas adolescentes de 12 a 15 anos costumam escolher jogos que incluem quebra-cabeças, música e temas sociais e educacionais, enquanto meninos adolescentes da mesma idade costumam escolher ação, luta, estratégia e jogos de interpretação de papéis que podem ter maior potencial viciante.

Associação com Pensamentos e Comportamentos Suicidas

Poucos estudos abordam especificamente o suicídio em indivíduos diagnosticados com transtorno do jogo pela internet, mas existem estudos sobre um fenótipo mais amplo de comportamentos problemáticos na internet e jogos *on-line*. Uma pesquisa de representação nacional com jovens australianos com idades entre 11 e 17 anos (*Young Minds Matter*) descobriu que o comportamento problemático na internet e nos jogos *on-line* estava associado a um maior risco de tentativa de suicídio no ano anterior. Depois de considerar dados demográficos, depressão, apoio familiar e autoestima, uma pesquisa com 9.510 estudantes taiwaneses com idades entre 12 e 18 anos descobriu que o vício em internet, incluindo jogos *on-line*, estava associado a pensamentos suicidas e tentativas de suicídio. Em uma amostra representativa de 8.807 alunos de escolas europeias aleatoriamente selecionadas, 3,62% tinham transtorno do jogo pela internet (usando os critérios do DSM-5) e 3,11% dos alunos foram considerados como tendo uso patológico da internet, mas não eram jogadores. Ambos os grupos apresentaram riscos igualmente aumentados para sintomas emocionais, transtorno da conduta, hiperatividade/desatenção, comportamentos autolesivos e pensamentos e comportamentos suicidas. Os efeitos na saúde mental do uso problemático da internet, incluindo pensamentos ou comportamentos suicidas, parecem estar relacionados e talvez mediados pelo impacto do uso problemático da internet sobre o sono.

Consequências Funcionais do Transtorno do Jogo pela Internet

O transtorno do jogo pela internet pode levar a fracasso escolar, perda de emprego ou fracasso conjugal. O comportamento do jogo compulsivo tende a desestimular atividades sociais, escolares e familiares normais. Estudantes podem apresentar declínio nas notas e, por fim, fracasso na escola. As responsabilidades familiares podem ser negligenciadas.

Diagnóstico Diferencial

O uso excessivo da internet que não envolve os jogos *on-line* (p. ex., uso excessivo das mídias sociais, como o Facebook; assistir à pornografia *on-line*) não é considerado análogo ao transtorno do jogo pela internet, e pesquisas futuras sobre os demais usos excessivos da internet precisariam seguir diretrizes similares, conforme aqui sugerido. Os jogos de azar excessivos *on-line* podem se qualificar para um diagnóstico separado de transtorno do jogo.

Comorbidade

A saúde pode ser negligenciada devido ao jogo compulsivo. Outros diagnósticos que podem estar associados ao transtorno do jogo pela internet incluem transtorno depressivo maior, transtorno de déficit de atenção/hiperatividade e transtorno obsessivo-compulsivo.

Transtorno Neurocomportamental Associado a Exposição Pré-natal ao Álcool

Critérios Propostos

A. Exposição mais do que mínima ao álcool durante a gestação, incluindo exposição anterior ao reconhecimento da gravidez. A confirmação da exposição gestacional ao álcool pode ser obtida pelo autorrelato materno de uso da substância na gravidez, por registros médicos, outros registros ou pela observação clínica.

B. Funcionamento neurocognitivo prejudicado, conforme manifestado por um ou mais dos seguintes:

1. Prejuízo no desempenho intelectual global (i. e., QI igual ou inferior a 70 ou um escore-padronizado igual ou inferior a 70 em uma avaliação abrangente do desenvolvimento).
2. Prejuízo na função executiva (p. ex., planejamento e organização empobrecidos; inflexibilidade; dificuldade com inibição comportamental).

3. Prejuízo no aprendizado (p. ex., conquistas acadêmicas inferiores ao esperado para o nível intelectual; deficiência de aprendizado específica).
4. Prejuízo na memória (p. ex., problemas para lembrar informações aprendidas recentemente; repetir os mesmos erros; dificuldade para lembrar instruções verbais longas).
5. Prejuízo no raciocínio visuoespacial (p. ex., desenhos ou construções desorganizados ou mal planejados; problemas em diferenciar esquerda e direita).

C. Autorregulação prejudicada, manifestada por um ou mais dos seguintes:
1. Prejuízo na regulação do humor ou comportamento (p. ex., labilidade do humor; afeto negativo ou irritabilidade; explosões comportamentais frequentes).
2. Déficit de atenção (p. ex., dificuldade para direcionar a atenção; dificuldade em manter o esforço mental).
3. Prejuízo no controle de impulsos (p. ex., dificuldade em esperar a sua vez; dificuldade em seguir regras).

D. Prejuízo no funcionamento adaptativo, manifestado por dois ou mais dos seguintes, um dos quais deve ser (1) ou (2):
1. Déficit na comunicação (p. ex., atraso na aquisição da linguagem; dificuldade de compreensão da linguagem falada).
2. Prejuízo na comunicação e interação sociais (p. ex., excessivamente amistoso com estranhos; dificuldade na leitura das pistas sociais; dificuldade de compreender as consequências sociais).
3. Prejuízo nas habilidades de vida diária (p. ex., higiene pessoal, alimentação ou banho demorados; dificuldade de lidar com a agenda diária).
4. Prejuízo nas habilidades motoras (p. ex., desenvolvimento pobre da motricidade fina; atraso na aquisição dos marcos da motricidade ampla ou déficits persistentes no funcionamento motor amplo; déficits na coordenação e no equilíbrio).

E. O início do transtorno (sintomas dos Critérios B, C e D) ocorre na infância.

F. A perturbação causa sofrimento clinicamente significativo e prejuízo no funcionamento social, acadêmico, profissional ou em outras áreas importantes da vida do indivíduo.

G. O transtorno não é mais bem explicado pelos efeitos fisiológicos diretos associados ao uso pós-natal de uma substância (p. ex., medicamento, álcool ou outras drogas), por uma condição médica geral (p. ex., lesão cerebral traumática, *delirium*, demência), por outro teratógeno conhecido (p. ex., síndrome da hidantoína fetal), por uma condição genética (p. ex., síndrome de Williams, síndrome de Down, síndrome de Cornélia de Lange) ou por negligência ambiental.

O álcool é um teratógeno neurocomportamental, e a exposição pré-natal a ele tem efeitos teratogênicos no desenvolvimento do sistema nervoso central (SNC) e na função subsequente. O *transtorno neurocomportamental associado a exposição pré-natal ao álcool* (em inglês, ND-PAE) é um novo termo descritivo, que se propõe a abranger a variação completa das deficiências no desenvolvimento associadas à exposição ao álcool *in utero*. ND-PAE pode ser diagnosticado tanto na ausência quanto na presença dos efeitos físicos da exposição pré-natal ao álcool (p. ex., dismorfismo facial necessário para um diagnóstico de síndrome alcoólica fetal).

Características Diagnósticas

A característica essencial do ND-PAE é a manifestação de prejuízo no funcionamento neurocognitivo, comportamental e adaptativo associado a exposição pré-natal ao álcool. O prejuízo pode ser documentado com base em avaliações diagnósticas prévias (p. ex., avaliações psicológicas ou educacionais) ou em registros médicos, em relatos feitos pela pessoa ou por informantes e/ou na observação por um clínico.

Um diagnóstico clínico de síndrome alcoólica fetal, incluindo dismorfismo facial especificamente relacionado ao álcool pré-natal e retardo no crescimento, pode ser usado como evidência de níveis significativos de exposição pré-natal ao álcool; diretrizes específicas para dismorfismo facial foram desenvolvidas para diversas fisionomias étnico-raciais. Embora tanto estudos com animais quanto com humanos tenham documentado efeitos adversos de níveis mais baixos de ingestão de álcool, identificar o nível de exposição pré-natal necessário para impactar significativamente o neurodesenvolvimento permanece um desafio. Dados sugerem que pode ser necessária uma história de exposição gestacional mais do que mínima antes e/ou após o reconhecimento da gravidez. Exposição mais do que mínima pode ser definida como mais de 13 doses por mês durante a gestação ou mais de duas doses consumidas em uma única ocasião. Identificar um limiar mínimo de consumo durante a gestação requer que seja considerada uma variedade de fatores que sabidamente afetam a exposição e/ou interagem para influenciar no desenvolvimento, incluindo o estágio de desenvolvimento pré-natal, tabagismo gestacional, genética materna e fetal e estado físico materno (i.e., idade, saúde e certos problemas obstétricos).

Os sintomas do ND-PAE incluem acentuado prejuízo no desempenho intelectual global (QI) ou prejuízos neurocognitivos em qualquer das seguintes áreas: função executiva, aprendizado, memória e/ou raciocínio visuoespacial. Os prejuízos na autorregulação estão presentes e podem incluir prejuízo na regulação do humor ou do comportamento, déficit de atenção ou prejuízo no controle de impulsos. Por fim, os prejuízos no funcionamento adaptativo incluem déficits na comunicação e prejuízo na comunicação e nas interações sociais. Prejuízos em habilidades da vida diária (autocuidados) e nas habilidades motoras podem estar presentes. Como pode ser difícil obter uma avaliação precisa das habilidades neurocognitivas de crianças muito pequenas, é apropriado adiar um diagnóstico quando as crianças tiverem 3 anos de idade ou menos.

Características Associadas

Características associadas variam dependendo da idade, do grau de exposição ao álcool e do contexto socioambiental do indivíduo. Um indivíduo pode ser diagnosticado com esse transtorno independentemente da origem socioeconômica ou cultural. Entretanto, uso parental corrente indevido de álcool/substâncias, doença mental parental, exposição a violência doméstica ou comunitária, negligência ou abuso, relações perturbadas com os cuidadores e falta de continuidade no cuidado médico ou de saúde mental estão frequentemente presentes.

Prevalência

Nos Estados Unidos, a prevalência de ND-PAE (abrangendo transtornos do espectro alcoólico pré-natal) foi estimada em 15,2/1.000 (intervalo: 11,3-50,0/1.000), com estimativas mais altas evidenciadas quando foram incluídas apenas crianças com avaliações completas (31,1-98,5/1.000). Quando se considera subpopulações vulneráveis, as taxas de ND-PAE podem ser mais elevadas (p. ex., entre crianças institucionalizadas, 251,5/1.000), de acordo com uma metanálise conduzida com dados de vários países. Em 2012, a prevalência global média de transtornos do espectro alcoólico pré-natal na população geral foi de 7,7 por 1.000 indivíduos, com prevalência de 8,8 por 1.000 na região das Américas (incluindo os Estados Unidos).

Desenvolvimento e Curso

Entre os indivíduos com exposição pré-natal ao álcool, as evidências de disfunção no SNC variam de acordo com o estágio do desenvolvimento. Embora aproximadamente a metade das crianças pequenas expostas ao álcool no período pré-natal apresente acentuado atraso no desenvolvimento nos primeiros 3 anos de vida, outras crianças afetadas pela exposição pré-natal ao álcool podem não exibir sinais de disfunção no SNC até a idade pré-escolar ou escolar. Além disso, os prejuízos nos processos cognitivos de ordem superior (i.e., função executiva), que estão frequentemente associados à exposição pré-natal ao álcool, podem ser mais facilmente avaliados em crianças maiores. Quando as crianças atingem a idade escolar, dificuldades de aprendizado, prejuízos na função executiva e problemas com funções de linguagem integrativa geralmente emergem de forma mais clara, e tanto déficits nas habilidades sociais quanto comportamento desafiador podem se tornar mais evidentes. Em particular, quando a escola e outras exigências se tornam mais complexas, déficits maiores são observados. Por isso, os anos escolares representam as idades em que um diagnóstico de ND-PAE seria mais provável.

Fatores de Risco e Prognóstico

Ambientais. Baixo nível socioeconômico e baixo nível educacional da mãe são fatores de risco para a síndrome alcoólica fetal. Essa associação está relacionada a fatores sociais, estruturais e psicológicos, os quais podem aumentar o risco do beber materno ou piorar seu impacto, incluindo determinantes sociais de saúde, como a alta concentração de lojas de bebidas em comunidades de baixa renda e étnico-raciais segregadas.

Questões Diagnósticas Relativas à Cultura

Fatores socioeconômicos e culturais afetam o consumo de álcool durante a gravidez, que varia globalmente de 0,2% na região do Mediterrâneo Oriental a 25,2% na região europeia. Indivíduos pertencentes a grupos étnicos que têm proporções mais altas de certos alelos de enzimas metabolizadoras de álcool (p. ex., aldeído desidrogenase 2) podem ser menos propensos a exibir os efeitos da exposição pré-natal ao álcool.

Associação com Pensamentos e Comportamentos Suicidas

O suicídio é um resultado de alto risco, com taxas aumentando significativamente no fim da adolescência e início da idade adulta. Análises do banco de dados nacional canadense de transtorno do espectro alcoólico pré-natal (em inglês, FASD) apontam que, entre os indivíduos com FASD que têm regulação do afeto prejudicada, há um risco nitidamente maior de pensamentos ou comportamentos suicidas. Em um registro de dados de Alberta, descobriu-se que os indivíduos com síndrome alcoólica fetal têm risco nitidamente aumentado de morte prematura, com 15% morrendo por suicídio. Na Califórnia, um estudo com 54 adolescentes com idades entre 13 e 18 anos com FASD também demonstrou taxas nitidamente mais altas de pensamentos suicidas e tentativas sérias (todas por meninos) em comparação com a população geral de adolescentes dos Estados Unidos. Em uma pesquisa canadense, as mães de indivíduos com FASD tinham mais de seis vezes mais chances de morrer por suicídio e quase cinco vezes mais chances de tentar suicídio após dar à luz uma criança com FASD em comparação com mães cujos filhos não tinham FASD, sugerindo que o aumento das taxas de ideação suicida e tentativas de suicídio entre jovens com FASD pode ser resultante de fatores familiares (genéticos e/ou ambientais), além de qualquer risco conferido pela própria condição de FASD.

Consequências Funcionais do Transtorno Neurocomportamental Associado a Exposição Pré-natal ao Álcool

A disfunção no SNC observada em indivíduos com ND-PAE frequentemente leva a decréscimos no comportamento adaptativo e a comportamento desadaptativo com consequências por toda a vida. Anormalidades têm sido associadas ao ND-PAE em vários sistemas de órgãos, incluindo coração, rins, fígado, trato gastrintestinal e sistema endócrino. Os indivíduos afetados pela exposição pré-natal ao álcool apresentam prevalência mais elevada de experiências escolares disruptivas, baixo desempenho em atividades profissionais, problemas com a lei, confinamento (legal ou psiquiátrico) e condições de vida dependentes.

Diagnóstico Diferencial

Outras considerações incluem exposição materna a outras substâncias durante o período pré-natal; cuidados pré-natal inadequados; efeitos fisiológicos do uso pós-natal de substância, como um medicamento, álcool ou outras substâncias; transtornos devidos a outra condição médica, como lesão cerebral traumática ou outros transtornos neurocognitivos (p. ex., *delirium*, transtorno neurocognitivo maior [demência]); ou negligência ambiental.

Condições genéticas, como a síndrome de Williams, a síndrome de Down ou a síndrome de Cornélia de Lange, e outras condições teratogênicas, como a síndrome da hidantoína fetal e a fenilcetonúria materna, podem ter características físicas e comportamentais semelhantes. É necessário um exame cuidadoso da história de exposição pré-natal para esclarecer o agente teratogênico, e uma avaliação por um geneticista clínico pode ser necessária para distinguir as características físicas associadas a essas e a outras condições genéticas.

Comorbidade

Problemas de saúde mental foram identificados em mais de 90% das pessoas com história de exposição pré-natal significativa ao álcool. O diagnóstico comórbido mais comum é o transtorno de déficit de atenção/hiperatividade, mas pesquisas mostraram que indivíduos com ND-PAE diferem nas características neuropsicológicas e na sua resposta a intervenções farmacológicas. Outros transtornos com alta probabilidade de comorbidade incluem o transtorno de oposição desafiante e o transtorno da conduta, mas a adequação desses diagnósticos deve ser pesada no contexto dos prejuízos significativos no funcionamento intelectual geral e na função executiva que estão frequentemente associados à exposição pré-natal ao álcool. Foram descritos sintomas de humor, incluindo sintomas do transtorno bipolar e dos transtornos depressivos. A história de exposição pré-natal ao álcool está associada a risco aumentado para posteriores transtornos por uso de tabaco, álcool e outras substâncias.

Transtorno da Autolesão Não Suicida

Critérios Propostos

A. No último ano, o indivíduo se engajou, em cinco ou mais dias, em dano intencional autoinfligido à superfície do seu corpo provavelmente induzindo sangramento, contusão ou dor (p. ex., cortar, queimar, fincar, bater, esfregar excessivamente), com a expectativa de que a lesão somente levará a um dano físico menor ou moderado (i. e., não há intenção suicida).

Nota: A ausência de intenção suicida foi declarada pelo indivíduo ou pode ser inferida por seu engajamento repetido em um comportamento que ele sabe, ou aprendeu, que provavelmente não resultará em morte.

B. O indivíduo se engaja em comportamento de autolesão com uma ou mais das seguintes expectativas:
   1. Obter alívio de um estado de sentimento ou de cognição negativos.
   2. Resolver uma dificuldade interpessoal.
   3. Induzir um estado de sentimento positivo.

Nota: O alívio ou resposta desejada é experimentado durante ou logo após a autolesão, e o indivíduo pode exibir padrões de comportamento que sugerem uma dependência em se envolver neles repetidamente.

C. A autolesão intencional está associada a pelo menos um dos seguintes:
   1. Dificuldades interpessoais ou sentimentos ou pensamentos negativos, tais como depressão, ansiedade, tensão, raiva, angústia generalizada ou autocrítica, ocorrendo no período imediatamente anterior ao ato de autolesão.
   2. Antes do engajamento no ato, um período de preocupação com o comportamento pretendido que é difícil de controlar.
   3. Pensar na autolesão que ocorre frequentemente, mesmo quando não é praticada.

D. O comportamento não é socialmente aprovado (p. ex., piercing corporal, tatuagem, parte de um ritual religioso ou cultural) e não está restrito a arrancar casca de feridas ou roer as unhas.

E. O comportamento ou suas consequências causam sofrimento clinicamente significativo ou interferência no funcionamento interpessoal, acadêmico ou em outras áreas importantes do funcionamento.

F. O comportamento não ocorre exclusivamente durante episódios psicóticos, *delirium*, intoxicação por substâncias ou abstinência de substâncias. Em indivíduos com um transtorno do neurodesenvolvimento, o comportamento não faz parte de um padrão de estereotipias repetitivas. O comportamento não é mais bem explicado por outro transtorno mental ou condição médica (p. ex., transtorno psicótico, transtorno do espectro autista, transtorno do desenvolvimento intelectual [deficiência intelectual], síndrome de Lesch-Nyhan, transtorno do movimento estereotipado com autolesão, tricotilomania [transtorno de arrancar o cabelo], transtorno de escoriação [*skin-picking*]).

Nota: Códigos da CID-10-MC para indicar se a autolesão não suicida é parte da apresentação clínica atual (**R45.88**) e/ou se houve história prévia de autolesão não suicida (**Z91.52**) estão disponíveis ao uso clínico para acompanhar qualquer diagnóstico do DSM-5; além disso, os códigos podem ser registrados na ausência de um diagnóstico do DSM-5. A definição desses códigos está incluída na Seção II, em "Outras Condições que Podem ser Foco da Atenção Clínica" (consulte "Autolesão Não Suicida").

Características Diagnósticas

A característica essencial da autolesão não suicida é o comportamento repetido do próprio indivíduo de infligir lesões superficiais, embora dolorosas, à superfície do seu corpo, sem intenção suicida. Em geral, o propósito é reduzir emoções negativas, como tensão, ansiedade, tristeza ou autocensura ou, com menos frequência, resolver uma dificuldade interpessoal. Em alguns casos, a lesão é concebida como uma autopunição merecida. O indivíduo frequentemente relatará uma sensação imediata de alívio que ocorre durante o processo. Quando o comportamento ocorre de forma frequente, pode estar associado a um senso de urgência e fissura, com o padrão comportamental resultante lembrando a adição. Os ferimentos infligidos podem se tornar mais profundos e mais numerosos.

O corte é o método de lesão mais comum, e é mais frequentemente causado por uma faca, agulha, lâmina ou outro objeto afiado. Locais comuns para lesão incluem o lado dorsal do antebraço e a área frontal das coxas. Uma única sessão de lesão pode envolver uma série de cortes paralelos superficiais – separados por 1 ou 2 centímetros – em um local visível ou acessível. Os cortes resultantes com frequência irão sangrar e eventualmente deixarão um padrão de cicatrizes característico.

Outros métodos utilizados e relativamente comuns são arranhões superficiais ou queimação da pele, bem como socos ou pancadas, mordidas e interferência na cicatrização de feridas. Muitos usarão diferentes métodos com o passar do tempo, e a autolesão não suicida com múltiplos métodos está associada a psicopatologia mais grave, incluindo tentativas de suicídio.

A grande maioria dos indivíduos que se engajam em autolesão não suicida não busca atendimento clínico. Essa tendência pode refletir uma relutância em divulgar a autolesão devido a preocupações com o estigma. Além disso, muitos indivíduos que se engajam nesses comportamentos os experimentam de forma positiva, devido à eficácia da autolesão não suicida na regulação da emoção negativa, reduzindo ou eliminando a motivação para o tratamento. Crianças e adolescentes podem fazer experiências com esses comportamentos, mas não sentir um alívio. Nesses casos, os jovens costumam relatar que o procedimento é doloroso ou causa sofrimento e podem, então, descontinuar a prática.

Características Associadas

O transtorno da autolesão não suicida parece ser mantido principalmente pelo reforço negativo, no qual o comportamento é relatado como tendo a função de reduzir rapidamente a emoção negativa e a excitação emocional aversiva. Alguns que se envolvem no comportamento também relatam que a autolesão não suicida pode reduzir rapidamente experiências dissociativas indesejadas e até mesmo ideação suicida, além de servir como uma maneira de lidar com sintomas relacionados ao trauma, como raiva e/ou repulsa autodirigida. No entanto, outras formas de reforço social e emocional também podem sustentar esse comportamento, como o desejo de provocar reações dos outros ou gerar sentimentos positivos.

Prevalência

Em uma metanálise internacional, a prevalência de transtorno da autolesão não suicida em geral foi um pouco maior em meninas/mulheres do que em meninos/homens. Isso contrasta com o comportamento suicida, no qual a proporção de gênero de meninas/mulheres para meninos/homens é muito maior. A diferença de gênero para o transtorno da autolesão não suicida é mais pronunciada em amostras clínicas. Em contextos culturais, a proporção de gênero para autolesão não suicida pode variar, sendo mais prevalente entre meninas/mulheres em alguns contextos (p. ex., entre estudantes do ensino médio em áreas rurais da China) e entre meninos/homens em outros (p. ex., entre jovens de 11 a 19 anos na Jordânia). O transtorno da autolesão não suicida é bem mais comum entre as minorias sexuais, especialmente aquelas que se identificam como bissexuais.

Desenvolvimento e Curso

O transtorno da autolesão não suicida geralmente tem início entre a fase inicial e meados da adolescência e pode continuar por muitos anos, com idades de início mais precoces associadas a manifestações mais graves. O transtorno da autolesão não suicida pode atingir o pico no final da adolescência e início do período a partir dos 20 anos, para depois declinar na idade adulta. Pesquisas prospectivas adicionais são necessárias para delinear a história natural do transtorno da autolesão não suicida e os fatores que promovem ou inibem seu curso. Os indivíduos geralmente aprendem sobre o comportamento por recomendação ou observação de outros, por meios de comunicação e por redes sociais. Indivíduos expostos a outros que se automutilam, inclusive em ambientes hospitalares, escolares, correcionais e comunitários, são mais propensos a iniciar a autolesão, potencialmente por meio de modelagem social ou mecanismos de aprendizagem social.

Questões Diagnósticas Relativas à Cultura

O transtorno da autolesão não suicida não deve ser diagnosticado se o comportamento for motivado por uma prática cultural aceita amplamente. Isso é verdade mesmo que a prática seja realizada apenas por uma minoria da população (p. ex., praticar o autoflagelo como atividade coletiva durante as festas religiosas). A autolesão não suicida pode ser uma forma de expressar pertencimento ao grupo, em vez de angústia individual ou regulação emocional, como sugerido por pesquisas com grupos de jovens "alternativos" (i. e., góticos, emo e punk) na Alemanha. Assim, o transtorno da autolesão não suicida também não deverá ser diagnosticado em tais casos.

Associação com Pensamentos e Comportamentos Suicidas

Como os indivíduos com autolesão não suicida podem tentar (e tentam) o suicídio, é importante avaliá-los quanto ao risco de suicídio e obter informações de terceiros sobre qualquer mudança recente na exposição ao estresse e no humor. A probabilidade de uma tentativa de suicídio tem sido associada a uma história de autolesão não suicida, com o início da autolesão não suicida geralmente precedendo as tentativas de suicídio em aproximadamente 1 a 2 anos, conforme demonstrado por pesquisas em ambientes clínicos e comunitários em três países de alta renda. O uso de múltiplos métodos anteriores de autolesão não suicida, alta frequência de atos autolesivos, idade de início precoce e uso de autolesão não suicida para obter alívio do sofrimento interno ou para autopunição são fortemente preditivos de ideação suicida e tentativas de suicídio.

Consequências Funcionais do Transtorno da Autolesão Não Suicida

O ato de se cortar pode ser realizado com instrumentos compartilhados, favorecendo a possibilidade de doenças transmissíveis pelo sangue. Também podem ocorrer queimaduras graves, infecção por maus cuidados com lesões e cicatrizes permanentes, impactando negativamente o indivíduo.

Diagnóstico Diferencial

Transtorno da personalidade *borderline*. Muitos têm considerado a autolesão não suicida como patognomônica do transtorno da personalidade *borderline*. No entanto, embora o transtorno da autolesão não suicida seja frequentemente comórbido com o transtorno da personalidade *borderline*, muitos indivíduos com o transtorno da autolesão não suicida não têm um padrão de personalidade que atende aos critérios para o transtorno da personalidade *borderline*. O transtorno da autolesão não suicida não apenas ocorre na ausência do transtorno da personalidade *borderline*, como geralmente ocorre juntamente com muitos outros transtornos, incluindo transtornos depressivos, transtornos alimentares e transtornos por uso de substâncias.

Comportamento suicida. A diferenciação entre o transtorno da autolesão não suicida e do comportamento suicida é baseada no objetivo declarado do comportamento, seja como um desejo de morrer ou de experimentar alívio (conforme descrito nos critérios para o transtorno da autolesão não suicida). Ao contrário do comportamento suicida, os episódios de autolesão não suicida, a curto prazo, geralmente são benignos em indivíduos com uma história de episódios frequentes. Além disso, algumas pessoas relatam o uso de sua autolesão não suicida para evitar a tentativa de suicídio.

Tricotilomania (transtorno de arrancar o cabelo). A tricotilomania é definida pelo comportamento autolesivo restrito a arrancar os próprios pelos, mais comumente do couro cabeludo, das sobrancelhas ou dos cílios. O comportamento ocorre em "sessões" que podem durar horas. É mais provável que ocorra durante um período de relaxamento ou distração. Se o comportamento autolesivo estiver confinado a puxar o cabelo, a tricotilomania deve ser diagnosticada em vez de transtorno autolesivo não suicida.

Transtorno do movimento estereotipado. O transtorno de movimento estereotipado envolve comportamento motor repetitivo, aparentemente dirigido e sem propósito definido (p. ex., sacudir as mãos ou acenar, balançar o corpo, bater a cabeça, morder a si mesmo, bater no próprio corpo), que às vezes pode resultar em autolesão e é frequentemente associado a um condição médica ou genética conhecida, a transtorno do neurodesenvolvimento ou fator ambiental (p. ex., síndrome de Lesch-Nyhan, transtorno do desenvolvimento intelectual, exposição intrauterina ao álcool). Se o comportamento autolesivo atender aos critérios para transtorno do movimento estereotipado, este deverá ser diagnosticado, no lugar do transtorno autolesivo não suicida.

Transtorno de escoriação (*skin-picking*). O transtorno de escoriação normalmente é direcionado a cutucar uma área da pele que o indivíduo considera de má aparência ou apresentando uma mancha, geralmente no rosto ou no couro cabeludo. Se o comportamento de autolesão for confinado a cutucar a pele, o transtorno de escoriação deverá ser diagnosticado, no lugar do transtorno autolesivo não suicida.

APÊNDICE

Listagem Alfabética dos Diagnósticos do DSM-5-TR e Códigos da CID-10-MC..................... 929
Listagem Numérica dos Diagnósticos do DSM-5-TR e Códigos da CID-10-MC 971
Consultores e Outros Colaboradores do DSM-5 1017

Listagem Alfabética dos Diagnósticos do DSM-5-TR e Códigos da CID-10-MC

Para codificação periódica do DSM-5-TR e outras atualizações, consulte www.dsm5.org.

CID-10-MC	Transtorno, condição ou problema
	Abstinência de álcool, Com perturbações da percepção
F10.132	Com transtorno por uso, Leve
F10.232	Com transtorno por uso, Moderado ou grave
F10.932	Sem transtorno por uso
	Abstinência de álcool, Sem perturbações da percepção
F10.130	Com transtorno por uso, Leve
F10.230	Com transtorno por uso, Moderado ou grave
F10.930	Sem transtorno por uso
F15.93	Abstinência de cafeína
	Abstinência de *Cannabis*
F12.13	Com transtorno por uso, Leve
F12.23	Com transtorno por uso, Moderado ou grave
F12.93	Sem transtorno por uso
	Abstinência de cocaína
F14.13	Com transtorno por uso, Leve
F14.23	Com transtorno por uso, Moderado ou grave
F14.93	Sem transtorno por uso
	Abstinência de estimulantes (*ver Abstinência de substância tipo anfetamina, cocaína ou outro estimulante ou estimulante não especificado para códigos específicos*)
	Abstinência de opioides
F11.13	Com transtorno por uso, Leve
F11.23	Com transtorno por uso, Moderado ou grave
F11.93	Sem transtorno por uso
	Abstinência de outra substância (ou substância desconhecida), Com perturbações da percepção
F19.132	Com transtorno por uso, Leve
F19.232	Com transtorno por uso, Moderado ou grave
F19.932	Sem transtorno por uso
	Abstinência de outra substância (ou substância desconhecida), Sem perturbações da percepção
F19.130	Com transtorno por uso, Leve
F19.230	Com transtorno por uso, Moderado ou grave
F19.930	Sem transtorno por uso

CID-10-MC	Transtorno, condição ou problema
	Abstinência de outros estimulantes
F15.13	Com transtorno por uso, Leve
F15.23	Com transtorno por uso, Moderado ou grave
F15.93	Sem transtorno por uso
	Abstinência de sedativos, hipnóticos ou ansiolíticos, Com perturbações da percepção
F13.132	Com transtorno por uso, Leve
F13.232	Com transtorno por uso, Moderado ou grave
F13.932	Sem transtorno por uso
	Abstinência de sedativos, hipnóticos ou ansiolíticos, Sem perturbações da percepção
F13.130	Com transtorno por uso, Leve
F13.230	Com transtorno por uso, Moderado ou grave
F13.930	Sem transtorno por uso
	Abstinência de substância tipo anfetamina
F15.13	Com transtorno por uso, Leve
F15.23	Com transtorno por uso, Moderado ou grave
F15.93	Sem transtorno por uso
F17.203	Abstinência de tabaco
	Abuso físico de adulto por não cônjuge ou não parceiro(a) confirmado
T74.11XD	Consulta de seguimento
T74.11XA	Consulta inicial
	Abuso físico de adulto por não cônjuge ou não parceiro(a) suspeitado
T76.11XD	Consulta de seguimento
T76.11XA	Consulta inicial
	Abuso físico infantil confirmado
T74.12XD	Consulta de seguimento
T74.12XA	Consulta inicial
	Abuso físico infantil suspeitado
T76.12XD	Consulta de seguimento
T76.12XA	Consulta inicial
	Abuso psicológico de adulto por não cônjuge ou não parceiro(a) confirmado
T74.31XD	Consulta de seguimento
T74.31XA	Consulta inicial
	Abuso psicológico de adulto por não cônjuge ou não parceiro(a) suspeitado
T76.31XD	Consulta de seguimento
T76.31XA	Consulta inicial
	Abuso psicológico de cônjuge ou parceiro(a) confirmado
T74.31XD	Consulta de seguimento
T74.31XA	Consulta inicial
	Abuso psicológico de cônjuge ou parceiro(a) suspeitado
T76.31XD	Consulta de seguimento
T76.31XA	Consulta inicial
	Abuso psicológico infantil confirmado
T74.32XD	Consulta de seguimento
T74.32XA	Consulta inicial

Listagem Alfabética dos Diagnósticos do DSM-5-TR e Códigos da CID-10-MC

CID-10-MC	Transtorno, condição ou problema
	Abuso psicológico infantil suspeitado
T76.32XD	Consulta de seguimento
T76.32XA	Consulta inicial
	Abuso sexual de adulto por não cônjuge ou não parceiro(a) confirmado
T74.21XD	Consulta de seguimento
T74.21XA	Consulta inicial
	Abuso sexual de adulto por não cônjuge ou não parceiro(a) suspeitado
T76.21XD	Consulta de seguimento
T76.21XA	Consulta inicial
	Abuso sexual infantil confirmado
T74.22XD	Consulta de seguimento
T74.22XA	Consulta inicial
	Abuso sexual infantil suspeitado
T76.22XD	Consulta de seguimento
T76.22XA	Consulta inicial
G25.71	Acatisia aguda induzida por medicamento
G25.71	Acatisia tardia
Z31.5	Aconselhamento genético
Z71.3	Aconselhamento nutricional
Z70.9	Aconselhamento sexual
F40.00	Agorafobia
Z60.5	Alvo de discriminação ou perseguição adversa (percebida)
Z56.5	Ambiente de trabalho hostil
Z56.2	Ameaça de perda de emprego
F44.0	Amnésia dissociativa
F44.1	Amnésia dissociativa, com fuga dissociativa
Z55.0	Analfabetismo e baixo nível de escolaridade
	Anorexia nervosa
F50.02	Tipo compulsão alimentar purgativa
F50.01	Tipo restritivo
	Apneia central do sono
G47.37	Apneia central do sono comórbida com uso de opioide
G47.31	Apneia central do sono tipo idiopática
R06.3	Respiração de Cheyne-Stokes
G47.33	Apneia e hipopneia obstrutivas do sono
Z56.81	Assédio sexual no trabalho
F88	Atraso global do desenvolvimento
R45.88	Autolesão não suicida atual
R45.88	Autolesão não suicida atual
Z59.6	Baixa renda
F50.2	Bulimia nervosa
F06.1	Catatonia associada a outro transtorno mental (especificador de catatonia)
F06.1	Catatonia não especificada (codificar primeiro R29.818 Outros sintomas envolvendo os sistemas nervoso e musculoesquelético)
F63.2	Cleptomania

CID-10-MC	Transtorno, condição ou problema
Z72.811	Comportamento antissocial adulto
Z72.810	Comportamento antissocial de criança ou adolescente
	Comportamento suicida atual
T14.91XD	Consulta de seguimento
T14.91XA	Consulta inicial
Z65.0	Condenação em processos criminais sem prisão
Z62.898	Criança afetada por sofrimento na relação dos pais
R41.81	Declínio cognitivo relacionado à idade
	Delirium
F05	*Delirium* devido a múltiplas etiologias
F05	*Delirium* devido a outra condição médica
F12.921	*Delirium* induzido por agonista de receptores canabinoides (com uso de medicamento conforme prescrito)
F12.921	*Delirium* induzido por agonista de receptores canabinoides (medicamento farmacêutico agonista de receptores canabinoides tomado conforme prescrito)
	Delirium induzido por ketamina ou outro alucinógeno (ketamina ou outra medicação alucinógena tomada como prescrito ou por razões médicas)
	Delirium induzido por medicamento (*para os códigos da CID-10-MC, ver substâncias específicas*)
F15.921	*Delirium* induzido por medicamento/substância tipo anfetamina (ou outro estimulante) (tomado conforme prescrito)
F11.988	*Delirium* induzido por opioides (durante abstinência de medicamento opioide tomado como prescrito)
F11.921	*Delirium* induzido por opioides (medicamento opioide tomado como prescrito)
F16.921	*Delirium* induzido por outro alucinógeno (outra medicação alucinógena tomada como prescrito ou por razões médicas)
F19.931	*Delirium* induzido por outro medicamento (ou medicamento desconhecido) (durante a abstinência de outro medicamento [ou medicamento desconhecido] tomado conforme prescrito)
F19.921	*Delirium* induzido por outro medicamento (ou medicamento desconhecido) (outro medicamento [ou medicamento desconhecido] tomado conforme prescrito)
F13.931	*Delirium* induzido por sedativos, hipnóticos ou ansiolíticos (durante a abstinência de medicamento sedativo, hipnótico ou ansiolítico tomado conforme prescrito)
F13.921	*Delirium* induzido por sedativos, hipnóticos ou ansiolíticos (sedativo, hipnótico ou ansiolítico tomado conforme prescrito)
F05	*Delirium* não especificado
	Delirium por abstinência de álcool
F10.131	Com transtorno por uso, Leve
F10.231	Com transtorno por uso, Moderado ou grave
F10.931	Sem transtorno por uso
	Delirium por abstinência de opioides
F11.188	Com transtorno por uso, Leve
F11.288	Com transtorno por uso, Moderado ou grave
F11.988	Sem transtorno por uso
	Delirium por abstinência de outra substância (ou substância desconhecida)
F19.131	Com transtorno por uso, Leve
F19.231	Com transtorno por uso, Moderado ou grave

Listagem Alfabética dos Diagnósticos do DSM-5-TR e Códigos da CID-10-MC

CID-10-MC	Transtorno, condição ou problema
F19.931	Sem transtorno por uso
	Delirium por abstinência de sedativos, hipnóticos ou ansiolíticos
F13.131	Com transtorno por uso, Leve
F13.231	Com transtorno por uso, Moderado ou grave
F13.931	Sem transtorno por uso
	Delirium por abstinência de substância (*ver substâncias específicas para códigos*)
	Delirium por intoxicação por álcool
F10.121	Com transtorno por uso, Leve
F10.221	Com transtorno por uso, Moderado ou grave
F10.921	Sem transtorno por uso
	Delirium por intoxicação por *Cannabis*
F12.121	Com transtorno por uso, Leve
F12.221	Com transtorno por uso, Moderado ou grave
F12.921	Sem transtorno por uso
	Delirium por intoxicação por cocaína
F14.121	Com transtorno por uso, Leve
F14.221	Com transtorno por uso, Moderado ou grave
F14.921	Sem transtorno por uso
	Delirium por intoxicação por fenciclidina
F16.121	Com transtorno por uso, Leve
F16.221	Com transtorno por uso, Moderado ou grave
F16.921	Sem transtorno por uso
	Delirium por intoxicação por inalantes
F18.121	Com transtorno por uso, Leve
F18.221	Com transtorno por uso, Moderado ou grave
F18.921	Sem transtorno por uso
	Delirium por intoxicação por opioides
F11.121	Com transtorno por uso, Leve
F11.221	Com transtorno por uso, Moderado ou grave
F11.921	Sem transtorno por uso
	Delirium por intoxicação por outra substância (ou substância desconhecida)
F19.121	Com transtorno por uso, Leve
F19.221	Com transtorno por uso, Moderado ou grave
F19.921	Sem transtorno por uso
	Delirium por intoxicação por outro alucinógeno
F16.121	Com transtorno por uso, Leve
F16.221	Com transtorno por uso, Moderado ou grave
F16.921	Sem transtorno por uso
	Delirium por intoxicação por sedativos, hipnóticos ou ansiolíticos
F13.121	Com transtorno por uso, Leve
F13.221	Com transtorno por uso, Moderado ou grave
F13.921	Sem transtorno por uso
	Delirium por intoxicação por substância (*ver substâncias específicas para códigos*)
	Delirium por intoxicação por substância tipo anfetamina
F15.121	Com transtorno por uso, Leve

CID-10-MC	Transtorno, condição ou problema
F15.221	Com transtorno por uso, Moderado ou grave
F15.921	Sem transtorno por uso
Z55.4	Desajuste educacional e desentendimento com professores e colegas
Z56.0	Desemprego
Z56.4	Desentendimento com chefia e colegas de trabalho
Z64.4	Desentendimento com prestador de serviço social, incluindo oficial da condicional, gerente do caso ou assistente social
Z59.2	Desentendimento com vizinho, locatário ou locador
Z60.3	Dificuldade de aculturação
G24.01	Discinesia tardia
F64.0	Disforia de gênero em adolescentes e adultos
F64.2	Disforia de gênero em crianças
F64.9	Disforia de gênero não especificada
	Disfunção sexual induzida por álcool
F10.181	Com transtorno por uso, Leve
F10.281	Com transtorno por uso, Moderado ou grave
F10.981	Sem transtorno por uso
	Disfunção sexual induzida por cocaína
F14.181	Com transtorno por uso, Leve
F14.281	Com transtorno por uso, Moderado ou grave
F14.981	Sem transtorno por uso
	Disfunção sexual induzida por opioides
F11.181	Com transtorno por uso, Leve
F11.281	Com transtorno por uso, Moderado ou grave
F11.981	Sem transtorno por uso
	Disfunção sexual induzida por outra substância (ou substância desconhecida)
F19.181	Com transtorno por uso, Leve
F19.281	Com transtorno por uso, Moderado ou grave
F19.981	Sem transtorno por uso
	Disfunção sexual induzida por sedativos, hipnóticos ou ansiolíticos
F13.181	Com transtorno por uso, Leve
F13.281	Com transtorno por uso, Moderado ou grave
F13.981	Sem transtorno por uso
	Disfunção sexual induzida por substância tipo anfetamina (ou outro estimulante)
F15.181	Com transtorno por uso, Leve
F15.281	Com transtorno por uso, Moderado ou grave
F15.981	Sem transtorno por uso
	Disfunção sexual induzida por substância/medicamento (*ver substâncias específicas para códigos*)
F52.9	Disfunção sexual não especificada
G24.02	Distonia aguda induzida por medicamento
G24.09	Distonia tardia
Z62.29	Educação longe dos pais
F52.4	Ejaculação prematura (precoce)
F52.32	Ejaculação retardada

CID-10-MC	Transtorno, condição ou problema
F98.1	Encoprese
F98.0	Enurese
Z55.1	Escolarização indisponível ou inatingível
sem código	Especificador de ataque de pânico
F20.9	Esquizofrenia
Z60.4	Exclusão ou rejeição social
R45.89	Explosões Emocionais Prejudiciais
Z65.5	Exposição a desastre, guerra ou outras hostilidades
Z58.6	Falta de água potável segura
F54	Fatores psicológicos que afetam outras condições médicas
	Fobia específica
F40.228	Ambiente natural
F40.218	Animal
F40.298	Outro
	Sangue-injeção-ferimentos
F40.233	Medo de ferimentos
F40.231	Medo de injeções e transfusões
F40.232	Medo de outros cuidados médicos
F40.230	Medo de sangue
F40.248	Situacional
R41.83	Funcionamento intelectual *borderline*
	Hipoventilação relacionada ao sono
G47.35	Hipoventilação alveolar central congênita
G47.34	Hipoventilação idiopática
G47.36	Hipoventilação relacionada ao sono comórbida
Z91.52	História de autolesão não suicida
Z91.51	História de comportamento suicida
Z91.82	História pessoal de preparação militar
Z91.49	História pessoal de trauma psicológico
Z56.3	Horário de trabalho estressante
Z75.3	Indisponibilidade ou inacessibilidade a unidades de saúde
Z75.4	Indisponibilidade ou inacessibilidade de outras agências de ajuda
Z59.41	Insegurança alimentar
Z55.3	Insucesso na escola
	Intoxicação por álcool
F10.120	Com transtorno por uso, Leve
F10.220	Com transtorno por uso, Moderado ou grave
F10.920	Sem transtorno por uso
F15.920	Intoxicação por cafeína
	Intoxicação por *Cannabis*, Com perturbações da percepção
F12.122	Com transtorno por uso, Leve
F12.222	Com transtorno por uso, Moderado ou grave
F12.922	Sem transtorno por uso
	Intoxicação por *Cannabis*, Sem perturbações da percepção
F12.120	Com transtorno por uso, Leve

CID-10-MC	Transtorno, condição ou problema
F12.220	Com transtorno por uso, Moderado ou grave
F12.920	Sem transtorno por uso
	Intoxicação por cocaína, Com perturbações da percepção
F14.122	Com transtorno por uso, Leve
F14.222	Com transtorno por uso, Moderado ou grave
F14.922	Sem transtorno por uso
	Intoxicação por cocaína, Sem perturbações da percepção
F14.120	Com transtorno por uso, Leve
F14.220	Com transtorno por uso, Moderado ou grave
F14.920	Sem transtorno por uso
	Intoxicação por estimulantes (ver Intoxicação por substância tipo anfetamina, cocaína ou outro estimulante ou estimulante não especificado para códigos específicos)
	Intoxicação por fenciclidina
F16.120	Com transtorno por uso, Leve
F16.220	Com transtorno por uso, Moderado ou grave
F16.920	Sem transtorno por uso
	Intoxicação por inalantes
F18.120	Com transtorno por uso, Leve
F18.220	Com transtorno por uso, Moderado ou grave
F18.920	Sem transtorno por uso
	Intoxicação por opioides, Com perturbações da percepção
F11.122	Com transtorno por uso, Leve
F11.222	Com transtorno por uso, Moderado ou grave
F11.922	Sem transtorno por uso
	Intoxicação por opioides, Sem perturbações da percepção
F11.120	Com transtorno por uso, Leve
F11.220	Com transtorno por uso, Moderado ou grave
F11.920	Sem transtorno por uso
	Intoxicação por outra substância (ou substância desconhecida), Com perturbações da percepção
F19.122	Com transtorno por uso, Leve
F19.222	Com transtorno por uso, Moderado ou grave
F19.922	Sem transtorno por uso
	Intoxicação por outra substância (ou substância desconhecida), Sem perturbações da percepção
F19.120	Com transtorno por uso, Leve
F19.220	Com transtorno por uso, Moderado ou grave
F19.920	Sem transtorno por uso
	Intoxicação por outro alucinógeno
F16.120	Com transtorno por uso, Leve
F16.220	Com transtorno por uso, Moderado ou grave
F16.920	Sem transtorno por uso
	Intoxicação por outros estimulantes, Com perturbações da percepção
F15.122	Com transtorno por uso, Leve
F15.222	Com transtorno por uso, Moderado ou grave

CID-10-MC	Transtorno, condição ou problema
F15.922	Sem transtorno por uso
	Intoxicação por outros estimulantes, Sem perturbações da percepção
F15.120	Com transtorno por uso, Leve
F15.220	Com transtorno por uso, Moderado ou grave
F15.920	Sem transtorno por uso
	Ver também Transtorno por uso de outros estimulantes ou estimulante não especificado
	Intoxicação por sedativos, hipnóticos ou ansiolíticos
F13.120	Com transtorno por uso, Leve
F13.220	Com transtorno por uso, Moderado ou grave
F13.920	Sem transtorno por uso
	Intoxicação por substância tipo anfetamina
	Intoxicação por substância tipo anfetamina, Com perturbações da percepção
F15.122	Com transtorno por uso, Leve
F15.222	Com transtorno por uso, Moderado ou grave
F15.922	Sem transtorno por uso
	Intoxicação por substância tipo anfetamina, Sem perturbações da percepção
F15.120	Com transtorno por uso, Leve
F15.220	Com transtorno por uso, Moderado ou grave
F15.920	Sem transtorno por uso
Z63.4	Luto não complicado
Z59.1	Moradia inadequada
Z56.1	Mudança de emprego
F07.0	Mudança de personalidade devido a outra condição médica
F94.0	Mutismo seletivo
Z91.199	Não adesão a tratamento médico
	Narcolepsia
G47.411	Narcolepsia com cataplexia ou com deficiência de hipocretina (tipo 1)
G47.421	Narcolepsia com cataplexia ou com deficiência de hipocretina devido a uma condição médica
G47.429	Narcolepsia sem cataplexia ou sem deficiência de hipocretina devido a uma condição médica
G47.419	Narcolepsia sem cataplexia ou sem deficiência de hipocretina ou hipocretina não medida (tipo 2)
	Negligência de cônjuge ou parceiro(a) confirmada
T74.01XD	Consulta de seguimento
T74.01XA	Consulta inicial
	Negligência de cônjuge ou parceiro(a) suspeitada
T76.01XD	Consulta de seguimento
T76.01XA	Consulta inicial
	Negligência infantil confirmada
T74.02XD	Consulta de seguimento
T74.02XA	Consulta inicial
	Negligência infantil suspeitada
T76.02XD	Consulta de seguimento
T76.02XA	Consulta inicial

CID-10-MC	Transtorno, condição ou problema
Z63.8	Nível de expressão emocional alto na família
F64.8	Outra disforia de gênero especificada
F52.8	Outra disfunção sexual especificada
Z91.49	Outra história pessoal de trauma psicológico
Z56.6	Outra tensão física ou mental relacionada ao trabalho
	Outras circunstâncias relacionadas a abuso de adulto por não cônjuge ou não parceiro(a)
Z69.82	Consulta em serviços de saúde mental de perpetrador de abuso de adulto por não cônjuge ou não parceiro(a)
Z69.81	Consulta em serviços de saúde mental de vítima de abuso de adulto por não cônjuge ou não parceiro(a)
	Outras circunstâncias relacionadas a abuso físico infantil
Z69.021	Consulta em serviços de saúde mental de perpetrador de abuso físico infantil não parental
Z69.011	Consulta em serviços de saúde mental de perpetrador de abuso físico infantil parental
Z69.020	Consulta em serviços de saúde mental de vítima de abuso físico infantil não parental
Z69.010	Consulta em serviços de saúde mental de vítima de abuso físico infantil por um dos pais
Z62.810	História pessoal (história anterior) de abuso físico na infância
	Outras circunstâncias relacionadas a abuso psicológico de cônjuge ou parceiro(a)
Z69.12	Consulta em serviços de saúde mental de perpetrador de abuso psicológico de cônjuge ou parceiro(a)
Z69.11	Consulta em serviços de saúde mental de vítima de abuso psicológico de cônjuge ou parceiro(a)
Z91.411	História pessoal (história anterior) de abuso psicológico de cônjuge ou parceiro(a)
	Outras circunstâncias relacionadas a abuso psicológico infantil
Z69.021	Consulta em serviços de saúde mental de perpetrador de abuso psicológico infantil não parental
Z69.011	Consulta em serviços de saúde mental de perpetrador de abuso psicológico infantil parental
Z69.020	Consulta em serviços de saúde mental de vítima de abuso psicológico infantil não parental
Z69.010	Consulta em serviços de saúde mental de vítima de abuso psicológico infantil por um dos pais
Z62.811	História pessoal (história anterior) de abuso psicológico na infância
	Outras circunstâncias relacionadas a abuso sexual infantil
Z69.021	Consulta em serviços de saúde mental de perpetrador de abuso sexual infantil não parental
Z69.011	Consulta em serviços de saúde mental de perpetrador de abuso sexual infantil parental
Z69.020	Consulta em serviços de saúde mental de vítima de abuso sexual infantil não parental
Z69.010	Consulta em serviços de saúde mental de vítima de abuso sexual infantil por um dos pais
Z62.810	História pessoal (história anterior) de abuso sexual na infância
	Outras circunstâncias relacionadas a negligência de cônjuge ou parceiro(a)
Z69.12	Consulta em serviços de saúde mental de perpetrador de negligência de cônjuge ou parceiro(a)
Z69.11	Consulta em serviços de saúde mental de vítima de negligência de cônjuge ou parceiro(a)

CID-10-MC	Transtorno, condição ou problema
Z91.412	História pessoal (história anterior) de negligência de cônjuge ou parceiro(a)
	Outras circunstâncias relacionadas a negligência infantil
Z69.021	Consulta em serviços de saúde mental de perpetrador de negligência infantil não parental
Z69.011	Consulta em serviços de saúde mental de perpetrador de negligência infantil parental
Z69.020	Consulta em serviços de saúde mental de vítima de negligência infantil não parental
Z69.010	Consulta em serviços de saúde mental de vítima de negligência infantil por um dos pais
Z62.812	História pessoal (história anterior) de negligência na infância
	Outras circunstâncias relacionadas a violência física de cônjuge ou parceiro(a)
Z69.12	Consulta em serviços de saúde mental de perpetrador de violência física de cônjuge ou parceiro(a)
Z69.11	Consulta em serviços de saúde mental de vítima de violência física de cônjuge ou parceiro(a)
Z91.410	História pessoal (história anterior) de violência física de cônjuge ou parceiro(a)
	Outras circunstâncias relacionadas a violência sexual de cônjuge ou parceiro(a)
Z69.12	Consulta em serviços de saúde mental de perpetrador de violência sexual de cônjuge ou parceiro(a)
Z69.81	Consulta em serviços de saúde mental de vítima de violência sexual de cônjuge ou parceiro(a)
Z91.410	História pessoal (história anterior) de violência sexual de cônjuge ou parceiro(a)
Z71.9	Outro aconselhamento ou consulta
F05	Outro *delirium* especificado
Z59.9	Outro problema de moradia
Z59.9	Outro problema econômico
Z56.9	Outro problema relacionado a emprego
Z60.9	Outro problema relacionado ao ambiente social
F50.89	Outro transtorno alimentar especificado
F31.89	Outro transtorno bipolar e transtorno relacionado especificado
	Outro transtorno da eliminação especificado
R15.9	Com sintomas fecais
N39.498	Com sintomas urinários
F60.89	Outro transtorno da personalidade especificado
F41.8	Outro transtorno de ansiedade especificado
F90.8	Outro transtorno de déficit de atenção/hiperatividade especificado
G47.19	Outro transtorno de hipersonolência especificado
G47.09	Outro transtorno de insônia especificado
F45.8	Outro transtorno de sintomas somáticos e transtorno relacionado especificado
F95.8	Outro transtorno de tique especificado
F32.89	Outro transtorno depressivo especificado
F91.8	Outro transtorno disruptivo, do controle de impulsos e da conduta especificado
F44.89	Outro transtorno dissociativo especificado
F28	Outro transtorno do espectro da esquizofrenia e outro transtorno psicótico especificado
G25.79	Outro transtorno do movimento induzido por medicamento
F88	Outro transtorno do neurodesenvolvimento especificado
G47.8	Outro transtorno do sono-vigília especificado

CID-10-MC	Transtorno, condição ou problema
F99	Outro transtorno mental especificado
F06.8	Outro transtorno mental especificado devido a outra condição médica
F42.8	Outro transtorno obsessivo-compulsivo e transtorno relacionado especificado
F65.89	Outro transtorno parafílico especificado
F43.89	Outro transtorno relacionado a trauma e a estressores especificado
	Outros efeitos adversos de medicamentos
T50.905D	Consulta de seguimento
T50.905A	Consulta inicial
T50.905S	Sequelas
Z91.89	Outros fatores de risco pessoais
Z55.9	Outros problemas relacionados à educação e alfabetização
G21.11	Parkinsonismo induzido por medicamento antipsicótico e outro agente bloqueador do receptor de dopamina
G21.19	Parkinsonismo induzido por outro medicamento
Z91.83	Perambulação associada a algum transtorno mental
	Pica
F50.89	Em adultos
F98.3	Em crianças
F63.1	Piromania
Z59.5	Pobreza extrema
Z65.1	Prisão ou outro encarceramento
Z62.891	Problema de relacionamento com irmão
	Problema de relacionamento entre pais e filhos
Z62.898	Entre outro cuidador e filho
Z62.822	Entre pais e filho acolhido
Z62.821	Entre pais e filho adotado
Z62.820	Entre pais e filho biológico
Z56.82	Problema relacionado a condição atual de preparação militar
Z60.0	Problema relacionado à fase da vida
Z59.3	Problema relacionado a moradia em instituição residencial
Z60.2	Problema relacionado a morar sozinho
Z72.9	Problema relacionado ao estilo de vida
Z65.8	Problema religioso ou espiritual
Z55.8	Problemas relacionados a ensino inadequado
Z64.0	Problemas relacionados a gravidez indesejada
Z65.2	Problemas relacionados à liberdade prisional
Z64.1	Problemas relacionados a múltiplas gestações
Z65.3	Problemas relacionados a outras circunstâncias legais
Z55.2	Reprovação em exames escolares
Z63.5	Ruptura da família por separação ou divórcio
Z59.7	Seguro social ou de saúde ou previdência social insuficientes
Z03.89	Sem diagnóstico ou condição
Z59.02	Sem-teto
Z59.01	Sem-teto abrigado
Z76.5	Simulação

CID-10-MC	Transtorno, condição ou problema
G25.81	Síndrome das pernas inquietas
	Síndrome de descontinuação de antidepressivos
T43.205D	Consulta de seguimento
T43.205A	Consulta inicial
T43.205S	Sequelas
G21.0	Síndrome neuroléptica maligna
E66.9	Sobrepeso ou obesidade
Z63.0	Sofrimento na relação com o cônjuge ou parceiro(a) íntimo(a)
F50.9	Transtorno alimentar não especificado
F50.82	Transtorno alimentar restritivo/evitativo
	Transtorno bipolar e transtorno relacionado devido a outra condição médica
F06.33	Com características maníacas
F06.34	Com características mistas
F06.33	Com episódio tipo maníaco ou hipomaníaco
	Transtorno bipolar e transtorno relacionado induzido por álcool
F10.14	Com transtorno por uso, Leve
F10.24	Com transtorno por uso, Moderado ou grave
F10.94	Sem transtorno por uso
	Transtorno bipolar e transtorno relacionado induzido por cocaína
F14.14	Com transtorno por uso, Leve
F14.24	Com transtorno por uso, Moderado ou grave
F14.94	Sem transtorno por uso
	Transtorno bipolar e transtorno relacionado induzido por fenciclidina
F16.14	Com transtorno por uso, Leve
F16.24	Com transtorno por uso, Moderado ou grave
F16.94	Sem transtorno por uso
	Transtorno bipolar e transtorno relacionado induzido por outra substância (ou substância desconhecida)
F19.14	Com transtorno por uso, Leve
F19.24	Com transtorno por uso, Moderado ou grave
F19.94	Sem transtorno por uso
	Transtorno bipolar e transtorno relacionado induzido por outro alucinógeno
F16.14	Com transtorno por uso, Leve
F16.24	Com transtorno por uso, Moderado ou grave
F16.94	Sem transtorno por uso
	Transtorno bipolar e transtorno relacionado induzido por sedativos, hipnóticos ou ansiolíticos
F13.14	Com transtorno por uso, Leve
F13.24	Com transtorno por uso, Moderado ou grave
F13.94	Sem transtorno por uso
	Transtorno bipolar e transtorno relacionado induzido por substância tipo anfetamina (ou outro estimulante)
F15.14	Com transtorno por uso, Leve
F15.24	Com transtorno por uso, Moderado ou grave
F15.94	Sem transtorno por uso

CID-10-MC	Transtorno, condição ou problema
	Transtorno bipolar e transtorno relacionado induzido por substância/medicamento (*ver substâncias específicas para códigos*)
F31.9	Transtorno bipolar e transtorno relacionado não especificado
	Transtorno bipolar tipo I, Episódio atual ou mais recente depressivo
F31.5	Com características psicóticas
F31.76	Em remissão completa
F31.75	Em remissão parcial
F31.4	Grave
F31.31	Leve
F31.32	Moderado
F31.9	Não especificado
F31.0	Transtorno bipolar tipo I, Episódio atual ou mais recente hipomaníaco
F31.72	Em remissão completa
F31.71	Em remissão parcial
F31.9	Não especificado
	Transtorno bipolar tipo I, Episódio atual ou mais recente maníaco
F31.2	Com características psicóticas
F31.74	Em remissão completa
F31.73	Em remissão parcial
F31.13	Grave
F31.11	Leve
F31.12	Moderado
F31.9	Não especificado
F31.9	Transtorno bipolar tipo I, Episódio atual ou mais recente não especificado
F31.81	Transtorno bipolar tipo II
F06.1	Transtorno catatônico devido a outra condição médica
F34.0	Transtorno ciclotímico
G47.52	Transtorno comportamental do sono REM
	Transtorno conversivo (*ver* Transtorno de sintomas neurológicos funcionais)
F80.9	Transtorno da comunicação não especificado
F80.82	Transtorno da comunicação social (pragmática)
	Transtorno da conduta
F91.9	Início não especificado
F91.2	Tipo com início na adolescência
F91.1	Tipo com início na infância
F52.6	Transtorno da dor gênito-pélvica/penetração
	Transtorno da eliminação não especificado
R15.9	Com sintomas fecais
R32	Com sintomas urinários
F80.0	Transtorno da fala
F98.5	Transtorno da fluência com início na idade adulta
F80.81	Transtorno da fluência com início na infância (gagueira)
F80.2	Transtorno da linguagem
F60.2	Transtorno da personalidade antissocial
F60.3	Transtorno da personalidade *borderline*

CID-10-MC	Transtorno, condição ou problema
F60.7	Transtorno da personalidade dependente
F60.1	Transtorno da personalidade esquizoide
F21	Transtorno da personalidade esquizotípica
F60.6	Transtorno da personalidade evitativa
F60.4	Transtorno da personalidade histriônica
F60.9	Transtorno da personalidade não especificado
F60.81	Transtorno da personalidade narcisista
F60.5	Transtorno da personalidade obsessivo-compulsiva
F60.0	Transtorno da personalidade paranoide
F42.3	Transtorno de acumulação
F45.21	Transtorno de ansiedade de doença
F93.0	Transtorno de ansiedade de separação
F06.4	Transtorno de ansiedade devido a outra condição médica
F41.1	Transtorno de ansiedade generalizada
	Transtorno de ansiedade induzido por álcool
F10.180	Com transtorno por uso, Leve
F10.280	Com transtorno por uso, Moderado ou grave
F10.980	Sem transtorno por uso
F15.980	Transtorno de ansiedade induzido por cafeína, Sem transtorno por uso
	Transtorno de ansiedade induzido por *Cannabis*
F12.180	Com transtorno por uso, Leve
F12.280	Com transtorno por uso, Moderado ou grave
F12.980	Sem transtorno por uso
	Transtorno de ansiedade induzido por cocaína
F14.180	Com transtorno por uso, Leve
F14.280	Com transtorno por uso, Moderado ou grave
F14.980	Sem transtorno por uso
	Transtorno de ansiedade induzido por fenciclidina
F16.180	Com transtorno por uso, Leve
F16.280	Com transtorno por uso, Moderado ou grave
F16.980	Sem transtorno por uso
	Transtorno de ansiedade induzido por inalantes
F18.180	Com transtorno por uso, Leve
F18.280	Com transtorno por uso, Moderado ou grave
F18.980	Sem transtorno por uso
	Transtorno de ansiedade induzido por opioides
F11.188	Com transtorno por uso, Leve
F11.288	Com transtorno por uso, Moderado ou grave
F11.988	Sem transtorno por uso
	Transtorno de ansiedade induzido por outra substância (ou substância desconhecida)
F19.180	Com transtorno por uso, Leve
F19.280	Com transtorno por uso, Moderado ou grave
F19.980	Sem transtorno por uso
	Transtorno de ansiedade induzido por outro alucinógeno
F16.180	Com transtorno por uso, Leve

CID-10-MC	Transtorno, condição ou problema
F16.280	Com transtorno por uso, Moderado ou grave
F16.980	Sem transtorno por uso
	Transtorno de ansiedade induzido por sedativos, hipnóticos ou ansiolíticos
F13.180	Com transtorno por uso, Leve
F13.280	Com transtorno por uso, Moderado ou grave
F13.980	Sem transtorno por uso
	Transtorno de ansiedade induzido por substância tipo anfetamina (ou outro estimulante)
F15.180	Com transtorno por uso, Leve
F15.280	Com transtorno por uso, Moderado ou grave
F15.980	Sem transtorno por uso
	Transtorno de ansiedade induzido por substância/medicamento (*ver substâncias específicas para códigos*)
F41.9	Transtorno de ansiedade não especificado
F40.10	Transtorno de ansiedade social
F94.1	Transtorno de apego reativo
F50.81	Transtorno de compulsão alimentar
	Transtorno de déficit de atenção/hiperatividade
F90.2	Apresentação combinada
F90.0	Apresentação predominantemente desatenta
F90.1	Apresentação predominantemente hiperativa/impulsiva
F90.9	Transtorno de déficit de atenção/hiperatividade não especificado
F48.1	Transtorno de despersonalização/desrealização
F42.4	Transtorno de escoriação (*skin-picking*)
F43.0	Transtorno de estresse agudo
F43.10	Transtorno de estresse pós-traumático
F51.11	Transtorno de hipersonolência
G47.10	Transtorno de hipersonolência não especificado
F51.01	Transtorno de insônia
G47.00	Transtorno de insônia não especificado
F94.2	Transtorno de interação social desinibida
F91.3	Transtorno de oposição desafiante
F41.0	Transtorno de pânico
F98.21	Transtorno de ruminação
	Transtorno de sintomas neurológicos funcionais (transtorno conversivo)
F44.6	Com anestesia ou perda sensorial
F44.5	Com ataques ou convulsões
F44.4	Com fraqueza ou paralisia
F44.4	Com movimento anormal
F44.4	Com sintoma de fala
F44.6	Com sintoma sensorial especial
F44.4	Com sintomas de deglutição
F44.7	Com sintomas mistos
F45.1	Transtorno de sintomas somáticos
F45.9	Transtorno de sintomas somáticos e transtorno relacionado não especificado

CID-10-MC	Transtorno, condição ou problema
F95.1	Transtorno de tique motor ou vocal persistente (crônico)
F95.9	Transtorno de tique não especificado
F95.0	Transtorno de tique provisório
F95.2	Transtorno de Tourette
F22	Transtorno delirante
	Transtorno depressivo devido a outra condição médica
F06.31	Com características depressivas
F06.34	Com características mistas
F06.32	Com episódio do tipo depressivo maior
	Transtorno depressivo induzido por álcool
F10.14	Com transtorno por uso, Leve
F10.24	Com transtorno por uso, Moderado ou grave
F10.94	Sem transtorno por uso
	Transtorno depressivo induzido por cocaína
F14.14	Com transtorno por uso, Leve
F14.24	Com transtorno por uso, Moderado ou grave
F14.94	Sem transtorno por uso
	Transtorno depressivo induzido por fenciclidina
F16.14	Com transtorno por uso, Leve
F16.24	Com transtorno por uso, Moderado ou grave
F16.94	Sem transtorno por uso
	Transtorno depressivo induzido por inalantes
F18.14	Com transtorno por uso, Leve
F18.24	Com transtorno por uso, Moderado ou grave
F18.94	Sem transtorno por uso
	Transtorno depressivo induzido por opioides
F11.14	Com transtorno por uso, Leve
F11.24	Com transtorno por uso, Moderado ou grave
F11.94	Sem transtorno por uso
	Transtorno depressivo induzido por outra substância (ou substância desconhecida)
F19.14	Com transtorno por uso, Leve
F19.24	Com transtorno por uso, Moderado ou grave
F19.94	Sem transtorno por uso
	Transtorno depressivo induzido por outro alucinógeno
F16.14	Com transtorno por uso, Leve
F16.24	Com transtorno por uso, Moderado ou grave
F16.94	Sem transtorno por uso
	Transtorno depressivo induzido por sedativos, hipnóticos ou ansiolíticos
F13.14	Com transtorno por uso, Leve
F13.24	Com transtorno por uso, Moderado ou grave
F13.94	Sem transtorno por uso
	Transtorno depressivo induzido por substância tipo anfetamina (ou outro estimulante)
F15.14	Com transtorno por uso, Leve
F15.24	Com transtorno por uso, Moderado ou grave
F15.94	Sem transtorno por uso

CID-10-MC	Transtorno, condição ou problema
	Transtorno depressivo induzido por substância/medicamento (*ver substâncias específicas para códigos*)
	Transtorno depressivo maior, Episódio recorrente
F33.3	Com características psicóticas
F33.42	Em remissão completa
F33.41	Em remissão parcial
F33.2	Grave
F33.0	Leve
F33.1	Moderado
F33.9	Não especificado
	Transtorno depressivo maior, Episódio único
F32.3	Com características psicóticas
F32.5	Em remissão completa
F32.4	Em remissão parcial
F32.2	Grave
F32.0	Leve
F32.1	Moderado
F32.9	Não especificado
F32.A	Transtorno depressivo não especificado
F34.1	Transtorno depressivo persistente
F32.81	Transtorno disfórico pré-menstrual
F45.22	Transtorno dismórfico corporal
F34.81	Transtorno disruptivo da desregulação do humor
F91.9	Transtorno disruptivo, do controle de impulsos e da conduta não especificado
F44.81	Transtorno dissociativo de identidade
F44.9	Transtorno dissociativo não especificado
F52.0	Transtorno do desejo sexual masculino hipoativo
F82	Transtorno do desenvolvimento da coordenação
	Transtorno do desenvolvimento intelectual (deficiência intelectual)
F72	Grave
F70	Leve
F71	Moderado
F73	Profundo
F79	Transtorno do desenvolvimento intelectual (deficiência intelectual) não especificado
F84.0	Transtorno do espectro autista
F29	Transtorno do espectro da esquizofrenia e outro transtorno psicótico não especificado
F39	Transtorno do humor não especificado
F52.22	Transtorno do interesse/excitação sexual feminino
F63.0	Transtorno do jogo
F43.81	Transtorno do luto prolongado
F65.51	Transtorno do masoquismo sexual
F98.4	Transtorno do movimento estereotipado
F89	Transtorno do neurodesenvolvimento não especificado
F52.31	Transtorno do orgasmo feminino
F51.5	Transtorno do pesadelo

CID-10-MC	Transtorno, condição ou problema
F65.52	Transtorno do sadismo sexual
	Transtorno do sono induzido por álcool
F10.182	Com transtorno por uso, Leve
F10.282	Com transtorno por uso, Moderado ou grave
F10.982	Sem transtorno por uso
F15.982	Transtorno do sono induzido por cafeína, Sem transtorno por uso
	Transtorno do sono induzido por *Cannabis*
F12.188	Com transtorno por uso, Leve
F12.288	Com transtorno por uso, Moderado ou grave
F12.988	Sem transtorno por uso
	Transtorno do sono induzido por cocaína
F14.182	Com transtorno por uso, Leve
F14.282	Com transtorno por uso, Moderado ou grave
F14.982	Sem transtorno por uso
	Transtorno do sono induzido por opioides
F11.182	Com transtorno por uso, Leve
F11.282	Com transtorno por uso, Moderado ou grave
F11.982	Sem transtorno por uso
	Transtorno do sono induzido por outra substância (ou substância desconhecida)
F19.182	Com transtorno por uso, Leve
F19.282	Com transtorno por uso, Moderado ou grave
F19.982	Sem transtorno por uso
	Transtorno do sono induzido por sedativos, hipnóticos ou ansiolíticos
F13.182	Com transtorno por uso, Leve
F13.282	Com transtorno por uso, Moderado ou grave
F13.982	Sem transtorno por uso
	Transtorno do sono induzido por substância tipo anfetamina (ou outro estimulante)
F15.182	Com transtorno por uso, Leve
F15.282	Com transtorno por uso, Moderado ou grave
F15.982	Sem transtorno por uso
	Transtorno do sono induzido por substância/medicamento (*ver substâncias específicas para códigos*)
F17.208	Transtorno do sono induzido por tabaco, Com transtorno por uso, Moderado ou grave
G47.9	Transtorno do sono-vigília não especificado
F52.21	Transtorno erétil
	Transtorno específico da aprendizagem
F81.2	Com prejuízo na matemática
F81.0	Com prejuízo na leitura
F81.81	Com prejuízo na expressão escrita
	Transtorno esquizoafetivo
F25.0	Tipo bipolar
F25.1	Tipo depressivo
F20.81	Transtorno esquizofreniforme
F65.2	Transtorno exibicionista
F63.81	Transtorno explosivo intermitente

CID-10-MC	Transtorno, condição ou problema
F68.10	Transtorno factício autoimposto
F68.A	Transtorno factício imposto a outro
F65.0	Transtorno fetichista
F65.81	Transtorno frotteurista
F99	Transtorno mental não especificado
F09	Transtorno mental não especificado devido a outra condição médica
___.___	Transtorno neurocognitivo frontotemporal leve (*ver* Transtorno neurocognitivo leve devido a possível degeneração frontotemporal; Transtorno neurocognitivo leve devido a provável degeneração frontotemporal)
___.___	Transtorno neurocognitivo leve com corpos de Lewy (*ver* Transtorno neurocognitivo leve com possível corpos de Lewy; Transtorno neurocognitivo leve com provável corpos de Lewy)
G31.84	Transtorno neurocognitivo leve com possível corpos de Lewy (*nenhum código médico adicional*)
F06.71	Transtorno neurocognitivo leve com provável corpos de Lewy (*Codificar em primeiro lugar* G31.83 doença com corpos de Lewy), Com perturbação comportamental
F06.70	Transtorno neurocognitivo leve com provável corpos de Lewy (*Codificar em primeiro lugar* G31.83 doença com corpos de Lewy), Sem perturbação comportamental
G31.84	Transtorno neurocognitivo leve devido a possível degeneração frontotemporal (*nenhum código médico adicional*)
F06.71	Transtorno neurocognitivo leve devido a provável degeneração frontotemporal (*Codificar em primeiro lugar* G31.09 degeneração frontotemporal), Com perturbação comportamental
F06.70	Transtorno neurocognitivo leve devido a provável degeneração frontotemporal (*Codificar em primeiro lugar* G31.09 degeneração frontotemporal), Sem perturbação comportamental
___.___	Transtorno neurocognitivo leve devido à doença de Alzheimer (*ver* Transtorno neurocognitivo leve devido a possível doença de Alzheimer; Transtorno neurocognitivo leve devido a provável doença de Alzheimer)
G31.84	Transtorno neurocognitivo leve devido a possível doença de Alzheimer (*nenhum código médico adicional*)
F06.71	Transtorno neurocognitivo leve devido a provável doença de Alzheimer (*Codificar em primeiro lugar* G30.9 doença de Alzheimer), Com perturbação comportamental
F06.70	Transtorno neurocognitivo leve devido a provável doença de Alzheimer (*Codificar em primeiro lugar* G30.9 doença de Alzheimer), Sem perturbação comportamental
F06.71	Transtorno neurocognitivo leve devido à doença de Huntington (*Codificar em primeiro lugar* G10 doença de Huntington), Com perturbação comportamental
F06.70	Transtorno neurocognitivo leve devido à doença de Huntington (*Codificar em primeiro lugar* G10 doença de Huntington), Sem perturbação comportamental
___.___	Transtorno neurocognitivo leve devido à doença de Parkinson (*ver* Transtorno neurocognitivo leve possivelmente devido à doença de Parkinson; Transtorno neurocognitivo leve provavelmente devido à doença de Parkinson)
G31.84	Transtorno neurocognitivo leve possivelmente devido à doença de Parkinson (*nenhum código médico adicional*)
F06.71	Transtorno neurocognitivo leve provavelmente devido à doença de Parkinson (*Codificar em primeiro lugar* G20 doença de Parkinson), Com perturbação comportamental

CID-10-MC	Transtorno, condição ou problema
F06.70	Transtorno neurocognitivo leve provavelmente devido à doença de Parkinson (*Codificar em primeiro lugar* G20 doença de Parkinson), Sem perturbação comportamental
F06.71	Transtorno neurocognitivo leve devido à doença do príon (*Codificar em primeiro lugar* A81.9 doença do príon), Com perturbação comportamental
F06.70	Transtorno neurocognitivo leve devido à doença do príon (*Codificar em primeiro lugar* A81.9 doença do Príon), Sem perturbação comportamental
G31.84	Transtorno neurocognitivo leve devido a etiologia desconhecida *(nenhum código médico adicional)*
F06.71	Transtorno neurocognitivo leve devido à infecção por HIV (*Codificar em primeiro lugar* B20 infecção por HIV), Com perturbação comportamental
F06.70	Transtorno neurocognitivo leve devido à infecção por HIV (*Codificar em primeiro lugar* B20 infecção por HIV), Sem perturbação comportamental
F06.71	Transtorno neurocognitivo leve devido a lesão cerebral traumática (*Codificar em primeiro lugar* S06.2XAS lesão cerebral traumática difusa com perda de consciência de duração não especificada, com sequela), Com perturbação comportamental
F06.70	Transtorno neurocognitivo leve devido a lesão cerebral traumática (*Codificar em primeiro lugar* S06.2XAS lesão cerebral traumática difusa com perda de consciência de duração não especificada, com sequela), Sem perturbação comportamental
F06.71	Transtorno neurocognitivo leve devido a múltiplas etiologias (*Codificar em primeiro lugar* as outras etiologias médicas), Com perturbação comportamental
F06.70	Transtorno neurocognitivo leve devido a múltiplas etiologias (*Codificar em primeiro lugar* as outras etiologias médicas), Sem perturbação comportamental
F06.71	Transtorno neurocognitivo leve devido a outra condição médica (*Codificar em primeiro lugar* a outra condição médica), Com perturbação comportamental
F06.70	Transtorno neurocognitivo leve devido a outra condição médica (*Codificar em primeiro lugar* a outra condição médica), Sem perturbação comportamental
	Transtorno neurocognitivo leve induzido por álcool
F10.188	Com transtorno por uso, Leve
F10.288	Com transtorno por uso, Moderado ou grave
F10.988	Sem transtorno por uso
	Transtorno neurocognitivo leve induzido por cocaína
F14.188	Com transtorno por uso, Leve
F14.288	Com transtorno por uso, Moderado ou grave
F14.988	Sem transtorno por uso
	Transtorno neurocognitivo leve induzido por inalantes
F18.188	Com transtorno por uso, Leve
F18.288	Com transtorno por uso, Moderado ou grave
F18.988	Sem transtorno por uso
	Transtorno neurocognitivo leve induzido por outra substância (ou substância desconhecida)
F19.188	Com transtorno por uso, Leve
F19.288	Com transtorno por uso, Moderado ou grave
F19.988	Sem transtorno por uso
	Transtorno neurocognitivo leve induzido por sedativos, hipnóticos ou ansiolíticos
F13.188	Com transtorno por uso, Leve
F13.288	Com transtorno por uso, Moderado ou grave
F13.988	Sem transtorno por uso

CID-10-MC	Transtorno, condição ou problema
	Transtorno neurocognitivo leve induzido por substância tipo anfetamina (ou outro estimulante)
F15.188	Com transtorno por uso, Leve
F15.288	Com transtorno por uso, Moderado ou grave
F15.988	Sem transtorno por uso
___.___	Transtorno neurocognitivo frontotemporal maior (*ver* Transtorno neurocognitivo maior devido a possível degeneração frontotemporal; Transtorno neurocognitivo maior devido a provável degeneração frontotemporal)
___.___	Transtorno neurocognitivo maior com corpos de Lewy (*ver* Transtorno neurocognitivo maior com possível corpos de Lewy; Transtorno neurocognitivo maior com provável corpos de Lewy)
___.___	Transtorno neurocognitivo maior com possível corpos de Lewy (*nenhum código médico adicional*)
___.___	Transtorno neurocognitivo maior com possível corpos de Lewy, Grave (*nenhum código médico adicional*)
F03.C11	Com agitação
F03.C4	Com ansiedade
F03.C18	Com outra perturbação comportamental ou psicológica
F03.C2	Com perturbação psicótica
F03.C3	Com sintomas de humor
F03.C0	Sem perturbação comportamental ou psicológica concomitante
___.___	Transtorno neurocognitivo maior com possível corpos de Lewy, Gravidade não especificada (*nenhum código médico adicional*)
F03.911	Com agitação
F03.94	Com ansiedade
F03.918	Com outra perturbação comportamental ou psicológica
F03.92	Com perturbação psicótica
F03.93	Com sintomas de humor
F03.90	Sem perturbação comportamental ou psicológica concomitante
___.___	Transtorno neurocognitivo maior com possível corpos de Lewy, Leve (*nenhum código médico adicional*)
F03.A11	Com agitação
F03.A4	Com ansiedade
F03.A18	Com outra perturbação comportamental ou psicológica
F03.A2	Com perturbação psicótica
F03.A3	Com sintomas de humor
F03.A0	Sem perturbação comportamental ou psicológica concomitante
___.___	Transtorno neurocognitivo maior com possível corpos de Lewy, Moderado (*nenhum código médico adicional*)
F03.B11	Com agitação
F03.B4	Com ansiedade
F03.B18	Com outra perturbação comportamental ou psicológica
F03.B2	Com perturbação psicótica
F03.B3	Com sintomas de humor
F03.B0	Sem perturbação comportamental ou psicológica concomitante

CID-10-MC	Transtorno, condição ou problema
___.___	Transtorno neurocognitivo maior com provável corpos de Lewy (*Codificar em primeiro lugar* G31.83 doença com corpos de Lewy)
___.___	Transtorno neurocognitivo maior com provável corpos de Lewy, Grave (*Codificar em primeiro lugar* G31.83 doença com corpos de Lewy)
F02.C11	Com agitação
F02.C4	Com ansiedade
F02.C18	Com outra perturbação comportamental ou psicológica
F02.C2	Com perturbação psicótica
F02.C3	Com sintomas de humor
F02.C0	Sem perturbação comportamental ou psicológica concomitante
___.___	Transtorno neurocognitivo maior com provável corpos de Lewy, Gravidade não especificada (*Codificar em primeiro lugar* G31.83 doença com corpos de Lewy)
F02.811	Com agitação
F02.84	Com ansiedade
F02.818	Com outra perturbação comportamental ou psicológica
F02.82	Com perturbação psicótica
F02.83	Com sintomas de humor
F02.80	Sem perturbação comportamental ou psicológica concomitante
___.___	Transtorno neurocognitivo maior com provável corpos de Lewy, Leve (*Codificar em primeiro lugar* G31.83 doença com corpos de Lewy)
F02.A11	Com agitação
F02.A4	Com ansiedade
F02.A18	Com outra perturbação comportamental ou psicológica
F02.A2	Com perturbação psicótica
F02.A3	Com sintomas de humor
F02.A0	Sem perturbação comportamental ou psicológica concomitante
___.___	Transtorno neurocognitivo maior com provável corpos de Lewy, Moderado (*Codificar em primeiro lugar* G31.83 doença com corpos de Lewy)
F02.B11	Com agitação
F02.B4	Com ansiedade
F02.B18	Com outra perturbação comportamental ou psicológica
F02.B2	Com perturbação psicótica
F02.B3	Com sintomas de humor
F02.B0	Sem perturbação comportamental ou psicológica concomitante
___.___	Transtorno neurocognitivo maior devido à doença de Alzheimer (*ver* Transtorno neurocognitivo maior devido a possível doença de Alzheimer; Transtorno neurocognitivo maior devido a provável doença de Alzheimer)
___.___	Transtorno neurocognitivo maior devido à doença de Huntington (*Codificar em primeiro lugar* G10 doença de Huntington)
___.___	Transtorno neurocognitivo maior devido à doença de Huntington, Grave (*Codificar em primeiro lugar* G10 doença de Huntington)
F02.C11	Com agitação
F02.C4	Com ansiedade
F02.C18	Com outra perturbação comportamental ou psicológica
F02.C2	Com perturbação psicótica
F02.C3	Com sintomas de humor

CID-10-MC	Transtorno, condição ou problema
F02.C0	Sem perturbação comportamental ou psicológica concomitante
___.___	Transtorno neurocognitivo maior devido à doença de Huntington, Gravidade não especificada (*Codificar em primeiro lugar* G10 doença de Huntington)
F02.811	Com agitação
F02.84	Com ansiedade
F02.818	Com outra perturbação comportamental ou psicológica
F02.82	Com perturbação psicótica
F02.83	Com sintomas de humor
F02.80	Sem perturbação comportamental ou psicológica concomitante
___.___	Transtorno neurocognitivo maior devido à doença de Huntington, Leve (*Codificar em primeiro lugar* G10 doença de Huntington)
F02.A11	Com agitação
F02.A4	Com ansiedade
F02.A18	Com outra perturbação comportamental ou psicológica
F02.A2	Com perturbação psicótica
F02.A3	Com sintomas de humor
F02.A0	Sem perturbação comportamental ou psicológica concomitante
___.___	Transtorno neurocognitivo maior devido à doença de Huntington, Moderado (*Codificar em primeiro lugar* G10 doença de Huntington)
F02.B11	Com agitação
F02.B4	Com ansiedade
F02.B18	Com outra perturbação comportamental ou psicológica
F02.B2	Com perturbação psicótica
F02.B3	Com sintomas de humor
F02.B0	Sem perturbação comportamental ou psicológica concomitante
___.___	Transtorno neurocognitivo maior devido à doença de Parkinson (*ver* Transtorno neurocognitivo maior possivelmente devido à doença de Parkinson; Transtorno neurocognitivo maior provavelmente devido à doença de Parkinson)
___.___	Transtorno neurocognitivo maior devido à doença do príon (*Codificar em primeiro lugar* A81.9 doença do príon)
___.___	Transtorno neurocognitivo maior devido à doença do príon, Grave (*Codificar em primeiro lugar* A81.9 doença do príon)
F02.C11	Com agitação
F02.C4	Com ansiedade
F02.C18	Com outra perturbação comportamental ou psicológica
F02.C2	Com perturbação psicótica
F02.C3	Com sintomas de humor
F02.C0	Sem perturbação comportamental ou psicológica concomitante
___.___	Transtorno neurocognitivo maior devido à doença do príon, Gravidade não especificada (*Codificar em primeiro lugar* A81.9 doença do príon)
F02.811	Com agitação
F02.84	Com ansiedade
F02.818	Com outra perturbação comportamental ou psicológica
F02.82	Com perturbação psicótica
F02.83	Com sintomas de humor
F02.80	Sem perturbação comportamental ou psicológica concomitante

CID-10-MC	Transtorno, condição ou problema
___.___	Transtorno neurocognitivo maior devido à doença do príon, Leve (*Codificar em primeiro lugar* A81.9 doença do príon)
F02.A11	Com agitação
F02.A4	Com ansiedade
F02.A18	Com outra perturbação comportamental ou psicológica
F02.A2	Com perturbação psicótica
F02.A3	Com sintomas de humor
F02.A0	Sem perturbação comportamental ou psicológica concomitante
___.___	Transtorno neurocognitivo maior devido à doença do príon, Moderado (*Codificar em primeiro lugar* A81.9 doença do príon)
F02.B11	Com agitação
F02.B4	Com ansiedade
F02.B18	Com outra perturbação comportamental ou psicológica
F02.B2	Com perturbação psicótica
F02.B3	Com sintomas de humor
F02.B0	Sem perturbação comportamental ou psicológica concomitante
___.___	Transtorno neurocognitivo maior devido a etiologia desconhecida (*nenhum código médico adicional*)
___.___	Transtorno neurocognitivo maior devido a etiologia desconhecida, Grave (*nenhum código médico adicional*)
F03.C11	Com agitação
F03.C4	Com ansiedade
F03.C18	Com outra perturbação comportamental ou psicológica
F03.C2	Com perturbação psicótica
F03.C3	Com sintomas de humor
F03.C0	Sem perturbação comportamental ou psicológica concomitante
___.___	Transtorno neurocognitivo maior devido a etiologia desconhecida, Gravidade não especificada (*nenhum código médico adicional*)
F03.911	Com agitação
F03.94	Com ansiedade
F03.918	Com outra perturbação comportamental ou psicológica
F03.92	Com perturbação psicótica
F03.93	Com sintomas de humor
F03.90	Sem perturbação comportamental ou psicológica concomitante
___.___	Transtorno neurocognitivo maior devido a etiologia desconhecida, Leve (*nenhum código médico adicional*)
F03.A11	Com agitação
F03.A4	Com ansiedade
F03.A18	Com outra perturbação comportamental ou psicológica
F03.A2	Com perturbação psicótica
F03.A3	Com sintomas de humor
F03.A0	Sem perturbação comportamental ou psicológica concomitante
___.___	Transtorno neurocognitivo maior devido a etiologia desconhecida, Moderado (*nenhum código médico adicional*)
F03.B11	Com agitação
F03.B4	Com ansiedade

CID-10-MC	Transtorno, condição ou problema
F03.B18	Com outra perturbação comportamental ou psicológica
F03.B2	Com perturbação psicótica
F03.B3	Com sintomas de humor
F03.B0	Sem perturbação comportamental ou psicológica concomitante
___.___	Transtorno neurocognitivo maior devido à infecção por HIV (*Codificar em primeiro lugar* B20 infecção por HIV)
___.___	Transtorno neurocognitivo maior devido à infecção por HIV, Grave (*Codificar em primeiro lugar* B20 infecção por HIV)
F02.C11	Com agitação
F02.C4	Com ansiedade
F02.C18	Com outra perturbação comportamental ou psicológica
F02.C2	Com perturbação psicótica
F02.C3	Com sintomas de humor
F02.C0	Sem perturbação comportamental ou psicológica concomitante
___.___	Transtorno neurocognitivo maior devido à infecção por HIV, Gravidade não especificada (*Codificar em primeiro lugar* B20 infecção por HIV)
F02.811	Com agitação
F02.84	Com ansiedade
F02.818	Com outra perturbação comportamental ou psicológica
F02.82	Com perturbação psicótica
F02.83	Com sintomas de humor
F02.80	Sem perturbação comportamental ou psicológica concomitante
___.___	Transtorno neurocognitivo maior devido à infecção por HIV, Leve (*Codificar em primeiro lugar* B20 infecção por HIV)
F02.A11	Com agitação
F02.A4	Com ansiedade
F02.A18	Com outra perturbação comportamental ou psicológica
F02.A2	Com perturbação psicótica
F02.A3	Com sintomas de humor
F02.A0	Sem perturbação comportamental ou psicológica concomitante
___.___	Transtorno neurocognitivo maior devido à infecção por HIV, Moderado (*Codificar em primeiro lugar* B20 infecção por HIV)
F02.B11	Com agitação
F02.B4	Com ansiedade
F02.B18	Com outra perturbação comportamental ou psicológica
F02.B2	Com perturbação psicótica
F02.B3	Com sintomas de humor
F02.B0	Sem perturbação comportamental ou psicológica concomitante
___.___	Transtorno neurocognitivo maior devido a lesão cerebral traumática (*Codificar em primeiro lugar* S06.2XAS lesão cerebral traumática difusa com perda de consciência de duração não especificada, com sequela)
___.___	Transtorno neurocognitivo maior devido a lesão cerebral traumática, Grave (*Codificar em primeiro lugar* S06.2XAS lesão cerebral traumática difusa com perda de consciência de duração não especificada, com sequela)
F02.C11	Com agitação
F02.C4	Com ansiedade

CID-10-MC	Transtorno, condição ou problema
F02.C18	Com outra perturbação comportamental ou psicológica
F02.C2	Com perturbação psicótica
F02.C3	Com sintomas de humor
F02.C0	Sem perturbação comportamental ou psicológica concomitante
___.___	Transtorno neurocognitivo maior devido a lesão cerebral traumática, Gravidade não especificada (*Codificar em primeiro lugar* S06.2XAS lesão cerebral traumática difusa com perda de consciência de duração não especificada, com sequela)
F02.811	Com agitação
F02.84	Com ansiedade
F02.818	Com outra perturbação comportamental ou psicológica
F02.82	Com perturbação psicótica
F02.83	Com sintomas de humor
F02.80	Sem perturbação comportamental ou psicológica concomitante
___.___	Transtorno neurocognitivo maior devido a lesão cerebral traumática, Leve (*Codificar em primeiro lugar* S06.2XAS lesão cerebral traumática difusa com perda de consciência de duração não especificada, com sequela)
F02.A11	Com agitação
F02.A4	Com ansiedade
F02.A18	Com outra perturbação comportamental ou psicológica
F02.A2	Com perturbação psicótica
F02.A3	Com sintomas de humor
F02.A0	Sem perturbação comportamental ou psicológica concomitante
___.___	Transtorno neurocognitivo maior devido a lesão cerebral traumática, Moderado (*Codificar em primeiro lugar* S06.2XAS lesão cerebral traumática difusa com perda de consciência de duração não especificada, com sequela)
F02.B11	Com agitação
F02.B4	Com ansiedade
F02.B18	Com outra perturbação comportamental ou psicológica
F02.B2	Com perturbação psicótica
F02.B3	Com sintomas de humor
F02.B0	Sem perturbação comportamental ou psicológica concomitante
___.___	Transtorno neurocognitivo maior devido a múltiplas etiologias (*Codificar em primeiro lugar as outras etiologias médicas*)
___.___	Transtorno neurocognitivo maior devido a múltiplas etiologias, Grave (*Codificar em primeiro lugar as outras etiologias médicas*)
F02.C11	Com agitação
F02.C4	Com ansiedade
F02.C18	Com outra perturbação comportamental ou psicológica
F02.C2	Com perturbação psicótica
F02.C3	Com sintomas de humor
F02.C0	Sem perturbação comportamental ou psicológica concomitante
___.___	Transtorno neurocognitivo maior devido a múltiplas etiologias, Gravidade não especificada (*Codificar em primeiro lugar as outras etiologias médicas*)
F02.811	Com agitação
F02.84	Com ansiedade
F02.818	Com outra perturbação comportamental ou psicológica

CID-10-MC	Transtorno, condição ou problema
F02.82	Com perturbação psicótica
F02.83	Com sintomas de humor
F02.80	Sem perturbação comportamental ou psicológica concomitante
___.___	Transtorno neurocognitivo maior devido a múltiplas etiologias, Leve (*Codificar em primeiro lugar as outras etiologias médicas*)
F02.A11	Com agitação
F02.A4	Com ansiedade
F02.A18	Com outra perturbação comportamental ou psicológica
F02.A2	Com perturbação psicótica
F02.A3	Com sintomas de humor
F02.A0	Sem perturbação comportamental ou psicológica concomitante
___.___	Transtorno neurocognitivo maior devido a múltiplas etiologias, Moderado (*Codificar em primeiro lugar as outras etiologias médicas*)
F02.B11	Com agitação
F02.B4	Com ansiedade
F02.B18	Com outra perturbação comportamental ou psicológica
F02.B2	Com perturbação psicótica
F02.B3	Com sintomas de humor
F02.B0	Sem perturbação comportamental ou psicológica concomitante
___.___	Transtorno neurocognitivo maior devido a outra condição médica (*Codificar em primeiro lugar a outra condição médica*)
___.___	Transtorno neurocognitivo maior devido a outra condição médica, Grave (*Codificar em primeiro lugar a outra condição médica*)
F02.C11	Com agitação
F02.C4	Com ansiedade
F02.C18	Com outra perturbação comportamental ou psicológica
F02.C2	Com perturbação psicótica
F02.C3	Com sintomas de humor
F02.C0	Sem perturbação comportamental ou psicológica concomitante
___.___	Transtorno neurocognitivo maior devido a outra condição médica, Gravidade não especificada (*Codificar em primeiro lugar a outra condição médica*)
F02.811	Com agitação
F02.84	Com ansiedade
F02.818	Com outra perturbação comportamental ou psicológica
F02.82	Com perturbação psicótica
F02.83	Com sintomas de humor
F02.80	Sem perturbação comportamental ou psicológica concomitante
___.___	Transtorno neurocognitivo maior devido a outra condição médica, Leve (*Codificar em primeiro lugar a outra condição médica*)
F02.A11	Com agitação
F02.A4	Com ansiedade
F02.A18	Com outra perturbação comportamental ou psicológica
F02.A2	Com perturbação psicótica
F02.A3	Com sintomas de humor
F02.A0	Sem perturbação comportamental ou psicológica concomitante

CID-10-MC	Transtorno, condição ou problema
___.___	Transtorno neurocognitivo maior devido a outra condição médica, Moderado (*Codificar em primeiro lugar a outra condição médica*)
F02.B11	Com agitação
F02.B4	Com ansiedade
F02.B18	Com outra perturbação comportamental ou psicológica
F02.B2	Com perturbação psicótica
F02.B3	Com sintomas de humor
F02.B0	Sem perturbação comportamental ou psicológica concomitante
___.___	Transtorno neurocognitivo maior devido a possível degeneração frontotemporal (*nenhum código médico adicional*)
___.___	Transtorno neurocognitivo maior devido a possível degeneração frontotemporal, Grave (*nenhum código médico adicional*)
F03.C11	Com agitação
F03.C4	Com ansiedade
F03.C18	Com outra perturbação comportamental ou psicológica
F03.C2	Com perturbação psicótica
F03.C3	Com sintomas de humor
F03.C0	Sem perturbação comportamental ou psicológica concomitante
___.___	Transtorno neurocognitivo maior devido a possível degeneração frontotemporal, Gravidade não especificada (*nenhum código médico adicional*)
F03.911	Com agitação
F03.94	Com ansiedade
F03.918	Com outra perturbação comportamental ou psicológica
F03.92	Com perturbação psicótica
F03.93	Com sintomas de humor
F03.90	Sem perturbação comportamental ou psicológica concomitante
___.___	Transtorno neurocognitivo maior devido a possível degeneração frontotemporal, Leve (*nenhum código médico adicional*)
F03.A11	Com agitação
F03.A4	Com ansiedade
F03.A18	Com outra perturbação comportamental ou psicológica
F03.A2	Com perturbação psicótica
F03.A3	Com sintomas de humor
F03.A0	Sem perturbação comportamental ou psicológica concomitante
___.___	Transtorno neurocognitivo maior devido a possível degeneração frontotemporal, Moderado (*nenhum código médico adicional*)
F03.B11	Com agitação
F03.B4	Com ansiedade
F03.B18	Com outra perturbação comportamental ou psicológica
F03.B2	Com perturbação psicótica
F03.B3	Com sintomas de humor
F03.B0	Sem perturbação comportamental ou psicológica concomitante
___.___	Transtorno neurocognitivo maior devido a possível doença de Alzheimer (*nenhum código médico adicional*)
___.___	Transtorno neurocognitivo maior devido a possível doença de Alzheimer, Grave (*nenhum código médico adicional*)

CID-10-MC	Transtorno, condição ou problema
F03.C11	Com agitação
F03.C4	Com ansiedade
F03.C18	Com outra perturbação comportamental ou psicológica
F03.C2	Com perturbação psicótica
F03.C3	Com sintomas de humor
F03.C0	Sem perturbação comportamental ou psicológica concomitante
___.___	Transtorno neurocognitivo maior devido a possível doença de Alzheimer, Gravidade não especificada *(nenhum código médico adicional)*
F03.911	Com agitação
F03.94	Com ansiedade
F03.918	Com outra perturbação comportamental ou psicológica
F03.92	Com perturbação psicótica
F03.93	Com sintomas de humor
F03.90	Sem perturbação comportamental ou psicológica concomitante
___.___	Transtorno neurocognitivo maior devido a possível doença de Alzheimer, Leve *(nenhum código médico adicional)*
F03.A11	Com agitação
F03.A4	Com ansiedade
F03.A18	Com outra perturbação comportamental ou psicológica
F03.A2	Com perturbação psicótica
F03.A3	Com sintomas de humor
F03.A0	Sem perturbação comportamental ou psicológica concomitante
___.___	Transtorno neurocognitivo maior devido a possível doença de Alzheimer, Moderado *(nenhum código médico adicional)*
F03.B11	Com agitação
F03.B4	Com ansiedade
F03.B18	Com outra perturbação comportamental ou psicológica
F03.B2	Com perturbação psicótica
F03.B3	Com sintomas de humor
F03.B0	Sem perturbação comportamental ou psicológica concomitante
___.___	Transtorno neurocognitivo maior devido a provável degeneração frontotemporal *(Codificar em primeiro lugar G31.09 degeneração frontotemporal)*
___.___	Transtorno neurocognitivo maior devido a provável degeneração frontotemporal, Grave *(Codificar em primeiro lugar G31.09 degeneração frontotemporal)*
F02.C11	Com agitação
F02.C4	Com ansiedade
F02.C18	Com outra perturbação comportamental ou psicológica
F02.C2	Com perturbação psicótica
F02.C3	Com sintomas de humor
F02.C0	Sem perturbação comportamental ou psicológica concomitante
___.___	Transtorno neurocognitivo maior devido a provável degeneração frontotemporal, Gravidade não especificada *(Codificar em primeiro lugar G31.09 degeneração frontotemporal)*
F02.811	Com agitação
F02.84	Com ansiedade
F02.818	Com outra perturbação comportamental ou psicológica

CID-10-MC	Transtorno, condição ou problema
F02.82	Com perturbação psicótica
F02.83	Com sintomas de humor
F02.80	Sem perturbação comportamental ou psicológica concomitante
—.—	Transtorno neurocognitivo maior devido a provável degeneração frontotemporal, Leve (*Codificar em primeiro lugar* G31.09 degeneração frontotemporal)
F02.A11	Com agitação
F02.A4	Com ansiedade
F02.A18	Com outra perturbação comportamental ou psicológica
F02.A2	Com perturbação psicótica
F02.A3	Com sintomas de humor
F02.A0	Sem perturbação comportamental ou psicológica concomitante
—.—	Transtorno neurocognitivo maior devido a provável degeneração frontotemporal, Moderado (*Codificar em primeiro lugar* G31.09 degeneração frontotemporal)
F02.B11	Com agitação
F02.B4	Com ansiedade
F02.B18	Com outra perturbação comportamental ou psicológica
F02.B2	Com perturbação psicótica
F02.B3	Com sintomas de humor
F02.B0	Sem perturbação comportamental ou psicológica concomitante
—.—	Transtorno neurocognitivo maior devido a provável doença de Alzheimer (*Codificar em primeiro lugar* G30.9 doença de Alzheimer)
—.—	Transtorno neurocognitivo maior devido a provável doença de Alzheimer, Grave (*Codificar em primeiro lugar* G30.9 doença de Alzheimer)
F02.C11	Com agitação
F02.C4	Com ansiedade
F02.C18	Com outra perturbação comportamental ou psicológica
F02.C2	Com perturbação psicótica
F02.C3	Com sintomas de humor
F02.C0	Sem perturbação comportamental ou psicológica concomitante
—.—	Transtorno neurocognitivo maior devido a provável doença de Alzheimer, Gravidade não especificada (*Codificar em primeiro lugar* G30.9 doença de Alzheimer)
F02.811	Com agitação
F02.84	Com ansiedade
F02.818	Com outra perturbação comportamental ou psicológica
F02.82	Com perturbação psicótica
F02.83	Com sintomas de humor
F02.80	Sem perturbação comportamental ou psicológica concomitante
—.—	Transtorno neurocognitivo maior devido a provável doença de Alzheimer, Leve (*Codificar em primeiro lugar* G30.9 doença de Alzheimer)
F02.A11	Com agitação
F02.A4	Com ansiedade
F02.A18	Com outra perturbação comportamental ou psicológica
F02.A2	Com perturbação psicótica
F02.A3	Com sintomas de humor
F02.A0	Sem perturbação comportamental ou psicológica concomitante

CID-10-MC	Transtorno, condição ou problema
___.___	Transtorno neurocognitivo maior devido a provável doença de Alzheimer, Moderado (*Codificar em primeiro lugar* G30.9 doença de Alzheimer)
F02.B11	Com agitação
F02.B4	Com ansiedade
F02.B18	Com outra perturbação comportamental ou psicológica
F02.B2	Com perturbação psicótica
F02.B3	Com sintomas de humor
F02.B0	Sem perturbação comportamental ou psicológica concomitante
	Transtorno neurocognitivo maior induzido por álcool, Tipo amnéstico confabulatório
F10.26	Com transtorno por uso, Moderado ou grave
F10.96	Sem transtorno por uso
	Transtorno neurocognitivo maior induzido por álcool, Tipo não amnéstico confabulatório
F10.27	Com transtorno por uso, Moderado ou grave
F10.97	Sem transtorno por uso
	Transtorno neurocognitivo maior induzido por inalantes
F18.17	Com transtorno por uso, Leve
F18.27	Com transtorno por uso, Moderado ou grave
F18.97	Sem transtorno por uso
	Transtorno neurocognitivo maior induzido por outra substância (ou substância desconhecida)
F19.17	Com transtorno por uso, Leve
F19.27	Com transtorno por uso, Moderado ou grave
F19.97	Sem transtorno por uso
	Transtorno neurocognitivo maior induzido por sedativos, hipnóticos ou ansiolíticos
F13.27	Com transtorno por uso, Moderado ou grave
F13.97	Sem transtorno por uso
	Transtorno neurocognitivo maior ou leve induzido por substância/medicamento (*ver substâncias específicas para códigos*)
___.___	Transtorno neurocognitivo maior possivelmente devido à doença de Parkinson (*nenhum código médico adicional*)
___.___	Transtorno neurocognitivo maior possivelmente devido à doença de Parkinson, Grave (*nenhum código médico adicional*)
F03.C11	Com agitação
F03.C4	Com ansiedade
F03.C18	Com outra perturbação comportamental ou psicológica
F03.C2	Com perturbação psicótica
F03.C3	Com sintomas de humor
F03.C0	Sem perturbação comportamental ou psicológica concomitante
___.___	Transtorno neurocognitivo maior possivelmente devido à doença de Parkinson, Gravidade não especificada (*nenhum código médico adicional*)
F03.911	Com agitação
F03.94	Com ansiedade
F03.918	Com outra perturbação comportamental ou psicológica
F03.92	Com perturbação psicótica
F03.93	Com sintomas de humor
F03.90	Sem perturbação comportamental ou psicológica concomitante

CID-10-MC	Transtorno, condição ou problema
___.___	Transtorno neurocognitivo maior possivelmente devido à doença de Parkinson, Leve *(nenhum código médico adicional)*
F03.A11	Com agitação
F03.A4	Com ansiedade
F03.A18	Com outra perturbação comportamental ou psicológica
F03.A2	Com perturbação psicótica
F03.A3	Com sintomas de humor
F03.A0	Sem perturbação comportamental ou psicológica concomitante
___.___	Transtorno neurocognitivo maior possivelmente devido à doença de Parkinson, Moderado *(nenhum código médico adicional)*
F03.B11	Com agitação
F03.B4	Com ansiedade
F03.B18	Com outra perturbação comportamental ou psicológica
F03.B2	Com perturbação psicótica
F03.B3	Com sintomas de humor
F03.B0	Sem perturbação comportamental ou psicológica concomitante
___.___	Transtorno neurocognitivo maior possivelmente devido a doença vascular *(nenhum código médico adicional)*
___.___	Transtorno neurocognitivo maior possivelmente devido a doença vascular, Grave *(nenhum código médico adicional)*
F03.C11	Com agitação
F03.C4	Com ansiedade
F03.C18	Com outra perturbação comportamental ou psicológica
F03.C2	Com perturbação psicótica
F03.C3	Com sintomas de humor
F03.C0	Sem perturbação comportamental ou psicológica concomitante
___.___	Transtorno neurocognitivo maior possivelmente devido a doença vascular, Gravidade não especificada *(nenhum código médico adicional)*
F03.911	Com agitação
F03.94	Com ansiedade
F03.918	Com outra perturbação comportamental ou psicológica
F03.92	Com perturbação psicótica
F03.93	Com sintomas de humor
F03.90	Sem perturbação comportamental ou psicológica concomitante
___.___	Transtorno neurocognitivo maior possivelmente devido a doença vascular, Leve *(nenhum código médico adicional)*
F03.A11	Com agitação
F03.A4	Com ansiedade
F03.A18	Com outra perturbação comportamental ou psicológica
F03.A2	Com perturbação psicótica
F03.A3	Com sintomas de humor
F03.A0	Sem perturbação comportamental ou psicológica concomitante
___.___	Transtorno neurocognitivo maior possivelmente devido a doença vascular, Moderado *(nenhum código médico adicional)*
F03.B11	Com agitação
F03.B4	Com ansiedade

CID-10-MC	Transtorno, condição ou problema
F03.B18	Com outra perturbação comportamental ou psicológica
F03.B2	Com perturbação psicótica
F03.B3	Com sintomas de humor
F03.B0	Sem perturbação comportamental ou psicológica concomitante
___.___	Transtorno neurocognitivo maior provavelmente devido à doença de Parkinson (*Codificar em primeiro lugar* G20 doença de Parkinson)
___.___	Transtorno neurocognitivo maior provavelmente devido à doença de Parkinson, Grave (*Codificar em primeiro lugar* G20 doença de Parkinson)
F02.C11	Com agitação
F02.C4	Com ansiedade
F02.C18	Com outra perturbação comportamental ou psicológica
F02.C2	Com perturbação psicótica
F02.C3	Com sintomas de humor
F02.C0	Sem perturbação comportamental ou psicológica concomitante
___.___	Transtorno neurocognitivo maior provavelmente devido à doença de Parkinson, Gravidade não especificada (*Codificar em primeiro lugar* G20 doença de Parkinson)
F02.811	Com agitação
F02.84	Com ansiedade
F02.818	Com outra perturbação comportamental ou psicológica
F02.82	Com perturbação psicótica
F02.83	Com sintomas de humor
F02.80	Sem perturbação comportamental ou psicológica concomitante
___.___	Transtorno neurocognitivo maior provavelmente devido à doença de Parkinson, Leve (*Codificar em primeiro lugar* G20 doença de Parkinson)
F02.A11	Com agitação
F02.A4	Com ansiedade
F02.A18	Com outra perturbação comportamental ou psicológica
F02.A2	Com perturbação psicótica
F02.A3	Com sintomas de humor
F02.A0	Sem perturbação comportamental ou psicológica concomitante
___.___	Transtorno neurocognitivo maior provavelmente devido à doença de Parkinson, Moderado (*Codificar em primeiro lugar* G20 doença de Parkinson)
F02.B11	Com agitação
F02.B4	Com ansiedade
F02.B18	Com outra perturbação comportamental ou psicológica
F02.B2	Com perturbação psicótica
F02.B3	Com sintomas de humor
F02.B0	Sem perturbação comportamental ou psicológica concomitante
___.___	Transtorno neurocognitivo maior provavelmente devido a doença vascular (*nenhum código médico adicional*)
___.___	Transtorno neurocognitivo maior provavelmente devido a doença vascular, Grave (*nenhum código médico adicional*)
F01.C11	Com agitação
F01.C4	Com ansiedade
F01.C18	Com outra perturbação comportamental ou psicológica
F01.C2	Com perturbação psicótica

CID-10-MC	Transtorno, condição ou problema
F01.C3	Com sintomas de humor
F01.C0	Sem perturbação comportamental ou psicológica concomitante
___.___	Transtorno neurocognitivo maior provavelmente devido a doença vascular, Gravidade não especificada *(nenhum código médico adicional)*
F01.511	Com agitação
F01.54	Com ansiedade
F01.518	Com outra perturbação comportamental ou psicológica
F01.52	Com perturbação psicótica
F01.53	Com sintomas de humor
F01.50	Sem perturbação comportamental ou psicológica concomitante
___.___	Transtorno neurocognitivo maior provavelmente devido a doença vascular, Leve *(nenhum código médico adicional)*
F01.A11	Com agitação
F01.A4	Com ansiedade
F01.A18	Com outra perturbação comportamental ou psicológica
F01.A2	Com perturbação psicótica
F01.A3	Com sintomas de humor
F01.A0	Sem perturbação comportamental ou psicológica concomitante
___.___	Transtorno neurocognitivo maior provavelmente devido a doença vascular, Moderado *(nenhum código médico adicional)*
F01.B11	Com agitação
F01.B4	Com ansiedade
F01.B18	Com outra perturbação comportamental ou psicológica
F01.B2	Com perturbação psicótica
F01.B3	Com sintomas de humor
F01.B0	Sem perturbação comportamental ou psicológica concomitante
___.___	Transtorno neurocognitivo vascular leve (*ver* Transtorno neurocognitivo leve possivelmente devido a doença vascular; Transtorno neurocognitivo leve provavelmente devido a doença vascular)
G31.84	Transtorno neurocognitivo leve possivelmente devido a doença vascular *(nenhum código médico adicional)*
F06.71	Transtorno neurocognitivo leve provavelmente devido a doença vascular (*Codificar em primeiro lugar* I67.9 para doença cerebrovascular), Com perturbação comportamental
F06.70	Transtorno neurocognitivo leve provavelmente devido a doença vascular (*Codificar em primeiro lugar* I67.9 para doença cerebrovascular), Sem perturbação comportamental
___.___	Transtorno neurocognitivo vascular maior (*ver* Transtorno neurocognitivo maior possivelmente devido a doença vascular; Transtorno neurocognitivo maior provavelmente devido a doença vascular)
F42.2	Transtorno obsessivo-compulsivo
F06.8	Transtorno obsessivo-compulsivo e transtorno relacionado devido a outra condição médica
	Transtorno obsessivo-compulsivo e transtorno relacionado induzido por cocaína
F14.188	Com transtorno por uso, Leve
F14.288	Com transtorno por uso, Moderado ou grave
F14.988	Sem transtorno por uso

CID-10-MC	Transtorno, condição ou problema
	Transtorno obsessivo-compulsivo e transtorno relacionado induzido por outra substância (ou substância desconhecida)
F19.188	Com transtorno por uso, Leve
F19.288	Com transtorno por uso, Moderado ou grave
F19.988	Sem transtorno por uso
	Transtorno obsessivo-compulsivo e transtorno relacionado induzido por substância tipo anfetamina (ou outro estimulante)
F15.188	Com transtorno por uso, Leve
F15.288	Com transtorno por uso, Moderado ou grave
F15.988	Sem transtorno por uso
	Transtorno obsessivo-compulsivo e transtorno relacionado induzido por substância/medicamento (*ver substâncias específicas para códigos*)
F42.9	Transtorno obsessivo-compulsivo e transtorno relacionado não especificado
F65.9	Transtorno parafílico não especificado
F65.4	Transtorno pedofílico
F16.983	Transtorno persistente da percepção induzido por alucinógenos
	Para transtornos adicionais por substâncias relacionados a alucinógenos e transtornos mentais induzidos por alucinógenos, ver entradas para Outros alucinógenos e Fenciclidina.
	Transtorno por uso de álcool
F10.20	Grave
F10.21	Em remissão inicial
F10.21	Em remissão sustentada
F10.10	Leve
F10.11	Em remissão inicial
F10.11	Em remissão sustentada
F10.20	Moderado
F10.21	Em remissão inicial
F10.21	Em remissão sustentada
	Transtorno por uso de *Cannabis*
F12.20	Grave
F12.21	Em remissão inicial
F12.21	Em remissão sustentada
F12.10	Leve
F12.11	Em remissão inicial
F12.11	Em remissão sustentada
F12.20	Moderado
F12.21	Em remissão inicial
F12.21	Em remissão sustentada
	Transtorno por uso de cocaína
F14.20	Grave
F14.21	Em remissão inicial
F14.21	Em remissão sustentada
F14.10	Leve
F14.11	Em remissão inicial
F14.11	Em remissão sustentada

CID-10-MC	Transtorno, condição ou problema
F14.20	Moderado
F14.21	Em remissão inicial
F14.21	Em remissão sustentada
	Transtorno por uso de estimulante (*ver Transtorno por uso de substância tipo anfetamina, cocaína ou outros estimulantes ou estimulante não especificado para códigos específicos*)
	Transtorno por uso de fenciclidina
F16.20	Grave
F16.21	Em remissão inicial
F16.21	Em remissão sustentada
F16.10	Leve
F16.11	Em remissão inicial
F16.11	Em remissão sustentada
F16.20	Moderado
F16.21	Em remissão inicial
F16.21	Em remissão sustentada
	Transtorno por uso de inalantes
F18.20	Grave
F18.21	Em remissão inicial
F18.21	Em remissão sustentada
F18.10	Leve
F18.11	Em remissão inicial
F18.11	Em remissão sustentada
F18.20	Moderado
F18.21	Em remissão inicial
F18.21	Em remissão sustentada
	Transtorno por uso de opioides
F11.20	Grave
F11.21	Em remissão inicial
F11.21	Em remissão sustentada
F11.10	Leve
F11.11	Em remissão inicial
F11.11	Em remissão sustentada
F11.20	Moderado
F11.21	Em remissão inicial
F11.21	Em remissão sustentada
	Transtorno por uso de outra substância (ou substância desconhecida)
F19.20	Grave
F19.21	Em remissão inicial
F19.21	Em remissão sustentada
F19.10	Leve
F19.11	Em remissão inicial
F19.11	Em remissão sustentada
F19.20	Moderado
F19.21	Em remissão inicial
F19.21	Em remissão sustentada

CID-10-MC	Transtorno, condição ou problema
	Transtorno por uso de outro estimulante ou estimulante não especificado
F15.20	Grave
F15.21	Em remissão inicial
F15.21	Em remissão sustentada
F15.10	Leve
F15.11	Em remissão inicial
F15.11	Em remissão sustentada
F15.20	Moderado
F15.21	Em remissão inicial
F15.21	Em remissão sustentada
	Transtorno por uso de outros alucinógenos
F16.20	Grave
F16.21	Em remissão inicial
F16.21	Em remissão sustentada
F16.10	Leve
F16.11	Em remissão inicial
F16.11	Em remissão sustentada
F16.20	Moderado
F16.21	Em remissão inicial
F16.21	Em remissão sustentada
	Transtorno por uso de sedativos, hipnóticos ou ansiolíticos
F13.20	Grave
F13.21	Em remissão inicial
F13.21	Em remissão sustentada
F13.10	Leve
F13.11	Em remissão inicial
F13.11	Em remissão sustentada
F13.20	Moderado
F13.21	Em remissão inicial
F13.21	Em remissão sustentada
	Transtorno por uso de substância tipo anfetamina
F15.20	Grave
F15.21	Em remissão inicial
F15.21	Em remissão sustentada
F15.10	Leve
F15.11	Em remissão inicial
F15.11	Em remissão sustentada
F15.20	Moderado
F15.21	Em remissão inicial
F15.21	Em remissão sustentada
	Transtorno por uso de tabaco
F17.200	Grave
F17.201	Em remissão inicial
F17.201	Em remissão sustentada
Z72.0	Leve

CID-10-MC	Transtorno, condição ou problema
F17.200	Moderado
F17.201	Em remissão inicial
F17.201	Em remissão sustentada
F23	Transtorno psicótico breve
	Transtorno psicótico devido a outra condição médica
F06.0	Com alucinações
F06.2	Com delírios
	Transtorno psicótico induzido por álcool
F10.159	Com transtorno por uso, Leve
F10.259	Com transtorno por uso, Moderado ou grave
F10.959	Sem transtorno por uso
	Transtorno psicótico induzido por *Cannabis*
F12.159	Com transtorno por uso, Leve
F12.259	Com transtorno por uso, Moderado ou grave
F12.959	Sem transtorno por uso
	Transtorno psicótico induzido por cocaína
F14.159	Com transtorno por uso, Leve
F14.259	Com transtorno por uso, Moderado ou grave
F14.959	Sem transtorno por uso
	Transtorno psicótico induzido por fenciclidina
F16.159	Com transtorno por uso, Leve
F16.259	Com transtorno por uso, Moderado ou grave
F16.959	Sem transtorno por uso
	Transtorno psicótico induzido por inalantes
F18.159	Com transtorno por uso, Leve
F18.259	Com transtorno por uso, Moderado ou grave
F18.959	Sem transtorno por uso
	Transtorno psicótico induzido por outra substância (ou substância desconhecida)
F19.159	Com transtorno por uso, Leve
F19.259	Com transtorno por uso, Moderado ou grave
F19.959	Sem transtorno por uso
	Transtorno psicótico induzido por outro alucinógeno
F16.159	Com transtorno por uso, Leve
F16.259	Com transtorno por uso, Moderado ou grave
F16.959	Sem transtorno por uso
	Transtorno psicótico induzido por sedativos, hipnóticos ou ansiolíticos
F13.159	Com transtorno por uso, Leve
F13.259	Com transtorno por uso, Moderado ou grave
F13.959	Sem transtorno por uso
	Transtorno psicótico induzido por substância tipo anfetamina (ou outro estimulante)
F15.159	Com transtorno por uso, Leve
F15.259	Com transtorno por uso, Moderado ou grave
F15.959	Sem transtorno por uso
	Transtorno psicótico induzido por substância/medicamento (*ver substâncias específicas para códigos*)

CID-10-MC	Transtorno, condição ou problema
F16.99	Transtorno relacionado a alucinógenos não especificado
F15.99	Transtorno relacionado à cafeína não especificado
F12.99	Transtorno relacionado a *Cannabis* não especificado
	Transtorno relacionado a estimulantes não especificado
F14.99	Transtorno relacionado a cocaína não especificado
F15.99	Transtorno relacionado a outro estimulante não especificado
F15.99	Transtorno relacionado a substância tipo anfetamina não especificado
F16.99	Transtorno relacionado a fenciclidina não especificado
F18.99	Transtorno relacionado a inalantes não especificado
F11.99	Transtorno relacionado a opioides não especificado
F19.99	Transtorno relacionado a outra substância (ou substância desconhecida) não especificado
F13.99	Transtorno relacionado a sedativos, hipnóticos ou ansiolíticos não especificado
F43.9	Transtorno relacionado a trauma e a estressores não especificado
F10.99	Transtorno relacionado ao álcool não especificado
F17.209	Transtorno relacionado ao tabaco não especificado
F65.1	Transtorno transvéstico
F65.3	Transtorno voyeurista
	Transtornos de adaptação
F43.22	Com ansiedade
F43.21	Com humor deprimido
F43.23	Com misto de ansiedade e humor deprimido
F43.24	Com perturbação da conduta
F43.25	Com perturbação mista das emoções e da conduta
F43.20	Não especificado
	Transtornos de despertar do sono não REM
F51.3	Tipo sonambulismo
F51.4	Tipo terror noturno
	Transtornos de tique
F95.8	Outro transtorno de tique especificado
F95.1	Transtorno de tique motor ou vocal persistente (crônico)
F95.9	Transtorno de tique não especificado
F95.0	Transtorno de tique provisório
F95.2	Transtorno de Tourette
	Transtornos do sono-vigília do ritmo circadiano
G47.21	Tipo fase do sono atrasada
G47.22	Tipo fase do sono avançada
G47.20	Tipo não especificado
G47.23	Tipo sono-vigília irregular
G47.24	Tipo sono-vigília não de 24 horas
G47.26	Tipo trabalho em turnos
G25.1	Tremor postural induzido por medicamento
F63.3	Tricotilomania (transtorno de arrancar o cabelo)
	Violência física de cônjuge ou parceiro(a) confirmada
T74.11XD	Consulta de seguimento
T74.11XA	Consulta inicial

CID-10-MC	Transtorno, condição ou problema
	Violência física de cônjuge ou parceiro(a) suspeitada
T76.11XD	Consulta de seguimento
T76.11XA	Consulta inicial
	Violência sexual de cônjuge ou parceiro(a) confirmada
T74.21XD	Consulta de seguimento
T74.21XA	Consulta inicial
	Violência sexual de cônjuge ou parceiro(a) suspeitada
T76.21XD	Consulta de seguimento
T76.21XA	Consulta inicial
Z65.4	Vítima de crime
Z65.4	Vítima de terrorismo ou tortura

Listagem Numérica dos Diagnósticos do DSM-5-TR e Códigos da CID-10-MC

Para codificação periódica do DSM-5-TR e outras atualizações, consulte www.dsm5.org.

CID-10-MC	Transtorno, condição ou problema
E66.9	Sobrepeso ou obesidade
F01.50	Transtorno neurocognitivo maior provavelmente devido a doença vascular, Gravidade não especificada, Sem perturbação comportamental ou psicológica concomitante (*nenhum código médico adicional*)
F01.511	Transtorno neurocognitivo maior provavelmente devido a doença vascular, Gravidade não especificada, Com agitação (*nenhum código médico adicional*)
F01.518	Transtorno neurocognitivo maior provavelmente devido a doença vascular, Gravidade não especificada, Com outra perturbação comportamental ou psicológica (*nenhum código médico adicional*)
F01.52	Transtorno neurocognitivo maior provavelmente devido a doença vascular, Gravidade não especificada, Com perturbação psicótica (*nenhum código médico adicional*)
F01.53	Transtorno neurocognitivo maior provavelmente devido a doença vascular, Gravidade não especificada, Com sintomas de humor (*nenhum código médico adicional*)
F01.54	Transtorno neurocognitivo maior provavelmente devido a doença vascular, Gravidade não especificada, Com ansiedade (*nenhum código médico adicional*)
F01.A0	Transtorno neurocognitivo maior provavelmente devido a doença vascular, Leve, Sem perturbação comportamental ou psicológica concomitante (*nenhum código médico adicional*)
F01.A11	Transtorno neurocognitivo maior provavelmente devido a doença vascular, Leve, Com agitação (*nenhum código médico adicional*)
F01.A18	Transtorno neurocognitivo maior provavelmente devido a doença vascular, Leve, Com outra perturbação comportamental ou psicológica (*nenhum código médico adicional*)
F01.A2	Transtorno neurocognitivo maior provavelmente devido a doença vascular, Leve, Com perturbação psicótica (*nenhum código médico adicional*)
F01.A3	Transtorno neurocognitivo maior provavelmente devido a doença vascular, Leve, Com sintomas de humor (*nenhum código médico adicional*)
F01.A4	Transtorno neurocognitivo maior provavelmente devido a doença vascular, Leve, Com ansiedade (*nenhum código médico adicional*)
F01.B0	Transtorno neurocognitivo maior provavelmente devido a doença vascular, Moderado, Sem perturbação comportamental ou psicológica concomitante (*nenhum código médico adicional*)
F01.B11	Transtorno neurocognitivo maior provavelmente devido a doença vascular, Moderado, Com agitação (*nenhum código médico adicional*)
F01.B18	Transtorno neurocognitivo maior provavelmente devido a doença vascular, Moderado, Com outra perturbação comportamental ou psicológica (*nenhum código médico adicional*)

CID-10-MC	Transtorno, condição ou problema
F01.B2	Transtorno neurocognitivo maior provavelmente devido a doença vascular, Moderado, Com perturbação psicótica *(nenhum código médico adicional)*
F01.B3	Transtorno neurocognitivo maior provavelmente devido a doença vascular, Moderado, Com sintomas de humor *(nenhum código médico adicional)*
F01.B4	Transtorno neurocognitivo maior provavelmente devido a doença vascular, Moderado, Com ansiedade *(nenhum código médico adicional)*
F01.C0	Transtorno neurocognitivo maior provavelmente devido a doença vascular, Grave, Sem perturbação comportamental ou psicológica concomitante *(nenhum código médico adicional)*
F01.C11	Transtorno neurocognitivo maior provavelmente devido a doença vascular, Grave, Com agitação *(nenhum código médico adicional)*
F01.C18	Transtorno neurocognitivo maior provavelmente devido a doença vascular, Grave, Com outra perturbação comportamental ou psicológica *(nenhum código médico adicional)*
F01.C2	Transtorno neurocognitivo maior provavelmente devido a doença vascular, Grave, Com perturbação psicótica *(nenhum código médico adicional)*
F01.C3	Transtorno neurocognitivo maior provavelmente devido a doença vascular, Grave, Com sintomas de humor *(nenhum código médico adicional)*
F01.C4	Transtorno neurocognitivo maior provavelmente devido a doença vascular, Grave, Com ansiedade *(nenhum código médico adicional)*
F02.80	Transtorno neurocognitivo maior devido a outra condição médica, Gravidade não especificada, Sem perturbação comportamental ou psicológica concomitante (*Codificar em primeiro lugar* a outra condição médica)
F02.80	Transtorno neurocognitivo maior devido à infecção por HIV, Gravidade não especificada, Sem perturbação comportamental ou psicológica concomitante (*Codificar em primeiro lugar* B20 infecção por HIV)
F02.80	Transtorno neurocognitivo maior devido à doença de Huntington, Gravidade não especificada, Sem perturbação comportamental ou psicológica concomitante (*Codificar em primeiro lugar* G10 doença de Huntington)
F02.80	Transtorno neurocognitivo maior devido a múltiplas etiologias, Gravidade não especificada, Sem perturbação comportamental ou psicológica concomitante (*Codificar em primeiro lugar* as outras etiologias médicas)
F02.80	Transtorno neurocognitivo maior devido à doença do príon, Gravidade não especificada, Sem perturbação comportamental ou psicológica concomitante (*Codificar em primeiro lugar* A81.9 doença do príon)
F02.80	Transtorno neurocognitivo maior devido a provável doença de Alzheimer, Gravidade não especificada, Sem perturbação comportamental ou psicológica concomitante (*Codificar em primeiro lugar* G30.9 doença de Alzheimer)
F02.80	Transtorno neurocognitivo maior devido a provável degeneração frontotemporal, Gravidade não especificada, Sem perturbação comportamental ou psicológica concomitante (*Codificar em primeiro lugar* G31.09 degeneração frontotemporal)
F02.80	Transtorno neurocognitivo maior com provável corpos de Lewy, Gravidade não especificada, Sem perturbação comportamental ou psicológica concomitante (*Codificar em primeiro lugar* G31.83 doença com corpos de Lewy)
F02.80	Transtorno neurocognitivo maior provavelmente devido à doença de Parkinson, Gravidade não especificada, Sem perturbação comportamental ou psicológica concomitante (*Codificar em primeiro lugar* G20 doença de Parkinson)

CID-10-MC	Transtorno, condição ou problema
F02.80	Transtorno neurocognitivo maior devido a lesão cerebral traumática, Gravidade não especificada, Sem perturbação comportamental ou psicológica concomitante (*Codificar em primeiro lugar* S06.2XAS lesão cerebral traumática difusa com perda de consciência de duração não especificada, com sequela)
F02.811	Transtorno neurocognitivo maior devido a outra condição médica, Gravidade não especificada, Com agitação (*Codificar em primeiro lugar* a outra condição médica)
F02.811	Transtorno neurocognitivo maior devido à infecção por HIV, Gravidade não especificada, Com agitação (*Codificar em primeiro lugar* B20 infecção por HIV)
F02.811	Transtorno neurocognitivo maior devido à doença de Huntington, Gravidade não especificada, Com agitação (*Codificar em primeiro lugar* G10 doença de Huntington)
F02.811	Transtorno neurocognitivo maior devido a múltiplas etiologias, Gravidade não especificada, Com agitação (*Codificar em primeiro lugar* as outras etiologias médicas)
F02.811	Transtorno neurocognitivo maior devido à doença do príon, Gravidade não especificada, Com agitação (*Codificar em primeiro lugar* A81.9 doença do príon)
F02.811	Transtorno neurocognitivo maior devido a provável doença de Alzheimer, Gravidade não especificada, Com agitação (*Codificar em primeiro lugar* G30.9 doença de Alzheimer)
F02.811	Transtorno neurocognitivo maior devido a provável degeneração frontotemporal, Gravidade não especificada, Com agitação (*Codificar em primeiro lugar* G31.09 degeneração frontotemporal)
F02.811	Transtorno neurocognitivo maior com provável corpos de Lewy, Gravidade não especificada, Com agitação (*Codificar em primeiro lugar* G31.83 doença com corpos de Lewy)
F02.811	Transtorno neurocognitivo maior provavelmente devido à doença de Parkinson, Gravidade não especificada, Com agitação (*Codificar em primeiro lugar* G20 doença de Parkinson)
F02.811	Transtorno neurocognitivo maior devido a lesão cerebral traumática, Gravidade não especificada, Com agitação (*Codificar em primeiro lugar* S06.2XAS lesão cerebral traumática difusa com perda de consciência de duração não especificada, com sequela)
F02.818	Transtorno neurocognitivo maior devido a outra condição médica, Gravidade não especificada, Com outra perturbação comportamental ou psicológica (*Codificar em primeiro lugar* a outra condição médica)
F02.818	Transtorno neurocognitivo maior devido à infecção por HIV, Gravidade não especificada, Com outra perturbação comportamental ou psicológica (*Codificar em primeiro lugar* B20 infecção por HIV)
F02.818	Transtorno neurocognitivo maior devido à doença de Huntington, Gravidade não especificada, Com outra perturbação comportamental ou psicológica (*Codificar em primeiro lugar* G10 doença de Huntington)
F02.818	Transtorno neurocognitivo maior devido a múltiplas etiologias, Gravidade não especificada, Com outra perturbação comportamental ou psicológica (*Codificar em primeiro lugar* as outras etiologias médicas)
F02.818	Transtorno neurocognitivo maior devido à doença do príon, Gravidade não especificada, Com outra perturbação comportamental ou psicológica (*Codificar em primeiro lugar* A81.9 doença do príon)
F02.818	Transtorno neurocognitivo maior devido a provável doença de Alzheimer, Gravidade não especificada, Com outra perturbação comportamental ou psicológica (*Codificar em primeiro lugar* G30.9 doença de Alzheimer)
F02.818	Transtorno neurocognitivo maior devido a provável degeneração frontotemporal, Gravidade não especificada, Com outra perturbação comportamental ou psicológica (*Codificar em primeiro lugar* G31.09 degeneração frontotemporal)

CID-10-MC	Transtorno, condição ou problema
F02.818	Transtorno neurocognitivo maior com provável corpos de Lewy, Gravidade não especificada, Com outra perturbação comportamental ou psicológica (*Codificar em primeiro lugar* G31.83 doença com corpos de Lewy)
F02.818	Transtorno neurocognitivo maior provavelmente devido à doença de Parkinson, Gravidade não especificada, Com outra perturbação comportamental ou psicológica (*Codificar em primeiro lugar* G20 doença de Parkinson)
F02.818	Transtorno neurocognitivo maior devido a lesão cerebral traumática, Gravidade não especificada, Com outra perturbação comportamental ou psicológica (*Codificar em primeiro lugar* S06.2XAS lesão cerebral traumática difusa com perda de consciência de duração não especificada, com sequela)
F02.82	Transtorno neurocognitivo maior devido a outra condição médica, Gravidade não especificada, Com perturbação psicótica (*Codificar em primeiro lugar* a outra condição médica)
F02.82	Transtorno neurocognitivo maior devido à infecção por HIV, Gravidade não especificada, Com perturbação psicótica (*Codificar em primeiro lugar* B20 infecção por HIV)
F02.82	Transtorno neurocognitivo maior devido à doença de Huntington, Gravidade não especificada, Com perturbação psicótica (*Codificar em primeiro lugar* G10 doença de Huntington)
F02.82	Transtorno neurocognitivo maior devido a múltiplas etiologias, Gravidade não especificada, Com perturbação psicótica (*Codificar em primeiro lugar* as outras etiologias médicas)
F02.82	Transtorno neurocognitivo maior devido à doença do príon, Gravidade não especificada, Com perturbação psicótica (*Codificar em primeiro lugar* A81.9 doença do príon)
F02.82	Transtorno neurocognitivo maior devido a provável doença de Alzheimer, Gravidade não especificada, Com perturbação psicótica (*Codificar em primeiro lugar* G30.9 doença de Alzheimer)
F02.82	Transtorno neurocognitivo maior devido a provável degeneração frontotemporal, Gravidade não especificada, Com perturbação psicótica (*Codificar em primeiro lugar* G31.09 degeneração frontotemporal)
F02.82	Transtorno neurocognitivo maior com provável corpos de Lewy, Gravidade não especificada, Com perturbação psicótica (*Codificar em primeiro lugar* G31.83 doença com corpos de Lewy)
F02.82	Transtorno neurocognitivo maior provavelmente devido à doença de Parkinson, Gravidade não especificada, Com perturbação psicótica (*Codificar em primeiro lugar* G20 doença de Parkinson)
F02.82	Transtorno neurocognitivo maior devido a lesão cerebral traumática, Gravidade não especificada, Com perturbação psicótica (*Codificar em primeiro lugar* S06.2XAS lesão cerebral traumática difusa com perda de consciência de duração não especificada, com sequela)
F02.83	Transtorno neurocognitivo maior devido a outra condição médica, Gravidade não especificada, Com sintomas de humor (*Codificar em primeiro lugar* a outra condição médica)
F02.83	Transtorno neurocognitivo maior devido à infecção por HIV, Gravidade não especificada, Com sintomas de humor (*Codificar em primeiro lugar* B20 infecção por HIV)
F02.83	Transtorno neurocognitivo maior devido à doença de Huntington, Gravidade não especificada, Com sintomas de humor (*Codificar em primeiro lugar* G10 doença de Huntington)
F02.83	Transtorno neurocognitivo maior devido a múltiplas etiologias, Gravidade não especificada, Com sintomas de humor (*Codificar em primeiro lugar* as outras etiologias médicas)
F02.83	Transtorno neurocognitivo maior devido à doença do príon, Gravidade não especificada, Com sintomas de humor (*Codificar em primeiro lugar* A81.9 doença do príon)

CID-10-MC	Transtorno, condição ou problema
F02.83	Transtorno neurocognitivo maior devido a provável doença de Alzheimer, Gravidade não especificada, Com sintomas de humor (*Codificar em primeiro lugar* G30.9 doença de Alzheimer)
F02.83	Transtorno neurocognitivo maior devido a provável degeneração frontotemporal, Gravidade não especificada, Com sintomas de humor (*Codificar em primeiro lugar* G31.09 degeneração frontotemporal)
F02.83	Transtorno neurocognitivo maior com provável corpos de Lewy, Gravidade não especificada, Com sintomas de humor (*Codificar em primeiro lugar* G31.83 doença com corpos de Lewy)
F02.83	Transtorno neurocognitivo maior provavelmente devido à doença de Parkinson, Gravidade não especificada, Com sintomas de humor (*Codificar em primeiro lugar* G20 doença de Parkinson)
F02.83	Transtorno neurocognitivo maior devido a lesão cerebral traumática, Gravidade não especificada, Com sintomas de humor (*Codificar em primeiro lugar* S06.2XAS lesão cerebral traumática difusa com perda de consciência de duração não especificada, com sequela)
F02.84	Transtorno neurocognitivo maior devido a outra condição médica, Gravidade não especificada, Com ansiedade (*Codificar em primeiro lugar* a outra condição médica)
F02.84	Transtorno neurocognitivo maior devido à infecção por HIV, Gravidade não especificada, Com ansiedade (*Codificar em primeiro lugar* B20 infecção por HIV)
F02.84	Transtorno neurocognitivo maior devido à doença de Huntington, Gravidade não especificada, Com ansiedade (*Codificar em primeiro lugar* G10 doença de Huntington)
F02.84	Transtorno neurocognitivo maior devido a múltiplas etiologias, Gravidade não especificada, Com ansiedade (*Codificar em primeiro lugar* as outras etiologias médicas)
F02.84	Transtorno neurocognitivo maior devido à doença do príon, Gravidade não especificada, Com ansiedade (*Codificar em primeiro lugar* A81.9 doença do príon)
F02.84	Transtorno neurocognitivo maior devido a provável doença de Alzheimer, Gravidade não especificada, Com ansiedade (*Codificar em primeiro lugar* G30.9 doença de Alzheimer)
F02.84	Transtorno neurocognitivo maior devido a provável degeneração frontotemporal, Gravidade não especificada, Com ansiedade (*Codificar em primeiro lugar* G31.09 degeneração frontotemporal)
F02.84	Transtorno neurocognitivo maior com provável corpos de Lewy, Gravidade não especificada, Com ansiedade (*Codificar em primeiro lugar* G31.83 doença com corpos de Lewy)
F02.84	Transtorno neurocognitivo maior provavelmente devido à doença de Parkinson, Gravidade não especificada, Com ansiedade (*Codificar em primeiro lugar* G20 doença de Parkinson)
F02.84	Transtorno neurocognitivo maior devido a lesão cerebral traumática, Gravidade não especificada, Com ansiedade (*Codificar em primeiro lugar* S06.2XAS lesão cerebral traumática difusa com perda de consciência de duração não especificada, com sequela)
F02.A0	Transtorno neurocognitivo maior devido a outra condição médica, Leve, Sem perturbação comportamental ou psicológica concomitante (*Codificar em primeiro lugar* a outra condição médica)
F02.A0	Transtorno neurocognitivo maior devido à infecção por HIV, Leve, Sem perturbação comportamental ou psicológica concomitante (*Codificar em primeiro lugar* B20 infecção por HIV)
F02.A0	Transtorno neurocognitivo maior devido à doença de Huntington, Leve, Sem perturbação comportamental ou psicológica concomitante (*Codificar em primeiro lugar* G10 doença de Huntington)

CID-10-MC	Transtorno, condição ou problema
F02.A0	Transtorno neurocognitivo maior devido a múltiplas etiologias, Leve, Sem perturbação comportamental ou psicológica concomitante (*Codificar em primeiro lugar* as outras etiologias médicas)
F02.A0	Transtorno neurocognitivo maior devido à doença do príon, Leve, Sem perturbação comportamental ou psicológica concomitante (*Codificar em primeiro lugar* A81.9 doença do príon)
F02.A0	Transtorno neurocognitivo maior devido a provável doença de Alzheimer, Leve, Sem perturbação comportamental ou psicológica concomitante (*Codificar em primeiro lugar* G30.9 doença de Alzheimer)
F02.A0	Transtorno neurocognitivo maior devido a provável degeneração frontotemporal, Leve, Sem perturbação comportamental ou psicológica concomitante (*Codificar em primeiro lugar* G31.09 degeneração frontotemporal)
F02.A0	Transtorno neurocognitivo maior com provável corpos de Lewy, Leve, Sem perturbação comportamental ou psicológica concomitante (*Codificar em primeiro lugar* G31.83 doença dos corpos de Lewy)
F02.A0	Transtorno neurocognitivo maior provavelmente devido à doença de Parkinson, Leve, Sem perturbação comportamental ou psicológica concomitante (*Codificar em primeiro lugar* G20 doença de Parkinson)
F02.A0	Transtorno neurocognitivo maior devido a lesão cerebral traumática, Leve, Sem perturbação comportamental ou psicológica concomitante (*Codificar em primeiro lugar* S06.2XAS lesão cerebral traumática difusa com perda de consciência de duração não especificada, com sequela)
F02.A11	Transtorno neurocognitivo maior devido a outra condição médica, Leve, Com agitação (*Codificar em primeiro lugar* a outra condição médica)
F02.A11	Transtorno neurocognitivo maior devido à infecção por HIV, Leve, Com agitação (*Codificar em primeiro lugar* B20 infecção por HIV)
F02.A11	Transtorno neurocognitivo maior devido à doença de Huntington, Leve, Com agitação (*Codificar em primeiro lugar* G10 doença de Huntington)
F02.A11	Transtorno neurocognitivo maior devido a múltiplas etiologias, Leve, Com agitação (*Codificar em primeiro lugar* as outras etiologias médicas)
F02.A11	Transtorno neurocognitivo maior devido à doença do príon, Leve, Com agitação (*Codificar em primeiro lugar* A81.9 doença do príon)
F02.A11	Transtorno neurocognitivo maior devido a provável doença de Alzheimer, Leve, Com agitação (*Codificar em primeiro lugar* G30.9 doença de Alzheimer)
F02.A11	Transtorno neurocognitivo maior devido a provável degeneração frontotemporal, Leve, Com agitação (*Codificar em primeiro lugar* G31.09 degeneração frontotemporal)
F02.A11	Transtorno neurocognitivo maior com provável corpos de Lewy, Leve, Com agitação (*Codificar em primeiro lugar* G31.83 doença com corpos de Lewy)
F02.A11	Transtorno neurocognitivo maior provavelmente devido à doença de Parkinson, Leve, Com agitação (*Codificar em primeiro lugar* G20 doença de Parkinson)
F02.A11	Transtorno neurocognitivo maior devido a lesão cerebral traumática, Leve, Com agitação (*Codificar em primeiro lugar* S06.2XAS lesão cerebral traumática difusa com perda de consciência de duração não especificada, com sequela)
F02.A18	Transtorno neurocognitivo maior devido a outra condição médica, Leve, Com outra perturbação comportamental ou psicológica (*Codificar em primeiro lugar* a outra condição médica)
F02.A18	Transtorno neurocognitivo maior devido à infecção por HIV, Leve, Com outra perturbação comportamental ou psicológica (*Codificar em primeiro lugar* B20 infecção por HIV)

CID-10-MC	Transtorno, condição ou problema
F02.A18	Transtorno neurocognitivo maior devido à doença de Huntington, Leve, Com outra perturbação comportamental ou psicológica (*Codificar em primeiro lugar* G10 doença de Huntington)
F02.A18	Transtorno neurocognitivo maior devido a múltiplas etiologias, Leve, Com outra perturbação comportamental ou psicológica (*Codificar em primeiro lugar* as outras etiologias médicas)
F02.A18	Transtorno neurocognitivo maior devido à doença do príon, Leve, Com outra perturbação comportamental ou psicológica (*Codificar em primeiro lugar* A81.9 doença do príon)
F02.A18	Transtorno neurocognitivo maior devido a provável doença de Alzheimer, Leve, Com outra perturbação comportamental ou psicológica (*Codificar em primeiro lugar* G30.9 doença de Alzheimer)
F02.A18	Transtorno neurocognitivo maior devido a provável degeneração frontotemporal, Leve, Com outra perturbação comportamental ou psicológica (*Codificar em primeiro lugar* G31.09 degeneração frontotemporal)
F02.A18	Transtorno neurocognitivo maior com provável corpos de Lewy, Leve, Com outra perturbação comportamental ou psicológica (*Codificar em primeiro lugar* G31.83 doença com corpos de Lewy)
F02.A18	Transtorno neurocognitivo maior provavelmente devido à doença de Parkinson, Leve, Com outra perturbação comportamental ou psicológica (*Codificar em primeiro lugar* G20 doença de Parkinson)
F02.A18	Transtorno neurocognitivo maior devido a lesão cerebral traumática, Leve, Com outra perturbação comportamental ou psicológica (*Codificar em primeiro lugar* S06.2XAS lesão cerebral traumática difusa com perda de consciência de duração não especificada, com sequela)
F02.A2	Transtorno neurocognitivo maior devido a outra condição médica, Leve, Com perturbação psicótica (*Codificar em primeiro lugar* a outra condição médica)
F02.A2	Transtorno neurocognitivo maior devido à infecção por HIV, Leve, Com perturbação psicótica (*Codificar em primeiro lugar* B20 infecção por HIV)
F02.A2	Transtorno neurocognitivo maior devido à doença de Huntington, Leve, Com perturbação psicótica (*Codificar em primeiro lugar* G10 doença de Huntington)
F02.A2	Transtorno neurocognitivo maior devido a múltiplas etiologias, Leve, Com perturbação psicótica (*Codificar em primeiro lugar* as outras etiologias médicas)
F02.A2	Transtorno neurocognitivo maior devido à doença do príon, Leve, Com perturbação psicótica (*Codificar em primeiro lugar* A81.9 doença do príon)
F02.A2	Transtorno neurocognitivo maior devido a provável doença de Alzheimer, Leve, Com perturbação psicótica (*Codificar em primeiro lugar* G30.9 doença de Alzheimer)
F02.A2	Transtorno neurocognitivo maior devido a provável degeneração frontotemporal, Leve, Com perturbação psicótica (*Codificar em primeiro lugar* G31.09 degeneração frontotemporal)
F02.A2	Transtorno neurocognitivo maior com provável corpos de Lewy, Leve, Com perturbação psicótica (*Codificar em primeiro lugar* G31.83 doença com corpos de Lewy)
F02.A2	Transtorno neurocognitivo maior provavelmente devido à doença de Parkinson, Leve, Com perturbação psicótica (*Codificar em primeiro lugar* G20 doença de Parkinson)
F02.A2	Transtorno neurocognitivo maior devido a lesão cerebral traumática, Leve, Com perturbação psicótica (*Codificar em primeiro lugar* S06.2XAS lesão cerebral traumática difusa com perda de consciência de duração não especificada, com sequela)
F02.A3	Transtorno neurocognitivo maior devido a outra condição médica, Leve, Com sintomas de humor (*Codificar em primeiro lugar* a outra condição médica)

CID-10-MC	Transtorno, condição ou problema
F02.A3	Transtorno neurocognitivo maior devido à infecção por HIV, Leve, Com sintomas de humor (*Codificar em primeiro lugar* B20 infecção por HIV)
F02.A3	Transtorno neurocognitivo maior devido à doença de Huntington, Leve, Com sintomas de humor (*Codificar em primeiro lugar* G10 doença de Huntington)
F02.A3	Transtorno neurocognitivo maior devido a múltiplas etiologias, Leve, Com sintomas de humor (*Codificar em primeiro lugar* as outras etiologias médicas)
F02.A3	Transtorno neurocognitivo maior devido à doença do príon, Leve, Com sintomas de humor (*Codificar em primeiro lugar* A81.9 doença do príon)
F02.A3	Transtorno neurocognitivo maior devido a provável doença de Alzheimer, Leve, Com sintomas de humor (*Codificar em primeiro lugar* G30.9 doença de Alzheimer)
F02.A3	Transtorno neurocognitivo maior devido a provável degeneração frontotemporal, Leve, Com sintomas de humor (*Codificar em primeiro lugar* G31.09 degeneração frontotemporal)
F02.A3	Transtorno neurocognitivo maior com provável corpos de Lewy, Leve, Com sintomas de humor (*Codificar em primeiro lugar* G31.83 doença com corpos de Lewy)
F02.A3	Transtorno neurocognitivo maior provavelmente devido à doença de Parkinson, Leve, Com sintomas de humor (*Codificar em primeiro lugar* G20 doença de Parkinson)
F02.A3	Transtorno neurocognitivo maior devido a lesão cerebral traumática, Leve, Com sintomas de humor (*Codificar em primeiro lugar* S06.2XAS lesão cerebral traumática difusa com perda de consciência de duração não especificada, com sequela)
F02.A4	Transtorno neurocognitivo maior devido a outra condição médica, Leve, Com ansiedade (*Codificar em primeiro lugar* a outra condição médica)
F02.A4	Transtorno neurocognitivo maior devido à infecção por HIV, Leve, Com ansiedade (*Codificar em primeiro lugar* B20 infecção por HIV)
F02.A4	Transtorno neurocognitivo maior devido à doença de Huntington, Leve, Com ansiedade (*Codificar em primeiro lugar* G10 doença de Huntington)
F02.A4	Transtorno neurocognitivo maior devido a múltiplas etiologias, Leve, Com ansiedade (*Codificar em primeiro lugar* as outras etiologias médicas)
F02.A4	Transtorno neurocognitivo maior devido à doença do príon, Leve, Com ansiedade (*Codificar em primeiro lugar* A81.9 doença do príon)
F02.A4	Transtorno neurocognitivo maior devido a provável doença de Alzheimer, Leve, Com ansiedade (*Codificar em primeiro lugar* G30.9 doença de Alzheimer)
F02.A4	Transtorno neurocognitivo maior devido a provável degeneração frontotemporal, Leve, Com ansiedade (*Codificar em primeiro lugar* G31.09 degeneração frontotemporal)
F02.A4	Transtorno neurocognitivo maior com provável corpos de Lewy, Leve, Com ansiedade (*Codificar em primeiro lugar* G31.83 doença com corpos de Lewy)
F02.A4	Transtorno neurocognitivo maior provavelmente devido à doença de Parkinson, Leve, Com ansiedade (*Codificar em primeiro lugar* G20 doença de Parkinson)
F02.A4	Transtorno neurocognitivo maior devido a lesão cerebral traumática, Leve, Com ansiedade (*Codificar em primeiro lugar* S06.2XAS lesão cerebral traumática difusa com perda de consciência de duração não especificada, com sequela)
F02.B0	Transtorno neurocognitivo maior devido a outra condição médica, Moderado, Sem perturbação comportamental ou psicológica concomitante (*Codificar em primeiro lugar* a outra condição médica)
F02.B0	Transtorno neurocognitivo maior devido à infecção por HIV, Moderado, Sem perturbação comportamental ou psicológica concomitante (*Codificar em primeiro lugar* B20 infecção por HIV)

Listagem Numérica dos Diagnósticos do DSM-5-TR e Códigos da CID-10-MC

CID-10-MC	Transtorno, condição ou problema
F02.B0	Transtorno neurocognitivo maior devido à doença de Huntington, Moderado, Sem perturbação comportamental ou psicológica concomitante (*Codificar em primeiro lugar* G10 doença de Huntington)
F02.B0	Transtorno neurocognitivo maior devido a múltiplas etiologias, Moderado, Sem perturbação comportamental ou psicológica concomitante (*Codificar em primeiro lugar* as outras etiologias médicas)
F02.B0	Transtorno neurocognitivo maior devido à doença do príon, Moderado, Sem perturbação comportamental ou psicológica concomitante (*Codificar em primeiro lugar* A81.9 doença do príon)
F02.B0	Transtorno neurocognitivo maior devido a provável doença de Alzheimer, Moderado, Sem perturbação comportamental ou psicológica concomitante (*Codificar em primeiro lugar* G30.9 doença de Alzheimer)
F02.B0	Transtorno neurocognitivo maior devido a provável degeneração frontotemporal, Moderado, Sem perturbação comportamental ou psicológica concomitante (*Codificar em primeiro lugar* G31.09 degeneração frontotemporal)
F02.B0	Transtorno neurocognitivo maior com provável corpos de Lewy, Moderado, Sem perturbação comportamental ou psicológica concomitante (*Codificar em primeiro lugar* G31.83 doença com corpos de Lewy)
F02.B0	Transtorno neurocognitivo maior provavelmente devido à doença de Parkinson, Moderado, Sem perturbação comportamental ou psicológica concomitante (*Codificar em primeiro lugar* G20 doença de Parkinson)
F02.B0	Transtorno neurocognitivo maior devido a lesão cerebral traumática, Moderado, Sem perturbação comportamental ou psicológica concomitante (*Codificar em primeiro lugar* S06.2XAS lesão cerebral traumática difusa com perda de consciência de duração não especificada, com sequela)
F02.B11	Transtorno neurocognitivo maior devido a outra condição médica, Moderado, Com agitação (*Codificar em primeiro lugar* a outra condição médica)
F02.B11	Transtorno neurocognitivo maior devido à infecção por HIV, Moderado, Com agitação (*Codificar em primeiro lugar* B20 infecção por HIV)
F02.B11	Transtorno neurocognitivo maior devido à doença de Huntington, Moderado, Com agitação (*Codificar em primeiro lugar* G10 doença de Huntington)
F02.B11	Transtorno neurocognitivo maior devido a múltiplas etiologias, Moderado, Com agitação (*Codificar em primeiro lugar* as outras etiologias médicas)
F02.B11	Transtorno neurocognitivo maior devido à doença do príon, Moderado, Com agitação (*Codificar em primeiro lugar* A81.9 doença do príon)
F02.B11	Transtorno neurocognitivo maior devido a provável doença de Alzheimer, Moderado, Com agitação (*Codificar em primeiro lugar* G30.9 doença de Alzheimer)
F02.B11	Transtorno neurocognitivo maior devido a provável degeneração frontotemporal, Moderado, Com agitação (*Codificar em primeiro lugar* G31.09 degeneração frontotemporal)
F02.B11	Transtorno neurocognitivo maior com provável corpos de Lewy, Moderado, Com agitação (*Codificar em primeiro lugar* G31.83 doença com corpos de Lewy)
F02.B11	Transtorno neurocognitivo maior provavelmente devido à doença de Parkinson, Moderado, Com agitação (*Codificar em primeiro lugar* G20 doença de Parkinson)
F02.B11	Transtorno neurocognitivo maior devido a lesão cerebral traumática, Moderado, Com agitação (*Codificar em primeiro lugar* S06.2XAS lesão cerebral traumática difusa com perda de consciência de duração não especificada, com sequela)
F02.B18	Transtorno neurocognitivo maior devido a outra condição médica, Moderado, Com outra perturbação comportamental ou psicológica (*Codificar em primeiro lugar* a outra condição médica)

CID-10-MC	Transtorno, condição ou problema
F02.B18	Transtorno neurocognitivo maior devido à infecção por HIV, Moderado, Com outra perturbação comportamental ou psicológica (*Codificar em primeiro lugar* B20 infecção por HIV)
F02.B18	Transtorno neurocognitivo maior devido à doença de Huntington, Moderado, Com outra perturbação comportamental ou psicológica (*Codificar em primeiro lugar* G10 doença de Huntington)
F02.B18	Transtorno neurocognitivo maior devido a múltiplas etiologias, Moderado, Com outra perturbação comportamental ou psicológica (*Codificar em primeiro lugar* as outras etiologias médicas)
F02.B18	Transtorno neurocognitivo maior devido à doença do príon, Moderado, Com outra perturbação comportamental ou psicológica (*Codificar em primeiro lugar* A81.9 doença do príon)
F02.B18	Transtorno neurocognitivo maior devido a provável doença de Alzheimer, Moderado, Com outra perturbação comportamental ou psicológica (*Codificar em primeiro lugar* G30.9 doença de Alzheimer)
F02.B18	Transtorno neurocognitivo maior devido a provável degeneração frontotemporal, Moderado, Com outra perturbação comportamental ou psicológica (*Codificar em primeiro lugar* G31.09 degeneração frontotemporal)
F02.B18	Transtorno neurocognitivo maior com provável corpos de Lewy, Moderado, Com outra perturbação comportamental ou psicológica (*Codificar em primeiro lugar* G31.83 doença com corpos de Lewy)
F02.B18	Transtorno neurocognitivo maior provavelmente devido à doença de Parkinson, Moderado, Com outra perturbação comportamental ou psicológica (*Codificar em primeiro lugar* G20 doença de Parkinson)
F02.B18	Transtorno neurocognitivo maior devido a lesão cerebral traumática, Moderado, Com outra perturbação comportamental ou psicológica (*Codificar em primeiro lugar* S06.2XAS lesão cerebral traumática difusa com perda de consciência de duração não especificada, com sequela)
F02.B2	Transtorno neurocognitivo maior devido a outra condição médica, Moderado, Com perturbação psicótica *Codificar em primeiro lugar* a outra condição médica)
F02.B2	Transtorno neurocognitivo maior devido à infecção por HIV, Moderado, Com perturbação psicótica (*Codificar em primeiro lugar* B20 infecção por HIV)
F02.B2	Transtorno neurocognitivo maior devido à doença de Huntington, Moderado, Com perturbação psicótica (*Codificar em primeiro lugar* G10 doença de Huntington)
F02.B2	Transtorno neurocognitivo maior devido a múltiplas etiologias, Moderado, Com perturbação psicótica (*Codificar em primeiro lugar* as outras etiologias médicas)
F02.B2	Transtorno neurocognitivo maior devido à doença do príon, Moderado, Com perturbação psicótica (*Codificar em primeiro lugar* A81.9 doença do príon)
F02.B2	Transtorno neurocognitivo maior devido a provável doença de Alzheimer, Moderado, Com perturbação psicótica (*Codificar em primeiro lugar* G30.9 doença de Alzheimer)
F02.B2	Transtorno neurocognitivo maior devido a provável degeneração frontotemporal, Moderado, Com perturbação psicótica (*Codificar em primeiro lugar* G31.09 degeneração frontotemporal)
F02.B2	Transtorno neurocognitivo maior com provável corpos de Lewy, Moderado, Com perturbação psicótica (*Codificar em primeiro lugar* G31.83 doença com corpos de Lewy)
F02.B2	Transtorno neurocognitivo maior provavelmente devido à doença de Parkinson, Moderado, Com perturbação psicótica (*Codificar em primeiro lugar* G20 doença de Parkinson)

Listagem Numérica dos Diagnósticos do DSM-5-TR e Códigos da CID-10-MC

CID-10-MC	Transtorno, condição ou problema
F02.B2	Transtorno neurocognitivo maior devido a lesão cerebral traumática, Moderado, Com perturbação psicótica (*Codificar em primeiro lugar* S06.2XAS lesão cerebral traumática difusa com perda de consciência de duração não especificada, com sequela)
F02.B3	Transtorno neurocognitivo maior devido a outra condição médica, Moderado, Com sintomas de humor (*Codificar em primeiro lugar* a outra condição médica)
F02.B3	Transtorno neurocognitivo maior devido à infecção por HIV, Moderado, Com sintomas de humor (*Codificar em primeiro lugar* B20 infecção por HIV)
F02.B3	Transtorno neurocognitivo maior devido à doença de Huntington, Moderado, Com sintomas de humor (*Codificar em primeiro lugar* G10 doença de Huntington)
F02.B3	Transtorno neurocognitivo maior devido a múltiplas etiologias, Moderado, Com sintomas de humor (*Codificar em primeiro lugar* as outras etiologias médicas)
F02.B3	Transtorno neurocognitivo maior devido à doença do príon, Moderado, Com sintomas de humor (*Codificar em primeiro lugar* A81.9 doença do príon)
F02.B3	Transtorno neurocognitivo maior devido a provável doença de Alzheimer, Moderado, Com sintomas de humor (*Codificar em primeiro lugar* G30.9 doença de Alzheimer)
F02.B3	Transtorno neurocognitivo maior devido a provável degeneração frontotemporal, Moderado, Com sintomas de humor (*Codificar em primeiro lugar* G31.09 degeneração frontotemporal)
F02.B3	Transtorno neurocognitivo maior com provável corpos de Lewy, Moderado, Com sintomas de humor (*Codificar em primeiro lugar* G31.83 doença com corpos de Lewy)
F02.B3	Transtorno neurocognitivo maior provavelmente devido à doença de Parkinson, Moderado, Com sintomas de humor (*Codificar em primeiro lugar* G20 doença de Parkinson)
F02.B3	Transtorno neurocognitivo maior devido a lesão cerebral traumática, Moderado, Com sintomas de humor (*Codificar em primeiro lugar* S06.2XAS lesão cerebral traumática difusa com perda de consciência de duração não especificada, com sequela)
F02.B4	Transtorno neurocognitivo maior devido a outra condição médica, Moderado, Com ansiedade (*Codificar em primeiro lugar* a outra condição médica)
F02.B4	Transtorno neurocognitivo maior devido à infecção por HIV, Moderado, Com ansiedade (*Codificar em primeiro lugar* B20 infecção por HIV)
F02.B4	Transtorno neurocognitivo maior devido à doença de Huntington, Moderado, Com ansiedade (*Codificar em primeiro lugar* G10 doença de Huntington)
F02.B4	Transtorno neurocognitivo maior devido a múltiplas etiologias, Moderado, Com ansiedade (*Codificar em primeiro lugar* as outras etiologias médicas)
F02.B4	Transtorno neurocognitivo maior devido à doença do príon, Moderado, Com ansiedade (*Codificar em primeiro lugar* A81.9 doença do príon)
F02.B4	Transtorno neurocognitivo maior devido a provável doença de Alzheimer, Moderado, Com ansiedade (*Codificar em primeiro lugar* G30.9 doença de Alzheimer)
F02.B4	Transtorno neurocognitivo maior devido a provável degeneração frontotemporal, Moderado, Com ansiedade (*Codificar em primeiro lugar* G31.09 degeneração frontotemporal)
F02.B4	Transtorno neurocognitivo maior com provável corpos de Lewy, Moderado, Com ansiedade (*Codificar em primeiro lugar* G31.83 doença com corpos de Lewy)
F02.B4	Transtorno neurocognitivo maior provavelmente devido à doença de Parkinson, Moderado, Com ansiedade (*Codificar em primeiro lugar* G20 doença de Parkinson)
F02.B4	Transtorno neurocognitivo maior devido a lesão cerebral traumática, Moderado, Com ansiedade (*Codificar em primeiro lugar* S06.2XAS lesão cerebral traumática difusa com perda de consciência de duração não especificada, com sequela)

CID-10-MC	Transtorno, condição ou problema
F02.C0	Transtorno neurocognitivo maior devido a outra condição médica, Grave, Sem perturbação comportamental ou psicológica concomitante (*Codificar em primeiro lugar* a outra condição médica)
F02.C0	Transtorno neurocognitivo maior devido à infecção por HIV, Grave, Sem perturbação comportamental ou psicológica concomitante (*Codificar em primeiro lugar* B20 infecção por HIV)
F02.C0	Transtorno neurocognitivo maior devido à doença de Huntington, Grave, Sem perturbação comportamental ou psicológica concomitante (*Codificar em primeiro lugar* G10 doença de Huntington)
F02.C0	Transtorno neurocognitivo maior devido a múltiplas etiologias, Grave, Sem perturbação comportamental ou psicológica concomitante (*Codificar em primeiro lugar* as outras etiologias médicas)
F02.C0	Transtorno neurocognitivo maior devido à doença do príon, Grave, Sem perturbação comportamental ou psicológica concomitante (*Codificar em primeiro lugar* A81.9 doença do príon)
F02.C0	Transtorno neurocognitivo maior devido a provável doença de Alzheimer, Grave, Sem perturbação comportamental ou psicológica concomitante (*Codificar em primeiro lugar* G30.9 doença de Alzheimer)
F02.C0	Transtorno neurocognitivo maior devido a provável degeneração frontotemporal, Grave, Sem perturbação comportamental ou psicológica concomitante (*Codificar em primeiro lugar* G31.09 degeneração frontotemporal)
F02.C0	Transtorno neurocognitivo maior com provável corpos de Lewy, Grave, Sem perturbação comportamental ou psicológica concomitante (*Codificar em primeiro lugar* G31.83 doença com corpos de Lewy)
F02.C0	Transtorno neurocognitivo maior provavelmente devido à doença de Parkinson, Grave, Sem perturbação comportamental ou psicológica concomitante (*Codificar em primeiro lugar* G20 doença de Parkinson)
F02.C0	Transtorno neurocognitivo maior devido a lesão cerebral traumática, Grave, Sem perturbação comportamental ou psicológica concomitante (*Codificar em primeiro lugar* S06.2XAS lesão cerebral traumática difusa com perda de consciência de duração não especificada, com sequela)
F02.C11	Transtorno neurocognitivo maior devido a outra condição médica, Grave, Com agitação (*Codificar em primeiro lugar* a outra condição médica)
F02.C11	Transtorno neurocognitivo maior devido à infecção por HIV, Grave, Com agitação (*Codificar em primeiro lugar* B20 infecção por HIV)
F02.C11	Transtorno neurocognitivo maior devido à doença de Huntington, Grave, Com agitação (*Codificar em primeiro lugar* G10 doença de Huntington)
F02.C11	Transtorno neurocognitivo maior devido a múltiplas etiologias, Grave, Com agitação (*Codificar em primeiro lugar* as outras etiologias médicas)
F02.C11	Transtorno neurocognitivo maior devido à doença do príon, Grave, Com agitação (*Codificar em primeiro lugar* A81.9 doença do príon)
F02.C11	Transtorno neurocognitivo maior devido a provável doença de Alzheimer, Grave, Com agitação (*Codificar em primeiro lugar* G30.9 doença de Alzheimer)
F02.C11	Transtorno neurocognitivo maior devido a provável degeneração frontotemporal, Grave, Com agitação (*Codificar em primeiro lugar* G31.09 degeneração frontotemporal)
F02.C11	Transtorno neurocognitivo maior com provável corpos de Lewy, Grave, Com agitação (*Codificar em primeiro lugar* G31.83 doença com corpos de Lewy)
F02.C11	Transtorno neurocognitivo maior provavelmente devido à doença de Parkinson, Grave, Com agitação (*Codificar em primeiro lugar* G20 doença de Parkinson)

Listagem Numérica dos Diagnósticos do DSM-5-TR e Códigos da CID-10-MC

CID-10-MC	Transtorno, condição ou problema
F02.C11	Transtorno neurocognitivo maior devido a lesão cerebral traumática, Grave, Com agitação (*Codificar em primeiro lugar* S06.2XAS lesão cerebral traumática difusa com perda de consciência de duração não especificada, com sequela)
F02.C18	Transtorno neurocognitivo maior devido a outra condição médica, Grave, Com outra perturbação comportamental ou psicológica (*Codificar em primeiro lugar* a outra condição médica)
F02.C18	Transtorno neurocognitivo maior devido à infecção por HIV, Grave, Com outra perturbação comportamental ou psicológica (*Codificar em primeiro lugar* B20 infecção por HIV)
F02.C18	Transtorno neurocognitivo maior devido à doença de Huntington, Grave, Com outra perturbação comportamental ou psicológica (*Codificar em primeiro lugar* G10 doença de Huntington)
F02.C18	Transtorno neurocognitivo maior devido a múltiplas etiologias, Grave, Com outra perturbação comportamental ou psicológica (*Codificar em primeiro lugar* outras etiologias médicas)
F02.C18	Transtorno neurocognitivo maior devido à doença do príon, Grave, Com outra perturbação comportamental ou psicológica (*Codificar em primeiro lugar* A81.9 doença do príon)
F02.C18	Transtorno neurocognitivo maior devido a provável doença de Alzheimer, Grave, Com outra perturbação comportamental ou psicológica (*Codificar em primeiro lugar* G30.9 doença de Alzheimer)
F02.C18	Transtorno neurocognitivo maior devido a provável degeneração frontotemporal, Grave, Com outra perturbação comportamental ou psicológica (*Codificar em primeiro lugar* G31.09 degeneração frontotemporal)
F02.C18	Transtorno neurocognitivo maior com provável corpos de Lewy, Grave, Com outra perturbação comportamental ou psicológica (*Codificar em primeiro lugar* G31.83 doença com corpos de Lewy)
F02.C18	Transtorno neurocognitivo maior provavelmente devido à doença de Parkinson, Grave, Com outra perturbação comportamental ou psicológica (*Codificar em primeiro lugar* G20 doença de Parkinson)
F02.C18	Transtorno neurocognitivo maior devido a lesão cerebral traumática, Grave, Com outra perturbação comportamental ou psicológica (*Codificar em primeiro lugar* S06.2XAS lesão cerebral traumática difusa com perda de consciência de duração não especificada, com sequela)
F02.C2	Transtorno neurocognitivo maior devido a outra condição médica, Grave, Com perturbação psicótica (*Codificar em primeiro lugar* a outra condição médica)
F02.C2	Transtorno neurocognitivo maior devido à infecção por HIV, Grave, Com perturbação psicótica (*Codificar em primeiro lugar* B20 infecção por HIV)
F02.C2	Transtorno neurocognitivo maior devido à doença de Huntington, Grave, Com perturbação psicótica (*Codificar em primeiro lugar* G10 doença de Huntington)
F02.C2	Transtorno neurocognitivo maior devido a múltiplas etiologias, Grave, Com perturbação psicótica (*Codificar em primeiro lugar* as outras etiologias médicas)
F02.C2	Transtorno neurocognitivo maior devido à doença do príon, Grave, Com perturbação psicótica (*Codificar em primeiro lugar* A81.9 doença do príon)
F02.C2	Transtorno neurocognitivo maior devido a provável doença de Alzheimer, Grave, Com perturbação psicótica (*Codificar em primeiro lugar* G30.9 doença de Alzheimer)
F02.C2	Transtorno neurocognitivo maior devido a provável degeneração frontotemporal, Grave, Com perturbação psicótica (*Codificar em primeiro lugar* G31.09 degeneração frontotemporal)

CID-10-MC	Transtorno, condição ou problema
F02.C2	Transtorno neurocognitivo maior com provável corpos de Lewy, Grave, Com perturbação psicótica (*Codificar em primeiro lugar* G31.83 doença com corpos de Lewy)
F02.C2	Transtorno neurocognitivo maior provavelmente devido à doença de Parkinson, Grave, Com perturbação psicótica (*Codificar em primeiro lugar* G20 doença de Parkinson)
F02.C2	Transtorno neurocognitivo maior devido a lesão cerebral traumática, Grave, Com perturbação psicótica (*Codificar em primeiro lugar* S06.2XAS lesão cerebral traumática difusa com perda de consciência de duração não especificada, com sequela)
F02.C3	Transtorno neurocognitivo maior devido a outra condição médica, Grave, Com sintomas de humor (*Codificar em primeiro lugar* a outra condição médica)
F02.C3	Transtorno neurocognitivo maior devido à infecção por HIV, Grave, Com sintomas de humor (*Codificar em primeiro lugar* B20 infecção por HIV)
F02.C3	Transtorno neurocognitivo maior devido à doença de Huntington, Grave, Com sintomas de humor (*Codificar em primeiro lugar* G10 doença de Huntington)
F02.C3	Transtorno neurocognitivo maior devido a múltiplas etiologias, Grave, Com sintomas de humor (*Codificar em primeiro lugar* as outras etiologias médicas)
F02.C3	Transtorno neurocognitivo maior devido à doença do príon, Grave, Com sintomas de humor (*Codificar em primeiro lugar* A81.9 doença do príon)
F02.C3	Transtorno neurocognitivo maior devido a provável doença de Alzheimer, Grave, Com sintomas de humor (*Codificar em primeiro lugar* G30.9 doença de Alzheimer)
F02.C3	Transtorno neurocognitivo maior devido a provável degeneração frontotemporal, Grave, Com sintomas de humor (*Codificar em primeiro lugar* G31.09 degeneração frontotemporal)
F02.C3	Transtorno neurocognitivo maior com provável corpos de Lewy, Grave, Com sintomas de humor (*Codificar em primeiro lugar* G31.83 doença com corpos de Lewy)
F02.C3	Transtorno neurocognitivo maior provavelmente devido à doença de Parkinson, Grave, Com sintomas de humor (*Codificar em primeiro lugar* G20 doença de Parkinson)
F02.C3	Transtorno neurocognitivo maior devido a lesão cerebral traumática, Grave, Com sintomas de humor (*Codificar em primeiro lugar* S06.2XAS lesão cerebral traumática difusa com perda de consciência de duração não especificada, com sequela)
F02.C4	Transtorno neurocognitivo maior devido a outra condição médica, Grave, Com ansiedade (*Codificar em primeiro lugar* a outra condição médica)
F02.C4	Transtorno neurocognitivo maior devido à infecção por HIV, Grave, Com ansiedade (*Codificar em primeiro lugar* B20 infecção por HIV)
F02.C4	Transtorno neurocognitivo maior devido à doença de Huntington, Grave, Com ansiedade (*Codificar em primeiro lugar* G10 doença de Huntington)
F02.C4	Transtorno neurocognitivo maior devido a múltiplas etiologias, Grave, Com ansiedade (*Codificar em primeiro lugar* as outras etiologias médicas)
F02.C4	Transtorno neurocognitivo maior devido à doença do príon, Grave, Com ansiedade (*Codificar em primeiro lugar* A81.9 doença do príon)
F02.C4	Transtorno neurocognitivo maior devido a provável doença de Alzheimer, Grave, Com ansiedade (*Codificar em primeiro lugar* G30.9 doença de Alzheimer)
F02.C4	Transtorno neurocognitivo maior devido a provável degeneração frontotemporal, Grave, Com ansiedade (*Codificar em primeiro lugar* G31.09 degeneração frontotemporal)
F02.C4	Transtorno neurocognitivo maior com provável corpos de Lewy, Grave, Com ansiedade (*Codificar em primeiro lugar* G31.83 doença com corpos de Lewy)
F02.C4	Transtorno neurocognitivo maior provavelmente devido à doença de Parkinson, Grave, Com ansiedade (*Codificar em primeiro lugar* G20 doença de Parkinson)

CID-10-MC	Transtorno, condição ou problema
F02.C4	Transtorno neurocognitivo maior devido a lesão cerebral traumática, Grave, Com ansiedade (*Codificar em primeiro lugar* S06.2XAS lesão cerebral traumática difusa com perda de consciência de duração não especificada, com sequela)
F03.90	Transtorno neurocognitivo maior devido a possível doença de Alzheimer, Gravidade não especificada, Sem perturbação comportamental ou psicológica concomitante *(nenhum código médico adicional)*
F03.90	Transtorno neurocognitivo maior devido a possível degeneração frontotemporal, Gravidade não especificada, Sem perturbação comportamental ou psicológica concomitante *(nenhum código médico adicional)*
F03.90	Transtorno neurocognitivo maior com possível corpos de Lewy, Gravidade não especificada, Sem perturbação comportamental ou psicológica concomitante *(nenhum código médico adicional)*
F03.90	Transtorno neurocognitivo maior possivelmente devido à doença de Parkinson, Gravidade não especificada, Sem perturbação comportamental ou psicológica concomitante *(nenhum código médico adicional)*
F03.90	Transtorno neurocognitivo maior possivelmente devido a doença vascular, Gravidade não especificada, Sem perturbação comportamental ou psicológica concomitante *(nenhum código médico adicional)*
F03.90	Transtorno neurocognitivo maior devido a etiologia desconhecida, Gravidade não especificada, Sem perturbação comportamental ou psicológica concomitante *(nenhum código médico adicional)*
F03.911	Transtorno neurocognitivo maior devido a possível doença de Alzheimer, Gravidade não especificada, Com agitação *(nenhum código médico adicional)*
F03.911	Transtorno neurocognitivo maior devido a possível degeneração frontotemporal, Gravidade não especificada, Com agitação *(nenhum código médico adicional)*
F03.911	Transtorno neurocognitivo maior com possível corpos de Lewy, Gravidade não especificada, Com agitação *(nenhum código médico adicional)*
F03.911	Transtorno neurocognitivo maior possivelmente devido à doença de Parkinson, Gravidade não especificada, Com agitação *(nenhum código médico adicional)*
F03.911	Transtorno neurocognitivo maior possivelmente devido a doença vascular, Gravidade não especificada, Com agitação *(nenhum código médico adicional)*
F03.911	Transtorno neurocognitivo maior devido a etiologia desconhecida, Gravidade não especificada, Com agitação *(nenhum código médico adicional)*
F03.918	Transtorno neurocognitivo maior devido a possível doença de Alzheimer, Gravidade não especificada, Com outra perturbação comportamental ou psicológica *(nenhum código médico adicional)*
F03.918	Transtorno neurocognitivo maior devido a possível degeneração frontotemporal, Gravidade não especificada, Com outra perturbação comportamental ou psicológica *(nenhum código médico adicional)*
F03.918	Transtorno neurocognitivo maior com possível corpos de Lewy, Gravidade não especificada, Com outra perturbação comportamental ou psicológica *(nenhum código médico adicional)*
F03.918	Transtorno neurocognitivo maior possivelmente devido à doença de Parkinson, Gravidade não especificada, Com outra perturbação comportamental ou psicológica *(nenhum código médico adicional)*
F03.918	Transtorno neurocognitivo maior possivelmente devido a doença vascular, Gravidade não especificada, Com outra perturbação comportamental ou psicológica *(nenhum código médico adicional)*

CID-10-MC	Transtorno, condição ou problema
F03.918	Transtorno neurocognitivo maior devido a etiologia desconhecida, Gravidade não especificada, Com outra perturbação comportamental ou psicológica *(nenhum código médico adicional)*
F03.92	Transtorno neurocognitivo maior devido a possível doença de Alzheimer, Gravidade não especificada, Com perturbação psicótica *(nenhum código médico adicional)*
F03.92	Transtorno neurocognitivo maior devido a possível degeneração frontotemporal, Gravidade não especificada, Com perturbação psicótica *(nenhum código médico adicional)*
F03.92	Transtorno neurocognitivo maior com possível corpos de Lewy, Gravidade não especificada, Com perturbação psicótica *(nenhum código médico adicional)*
F03.92	Transtorno neurocognitivo maior possivelmente devido à doença de Parkinson, Gravidade não especificada, Com perturbação psicótica *(nenhum código médico adicional)*
F03.92	Transtorno neurocognitivo maior possivelmente devido a doença vascular, Gravidade não especificada, Com perturbação psicótica *(nenhum código médico adicional)*
F03.92	Transtorno neurocognitivo maior devido a etiologia desconhecida, Gravidade não especificada, Com perturbação psicótica *(nenhum código médico adicional)*
F03.93	Transtorno neurocognitivo maior devido a possível doença de Alzheimer, Gravidade não especificada, Com sintomas de humor *(nenhum código médico adicional)*
F03.93	Transtorno neurocognitivo maior devido a possível degeneração frontotemporal, Gravidade não especificada, Com sintomas de humor *(nenhum código médico adicional)*
F03.93	Transtorno neurocognitivo maior com possível corpos de Lewy, Gravidade não especificada, Com sintomas de humor *(nenhum código médico adicional)*
F03.93	Transtorno neurocognitivo maior possivelmente devido à doença de Parkinson, Gravidade não especificada, Com sintomas de humor *(nenhum código médico adicional)*
F03.93	Transtorno neurocognitivo maior possivelmente devido a doença vascular, Gravidade não especificada, Com sintomas de humor *(nenhum código médico adicional)*
F03.93	Transtorno neurocognitivo maior devido a etiologia desconhecida, Gravidade não especificada, Com sintomas de humor *(nenhum código médico adicional)*
F03.94	Transtorno neurocognitivo maior devido a possível doença de Alzheimer, Gravidade não especificada, Com ansiedade *(nenhum código médico adicional)*
F03.94	Transtorno neurocognitivo maior devido a possível degeneração frontotemporal, Gravidade não especificada, Com ansiedade *(nenhum código médico adicional)*
F03.94	Transtorno neurocognitivo maior com possível corpos de Lewy, Gravidade não especificada, Com ansiedade *(nenhum código médico adicional)*
F03.94	Transtorno neurocognitivo maior possivelmente devido à doença de Parkinson, Gravidade não especificada, Com ansiedade *(nenhum código médico adicional)*
F03.94	Transtorno neurocognitivo maior possivelmente devido a doença vascular, Gravidade não especificada, Com ansiedade *(nenhum código médico adicional)*
F03.94	Transtorno neurocognitivo maior devido a etiologia desconhecida, Gravidade não especificada, Com ansiedade *(nenhum código médico adicional)*
F03.A0	Transtorno neurocognitivo maior devido a possível doença de Alzheimer, Leve, Sem perturbação comportamental ou psicológica concomitante *(nenhum código médico adicional)*
F03.A0	Transtorno neurocognitivo maior devido a possível degeneração frontotemporal, Leve, Sem perturbação comportamental ou psicológica concomitante *(nenhum código médico adicional)*
F03.A0	Transtorno neurocognitivo maior com possível corpos de Lewy, Leve, Sem perturbação comportamental ou psicológica concomitante *(nenhum código médico adicional)*

CID-10-MC	Transtorno, condição ou problema
F03.A0	Transtorno neurocognitivo maior possivelmente devido à doença de Parkinson, Leve, Sem perturbação comportamental ou psicológica concomitante *(nenhum código médico adicional)*
F03.A0	Transtorno neurocognitivo maior possivelmente devido a doença vascular, Leve, Sem perturbação comportamental ou psicológica concomitante *(nenhum código médico adicional)*
F03.A0	Transtorno neurocognitivo maior devido a etiologia desconhecida, Leve, Sem perturbação comportamental ou psicológica concomitante *(nenhum código médico adicional)*
F03.A11	Transtorno neurocognitivo maior devido a possível doença de Alzheimer, Leve, Com agitação *(nenhum código médico adicional)*
F03.A11	Transtorno neurocognitivo maior devido a possível degeneração frontotemporal, Leve, Com agitação *(nenhum código médico adicional)*
F03.A11	Transtorno neurocognitivo maior com possível corpos de Lewy, Leve, Com agitação *(nenhum código médico adicional)*
F03.A11	Transtorno neurocognitivo maior possivelmente devido à doença de Parkinson, Leve, Com agitação *(nenhum código médico adicional)*
F03.A11	Transtorno neurocognitivo maior possivelmente devido a doença vascular, Leve, Com agitação *(nenhum código médico adicional)*
F03.A11	Transtorno neurocognitivo maior devido a etiologia desconhecida, Leve, Com agitação *(nenhum código médico adicional)*
F03.A18	Transtorno neurocognitivo maior devido a possível doença de Alzheimer, Leve, Com outra perturbação comportamental ou psicológica *(nenhum código médico adicional)*
F03.A18	Transtorno neurocognitivo maior devido a possível degeneração frontotemporal, Leve, Com outra perturbação comportamental ou psicológica *(nenhum código médico adicional)*
F03.A18	Transtorno neurocognitivo maior com possível corpos de Lewy, Leve, Com outra perturbação comportamental ou psicológica *(nenhum código médico adicional)*
F03.A18	Transtorno neurocognitivo maior possivelmente devido à doença de Parkinson, Leve, Com outra perturbação comportamental ou psicológica *(nenhum código médico adicional)*
F03.A18	Transtorno neurocognitivo maior possivelmente devido a doença vascular, Leve, Com outra perturbação comportamental ou psicológica *(nenhum código médico adicional)*
F03.A18	Transtorno neurocognitivo maior devido a etiologia desconhecida, Leve, Com outra perturbação comportamental ou psicológica *(nenhum código médico adicional)*
F03.A2	Transtorno neurocognitivo maior devido a possível doença de Alzheimer, Leve, Com perturbação psicótica *(nenhum código médico adicional)*
F03.A2	Transtorno neurocognitivo maior devido a possível degeneração frontotemporal, Leve, Com perturbação psicótica *(nenhum código médico adicional)*
F03.A2	Transtorno neurocognitivo maior com possível corpos de Lewy, Leve, Com perturbação psicótica *(nenhum código médico adicional)*
F03.A2	Transtorno neurocognitivo maior possivelmente devido à doença de Parkinson, Leve, Com perturbação psicótica *(nenhum código médico adicional)*
F03.A2	Transtorno neurocognitivo maior possivelmente devido a doença vascular, Leve, Com perturbação psicótica *(nenhum código médico adicional)*
F03.A2	Transtorno neurocognitivo maior devido a etiologia desconhecida, Leve, Com perturbação psicótica *(nenhum código médico adicional)*
F03.A3	Transtorno neurocognitivo maior devido a possível doença de Alzheimer, Leve, Com sintomas de humor *(nenhum código médico adicional)*
F03.A3	Transtorno neurocognitivo maior devido a possível degeneração frontotemporal, Leve, Com sintomas de humor *(nenhum código médico adicional)*

CID-10-MC	Transtorno, condição ou problema
F03.A3	Transtorno neurocognitivo maior com possível corpos de Lewy, Leve, Com sintomas de humor *(nenhum código médico adicional)*
F03.A3	Transtorno neurocognitivo maior possivelmente devido à doença de Parkinson, Leve, Com sintomas de humor *(nenhum código médico adicional)*
F03.A3	Transtorno neurocognitivo maior possivelmente devido a doença vascular, Leve, Com sintomas de humor *(nenhum código médico adicional)*
F03.A3	Transtorno neurocognitivo maior devido a etiologia desconhecida, Leve, Com sintomas de humor *(nenhum código médico adicional)*
F03.A4	Transtorno neurocognitivo maior devido a possível doença de Alzheimer, Leve, Com ansiedade *(nenhum código médico adicional)*
F03.A4	Transtorno neurocognitivo maior devido a possível degeneração frontotemporal, Leve, Com ansiedade *(nenhum código médico adicional)*
F03.A4	Transtorno neurocognitivo maior com possível corpos de Lewy, Leve, Com ansiedade *(nenhum código médico adicional)*
F03.A4	Transtorno neurocognitivo maior possivelmente devido à doença de Parkinson, Leve, Com ansiedade *(nenhum código médico adicional)*
F03.A4	Transtorno neurocognitivo maior possivelmente devido a doença vascular, Leve, Com ansiedade *(nenhum código médico adicional)*
F03.A4	Transtorno neurocognitivo maior devido a etiologia desconhecida, Leve, Com ansiedade *(nenhum código médico adicional)*
F03.B0	Transtorno neurocognitivo maior devido a possível doença de Alzheimer, Moderado, Sem perturbação comportamental ou psicológica concomitante *(nenhum código médico adicional)*
F03.B0	Transtorno neurocognitivo maior devido a possível degeneração frontotemporal, Moderado, Sem perturbação comportamental ou psicológica concomitante *(nenhum código médico adicional)*
F03.B0	Transtorno neurocognitivo maior com possível corpos de Lewy, Moderado, Sem perturbação comportamental ou psicológica concomitante *(nenhum código médico adicional)*
F03.B0	Transtorno neurocognitivo maior possivelmente devido à doença de Parkinson, Moderado, Sem perturbação comportamental ou psicológica concomitante *(nenhum código médico adicional)*
F03.B0	Transtorno neurocognitivo maior possivelmente devido a doença vascular, Moderado, Sem perturbação comportamental ou psicológica concomitante *(nenhum código médico adicional)*
F03.B0	Transtorno neurocognitivo maior devido a etiologia desconhecida, Moderado, Sem perturbação comportamental ou psicológica concomitante *(nenhum código médico adicional)*
F03.B11	Transtorno neurocognitivo maior devido a possível doença de Alzheimer, Moderado, Com agitação *(nenhum código médico adicional)*
F03.B11	Transtorno neurocognitivo maior devido a possível degeneração frontotemporal, Moderado, Com agitação *(nenhum código médico adicional)*
F03.B11	Transtorno neurocognitivo maior com possível corpos de Lewy, Moderado, Com agitação *(nenhum código médico adicional)*
F03.B11	Transtorno neurocognitivo maior possivelmente devido à doença de Parkinson, Moderado, Com agitação *(nenhum código médico adicional)*
F03.B11	Transtorno neurocognitivo maior possivelmente devido a doença vascular, Moderado, Com agitação *(nenhum código médico adicional)*

Listagem Numérica dos Diagnósticos do DSM-5-TR e Códigos da CID-10-MC

CID-10-MC	Transtorno, condição ou problema
F03.B11	Transtorno neurocognitivo maior devido a etiologia desconhecida, Moderado, Com agitação *(nenhum código médico adicional)*
F03.B18	Transtorno neurocognitivo maior devido a possível doença de Alzheimer, Moderado, Com outra perturbação comportamental ou psicológica *(nenhum código médico adicional)*
F03.B18	Transtorno neurocognitivo maior devido a possível degeneração frontotemporal, Moderado, Com outra perturbação comportamental ou psicológica *(nenhum código médico adicional)*
F03.B18	Transtorno neurocognitivo maior com possível corpos de Lewy, Moderado, Com outra perturbação comportamental ou psicológica *(nenhum código médico adicional)*
F03.B18	Transtorno neurocognitivo maior possivelmente devido à doença de Parkinson, Moderado, Com outra perturbação comportamental ou psicológica *(nenhum código médico adicional)*
F03.B18	Transtorno neurocognitivo maior possivelmente devido a doença vascular, Moderado, Com outra perturbação comportamental ou psicológica *(nenhum código médico adicional)*
F03.B18	Transtorno neurocognitivo maior devido a etiologia desconhecida, Moderado, Com outra perturbação comportamental ou psicológica *(nenhum código médico adicional)*
F03.B2	Transtorno neurocognitivo maior devido a possível doença de Alzheimer, Moderado, Com perturbação psicótica *(nenhum código médico adicional)*
F03.B2	Transtorno neurocognitivo maior devido a possível degeneração frontotemporal, Moderado, Com perturbação psicótica *(nenhum código médico adicional)*
F03.B2	Transtorno neurocognitivo maior com possível corpos de Lewy, Moderado, Com perturbação psicótica *(nenhum código médico adicional)*
F03.B2	Transtorno neurocognitivo maior possivelmente devido à doença de Parkinson, Moderado, Com perturbação psicótica *(nenhum código médico adicional)*
F03.B2	Transtorno neurocognitivo maior possivelmente devido a doença vascular, Moderado, Com perturbação psicótica *(nenhum código médico adicional)*
F03.B2	Transtorno neurocognitivo maior devido a etiologia desconhecida, Moderado, Com perturbação psicótica *(nenhum código médico adicional)*
F03.B3	Transtorno neurocognitivo maior devido a possível doença de Alzheimer, Moderado, Com sintomas de humor *(nenhum código médico adicional)*
F03.B3	Transtorno neurocognitivo maior devido a possível degeneração frontotemporal, Moderado, Com sintomas de humor *(nenhum código médico adicional)*
F03.B3	Transtorno neurocognitivo maior com possível corpos de Lewy, Moderado, Com sintomas de humor *(nenhum código médico adicional)*
F03.B3	Transtorno neurocognitivo maior possivelmente devido à doença de Parkinson, Moderado, Com sintomas de humor *(nenhum código médico adicional)*
F03.B3	Transtorno neurocognitivo maior possivelmente devido a doença vascular, Moderado, Com sintomas de humor *(nenhum código médico adicional)*
F03.B3	Transtorno neurocognitivo maior devido a etiologia desconhecida, Moderado, Com sintomas de humor *(nenhum código médico adicional)*
F03.B4	Transtorno neurocognitivo maior devido a possível doença de Alzheimer, Moderado, Com ansiedade *(nenhum código médico adicional)*
F03.B4	Transtorno neurocognitivo maior devido a possível degeneração frontotemporal, Moderado, Com ansiedade *(nenhum código médico adicional)*
F03.B4	Transtorno neurocognitivo maior com possível corpos de Lewy, Moderado, Com ansiedade *(nenhum código médico adicional)*

CID-10-MC	Transtorno, condição ou problema
F03.B4	Transtorno neurocognitivo maior possivelmente devido à doença de Parkinson, Moderado, Com ansiedade *(nenhum código médico adicional)*
F03.B4	Transtorno neurocognitivo maior possivelmente devido a doença vascular, Moderado, Com ansiedade *(nenhum código médico adicional)*
F03.B4	Transtorno neurocognitivo maior devido a etiologia desconhecida, Moderado, Com ansiedade *(nenhum código médico adicional)*
F03.C0	Transtorno neurocognitivo maior devido a possível doença de Alzheimer, Grave, Sem perturbação comportamental ou psicológica concomitante *(nenhum código médico adicional)*
F03.C0	Transtorno neurocognitivo maior devido a possível degeneração frontotemporal, Grave, Sem perturbação comportamental ou psicológica concomitante *(nenhum código médico adicional)*
F03.C0	Transtorno neurocognitivo maior com possível corpos de Lewy, Grave, Sem perturbação comportamental ou psicológica concomitante *(nenhum código médico adicional)*
F03.C0	Transtorno neurocognitivo maior possivelmente devido à doença de Parkinson, Grave, Sem perturbação comportamental ou psicológica concomitante *(nenhum código médico adicional)*
F03.C0	Transtorno neurocognitivo maior possivelmente devido a doença vascular, Grave, Sem perturbação comportamental ou psicológica concomitante *(nenhum código médico adicional)*
F03.C0	Transtorno neurocognitivo maior devido a etiologia desconhecida, Grave, Sem perturbação comportamental ou psicológica concomitante *(nenhum código médico adicional)*
F03.C11	Transtorno neurocognitivo maior devido a possível doença de Alzheimer, Grave, Com agitação *(nenhum código médico adicional)*
F03.C11	Transtorno neurocognitivo maior devido a possível degeneração frontotemporal, Grave, Com agitação *(nenhum código médico adicional)*
F03.C11	Transtorno neurocognitivo maior com possível corpos de Lewy, Grave, Com agitação *(nenhum código médico adicional)*
F03.C11	Transtorno neurocognitivo maior possivelmente devido à doença de Parkinson, Grave, Com agitação *(nenhum código médico adicional)*
F03.C11	Transtorno neurocognitivo maior possivelmente devido a doença vascular, Grave, Com agitação *(nenhum código médico adicional)*
F03.C11	Transtorno neurocognitivo maior devido a etiologia desconhecida, Grave, Com agitação *(nenhum código médico adicional)*
F03.C18	Transtorno neurocognitivo maior devido a possível doença de Alzheimer, Grave, Com outra perturbação comportamental ou psicológica *(nenhum código médico adicional)*
F03.C18	Transtorno neurocognitivo maior devido a possível degeneração frontotemporal, Grave, Com outra perturbação comportamental ou psicológica *(nenhum código médico adicional)*
F03.C18	Transtorno neurocognitivo maior com possível corpos de Lewy, Grave, Com outra perturbação comportamental ou psicológica *(nenhum código médico adicional)*
F03.C18	Transtorno neurocognitivo maior possivelmente devido à doença de Parkinson, Grave, Com outra perturbação comportamental ou psicológica *(nenhum código médico adicional)*
F03.C18	Transtorno neurocognitivo maior possivelmente devido a doença vascular, Grave, Com outra perturbação comportamental ou psicológica *(nenhum código médico adicional)*
F03.C18	Transtorno neurocognitivo maior devido a etiologia desconhecida, Grave, Com outra perturbação comportamental ou psicológica *(nenhum código médico adicional)*

CID-10-MC	Transtorno, condição ou problema
F03.C2	Transtorno neurocognitivo maior devido a possível doença de Alzheimer, Grave, Com perturbação psicótica *(nenhum código médico adicional)*
F03.C2	Transtorno neurocognitivo maior devido a possível degeneração frontotemporal, Grave, Com perturbação psicótica *(nenhum código médico adicional)*
F03.C2	Transtorno neurocognitivo maior com possível corpos de Lewy, Grave, Com perturbação psicótica *(nenhum código médico adicional)*
F03.C2	Transtorno neurocognitivo maior possivelmente devido à doença de Parkinson, Grave, Com perturbação psicótica *(nenhum código médico adicional)*
F03.C2	Transtorno neurocognitivo maior possivelmente devido a doença vascular, Grave, Com perturbação psicótica *(nenhum código médico adicional)*
F03.C2	Transtorno neurocognitivo maior devido a etiologia desconhecida, Grave, Com perturbação psicótica *(nenhum código médico adicional)*
F03.C3	Transtorno neurocognitivo maior devido a possível doença de Alzheimer, Grave, Com sintomas de humor *(nenhum código médico adicional)*
F03.C3	Transtorno neurocognitivo maior devido a possível degeneração frontotemporal, Grave, Com sintomas de humor *(nenhum código médico adicional)*
F03.C3	Transtorno neurocognitivo maior com possível corpos de Lewy, Grave, Com sintomas de humor *(nenhum código médico adicional)*
F03.C3	Transtorno neurocognitivo maior possivelmente devido à doença de Parkinson, Grave, Com sintomas de humor *(nenhum código médico adicional)*
F03.C3	Transtorno neurocognitivo maior possivelmente devido a doença vascular, Grave, Com sintomas de humor *(nenhum código médico adicional)*
F03.C3	Transtorno neurocognitivo maior devido a etiologia desconhecida, Grave, Com sintomas de humor *(nenhum código médico adicional)*
F03.C4	Transtorno neurocognitivo maior devido a possível doença de Alzheimer, Grave, Com ansiedade *(nenhum código médico adicional)*
F03.C4	Transtorno neurocognitivo maior devido a possível degeneração frontotemporal, Grave, Com ansiedade *(nenhum código médico adicional)*
F03.C4	Transtorno neurocognitivo maior com possível corpos de Lewy, Grave, Com ansiedade *(nenhum código médico adicional)*
F03.C4	Transtorno neurocognitivo maior possivelmente devido à doença de Parkinson, Grave, Com ansiedade *(nenhum código médico adicional)*
F03.C4	Transtorno neurocognitivo maior possivelmente devido a doença vascular, Grave, Com ansiedade *(nenhum código médico adicional)*
F03.C4	Transtorno neurocognitivo maior devido a etiologia desconhecida, Grave, Com ansiedade *(nenhum código médico adicional)*
F05	*Delirium* devido a outra condição médica
F05	*Delirium* devido a múltiplas etiologias
F05	Outro *delirium* especificado
F05	*Delirium* não especificado
F06.0	Transtorno psicótico devido a outra condição médica, Com alucinações
F06.1	Catatonia associada a outro transtorno mental (especificador de catatonia)
F06.1	Transtorno catatônico devido a outra condição médica
F06.1	Catatonia não especificada *(codificar em primeiro lugar* R29.818 Outros sintomas envolvendo os sistemas nervoso e musculoesquelético)
F06.2	Transtorno psicótico devido a outra condição médica, Com delírios
F06.31	Transtorno depressivo devido a outra condição médica, Com características depressivas

CID-10-MC	Transtorno, condição ou problema
F06.32	Transtorno depressivo devido a outra condição médica, Com episódio do tipo depressivo maior
F06.33	Transtorno bipolar e transtorno relacionado devido a outra condição médica, Com características maníacas
F06.33	Transtorno bipolar e transtorno relacionado devido a outra condição médica, Com episódio tipo maníaco ou hipomaníaco
F06.34	Transtorno bipolar e transtorno relacionado devido a outra condição médica, Com características mistas
F06.34	Transtorno depressivo devido a outra condição médica, Com características mistas
F06.4	Transtorno de ansiedade devido a outra condição médica
F06.70	Transtorno neurocognitivo leve devido a outra condição médica (*Codificar em primeiro lugar* a outra condição médica), Sem perturbação comportamental
F06.70	Transtorno neurocognitivo leve devido à infecção por HIV (*Codificar em primeiro lugar* B20 infecção por HIV), Sem perturbação comportamental
F06.70	Transtorno neurocognitivo leve devido à doença de Huntington (*Codificar em primeiro lugar* G10 doença de Huntington), Sem perturbação comportamental
F06.70	Transtorno neurocognitivo leve devido a múltiplas etiologias (*Codificar em primeiro lugar* as outras etiologias médicas), Sem perturbação comportamental
F06.70	Transtorno neurocognitivo leve devido à doença do príon (*Codificar em primeiro lugar* A81.9 doença do príon), Sem perturbação comportamental
F06.70	Transtorno neurocognitivo leve devido a provável doença de Alzheimer (*Codificar em primeiro lugar* G30.9 doença de Alzheimer), Sem perturbação comportamental
F06.70	Transtorno neurocognitivo leve devido a provável degeneração frontotemporal (*Codificar em primeiro lugar* G31.09 degeneração frontotemporal), Sem perturbação comportamental
F06.70	Transtorno neurocognitivo leve com provável corpos de Lewy (*Codificar em primeiro lugar* G31.83 doença com corpos de Lewy), Sem perturbação comportamental
F06.70	Transtorno neurocognitivo leve provavelmente devido à doença de Parkinson (*Codificar em primeiro lugar* G20 doença de Parkinson), Sem perturbação comportamental
F06.70	Transtorno neurocognitivo leve provavelmente devido a doença vascular (*Codificar em primeiro lugar* I67.9 para doença cerebrovascular), Sem perturbação comportamental
F06.70	Transtorno neurocognitivo leve devido a lesão cerebral traumática (*Codificar em primeiro lugar* S06.2XAS lesão cerebral traumática difusa com perda de consciência de duração não especificada, com sequela), Sem perturbação comportamental
F06.71	Transtorno neurocognitivo leve devido a outra condição médica (*Codificar em primeiro lugar* a outra condição médica), Com perturbação comportamental
F06.71	Transtorno neurocognitivo leve devido à infecção por HIV (*Codificar em primeiro lugar* B20 infecção por HIV), Com perturbação comportamental
F06.71	Transtorno neurocognitivo leve devido à doença de Huntington (*Codificar em primeiro lugar* G10 doença de Huntington), Com perturbação comportamental
F06.71	Transtorno neurocognitivo leve devido a múltiplas etiologias (*Codificar em primeiro lugar* as outras etiologias médicas), Com perturbação comportamental
F06.71	Transtorno neurocognitivo leve devido à doença do príon (*Codificar em primeiro lugar* A81.9 doença do príon), Com perturbação comportamental
F06.71	Transtorno neurocognitivo leve devido a provável doença de Alzheimer (*Codificar em primeiro lugar* G30.9 doença de Alzheimer), Com perturbação comportamental

Listagem Numérica dos Diagnósticos do DSM-5-TR e Códigos da CID-10-MC

CID-10-MC	Transtorno, condição ou problema
F06.71	Transtorno neurocognitivo leve devido a provável degeneração frontotemporal (*Codificar em primeiro lugar* G31.09 degeneração frontotemporal), Com perturbação comportamental
F06.71	Transtorno neurocognitivo leve com provável corpos de Lewy (*Codificar em primeiro lugar* G31.83 doença com corpos de Lewy), Com perturbação comportamental
F06.71	Transtorno neurocognitivo leve provavelmente devido à doença de Parkinson (*Codificar em primeiro lugar* G20 doença de Parkinson), Com perturbação comportamental
F06.71	Transtorno neurocognitivo leve provavelmente devido a doença vascular (*Codificar em primeiro lugar* I67.9 para doença cerebrovascular), Com perturbação comportamental
F06.71	Transtorno neurocognitivo leve devido a lesão cerebral traumática (*Codificar em primeiro lugar* S06.2XAS lesão cerebral traumática difusa com perda de consciência de duração não especificada, com sequela), Com perturbação comportamental
F06.8	Transtorno obsessivo-compulsivo e transtorno relacionado devido a outra condição médica
F06.8	Outro transtorno mental especificado devido a outra condição médica
F07.0	Mudança de personalidade devido a outra condição médica
F09	Transtorno mental não especificado devido a outra condição médica
F10.10	Transtorno por uso de álcool, Leve
F10.11	Transtorno por uso de álcool, Leve, Em remissão inicial
F10.11	Transtorno por uso de álcool, Leve, Em remissão sustentada
F10.120	Intoxicação por álcool, Com transtorno por uso, Leve
F10.121	Intoxicação por álcool *Delirium*, Com transtorno por uso, Leve
F10.130	Abstinência de álcool, Sem perturbações da percepção, Com transtorno por uso, Leve
F10.131	*Delirium* por abstinência de álcool, Com transtorno por uso, Leve
F10.132	Abstinência de álcool, Com perturbações da percepção, Com transtorno por uso, Leve
F10.14	Transtorno bipolar e transtorno relacionado induzido por álcool, Com transtorno por uso, Leve
F10.14	Transtorno depressivo induzido por álcool, Com transtorno por uso, Leve
F10.159	Transtorno psicótico induzido por álcool, Com transtorno por uso, Leve
F10.180	Transtorno de ansiedade induzido por álcool, Com transtorno por uso, Leve
F10.181	Disfunção sexual induzida por álcool, Com transtorno por uso, Leve
F10.182	Transtorno do sono induzido por álcool, Com transtorno por uso, Leve
F10.188	Transtorno neurocognitivo leve induzido por álcool, Com transtorno por uso, Leve
F10.20	Transtorno por uso de álcool, Moderado
F10.20	Transtorno por uso de álcool, Grave
F10.21	Transtorno por uso de álcool, Moderado, Em remissão inicial
F10.21	Transtorno por uso de álcool, Moderado, Em remissão sustentada
F10.21	Transtorno por uso de álcool, Grave, Em remissão inicial
F10.21	Transtorno por uso de álcool, Grave, Em remissão sustentada
F10.220	Intoxicação por álcool, Com transtorno por uso, Moderado ou grave
F10.221	*Delirium* por intoxicação por álcool, Com transtorno por uso, Moderado ou grave
F10.230	Abstinência de álcool, Sem perturbações da percepção, Com transtorno por uso, Moderado ou grave
F10.231	*Delirium* por abstinência de álcool, Com transtorno por uso, Moderado ou grave
F10.232	Abstinência de álcool, Com perturbações da percepção, Com transtorno por uso, Moderado ou grave

CID-10-MC	Transtorno, condição ou problema
F10.24	Transtorno bipolar e transtorno relacionado induzido por álcool, Com transtorno por uso, Moderado ou grave
F10.24	Transtorno depressivo induzido por álcool, Com transtorno por uso, Moderado ou grave
F10.259	Transtorno psicótico induzido por álcool, Com transtorno por uso, Moderado ou grave
F10.26	Transtorno neurocognitivo maior induzido por álcool, Tipo amnéstico confabulatório, Com transtorno por uso, Moderado ou grave
F10.27	Transtorno neurocognitivo maior induzido por álcool, Tipo não amnéstico confabulatório, Com transtorno por uso, Moderado ou grave
F10.280	Transtorno de ansiedade induzido por álcool, Com transtorno por uso, Moderado ou grave
F10.281	Disfunção sexual induzida por álcool, Com transtorno por uso, Moderado ou grave
F10.282	Transtorno do sono induzido por álcool, Com transtorno por uso, Moderado ou grave
F10.288	Transtorno neurocognitivo leve induzido por álcool, Com transtorno por uso, Moderado ou grave
F10.920	Intoxicação por álcool, Sem transtorno por uso
F10.921	*Delirium* por intoxicação por álcool, Sem transtorno por uso
F10.930	Abstinência de álcool, Sem perturbações da percepção, Sem transtorno por uso
F10.931	*Delirium* por abstinência de álcool, Sem transtorno por uso
F10.932	Abstinência de álcool, Com perturbações da percepção, Sem transtorno por uso
F10.94	Transtorno bipolar e transtorno relacionado induzido por álcool, Sem transtorno por uso
F10.94	Transtorno depressivo induzido por álcool, Sem transtorno por uso
F10.959	Transtorno psicótico induzido por álcool, Sem transtorno por uso
F10.96	Transtorno neurocognitivo maior induzido por álcool, Tipo amnéstico confabulatório, Sem transtorno por uso
F10.97	Transtorno neurocognitivo maior induzido por álcool, Tipo não amnéstico confabulatório, Sem transtorno por uso
F10.980	Transtorno de ansiedade induzido por álcool, Sem transtorno por uso
F10.981	Disfunção sexual induzida por álcool, Sem transtorno por uso
F10.982	Transtorno do sono induzido por álcool, Sem transtorno por uso
F10.988	Transtorno neurocognitivo leve induzido por álcool, Sem transtorno por uso
F10.99	Transtorno relacionado ao álcool não especificado
F11.10	Transtorno por uso de opioides, Leve
F11.11	Transtorno por uso de opioides, Leve, Em remissão inicial
F11.11	Transtorno por uso de opioides, Leve, Em remissão sustentada
F11.120	Intoxicação por opioides, Sem perturbações da percepção, Com transtorno por uso, Leve
F11.121	*Delirium* por intoxicação por opioides, Com transtorno por uso, Leve
F11.122	Intoxicação por opioides, Com perturbações da percepção, Com transtorno por uso, Leve
F11.13	Abstinência de opioides, Com transtorno por uso, Leve
F11.14	Transtorno depressivo induzido por opioides, Com transtorno por uso, Leve
F11.181	Disfunção sexual induzida por opioides, Com transtorno por uso, Leve
F11.182	Transtorno do sono induzido por opioides, Com transtorno por uso, Leve
F11.188	Transtorno de ansiedade induzido por opioides, Com transtorno por uso, Leve
F11.188	*Delirium* por abstinência de opioides, Com transtorno por uso, Leve
F11.20	Transtorno por uso de opioides, Moderado
F11.20	Transtorno por uso de opioides, Grave
F11.21	Transtorno por uso de opioides, Moderado, Em remissão inicial

CID-10-MC	Transtorno, condição ou problema
F11.21	Transtorno por uso de opioides, Moderado, Em remissão sustentada
F11.21	Transtorno por uso de opioides, Grave, Em remissão inicial
F11.21	Transtorno por uso de opioides, Grave, Em remissão sustentada
F11.220	Intoxicação por opioides, Sem perturbações da percepção, Com transtorno por uso, Moderado ou grave
F11.221	*Delirium* por intoxicação por opioides, Com transtorno por uso, Moderado ou grave
F11.222	Intoxicação por opioides, Com perturbações da percepção, Com transtorno por uso, Moderado ou grave
F11.23	Abstinência de opioides, Com transtorno por uso, Moderado ou grave
F11.24	Transtorno depressivo induzido por opioides, Com transtorno por uso, Moderado ou grave
F11.281	Disfunção sexual induzida por opioides, Com transtorno por uso, Moderado ou grave
F11.282	Transtorno do sono induzido por opioides, Com transtorno por uso, Moderado ou grave
F11.288	Transtorno de ansiedade induzido por opioides, Com transtorno por uso, Moderado ou grave
F11.288	*Delirium* por abstinência de opioides, Com transtorno por uso, Moderado ou grave
F11.920	Intoxicação por opioides, Sem perturbações da percepção, Sem transtorno por uso
F11.921	*Delirium* induzido por opioides (medicamento opioide tomado como prescrito)
F11.921	*Delirium* por intoxicação por opioides, Sem transtorno por uso
F11.922	Intoxicação por opioides, Com perturbações da percepção, Sem transtorno por uso
F11.93	Abstinência de opioides, Sem transtorno por uso
F11.94	Transtorno depressivo induzido por opioides, Sem transtorno por uso
F11.981	Disfunção sexual induzida por opioides, Sem transtorno por uso
F11.982	Transtorno do sono induzido por opioides, Sem transtorno por uso
F11.988	Transtorno de ansiedade induzido por opioides, Sem transtorno por uso
F11.988	*Delirium* induzido por opioides (durante abstinência de medicamento opioide tomado como prescrito)
F11.988	*Delirium* por abstinência de opioides, Sem transtorno por uso
F11.99	Transtorno relacionado a opioides não especificado
F12.10	Transtorno por uso de *Cannabis*, Leve
F12.11	Transtorno por uso de *Cannabis*, Leve, Em remissão inicial
F12.11	Transtorno por uso de *Cannabis*, Leve, Em remissão sustentada
F12.120	Intoxicação por *Cannabis*, Sem perturbações da percepção, Com transtorno por uso, Leve
F12.121	*Delirium* por intoxicação por *Cannabis*, Com transtorno por uso, Leve
F12.122	Intoxicação por *Cannabis*, Com perturbações da percepção, Com transtorno por uso, Leve
F12.13	Abstinência de *Cannabis*, Com transtorno por uso, Leve
F12.159	Transtorno psicótico induzido por *Cannabis*, Com transtorno por uso, Leve
F12.180	Transtorno de ansiedade induzido por *Cannabis*, Com transtorno por uso, Leve
F12.188	Transtorno do sono induzido por *Cannabis*, Com transtorno por uso, Leve
F12.20	Transtorno por uso de *Cannabis*, Moderado
F12.20	Transtorno por uso de *Cannabis*, Grave
F12.21	Transtorno por uso de *Cannabis*, Moderado, Em remissão inicial
F12.21	Transtorno por uso de *Cannabis*, Moderado, Em remissão sustentada
F12.21	Transtorno por uso de *Cannabis*, Grave, Em remissão inicial
F12.21	Transtorno por uso de *Cannabis*, Grave, Em remissão sustentada
F12.220	Intoxicação por *Cannabis*, Sem perturbações da percepção, Com transtorno por uso, Moderado ou grave

CID-10-MC	Transtorno, condição ou problema
F12.221	*Delirium* por intoxicação por *Cannabis*, Com transtorno por uso, Moderado ou grave
F12.222	Intoxicação por *Cannabis*, Com perturbações da percepção, Com transtorno por uso, Moderado ou grave
F12.23	Abstinência de *Cannabis*, Com transtorno por uso, Moderado ou grave
F12.259	Transtorno psicótico induzido por *Cannabis*, Com transtorno por uso, Moderado ou grave
F12.280	Transtorno de ansiedade induzido por *Cannabis*, Com transtorno por uso, Moderado ou grave
F12.288	Transtorno do sono induzido por *Cannabis*, Com transtorno por uso, Moderado ou grave
F12.920	Intoxicação por *Cannabis*, Sem perturbações da percepção, Sem transtorno por uso
F12.921	*Delirium* por intoxicação por *Cannabis*, Sem transtorno por uso
F12.921	*Delirium* induzido por agonista de receptores canabinoides (com uso de medicamento conforme prescrito)
F12.922	Intoxicação por *Cannabis*, Com perturbações da percepção, Sem transtorno por uso
F12.93	Abstinência de *Cannabis*, Sem transtorno por uso
F12.959	Transtorno psicótico induzido por *Cannabis*, Sem transtorno por uso
F12.980	Transtorno de ansiedade induzido por *Cannabis*, Sem transtorno por uso
F12.988	Transtorno do sono induzido por *Cannabis*, Sem transtorno por uso
F12.99	Transtorno relacionado a *Cannabis* não especificado
F13.10	Transtorno por uso de sedativos, hipnóticos ou ansiolíticos, Leve
F13.11	Transtorno por uso de sedativos, hipnóticos ou ansiolíticos, Leve, Em remissão inicial
F13.11	Transtorno por uso de sedativos, hipnóticos ou ansiolíticos, Leve, Em remissão sustentada
F13.120	Intoxicação por sedativos, hipnóticos ou ansiolíticos, Com transtorno por uso, Leve
F13.121	*Delirium* por intoxicação por sedativos, hipnóticos ou ansiolíticos, Com transtorno por uso, Leve
F13.130	Abstinência de sedativos, hipnóticos ou ansiolíticos, Sem perturbações da percepção, Com transtorno por uso, Leve
F13.131	*Delirium* por abstinência de sedativos, hipnóticos ou ansiolíticos, Com transtorno por uso, Leve
F13.132	Abstinência de sedativos, hipnóticos ou ansiolíticos, Com perturbações da percepção, Com transtorno por uso, Leve
F13.14	Transtorno bipolar e transtorno relacionado induzido por sedativos, hipnóticos ou ansiolíticos, Com transtorno por uso, Leve
F13.14	Transtorno depressivo induzido por sedativos, hipnóticos ou ansiolíticos, Com transtorno por uso, Leve
F13.159	Transtorno psicótico induzido por sedativos, hipnóticos ou ansiolíticos, Com transtorno por uso, Leve
F13.180	Transtorno de ansiedade induzido por sedativos, hipnóticos ou ansiolíticos, Com transtorno por uso, Leve
F13.181	Disfunção sexual induzida por sedativos, hipnóticos ou ansiolíticos, Com transtorno por uso, Leve
F13.182	Transtorno do sono induzido por sedativos, hipnóticos ou ansiolíticos, Com transtorno por uso, Leve
F13.188	Transtorno neurocognitivo leve induzido por sedativos, hipnóticos ou ansiolíticos, Com transtorno por uso, Leve
F13.20	Transtorno por uso de sedativos, hipnóticos ou ansiolíticos, Moderado
F13.20	Transtorno por uso de sedativos, hipnóticos ou ansiolíticos, Grave
F13.21	Transtorno por uso de sedativos, hipnóticos ou ansiolíticos, Moderado, Em remissão inicial

Listagem Numérica dos Diagnósticos do DSM-5-TR e Códigos da CID-10-MC

CID-10-MC	Transtorno, condição ou problema
F13.21	Transtorno por uso de sedativos, hipnóticos ou ansiolíticos, Moderado, Em remissão sustentada
F13.21	Transtorno por uso de sedativos, hipnóticos ou ansiolíticos, Grave, Em remissão inicial
F13.21	Transtorno por uso de sedativos, hipnóticos ou ansiolíticos, Grave, Em remissão sustentada
F13.220	Intoxicação por sedativos, hipnóticos ou ansiolíticos, Com transtorno por uso, Moderado ou grave
F13.221	*Delirium* por intoxicação por sedativos, hipnóticos ou ansiolíticos, Com transtorno por uso, Moderado ou grave
F13.230	Abstinência de sedativos, hipnóticos ou ansiolíticos, Sem perturbações da percepção, Com transtorno por uso, Moderado ou grave
F13.231	*Delirium* por abstinência de sedativos, hipnóticos ou ansiolíticos, Com transtorno por uso, Moderado ou grave
F13.232	Abstinência de sedativos, hipnóticos ou ansiolíticos, Com perturbações da percepção, Com transtorno por uso, Moderado ou grave
F13.24	Transtorno bipolar e transtorno relacionado induzido por sedativos, hipnóticos ou ansiolíticos, Com transtorno por uso, Moderado ou grave
F13.24	Transtorno depressivo induzido por sedativos, hipnóticos ou ansiolíticos, Com transtorno por uso, Moderado ou grave
F13.259	Transtorno psicótico induzido por sedativos, hipnóticos ou ansiolíticos, Com transtorno por uso, Moderado ou grave
F13.27	Transtorno neurocognitivo maior induzido por sedativos, hipnóticos ou ansiolíticos, Com transtorno por uso, Moderado ou grave
F13.280	Transtorno de ansiedade induzido por sedativos, hipnóticos ou ansiolíticos, Com transtorno por uso, Moderado ou grave
F13.281	Disfunção sexual induzida por sedativos, hipnóticos ou ansiolíticos, Com transtorno por uso, Moderado ou grave
F13.282	Transtorno do sono induzido por sedativos, hipnóticos ou ansiolíticos, Com transtorno por uso, Moderado ou grave
F13.288	Transtorno neurocognitivo leve induzido por sedativos, hipnóticos ou ansiolíticos, Com transtorno por uso, Moderado ou grave
F13.920	Intoxicação por sedativos, hipnóticos ou ansiolíticos, Sem transtorno por uso
F13.921	*Delirium* induzido por sedativos, hipnóticos ou ansiolíticos (sedativo, hipnótico ou ansiolítico tomado conforme prescrito)
F13.921	*Delirium* por intoxicação por sedativos, hipnóticos ou ansiolíticos, Sem transtorno por uso
F13.930	Abstinência de sedativos, hipnóticos ou ansiolíticos, Sem perturbações da percepção, Sem transtorno por uso
F13.931	*Delirium* induzido por sedativos, hipnóticos ou ansiolíticos (durante a abstinência de medicamento sedativo, hipnótico ou ansiolítico tomado conforme prescrito)
F13.931	*Delirium* por abstinência de sedativos, hipnóticos ou ansiolíticos, Sem transtorno por uso
F13.932	Abstinência de sedativos, hipnóticos ou ansiolíticos, Com perturbações da percepção, Sem transtorno por uso
F13.94	Transtorno bipolar e transtorno relacionado induzido por sedativos, hipnóticos ou ansiolíticos, Sem transtorno por uso
F13.94	Transtorno depressivo induzido por sedativos, hipnóticos ou ansiolíticos, Sem transtorno por uso
F13.959	Transtorno psicótico induzido por sedativos, hipnóticos ou ansiolíticos, Sem transtorno por uso

CID-10-MC	Transtorno, condição ou problema
F13.97	Transtorno neurocognitivo maior induzido por sedativos, hipnóticos ou ansiolíticos, Sem transtorno por uso
F13.980	Transtorno de ansiedade induzido por sedativos, hipnóticos ou ansiolíticos, Sem transtorno por uso
F13.981	Disfunção sexual induzida por sedativos, hipnóticos ou ansiolíticos, Sem transtorno por uso
F13.982	Transtorno do sono induzido por sedativos, hipnóticos ou ansiolíticos, Sem transtorno por uso
F13.988	Transtorno neurocognitivo leve induzido por sedativos, hipnóticos ou ansiolíticos, Sem transtorno por uso
F13.99	Transtorno relacionado a sedativos, hipnóticos ou ansiolíticos não especificado
F14.10	Transtorno por uso de cocaína, Leve
F14.11	Transtorno por uso de cocaína, Leve, Em remissão inicial
F14.11	Transtorno por uso de cocaína, Leve, Em remissão sustentada
F14.120	Intoxicação por cocaína, Sem perturbações da percepção, Com transtorno por uso, Leve
F14.121	*Delirium* por intoxicação por cocaína, Com transtorno por uso, Leve
F14.122	Intoxicação por cocaína, Com perturbações da percepção, Com transtorno por uso, Leve
F14.13	Abstinência de cocaína, Com transtorno por uso, Leve
F14.14	Transtorno bipolar e transtorno relacionado induzido por cocaína, Com transtorno por uso, Leve
F14.14	Transtorno depressivo induzido por cocaína, Com transtorno por uso, Leve
F14.159	Transtorno psicótico induzido por cocaína, Com transtorno por uso, Leve
F14.180	Transtorno de ansiedade induzido por cocaína, Com transtorno por uso, Leve
F14.181	Disfunção sexual induzida por cocaína, Com transtorno por uso, Leve
F14.182	Transtorno do sono induzido por cocaína, Com transtorno por uso, Leve
F14.188	Transtorno neurocognitivo leve induzido por cocaína, Com transtorno por uso, Leve
F14.188	Transtorno obsessivo-compulsivo e transtorno relacionado induzido por cocaína, Com transtorno por uso, Leve
F14.20	Transtorno por uso de cocaína, Moderado
F14.20	Transtorno por uso de cocaína, Grave
F14.21	Transtorno por uso de cocaína, Moderado, Em remissão inicial
F14.21	Transtorno por uso de cocaína, Moderado, Em remissão sustentada
F14.21	Transtorno por uso de cocaína, Grave, Em remissão inicial
F14.21	Transtorno por uso de cocaína, Grave, Em remissão sustentada
F14.220	Intoxicação por cocaína, Sem perturbações da percepção, Com transtorno por uso, Moderado ou grave
F14.221	*Delirium* por intoxicação por cocaína, Com transtorno por uso, Moderado ou grave
F14.222	Intoxicação por cocaína, Com perturbações da percepção, Com transtorno por uso, Moderado ou grave
F14.23	Abstinência de cocaína, Com transtorno por uso, Moderado ou grave
F14.24	Transtorno bipolar e transtorno relacionado induzido por cocaína, Com transtorno por uso, Moderado ou grave
F14.24	Transtorno depressivo induzido por cocaína, Com transtorno por uso, Moderado ou grave
F14.259	Transtorno psicótico induzido por cocaína, Com transtorno por uso, Moderado ou grave
F14.280	Transtorno de ansiedade induzido por cocaína, Com transtorno por uso, Moderado ou grave
F14.281	Disfunção sexual induzida por cocaína, Com transtorno por uso, Moderado ou grave

Listagem Numérica dos Diagnósticos do DSM-5-TR e Códigos da CID-10-MC

CID-10-MC	Transtorno, condição ou problema
F14.282	Transtorno do sono induzido por cocaína, Com transtorno por uso, Moderado ou grave
F14.288	Transtorno neurocognitivo leve induzido por cocaína, Com transtorno por uso, Moderado ou grave
F14.288	Transtorno obsessivo-compulsivo e transtorno relacionado induzido por cocaína, Com transtorno por uso, Moderado ou grave
F14.920	Intoxicação por cocaína, Sem perturbações da percepção, Sem transtorno por uso
F14.921	*Delirium* por intoxicação por cocaína, Sem transtorno por uso
F14.922	Intoxicação por cocaína, Com perturbações da percepção, Sem transtorno por uso
F14.93	Abstinência de cocaína, Sem transtorno por uso
F14.94	Transtorno bipolar e transtorno relacionado induzido por cocaína, Sem transtorno por uso
F14.94	Transtorno depressivo induzido por cocaína, Sem transtorno por uso
F14.959	Transtorno psicótico induzido por cocaína, Sem transtorno por uso
F14.980	Transtorno de ansiedade induzido por cocaína, Sem transtorno por uso
F14.981	Disfunção sexual induzida por cocaína, Sem transtorno por uso
F14.982	Transtorno do sono induzido por cocaína, Sem transtorno por uso
F14.988	Transtorno neurocognitivo leve induzido por cocaína, Sem transtorno por uso
F14.988	Transtorno obsessivo-compulsivo e transtorno relacionado induzido por cocaína, Sem transtorno por uso
F14.99	Transtorno relacionado a cocaína não especificado
F15.10	Transtorno por uso de substância tipo anfetamina, Leve
F15.10	Transtorno por uso de outros estimulantes ou estimulante não especificado, Leve
F15.11	Transtorno por uso de substância tipo anfetamina, Leve, Em remissão inicial
F15.11	Transtorno por uso de substância tipo anfetamina, Leve, Em remissão sustentada
F15.11	Transtorno por uso de outros estimulantes ou estimulante não especificado, Leve, Em remissão inicial
F15.11	Transtorno por uso de outros estimulantes ou estimulante não especificado, Leve, Em remissão sustentada
F15.120	Intoxicação por substância tipo anfetamina, Sem perturbações da percepção, Com transtorno por uso, Leve
F15.120	Intoxicação por outros estimulantes, Sem perturbações da percepção, Com transtorno por uso, Leve
F15.121	*Delirium* por intoxicação por substância tipo anfetamina (ou outro estimulante), Com transtorno por uso, Leve
F15.122	Intoxicação por substância tipo anfetamina, Com perturbações da percepção, Com transtorno por uso, Leve
F15.122	Intoxicação por outros estimulantes, Com perturbações da percepção, Com transtorno por uso, Leve
F15.13	Abstinência de substância tipo anfetamina, Com transtorno por uso, Leve
F15.13	Abstinência de outros estimulantes, Com transtorno por uso, Leve
F15.14	Transtorno bipolar e transtorno relacionado induzido por substância tipo anfetamina (ou outro estimulante), Com transtorno por uso, Leve
F15.14	Transtorno depressivo induzido por substância tipo anfetamina (ou outro estimulante), Com transtorno por uso, Leve
F15.159	Transtorno psicótico induzido por substância tipo anfetamina (ou outro estimulante), Com transtorno por uso, Leve

CID-10-MC	Transtorno, condição ou problema
F15.180	Transtorno de ansiedade induzido por substância tipo anfetamina (ou outro estimulante), Com transtorno por uso, Leve
F15.181	Disfunção sexual induzida por substância tipo anfetamina (ou outro estimulante), Com transtorno por uso, Leve
F15.182	Transtorno do sono induzido por substância tipo anfetamina (ou outro estimulante), Com transtorno por uso, Leve
F15.188	Transtorno neurocognitivo leve induzido por substância tipo anfetamina (ou outro estimulante), Com transtorno por uso, Leve
F15.188	Transtorno obsessivo-compulsivo e transtorno relacionado induzido por substância tipo anfetamina (ou outro estimulante), Com transtorno por uso, Leve
F15.20	Transtorno por uso de substância tipo anfetamina, Moderado
F15.20	Transtorno por uso de substância tipo anfetamina, Grave
F15.20	Transtorno por uso de outros estimulantes ou estimulante não especificado, Moderado
F15.20	Transtorno por uso de outros estimulantes ou estimulante não especificado, Grave
F15.21	Transtorno por uso de substância tipo anfetamina, Moderado, Em remissão inicial
F15.21	Transtorno por uso de substância tipo anfetamina, Moderado, Em remissão sustentada
F15.21	Transtorno por uso de substância tipo anfetamina, Grave, Em remissão inicial
F15.21	Transtorno por uso de substância tipo anfetamina, Grave, Em remissão sustentada
F15.21	Transtorno por uso de outros estimulantes ou estimulante não especificado, Moderado, Em remissão inicial
F15.21	Transtorno por uso de outros estimulantes ou estimulante não especificado, Moderado, Em remissão sustentada
F15.21	Transtorno por uso de outros estimulantes ou estimulante não especificado, Grave, Em remissão inicial
F15.21	Transtorno por uso de outros estimulantes ou estimulante não especificado, Grave, Em remissão sustentada
F15.220	Intoxicação por substância tipo anfetamina, Sem perturbações da percepção, Com transtorno por uso, Moderado ou grave
F15.220	Intoxicação por outros estimulantes, Sem perturbações da percepção, Com transtorno por uso, Moderado ou grave
F15.221	*Delirium* por intoxicação por substância tipo anfetamina (ou outro estimulante), Com transtorno por uso, Moderado ou grave
F15.222	Intoxicação por substância tipo anfetamina, Com perturbações da percepção, Com transtorno por uso, Moderado ou grave
F15.222	Intoxicação por outros estimulantes, Com perturbações da percepção, Com transtorno por uso, Moderado ou grave
F15.23	Abstinência de substância tipo anfetamina, Com transtorno por uso, Moderado ou grave
F15.23	Abstinência de outros estimulantes, Com transtorno por uso, Moderado ou grave
F15.24	Transtorno bipolar e transtorno relacionado induzido por substância tipo anfetamina (ou outro estimulante), Com transtorno por uso, Moderado ou grave
F15.24	Transtorno depressivo induzido por substância tipo anfetamina (ou outro estimulante), Com transtorno por uso, Moderado ou grave
F15.259	Transtorno psicótico induzido por substância tipo anfetamina (ou outro estimulante), Com transtorno por uso, Moderado ou grave
F15.280	Transtorno de ansiedade induzido por substância tipo anfetamina (ou outro estimulante), Com transtorno por uso, Moderado ou grave

CID-10-MC	Transtorno, condição ou problema
F15.281	Disfunção sexual induzida por substância tipo anfetamina (ou outro estimulante), Com transtorno por uso, Moderado ou grave
F15.282	Transtorno do sono induzido por substância tipo anfetamina (ou outro estimulante), Com transtorno por uso, Moderado ou grave
F15.288	Transtorno neurocognitivo leve induzido por substância tipo anfetamina (ou outro estimulante), Com transtorno por uso, Moderado ou grave
F15.288	Transtorno obsessivo-compulsivo e transtorno relacionado induzido por substância tipo anfetamina (ou outro estimulante), Com transtorno por uso, Moderado ou grave
F15.920	Intoxicação por substância tipo anfetamina, Sem perturbações da percepção, Sem transtorno por uso
F15.920	Intoxicação por cafeína
F15.920	Intoxicação por outros estimulantes, Sem perturbações da percepção, Sem transtorno por uso
F15.921	*Delirium* induzido por medicamento/substância tipo anfetamina (ou outro estimulante) (tomado como prescrito)
F15.921	*Delirium* por intoxicação por substância tipo anfetamina (ou outro estimulante), Sem transtorno por uso
F15.922	Intoxicação por substância tipo anfetamina, Com perturbações da percepção, Sem transtorno por uso
F15.922	Intoxicação por outros estimulantes, Com perturbações da percepção, Sem transtorno por uso
F15.93	Abstinência de substância tipo anfetamina, Sem transtorno por uso
F15.93	Abstinência de cafeína
F15.93	Abstinência de outros estimulantes, Sem transtorno por uso
F15.94	Transtorno bipolar e transtorno relacionado induzido por substância tipo anfetamina (ou outro estimulante), Sem transtorno por uso
F15.94	Transtorno depressivo induzido por substância tipo anfetamina (ou outro estimulante), Sem transtorno por uso
F15.959	Transtorno psicótico induzido por substância tipo anfetamina (ou outro estimulante), Sem transtorno por uso
F15.980	Transtorno de ansiedade induzido por substância tipo anfetamina (ou outro estimulante), Sem transtorno por uso
F15.980	Transtorno de ansiedade induzido por cafeína, Sem transtorno por uso
F15.981	Disfunção sexual induzida por substância tipo anfetamina (ou outro estimulante), Sem transtorno por uso
F15.982	Transtorno do sono induzido por substância tipo anfetamina (ou outro estimulante), Sem transtorno por uso
F15.982	Transtorno do sono induzido por cafeína, Sem transtorno por uso
F15.988	Transtorno neurocognitivo leve induzido por substância tipo anfetamina (ou outro estimulante), Sem transtorno por uso
F15.988	Transtorno obsessivo-compulsivo e transtorno relacionado induzido por substância tipo anfetamina (ou outro estimulante), Sem transtorno por uso
F15.99	Transtorno relacionado a substância tipo anfetamina não especificado
F15.99	Transtorno relacionado à cafeína não especificado
F15.99	Transtorno relacionado a outro estimulante não especificado
F16.10	Transtorno por uso de outros alucinógenos, Leve
F16.10	Transtorno por uso de fenciclidina, Leve

CID-10-MC	Transtorno, condição ou problema
F16.11	Transtorno por uso de outros alucinógenos, Leve, Em remissão inicial
F16.11	Transtorno por uso de outros alucinógenos, Leve, Em remissão sustentada
F16.11	Transtorno por uso de fenciclidina, Leve, Em remissão inicial
F16.11	Transtorno por uso de fenciclidina, Leve, Em remissão sustentada
F16.120	Intoxicação por outro alucinógeno, Com transtorno por uso, Leve
F16.120	Intoxicação por fenciclidina, Com transtorno por uso, Leve
F16.121	*Delirium* por intoxicação por outro alucinógeno, Com transtorno por uso, Leve
F16.121	*Delirium* por intoxicação por fenciclidina, Com transtorno por uso, Leve
F16.14	Transtorno bipolar e transtorno relacionado induzido por outro alucinógeno, Com transtorno por uso, Leve
F16.14	Transtorno depressivo induzido por outro alucinógeno, Com transtorno por uso, Leve
F16.14	Transtorno bipolar e transtorno relacionado induzido por fenciclidina, Com transtorno por uso, Leve
F16.14	Transtorno depressivo induzido por fenciclidina, Com transtorno por uso, Leve
F16.159	Transtorno psicótico induzido por outro alucinógeno, Com transtorno por uso, Leve
F16.159	Transtorno psicótico induzido por fenciclidina, Com transtorno por uso, Leve
F16.180	Transtorno de ansiedade induzido por outro alucinógeno, Com transtorno por uso, Leve
F16.180	Transtorno de ansiedade induzido por fenciclidina, Com transtorno por uso, Leve
F16.20	Transtorno por uso de outros alucinógenos, Moderado
F16.20	Transtorno por uso de outros alucinógenos, Grave
F16.20	Transtorno por uso de fenciclidina, Moderado
F16.20	Transtorno por uso de fenciclidina, Grave
F16.21	Transtorno por uso de outros alucinógenos, Moderado, Em remissão inicial
F16.21	Transtorno por uso de outros alucinógenos, Moderado, Em remissão sustentada
F16.21	Transtorno por uso de outros alucinógenos, Grave, Em remissão inicial
F16.21	Transtorno por uso de outros alucinógenos, Grave, Em remissão sustentada
F16.21	Transtorno por uso de fenciclidina, Moderado, Em remissão inicial
F16.21	Transtorno por uso de fenciclidina, Moderado, Em remissão sustentada
F16.21	Transtorno por uso de fenciclidina, Grave, Em remissão inicial
F16.21	Transtorno por uso de fenciclidina, Grave, Em remissão sustentada
F16.220	Intoxicação por outro alucinógeno, Com transtorno por uso, Moderado ou grave
F16.220	Intoxicação por fenciclidina, Com transtorno por uso, Moderado ou grave
F16.221	*Delirium* por intoxicação por outro alucinógeno, Com transtorno por uso, Moderado ou grave
F16.221	*Delirium* por intoxicação por fenciclidina, Com transtorno por uso, Moderado ou grave
F16.24	Transtorno bipolar e transtorno relacionado induzido por outro alucinógeno, Com transtorno por uso, Moderado ou grave
F16.24	Transtorno depressivo induzido por outro alucinógeno, Com transtorno por uso, Moderado ou grave
F16.24	Transtorno bipolar e transtorno relacionado induzido por fenciclidina, Com transtorno por uso, Moderado ou grave
F16.24	Transtorno depressivo induzido por fenciclidina, Com transtorno por uso, Moderado ou grave
F16.259	Transtorno psicótico induzido por outro alucinógeno, Com transtorno por uso, Moderado ou grave
F16.259	Transtorno psicótico induzido por fenciclidina, Com transtorno por uso, Moderado ou grave

CID-10-MC	Transtorno, condição ou problema
F16.280	Transtorno de ansiedade induzido por outro alucinógeno, Com transtorno por uso, Moderado ou grave
F16.280	Transtorno de ansiedade induzido por fenciclidina, Com transtorno por uso, Moderado ou grave
F16.920	Intoxicação por outro alucinógeno, Sem transtorno por uso
F16.920	Intoxicação por fenciclidina, Sem transtorno por uso
F16.921	*Delirium* induzido por ketamina ou outro alucinógeno (ketamina ou outra medicação alucinógena tomada como prescrito ou por razões médicas)
F16.921	*Delirium* por intoxicação por outro alucinógeno, Sem transtorno por uso
F16.921	*Delirium* por intoxicação por fenciclidina, Sem transtorno por uso
F16.94	Transtorno bipolar e transtorno relacionado induzido por outro alucinógeno, Sem transtorno por uso
F16.94	Transtorno depressivo induzido por outro alucinógeno, Sem transtorno por uso
F16.94	Transtorno bipolar e transtorno relacionado induzido por fenciclidina, Sem transtorno por uso
F16.94	Transtorno depressivo induzido por fenciclidina, Sem transtorno por uso
F16.959	Transtorno psicótico induzido por outro alucinógeno, Sem transtorno por uso
F16.959	Transtorno psicótico induzido por fenciclidina, Sem transtorno por uso
F16.980	Transtorno de ansiedade induzido por outro alucinógeno, Sem transtorno por uso
F16.980	Transtorno de ansiedade induzido por fenciclidina, Sem transtorno por uso
F16.983	Transtorno persistente da percepção induzido por alucinógenos
F16.99	Transtorno relacionado a alucinógenos não especificado
F16.99	Transtorno relacionado a fenciclidina não especificado
F17.200	Transtorno por uso de tabaco, Moderado
F17.200	Transtorno por uso de tabaco, Grave
F17.201	Transtorno por uso de tabaco, Moderado, Em remissão inicial
F17.201	Transtorno por uso de tabaco, Moderado, Em remissão sustentada
F17.201	Transtorno por uso de tabaco, Grave, Em remissão inicial
F17.201	Transtorno por uso de tabaco, Grave, Em remissão sustentada
F17.203	Abstinência de tabaco
F17.208	Transtorno do sono induzido por tabaco, Com transtorno por uso, Moderado ou grave
F17.209	Transtorno relacionado ao tabaco não especificado
F18.10	Transtorno por uso de inalantes, Leve
F18.11	Transtorno por uso de inalantes, Leve, Em remissão inicial
F18.11	Transtorno por uso de inalantes, Leve, Em remissão sustentada
F18.120	Intoxicação por inalantes, Com transtorno por uso, Leve
F18.121	*Delirium* por intoxicação por inalantes, Com transtorno por uso, Leve
F18.14	Transtorno depressivo induzido por inalantes, Com transtorno por uso, Leve
F18.159	Transtorno psicótico induzido por inalantes, Com transtorno por uso, Leve
F18.17	Transtorno neurocognitivo maior induzido por inalantes, Com transtorno por uso, Leve
F18.180	Transtorno de ansiedade induzido por inalantes, Com transtorno por uso, Leve
F18.188	Transtorno neurocognitivo leve induzido por inalantes, Com transtorno por uso, Leve
F18.20	Transtorno por uso de inalantes, Moderado
F18.20	Transtorno por uso de inalantes, Grave
F18.21	Transtorno por uso de inalantes, Moderado, Em remissão inicial

CID-10-MC	Transtorno, condição ou problema
F18.21	Transtorno por uso de inalantes, Moderado, Em remissão sustentada
F18.21	Transtorno por uso de inalantes, Grave, Em remissão inicial
F18.21	Transtorno por uso de inalantes, Grave, Em remissão sustentada
F18.220	Intoxicação por inalantes, Com transtorno por uso, Moderado ou grave
F18.221	*Delirium* por intoxicação por inalantes, Com transtorno por uso, Moderado ou grave
F18.24	Transtorno depressivo induzido por inalantes, Com transtorno por uso, Moderado ou grave
F18.259	Transtorno psicótico induzido por inalantes, Com transtorno por uso, Moderado ou grave
F18.27	Transtorno neurocognitivo maior induzido por inalantes, Com transtorno por uso, Moderado ou grave
F18.280	Transtorno de ansiedade induzido por inalantes, Com transtorno por uso, Moderado ou grave
F18.288	Transtorno neurocognitivo leve induzido por inalantes, Com transtorno por uso, Moderado ou grave
F18.920	Intoxicação por inalantes, Sem transtorno por uso
F18.921	*Delirium* por intoxicação por inalantes, Sem transtorno por uso
F18.94	Transtorno depressivo induzido por inalantes, Sem transtorno por uso
F18.959	Transtorno psicótico induzido por inalantes, Sem transtorno por uso
F18.97	Transtorno neurocognitivo maior induzido por inalantes, Sem transtorno por uso
F18.980	Transtorno de ansiedade induzido por inalantes, Sem transtorno por uso
F18.988	Transtorno neurocognitivo leve induzido por inalantes, Sem transtorno por uso
F18.99	Transtorno relacionado a inalantes não especificado
F19.10	Transtorno por uso de outra substância (ou substância desconhecida), Leve
F19.11	Transtorno por uso de outra substância (ou substância desconhecida), Leve, Em remissão inicial
F19.11	Transtorno por uso de outra substância (ou substância desconhecida), Leve, Em remissão sustentada
F19.120	Intoxicação por outra substância (ou substância desconhecida), Sem perturbações da percepção, Com transtorno por uso, Leve
F19.121	*Delirium* por intoxicação por outra substância (ou substância desconhecida), Com transtorno por uso, Leve
F19.122	Intoxicação por outra substância (ou substância desconhecida), Com perturbações da percepção, Com transtorno por uso, Leve
F19.130	Abstinência de outra substância (ou substância desconhecida), Sem perturbações da percepção, Com transtorno por uso, Leve
F19.131	*Delirium* por abstinência de outra substância (ou substância desconhecida), Com transtorno por uso, Leve
F19.132	Abstinência de outra substância (ou substância desconhecida), Com perturbações da percepção, Com transtorno por uso, Leve
F19.14	Transtorno bipolar e transtorno relacionado induzido por outra substância (ou substância desconhecida), Com transtorno por uso, Leve
F19.14	Transtorno depressivo induzido por outra substância (ou substância desconhecida), Com transtorno por uso, Leve
F19.159	Transtorno psicótico induzido por outra substância (ou substância desconhecida), Com transtorno por uso, Leve
F19.17	Transtorno neurocognitivo maior induzido por outra substância (ou substância desconhecida), Com transtorno por uso, Leve
F19.180	Transtorno de ansiedade induzido por outra substância (ou substância desconhecida), Com transtorno por uso, Leve

CID-10-MC	Transtorno, condição ou problema
F19.181	Disfunção sexual induzida por outra substância (ou substância desconhecida), Com transtorno por uso, Leve
F19.182	Transtorno do sono induzido por outra substância (ou substância desconhecida), Com transtorno por uso, Leve
F19.188	Transtorno neurocognitivo leve induzido por outra substância (ou substância desconhecida), Com transtorno por uso, Leve
F19.188	Transtorno obsessivo-compulsivo e transtorno relacionado induzido por outra substância (ou substância desconhecida), Com transtorno por uso, Leve
F19.20	Transtorno por uso de outra substância (ou substância desconhecida), Moderado
F19.20	Transtorno por uso de outra substância (ou substância desconhecida), Grave
F19.21	Transtorno por uso de outra substância (ou substância desconhecida), Moderado, Em remissão inicial
F19.21	Transtorno por uso de outra substância (ou substância desconhecida), Moderado, Em remissão sustentada
F19.21	Transtorno por uso de outra substância (ou substância desconhecida), Grave, Em remissão inicial
F19.21	Transtorno por uso de outra substância (ou substância desconhecida), Grave, Em remissão sustentada
F19.220	Intoxicação por outra substância (ou substância desconhecida), Sem perturbações da percepção, Com transtorno por uso, Moderado ou grave
F19.221	*Delirium* por intoxicação por outra substância (ou substância desconhecida), Com transtorno por uso, Moderado ou grave
F19.222	Intoxicação por outra substância (ou substância desconhecida), Com perturbações da percepção, Com transtorno por uso, Moderado ou grave
F19.230	Abstinência de outra substância (ou substância desconhecida), Sem perturbações da percepção, Com transtorno por uso, Moderado ou grave
F19.231	*Delirium* por abstinência de outra substância (ou substância desconhecida), Com transtorno por uso, Moderado ou grave
F19.232	Abstinência de outra substância (ou substância desconhecida), Com perturbações da percepção, Com transtorno por uso, Moderado ou grave
F19.24	Transtorno bipolar e transtorno relacionado induzido por outra substância (ou substância desconhecida), Com transtorno por uso, Moderado ou grave
F19.24	Transtorno depressivo induzido por outra substância (ou substância desconhecida), Com transtorno por uso, Moderado ou grave
F19.259	Transtorno psicótico induzido por outra substância (ou substância desconhecida), Com transtorno por uso, Moderado ou grave
F19.27	Transtorno neurocognitivo maior induzido por outra substância (ou substância desconhecida), Com transtorno por uso, Moderado ou grave
F19.280	Transtorno de ansiedade induzido por outra substância (ou substância desconhecida), Com transtorno por uso, Moderado ou grave
F19.281	Disfunção sexual induzida por outra substância (ou substância desconhecida), Com transtorno por uso, Moderado ou grave
F19.282	Transtorno do sono induzido por outra substância (ou substância desconhecida), Com transtorno por uso, Moderado ou grave
F19.288	Transtorno neurocognitivo leve induzido por outra substância (ou substância desconhecida), Com transtorno por uso, Moderado ou grave
F19.288	Transtorno obsessivo-compulsivo e transtorno relacionado induzido por outra substância (ou substância desconhecida), Com transtorno por uso, Moderado ou grave

CID-10-MC	Transtorno, condição ou problema
F19.920	Intoxicação por outra substância (ou substância desconhecida), Sem perturbações da percepção, Sem transtorno por uso
F19.921	*Delirium* induzido por outro medicamento (ou medicamento desconhecido) (outro medicamento [ou medicamento desconhecido] tomado conforme prescrito)
F19.921	*Delirium* por intoxicação por outra substância (ou substância desconhecida), Sem transtorno por uso
F19.922	Intoxicação por outra substância (ou substância desconhecida), Com perturbações da percepção, Sem transtorno por uso
F19.930	Abstinência de outra substância (ou substância desconhecida), Sem perturbações da percepção, Sem transtorno por uso
F19.931	*Delirium* induzido por outro medicamento (ou medicamento desconhecido) (durante a abstinência de outro medicamento [ou medicamento desconhecido] tomado conforme prescrito)
F19.931	*Delirium* por abstinência de outra substância (ou substância desconhecida), Sem transtorno por uso
F19.932	Abstinência de outra substância (ou substância desconhecida), Com perturbações da percepção, Sem transtorno por uso
F19.94	Transtorno bipolar e transtorno relacionado induzido por outra substância (ou substância desconhecida), Sem transtorno por uso
F19.94	Transtorno depressivo induzido por outra substância (ou substância desconhecida), Sem transtorno por uso
F19.959	Transtorno psicótico induzido por outra substância (ou substância desconhecida), Sem transtorno por uso
F19.97	Transtorno neurocognitivo maior induzido por outra substância (ou substância desconhecida), Sem transtorno por uso
F19.980	Transtorno de ansiedade induzido por outra substância (ou substância desconhecida), Sem transtorno por uso
F19.981	Disfunção sexual induzida por outra substância (ou substância desconhecida), Sem transtorno por uso
F19.982	Transtorno do sono induzido por outra substância (ou substância desconhecida), Sem transtorno por uso
F19.988	Transtorno neurocognitivo leve induzido por outra substância (ou substância desconhecida), Sem transtorno por uso
F19.988	Transtorno obsessivo-compulsivo e transtorno relacionado induzido por outra substância (ou substância desconhecida), Sem transtorno por uso
F19.99	Transtorno relacionado a outra substância (ou substância desconhecida) não especificado
F20.81	Transtorno esquizofreniforme
F20.9	Esquizofrenia
F21	Transtorno da personalidade esquizotípica
F22	Transtorno delirante
F23	Transtorno psicótico breve
F25.0	Transtorno esquizoafetivo, Tipo bipolar
F25.1	Transtorno esquizoafetivo, Tipo depressivo
F28	Outro transtorno do espectro da esquizofrenia e outro transtorno psicótico especificado
F29	Transtorno do espectro da esquizofrenia e outro transtorno psicótico não especificado
F31.0	Transtorno bipolar tipo I, Episódio atual ou mais recente hipomaníaco
F31.11	Transtorno bipolar tipo I, Episódio atual ou mais recente maníaco, Leve

CID-10-MC	Transtorno, condição ou problema
F31.12	Transtorno bipolar tipo I, Episódio atual ou mais recente maníaco, Moderado
F31.13	Transtorno bipolar tipo I, Episódio atual ou mais recente maníaco, Grave
F31.2	Transtorno bipolar tipo I, Episódio atual ou mais recente maníaco, Com características psicóticas
F31.31	Transtorno bipolar tipo I, Episódio atual ou mais recente depressivo, Leve
F31.32	Transtorno bipolar tipo I, Episódio atual ou mais recente depressivo, Moderado
F31.4	Transtorno bipolar tipo I, Episódio atual ou mais recente depressivo, Grave
F31.5	Transtorno bipolar tipo I, Episódio atual ou mais recente depressivo, Com características psicóticas
F31.71	Transtorno bipolar tipo I, Episódio atual ou mais recente hipomaníaco, Em remissão parcial
F31.72	Transtorno bipolar tipo I, Episódio atual ou mais recente hipomaníaco, Em remissão completa
F31.73	Transtorno bipolar tipo I, Episódio atual ou mais recente maníaco, Em remissão parcial
F31.74	Transtorno bipolar tipo I, Episódio atual ou mais recente maníaco, Em remissão completa
F31.75	Transtorno bipolar tipo I, Episódio atual ou mais recente depressivo, Em remissão parcial
F31.76	Transtorno bipolar tipo I, Episódio atual ou mais recente depressivo, Em remissão completa
F31.81	Transtorno bipolar tipo II
F31.89	Outro transtorno bipolar e transtorno relacionado especificado
F31.9	Transtorno bipolar tipo I, Episódio atual ou mais recente depressivo, Não especificado
F31.9	Transtorno bipolar tipo I, Episódio atual ou mais recente hipomaníaco, Não especificado
F31.9	Transtorno bipolar tipo I, Episódio atual ou mais recente maníaco, Não especificado
F31.9	Transtorno bipolar tipo I, Episódio atual ou mais recente, Não especificado
F31.9	Transtorno bipolar e transtorno relacionado não especificado
F32.0	Transtorno depressivo maior, Episódio único, Leve
F32.1	Transtorno depressivo maior, Episódio único, Moderado
F32.2	Transtorno depressivo maior, Episódio único, Grave
F32.3	Transtorno depressivo maior, Episódio único, Com características psicóticas
F32.4	Transtorno depressivo maior, Episódio único, Em remissão parcial
F32.5	Transtorno depressivo maior, Episódio único, Em remissão completa
F32.81	Transtorno disfórico pré-menstrual
F32.89	Outro transtorno depressivo especificado
F32.9	Transtorno depressivo maior, Episódio único, Não especificado
F32.A	Transtorno depressivo não especificado
F33.0	Transtorno depressivo maior, Episódio recorrente, Leve
F33.1	Transtorno depressivo maior, Episódio recorrente, Moderado
F33.2	Transtorno depressivo maior, Episódio recorrente, Grave
F33.3	Transtorno depressivo maior, Episódio recorrente, Com características psicóticas
F33.41	Transtorno depressivo maior, Episódio recorrente, Em remissão parcial
F33.42	Transtorno depressivo maior, Episódio recorrente, Em remissão completa
F33.9	Transtorno depressivo maior, Episódio recorrente, Não especificado
F34.0	Transtorno ciclotímico
F34.1	Transtorno depressivo persistente
F34.81	Transtorno disruptivo da desregulação do humor
F39	Transtorno do humor não especificado
F40.00	Agorafobia

CID-10-MC	Transtorno, condição ou problema
F40.10	Transtorno de ansiedade social
F40.218	Fobia específica, Animal
F40.228	Fobia específica, Ambiente natural
F40.230	Fobia específica, Medo de sangue
F40.231	Fobia específica, Medo de injeções e transfusões
F40.232	Fobia específica, Medo de outros cuidados médicos
F40.233	Fobia específica, Medo de ferimentos
F40.248	Fobia específica, Situacional
F40.298	Fobia específica, Outro
F41.0	Transtorno de pânico
F41.1	Transtorno de ansiedade generalizada
F41.8	Outro transtorno de ansiedade especificado
F41.9	Transtorno de ansiedade não especificado
F42.2	Transtorno obsessivo-compulsivo
F42.3	Transtorno de acumulação
F42.4	Transtorno de escoriação (*skin-picking*)
F42.8	Outro transtorno obsessivo-compulsivo e transtorno relacionado especificado
F42.9	Transtorno obsessivo-compulsivo e transtorno relacionado não especificado
F43.0	Transtorno de estresse agudo
F43.10	Transtorno de estresse pós-traumático
F43.20	Transtornos de adaptação, Não especificado
F43.21	Transtornos de adaptação, Com humor deprimido
F43.22	Transtornos de adaptação, Com ansiedade
F43.23	Transtornos de adaptação, Com misto de ansiedade e humor deprimido
F43.24	Transtornos de adaptação, Com perturbação da conduta
F43.25	Transtornos de adaptação, Com perturbação mista das emoções e da conduta
F43.81	Transtorno do luto prolongado
F43.89	Outro transtorno relacionado a trauma e a estressores especificado
F43.9	Transtorno relacionado a trauma e a estressores não especificado
F44.0	Amnésia dissociativa
F44.1	Amnésia dissociativa, Com fuga dissociativa
F44.4	Transtorno de sintomas neurológicos funcionais (transtorno conversivo), Com movimento anormal
F44.4	Transtorno de sintomas neurológicos funcionais (transtorno conversivo), Com sintoma de fala
F44.4	Transtorno de sintomas neurológicos funcionais (transtorno conversivo), Com sintomas de deglutição
F44.4	Transtorno de sintomas neurológicos funcionais (transtorno conversivo), Com fraqueza ou paralisia
F44.5	Transtorno de sintomas neurológicos funcionais (transtorno conversivo), Com ataques ou convulsões
F44.6	Transtorno de sintomas neurológicos funcionais (transtorno conversivo), Com anestesia ou perda sensorial
F44.6	Transtorno de sintomas neurológicos funcionais (transtorno conversivo), Com sintoma sensorial especial

CID-10-MC	Transtorno, condição ou problema
F44.7	Transtorno de sintomas neurológicos funcionais (transtorno conversivo), Com sintomas mistos
F44.81	Transtorno dissociativo de identidade
F44.89	Outro transtorno dissociativo especificado
F44.9	Transtorno dissociativo não especificado
F45.1	Transtorno de sintomas somáticos
F45.21	Transtorno de ansiedade de doença
F45.22	Transtorno dismórfico corporal
F45.8	Outro transtorno de sintomas somáticos e transtorno relacionado especificado
F45.9	Transtorno de sintomas somáticos e transtorno relacionado não especificado
F48.1	Transtorno de despersonalização/desrealização
F50.01	Anorexia nervosa, Tipo restritivo
F50.02	Anorexia nervosa, Tipo compulsão alimentar purgativa
F50.2	Bulimia nervosa
F50.81	Transtorno de compulsão alimentar
F50.82	Transtorno alimentar restritivo/evitativo
F50.89	Outro transtorno alimentar especificado
F50.89	Pica, Em adultos
F50.9	Transtorno alimentar não especificado
F51.01	Transtorno de insônia
F51.11	Transtorno de hipersonolência
F51.3	Transtornos de despertar do sono não REM, Tipo sonambulismo
F51.4	Transtornos de despertar do sono não REM, Tipo terror noturno
F51.5	Transtorno do pesadelo
F52.0	Transtorno do desejo sexual masculino hipoativo
F52.21	Transtorno erétil
F52.22	Transtorno do interesse/excitação sexual feminino
F52.31	Transtorno do orgasmo feminino
F52.32	Ejaculação retardada
F52.4	Ejaculação prematura (precoce)
F52.6	Transtorno da dor gênito-pélvica/penetração
F52.8	Outra disfunção sexual especificada
F52.9	Disfunção sexual não especificada
F54	Fatores psicológicos que afetam outras condições médicas
F60.0	Transtorno da personalidade paranoide
F60.1	Transtorno da personalidade esquizoide
F60.2	Transtorno da personalidade antissocial
F60.3	Transtorno da personalidade *borderline*
F60.4	Transtorno da personalidade histriônica
F60.5	Transtorno da personalidade obsessivo-compulsiva
F60.6	Transtorno da personalidade evitativa
F60.7	Transtorno da personalidade dependente
F60.81	Transtorno da personalidade narcisista
F60.89	Outro transtorno da personalidade especificado
F60.9	Transtorno da personalidade não especificado

CID-10-MC	Transtorno, condição ou problema
F63.0	Transtorno do jogo
F63.1	Piromania
F63.2	Cleptomania
F63.3	Tricotilomania (transtorno de arrancar o cabelo)
F63.81	Transtorno explosivo intermitente
F64.0	Disforia de gênero em adolescentes e adultos
F64.2	Disforia de gênero em crianças
F64.8	Outra disforia de gênero especificada
F64.9	Disforia de gênero não especificada
F65.0	Transtorno fetichista
F65.1	Transtorno transvéstico
F65.2	Transtorno exibicionista
F65.3	Transtorno voyeurista
F65.4	Transtorno pedofílico
F65.51	Transtorno do masoquismo sexual
F65.52	Transtorno do sadismo sexual
F65.81	Transtorno frotteurista
F65.89	Outro transtorno parafílico especificado
F65.9	Transtorno parafílico não especificado
F68.10	Transtorno factício autoimposto
F68.A	Transtorno factício imposto a outro
F70	Transtorno do desenvolvimento intelectual (deficiência intelectual), Leve
F71	Transtorno do desenvolvimento intelectual (deficiência intelectual), Moderado
F72	Transtorno do desenvolvimento intelectual (deficiência intelectual), Grave
F73	Transtorno do desenvolvimento intelectual (deficiência intelectual), Profundo
F79	Transtorno do desenvolvimento intelectual (deficiência intelectual) não especificado
F80.0	Transtorno da fala
F80.2	Transtorno da linguagem
F80.81	Transtorno da fluência com início na infância (gagueira)
F80.82	Transtorno da comunicação social (pragmática)
F80.9	Transtorno da comunicação não especificado
F81.0	Transtorno específico da aprendizagem, Com prejuízo na leitura
F81.2	Transtorno específico da aprendizagem, Com prejuízo na matemática
F81.81	Transtorno específico da aprendizagem, Com prejuízo na expressão escrita
F82	Transtorno do desenvolvimento da coordenação
F84.0	Transtorno do espectro autista
F88	Atraso global do desenvolvimento
F88	Outro transtorno do neurodesenvolvimento especificado
F89	Transtorno do neurodesenvolvimento não especificado
F90.0	Transtorno de déficit de atenção/hiperatividade, Apresentação predominantemente desatenta
F90.1	Transtorno de déficit de atenção/hiperatividade, Apresentação predominantemente hiperativa/impulsiva
F90.2	Transtorno de déficit de atenção/hiperatividade, Apresentação combinada
F90.8	Outro transtorno de déficit de atenção/hiperatividade especificado

Listagem Numérica dos Diagnósticos do DSM-5-TR e Códigos da CID-10-MC

CID-10-MC	Transtorno, condição ou problema
F90.9	Transtorno de déficit de atenção/hiperatividade não especificado
F91.1	Transtorno da conduta, Tipo com início na infância
F91.2	Transtorno da conduta, Tipo com início na adolescência
F91.3	Transtorno de oposição desafiante
F91.8	Outro transtorno disruptivo, do controle de impulsos e da conduta especificado
F91.9	Transtorno da conduta, Início não especificado
F91.9	Transtorno disruptivo, do controle de impulsos e da conduta não especificado
F93.0	Transtorno de ansiedade de separação
F94.0	Mutismo seletivo
F94.1	Transtorno de apego reativo
F94.2	Transtorno de interação social desinibida
F95.0	Transtorno de tique provisório
F95.1	Transtorno de tique motor ou vocal persistente (crônico)
F95.2	Transtorno de Tourette
F95.8	Outro transtorno de tique especificado
F95.9	Transtorno de tique não especificado
F98.0	Enurese
F98.1	Encoprese
F98.21	Transtorno de ruminação
F98.3	Pica, Em crianças
F98.4	Transtorno do movimento estereotipado
F98.5	Transtorno da fluência com início na idade adulta
F99	Outro transtorno mental especificado
F99	Transtorno mental não especificado
G21.0	Síndrome neuroléptica maligna
G21.11	Parkinsonismo induzido por medicamento antipsicótico e outro agente bloqueador do receptor de dopamina
G21.19	Parkinsonismo induzido por outro medicamento
G24.01	Discinesia tardia
G24.02	Distonia aguda induzida por medicamento
G24.09	Distonia tardia
G25.1	Tremor postural induzido por medicamento
G25.71	Acatisia aguda induzida por medicamento
G25.71	Acatisia tardia
G25.79	Outro transtorno do movimento induzido por medicamento
G25.81	Síndrome das pernas inquietas
G31.84	Transtorno neurocognitivo leve devido a possível doença de Alzheimer *(nenhum código médico adicional)*
G31.84	Transtorno neurocognitivo leve devido a possível degeneração frontotemporal *(nenhum código médico adicional)*
G31.84	Transtorno neurocognitivo leve com possível corpos de Lewy *(nenhum código médico adicional)*
G31.84	Transtorno neurocognitivo leve possivelmente devido à doença de Parkinson *(nenhum código médico adicional)*
G31.84	Transtorno neurocognitivo leve possivelmente devido a doença vascular *(nenhum código médico adicional)*

CID-10-MC	Transtorno, condição ou problema
G31.84	Transtorno neurocognitivo leve devido a etiologia desconhecida (*nenhum código médico adicional*)
G47.00	Transtorno de insônia não especificado
G47.09	Outro transtorno de insônia especificado
G47.10	Transtorno de hipersonolência não especificado
G47.19	Outro transtorno de hipersonolência especificado
G47.20	Transtornos do sono-vigília do ritmo circadiano, Tipo não especificado
G47.21	Transtornos do sono-vigília do ritmo circadiano, Tipo fase do sono atrasada
G47.22	Transtornos do sono-vigília do ritmo circadiano, Tipo fase do sono avançada
G47.23	Transtornos do sono-vigília do ritmo circadiano, Tipo sono-vigília irregular
G47.24	Transtornos do sono-vigília do ritmo circadiano, Tipo sono-vigília não de 24 horas
G47.26	Transtornos do sono-vigília do ritmo circadiano, Tipo trabalho em turnos
G47.31	Apneia central do sono, Apneia central do sono tipo idiopática
G47.33	Apneia e hipopneia obstrutivas do sono
G47.34	Hipoventilação relacionada ao sono, Hipoventilação idiopática
G47.35	Hipoventilação relacionada ao sono, Hipoventilação alveolar central congênita
G47.36	Hipoventilação relacionada ao sono, Hipoventilação relacionada ao sono comórbida
G47.37	Apneia central do sono comórbida com uso de opioide
G47.411	Narcolepsia com cataplexia ou com deficiência de hipocretina (tipo 1)
G47.419	Narcolepsia sem cataplexia ou sem deficiência de hipocretina ou hipocretina não medida (tipo 2)
G47.421	Narcolepsia com cataplexia ou com deficiência de hipocretina devido a uma condição médica
G47.429	Narcolepsia sem cataplexia ou sem deficiência de hipocretina devido a uma condição médica
G47.52	Transtorno comportamental do sono REM
G47.8	Outro transtorno do sono-vigília especificado
G47.9	Transtorno do sono-vigília não especificado
N39.498	Outro transtorno da eliminação especificado, Com sintomas urinários
R06.3	Apneia central do sono, Respiração de Cheyne-Stokes
R15.9	Outro transtorno da eliminação especificado, Com sintomas fecais
R15.9	Transtorno da eliminação não especificado, Com sintomas fecais
R32	Transtorno da eliminação não especificado, Com sintomas urinários
R41.81	Declínio cognitivo relacionado à idade
R41.83	Funcionamento intelectual *borderline*
R41.9	Transtorno neurocognitivo não especificado
R45.88	Autolesão não suicida atual
R45.89	Explosões emocionais prejudiciais
	Comportamento suicida atual
T14.91XA	Consulta inicial
T14.91XD	Consulta de seguimento
T43.205A	Síndrome de descontinuação de antidepressivos, Consulta inicial
T43.205D	Síndrome de descontinuação de antidepressivos, Consulta de seguimento
T43.205S	Síndrome de descontinuação de antidepressivos, Sequelas
T50.905A	Outros efeitos adversos de medicamentos, Consulta inicial
T50.905D	Outros efeitos adversos de medicamentos, Consulta de seguimento
T50.905S	Outros efeitos adversos de medicamentos, Sequelas

CID-10-MC	Transtorno, condição ou problema
T74.01XA	Negligência de cônjuge ou parceiro(a) confirmada, Consulta inicial
T74.01XD	Negligência de cônjuge ou parceiro(a) confirmada, Consulta de seguimento
T74.02XA	Negligência infantil confirmada, Consulta inicial
T74.02XD	Negligência infantil confirmada, Consulta de seguimento
T74.11XA	Abuso físico de adulto por não cônjuge ou não parceiro(a) confirmado, Consulta inicial
T74.11XA	Violência física de cônjuge ou parceiro(a) confirmada, Consulta inicial
T74.11XD	Abuso físico de adulto por não cônjuge ou não parceiro(a) confirmado, Consulta de seguimento
T74.11XD	Violência física de cônjuge ou parceiro(a) confirmada, Consulta de seguimento
T74.12XA	Abuso físico infantil confirmado, Consulta inicial
T74.12XD	Abuso físico infantil confirmado, Consulta de seguimento
T74.21XA	Abuso sexual de adulto por não cônjuge ou não parceiro(a) confirmado, Consulta inicial
T74.21XA	Violência sexual de cônjuge ou parceiro(a) confirmada, Consulta inicial
T74.21XD	Abuso sexual de adulto por não cônjuge ou não parceiro(a) confirmado, Consulta de seguimento
T74.21XD	Violência sexual de cônjuge ou parceiro(a) confirmada, Consulta de seguimento
T74.22XA	Abuso sexual infantil confirmado, Consulta inicial
T74.22XD	Abuso sexual infantil confirmado, Consulta de seguimento
T74.31XA	Abuso psicológico de adulto por não cônjuge ou não parceiro(a) confirmado, Consulta inicial
T74.31XA	Abuso psicológico de cônjuge ou parceiro(a) confirmado, Consulta inicial
T74.31XD	Abuso psicológico de adulto por não cônjuge ou não parceiro(a) confirmado, Consulta de seguimento
T74.31XD	Abuso psicológico de cônjuge ou parceiro(a) confirmado, Consulta de seguimento
T74.32XA	Abuso psicológico infantil confirmado, Consulta inicial
T74.32XD	Abuso psicológico infantil confirmado, Consulta de seguimento
T76.01XA	Negligência de cônjuge ou parceiro(a) suspeitada, Consulta inicial
T76.01XD	Negligência de cônjuge ou parceiro(a) suspeitada, Consulta de seguimento
T76.02XA	Negligência infantil suspeitada, Consulta inicial
T76.02XD	Negligência infantil suspeitada, Consulta de seguimento
T76.11XA	Abuso físico de adulto por não cônjuge ou não parceiro(a) suspeitado, Consulta inicial
T76.11XA	Violência física de cônjuge ou parceiro(a) suspeitada, Consulta inicial
T76.11XD	Abuso físico de adulto por não cônjuge ou não parceiro(a) suspeitado, Consulta de seguimento
T76.11XD	Violência física de cônjuge ou parceiro(a) suspeitada, Consulta de seguimento
T76.12XA	Abuso físico infantil suspeitado, Consulta inicial
T76.12XD	Abuso físico infantil suspeitado, Consulta de seguimento
T76.21XA	Abuso sexual de adulto por não cônjuge ou não parceiro(a) suspeitado, Consulta inicial
T76.21XA	Violência sexual de cônjuge ou parceiro(a) suspeitada, Consulta inicial
T76.21XD	Abuso sexual de adulto por não cônjuge ou não parceiro(a) suspeitado, Consulta de seguimento
T76.21XD	Violência sexual de cônjuge ou parceiro(a) suspeitada, Consulta de seguimento
T76.22XA	Abuso sexual infantil suspeitado, Consulta inicial
T76.22XD	Abuso sexual infantil suspeitado, Consulta de seguimento
T76.31XA	Abuso psicológico de adulto por não cônjuge ou não parceiro(a) suspeitado, Consulta inicial
T76.31XA	Abuso psicológico de cônjuge ou parceiro(a) suspeitado, Consulta inicial

CID-10-MC	Transtorno, condição ou problema
T76.31XD	Abuso psicológico de adulto por não cônjuge ou não parceiro(a) suspeitado, Consulta de seguimento
T76.31XD	Abuso psicológico de cônjuge ou parceiro(a) suspeitado, Consulta de seguimento
T76.32XA	Abuso psicológico infantil confirmado, Consulta inicial
T76.32XD	Abuso psicológico infantil confirmado, Consulta de seguimento
Z03.89	Sem diagnóstico ou condição
Z31.5	Aconselhamento genético
Z55.0	Analfabetismo e baixo nível de escolaridade
Z55.1	Escolarização indisponível ou inatingível
Z55.2	Reprovação em exames escolares
Z55.3	Insucesso na escola
Z55.4	Desajuste educacional e desentendimento com professores e colegas
Z55.8	Problemas relacionados a ensino inadequado
Z55.9	Outros problemas relacionados à educação e alfabetização
Z56.0	Desemprego
Z56.1	Mudança de emprego
Z56.2	Ameaça de perda de emprego
Z56.3	Horário de trabalho estressante
Z56.4	Desentendimento com chefia e colegas de trabalho
Z56.5	Ambiente de trabalho hostil
Z56.6	Outra tensão física ou mental relacionada ao trabalho
Z56.81	Assédio sexual no trabalho
Z56.82	Problema relacionado a condição atual de preparação militar
Z56.9	Outro problema relacionado a emprego
Z58.6	Falta de água potável segura
Z59.01	Sem-teto abrigado
Z59.02	Sem-teto
Z59.1	Moradia inadequada
Z59.2	Desentendimento com vizinho, locatário ou locador
Z59.3	Problema relacionado a moradia em instituição residencial
Z59.41	Insegurança alimentar
Z59.5	Pobreza extrema
Z59.6	Baixa renda
Z59.7	Seguro social ou de saúde ou previdência social insuficientes
Z59.9	Outro problema econômico
Z59.9	Outro problema de moradia
Z60.0	Problema relacionado à fase da vida
Z60.2	Problema relacionado a morar sozinho
Z60.3	Dificuldade de aculturação
Z60.4	Exclusão ou rejeição social
Z60.5	Alvo de discriminação ou perseguição adversa (percebida)
Z60.9	Outro problema relacionado ao ambiente social
Z62.29	Educação longe dos pais
Z62.810	História pessoal (história anterior) de abuso físico na infância
Z62.810	História pessoal (história anterior) de abuso sexual na infância

CID-10-MC	Transtorno, condição ou problema
Z62.811	História pessoal (história anterior) de abuso psicológico na infância
Z62.812	História pessoal (história anterior) de negligência na infância
Z62.820	Problema de relacionamento entre pais e filhos, Entre pais e filho biológico
Z62.821	Problema de relacionamento entre pais e filhos, Entre pais e filho adotado
Z62.822	Problema de relacionamento entre pais e filhos, Entre pais e filho acolhido
Z62.891	Problema de relacionamento com irmão
Z62.898	Criança afetada por sofrimento na relação dos pais
Z62.898	Problema de relacionamento entre pais e filhos, Entre outro cuidador e filho
Z63.0	Sofrimento na relação com o cônjuge ou parceiro(a) íntimo(a)
Z63.4	Luto não complicado
Z63.5	Ruptura da família por separação ou divórcio
Z63.8	Nível de expressão emocional alto na família
Z64.0	Problemas relacionados a gravidez indesejada
Z64.1	Problemas relacionados a múltiplas gestações
Z64.4	Desentendimento com prestador de serviço social, incluindo oficial da condicional, gerente do caso ou assistente social
Z65.0	Condenação em processos criminais sem prisão
Z65.1	Prisão ou outro encarceramento
Z65.2	Problemas relacionados à liberdade prisional
Z65.3	Problemas relacionados a outras circunstâncias legais
Z65.4	Vítima de crime
Z65.4	Vítima de terrorismo ou tortura
Z65.5	Exposição a desastre, guerra ou outras hostilidades
Z65.8	Problema religioso ou espiritual
Z69.010	Consulta em serviços de saúde mental de vítima de negligência infantil por um dos pais
Z69.010	Consulta em serviços de saúde mental de vítima de abuso físico infantil por um dos pais
Z69.010	Consulta em serviços de saúde mental de vítima de abuso psicológico infantil por um dos pais
Z69.010	Consulta em serviços de saúde mental de vítima de abuso sexual infantil por um dos pais
Z69.011	Consulta em serviços de saúde mental de perpetrador de negligência infantil parental
Z69.011	Consulta em serviços de saúde mental de perpetrador de abuso físico infantil parental
Z69.011	Consulta em serviços de saúde mental de perpetrador de abuso psicológico infantil parental
Z69.011	Consulta em serviços de saúde mental de perpetrador de abuso sexual infantil parental
Z69.020	Consulta em serviços de saúde mental de vítima de negligência infantil não parental
Z69.020	Consulta em serviços de saúde mental de vítima de abuso físico infantil não parental
Z69.020	Consulta em serviços de saúde mental de vítima de abuso psicológico infantil não parental
Z69.020	Consulta em serviços de saúde mental de vítima de abuso sexual infantil não parental
Z69.021	Consulta em serviços de saúde mental de perpetrador de negligência infantil não parental
Z69.021	Consulta em serviços de saúde mental de perpetrador de abuso físico infantil não parental
Z69.021	Consulta em serviços de saúde mental de perpetrador de abuso psicológico infantil não parental
Z69.021	Consulta em serviços de saúde mental de perpetrador de abuso sexual infantil não parental
Z69.11	Consulta em serviços de saúde mental de vítima de negligência de cônjuge ou parceiro(a)
Z69.11	Consulta em serviços de saúde mental de vítima de abuso psicológico de cônjuge ou parceiro(a)
Z69.11	Consulta em serviços de saúde mental de vítima de violência física de cônjuge ou parceiro(a)

CID-10-MC	Transtorno, condição ou problema
Z69.12	Consulta em serviços de saúde mental de perpetrador de negligência de cônjuge ou parceiro(a)
Z69.12	Consulta em serviços de saúde mental de perpetrador de abuso psicológico de cônjuge ou parceiro(a)
Z69.12	Consulta em serviços de saúde mental de perpetrador de violência física de cônjuge ou parceiro(a)
Z69.12	Consulta em serviços de saúde mental de perpetrador de violência sexual de cônjuge ou parceiro(a)
Z69.81	Consulta em serviços de saúde mental de vítima de abuso de adulto por não cônjuge ou não parceiro(a)
Z69.81	Consulta em serviços de saúde mental de vítima de violência sexual de cônjuge ou parceiro(a)
Z69.82	Consulta em serviços de saúde mental de perpetrador de abuso de adulto por não cônjuge ou não parceiro(a)
Z70.9	Aconselhamento sexual
Z71.3	Aconselhamento nutricional
Z71.9	Outro aconselhamento ou consulta
Z72.0	Transtorno por uso de tabaco, Leve
Z72.810	Comportamento antissocial de criança ou adolescente
Z72.811	Comportamento antissocial adulto
Z72.9	Problema relacionado ao estilo de vida
Z75.3	Indisponibilidade ou inacessibilidade a unidades de saúde
Z75.4	Indisponibilidade ou inacessibilidade de outras agências de ajuda
Z76.5	Simulação
Z91.199	Não adesão a tratamento médico
Z91.410	História pessoal (história anterior) de violência física de cônjuge ou parceiro(a)
Z91.410	História pessoal (história anterior) de violência sexual de cônjuge ou parceiro(a)
Z91.411	História pessoal (história anterior) de abuso psicológico de cônjuge ou parceiro(a)
Z91.412	História pessoal (história anterior) de negligência de cônjuge ou parceiro(a)
Z91.49	História pessoal de trauma psicológico
Z91.51	História de comportamento suicida
Z91.52	História de autolesão não suicida
Z91.82	História pessoal de preparação militar
Z91.83	Perambulação associada a algum transtorno mental

Consultores e Outros Colaboradores do DSM-5

Conselho de Administração da APA – Comitês de Revisão

Comitê de Revisão Científica (SRC)
Kenneth S. Kendler, M.D. (Presidente)
Robert Freedman, M.D. (Vice-presidente)
Dan G. Blazer, M.D., Ph.D., M.P.H.
David Brent, M.D. (2011–)
Ellen Leibenluft, M.D.
Sir Michael Rutter, M.D. (–2011)
Paul S. Summergrad, M.D.
Robert J. Ursano, M.D. (–2011)
Myrna Weissman, Ph.D. (2011–)
Joel Yager, M.D.
Jill L. Opalesky, M.S. (Apoio Administrativo)

Comitê de Revisão da Clínica e Saúde Pública (CPHC)
John S. McIntyre, M.D. (Presidente)
Joel Yager, M.D. (Vice-presidente)
Anita Everett, M.D.
Cathryn A. Galanter, M.D.
Jeffrey M. Lyness, M.D.
James E. Nininger, M.D.
Victor I. Reus, M.D.
Michael J. Vergare, M.D.
Ann Miller (Apoio Administrativo)

Comitê de Supervisão
Carolyn Robinowitz, M.D. (Presidente)
Mary Badaracco, M.D.
Ronald Burd, M.D.
Robert Freedman, M.D.
Jeffrey A. Lieberman, M.D.
Kyla Pope, M.D.
Victor I. Reus, M.D.
Daniel K. Winstead, M.D.
Joel Yager, M.D.

Comitê de Revisão da Assembleia da APA do DSM-5
Glenn A. Martin, M.D. (Presidente)
R. Scott Benson, M.D. (Orador da Assembleia)
William Cardasis, M.D.
John M. de Figueiredo, M.D.
Lawrence S. Gross, M.D.
Brian S. Hart, M.D.
Stephen A. McLeod Bryant, M.D.

Gregory A. Miller, M.D.
Roger Peele, M.D.
Charles S. Price, M.D.
Deepika Sastry, M.D.
John P.D. Shemo, M.D.
Eliot Sorel, M.D.

Grupo de Coordenação do DSM-5
Dilip V. Jeste, M.D. (Presidente)
R. Scott Benson, M.D.
Kenneth S. Kendler, M.D.
Helena C. Kraemer, Ph.D.
David J. Kupfer, M.D.
Jeffrey A. Lieberman, M.D.
Glenn A. Martin, M.D.
John S. McIntyre, M.D.
John M. Oldham, M.D.
Roger Peele, M.D.
Darrel A. Regier, M.D., M.P.H.
James H. Scully Jr., M.D.
Joel Yager, M.D.
Paul S. Appelbaum, M.D. (Consultor)
Michael B. First, M.D. (Consultor)

Revisão de Pesquisa de Campo do DSM-5
Robert D. Gibbons, Ph.D.
Craig Nelson, M.D.

Revisão Forense do DSM-5
Paul S. Appelbaum, M.D.
Lama Bazzi, M.D.
Alec W. Buchanan, M.D., Ph.D.
Carissa Cabán Alemán, M.D.
Michael Champion, M.D.
Jeffrey C. Eisen, M.D.
Elizabeth Ford, M.D.
Daniel T. Hackman, M.D.
Mark Hauser, M.D.
Steven K. Hoge, M.D., M.B.A.
Debra A. Pinals, M.D.
Guillermo Portillo, M.D.
Patricia Recupero, M.D., J.D.
Robert Weinstock, M.D.
Cheryl Wills, M.D.
Howard V. Zonana, M.D.

Membros da Última APA do DSM-5

Erin J. Dalder-Alpher
Kristin Edwards
Leah I. Engel
Lenna Jawdat
Elizabeth C.
Martin Rocio J. Salvador

Consultores dos Grupos de Trabalho

TDAH e Transtornos do Comportamento Disruptivo
Emil F. Coccaro, M.D.
Deborah Dabrick, Ph.D.
Prudence W. Fisher, Ph.D.
Benjamin B. Lahey, Ph.D.
Salvatore Mannuzza, Ph.D.
Mary Solanto, Ph.D.
J. Blake Turner, Ph.D.
Eric Youngstrom, Ph.D.

Transtornos de Ansiedade, do Espectro Obsessivo-compulsivo, Pós-traumáticos e Dissociativos
Lynn E. Alden, Ph.D.
David B. Arciniegas, M.D.
David H. Barlow, Ph.D.
Katja Beesdo-Baum, Ph.D.
Chris R. Brewin, Ph.D.
Richard J. Brown, Ph.D.
Timothy A. Brown, Ph.D.
Richard A. Bryant, Ph.D.
Joan M. Cook, Ph.D.
Joop de Jong, M.D., Ph.D.
Paul F. Dell, Ph.D.
Damiaan Denys, M.D.
Bruce P. Dohrenwend, Ph.D.
Brian A. Fallon, M.D., M.P.H.
Edna B. Foa, Ph.D.
Martin E. Franklin, Ph.D.
Wayne K. Goodman, M.D.
Jon E. Grant, J.D., M.D.
Bonnie L. Green, Ph.D.
Richard G. Heimberg, Ph.D.
Judith L. Herman, M.D.
Devon E. Hinton, M.D., Ph.D.
Stefan G. Hofmann, Ph.D.
Charles W. Hoge, M.D.
Terence M. Keane, Ph.D.
Nancy J. Keuthen, Ph.D.
Dean G. Kilpatrick, Ph.D.
Katharina Kircanski, Ph.D.
Laurence J. Kirmayer, M.D.
Donald F. Klein, M.D., D.Sc.
Amaro J. Laria, Ph.D.
Richard T. LeBeau, M.A.
Richard J. Loewenstein, M.D.
David Mataix-Cols, Ph.D.
Thomas W. McAllister, M.D.
Harrison G. Pope, M.D., M.P.H.
Ronald M. Rapee, Ph.D.
Steven A. Rasmussen, M.D.
Patricia A. Resick, Ph.D.
Vedat Sar, M.D.
Sanjaya Saxena, M.D.
Paula P. Schnurr, Ph.D.
M. Katherine Shear, M.D.
Daphne Simeon, M.D.
Harvey S. Singer, M.D.
Melinda A. Stanley, Ph.D.
James J. Strain, M.D.
Kate Wolitzky Taylor, Ph.D.
Onno van der Hart, Ph.D.
Eric Vermetten, M.D., Ph.D.
John T. Walkup, M.D.
Sabine Wilhelm, Ph.D.
Douglas W. Woods, Ph.D.
Richard E. Zinbarg, Ph.D.
Joseph Zohar, M.D.

Transtornos da Infância e Adolescência
Adrian Angold, Ph.D.
Deborah Beidel, Ph.D.
David Brent, M.D.
John Campo, M.D.
Gabrielle Carlson, M.D.
Prudence W. Fisher, Ph.D.
David Klonsky, Ph.D.
Matthew Nock, Ph.D.
J. Blake Turner, Ph.D.

Transtornos Alimentares
Michael J. Devlin, M.D.
Denise E. Wilfley, Ph.D.
Susan Z. Yanovski, M.D.

Transtornos do Humor
Boris Birmaher, M.D.
Yeates Conwell, M.D.
Ellen B. Dennehy, Ph.D.
S. Ann Hartlage, Ph.D.
Jack M. Hettema, M.D., Ph.D.
Michael C. Neale, Ph.D.
Gordon B. Parker, M.D., Ph.D., D.Sc.
Roy H. Perlis, M.D., M.Sc.
Holly G. Prigerson, Ph.D.
Norman E. Rosenthal, M.D.
Peter J. Schmidt, M.D.

Mort M. Silverman, M.D.
Meir Steiner, M.D., Ph.D.
Mauricio Tohen, M.D., Dr.P.H., M.B.A.
Sidney Zisook, M.D.

Transtornos Neurocognitivos
Jiska Cohen-Mansfield, Ph.D.
Vladimir Hachinski, M.D., C.M., D.Sc.
Sharon Inouye, M.D., M.P.H.
Grant Iverson, Ph.D.
Laura Marsh, M.D.
Bruce Miller, M.D.
Jacobo Mintzer, M.D., M.B.A.
Bruce G. Pollock, M.D., Ph.D.
George Prigatano, Ph.D.
Ron Ruff, Ph.D.
Ingmar Skoog, M.D., Ph.D.
Robert Sweet, M.D.
Paula Trzepacz, M.D.

Transtornos do Neurodesenvolvimento
Ari Ne'eman
Nickola Nelson, Ph.D.
Diane Paul, Ph.D.
Eva Petrova, Ph.D.
Andrew Pickles, Ph.D.
Jan Piek, Ph.D.
Helene Polatajko, Ph.D.
Alya Reeve, M.D.
Mabel Rice, Ph.D.
Joseph Sergeant, Ph.D.
Bennett Shaywitz, M.D.
Sally Shaywitz, M.D.
Audrey Thurm, Ph.D.
Keith Widaman, Ph.D.
Warren Zigman, Ph.D.

Personalidade e Transtornos da Personalidade
Eran Chemerinski, M.D.
Thomas N. Crawford, Ph.D.
Harold W. Koenigsberg, M.D.
Kristian E. Markon, Ph.D.
Rebecca L. Shiner, Ph.D.
Kenneth R. Silk, M.D.
Jennifer L. Tackett, Ph.D.
David Watson, Ph.D.

Transtornos Psicóticos
Kamaldeep Bhui, M.D.
Manuel J. Cuesta, M.D., Ph.D.
Richard Douyon, M.D.
Paolo Fusar-Poli, Ph.D.
John H. Krystal, M.D.
Thomas H. McGlashan, M.D.
Victor Peralta, M.D., Ph.D.
Anita Riecher-Rössler, M.D.
Mary V. Seeman, M.D.

Transtornos Sexuais e Identidade de Gênero
Stan E. Althof, Ph.D.
Richard Balon, M.D.
John H.J. Bancroft, M.D., M.A., D.P.M.
Howard E. Barbaree, Ph.D., M.A.
Rosemary J. Basson, M.D.
Sophie Bergeron, Ph.D.
Anita H. Clayton, M.D.
David L. Delmonico, Ph.D.
Domenico Di Ceglie, M.D.
Esther Gomez-Gil, M.D.
Jamison Green, Ph.D.
Richard Green, M.D., J.D.
R. Karl Hanson, Ph.D.
Lawrence Hartmann, M.D.
Stephen J. Hucker, M.B.
Eric S. Janus, J.D.
Patrick M. Jern, Ph.D.
Megan S. Kaplan, Ph.D.
Raymond A. Knight, Ph.D.
Ellen T.M. Laan, Ph.D.
Stephen B. Levine, M.D.
Christopher G. McMahon, M.B.
Marta Meana, Ph.D.
Michael H. Miner, Ph.D., M.A.
William T. O'Donohue, Ph.D.
Michael A. Perelman, Ph.D.
Caroline F. Pukall, Ph.D.
Robert E. Pyke, M.D., Ph.D.
Vernon L. Quinsey, Ph.D., M.Sc.
David L. Rowland, Ph.D., M.A.
Michael Sand, Ph.D., M.P.H.
Leslie R. Schover, Ph.D., M.A.
Paul Stern, B.S., J.D.
David Thornton, Ph.D.
Leonore Tiefer, Ph.D.
Douglas E. Tucker, M.D.
Jacques van Lankveld, Ph.D.
Marcel D. Waldinger, M.D., Ph.D.

Transtornos do Sono-Vigília
Donald L. Bliwise, Ph.D.
Daniel J. Buysse, M.D.
Vishesh K. Kapur, M.D., M.P.H.
Sanjeeve V. Kothare, M.D.
Kenneth L. Lichstein, Ph.D.
Mark W. Mahowald, M.D. Rachel Manber, Ph.D.
Emmanuel Mignot, M.D., Ph.D.
Timothy H. Monk, Ph.D., D.Sc.
Thomas C. Neylan, M.D.
Maurice M. Ohayon, M.D., D.Sc., Ph.D.
Judith Owens, M.D., M.P.H.
Daniel L. Picchietti, M.D.
Stuart F. Quan, M.D.
Thomas Roth, Ph.D.
Daniel Weintraub, M.D.

Theresa B. Young, Ph.D.
Phyllis C. Zee, M.D., Ph.D.

Transtornos de Sintomas Somáticos
Brenda Bursch, Ph.D.
Kurt Kroenke, M.D.
W. Curt LaFrance Jr., M.D., M.P.H.
Jon Stone, M.B., Ch.B., Ph.D.
Lynn M. Wegner, M.D.

Transtornos Relacionados a Substâncias
Raymond F. Anton Jr., M.D.
Deborah A. Dawson, Ph.D.
Roland R. Griffiths, Ph.D. Dorothy K. Hatsukami, Ph.D.
John E. Helzer, M.D.
Marilyn A. Huestis, Ph.D.
John R. Hughes, M.D.
Laura M. Juliano, Ph.D.
Thomas R. Kosten, M.D.
Nora D. Volkow, M.D.

Grupos de Estudos do DSM-5 e Outros Colaboradores

Abordagens do Desenvolvimento e do Ciclo de Vida
Christina Bryant, Ph.D.
Amber Gum, Ph.D.
Thomas Meeks, M.D.
Jan Mohlman, Ph.D.
Steven Thorp, Ph.D.
Julie Wetherell, Ph.D.

Questões Transculturais e de Gênero
Neil K. Aggarwal, M.D., M.B.A., M.A.
Sofie Bäärnhielm, M.D., Ph.D.
José J. Bauermeister, Ph.D.
James Boehnlein, M.D., M.Sc.
Jaswant Guzder, M.D.
Alejandro Interian, Ph.D.
Sushrut S. Jadhav, M.B.B.S., M.D., Ph.D.
Laurence J. Kirmayer, M.D.
Alex J. Kopelowicz, M.D.
Amaro J. Laria, Ph.D.
Steven R. Lopez, Ph.D.
Kwame J. McKenzie, M.D.
John R. Peteet, M.D.
Hans (J.G.B.M.) Rohlof, M.D.

Cecile Rousseau, M.D.
Mitchell G. Weiss, M.D., Ph.D.

Interface Psiquiatria/ Medicina Geral
Daniel L. Coury, M.D.
Bernard P. Dreyer, M.D.
Danielle Laraque, M.D.
Lynn M. Wegner, M.D.

Deficiência e Incapacidade
Prudence W. Fisher, Ph.D.
Martin Prince, M.D., M.Sc.
Michael R. Von Korff, Sc.D.

Instrumentos de Avaliação e Diagnóstico
Prudence W. Fisher, Ph.D.
Robert D. Gibbons, Ph.D.
Ruben Gur, Ph.D.
John E. Helzer, M.D.
John Houston, M.D., Ph.D.
Kurt Kroenke, M.D.

Outros Colaboradores/Consultores

TDAH e Transtornos do Comportamento Disruptivo
Patrick E. Shrout, Ph.D.
Erik Willcutt, Ph.D.

Transtornos de Ansiedade, do Espectro Obsessivo-compulsivo, Pós-traumáticos e Dissociativos
Etzel Cardeña, Ph.D.
Richard J. Castillo, Ph.D.
Eric Hollander, M.D.
Charlie Marmar, M.D.
Alfonso Martínez-Taboas, Ph.D.
Mark W. Miller, Ph.D.
Mark H. Pollack, M.D.
Heidi S. Resnick, Ph.D.

Transtornos da Infância e Adolescência
Grace T. Baranek, Ph.D.
Colleen Jacobson, Ph.D.
Maria Oquendo, M.D.
Sir Michael Rutter, M.D.

Transtornos Alimentares
Nancy L. Zucker, Ph.D.

Transtornos do Humor
Keith Hawton, M.D., Ph.D.
David A. Jobes, Ph.D.
Maria A. Oquendo, M.D.
Alan C. Swann, M.D.

Transtornos Neurocognitivos
J. Eric Ahlskog, M.D., Ph.D.
Allen J. Aksamit, M.D.
Marilyn Albert, Ph.D.
Guy Mckhann, M.D.
Bradley Boeve, M.D.
Helena Chui, M.D.
Sureyya Dikmen, Ph.D.
Douglas Galasko, M.D.
Harvey Levin, Ph.D.
Mark Lovell, Ph.D.
Jeffery Max, M.B.B.Ch.
Ian McKeith, M.D.
Cynthia Munro, Ph.D.
Marlene Oscar-Berman, Ph.D.
Alexander Troster, Ph.D.

Transtornos do Neurodesenvolvimento
Anna Barnett, Ph.D.
Martha Denckla, M.D.
Jack M. Fletcher, Ph.D.
Dido Green, Ph.D.
Stephen Greenspan, Ph.D.
Bruce Pennington, Ph.D.
Ruth Shalev, M.D.
Larry B. Silver, M.D.
Lauren Swineford, Ph.D.
Michael Von Aster, M.D.

Personalidade e Transtornos da Personalidade
Patricia R. Cohen, Ph.D.
Jaime L. Derringer, Ph.D.
Lauren Helm, M.D.
Christopher J. Patrick, Ph.D.
Anthony Pinto, Ph.D.

Transtornos Psicóticos
Scott W. Woods, M.D.

Transtornos Sexuais e Identidade de Gênero
Alan J. Riley, M.Sc.
Ray C. Rosen, Ph.D.

Transtornos do Sono-Vigília
Jack D. Edinger, Ph.D.
David Gozal, M.D.
Hochang B. Lee, M.D.
Tore A. Nielsen, Ph.D.
Michael J. Sateia, M.D.
Jamie M. Zeitzer, Ph.D.

Transtornos de Sintomas Somáticos
Chuck V. Ford, M.D.
Patricia I. Rosebush, M.Sc.N., M.D.

Transtornos Relacionados a Substâncias
Sally M. Anderson, Ph.D.
Julie A. Kable, Ph.D.
Christopher Martin, Ph.D.
Sarah N. Mattson, Ph.D.
Edward V. Nunes Jr., M.D.
Mary J. O'Connor, Ph.D.
Heather Carmichael Olson, Ph.D.
Blair Paley, Ph.D.
Edward P. Riley, Ph.D.
Tulshi D. Saha, Ph.D.
Wim van den Brink, M.D., Ph.D.
George E. Woody, M.D.

Espectros Diagnósticos e Harmonização DSM/CID
Bruce Cuthbert, Ph.D.

Abordagens do Desenvolvimento e do Ciclo de Vida
Approaches
Aartjan Beekman, Ph.D.
Alistair Flint, M.B.
David Sultzer, M.D.
Ellen Whyte, M.D.

Questões Transculturais e de Gênero
Sergio Aguilar-Gaxiola, M.D., Ph.D.
Kavoos G. Bassiri, M.S.
Venkataramana Bhat, M.D.
Marit Boiler, M.P.H.
Paul Brodwin, Ph.D.
Denise Canso, M.Sc.
Richard J. Castillo, Ph.D.
Smita N. Deshpande, M.D., D.P.M.
Ravi DeSilva, M.D.
Esperanza Diaz, M.D.
Byron J. Good, Ph.D.
Simon Groen, M.A.
Peter J. Guarnaccia, Ph.D.
Devon E. Hinton, M.D., Ph.D.
Ladson Hinton, M.D.
Lincoln I. Khasakhala, Ph.D.
Francis G. Lu, M.D.
Athena Madan, M.A.
Anne W. Mbwayo, Ph.D.
Oanh Meyer, Ph.D.
Victoria N. Mutiso, Ph.D., D.Sc.
David M. Ndetei, M.D.
Andel V. Nicasio, M.S.Ed.
Vasudeo Paralikar, M.D., Ph.D.
Kanak Patil, M.A.
Filipa I. Santos, H.B.Sc.
Sanjeev B. Sarmukaddam, Ph.D., M.Sc.
Monica Z. Scalco, M.D., Ph.D.
Katie Thompson, M.A.
Hendry Ton, M.D., M.Sc.
Rob C.J. van Dijk, M.Sc.

William A. Vega, Ph.D.
Johann M. Vega-Dienstmaier, M.D.
Sergio J. Villaseñor-Bayardo, M.D., Ph.D.
Joseph Westermeyer, M.D., Ph.D.

Interface Psiquiatria/Medicina Geral
Daniel J. Balog, M.D.
Charles C. Engel, M.D., M.P.H.
Charles D. Motsinger, M.D.

Deficiência e Incapacidade
Cille Kennedy, Ph.D.

Instrumentos de Avaliação e Diagnóstico
Paul J. Pikonis, Ph.D.

Outras Condições que Podem ser Foco da Atenção Clínica
William E. Narrow, M.D., M.P.H., *Chair*
Roger Peele, M.D.
Lawson R. Wulsin, M.D.
Charles H. Zeanah, M.D.
Prudence W. Fisher, Ph.D., *Advisor*
Stanley N. Caroff, M.D., *Contributor/Consultant*
James B. Lohr, M.D., *Contributor/Consultant*
Marianne Wambolt, Ph.D., *Contributor/Consultant*

Grupo de Pesquisa do DSM-5
Allan Donner, Ph.D.

Revisores do Comitê Clínico e de Saúde Pública

Kenneth Altshuler, M.D.
Pedro G. Alvarenga, M.D.
Diana J. Antonacci, M.D.
Richard Balon, M.D.
David H. Barlow, Ph.D.
L. Jarrett Barnhill, M.D.
Katja Beesdo-Baum, Ph.D.
Marty Boman, Ed.D.
James Bourgeois, M.D.
David Braff, M.D.
Harry Brandt, M.D.
Kirk Brower, M.D.
Rachel Bryant-Waugh, Ph.D.
Jack D. Burke Jr., M.D., M.P.H.
Brenda Bursch, Ph.D.
Joseph Camilleri, M.D.
Patricia Casey, M.D.
F. Xavier Castellanos, M.D.
Eran Chemerinski, M.D.
Wai Chen, M.D.
Elie Cheniaux, M.D., D.Sc.
Cheryl Chessick, M.D.
J. Richard Ciccone, M.D.
Anita H. Clayton, M.D.
Tihalia J. Coleman, Ph.D.
John Csernansky, M.D.
Manuel J. Cuesta, M.D., Ph.D.
Joanne L. Davis, M.D.
David L. Delmonico, Ph.D.
Ray J. DePaulo, M.D.
Dimitris Dikeos, M.D.
Ina E. Djonlagic, M.D.
C. Neill Epperson, M.D.
Javier I. Escobar, M.D., M.Sc.
Spencer Eth, M.D.
David Fassler, M.D.
Giovanni A. Fava, M.D.

Robert Feinstein, M.D.
Molly Finnerty, M.D.
Mark H. Fleisher, M.D.
Alessio Florentini, M.D.
Laura Fochtmann, M.D.
Marshal Forstein, M.D.
William French, M.D.
Maximillian Gahr, M.D.
Cynthia Geppert, M.D.
Ann Germaine, Ph.D.
Marcia Goin, M.D.
David A. Gorelick, M.D., Ph.D.
David Graeber, M.D.
Cynthia A. Graham, Ph.D.
Andreas Hartmann, M.D.
Victoria Hendrick, M.D.
Merrill Herman, M.D.
David Herzog, M.D.
Mardi Horowitz, M.D.
Ya-fen Huang, M.D.
Anthony Kales, M.D
Niranjan S. Karnik, M.D., Ph.D.
Jeffrey Katzman, M.D.
Bryan King, M.D.
Cecilia Kjellgren, M.D.
Harold W. Koenigsberg, M.D.
Richard B. Krueger, M.D.
Steven Lamberti, M.D.
Ruth A. Lanius, M.D.
John Lauriello, M.D.
Anthony Lehman, M.D.
Michael Linden, M.D.
Mark W. Mahowald, M.D.
Marsha D. Marcus, Ph.D.
Stephen Marder, M.D.
Wendy Marsh, M.D.
Michael S. McCloskey, Ph.D.

Consultores e Outros Colaboradores do DSM-5

Jeffrey Metzner, M.D.
Robert Michels, M.D.
Laura Miller, M.D.
Michael C. Miller, M.D.
Frederick Moeller, M.D.
Peter T. Morgan, M.D., Ph.D.
Madhav Muppa, M.D.
Philip Muskin, M.D.
Joachim Nitschke, M.D.
Abraham Nussbaum, M.D.
Ann Olincy, M.D.
Mark Onslow, Ph.D.
Sally Ozonoff, Ph.D.
John R. Peteet, M.D.
Ismene L. Petrakis, M.D.
Christophe M. Pfeiffer, M.D.
Karen Pierce, M.D.
Belinda Plattner, M.D.
Franklin Putnam, M.D.
Stuart F. Quan, M.D.
John Racy, M.D.
Phillip Resnick, M.D.
Michele Riba, M.D.
Jerold Rosenbaum, M.D.
Stephen Ross, M.D.
Lawrence Scahill, M.S.N., Ph.D.

Daniel Schechter, M.D.
Mary V. Seeman, M.D.
Alessandro Serretti, M.D.
Jianhua Shen, M.D.
Ravi Kumar R. Singareddy, M.D.
Ingmar Skoog, M.D., Ph.D.
Gary Small, M.D.
Paul Soloff, M.D.
Christina Stadler, M.D., Ph.D.
Nada Stotland, M.D.
Neil Swerdlow, M.D.
Kim Tillery, Ph.D.
David Tolin, Ph.D.
Jayne Trachman, M.D.
Luke Tsai, M.D.
Ming T. Tsuang, M.D., Ph.D.
Richard Tuch, M.D.
Johan Verhulst, M.D.
B. Timothy Walsh, M.D.
Michael Weissberg, M.D.
Godehard Weniger, M.D.
Keith Widaman, Ph.D.
Thomas Wise, M.D.
George E. Woods, M.D.
Kimberly A. Yonkers, M.D.
Alexander Young, M.D.

Ensaios de Campo DSM-5 em Centros Clínicos Acadêmicos – Amostras de Adultos

David Geffen School of Medicine, University of California, Los Angeles

Investigador
Helen Lavretsky, M.D., Investigadora Líder

Referenciando e Entrevistando Clínicos
Jessica Brommelhoff, Ph.D.
Xavier Cagigas, Ph.D.
Paul Cernin, Ph.D.
Linda Ercoli, Ph.D.
Randall Espinoza, M.D.
Helen Lavretsky, M.D.

Jeanne Kim, Ph.D.
David Merrill, M.D.
Karen Miller, Ph.D.
Christopher Nunez, Ph.D.

Coordenadores de Pesquisa
Natalie St. Cyr, M.A., Coordenadora-chefe de pesquisa
Nora Nazarian, B.A.
Colin Shinn, M.A.

Centre for Addiction and Mental Health, Toronto, Ontario, Canada

Investigadores
Bruce G. Pollock, M.D., Ph.D., Investigador Líder
R. Michael Bagby, Ph.D., Investigador Líder
Kwame J. McKenzie, M.D., Investigador Líder
Tony P. George, M.D., Coinvestigador
Lena C. Quilty, Ph.D., Coinvestigadora
Peter Voore, M.D., Coinvestigador

Referenciando e Entrevistando Clínicos
Donna E. Akman, Ph.D.
R. Michael Bagby, Ph.D.
Wayne C. V. Baici, M.D.
Crystal Baluyut, M.D.
Eva W. C. Chow, M.D., J.D., M.P.H. Z. J. Daskalakis, M.D., Ph.D.
Pablo Diaz-Hermosillo, M.D.
George Foussias, M.Sc., M.D.

Paul A. Frewen, Ph.D.
Ariel Graff-Guerrero, M.D., M.Sc., Ph.D.
Margaret K. Hahn, M.D.
Lorena Hsu, Ph.D.
Justine Joseph, Ph.D.
Sean Kidd, Ph.D.
Kwame J. McKenzie, M.D.
Mahesh Menon, Ph.D.
Romina Mizrahi, M.D., Ph.D.
Daniel J. Mueller, M.D., Ph.D.
Lena C. Quilty, Ph.D.
Anthony C. Ruocco, Ph.D.
Jorge Soni, M.D.
Aristotle N. Voineskos, M.D., Ph.D.
George Voineskos, M.D.
Peter Voore, Ph.D.
Chris Watson, Ph.D.

Referenciando Clínicos
Ofer Agid, M.D.
Ash Bender, M.D.
Patricia Cavanagh, M.D.
Sarah Colman, M.D.
Vincenzo Deluca, M.D.
Justin Geagea, M.D.
David S. Goldbloom, M.D.

Daniel Greben, M.D.
Malati Gupta, M.D.
Ken Harrison, M.D.
Imraan Jeeva, M.D.
Joel Jeffries, M.B.
Judith Laposa, Ph.D.
Jan Malat, M.D.
Shelley McMain, Ph.D.
Bruce G. Pollock, M.D., Ph.D.
Andriy V. Samokhvalov, M.D., Ph.D.
Martin Strassnig, M.D.
Albert H. C. Wong, M.D., Ph.D.

Coordenadores de Pesquisa
Gloria I. Leo, M.A., Coordenadora-chefe de pesquisa
Anissa D. Bachan, B.A.
Bahar Haji-Khamneh, M.A.
Olga Likhodi, M.Sc.
Eleanor J. Liu, Ph.D.
Sarah A. McGee Ng, B.B.A.

Outros Membros do Estudo
Susan E. Dickens, M.A., Gerente de Pesquisa Clínica
Sandy Richards, B.Sc.N., Gerente de Pesquisa sobre Esquizofrenia

Dallas VA Medical Center, Dallas, Texas

Investigadores
Carol S. North, M.D., M.P.E., Investigadora Líder
Alina Suris, Ph.D., A.B.P.P., Investigadora Líder

Referenciando e Entrevistando Clínicos
Barry Ardolf, Psy.D.
Abila Awan, M.D.
Joel Baskin, M.D.
John Black, Ph.D.
Jeffrey Dodds, Ph.D.
Gloria Emmett, Ph.D.
Karma Hudson, M.D.
Jamylah Jackson, Ph.D., A.B.P.P.
Lynda Kirkland-Culp, Ph.D., A.B.P.P.
Heidi Koehler, Ph.D., A.B.P.P.
Elizabeth Lewis, Psy.D.
Aashish Parikh, M.D.
Reed Robinson, Ph.D.
Jheel Shah, M.D.
Geetha Shivakumar, M.D.
Sarah Spain, Ph.D., A.B.P.P.

Lisa Thoman, Ph.D.
Lia Thomas, M.D.
Jamie Zabukovec, Psy.D.
Mustafa Zaidi, M.D.
Andrea Zartman, Ph.D.

Fontes gerais de referência
Robert Blake, L.M.S.W.
Evelyn Gibbs, L.M.S.W.
Michelle King-Thompson, L.M.S.W.

Coordenadores de Pesquisa
Jeannie B. Whitman, Ph.D., Coordenadora-chefe de Pesquisa
Sunday Adewuyi, M.D.
Elizabeth Anderson, B.A.
Solaleh Azimipour, B.S.
Carissa Barney, B.S.
Kristie Cavazos, B.A.
Robert Devereaux, B.S.
Dana Downs, M.S., M.S.W.
Sharjeel Farooqui, M.D.
Julia Smith, Psy.D.
Kun-Ying H. Sung, B.S.

School of Medicine, The University of Texas San Antonio, San Antonio, Texas

Investigador
Mauricio Tohen, M.D., Dr.P.H., M.B.A., Investigador Líder

Referenciando e Entrevistando Clínicos
Suman Baddam, Psy.D.
Charles L. Bowden, M.D.
Nancy Diazgranados, M.D., M.S.
Craig A. Dike, Psy.D.
Dianne E. Dunn, Psy.D., M.P.H.
Elena Gherman, M.D.
Jodi M. Gonzalez, Ph.D.
Pablo Gonzalez, M.D.
Phillip Lai, Psy.D.
Natalie Maples-Aguilar, M.A., L.P.A.
Marlon P. Quinones, M.D.
Jeslina J. Raj, Psy.D.
David L. Roberts, Ph.D.
Nancy Sandusky, R.N., F.P.M.H.N.P.-B.C., D.N.P.-C.

Donna S. Stutes, M.S., L.P.C.
Mauricio Tohen, M.D., Dr.P.H., M.B.A.
Dawn I. Velligan, Ph.D.
Weiran Wu, M.D., Ph.D.

Referenciando Clínicos
Albana Dassori, M.D.
Megan Frederick, M.A.
Robert Gonzalez, M.D.
Uma Kasinath, M.D.
Camis Milam, M.D.
Vivek Singh, M.D.
Peter Thompson, M.D.

Coordenadores de Pesquisa
Melissa Hernandez, B.A., Coordenadora-chefe de Pesquisa
Fermin Alejandro Carrizales, B.A.
Martha Dahl, R.N., B.S.N.
Patrick M. Smith, B.A.
Nicole B. Watson, M.A.

Michael E. DeBakey VA Medical Center and the Menninger Clinic, Houston, Texas (Joint Study Site

Michael E. DeBakey VA Medical Center

Investigador
Laura Marsh, M.D., Investigadora Líder

Referenciando e Entrevistando Clínicos
Shalini Aggarwal, M.D.
Su Bailey, Ph.D.
Minnete (Helen) Beckner, Ph.D.
Crystal Clark, M.D.
Charles DeJohn, M.D.
Robert Garza, M.D.
Aruna Gottumakkla, M.D.
Janet Hickey, M.D.
James Ireland, M.D.
Mary Lois Lacey, A.P.R.N.
Wendy Leopoulos, M.D.
Laura Marsh, M.D.
Deleene Menefee, Ph.D.
Brian I. Miller, Ph.D.
Candy Smith, Ph.D.
Avila Steele, Ph.D.
Jill Wanner, Ph.D.
Rachel Wells, Ph.D.

Kaki York-Ward, Ph.D.

Referenciando Clínicos
Sara Allison, M.D.
Leonard Denney, L.C.S.W.
Catherine Flores, L.C.S.W.
Nathalie Marie, M.D.
Christopher Martin, M.D.
Sanjay Mathew, M.D.
Erica Montgomery, M.D.
Gregory Scholl, P.A.
Jocelyn Ulanday, M.D., M.P.H.

Coordenadores de Pesquisa
Sarah Neely Torres, B.S., Coordenadora-chefe de Pesquisa
Kathleen Grout, M.A.
Lea Kiefer, M.P.H.
Jana Tran, M.A.

Pesquisadores Assistentes Voluntários
Catherine Clark
Linh Hoang

Menninger Clinic

Investigador
Efrain Bleiberg, M.D., Investigador Líder

Referenciando e Entrevistando Clínicos
Jennifer Baumgardner, Ph.D.
Elizabeth Dodd Conaway, L.C.S.W., B.C.D.
Warren Christianson, D.O.
Wesley Clayton, L.M.S.W.
J. Christopher Fowler, Ph.D.
Michael Groat, Ph.D.
Edythe Harvey, M.D.
Denise Kagan, Ph.D.
Hans Meyer, L.C.S.W.

Segundo Robert-Ibarra, M.D.
Sandhya Trivedi, M.D.
Rebecca Wagner, Ph.D.
Harrell Woodson, Ph.D.
Amanda Yoder, L.C.S.W.

Referenciando Clínicos
James Flack, M.D.
David Ness, M.D.

Coordenadores de Pesquisa
Steve Herrera, B.S., M.T., Coordenador-chefe de Pesquisa
Allison Kalpakci, B.A.

Mayo Clinic, Rochester, Minnesota

Investigadores
Mark A. Frye, M.D., Investigador Líder
Glenn E. Smith, Ph.D., Investigador Líder
Jeffrey P. Staab, M.D., M.S., Investigador Líder

Referenciando e Entrevistando Clínicos
Osama Abulseoud, M.D.
Jane Cerhan, Ph.D.
Julie Fields, Ph.D.
Mark A. Frye, M.D.
Manuel Fuentes, M.D.
Yonas Geda, M.D.
Maria Harmandayan, B.A.
Reba King, M.D.
Simon Kung, M.D.
Mary Machuda, Ph.D.
Donald McAlpine, M.D.
Alastair McKean, M.D.
Juliana Moraes, M.D.
Teresa Rummans, M.D.

James R. Rundell, M.D.
Richard Seime, Ph.D.
Glenn E. Smith, Ph.D.
Christopher Sola, D.O.
Jeffrey P. Staab, M.D., M.S.
Marin Veldic, M.D.
Mark D. Williams, M.D.
Maya Yustis, Ph.D.

Coordenadores de Pesquisa
Lisa Seymour, B.S., Coordenadora-chefe de Pesquisa
Scott Feeder, M.S.
Lee Gunderson, B.S.
Sherrie Hanna, M.A., L.P.
Kelly Harper, B.A.
Katie Mingo, B.A.
Cynthia Stoppel, A.S.

Outros Membros do Estudo
Anna Frye
Andrea Hogan

Perelman School of Medicine, University of Pennsylvania, Philadelphia, Pennsylvania

Investigadores
Mahendra T. Bhati, M.D., Investigador Líder
Marna S. Barrett, Ph.D., Coinvestigadora
Michael E. Thase, M.D., Coinvestigador

Referenciando e Entrevistando Clínicos
Peter B. Bloom, M.D.
Nicole K. Chalmers, L.C.S.W.
Torrey A. Creed, Ph.D.
Mario Cristancho, M.D.
Amy Cunningham, Psy.D.

John P. Dennis, Ph.D.
Josephine Elia, M.D.
Peter Gariti, Ph.D., L.C.S.W.
Philip Gehrman, Ph.D.
Laurie Gray, M.D.
Emily A.P. Haigh, Ph.D.
Nora J. Johnson, M.B.A., M.S., Psy.D.
Paulo Knapp, M.D.
Yong-Tong Li, M.D.
Bill Mace, Ph.D.
Kevin S. McCarthy, Ph.D.
Dimitri Perivoliotis, Ph.D.
Luke Schultz, Ph.D.

Tracy Steen, Ph.D.
Chris Tjoa, M.D.
Nancy A. Wintering, L.C.S.W.

Referenciando Clínicos
Eleanor Ainslie, M.D.
Kelly C. Allison, Ph.D.
Rebecca Aspden, M.D.
Claudia F. Baldassano, M.D.
Vijayta Bansal, M.D.
Rachel A. Bennett, M.D.
Richard Bollinger, Ph.D.
Andrea Bowen, M.D.
Karla Campanella, M.D.
Anthony Carlino, M.D.
Noah Carroll, M.S.S.
Alysia Cirona, M.D.
Samuel Collier, M.D.
Andreea Crauciuc, L.C.S.W.
Pilar Cristancho, M.D.
Traci D'Almeida, M.D.
Kathleen Diller, M.D.
Benoit Dubé, M.D.
Jon Dukes, M.S.W.
Lauren Elliott, M.D.
Mira Elwell, B.A.
Mia Everett, M.D.
Lucy F. Faulconbridge, Ph.D.
Patricia Furlan, Ph.D.
Joanna Goldstein, L.C.S.W.
Paul Grant, Ph.D.
Jillian Graves, L.C.S.W.
Tamar Gur, M.D., Ph.D.
Alisa Gutman, M.D., Ph.D.
Nora Hymowitz, M.D.
Sofia Jensen, M.D.
Tiffany King, M.S.W.
Katherine Levine, M.D.
Alice Li, M.D.
Janet Light, L.C.S.W.
John Listerud, M.D., Ph.D.
Emily Malcoun, Ph.D.
Donovan Maust, M.D.
Adam Meadows, M.D.
Michelle Moyer, M.D.
Rebecca Naugle, L.C.S.W.
Cory Newman, Ph.D.
John Northrop, M.D., Ph.D.
Elizabeth A. Ellis Ohr, Psy.D.
John O'Reardon, M.D.
Abraham Pachikara, M.D.
Andrea Perelman, M.S.W.
Diana Perez, M.S.W.
Bianca Previdi, M.D.
J. Russell Ramsay, Ph.D.
Jorge Rivera-Colon, M.D.
Jan Smedley, L.C.S.W.
Katie Struble, M.S.W.
Aita Susi, M.D.
Yekaterina Tatarchuk, M.D.
Ellen Tarves, M.A.
Allison Tweedie, M.D.
Holly Valerio, M.D.
Thomas A. Wadden, Ph.D.
Joseph Wright, Ph.D.
Yan Xuan, M.D.
David Yusko, Psy.D.

Coordenadores de Pesquisa
Jordan A. Coello, B.A., Coordenador-chefe de Pesquisa
Eric Wang, B.S.E.

Assistentes de Pesquisa Voluntários/Internos
Jeannine Barker, M.A., A.T.R.
Jacqueline Baron
Kelsey Bogue
Alexandra Ciomek
Martekuor Dodoo, B.A.
Julian Domanico
Laura Heller, B.A.
Leah Hull-Rawson, B.A.
Jacquelyn Klehm, B.A.
Christina Lam
Dante Proetto, B.S.
Molly Roy
Casey Shannon

Stanford University School of Medicine, Stanford, California

Investigadores
Carl Feinstein, M.D., Investigador Líder
Debra Safer, M.D., Investigadora Líder

Referenciando e Entrevistando Clínicos
Kari Berquist, Ph.D.
Eric Clausell, Ph.D.
Danielle Colborn, Ph.D.
Whitney Daniels, M.D.
Alison Darcy, Ph.D.
Krista Fielding, M.D.
Mina Fisher, M.D.
Kara Fitzpatrick, Ph.D.
Wendy Froehlich, M.D.
Grace Gengoux, Ph.D.
Anna Cassandra Golding, Ph.D.
Lisa Groesz, Ph.D.
Kyle Hinman, M.D.
Rob Holaway, Ph.D.
Matthew Holve, M.D.
Rex Huang, M.D.
Nina Kirz, M.D.

Megan Klabunde, Ph.D.
John Leckie, Ph.D.
Naomi Leslie, M.D.
Adrianne Lona, M.D.
Ranvinder Rai, M.D.
Rebecca Rialon, Ph.D.
Beverly Rodriguez, M.D., Ph.D.
Debra Safer, M.D.
Mary Sanders, Ph.D.
Jamie Scaletta, Ph.D.
Norah Simpson, Ph.D.
Manpreet Singh, M.D.
Maria-Christina Stewart, Ph.D.
Melissa Vallas, M.D.
Patrick Whalen, Ph.D.
Sanno Zack, Ph.D.

Referenciando Clínicos
Robin Apple, Ph.D.
Victor Carrion, M.D.
Carl Feinstein, M.D.

Christine Gray, Ph.D.
Antonio Hardan, M.D.
Megan Jones, Psy.D.
Linda Lotspeich, M.D.
Lauren Mikula, Psy.D.
Brandyn Street, Ph.D.
Violeta Tan, M.D.
Heather Taylor, Ph.D.
Jacob Towery, M.D.
Sharon Williams, Ph.D.

Coordenadores de Pesquisa
Kate Arnow, B.A., Coordenadora-chefe de Pesquisa
Nandini Datta, B.S.
Stephanie Manasse, B.A.

Assistentes de Pesquisa Voluntários/Internos
Arianna Martin, M.S.
Adriana Nevado, B.A.

Children's Hospital Colorado, Aurora, Colorado

Investigador
Marianne Wamboldt, M.D., Investigadora Líder

Referenciando e Entrevistando Clínicos
Galia Abadi, M.D.
Steven Behling, Ph.D.
Jamie Blume, Ph.D.
Adam Burstein, M.D.
Debbie Carter, M.D.
Kelly Caywood, Ph.D.
Meredith Chapman, M.D.
Paulette Christian, A.P.P.M.H.N.
Mary Cook, M.D.
Anthony Cordaro, M.D.
Audrey Dumas, M.D.
Guido Frank, M.D.
Karen Frankel, Ph.D.
Darryl Graham, Ph.D.
Yael Granader, Ph.D.
Isabelle Guillemet, M.D.
Patrece Hairston, Ph.D.
Charles Harrison, Ph.D.
Tammy Herckner, L.C.S.W.
Cassie Karlsson, M.D.
Kimberly Kelsay, M.D.
David Kieval, Ph.D.
Megan Klabunde, Ph.D.
Jaimelyn Kost, L.C.S.W.
Harrison Levine, M.D.
Raven Lipmanson, M.D.
Susan Lurie, M.D.
Asa Marokus, M.D.

Idalia Massa, Ph.D.
Christine McDunn, Ph.D.
Scot McKay, M.D.
Marissa Murgolo, L.C.S.W.
Alyssa Oland, Ph.D.
Lina Patel, Ph.D.
Rheena Pineda, Ph.D.
Gautam Rajendran, M.D.
Diane Reichmuth, Ph.D.
Michael Rollin, M.D.
Marlena Romero, L.C.S.W.
Michelle Roy, Ph.D.
Celeste St. John-Larkin, M.D.
Elise Sannar, Ph.D.
Daniel Savin, M.D.
Claire Dean Sinclair, Ph.D.
Ashley Smith, L.C.S.W.
Mindy Solomon, Ph.D.
Sally Tarbell, Ph.D.
Helen Thilly, L.C.S.W.
Sara Tlustos-Carter, Ph.D.
Holly Vause, A.P.P.M.H.N
Marianne Wamboldt, M.D.
Angela Ward, L.C.S.W.
Jason Williams, Ph.D.
Jason Willoughby, Ph.D.
Brennan Young, Ph.D.

Referenciando Clínicos
Kelly Bhatnagar, Ph.D.
Jeffery Dolgan, Ph.D.
Jennifer Eichberg, L.C.S.W.
Jennifer Hagman, M.D.
James Masterson, L.C.S.W.

Hy Gia Park, M.D.
Tami Roblek, Ph.D.
Wendy Smith, Ph.D.
David Williams, M.D.

Coordenadores de Pesquisa
Laurie Burnside, M.S.M., C.C.R.C., Coordenadora-
 -chefe de Pesquisa
Darci Anderson, B.A., C.C.R.C.
Heather Kennedy, M.P.H.
Amanda Millar, B.A.

Vanessa Waruinge, B.S.
Elizabeth Wallace, B.A.

Assistentes de Pesquisa Voluntários/Internos
Wisdom Amouzou
Ashley Anderson
Michael Richards
Mateya Whyte

Baystate Medical Center, Springfield, Massachusetts

Investigadores
Bruce Waslick, M.D., Investigador Líder
Cheryl Bonica, Ph.D., Coinvestigadora
John Fanton, M.D., Coinvestigador
Barry Sarvet, M.D., Coinvestigador

Referenciando e Entrevistando Clínicos
Julie Bermant, R.N., M.S.N., N.P.
Cheryl Bonica, Ph.D.
Jodi Devine, L.I.C.S.W.
William Fahey, Ph.D.
John Fanton, M.D.
Stephane Jacobus, Ph.D.
Barry Sarvet, M.D.
Peter Thunfors, Ph.D.
Bruce Waslick, M.D.
Vicki Weld, L.I.C.S.W.
Sara Wiener, L.I.C.S.W.

Shadi Zaghloul, M.D.

Referenciando Clínicos
Sarah Detenber, L.I.C.S.W.
Gordon Garrison, L.I.C.S.W.
Jacqueline Humpreys, L.I.C.S.W.
Noreen McGirr, L.I.C.S.W.
Sarah Marcotte, L.C.S.W.
Patricia Rogowski, R.N., C.N.S.

Coordenadores de Pesquisa
Julie Kingsbury, C.C.R.P., Coordenadora-chefe de
 Pesquisa
Brenda Martin, B.A.

Assistentes de Pesquisa Voluntários/Internos
Liza Detenber

New York State Psychiatric Institute, New York, N.Y., Weill Cornell Medical College, Payne Whitney and Westchester Divisions, New York and White Plains, N.Y., and North Shore Child and Family Guidance Center, Roslyn Heights, N.Y. (Joint Study Site)

Investigador
Prudence W. Fisher, Ph.D., Investigadora Líder

Coordenadores de Pesquisa
Julia K. Carmody, B.A., Coordenadora-chefe de
 Pesquisa
Zvi R. Shapiro, B.A., Coordenador-chefe de Pesquisa

Voluntários
Preeya Desai
Samantha Keller
Jeremy Litfin, M.A.
Sarah L. Pearlstein, B.A.
Cedilla Sacher

New York State Psychiatric Institute

Referenciando e Entrevistando Clínicos
Michele Cohen, L.C.S.W.
Eduvigis Cruz-Arrieta, Ph.D.
Miriam Ehrensaft, Ph.D.

Laurence Greenhill, M.D.
Schuyler Henderson, M.D., M.P.H.
Sharlene Jackson, Ph.D.
Lindsay Moskowitz, M.D.
Sweene C. Oscar, Ph.D.

Xenia Protopopescu, M.D.
James Rodriguez, Ph.D.
Gregory Tau, M.D.
Melissa Tebbs, L.C.S.W.
Carolina Velez-Grau, L.C.S.W.
Khadijah Booth Watkins, M.D.

Referenciando Clínicos
George Alvarado, M.D.
Alison Baker, M.D.
Elena Baron, Psy.D.
Lincoln Bickford, M.D., Ph.D.
Zachary Blumkin, Psy.D.
Colleen Cullen, L.C.S.W.
Chyristianne DeAlmeida, Ph.D.
Matthew Ehrlich, M.D.
Eve Friedl, M.D.
Clare Gaskins, Ph.D.
Alice Greenfield, L.C.S.W.
Liora Hoffman, M.D.
Kathleen Jung, M.D.

Karimi Mailutha, M.D., M.P.H.
Valentina Nikulina, Ph.D.
Tal Reis, Ph.D.
Moira A. Rynn, M.D.
Jasmine Sawhney, M.D.
Sarajbit Singh, M.D.
Katherine Stratigos, M.D.
Oliver Stroeh, M.D.
Russell Tobe, M.D.
Meghan Tomb, Ph.D.
Michelle Tricamo, M.D.

Coordenadores de Pesquisa
Angel A. Caraballo, M.D.
Erica M. Chin, Ph.D.
Daniel T. Chrzanowski, M.D.
Tess Dougherty, B.A.
Stephanie Hundt, M.A.
Moira A. Rynn, M.D.
Deborah Stedge, R.N.

Weill Cornell Medical College, Payne Whitney and Westchester Divisions

Referenciando e Entrevistando Clínicos
Archana Basu, Ph.D.
Shannon M. Bennett, M.D.
Maria De Pena-Nowak, M.D.
Jill Feldman, L.M.S.W.
Dennis Gee, M.D.
Jo R. Hariton, Ph.D.
Lakshmi P. Reddy, M.D.
Margaret Yoon, M.D.

Referenciando Clínicos
Margo Benjamin, M.D.
Vanessa Bobb, M.D.
Elizabeth Bochtler, M.D.
Katie Cave, L.C.S.W.
Maalobeeka Gangopadhyay, M.D.

Jodi Gold, M.D.
Tejal Kaur, M.D.
Aaron Krasner, M.D.
Amy Miranda, L.C.S.W.
Cynthia Pfeffer, M.D.
James Rebeta, Ph.D.
Sharon Skariah, M.D.
Jeremy Stone, Ph.D.
Dirk Winter, M.D.

Coordenadores de Pesquisa
Alex Eve Keller, B.S., Coordenadora-chefe de Pesquisa
Nomi Bodner (voluntária)
Barbara L. Flye, Ph.D.
Jamie S. Neiman (voluntário)
Rebecca L. Rendleman, M.D.

North Shore Child and Family Guidance Center

Referenciando e Entrevistando Clínico
Casye Brachfeld-Launer, L.C.S.W.
Susan Klein Cohen, Ph.D.
Amy Gelb, L.C.S.W.-R.
Jodi Glasser, L.C.S.W.
Elizabeth Goulding-Tag, L.C.S.W.
Deborah B. Kassimir, L.C.S.W.
Margo Posillico Messina, L.C.S.W.
Andréa Moullin-Heddle, L.M.S.W.
Lisa Pineda, L.C.S.W.
Elissa Smilowitz, L.C.S.W.

Referenciando Clínicos
Regina Barros-Rivera, L.C.S.W.-R. Diretora Executiva Assistente
Maria Christiansen, B.S.
Amy Davies-Hollander, L.M.S.W.
Eartha Hackett, M.S.Ed., M.Sc., B.Sc.
Bruce Kaufstein, L.C.S.W.-R., Diretor de Serviços Clínicos
Kathy Knaust, L.C.S.W.
John Levinson, L.C.S.W.-R., B.C.D.
Andrew Malekoff, L.C.S.W., Diretor Executivo/CEO
Sarah Rosen, L.C.S.W.-R., A.C.S.W.
Abigail Rothenberg, L.M.S.W.

Christine Scotten, A.C.S.W.
Michelle Spatano, L.C.S.W.-R.
Diane Straneri, M.S., R.N., C.S.
Rosara Torrisi, L.M.S.W.
Rob Vichnis, L.C.S.W.

Coordenadores de Pesquisa
Toni Kolb-Papetti, L.C.S.W.
Sheena M. Dauro (voluntária)

Estudo-piloto dos Ensaios de Campo do DSM-5, Johns Hopkins Medical Institution, Baltimore, Maryland

Amostra de Adultos

Community Psychiatry Outpatient Program, Department of Psychiatry and Behavioral Sciences Main Campus

Investigadores
Bernadette Cullen, M.B., B.Ch., B.A.O., Investigadora Líder
Holly C. Wilcox, Ph.D., Investigadora Líder

Referenciando e Entrevistando Clínicos
Bernadette Cullen, M.B., B.Ch., B.A.O.
Shane Grant, L.C.S.W.-C.
Charee Green, L.C.P.C.
Emily Lorensen, L.C.S.W.-C.

Kathleen Malloy, L.C.P.C.
Gary Pilarchik, L.C.S.W.-C.
Holly Slater, L.C.P.C.
Stanislav Spivak, M.D.
Tarcia Spencer Turner, L.C.P.C.
Nicholas Seldes Windt, L.C.S.W.-C.

Coordenadores de Pesquisa
Mellisha McKitty, B.A.
Alison Newcomer, M.H.S.

Amostra Pediátrica

Child and Adolescent Outpatient Program, Department of Psychiatry and Behavioral Sciences Bayview Medical Center

Investigadores
Joan P. Gerring, M.D., Investigadora Líder
Leslie Miller, M.D., Investigadora Líder
Holly C. Wilcox, Ph.D., Coinvestigadora

Referenciando e Entrevistando Clínicos
Shannon Barnett, M.D.
Gwen Condon, L.C.P.C.
Brijan Fellows, L.C.S.W.-C.
Heather Garner, L.C.S.W.-C.
Joan P. Gerring, M.D.

Anna Gonzaga, M.D.
Debra Jenkins, L.C.S.W.-C.
Paige N. Johnston, L.C.P.C.
Brenda Memel, D.N.P., R.N.
Leslie Miller, M.D.
Ryan Moore, L.C.S.W.-C.
Shauna Reinblatt, M.D.
Monique Vardi, L.C.P.C.

Coordenadores de Pesquisa
Mellisha McKitty, B.A.
Alison Newcomer, M.H.S.

Ensaios de Campo do DSM-5 em Configurações de Prática Clínica de Rotina: Investigadores Colaboradores

Archil Abashidze, M.D.
Francis R. Abueg, Ph.D.
Jennifer Louise Accuardi, M.S.
Balkozar S. Adam, M.D.
Miriam E. Adams, Sc.D., M.S.W., L.I.C.S.W.
Suzanna C. Adams, M.A.
Lawrence Adler, M.D.
Rownak Afroz, M.D.
Khalid I. Afzal, M.D.
Joseph Alimasuya, M.D.
Emily Allen, M.S.
Katherine A. Allen, L.M.F.T., M.A.
William D. Allen, M.S.
Jafar AlMashat, M.D.

Anthony T. Alonzo, D.M.F.T.
Guillermo Alvarez, B.A., M.A.
Angela Amoia-Lutz, L.M.F.T.
Krista A. Anderson, M.A., L.M.F.T.
Lisa R. Anderson, M.Ed., L.C.P.C.
Pamela M. Anderson, L.M.F.T.
Shannon N. Anderson, M.A., L.P.C., N.C.C.
Eric S. Andrews, M.A.
Vicki Arbuckle, M.S., Nursing(N.P.)
Namita K. Arora, M.D.
Darryl Arrington, M.A.
Bearlyn Y. Ash, M.S.
Wylie J. Bagley, Ph.D.
Kumar D. Bahl, M.D.
Deborah C. Bailey, M.A., M.S., Ph.D.
Carolyn Baird, D.N.P., M.B.A., R.N.-B.C., C.A.R.N.-A.P., I.C.C.D.P.D.
Joelle Bangsund, M.S.W.
Maria Baratta, M.S.W., Ph.D.
Stan Barnard, M.S.W.
Deborah Barnes, M.S.
Margaret L. Barnes, Ph.D.
David Barnum, Ph.D.
Raymond M. Baum, M.D.
Edward Wescott Beal, M.D.
Michelle Beaudoin, M.A.
Ernest E. Beckham, Ph.D.
Lori L. Beckwith, M.Ed.
Emmet Bellville, M.A.
Randall E. Bennett, M.A.
Lynn Benson, Ph.D.
Robert Scott Benson, M.D.
Linda Benton, M.S.W.
Ditza D. Berger, Ph.D.
Louise I. Bertman, Ph.D.
Robin Bieber, M.S., L.M.F.T.
Diana M. Bigham, M.A.
David R. Blackburn, Ph.D.
Kelley Blackwell, L.M.F.T.
Lancia Blatchley, B.A., L.M.F.T.
Stacey L. Block, L.M.S.W., A.C.S.W.
Karen J. Bloodworth, M.S., N.C.C., L.P.C.
Lester Bloomenstiel, M.S.
Christine M. Blue, D.O.
Marina Bluvshtein, Ph.D.
Callie Gray Bobbitt, M.S.W., L.C.S.W.
Moses L. Boone Jr., L.M.S.W., B.C.D.
Steffanie Boudreau-Thomas, M.A.-L.P.C.
Jay L. Boulter, M.A.
Aaron Daniel Bourne, M.A.
Helen F. Bowden, Ph.D.
Aryn Bowley-Safranek, B.S., M.S.
Elizabeth Boyajian, Ph.D.
Beth K. Boyarsky, M.D.
Gail M. Boyd, Ph.D.
Jeffrey M. Brandler, Ed.S., C.A.S., S.A.P.
Sandra L. Branton, Ed.D.
Karen J. Brocco-Kish, M.D.
Kristin Brooks, P.M.H.N.P.
Ann Marie Brown, M.S.W.
Philip Brown, M.S.W.
Kellie Buckner, Ed.S.
Richard Bunt, M.D.
Neil F. Buono, D.Min.
Janice Bureau, M.S.W., L.C.S.W.
Kimlee Butterfield, M.S.W.
Claudia Byrne, Ph.D.
Quinn Callicott, M.S.W., L.C.S.W.
Alvaro Camacho, M.D., M.P.H.
Sandra Cambra, Ph.D.
Heather Campbell, M.A.
Nancy Campbell, Ph.D., M.S.W.
Karen Ranee Canada, L.M.F.T.
Joseph P. Cannavo, M.D.
Catherine F. Caporale, Ph.D.
Frederick Capps, Ph.D., M.S.
Rebecca J. Carney, M.B.A., M.A., L.M.H.C.
Kelly J. Carroll, M.S.W.
Richard W. Carroll, Ph.D., L.P.C., A.C.S.
Sherry Casper, Ph.D.
Joseph A. Catania, L.I.S.W.S., L.C.D.C. III
Manisha P. Cavendish, Ph.D.
Kenneth M. Certa, M.D.
Shambhavi Chandraiah, M.D.
Calvin Chatlos, M.D.
Daniel C. Chen, M.D.
Darlene Cheryl, M.S.W.
Matthew R. Chirman, M.S.
Carole A. Chisholm, M.S.W.
Shobha A. Chottera, M.D.
Joseph Logue Christenson, M.D.
Pamela Christy, Psy.D.
Sharon M. Freeman Clevenger, Ph.D., P.M.H.C.N.S.-B.C.
Mary Ann Cohen, M.D.
Mitchell J. Cohen, M.D.
Diego L. Coira, M.D.
Melinda A. Lawless Coker, Psy.D.
Carol Cole, M.S.W., L.C.S.W.
Caron Collins, M.A., L.M.F.T.
Wanda Collins, M.S.N.
Linda Cook Cason, M.A.
Ayanna Cooke-Chen, M.D., Ph.D.
Heidi B. Cooperstein, D.O.
Ileana Corbelle, M.S.W.
Kimberly Corbett, Psy.D.
Angelina Cordova, M.A.Ed.
Jennifer Carol Cox, L.P.C.
Sheree Cox, M.A., R.N., N.C.C., D.C.C., L.M.H.C.
William Frederick Cox, M.D.
Sally M. Cox, M.S.Ed.
Debbie Herman Crane, M.S.W.
Arthur Ray Crawford III, Ph.D.
Roula Creighton, M.D.
John R. Crossfield, L.M.H.C.

Sue Cutbirth, R.N., M.S.N, C.S., P.M.H.N.P.
Marco Antonio Cuyar, M.S.
Rebecca Susan Daily, M.D.
Lori S. Danenberg, Ph.D.
Chan Dang-Vu, M.D.
Mary Hynes Danielak, Psy.D.
Cynthia A. Darby, M.Ed., Ed.S.
Douglas Darnall, Ph.D.
Christopher Davidson, M.D.
Doreen Davis, Ph.D., L.C.S.W.
Sandra Davis, Ph.D., L.M.H.C., N.C.C.
Walter Pitts Davis, M.Th.
Christian J. Dean, Ph.D.
Kent Dean, Ph.D.
Elizabeth Dear, M.A.
Shelby DeBause, M.A.
Rebecca B. DeLaney, M.S.S.W., L.C.S.W., B.C.D.
John R. Delatorre, M.A.
Frank DeLaurentis, M.D.
Eric Denner, M.A., M.B.A.
Mary Dennihan, L.M.F.T.
Kenny Dennis, M.A.
Pamela L. Detrick, Ph.D., M.S., F.N.P.-B.C., P.M.H.N.P.-B.C., R.N.-B.C., C.A.P., G.C.A.C.
Robert Detrinis, M.D.
Daniel A. Deutschman, M.D.
Tania Diaz, Psy.D.
Sharon Dobbs, M.S.W., L.C.S.W.
David Doreau, M.Ed.
Gayle L. Dosher, M.A.
D'Ann Downey, Ph.D., M.S.W.
Beth Doyle, M.A.
Amy J. Driskill, M.S., L.C.M.F.T.
James Drury, M.D.
Brenda-Lee Duarte, M.Ed.
Shane E. Dulemba, M.S.N.
Nancy R. G. Dunbar, M.D.
Cathy Duncan, M.A.
Rebecca S. Dunn, M.S.N., A.R.N.P.
Debbie Earnshaw, M.A.
Shawna Eddy-Kissell, M.A.
Momen El Nesr, M.D.
Jeffrey Bruce Elliott, Psy.D.
Leslie Ellis, Ph.D.
Donna M. Emfield, L.C.P.C.
Gretchen S. Enright, M.D.
John C. Espy, Ph.D.
Renuka Evani, M.B.B.S., M.D.
Heather Evans, M.S.Ed., L.P.C.N.C.C.
Cesar A. Fabiani, M.D.
Fahim Fahim, M.D.
Samuel Fam, M.D.
Edward H. Fankhanel, Ph.D., Ed.D.
Tamara Farmer, M.S.N., A.R.N.P.
Farida Farzana, M.D.
Philip Fast, M.S.
Patricia Feltrup-Exum, M.A.M.F.T.

Hector J. Fernandez-Barillas, Ph.D. Julie Ferry, M.S.W., L.I.C.S.W.
Jane Fink, Ph.D., M.S.S.A.
Kathy Finkle, L.P.C.M.H.
Steven Finlay, Ph.D.
Rik Fire, M.S.W., L.C.S.W.
Ann Flood, Ph.D.
Jeanine Lee Foreman, M.S.
Thyra Fossum, Ph.D.
Karen S. Franklin, L.I.C.S.W.
Sherre K. Franklin, M.A.
Helen R. Frey, M.A., E.D.
Michael L. Freytag, B.S., M.A.
Beth Gagnon, M.S.W.
Patrice L.R. Gallagher, Ph.D.
Angela J. Gallien, M.A.
Robert Gallo, M.S.W.
Mario Galvarino, M.D.
Vladimir I. Gasca, M.D.
Joshua Gates, Ph.D.
Anthony Gaudioso, Ph.D.
Michelle S. Gauthier, A.P.R.N., M.S.N, P.M.H.N.P.-B.C.
Rachel E. Gearhart, L.C.S.W.
Stephen D. Gelfond, M.D.
Nancy S. Gerow, M.S.
Michael J. Gerson, Ph.D.
Susan M. A. Geyer, L.M.S.W.
Lorrie Gfeller-Strouts, Ph.D.
Shubu Ghosh, M.D.
Richard Dorsey Gillespie, M.Div. Stuart A. Gitlin, M.S.S.A.
Jeannette E. Given, Ph.D.
Frances Gizzi, L.C.S.W.
Stephen I. Glicksman, Ph.D.
Martha Glisky, Ph.D.
Sonia Godbole, M.D.
Howard M. Goldfischer, Psy.D.
Mary Jane Gonzalez-Huss, Ph.D.
Michael I. Good, M.D.
Dawn Goodman-Martin, M.A.-L.M.H.C.
Robert Gorkin, Ph.D., M.D.
Jeff Gorski, M.S.W.
Linda O. Graf, M.Ed., L.C.P.C.
Ona Graham, Psy.D.
Aubrie M. Graves, L.M.S.W., C.A.S.A.C.
Howard S. Green, M.D.
Karen Torry Green, M.S.W.
Gary Greenberg, Ph.D.
Marjorie Greenhut, M.A.
James L. Greenstone, Ed.D., J.D.
Raymond A. Griffin, Ph.D.
Joseph Grillo, Ph.D.
Janeane M. Grisez, A.A., B.A.
Lawrence S. Gross, M.D.
Robert J. Gross, M.D.
Sally J. Grosscup, Ph.D.
Philip A. Grossi, M.D.

Gabrielle Guedet, Ph.D.
Nicholas Guenzel, B.A., B.S., M.S.N.
Mary G. Hales, M.A.
Tara C. Haley, M.S., L.M.F.T.
John D. Hall, M.D.
Amy Hammer, M.S.W.
Michael S. Hanau, M.D.
Linda K.W. Hansen, M.A., L.P.
Genevieve R. Hansler, M.S.W.
Mary T. Harrington, L.C.S.W.
Lois Hartman, L.C.P.C.
Steven Lee Hartsock, Ph.D., M.S.W.
Victoria Ann Harwood, M.S.W., L.C.S.W.
Rossi A. Hassad, Ph.D., M.P.H.
Erin V. Hatcher, M.S.N.
Richard L. Hauger, M.D.
Kimberly M. Haverly, M.A.
Gale Eisner Heater, M.S., M.F.T.
Katlin Hecox, M.A.
Brenda Heideman, M.S.W.
Melinda Heinen, M.Sc.
Marie-Therese Heitkamp, M.S.
Melissa B. Held, M.A.
Jessica Hellings, M.D.
Bonnie Helmick-O'Brien, M.A., L.M.F.T.
MaLinda T. Henderson, M.S.N., F.P.M.H.N.P.
Gwenn Herman, M.S.W.
Martha W. Hernandez, M.S.N., A.P.R.N., P.M.H.C.N.S.
Robin L. Hewitt, M.S.
Kenneth Hoffman, Ph.D.
Patricia E. Hogan, D.O.
Peggy Holcomb, Ph.D.
Garland H. Holloman Jr., M.D.
Kimberly Huegel, M.S.W., L.C.S.W.
Jason Hughes, L.P.C.-S., N.C.C.
Jennifer C. Hughes, Ph.D., M.S.W., L.I.S.W.-S.
Michelle K. Humke, M.A.
Judith G. Hunt, L.M.F.T.
Tasneem Hussainee, M.D.
Sharlene J. Hutchinson, M.S.N.
Muhammad Ikram, M.D.
Sunday Ilechukwu, M.D., D.Psy. Cli.
Douglas H. Ingram, M.D.
Marilynn Irvine, Ph.D.
Marjorie Isaacs, Psy.D.
Raymond Isackila, Ed.S., P.C.C.-S., L.I.C.D.C.
Mohammed A. Issa, M.D.
John L. Jankord, M.A.
Barbara P. Jannah, L.C.S.W.
C. Stuart Johnson, M.S.
Dawn M. Johnson, M.A.
Deanna V. Johnson, M.S., A.P.R.N., B.C.
Eric C. Johnson, M.F.T.
Joy Johnson, Ph.D., L.C.S.W.
Willard Johnson, Ph.D.
Xenia Johnson-Bhembe, M.D.
Vann S. Joines, Ph.D.

Margaret Jones, Psy.D.
Patricia Jorgenson, M.S.W.
Steven M. Joseph, M.D.
Taylere Joseph, M.A.
Jeanette M. Joyner-Craddock, M.S.S.W. Melissa Kachapis, M.A.
Charles T. Kaelber, M.D.
Aimee C. Kaempf, M.D.
Peter Andrew Kahn, M.D.
Robert P. Kahn-Rose, M.D.
Maher Karam-Hage, M.D.
Todd H. Kasdan, M.D.
Karen Kaufman, M.S., L.M.F.T.
Rhesa Kaulia, M.A., M.F.T.
Debbie Lynn Kelly, M.S.N, P.M.H.N.P.-B.C. W.
Stephen Kelly, Ph.D.
Selena Kennedy, M.A.
Judith A. Kenney, M.S., L.P.C.
Mark Patrick Kerekes, M.D.
Alyse Kerr, M.S., N.C.C., N.A.D.D.-C.C., L.P.C.
Karen L. Kerschmann, L.C.S.W.
Marcia Kesner, M.S.
Ashan Khan, Ph.D.
Shaukat Khan, M.D.
Audrey Khatchikian, Ph.D.
Laurie B. Kimmel, M.S.W.
Jason H. King, Ph.D.
Nancy Leigh King, M.S.W., L.C.S.W., L.C.A.S.
Kyle Kinne, M.S.C
Cassandra M. Klyman, M.D.
David R. Knapp, L.C.S.W.
Margaret Knerr, M.S.
Michael R. Knox, Ph.D.
Carolyn Koblin, M.S.
Valerie Kolbert, M.S., A.R.N.P.-B.C.
Heather Koontz, M.S.W.
Faye Koop, Ph.D., L.C.M.F.T.
Fern M. Kopakin, M.S.W., L.C.S.W.
Joel Kotin, M.D.
Sharlene K. Kraemer, M.S.E.
Marjorie Vego Krausz, M.A., Ed.D.
Nancy J. Krell, M.S.W.
Mindy E. Kronenberg, Ph.D.
Dwayne Kruse, M.S., M.F.T.
Ajay S. Kuchibhatla, M.D.
Shubha N. Kumar, M.D.
Helen H. Kyomen, M.D., M.S.
Rebecca M. Lachut, M.Ed., Ed.S.
Alexis Lake, M.S.S.
Ramaswamy Lakshmanan, M.D.
Brigitta Lalone, L.C.S.W.-R
John W. Lancaster, Ph.D.
Patience R. Land, L.I.C.S.W., M.S.W., M.P.A.
Amber Lange, M.A., Ph.D.
Jeff K. Larsen, M.A.
Nathan E. Lavid, M.D.
Michelle Leader, Ph.D.
Stephen E. Lee, M.D.

Cathryn L. Leff, Ph.D., L.M.F.T.
Rachael Kollar Leombruno, L.M.F.T.
Arlene I. Lev, M.S.W., L.C.S.W.-R
Gregory K. Lewis, M.A.-L.M.F.T.
Jane Hart Lewis, M.S.
Melissa S. Lewis, M.S.W., L.I.C.S.W.
Norman Gerald Lewis, F.R.A.N.Z.C.P.
Robin Joy Lewis, Ph.D.
Ryan Michael Ley, M.D.
Tammy R. Lias, M.A.
Russell F. Lim, M.D.
Jana Lincoln, M.D.
Ted Lindberg, L.M.S.W., L.M.F.T., M.S.W.
Peggy Solow Liss, M.S.W.
Andrea Loeb, Psy.D.
William David Lohr, M.D.
Mary L. Ludy, M.A., L.M.H.C., L.M.F.T.
Nathan Lundin, M.A., L.P.C.
Veena Luthra, M.D.
Patti Lyerly, L.C.S.W.
Denise E. Maas, M.A.
Silvia MacAllister, L.M.F.T.
Nicola MacCallum, M.S., M.F.C.
Therapy Colin N. MacKenzie, M.D.
Cynthia Mack-Ernsdorff, Ph.D.
John R. Madsen-Bibeau, M.S., M.Div
Christopher J. Maglio, Ph.D.
Deepak Mahajan, M.D.
Debra Majewski, M.A.
Harish Kumar Malhotra, M.D.
Pamela Marcus, R.N., M.S.
Mary P. Marshall, Ph.D.
Flora Lynne Martin, M.A., L.P.C., A.D.C.
Robert S. Martin, M.D.
Jennifer L. Martinez, M.S.
Ninfa Martinez-Aguilar, M.A., M.F.T.
Emily Martinsen, M.S.W.
Farhan A. Matin, M.D.
Janus Maybee, P.M.H.N.P.
Karen Mazarin-Stanek, M.A.
Eben L. McClenahan, M.D., M.S.
Jerlyn C. McCleod, M.D.
Susan E. McCue, M.S.W., L.C.S.W.
Kent D. McDonald, M.S.
Daniel McDonnell, M.S.N, P.M.H.-N.P.
Robert McElhose, Ph.D.
Lisa D. McGrath, Ph.D.
Mark McGrosky, M.S.W.
Katherine M. McKay, Ph.D.
Darren D. McKinnis, M.S.W.
Mona McNelis-Broadley, M.S.W., L.C.S.W.
Rick McQuistion, Ph.D.
Susan Joy Mendelsohn, Psy.D.
Barbara S. Menninga, M.Ed.
Hindi Mermelstein, M.D., F.A.P.M.
Rachel B. Michaelsen, M.S.W.
Thomas F. Micka, M.D.
Tonya Miles, Psy.D.

Matthew Miller, M.S.
Michael E. Miller, M.D.
Noel Miller, L.M.S.W., M.B.A., M.P.S.
Kalpana Miriyala, M.D.
Sandra Moenssens, M.S.
Erin Mokhtar, M.A.
Robert E. Montgomery, M.Ed.
Susan Moon, M.A.
Theresa K. Moon, M.D.
David B. Moore, B.A., M.Div., M.S.S.W., Ph.D.
Joanne M. Moore, M.S.
Peter I. M. Moran, M.B.B.Ch.
Anna Moriarty, M.P.S., L.P.C., L.M.H.C.
Richard Dean Morris, M.A.
Michael M. Morrison, M.A.
Carlton E. Munson, Ph.D.
Timothy A. Murphy, M.D.
Beth L. Murphy, Psy.D.
Melissa A. Myers, M.D.
Stefan Nawab, M.D.
Allyson Matney Neal, D.N.P.
Steven Nicholas, M.A.
Aurelian N. Niculescu, M.D.
Earl S. Nielsen, Ph.D.
Terry Oleson, Ph.D.
Julianne R. Oliver, B.S., M.S., Ph.D.
Robert O. Olsen, M.D.
Amy O'Neill, M.D.
Oscar H. Oo, Psy.D., A.B.P.P.
Laurie Orlando, J.D., M.A.
Jill Osborne, M.S., Ed.S.
Kimberly Overlie, M.S.
L. Kola Oyewumi, Ph.D.
Zachary J. Pacha, M.S.W.
Suzette R. Papadakis, M.S.
Amanda C. Parsons, M.A., L.P.C.C.
Lee R. Pate, B.A., M.A.
Eric L. Patterson, L.P.C.
Sherri Paulson, M.Ed., L.S.C.W.
Peter Dennis Pautz, B.A., M.S.W.
Jeanette Pelton, L.I.S.W.-S.U.P.V.
Malinda J. Perkins, M.S.W., L.C.S.W.
Eleanor F. Perlman, M.S.W.
Deborah K. Perry, M.S.W.
Amanda Peterman, L.M.F.T.
Shawn Pflugardt, Psy.D.
Robert J. Dean Phillips, M.S.
Laura Pieper, M.S.W., L.C.S.W.
Lori D. Pink, M.S.W., B.C.D
Michael G. Pipich, M.S., L.M.F.T.
Cynthia G. Pizzulli, M.S.W., Ph.D.
Kathy C. Points, M.A.
Marya E. Pollack, M.D., M.P.H.
Sanford E. Pomerantz, M.D.
Eva Ponder, M.S.W., Psy.D.
Ernest Poortinga, M.D.
David Post, M.D.
Laura L. Post, M.D., Ph.D., J.D.

Patrick W. Powell, Ed.D.
Beth M. Prewett, Psy.D.
Robert Price, D.C.C., M.Ed.
John Pruett, M.D.
Aneita S. Radov, M.A.
Dawn M. Raffa, Ph.D.
Kavitha Raja, M.D.
Ranjit Ram, M.D.
Mohamed Ibrahim Ramadan, M.D., M.S.
Christopher S. Randolph, M.D.
Nancy Rappaport, M.Ed.
John Moir Rauenhorst, M.D.
Laurel Jean Rebenstock, L.M.S.W.
Edwin Renaud, Ph.D.
Heather J. Rhodes, M.A.
Jennifer S. Ritchie-Goodline, Psy.D.
Daniel G. Roberts, M.A.
Brenda Rohren, M.A., M.F.S., L.I.M.H.P., L.A.D.C., M.A.C.
Donna G. Rolin-Kenny, Ph.D., A.P.R.N., P.M.H.C.N.S.-B.C.
Sylvia E. Rosario, M.Ed.
Mindy S. Rosenbloom, M.D.
Harvey A. Rosenstock, M.D.
Thalia Ross, M.S.S.W.
Fernando Rosso, M.D.
Barry H. Roth, M.D.
Thomas S. Rue, M.A., L.M.H.C.
Elizabeth Ruegg, L.C.S.W.
Diane Rullo, Ph.D.
Angie Rumaldo, Ph.D.
Eric Rutberg, M.A., D.H.Ed.
Joseph A. Sabella, L.M.H.C.
Kemal Sagduyu, M.D.
Adam H. Saltz, M.S.W.
Jennifer A. Samardak, L.I.S.W.-S.
George R. Samuels, M.A., M.S.W.
Carmen Sanjurjo, M.A.
John S. Saroyan, Ed.D.
Brigid Kathleen Sboto, M.A., M.F.T.
Lori Cluff Schade, M.S.
Joan E. Schaper, M.S.N.
Rae J. Schilling, Ph.D.
Larry Schor, Ph.D.
Donna J. Schwartz, M.S.W., L.I.C.S.W.
Amy J. Schwarzenbart, P.M.H.-C.N.S., B.C., A.P.N.P.
John V. Scialli, M.D.
Chad Scott, Ph.D., L.P.C.C.
Sabine Sell, M.F.T.
Minal Shah, N.S., N.C.C., L.P.C.
Lynn Shell, M.S.N.
Dharmesh Navin Sheth, M.D.
S. Christopher Shim, M.D.
Marta M. Shinn, Ph.D.
Andreas Sidiropoulos, M.D., Ph.D.
Michael Siegell, M.D.
Michael G. Simonds, Psy.D.
Gagandeep Singh, M.D.
Melissa Rae Skrzypchak, M.S.S.W., L.C.S.W.
Paula Slater, M.D.
William Bill Slaughter, M.D., M.A.
Aki Smith, Ph.D.
Deborah L. Smith, Ed.M.
Diane E. Smith, M.A., L.M.F.T.
James S. Sommer, M.S.
J. Richard Spatafora, M.D.
Judy Splittgerber, M.S.N., C.S., N.P.
Thiruneermalai T.G. Sriram, M.D.
Martha W. St. John, M.D.
Sybil Stafford, Ph.D.
Timothy Stambaugh, M.A.
Laura A. Stamboni, M.S.W.
Carol L. R. Stark, M.D.
Stephanie Steinman, M.S.
Claudia M. Stevens, M.S.W.
Jennifer Boyer Stevens, Psy.D.
Dominique Stevens-Young, M.S.W., L.C.S.W.
Kenneth Stewart, Ph.D.
Daniel Storch, M.D.
Suzanne Straebler, A.P.R.N.
Dawn Stremel, M.A., L.M.F.T.
Emel Stroup, Psy.D.
John W. Stump, M.S., L.M.F.T.
Thomas G. Suk, M.A.
Elizabeth Sunzeri, M.S.
Linnea Swanson, M.A., Psy.D.
Patricia Swanson, M.A.
Fereidoon Taghizadeh, M.D.
Bonnie L. Tardif, L.M.H.C., N.C.C., B.C.P.C.C.
Joan Tavares, M.S.W.
Ann Taylor, M.S.W.
Dawn O'Dwyer Taylor, Ph.D.
Chanel V. Tazza, L.M.H.C.
Martha H. Teater, M.A.
Clark D. Terrell, M.D.
Mark R. Thelen, Psy.D.
Norman E. Thibault, M.S., Ph.D.
Tojuana L. Thomason, Ph.D.
Paula Thomson, Psy.D.
D. Chadwick Thompson, M.A.
Susan Thorne-Devin, A.M.
Jean Eva Thumm, M.A.P.C., M.A.T., L.M.F.T., B.C.C.
James E. Tille, Ph.D., D.Min.
Jacalyn G. Tippey, Ph.D.
Saraswathi Tirumalasetty, M.D.
Jacqueline A. Torrance, M.S.
Terrence Trobaugh, M.S.
Louisa V. Troemel, Psy.D., L.M.F.T.
Susan Ullman, M.S.W.
Jennifer M. Underwood, M.S.W., L.C.S.W.
Rodney Dale Veldhuizen, M.A.
Michelle Voegels, B.S.N., M.S.N., B.C.
Wess Vogt, M.D.
R. Christopher Votolato, Psy.D.

John W. Waid, Ph.D.
Christa A. Wallis, M.A.
Dominique Walmsley, M.A.
Bhupinder Singh Waraich, M.D.
Joseph Ward, N.C.C., L.P.C. M.Ed.
Robert Ward, M.S.W.
Marilee L. M. Wasell, Ph.D.
Gannon J. Watts, L.P.C.-S., L.A.C., N.C.C., N.C.S.C., A.A.D.C., I.C.A.A.D.C.
Sheila R. Webster, M.A., M.S.S.A.
Burton Weiss, M.D.
Dennis V. Weiss, M.D.
Jonathan S. Weiss, M.D.
Richard Wendel, Ph.D.
Paul L. West, Ed.D.
Kris Sandra Wheatley, M.A., L.C.P.C., N.C.C.
Leneigh White, M.A.
Danny R. Whitehead, L.I.C.S.W.
Jean Whitinger, M.A.
Peter D. Wilk, M.D.
Vanessa Wilkinson, L.P.C.
Tim F. Willia, M.S., M.A.Ed., L.P.C.
Cathy E. Willis, M.A., L.M.F.T., C.A.D.C.
Jeffery John Wilson, M.D.
Jacquie Wilson, M.Ed.
David D. Wines, M.S.W.
Barbara A. Wirebaugh, M.S.W.
Daniel L. Wise, Ph.D.
Christina Wong, M.S.W., L.C.S.W.
Susanna Wood, M.S.W., L.C.S.W.
Linda L. Woodall, M.D.
Leoneen Woodard-Faust, M.D.
Sheryl E. Woodhouse, L.M.F.T.
Gregory J. Worthington, Psy.D.
Tanya Wozniak, M.D.
Kimberly Isaac Wright, M.A.
Peter Yamamoto, M.D.
Maria Ruiza Ang Yee, M.D.
Michael B. Zafrani, M.D.
Jafet E. Gonzalez Zakarchenco, M.D.
John Zibert, Ph.D.
Karen Zilberstein, M.S.W.
Cathi Zillmann, C.P.N.P., N.P.P.
Gerald A. Zimmerman, Ph.D.
Michele Zimmerman, M.A., P.M.H.C.N.S.-B.C.
Judith A. Zink, M.A.

Equipe REDCap Vanderbilt University

Paul Harris, Ph.D.
Sudah Kashyap, B.E.
Brenda Minor
Jon Scherdin, M.A.
Rob Taylor, M.A.
Janey Wang, M.S.

Índice

Números de páginas em **negrito** referem-se a tabelas.

Abordagem categórica, e sistema do DSM, 14-15
Abordagem dimensional
    do diagnóstico, 14-15, 35, 736
    dos traços de personalidade, 894-895
Abstinência, e transtornos por uso de substâncias, 546-548. *Ver também* Abstinência de substância; *substâncias específicas*
Abstinência, e uso de tabaco, 650
Abstinência de álcool, 555, 560-561, 564-567, 631
Abstinência de cafeína, 571-574, 913
Abstinência de *Cannabis*, 578, 581, 584-586
Abstinência de estimulante, 639-640, 643-644, 820
Abstinência de heroína, 550
Abstinência de opioides, 614, 617-619
Abstinência de outra substância (ou substância desconhecida), 655-656, 658-660
Abstinência de sedativos, hipnóticos ou ansiolíticos, 567, 619, 625-626, 628-631
Abstinência de substância, **545**, 548-550, 675
Abstinência de tabaco, 649-651
Abuso de substância. *Ver também Cannabis*; Cocaína; Metanfetamina; Opioides; *Overdoses*; Tabaco; Transtornos por uso de substâncias
    desrealização e, 345
    episódios maníacos e, 145
    piromania e, 539
    sistema de recompensa do cérebro e, 543
    transtorno de despersonalização
    transtorno depressivo maior e, 189
    transtorno do desejo sexual hipoativo masculino, 501
    transtorno do interesse/excitação sexual feminino e, 492
    transtorno do pesadelo e, 460-461
    transtorno do sono induzido por substância/medicamento e, 473-474
    transtorno erétil e, 484
Abuso físico. *Ver também* Abuso infantil; Abuso sexual
    amnésia dissociativa e, 339
    codificação de, 824-825
    TOC e, 268
    transtorno de despersonalização/desrealização e, 345
    transtorno dissociativo de identidade e, 334
    transtorno factício e, 369
Abuso infantil. *Ver também* Abuso físico; Experiências adversas na infância; Negligência
    codificação do, 825-827
    TEPT e, 308, 311
    transtorno alimentar evitativo/restritivo, 378
    transtorno de ansiedade social e, 232
    transtorno de sintomas neurológicos funcionais e, 362
    transtorno por uso de *Cannabis* e, 582
    transtorno por uso de estimulantes e, 637
Abuso psicológico, 827, 829
Abuso sexual
    amnésia dissociativa e, 339
    anorexia nervosa e, 386
    codificação de, 825-826
    TEPT e, 305, 311
    transtorno da personalidade antissocial e, 753
    transtorno da personalidade *borderline* e, 757
    transtorno de despersonalização/desrealização e, 345
    transtorno disfórico pré-menstrual e, 199
    transtorno dissociativo de identidade e, 334
    transtorno por uso de opioides e, 612
Acatisia aguda, 818
Acatisia aguda induzida por medicamento, 815-816
Acatisia tardia, 818
Acesso a assistência médica, 190, 238, 354, 835
Acidente vascular cerebral, 167, 437, 439, 704-705
Acidentes
    apneia e hipopneia obstrutivas do sono e, 433
    exposição a inalantes e, 605
    narcolepsia e, 427
    TDAH e, 775
    transtorno da conduta e, 536
    transtorno por uso de *Cannabis* e, 581
    transtorno por uso de fenciclidina e, 589
    transtorno por uso de sedativos, hipnóticos e ansiolíticos e, 625
    transtornos do sono-vigília do ritmo circadiano e, 446, 451
    transtornos relacionados ao álcool e, 560, 562
Acinesia, e parkinsonismo induzido por medicamento, 811
Acomodação, e TOC, 267
Aconselhamento genético, 835-836
Actigrafia, e padrões do sono-vigília, 445, 447-449, 451, 473
Acumulação de animais, 279
Adição, e transtorno do jogo, 916. *Ver também* Adições comportamentais
Adoção, e transtorno de interação social desinibida, 300
Adolescentes, e adolescência. *Ver também* Crianças; Idade
    amnésia dissociativa e, 339
    disforia de gênero e, 514-515
    enurese e, 400

narcolepsia e, 427
pensamentos e comportamentos suicidas em transgênero, 518
TDAH e, 71
TOC e, 268
transtorno da personalidade *borderline* e, 757
transtorno da personalidade paranoide e, 741
transtorno de ansiedade social e, 232
transtorno de insônia e, 413
transtorno de interação social desinibida e, 300
transtorno disfórico pré-menstrual e, 198
transtorno dismórfico corporal e, 273
transtorno do luto prolongado e, 325
transtorno do sono-vigília do ritmo circadiano e, 44
transtorno específico da aprendizagem e, 82
transtorno neurocognitivo maior ou leve induzido por substância/medicamento e, 716-717
transtorno por uso de álcool e, 556
transtorno por uso de *Cannabis* e, 579
transtorno por uso de inalantes e, 603-602
transtornos de tique e, 95
transtornos por uso de substâncias e, 549
transtornos relacionados à cafeína e, 570, 573
uso indevido de óxido nitroso por, 654
Adulto(s). *Ver também* Idade
disforia de gênero e, 514
Idosos com TDAH em, 71, 73
transtorno do espectro autista e mau funcionamento psicossocial em, 65-66
transtorno específico da aprendizagem e, 79, 82
transtornos de tique e, 95
Afasia, e transtorno neurocognitivo frontotemporal maior ou leve, 697-698
Afastamento social, e conceitos culturais de sofrimento, 877
Afetividade negativa, e traços de personalidade, 887-888, 890-891, 895, **901**
Afro-americanos. *Ver também* Raça; Racismo
apneia obstrutiva do sono e, 431
delirium em, 677
demência vascular em, 705-706
diagnóstico incorreto de esquizofrenia em 18, 119, 124, 147
diagnóstico incorreto de transtorno do espectro autista em crianças, 65
doença de Alzheimer em, 692-694
enurese em crianças, 400
narcolepsia e, 426
TEPT e, 308, 310
transtorno da dor gênito-pélvica/penetração e, 497
transtorno de ansiedade social e, 232
transtorno de luto prolongado e, 326
transtorno de pânico e, 238-239
transtorno depressivo maior e, 190
transtorno do jogo em, 663-664
transtorno explosivo intermitente e, 528
transtorno por uso de opioides em, 611
transtorno por uso de tabaco em, 647
transtornos neurocognitivos em, 686, 724-725
transtornos relacionados a estimulantes em, 636, 642

transtornos relacionados ao álcool e, 556, 563
uso de *Cannabis* e, 578, 580, 585
Agência. *Ver também* Controle
transtorno de despersonalização/desrealização, 344
transtorno dissociativo de identidade e, 331
Agentes bloqueadores dos receptores da dopamina. *Ver* Medicamentos antipsicóticos
Agitação
acatisia aguda induzida por medicamento e, 816
transtorno bipolar induzido por substância/medicamento e transtorno relacionado, 164
transtorno depressivo maior e, 186
transtornos neurocognitivos e, 684
Agitação, e acatisia aguda induzida por medicamento, 815-816
Agorafobia, 216, 220, 228, 233, 241, 246-250, 769
Agressão, e comportamento agressivo
esquizofrenia e, 116
narcolepsia e, 425
transtorno da conduta e, 533-536
transtorno do desenvolvimento intelectual e, 43, 45
transtorno explosivo intermitente e, 182, 527-529
transtorno por uso de estimulantes e, 635-636
transtorno por uso de sedativos, hipnóticos e ansiolíticos e, 625
Álcool. *Ver também* Abstinência de álcool; Abuso de substância; Intoxicação por álcool; Síndrome alcoólica fetal; Transtorno neurocomportamental associado a exposição pré-natal ao álcool; Transtorno por uso de álcool
apagões induzidos por, 456
disfunção sexual induzida por substância/medicamento e, 507-508
insônia e, 417
transtorno depressivo induzido por substância/medicamento e, 204
transtorno do desejo sexual hipoativo masculino e, 500
transtorno do sono induzido por substância/medicamento e, 471, 473
transtorno psicótico induzido por substância/medicamento e, 129
transtornos bipolares e, 159
Alemanha, prevalência de
transtorno de ansiedade de doença, 358
transtorno de autolesão não suicida, 924-925
transtorno disfórico pré-menstrual na, 198
transtorno dismórfico corporal na, 273, 275
transtorno neurocognitivo maior ou leve devido à infecção por HIV na, 924-925
Alfa-metildopa, e transtorno depressivo induzido por substância/medicamento, 203
Alimentação suplementar, e transtorno alimentar evitativo/restritivo, 377
Alogia, 103, 119
Alopecia, 282-284
Alteração da personalidade devido a outra condição médica, 777-780, 784, 787, 789

Alterações isquêmicas subcorticais, 704-705
Altitude, e apneia central do sono, 436
Alucinações. *Ver também* Alucinações auditivas; Alucinações hipnagógicas e hipnopômpicas
    abstinência de álcool e, 565
    abstinência de sedativos, hipnóticos ou ansiolíticos e, 629-630
    cleptomania e, 541
    esquizofrenia e, 115, 118
    intoxicação por *Cannabis* e, 584
    narcolepsia e, 424, 428
    síndrome de psicose atenuada e, 906
    transtorno dissociativo de identidade e, 331, 336
    transtorno do luto prolongado e, 324, 327
    transtornos neurocognitivos e, 654
    transtornos psicóticos e, 102, 128, 132
    uso de "outro transtorno especificado" e "não especificado", 22
Alucinações auditivas, 102, 336, 641
Alucinógeno(s), e *flashbacks*, 130
Alvos da preferência, e transtornos parafílicos, 781
Amenorreia, e transtornos alimentares, 385, 389
American Academy of Sleep Medicine, 409
American Association on Intellectual and Developmental Disabilities (AAIDD), 46
American Psychiatric Association (APA), e processo de revisão do DSM-5, 6-11
Americanos hispânicos. *Ver também* Americanos mexicanos; Latinos; Raça
    apneia obstrutiva do sono em, 431
    diagnóstico incorreto de transtorno esquizoafetivo em, 124
    transtorno da dor gênito pélvica/penetração em, 496
    transtorno de pânico em, 239
    transtorno por uso de álcool e, 556
    transtorno por uso de *Cannabis* e, 580
    transtornos relacionados a estimulantes em, 642
Americanos mexicanos. *Ver também* Americanos hispânicos; Latinos
    demência vascular em, 705-706
    transtorno de compulsão alimentar em, 394
Amizades, 61, 233. *Ver também* Relações interpessoais
Amnésia. *Ver também* Amnésia dissociativa; Amnésia generalizada; Amnésia pós-traumática devido a lesão cerebral
    formas localizadas ou generalizadas de, 329
    intoxicação por álcool e, 562
    lesão cerebral traumática e, **708**
    transtorno dissociativo de identidade e, 332
    transtorno factício e, 337, 342
    transtorno neurocognitivo maior ou leve induzido por substância/medicamento e, 714-715
    transtornos convulsivos e, 342
Amnésia dissociativa, 307, 315, 329-331, 335-343, 456
Amnésia generalizada, 338-340
Amnésia localizada, 338
Amnésia pós-traumática devido a lesão cerebral, 336, 341-342
Amnésia seletiva, 338

Amnésia sistematizada, 338
Amostras de cabelo, e transtorno por uso de estimulante, 638
Analgesia, e transtorno por uso de opioides, 614
Anedonia
    abstinência de estimulante e, 643
    esquizofrenia e, 103
    transtorno depressivo devido a outra condição médica e, 209
    transtorno depressivo maior e, 190
Anemia, e anorexia nervosa, 385
Anfetaminas
    disfunção sexual induzida por substância/medicamento e, 508
    transtorno do sono induzido por substância/medicamento e, 472
    transtorno psicótico induzido por substância/medicamento e, 129
    transtornos relacionados a estimulantes e, 635
Angina, e fatores psicológicos que afetam outras condições médicas, 366-367
Angiopatia amiloide cerebral, 705-706
Anorexia nervosa, 373, 375, 379-387, 390
Anorexia nervosa atípica, 396
Anormalidades da marcha, 724-725, 811. *Ver também* Queda(s)
Anormalidades do processamento visual, e transtorno dismórfico corporal, 273
Anormalidades serotonérgicas, e transtorno explosivo intermitente, 528
Anosognosia, e esquizofrenia, 116
Ansiedade. *Ver também* Sofrimento ansioso; Transtornos de ansiedade
    abstinência de tabaco e, 650
    definição de medo e, 215
    síndrome de psicose atenuada e, 909
    transtorno bipolar e transtorno relacionado devido a outra condição médica e aguda, 168
    transtorno da dor gênito-pélvica/penetração e, 494
    transtorno de ansiedade generalizada e, 251
    transtorno de ansiedade induzido por substância/medicamento e, 257
    transtorno de estresse agudo e, 318
    transtorno de sintomas somáticos e, 356
    transtorno depressivo maior e, 189
    transtorno por uso de estimulante e, 635
    transtornos neurocognitivos e, 721-722
Ansiedade antecipatória, e transtorno de ansiedade social, 230
Ansiolíticos, e transtorno do sono induzido por substância/medicamento, 472. *Ver também* Transtornos relacionados a sedativos, hipnóticos ou ansiolíticos
Antagonismo, e traços de personalidade, 890, 895, **902**
Antibióticos, e transtorno de escoriação, 286
Antidepressivo(s), 158, 164-165, 424, 507-508, 820-821. *Ver também* Antidepressivos tricíclicos
Antidepressivos tricíclicos, 507, 820
Apagões
    como conceito cultural de sofrimento, 876

intoxicação por álcool e, 562
intoxicação por sedativos, hipnóticos ou ansiolíticos e, 627
transtornos induzidos por substância/medicamento e, 336
Aparência, e transtorno da personalidade histriônica, 760
Apatia, e transtornos neurocognitivos, 685-697, 727-728
Apego. *Ver também* Transtorno de apego reativo
transtorno de ansiedade de separação e, 217-218
transtorno do espectro autista e, 298
Apetite, e transtorno depressivo maior, 186. *Ver também* Dieta
Apneia, definição de, 430
Apneia central do sono, 434-439, 442
Apneia central do sono emergente do tratamento, 436
Apneia central do sono idiopática, 436
Apneia e hipopneia obstrutivas do sono, 419-434, 438, 442, 464
Apoio, e redes de apoio, **58**, 310. *Ver também* Relações sociais
Apolipoproteína E4 (APOE*E4), 693-694
Apraxia, e transtorno neurocognitivo maior ou leve devido à doença de Huntington, 727-728
Apraxia da fala infantil, 50
Aprendizagem, e domínios neurocognitivos, **670**
Aquisição excessiva, e transtorno de acumulação, 264, 278, 281
Armas de fogo, uso de álcool e posse de, 560
Arritmias, 242, 245, 431
Artrite, e transtorno do interesse/excitação sexual feminino, 493
Asfixia autoerótica, 802
Asfixiofilia, 791
Asiáticos americanos. *Ver também* Nativos das Ilhas do Pacífico; Raça; Racismo
demência vascular em, 705-706
transtorno de pânico em, 239
transtorno do jogo em, 664
transtorno por uso de opioides em, 611
transtorno por uso de tabaco em, 647
transtornos neurocognitivos em, 686-687
transtornos relacionados a estimulantes em, 636, 642
transtornos relacionados ao álcool e, 556, 563
uso de *Cannabis* e, 578, 580, 585
Asma, 239, 241-242, 245, 365, 434
Aspiração, e uso de opioides ou cocaína, 614, 635
Assistência médica. *Ver também* Acesso; Comportamentos de manutenção da saúde; Curandeiros tradicionais; Hospitalização; Instalações residenciais; Medicamento(s); Práticas de cura alternativas; Saúde; Serviço de emergência
codificação para problemas com, 834-837
eventos traumáticos e, 305
formulação cultural e, 864
transtorno de ansiedade de doença e, 358
transtorno de sintomas somáticos e utilização de, 352, 354
transtorno factício e, 368
transtorno neurocognitivo maior ou leve devido a lesão cerebral traumática e, 708-709
transtorno por uso de opioides em profissionais médicos, 611
Ataque de nervios, 17, 239, 244, 317, 875-876
Ataques de pânico. *Ver também* Transtorno de pânico
agorafobia e, 246
apneia e hipopneia obstrutivas do sono e, 434
definição de, 215, 236
diagnóstico diferencial de, 245
especificadores para, 242-245
fobia específica e, 225, 229
transtorno de ansiedade social e, 234
transtorno de despersonalização/desrealização e, 346
transtorno de estresse agudo e, 316, 318
transtorno de pânico e, 216
transtorno de sintomas neurológicos funcionais e, 364
Ataques de pânico noturnos, 237, 243
"Ataques de sono", e narcolepsia, 427
Ataxia, e transtorno neurocognitivo maior ou leve devido à doença de Huntington, 727-728
Ataxia cerebelar autossômica dominante, surdez e narcolepsia (ADCA DN), 423
Atenção. *Ver também* Falta de atenção
delirium e, 675
domínios neurocognitivos, **669**
transtorno da personalidade histriônica e, 759-760
Atenção complexa, e domínios neurocognitivos, **669**
Atípico para o gênero, uso do termo, 511
Atividade dirigida para o objetivo, e episódios maníacos, 145
Atividade motora, e catatonia, 135
Atividades da vida diária
diferenças culturais nas, 88
disforia de gênero e, 519
síndrome das pernas inquietas e, 467
Atonia, e transtorno comportamental do sono REM, 563
Atraso global do desenvolvimento, 35, 45, 56
Atrofia do sistema múltiplo, 462, 464
Atrofia vulvovaginal, e transtorno do orgasmo feminino, 487
Austrália, prevalência de
anorexia nervosa na, 384
bulimia nervosa na, 390
outro transtorno por uso de alucinógenos na, 593
transtorno alimentar evitativo/restritivo na, 377-378
transtorno de ansiedade social na, 231
transtorno de compulsão alimentar e, 394
transtorno de estresse agudo na, 316
transtorno de sintomas neurológicos funcionais na, 362
transtorno do desenvolvimento intelectual em crianças aborígenes na, 44

transtorno do jogo pela internet na, 918
transtorno do masoquismo sexual na, 791
transtorno do sadismo sexual na, 793
transtorno erétil na, 483
transtorno neurocognitivo maior ou leve devido à doença de Huntington na, 727-728
transtorno por uso de álcool na, 559
transtorno por uso de fenciclidina na, 589
transtornos de adaptação na, 320

Áustria, e transtorno voyeurista, 784

Autoestima
  anorexia nervosa e, 383
  ejaculação prematura e, 504
  encoprese e, 403
  episódio depressivo maior e, 142, 152, 184
  episódios maníacos e, 144
  transtorno da personalidade evitativa e, 765-768
  transtorno da personalidade narcisista e, 763, 766
  transtorno erétil e, 482

Autoginefilia, 517, 801

Autoimolação, e contexto cultural do transtorno de adaptação social, 321

Autolesão. *Ver também* Transtorno de autolesão não suicida
  anorexia nervosa e, 386
  catatonia e, 135
  codificação de, 824
  pica e, 373
  transtorno comportamental do sono REM e, 462-463
  transtorno da personalidade *borderline* e, 756
  transtorno dissociativo de identidade e, 332
  transtorno do desenvolvimento intelectual e, 45
  transtorno do espectro autista e, 60, 62
  transtorno do movimento estereotipado e, 37, 89-90
  transtorno factício e, 369

Automedicação, e transtorno de pânico, 241

Automutilação, e autolesão, 923-924

Autorrelatos, de transtorno da conduta, 533

Avaliação. *Ver também* Diagnóstico
  abordagem cultural centrada na pessoa da, 861, 864-865
  avaliação abrangente e uso de medidas, 20
  do transtorno neurocognitivo maior ou leve com corpos de Lewy, 700-701
  dos sintomas psicóticos, 104
  Esboço para Formulação Cultural e, 863-864
  medidas da gravidade, 844
  medidas transversais dos sintomas, 843-852
  relevância dos conceitos culturais de sofrimento para, 873-875
  variação intraétnica na interpretação da, 688

Avaliação abrangente, do transtorno específico da aprendizagem, 80

Avolição, e sintomas negativos, 103, 115, 120

Ayahuasca, 593

Bebês. *Ver* Crianças; Idade; Gravidez; Síndrome alcoólica fetal

dependência de opioides em, 614
transtorno alimentar evitativo/restritivo em, 377-378
transtorno de ruminação em, 374-375

Bebidas energéticas, e cafeína, 570, 573, 914

Benzodiazepínicos, 472, 507, 565, 622, 624, 626, 716-717

Benzoilecgonina, 639

Bilinguismo, e transtornos da comunicação, 48, 51, 53

Bondage-domination-sadism-masochism (BDSM), 790, 793

Bradicardia, e abstinência de estimulantes, 643

Bradicinesia, e parkinsonismo induzido por medicamentos, 810-811

Brasil, estudos de transtornos mentais no, 179, 269

Bulimia nervosa, 375, 387-392, 395

Bullying
  TEPT e, 305
  transtorno de ansiedade de separação e, 219
  transtorno dissociativo de identidade e, 333

Buprenorfina, 507-508, 610, 612

Burnout, como idioma cultural de sofrimento, 861

Cafeína, 417, 471, 915. *Ver também* Transtorno por uso de cafeína

Calculadora do percentil de IMC do CDC para crianças e adolescentes, 382

Camboja
  contexto cultural do transtorno do pesadelo, 459
  síndromes culturais e ataques de pânico, 239, 244, 878
  transtorno de estresse agudo e cultura do, 317

Camuflagem, e transtorno dismórfico corporal, 273

Canabinoides sintéticos, 577, 583

Canadá, prevalência de
  apneia central do sono no, 437
  bulimia nervosa no, 390
  cleptomania no, 540
  disforia de gênero no, 516, 519
  transtorno alimentar evitativo/restritivo no, 378
  transtorno de compulsão alimentar no, 394
  transtorno do desenvolvimento da coordenação no, 87
  transtorno específico da aprendizagem e, 84
  transtorno exibicionista no, 786
  transtorno frotteurista no, 788
  transtorno neurocomportamental associado a exposição pré-natal ao álcool no, 921
  transtorno voyeurista no, 784-783
  transtornos de adaptação no, 320
  transtornos de tique no, 95
  transtornos do despertar do sono não REM no, 454

Câncer, 365

Cannabis, 129, 147, 159, 471, 503. *Ver também* Abuso de substância; Transtorno por uso de *Cannabis* Transtornos relacionados a *Cannabis*;

Capacidade hipnótica, e transtorno dissociativo de identidade, 336

Características associadas, uso do texto para auxiliar no diagnóstico, 26. *Ver também* Características diagnósticas; *transtornos específicos*
Características atípicas, como especificador, 172-173, 212
Características diagnósticas. *Ver* Critérios diagnósticos; Critérios de duração; *transtornos específicos*; Comportamento; Diagnóstico
Características melancólicas, como especificador, 171-172, 211-212
Características mistas, como especificador, 170-171, 211
Características obsessivo-compulsivas, de anorexia nervosa, 383
Características psicóticas, como especificador, 173, 212-213
Características sexuais secundárias, e disforia de gênero, 514
Cardiomiopatia de Takotsubo, 365
Carma, e contexto cultural de eventos traumáticos, 311
Casamento. *Ver também* Família
    codificação de problemas relacionais e, 831
    ejaculação prematura e formas arranjadas de, 503
    transtornos bipolares e, 147, 156
Casas de repouso
    delirium e, 676
    transtorno neurocognitivo frontotemporal maior ou leve e, 698-699
Catalepsia, e narcolepsia, 423
Catatonia
    características definidoras da, 103, 134-135
    como especificador para transtorno bipolar e transtornos relacionados, 173
    como especificador para transtornos depressivos, 213
    diagnóstico diferencial da, 168
    distonia aguda induzida por medicamentos e, 815
    transtorno do espectro autista e, 59, 60, 62
Catatonia associada a outro transtorno mental, 135-136
Catatonia maligna, e síndrome neuroléptica maligna, 813
Catatonia não especificada, 137
Catinonas, 635, 654
Cavernosografia por infusão dinâmica, 484
Cefaleia, e abstinência de cafeína, 572-574
Cegueira, e transtornos do sono-vigília, 449-450
Centros de Controle e Prevenção de Doenças (CDC), 23, 382, 719-720
Chile, e transtorno por uso de *Cannabis*, 582
China, prevalência de
    conceitos culturais de sofrimento na, 354, 877, 879-880
    enurese na, 400-401
    jogo pela internet e, 916
    síndrome neuroléptica maligna na, 812
    transtorno alimentar evitativo/restritivo na, 378
    transtorno comportamental do sono REM na, 462
    transtorno do luto prolongado na, 324
    transtorno do pesadelo na, 459
    transtorno por uso de álcool na, 558
Chinese classification of mental disorders (CCMD), 879-880

Cibih, 880
Ciclagem rápida, como especificador, 146, 155, 161, 171
Cicloexamina, 588-589
Cigarros eletrônicos, 647
Cinco Domínios de Psicopatologia da Personalidade (PSY-5), 895
Cirurgia, e transtorno dismórfico corporal, 273
Cirurgia de redesignação sexual, 512
Cisgênero, 511
Ciúme, e transtorno da personalidade paranoide, 741
Classificação internacional de doenças, 10ª Revisão (CID-10), 6, 13, 23-25, 505, 880. *Ver também* Códigos
Classificação internacional de doenças, 11ª Revisão (CID-11), 6, 11, 13, 46, 916
Classificação Internacional de Funcionamento, Deficiência e Saúde da OMS, 844
Classificação internacional dos distúrbios do sono, Terceira Edição (CIDS-3), 407, 417, 421, 429, 435, 439, 443, 451, 457, 461, 468, 474
Cleptomania, 539-541
Cocaína. *Ver também* Abuso de substância; Transtorno por uso de cocaína
    humor disfórico e, 205
    prevalência do uso, 642
    transtorno de escoriação e, 287
    transtorno psicótico induzido por substância/medicamento e, 129
    transtornos de tique, 94
    transtornos relacionados a estimulantes e, 635
Cochilos e cochilar, e transtornos do sono-vigília, 418-420, 423, 425, 448
Códigos, e codificação de. *Ver também* Especificadores
    abuso físico e negligência, 824-825
    abuso infantil, 825-827
    autolesão, 824
    Classificação internacional de doenças, décima revisão, Modificação clínica e sistema oficial da, 13, 23-24
    comportamento suicida, 824
    declínio cognitivo relacionado à idade, 838
    delirium, 674-675
    funcionamento intelectual *borderline*, 838
    informação contextual no DSM-5-TR sobre, 26
    intoxicação ou abstinência de substâncias, 549-550
    "outras condições que podem ser foco da atenção clínica", 28
    problemas psicossociais e ambientais que afetam o diagnóstico, 823, 827-830, 832-836
    "sem diagnóstico ou condição", 805, 807
    simulação, 837
    subtipos e especificadores, 22
    transtorno de hipersonolência, 418
    transtorno de insônia, 410
    transtorno disfórico pré-menstrual, 198
    transtorno do espectro autista e, 57, 59
    transtorno do pesadelo, 458
    transtorno específico de aprendizagem, 78
    transtorno por uso de estimulantes, 635
    transtornos induzidos por substância/medicamento, 127-128, 163, 202-203, 256-257, 289, 469-470, 552-553, 714-715

Índice

transtornos por uso de substâncias, 547
Códigos Z, 16, 28, 823
   e disfunções sexuais, 478
Cognição social, e domínios neurocognitivos, **671**
"Colapso nervoso", como idioma cultural de sofrimento, 861
Colômbia, prevalência do transtorno de ansiedade de separação na, 219
Coma
   delirium e, 676
   intoxicação por opioides e, 616
   intoxicação por outro alucinógeno e, 597
Comitê Clínico e de Saúde Pública (CPHC), e processo de revisão do DSM, 9
Comitê de Revisão Científica (CRC), 9
Comitê de Revisão Transversal sobre Questões Culturais, 18
Comorbidade. Ver Diagnóstico diferencial; *transtornos específicos*
Complexo da tuberculose esclerosa, e transtorno do espectro autista, 59
Comportamento. Ver também Agitação; Agressão; Comportamento antissocial; Comportamento criminoso; Comportamento de acumulação; Comportamentos de manutenção da saúde; Comportamentos repetitivos; Comportamento sexual; Compulsões; Desinibição; Evitação; Fenótipo comportamental; Impulsividade; Irritabilidade; Pensamentos ou comportamentos suicidas
   Adições comportamentais, uso do termo, 543
   anorexia nervosa e, 387
   bulimia nervosa e, 388-389, 395
   diagnóstico diferencial, de compulsivo, 270-271
   fatores psicológicos que afetam outras condições médicas e, 365
   intoxicação por fenciclidina e, 595-596
   intoxicação por inalantes e, 605
   intoxicação por opioides e, 616
   intoxicação por sedativos, hipnóticos e ansiolíticos e, 627
   narcolepsia e, 424
   TEPT e, 307
   transtorno alimentar evitativo/restritivo e, 380
   transtorno comportamental do sono REM e, 461
   transtorno da conduta e, 522, 533
   transtorno da personalidade histriônica e, 760
   transtorno de ansiedade social e, 232
   transtorno de apego reativo e, 297
   transtorno de estresse agudo e, 316
   transtorno de movimento estereotipado e, 90
   transtorno de sintomas somáticos e, 352
   transtorno delirante e, 107
   transtorno do espectro autista e, 60, 297
   transtorno do jogo e, 662
   transtorno do pesadelo e, 458
   transtorno por uso de estimulantes e, 636
   transtornos neurocognitivos e, 685, 727-728
Comportamento alimentar relacionado ao sono, 453-456
Comportamento antissocial, codificação do, 837
Comportamento coletor, e transtorno de acumulação, 278

Comportamento criminal. Ver também Sistema judiciário
   transtorno da conduta e, 534, 536
   transtorno da personalidade antissocial e, 751, 754
   transtorno de sadismo sexual e, 793-794
   transtorno factício e, 368
   transtorno por uso de álcool e, 560
   transtorno por uso de estimulantes e, 639
   transtorno por uso de opioides e, 611
Comportamento motor grosseiramente desorganizado, 102
Comportamento sexual e, episódios maníacos, 145
Comportamento sexual relacionado ao sono, 453
Comportamentos de manutenção da saúde
   esquizofrenia e, 121
   fatores psicológicos que afetam outras condições médicas e, 365
   transtorno do luto prolongado e, 324
Comportamentos de purga, e bulimia nervosa, 389
Comportamentos repetitivos
   adições comportamentais e, 543
   transtorno de escoriação e, 287
   transtorno dismórfico corporal e, 272-273
   transtorno do espectro autista e, **58**, 59-62, 65, 67, 298
   transtorno do movimento estereotipado e, 89-90, 92
   transtornos obsessivo-compulsivos e transtornos relacionados, 263
Compulsão(ões), e transtornos relacionados a estimulantes, 637, 644
Compulsões, e comportamento compulsivo
   cleptomania e, 541
   definição de, 263
   TOC e, 266
   transtorno de ansiedade de doença, 359
Compulsões por limpeza, 264, 266
Comunicação. Ver também Comunicação não verbal; Comunicação social; Linguagem; Transtornos da comunicação
   definição de, 47
   mutismo seletivo e, 222
   regras sociais da, 54
   síndrome de psicose atenuada e desorganizada, 906
Comunicação não verbal, e transtorno do espectro autista, 61
Comunicação social, e transtorno do espectro autista, **58**, 59-60
Comunidade latina. Ver também Americanos hispânicos; Americanos mexicanos
   doença de Alzheimer e, 692-694
   síndrome das pernas inquietas e, 466
   TEPT e, 308, 310
   transtorno de ansiedade social e, 232-233
   transtorno de estresse agudo e, 317
   transtorno do jogo e, 663-664
   transtorno por uso de opioides e, 611
   transtorno por uso de tabaco e, 647
   transtornos neurocognitivos e, 687
   transtornos relacionados ao álcool e, 563

uso do termo no DSM-5-TR, 18
Conceitos culturais de sofrimento. *Ver também* Idiomas culturais de sofrimento; Síndromes culturais
   definição de, 16-17, 873
   exemplos de, 875-881
   relevância dos, para a avaliação diagnóstica, 873-875
   TEPT e, 311
   transtorno de estresse agudo e, 317
Concentração, 251, 415. *Ver também* Déficits cognitivos
Concentração de álcool no sangue, 559
Condições médicas. *Ver também* Acidente vascular cerebral; Asma; Benzodiazepínicos; Câncer; Diabetes; Distúrbios autoimunes; Distúrbios da tireoide; Distúrbios endócrinos; Distúrbios metabólicos; Doença coronariana; Doença de Huntington; Doença de Parkinson; Doença pulmonar obstrutiva crônica; Doenças cardiovasculares; Esclerose múltipla; Infecções; Saúde
   agorafobia e, 250
   Cannabis e, 577
   catatonia e, 136-137
   codificação de, 24
   diagnóstico diferencial de
      anorexia nervosa, 386
      disfunções sexuais, 485, 488, 492, 497, 501
      encoprese, 405
      enurese, 401-402
      hipoventilação relacionada ao sono, 442
      TDAH, 75
      transtorno alimentar evitativo/restritivo, 379
      transtorno de ansiedade de doença, 359
      transtorno de despersonalização/desrealização, 347
      transtorno de hipersonolência, 421
      transtorno de sintomas somáticos, 355
      transtorno do desenvolvimento da coordenação, 88
      transtorno do movimento estereotipado, 92
      transtorno esquizoafetivo, 125
      transtorno esquizofreniforme, 113
      transtorno psicótico breve, 110
      transtornos da personalidade, 739, 742, 745-746, 759, 762, 769, 772-773, 777, 779
      transtornos de adaptação, 322
      transtornos de tique, 97
      transtornos neurocognitivos, 706-707, 711-712, 726-727
      transtornos por uso de substâncias, 130, 474, 564, 566-567, 574, 596, 607, 626, 630-631, 658
      tricotilomania, 284
   discinesia tardia e, 817
   ejaculação retardada e, 480-481
   esquizofrenia e comórbidas, 121
   fatores psicológicos que afetam, 322
   fobia específica e, 227
   insônia e, 416
   sintomas maníacos e, 145
   terminologia em edições anteriores do DSM, 25-26
   transtorno de acumulação e, 280
   transtorno de ansiedade social e, 235
   transtorno de escoriação e, 286-287
   transtorno de pânico e, 242
   transtorno depressivo induzido por substância/medicamento e, 205
   transtorno depressivo maior e, 187, 189
   transtorno disfórico pré-menstrual e, 200
   transtorno do espectro autista e, 59
   transtorno do interesse/excitação sexual feminino e, 492
   transtorno do jogo e, 665
   transtorno do luto prolongado e, 326
   transtorno do orgasmo feminino e, 487
   transtorno do sono-vigília do ritmo circadiano do tipo trabalho em turnos e, 451
   transtorno factício e, 369-370
   transtornos bipolares e, 150, 159
   transtornos neurocognitivos e, 172
   uso de tabaco e, 647, 649
Condições neurodegenerativas, 421, 463-464
"Condições para estudos posteriores", 20
Confiança, e Esboço para Formulação Cultural, 864. *Ver* Desconfiança; Suspeita
Consciência, e *delirium*, 675
Conselho sobre Psiquiatria e Legislação (APA), 9
Consequências funcionais. *Ver* Déficits cognitivos; Funcionamento adaptativo; Funções executivas; *transtornos específicos*
Constipação, e encoprese, 402-405
Contexto cultural. *Ver também* Contexto sociocultural; Diferenças culturais; Linguagem; Questões diagnósticas relativas à cultura; Síndromes culturais
   avaliação dos sintomas psicóticos e, 104
   de delírios, 101, 118
   de ejaculação retardada, 480
   de eventos traumáticos, 311
   de identidade de gênero, 518
   de obsessões e compulsões, 268
   de transtorno da fala, 51
   de transtorno de ansiedade generalizada, 253
   de transtorno de ansiedade social, 230-231
   de transtorno de sintomas neurológicos funcionais, 363
   de transtorno de sintomas somáticos, 354
   de transtorno depressivo maior, 190
   de transtorno disfórico pré-menstrual, 198
   de transtorno do desenvolvimento intelectual, 44
   de transtorno do movimento estereotipado, 91
   de transtorno do pesadelo, 459
   de transtornos da personalidade, 197
   de transtornos dissociativos, 329, 334
   de transtornos por uso de substâncias, 544
   desenvolvimento do DSM-5-TR e, 16
   do jogo, 662
   do transtorno bipolar tipo I, 147
   dos transtornos de adaptação, 321
   dos transtornos de ansiedade, 215
   uso de termos, 18, 861-862

Contexto sociocultural. *Ver também* Contexto cultural
 da agorafobia, 247
 de condições comórbidas no transtorno bipolar
  tipo II, 159
 de fobia específica, 226
 de TEPT, 310
 desenvolvimento do DSM-5-TR e, 16
 do transtorno de ansiedade social, 231
 do transtorno disfórico pré-menstrual, 199
 do transtorno disruptivo de desregulação do
  humor, 180
 do transtorno do desenvolvimento intelectual e, 44
 do transtorno do orgasmo feminino, 487
Contraceptivos orais, 200, 204, 573
Controle. *Ver também* Agência
 ataques de nervios e, 876
 bulimia nervosa e, 388
 delírios e, 101
 ejaculação prematura e, 502, 504
 transtorno da personalidade obsessivo-
  -compulsiva e, 774
 transtorno de compulsão alimentar e, 393
Convulsões, e transtornos convulsivos. *Ver também*
 Epilepsia
 abstinência de sedativos, hipnóticos ou
  ansiolíticos e, 629-631
 amnésia dissociativa e, 342
 lesão cerebral traumática e, 708-710
 relacionadas ao sono, 456, 460, 464
 transtorno de sintomas neurológicos funcionais
  e, 361
 transtorno dissociativo de identidade e, 337
 transtorno por uso de álcool, 559
Convulsões atônicas, e narcolepsia, 428
Coprolalia, e copropraxia, 94
Coreia, 97, 428
Coreia, prevalência de
 conceitos culturais de sofrimento na, 881
 transtornos de tique na, 96
Coreia de Sydenham, 96, 292
Coreia do Sul, prevalência de
 encoprese na, 403
 jogo pela internet na, 916
 síndrome das pernas inquietas na, 465
 transtorno comportamental do sono REM na, 462
 transtorno por uso de álcool na, 588
Corpos de Lewy. *Ver* Demência com corpos de Lewy;
 Transtorno neurocognitivo maior ou leve com corpos
 de Lewy
Corticosteroides, e transtorno bipolar induzido por
 substância/medicamento e transtorno relacionado,
 165. *Ver também* Esteroides
Costumes sociais, e consumo de cafeína, 572
Crack, cocaína, 635
Crash, e abstinência de estimulante, 644
Credulidade, e transtorno do desenvolvimento
 intelectual, 43
Crenças. *Ver também* Crenças sobrenaturais;
 Espiritualidade; Religião

TOC, e delirantes ou disfuncionais, 267
 transtorno do interesse/excitação sexual feminino
  e, 491
Crenças sobrenaturais, e explicações culturais. *Ver*
 também Espíritos; Possessão
 conteúdo das obsessões e compulsões, 268
 delirantes e, 101
 narcolepsia e paralisia do sono, 426
 TEPT e, 310
 transtorno de despersonalização/desrealização
  e, 345
 transtorno do desenvolvimento intelectual, 44
 transtornos da personalidade e, 76
Crianças. *Ver também* Abuso infantil; Acolhimento
 familiar; Adoção; Bebês; Desenvolvimento;
 Experiências adversas na infância; Idade;
 Negligência; Pai(s)
 acumulação patológica em, 279
 agorafobia em, 248
 amnésia dissociativa em, 339
 apneia central do sono em, 437-438
 apneia e hipopneia obstrutivas do sono em, 432
 delirium em, 677
 disforia de gênero em, 513-514
 enurese em, 400
 episódios maníacos em, 144, 145
 esquizofrenia em, 117-118
 fobia específica e, 226-227
 hipoventilação relacionada ao sono em, 442
 lesão cerebral traumática em, 710-711
 mutismo seletivo e, 222
 síndromes das pernas inquietas em, 446
 sobrediagnóstico de transtornos bipolares em, 177
 TEPT em, 303-305, 308-309
 TOC em, 268
 transtorno da conduta em, 533
 transtorno da personalidade evitativa e, 768
 transtorno de ansiedade de separação em, 218-219
 transtorno de ansiedade generalizada em, 252
 transtorno de apego reativo em, 296
 transtorno de estresse agudo em, 317
 transtorno de identidade dissociativa em, 333
 transtorno de insônia em, 413
 transtorno de sintomas somáticos em, 353
 transtorno disruptivo da desregulação do humor
  em, 149, 179, 181-182
 transtorno do luto prolongado em, 325
 transtorno do pesadelo em, 458
 transtorno pedofílico e, 795
 transtornos bipolares em, 146, 156, 159
 transtornos da personalidade em, 737-738, 745,
  748, 778
 transtornos de despertar do sono não REM em, 454
 transtornos relacionados à cafeína e, 570, 573
Criatividade, e transtorno bipolar tipo II, 155
Critérios de duração
 agorafobia e, 247
 diagnóstico provisório e, 24
 doença de Alzheimer e, 692-693

intoxicação por álcool e, 562
lesão cerebral traumática e, **708**
TEPT e, 307-308
transtorno de ansiedade de separação e, 218
transtorno de ansiedade social e, 231
transtorno delirante e, 108
transtorno disruptivo da desregulação do humor e, 149
transtorno do desejo sexual hipoativo masculino e, 499
transtorno do interesse/excitação sexual feminino e, 490, 491
transtorno do luto prolongado e, 326
transtorno do orgasmo feminino e, 486
transtorno esquizoafetivo e, 124
transtorno esquizofreniforme e, 112-113
transtornos de adaptação e, 320-321
transtornos de tique e, 94
transtornos relacionados ao tabaco e, 649
uso de substâncias e, 549

Critérios diagnósticos. *Ver* Diagnóstico; Idade de início; Sofrimento; *transtornos específicos*

Cross-dressing. Ver Transtorno transvéstico

Cuidados, e cuidadores. *Ver Também* Acolhimento familiar; Pai(s)
  doença de Alzheimer e, 694-695
  indivíduos bilíngues com demência e comunicação com, 668
  transtorno de interação social desinibida e, 300
  transtorno do luto prolongado e, 325

Culpa
  transtorno de compulsão alimentar e, 394
  transtorno depressivo maior e, 186

Cultura. *Ver também* Conceitos culturais de sofrimento; Contexto cultural; Diferenças culturais; Expressões idiomáticas culturais de sofrimento; Identidade cultural; Questões diagnósticas relativas à cultura
  definição de, 862
  foco em questões da, no DSM-5-TR, 18-19

Curandeiros tradicionais, e fatores psicológicos que afetam outras condições médicas, 366. *Ver também* Práticas alternativas de cura

Daily Rating of Severity of Problems, 199

Danos, TOC e medos de, 264, 266

Defesas imaturas, e transtorno de despersonalização/desrealização, 345

Deficiência. *Ver também* Déficits cognitivos; Funções executivas; Sofrimento
  alteração na personalidade devido a outra condição médica e, 779
  TOC e, 269
  transtorno de ansiedade generalizada e, 253
  transtorno de insônia e, 411
  transtorno neurocognitivo maior ou leve devido à doença de Huntington e, 729-730

Deficiência auditiva, 49, 51, 344. *Ver também* Surdez

Deficiência de ferro, e síndrome das pernas inquietas, 466-467. *Ver também* Dieta

Deficiência de hipocretina, e narcolepsia, 423-424, 426-427

Deficiência intelectual, 46. *Ver também* Transtorno do desenvolvimento intelectual; Transtorno do desenvolvimento intelectual não especificado

Deficiências de vitaminas, e pica, 372

Deficiências minerais, e pica, 371. *Ver também* Deficiência de ferro

Déficits cognitivos. *Ver também* Déficits neurocognitivos
  codificação relacionada à idade, 838
  efeitos colaterais de medicamentos e relacionados à idade, 623-624
  esquizofrenia e, 115-117
  Gravidade das Dimensões de Sintomas de Psicose Avaliada pelo Clínico, 853
  transtorno de insônia e, 412
  transtorno específico da aprendizagem e, 80
  transtorno por uso de sedativos, hipnóticos e ansiolíticos e, 625
  transtorno psicótico devido a outra condição médica e, 133
  transtornos bipolares e, 148, 157
  transtornos neurocognitivos e, 685, 724-725, 727-729
  uso de álcool e, 556

Déficits motores. *Ver também* Transtornos de tique; Transtorno do desenvolvimento da coordenação; Transtorno do movimento estereotipado
  características dos, 36-37
  narcolepsia e, 428
  transtornos neurocognitivos e, 716-717, 730

Déficits na teoria da mente, e transtorno do espectro autista, 62

Déficits neurocognitivos. *Ver também* Déficits cognitivos
  TDAH e, 70
  transtorno por uso de estimulante e, 639

Degeneração corticobasal, 699-700

Delírio de grandiosidade, 101, 144, 906

Delírio(s). *Ver também* Delírios bizarros; Delírios de grandeza; Delírios de referência; Transtorno delirante
  cleptomania e, 541
  disforia de gênero e, 520
  episódios maníacos e, 144
  esquizofrenia e, 115, 118
  narcolepsia e, 428
  síndrome de psicose atenuada e, 906
  transtorno da personalidade esquizotípica e, 747
  transtorno de ansiedade de doença, 360
  transtorno dismórfico corporal e, 272
  transtornos psicóticos e, 101, 128, 132, 229

Delírios bizarros, 101, 360

Delírios de referência, 101, 747

Delirium
  abstinência de sedativos, hipnóticos ou ansiolíticos e, 630
  alteração da personalidade devido a outra condição médica e, 778
  características diagnósticas e associadas de, 675
  codificação de, 674-675
  comorbidade de, 209

consequências funcionais de, 677
critérios diagnósticos para, 672-674
desenvolvimento e curso de, 677
diagnóstico diferencial de, 677-678
    alteração da personalidade devido a outra condição médica, 779
    transtorno bipolar devido a outra condição médica e transtorno relacionado, 167
    transtorno catatônico devido a outra condição médica, 137
    transtorno de ansiedade devido a outra condição médica, 260
    transtorno de ansiedade induzido por substância/medicamento, 358
    transtorno delirante, 108
    transtorno depressivo devido a outra condição médica, 208
    transtorno do sono induzido por substância/medicamento, 474
    transtorno explosivo intermitente, 530
    transtorno obsessivo-compulsivo relacionado devido a outra condição médica, 292-293
    transtorno psicótico devido a outra condição médica, 133-134
    transtornos mentais induzidos por opioides e, 619
    transtornos neurocognitivos, 689, 706-707, 721-722
especificadores para, 675
fatores de risco e prognóstico, 677
marcadores diagnósticos, 677
prevalência de, 676-677
questões diagnósticas relativas ao sexo e ao gênero, 677
transtorno bipolar induzido por substância/medicamento e transtorno relacionado e, 165, 168
transtornos mentais induzidos por substância/medicamento e, 551 uso de substância e, **545**
transtornos relacionados ao álcool e, 471, 565-566, 568

Delirium induzido por medicamento, 675
Delirium não especificado, 678
Delta-9-tetra-hidrocanabinol (THC), 576-577, 583, 592
Demência, e transtorno depressivo maior, 186, 667. *Ver também* Doença de Alzheimer
Demência com corpos de Lewy (DCL), 700-702, 725-726
Demência de Guam, 725-726
Dependência de drogas, uso do termo, 543
Depressão. *Ver também* Transtornos depressivos
    apneia obstrutiva do sono e, 435
    Gravidade das Dimensões de Sintomas de Psicose avaliada pelo Clínico, 845
    por uso de estimulantes e, 635-636
    síndrome de psicose atenuada e, 909
    transtorno de hipersonolência e, 421
    transtorno erétil e, 485
    transtorno por uso de álcool e, 561
    transtornos neurocognitivos e, 684, 712-713
Dermatite artefacta, 287
Dermatite factícia, 287

Dermoscopia, e tricotilomania, 283
Descarrilamento, e pensamento desorganizado, 102
Desconfiança, e transtorno da personalidade paranoide, 740-741. *Ver também* Suspeita
Descontinuação, de antidepressivos, 820
Desemprego. *Ver também* Prejuízo profissional
    transtorno bipolar tipo II e, 157
    transtorno de ansiedade social e, 233
    transtorno de pânico e, 240
Desenvolvimento, de crianças e adolescentes
    enurese e atrasos no, 402
    estrutura organizacional do DSM-5 e, 12
    lesão cerebral traumática em crianças e, 710-711
    TEPT e, 308
    transtorno alimentar evitativo/restritivo e, 380
    transtorno da personalidade devido a outra condição médica e, 778
    transtorno de apego reativo e, 296
    transtorno de interação social desinibida e, 299
    transtorno do espectro autista e, 60
    transtorno do luto prolongado e, 325-326
    transtorno neurocomportamental associado a exposição pré-natal ao álcool e, 920
    transtornos neurocomportamentais e, 35
Desenvolvimento e curso, de transtornos mentais. *Ver* Duração; *transtornos específicos*; Idade de início
Designação de gênero, 511, 518
Desinibição, transtorno comportamental por uso de *Cannabis* e, 579
    como traço de personalidade, 895, **902-903**
    transtorno de interação social e, 299
    transtorno neurocognitivo frontotemporal maior ou leve e, 696-697
    transtorno por uso de inalantes e, 604
    transtornos disruptivos, do controle de impulsos e da conduta, 522
Desintoxicação, e abstinência de álcool, 566
Desmoralização, e transtorno depressivo devido a outra condição médica, 209
Desnutrição. *Ver também* Dieta; Nutrição
    anorexia nervosa e, 383
    transtorno alimentar evitativo/restritivo, 377
    transtorno de ruminação e, 374-375
Despersonalização, 308, 315, 318, 336. *Ver também* Desrealização
Despertar
    ataques de pânico e, 244-245
    fobia específica e, 226
    TEPT e, 307
    transtorno do pesadelo e, 458
    transtornos do despertar do sono não REM e, 452, 453, 455
Desrealização, 240, 315, 318. *Ver também* Despersonalização
Destino, e contexto cultural de eventos traumáticos, 311
Determinantes sociais de saúde. *Ver também* Acesso; Assistência médica
    desenvolvimento do DSM-5-TR e, 16
    Esboço para Formulação Cultural e, 863

fatores de risco para transtornos neurocognitivos, 687
narcolepsia e exposição diferencial aos, 426
raça e exposição diferencial aos, 18, 431
Dextroanfetamina, 635
Diabetes, 365, 384, 402, 483-485, 492, 501
Diagnóstico. *Ver também* Avaliação; Diagnóstico diferencial; Diagnóstico incorreto; Marcadores diagnósticos; Questões diagnósticas relativas à cultura; Questões diagnósticas relativas ao sexo e ao gênero; Sobrediagnóstico; Subdiagnóstico; *transtornos específicos*
    abordagens categóricas e dimensionais do, 14-15
    advertência para a utilização forense do DSM-5, 29
    componentes essenciais do, 14, 21
    conceitos culturais de sofrimento e acurácia do, 875
    impacto do racismo e discriminação no, 17-18
    informações contextuais no DSM-5-TR para auxiliar no, 26-27
    provisório como modificador, 24
    razão para consulta, e principal, 24
Diagnóstico incorreto. *Ver também* Sobrediagnóstico; Subdiagnóstico
    conceitos culturais de sofrimento e, 875
    de esquizofrenia, 18, 116, 119, 147
    de TDAH como transtorno bipolar tipo II, 158
    de transtorno da conduta, 535
    de transtorno da personalidade antissocial, 753
    de transtorno de oposição desafiante, 525
    de transtorno depressivo maior, 190
    de transtorno do espectro autista, 63, 65
    de transtorno explosivo intermitente, 528
    de transtornos bipolares, 148, 150, 335
Diagnóstico provisório, uso de, como modificador, 24
Diagnósticos diferenciais. *Ver também transtornos específicos*
    conceitos culturais de sofrimento e, 875
    diagnóstico provisório e, 24
    explicações alternativas para patologia da personalidade e, 885
    informações contextuais no DSM-5-TR, 27
    transtornos mentais induzidos por substância/medicamento e, 552
Diários do sono, 411, 420, 445, 447-449, 451, 473
Diazepam, 630
Dietético, e dieta, 394-395, 403. *Ver também* Apetite; Deficiências minerais; Desnutrição; Preferências alimentares
Diferenças culturais. *Ver também* Conceitos culturais de sofrimento; Contexto cultural; Questões diagnósticas relativas à cultura; Síndromes culturais
    disfunção social e, 477, 482, 487, 491, 495-496, 499, 502
    em graus de separação, 220
    entre clínico e paciente como fonte de viés, 16, 863-864
    importância das, para avaliação de transtornos mentais, 16
    na habilidade cognitiva como parte do envelhecimento normal, 687-688
    nas atividades da vida diária, 88
    nas normas para interação social, 65
    no luto, 836
    no TOC, 267
    no uso de álcool ou substância, 159, 165
    transtorno disfórico pré-menstrual e, 199
    transtorno dismórfico corporal e, 274
    transtorno do luto prolongado e, 324
Diferenças do desenvolvimento sexual (DDSs), 511, 517-518
Dinamarca, prevalência de
    doença de Alzheimer na, 694-695
    transtorno de sintomas somáticos em crianças, 353
    transtorno psicótico induzido por substância/medicamento na, 129
    transtornos de adaptação na, 320
Disartria, 51, 727-728
Discinesia tardia, 92, 816-818
Discinesias paroxísticas, 97
Discriminação. *Ver também* Opressão; Racismo; Viés
    codificação para, 834
    delírios paranoides e, 101
    diagnóstico incorreto de esquizofrenia e, 18, 116, 118-119, 147
    disforia de gênero e, 519
    foco na, no DSM-5-TR, 18-19
    impacto da, no diagnóstico psiquiátrico, 17-18
    processo de revisão para o DSM-5 e, 11
    TEPT e, 308, 310
    transtorno da conduta e, 535
    transtorno da personalidade paranoide e, 741
    transtorno de ansiedade generalizada e, 253
    transtorno de ansiedade social e, 232
    transtorno de pânico e, 238
    transtorno depressivo maior e, 189-190
    transtorno disruptivo da desregulação do humor e, 180
    transtorno por uso de álcool e, 556-557
    transtornos relacionados ao tabaco e, 648
Disfagia funcional, 376
Disforia
    abstinência de estimulantes e, 643
    abstinência de outra substância (ou substância desconhecida) e, 659
    luto e, 142, 152, 184
    transtorno da personalidade antissocial e, 754
Disforia anatômica, 516
Disforia de gênero, 276, 511-520, 802
Disforia de gênero com início na puberdade/após a puberdade, 517
Disforia de gênero com início pós-puberdade, 516
Disforia de gênero não especificada, 520
Disforia de integridade corporal, 276, 519
Disfunção sexual induzida por substância/medicamento, 488, 504-509
Disfunção sexual não especificada, 509
Disfunções ou diferenças cerebrais. *Ver também* Lesão traumática cerebral; Neuroimagem
    esquizofrenia e, 116

Índice

transtorno de acumulação e, 280
transtorno do desenvolvimento intelectual e, 43
Disfunções sexuais adquiridas, 477, 480, 486-487, 491, 495, 503
Disfunções sexuais generalizadas, 477
Dislexia, 79, 84, 120
Dismenorreia, e transtorno disfórico pré-menstrual, 200
Dismorfia muscular, 264, 272, 274, 277
Dismorfofobia, 272
Dispareunia, e transtorno da dor gênito-pélvica/penetração, 494
Disparidade, e atenção a cultura, racismo e discriminação no DSM-5-TR, 18
Dispraxia na infância, 86
Dispraxia verbal, 50
Distonia, 97. *Ver também* Distonia aguda induzida por medicamentos
Distonia aguda induzida por medicamento, 814-815
Distonia tardia, 818
Distorções da realidade, e síndrome de psicose atenuada, 908-909
Distratibilidade, e episódios maníacos,144
Distrofia miotônica, 423
Distúrbio psicomotor, 135, 186. *Ver também* Sintomas motores
Distúrbios autoimunes, 96, 132, 207
Distúrbios cardiovasculares e sintomas, 218, 245, 259, 415, 435, 467, 483, 555-556. *Ver também* Doença coronariana
Distúrbios da tireoide, e disfunções sexuais, 493, 501, 503-504. *Ver também* Hipertireoidismo; Hipotireoidismo
Distúrbios endócrinos, 132, 259, 385, 432, 500
Distúrbios gastrintestinais, 375, 555
Distúrbios respiratórios, 239-240, 259, 582. *Ver também* Doença pulmonar obstrutiva crônica (DPOC)
Diuréticos, e bulimia nervosa, 389
Diversidade
de abuso e dependência de álcool nas comunidades indígenas norte-americanas e nativos do Alasca, 556
revisão do DSM-5-TR e, 9
transtorno de gênero e do espectro autista, 515
Dizocilpina, 589
Doença cerebrovascular, 207, 639, 695-696, 702-705, 726-727. *Ver também* Acidente vascular cerebral
Doença coronariana, 365, 484. *Ver também* Doença cardiovascular; Insuficiência cardíaca congestiva
Doença de Alzheimer. *Ver também* Transtorno neurocognitivo maior ou leve devido à doença de Alzheimer
afasia e, 697-698
códigos diagnósticos para, 22
diagnóstico diferencial de, 281, 678, 705-706
idade de início, 687
transtornos do desenvolvimento intelectual e, 43
transtornos neurocognitivos e, 706-707, 726-727
Doença de Creutzfeldt-Jakob, 721-723
Doença de Crohn, 59, 250

Doença de Cushing, 110, 149, 158, 167-168, 207-208
Doença de Hirschsprung, 442
Doença de Huntington, 207, 292. *Ver também* Transtorno neurocognitivo maior ou leve devido à doença de Huntington
Doença de Huntington juvenil, 727-728
Doença de Parkinson, 207, 423, 462, 464, 810-811. *Ver também* Transtorno neurocognitivo maior ou leve devido à doença de Parkinson
Doença de pequenos vasos, 704-705
Doença do neurônio motor, 699-700
Doença do príon. *Ver* Transtorno neurocognitivo maior ou leve devido à doença do príon
Doença mental grave, definição de, 615
Doença pulmonar obstrutiva crônica (DPOC), 241-242, 244-245, 441-442
Domínio conceitual (acadêmico), do funcionamento adaptativo, 42
Domínio social, do funcionamento adaptativo, 42
Domínios cognitivos, e transtornos neurocognitivos, 668, **669-671**
Dor
alteração na personalidade devido a outra condição médica e, 779
transtorno da dor gênito-pélvica/penetração e, 494, 496
transtorno de escoriação e, 285
transtorno de sintomas somáticos e, 351, 353
transtorno por uso de opioides e, 610
uso de *Cannabis* e, 577
Dor gênito-pélvica masculina, 497
Dor torácica, e intoxicação por estimulantes, 639
Doxepina, 472
Drogas sintéticas e diagnóstico diferencial de transtorno por uso de estimulantes, 639
DSM-II, e história do sistema DSM, 6
DSM-III
história do sistema DSM e, 6
prevalência do transtorno de ansiedade de doença e, 358
transtornos mentais induzidos por substância no, 25
DSM-III-R, e história do sistema do DSM, 6
DSM-IV
categorias de depressão maior crônica e distimia no, 177, 194
Esboço para Formulação Cultural, 862
história do sistema do DSM e, 6
prevalência de TEPT e, 308
prevalência de transtornos bipolares e, 155
sistema multiaxial, 15-16
transtorno alimentar na infância e início da infância no, 376
transtorno de identidade de gênero no, 512
transtornos somatoformes e, 349, 357-358
uso do termo "condição médica geral" no, 25
uso do termo "transtornos mentais induzidos por substância" no, 25
DSM-5
advertência para a utilização forense do, 19

classificação dos transtornos de sintomas somáticos e transtornos relacionados no, 349-350
classificação dos transtornos de sono-vigília no, 407, 443
conjuntos de critérios propostos, 905
desenvolvimento de critérios para transtornos neurocognitivos, 667
guia para uso do, 21-28
instrumentos de avaliação e monitoramento no, 20
modelo alternativo para transtornos da personalidade, 883-885, 895, 896
mudanças na estrutura organizacional do, 11-13
processo de revisão para, 6-11
reclassificação do transtorno dismórfico pré-menstrual no, 177
referência para o DSM, DSM-5-TR e, xxi
retenção do, *on-line*, 28
transtornos dissociativos no, 329
uso do termo *demência* no, 667
uso do termo *transtorno bipolar* no, 179
DSM-5-TR
conceitos culturais de sofrimento no, 16-17, 873-881
"Condições para estudos posteriores" e direções futuras do, 20
desenvolvimento do, 5
estrutura conceitual e abordagem do, 13-20
informações contextuais para auxiliar na tomada de decisão diagnóstica, 26-27
melhorias *on-line* do, 28
pontuação e interpretação do WHODAS, 857
processo de revisão para, 6-11
referência para o DSM, DSM-5 e, xxi
versão ampliada do Esboço para Formulação Cultural, 863

Ecolalia, e ecopraxia, 61, 94
Economia. *Ver Status* socioeconômico
Educação. *Ver também* Escolas
codificação de problemas relacionados à, 832
recuperação de transtorno bipolar tipo II e, 156
transtorno específico da aprendizagem e habilidades acadêmicas, 78-79, 84
Efeito adverso de outro medicamento, 821
Efeito Flynn, e transtornos do desenvolvimento intelectual, 38
Efeitos colaterais, de medicamentos
aumento com a idade, 623-624
transtornos mentais induzidos por substância/medicamento e, 551
Eficácia terapêutica, e conceitos culturais de estresse, 874
Eixo hipotálamo-pituitária-adrenal, e transtorno depressivo maior, 187
Ejaculação prematura, 501-504
Ejaculação retardada, 478-481, 501
Ejaculação retrógrada, 481
Eletroencefalograma
anorexia nervosa e, 385
delirium e, 677
insônia e, 415

transtorno de sintomas neurológicos funcionais, 361
transtorno do sono induzido por substância/medicamento e, 473
transtorno por uso de estimulantes e, 638
transtornos de despertar do sono não REM e, 455
Emoção(ões). *Ver também* Emocionalmente negativa; Raiva; Regulação emocional
transtorno da personalidade esquizoide e, 744
transtorno da personalidade histriônica e, 759
transtorno da personalidade obsessivo--compulsiva e, 746
transtorno de despersonalização/desrealização e, 345
transtorno pedofílico, e congruência das, 786
Emocionalidade negativa, e transtornos disruptivos, de controle de impulsos e da conduta, 522
Empatia
funcionamento da personalidade e, **885, 897-900**
transtorno da personalidade antissocial e, 751-752
transtorno da personalidade narcisista e, 763-764
Encaminhamento, a especialista em saúde mental para transtorno de sintomas somáticos, 352
Encefalite antirreceptor NMDA, 167
Encefalopatia de Wernicke, 714-715
Encefalopatia espongiforme bovina, 722-723
Encoprese, 402-405
Enfrentamento, e Esboço para Formulação Cultural, 863
Entrevista de Formulação Cultural, 20, 28, 104, 861, 864-865, **866-873**
Enurese não monossintomática, 399
Enurese, 399-402, 405, 432
Epidemiologia, e conceitos culturais de sofrimento, 875. *Ver também* Prevalência
Epilepsia, 64, 65, 71, 133, 361
Epilepsia de lobo temporal, e transtorno psicótico devido a outra condição médica, 132
Episódios depressivos com hipomania de curta duração, 909-912
Episódios depressivos maiores. *Ver também* Episódios depressivos com hipomania de curta duração
diagnóstico diferencial de, 280
episódios depressivos com hipomania de curta duração e, 911
luto diferenciado de, 142, 152, 184, 192
perda e, 836
sonambulismo e, 457
transtorno bipolar tipo II e, 154
transtorno esquizoafetivo e, 124
transtornos relacionados ao álcool e, 568
Esboço para Formulação Cultural, 862-864
Escala de Avaliação de Incapacidade da Organização Mundial da Saúde e, 856
Escala de Avaliação Global do Funcionamento (GAF), 16
Escala de Coma de Glasgow, **708**
Escala do Nível de Funcionamento da Personalidade, 884, 981-894, **897-900**
Escala Transversal de Sintomas de Nível 1 do DSM-5, 844-845, **846-847**, 848, **849-850**

Escala Transversal de Sintomas de Nível 1 do DSM-5 Pontuada pelos Pais ou Responsável, **849-850**, 848, **851-852**
Esclerose múltipla, 149, 158, 167, 196, 361, 730-731
Escócia, transtorno de sintomas neurológicos funcionais na, 362
Escolas. *Ver também* Educação
  transtorno da conduta e, 533
  transtorno de ansiedade de separação e, 218, 221
  transtorno de ansiedade social e, 233
  transtorno disruptivo de desregulação do humor e, 180
  transtorno específico da aprendizagem e, 84
  transtorno por uso de inalantes e, 603
Escravidão, raça e histórico de, 862
Esmalte dentário, e bulimia nervosa, 391
Espanha, prevalência de ataques de pânico na, 243
Espanto, 881
Especificadores. *Ver também* Codificação
  como elemento do diagnóstico, 21
  informação contextual no DSM-5-TR em, 26
  para amnésia dissociativa, 338
  para apneia central do sono, 436
  para apneia e hipopneia obstrutivas do sono, 429-430
  para ataques de pânico, 242-245
  para disforia de gênero, 513
  para fobias específicas, 225
  para tipo fase do sono avançada do transtorno do sono-vigília do ritmo circadiano, 446
  para TOC, 266
  para transtorno bipolar e transtornos relacionados, 169-175
  para transtorno da conduta, 532-533
  para transtorno de acumulação, 278
  para transtorno de ansiedade social, 230
  para transtorno de oposição desafiante, 523
  para transtorno dismórfico corporal, 272
  para transtorno do espectro autista, 36, 59-60
  para transtorno do jogo, 662
  para transtorno exibicionista, 785
  para transtorno fetichista, 798
  para transtorno frotteurista, 788
  para transtorno transvéstico, 792
  para transtornos da personalidade, 555-565, 888-892
  para transtornos de adaptação, 320
  para transtornos de tique, 93
  para transtornos depressivos, 210-214
  para transtornos do desenvolvimento intelectual, 38
  para transtornos do neurodesenvolvimento, 37
  para transtornos neurocognitivos maiores e leves, 684
  para transtornos por uso de substâncias, 470, 547, 555, 565, 576, 588, 592, 602, 622, 634, 646, 653
  transtorno voyeurista e, 782-783
  uso do manual e, 22
Espectro, uso do termo, 60
Espíritos, e interpretações culturais de delírios, 118, 124. *Ver também* Crenças sobrenaturais

Espiritualidade. *Ver também* Crenças sobrenaturais; Religião
  codificação de problemas com, 836-837
  conteúdo de obsessões e compulsões, 268
  fatores psicológicos que afetam outras condições médicas e, 366
  TEPT e, 311
  transtorno de despersonalização/desrealização e, 345
  transtorno do luto prolongado e, 326
  transtorno do pesadelo e, 459
  transtornos parafílicos e, 791
Esquema da desconexão cognitiva, e transtorno de despersonalização/desrealização, 345
Esquema de superconexão, e transtorno de despersonalização/desrealização, 345
Esquizofrenia
  características diagnósticas e associadas de, 26, 115
  catatonia e, 136
  comorbidade e, 121, 271, 561
  consequências funcionais de, 119
  critérios diagnósticos para, 113-115
  desenvolvimento e curso de, 117-118
  diagnóstico diferencial de, 129-121
    anorexia nervosa, 386
    mutismo seletivo, 224
    narcolepsia, 428
    transtorno bipolar tipo I, 158
    transtorno de ansiedade social, 235
    transtorno de despersonalização/desrealização, 346
    transtorno delirante, 108
    transtorno depressivo maior, 191-192
    transtorno dissociativo de identidade, 335-336
    transtorno do espectro autista, 67
    transtorno esquizoafetivo, 125
    transtorno exibicionista, 787
    transtorno voyeurista, 784
    transtornos da personalidade, 753
    transtornos relacionados a alucinógenos e, 594
  diagnóstico incorreto de, 18, 116, 119, 147
  fatores de risco e prognóstico, 118
  pensamentos e comportamentos suicidas, 119
  prevalência de, 116-117
  questões diagnósticas relativas à cultura, 118-119
  questões diagnósticas relativas ao sexo e ao gênero, 119
  sintomas negativos de, 102
  transtorno por uso de álcool e, 24, 561
  uso de *Cannabis* e, 582
Estabilidade, de traços da personalidade patológicos, 884
Estabilizadores do humor, e disfunção sexual induzida por substância/medicamento, 507
Estereotipias motoras, 97
Estereotipias, e transtorno do espectro autista, 61
  abordagem centrada na pessoa para avaliação cultural e, 864
  racismo como determinante social de saúde e, 18
  transtorno específico da aprendizagem e, 84

Estereótipo(s). *Ver também* Transtorno do movimento estereotipado
Esteroides, 168, 203, 277. *Ver também* Corticosteroides; Transtorno por uso de esteroides anabolizantes
Estigma, e estigmatização
 autolesão e, 923-924
 contexto cultural das repostas da família e da comunidade à doença mental, 16
 disforia de gênero e, 519
 transtorno da dor gênito-pélvica/penetração e, 496
 transtorno de pânico e, 238
 transtorno de sintomas somáticos e, 354
Estilo de vida, codificação de problemas relacionados ao, 835
Estimulante(s). *Ver também* Transtornos relacionados a estimulantes
 ataques de pânico e, 241
 bulimia nervosa e, 392
 insônia e, 417
 narcolepsia e, 424
 transtornos induzidos por substância/medicamento, 165, 203-204, 472, 715-716
Estímulo fóbico, e fobia específica, 225
Estresse. *Ver também* Estressores psicossociais
 amnésia dissociativa e, 342
 anorexia nervosa e, 384
 disfunções sexuais e, 485, 491, 495, 499, 501
 Esboço para Formulação Cultural e, 863
 transtorno da personalidade *borderline* e, 756
 transtorno da personalidade esquizoide e, 746
 transtorno da personalidade esquizotípica e, 750
 transtorno da personalidade paranoide e, 742, 743
 transtorno de ansiedade de separação e, 219
 transtorno de despersonalização/desrealização e, 345
 transtorno de insônia e, 413
 transtorno de pânico e, 238
 transtorno de sintomas neurológicos funcionais e, 362
 transtorno por uso de estimulantes e, 637
 transtornos de adaptação e, 320, 322
 transtornos de tique e, 96
Estresse aculturativo, e TEPT em imigrantes, 310
Estressores psicossociais. *Ver também* Estresse; *Status* socioeconômico
 ejaculação retardada e, 480
 transtorno da dor gênito-pélvica/penetração e, 496
 transtorno de ruminação e, 375
 transtorno dismórfico corporal e, 275
Estrogênio, e esquizofrenia, 119
Estrutura conceitual, do DSM-5 e do DSM-5-TR, 13-20
Estudos de associação genômica ampla (GWAS), 71, 310
Estupor
 comportamento catatônico e, 102
 delirium e, 676
 síndrome neuroléptica maligna e, 812
Estupor catatônico, e mutismo, 342
Eszoplicona, 472
Etnia. *Ver também* Discriminação; Raça; *países específicos*
 bulimia nervosa e, 391
 definição de, 862
 foco em questões de, no DSM-5-TR, 18
 risco cardiovascular e apneia obstrutiva do sono, 435
 taxas de esquizofrenia e, 118, 119
 TEPT e, 308, 310
 transtorno da conduta e, 534
 transtorno da dor gênito-pélvica/penetração e, 497
 transtorno de ansiedade generalizada e, 253
 transtorno de ansiedade social e, 232
 transtorno de pânico e, 239
 transtorno depressivo maior e, 188
 transtorno do neurodesenvolvimento associado a exposição pré-natal ao álcool e, 921
 transtorno por uso de *Cannabis* e, 578
 transtornos neurocognitivos e, 686-687
 variações na linguagem e, 49
Étnico-racial, uso do termo no DSM-5-TR, 18
Euforia, e transtornos relacionados a estimulantes, 636, 641, 642
Eventos testemunhados, e trauma, 305
Evitação
 agorafobia e, 247
 fobia específica e, 225-226
 TEPT e, 306, 309
 transtorno alimentar evitativo/restritivo e, 377
 transtorno da dor gênito-pélvica/penetração e, 495
 transtorno de ansiedade social e, 230
 transtorno de estresse agudo e, 315-316
 transtorno dismórfico corporal e, 276
 transtorno dissociativo de identidade e, 332
 transtorno do luto prolongado e, 323, 327
 transtorno erétil e, 482, 484
Exame de imagem por ressonância magnética (IRM), e transtornos neurocognitivos, 698-699, 704-705, **708**, 710-711, 716-717, 720-721
Exame de manometria anorretal, e encoprese, 404
Exames da função hepática, 559
Exames diagnósticos baseados em amiloides, 694-695
Exercício, transtornos alimentares, e excessivo, 384, 389
Expectativas, e transtorno do interesse sexual/excitação feminino, 490-491
Experiências adversas na infância. *Ver também* Abuso infantil; Negligência
 esquizofrenia e, 118
 transtorno bipolar tipo I e, 147
 transtorno de ansiedade generalizada e, 252
 transtorno depressivo maior e, 189
Explicação cultural ou causa percebida, uso da expressão no DSM-5-TR, 17
Explosões de raiva, e transtorno de oposição desafiante, 523
Explosões emocionais prejudiciais, 838
Exposição a inalante (involuntária), 605
Exposição à luz, e transtorno do sono-vigília do ritmo circadiano, 447
Exposição indireta, a eventos traumáticos, 305

Expressão emocional diminuída, e sintomas negativos, 102-103
Expressão tardia, de TEPT, 308
Expressões idiomáticas culturais de sofrimento. *Ver também* Ataque de nervios; Conceitos culturais de sofrimento; *Khyâl cap* (ataques de vento); *Koro*; "Perda da alma"; *Shenjing shuairuo*; *Shubo-kyofu*; Síndromes culturais; *Taijin kyofusho*; *Trúng gió*
    transtorno de sintomas somáticos e, 354
    transtorno dismórfico corporal e, 274
    uso do termo no DSM-5-TR, 17, 861

Fadiga
    transtorno de ansiedade generalizada e, 251
    transtorno de hipersonolência e, 420
    transtorno depressivo maior e, 186
Fadiga mental, como conceito cultural de sofrimento, 878
Fala. *Ver também* Comunicação; Linguagem
    episódios maníacos e, 144
    pensamento desorganizado e, 102
    transtorno da personalidade esquizotípica e, 747
    transtorno da personalidade histriônica e, 760
    transtorno de sintomas neurológicos funcionais e, 361-362
Falta de atenção, e TDAH, 70, 74
Família. *Ver também* Casamento; História familiar; Pai(s); TDAH e, 73
    codificação de problemas relacionados a, 831-832
    transtorno da conduta e, 535
    transtorno disruptivo de desregulação do humor e, 180
Fan nao, 881
Fantasias, e transtorno do interesse sexual/excitação feminino, 490
Fatores de risco e prognóstico, uso de informações contextuais sobre, 26-27. *Ver também* Pensamentos e comportamentos suicidas; *transtornos específicos*
Fatores de risco na comunidade, para transtorno da conduta, 535
Fatores psicológicos que afetam outras condições médicas, 364-367
Fatores temperamentais. *Ver* Traços de personalidade
Fenciclidina, 165. *Ver também* Transtorno por uso de fenciclidina
Fenilalquilaminas, 592
Fenômeno de Raynaud, 419
Fenômenos sensoriais, e TOC, 267
Fenótipo comportamental, do transtorno do desenvolvimento intelectual, 43
Fentanil, 610, 612
Fibromialgia, 355, 498
Figueira-do-diabo, 592
Finlândia, prevalência de
    delirium na, 676
    piromania na, 538
    transtorno de sadismo sexual na, 793-794
    transtorno delirante na, 107
    transtorno do pesadelo na, 459
    transtorno esquizoafetivo na, 123

transtorno psicótico devido a outra condição médica na, 132
transtornos relacionados ao tabaco na, 649
Fissura, e transtornos por uso de substâncias, 546, 555, 622, 643, 647, 650
Flashbacks
    TEPT e, 306, 313, 318
    transtorno de estresse agudo e, 318
    transtorno dissociativo de identidade e, 332
    transtorno psicótico induzido por substância/medicamento e, 130
Fluência. *Ver* Transtorno da fluência com início na infância
Fluência com início na infância (gagueira), 36, 51-54
Fobia específica a sangue, injeção e ferimento, 226, 228
Fobia específica, 159, 216, 221, 224-229, 234, 241, 249, 270, 379
Fontes de entrevista, de informação sobre o transtorno do desenvolvimento intelectual, 42
Fontes de informação, para diagnóstico de transtorno da conduta, 533
Formulação de caso, e uso do Manual, 21
França, apneia central do sono na, 437
Frequência cardíaca
    abstinência de tabaco e, 650
    intoxicação por cafeína e, 570
Frequência, da ocorrência. *Ver também* Critérios de duração
    de ataques de pânico, 236, 237
    de sintomas depressivos em transtorno depressivo maior, 188
    de transtorno de insônia, 413
    de uso de escalas transversais de sintomas, 848, 853, 857
Fuga de ideias, e episódios maníacos, 144
Fuga dissociativa, 332, 338, 456
Fugas, e transtorno da conduta, 533
Função social. *Ver* Relações sociais
Funcionamento adaptativo, e transtornos do desenvolvimento intelectual, 42
Funcionamento intelectual *borderline*, 838
Funções executivas. *Ver também* Déficits cognitivos
    transtorno do espectro autista e, **669**, 697-698, 727-728
Funções sexuais. *Ver também* Disfunção sexual induzida por substância/medicamento; Disfunção sexual não especificada; Ejaculação prematura; Ejaculação retardada; Outra disfunção sexual especificada; Transtorno do desejo sexual hipoativo masculino; Transtorno do interesse/excitação sexual feminino; Transtorno do orgasmo feminino; Transtorno erétil
    características das 477-478
    transtorno fetichista e, 799-800
    transtorno por uso de opioides e, 614
    uso de substância e, **545**

Gagueira. *Ver* Transtorno da fluência no início da infância
Gamaglutamiltransferase (GGT), 559

Ganho ou perda de peso. *Ver também* Índice de massa corporal; Obesidade
　abstinência de tabaco e, 650
　condições médicas e, 386
　transtorno alimentar evitativo/restritivo e, 376
　transtorno dismórfico corporal e, 275
Ganho secundário, e transtorno de sintomas neurológicos funcionais, 362
Gases de nitrito de amila, butila e isobutila, 603, 654
Gasto de energia em repouso, e anorexia nervosa, 385
Gênero. *Ver também* Disforia de gênero; Indivíduos transgênero; Questões diagnósticas relativas ao sexo e ao gênero
　atividades de jogo e, 663
　expectativas para o papel e transtorno do orgasmo feminino, 487
　transtorno de autolesão não suicida e, 923-925
　transtorno do interesse/excitação sexual feminino e crenças sobre papéis, 491
　transtorno neurocognitivo maior ou leve devido a lesão cerebral traumática e, 709-710
　uso do termo, 19
Gênero designado, 511
Gênero designado no nascimento, 511, 513
Genética. *Ver também* Aconselhamento genético; Estudos de associação genômica ampla Histórico familiar; Teste genético
　da doença de Alzheimer, 693-694
　da esquizofrenia, 118
　de anorexia nervosa, 385
　de disforia de gênero, 517-518
　de doenças do príon, 722-724
　de fobia específica, 227
　de narcolepsia, 426
　de transtornos bipolares, 147
　de transtornos de tique, 96
　de transtornos neurocognitivos, 698-699, 729
　de transtornos por uso de substâncias, 557-558, 580, 604, 648, 914
　do TDAH, 71
　do transtorno da conduta, 535
　do transtorno da linguagem, 49
　do transtorno de ansiedade generalizada, 252
　do transtorno de ansiedade social, 232
　do transtorno dissociativo de identidade, 333
　do transtorno do desenvolvimento intelectual, 44
　do transtorno do espectro autista, 64
　do transtorno do sono do ritmo circadiano, 445, 447
Genocídio
　construto de raça e, 862
　TEPT e, 310
Global Burden of Disease Study, 613
Globus hystericus, 376
Glossolalia, 102
Gramática, transtorno da linguagem, 47-48
Grandiosidade, e transtorno da personalidade narcisista, 763, 766
Gravidade das Dimensões de Sintomas de Psicose Avaliada pelo Clínico, 844, 853, **854-855**

Gravidade, medidas e avaliação da, 844. *Ver também* Especificadores; Gravidade das Dimensões de Sintomas de Psicose Avaliada pelo Clínico
Gravidez, e complicações no nascimento. *Ver também* Bebês; Período pós-parto; Psicose pós-parto; Síndrome alcoólica fetal
　abstinência de cafeína e, 573
　esquizofrenia e, 118
　pica e, 372, 373
　síndrome das pernas inquietas e, 467
　TOC e, 268
　transtorno por uso de álcool e, 558, 559
　uso de *Cannabis* e, 580
　uso de cocaína e, 639
Grupo de Trabalho sobre Igualdade Étnico-racial e Inclusão, 18
Grupos indígenas. *Ver* Índios americanos; Nativos americanos; Nativos das Ilhas do Pacífico; Nativos do Alasca

Habilidade expressiva, e déficits de linguagem, 47
Habilidade receptiva, e déficits da linguagem, 47
Haiti, e conceitos culturais de sofrimento, 876, 878-879
Haxixe, 577
Health Care Financing Administration, 24
Hepatites A, B e C
　infecções, 612-613
Heroína, e transtornos relacionados a opioides, 610, 611, 618
Hidrocarbonetos voláteis, 602, 604
Hikikomori, 877
Hinduísmo, e síndrome de *dhat*, 876
Hiper ou hiporreatividade, e transtorno do espectro autista, 62. *Ver também* Hiperatividade
Hiperalgesia, e transtorno por uso de opioides, 614
Hiperatividade, e TDAH, 70. *Ver também* Hiper ou hiporreatividade
Hipercapnia, e hipoventilação relacionada ao sono, 442
Hiperexcitação autonômica, e transtorno de ansiedade generalizada, 251
Hiperparatireoidismo, 240-241
Hipersensibilidade, e transtorno da personalidade evitativa, 758-768
Hipersonia, 154, 186. *Ver também* Sonolência diurna
Hipertensão, e apneia e hipopneia obstrutivas do sono, 430
Hipertermia, e síndrome neuroléptica maligna, 812
Hipertireoidismo, 161, 242, 245, 730-731. *Ver também* Distúrbios da tireoide
Hipertrofia adenotonsilar, 432
Hipertrofia prostrática, 485
Hiperventilação, e transtorno de pânico, 240
Hipnótico(s), e transtorno do sono induzido por substância/medicamento, 472. *Ver também* Transtornos mentais induzidos por sedativos, hipnóticos ou ansiolíticos
Hipocondríase, 350, 357-358

Hipomania, e episódios hipomaníacos. *Ver também* Episódios depressivos com hipomania de curta duração
    transtorno bipolar tipo II e, 153-155, 158
    transtorno ciclotímico e, 160
    transtorno da personalidade narcisista e, 766
Hipopneia, definição de, 430
Hipotireoidismo, 207, 245. *Ver também* Transtornos da tireoide
Hipotonia contínua, e narcolepsia, 424
Hipoventilação alveolar central congênita, 440
Hipoventilação central com início tardio, com disfunção hipotalâmica, 443
Hipoventilação idiopática, 440, 443
Hipoventilação relacionada ao sono, 439-443
Hipoxemia, e hipoventilação relacionada ao sono, 442
História familiar. *Ver também* Genética
    de apneia e hipopneia obstrutivas do sono, 432
    de episódios depressivos com hipomania de curta duração, 911
    de sonambulismo, 454
    de TOC, 268
    de transtorno da conduta, 535
    de transtorno da personalidade antissocial, 752
    de transtorno da personalidade *borderline*, 757
    de transtorno da personalidade esquizotípica, 748
    de transtorno de insônia, 414
    de transtorno depressivo maior, 189
    de transtorno dismórfico corporal, 274
    de transtorno disruptivo da desregulação do humor, 180
    de transtorno do movimento estereotipado, 91
    de transtorno do pesadelo, 458
    de transtorno específico da aprendizagem, 82-83
    de transtorno explosivo intermitente, 529
    de transtorno por uso de álcool, 557
    de transtorno por uso de opioides, 612
    de transtornos bipolares, 156
    de transtornos neurocognitivos, 697-698
Histórico sexual, e transtorno erétil, 482
HIV, e uso de drogas, 613. *Ver também* Síndrome da imunodeficiência adquirida; Transtorno neurocognitivo maior ou leve devido à infecção por HIV
Hospitalização. *Ver também* Assistência médica; Serviço de emergência
    abstinência de álcool e, 566
    anorexia nervosa e, 384
    delirium e, 676
    transtorno por uso de opioides e, 614
Hostilidade, e transtorno da personalidade paranoide, 741
Humor. *Ver também* Transtornos do humor
    bulimia nervosa e, 392
    episódios maníacos e, 143-144
    esquizofrenia e, 115
    Gravidade das Dimensões de Sintomas de Psicose Avaliada pelo Clínico, 853
    TEPT e alterações negativas no, 306-307, 311
    transtorno de insônia e, 412
    transtorno esquizoafetivo e, 122-123, 124

    transtornos bipolares comparados com transtorno disruptivo de desregulação do humor, 181
    transtornos neurocognitivos e, 684
Hungria, e transtorno por uso de cafeína, 913-914
Hwa byung, 878

Idade. *Ver também* Adolescentes; Adultos; Bebês; Crianças Idade de início; Idosos
    doença de Alzheimer e, 692-693
    efeitos colaterais de medicamentos e, 623-624
    ejaculação retardada e, 480
    enurese primária e secundária e, 400
    esquizofrenia e redução no volume cerebral, 116
    horário do sono e, 411
    intoxicação por álcool e, 563
    memória e, 342-343
    prevalência de transtornos neurocognitivos por, 686
    taxas de suicídio por, 190
    transtorno da comunicação social e, 55
    transtorno da fala e, 50-51
    transtorno da linguagem e, 48
    transtorno de apego reativo e, 297
    transtorno de interação social desinibida e, 300
    transtorno do desejo sexual hipoativo masculino e, 500
    transtorno do desenvolvimento da coordenação e, 86
    transtorno do interesse/excitação sexual feminino e, 490-491
    transtorno do jogo e, 663
    transtorno erétil e, 483
    transtorno específico da aprendizagem, 79, 81
    transtorno pedofílico, e mínima para diagnóstico, 796
    transtorno psicótico devido a outra condição médica e, 132
    transtorno voyeurista, e mínima para diagnóstico, 782-784
    uso de *Cannabis* e, 578
Idade de início. *Ver também* Idade
    de agorafobia, 248
    de ataques de pânico, 243
    de doença de Alzheimer, 692-694
    de esquizofrenia, 117, 119
    de fobia específica, 227
    de narcolepsia, 425
    de piromania, 538
    de síndrome das pernas inquietas, 466
    de TDAH, 70
    de TOC, 267-268
    de transtorno bipolar tipo I, 146
    de transtorno bipolar tipo II, 155
    de transtorno ciclotímico, 160
    de transtorno da conduta, 534
    de transtorno da fluência com início na infância, 52
    de transtorno de ansiedade de doença, 358
    de transtorno de ansiedade de separação, 219
    de transtorno de ansiedade generalizada, 252
    de transtorno de ansiedade social, 231-232
    de transtorno de autolesão não suicida, 924-925

de transtorno de despersonalização/desrealização, 344
de transtorno de hipersonolência, 419
de transtorno de pânico, 238
de transtorno de ruminação, 375
de transtorno de sintomas neurológicos funcionais, 362
de transtorno depressivo maior, 189
de transtorno disruptivo da desregulação do humor, 179
de transtorno do desenvolvimento intelectual, 43
de transtorno do espectro autista, 63
de transtorno do masoquismo sexual, 791
de transtorno do sono-vigília do ritmo circadiano, 444
de transtorno esquizoafetivo, 123-124
de transtorno por uso de álcool, 556
de transtorno por uso de *Cannabis*, 579
de transtorno psicótico breve, 110
de transtornos de tique, 94
de transtornos neurocognitivos, 687, 692-693, 724-725, 727-728
Ideação paranoide, e intoxicação por estimulante, 641
Identidade. *Ver também* Etnia; Identidade cultural; *Self*; Transtorno dissociativo de identidade
    Esboço para Formulação Cultural e, 863
    funcionamento da personalidade e, **885, 897-900**
    gênero e, 511, 520
    racialização e construção sociocultural da, 17
    transtorno da personalidade *borderline* e, 221, 755, 759
    transtorno de ansiedade de doença e, 358
    transtorno dissociativo de identidade e, 331, 333, 335, 337
    transtorno do luto prolongado e perturbação da, 323-325
Identidade cultural, 17, 866. *Ver também* Etnia
Igreja Nativa Americana, 593
Imaturidades do neurodesenvolvimento, 87
Imigração, e imigrantes. *Ver também* Discriminação; Etnia; Raça
    Esboço para Formulação Cultural e, 863
    esquizofrenia e, 116, 118
    mutismo seletivo e, 223
    TEPT e, 310
    transtorno da conduta e, 535
    transtorno da personalidade evitativa e, 768
    transtorno de ansiedade social e, 232-233
    transtorno de apego reativo e, 297
    transtorno do pesadelo e, 459
    transtorno específico da aprendizagem e, 84
    transtorno por uso de álcool e, 558
    transtornos da personalidade no, 745
    transtornos de adaptação e, 321
Impulsividade
    TDAH e, 70
    transtorno bipolar tipo II e, 155
    transtorno da personalidade antissocial e, 751
    transtorno da personalidade *borderline* e, 755-756
    transtorno por uso de álcool e, 558

Inalante, uso do termo, 603. *Ver também* Transtorno por uso de inalante
Incontinência urinária, 399, 400, 493
Índia, e conceitos culturais de sofrimento, 877, 880
Índice de massa corporal (IMC), 382, 432
Índios americanos. *Ver também* Nativos americanos; Nativos do Alasca; Raça; Racismo
    apneia obstrutiva do sono em, 431
    contexto cultural do transtorno do pesadelo e, 459
    TEPT em, 308
    transtorno de pânico e ataques de pânico em, 237, 243
    transtorno por uso de estimulantes em, 636, 638
    uso de *Cannabis* e, 578
Individualismo, e categorias de transtornos mentais, 15
Indivíduos de gênero diverso, e experiências de disfunção sexual, 478
Indivíduos lésbicos, *gays*, bissexuais e transgênero (LGBT). *Ver também* Indivíduos transgênero
    transtorno da dor gênito-pélvica/penetração e, 498
    transtornos relacionados ao tabaco e, 648
Indivíduos transgênero. *Ver também* Gênero; Lésbicas, *gays*, bissexuais e transgêneros (LGBT)
    experiências de disfunção sexual e, 478
    pensamentos ou comportamentos suicidas e, 518-519
    uso do termo, 511
Indolaminas, 592
Indonésia, e contexto cultural do transtorno do pesadelo, 459
Inércia do sono, e transtorno de hipersonolência, 318
Infarto cerebral e sintomas obsessivo-compulsivos e sintomas relacionados, 292
Infarto do miocárdio, e transtorno de sintomas somáticos, 351
Infecções. *Ver também* Hepatite; HIV; Infecções por estreptococos
    enurese e, 402
    narcolepsia e, 426
    transtorno da dor gênito-pélvica/penetração, 495
    transtorno por uso de opioides e, 615
Infecções por estreptococos, e transtorno obsessivo-compulsivo e transtornos relacionados, 292
Infertilidade, e disfunções sexuais, 481, 483-484, 504, 517
Informações autobiográficas, e amnésia dissociativa, 338-340
Inibidores da monoaminoxidase, e disfunção sexual induzida por substância/medicamento, 507
Inibidores seletivos da recaptação da serotonina (ISRSs), 487, 816, 820
Início de melatonina de luz fraca (DLMO), 445
Início no periparto. *Ver também* Gravidez
    como especificador para transtorno bipolar e transtornos relacionados, 173-174
    como especificador para transtornos depressivos, 213
    de TOC, 269
Insight

anorexia nervosa e, 383
transtorno dismórfico corporal e, 272
transtorno esquizoafetivo e, 123
transtorno neurocognitivo frontotemporal maior ou leve e, 696-697
transtorno obsessivo-compulsivo e transtornos relacionados e, 265-266
Insônia, e transtorno de insônia, 154, 186, 409-417, 427-428, 434, 444, 450, 458
Insônia na fase inicial do sono, e insônia de manutenção do sono, 411
Insônia ou hipersonia induzida por substância/medicamento, 416, 434
Insônia situacional/aguda, 413, 415-416
Instabilidade afetiva, e transtorno da personalidade *borderline*, 756
Instabilidade postural e distúrbio da marcha (IPDM), 724-725
Instituições. *Ver* Acolhimento familiar; Casas de repouso; Instalações residenciais
Instituições residenciais, e transtorno do movimento estereotipado, 90
"Insucesso acadêmico inesperado", e transtorno específico da aprendizagem, 79-80
Insuficiência cardíaca, e padrão respiratório de Cheyne-Stokes, 437-439. *Ver também* Doença coronariana; Insuficiência cardíaca congestiva
Insuficiência cardíaca congestiva, e apneia central do sono, 434
Intensidade, dos sintomas no transtorno de despersonalização/desrealização, 345
Interesses especiais, e transtorno do espectro autista, 62
Interferon alfa, e sintomas depressivos ou maníacos induzidos por medicamento, 168
Interseccionalidade, e Esboço para Formulação Cultural, 863
Intimidade, e funcionamento da personalidade, **885, 897-900**
Intoxicação por álcool, 560, 561-564, 614, 616, 628
Intoxicação por alucinógenos, 594
Intoxicação por cafeína, 569-571
Intoxicação por *Cannabis*, 581-584
Intoxicação por estimulantes, 639-642
Intoxicação por fenciclidina, 584, 590, 594-596, 639
Intoxicação por inalantes, 605-607
Intoxicação por opioides, 614-617
Intoxicação por outra substância (ou substância desconhecida), 655-658
Intoxicação por outro alucinógeno, 596-598
Intoxicação por sedativos, hipnóticos ou ansiolíticos, 564, 584, 614, 616, 626-628
Intoxicação por substâncias, **545**, 548-550, 674, 717-718, 784, 787, 789, 798
Intoxicação, uso do termo, 548. *Ver também* Intoxicação por substância
Invalidez, e transtorno de ansiedade de doença, 357
Irã, prevalência de encoprese no, 403
Irresponsabilidade, e transtorno da personalidade antissocial, 751

Irritabilidade
transtorno bipolar tipo II e, 156
transtorno de abstinência de tabaco e, 650
transtorno de ansiedade generalizada e, 251
transtorno de oposição desafiante e, 525
transtorno disruptivo da desregulação do humor e, 178-179, 181
Isolamento social
anorexia nervosa e, 386
consequências na saúde de, para idosos, 66
narcolepsia e, 427
taxas de esquizofrenia e, 118
transtorno de ansiedade social, e crônico, 235
transtornos de despertar do sono não REM e, 455
Israel, prevalência de
mutismo seletivo em, 222
narcolepsia em, 425
transtorno de ansiedade generalizada em, 252
Itália, transtorno por uso de opioides na, 612

Japão, prevalência de
conceitos culturais de sofrimento no, 877, 880-881
demência vascular no, 705-706
narcolepsia no, 425
transtorno alimentar evitativo/restritivo no, 378
transtorno de sintomas neurológicos funcionais no, 362
transtorno dismórfico corporal no, 274
transtorno por uso de álcool no, 558
Jet lag, e transtornos do sono sono-vigília do ritmo circadiano, 446
Jogo, e TEPT em crianças, 309

Kava, 654
Ketamina, 588-589, 595
Khat, 635, 654
Khyâl cap (ataques de vento), 239, 244, 317, 877-878
Koro, 276-277, 877
Kratom (*Mitragyna speciosa*), 713-714
Kufungisisa, 878
Kuru (Nova Guiné), 722-723

La belle indifférence, e transtorno de sintomas neurológicos funcionais, 362
Lar adotivo, e transtorno de interação social desinibida, 300
Laxativos, e bulimia nervosa, 389
L-dopa, e transtorno depressivo induzido por substância/medicamento, 204
Leitura, e transtorno específico da aprendizagem, 83-84
Lemavisol, 640
Lesão cerebral traumática (LCT). *Ver também* Amnésia pós-traumática devido a lesão cerebral; Transtorno neurocognitivo maior ou leve devido a lesão cerebral traumática; Trauma craniano
classificação da gravidade, **708**
definição de, 707-708
diagnóstico diferencial e, 313, 347

transtorno bipolar e transtorno relacionado devido a outra condição médica e, 167
transtorno de estresse agudo e, 316, 319
transtorno de hipersonolência e, 419
transtorno depressivo devido a outra condição médica e, 207
transtorno neurocognitivo maior ou leve devido à doença de Alzheimer e, 693-694
Lesão na coluna cervical, e transtorno erétil, 485
Lesões. *Ver* Acidentes
Leucoencefalopatia, e transtorno neurocognitivo vascular maior ou leve, 705-706
Linguagem. *Ver também* Comunicação; Fala
    definição de, 46-47
    demência e perda do bilinguismo, 688
    domínios neurocognitivos e, **670**
    grupos culturais e desenvolvimento da, 47
    mutismo seletivo e não ativo, 222-223
    questões culturais em transtorno específico da aprendizagem e, 83
    testes de QI e, 38
    transtorno do espectro autista e déficits da, 59-60
"Linguagem corporal", e transtorno do espectro autista, 61
Lítio, tremor induzido por, 819
LSD (dietilamida do ácido lisérgico), 599
Luto, e transtorno depressivo maior, 142, 152, 184, 192.
    Ver também Perda; Transtorno do luto prolongado

Maconha. *Ver Cannabis*
Maladi dyab, 878-879
Maldições, e contexto cultural de delírios, 118, 124
Malformação de Arnold-Chiari, e apneia central do sono, 438
Mania, e episódios maníacos. *Ver também* Hipomania
    cleptomania e, 544
        Gravidade das Dimensões de Sintomas de Psicose Avaliada pelo Clínico e, 853
        TDAH e, 149
        transtorno bipolar tipo I e, 143-144
        transtorno da personalidade narcisista e, 766
        transtorno depressivo maior e, 191
        transtorno do jogo e, 665
        transtorno exibicionista e, 787
        transtorno frotteurista e, 789
        transtorno voyeurista e, 784
Marcação por rotação arterial (ASL), 720-721
Marcadores diagnósticos. *Ver também* Exames laboratoriais
    informações contextuais no DSM-5-TR sobre, 27
    para anorexia nervosa, 385-386
    para bulimia nervosa, 391
    para *delirium*, 677
    para disfunções sexuais, 484, 504
    para doença de Alzheimer, 693-695
    para encoprese, 404
    para pica, 373
    para TDAH, 72
    para transtorno de pânico, 240
    para transtorno depressivo devido a outra condição médica, 208

para transtorno disfórico pré-menstrual, 199
para transtorno pedofílico, 797
para transtornos do sono-vigília, 414-415, 419-420, 426-427, 433, 438, 441, 455, 459, 463, 467
para transtornos neurocognitivos, 698-699, 701-702, 710-711, 720-721, 723-726, 729
para transtornos por uso de substâncias, 130, 205, 257, 293, 473, 638, 648, 716-717
para tricotilomania, 283
Marginalização. *Ver também* Discriminação; Opressão
    Esboço para Formulação Cultural e, 863
    transtorno da personalidade paranoide e, 741
Marrocos, transtornos da eliminação no, 400, 404
Massa óssea, e anorexia nervosa, 385
Mate (erva-mate), 914
Mau-olhado, e conceitos culturais de sofrimento, 124, 879
MDMA, 472, 508, 592, 594, 597, 635
Medicamento(s). *Ver também* Ansiolíticos; Antibióticos; Antidepressivos; Antipsicóticos; Automedicação; Benzodiazepínicos; Contraceptivos orais; Efeitos colaterais; Estabilizadores do humor; Estimulantes; Inibidores da monoaminoxidase; Inibidores seletivos da recaptação da serotonina; *Overdoses*; Polifarmácia; Sedativos; Transtornos induzidos por medicamento; Transtornos induzidos por substância/medicamento; *transtornos específicos*
    abstinência de cafeína e, 574
    anorexia nervosa e mau uso de, 384
    catatonia e, 137
    disfunções sexuais e, 480, 481, 484, 492, 501, 508
    enurese e, 402
    episódios maníacos e, 145
    gagueira como efeito colateral de, 53
    insônia e, 417
    obesidade como efeito colateral de, 371
    sintomas de TDAH induzidos por, 75
    tolerância ou abstinência de apropriado, uso de prescrito, 547, 548-549
    transtorno do espectro autista e exposição intrauterina a, 64
    transtorno do jogo e dopaminérgicos, 665
    transtorno psicótico induzido por substância/medicamento e, 129
    transtornos do sono-vigília e, 456, 460, 463
Medicamento(s) antipsicótico(s), 507-508, 726-727, 809-812. *Ver também* Transtornos do movimento induzidos por medicamentos
Medicamentos agonistas de receptores alfa-adrenérgicos, e narcolepsia, 424
Medicamentos anti-hipertensivos, e transtorno depressivo induzido por substância/medicamento, 203
Medicamentos imunossupressores, e transtorno bipolar induzido por substância/medicamento e transtorno relacionado, 165
Medidas padronizadas
    do desenvolvimento da linguagem, 47
    do funcionamento adaptativo, 42
    para transtorno disfórico pré-menstrual, 199
    para transtorno do espectro autista, 62
Medidas transversais dos sintomas, 5, 15, 843-852

Meditação, e despersonalização/desrealização, 345
Medo
  agorafobia e, 247
  definição de, 215
  fobia específica e, 225
  transtorno da dor gênito-pélvica/penetração e, 494
  transtornos de despertar do sono não REM e, 453
Melhorias *on-line*, do DSM-5-TR, 28
Memória. *Ver também* Déficits cognitivos
  amnésia dissociativa e, 329, 338-339, 342-343
  intoxicação por sedativos, hipnóticos ou ansiolíticos e, 627
  lesão cerebral traumática e, 313
  TEPT e perda da, 307
  transtorno depressivo maior e, 186
  transtornos neurocognitivos e, **670**, 685
Menopausa
  apneia obstrutiva do sono e, 432
  esquizofrenia e, 119
  transtorno da dor gênito-pélvica/penetração e, 497
  transtorno de insônia e, 413
Metadona, e terapia de manutenção com metadona, 436, 508, 612
Metais pesados. *Ver* Toxinas
Metanfetamina (MDMA), 472, 508, 592, 594, 597, 635, 642, 714-716
Metilfenidato, e transtorno de ansiedade induzido por substância/medicamento, 257
México, e uso religioso ou espiritual de alucinógenos, 593
Meyer, Adolf, 5
Microagressões, e racismo, 17
Mídias sociais, e transtorno da conduta, 533
Minorização. Ver Discriminação; Etnia; Opressão
Mioclono, 97
Modelo de Cinco Fatores da Personalidade (MCF), 895
Módulos suplementares, para a Entrevista de Formulação Cultural, 864-865
Monitoramento audiovisual, de sonambulismo, 455
Monitoramento por vídeo, do sono REM
  transtorno comportamental, 463
Morte. *Ver também* Luto; Perda; Taxas de mortalidade
  de crianças com transtorno do espectro autista, 66
  de crianças e transtorno do luto prolongado, 326
  doença de Alzheimer e, 692-693
  doença de Huntington e, 729
  intoxicação por álcool e, 563-564
  intoxicação por cafeína e, 571
  síndrome neuroléptica maligna e, 813
  transtorno da personalidade *borderline* e, 756
  transtorno depressivo maior e pensamentos de, 185, 186
  transtorno neurocognitivo maior ou leve devido a lesão cerebral traumática e, 709-710
  transtornos relacionados a inalantes e, 604, 607
"Morte súbita por inalação", 604, 607
Movimentos estereotipados, e TOC, 270
Movimentos funcionais (conversivo), e transtorno do movimento estereotipado, 92

Movimentos orofaciais, e discinesia tardia, 817
Movimentos periódicos das pernas no sono (MPPS), 465
MPTP (1-metil-4-fenil-1,2,3,6-tetra-hidropiridina), 657
Músculos do assoalho pélvico, e transtorno da dor gênito-pélvica/penetração, 494, 498
Mutação genética *FoxP2*, 51
Mutismo, e comportamento catatônico, 102, 342. *Ver também* Mutismo seletivo
Mutismo seletivo, 51, 66, 215, 222-224, 234

Naloxona, 616
Não aderência, ao tratamento médico, 837
Não alimentar, uso do termo, 372
Narcolepsia, 416, 420, 422-429, 433, 460
National Center for Health Statistics (NCHS), 23
National Institute of Mental Health (NIMH), 6
National Institute on Alcohol Abuse and Alcoholism (NIAAA), 6
National Institute on Drug Abuse (NIDA), 6
Nativo(s) americano(s). *Ver também* Índios americanos; Raça; Racismo
  diversidade e limitações de dados sobre, 19
  transtorno bipolar tipo I em, 146
  transtorno por uso de opioides em, 611
  transtorno por uso de tabaco em, 647
  transtornos relacionados ao álcool em, 556, 563
Nativos das ilhas do Pacífico
  transtorno por uso de opioides e, 611
  transtornos relacionados ao álcool em, 563
  uso de *Cannabis* e, 578, 585
Nativos do Alasca
  transtorno por uso de álcool e, 556
  transtorno por uso de estimulantes e, 636, 638
  uso de *Cannabis* e, 578
Nativos havaianos
  transtorno por uso de estimulantes em, 638
  uso de *Cannabis* por, 585
Negativismo, e comportamento catatônico, 102
Negligência. *Ver também* Abuso físico; Abuso infantil; Experiências adversas na infância
  codificação de, 826, 828-829
  transtorno alimentar evitativo/restritivo, 378
  transtorno de interação social desinibida e, 299, 300
  transtorno de apego negativo e, 297-298
  transtorno de despersonalização/desrealização e, 345
  transtorno de ruminação e, 375
  transtorno de sintomas neurológicos funcionais e, 362
Nervios ("nervos"), 879
Neurastenia, 879-880
Neurofibromatose tipo 1, 83
Neuroimagem. *Ver também* Exame de imagem por ressonância magnética
  síndrome de psicose atenuada e, 907
  TDAH e, 72
  transtorno de insônia e, 415
  transtorno depressivo maior e, 187
  transtorno neurocognitivo vascular maior ou leve e, 704-705

Neuroticismo. *Ver também* Traços de personalidade
  TEPT e, 309-310
  transtorno de estresse agudo e, 317
  transtorno de sintomas somáticos e, 353
  transtorno depressivo maior e, 189
  transtorno depressivo persistente e, 195
  utismo seletivo e, 223
Nicotina. *Ver* Tabaco
Nigéria, transtorno explosivo intermitente na, 529
Noruega, prevalência de transtornos do sono-vigília na, 413, 444
Nova Zelândia, prevalência de
  anorexia nervosa na, 384
  bulimia nervosa na, 390
  transtorno de compulsão alimentar na, 394
  transtorno do jogo na, 664
  transtorno do sono-vigília do ritmo circadiano, tipo fase do sono tardia em, 444
Noz-de-areca, 654-655
Nutrição, e transtorno alimentar evitativo/restritivo, 376, 377. *Ver também* Dieta

Obesidade. *Ver também* Ganho ou perda de peso; Índice de massa corporal
  associações entre transtornos mentais e, 371
  codificação de, 837
  transtorno bipolar tipo I e, 150
  transtorno de compulsão alimentar e, 394-395
  transtornos do sono-vigília e, 421, 425, 431-432, 440-441
Obsessões, 263, 266. *Ver também* Obsessões de contaminação
Obsessões de contaminação, 264
Obsessões de simetria, 264, 266
Omã, transtorno de sintomas neurológicos funcionais em, 362
Opioide(s). *Ver também* Abstinência de opioides; Transtorno por uso de opioides
  apneia central do sono e, 436, 438
  disfunção sexual e, 508
  ejaculação prematura e, 504
  síndrome das pernas inquietas e, 466
  transtorno do sono induzido por substância/medicamento e, 471
Opioides sintéticos, 610
Opressão. *Ver também* Discriminação; Racismo
  categorias raciais e sistemas de, 862
  consequências sociais do racismo e, 18
  enurese e, 400
  esquizofrenia em grupos socialmente oprimidos e, 118
  transtorno da conduta e, 534
  transtorno dissociativo de identidade e, 334
Organização Mundial da Saúde (OMS), 6, 11, 13, 382. *Ver também* Classificação internacional de doenças; WHODAS
Origens culturais, *Ver* Contextos culturais; Etnia; *países específicos*
"Outra condição médica", uso do termo, 25-26

Outra disforia de gênero especificada, 520
Outra disfunção sexual especificada, 509
Outras condições que podem ser foco da atenção clínica, 28
Outro *delirium* especificado, 678
Outro transtorno alimentar especificado, 396
Outro transtorno bipolar e transtorno relacionado, 168-169, 196
Outro transtorno da eliminação especificado, 405
Outro transtorno da personalidade especificado, 735, 780
Outro transtorno de ansiedade especificado, 261
Outro transtorno de déficit de atenção/hiperatividade especificado, 76
Outro transtorno de hipersonolência especificado, 475
Outro transtorno de insônia, 417
Outro transtorno de insônia especificado, 416, 475
Outro transtorno de sintomas somáticos e transtorno relacionado, 370
Outro transtorno de tique especificado, 93, 95, 98
Outro transtorno depressivo especificado, 196, 209-210
Outro transtorno disruptivo, de controle de impulsos e da conduta especificado, 541
Outro transtorno dissociativo especificado, 244, 330, 342, 347-348, 464
Outro transtorno do espectro da esquizofrenia e outro transtorno psicótico especificado, 138
Outro transtorno do neurodesenvolvimento especificado, 99
Outro transtorno do sono-vigília especificado, 411, 476
Outro transtorno especificado
  conceitos culturais de sofrimento e, 875
  uso de, como opção diagnóstica, 21-22
Outro transtorno mental especificado devido a outra condição médica, 805-806
Outro transtorno obsessivo-compulsivo e transtorno especificado, 264, 293-294
Outro transtorno obsessivo-compulsivo e transtorno relacionado, 275-276
Outro transtorno parafílico especificado, 80
Outro transtorno relacionado a trauma e a estressores especificado, 327-328
Outros transtornos do neurodesenvolvimento, 99
Overdoses, de medicamentos ou substâncias de abuso, 611, 614, 616, 625
Oxicodona, 612
Óxido nitroso, 603, 654-655

Padrão sazonal, como especificador, 174-175, 214, 335
Padrões temporais. *Ver também* Duração; Tempo do
  transtorno psicótico devido a outra condição médica, 132
  do transtorno esquizoafetivo, 124
Pai(s), e parentalidade. *Ver também* Cuidados; Família
  codificação de problemas relacionais, 831
  mutismo seletivo e, 223
  TOC e, 269
  transtorno de ansiedade de separação e, 219
  transtorno de ansiedade generalizada, 252
  transtorno de pânico e, 239

transtorno do pesadelo e, 459
Países Baixos, prevalência de
    disforia de gênero nos, 516
    transtorno de acumulação nos, 279
    transtorno de pânico nos, 238
    transtornos da eliminação nos, 400, 404
Palilalia, 94
Paquistão, e síndrome de *dhat*, 877
Parafilia, definição de, 781
Paralisia cerebral, 88
Paralisia do sono, 424-426, 458
Paralisia supranuclear progressiva, 699-700
Parassonias, 402, 416, 421, 451, 456, 464. *Ver também* Transtorno comportamental do sono REM; Transtornos de despertar do sono não REM
Parkinsonismo, 700-701. *Ver também* Parkinsonismo induzido por medicamentos
Parkinsonismo induzido por medicamento (PIM), 809-812, 818
Parkinsonismo induzido por outro medicamento, 809
Paroxetina, 820
Patologia relacionada à proteína de ligação ao DNA de resposta transativa 43 (TDP-43), 702-703
Peiote, 593
Pele, e transtorno de escoriação, 285
Pen lom, 878
Pensamento desorganizado, e fala, 102, 119
Pensamento mágico, e transtornos psicóticos, 115, 909
Pensamentos e pensar. *Ver também* Pensamento mágico; Pensamentos desorganizado; Pensamentos ou comportamentos suicidas
    delírios e, 101
    luto e, 142, 152, 184
    transtorno depressivo maior e, 186
    transtorno do jogo e, 662
    transtorno obsessivo-compulsivo e transtornos relacionados e, 264, 266
Pensamentos ou comportamentos suicidas. *Ver também transtornos específicos*
    codificação de, 824
    como nova seção no DSM-5-TR, 19-20
    disforia de gênero e, 518-519
    disfunções sexuais e, 488, 492, 504
    doença de Alzheimer e, 694-695
    episódios depressivos com hipomania de curta duração e, 911
    informação contextual no DSM-5-TR, 27
    piromania e, 538-539
    transtorno bipolar e transtornos relacionados e, 148, 157
    transtorno da personalidade *borderline* e, 756
    transtorno da personalidade narcisista e, 765
    transtorno de lesão não suicida e, 924-925
    transtorno de sintomas somáticos e transtornos relacionados e, 355, 363
    transtorno do espectro da esquizofrenia e outros transtornos psicóticos e, 119, 125, 133
    transtorno do jogo e, 664
    transtorno do jogo pela internet e, 918

transtorno neurocomportamental associado à exposição pré-natal ao álcool e, 921
transtornos da alimentação, e, 386, 395
transtornos de ansiedade e, 220, 228, 233, 240, 245, 249, 263
transtornos depressivos e, 190, 195, 199, 205, 208
transtornos disruptivos, do controle de impulsos e da conduta e, 535-536, 538-539
transtornos dissociativos e, 334, 340
transtornos do neurodesenvolvimento e, 44, 65, 72, 84, 96
transtornos do sono-vigília e, 409, 415, 459
transtornos neurocognitivos e, 689, 710-712, 729
transtornos obsessivo-compulsivos e transtornos relacionados e, 269, 274-275
transtornos por uso de substâncias e, 556, 559-560, 562-563, 580, 597, 604, 613, 625, 638-639, 649
transtornos relacionados a trauma e a estressores e, 311, 321
"Pensar demais", como conceito cultural de sofrimento, 878
Pentazocina, 610
Perambulação, associada a transtorno mental, 836
Percepção, e *delirium*, 676. *Ver também* Transtorno perceptivo persistente por alucinógenos
Perda, 110, 117, 192, 322, 460, 836. *Ver também* Luto
"Perda da alma", como síndrome cultural, 239, 881
Perda de cabelo, e tricotilomania, 282
Perfeccionismo, e transtorno da personalidade obsessivo-compulsiva, 774, 776
Perimenopausa, e transtorno bipolar tipo II, 157
Período da vida. *Ver também* Taxas de mortalidade
    codificação da fase dos problemas na vida, 836
    estrutura organizacional do DSM-5 e, 12
    variação no sono ao longo, 408
Período pós-parto, e transtorno bipolar tipo II, 156-157
Persistência. *Ver também* Critérios de duração
    como especificador para transtornos de adaptação, 320
    de dificuldades da aprendizagem, 79
    transtorno de acumulação, 278
Pervasivos, de traços da personalidade patológicos, 884
Pesadelo(s), 218, 325, 458. *Ver também* Sonhos
Pesquisa clínica, e conceitos culturais de sofrimento, 874-875
Pica, 371-739
Piromania, 537-539
Plentismografia peniana, 797
Pneumotórax, e transtorno por uso de estimulantes, 639
Pobreza. *Ver Status* socioeconômico
Polifarmácia, e transtorno psicótico induzido por substância/medicamento, 129
Polissonografia, e transtornos do sono-vigília, 408-409, 414-415, 419, 421, 426, 430, 432-433, 438, 441, 455, 463, 473, 701-702
Pontuação baseada na "Teoria de resposta ao item" (TRI), e WHODAS, 856
Pornografia, e transtornos parafílicos, 781, 790, 793, 797

Possessão, e estados de transe, 102, 317, 331, 332, 340. *Ver também* Crenças sobrenaturais
Pragmática, definição de, 54. *Ver também* Transtorno da comunicação social
Práticas de cura alternativas, e fatores psicológicos que afetam condições médicas, 366. *Ver também* Curandeiros tradicionais
Preconceito. *Ver* Viés
Preferências alimentares, e transtorno do espectro autista, 62, 68. *Ver também* Apetite; Dieta
Preferências por atividade anômala, 780
Prejuízo neurocognitivo assintomático (PNA), 718-719
Prejuízo profissional. *Ver também* Desemprego
    agorafobia em, 247
    amnésia dissociativa e, 340
    apneia e hipopneia obstrutivas do sono e, 431-432, 433
    ataques de pânico em, 243
    códigos para, 832-833
    consequências de saúde do isolamento social de problemas da comunicação em, 66
    delirium e, 677
    discinesia tardia em, 817-818
    efeitos colaterais de medicamentos e, 624
    esquizofrenia em, 118
    fobia específica em, 227-228
    Idosos. *Ver também* Adultos; Idade
    infecção por HIV em, 720-721
    memória e, 342-343
    TDAH em adultos e, 73
    transtorno bipolar tipo I e, 148
    transtorno bipolar tipo II em, 156
    transtorno da personalidade antissocial e, 751
    transtorno da personalidade dependente e, 771
    transtorno da personalidade esquizoide e, 744
    transtorno da personalidade evitativa e, 765-768
    transtorno de ansiedade social em, 231-233
    transtorno de despersonalização/despersonalização e, 347
    transtorno de escoriação e, 286
    transtorno de insônia em, 413-414
    transtorno de pânico em, 238
    transtorno de sintomas somáticos em, 353
    transtorno do luto prolongado em, 324
    transtorno neurocognitivo maior ou leve devido à doença de Huntington e, 729
    transtorno por uso de álcool e, 560
    transtorno por uso de inalantes, 603
    transtorno por uso de sedativos, hipnóticos ou ansiolíticos, 625
    transtorno psicótico devido a outra condição médica e, 133, 134
    transtornos do sono-vigília do ritmo circadiano em, 446, 450
    uso de *Cannabis* e, 579
Prejuízos na memória retrospectiva, e amnésia dissociativa, 338
Premenstrual Tension Syndrome Rating Scale, 199
Preocupação
    ataques de pânico e, 237

    transtorno de ansiedade de doença e, 357, 359
    transtorno de ansiedade generalizada e, 251, 253
    transtorno de sintomas somáticos e, 352
    transtorno do luto prolongado e, 323, 325
    transtorno obsessivo-compulsivo e transtornos relacionados e, 263
Preocupação dismórfica, e transtorno dismórfico corporal, 277
Preparação militar, e códigos, 832-833. *Ver também* Veteranos
Prevalência. *Ver também transtornos específicos*
    inclusão de dados sobre grupos étnico-raciais específicos, 18-19
    informação contextual sobre no DSM-5-TR, 26-27
Primeiros respondentes, e eventos traumáticos, 306
Privação de sono, 427, 459
Procedimentos para registro. *Ver* Codificação
Processamento de informações, e transtorno dismórfico corporal, 273
Propofol, 654
Prostratite, e ejaculação prematura, 503-504
Pseudocataplesia, 428
Psicopatia, 750, 889-890
Psicose afetiva, 139
Psicose pós-ictal, 133
Psicose pós-parto, 148
Psicoticismo, como traço da personalidade, 889, 891, 895, **903**
Psilocibina, 592-593
Psiquiatria forense, advertência para a utilização do DSM-5, 29. *Ver também* Sistema judiciário
PsychiatryOnline.org, 28
Psychological Medicine (revista), 11

Qualidade de vida
    apneia e hipopneia obstrutivas do sono e, 433
    encoprese e, 404
    síndrome das pernas inquietas e, 467
    TOC e, 269
    transtorno de acumulação e, 280
    transtorno de ansiedade de doença e, 359
    transtorno de insônia e, 415
    transtorno de pânico e, 240
    transtorno de sintomas somáticos e, 352
    transtorno dismórfico corporal e, 275
Queda, como conceito cultural de sofrimento, 876
Queda(s), e idosos, 228, 252, 625, 677, 811
Questões diagnósticas relativas à cultura. *Ver também* Contexto cultural; Cultura; Diferenças culturais; *transtornos específicos*
    apneia e hipopneia obstrutivas do sono e, 432
    disforia de gênero e, 518
    disfunções sexuais e, 483, 487-488, 492, 496-497, 500, 503
    informação contextual no DSM-5-TR sobre, 26
    síndrome de psicose atenuada e, 908
    transtorno bipolar e transtorno relacionado e, 147, 167
    transtorno de autolesão não suicida e, 924-925

transtorno de sintomas somáticos e transtornos relacionados e, 354, 359, 363, 366
transtorno do espectro da esquizofrenia e outros transtornos psicóticos, 107, 110, 118-119, 124
transtorno do jogo e, 664
transtorno neurocomportamental associado a exposição pré-natal ao álcool e, 921
transtorno obsessivo-compulsivo e transtornos relacionados, 268, 274, 280, 283, 286
transtornos alimentares e, 372-373, 378, 385, 391, 395
transtornos da eliminação e, 401, 404
transtornos da personalidade e, 738, 742, 745, 748, 752-753, 757, 761, 765, 768, 772, 776
transtornos de ansiedade e, 220, 223, 227, 232-233, 239, 244, 253
transtornos depressivos e, 180, 189-190, 195, 199
transtornos disruptivos, de controle de impulsos e da conduta, 525, 529, 535
transtornos dissociativos e, 334, 340, 345
transtornos do neurodesenvolvimento e, 44, 65, 72, 83-84, 87-88, 91, 96
transtornos do sono-vigília e, 414, 426, 432, 459, 462, 466
transtornos neurocognitivos e, 687-688, 693-694, 725-726
transtornos parafílicos e, 791, 793, 799
transtornos por uso de substâncias e, 558, 563, 573, 580, 593, 604, 612, 624, 637-638, 648, 655, 914
transtornos relacionados a trauma e a estressores e, 297, 300-301, 310-311, 317, 321, 325-326
Questões diagnósticas relativas ao sexo e ao gênero, 19. *Ver também transtornos específicos*
disforia de gênero e, 518
disfunções sexuais e, 497, 501, 503, 508
piromania e, 538
transtorno bipolar e transtornos relacionados e, 147-148, 156-157, 167
transtorno de sintomas somáticos e transtornos relacionados e, 354-355, 363
transtorno do espectro da esquizofrenia e outros transtornos psicóticos e, 119
transtorno do jogo e, 664
transtorno do jogo pela internet e, 917
transtorno obsessivo-compulsivo e transtornos relacionados e, 268-269, 274, 280
transtornos alimentares e, 373, 378, 391
transtornos da eliminação e, 401, 404
transtornos da personalidade e, 738, 742, 757-758, 761, 765, 768, 772
transtornos de ansiedade e, 228, 233, 239-240, 244, 249, 253
transtornos depressivos e, 180, 190, 208
transtornos disruptivos, do controle de impulsos e da conduta, 525, 535, 537
transtornos dissociativos e, 334
transtornos do neurodesenvolvimento e, 44, 65, 72, 84, 96

transtornos do sono-vigília e, 414, 433, 441, 454, 459, 462, 466-467
transtornos neurocognitivos maiores e leves, 688-689, 693-694
transtornos parafílicos e, 784, 799
transtornos por uso de substâncias e, 558, 563, 573, 580, 593, 612, 638, 645
transtornos relacionados a trauma e a estressores e, 311, 317-318, 326
Química sérica, e anorexia nervosa, 385

Raça. *Ver também* Afro-americanos; Asiáticos americanos; Índios americanos; Nativos americanos; Nativos das Ilhas do Pacífico; Nativos do Alasca; Nativos havaianos; Racialização; Racismo
como construto social, 17
definição de, 862
TEPT e, 308
transtorno por uso de álcool e, 556
uso de *Cannabis* e, 578
Racialização, e grupos racializados. *Ver também* Etnia; Raça; Racismo
bulimia nervosa e, 391
construção sociocultural da identidade e, 17
esquizofrenia e, 118-119
risco cardiovascular e apneia e hipopneia obstrutivas do sono, 435
TEPT e, 308
transtorno da dor gênito-pélvica/penetração e, 497
uso do termo no DSM-5-TR, 18
Racismo. *Ver também* Discriminação; Opressão; Raça
foco no, no DSM-5-TR, 18-19
impacto do, no diagnóstico psiquiátrico, 17-18
impacto do, nos transtornos mentais, 862
processo de revisão do DSM-5 e, 11
TEPT e, 310
transtorno da conduta e, 535
transtorno da personalidade paranoide e, 741-742
transtorno de ansiedade generalizada, 253
transtorno de ansiedade social e, 232
transtorno de pânico e, 238-239
transtorno depressivo maior e, 189-190
transtorno disruptivo do humor e, 180
transtorno explosivo intermitente e, 528
transtornos relacionados ao tabaco e, 648
Racismo estrutural, 18
Racismo sistêmico, 17-18
Radiografias abdominais, e encoprese, 404
Raiva
transtorno da personalidade *borderline* e, 756
transtorno da personalidade obsessivo--compulsiva e, 775
transtorno da personalidade paranoide e, 740
transtorno de oposição desafiante e, 523, 525
Rameltcon, c transtorno do sono induzido por substância/medicamento, 472
"*Rash* do cheirador de cola", 603, 607
Razão para consulta, e diagnóstico principal, 24
Reação distônica aguda (RDA), 814-815, 818
Reação, uso do termo e história de

sistema do DSM, 5
Reações de aniversário, e eventos traumáticos, 335
Reatividade
    transtorno de estresse agudo e, 316
    TEPT e, 307
Recaída. *Ver também* Recorrência; Remissão
    de agorafobia, 248
    de transtorno do jogo, 663
    de transtorno do sono induzido por substância/medicamento, 473
    de transtorno por uso de álcool, 557
    de transtorno psicótico breve, 110
Reciprocidade socioemocional, e transtorno do espectro autista, 60-61
Recorrência. *Ver também* Recaída
    de TEPT, 309
    de transtorno bipolar tipo II, 155
    de transtorno de sadismo sexual, 793
    de transtorno depressivo maior, 188
    de transtorno exibicionista, 786
    de transtorno frotteurista, 788
    de transtorno voyeurista, 782-783
Recuperação. *Ver também* Recaída; Recorrência; Remissão
    esquizofrenia e, 117
    síndrome neuroléptica maligna e, 813
    transtorno depressivo maior e, 188
    transtorno neurocognitivo maior ou leve devido a lesão cerebral traumática e, 709-710
Redes sociais, e formulação cultural, 863. *Ver também* Apoio
Reexperiência. *Ver também* Flashbacks
    de eventos traumáticos, 306, 309, 313
    transtorno de estresse agudo e, 317
    transtorno do luto prolongado e, 327
    transtorno perceptivo persistente por alucinógenos e, 598
Reforço negativo, e transtorno de autolesão não suicida, 923-924
Refugiados. *Ver* Imigração, e imigrantes
Registros médicos, e transtorno factício, 368
Regras sociais, da comunicação, 54
Regulação emocional
    catalepsia e, 423
    delirium e distúrbios da, 676
    reconhecimento da, e transtorno dismórfico corporal, 273
    TDAH e, 70
    transtorno de apego reativo e, 296
    transtorno de luto prolongado e, 323
    transtorno de oposição desafiante e, 524
Regurgitação, e transtorno de ruminação, 374
Reino Unido, prevalência de
    transtorno de interação social desinibida no, 299-300
    transtorno de despersonalização/desrealização no, 344
    transtorno de estresse agudo no, 316
    transtorno do desenvolvimento da coordenação no, 87

transtornos de despertar do sono não REM no, 454
Relações interpessoais. *Ver também* Amizades; Relações sociais
    disforia de gênero e, 519
    disfunções sexuais e, 488, 493, 497, 499-502
    transtorno de ansiedade social e, 233
    transtorno do espectro autista e, 61-62
Relações sociais. *Ver também* Amizades; Apoio; Isolamento social; Relações interpessoais
    codificação para problemas pessoais, 830-832
    mutismo seletivo e, 223
    transtorno da dor gênito-pélvica/penetração e, 498
    transtorno da personalidade *borderline* e, 755
    transtorno da personalidade esquizoide e, 744
    transtorno da personalidade evitativa e, 765-768
    transtorno de ansiedade social e, 234
    transtorno de escoriação e, 286
    transtorno de oposição desafiante e, 525
    transtorno dismórfico corporal e, 276
    transtorno do interesse/excitação sexual feminino e, 491
    transtorno explosivo intermitente e, 529
Relatos subjetivos, de transtorno de insônia, 411
Religião. *Ver também* Diferenças culturais; Espiritualidade; Hinduísmo; Rituais
    alucinações e, 119
    codificação de questões com, 836-837
    delírios e, 101
    disfunções sexuais e, 480, 482, 487, 491, 495, 499, 502-503
    obsessões relacionadas a, 268
    pensamento e fala desorganizados, 102
    perseguição devido a, e TEPT, 310
    transtorno alimentar evitativo/restritivo e, 378
    transtorno de despersonalização/desrealização e, 345
    transtorno disfórico pré-menstrual e, 198
    transtorno psicótico breve e, 110
    transtornos da personalidade e, 748
    transtornos parafílicos e, 791
    uso de álcool e, 563
    uso de alucinógenos e, 593
Remissão. *Ver também* Recaída; Recuperação
    de agorafobia, 248
    de bulimia nervosa, 390
    de transtorno da personalidade antissocial, 752
    de transtorno da personalidade *borderline*, 757
    de transtorno de ansiedade social, 232
    de transtorno do jogo, 663
    de transtorno por uso de álcool, 557
    de transtornos depressivos, 214
    de transtornos do humor, e especificadores para, 175, 214
    de transtornos por uso de substâncias, e especificadores para, 547
Research Agenda for DSM-V, A (2002), 6
Resiliência, e Esboço para Formulação Cultural, 863
Respiração de Cheyne-Stokes, e apneia central do sono, 436-439
Respostas de alarme
    TEPT e, 307

transtorno de ansiedade generalizada e, 251
transtorno de estresse agudo e, 316
Retroalimentação de alto ganho, e apneia central do sono, 436
Revisão profissional, e processo de revisão para o DSM-5, 8-9
Revisão pública, e processo de revisão do DSM-5, 8-9
Rigidez
  parkinsonismo induzido por medicamentos e, 810-812
  síndrome neuroléptica maligna e, 812
  transtorno da personalidade obsessivo-compulsiva e, 775
Rituais. *Ver também* Espiritualidade
  consumo de cafeína e, 572
  transtorno de sintomas neurológicos funcionais e, 353
  transtorno obsessivo-compulsivo e transtornos relacionados e, 263
  transtornos parafílicos e, 791
Rituais funerários, e transtorno do luto prolongado, 326
Romênia, prevalência de transtornos mentais na, 219, 529
Ronco, e apneia e hipopneia obstrutivas do sono, 431-434
Rubéola fetal, 59

Salada de palavras, 102
Salvia divinorum, 592
Sarna, 287
Saúde. *Ver também* Assistência médica; Comportamentos de manutenção da saúde; Condições médicas; Determinantes sociais de saúde
  problemas de isolamento social e comunicação em idosos, 66
  transtorno do desenvolvimento intelectual e, 46
  transtorno do jogo e, 665
Saúde oral, e transtorno por uso de estimulante, 639
Sedativo(s), 472, 560
Segredo, e transtorno de compulsão alimentar, 388
Self. *Ver também* Identidade
  transtorno de despersonalização/desrealização, 343-344
  transtorno dissociativo de identidade e senso de, 331
"Sem diagnóstico ou condição", como código, 805, 807
Sem-teto
  codificação de, 833
  transtorno por uso de inalante e, 604
  transtornos relacionados ao álcool e, 566
Sensibilização, e transtorno por uso de estimulantes, 636
Separação, e traços de personalidade, 895, **901-902**
Serviço de emergência. *Ver também* Hospitalização
  delirium e, 676
  intoxicação por cafeína e, 570
  intoxicação por outra substância (ou substância desconhecida) e, 657
  transtorno alimentar não especificado e, 397
  transtorno de pânico e, 240
  transtorno do neurodesenvolvimento não especificado e, 99

transtorno neurocognitivo maior ou leve devido a lesão cerebral traumática e, 708-710
transtorno por uso de *Cannabis* e, 582
transtorno por uso de estimulantes e, 639
transtorno por uso de opioides e, 614
Serviços de reabilitação vocacional, e transtorno do espectro autista, 64
Sexo, uso do termo, 19
Sexônia, 453
Shenjing shuairuo, 354, 879-880
Shen-k'uei, 877
Shubo-kyofu, 274
Sibilo, e transtorno da fala, 51
Simulação. *Ver também* Transtorno factício
  descrição e diagnóstico de, 837
  diagnóstico diferencial de
    amnésia dissociativa, 342
    cleptomania, 540
    delirium, 678
    transtorno comportamental do sono REM, 464
    transtorno de escoriação, 287
    transtorno de sintomas neurológicos funcionais, 342
    transtorno de sintomas somáticos, 356
    transtorno dissociativo de identidade, 337
    transtorno factício, 369
    transtorno psicótico breve, 111
    transtornos de despertar do sono não REM, 456
    transtornos neurocognitivos, 711-712
Sinais neurológicos sutis, 87, 116
Sinal de Hoover, e transtorno de sintomas neurológicos funcionais, 361
Síncope, e narcolepsia, 428
Síncope, e transtorno de sintomas neurológicos funcionais, 361
Síndrome alcoólica fetal, 59, 919-920
Síndrome amotivacional, e uso de *Cannabis*, 581
Síndrome associada à cultura. *Ver* Síndromes culturais
Síndrome da criança desastrada, 86
Síndrome da imunodeficiência adquirida (aids), 718-719. *Ver também* HIV
Síndrome das pernas inquietas, 402, 416, 464-468
Síndrome de Cornelia de Lange, 91, 921
Síndrome de deleção 22q, 51, 71
Síndrome de descontinuação de antidepressivos, 820-821
Síndrome de *dhat*, 876-877
Síndrome de Down, 43, 45, 51, 59, 432, 693-694, 921
Síndrome de hiperêmese por canabinoides, 582
Síndrome de hipermobilidade articular, 88
Síndrome de Kleine-Levin, 373, 392, 421
Síndrome de Landau-Kleffner, 49, 63
Síndrome de Lesch-Nyhan, 43, 89, 91
Síndrome de Pisa, 814
Síndrome de Prader-Willi, 286, 423
Síndrome de psicose atenuada, 905-997
Síndrome de Rett, 43, 59, 63, 67, 91
Síndrome de Sanfilippo, 43
Síndrome de Treacher Collins, 432
Síndrome de Wernicke-Korsakoff, 556

Síndrome de Worster-Drought, 51
Síndrome do comer noturno, 396
Síndrome do intestino irritável, 355
Síndrome do intestino irritável, e transtorno do interesse/excitação sexual, 493
Síndrome do sono insuficiente, 421
Síndrome do sono insuficiente induzido pelo comportamento, 420
Síndrome do X frágil, 59, 71
Síndrome fetal por valproato, 59
Síndrome neuroléptica maligna, 811-813
Síndrome neuropsiquiátrica pediátrica de início agudo (PANS), 292, 379
Síndrome pré-menstrual, 159, 199-200
Síndromes culturais. *Ver também* Conceitos culturais de sofrimento; Expressões idiomáticas culturais de sofrimento
　　transtorno de pânico e, 239, 244
　　uso do termo no DSM-5-TR, 17
Síndromes de apneia do sono, e narcolepsia, 427, 429. *Ver também* Apneia e hipopneia obstrutivas do sono
Sintoma(s) somático(s). *Ver também* Sintomas físicos; Transtorno de sintomas somáticos e transtornos relacionados
　　de transtorno de despersonalização/desrealização, 344
　　de transtorno do luto prolongado, 32
　　e TEPT, 311
Sintomas de intrusão
　　TEPT e, 306
　　transtorno de ansiedade de doença e, 359
　　transtorno de estresse agudo e, 315, 318
　　transtorno dissociativo de identidade e, 337
Sintomas depressivos ou maníacos induzidos por medicamento, 168
Sintomas dissociativos
　　ataques de nervios e, 876
　　como fator de risco para suicídio, 334
　　de TEPT, 306, 308, 335
　　de transtorno de sintomas neurológicos funcionais, 362
　　uso de fenciclidina e, 589
Sintomas físicos. *Ver também* Sintomas somáticos; Transtornos e sintomas cardiovasculares
　　anorexia nervosa e, 385-386
　　transtorno de ansiedade de separação e, 218
　　transtorno de pânico e, 240
Sintomas internalizantes, e transtornos relacionados a trauma e a estressores, 295, 298
Sintomas motores, do transtorno de sintomas neurológicos funcionais, 351. *Ver também* Distúrbio psicomotor
Sintomas negativos, de esquizofrenia e transtornos psicóticos, 102-103, 117, 123
Sintomas neuropsiquiátricos, de TNC devido à doença de Alzheimer, 691-693
Sintomas pós-concussão, e transtorno de estresse agudo, 316, 319
Sintomas prodrômicos, de esquizofrenia, 115

Sintomas residuais, de esquizofrenia, 115
Sintomas sensoriais, de transtorno de sintomas neurológicos funcionais, 361
Sintomas visuais. *Ver também* Alucinações
　　do transtorno de despersonalização/desrealização, 34
　　do transtorno de sintomas neurológicos funcionais, 362
　　transtorno perceptivo persistente por alucinógenos e, 598-599
Sistema de recompensa do cérebro, e abuso de substância, 543
Sistema do DSM
　　abordagem categórica para diagnóstico e, 14-15
　　definição de, 11
Sistema judiciário. *Ver também* Comportamento criminal; Psiquiatria forense
　　codificação e, 834-835
　　transtorno explosivo intermitente e, 529
　　transtorno factício e responsabilidade, 369
　　transtorno pedofílico e, 797
　　uso de *Cannabis* e, 577, 579-580
Sistema Medicare, e uso dos códigos da CID-10-MC, 24
Sistema multiaxial, do DSM-IV, 15-16
Sistema nervoso autônomo, e transtorno de hipersonolência, 419
Sistema nervoso central. *Ver também* Sinais neurológicos leves; Transtornos neurológicos
　　efeitos do álcool no, 556
　　transtorno neurocognitivo maior ou leve devido a outra condição médica e, 730-731
"Skin-popping", e uso de opioides, 613
Sobrediagnóstico. *Ver também* Diagnóstico incorreto
　　de esquizofrenia, 116
　　de transtorno bipolar em crianças, 177
　　de transtorno da personalidade antissocial, 753
　　de transtorno de oposição desafiante, 525
　　de transtorno explosivo intermitente, 528
Sociopatia, 750
Sofrimento, como critério diagnóstico. *Ver também* Deficiência; Idiomas culturais de sofrimento; Sofrimento ansioso
　　abstinência de opioides e, 618
　　acatisia aguda induzida por medicamentos e, 815
　　alteração da personalidade devido a outra condição médica e, 778
　　como critério de significância clínica, 23
　　conceitos culturais de, 239
　　disforia de gênero e, 513, 515-516, 519
　　disfunções sexuais e, 198, 486, 490-491
　　Esboço para Formulação Cultural e, 863
　　fobia específica e, 226
　　síndrome de psicose atenuada e, 906
　　TOC e, 267
　　transtorno ciclotímico e, 160
　　transtorno de acumulação e, 278-279
　　transtorno de ansiedade generalizada e, 251, 253
　　transtorno de compulsão alimentar e, 394
　　transtorno de despersonalização/desrealização e, 344
　　transtorno de escoriação para, 285
　　transtorno de luto prolongado e, 324

transtorno de pânico e ataques de pânico, 244
transtorno de sintomas somáticos e, 352
transtorno dismórfico corporal e, 273
transtorno fetichista e, 799
transtornos de adaptação e, 322
transtornos do sono-vigília e, 420, 455, 470
transtornos parafílicos e, 782-783, 801
transtornos por uso de substâncias e, 551, 585, 570, 572
transtornos relacionados ao álcool e, 565, 568
tricotilomania e, 282
Sofrimento ansioso, como especificador, 169-170, 210-211
Sofrimento psicológico, e disfunções sexuais, 481, 497.
  Ver também Sofrimento
Solidão, e transtorno do luto prolongado, 324
Sonambulismo, e transtornos de despertar do sono não REM, 452-454, 457
Sonhos. *Ver também* Pesadelo(s)
  TEPT e, 306, 311
  transtorno comportamental do sono REM e, 461
  transtornos de despertar do sono REM e, 453
Sono. *Ver também* Transtornos do sono-vigília
  definição de termos, 409
  delirium e, 676
  enurese noturna e movimento rápido dos olhos, 400
  episódios maníacos e, 144
  TEPT e, 307, 311
  transtorno de ansiedade de separação e, 218
  transtorno de estresse agudo e, 315
  transtorno depressivo maior e, 186
Sono do movimento rápido dos olhos (REM), 408
Sono longo, e transtorno de hipersonolência, 420
Sono não REM (NREM), e transtornos de despertar do sono não REM, 408, 452-457
Sono não restaurador, 411
Sonolência diurna (excessiva), 412, 433, 445, 447, 450, 465, 467. *Ver também* Cochilos e cochilar
Sri Lanka, e prevalência de encoprese, 403
Status socioeconômico
  codificação do, 833-834
  transtorno depressivo maior e, 190
  transtorno específico da aprendizagem e, 82
  transtorno neurocomportamental associado a exposição pré-natal ao álcool e, 921
  transtorno por uso de álcool e, 557
  transtorno por uso de estimulantes e, 637
  transtornos relacionados ao uso de tabaco e, 649
Subdiagnóstico. *Ver também* Diagnóstico incorreto; Sobrediagnóstico
  de transtorno da personalidade antissocial, 753
  transtorno depressivo maior, 185
  transtorno do espectro autista, 63
Subtipo ciumento, de transtorno delirante, 106
Subtipo erotomania, de transtorno delirante, 101, 106
Subtipo persecutório, de transtorno delirante, 101
Subtipo somático, de transtorno delirante, 101
Subtipo somente diurno, de enurese, 399-400
Subtipo somente noturno, de enurese, 399-401

Subtipos
  como elemento do diagnóstico, 21
  de alteração na personalidade devido a outra condição médica, 778
  de anorexia nervosa, 382
  de apneia central do sono, 436
  de disfunções sexuais, 477, 479, 482, 486-487, 491
  de encoprese, 402-403
  de enurese, 399
  de hipoventilação relacionada ao sono, 440
  de narcolepsia, 423
  de transtorno da conduta, 532
  de transtorno de traço da personalidade especificado, 892
  de transtorno delirante, 106
  de transtorno exibicionista, 785
  de transtornos neurocognitivos maiores e leves, 684, 687
  informações contextuais no DSM-5-TR sobre, 26
Suécia, prevalência de
  comportamento suicida em pacientes com TOC, 269
  transtorno da coordenação do desenvolvimento na, 87
  transtorno do jogo na, 664
  transtorno do sono-vigília do ritmo circadiano, tipo fase do sono atrasada na, 444
  transtorno exibicionista na, 786
  transtorno psicótico devido a outra condição médica na, 132
  transtorno transvéstico na, 801
  transtorno voyeurista na, 782-783
  transtornos de tique na, 96
Sugestibilidade, e personalidade histriônica, 760
Suíça, prevalência de
  ejaculação prematura na, 503
  síndrome de psicose atenuada na, 907
  transtorno comportamental do sono REM na, 462
Surdez, e transtorno do espectro autista, 63
Suspeita. *Ver também* Desconfiança
  Entrevista de Formulação Cultural e, 864-865
  transtorno da personalidade paranoide e, 742
Suspeita, e transtorno da personalidade paranoide, 740, 741
Susto, 880-881
Suvorexanto, 472

Tabaco. *Ver também* Transtorno por uso de tabaco
  disfunção sexual induzida por substância/ medicamento e, 508
  esquizofrenia e, 121
  TDAH e, 71
  transtorno de pânico e ataques de pânico, 239, 244
  transtorno do sono induzido por substância/ medicamento e, 472
Tabagismo. *Ver* Uso de tabaco
Taijin kyofusho, 233, 274, 881
Taiwan, prevalência de
  transtorno comportamental do sono REM em, 462
  transtorno da conduta em, 535-536

transtorno de ansiedade de separação em, 220
transtorno do desenvolvimento da coordenação em, 87
transtorno do jogo pela internet em, 918
Taquipneia, e síndrome neuroléptica maligna, 812
Taxa de mortalidade padronizada (TMP), e suicídios relacionados a opioides, 613
Taxas de mortalidade. *Ver também* Durante a vida; Morte
   anorexia nervosa e, 384
   bulimia nervosa e, 390
   delirium e, 677
   esquizofrenia e, 121
   TDAH e, 73
   transtorno bipolar tipo I e, 150
   transtorno depressivo maior e, 187
   transtorno do espectro autista e, 66
   transtorno por uso de álcool e, 558
   transtorno por uso de opioides e, 614
Temas, de obsessões e compulsões, 264, 266
Tempo. *Ver também* Padrões temporais
   auge da intensidade de ataques de pânico e, 242-243
   compulsão alimentar e, 393
   consumido por obsessões e compulsões, 267
   transtorno de despersonalização/desrealização e curso alterado do, 344
   transtorno do sono-vigília do ritmo circadiano, tipo fase do sono atrasada e, 444
Tensão muscular, e transtorno de ansiedade generalizada, 251
Ter direitos, e transtorno da personalidade narcisista, 763
Terapia antirretroviral, 719-721
Terapia eletroconvulsiva, 164, 165, 342
Terminologia, uso da, no DSM-5-TR, xxi, 25-26
Teste de diagnóstico do tremor, e transtorno de sintomas neurológicos funcionais, 361
Teste de latência múltipla do sono (TLMS), 409, 419-420, 423-424, 426-428, 433
Teste de realidade
   abstinência de sedativos, hipnóticos e ansiolíticos e, 629
   intoxicação por fenciclidina e, 596
Teste de trânsito colônico, e encoprese, 404
Teste de tumescência peniana noturna, 484
Teste do sono realizado fora do centro do sono (OCST), 430
Teste genético, 694-695, 729-730
Teste neuropsicológico, e transtornos neurocognitivos, 685-686, 688, 701-702, 725-726
Teste Wisconsin de Classificação de Cartas, 714-715
Testes de campo, e processo de revisão para o DSM-5, 7-8
Testes de inteligência (QI), 38, 42
Testes laboratoriais. *Ver* Marcadores diagnósticos
   transtorno de insônia e, 415
   transtorno factício e, 368
   transtorno por uso de álcool e, 558-559
   transtorno por uso de inalantes e, 604
   transtorno por uso de opioides e, 612
   transtornos relacionados a alucinógenos e, 593
   uso de *Cannabis* e, 580

uso de fenciclidina e, 589, 595
uso de substância e, 549
Testes Stroop, 714-715
Testosterona, e transtorno do desejo sexual hipoativo masculino, 500
THC. *Ver* Delta-9-tetra-hidrocanabiol
The American Psychiatric Association Practice Guidelines for the Psychiatric Evaluation of Adult, 5, 15
Timidez
   mutismo seletivo e, 223
   transtorno da personalidade evitativa e, 768
   transtorno de ansiedade social e, 233
Tipo fase do sono avançada, do transtorno do sono-vigília do ritmo circadiano, 446-447
Tipo fase do sono tardia, do transtorno do sono-vigília do ritmo circadiano, 416, 444-446
Tipo somente desempenho, de transtorno de ansiedade social, 230
Tipo sono-vigília não 24 horas, transtornos do sono-vigília do ritmo circadiano, 448-450
Tipo terror no sono, de transtornos do despertar do sono não REM, 452-455, 460
Tiques motores, 94
Tiques motores complexos, e tiques vocais complexos, 94
Tiques motores simples, e tiques vocais simples, 94
Tiques vocais, 94
Tireoidite de Hashimoto, 96
Tolerância
   cafeína e, 570
   transtorno por uso de sedativos, hipnóticos ou ansiolíticos e, 622-623
   transtornos por uso de substâncias, 546, 547
   uso de inalantes e, 603
   uso de tabaco e, 647
Tomada de decisão, a transtorno da personalidade obsessivo-compulsiva, 775
Tomografia computadorizada (TC), e transtornos neurocognitivos, 698-699, **708**
Tomografia computadorizada por emissão de fóton único (SPECT), 701-702
Tomografia por emissão de pósitrons (PET), 701-702
Toxinas
   transtorno de ansiedade induzido por substância/medicamento e, 257
   transtorno psicótico induzido por substância/medicamento e, 129, 134
Trabalho em turnos, e transtornos do sono-vigília, 416, 427, 450-451
Traços de personalidade
   definição e descrição dos, 894-896, **901-903**
   Escala do Nível de Funcionamento da Personalidade, 897-900
   intoxicação por álcool e, 563
   patológicos, 884-885, 901-903
   TEPT e, 309-310
   transtorno da personalidade esquizoide e, 746
   transtorno de ansiedade social e, 232
   transtorno dissociativo de identidade e, 331-333
   transtornos da personalidade e parceiros de, 737

transtornos disruptivos, do controle de impulsos e
  da conduta, 522, 532
Traços de personalidade patológicos, 884, 893, **901-903**
Transexual, uso do termo, 511-512
Transferrina deficiente de carboidrato (CDT), 559
Transtorno alimentar evitativo/restritivo, 68, 373,
  376-381, 387
Transtorno alimentar não especificado, 397
Transtorno bipolar devido a outra condição médica e
  transtorno relacionado, 149, 158, 161, 166-168,
  196
Transtorno bipolar e transtorno relacionado. *Ver também*
  Outro transtorno bipolar relacionado especificado;
  Transtorno bipolar; Transtorno bipolar e transtorno
  relacionado devido a outra condição médica;
  Transtorno bipolar e transtorno relacionado induzido
  por substância/medicamento; Transtorno bipolar e
  transtorno relacionado não especificado; Transtorno
  bipolar tipo II; Transtorno ciclotímico; Transtorno do
  humor não especificado
    características do, 139
    comorbidade e, 271, 392, 561
    diagnóstico diferencial de
      esquizofrenia, 120
      TDAH, 74
      transtorno da conduta, 536
      transtorno de ansiedade de separação, 221
      transtorno de compulsão alimentar, 395-396
      transtorno de oposição desafiante, 526
      transtorno delirante, 108
      transtorno disruptivo de desregulação do
        humor, 181
      transtorno dissociativo de identidade, 335
      transtorno esquizoafetivo, 125
      transtorno psicótico breve, 110
      transtornos da personalidade, 758
      transtornos depressivos, 191, 196, 200
    episódios depressivos e, 188
    especificadores para, 169-175
    piromania e, 539
    sobrediagnóstico em crianças, 177
    transtorno por uso de álcool e, 561
    uso de substância e, **545**
Transtorno bipolar induzido por substância/
  medicamento e transtorno relacionado, 149, 158,
  161-165, 196
Transtorno bipolar não especificado e transtorno
  relacionado, 169
Transtorno bipolar tipo I com características psicóticas,
  149
Transtorno bipolar tipo I. *Ver também* Transtorno bipolar
  e transtorno relacionado
    características diagnósticas e associadas do,
      143-146
    comorbidade e, 150
    consequências funcionais do, 148
    critérios diagnósticos para, 139-142
    desenvolvimento e curso do, 146-147
    diagnóstico diferencial de, 148-150, 158, 161, 753,
      912
    fatores de risco e prognóstico, 147
    pensamentos ou comportamentos suicidas, 148
    prevalência do, 146
    questões diagnósticas relativas à cultura, 147
    questões diagnósticas relativas ao sexo e ao gênero,
      147-148
    sintomas hipomaníacos e, 155
    transtorno bipolar tipo II e, 154, 156
Transtorno bipolar tipo II, 150-158, 161, 912. *Ver
  também* Transtorno bipolar e transtorno relacionado
Transtorno catatônico devido a outra condição induzida
  por medicamentos, 136-137
Transtorno ciclotímico, 157, 159-162, 196, 912
Transtorno comportamental do sono REM, 456, 460,
  461-464
Transtorno conversivo. *Ver* Transtorno de sintomas
  neurológicos funcionais
Transtorno da comunicação não especificado, 56
Transtorno da comunicação social, 35-36, 54-56, 66
Transtorno da conduta
    características diagnósticas e associadas do, 533
    comorbidade do, 537
    consequências funcionais do, 536
    critérios diagnósticos para, 530-532
    desenvolvimento e curso do, 534
    diagnóstico diferencial de, 536-537
      cleptomania, 540
      transtorno de ansiedade de separação, 221
      transtorno de oposição desafiante, 525
      transtorno de sadismo sexual, 794
      transtorno explosivo intermitente, 530
      transtorno frotteurista, 789
      transtorno por uso de álcool, 561
      transtorno voyeurista, 784
    encoprese e, 403
    especificadores para, 532-533
    fatores de risco e prognóstico, 534-535
    genética do, 535
    pensamentos ou comportamentos suicidas,
      535-536
    piromania e, 539
    prevalência de, 534
    questões diagnósticas relativas à cultura, 535
    questões diagnósticas relativas ao sexo e ao gênero,
      535
    subtipos de, 532
    TDAH e, 73, 75
    transtorno da personalidade antissocial e, 751
    transtorno neurocomportamental associado a
      exposição pré-natal ao álcool e, 922-923
    transtorno por uso de *Cannabis* e, 579
    transtorno por uso de estimulantes e, 637
    transtorno por uso de inalantes e, 605
    transtorno por uso de opioides e, 615
Transtorno da dor gênito-pélvica/penetração, 493-498
Transtorno da eliminação não especificado, 405
Transtorno da fala, 50-51
Transtorno de interação social desinibida, 295, 298-301
Transtorno da linguagem, 47-49, 50, 66, 526

Transtorno da personalidade – especificado pelo traço (TP-ET), 883, 892-893
Transtorno da personalidade antissocial
  características diagnósticas e associadas do, 750-752, 885
  classificação do, 537
  comorbidade e, 754
  critérios diagnósticos para, 750, 886-888
  definição de, 735
  desenvolvimento e curso do, 752
  diagnóstico diferencial de, 753-754
    cleptomania, 540
    outros transtornos da personalidade, 743, 758, 761-762, 765, 777
    piromania, 539
    transtorno do sadismo sexual, 794
    transtorno exibicionista, 787
    transtorno explosivo intermitente, 529
    transtorno frotteurista, 789
    transtorno pedofílico, 797
    transtorno por uso de álcool, 561
    transtorno por uso de sedativos, hipnóticos e ansiolíticos, 626
    transtorno voyeurista, 784
  especificadores para, 887-888
  fatores de risco e prognóstico para, 752
  prevalência de, 752
  questões diagnósticas relativas à cultura, 752-753
  questões diagnósticas relativas ao sexo e ao gênero, 753
  simulação e, 837
  TDAH e, 73
  transtorno da conduta e, 534
  transtorno exibicionista e, 787
  transtorno pedofílico e, 796
  transtorno por uso de álcool e, 560-561
  transtorno por uso de *Cannabis* e, 579
  transtorno por uso de estimulantes e, 637
  transtorno por uso de inalantes e, 605
Transtorno da personalidade *borderline*
  características diagnósticas e associadas do, 755-756, 885
  comorbidade e, 759
  critérios diagnósticos para, 754-755, 888-889
  definição de, 735
  desenvolvimento e curso do, 757
  diagnóstico diferencial de, 758-759
    outros transtornos da personalidade, 743, 749-750, 761, 765, 772-773
    transtorno ciclotímico, 161
    transtorno de ansiedade de separação, 221
    transtorno de autolesão não suicida, 924-925
    transtorno de compulsão alimentar, 392, 396
    transtorno dissociativo de identidade, 336
    transtorno explosivo intermitente, 519-530
    transtorno factício, 369
    transtornos bipolares, 150, 158
  fatores de risco e prognóstico, 757
  pensamentos ou comportamentos suicidas, 758
  prevalência do, 756-757
  questões diagnósticas relativas à cultura, 757
  questões diagnósticas relativas ao sexo e ao gênero, 757-758
  transtorno depressivo maior e, 189
  transtorno depressivo persistente e, 194
  transtorno do masoquismo sexual e, 792
Transtorno da personalidade dependente, 221, 735, 758-759, 761, 769-773
Transtorno da personalidade devido a outra condição médica, 735
Transtorno da personalidade dissocial, 750
Transtorno da personalidade esquizoide, 735, 743-746, 749, 777
Transtorno da personalidade esquizotípica
  características diagnósticas e associadas de, 747-748, 886
  classificação de, 104
  critérios diagnósticos para, 746-747, 891-892
  definição de, 735
  diagnóstico diferencial de, 67, 120, 749-750, 758, 766, 908
  fatores de risco e prognóstico, 748
  prevalência de, 748
  questões diagnósticas relativas à cultura, 748
Transtorno da personalidade evitativa, 234-235, 735, 743, 746, 749, 766-770, 773, 885, 887-889
Transtorno da personalidade histriônica, 735, 744, 754, 758-762, 765, 773
Transtorno da personalidade não especificado, 735-736, 780
Transtorno da personalidade narcisista, 735, 743, 749, 753-754, 762-766, 777, 885, 889-890
Transtorno da personalidade obsessivo-compulsiva, 271, 735, 746, 766, 773-777, 886, 890-891
Transtorno da personalidade paranoide, 735, 739-744, 749, 758, 766, 769
Transtorno de acumulação, 264, 270, 277-281, 776
Transtorno de ansiedade de doença
  características diagnósticas e associadas do, 357-358
  classificação e características do, 350
  comorbidade e, 360
  consequências funcionais do, 359
  critérios diagnósticos para, 357
  desenvolvimento e curso do, 358
  diagnóstico diferencial de, 359-360
    transtorno de ansiedade de separação, 221
    transtorno de ansiedade devido a outra condição médica, 260-261
    transtorno de ansiedade generalizada, 254
    transtorno de despersonalização/desrealização, 346
    transtorno de sintomas somáticos, 356
    transtorno dismórfico corporal, 278
    transtorno factício, 367
    transtorno obsessivo-compulsivo e transtornos relacionados, 293
  prevalência do, 358
  fatores de risco e prognóstico, 358-359

questões diagnósticas relativas à cultura, 359
Transtorno de ansiedade de separação, 215, 217-221, 228, 234, 241, 249, 254, 327, 758, 772
Transtorno de ansiedade devido a outra condição médica, 240-241, 245, 253, 258-261
Transtorno de ansiedade generalizada
  características diagnósticas e associadas do, 26, 216, 251
  comorbidade e, 159, 221, 254
  consequências funcionais do, 253
  critérios diagnósticos para, 250-251
  desenvolvimento e curso do, 252
  diagnóstico diferencial de, 149, 220, 234, 253-254, 355, 359
  fatores de risco e prognóstico, 252
  genética do, 252
  pensamentos ou comportamentos suicidas, 253
  prevalência do, 251-252
  questões diagnósticas relativas à cultura, 253
  questões diagnósticas relativas ao sexo e ao gênero, 253
Transtorno de ansiedade induzido por psilocibina, 257
Transtorno de ansiedade induzido por salbutamol, 257
Transtorno de ansiedade induzido por substância/medicamento, 216, 241, 245, 254-258, 260
Transtorno de ansiedade não especificado, 261
Transtorno de ansiedade social
  características diagnósticas e associadas do, 230-231
  características diagnósticas relacionadas à cultura, 232-233
  características do, 216
  comorbidade e, 159, 770
  conceitos culturais de sofrimento e, 881
  consequências funcionais do, 233
  critérios diagnósticos para, 229-230
  desenvolvimento e curso do, 231-232
  diagnóstico diferencial de, 233-235
    agorafobia, 249
    anorexia nervosa, 387
    fobia específica, 228
    mutismo seletivo, 224
    TOC, 254
    transtorno alimentar evitativo/restritivo, 379
    transtorno da comunicação social, 55
    transtorno da personalidade evitativa, 769
    transtorno de ansiedade de separação, 221
    transtorno de ansiedade generalizada, 254
    transtorno de oposição desafiante, 526
    transtorno de pânico, 241
    transtorno dismórfico corporal, 276
  ejaculação prematura e, 503
  especificadores para, 230
  fatores de risco e prognóstico, 232
  genética do, 232
  pensamentos ou comportamentos suicidas, 233
  prevalência de, 231
  questões diagnósticas relativas ao sexo e ao gênero, 233
Transtorno de apego reativo, 74, 293-298

Transtorno de Asperger, 36, 60
Transtorno de compulsão alimentar, 388, 392-396
Transtorno de déficit de atenção/hiperatividade (TDAH)
  características definidoras de, 36
  comorbidade e, 35, 75, 88, 98, 537, 922-923
  consequências funcionais do, 72-73
  critérios diagnósticos para, 68-70
  desenvolvimento e curso do, 71
  diagnóstico diferencial de, 73-75
    apneia e hipopneia obstrutivas do sono, 434
    esquizofrenia, 120
    narcolepsia, 428
    síndrome de psicose atenuada, 909
    TEPT, 312
    transtorno da comunicação social, 55
    transtorno da conduta, 536
    transtorno de hipersonolência, 421
    transtorno de interação social desinibida, 301
    transtorno de oposição desafiante, 526
    transtorno do desenvolvimento da coordenação, 88
    transtorno específico da aprendizagem, 85
    transtorno explosivo intermitente, 530
    transtornos depressivos, 182, 192
  diagnóstico e características associadas do, 70-71
  especificadores para, 37
  estrutura organizacional do DSM-5 e, 12
  fatores de risco e prognóstico, 71-72
  marcadores diagnósticos para, 72
  pensamentos ou comportamentos suicidas, 72
  questões diagnósticas relativas à cultura, 72
  questões diagnósticas relativas ao sexo e ao gênero, 19, 72
  transtorno da conduta e, 532
  transtorno disruptivo da regulação do humor e, 180
  transtorno do desenvolvimento da coordenação e, 88
  transtorno específico da aprendizagem e, 83
  transtorno neurocomportamental associado a exposição pré-natal ao álcool, 922-923
Transtorno de déficit de atenção/hiperatividade não especificado, 76
Transtorno de despersonalização/desrealização, 329, 335, 343-347
Transtorno de escoriação, 264, 271, 276, 284-287, 373, 925
Transtorno de estresse agudo, 250, 312-319, 321-322, 460, 678
Transtorno de estresse pós-traumático (TEPT)
  características diagnósticas e associadas do, 305-308
  comorbidade e, 313, 324, 327, 343, 356
  consequências funcionais do, 311-312
  critérios diagnósticos para, 301-304
  desenvolvimento e curso do, 308-309
  diagnóstico diferencial de, 312-13
    agorafobia, 250
    esquizofrenia, 120
    TDAH, 74
    transtorno bipolar tipo I, 149
    transtorno de ansiedade de separação, 220

transtorno de ansiedade generalizada, 254
transtorno de ansiedade social, 229
transtorno de estresse agudo, 318
transtorno de oposição desafiante, 526
transtorno dissociativo de identidade, 335
transtorno do luto prolongado, 327
transtorno do pesadelo, 460
transtorno erétil, 485
transtornos da personalidade, 739
transtornos de adaptação, 321-322
fatores de risco e prognóstico, 309-310
pensamentos ou comportamentos suicidas, 311
prevalência de, 308
questões diagnósticas relativas à cultura, 310-311
questões diagnósticas relativas ao sexo e ao gênero, 311
transtorno do pesadelo e, 459
transtorno explosivo intermitente e, 529
transtornos neurocognitivos e, 712-713
Transtorno de hipersonolência, 75, 417-421, 427
Transtorno de hipersonolência não especificado, 476
Transtorno de insônia crônica, 417
Transtorno de insônia de curta duração, 417
Transtorno de insônia não especificado, 416, 475
Transtorno de lesão não suicida, 922-923
Transtorno de luto complexo persistente, 905
Transtorno de masoquismo sexual, 781, 790-792, 800
Transtorno de oposição desafiante
　características de risco e prognóstico do, 524-525
　características diagnósticas e associadas do, 523-524
　comorbidade e, 75, 82, 526-527, 547, 922-923
　consequências funcionais do, 525
　critérios diagnósticos para, 522-523
　desenvolvimento e curso do, 524
　diagnóstico diferencial de, 73, 181-182, 221, 235, 525-526, 530, 536
　encoprese e, 403
　especificadores para, 523
　prevalência do, 524
　questões diagnósticas relativas à cultura, 525
　questões diagnósticas relativas ao sexo e ao gênero, 525
　transtorno da conduta e, 532, 534
　transtorno neurocomportamental associado a exposição pré-natal ao álcool e, 922-923
Transtorno de pânico
　características diagnósticas e associadas do, 236-237
　comorbidade e, 241-242
　consequências funcionais do, 240
　critérios diagnósticos para, 235-236
　descrição de, 216
　desenvolvimento e curso do, 238
　diagnóstico diferencial de, 240-241
　　agorafobia, 249
　　de estresse agudo, 318
　　TEPT, 312
　　transtorno bipolar tipo I, 149
　　transtorno de ansiedade de doença, 359
　　transtorno de ansiedade de separação, 229

transtorno de ansiedade generalizada, 254
transtorno de despersonalização/desrealização, 346
transtorno de sintomas neurológicos funcionais, 364
transtorno de sintomas somáticos, 355
transtorno do pesadelo, 460
fatores de risco e prognóstico, 238-239
marcadores diagnósticos de, 240
prevalência de, 237
questões diagnósticas relativas à cultura, 239
questões diagnósticas relativas ao sexo e ao gênero, 239-240
Transtorno de purgação, 396
Transtorno de referência olfativa, 276, 881
Transtorno de ruminação, 374-375
Transtorno de sadismo sexual, 781, 792-794
Transtorno de sintomas neurológicos funcionais, 239, 313, 356, 360-364, 369, 336, 428
Transtorno de sintomas somáticos
　características diagnósticas e associadas do, 351-352
　características do, 349
　comorbidade e, 356, 364
　conceitos culturais de sofrimento e, 880
　consequências funcionais do, 355
　critérios diagnósticos para, 351
　desenvolvimento e curso do, 353
　diagnóstico diferencial do, 254, 355-356, 359, 363-364, 366-367, 498
　fatores de risco e prognóstico, 353-354
　pensamentos ou comportamentos suicidas, 355
　prevalência do, 352-353
　questões diagnósticas relativas à cultura, 354
　questões diagnósticas relativas ao sexo e ao gênero, 354-355
Transtorno de sintomas somáticos e transtornos relacionados. *Ver também* Transtorno de ansiedade de doença; Transtorno de sintomas neurológicos funcionais; Transtorno de sintomas somáticos; Transtorno de sintomas somáticos e outro transtorno relacionado especificado; Transtorno de sintomas somáticos e transtorno relacionado não especificado; Transtorno factício
　classificação e características do, 349-351
　diagnóstico diferencial de, 369
Transtorno de sintomas somáticos não especificado e transtorno relacionado, 370
Transtorno de somatização, 350, 353
Transtorno de tique funcional, 97
Transtorno de tique motor ou vocal persistente (crônico), 93-98
Transtorno de tique não especificado, 93, 98
Transtorno de tique provisório, 93-98
Transtorno de Tourette, 37, 53, 93-98
Transtorno delirante, 104-108, 120, 191-192, 234, 276, 356, 881
Transtorno depressivo devido a doença cerebrovascular, 706-707

Índice

Transtorno depressivo devido a outra condição médica, 191, 196, 205, 206-209
Transtorno depressivo induzido por medicamento, 208
Transtorno depressivo induzido por substância/medicamento, 161, 191, 196, 201-206
Transtorno depressivo maior
  características diagnósticas e associadas do, 185-187
  características do, 177
  cleptomania e, 541
  comorbidade e, 192, 241, 250, 277, 396, 541
  consequências funcionais do, 190
  critérios diagnósticos para, 183-184
  desenvolvimento e curso do, 188-189
  diagnóstico diferencial de, 191-192
    anorexia nervosa, 386
    bulimia nervosa, 392
    disfunções sexuais, 484, 492, 501
    episódios depressivos com hipomania de curta duração e, 912
    esquizofrenia, 120
    narcolepsia, 428
    parkinsonismo induzido por medicamentos, 812
    TEPT e, 312
    TOC, 270
    transtorno de ansiedade de doença, 360
    transtorno de ansiedade social, 234
    transtorno de despersonalização/desrealização, 346
    transtorno de sintomas somáticos, 356
    transtorno depressivo persistente, 195-196
    transtorno disfórico pré-menstrual, 200
    transtorno dismórfico corporal, 276
    transtorno disruptivo da desregulação do humor, 182
    transtorno dissociativo de identidade, 335
    transtorno do luto prolongado, 327
    transtornos bipolares, 148, 157
    transtornos de adaptação, 321
    transtornos neurocognitivos, 689, 695-696, 706-707
  fatores de risco e prognóstico, 189
  pensamentos ou comportamentos suicidas, 190
  prevalência do, 187-188
  questões diagnósticas relativas à cultura, 189-190
  questões diagnósticas relativas ao sexo e ao gênero, 190
  transtorno da personalidade esquizoide e, 746
  transtorno de ansiedade social e, 235
  transtorno de insônia e, 415
Transtorno depressivo maior crônico, 194
Transtorno depressivo não especificado, 210
Transtorno depressivo persistente, 177, 191, 193-197, 200, 327, 766
Transtorno disfórico pré-menstrual, 159, 191, 197-200
Transtorno dismórfico corporal
  características diagnósticas e associadas do, 272-273
  comorbidade e, 235, 271, 277
  conceitos culturais de sofrimento e, 881
  consequências funcionais do, 275
  critérios diagnósticos para, 264, 271-272
  desenvolvimento e curso do, 274
  diagnóstico diferencial de, 275-277
    anorexia nervosa, 387
    disforia de gênero, 519
    esquizofrenia, 120
    TOC, 270
    transtorno de ansiedade de doença, 360
    transtorno de ansiedade social, 234
    transtorno de escoriação, 286
    transtorno de sintomas neurológicos funcionais, 364
    transtorno de sintomas somáticos, 256
    transtorno delirante, 108
    tricotilomania, 284
  fatores de risco e prognóstico, 274
  pensamentos ou comportamentos suicidas, 274-275
  prevalência do, 273
  questões diagnósticas relativas à cultura, 274
  questões diagnósticas relativas ao sexo e ao gênero, 274
Transtorno disruptivo da desregulação do humor, 74, 75, 149, 178-182, 191, 526, 529
Transtorno disruptivo, do controle de impulsos e da conduta não especificado, 541
Transtorno dissociativo de identidade, 330-337, 340-341
Transtorno dissociativo não especificado, 348
Transtorno distímico, 194
Transtorno do controle dos impulsos, 271
Transtorno do desejo sexual hipoativo, 490
Transtorno do desejo sexual hipoativo masculino, 498-501
Transtorno do desenvolvimento da coordenação, 85-88
Transtorno do desenvolvimento intelectual
  autolesão e, 90
  características diagnósticas e associadas do, 38-43
  características do, 35
  comorbidade e, 45-46, 373
  critérios diagnósticos do, 37-38
  desenvolvimento e curso, 43-44
  diagnóstico diferencial de, 45
    piromania, 539
    transtorno da comunicação social, 56
    transtorno da linguagem, 49
    transtorno de oposição desafiante, 526
    transtorno do desenvolvimento da coordenação, 88
    transtorno do espectro autista, 66
    transtorno exibicionista, 787
    transtorno frotteurista, 789
    transtorno voyeurista, 784
  fatores de risco e prognóstico, 44
  pensamentos ou comportamentos suicidas, 44
  prevalência do, 43
  questões diagnósticas relativas à cultura, 44
  questões diagnósticas relativas ao sexo e ao gênero, 44
Transtorno do desenvolvimento intelectual não especificado, 46
Transtorno do espectro autista
  características diagnósticas e associadas do, 60-62

características do, 36
comorbidade e, 35, 67-68, 235, 373, 520
consequências funcionais do, 65-66
critérios diagnósticos para, 56-57
desenvolvimento e curso do, 63-64
diagnóstico diferencial de, 66-67
   disforia de gênero, 519-529
   esquizofrenia, 120
   TDAH, 74
   transtorno alimentar evitativo/restritivo, 379
   transtorno da ansiedade social, 234
   transtorno da comunicação social, 55
   transtorno da personalidade esquizoide, 745
   transtorno da personalidade esquizotípica, 749
   transtorno de apego reativo, 297-298
   transtorno do desenvolvimento da coordenação, 88
   transtorno do desenvolvimento intelectual, 45
   transtorno do movimento estereotipado, 66-67, 91
   transtorno explosivo intermitente, 527
   transtornos depressivos, 182
especificadores para, 37
fatores de risco e prognóstico, 64
pensamentos e comportamentos suicidas, 65
prevalência do, 62-63
questões diagnósticas relativas à cultura, 65
questões diagnósticas relativas ao sexo e ao gênero, 65
Transtorno do espectro da esquizofrenia e outro transtorno psicótico não especificado, 138
Transtorno do espectro da esquizofrenia e outros transtornos psicóticos. *Ver também* Catatonia; Esquizofrenia; Transtorno delirante; Transtorno esquizoafetivo; Transtorno psicótico breve; Transtorno psicótico devido a outra condição médica; Transtorno psicótico induzido por substância/medicamento
   diagnóstico diferencial de, 229, 280, 380, 520
   principais características definidoras, 101-103
Transtorno do humor não especificado, 169, 210
Transtorno do jogo, 543, 661-665, 916
Transtorno do jogo pela internet, 663, 915-918
Transtorno do luto prolongado, 221, 295, 308, 322-327, 905
Transtorno do movimento agudo induzido por medicamento, 818
Transtorno do movimento estereotipado, 37, 66-67, 89-92, 284, 286, 925
Transtorno do movimento induzido por outro medicamento, 820
Transtorno do neurodesenvolvimento associado a exposição pré-natal ao álcool, 99
Transtorno do neurodesenvolvimento não especificado, 99
Transtorno do orgasmo feminino, 485-489
Transtorno do pesadelo, 421, 455, 457-461
Transtorno do sono induzido por substância/medicamento, 468-474
Transtorno do sono-vigília do ritmo circadiano, 416, 421, 443-451
Transtorno do sono-vigília não especificado, 476
Transtorno emocional de evitação alimentar, 377

Transtorno erétil, 481-485, 501
Transtorno específico da aprendizagem, 36, 45, 53, 76-85, 689
Transtorno específico do desenvolvimento da função motora, 86
Transtorno esquizoafetivo, 108, 120-125, 149, 158, 192, 271
Transtorno esquizofreniforme, 24, 108, 110-113, 120, 191
Transtorno exibicionista, 781, 785-787, 790
Transtorno explosivo intermitente, 73, 182, 526-530, 536
Transtorno factício. *Ver também* Simulação
   codificação de, 368
   critérios diagnósticos para, 367
   desenvolvimento e curso do, 369
   diagnóstico diferencial de, 369-370
      amnésia fingida e dissociativa, 342
      delirium, 678
      pica, 373
      transtorno alimentar evitativo/reativo, 380
      transtorno de sintomas neurológicos funcionais, 364
      transtorno de sintomas somáticos, 356
      transtorno dissociativo de identidade, 337
      transtorno psicótico breve, 111
      transtornos neurocognitivos, 711-712
   diagnóstico e características associadas do, 368
Transtorno fetichista, 781, 798-800, 802
Transtorno frotteurista, 781, 788-790
Transtorno maníaco-depressivo, 139
Transtorno mental devido a outra condição médica, 366
Transtorno mental devido a outra condição médica não especificado, 805-807
Transtorno mental primário, uso do termo no DSM-IV, 25
Transtorno não especificado, uso de, como opção diagnóstica, 21-23
Transtorno neurocognitivo frontotemporal. *Ver* Transtorno neurocognitivo frontotemporal maior ou leve
Transtorno neurocognitivo induzido por substância/medicamento, 556
Transtorno neurocognitivo leve. *Ver* Transtornos neurocognitivos leves; Transtornos neurocognitivos
Transtorno neurocognitivo maior ou leve, **682**, 695-700
Transtorno neurocognitivo maior ou leve com corpos de Lewy, **682**, 699-703, 706-707, 725-726
Transtorno neurocognitivo maior ou leve devido à doença de Alzheimer, **682**, 690-696, 726-727
Transtorno neurocognitivo maior ou leve devido à doença de Huntington, **682-683**, 726-730
Transtorno neurocognitivo maior ou leve devido à doença de Parkinson, **682**, 702-703, 723-727
Transtorno neurocognitivo maior ou leve devido à doença do príon, **682**, 721-724
Transtorno neurocognitivo maior ou leve devido à infecção por HIV, **682**, 717-722
Transtorno neurocognitivo maior ou leve devido a lesão cerebral traumática, **682**, 706-713

Transtorno neurocognitivo maior ou leve devido a múltiplas etiologias, **682-683**, 731-732
Transtorno neurocognitivo maior ou leve devido a outra condição médica, **682-683**, 730-731
Transtorno neurocognitivo maior ou leve induzido por substância/medicamento, **682**, 712-718
Transtorno neurocognitivo não especificado, **682-683**, 732-733
Transtorno neurocognitivo vascular maior ou leve, **682**, 702-707, 726-727
Transtorno neurocomportamental associado a exposição pré-natal ao álcool (ND-PAE), 918-923
Transtorno obsessivo-compulsivo (TOC)
    características diagnósticas e associadas do, 266-267
    comorbidade e, 271, 356, 387, 777
    consequências funcionais dos, 269-270
    critérios diagnósticos para, 265-266
    desenvolvimento e curso do, 267-268
    diagnóstico diferencial de, 270-271
        anorexia nervosa, 387
        esquizofrenia, 120
        fobia específica, 229
        TEPT, 312
        transtorno alimentar evitativo/restritivo, 380
        transtorno da personalidade obsessivo--compulsiva, 776
        transtorno de acumulação, 280-281
        transtorno de ansiedade de doença, 359-360
        transtorno de ansiedade generalizada, 254
        transtorno de ansiedade social, 235
        transtorno de despersonalização/desrealização, 346
        transtorno de estresse agudo, 318
        transtorno de sintomas somáticos, 356
        transtorno delirante, 107-108
        transtorno do espectro autista, 67
        transtorno do movimento estereotipado, 356
        transtorno pedofílico, 798
        transtornos de tique, 97
    especificadores para, 266
    fatores de risco e prognóstico, 268
    pensamentos ou comportamentos suicidas, 269
    prevalência de, 267
    questões diagnósticas relativas à cultura, 268
    questões diagnósticas relativas ao sexo e ao gênero, 268-269
    sonambulismo e, 457
    uso de substância e, **545**
Transtorno obsessivo-compulsivo devido a outra condição médica e transtorno relacionado, 291-293
Transtorno obsessivo-compulsivo induzido por substância/medicamento e transtorno relacionado, 264, 287-291, 293
Transtorno obsessivo-compulsivo não especificado e transtorno relacionado, 293-294
Transtorno parafílico não especificado, 803
Transtorno pedofílico, 781, 785, 794-798
Transtorno perceptivo persistente por alucinógenos, 598-600

Transtorno por uso de álcool. *Ver também* Álcool; Transtornos por uso de substâncias
    características diagnósticas e associadas do, 555-556
    cleptomania e, 541
    comorbidade e, 24, 387, 396, 541, 567
    critérios diagnósticos para, 553-554
    desenvolvimento e curso do, 556-557
    diagnóstico diferencial do, 560-561, 626
    discinesia tardia e, 615
    especificadores para, 555
    fatores de risco e prognóstico, 557-558
    intoxicação por sedativos, hipnóticos e ansiolíticos e, 629
    lesão cerebral traumática e, 710-711
    pensamentos ou comportamentos suicidas, 556, 559-560, 562-563
    piromania e, 538
    prevalência do, 556
    questões diagnósticas relativas à cultura, 558
    questões diagnósticas relativas ao sexo e ao gênero, 558
    testes laboratoriais para, 558-559
    transtorno bipolar tipo I e, 148
    transtorno exibicionista e, 787
    transtornos neurocognitivos e, 717-718
Transtorno por uso de alprazolam, 547
Transtorno por uso de cafeína, 912-915. *Ver também* Cafeína
Transtorno por uso de *Cannabis*, 128, 575-581. *Ver também* Abuso de substâncias; *Cannabis*
Transtorno por uso de cocaína, 128, 636. *Ver também* Abuso de substância; Cocaína; Transtorno por uso de estimulantes
Transtorno por uso de esteroides anabolizantes, 547, 550
Transtorno por uso de fenciclidina, 587-590
Transtorno por uso de inalantes, 601-605, 717-718
Transtorno por uso de metanfetamina, 547, 550
Transtorno por uso de opioides, 608-615. *Ver também* Opioide(s)
Transtorno por uso de outra substância (ou substância desconhecida), 547, 652-656
Transtorno por uso de outro alucinógeno, 590-594
Transtorno por uso de sedativos, hipnóticos ou ansiolíticos, 561, 620-626
Transtorno por uso de substância desconhecida grave, 547
Transtorno por uso de tabaco. *Ver também* Tabaco
    características diagnósticas e associadas de, 646-647
    comorbidade e, 649
    consequências funcionais de, 649
    critérios diagnósticos para, 645-646
    desenvolvimento e curso de, 647-648
    especificadores para, 646
    fatores de risco e prognóstico, 648
    marcadores diagnósticos para, 648
    pensamentos ou comportamentos suicidas, 649
    prevalência de, 647

questões diagnósticas relativas à cultura, 648
questões diagnósticas relativas ao sexo e ao gênero, 648
transtorno do jogo e, 665
transtorno por uso de cafeína e, 914
transtorno por uso de *Cannabis* e, 582
Transtorno psicótico breve, 108-111, 113, 120, 908
Transtorno psicótico devido a outra condição médica, 108, 125, 131-134
Transtorno psicótico induzido por fenciclidina, 128, 129
Transtorno psicótico induzido por substância/medicamento, 108, 121, 126-131, 134, 584, 909
Transtorno relacionado a alucinógeno não especificado, 601
Transtorno relacionado à cafeína não especificado, 574
Transtorno relacionado a *Cannabis* não especificado, 586
Transtorno relacionado a estimulantes não especificado, 644
Transtorno relacionado à fenciclidina não especificado, 600
Transtorno relacionado a inalantes não especificado, 608
Transtorno relacionado a opioides não especificado, 619
Transtorno relacionado a outra substância (ou substância desconhecida) não especificado, 660-661
Transtorno relacionado a sedativos, hipnóticos ou ansiolíticos não especificado, 632
Transtorno relacionado a trauma e a estressores não especificado, 328
Transtorno relacionado ao álcool não especificado, 568
Transtorno relacionado ao tabaco não especificado, 651
Transtorno somatoforme indiferenciado, 353
Transtorno transvéstico, 781, 800-802
Transtorno voyeurista, 781-785, 790
Transtorno(s) de ansiedade. *Ver também* Agorafobia; Fobia específica; Mutismo seletivo; Transtorno de ansiedade de separação; Transtorno de ansiedade generalizada; Transtorno de ansiedade induzido por substância/medicamento; Transtorno de ansiedade social; Transtorno de pânico
    ataques de pânico e, 241
    características compartilhadas do, 215-216
    comorbidade de, 159, 250, 271, 347, 364, 387, 392, 770, 773
    diagnóstico diferencial de
        abstinência de sedativos, hipnóticos ou ansiolíticos, 631
        síndrome de descontinuação de antidepressivo, 821
        TDAH, 74
        TEPT, 312
        TOC, 270
        transtorno alimentar evitativo/restritivo, 379
        transtorno de ansiedade de doença, 359
        transtorno de ansiedade devido a outra condição médica, 260
        transtorno de ansiedade induzido por substância/medicamento, 258
        transtorno dismórfico corporal, 276
        transtorno por uso de cafeína, 915
        transtornos bipolares, 149

    transtornos da personalidade, 739
    transtornos depressivos, 182
    transtorno do espectro autista e sintomas associados ao, 67
    uso de substâncias e, **545**
Transtorno(s) depressivo(s). *Ver também* Depressão; Episódios depressivos maiores; Outro transtorno depressivo especificado; Transtorno depressivo devido a doença cerebrovascular; Transtorno depressivo devido a outra condição médica; Transtorno depressivo induzido por substância/medicamento; Transtorno depressivo maior; Transtorno depressivo não especificado; Transtorno depressivo persistente; Transtorno disfórico pré-menstrual; Transtorno disruptivo de desregulação do humor
    características comuns dos, 177
    comorbidade e, 250, 271, 343, 347, 356, 364, 392, 615, 770, 773
    diagnóstico diferencial de
        TDAH, 74
        transtorno da conduta, 536
        transtorno de ansiedade de separação, 221
        transtorno de apego reativo, 298
        transtorno de compulsão alimentar, 395-396
        transtorno de oposição desafiante, 526
        transtorno delirante, 108
        transtorno do luto prolongado, 327
        transtorno esquizoafetivo, 125
        transtorno neurocognitivo maior ou leve devido à doença de Huntington, 730
        transtorno psicótico breve, 110
        transtornos da personalidade, 739, 758
    especificadores para, 210-214
    piromania e, 539
    transtorno por uso de opioides e, 615
    uso de substância e, **545**
Transtorno(s) mental(ais). *Ver também transtornos específicos*
    definição de, 13-14, 29
    reagrupamento na revisão do DSM-5, 11-12
Transtorno(s) neurocognitivo(s) maior(es) ou leve(s). *Ver também* Transtorno neurocognitivo vascular maior ou leve; Transtorno neurocognitivo maior ou leve induzido por substância/medicamento; Transtornos neurocognitivos
    características diagnósticas e associadas do, 685-686
    codificação do, **682-683**
    comorbidade e, 689-691
    consequências funcionais do, 689
    critérios diagnósticos para, 679-680
    desenvolvimento e curso do, 587
    diagnóstico diferencial de, 108, 539, 541, 689, 784, 787, 789
    especificadores para, 684-685
    marcadores diagnósticos para, 688-689
    pensamentos ou comportamentos suicidas, 689
    prevalência do, 686-687
    questões diagnósticas relativas à cultura, 687-688

questões diagnósticas relativas ao sexo e ao gênero, 688
subtipos de, 654, 687
Transtorno(s) psicótico(s). *Ver também* Transtorno do espectro da esquizofrenia e outros transtornos psicóticos
   diagnóstico diferencial de
      delirium, 677-678
      mutismo seletivo, 224
      TDAH, 75
      TEPT, 313
      TOC, 270
      transtorno alimentar evitativo/restritivo, 380
      transtorno de ansiedade de doença, 360
      transtorno de ansiedade de separação, 221
      transtorno de despersonalização/desrealização, 346
      transtorno de estresse agudo, 318
      transtorno depressivo maior, 191-192
      transtorno depressivo persistente, 196
      transtorno dismórfico corporal, 276
      transtorno dissociativo de identidade, 335-336
      transtorno do desenvolvimento da coordenação, 85
      transtorno do luto prolongado, 327
      transtorno psicótico devido a outra condição médica, 134
      transtornos da personalidade, 739, 745, 749
      tricotilomania, 284
   heterogeneidade dos, e avaliação pelo clínico, 104
   síndrome de psicose atenuada e, 906
   sintomas catatônicos de, 137
   transtorno da personalidade paranoide e, 741
   transtorno por uso de estimulantes e, 636
   uso de *Cannabis* e, 582
   uso de substância e, **545**
Transtornos alimentares, características dos, 371. *Ver também* Anorexia nervosa; Bulimia nervosa; Pica; Transtorno alimentar evitativo/restritivo; Transtorno de compulsão alimentar; Transtorno de ruminação
Transtornos da algolagnia, 781
Transtornos da alimentação. *Ver* Transtornos alimentares; Comportamento alimentar relacionado ao sono
Transtornos da comunicação, 35-36, 45, 120, 222, 223-224, 749. *Ver também* Transtorno da comunicação não especificado; Transtorno da fala; Transtorno da fluência com início na infância
Transtornos da eliminação, definição de, 399. *Ver também* Encoprese; Enurese
Transtornos da personalidade. *Ver também* Outro transtorno da personalidade especificado; Traços de personalidade; Transtorno da personalidade antissocial; Transtorno da personalidade *borderline*; Transtorno da personalidade dependente; Transtorno da personalidade esquizoide; Transtorno da personalidade esquizotípica; Transtorno da personalidade evitativa; Transtorno da personalidade histriônica; Transtorno da personalidade não especificado; Transtorno da personalidade narcisista; Transtorno da personalidade obsessivo-compulsiva; Transtorno da personalidade paranoide
   características diagnósticas dos, 737
   comorbidade e, 197, 343, 347, 364
   critérios diagnósticos para, 736-737, 883-885
   definição de, 735
   desenvolvimento e curso, 737-738
   diagnóstico diferencial de, 738-739
      bulimia nervosa, 392
      pica, 373
      TDAH, 75
      TEPT, 312
      transtorno de ansiedade de separação, 221, 234-235
      transtorno dissociativo de identidade, 336
      transtorno do espectro autista, 67
      transtorno do jogo, 665
      transtorno psicótico breve, 111
      transtornos bipolares, 150, 158
      transtornos de adaptação, 322
   grupos e classificação dos, 736
   modelo alternativo para, no DSM-5, 883-885, 893, 895, 896
   modelos dimensionais para, 736
   questões diagnósticas relativas à cultura, 738
   questões diagnósticas relativas ao sexo e ao gênero, 738
Transtornos da personalidade do Grupo A, 736. *Ver também* Transtorno da personalidade esquizoide; Transtorno da personalidade esquizotípica; Transtorno da personalidade paranoide
Transtornos da personalidade do Grupo B, 736. *Ver também* Transtorno da personalidade antissocial; Transtorno da personalidade *borderline*; Transtorno da personalidade histriônica; Transtorno da personalidade narcisista
Transtornos da personalidade do Grupo C, 736. *Ver também* Transtorno da personalidade dependente; Transtorno da personalidade evitativa; Transtorno da personalidade obsessivo-compulsiva
Transtornos de adaptação, e diagnóstico diferencial de sintomas psicológicos ou comportamentais anormais
   em resposta a condição médica, 365-366
   de TEPT, 312
   de transtorno da conduta, 537
   de transtorno de ansiedade de doença, 359
   de transtorno de ansiedade devido a outra condição médica, 261
   de transtorno de ansiedade generalizada, 254
   de transtorno de oposição desafiante, 525-526
   de transtorno depressivo devido a outra condição médica, 208-209
   de transtorno explosivo intermitente, 526
Transtornos de comportamentos repetitivos focado no corpo, 97
Transtornos de tique. *Ver* Transtorno de Tourette
   características diagnósticas dos, 93-95
   características dos, 37
   comorbidade e, 97-98, 271

consequências funcionais dos, 96-97
critérios diagnósticos para, 93
desenvolvimento e curso dos, 95
diagnóstico diferencial de, 91-92, 97, 270
especificador relacionado ao tique para TOC e, 264
fatores de risco e prognóstico, 95-96
prevalência de, 95
questões diagnósticas relativas à cultura, 96
questões diagnósticas relativas ao sexo e ao gênero, 96
TOC e, 266
Transtornos disruptivos, do controle de impulsos e da conduta, características dos, 521-522. *Ver também* Cleptomania; Outro transtorno disruptivo, do controle de impulsos e da conduta especificado; Piromania; Transtorno da conduta; Transtorno da personalidade antissocial; Transtorno de oposição desafiante; Transtorno disruptivo, do controle de impulsos e da conduta não especificado; Transtorno explosivo intermitente
Transtornos dissociativos. *Ver também* Amnésia dissociativa; Outro transtorno dissociativo especificado; Sintomas dissociativos; Transtorno de despersonalização/desrealização; Transtorno dissociativo de identidade; Transtorno dissociativo não especificado
  características dos, 329-330
  diagnóstico diferencial dos, 313, 318, 346, 364
  relacionados ao sono, 460
Transtornos do desenvolvimento intelectual, 46
Transtornos do espectro alcoólico pré-natal (FASD), 921
Transtornos do humor, e discinesia tardia, 817. *Ver também* Transtorno do humor não especificado
Transtornos do movimento. *Ver* Transtornos do movimento induzidos por medicamentos
Transtornos do movimento induzidos por medicamentos, e antipsicóticos ou outros agentes bloqueadores dos receptores da dopamina, 809. *Ver também* Acatisia tardia; Discinesia tardia; Distonia tardia; Síndrome de descontinuação de antidepressivos; Síndrome neuroléptica maligna
Transtornos do namoro, 781
Transtornos do neurodesenvolvimento. *Ver também* Outros transtornos do neurodesenvolvimento; Transtorno de déficit de atenção/hiperatividade; Transtorno do espectro autista; Transtorno específico da aprendizagem; Transtornos da comunicação; Transtornos do desenvolvimento intelectual; Transtornos motores
  características dos, 35-37
  diagnóstico diferencial de, 73, 85, 167, 224, 280, 286, 689, 749
Transtornos do sono relacionados à respiração, 416, 420-421, 456. *Ver também* Apneia central do sono; Apneia e hipopneia obstrutivas do sono; Hipoventilação relacionada ao sono
Transtornos do sono-vigília. *Ver também* Narcolepsia; Síndrome das pernas inquietas; Transtorno comportamental do sono REM; Transtorno de hipersonolência; Transtorno de insônia; Transtorno do pesadelo; Transtorno do sono induzido por substância/medicamento; Transtornos de despertar do sono não REM; Transtornos do sono relacionados à respiração; Transtornos do sono-vigília do ritmo circadiano
  abordagens para classificação dos, 407
  associação com pensamentos ou comportamentos suicidas, 409
  comorbidade e, 408
  diagnóstico diferencial de, 408, 445, 474
  induzidos por cafeína, 574
  principais conceitos e termos, 408-409
  TDAH e, 75
  transtornos neurocognitivos e, 702-703, 712-713
  uso de substância e, **545**
Transtornos do sono-vigília do ritmo circadiano, tipo sono-vigília irregular, 447-448
Transtornos induzidos por medicamento, tipos de condições e informações incluídos no texto sobre, 27
Transtornos induzidos por substância. *Ver* Abstinência de substância; Abuso de substância; Intoxicação por substância; Transtornos mentais induzidos por substância/medicamento; Transtornos por uso de substâncias
Transtornos mentais induzidos por álcool, 560-561, 564, 567-568, 716-717
Transtornos mentais induzidos por alucinógenos, 594, 598, 600
Transtornos mentais induzidos por cafeína, 571, 574
Transtornos mentais induzidos por *Cannabis*, 581, 584, 586
Transtornos mentais induzidos por estimulantes, 639-640, 642, 644
Transtornos mentais induzidos por fenciclidina, 590, 596, 600
Transtornos mentais induzidos por inalantes, 605, 607-608, 715-716
Transtornos mentais induzidos por opioides, 614, 617, 619
Transtornos mentais induzidos por outra substância (ou substância desconhecida), 655-656, 660
Transtornos mentais induzidos por sedativos, hipnóticos ou ansiolíticos, 625-626, 628, 631-632, 716-717. *Ver também* Transtorno relacionado a sedativos, hipnóticos ou ansiolíticos não especificado
Transtornos mentais induzidos por substância/medicamento, 25, 287, 336, 346-347, 544, 548, 550-553
Transtornos mentais induzidos por tabaco, 651
Transtornos metabólicos, 132, 391
Transtornos neurocognitivos (TNCs). *Ver também* Delirium; Doença de Alzheimer; Transtorno(s) neurocognitivo(s) maior(es) ou leve(s). Transtorno neurocognitivo maior ou leve induzido por substância/medicamento; Transtorno neurocognitivo não especificado
  características dos, 667
  diagnóstico diferencial de
    outros transtornos neurocognitivos, 678, 604, 698-699, 706-707, 726-727, 730-731

TDAH, 75
TEPT, 313
transtorno de acumulação, 281
transtorno de estresse agudo, 319
transtorno específico da aprendizagem, 85
domínios cognitivos, 668, **669-671**
intoxicação por sedativos, hipnóticos ou ansiolíticos e, 628
memória e, 342-343
transtorno comportamental do sono REM e, 462, 464
uso de substância e, **545**
uso do termo, 667
Transtornos neurológicos. *Ver também* Transtorno de sintomas neurológicos funcionais
    acatisia aguda induzida por medicamento e, 816
    diagnóstico diferencial de, 49, 84-85, 92, 363, 658, 813
    discinesia tardia e, 817
    transtorno de ansiedade devido a outra condição médica e, 259
Transtornos neuromusculares, 88, 441
Transtornos neuropsiquiátricos autoimunes pediátricos associados a infecções estreptocócicas (PANDAS), 292, 428
Transtornos obsessivo-compulsivos e transtornos relacionados. *Ver também* Transtorno de acumulação; Transtorno de escoriação; Transtorno dismórfico corporal; Transtorno obsessivo-compulsivo; Transtorno obsessivo-compulsivo e outro transtorno relacionado; Transtorno obsessivo-compulsivo e transtorno relacionado não especificado; Transtorno obsessivo-compulsivo induzido por substância/medicamento; Tricotilomania
    características dos, 263-265
    diagnóstico diferencial dos, 270, 284, 286, 290, 379
Transtornos parafílicos. *Ver também* Transtorno do masoquismo sexual; Transtorno do sadismo sexual; Transtorno exibicionista; Transtorno fetichista; Transtorno frotteurista; Transtorno transvéstico; Transtorno voyeurista
    características dos, 781-782
    comorbidade dos, 785
    diagnóstico diferencial de, 797, 800
Transtornos por uso de substâncias. *Ver também* Abuso de substância
    características diagnósticas de, 544, **545**, 546-547
    comorbidade e, 159, 250, 271, 392, 581
    diagnóstico diferencial de
        anorexia nervosa, 386
        fatores psicológicos que afetam outras condições médicas e, 366
        jogo pela internet e, 916
        lesão cerebral traumática e, 710-711
        piromania e, 539
        TDAH, 74-75
        transtorno de hipersonolência e, 421
        transtorno de oposição desafiante e, 526-527
        transtorno explosivo intermitente e, 530
        transtorno por uso de fenciclidina, 590
        transtorno por uso de outra substância e, 655
        transtorno psicótico breve, 110
        transtornos da personalidade, 739, 741, 746, 749, 753, 759, 762, 766, 769, 773, 777, 779
        transtornos mentais induzidos por substância/medicamento diferenciados de, 550
        transtornos neurocognitivos e, 712-713, 717-718
Transtornos relacionados a alucinógenos. *Ver* Alucinógeno(s); Intoxicação por fenciclidina; Intoxicação por outro alucinógeno; Transtornos mentais induzidos por alucinógenos; Transtornos mentais induzidos por fenciclidina; Transtorno por uso de fenciclidina; Transtorno perceptivo persistente por alucinógenos; Transtorno por uso de outro alucinógeno; Transtorno relacionado a alucinógeno não especificado; Transtorno relacionado a fenciclidina não especificado
Transtornos relacionados a *Cannabis*. *Ver* Abstinência de *Cannabis*; *Cannabis*; Intoxicação por *Cannabis*; Transtornos mentais induzidos por *Cannabis*; Transtorno relacionado a *Cannabis* não especificado
Transtornos relacionados a estimulantes, 632-640, 915. *Ver também* Estimulantes(s); Transtornos mentais induzidos por estimulantes; Transtorno relacionado a estimulantes não especificado
Transtornos relacionados a inalantes. *Ver* Intoxicação por inalantes; Transtornos mentais induzidos por inalantes; Transtorno por uso de inalantes; Transtorno relacionado a inalantes não especificado
Transtornos relacionados a opioides. *Ver* Abstinência de opioides; Intoxicação por opioides; Opioide(s); Transtornos mentais induzidos por opioides; Transtorno por uso de opioides; Transtorno relacionado a opioides não especificado
Transtornos relacionados a substâncias. *Ver também* Transtorno por uso de cocaína; Transtorno relacionado ao tabaco; Transtornos induzidos por substância; Transtornos não relacionados a substância; Transtornos por uso de substâncias; Transtornos relacionados a alucinógenos; Transtornos relacionados à cafeína; Transtornos relacionados a *Cannabis*; Transtornos relacionados a estimulantes; Transtornos relacionados a inalantes; Transtornos relacionados a opioides; Transtornos relacionados a outra substância (ou substância desconhecida); Transtornos relacionados a sedativos, hipnóticos ou ansiolíticos; Transtornos relacionados ao álcool
Transtornos relacionados a trauma e a estressores, 229, 295. *Ver também* Transtornos de adaptação; Transtorno de apego reativo; Transtorno de estresse agudo; Transtorno de estresse pós-traumático; Transtorno de interação social desinibida; Transtorno do luto prolongado
Transtornos relacionados ao tabaco. *Ver* Abstinência de tabaco; Transtorno por uso de tabaco; Transtorno relacionado ao tabaco não especificado; Transtornos mentais induzidos por tabaco

Transtornos somatoformes, 349
Transvestismo, 517, 519
Tratamento estético, e transtorno dismórfico corporal, 273
Tratamentos de afirmação de gênero, 511, 518
Tratamentos hormonais, e transtorno disfórico pré-menstrual, 200. *Ver também* Estrogênio; Testosterona
Trauma cerebral, e narcolepsia, 423, 426. *Ver também* Lesão cerebral traumática
Trauma, e eventos traumáticos. *Ver também* Experiências adversas na infância; Transtorno de estresse pós-traumático
    fobia específica e, 226
    pesadelos e, 458
    transtorno de sintomas neurológicos funcionais e, 362
    transtornos dissociativos e, 329, 340
Tremor essencial, e abstinência de sedativos, hipnóticos ou ansiolíticos, 631
Tremor postural induzido por medicamento, 819
Tremor, e parkinsonismo induzido por medicamento, 810, 811. *Ver também* Tremor postural induzido por medicamento
Tricobezoares, 283
Tricotilomania, 264, 270-271, 276, 282-284, 373, 925
Tristeza, e transtorno depressivo maior, 185
Trúng gió, 239, 244
Tuberculose, 613-614
Tumores cerebrais, 110
Turquia, prevalência de transtornos de adaptação na, 321
    ejaculação prematura na, 503
    transtorno de sintomas neurológicos funcionais na, 363
    transtorno disruptivo de desregulação do humor na, 179
    transtornos da eliminação na, 400, 404

Ultrassonografia com Doppler, 484

Vaginismo, e transtorno da dor gênito-pélvica/penetração, 494-495
Validadores biológicos, e classificação do DSM-5 de transtornos do sono-vigília, 407
Vaporização, e transtorno por uso de *Cannabis*, 577
Variante comportamental, do transtorno neurocognitivo frontotemporal maior ou leve, 696-697, 698-699
Variante da linguagem, do transtorno neurocognitivo frontotemporal maior ou leve, 696-698
Varreduras dos transportadores de dopamina, e transtornos neurocognitivos, 725-726

Vata, 878
Venlafaxina, 820
Veteranos. *Ver também* Preparação militar
    prevalência de TEPT em, 308
    transtorno neurocognitivo maior ou leve devido a lesão cerebral traumática em, 711-712
    transtorno por uso de *Cannabis* e, 580
    transtorno por uso de opioides em, 612-613
Veterans Health Administration, 580, 613, 649
Vias de administração, para substâncias de abuso, 540
Viés, afeto do, no processo da avaliação diagnóstica, 16-17, 688, 863-864. *Ver* Diferenças culturais; Discriminação; Opressão; Racismo
Vietnã, transtorno de pânico no, 239, 244
Violência. *Ver também* Comportamento criminal; Violência doméstica
    conteúdo das obsessões e compulsões, 268
    sonambulismo e, 454
    TEPT e, 305, 311
    transtorno da conduta e, 533-534
    transtorno do luto prolongado e, 326
    transtorno neurocomportamental associado a exposição pré-natal ao álcool e, 922-923
    transtorno por uso de estimulante e, 635
    transtorno por uso de fenciclidina e, 589
    transtorno por uso de opioides e, 612
    transtornos relacionados ao álcool e, 560, 562
Violência doméstica. *Ver também* Abuso físico; Violência
    codificação de, 827-830
    transtorno disfórico pré-menstrual e, 199
    transtorno dissociativo de identidade e, 334
    transtorno do interesse/excitação sexual feminino e, 493
    transtorno específico da aprendizagem e, 84
    transtorno por uso de estimulantes e, 637
Visual Analogue Scales for Premenstrual Mood Symptoms, 199
Vitimização, e disforia de gênero, 519
Vocabulário, e transtorno da linguagem, 47-48
Volume corpuscular médio (VCM), 559
Vômito, e bulimia nervosa, 389, 391
Vulnerabilidade, características culturais da, 863
Vulvodinia, e transtorno da dor gênito-pélvica/penetração, 495

WHODAS (Escala de Avaliação de Incapacidade da OMS), 16, 844, 856, **858-859**
World Health Assembly (2019), 13
World Mental Health Surveys, 237, 308
World Psychiatric Association, 6

Zimbabwe, e conceitos culturais de sofrimento, 878
Zolpidem, 472